VERZAMELING NEDERLANDSE WETGEVING
DEEL 3

VERMANDE VERZAMELING NEDERLANDSE WETGEVING

DEEL 3

onder redactie van:
prof. mr E. A. Alkema (Rijksuniversiteit Leiden)
prof. mr J. M. van Dunné (Erasmus Universiteit Rotterdam)
prof. mr C. Flinterman (Rijksuniversiteit Limburg)
prof. mr M. S. Groenhuijsen (Katholieke Universiteit Brabant)
prof. mr J. M. Reijntjes (Open Universiteit Heerlen)
prof. mr B. Wessels (Vrije Universiteit Amsterdam)

met medewerking van:
mr M. Baurdoux
mw. M. Draaijer
mr A. W. Jongbloed
mr A. Kramer
mr S. IJ. Th. Meijer
mr drs. W J. van der Nat-Verhage
dhr. J. G. Rietkerk
prof. mr C.A. Schwarz
mr H. A. G. Splinter-van Kan
mr C. Waaldijk

Koninklijke Vermande b.v. — Lelystad

Bijgewerkt tot 1 juni 1995

De uitgever is zich ervan bewust dat, ondanks de zorg die samenstellers en uitgever besteden aan de samenstelling van de uitgave, onvolkomenheden kunnen ontstaan. Hiervoor kunnen de uitgever en de samenstellers helaas geen enkele aansprakelijkheid aanvaarden.
Voor suggesties aangaande verbetering van de uitgave houdt de uitgever zich aanbevolen.

CIP-GEGEVENS KONINKLIJKE BIBLIOTHEEK, DEN HAAG

Verzameling

Verzameling Nederlandse wetgeving / onder red. van:
J. M. van Dunné ... [et al.] - Lelystad: Vermande
Met reg.
ISBN 90-5458-220-0 (dl. 1 t/m 5)
SISO 392.2 UDC 34(492)(094) NUGI 691
Trefw.: wetten; Nederland.

Vormgeving: C. Koevoets

5 delen ISBN 90 5458 220 0

Algemene inhoudsopgave

DEEL 1

Blz.

Blz.

BESTUURSPROCESRECHT

DEEL 2

VERDRAGEN

DEEL 3

MATERIEEL BURGERLIJK RECHT

DEEL 4

DEEL 5

TOEKOMSTIGE WETGEVING

Alfabetische inhoudsopgave

MATERIEEL BURGERLIJK RECHT

BURGERLIJK WETBOEK

Inhoudsopgave

BOEK 1. PERSONEN- EN FAMILIERECHT

BOEK 2. RECHTSPERSONEN

BOEK 3. VERMOGENSRECHT IN HET ALGEMEEN

BOEK 4. ERFRECHT

BOEK 8. VERKEERSMIDDELEN EN VERVOER

BOEK 1
PERSONEN- EN FAMILIERECHT

TITEL 1
Algemene bepalingen

Vrijheid van genot burgerlijke rechten

Art. 1. 1. Allen die zich in Nederland bevinden, zijn vrij en bevoegd tot het genot van de burgerlijke rechten.

2. Persoonlijke dienstbaarheden, van welke aard of onder welke benaming ook, worden niet geduld.

Ongeboren vrucht

Art. 2. Het kind waarvan een vrouw zwanger is wordt als reeds geboren aangemerkt, zo dikwijls zijn belang dit vordert. Komt het dood ter wereld, dan wordt het geacht nooit te hebben bestaan.

Bloed- en aanverwantschap

Art. 3. 1. De graad van bloedverwantschap wordt bepaald door het getal der geboorten, die de bloedverwantschap hebben veroorzaakt. Hierbij telt een erkenning, een wettiging of een adoptie als een geboorte.

2. Door huwelijk ontstaat tussen de ene echtgenoot en een bloedverwant van de andere echtgenoot aanverwantschap in dezelfde graad als er bloedverwantschap bestaat tussen de andere echtgenoot en diens bloedverwant.

3. Door ontbinding van het huwelijk wordt de aanverwantschap niet opgeheven.

TITEL 2
Het recht op de naam

Verkrijging voornamen

Art. 4. 1. Een ieder heeft de voornamen die hem in zijn geboorteakte zijn gegeven.

2. De ambtenaar van de burgerlijke stand weigert in de geboorteakte voornamen op te nemen die ongepast zijn, of overeenstemmen met bestaande geslachtsnamen tenzij deze tevens gebruikelijke voornamen zijn.

3. Geeft de aangever geen voornamen op, of worden deze alle geweigerd zonder dat de aangever ze door een of meer andere vervangt, dan geeft de ambtenaar ambtshalve het kind een of meer voornamen, en vermeldt hij uitdrukkelijk in de akte dat die voornamen ambtshalve zijn gegeven.

Wijziging voornamen

4. Wijziging van de voornamen kan op verzoek van de betrokken persoon of zijn wettelijke vertegenwoordiger worden gelast door de rechtbank. De wijziging geschiedt doordat van de beschikking een latere vermelding aan de akte van geboorte wordt toegevoegd, overeenkomstig artikel 20a, eerste lid. In geval van wijziging van de voornamen van een buiten Nederland geboren persoon geeft de rechtbank die de beschikking geeft, voor zoveel nodig ambtshalve hetzij een last tot inschrijving van de akte van geboorte dan wel van de akte of de uitspraak, bedoeld in artikel 25g, eerste lid, hetzij de in artikel 25c bedoelde beschikking.

Verkrijging geslachtsnaam

Art. 5. 1. De geslachtsnaam van een wettig, gewettigd of geadopteerd kind is die van zijn vader.

2. De geslachtsnaam van een onwettig kind is die van de vader, wanneer deze het kind heeft erkend, en anders die van de moeder.

3. Is de moeder onbekend, dan neemt de ambtenaar van de burgerlijke stand in de geboorteakte een voorlopige voornaam en geslachtsnaam op, in afwachting van de beslissing des Konings waarbij de voornamen en de geslachtsnaam van het kind worden vastgesteld.

Bewijs van geslachtsnaam

Art. 6. De geslachtsnaam wordt ten aanzien van een ieder dwingend bewezen door de akte van geboorte.

Wijziging geslachtsnaam

Art. 7. 1. De geslachtsnaam van een persoon kan op zijn verzoek, of op verzoek van zijn wettelijke vertegenwoordiger, door de Koning worden gewijzigd.

Vaststelling namen door de Koning

2. Hij wiens geslachtsnaam of voornamen niet bekend zijn, kan de Koning verzoeken voor hem een geslachtsnaam of voornamen vast te stellen.

3. Een wijziging of vaststelling van de geslachtsnaam door de Koning heeft geen invloed op de geslachtsnaam van de kinderen van de betrokken persoon die voor de datum van het besluit meerderjarig zijn geworden of die niet onder zijn gezag staan.

4. Een wijziging of vaststelling van de geslachtsnaam door de Koning blijft in stand niettegenstaande een latere erkenning of wettiging van de betrokken persoon.

5. Bij algemene maatregel van bestuur worden regelen gesteld betreffende de wijze van indiening en behandeling van verzoeken als in het eerste en het tweede lid bedoeld en betreffende het voor wijziging van de geslachtsnaam verschuldigde recht.

Voeren naam van een ander

Art. 8. Hij die de naam van een ander zonder diens toestemming voert, handelt jegens die persoon onrechtmatig, wanneer hij daardoor de schijn wekt die ander te zijn of tot diens geslacht of gezin te behoren.

Voeren naam van (gewezen) echtgenoot

Art. 9. 1. Een vrouw die gehuwd is of die gehuwd is geweest en niet is hertrouwd, is steeds bevoegd de geslachtsnaam van haar man te voeren of op de in het verkeer gebruikelijke wijze aan de hare te doen voorafgaan.

2. Indien het huwelijk door echtscheiding is ontbonden en daaruit geen afstammelingen in leven zijn, kan de rechtbank, wanneer daartoe gegronde redenen bestaan, op verzoek van de man aan de vrouw de haar in het eerste lid toegekende bevoegdheid ontnemen.

TITEL 3
Woonplaats

Woonplaats natuurlijk persoon

Art. 10. 1. De woonplaats van een natuurlijk persoon bevindt zich te zijner woonstede, en bij gebreke van woonstede ter plaatse van zijn werkelijk verblijf.

Woonplaats rechtspersoon

2. Een rechtspersoon heeft zijn woonplaats ter plaatse waar hij volgens wettelijk voorschrift of volgens zijn statuten of reglementen zijn zetel heeft.

Verlies woonplaats

Art. 11. 1. Een natuurlijk persoon verliest zijn woonstede door daden, waaruit zijn wil blijkt om haar prijs te geven.

2. Een natuurlijk persoon wordt vermoed zijn woonstede te hebben verplaatst, wanneer hij daarvan op de wettelijk voorgeschreven wijze aan de betrokken gemeentebesturen heeft kennis gegeven.

Afgeleide woonplaats

Art. 12. 1. Een minderjarige volgt de woonplaats van hem die het gezag over hem uitoefent, de onder curatele gestelde die van zijn curator. Oefenen beide ouders tezamen het gezag over hun minderjarige kind uit, doch hebben zij niet dezelfde woonplaats, dan volgt het kind de woonplaats van de ouder bij wie het feitelijk verblijft dan wel laatstelijk heeft verbleven.

2. Wanneer iemands goederen onder bewind staan, volgt hij voor alles wat de uitoefening van dit bewind betreft, de woonplaats van de bewindvoerder.

3. Wanneer ten behoeve van een persoon een mentorschap is ingesteld, volgt hij voor alles wat de uitoefening van dit mentorschap betreft, de woonplaats van de mentor.

4. Wanneer de persoon, van wie de woonplaats wordt afgeleid, overlijdt of zijn gezag of zijn hoedanigheid verliest, duurt de afgeleide woonplaats voort, totdat een nieuwe woonplaats is verkregen.

Sterfhuis

Art. 13. Het sterfhuis van een overledene is daar, waar hij zijn laatste woonplaats heeft gehad.

Woonplaats i.v.m. kantoor of filiaal

Art. 14. Een persoon die een kantoor of een filiaal houdt, heeft ten aanzien van aangelegenheden die dit kantoor of dit filiaal betreffen mede aldaar woonplaats.

Gekozen woonplaats

Art. 15. Een persoon kan een andere woonplaats dan zijn werkelijke slechts kiezen, wanneer de wet hem daartoe verplicht, of wanneer de keuze bij schriftelijk aangegane overeenkomst voor een of meer bepaalde rechtshandelingen of rechtsbetrekkingen geschiedt en voor de gekozen woonplaats een redelijk belang aanwezig is.

TITEL 4
Burgerlijke stand

AFDELING 1
De ambtenaar van de burgerlijke stand

Ambtenaar bur. stand

Art. 16. 1. In elke gemeente zijn twee, of, naar goedvinden van de burgemeester en wethouders, meer ambtenaren van de burgerlijke stand. Daarenboven kunnen een of meer ambtenaren van de burgerlijke stand worden belast met het verrichten van bepaalde taken. Deze dragen de titel van buitengewoon ambtenaar van de burgerlijke stand.

2. De in het eerste lid bedoelde ambtenaren worden door burgemeester en wethouders benoemd, geschorst of ontslagen. Een benoeming kan voor een bepaalde tijdsduur geschieden.

3. Ambtenaar van de burgerlijke stand van een gemeente kan slechts zijn een ambtenaar in dienst van die gemeente of een andere gemeente. Buitengewoon ambtenaar van de burgerlijke stand kan mede zijn een persoon die geen ambtenaar in gemeentelijke dienst is.

Eed of belofte

4. De ambtenaar of buitengewoon ambtenaar van de burgerlijke stand wordt tot zijn betrekking niet toegelaten dan na voor de arrondissementsrechtbank tot wier rechtsgebied de gemeente behoort waar hij voor het eerst wordt benoemd de navolgende eed dan wel belofte te hebben afgelegd:

„Ik zweer (beloof) dat ik de betrekking van ambtenaar van de burgerlijke stand met eerlijkheid en nauwkeurigheid zal vervullen en dat ik de wettelijke voorschriften, de burgerlijke stand betreffende, met de meeste nauwgezetheid zal opvolgen; dat ik voorts, tot het verkrijgen van mijn aanstelling, middellijk noch onmiddellijk, onder enige naam of voorwendsel, aan iemand iets heb gegeven of beloofd, en dat ik, om iets in deze betrekking te doen of te laten, van niemand enige beloften of geschenken zal aannemen, middellijk of onmiddellijk. Zo waarlijk helpe mij God almachtig". („Dat verklaar en beloof ik").

Registers

Art. 16a. 1. De ambtenaar van de burgerlijke stand is belast met het opnemen in de onder hem berustende registers van de burgerlijke stand van akten en de daaraan toe te voegen latere vermeldingen, alsmede al datgene wat de instandhouding van de registers en de zorg voor de toegankelijkheid van de daarin neergelegde gegevens betreft.

2. De buitengewoon ambtenaar van de burgerlijke stand kan uitsluitend worden belast met de taken omschreven in de artikelen 59, 60, 63, 64, 65 en 67 van dit boek.

Optreden in recht

Art. 16b. Wanneer de ambtenaar van de burgerlijke stand in de uitoe fening van zijn ambt op grond van enige bepaling van deze titel of van enige andere titel van dit boek in rechte optreedt, kan hij dit zonder advocaat of procureur doen.

Openingstijden

Art. 16c. Burgemeester en wethouders bepalen de uren, waarop elk bureau van de burgerlijke stand dagelijks voor het publiek geopend zal zijn. Daarbij wordt, ten einde de werkzaamheden van de ambtenaren van de burgerlijke stand op die dagen zoveel mogelijk te beperken, een afzonderlijke regeling getroffen voor de zaterdag, de zondag, de algemeen erkende feestdagen en de overige daarvoor door burgemeester en wethouders aan te wijzen dagen, waarop gemeentelijke diensten niet of slechts gedeeltelijk zijn geopend.

Art. 16d. Bij algemene maatregel van bestuur worden regels gesteld ten aanzien van de door het gemeentebestuur te treffen voorzieningen ten behoeve van de taakuitoefening door de ambtenaar van de burgerlijke stand, en voorts ten aanzien van al wat verder de taak van de ambtenaar van de burgerlijke stand betreft.

AFDELING 2
De registers van de burgerlijke stand en de bewaring daarvan

Registers burgerlijke stand

Art. 17. 1. Er bestaan voor iedere gemeente registers van geboorten, van huwelijken en van overlijden.

2. Er bestaat in de gemeente 's-Gravenhage, naast de in het eerste lid genoemde registers, een register voor de inschrijving van de in afdeling 6 bedoelde rechterlijke uitspraken.

Bewaring

Art. 17a. 1. De registers van de burgerlijke stand worden in het gemeentehuis bewaard totdat zij naar een gemeentelijke archiefbewaarplaats in de zin van de Archiefwet 1962 (Stb. 1988, 77) worden overgebracht.

2. De overbrenging naar de gemeentelijke archiefbewaarplaats van de in het gemeentehuis berustende registers van geboorten, van huwelijken en van overlijden vindt eerst plaats onderscheidenlijk honderd jaar, vijfenzeventig jaar en vijftig jaar na de afsluiting van deze registers.

Beheer

Art. 17b. De beheerder van een archiefbewaarplaats als bedoeld in artikel 17a is belast met het bewaren van de onder hem berustende registers, met het toevoegen van latere vermeldingen aan de daarin opgenomen akten en met de afgifte van afschriften en uittreksels van deze akten.

Art. 17c. Bij algemene maatregel van bestuur wordt geregeld alles wat verder betreft de inrichting van de registers, alsmede de in artikel 17b genoemde handelingen ten aanzien van die registers.

AFDELING 3
Akten van de burgerlijke stand en partijen bij deze akten

Akten van burgerlijke stand

Art. 18. 1. De ambtenaar van de burgerlijke stand mag in de akten alleen opnemen hetgeen ingevolge het bij of krachtens de wet bepaalde moet worden verklaard of opgenomen.

2. De ambtenaar van de burgerlijke stand is bevoegd alvorens tot het opmaken van een akte over te gaan zich de door de wet vereiste bescheiden te doen vertonen. Hij doet zich ook andere bescheiden vertonen, welke hij voor het opmaken van de akte of voor de vaststelling van de in de akte op te nemen gegevens noodzakelijk acht. Hij kan zich te dien einde, zonder hiervoor leges verschuldigd te zijn, inlichtingen verschaffen uit de registers van de burgerlijke stand en uit andere openbare registers.

3. Bij algemene maatregel van bestuur wordt geregeld al hetgeen het opmaken van akten betreft.

Partijen bij akten

Art. 18a. 1. Partijen bij een akte van de burgerlijke stand zijn degenen die aan de ambtenaar van de burgerlijke stand een aangifte doen of te zijnen overstaan een verklaring afleggen betreffende een feit, waarvan de akte bestemd is te doen blijken.

2. Belanghebbende partijen zijn partijen die met hun verklaring enig rechtsgevolg teweeg brengen voor henzelf of voor medepartijen, dan wel voor henzelf en medepartijen.

3. De belanghebbende partijen kunnen zich door een daartoe bij authentieke akte gevolgmachtigde doen vertegenwoordigen.

4. Wanneer een gevolmachtigde een verklaring aflegt, geldt hij zowel als de door hem vertegenwoordigde persoon als partij bij de akte.

5. De ambtenaar van de burgerlijke stand mag geen akte verlijden waarin hijzelf als partij of belanghebbende partij voorkomt.

Partij in gebreke of ongenoegzame bescheiden

Art. 18b. 1. Blijft een partij bij een akte van de burgerlijke stand of een belanghebbende partij in gebreke de in artikel 18, tweede lid, bedoelde bescheiden over te leggen, of acht de ambtenaar van de burgerlijke stand de overgelegde bescheiden ongenoegzaam, dan weigert deze tot het opmaken over te gaan.

2. De ambtenaar van de burgerlijke stand weigert eveneens tot het opmaken van de akte over te gaan, indien hij van oordeel is dat de Nederlandse openbare orde zich hiertegen verzet.

3. Van een weigering als bedoeld in het eerste of het tweede lid doet de ambtenaar van de burgerlijke stand een schriftelijke, met redenen omklede mededeling aan de partijen bij de akte en de belanghebbende partijen toekomen, onder vermelding van de tegen die weigering openstaande voorziening van afdeling 12 van deze titel. Een afschrift van deze mededeling doet hij aan het hoofd van plaatselijke politie toekomen.

Dubbel of afschrift

Art. 18c. 1. Van alle in registers opgenomen akten van de burgerlijke stand wordt een dubbel of een afschrift gehouden, volgens regels, bij algemene maatregel van bestuur te stellen.

2. Bij algemene maatregel van bestuur wordt geregeld alles wat betreft de bewaring van de dubbelen of de afschriften alsmede van de daarop betrekking hebbende latere vermeldingen.

AFDELING 4
De akten van geboorte en van overlijden

Akte van geboorte

Art. 19. 1. Een akte van geboorte wordt opgemaakt door de ambtenaar van de burgerlijke stand van de gemeente waar het kind is geboren.

2. Indien de plaats van de geboorte van het kind niet bekend is, wordt de akte opgemaakt door de ambtenaar van de burgerlijke stand van de gemeente waar het kind is aangetroffen. Die gemeente geldt als gemeente waar het kind is geboren.

Geboorte onderweg

Art. 19a. 1. In geval van geboorte op Nederlands grondgebied in een rijdend voertuig of op en varend schip of tijdens een binnenlandse luchtreis met een luchtvaartuig, wordt de akte van geboorte opgemaakt door de ambtenaar van de burgerlijke stand van de gemeente waar dat kind het voertuig, het schip of het luchtvaartuig verlaat, dan wel waar het schip ligplaats kiest. Die gemeente geldt als gemeente waar het kind is geboren.

2. In geval van geboorte tijdens een zeereis met een in Nederland geregistreerd vaartuig, dan wel tijdens een internationale luchtreis met een in Nederland geregistreerd luchtvaartuig, is de gezagvoerder van het vaartuig of luchtvaartuig verplicht een voorlopige akte van geboorte binnen vierent wintig uur in het journaal in te schrijven in tegenwoordigheid van twee getuigen en zo mogelijk van de vader. De gezagvoerder zendt een afschrift van die akte zo spoedig mogelijk aan de ambtenaar van de burgerlijke stand van de gemeente 's-Gravenhage. Deze maakt de akte van geboorte op aan de hand van het ontvangen afschrift, met dien verstande dat hij gegevens die ontbreken of hem blijken onjuist te zijn, zoveel mogelijk aanvult of verbetert. Aan de personen op wie de akte betrekking heeft, wordt een uittreksel van de akte toegezonden.

Onbekende gegevens

Art. 19b. Indien de plaats of de dag van geboorte van het kind niet bekend is dan wel indien de naam, met inbegrip van de voornamen, van de moeder niet bekend is, wordt de geboorteakte ten aanzien van deze punten opgemaakt krachtens een bevel en overeenkomstig de aanwijzingen van het openbaar ministerie.

Afschrift

Art. 19c. Zijn krachtens artikel 5, derde lid, van dit boek in de akte een voorlopige voornaam en geslachtsnaam opgenomen, dan zendt de ambtenaar van de burgerlijke stand onverwijld een volledig afschrift van de akte aan Onze Minister van Justitie.

Geslacht twijfelachtig

Art. 19d. 1. Indien het geslacht van het kind twijfelachtig is, wordt een geboorteakte opgemaakt, waarin wordt vermeld dat het geslacht van het kind niet is kunnen worden vastgesteld.

2. Binnen drie maanden na de geboorte, of, bij overlijden binnen die termijn, ter gelegenheid van de aangifte van het overlijden, wordt onder doorhaling van de in het eerste lid bedoelde akte een nieuwe geboorteakte opgemaakt, waarin het geslacht, indien dit inmiddels is vastgesteld, wordt vermeld aan de hand van een ter zake overgelegde medische verklaring.

3. Is binnen de in het tweede lid genoemde termijn geen medische verklaring overgelegd, of blijkt uit de overgelegde medische verklaring dat het geslacht niet is kunnen worden vastgesteld, dan vermeldt de nieuwe geboorteakte dat het geslacht van het kind niet is kunnen worden vastgesteld.

Aangifte geboorte

Art. 19e. 1. Tot de aangifte van een geboorte is bevoegd de moeder van het kind
2. Tot de aangifte is verplicht de vader.
3. Wanneer de vader ontbreekt of verhinderd is de aangifte te doen, is tot aangifte verplicht:
a. ieder die bij het ter wereld komen van het kind tegenwoordig is geweest;
b. de bewoner van het huis waar de geboorte heeft plaats gehad, of indien zulks is geschied in een inrichting tot verpleging of verzorging bestemd, in een gevangenis of in een soortgelijke inrichting, het hoofd van die inrichting of een door hem bij onderhandse akte bijzonderlijk tot het doen van de aangifte aangewezen ondergeschikte.
4. Voor een in het derde lid, onder b, genoemde persoon bestaat de verplichting alleen indien een onder a genoemde persoon ontbreekt of verhinderd is.
5. Wanneer tot de aangifte bevoegde of verplichte personen ontbreken of nalaten de aangifte te doen, geschiedt deze door of vanwege de burgemeester van de gemeente alwaar de geboorteakte moet worden opgemaakt.
6. De verplichting tot aangifte moet worden vervuld binnen drie dagen na de dag der bevalling. Van een aangifte later dan de derde dag, bedoeld in de eerste zin van dit lid, wordt door de ambtenaar van de burgerlijke stand mededeling gedaan aan het openbare ministerie.

7. De ambtenaar van de burgerlijke stand stelt de identiteit van de aangever vast aan de hand van een document als bedoeld in artikel 1 van de Wet op de identificatieplicht.

8. Bij de aangifte kan de ambtenaar van de burgerlijke stand zich doen overleggen een door de arts of de verloskundige die bij het ter wereld ko men van het kind tegenwoordig was, opgemaakte verklaring dat het kind uit de als moeder opgegeven persoon is geboren. Is het kind buiten de tegenwoordigheid van een arts of verloskundige ter wereld gekomen, dan kan hij zich door een zodanige hulpverlener nadien opgemaakte verklaring doen overleggen.

9. Wordt geen gevolg gegeven aan het verzoek van de ambtenaar van de burgerlijke stand om overlegging van een verklaring als bedoeld in het achtste lid of is in de verklaring vermeld dat de identiteit van de moeder onbekend is, dan is artikel 19b van toepassing.

Akte van overlijden

Art. 19f. 1. Een akte van overlijden wordt opgemaakt door de ambtenaar van de burgerlijke stand van de gemeente waar het overlijden heeft plaatsgevonden.

2. Indien een lijk is gevonden en de plaats of de dag van overlijden niet met voldoende nauwkeurigheid kan worden vastgesteld, wordt de akte van overlijden opgemaakt door de ambtenaar van de burgerlijke stand van de gemeente waarin het lijk is gevonden of aan land gebracht.

3. Ongeacht het in het eerste lid bepaalde is het tweede lid van overeenkomstige toepassing indien het overlijden heeft plaatsgevonden op een op zee gestationeerde installatie en het lijk in Nederland aan land wordt gebracht.

Overlijden onderweg

Art. 19g. 1. In geval van overlijden op Nederlands grondgebied in een rijdend voertuig of op een varend schip of tijdens een binnenlandse luchtreis met een in Nederland geregistreerd luchtvaartuig, wordt de akte van overlijden opgemaakt door de ambtenaar van de burgerlijke stand van de gemeente waar het lijk het voertuig, het schip of het luchtvaartuig verlaat, dan wel waar het schip ligplaats kiest. Die gemeente geldt als gemeente waar het overlijden heeft plaatsgevonden.

2. Indien, buiten het in het vorige lid bedoelde geval, het overlijden heeft plaatsgevonden op Nederlands grondgebied, doch buiten het gebied van een gemeente, wordt de akte van overlijden opgemaakt door de ambtenaar van de burgerlijke stand van de gemeente 's-Gravenhage.

3. In geval van overlijden tijdens een zeereis met een in Nederland geregistreerd vaartuig, dan wel tijdens een internationale luchtreis met een in Nederland geregistreerd luchtvaartuig, is de gezagvoerder van het vaartuig of het luchtvaartuig verplicht een voorlopige akte van overlijden binnen vierentwintig uur in het journaal in te schrijven in tegenwoordigheid van twee getuigen. De gezagvoerder zendt een afschrift van die akte zo spoedig mogelijk naar de ambtenaar van de burgerlijke stand van de gemeente 's-Gravenhage. Deze maakt de akte van overlijden op aan de hand van het ontvangen afschrift, met dien verstande dat hij gegevens die ontbreken of hem blijken onjuist te zijn, zoveel mogelijk aanvult of verbetert. Aan de personen op wie de akte betrekking heeft, wordt een uittreksel toegezonden.

Aangifte van overlijden

Art. 19h. 1. Tot de aangifte van een overlijden is bevoegd wie daarvan uit eigen wetenschap kennis draagt.

2. Binnen de in de Wet op de lijkbezorging (Stb. 1991, 130) gestelde termijn voor de begraving of verbranding, kan de persoon die in de lijkbezorging voorziet, door een in het eerste lid bedoelde persoon worden gemachtigd tot het doen van de aangifte.

3. Wanneer tot de aangifte bevoegde personen ontbreken of nalaten binnen de in de Wet op de lijkbezorging gestelde termijn voor de begraving of verbranding de aangifte te doen, geschiedt deze door of vanwege de burgemeester van de gemeente alwaar de akte van overlijden moet worden opgemaakt.

4. In de gevallen bedoeld in artikel 19f, tweede en derde lid, geschiedt de aangifte schriftelijk door de hulpofficier van justitie.

Overleden kind

Art. 19i. 1. Wanneer een kind levenloos ter wereld is gekomen, wordt een akte opgemaakt, die in het register van overlijden wordt opgenomen.

2. Wanneer een kind binnen de in artikel 19e, zesde lid, bepaalde termijn is overleden voordat aangifte van de geboorte is geschiedt, wordt zowel een akte van geboorte als een akte van overlijden opgemaakt.

3. In de in de vorige leden bedoelde gevallen is ten aanzien van de aangifte het bepaalde artikel 19h van overeenkomstige toepassing. In het in het tweede lid bedoelde geval blijft artikel 19e buiten toepassing.

Art. 19j. 1. Bij de algemene maatregel van bestuur wordt geregeld al wat betreft de aan de ambtenaar over te leggen stukken, het opmaken van de akten, onderscheidenlijk de voorlopige akten van geboorte en van overlijden, en de inhoud daarvan.
2. Bij algemene maatregel van bestuur wordt tevens geregeld:
a. op welke wijze en waar de akten van geboorte en van overlijden zullen worden opgemaakt en ingeschreven wanneer dit ten gevolge van een verbod van verkeer of tengevolge van andere buitengewone omstandigheden niet op de gewone wijze kan geschieden; en
b. op welke wijze en waar overlijdensakten zullen worden opgemaakt van militairen en van andere personen, die tot de krijgsmacht behoren en die te velde, in de slag, of in 's Rijks dienst buiten Nederland zijn overleden.

AFDELING 5
Latere vermeldingen

Latere vermeldingen; wijzigingen

Art. 20. 1. De ambtenaar van de burgerlijke stand voegt aan de onder hem berustende akten van de burgerlijke stand latere vermeldingen toe van akten van de burgerlijke stand en andere authentieke akten houdende erkenning of ontkenning van het vaderschap door de moeder met gelijktijdige erkenning door de vader, van wettiging, van brieven van wettiging, van besluiten houdende wijziging of vaststelling van namen, van naturalisatiebesluiten mede houdende wijziging of vaststelling van namen, van de opgave van afwijkende namen die een persoon die meer dan één nationaliteit bezit, voert in overeenstemming met het recht van het land waarvan hij mede de nationaliteit bezit, alsmede van rechterlijke uitspraken waarvan de dagtekening ten minste twee maanden oud is en die inhouden:
a. een last tot wijziging van de voornamen, een last tot wijziging van de vermelding van het geslacht, een adoptie, een herroeping van een adoptie, een vernietiging van een erkenning, een gegrondverklaring van een betwisting of inroeping van een staat, of een vernietiging van zulk een uitspraak;
b. de nietigverklaring van een huwelijk, of de vernietiging van zulk een uitspraak tussen echtelieden wier huwelijksakte in de Nederlandse registers van de burgerlijke stand is opgenomen.
2. De ambtenaar van de burgerlijke stand voegt eveneens aan de onder hem berustende akten van de burgerlijke stand latere vermeldingen toe van in kracht van gewijsde gegane rechterlijke uitspraken die een echtscheiding, een ontbinding van een huwelijk na scheiding van tafel en bed of de vernietiging van zulk een uitspraak tussen echtelieden wier huwelijksakte in de Nederlandse registers van de burgerlijke stand is opgenomen, inhoudt.

Art. 20a. 1. De in artikel 20 bedoelde latere vermeldingen, met uitzondering van de vermeldingen bedoeld in het eerste lid onder b, worden toegevoegd aan de geboorteakte van de betrokken persoon. Van een wijziging of vaststelling van de geslachtsnaam wordt tevens een latere vermelding toegevoegd aan de geboorteakten van de kinderen van de betrokken persoon, voor zover de wijziging of vaststelling zich tot hen uitstrekt.
2. De in artikel 20, eerste lid, onder b en tweede lid, bedoelde latere vermeldingen worden toegevoegd aan de huwelijksakte van de betrokken persoon.
3. Wanneer als gevolg van het huwelijk of van de echtscheiding een verandering intreedt in de geslachtsnaam van een persoon, wordt hiervan, voorzover zij niet in de huwelijksakte is vermeld, aan deze akte een latere vermelding toegevoegd. Tevens wordt daarvan een latere vermelding toegevoegd aan de geboorteakte van de betrokkene en de geboorteakten van diens kinderen, voor zover hun naam eveneens verandert.
4. Van een aan de ambtenaar van de burgerlijke stand betekende akte van stuiting van een huwelijk wordt, evenals van vonnissen of akten waarbij de stuiting wordt opgeheven, aan de akte van aangifte een latere vermelding toegevoegd.

Akten en uitspraken buiten Nederland opgemaakt

Art. 20b. 1. Van akten en uitspraken die buiten Nederland overeenkomstig de plaatselijke voorschriften door een bevoegde instantie zijn opgemaakt of gedaan en een overeenkomstige uitwerking hebben als de akten en rechterlijke uitspraken, bedoeld in artikel 20, wordt, tenzij de Nederlandse openbare orde zich hiertegen verzet, op verzoek van een belanghebbende dan wel ambtshalve, door de ambtenaar van de burgerlijke stand een latere vermelding toegevoegd aan de desbetreffende in de registers van de burgerlijke stand hier te lande voorkomende huwelijks- of geboorteakte. Van een verandering van de geslachtsnaam wordt op verzoek van een belanghebbende tevens een latere vermelding gevoegd bij de geboorteakte van de kinderen van de betrokken persoon, voor zover hun naam eveneens verandert.

2. Indien een latere vermelding ambtshalve aan een akte is toegevoegd, zendt de ambtenaar van de burgerlijke stand een afschrift van de akte en de latere vermelding aan de persoon of personen op wie de akte betrekking heeft.

Art. 20c. De artikelen 18 en 18b zijn van overeenkomstige toepassing.

Art. 20d. Bij algemene maatregel van bestuur wordt geregeld al wat betreft de aan de ambtenaar over te leggen stukken, het opmaken van de latere vermeldingen en de inhoud daarvan.

Afschriften

Art. 20e. 1. Van de in artikel 20, eerste lid, genoemde uitspraken zendt de griffier van het college waarvoor de zaak laatstelijk aanhangig was niet eerder dan twee maanden na de dag van de beschikking een afschrift aan de ambtenaar van de burgerlijke stand.

2. Van brieven van wettiging, van besluiten houdende wijziging of vaststelling van namen en van naturalisatiebesluiten mede houdende wijziging of vaststelling van namen zendt Onze Minister van Justitie onverwijld een afschrift aan de ambtenaar van de burgerlijke stand onder wie de akte van geboorte van de betrokken persoon berust.

3. De notaris die een akte van erkenning heeft opgemaakt, zendt onverwijld een afschrift of een uittreksel daarvan aan de ambtenaar van de burgerlijke stand onder wie de akte van geboorte van het kind berust.

Erkenning/ontkenning vaderschap

Art. 20f. De ambtenaar van de burgerlijke stand die een latere vermelding van de erkenning of de ontkenning van het vaderschap met gelijktijdige erkenning door de vader toevoegt aan de akte van geboorte van het kind, zendt een afschrift van die akte en de latere vermelding aan de personen op wie de akte betrekking heeft. Hij zendt een afschrift aan de ambtenaar van de burgerlijke stand die de akte van erkenning of de ontkenning van het vaderschap met gelijktijdige erkenning door de vader heeft opgemaakt. Deze akte wordt bewaard totdat achttien maanden zijn verstreken na de ontvangst van laatstgenoemd afschrift.

Minderjarige

Art. 20g. De ambtenaar van de burgerlijke stand die aan de geboorteakte van een minderjarige een latere vermelding toevoegt, waaruit blijkt dat de minderjarige is erkend, is gewettigd, of dat een naam van hem is gewijzigd, geeft van dit feit kennis aan de bewaarder van het in artikel 244 van dit boek bedoelde openbare register waarin rechtsfeiten omtrent die minderjarige zijn opgenomen.

AFDELING 6
Akten van inschrijving van bepaalde rechterlijke uitspraken

Inschrijving bepaalde uitspraken

Art. 21. 1. De ambtenaar van de burgerlijke stand te 's-Gravenhage maakt akten van inschrijving op van in kracht van gewijsde gegane rechterlijke uitspraken die inhouden de nietigverklaring van een huwelijk, een echtscheiding, de ontbinding van een huwelijk na scheiding van tafel en bed of de vernietiging van zulk een ingeschreven uitspraak tussen echtelieden wier huwelijksakte niet in de Nederlandse registers van de burgerlijke stand is opgenomen.

2. De in het eerste lid bedoelde akten worden ingeschreven in het daartoe bestemde register van de burgerlijke stand te 's-Gravenhage.

3. Bij algemene maatregel van bestuur wordt geregeld al wat betreft de aan de ambtenaar over te leggen stukken, het opmaken van de akten van inschrijving en de inhoud daarvan.

AFDELING 7
De bewijskracht van akten van de burgerlijke stand alsmede van afschriften en uittreksels

Bewijskracht

Art. 22. 1. De akte van geboorte bewijst ten aanzien van een ieder dat op de in de akte vermelde plaats, dag en uur uit de daarin genoemde moeder een kind van het daarin vermelde geslacht is geboren. Vermeldt de akte dat de plaats van de geboorte van het kind niet bekend is, dan komt dezelfde bewijskracht toe aan de vermelding van de plaats waar het is aangetroffen.

2. De akte van overlijden bewijst ten aanzien van een ieder, dat op de plaats, de dag en het uur, in de akte vermeld, de daarin genoemde persoon is overleden of, indien de akte krachtens artikel 19a, tweede lid, van dit boek is opgemaakt, dat het lijk van de daarin genoemde persoon op de plaats, de dag en het uur, in de akte vermeld, is gevonden.

3. Voor het overige hebben akten van de burgerlijke stand dezelfde bewijskracht als andere authentieke akten.

Bewijskracht afschriften of uittreksels

Art. 22a. Authentieke afschriften of uittreksels, in de wettige vorm opgemaakt en afgegeven door de daartoe bevoegde bewaarder van het register, hebben dezelfde bewijskracht als het origineel, tenzij bewezen wordt dat zij daarmede niet overeenstemmen.

AFDELING 8
De openbaarheid van de akten van de burgerlijke stand

Openbaarheid

Art. 23. De akten van de burgerlijke stand, daaronder begrepen de dubbelen van deze akten, zijn openbaar voor zover te dien aanzien in deze afdeling geen nadere voorziening is gegeven.

Inzage

Art. 23a. Van de akten van de burgerlijke stand mogen slechts de bewaarders en het openbaar ministerie inzage nemen. Voorts kunnen de rechter en het openbaar ministerie overlegging van akten bevelen.

Uittreksel

Art. 23b. 1. Een ieder is bevoegd zich door de ambtenaar die met de afgifte van afschriften en uittreksels van akten van de burgerlijke stand is belast, een uittreksel van een onder deze ambtenaar berustende akte van geboorte, van huwelijk of van overlijden te doen afgeven. Het uittreksel bevat de bij algemene maatregel van bestuur te vermelden gegevens, waaruit de afstamming van de persoon of personen waarop de akte betrekking heeft, niet blijkt.

2. Van de in het eerste lid bedoelde akten alsmede van de akten van erkenning of ontkenning van het vaderschap door de moeder met gelijktijdige erkenning door de vader wordt een afschrift slechts afgegeven indien de verzoeker aantoont dat hij bij de verkrijging een gerechtvaardigd belang heeft. Van andere akten die de in het eerste lid bedoelde ambtenaar onder zijn berusting heeft, wordt steeds een afschrift afgegeven. Dit afschrift bevat de bij algemene maatregel van bestuur te vermelden gegevens.

3. Een verzoek om afgifte van een uittreksel of een afschrift dient op een bepaalde persoon of bepaalde personen betrekking te hebben.

4. Bij algemene maatregel van bestuur wordt geregeld al hetgeen overigens bij het opmaken en het verstrekken van afschriften en uittreksels betreft. Daarbij worden tevens regels gegeven voor het opmaken van uittreksels van akten die voor de inwerkingtreding van deze wet zijn opgemaakt.

5. Weigert de in het eerste lid bedoelde ambtenaar een afschrift of een uittreksel af te geven, dan verstrekt hij aan de aanvrager een schriftelijke opgave van de gronden voor zijn weigering.

Dubbel

Art. 23c. De dubbelen van de akten van de burgerlijke stand zijn openbaar zolang zij onder de ambtenaar van de burgerlijke stand berusten.

AFDELING 9
De aanvulling van de registers van de burgerlijke stand en de verbetering van de daarin voorkomende akten en latere vermeldingen

Aanvulling en verbetering

Art. 24. 1. Aanvulling van een register van de burgerlijke stand met een daarin ontbrekende akte of latere vermelding, doorhaling van een daarin ten onrechte voorkomende akte of latere vermelding, of verbetering van een daarin voorkomende akte of latere vermelding die onvolledig is of een misslag bevat, kan op verzoek van belanghebbende of op vordering van het openbaar ministerie worden gelast door de rechtbank. De rechtbank kan bij haar beschikking tot verbetering van een akte of latere vermelding die onvolledig is of een misslag bevat, eveneens dezelfde verbetering gelasten ten aanzien van een akte of latere vermelding betreffende dezelfde persoon of zijn afstammelingen, die buiten haar rechtsgebied in de registers van de burgerlijke stand is opgenomen.

2. De griffier van het college waarvoor de zaak laatstelijk aanhangig was, zendt niet eerder dan twee maanden na de dag van de beschikking een afschrift daarvan aan de ambtenaar van de burgerlijke stand van de gemeente, in welker registers de akte of latere vermelding is of had moeten zijn opgenomen. Is deze gemeente opgeheven, dan zendt hij het afschrift aan de ambtenaar van de gemeente in wier archieven de registers van de burgerlijke stand van de opgeheven gemeenten berusten.

Art. 24a. 1. Kennelijke misslagen kunnen worden verbeterd met toestemming van de officier van justitie binnen wiers rechtsgebied de akte in de registers van de burgerlijke stand is opgenomen. De toestemming van de officier van justitie kan eveneens betrekking hebben op dezelfde verbetering ten aanzien van een akte betreffende dezelfde persoon of zijn afstammelingen, die in een ander arrondissement in de registers van de burgerlijke stand is opgenomen.

Kennelijke misslagen

2. Kennelijke schrijf- of spelfouten kunnen ambtshalve door de ambtenaar van de burgerlijke stand worden verbeterd.

Art. 24b. 1. Aanvulling van een register van de burgerlijke stand op grond van artikel 24 geschiedt door het opmaken van een nieuwe akte in dat register.

Aanvulling

2. Van een verbetering of een doorhaling op grond van deze afdeling wordt een latere vermelding toegevoegd aan de desbetreffende akte, volgens regels, bij algemene maatregel van bestuur te stellen.

AFDELING 10

Inschrijving van buitenlandse akten en de rechterlijke last tot het opmaken van een vervangende akte van geboorte

Art. 25. 1. Buiten Nederland overeenkomstig de plaatselijke voorschriften door een bevoegde instantie opgemaakte akten van geboorte, huwelijksakten en akten van overlijden worden op bevel van het openbaar ministerie of op verzoek van een belanghebbende ingeschreven in de registers onderscheidenlijk van geboorten, van huwelijken en van overlijden van de gemeente 's-Gravenhage, indien:

Buitenlandse akten

a. de akte een persoon betreft die op het ogenblik van het verzoek Nederlander is of te eniger tijd Nederlander dan wel Nederlands onderdaan niet-Nederlander is geweest;

b. de akte een persoon betreft die op grond van artikel 15 van de Vreemdelingenwet als vluchteling in de zin van het Verdrag van 28 juli 1951 betreffende de status van vluchtelingen kan worden aangemerkt.

2. Buiten Nederland overeenkomstig de plaatselijke voorschriften door een bevoegde instantie opgemaakte akten van geboorte worden op bevel van het openbaar ministerie of op verzoek van een belanghebbende ingeschreven in het register van geboorten van de gemeente 's-Gravenhage, indien de akte een persoon van vreemde nationaliteit betreft en op grond van enige bepaling van dit boek een latere vermelding aan de akte van geboorte moet worden toegevoegd.

3. De ambtenaar van de burgerlijke stand van de gemeente 's-Gravenhage kan ook ambtshalve de in de vorige leden bedoelde akten inschrijven.

4. Alvorens op grond van het eerste, tweede of het derde lid tot de inschrijving van een huwelijksakte over te gaan, doet de ambtenaar van de burgerlijke stand van de gemeente 's-Gravenhage zich een door het hoofd van plaatselijke politie in de zin van de Vreemdelingenwet afgegeven verklaring als bedoeld in artikel 44, onder j, van dit Boek overleggen. De verklaring wordt opgesteld op verzoek van de echtgenoot op wie zij betrekking heeft. Heeft deze geen woonplaats in Nederland, dan wordt zij opgesteld op verzoek van de andere echtgenoot. De verklaring is niet vereist indien de echtgenoten aannemelijk kunnen maken dat zij beiden buiten Nederland woonplaats hebben.

5. In geval van adoptie gelast de rechtbank, die de adoptie uitspreekt, ambtshalve afzonderlijk de inschrijving van de in het eerste en het tweede lid bedoelde akte van geboorte.

6. De akte van inschrijving vermeldt de bij algemene maatregel van bestuur vast te stellen gegevens.

7. Kennelijke misslagen of schrijf- of spelfouten, die de ambtenaar van de burgerlijke stand in de in te schrijven akte vaststelt op grond van een hier te lande in de

registers van de burgerlijke stand opgenomen akte of op grond van een rechterlijke uitspraak, kunnen ambtshalve door hem worden verbeterd. De verbeteringen worden afzonderlijk in de akte vermeld.

8. Indien een akte ambtshalve is ingeschreven, wordt een afschrift van de akte van inschrijving toegezonden aan de persoon of de personen op wie de akte betrekking heeft.

Kennelijke misslagen buiten Nederland

Art. 25a. 1. Indien na de inschrijving kennelijke misslagen in de buiten Nederland opgemaakte akte overeenkomstig de plaatselijke voorschriften door een bevoegde instantie zijn verbeterd, wordt de verbetering in de akte van inschrijving aangebracht doordat de ambtenaar van de burgerlijke stand van de gemeente 's-Gravenhage, aan wie een afschrift van de beslissing tot verbetering en een afschrift van de verbeterde akte zijn overgelegd, een latere vermelding van de verbetering aan de akte van inschrijving toevoegt, nadat hij daartoe toestemming van de officier van justitie heeft verkregen.

2. Kennelijke schrijf- en spelfouten, die in de buiten Nederland opgemaakte akte overeenkomstig de plaatselijke voorschriften door een bevoegde instantie zijn verbeterd, kunnen ook zonder toestemming van de officier van justitie, ambtshalve door de ambtenaar van de burgerlijke stand van de gemeente 's-Gravenhage aan de hand van een afschrift van de verbeterde akte worden verbeterd op de in het eerste lid aangegeven wijze.

Art. 25b. Aan de akte van inschrijving, bedoeld in artikel 25, worden de latere vermeldingen toegevoegd die op grond van dit boek aan een in Nederland opgemaakte akte van geboorte, huwelijksakte of akte van overlijden moeten worden toegevoegd.

Buiten Nederland geboren; geboortakte

Art. 25c. 1. Indien ten aanzien van een buiten Nederland geboren persoon geen akte van geboorte overeenkomstig de plaatselijke voorschriften door een bevoegde instantie is opgemaakt of kan worden overgelegd, kan op verzoek van het openbaar ministerie, van een belanghebbende of van de ambtenaar van de burgerlijke stand van de gemeente 's-Gravenhage de rechtbank te 's-Gravenhage de voor het opmaken van een geboorteakte noodzakelijke gegevens vaststellen, indien:

a. die persoon Nederlander is of te eniger tijd Nederlander dan wel Nederlands onderdaan niet-Nederlander is geweest;

b. die persoon op grond van artikel 15 van de Vreemdelingenwet als vluchteling in de zin van het Verdrag 28 juli 1951 betreffende de status van vluchtelingen kan worden aangemerkt;

c. op grond van dit boek een latere vermelding aan de akte van geboorte moet worden toegevoegd.

2. De rechtbank houdt rekening met alle bewijzen en aanwijzingen omtrent de omstandigheden waaronder, en het tijdstip waarop de geboorte moet hebben plaatsgehad. De geslachtsnaam, de voornamen, alsmede de plaats en de dag van de geboorte van de vader en van de moeder worden vastgesteld, voor zover daarvoor aanwijzingen zijn verkregen.

Adoptie

3. In geval van adoptie geeft de rechtbank die de adoptie uitspreekt, ambtshalve afzonderlijk de in het eerste lid bedoelde beschikking.

Art. 25d. De rechtbank te 's-Gravenhage kan op vordering van het openbaar ministerie, of op verzoek van een belanghebbende of van de ambtenaar van de burgerlijke stand van de gemeente 's-Gravenhage de krachtens artikel 25c gegeven beschikking wijzigen op grond dat de vastgestelde gegevens onjuist of onvolledig zijn.

Art. 25e. (Vervallen bij de wet van 7 juli 1994, Stb. 570).

Art. 25f. 1. De griffier van het college waarvoor de zaak laatstelijk aanhangig was, zendt niet eerder dan twee maanden na de dag van de beschikking een afschrift daarvan, aan de ambtenaar van de burgerlijke stand van de gemeente 's-Gravenhage.

2. Deze ambtenaar maakt van de beschikking, bedoeld in artikel 25c een akte van inschrijving op, die geldt als een akte van geboorte in de zin van artikel 19 van dit boek. Deze akte is in overeenstemming met de beschikking en vermeldt dit uitdrukkelijk.

3. Van de beschikking, bedoeld in artikel 25d, wordt een latere vermelding toegevoegd aan de akte als bedoeld in het vorige lid.

Buitenlandse akten in uitspraken

Art. 25g. 1. Op akten en uitspraken die buiten Nederland overeenkomstig de plaatselijke voorschriften door een bevoegde instantie zijn opgemaakt of gedaan en een overeenkomstige uitwerking hebben als de in artikel 25c van dit boek bedoelde beschikkingen, zijn de artikelen 25 tot en met 25b van overeenkomstige toepassing. De inschrijving als bedoeld in artikel 25 vindt niet plaats indien de Nederlandse openbare orde zich hiertegen verzet.

2. In geval van adoptie van een buiten Nederland geboren kind ten aanzien waarvan een akte of uitspraak als bedoeld in het vorige lid is opgemaakt of gedaan, geeft de rechtbank die de adoptie uitspreekt, ambtshalve afzonderlijk last tot inschrijving van die akte of uitspraak.

AFDELING 11
De verklaring voor recht omtrent de rechtsgeldigheid in Nederland van een buitenlandse akte of uitspraak

Verklaring rechtsgeldigheid buitenlandse akte of uitspraak

Art. 26. 1. Een ieder die daarbij een gerechtvaardigd belang heeft, kan de rechtbank verzoeken een verklaring voor recht af te geven dat een op hem betrekking hebbende, buiten Nederland opgemaakte akte of gedane uitspraak overeenkomstig de plaatselijke voorschriften door een bevoegde instantie is opgemaakt of gedaan en naar zijn aard vatbaar is voor opneming in een Nederlands register van de burgerlijke stand.

2. De in het eerste lid bedoelde verklaring voor recht kan eveneens op verzoek van de ambtenaar van de burgerlijke stand of op vordering van het openbaar ministerie worden afgegeven.

Toevoeging latere vermelding

Art. 26a. De rechtbank kan, op verzoek of ambtshalve, bij de in het eerste lid van artikel 26 bedoelde verklaring voor recht tevens de toevoeging van een latere vermelding, op grond van artikel 24, eerste lid, aan een in de Nederlandse registers van de burgerlijke stand voorkomende akte gelasten.

Art. 26b. Is met betrekking tot de verzoeker geen akte in de Nederlandse registers van de burgerlijke stand opgenomen, dan kan de rechtbank te 's-Gravenhage, op verzoek of ambtshalve, bij haar beschikking tevens de inschrijving, overeenkomstig artikel 25, van een daarvoor in aanmerking komende in het buitenland opgemaakte akte in de registers van de burgerlijke stand te 's-Gravenhage gelasten, alsmede de verbetering van de akte van inschrijving op grond van artikel 24, eerste lid. Ook kan zij bij haar beschikking een last als bedoeld in artikel 25c geven alsmede een last tot verbetering, overeenkomstig artikel 24, eerste lid, van de door de ambtenaar van de burgerlijke stand te 's-Gravenhage op te maken akte.

Art. 26c. (Vervallen bij de wet van 7 juli 1994, Stb. 570).

Art. 26d. De overlegging van een authentiek afschrift van de buitenlandse akte of uitspraak waarop het verzoek betrekking heeft, kan worden verlangd. Artikel 986, derde en vierde lid, van het Wetboek van Burgerlijke Rechtsvordering is van overeenkomstige toepassing.

Afschrift

Art. 26e. De griffier van het college, waarbij de zaak laatstelijk aanhangig was, zendt een afschrift van de beschikking aan de ambtenaar van de burgerlijke stand in wiens register een op de belanghebbende betrekking hebbende akte is opgenomen, waaraan een latere vermelding van de beschikking moet worden toegevoegd. Is bij de beschikking een last tot inschrijving van een in het buitenland opgemaakte akte gegeven, dan zendt de griffier een afschrift van de beschikking aan de ambtenaar van de burgerlijke stand te 's-Gravenhage.

Art. 26f. (Vervallen bij de wet van 7 juli 1994, Stb. 570).

AFDELING 12
Voorzieningen tegen de weigering tot het opmaken van een akte van de burgerlijke stand of tot een andere verrichting

Weigering opmaken akte

Art. 27. Naar aanleiding van een besluit van een ambtenaar van de burgerlijke stand om op grond van artikel 18b of 20c te weigeren een akte van de burgerlijke stand op te maken, een latere vermelding aan een akte toe te voegen of, buiten het geval van stuiting van het huwelijk en dat van afgifte van een afschrift of een uittreksel, aan een verrichting mee te werken, hebben belanghebbende partijen de bevoegdheid zich binnen zes weken na de verzending van dat besluit bij verzoekschrift te wenden tot de rechtbank binnen welker rechtsgebied de standplaats van de ambtenaar van de burgerlijke stand is gelegen.

Art. 27a. De rechtbank kan, op verzoek van een belanghebbende partij of ambtshalve, bij haar beschikking tevens een verklaring als bedoeld in artikel 26 afgegeven, alsmede een last als bedoeld in artikel 26a, tweede lid, onderscheidenlijk artikel 26b, tweede lid.

Afschrift

Art. 27b. De griffier zendt een afschrift van de beschikking aan de belanghebbende partijen en aan de ambtenaar van de burgerlijke stand.

Art. 27c. (Vervallen bij de wet van 7 juli 1994, Stb. 570).

AFDELING 13
De rechterlijke last tot wijziging van de vermelding van het geslacht in de akte van geboorte

Wijziging vermelding geslacht

Art. 28. 1. Iedere Nederlander die de overtuiging heeft tot het andere geslacht te behoren dan is vermeld in de akte van geboorte en lichamelijk aan het verlangde geslacht is aangepast voor zover dit uit medisch of psychologisch oogpunt mogelijk en verantwoord is, kan de rechtbank verzoeken wijziging van de vermelding van het geslacht in de akte van geboorte te gelasten indien deze persoon:
a. niet gehuwd is;
b. als mannelijk in de akte van geboorte vermeld staande, nimmer meer in staat zal zijn kinderen te verwekken, dan wel als vrouwelijk in de akte van geboorte vermeld staande, nimmer meer in staat zal zijn kinderen te baren.

2. Voor de toepassing van het bepaalde in het eerste lid en de artikelen 28a en 28b van dit boek wordt onder akte van geboorte mede verstaan een akte van inschrijving van een buiten Nederland opgemaakte akte van geboorte of van een beschikking als bedoeld in artikel 25c van dit boek.

3. Degene, die de Nederlandse nationaliteit niet bezit, kan een verzoek als bedoeld in het eerste lid doen, indien hij reeds gedurende een tijdvak van ten minste één jaar, onmiddellijk voorafgaande aan het verzoek, woonplaats in Nederland heeft en een rechtsgeldige verblijfstitel heeft en voor het overige voldoet aan de in het eerste lid gestelde voorwaarden. Indien de akte van geboorte niet hier te lande in de registers van de burgerlijke stand is ingeschreven, wordt tevens de rechtbank verzocht de inschrijving te gelasten van de akte van geboorte in het register van geboorten van de gemeente 's-Gravenhage.

Motivatie; verklaring

Art. 28a. 1. Bij het verzoek moeten worden overgelegd een afschrift van de akte van geboorte alsmede een gezamenlijk ondertekende verklaring van bij algemene maatregel van bestuur aangewezen deskundigen, afgegeven ten hoogste zes maanden voor de datum van indiening van het verzoek, waaruit blijkt:
a. de overtuiging van de verzoeker dat hij tot het andere geslacht behoort dan in de akte van geboorte is vermeld en waarin is vervat het oordeel van de daartoe bevoegde deskundige dat die overtuiging, gelet op de periode waarin de verzoeker als zodanig heeft geleefd en zo mogelijk op andere daarbij te vermelden feiten of omstandigheden, als van blijvende aard kan worden beschouwd;
b. of en zo ja, in hoeverre de verzoeker lichamelijk aan het verlangde geslacht zodanig is aangepast als uit medisch of psychologisch oogpunt mogelijk en verantwoord is;
c. dat de verzoeker als mannelijk in de akte van geboorte vermeld staande, nimmer meer in staat zal zijn kinderen te verwekken, dan wel als vrouwelijk in de akte van geboorte vermeld staande, nimmer meer in staat zal zijn kinderen te baren.

2. In de verklaring behoeft het in het eerste lid onder a bedoelde onderdeel niet te worden opgenomen indien de verzoeker lichamelijk reeds aan het verlangde geslacht is aangepast.

Toewijzing verzoek

Art. 28b. 1. Het verzoek wordt toegewezen indien de rechtbank van oordeel is dat voldoende is komen vast te staan dat de verzoeker de overtuiging heeft tot het andere geslacht te behoren dan in de akte van geboorte is vermeld en dat deze overtuiging als van blijvende aard kan worden beschouwd en de verzoeker voldoet aan de in het eerste lid van artikel 28 gestelde voorwaarden.

2. Indien de rechtbank het verzoek om wijziging van de vermelding van het geslacht inwilligt, kan zij desverzocht tevens de wijziging van de voornamen van de verzoeker gelasten.

Art. 28c. 1. De wijziging van de vermelding van het geslacht heeft haar gevolgen, die uit dit boek voortvloeien, vanaf de dag waarop de ambtenaar van de burgerlijke stand aan de akte van geboorte een latere vermelding toevoegt van de last tot wijziging.

Gevolgen

2. De wijziging van de vermelding van het geslacht laat de op het in het eerste lid genoemde tijdstip bestaande familierechtelijke betrekkingen en de daaruit voortvloeiende op dit boek gegronde rechten, bevoegdheden en verplichtingen onverlet. De verzoeken in verband met artikel 157 en de vorderingen in verband met artikel 394 van dit boek kunnen ook worden ingesteld na het in het eerste lid genoemde tijdstip.

AFDELING 14

De Commissie van advies voor de zaken betreffende de burgerlijke staat en de nationaliteit

Art. 29. Er is een Commissie van advies voor de zaken betreffende de burgerlijke staat en de nationaliteit.

Adviescommissie burg. staat en nationaliteit

Art. 29a. 1. De Commissie bestaat uit ten minste negen en ten hoogste vijftien leden.

Samenstelling

2. De Commissie bestaat uit ten minste een lid van de rechterlijke macht, ten minste een lid uit de kring van het wetenschappelijk onderzoek, ten minste twee leden uit de kring van de ambtenaren van de burgerlijke stand en ten minste twee leden uit de kring van de gemeentelijke basisadministratie.

3. Onze Minister van Justitie benoemt en ontslaat de in het voorgaande lid bedoelde leden in overeenstemming met Onze Minister van Binnenlandse Zaken. Voorts wijst hij een voorzitter en een secretaris aan.

Art. 29b. 1. De Commissie brengt op verzoek van een ambtenaar van de burgerlijke stand of een ander bestuursorgaan advies uit over vragen betreffende zaken van burgerlijke staat of nationaliteit.

Taakstelling

2. Indien een advies van algemeen belang is, wordt het openbaar gemaakt. De Commissie bepaald de wijze van openbaarmaking.

3. De Commissie brengt op verzoek van Onze minister wie het aangaat, dan wel uit eigen beweging, advies uit over onderwerpen van wetgeving die geheel of den dele zaken van burgerlijke staat of nationaliteit betreffen. Voorts adviseert de Commissie op verzoek van de Tweede Kamer der Staten-Generaal over bij die Kamer aanhangig gemaakte initiatief-voorstellen van wet.

4. Aan de stemming over een advies, in het voorgaande lid bedoeld, nemen geen leden deel die ambtenaar zijn bij een ministerie.

Art. 29c. Indien een ambtenaar van de burgerlijke stand gerede twijfel heeft over de vraag of een aan een buiten Nederland opgemaakte akte van de burgerlijke stand of ander geschrift te ontlenen gegeven in aanmerking komt om in een akte van de burgerlijke stand te worden opgenomen, is hij gehouden het advies van de Commissie in te winnen.

Verplicht advies inwinnen

Art. 29d. Indien een ambtenaar van de burgerlijke stand een door de Commissie gegeven advies niet opvolgt, stelt hij de Commissie en de officier van justitie hiervan in kennis.

Niet opvolgen advies

Art. 29e. Onze Minister van Justitie kan nadere regels stellen omtrent de taak en de werkwijze van de Commissie.

Art. 29f. Telkens binnen een termijn van vier jaren brengt de Commissie een rapport uit aan Onze Minister van Justitie, waarin de taakvervulling van de Commissie aan een onderzoek wordt onderworpen en voorstellen kunnen worden gedaan voor gewenste veranderingen.

Rapportage

TITEL 5
Het huwelijk

Algemene bepaling

Burgerlijk huwelijk

Art. 30. De wet beschouwt het huwelijk alleen in zijn burgerlijke betrekkingen.

AFDELING 1
Vereisten tot het aangaan van een huwelijk

Vereiste leeftijd

Art. 31. 1. Om een huwelijk te mogen aangaan moeten een man en een vrouw de leeftijd van achttien jaren hebben bereikt.

2. Het in het vorige lid vermelde huwelijksbeletsel bestaat niet wanneer zij die met elkander een huwelijk willen aangaan de leeftijd van zestien jaren hebben bereikt en de vrouw een verklaring van een arts overlegt dat zij zwanger is, dan wel haar kind reeds ter wereld heeft gebracht.

3. Onze Minister van Justitie kan om gewichtige redenen ontheffing verlenen van het eerste lid genoemde vereiste.

Bezit geestvermogen

Art. 32. Een huwelijk mag niet worden aangegaan, wanneer de geestvermogens van een partij zodanig zijn gestoord, dat deze niet in staat is haar wil te bepalen of de betekenis van haar verklaring te begrijpen.

Monogamie

Art. 33. De man kan tegelijkertijd slechts met een vrouw, de vrouw slechts met een man door het huwelijk verbonden zijn.

Wachttijd voor vrouw

Uitzonderingen

Art. 34. 1. De vrouw wier huwelijk door de dood is ontbonden mag niet binnen 306 dagen daarna een nieuw huwelijk aangaan.

2. Het in het voorgaande lid vermelde huwelijksbeletsel bestaat niet:

a. waneer de vrouw de leeftijd van 52 jaren heeft bereikt;

b. wanneer zij na de dood van haar echtgenoot een kind ter wereld heeft gebracht;

c. wanneer zij een, ten minste dertig dagen na de dood van haar echtgenoot afgegeven, verklaring van een bij algemene maatregel van bestuur aangewezen deskundige overlegt, dat zij op enig tijdstip na zijn dood niet zwanger was;

d. wanneer zij en haar overleden echtgenoot waren gescheiden van tafel en bed of gedurende de laatste 306 dagen van het huwelijk gescheiden hebben geleefd.

Toestemming ouders en voogden

Art. 35. 1. Een minderjarige mag geen huwelijk aangaan zonder toestemming van de ouders die tot hem in familierechtelijke betrekking staan.

2. Zijn de geestvermogens van een ouder zodanig gestoord, dat hij niet in staat is zijn wil te bepalen of de betekenis van zijn verklaring te begrijpen, dan is zijn toestemming niet vereist.

3. Een minderjarige die onder voogdij staat, heeft bovendien de toestemming vân zijn voogd nodig.

Toestemming kantonrechter

Art. 36. Voor zover een volgens het vorige artikel vereiste toestemming niet wordt verkregen, kan zij op verzoek van de minderjarige door die van de kantonrechter worden vervangen.

Verklaring van gemeentebestuur bij huwelijk waarvan één vreemdeling is.

Art. 36a.*) 1. Aan een geschrift als bedoeld in artikel 36, tweede lid, onder c, d, of e, dan wel artikel 36, derde lid, worden geen gegevens ontleend over het huwelijk dat is gesloten tussen echtgenoten van wie ten minste één vreemdeling is, voordat het gemeentebestuur zich een door de korpschef in de zin van de Vreemdelingenwet afgegeven verklaring heeft doen overleggen.

2. Op de verklaring, bedoeld in het eerste lid, zijn de regels in en krachtens artikel 44, eerste lid, onder k, en tweede lid, van Boek 1 van het Burgerlijk Wetboek van overeenkomstige toepassing.

---

*) *Noot:*
In artikel 36a wordt verwezen naar het tweede en derde lid van artikel 36. Die leden bestaan echter niet. Het betreft hier kennelijk een fout van de wetgever, die hersteld zal worden door middel van een zogenaamde „leemtewet". Zodra de tekst van die wet bekend is, zal hij worden opgenomen.

Art. 37. 1. Hij die wegens verkwisting of drankmisbruik onder curatele staat, mag geen huwelijk aangaan zonder de toestemming van zijn curator en zijn toeziende curator.

Toestemming curator

2. Voor zover die toestemming niet wordt verkregen, kan zij op verzoek van de onder curatele gestelde door toestemming van de kantonrechter worden vervangen.

Toestemming kantonrechter

Art. 37a. Bij algemene maatregel van bestuur worden gevallen bepaald waarin het gemeentebestuur een afschrift van een beslissing als bedoeld in artikel 85 om op grond van artikel 37, tweede lid, een gegeven betreffende een vreemdeling niet in de basisadministratie op te nemen, toezendt aan de korpschef in de zin van de Vreemdelingenwet.

Afschrift naar korpschef

Art. 38. Hij die wegens een geestelijke stoornis onder curatele staat, mag geen huwelijk aangaan zonder toestemming van de kantonrechter.

Huwelijk alleen met toestemming kantonrechter

Art. 39. 1. Heeft de kantonrechter de toestemming verleend, dan is de termijn van beroep veertien dagen en kan gedurende die termijn de beschikking niet worden ten uitvoer gelegd.

Termijn van beroep tegen verleende toestemming

2. Hij die tegen een verleende toestemming opkomt, is verplicht dit binnen de termijn van beroep bij deurwaardersexploit te doen aanzeggen aan de ambtenaar of ambtenaren van de burgerlijke stand ten overstaan van wie het huwelijk kan worden voltrokken. Door dit te verzuimen verliest hij het recht om de nietigverklaring van het huwelijk op grond van het ontbreken van zijn toestemming te vragen, indien de rechtbank de beschikking van de kantonrechter vernietigt en het huwelijk reeds is voltrokken.

Opkomen tegen verleende toestemming

Art. 40.*) 1. Bij gerede twijfel over de toepassing van artikel 36, tweede en derde lid, en artikel 37, eerste en tweede lid, wordt advies ingewonnen van de ambtenaar van de burgerlijke stand in de gemeente.

Advies bij twijfel over huwelijk waarvan één vreemdeling is

2. Indien bij de ontlening van gegevens over een huwelijk dat is gesloten tussen echtgenoten van wie ten minste een vreemdeling is, aan een geschrift als bedoeld in artikel 36, tweede lid, onder c, d, of e, dan wel artikel 36, derde lid, op grond van de verklaring van de korpschef in de zin van de Vreemdelingenwet of anderszins het redelijke vermoeden bestaat dat het oogmerk van de echtgenoten, of een van beiden, niet was gericht op de vervulling van de door de wet aan de huwelijkse staat verbonden plichten, doch op het verkrijgen van toelating tot Nederland, wordt in afwijking van het eerste lid, over de ontlening van de gegevens over het huwelijk advies van de ambtenaar van de burgerlijke stand van de gemeente 's-Gravenhage ingewonnen.

3. Indien na het advies, bedoeld in het eerste lid, gerede twijfel blijft bestaan of het voornemen bestaat van het advies of te wijken, wordt het advies van de Commissie van advies voor de zaken betreffende de burgerlijke staat en de nationaliteit ingewonnen.

Art. 41. 1. Een huwelijk mag niet worden gesloten tussen hen die elkander, hetzij van nature hetzij door adoptie, hetzij wettig hetzij onwettig, bestaan in de opgaande en in de nederdalende lijn of als broeder en zuster.

Verboden bloedverwantschap

2. Onze Minister van Justitie kan om gewichtige redenen ontheffing van het verbod verlenen aan hen die broeder en zuster door adoptie zijn.

Ontheffingsmogelijkheid

Art. 42. Vervallen.

AFDELING 2
Formaliteiten die aan de voltrekking van het huwelijk moeten voorafgaan

Art. 43. 1. Zij die met elkaar een huwelijk willen aangaan, moeten daarvan onder overlegging van de in artikel 44 van dit boek genoemde bescheiden, aangifte

Huwelijksaangifte

*) *Noot:*
In artikel 40 wordt verwezen naar het tweede en derde lid van artikel 36. Die leden bestaan echter niet. Het betreft hier kennelijk een fout van de wetgever, die hersteld zal worden door middel van een zogenaamde „leemtewet". Zodra de tekst van die wet bekend is, zal hij worden opgenomen.

doen bij de ambtenaar van de burgerlijke stand van de woonplaats van één der partijen. Wanneer de aanstaande echtgenoten, van wie ten minste één de Nederlandse nationaliteit bezit, buiten Nederland woonplaats hebben en in een Nederlandse gemeente een huwelijk met elkaar willen aangaan, geschiedt de aangifte bij de ambtenaar van de burgerlijke stand te 's-Gravenhage.

2. Bij de aangifte kunnen de aanstaande echtgenoten verklaren dat het huwelijk zal worden voltrokken in een andere gemeente dan die waarin een van hen op het tijdstip van de huwelijksaangifte woonplaats heeft, dan wel indien de tweede zin van het eerste lid van toepassing is, in een andere gemeente dan 's-Gravenhage.

3. De aangifte geschiedt in persoon of bij zodanige geschriften waaruit van het voornemen der aanstaande echtgenoten met genoegzame zekerheid kan blijken.

4. De ambtenaar van de burgerlijke stand maakt van de aangifte een akte op.

Vereiste bescheiden

Art. 44. 1. Voor de aangifte van het huwelijk worden de volgende bescheiden aan de ambtenaar van de burgerlijke stand overgelegd:
a. de geboorteakte van ieder der aanstaande echtgenoten en van elk van hen een gewaarmerkt afschrift van gegevens uit de basisadministratie persoonsgegevens, tenzij zij niet als ingezetene in een basisadministratie persoonsgegevens behoeven te zijn ingeschreven;
b. een akte van huwelijkstoestemming, gegeven door hen, wier toestemming tot het huwelijk noodzakelijk is. De akte van huwelijkstoestemming wordt door een ambtenaar van de burgerlijke stand of door een notaris opgemaakt. De toestemming kan ook bij de huwelijksakte worden gegeven. Is de toestemming door de rechter of Onze Minister van Justitie verleend, dan wordt diens beschikking overgelegd;
c. een akte van overlijden van allen, wier toestemming voor het huwelijk was vereist, als zij in leven waren geweest;
d. ingeval van tweede of verder huwelijk, bewijsstukken aantonende dat het vorige huwelijk geen beletsel voor een nieuw huwelijk oplevert;
e. de akte van huwelijksaangifte;
f. indien stuiting heeft plaatsgevonden, het bewijs dat de stuiting is opgeheven;
g. het bewijs van de ontheffing of de vergunning van Onze Minister van Justitie, ingeval deze is vereist;
h. indien een beschikking als bedoeld in afdeling 12 van Titel 4 van dit boek of een vrijstelling krachtens artikel 62 van dit boek is verkregen, ook deze;
i. de verklaring, bedoeld in artikel 31, tweede lid, van dit boek, ingeval deze vereist is;
j. een schriftelijke opgave van de namen en de adressen van de personen die zijn uitgenodigd om als getuigen bij de voltrekking van het huwelijk aanwezig te zijn;
k. een door het hoofd van plaatselijke politie in de zin van de Vreemdelingenwet aan de ambtenaar van de burgerlijke stand afgegeven verklaring waaruit blijkt dat de aanstaande echtgenoot die niet de Nederlandse nationaliteit bezit, over een titel tot verblijf in Nederland beschikt of om toelating tot Nederland heeft verzocht, dan wel voornemens is niet in Nederland te verblijven. De verklaring wordt opgesteld op verzoek van de aanstaande echtgenoot op wie zij betrekking heeft. Heeft deze geen woonplaats in Nederland, dan wordt zij opgesteld op verzoek van de andere aanstaande echtgenoot. De verklaring is niet vereist indien de aanstaande echtgenoten aannemelijk kunnen maken dat zij beiden buiten Nederland woonplaats hebben.

2. Bij algemene maatregel van bestuur worden nadere regels gesteld met betrekking tot de inhoud van het in het eerste lid onder a bedoelde gewaarmerkt afschrift van gegevens uit de basisadministratie persoonsgegevens, alsmede de in hetzelfde lid onder k bedoelde verklaring.

Akte van bekendheid

Art. 45. 1. Een aanstaande echtgenoot die in de onmogelijkheid is, zijn door het vorige artikel vereiste geboorteakte te vertonen, kan dit verhelpen door een akte van bekendheid, afgegeven door de kantonrechter van zijn geboorteplaats of woonplaats, op verklaring van vier meerderjarige getuigen.

2. Deze verklaring houdt de vermelding in van de plaats en, zo na mogelijk, van het tijdstip der geboorte, benevens de oorzaken, die beletten een akte daarvan over te leggen.

3. Het ontbreken van een geboorteakte kan ook worden verholpen, hetzij door een dergelijke, naar beëdigde verklaring, afgelegd door de getuigen, die bij de voltrekking van het huwelijk tegenwoordig zijn, ofwel door een bij de ambtenaar van de burgerlijke stand afgelegde beëdigde verklaring van de aanstaande echtgenoot, inhoudende dat hij zich geen geboorteakte of akte van bekendheid kan verschaffen. In de huwelijksakte wordt van de afgelegde verklaring melding gemaakt.

Art. 45a. Indien partijen niet in staat zijn de akten van overlijden, bij artikel 44, eerste lid, onder c van dit boek bedoeld, over te leggen, kan dat gebrek op dezelfde wijze als in het geval van het vorige artikel worden verholpen.

Ontbreken overlijdensakte

Art. 46. Wanneer het huwelijk binnen een jaar, te rekenen van de datum van de akte van huwelijksaangifte, niet is voltrokken, mag het niet worden voltrokken dan nadat een nieuwe aangifte is gedaan.

Geldigheidsduur van aangifte en afkondigingen

Art. 47. 1. Indien een minderjarige een huwelijk wenst aan te gaan, onderzoekt de ambtenaar van de burgerlijke stand, van welke personen daartoe de toestemming wordt vereist.

Onderzoek naar vereiste toestemmingen

2. Voorts onderzoekt die ambtenaar of de minderjarige onder toezicht gesteld of voorlopig aan de raad voor de kinderbescherming toevertrouwd is. Blijkt dit het geval, dan verwittigt hij bij ondertoezichtstelling de kinderrechter en in het andere geval de raad voor de kinderbescherming onverwijld van het voorgenomen huwelijk.

Art. 48. Indien hij die wil hertrouwen de voogdij over kinderen uit een vorig huwelijk heeft, geeft de ambtenaar van de burgerlijke stand van de gedane aangifte onverwijld kennis aan de kantonrechter van de woonplaats van de ouder-voogd.

Nieuw huwelijk van ouder-voogd

Art. 49. 1. Trouwbeloften geven geen rechtsvordering tot het aangaan van een huwelijk, noch tot schadevergoeding wegens de niet-vervulling van de beloften; alle afwijkende bedingen zijn nietig.

Trouwbeloften

2. Indien echter een akte van huwelijksaangifte is opgemaakt, kan dit grond opleveren tot een vordering tot vergoeding der werkelijke vermogensverliezen, zonder dat daarbij enige winstderving in aanmerking komt. De vordering vervalt door verloop van achttien maanden, te rekenen van de datum van de akte van huwelijksaangifte.

Vergoeding werkelijke vermogensverliezen

Art. 49a. 1. Indien een Nederlander buiten Nederland een huwelijk wenst aan te gaan, wordt op zijn verzoek aan hem een verklaring van huwelijksbevoegdheid overeenkomstig de bijlage van de Overeenkomst van München van 5 september 1980 (Trb. 1981, 71, en 1982, 116) afgegeven.

Verklaring van huwelijksbevoegdheid bij huwelijk buiten Nederland

2. Deze verklaring wordt afgegeven:
a. aan degene die binnen Nederland woonplaats heeft, door de ambtenaar van de burgerlijke stand van zijn woonplaats;
b. aan degene die binnen Nederland geen woonplaats heeft, maar wel heeft gehad, door de ambtenaar van de burgerlijke stand van de laatste woonplaats aldaar;
c. aan degene die binnen Nederland geen woonplaats heeft of heeft gehad, door het hoofd van de diplomatieke of consulaire vertegenwoordiging van het Koninkrijk der Nederlanden in het ressort waar het huwelijk wordt voltrokken.

3. De verklaring wordt door de bevoegde autoriteit niet afgegeven alvorens deze, door kennisneming van de bescheiden, vermeld in artikel 58, onder a, b, c, d, en g, en zo nodig van die, vermeld in de artikelen 59 en 60 van dit boek, alsmede in het zesde lid van dit artikel, zich ervan heeft overtuigd dat naar Nederlands recht geen beletselen tegen het huwelijk bestaan.

4. De verklaring van huwelijksbevoegdheid is, te rekenen van het tijdstip van afgifte, gedurende zes maanden geldig.

5. Indien de afgifte van een verklaring van huwelijksbevoegdheid wordt geweigerd, kan de aanvrager zich bij verzoekschrift tot de rechtbank wenden. In elke instantie beslist de rechter, gehoord het openbaar ministerie, zo spoedig mogelijk.

AFDELING 3
Stuiting van het huwelijk

Art. 50. Een huwelijk kan worden gestuit, wanneer partijen niet de vereisten in zich verenigen om een huwelijk aan te gaan, dan wel wanneer het oogmerk van de aanstaande echtgenoten, of één hunner, niet is gericht op de vervulling van de door de wet aan de huwelijkse staat verbonden plichten, doch op het verkrijgen van toelating tot Nederland.

Gevallen, waarin stuiting mogelijk is

Art. 51. 1. Bevoegd tot stuiting, wanneer partijen niet de vereisten in zich verenigen om een huwelijk aan te gaan, zijn bloedverwanten in de rechte lijn, broeders, zusters, voogden, toeziende voogden, curatoren en toeziende curatoren van een der aanstaande echtgenoten.

Bevoegdheid tot stuiting

2. De in het vorige lid genoemde personen zijn ook bevoegd een huwelijk te stuiten, wanneer de andere aanstaande echtgenoot onder curatele staat, en het huwelijk klaarblijkelijk het ongeluk zou veroorzaken van de partij, waarvan zij bloedverwant, voogd, toeziende voogd, curator of toeziende curator zijn.

Recht van echtgenoot tot stuiting

Art. 52. Hij die met een der partijen door huwelijk verbonden is, kan op grond van het bestaan van dat huwelijk een nieuw aan te gaan huwelijk stuiten.

Stuiting door openbaar ministerie

Art. 53. 1. Het openbaar ministerie is verplicht een voorgenomen huwelijk te stuiten, indien het met een der in de artikelen 31-34 en 41 van dit boek omschreven huwelijksbeletselen bekend is.

2. Het openbaar ministerie is bevoegd het huwelijk te stuiten van een minderjarige, die onder toezicht is gesteld of voorlopig aan de raad voor de kinderbescherming is toevertrouwd, indien het belang van die minderjarige zich tegen het aangaan van het huwelijk verzet; daarbij kan het belang dat de wederpartij bij het huwelijk heeft, mede in aanmerking worden genomen.

3. Het openbaar ministerie is voorts bevoegd het huwelijk als schijnhandeling wegens strijd met de Nederlandse openbare orde te stuiten indien het oogmerk van de aanstaande echtgenoten, of één hunner, niet is gericht op de vervulling van de door de wet aan de huwelijkse staat verbonden plichten, doch op het verkrijgen van toelating tot Nederland.

Wijze van stuiting

Art. 54. 1. De stuiting geschiedt door betekening van een akte aan de ambtenaar van de burgerlijke stand van één der gemeenten waar het huwelijk kan worden voltrokken.

2. De akte houdt de keus van een woonplaats in die gemeente en de gronden van de stuiting in en vermeldt de hoedanigheid die aan de opposant de bevoegdheid geeft om het huwelijk te stuiten; alles op straffe van nietigheid.

3. De ambtenaar, aan wie de akte is betekend, zal van de gedane stuiting onverwijld kennis geven aan de ambtenaar van de burgerlijke stand der andere gemeenten, waar het huwelijk kan worden voltrokken.

4. De opposant zal afschrift der akte van stuiting onverwijld doen betekenen aan de partij, tegen welke de stuiting is gericht.

Opheffing van de stuiting

Art. 55. Een stuiting kan worden opgeheven:
a. op dezelfde wijze als waarop zij is geschied;
b. door een verklaring, in persoon afgelegd ten overstaan van een der ambtenaren van de burgerlijke stand, genoemd in het vorige artikel;
c. door een verklaring, afgelegd ten overstaan van een notaris;
d. door een in kracht van gewijsde gegane beschikking, gegeven op verzoek van een belanghebbende.

Gevolgen van de stuiting

Art. 56. Het huwelijk mag niet worden voltrokken, voordat de stuiting is opgeheven. Mocht het desniettemin voltrokken zijn hangende een geding tot opheffing van de stuiting, dan kan dit geding op verlangen van de opposant worden voortgezet en wordt het huwelijk nietig verklaard, indien de rechter de gegrondheid der stuiting aanvaardt.

Gevolgen van huwelijksbeletselen

Art. 57. Een ambtenaar van de burgerlijke stand aan wie het bestaan van een der in de artikelen 31-34 en 41 van dit Boek omschreven huwelijksbeletselen bekend is, mag niet tot een huwelijksaangifte of een huwelijksvoltrekking meewerken, ook al zou geen stuiting hebben plaatsgehad.

AFDELING 4
De voltrekking van het huwelijk

Geldigheidsduur verklaring

Art. 58. 1. Komt vast te staan dat op het tijdstip waarop de voltrekking van het huwelijk zal plaatsvinden meer dan twee maanden zullen zijn verstreken sinds de afgifte van een verklaring als bedoeld in artikel 44, eerste lid, onder k, dan doet de ambtenaar van de burgerlijke stand zich, alvorens tot de voltrekking van het huwelijk over te gaan, wederom een zodanige verklaring overleggen, tenzij zulks op grond van het derde lid niet vereist is.

2. Indien de overlegging van een verklaring als bedoeld in artikel 44, eerste lid, onder k, op het tijdstip van de aangifte van het huwelijk niet werd vereist, doet de

ambtenaar van de burgerlijke stand zich, alvorens tot voltrekking van het huwelijk over te gaan, alsnog een zodanige verklaring overleggen, tenzij zulks op grond van het derde lid niet vereist is.

3. De verklaring wordt opgesteld op verzoek van de aanstaande echtgenoot op wie zij betrekking heeft. Een verklaring is niet vereist indien de aanstaande echtgenoten aannemelijk kunnen maken dat zij beiden buiten Nederland woonplaats hebben.

Artt. 59 en 60. (Vervallen bij de wet van 2 juni 1994, Stb. 405).

Art. 61. (Vervallen bij de wet van 14 oktober 1993, Stb. 555).

Wachttijd

Art. 62. 1. Het huwelijk mag niet worden voltrokken vóór de veertiende dag na de datum van de akte van huwelijksaangifte.

Vrijstelling wachttijd

2. Het openbaar ministerie bij de rechtbank, binnen wier rechtsgebied de huwelijksaangifte is geschied, is bevoegd uit hoofde van gewichtige redenen vrijstelling te verlenen van de voorgeschreven wachttijd.

Voltrekking in gemeentehuis

Art. 63. Een huwelijk wordt in tegenwoordigheid van ten minste twee en ten hoogste vier meerderjarige getuigen in het openbaar in het gemeentehuis voltrokken ten overstaan van de ambtenaar van de burgerlijke stand van:
a. de woonplaats van één der partijen ten tijde van de datum van de akte van huwelijksaangifte, of
b. 's-Gravenhage, in het geval bedoeld in artikel 43, eerste lid, tweede zin, van dit boek, of
c. de bij de huwelijksaangifte aangewezen gemeente.

Voltrekking in bijzonder huis

Art. 64. Indien een der partijen uit hoofde van een behoorlijk bewezen wettig beletsel verhinderd wordt zich naar het gemeentehuis te begeven, kan het huwelijk worden voltrokken in een bijzonder huis binnen dezelfde gemeente, mits dit in tegenwoordigheid van zes meerderjarige getuigen geschiedt.

Verschijning in persoon

Art. 65. De aanstaande echtgenoten zijn verplicht bij de voltrekking van hun huwelijk in persoon voor de ambtenaar van de burgerlijke stand te verschijnen.

Huwelijk bij volmacht

Art. 66. Het staat Onze Minister van Justitie vrij, uit hoofde van gewichtige redenen aan partijen te vergunnen het huwelijk door een bijzondere bij authentieke akte gevolmachtigde te voltrekken.

Verklaringen van partijen

Art. 67. 1. De aanstaande echtgenoten moeten ten overstaan van de ambtenaar van de burgerlijke stand en in tegenwoordigheid van de getuigen verklaren, dat zij elkander aannemen tot echtgenoten en dat zij getrouw alle plichten zullen vervullen, die door de wet aan de huwelijkse staat worden verbonden.

Sluiting van het huwelijk

2. Terstond nadat deze verklaring is afgelegd, verklaart de ambtenaar van de burgerlijke stand, dat partijen door de echt aan elkander zijn verbonden, en maakt hij daarvan in het daartoe bestemde register een akte op.

Godsdienstige plechtigheden

Art. 68. Geen godsdienstige plechtigheden zullen mogen plaatshebben, voordat de partijen aan de bedienaar van de eredienst zullen hebben doen blijken, dat het huwelijk ten overstaan van de ambtenaar van de burgerlijke stand is voltrokken.

AFDELING 5
Nietigverklaring van een huwelijk

Tot vorderen bevoegden

Art. 69. 1. Voor zover hieronder niet anders is bepaald, kan op grond dat de echtgenoten niet de vereisten in zich verenigden om tezamen een huwelijk aan te gaan, de nietigverklaring van het huwelijk worden verzocht door:
a. de bloedverwanten in de opgaande lijn van een der echtgenoten;
b. ieder der echtgenoten;
c. alle overige personen, die daarbij een onmiddellijk rechtsbelang hebben, echter deze alleen na de ontbinding van het huwelijk;
d. het openbaar ministerie, echter alleen zolang het huwelijk niet is ontbonden.

2. Hij die met een der echtgenoten nog door een vroeger huwelijk is verbonden, is eveneens bevoegd op grond van het bestaan van dat huwelijk de nietigverklaring van het daarna gesloten huwelijk te verzoeken.

Onbevoegdheid ambtenaar of vormgebrek

Art. 70. 1. Op verzoek van de ouders, de echtgenoten en het openbaar ministerie kan een huwelijk worden nietig verklaard, wanneer het ten overstaan van een niet bevoegde ambtenaar van de burgerlijke stand of niet in tegenwoordigheid van het vereiste aantal getuigen is voltrokken.

2. De bevoegdheid van een echtgenoot om uit dien hoofde de nietigverklaring van het huwelijk te verzoeken vervalt, indien er uiterlijk bezit van de huwelijkse staat en een akte van huwelijksvoltrekking ten overstaan van een ambtenaar van de burgerlijke stand verleden, aanwezig zijn.

Bedreiging of dwaling

Art. 71. 1. Een echtgenoot kan de nietigverklaring van zijn huwelijk verzoeken, wanneer dit onder invloed van een onrechtmatige ernstige bedreiging is gesloten.

2. Een gelijk verzoek komt de echtgenoot toe, die bij de huwelijksvoltrekking gedwaald heeft hetzij in de persoon van de andere echtgenoot, hetzij omtrent de betekenis van de door hem afgelegde verklaring.

3. De bevoegdheid van de echtgenoot de nietigverklaring wegens bedreiging of dwaling te verzoeken vervalt, wanneer de echtgenoten zes maanden hebben samengewoond sedert het ophouden van de bedreiging of de ontdekking van de dwaling, zonder dat het verzoek is ingesteld.

Nietigverklaring schijnhuwelijk

Art. 71a. Op vordering van het openbaar ministerie kan een huwelijk als schijnhandeling wegens strijd met de Nederlandse openbare orde worden nietig verklaard indien het oogmerk van de echtgenoten, of één hunner, niet was gericht op de vervulling van de door de wet aan de huwelijkse staat verbonden plichten, doch op het verkrijgen van toelating tot Nederland.

Geen gronden voor nietigverklaring

Art. 72. Een huwelijk kan niet worden nietig verklaard:
a. uit hoofde dat het is gesloten binnen 306 dagen sedert de ontbinding van een vorig huwelijk van de vrouw door de dood;
b. uit hoofde dat op het tijdstip van de huwelijksvoltrekking een der echtgenoten onder curatele stond, en het huwelijk klaarblijkelijk het ongeluk van de andere echtgenoot zou veroorzaken.

Geestelijke stoornis

Art. 73. De nietigverklaring van een huwelijk uit hoofde van een geestelijke stoornis kan na het ophouden van de stoornis alleen worden verzocht door de echtgenoot die geestelijk gestoord was. Het verzoek vervalt door een samenwoning van ten minste zes maanden na het ophouden van de stoornis.

Niet voldoen aan leeftijdsvereiste

Art. 74. De nietigverklaring van een huwelijk, dat aangegaan is door iemand die de vereiste leeftijd miste, kan niet worden verzocht, wanneer deze op de dag der rechtsvordering de vereiste ouderdom heeft, noch wanneer de vrouw vóór de dag van het verzoek zwanger is geworden.

Ontbreken van toestemming

Art. 75. 1. Wegens het ontbreken van een vereiste toestemming van een derde kan de nietigverklaring van het huwelijk alleen door die derde of, in het geval van artikel 38 van dit boek, door de curator of de toeziende curator worden verzocht. Dit verzoek vervalt, wanneer hij die bevoegd is de nietigverklaring te verzoeken, het huwelijk uitdrukkelijk of stilzwijgend heeft goedgekeurd, of wanneer drie maanden verlopen zijn nadat hij met de huwelijksvoltrekking bekend is geworden.

2. Hij die bevoegd is de nietigverklaring te verzoeken, wordt vermoed met het huwelijk bekend te zijn geworden, wanneer het hier te lande is voltrokken, of wanneer het, buiten Nederland aangegaan, hier te lande in de registers van de burgerlijke stand is ingeschreven.

Nietigverklaring alleen op grond van uitdrukkelijke wetsbepaling

Art. 76. Behoudens het in artikel 56 van dit boek bepaalde, verklaart de rechter een huwelijk alleen nietig op grond van een verzoek overeenkomstig de bepalingen van deze afdeling.

Gevolgen van nietigverklaring

Art. 77. 1. De nietigverklaring van het huwelijk werkt, zodra de beschikking in kracht van gewijsde is gegaan; zij werkt terug tot het tijdstip van de huwelijksvoltrekking.

2. Nochtans mist de beschikking terugwerkende kracht en heeft het hetzelfde gevolg als een echtscheiding:
a. ten aanzien van de kinderen der echtgenoten;
b. ten aanzien van de te goeder trouw zijnde echtgenoot; deze kan echter niet op een gemeenschap van goederen aanspraak maken, wanneer het huwelijk wegens het be-

staan van een vroeger huwelijk is nietig verklaard;
c. ten aanzien van andere personen dan de echtgenoten en hun wettige kinderen, voor zover zij te goeder trouw vóór de inschrijving der nietigverklaring rechten hebben verkregen.

AFDELING 6
Bewijs van het bestaan van het huwelijk

Art. 78. Het bestaan van een in Nederland gesloten huwelijk kan niet anders worden bewezen dan door de huwelijksakte, behoudens in de gevallen bij de volgende artikelen voorzien.

Bewijs door akte

Art. 79. Heeft het huwelijksregister niet bestaan of is het verloren gegaan of ontbreekt daaraan de huwelijksakte, dan kan het huwelijk door getuigen of bescheiden worden bewezen, mits er een uiterlijk bezit van de huwelijkse staat aanwezig is.

Bewijs door getuigen of bescheiden

Art. 80. Wordt in een geding de wettigheid betwist van een kind dat uiterlijk bezit van zijn staat heeft, dan levert het feit, dat de ouders openlijk als man en vrouw hebben geleefd, voldoende bewijs van het huwelijk op.

Bewijs door feitelijke samenleving

TITEL 6
Rechten en verplichtingen van echtgenoten

Art. 81. Echtgenoten zijn elkander getrouwheid, hulp en bijstand verschuldigd. Zij zijn verplicht elkander het nodige te verschaffen.

Getrouwheid, hulp en bijstand

Art. 82. Echtgenoten zijn jegens elkander verplicht hun kinderen te verzorgen en op te voeden.

Verzorging en opvoeding kinderen

Art. 83. 1. Echtgenoten zijn jegens elkander tot samenwoning verplicht, tenzij gewichtige redenen zich daartegen verzetten. De verplichting vervalt eveneens, indien een verzoek tot echtscheiding of scheiding van tafel en bed is gedaan dan wel een beschikking betreffende een of meer voorlopige voorzieningen van kracht is.

Samenwoning

2. De plaats van de samenwoning wordt in onderling overleg vastgesteld. Indien een der echtgenoten onder curatele staat, of zich omtrent de plaats van samenwoning niet kan of wil verklaren, bepaalt de andere echtgenoot deze.
3. Geschillen omtrent het in het vorige lid bepaalde worden door de kantonrechter op verzoek van beiden of een van hen beslist.

Art. 84. 1. De kosten der huishouding, daaronder begrepen de kosten der verzorging en opvoeding van de kinderen, komen ten laste van het gemene inkomen der echtgenoten en, voor zover dit ontoereikend is, ten laste van hun eigen inkomens in evenredigheid daarvan; voor zover de inkomens ontoereikend zijn, komen deze kosten ten laste van het gemene vermogen en, voor zover ook dit ontoereikend is, ten laste van de eigen vermogens naar evenredigheid daarvan. Een en ander geldt niet, voor zover bijzondere omstandigheden zich er tegen verzetten.

Kosten huishouding

2. De echtgenoten zijn jegens elkander verplicht dienovereenkomstig tot de bestrijding van de in het eerste lid bedoelde uitgaven bij te dragen uit de onder hun bestuur staande goederen, voor zover niet bijzondere omstandigheden zich daartegen verzetten.
3. Bij huwelijkse voorwaarden kan een van de vorige leden afwijkende regeling worden getroffen.
4. Geschillen tussen de echtgenoten omtrent de toepassing van de vorige leden worden door de rechtbank op verzoek van beiden of een van hen beslist.
5. Op verzoek van beide of van een der echtgenoten kan de rechtbank een gegeven beschikking of een bij huwelijkse voorwaarden getroffen regeling wijzigen op grond van veranderde omstandigheden.
6. Wanneer de echtgenoten niet samenwonen en dit te wijten is aan onredelijk gedrag van een der echtgenoten, treedt voor de in het tweede lid omschreven verplichtingen in de plaats de verplichting van die echtgenoot om aan de andere echtgenoot een bedrag voor diens levensonderhoud uit te keren, onverminderd beider verplichting om bij te dragen in de kosten van verzorging en opvoeding van de kinderen. Bij het vaststellen van de uitkering wordt het bestaan van een regeling als in het derde lid bedoeld mede in aanmerking genomen.

Aansprakelijkheid voor huishoudelijke schulden

Art. 85. 1. De ene echtgenoot is naast de andere voor het geheel aansprakelijk voor de door deze ten behoeve van de gewone gang van de huishouding aangegane verbintenissen, met inbegrip van die welke voortvloeien uit de door hem als werkgever ten behoeve van de huishouding aangegane arbeidsovereenkomsten.

Huishoudgeld

2. De ene echtgenoot is verplicht aan de andere die met hem samenwoont, ten behoeve van de gewone gang van de huishouding voldoende gelden ter beschikking te stellen; wonen echtgenoten in onderling overleg niet samen, dan is de ene echtgenoot verplicht aan de andere voldoende gelden ter beschikking te stellen ten behoeve van de gewone gang van diens huishouding.

3. Hij mag daarbij rekening houden met het bedrag, dat de andere echtgenoot uit de onder diens bestuur staande goederen voor dit doel dient te bestemmen.

4. Geschillen tussen de echtgenoten omtrent een en ander worden door de rechtbank op verzoek van beiden of een van hen beslist. Op gelijke wijze als zij is tot stand gekomen, kan bij veranderde omstandigheden een gegeven beschikking worden gewijzigd.

Opheffing aansprakelijkheid voor huishoudelijke schulden

Art. 86. 1. De rechtbank kan, wanneer daartoe gegronde redenen bestaan, op verzoek van een echtgenoot bepalen dat deze niet aansprakelijk zal zijn voor de door de andere echtgenoot in het vervolg aangegane verbintenissen als bedoeld in het eerste lid van het vorige artikel. Wordt een zodanig verzoek toegewezen, dan kan de rechtbank tevens bepalen dat die echtgenoot niet meer verplicht is aan de andere echtgenoot overeenkomstig het tweede lid van het vorige artikel gelden ter beschikking te stellen.

2. Een overeenkomstig dit artikel gegeven rechterlijke beschikking kan bij veranderde omstandigheden op gelijke wijze als zij is tot stand gekomen, worden gewijzigd of opgeheven.

Werking tegenover derden

3. De beschikking kan aan derden die van haar bestaan onkundig waren, slechts worden tegengeworpen, indien zij ingeschreven was in het huwelijksgoederenregister, aangewezen in artikel 116 van dit boek, en na de inschrijving veertien dagen waren verlopen.

4. In de beschikking kan worden bepaald dat zij bovendien moet worden bekendgemaakt in een of meer door de rechter aangewezen dagbladen. In dat geval werkt de beschikking ten nadele van derden die daarvan onkundig waren, ook niet vóór deze bekendmaking.

Art. 87. Vervallen.

Toestemming andere echtgenoot voor rechtshandeling

Art. 88. 1. Een echtgenoot behoeft de toestemming van de andere echtgenoot voor de volgende rechtshandelingen:
a. overeenkomsten strekkende tot vervreemding, bezwaring of ingebruikgeving en rechtshandelingen strekkende tot beëindiging van het gebruik van een door de echtgenoten tezamen of door de andere echtgenoot alleen bewoonde woning of van zaken die bij een zodanige woning of tot de inboedel daarvan behoren;
b. giften, met uitzondering van de gebruikelijke, van de niet bovenmatige en van die waarvoor tijdens zijn leven niets aan zijn vermogen wordt onttrokken;
c. overeenkomsten die ertoe strekken dat hij, anders dan in de normale uitoefening van zijn beroep of bedrijf, zich als borg of hoofdelijke medeschuldenaar verbindt, zich voor een derde sterk maakt, of zich tot zekerheidstelling voor een schuld van de derde verbindt;
d. overeenkomsten van koop op afbetaling, behalve van zaken welke kennelijk uitsluitend of hoofdzakelijk ten behoeve van de normale uitoefening van zijn beroep of bedrijf strekken.

Geen toestemming

2. De echtgenoot behoeft de toestemming niet, indien hij tot het verrichten der rechtshandeling is verplicht op grond van de wet of op grond van een voorafgaande rechtshandeling waarvoor die toestemming is verleend of niet was vereist.

3. De toestemming moet schriftelijk worden verleend, indien de wet voor het verrichten van de rechtshandeling een vorm voorschrijft.

4. Toestemming voor een rechtshandeling als bedoeld in lid 1 onder c, is niet vereist, indien zij wordt verricht door een bestuurder van een naamloze vennootschap of van een besloten vennootschap met beperkte aansprakelijkheid, die daarvan alleen of met zijn medebestuurders de meerderheid der aandelen houdt en mits zij geschiedt ten behoeve van de normale uitoefening van het bedrijf van die vennootschap.

5. Indien de andere echtgenoot door afwezigheid of een andere oorzaak in de onmogelijkheid verkeert zijn wil te verklaren of zijn toestemming niet verleent, kan de beslissing van de kantonrechter worden ingeroepen.

Art. 89. 1. Een rechtshandeling die een echtgenoot in strijd met het vorige artikel heeft verricht, is vernietigbaar; slechts de andere echtgenoot kan een beroep op de vernietigingsgrond doen.

Onbevoegd verrichte rechtshandelingen

2. Het vorige lid geldt niet voor een andere handeling dan een gift, indien de wederpartij te goeder trouw was.

3. Het einde van het huwelijk en scheiding van tafel en bed hebben geen invloed op de bevoegdheid om ter vernietiging van een rechtshandeling van een echtgenoot een beroep op de vernietigingsgrond te doen, die voordien was ontstaan. Indien de andere echtgenoot dientengevolge schuldenaar uit die rechtshandeling wordt, geldt artikel 51 lid 3 van Boek 3 voor hem slechts, zolang de termijn van artikel 52 lid 1 van Boek 3 niet is verstreken.

4. De verklaring of rechtsvordering tot vernietiging behoeft in afwijking van de artikelen 50 lid 1 van Boek 3 en 51 lid 2 van Boek 3 niet mede te worden gericht tot de echtgenoot die de handeling heeft verricht.

5. De echtgenoot die een beroep op de vernietigingsgrond heeft gedaan, kan tevens alle uit de nietigheid voortvloeiende rechtsvorderingen instellen.

Art. 90. 1. Een echtgenoot is bevoegd tot het bestuur van zijn eigen goederen en, volgens de regels van artikel 97, tot het bestuur van goederen van een gemeenschap.

Bestuur

2. Het bestuur van een echtgenoot over een goed omvat de uitoefening, met uitsluiting van de andere echtgenoot, van de daaraan verbonden bevoegdheden, daaronder begrepen de bevoegdheid tot beschikking en de bevoegdheid om ten aanzien van dat goed feitelijke handelingen te verrichten en toe te laten, onverminderd de bevoegdheden tot genot en gebruik die de andere echtgenoot overeenkomstig de huwelijksverhouding toekomen.

Omvang bestuur

3. Tussen de echtgenoot die het hem toekomend bestuur overlaat aan de andere echtgenoot, en deze laatste zijn de bepalingen omtrent opdracht van overeenkomstige toepassing, met inachtneming van de aard van de huwelijksverhouding en de aard der goederen.

Overeenkomstige toepassing

4. De echtgenoot die een goed bestuurt, kan als partij naast de andere echtgenoot toetreden tot een rechtshandeling die deze laatste met betrekking tot dat goed heeft verricht. De verklaring van toetreding wordt gericht tot hen die partij bij de rechtshandeling zijn; artikel 56 van Boek 3 is van overeenkomstige toepassing. Is voor het verrichten van de rechtshandeling een bepaalde vorm voorgeschreven, dan geldt voor de toetreding hetzelfde vereiste. De echtgenoot kan toetreding tot bijkomstige en reeds opeisbare rechten en verplichtingen uitsluiten; hij wordt geacht zich slechts te hebben verbonden onder eerbiediging van tevoren aan derden verleende rechten.

Toetreden tot een rechtshandeling

Art. 91. 1. Indien een echtgenoot door afwezigheid of een andere oorzaak in de onmogelijkheid verkeert zijn goederen of de goederen der gemeenschap te besturen, of in ernstige mate tekortschiet in het bestuur van de goederen der gemeenschap, kan de rechtbank op verzoek van de andere echtgenoot aan deze het bestuur over die goederen of een deel daarvan met uitsluiting van de eerstgenoemde echtgenoot opdragen. De rechter kan bij de opdracht nadere regelen stellen omtrent het bestuur en de vertegenwoordiging in de zin van lid 4.

Opdracht van rechtbank tot bestuur goederen

2. Artikel 86 leden 2-4 en 90 lid 3 zijn van overeenkomstige toepassing.

Overeenkomstige toepassing

3. De rechter gelast de oproeping van beide echtgenoten en, zo de in lid 1 eerstgenoemde echtgenoot een vertegenwoordiger heeft aangesteld, ook deze.

4. De echtgenoot aan wie het bestuur over goederen wordt opgedragen, is bevoegd tot vertegenwoordiging van de echtgenoot aan wie het wordt onttrokken, bij andere dan bestuurshandelingen met betrekking tot die goederen.

Bevoegdheid tot vertegenwoordiging

Art. 92. 1. Is aan een derde niet kenbaar wie van de echtgenoten bevoegd is tot het bestuur over een roerende zaak die geen registergoed is, of een recht aan toonder, dan mag hij de echtgenoot die de zaak of het papier aan toonder onder zich heeft, bevoegd achten.

Bescherming van derden

2. De echtgenoot die ten gevolge van een rechtshandeling van de andere echtgenoot door een derde te goeder trouw in het bestuur van een goed is gestoord, verliest het recht tot beëindiging van de stoornis, indien hij zich tegen de stoornis niet heeft verzet binnen een redelijke termijn nadat zij te zijner kennis is gekomen. De

Verzet tegen stoornis binnen redelijke termijn

bevoegdheid van de echtgenoot tot beëindiging van de stoornis vervalt eveneens indien de derde hem een redelijke termijn heeft gesteld ter uitoefening van die bevoegdheid en hij daarvan geen gebruik heeft gemaakt.

3. Aan een derde kan niet worden tegengeworpen dat een vordering tot vergoeding welke tijdens het huwelijk is ontstaan wegens vermogensverschuiving tussen de echtgenoten onderling of tussen een der echtgenoten en een tussen hen bestaande gemeenschap, niet opeisbaar is.

Niet toepasselijkheid bij scheiding van tafel en bed

Art. 92a. Deze titel is niet van toepassing op van tafel en bed gescheiden echtgenoten.

TITEL 7
De wettelijke gemeenschap van goederen

AFDELING 1
Algemene bepalingen

Aanvang van de gemeenschap

Art. 93. Van het ogenblik der voltrekking van het huwelijk bestaat tussen de echtgenoten van rechtswege algehele gemeenschap van goederen, voor zover daarvan bij huwelijkse voorwaarden niet is afgeweken.

Omvang van de gemeenschap

Art. 94. 1. De gemeenschap omvat, wat haar baten betreft, alle tegenwoordige en toekomstige goederen der echtgenoten, met uitzondering van goederen ten aanzien waarvan bij uiterste wilsbeschikking van de erflater of bij de gift is bepaald dat zij buiten de gemeenschap vallen.

2. Zij omvat, wat haar lasten betreft, alle schulden van ieder der echtgenoten.

3. Goederen en schulden die aan een der echtgenoten op enigerlei bijzondere wijze verknocht zijn, vallen slechts in de gemeenschap voor zover die verknochtheid zich hiertegen niet verzet.

4. Onverminderd het in artikel 155 van dit boek bepaalde vallen pensioenrechten waarop de Wet verevening pensioenrechten bij scheiding (Stb. 1994, 342) van toepassing is alsmede met die pensioenrechten verband houdende rechten op nabestaandenpensioen niet in de gemeenschap.

Verhaalbaarheid van in gemeenschap gevallen schulden

Art. 95. 1. Voor een schuld van een echtgenoot, die in de gemeenschap is gevallen, kunnen zowel de goederen der gemeenschap als zijn eigen goederen worden uitgewonnen.

2. De echtgenoot uit wiens eigen goederen een schuld der gemeenschap is voldaan, heeft deswege recht op vergoeding uit de goederen der gemeenschap.

Verhaalbaarheid van niet in gemeenschap gevallen schulden

Art. 96. 1. Ook voor een schuld van een echtgenoot, die niet in de gemeenschap is gevallen, kunnen de goederen der gemeenschap worden uitgewonnen, tenzij de andere echtgenoot eigen goederen van eerstgenoemde aanwijst, die voldoende verhaal bieden.

2. De echtgenoot wiens niet in de gemeenschap gevallen schuld uit goederen der gemeenschap is voldaan, is deswege gehouden tot vergoeding aan de gemeenschap.

AFDELING 2
Het bestuur van de gemeenschap

Verdeling van bestuur

Art. 97. 1. Een goed der gemeenschap staat onder het bestuur van de echtgenoot van wiens zijde het in de gemeenschap is gevallen, voor zover niet de echtgenoten bij huwelijkse voorwaarden anders zijn overeengekomen of de rechter met toepassing van artikel 91 van dit boek anders heeft bepaald. Een goed dat moet worden geacht in de plaats te treden van een bepaald ander goed, komt onder het bestuur van de echtgenoot die het vervangen goed bestuurde. Een goed dat op naam van een der echtgenoten is gesteld, staat evenwel onder diens bestuur. Elk der echtgenoten is bevoegd tot stuiting van verjaring ten behoeve van de gemeenschap.

2. Is een goed der gemeenschap met toestemming, verleend door de echtgenoot onder wiens bestuur het stond, dienstbaar aan een beroep of bedrijf van de andere echtgenoot, dan berust het bestuur van dat goed, voor zover het handelingen betreft die als normale uitoefening van dat beroep of bedrijf zijn te beschouwen, bij laatstgenoemde echtgenoot en voor het overige bij de echtgenoten gezamenlijk. Een verleende toestemming geldt voor de gehele duur van het beroep of bedrijf, tenzij de

echtgenoten anders overeenkomen, doch de rechtbank kan de dienstbaarheid op verzoek van een echtgenoot te allen tijde wegens gegronde redenen beëindigen.

Inlichtingen verstrekken

Art. 98. De echtgenoten verstrekken elkander desgevraagd inlichtingen over het gevoerde bestuur, alsmede over de stand der goederen en schulden van de gemeenschap.

AFDELING 3
Ontbinding van de gemeenschap

Gronden voor ontbinding

Art. 99. 1. De gemeenschap wordt van rechtswege ontbonden:
a. door het eindigen van het huwelijk;
b. door scheiding van tafel en bed;
c. door een beschikking die de gemeenschap opheft;
d. door opheffing bij latere huwelijkse voorwaarden.

2. Tezamen met een vordering of een verzoek waarvan toewijzing ontbinding tot gevolg zal hebben kan reeds overeenkomstig titel 7 van Boek 3 een vordering worden ingesteld tot verdeling van de gemeenschap, tot gelasten van de wijze van verdeling en tot vaststelling van de verdeling, telkens voor het geval de gemeenschap wordt ontbonden.

Aandeel in ontbonden gemeenschap

Art. 100. 1. De echtgenoten hebben een gelijk aandeel in de ontbonden gemeenschap, tenzij anders is bepaald bij huwelijkse voorwaarden of bij een overeenkomst die tussen de echtgenoten bij geschrift is gesloten met het oog op de aanstaande ontbinding der gemeenschap anders dan door de dood of ten gevolge van opheffing bij huwelijkse voorwaarden.

Schuldeisers

2. Zij die bij de ontbinding van de gemeenschap schuldeiser zijn, behouden het hun toekomende recht van verhaal op de goederen der gemeenschap, zolang deze niet verdeeld zijn.

Persoonlijke goederen der echtgenoten

Art. 101. Na de ontbinding der gemeenschap heeft ieder der echtgenoten de bevoegdheid de te zijnen gebruike strekkende kleren en kleinodiën, alsmede zijn beroeps- en bedrijfsmiddelen en de papieren en gedenkstukken tot zijn familie behorende, tegen de geschatte prijs over te nemen.

Aansprakelijkheid voor schulden

Art. 102. Na ontbinding van de gemeenschap blijft ieder der echtgenoten voor het geheel aansprakelijk voor de gemeenschapsschulden, waarvoor hij voordien aansprakelijk was. Voor andere schulden van de gemeenschap is hij voor de helft aansprakelijk; voor dat gedeelte der schuld is hij hoofdelijk met de andere echtgenoot verbonden.

Afstand van de gemeenschap

Art. 103. 1. Ieder der echtgenoten heeft het recht van de gemeenschap afstand te doen; alle daarmede strijdige overeenkomsten zijn nietig.

2. Het deel der gemeenschap waarvan afstand wordt gedaan, wast aan bij het deel van de andere echtgenoot.

3. De echtgenoot die de afstand heeft gedaan, kan uit de gemeenschap niets terugvorderen dan alleen zijn bed met bijbehorend beddegoed en de kleren die hij voor zijn persoonlijk gebruik nodig heeft. Hij kan de papieren en gedenkstukken, tot zijn familie behorende, tegen de geschatte prijs overnemen.

4. Door deze afstand wordt hij ontheven van de aansprakelijkheid en de draagplicht voor schulden der gemeenschap, waarvoor hij vóór de ontbinding der gemeenschap niet aansprakelijk was.

5. Hij blijft aansprakelijk voor de schulden der gemeenschap, waarvoor hij vóór de ontbinding der gemeenschap aansprakelijk was. Indien hij een schuld, waarvoor beide echtgenoten vóór de ontbinding der gemeenschap voor het geheel aansprakelijk waren, voor meer dan de helft heeft voldaan, heeft hij voor het meerdere verhaal tegen de andere echtgenoot.

6. Indien de andere echtgenoot een schuld der gemeenschap, waarvoor hij vóór de ontbinding der gemeenschap niet aansprakelijk was, geheel of ten dele heeft voldaan, heeft hij deswege verhaal tegen de echtgenoot die de afstand heeft gedaan. Heeft hij een schuld, waarvoor beide echtgenoten vóór de ontbinding der gemeenschap voor het geheel aansprakelijk waren, voor meer dan de helft voldaan, dan heeft hij voor het meerdere verhaal tegen de echtgenoot die de afstand heeft gedaan.

Termijn en vorm afstand der gemeenschap

Art. 104. 1. De echtgenoot die van het bij het vorige artikel omschreven voorrecht wil gebruik maken, is verplicht binnen drie maanden na de ontbinding der gemeenschap een akte van afstand te doen inschrijven in het huwelijksgoederenregister, aangewezen in artikel 116 van dit boek, op verbeurte van dit voorrecht.

2. Indien de gemeenschap door de dood van de andere echtgenoot wordt ontbonden, begint de termijn van drie maanden te lopen op de dag waarop de echtgenoot die van het voorrecht wil gebruik maken, van dat overlijden kennis heeft genomen. Indien de gemeenschap door opheffing of door scheiding van tafel en bed is ontbonden, eindigt de termijn drie maanden nadat de beschikking in kracht van gewijsde is gegaan.

Afstand door erfgenamen

Art. 105. 1. De erfgenamen van een echtgenoot, door wiens overlijden de gemeenschap is ontbonden, of die binnen de in het vorige artikel gestelde termijn is overleden zonder afstand te hebben gedaan, zijn ieder voor hun aandeel bevoegd op de in het vorige artikel omschreven wijze afstand te doen binnen drie maanden nadat zij met het overlijden bekend zijn geworden.

2. De aanspraak van de echtgenoot tot terugvordering van zijn bed, beddegoed, en kleren uit de gemeenschap kan niet worden overgedragen en gaat ook niet over op zijn erfgenamen.

Verlenging termijn inschrijving akte van afstand

Art. 106. De rechtbank van de plaats waar de akte van afstand moet worden ingeschreven, kan de voor de inschrijving gestelde termijn voor de afloop daarvan een of meermalen op grond van bijzondere omstandigheden verlengen.

Verlies bevoegdheid afstand te doen

Art. 107. 1. De echtgenoot of zijn erfgenaam, die zich de goederen der gemeenschap heeft aangetrokken of goederen daarvan heeft weggemaakt of verduisterd, kan geen afstand meer doen. Daden van dagelijks bestuur of tot behoud van de goederen brengen dit gevolg niet teweeg.

2. Hij die na gedane afstand goederen der gemeenschap wegmaakt of verduistert, verliest de bevoegdheid artikel 103 lid 4 van dit boek in te roepen.

Afstand door beide echtgenoten

Art. 108. 1. Afstand van de gemeenschap, door een echtgenoot of een erfgenaam van een echtgenoot gedaan nadat door de andere echtgenoot of een of meer van diens erfgenamen afstand werd gedaan, heeft niet de gevolgen, omschreven in artikel 103 leden 2 en 3 van dit boek, en verplicht hen die tot de gemeenschap gerechtigd zijn, haar te vereffenen. De wetsbepalingen betreffende de vereffening van een onder voorrecht van boedelbeschrijving aanvaarde nalatenschap zijn zoveel mogelijk van overeenkomstige toepassing.

2. Indien hij die tot vereffening van de gemeenschap gehouden is, na tot het afleggen van de rekening en verantwoording te zijn aangemaand, in gebreke blijft aan deze verplichting te voldoen, verliest hij de bevoegdheid artikel 103 lid 4 van dit boek in te roepen.

3. De termijn van drie maanden, genoemd in artikel 1082, begint met de aanvang van de dag waarop hij aan artikel 104 lid 1 van dit boek heeft voldaan. De rechtbank kan de termijn op zijn verzoek op grond van bijzondere omstandigheden verlengen; deze verlenging kan ook na verloop van de termijn nog worden verzocht.

AFDELING 4
Opheffing van de gemeenschap bij beschikking

Gronden voor opheffing gemeenschap

Art. 109. Een echtgenoot kan opheffing van de gemeenschap verzoeken, wanneer de andere echtgenoot op lichtvaardige wijze schulden maakt, de goederen der gemeenschap verspilt, handelingen verricht, die kennelijk indruisen tegen het bestuur van de andere echtgenoot over goederen der gemeenschap, of weigert de nodige inlichtingen te geven omtrent de stand van de goederen der gemeenschap en van de daarop verhaalbare schulden en het over die goederen gevoerde bestuur.

Inschrijving en bekendmaking van het verzoek

Art. 110. 1. Het verzoek moet in het huwelijksregister, aangewezen in artikel 116 van dit boek, worden ingeschreven, en moet openlijk worden bekend gemaakt in een iandelijk dagblad of in een dagblad verschijnend in de streek waar de tot kennisneming van het verzoek bevoegde rechter zitting houdt. De bekendmaking vermeldt de datum van het verzoek en de naam, de voornamen, het beroep en de woonplaats van ieder der echtgenoten. De beschikking mag niet worden gegeven binnen een maand nadat de bekendmaking heeft plaatsgehad.

2. De echtgenoot die de opheffing van de gemeenschap vraagt, kan tot behoud van zijn recht de maatregelen nemen, die in het Wetboek van Burgerlijke Rechtsvordering nader zijn aangegeven.

Art. 111. 1. De beschikking, waarbij de eis tot opheffing van de gemeenschap is toegewezen, werkt terug tot de dag, waarop aan het eerste lid van het vorige artikel is voldaan, vanaf welke dag de echtgenoten worden geacht te zijn gehuwd met uitsluiting van gemeenschap van goederen, onder al zodanige bedingen als de beschikking zal hebben vastgesteld.

Terugwerkende kracht van vonnis

2. Indien de echtgenoot tegen wie het verzoek is toegewezen, de gemeenschap heeft benadeeld doordat hij na de aanvang van het geding of binnen zes maanden daarvóór lichtvaardig schulden heeft gemaakt, goederen der gemeenschap heeft verspild, of een rechtshandeling als bedoeld in artikel 88 van dit boek zonder de vereiste toestemming of machtiging heeft verricht, is hij gehouden de aangerichte schade aan de gemeenschap te vergoeden.

Verplichting tot schadevergoeding

3. Een op het vorige lid gegrond verzoek kan niet later worden ingesteld dan drie jaren nadat het vonnis in kracht van gewijsde is gegaan.

Art. 112. 1. De opheffing van de gemeenschap moet, om tegen derden die daarvan onkundig waren te werken, openlijk worden bekend gemaakt en, nadat de beschikking in kracht van gewijsde is gegaan, worden ingeschreven in het huwelijksgoederenregister, aangewezen in artikel 116 van dit boek.

Werking tegenover derden

2. De bekendmaking geschiedt door plaatsing van een uittreksel van de beschikking in de Staatscourant en in een of meer in de beschikking aangewezen dagbladen. Het uittreksel bevat de gegevens, bedoeld in artikel 110, eerste lid, alsmede de dagtekening van de beschikking en de aanduiding van de rechtbank die haar heeft gegeven. De gronden waarop de beschikking berust mogen in het uittreksel niet worden opgenomen.

Art. 113. Is de gemeenschap door opheffing ontbonden, dan kunnen de echtgenoten daarna, echter alleen bij huwelijkse voorwaarden, wederom een gemeenschap overeenkomen.

Hernieuwde gemeenschap

TITEL 8
Huwelijkse voorwaarden

AFDELING I
Huwelijkse voorwaarden in het algemeen

Art. 114. Huwelijkse voorwaarden kunnen zowel door aanstaande echtgenoten vóór het sluiten van het huwelijk als door echtgenoten tijdens het huwelijk worden gemaakt.

Vóór of tijdens huwelijk

Art. 115. 1. Huwelijkse voorwaarden moeten op straffe van nietigheid bij notariële akte worden aangegaan.

Notariële akte

2. Een volmacht tot het aangaan van huwelijkse voorwaarden moet schriftelijk worden verleend en moet de in de huwelijkse voorwaarden op te nemen bepalingen bevatten.

Schriftelijke volmacht

Art. 116. 1. Bepalingen in huwelijkse voorwaarden kunnen aan derden die daarvan onkundig waren, slechts worden tegengeworpen, indien die bepalingen ingeschreven waren in het openbaar huwelijksgoederenregister, gehouden ter griffie der rechtbank binnen welker rechtsgebied het huwelijk is voltrokken, of, indien het huwelijk buiten Nederland is aangegaan, ter griffie van de rechtbank te 's-Gravenhage.

Werking tegenover derden

2. De wijze van inrichting en raadpleging van het register wordt nader bij algemene maatregel van bestuur geregeld.

Art. 117. 1. Huwelijkse voorwaarden vóór het huwelijk gemaakt of gewijzigd, zijn slechts geldig, indien zij wier toestemming tot het huwelijk noodzakelijk is, bij de akte hun toestemming tot de huwelijkse voorwaarden of de wijziging hebben gegeven; is de toestemming van de kantonrechter of van Onze Minister van Justitie nodig, dan kan worden volstaan met vasthechting van zijn beschikking aan de minuut van akte. Op het verzoek tot toestemming van de kantonrechter is artikel 39 lid 1 van dit boek van overeenkomstige toepassing.

Huwelijkse voorwaarden voor het huwelijk gemaakt

Werking vanaf huwelijksvoltrekking

2. Vóór het huwelijk gemaakte huwelijkse voorwaarden beginnen te werken van het tijdstip der voltrekking van het huwelijk; geen ander tijdstip kan daarvoor worden aangewezen.

Huwelijkse voorwaarden tijdens huwelijk gemaakt

Art. 118. 1. Na de huwelijksvoltrekking kunnen huwelijkse voorwaarden slechts gemaakt of gewijzigd worden, wanneer het huwelijk ten minste een jaar heeft bestaan.

2. Een echtgenoot die onder curatele staat, kan hiertoe slechts met toestemming van zijn curator en zijn toeziende curator overgaan.

Goedkeuring rechtbank

Art. 119. 1. Het maken of wijzigen van huwelijkse voorwaarden tijdens het huwelijk behoeft de goedkeuring van de rechtbank. Bij het verzoekschrift der echtgenoten wordt een ontwerp van de notariële akte overgelegd.

2. De rechter kan, alvorens op het verzoek te beslissen, bevelen dat het in twee door hem aangewezen dagbladen wordt bekend gemaakt. In de bekendmaking moeten de door de rechter aangewezen dag en uur worden opgenomen, waarop schuldeisers zullen worden gehoord, en moet worden vermeld dat het ontwerp van de akte op de griffie ter inzage ligt.

3. De goedkeuring wordt geweigerd, indien een redelijke grond voor het maken of wijzigen van de huwelijkse voorwaarden ontbreekt, of indien er gevaar voor benadeling van schuldeisers bestaat.

4. Indien de akte niet is verleden binnen drie maanden na het in kracht van gewijsde gaan van de beschikking waarbij de goedkeuring is verleend, vervalt deze.

Tijdstip inwerkingtreding

Art. 120. 1. Tijdens het huwelijk gemaakte of gewijzigde huwelijkse voorwaarden beginnen te werken op de dag, volgende op die waarop de akte is verleden, tenzij in de akte een later tijdstip is aangewezen.

Werking tegenover derden

2. Bepalingen in deze huwelijkse voorwaarden kunnen aan derden die daarvan onkundig waren, slechts worden tegengeworpen, indien zij ten minste veertien dagen in het huwelijksgoederenregister ingeschreven waren.

3. De rechter kan bij de goedkeuring, bedoeld in het vorige artikel, bepalen dat de inschrijving moet worden bekend gemaakt in een of meer door hem aangewezen dagbladen en in de Nederlandse Staatscourant. In dat geval werken de ingeschreven bepalingen ten nadele van derden die daarvan onkundig waren, ook niet vóór deze bekendmaking.

Niet geoorloofde huwelijkse voorwaarden

Art. 121. 1. Partijen kunnen bij huwelijkse voorwaarden afwijken van de regels der wettelijke gemeenschap, mits die voorwaarden niet met dwingende wetsbepalingen, de goede zeden, of de openbare orde strijden.

2. Zij kunnen niet bepalen dat een hunner tot een groter aandeel in de schulden zal zijn gehouden, dan zijn aandeel in de goederen der gemeenschap beloopt.

3. Zij kunnen niet afwijken van de rechten die uit de ouderlijke macht voortspruiten, noch van de rechten die de wet aan een langstlevende echtgenoot toekent.

Toepasselijkheid bepalingen wettelijke gemeenschap

Art. 122. De bepalingen van de vorige titel zijn van toepassing, voor zover daarvan niet uitdrukkelijk of door de aard der bedingen, bij de huwelijkse voorwaarden gemaakt, is afgeweken.

Gemeenschap van vruchten en inkomsten

Art. 123. Wanneer bij huwelijkse voorwaarden een gemeenschap van vruchten en inkomsten is overeengekomen, gelden de artikelen 124-127 van dit boek, voor zover daarvan niet uitdrukkelijk of door de aard der bedingen is afgeweken.

Omvang baten

Art. 124. 1. De gemeenschap van vruchten en inkomsten omvat, wat haar baten betreft, alle goederen die de echtgenoten tijdens het bestaan van de gemeenschap hebben verkregen anders dan door erfopvolging, making of gift, met uitzondering van hetgeen krachtens de volgende leden buiten de gemeenschap valt.

2. Een goed dat een echtgenoot anders dan om niet verkrijgt, blijft buiten de gemeenschap, indien het voor meer dan de helft van zijn prijs ten laste van hem persoonlijk komt.

3. Buiten de gemeenschap valt hetgeen wordt geïnd op een vordering die buiten de gemeenschap valt, alsmede een vordering tot vergoeding die in de plaats van een eigen goed van een echtgenoot treedt, waaronder begrepen een vordering ter zake van waardevermindering van zulk een goed.

Omvang lasten

Art. 125. De gemeenschap van vruchten en inkomsten omvat, wat haar lasten betreft, alle schulden van de echtgenoten, met uitzondering van die welke hetzij bij de aanvang van de gemeenschap bestonden, hetzij op verkrijgingen door erfopvolging, making of gift drukken, hetzij slechts de persoon of eigen goederen van één der echtgenoten betreffen en noch geheel noch gedeeltelijk uit inkomsten betaald plegen te worden. Een schuld die een echtgenoot met medeweten van de schuldeiser in verband met de verwerving van een eigen goed aangaat, valt niet in de gemeenschap.

Baten en lasten uit bedrijf of beroep

Art. 126. 1. Buiten de gemeenschap van vruchten en inkomsten vallen de goederen en schulden die behoren tot een door één der echtgenoten uitgeoefend bedrijf of vrij beroep. Deze bepaling is niet van toepassing op registergoederen op naam van de andere echtgenoot.
2. Ten bate of ten laste van de gemeenschap komen vergoedingen ten bedrage van de winsten en verliezen van het bedrijf of beroep, vast te stellen naar normen die in het maatschappelijk verkeer als redelijk worden beschouwd.
3. Voor zover een echtgenoot in overwegende mate bij machte is te bepalen dat de winsten van een niet op zijn eigen naam uitgeoefend bedrijf hem rechtstreeks of middellijk ten goede komen, wordt dat bedrijf voor de toepassing van het vorige lid aangemerkt als een door die echtgenoot uitgeoefend bedrijf.

Afwikkeling bij ontbinding gemeenschap

Art. 127. Voor zover bij de ontbinding van de gemeenschap van vruchten en inkomsten de goederen der gemeenschap, met inachtneming van de in het vorige artikel en de artikelen 95 lid 2 en 96 lid 2 van dit boek bedoelde vergoedingen, niet toereikend zijn om de schulden van de gemeenschap te voldoen, worden deze gedragen door de echtgenoot van wiens zijde zij in de gemeenschap zijn gevallen, voor zover de aard der schulden niet tot een andere draagplicht leidt.

Gemeenschap van winst en verlies

Art. 128. Wanneer bij huwelijkse voorwaarden is overeengekomen dat er gemeenschap van winst en verlies zal bestaan, zijn de artikelen 124-126 van dit boek van overeenkomstige toepassing, voor zover daarvan niet uitdrukkelijk of door de aard der bedingen is afgeweken.

Deelgenootschap

Art. 129. Wanneer bij huwelijkse voorwaarden een deelgenootschap is overeengekomen, gelden de voorschriften van de volgende afdeling, voor zover daarvan niet uitdrukkelijk of door de aard der bedingen is afgeweken.

Bewijs tegen derden van buiten gemeenschap gehouden goederen

Art. 130. Een echtgenoot kan tegen derden zijn aanbreng van bij huwelijkse voorwaarden buiten de gemeenschap gehouden goederen, voor wat betreft rechten aan toonder en zaken die geen registergoederen zijn, slechts bewijzen door hun vermelding in de akte van huwelijkse voorwaarden of in een door de partijen en de notaris ondertekende, aan de minuut van die akte vastgehechte beschrijving. Indien de vermelding van een goed geen afdoende omschrijving daarvan biedt, kan aanvullend bewijs door alle middelen worden geleverd; ten aanzien van goederen die een echtgenoot buiten diens weten opgekomen waren, kan het bewijs door alle middelen worden geleverd.

Gebrek aan bewijs gemeenschapsgoed

Art. 131. 1. Bestaat tussen de echtgenoten een geschil aan wie van hen beiden een recht aan toonder of een zaak die geen registergoed is, toebehoort en kan geen van beiden zijn recht op dit goed bewijzen, dan wordt dat goed als gemeenschapsgoed aangemerkt, wanneer tussen hen een gemeenschap bestaat die dit goed kan omvatten; bestaat er geen zodanige gemeenschap, dan wordt het goed geacht aan ieder der echtgenoten voor de helft toe te behoren.
2. Het vermoeden werkt niet ten nadele van de schuldeisers der echtgenoten.

AFDELING 2
Het wettelijk deelgenootschap

Wettelijk deelgenootschap

Art. 132. 1. Het deelgenootschap verplicht de echtgenoten de vermeerdering van beider vermogen, die gedurende het deelgenootschap heeft plaats gevonden, te delen.
2. Het deelgenootschap schept geen gemeenschappelijk recht op goederen en geen gemeenschappelijke aansprakelijkheid voor schulden.

Geen verantwoording bestuur eigen goederen

Art. 133. 1. Tijdens het bestaan van het deelgenootschap is de ene echtgenoot aan de andere geen verantwoording over het bestuur van zijn goederen schuldig en verplicht slecht bestuur over die goederen niet tot schadevergoeding.

Gespecificeerde opgave

2. Nochtans kan de ene echtgenoot jaarlijks van de andere echtgenoot een gespecificeerde schriftelijke opgave van diens goederen en schulden verlangen. De opgave moet desverlangd ten overstaan van een notaris worden beëdigd; de kosten van de eedsaflegging komen ten laste van de echtgenoot die deze wenst. Geschillen tussen de echtgenoten betreffende de opgave worden op verzoek van een van hen door de rechtbank beslist.

Einde van deelgenootschap

Art. 134. Het deelgenootschap eindigt:
a. door het eindigen van het huwelijk;
b. door scheiding van tafel en bed;
c. door een beschikking die het deelgenootschap opheft;
d. door een opheffing bij latere huwelijkse voorwaarden.

Opheffing deelgenootschap

Art. 135. Een echtgenoot kan de opheffing van het deelgenootschap verzoeken, wanneer de andere echtgenoot op lichtvaardige wijze schulden maakt, zijn goederen verspilt, of weigert de verplichte opgave omtrent zijn vermogen te verstrekken.

Boedelbeschrijving

Art. 136. 1. Na het eindigen van het deelgenootschap kan ieder der echtgenoten tot een beschrijving van zijn vermogen overgaan, en verzoeken dat het vermogen van de andere echtgenoot wordt beschreven.

2. De beschrijving bevat alle op het ogenblik waarop het deelgenootschap is geëindigd, aanwezige goederen en alsdan bestaande schulden en lasten. Indien het deelgenootschap is geëindigd door opheffing bij beschikking dan wel door echtscheiding of scheiding van tafel en bed op verzoek van een der partijen, treedt voor het in de vorige zin genoemde ogenblik in de plaats de aanvang van de dag waarop het daartoe strekkende verzoek werd ingediend.

3. De schatting van de goederen van een echtgenoot geschiedt naar de waarde op het in het vorige lid aangewezen ogenblik.

4. De artikelen 671-676 en 679 van het Wetboek van Burgerlijke Rechtsvordering zijn zoveel mogelijk van overeenkomstige toepassing.

5. Hetgeen in de vorige leden omtrent een echtgenoot is bepaald, geldt op overeenkomstige wijze na zijn overlijden voor zijn rechtverkrijgenden.

Deling vermogensvermeerdering

Art. 137. 1. Na het eindigen van het deelgenootschap kan ieder der echtgenoten de deling van de vermogensvermeerdering verzoeken.

2. De artikelen 181, 183 en 195-200 van Boek 3 en de artikelen 677-680 van het Wetboek van Burgerlijke Rechtsvordering zijn zoveel mogelijk van overeenkomstige toepassing.

3. De verzoeken, bedoeld in lid 1 van dit en van het vorige artikel, verjaren door verloop van vijf jaren.

Uitvoering der deling

Art. 138. 1. De deling van de vermogensvermeerdering geschiedt doordat een der echtgenoten uit zijn vermogen zoveel aan de andere echtgenoot uitkeert, dat beider vermogen met gelijk bedrag is vermeerderd.

2. Heeft een der echtgenoten een verlies geleden, dat groter is dan de winst, die de andere echtgenoot heeft gemaakt, dan wordt aan de eerstbedoelde echtgenoot slechts de door de andere echtgenoot gemaakte winst uitgekeerd.

Vaststelling vermogensvermeerdering of -vermindering

Art. 139. 1. De vermeerdering of vermindering van het vermogen van een echtgenoot wordt vastgesteld door van het bedrag, waarop zijn vermogen op het in artikel 136 lid 2 van dit boek aangewezen ogenblik wordt geschat, de aanvangswaarde van zijn stamvermogen af te trekken.

2. Tot het vermogen van een echtgenoot worden al zijn goederen en schulden gerekend, met uitzondering van zijn aandeel in een tussen de echtgenoten bestaande gemeenschap van goederen.

Stamvermogen der echtgenoten

Art. 140. 1. Het in het vorige artikel bedoelde stamvermogen van een echtgenoot wordt gevormd door:
a. de goederen, die de echtgenoot bij de aanvang van het deelgenootschap bezat, verminderd met zijn toenmalige schulden;
b. de goederen, die de echtgenoot tijdens het bestaan van het deelgenootschap door erfopvolging, making of gift heeft verkregen, verminderd met de op die verkrijging drukkende schulden en lasten. Onder de giften worden die, welke van geringe omvang zijn, niet opgenomen, onverschillig of zij tot beloning of om andere redenen zijn gedaan.

2. Goederen die in een tussen de echtgenoten bestaande gemeenschap van goederen zijn gevallen, komen voor de berekening van het stamvermogen niet in aanmerking.

3. Indien het deelgenootschap geëindigd is door opheffing bij beschikking, dan wel door echtscheiding of door scheiding van tafel en bed op verzoek van een der partijen, komen goederen die na de aanvang van de dag waarop het daartoe strekkende verzoek werd gedaan zijn verkregen, alsmede de op de verkrijging dier goederen drukkende schulden en lasten, voor de berekening van het stamvermogen niet in aanmerking.

Buiten berekening vallende goederen en schulden

Art. 141. Bij de berekening van de waarde, zowel van het stamvermogen als van het eindvermogen van een echtgenoot, blijven buiten beschouwing goederen en schulden die ook, indien tussen de echtgenoten de wettelijke gemeenschap van goederen had bestaan, bij de verdeling daarvan niet in aanmerking zouden worden genomen.

Inventarisatie bij aangaan deelgenootschap

Art. 142. 1. Bij het aangaan van het deelgenootschap zijn de echtgenoten verplicht een staat van ieders goederen, schulden en lasten op te maken. Bij ieder goed moet afzonderlijk de waarde daarvan worden vermeld.

2. De staat moet door partijen en de notaris worden ondertekend, en gehecht worden aan de minuut der akte van huwelijkse voorwaarden, waarbij het deelgenootschap wordt aangegaan.

Bewijs aanvangswaarde goederen van stamvermogen

Art. 143. De aanvangswaarde van de tot het stamvermogen behorende goederen wordt als volgt bewezen:

a. wat betreft de bij het aangaan van het deelgenootschap aanwezige goederen, uitsluitend door de in het vorige artikel bedoelde staat. Ontbreekt een goed op die staat of is de waarde daarvan niet daarbij vermeld, dan komt de waarde van dat goed niet voor de berekening van de waarde van het stamvermogen van de betrokken echtgenoot in aanmerking;

b. wat betreft de door erfopvolging, making of gift verkregen goederen, door de aangifte volgens welke het recht van successie, schenking of overgang is geheven; is een aanslag niet overeenkomstig de aangifte geschied, dan wordt die aanslag aan het bewijs ten grondslag gelegd. Bij gebreke van een aangifte en een aanslag, kan het bewijs door alle middelen rechtens worden geleverd.

Bewijs schulden en lasten van stamvermogen

Art. 144. 1. Schulden en lasten die in mindering van het stamvermogen komen, kunnen, ook wanneer zij niet op de in de twee vorige artikelen genoemde geschriften zijn vermeld, door de echtgenoot tot wiens vermogen zij niet behoren, met alle middelen rechtens worden bewezen.

2. Schulden die onmiddellijk opeisbaar waren, worden op hun nominale waarde geschat. Schulden onder tijdsbepaling worden geschat op de wijze als in de Faillissementswet voor de verificatie is aangegeven. Bij de schatting van schulden onder voorwaarde wordt er rekening mede gehouden of op het ogenblik der beschrijving de voorwaarde al of niet is vervuld.

Uitkering

Art. 145. 1. De uitkering waartoe de ene echtgenoot jegens de andere krachtens de deling gehouden is, geschiedt in geld en is onmiddellijk opeisbaar.

2. In afwijking van het bovenstaande kan nochtans de rechtbank wegens gewichtige redenen, en op verzoek van de tot uitkering verplichte echtgenoot, bepalen dat het verschuldigde benevens de wettelijke rente eerst na verloop van een zekere tijd, hetzij ineens, hetzij in termijnen, behoeft te worden voldaan. Hierbij let de rechtbank op de belangen van beide partijen. Het verzoek wordt niet ingewilligd dan onder de voorwaarden dat binnen een bepaalde tijd de schuldenaar door de rechtbank goedgekeurde zakelijke of persoonlijke zekerheid voor de voldoening van hoofdsom en rente stelt.

3. Hetgeen in de vorige leden omtrent een echtgenoot is bepaald, geldt op overeenkomstige wijze na zijn overlijden voor zijn rechtverkrijgenden.

AFDELING 3
Giften bij huwelijkse voorwaarden

Giften tussen echtgenoten

Art. 146. 1. Echtgenoten of aanstaande echtgenoten mogen bij huwelijkse voorwaarden aan elkander, of een van beiden aan de andere, giften doen.

2. Deze giften kunnen tot onderwerp hebben tegenwoordige en bij de akte nauwkeurig omschreven goederen, of de gehele of gedeeltelijke nalatenschap; onder een gift van de gedeeltelijke nalatenschap is begrepen de gift van een of meer bepaalde goederen uit de nalatenschap.
3. Deze giften kunnen slechts worden herroepen, wanneer de begiftigde in gebreke is de hem bij de gift opgelegde verplichtingen na te komen.
4. De giften zijn van waarde zonder uitdrukkelijke aanneming door degene aan wie zij gemaakt zijn.
5. Zij kunnen plaatshebben onder voorwaarden welker uitvoering van de wil van de schenker afhangt.
6. De giften van tegenwoordige en bepaaldelijk omschreven goederen zijn niet onderworpen aan de voorwaarde van overleving van de begiftigde, tenzij die voorwaarde uitdrukkelijk mocht zijn gemaakt.

Giften van nalatenschap

Art. 147. 1. Giften van de gehele of gedeeltelijke nalatenschap zijn slechts in dezelfde gevallen als andere giften in huwelijkse voorwaarden herroepelijk.
2. De echtgenoot, die zijn gehele of gedeeltelijke nalatenschap heeft weggeschonken, kan over de goederen, in die gift begrepen, niet om niet beschikken, behalve over geringe sommen tot beloning of om andere redenen door de rechter te beoordelen.
3. Een gift van de gehele of gedeeltelijke nalatenschap strekt niet ten voordele van de kinderen of andere rechtverkrijgenden van de begiftigde echtgenoot, wanneer deze vóór of gelijktijdig met de schenker mocht overlijden.

Giften van anderen

Art. 148. Bij de huwelijkse voorwaarden kunnen ook andere personen dan de echtgenoten aan dezen of aan een dezer giften doen, echter alleen van tegenwoordige en bij de akte nauwkeurig omschreven goederen. Op deze giften zijn de bepalingen van artikel 146 van dit boek van toepassing.

TITEL 9
Ontbinding van het huwelijk

AFDELING 1
Ontbinding van het huwelijk in het algemeen

Einde van huwelijk

Art. 149. Het huwelijk eindigt:
a. door de dood;
b. door vermissing van één der echtgenoten en een daarop gevolgd nieuw huwelijk van de andere echtgenoot, overeenkomstig de bepalingen van de tweede afdeling van de achttiende titel van dit boek;
c. door echtscheiding, overeenkomstig de bepalingen van de tweede afdeling van deze titel;
d. door ontbinding van het huwelijk na scheiding van tafel en bed, overeenkomstig de bepalingen van de tweede afdeling van de tiende titel van dit boek.

AFDELING 2
Echtscheiding

Echtscheiding

Art. 150. Echtscheiding tussen echtgenoten die niet van tafel en bed gescheiden zijn, wordt uitgesproken op verzoek van één der echtgenoten of op hun gemeenschappelijk verzoek.

Echtscheidingsgrond

Art. 151. Echtscheiding wordt op verzoek van één der echtgenoten uitgesproken, indien het huwelijk duurzaam ontwricht is.

Art. 152. (Vervallen bij de wet van 1 juli 1992, Stb. 373).

Voorzieningen i.v.m. vooruitzicht op uitkeringen

Art. 153. 1. Indien als gevolg van de verzochte echtscheiding een bestaand vooruitzicht op uitkeringen aan de andere echtgenoot na vooroverlijden van de echtgenoot die het verzoek heeft gedaan zou teloorgaan of in ernstige mate zou verminderen, en de andere echtgenoot deswege tegen dat verzoek verweer voert, kan deze niet worden toegewezen voordat daaromtrent een voorziening is getroffen die, gelet op de omstandigheden van het geval, ten opzichte van beide echtgenoten billijk is te achten. De rechter kan daartoe een termijn stellen.

2. Het eerste lid is niet van toepassing:
a. indien redelijkerwijs te verwachten is dat de andere echtgenoot zelf voor dat geval voldoende voorzieningen kan treffen;
b. indien de duurzame ontwrichting van het huwelijk in overwegende mate te wijten is aan de andere echtgenoot.

Echtscheiding op gemeenschappelijk verzoek

Art. 154. 1. Echtscheiding wordt op gemeenschappelijk verzoek van de echtgenoten uitgesproken indien het verzoek is gegrond op hun beider oordeel dat het huwelijk duurzaam ontwricht is.

Intrekken van verzoek

2. Ieder der echtgenoten is tot op het tijdstip der uitspraak bevoegd het verzoek in te trekken.

Pensioenverevening

Art. 155. In geval van echtscheiding en voor zover de ene echtgenoot na de huwelijkssluiting en voor de echtscheiding pensioenaanspraken heeft opgebouwd, heeft de andere echtgenoot overeenkomstig het bepaalde bij of krachtens de Wet verevening pensioenrechten bij scheiding recht op pensioenverevening, tenzij de echtgenoten op de wijze voorzien in deze Wet toepasselijkheid daarvan hebben uitgesloten.

Art. 156. (Vervallen bij de wet van 1 juli 1992, Stb. 373).

Uitkering levensonderhoud

Art. 157. 1. De rechter kan bij de echtscheidingsbeschikking of bij latere uitspraak aan de echtgenoot die niet voldoende inkomsten tot zijn levensonderhoud heeft, noch zich in redelijkheid kan verwerven, op diens verzoek ten laste van de andere echtgenoot een uitkering tot levensonderhoud toekennen.

2. Bij de vaststelling van de uitkering kan de rechter rekening houden met de behoefte aan een voorziening in het levensonderhoud voor het geval van overlijden van degene die tot de uitkering is gehouden.

3. De rechter kan op vordering onderscheidenlijk verzoek van één van de echtgenoten de uitkering toekennen onder vaststelling van voorwaarden en van een termijn. Deze vaststelling kan niet ten gevolge hebben dat de uitkering later eindigt dan 12 jaar na de datum van inschrijving van de beschikking in de registers van de burgerlijke stand.

4. Indien de rechter geen termijn heeft vastgesteld, eindigt de verplichting tot levensonderhoud van rechtswege na het verstrijken van een termijn van 12 jaar, die aanvangt op de datum van inschrijving van de beschikking in de registers van de burgerlijke stand.

5. Indien de beëindiging van de uitkering ten gevolge van het verstrijken van de in het vierde lid bedoelde termijn van zo ingrijpende aard is dat ongewijzigde handhaving van die termijn naar maatstaven van redelijkheid en billijkheid van degene die tot de uitkering gerechtigd is niet kan worden gevergd, kan de rechter op diens verzoek alsnog een termijn vaststellen. Het verzoek daartoe dient te worden ingediend voordat 3 maanden sinds de beëindiging zijn verstreken. De rechter bepaalt bij de uitspraak of verlenging van de termijn na ommekomst daarvan al dan niet mogelijk is.

6. Indien de duur van het huwelijk niet meer bedraagt dan 5 jaar en uit dit huwelijk geen kinderen zijn geboren, eindigt de verplichting tot levensonderhoud van rechtswege na het verstrijken van een termijn die gelijk is aan de duur van het huwelijk en die aanvangt op de datum van inschrijving van de beschikking in de registers van de burgerlijke stand. Indien de rechter een termijn vaststelt, kan deze vaststeling niet ten gevolge hebben dat de uitkering op een later tijdstip eindigt dan ingevolge de vorige zin het geval zou zijn. Het vijfde lid is van overeenkomstige toepassing met dien verstande dat in de eerste zin in plaats van „de in het vierde lid bedoelde termijn" wordt gelezen: de in de eerste zin bedoelde termijn.

Overeenkomst uitkering levensonderhoud

Art. 158. Vóór of na de beschikking tot echtscheiding kunnen de echtgenoten bij overeenkomst bepalen of, en zo ja tot welk bedrag, na de echtscheiding de één tegenover de ander tot een uitkering tot diens levensonderhoud zal zijn gehouden. Indien in de overeenkomst geen termijn is opgenomen, is artikel 157, vierde tot en met zesde lid, van overeenkomstige toepassing.

Beding tot niet wijziging der overeenkomst

Art. 159. 1. Bij de overeenkomst kan worden bedongen dat zij niet bij rechterlijke uitspraak zal kunnen worden gewijzigd op grond van een wijziging van omstandigheden. Een zodanig beding kan slechts schriftelijk worden gemaakt.

Verval van beding

2. Het beding vervalt, indien de overeenkomst is aangegaan vóór de indiening van het verzoek tot echtscheiding, tenzij deze binnen drie maanden na de overeenkomst is ingediend. Het voorgaande is van overeenkomstige toepassing bij een gemeenschappelijk verzoek.

Wijziging overeenkomst ondanks beding

3. Ondanks een zodanig beding kan op verzoek van een der partijen de overeenkomst door de rechter bij de echtscheidingsbeschikking of bij latere beschikking worden gewijzigd op grond van een zo ingrijpende wijziging van omstandigheden, dat de verzoeker naar maatstaven van redelijkheid en billijkheid niet langer aan het beding mag worden gehouden.

Art. 159a. Een overeenkomst als bedoeld in de artikelen 158 en 159 van dit boek staat niet in de weg aan verhaal op grond van artikel 63 van de Algemene Bijstandswet en laat de vaststelling van het te verhalen bedrag onverlet.

Einde alimentatieplicht

Art. 160. Een verplichting van een gewezen echtgenoot om uit hoofde van echtscheiding levensonderhoud te verschaffen aan de wederpartij, eindigt wanneer deze opnieuw in het huwelijk treedt dan wel is gaan samenleven met een ander als waren zij gehuwd.

Benoeming voogd en toeziende voogd

Art. 161. 1. Bij de echtscheidingsbeschikking of bij latere beschikking benoemt de rechter over ieder minderjarig kind der echtgenoten één van de ouders tot voogd en benoemt hij tevens een toeziende voogd.

2. Een ouder die de ouderlijke macht niet bezit, komt voor deze benoeming niet in aanmerking.

3. Betrof de beslissing, bedoeld in het eerste lid, niet alle kinderen der echtgenoten, dan vult de rechtbank haar aan op verzoek van de ouders of van één van hen, van de raad voor de kinderbescherming of ambtshalve.

4. Totdat de voogdij van een volgens dit artikel benoemde voogd is aangevangen, blijft het gezag over de kinderen bij hem die dit tijdens het geding had, met dezelfde bevoegdheden en onder dezelfde verplichtingen als hij toen had.

Recht op omgang

Art. 161a. 1. Het kind en de ouder die niet tot voogd is benoemd, hebben recht op omgang met elkaar. De omgang tussen ouder en kind kan worden uitgeoefend vanaf het tijdstip waarop voor de andere ouder de voogdij is begonnen.

2. De rechtbank stelt bij gelegenheid van de echtscheiding of op een later tijdstip, al dan niet voor bepaalde tijd, op verzoek van de ouders of van één van hen een regeling inzake de uitoefening van het omgangsrecht vast dan wel ontzegd, al dan niet voor bepaalde tijd, het recht op omgang.

3. De rechtbank ontzegt het recht op omgang slechts, indien:
a. omgang ernstig nadeel zou opleveren voor de geestelijke of lichamelijk ontwikkeling van het kind; of
b. de ouder kennelijk ongeschikt of kennelijk niet in staat moet worden geacht tot omgang; of
c. omgang anderszins in strijd is met zwaarwegende belangen van het kind; of
d. het kind dat twaalf jaren of ouder is, bij zijn verhoor van ernstige bezwaren tegen omgang met zijn ouder heeft doen blijken.

Wijziging omgangsregeling

Art. 162. 1. De rechtbank kan op verzoek van de ouders of van één van hen de krachtens de artikelen 161 en 161a gegeven beslissingen alsmede een door de ouders onderling getroffen omgangsregeling wijzigen op grond dat nadien de omstandigheden zijn gewijzigd, of dat bij het nemen van de beslissing van onjuiste of onvolledige gegevens is uitgegaan.

2. De rechtbank is eveneens bevoegd kennis te nemen van verzoeken tot wijziging van beslissingen inzake het gezag of samenhangend met het gezag die door een buitenlandse autoriteit zijn gegeven na een buiten Nederland tot stand gekomen echtscheiding, indien de minderjarige gewoon verblijf heeft in Nederland. Deze rechtbank is voorts bevoegd om in het gezag te voorzien of een met het gezag samenhangende beslissing te geven, indien de buitenlandse beslissing niet voor erkenning in aanmerking komt, dan wel indien na de echtscheiding zodanige beslissing niet is gegeven en de minderjarige gewoon verblijf heeft in Nederland.

Art. 162a. De rechtbank kan, indien haar blijkt dat de minderjarige van twaalf jaren of ouder hierop prijs stelt, ook ambtshalve een beslissing geven op de voet van artikel 161a, of zodanige beslissing op de voet van artikel 162 van dit boek wijzigen.

Art. 163. 1. De echtscheiding komt tot stand door de inschrijving van de beschikking in de registers van de burgerlijke stand.
2. De inschrijving geschiedt op verzoek van partijen of van één van hen.
3. Indien het verzoek tot inschrijving niet is gedaan uiterlijk zes maanden na de dag waarop de beschikking in kracht van gewijsde is gegaan, verliest de beschikking zijn kracht.

Inschrijving echtscheidingsbeschikking

Art. 164. 1. Indien een tussen de echtgenoten bestaande gemeenschap van goederen door één van hen is benadeeld doordat hij na de aanvang van het geding of binnen zes maanden daarvóór lichtvaardig schulden heeft gemaakt, goederen der gemeenschap heeft verspild, of rechtshandelingen als bedoeld in artikel 88 van dit boek zonder de vereiste toestemming of machtiging heeft verricht, is hij gehouden na de inschrijving van de beschikking waarbij de echtscheiding is uitgesproken, de aangerichte schade aan de gemeenschap te vergoeden.
2. Een op het vorige lid gegronde rechtsvordering kan niet later worden ingesteld dan drie jaren na de inschrijving van de beschikking.

Schadevergoeding bij benadeling gemeenschap

Art. 165. 1. Op verzoek van een echtgenoot kan de rechter bij de echtscheidingsbeschikking of bij latere uitspraak bepalen dat, als die echtgenoot ten tijde van de inschrijving van de beschikking een woning bewoont die aan de andere echtgenoot uitsluitend of mede toebehoort of ten gebruike toekomt, hij jegens de andere echtgenoot bevoegd is de bewoning en het gebruik van de bij de woning en tot de inboedel daarvan behorende zaken gedurende zes maanden na de inschrijving van de beschikking tegen een redelijke vergoeding voort te zetten.
2. Tegen hem kan een in dat tijdvak zonder zijn toestemming door de andere echtgenoot verrichte rechtshandeling niet worden tegengeworpen ten nadele van zijn in het vorige lid omschreven bevoegdheid.
3. Weigert hij zijn toestemming of is hij niet in staat zijn wil te verklaren, dan kan de rechtbank die in eerste aanleg over het verzoek tot echtscheiding heeft beslist, op verzoek van de andere gewezen echtgenoot, bepalen dat het vorige lid buiten toepassing blijft.

Gebruik woning van andere echtgenoot

Art. 166. 1. Indien de gescheiden echtgenoten met elkander hertrouwen, herleven alle gevolgen van het huwelijk van rechtswege, alsof er geen echtscheiding had plaatsgehad. Nochtans wordt de geldigheid van rechtshandelingen die tussen de ontbinding van het huwelijk en het nieuwe huwelijk zijn verricht, beoordeeld naar het tijdstip der handeling. Op het maken of wijzigen van huwelijkse voorwaarden vóór het aangaan van het nieuwe huwelijk vindt artikel 119 van dit boek overeenkomstige toepassing.
2. De ouderlijke macht herleeft slechts voor zover de ouders tot de voogdij bevoegd zijn, en mits de voogdij niet aan een derde was opgedragen.
3. De tot de voogdij bevoegde ouder voor wie de ouderlijke macht niet herleefd is, kan de rechtbank verzoeken hem met deze macht te bekleden. Dit verzoek wordt slechts afgewezen, indien gegronde vrees bestaat dat bij inwilliging de belangen van de kinderen zouden worden verwaarloosd.

Rechtsgevolgen van tweede huwelijk tussen echtgenoten

Art. 167. Vervallen.

TITEL 10
Scheiding van tafel en bed en ontbinding van het huwelijk na scheiding van tafel en bed

AFDELING 1
Scheiding van tafel en bed

Art. 168. Door scheiding van tafel en bed wordt de verplichting der echtgenoten tot samenwoning opgeheven.

Opheffing verplichting samenwoning

Art. 169. 1. Scheiding van tafel en bed kan worden verzocht op dezelfde grond en op dezelfde wijze als echtscheiding.
2. De artikelen 151, 154 tot en met 159a en 161a van dit boek zijn van overeenkomstige toepassing, met dien verstande dat de in artikel 157, derde tot en met zesde lid, bedoelde termijnen aanvangen op de dag waarop de beschikking tot scheiding van tafel en bed in kracht van gewijsde gaat en dat de duur van het huwelijk wordt berekend tot die dag, met dien verstande dat in artikel 161a in plaats van „de ouder

Grond scheiding van tafel en bed; procedure

die niet tot voogd is benoemd" wordt gelezen „de ouder die niet met de uitoefening van de ouderlijke macht is belast" en in plaats van „voogdij" wordt gelezen „de uitoefening van de ouderlijke macht".

Eind alimentatieplicht

3. Een verplichting van een echtgenoot om uit hoofde van scheiding van tafel en bed levensonderhoud te verschaffen aan de andere echtgenoot, eindigt bij ontbinding van het huwelijk.

Uitoefening ouderlijke macht

Art. 170. 1. Bij de beschikking tot scheiding van tafel en bed of bij latere beschikking bepaalt de rechter ten aanzien van ieder minderjarig kind der echtgenoten, wie van de ouders de ouderlijke macht zal uitoefenen.
2. Een ouder die de ouderlijke macht niet bezit, kan niet met de uitoefening daarvan worden belast.
3. Betrof de beslissing bedoeld in het eerste lid, niet alle kinderen der echtgenoten, dan vult de rechtbank haar aan op verzoek van de ouders of van één van hen, van de raad voor de kinderbescherming of ambtshalve.

Wijziging omgangsregeling

Art. 171. 1. De rechtbank kan op verzoek van de ouders of van één van hen de krachtens het vorige artikel gegeven en de overeenkomstig artikel 161a gegeven beslissingen, alsmede een door de ouders onderling getroffen omgangsregeling wijzigen op grond dat nadien de omstandigheden zijn gewijzigd, of dat bij het nemen van de beslissing van onjuiste of onvolledige gegevens is uitgegaan.
2. De rechtbank is eveneens bevoegd kennis te nemen van verzoeken tot wijziging van beslissingen inzake het gezag die door een buitenlandse autoriteit zijn gegeven na een buiten Nederland tot stand gekomen scheiding van tafel en bed, indien de minderjarige gewoon verblijf heeft in Nederland. Deze rechtbank is voorts bevoegd om in het gezag te voorzien of een met het gezag samenhangende beslissing te geven, indien de buitenlandse beslissing niet voor erkenning in aanmerking komt, dan wel indien na de scheiding van tafel en bed zodanige beslissing niet is gegeven en de minderjarige gewoon verblijf heeft in Nederland.
3. Indien de ouder die ingevolge een beslissing als bedoeld bij het vorige artikel de ouderlijke macht uitoefent, hiertoe in de onmogelijkheid geraakt, benoemt de kantonrechter een voogd overeenkomstig artikel 297 van dit boek.

Art. 171a. De rechtbank kan, indien haar blijkt dat de minderjarige van twaalf jaren of ouder hierop prijs stelt, ook ambtshalve een beslissing geven op de voet van artikel 161a, of zodanige beslissing op de voet van artikel 171, eerste lid, van dit boek wijzigen.

Aanvang uitoefening ouderlijke macht

Art. 172. De overeenkomstig artikel 170 of 171, eerste lid, van dit boek opgedragen uitoefening van de ouderlijke macht begint, zodra de beslissing in kracht van gewijsde is gegaan, of, indien zij uitvoerbaar bij voorraad is verklaard, daags nadat de griffier van de beslissing mededeling heeft gedaan aan de echtgenoot aan wie de uitoefening wordt opgedragen. De opgedragen uitoefening begint nochtans niet voordat de beschikking van scheiding van tafel en bed in kracht van gewijsde is gegaan.

Werking tegenover derden

Art. 173. De scheiding van tafel en bed kan aan derden die daarvan onkundig waren, slechts worden tegengeworpen, indien zij was ingeschreven in het huwelijksgoederenregister, aangewezen in artikel 116 van dit boek.

Schadevergoeding bij benadeling gemeenschap

Art. 174. 1. Indien een tussen de echtgenoten bestaande gemeenschap van goederen door één van hen is benadeeld doordat hij na de aanvang van het geding of binnen zes maanden daarvóór lichtvaardig schulden heeft gemaakt, goederen der gemeenschap heeft verspild, of rechtshandelingen als bedoeld in artikel 88 van dit boek zonder de vereiste toestemming of machtiging heeft verricht, is hij gehouden, nadat de beschikking van scheiding van tafel en bed in kracht van gewijsde is gegaan, de aangerichte schade aan de gemeenschap te vergoeden.
2. Een op het vorige lid gegronde rechtsvordering kan niet later worden ingesteld dan drie jaren nadat de beschikking van scheiding van tafel en bed in kracht van gewijsde is gegaan.

Gebruik woning van andere echtgenoot

Art. 175. 1. Op verzoek van een echtgenoot kan de rechter bij de beschikking houdende scheiding van tafel en bed of bij latere uitspraak bepalen dat, als die echtgenoot op het ogenblik dat de beschikking in kracht van gewijsde is gegaan een woning bewoont die aan de andere echtgenoot uitsluitend of mede toebehoort of ten gebruike toekomt, hij jegens de andere echtgenoot bevoegd is de bewoning en het gebruik van de bij bewoning en tot de inboedel daarvan behorende zaken gedurende zes maanden nadat de beschikking in kracht van gewijsde is gegaan, tegen een redelijke vergoeding voort te zetten.

2. Tegen hem kan een in dat tijdvak zonder zijn toestemming door een andere echtgenoot verricht rechtshandeling niet worden tegengeworpen ten nadele van zijn in het vorige lid omschreven bevoegdheid.

3. Weigert hij zijn toestemming of is hij niet in staat zijn wil te verklaren, dan kan de rechtbank die in eerste aanleg over het verzoek tot scheiding van tafel en bed heeft beslist, op verzoek van de andere echtgenoot bepalen dat het vorige lid buiten toepassing blijft.

Verzoening

Art. 176. 1. Een scheiding van tafel en bed eindigt van rechtswege door de verzoening van de echtgenoten; deze doet alle gevolgen van het huwelijk herleven, alsof er geen scheiding van tafel en bed had plaatsgehad. Nochtans wordt de geldigheid van rechtshandelingen die tussen de scheiding en de verzoening zijn verricht, beoordeeld naar het tijdstip der handeling.

2. Indien aan een derde de voogdij was opgedragen, herleeft de ouderlijke macht niet van rechtswege, maar kan een tot de voogdij bevoegde ouder de rechtbank verzoeken met de ouderlijke macht te worden bekleed. Dit verzoek wordt slechts afgewezen, indien gegronde vrees bestaat dat bij inwilliging de belangen van de kinderen zouden worden verwaarloosd.

Werking tegenover derden

Art. 177. Wanneer de beschikking waarbij de echtgenoten van tafel en bed zijn gescheiden, openlijk is bekendgemaakt of in het huwelijksgoederenregister, aangewezen in artikel 116 van dit boek, is ingeschreven, kunnen de echtgenoten de gevolgen van hun verzoening niet tegen derden die hiervan onkundig waren, doen werken, wanneer zij niet op dezelfde manier openlijk hebben bekendgemaakt of in dat register hebben doen inschrijven dat de scheiding heeft opgehouden te bestaan.

Art. 178. Vervallen.

AFDELING 2
Ontbinding van het huwelijk na scheiding van tafel en bed

Vereiste duur scheiding van tafel en bed

Art. 179. 1. Ontbinding van het huwelijk van echtgenoten die van tafel en bed gescheiden zijn, wordt op verzoek van een der echtgenoten uitgesproken, indien de scheiding ten minste drie jaren heeft geduurd. Indien de scheiding van tafel en bed is geëindigd door de verzoening van de echtgenoten, is beroep hierop alleen mogelijk indien de verzoening op verzoek van beide echtgenoten openlijk is bekendgemaakt of is ingeschreven overeenkomstig de wijze van artikel 177 van dit boek.

2. De termijn van drie jaren kan op verzoek van een echtgenoot worden bekort tot ten minste een jaar, indien de andere echtgenoot zich gedurig schuldig maakt aan wangedrag in zodanige mate dat van de echtgenoot, die het verzoek heeft gedaan, niet kan worden gevergd het huwelijk te doen voortbestaan.

Voorzieningen i.v.m. vooruitzicht op uitkeringen

Art. 180. 1. Indien als gevolg van de gevraagde ontbinding van het huwelijk een bestaand vooruitzicht op uitkeringen aan de andere echtgenoot na vooroverlijden van de echtgenoot die het verzoek heeft ingesteld zou teloorgaan of in ernstige mate zou verminderen, en de andere echtgenoot deswege tegen het verzoek verweer voert, kan het verzoek niet worden toegewezen voordat daaromtrent een voorziening is getroffen die, gelet op de omstandigheden van het geval, ten opzichte van beide echtgenoten billijk is te achten.

De rechter kan daartoe een termijn stellen.

2. Het eerste lid is niet van toepassing:

a. indien redelijkerwijs te verwachten is dat de andere echtgenoot zelf voor dat geval voldoende voorzieningen kan treffen;

b. indien de andere echtgenoot zich gedurig schuldig maakt aan wangedrag in zodanige mate dat van de echtgenoot die het verzoek heeft gedaan naar redelijkheid generlei verstrekking van levensonderhoud zou kunnen worden gevergd.

Gemeenschappelijk verzoek

Art. 181. Ontbinding van het huwelijk van echtgenoten die van tafel en bed gescheiden zijn, wordt op hun gemeenschappelijk verzoek uitgesproken.

Toepasselijkheid echtscheidingsbepalingen

Art. 182. De artikelen 154, tweede lid, en 157 tot en met 162a van dit boek zijn van overeenkomstige toepassing, met dien verstande dat de in artikel 157, derde tot en met zesde lid, bedoelde termijnen worden verminderd met de tijd gedurende welke tijdens de scheiding van tafel en bed een verplichting tot levensonderhoud jegens de andere echtgenoot bestond en dat de duur van het huwelijk wordt berekend tot de dag waarop de beschikking tot scheiding van tafel en bed in kracht van gewijsde is gegaan.

Inschrijving beschikking

Art. 183. 1. De ontbinding van het huwelijk komt tot stand door de inschrijving van de beschikking in de registers van de burgerlijke stand.

2. De artikelen 163, tweede en derde lid, en 166 van dit boek zijn van overeenkomstige toepassing.

Artt. 184-196. Vervallen.

TITEL 11
Vaderschap en afstamming van kinderen

AFDELING 1
Wettige kinderen

Staat van wettig kind

Art. 197. Het kind dat staande huwelijk is geboren, heeft de echtgenoot tot vader. Het kind dat vóór de 307de dag na de ontbinding van het huwelijk is geboren, heeft de vroegere echtgenoot tot vader, tenzij de moeder was hertrouwd.

Ontkenning vaderschap door moeder; erkenning door andere man

Art. 198. 1. De moeder kan door een verklaring, afgelegd ten overstaan van een ambtenaar van de burgerlijke stand, ontkennen dat een kind dat binnen 306 dagen na de ontbinding van het huwelijk uit haar is geboren, het kind van haar vroegere echtgenoot is, mits een andere man het kind erkent bij de akte die van die verklaring wordt opgemaakt. Is het huwelijk door de dood ontbonden, dan kan de moeder de verklaring slechts afleggen, indien zij was gescheiden van tafel en bed of zij en haar overleden echtgenoot sedert de 306de dag voor de geboorte van het kind gescheiden hebben geleefd.

2. De verklaring van de moeder en de erkenning moeten geschieden binnen een jaar na de geboorte van het kind.

3. De verklaring en de erkenning hebben slechts gevolg, indien de moeder en de man die het kind erkent, binnen een jaar na de geboorte van het kind met elkander in het huwelijk treden of indien het kind overeenkomstig artikel 215 lid 1 van dit boek wordt gewettigd op een daartoe binnen een jaar na zijn geboorte gedaan verzoek.

4. Door het in kracht van gewijsde gaan van een beschikking waarbij de erkenning op verzoek van de vroegere echtgenoot is vernietigd, verliest tevens de verklaring van de moeder haar kracht.

5. Indien het huwelijk van de moeder is ontbonden door overlijden van haar echtgenoot, vangen de in het tweede en het derde lid bedoelde termijnen niet aan voordat zijn overlijden te harer kennis is gekomen of een akte van zijn overlijden in de registers van de burgerlijke stand is opgenomen.

Ontkenning door de man

Art. 199. De man kan slechts ontkennen de vader van het kind te zijn door een verzoek tot ontkenning van het vaderschap in te dienen. Het kind wordt, tenzij het meerderjarig is vertegenwoordigd door een bijzonder curator, daartoe benoemd door de kantonrechter.

Toewijzing vordering tot ontkenning

Art. 200. 1. De rechter verklaart het verzoek tot ontkenning gegrond, indien de man niet de vader van het kind kan zijn.

2. Indien gedurende het tijdvak waarin het kind kan zijn verwekt, de man geen gemeenschap met de moeder heeft gehad, of zij gedurende dat tijdvak gescheiden hebben geleefd, verklaart de rechter het verzoek tot ontkenning eveneens gegrond, tenzij blijkt van feiten die het mogelijk maken dat de man de vader van het kind is.

Afwijzing vordering tot ontkenning

Art. 201. 1. Het verzoek tot ontkenning kan niet worden toegewezen, indien de man toestemming heeft gegeven tot een daad die de verwekking van het kind tot gevolg kan hebben gehad.

2. Het verzoek kan eveneens niet worden toegewezen, indien de man vóór het huwelijk heeft kennis gedragen van de zwangerschap, tenzij de vrouw hem heeft bedrogen omtrent de verwekker.

Staat kind bij hertrouwen ouders

Art. 202. Indien de ouders van een kind, dat meer dan 306 dagen na de ontbinding van hun huwelijk geboren is, met elkander hertrouwen, kan het kind op geen andere wijze een wettige staat verkrijgen, dan overeenkomstig de bepalingen van de tweede afdeling van deze titel.

Termijn voor instellen vordering tot ontkenning

Art. 203. 1. De man kan het verzoek slechts indienen binnen zes maanden, nadat te zijner kennis is gekomen dat de moeder het kind ter wereld heeft gebracht.

2. Is voor het einde van de in het vorige lid gestelde termijn een verklaring overeenkomstig artikel 198, eerste en tweede lid, van dit boek afgelegd, dan eindigt de in het vorige lid bedoelde termijn niet voordat achttien maanden na de geboorte van het kind zijn verstreken.

Ontkenning vaderschap na dood van de man

Art. 204. 1. Overlijdt de man voor de afloop van de in het vorige artikel gestelde termijn zonder het vaderschap te hebben ontkend, dan kan een afstammeling van de man, die legitimaris is, of bij gebreke van zodanige afstammelingen, een ouder van de man ontkennen dat deze de vader van het kind is.

2. De artikelen 199-201 en 203 van dit boek zijn van overeenkomstige toepassing, met dien verstande dat de in artikel 203 lid 1 bedoelde termijn niet aanvangt voordat het overlijden van de man ter kennis van de eiser is gekomen of een akte van zijn overlijden in de registers van de burgerlijke stand is opgenomen.

Bewijs staat van wettig kind

Art. 205. 1. De staat van wettig kind wordt bewezen door bewijs van afstamming en van het huwelijk der ouders.

2. De afstamming van een wettig kind wordt bij gebreke van de akte van geboorte bewezen door het ongestoord bezit van de staat van wettig kind.

Bewijs ongestoord bezit staat wettig kind

Art. 206. 1. Het bezit van die staat wordt bewezen door feiten, die hetzij tezamen hetzij afzonderlijk de betrekking van afstamming en verwantschap aantonen tussen een bepaalde persoon en de familie, waartoe hij beweert te behoren.

2. De voornaamste van deze feiten zijn onder andere:

a. dat die persoon altijd de naam heeft gedragen van de vader van wie hij beweert af te stammen;

b. dat de vader hem als zijn kind heeft behandeld, en als zodanig in zijn opvoeding, zijn onderhoud en zijn kostwinning heeft voorzien;

c. dat hij aanhoudend als zodanig in de maatschappij is erkend;

d. dat de nabestaanden hem als zodanig erkend hebben.

Staat van wettig kind en geboorteakte

Art. 207. Niemand kan zich op een staat beroepen die strijdig is met de afstamming volgens zijn geboorteakte, indien hij een staat overeenkomstig die akte bezit. Omgekeerd kan iemands afstamming volgens zijn geboorteakte niet betwist worden, indien hij een staat overeenkomstig die akte bezit.

Bewijs afstamming bij geschrifte

Art. 208. 1. Bij gebreke van zulke akte en onafgebroken bezit van staat, of wanneer het kind onder valse namen, of als geboren uit een vader en een moeder die onbekend zijn, in de registers is ingeschreven, kan de afstamming door getuigen bewezen worden.

2. Dit bewijs kan nochtans niet worden toegelaten, dan wanneer er een begin is van bewijs door geschrifte; of wanneer de vermoedens of aanwijzingen, voortvloeiende uit feiten die reeds onbetwistbaar zijn, als genoegzaam zwaarwichtig kunnen worden beschouwd om zulk middel van bewijs toe te laten.

Art. 209. Het begin van bewijs bij geschrifte vloeit voort uit familiebescheiden, uit registers en huiselijke papieren van de vader of de moeder, of ook wel uit openbare of onderhandse akten, afkomstig van iemand die bij de zaak betrokken is, of zo hij nog in leven ware, daarbij belang zou hebben gehad.

Tegenbewijs

Art. 210. Het tegenbewijs kan bestaan in zulke middelen als geschikt zijn om aan te tonen, dat hij die zich op zijn afstamming beroept, het kind niet is van de moeder die hij voorgeeft te hebben; of ook, als het moederschap bewezen is, dat hij het kind niet is van de man van die moeder.

Vordering inroeping van staat

Art. 211. Het verzoek tot inroeping van de staat is ten opzichte van het kind niet aan verjaring onderworpen.

Inroeping van staat door erfgenamen

Art. 212. Dit verzoek kan door de erfgenamen van het kind, dat zijn staat niet heeft ingeroepen, niet worden ingesteld, tenzij het kind tijdens zijn minderjarigheid of binnen drie jaren daarna mocht zijn overleden.

Voortzetten ingestelde vordering

Art. 213. De erfgenamen kunnen zulk verzoek echter voortzetten, wanneer deze door het kind is ingesteld, tenzij dit het geding drie jaren na de laatste procesakte onvervolgd heeft gelaten.

AFDELING 2
De wettiging van kinderen

Wettiging door erkenning

Art. 214. Een natuurlijk kind wordt gewettigd, wanneer het door de echtgenoot van de moeder wordt erkend hetzij voor of staande het huwelijk, hetzij na ontbinding van het huwelijk door overlijden van de moeder.

Brieven van wettiging

Art. 215. 1. Indien na de erkenning van het kind het voorgenomen huwelijk van zijn ouders door de dood van een van hen onmogelijk is geworden, kunnen aan Onze Minister van Justitie brieven van wettiging worden verzocht. Het verzoek kan zowel door de langstlevende ouder als, na diens overlijden, door het kind worden gedaan.

2. Het verzoek om brieven van wettiging kan ook worden gedaan, indien de man die, kennis dragende van haar zwangerschap, voornemens was met de moeder te huwen, voor de geboorte van het kind is overleden zonder het te hebben erkend.

Advies Hoge Raad

Art. 216. Over het verzoek om brieven van wettiging wint Onze Minister van Justitie het advies in van de Hoge Raad der Nederlanden. Deze hoort de bloedverwanten van de ouders of doet hen horen; hij kan ook bevelen, dat het verzoek in door hem aan te wijzen dagbladen wordt bekendgemaakt.

Gevolgen van wettiging

Art. 217. 1. Het kind dat door of staande het huwelijk van zijn ouders gewettigd is, heeft de staat van wettig kind te rekenen van de huwelijksvoltrekking.

2. Evenwel ontstaat ouderlijke macht door wettiging slechts, voor zover de ouders tot de voogdij bevoegd zijn, en mits de voogdij niet aan een derde was opgedragen.

Ouderlijke macht en voogdij na wettiging

Art. 218. 1. De tot de voogdij bevoegde ouder, die ondanks wettiging geen ouderlijke macht heeft verkregen, kan aan de kantonrechter verzoeken met de ouderlijke macht, of — na de ontbinding van zijn huwelijk — met de voogdij te worden bekleed.

2. Het verzoek wordt slechts afgewezen, indien gegronde vrees bestaat, dat bij inwilliging de belangen van het kind zouden verwaarloosd worden.

Gevolgen van wettiging

Art. 219. 1. De wettiging bedoeld in artikel 215 van dit boek werkt van de dag waarop de brieven van wettiging zijn verleend. Wettiging door erkenning nadat het huwelijk van de ouders door overlijden van de moeder is ontbonden, werkt van de dag der erkenning.

2. Na de wettiging is de overlevende ouder — mits hiertoe bevoegd en behoudens het bepaalde bij het volgende lid — van rechtswege voogd over het kind.

3. Indien echter het kind onder voogdij van een derde staat, verkrijgt de daartoe bevoegde overlevende ouder slechts dan de voogdij, wanneer hij hiermede op zijn verzoek door de kantonrechter is belast; het tweede lid van het vorige artikel is van toepassing.

Wettiging van overleden kinderen

Art. 220. Wettiging van overleden kinderen overeenkomstig de bepalingen van de artikelen 214 en 215 van dit boek is mogelijk, indien deze kinderen nakomelingen hebben nagelaten; zij strekt alsdan ten voordele van deze laatsten.

AFDELING 3
Natuurlijke kinderen

Staat van natuurlijk kind

Art. 221. 1. Een onwettig kind heeft de staat van natuurlijk kind van zijn moeder. Het verkrijgt door erkenning de staat van natuurlijk kind van zijn vader.

2. Onder de vader van een natuurlijk kind wordt verstaan hij die het kind heeft erkend.

Art. 222. Een onwettig kind en zijn afstammelingen staan in familierechtelijke betrekkingen tot de moeder van het kind en haar bloedverwanten en, na erkenning van het kind, ook tot de vader en diens bloedverwanten.

Familierechtelijke betrekking

Art. 223. Erkenning kan geschieden:
a. bij de geboorteakte van het kind;
b. bij een akte van erkenning opgemaakt door een ambtenaar van de burgerlijke stand;
c. bij elke notariële akte.

Erkenning

Art. 224. 1. Een erkenning is nietig, indien zij is gedaan:
a. door een man, tussen wie en de moeder van het kind krachtens artikel 41 van dit boek geen huwelijk zou mogen worden gesloten;
b. door een gehuwde man, wiens huwelijk meer dan 306 dagen voor de geboortedag van het kind is voltrokken;
c. door een minderjarige, tenzij de erkenning op de dag van voltrekking van zijn huwelijk heeft plaatsgehad;
d. bij het leven van de moeder zonder haar voorafgaande schriftelijke toestemming;
e. tijdens de meerderjarigheid van het kind zonder diens voorafgaande schriftelijke toestemming.
2. De in het vorige lid onder d en e vereiste toestemming kan ook worden gegeven bij de akte die van de erkenning wordt opgemaakt.

Nietigheid van erkenning

Art. 225. 1. Vernietiging van een erkenning waartoe de man die haar heeft gedaan, door bedreiging, dwaling, bedrog of, tijdens zijn minderjarigheid, door misbruik van omstandigheden is bewogen, kan worden verzocht door degene die de erkenning heeft gedaan, of, na zijn dood, door een of meer van zijn erfgenamen. Dit verzoek kan niet worden ingesteld, in geval van bedreiging of misbruik van omstandigheden, later dan zes maanden nadat deze invloed heeft opgehouden te werken, en in geval van bedrog of dwaling, later dan zes maanden nadat de verzoeker het bedrog of de dwaling heeft ontdekt; overlijdt degene die de vernietiging kan verzoeken voor de afloop van de hem gestelde termijn, dan eindigt voor zijn erfgenamen de termijn niet voordat zes maanden na zijn overlijden zijn verstreken.

Vernietiging van erkenning

2. Vernietiging van een erkenning, gedaan door een man die niet de verwekker van het kind is, kan, wanneer wettiging niet heeft plaatsgehad, worden verzocht;
a. indien de erkenning tijdens de minderjarigheid van het kind is gedaan, door het kind;
b. indien de man die de erkenning heeft gedaan van de 306de tot en met de 180ste dag voor de geboorte van het kind gehuwd is geweest, door een wettige afstammeling uit dat huwelijk;
c. indien de erkenning is gedaan krachtens artikel 198 van dit boek, door de vroegere echtgenoot van de moeder van het kind;
d. door het openbaar ministerie.
3. Vernietiging van een erkenning krachtens artikel 198 van dit boek, gedaan door een man die niet de verwekker van het kind is, kan door de vroegere echtgenoot van de moeder ook na wettiging worden verzocht, mits hij het verzoek niet later instelt dan drie maanden nadat hem de wettiging bij exploit is aangezegd of op andere wijze bekend is geworden.
4. Vernietiging van een erkenning, tijdens de minderjarigheid van het kind gedaan door een man die niet de verwekker is, kan, wanneer wettiging heeft plaatsgehad, worden verzocht door het kind, doch niet eerder dan twee jaren en niet later dan drie jaren nadat het meerderjarig is geworden of, indien het kind pas na de aanvang van dat tijdvak er van kennis heeft gekregen, dat de erkennende man zijn verwekker niet was, niet later dan een jaar nadat het daarvan kennis kreeg.
5. Nadat de beschikking waarbij de vernietiging is uitgesproken, in kracht van gewijsde is gegaan, wordt de erkenning geacht nimmer gevolg te hebben gehad. Te goeder trouw door derden verkregen rechten worden hierdoor nochtans niet geschaad.
Door de vernietiging ontstaat geen vordering tot teruggave van de kosten van verzorging en opvoeding noch tot teruggave van het krachtens vruchtgenot genotene. Ten gevolge van de vernietiging ontstaat voorts geen verplichting tot teruggave van

genoten vermogensrechtelijke voordelen die uit de erkenning zijn voortgevloeid, voor zover degene die hen heeft genoten ten tijde van het instellen van het verzoek daardoor niet was gebaat.

Bijzondere curator

Art. 226. Is het kind minderjarig, dan wordt het, optredende als verzoeker of verweerder, vertegenwoordigd door een bijzondere curator, daartoe benoemd door de kantonrechter.

TITEL 12
Adoptie

Uitspraak rechtbank

Art. 227. 1. Adoptie geschiedt door een uitspraak van de rechtbank op verzoek van een echtpaar dat een kind wil adopteren.

Voorwaarden voor toewijzing verzoek

2. Het verzoek kan alleen worden toegewezen, indien de adoptie, zowel uit het oogpunt van verbreking van de banden met de ouders als uit dat van bevestiging van de banden met de adoptanten, of — in geval van adoptie van een wettig of natuurlijk kind van een adoptant — zowel uit het oogpunt van verbreking van de banden met de andere ouder als uit dat van bevestiging van de banden met de stiefouder, in het kennelijk belang van het kind is en aan de voorwaarden, door het volgende artikel gesteld, is voldaan.

3. Het verzoek kan ook door de overblijvende echtgenoot na het overlijden van de andere echtgenoot worden gedaan, wanneer blijkt, dat het voornemen daartoe reeds tijdens het huwelijk bij beide echtgenoten bestond, doch de dood heeft verhinderd uitvoering aan dit voornemen te geven. Ook in dit geval worden beide echtgenoten als adoptanten aangemerkt.

4. Zijn de voornamen van het kind niet bekend, dan stelt de rechter, nadat hij de adoptanten en het kind, indien dat twaalf jaar of ouder is, heeft gehoord, bij de adoptiebeschikking tevens een of meer voornamen vast.

5. In zaken van adoptie is de minderjarige ouder bekwaam in rechte op te treden en tegen een uitspraak beroep in te stellen.

Voorwaarden

Art. 228. 1. Voorwaarden voor adoptie zijn:
a. dat het kind op de dag van het verzoek, dan wel, in geval van een herhaald verzoek als bedoeld onder d van dit lid, op de dag van het eerste verzoek minderjarig was en dat het kind, indien het op de dag van het verzoek vijftien jaren of ouder is, ter gelegenheid van zijn verhoor niet van bezwaren tegen toewijzing van het verzoek heeft doen blijken;
b. dat het kind niet is een wettig of natuurlijk kind van een wettig of natuurlijk kind van een adoptant;
c. dat ieder der adoptanten ten minste achttien en ten hoogste vijftig jaren ouder dan het kind is;
d. dat geen der ouders die met het kind in familierechtelijke betrekking staan, het verzoek tegenspreekt. Nochtans is de rechter niet verplicht het verzoek af te wijzen bij tegenspraak van een ouder die meer dan twee jaren tevoren is opgeroepen ten verhoor op een gelijk verzoek van dezelfde echtgenoten, dat is afgewezen hoewel aan de voorwaarden, gesteld onder e-g, was voldaan;
e. dat de minderjarige moeder van het kind op de dag van het verzoek de leeftijd van zestien jaren heeft bereikt;
f. dat op de dag van het verzoek het kind door de adoptanten tezamen, dan wel, wanneer het verzoek wordt gedaan door de overblijvende echtgenoot overeenkomstig artikel 227, derde lid, van dit boek, door de adoptanten tezamen en vervolgens door de overblijvende echtgenoot, reeds ten minste een jaar feitelijk is verzorgd en opgevoed geworden en een van beiden de voogd van het kind is;
g. dat de adoptanten ten minste vijf jaren voor de dag van het verzoek met elkander zijn gehuwd.

2. In geval van adoptie van een wettig of natuurlijk kind van een adoptant blijven de voorwaarden, bedoeld onder c en g van het vorige lid, buiten toepassing. In geval van adoptie van een wettig kind van een adoptant treedt voor het bepaalde onder d van het vorige lid in de plaats de voorwaarde, dat de vroegere echtgenoot, die als ouder met het kind in familierechtelijke betrekking staat en wiens huwelijk met de echtgenoot van de stiefouder op een der gronden vermeld in artikel 149, onder c en d, van dit boek is geëindigd, het verzoek niet tegenspreekt.

3. Indien op de dag van een herhaald verzoek als bedoeld in het eerste lid onder d, het kind meerderjarig is en de voogdij van een der adoptanten over het kind niet

door een rechterlijke beslissing was geëindigd, wordt voor de toepassing van de voorwaarde vermeld onder f van het eerste lid, onder „verzoek" verstaan het eerste verzoek.

Art. 229. 1. Door adoptie verkrijgt de geadopteerde de staat van wettig kind van de adoptiefouders. Indien de geadopteerde echter de staat van wettig kind ten aanzien van een echtgenoot die hem heeft geadopteerd, reeds bezat, behoudt hij deze en verkrijgt hij door de adoptie de staat van wettig kind van de andere echtgenoot. **Rechtsgevolgen**

2. Onverminderd het bepaalde in de tweede zin van het vorige lid, houden door adoptie op familierechtelijke betrekkingen te bestaan tussen de geadopteerde en zijn bloed- en aanverwanten in de opgaande linie en de zijlinie.

3. De rechtbank kan in geval van adoptie van het kind van een adoptant, op verzoek van de ouder die niet adoptant is en die omgang met het kind heeft, bepalen dat het kind en hij gerechtigd blijven tot omgang met elkaar. De artikelen 161a, tweede en derde lid, 162 en 162a zijn van overeenkomstige toepassing.

Art. 230. 1. De adoptie heeft haar gevolgen van de dag, waarop de uitspraak in kracht van gewijsde is gegaan. **Gelding der rechtsgevolgen**

2. De adoptie blijft haar gevolgen behouden, ook al zou blijken, dat de rechter de door artikel 228 van dit boek gestelde voorwaarden ten onrechte als vervuld zou hebben aangenomen.

Art. 231. 1. De adoptie kan door een uitspraak van de rechtbank op verzoek van de geadopteerde worden herroepen. **Herroeping**

2. Het verzoek kan alleen worden toegewezen, indien de herroeping in het kennelijk belang van de geadopteerde is, de rechter van de redelijkheid der herroeping in gemoede overtuigd is, en het verzoek is ingediend niet eerder dan twee jaren en niet later dan drie jaren na de dag, waarop de geadopteerde meerderjarig is geworden.

Art. 232. 1. Door herroeping van de adoptie heeft de geadopteerde niet langer de staat van wettig kind welke hij door de adoptie had verkregen. De familierechtelijke betrekkingen die krachtens deze staat bestonden tussen de geadopteerde, zijn echtgenoot en zijn kinderen enerzijds en de adoptiefouders en hun bloed- en aanverwanten anderzijds, houden op te bestaan. **Rechtsgevolgen der herroeping**

2. De familierechtelijke betrekkingen die door de adoptie hebben opgehouden te bestaan, herleven door de herroeping.

3. Artikel 230 van dit boek vindt ten aanzien van de herroeping overeenkomstige toepassing.

TITEL 13
Minderjarigheid

AFDELING 1
Algemene bepalingen

Art. 233. Minderjarigen zijn zij, die de ouderdom van achttien jaren niet hebben bereikt en niet gehuwd zijn of gehuwd zijn geweest. **Minderjarigen**

Art. 234. 1. Minderjarigen zijn onbekwaam rechtshandelingen te verrichten voor zover de wet niet anders bepaalt. **Handelingsonbekwaamheid**

2. Een minderjarige die met oordeel des onderscheids handelt, is bekwaam rechtshandelingen te verrichten met toestemming van zijn wettelijke vertegenwoordiger, voor zover deze bevoegd is die rechtshandelingen voor de minderjarige te verrichten. De toestemming kan slechts worden verleend voor een bepaalde rechtshandeling of voor een bepaald doel. De toestemming voor een bepaald doel moet schriftelijk worden verleend. **Bekwaamheid tot bepaalde rechtshandelingen**

3. Hij is bekwaam over gelden die zijn wettelijke vertegenwoordiger voor levensonderhoud of studie te zijner beschikking heeft gesteld, overeenkomstig deze bestemming te beschikken.

AFDELING 2
Handlichting

Verlening door kantonrechter

Art. 235. 1. Handlichting waarbij aan een minderjarige bepaalde bevoegdheden van een meerderjarige worden toegekend, kan wanneer de minderjarige de leeftijd van zestien jaren heeft bereikt, op zijn verzoek door de kantonrechter worden verleend.

2. Zij wordt niet verleend tegen de wil van de ouders voor zover deze het gezag over de minderjarige uitoefenen, met inachtneming nochtans van het tweede lid van artikel 246 van dit boek.

Beperking tot bepaalde bevoegdheden

3. Bij het verlenen van handlichting bepaalt de kantonrechter uitdrukkelijk, welke bevoegdheden van een meerderjarige aan de minderjarige worden toegekend. Deze bevoegdheden mogen zich niet verder uitstrekken dan tot de gedeeltelijke of de gehele ontvangst van zijn inkomsten en de beschikking daarover, het sluiten van verhuringen en verpachtingen, het in een vennootschap deelnemen en het uitoefenen van een beroep of bedrijf. De minderjarige wordt echter door handlichting niet bekwaam tot het beschikken over registergoederen, effecten, of door hypotheek gedekte vorderingen.

4. Hij kan ter zake van de handlichting zelf en van handelingen, waartoe hij krachtens de verkregen handlichting bekwaam is, eisende of verwerende in rechte optreden. Artikel 12 lid 1 van dit boek geldt voor die handelingen niet.

Intrekking

Art. 236. 1. Een verleende handlichting kan door de rechtbank worden ingetrokken, indien de minderjarige daarvan misbruik maakt of er gegronde vrees bestaat dat hij dit zal doen.

2. De intrekking geschiedt op verzoek van een van de ouders van de minderjarige, voor zover deze het gezag over hem uitoefenen en met inachtneming van het tweede lid van artikel 246 van dit boek, of op verzoek van de voogd of toeziende voogd.

Bekendmaking verlening en intrekking

Art. 237. 1. Een beschikking waarbij handlichting is verleend of ingetrokken, moet worden bekendgemaakt in de Nederlandse Staatscourant en in twee in de beschikking aan te wijzen dagbladen.

2. In de bekendmaking moet nauwkeurig worden vermeld hoedanig, en tot welk einde zij is verleend. Vóór de bekendmaking werkt zomin de handlichting als haar intrekking tegen derden die hiervan onkundig waren.

AFDELING 3
Raden voor de kinderbescherming

Taken en bevoegdheden

Art. 238. 1. In ieder arrondissement is een raad voor de kinderbescherming.

2. De wet bepaalt de taak en de bevoegdheden van de raden voor de kinderbescherming.

3. Ten behoeve van de vervulling van hun taak houden zij zich op de hoogte van de ontwikkeling van de kinderbescherming in hun gebied, bevorderen zij de samenwerking van de aldaar werkzame instellingen van kinderbescherming en dienen zij op verzoek of uit eigen beweging autoriteiten en instellingen van advies.

4. Hun bemoeiingen laten de geestelijke grondslag van de instellingen van kinderbescherming onverlet.

5. Bij algemene maatregel van bestuur worden hun samenstelling, zetel en werkwijze geregeld, alsmede de wijze, waarop de door de raden voor de kinderbescherming gemaakte kosten door hen verantwoord en door de Staat betaald worden. De betaling door de Staat geschiedt met inachtneming van de eigen inkomsten van de raad.

Competentie

Art. 239. 1. Iedere raad voor de kinderbescherming kan in Nederland optreden ten behoeve van de minderjarigen, die binnen zijn gebied hetzij hun woonplaats of laatste woonplaats, hetzij hun werkelijk verblijf hebben.

2. Indien op grond van deze bepaling twee raden voor de kinderbescherming bevoegd zouden zijn ten behoeve van een zelfde minderjarige op te treden, doet het optreden van een van deze raden de bevoegdheid van de andere eindigen.

3. Ten behoeve van Nederlandse minderjarigen, die in Nederland noch woonplaats, noch laatste woonplaats, noch werkelijk verblijf hebben, is de raad voor de kinderbescherming in het arrondissement Amsterdam bevoegd op te treden.

Zorg voor toevertrouwde minderjarigen

Art. 240. 1. De raden voor de kinderbescherming zorgen voor de minderjarigen, die hun krachtens enig wettelijk voorschrift door de rechter of de officier van justitie voorlopig zijn toevertrouwd.

2. De raad voor de kinderbescherming draagt zorg, dat de gelden die hem ten behoeve van het onderhoud van minderjarigen worden uitgekeerd, aan de daarop rechthebbenden worden uitbetaald. Indien uitbetaling van de in de eerste volzin bedoelde gelden plaatsvindt aan de Gemeentelijke Sociale Dienst als rechthebbende, wordt op de aan de raad voor de kinderbescherming uitgekeerde gelden een door onze Minister van Justitie te bepalen deel van het bedrag van de uitgekeerde gelden in mindering gebracht ter bestrijding van de kosten welke met de invordering van de gelden zijn gemoeid.

Voorziening in gezagsuitoefening

Art. 241. 1. Indien de raad voor de kinderbescherming blijkt, dat een minderjarige niet onder het wettelijk vereiste gezag staat, of dat dit gezag niet over hem wordt uitgeoefend, verzoekt hij de rechter in de gezagsuitoefening over deze minderjarige te voorzien.

2. Indien dit ter voorkoming van de zedelijke of lichamelijke ondergang van zulk een minderjarige dringend en onverwijld noodzakelijk is, kan de officier van justitie hem voorlopig aan de raad voor de kinderbescherming toevertrouwen: deze laatste wendt zich in dit geval binnen zes weken tot de rechter, teneinde een voorziening in het gezag over deze minderjarige te verkrijgen.

3. Voorlopige toevertrouwing aan de raad voor de kinderbescherming overeenkomstig het tweede lid kan ook geschieden, indien een kind, de leeftijd van zes maanden nog niet bereikt hebbende en niet staande onder voogdij van een rechtspersoon, zonder voorafgaande schriftelijke toestemming van de raad voor de kinderbescherming als pleegkind is opgenomen.

4. De raad voor de kinderbescherming kan de rechter die in het gezag over de minderjarige moet voorzien,verzoeken, hem voor de duur van de voorlopige toevertrouwing ten aanzien van diens vermogen zodanige bevoegdheden te verlenen, als de rechter geschikt zal achten.

Oriëntering m.b.t. voorzieningen in gezagsuitoefening

Art. 242. De raad voor de kinderbescherming stelt zich op de hoogte van alle gevallen, waarin maatregelen met betrekking tot het gezag over minderjarigen — ontzetting van de toeziende voogdij daaronder begrepen — overwogen dienen te worden.

Kosteloos aan raad te verlenen diensten

Art. 243. 1. De gemeentebesturen en ambtenaren van de burgerlijke stand verschaffen de raden voor de kinderbescherming kosteloos alle inlichtingen, en verstrekken hun kosteloos alle afschriften en uittreksels uit hun registers, die deze raden ter uitvoering van hun taak van hen vragen. Wanneer de raden voor de kinderbescherming een taak vervullen of een bevoegdheid uitoefenen op grond van een van de bepalingen van deze titel of van de titels 9, 10, 14, 15 en 17 van dit boek, alsmede op grond van de daarmee verband houdende bepalingen van het Wetboek van Burgerlijke Rechtsvordering, verschaffen de bij algemene maatregel van bestuur aan te wijzen instanties of personen hun kosteloos die inlichtingen die voor een goede uitoefening van hun taak noodzakelijk zijn.

2. Alle verzoeken die de raden voor de kinderbescherming ter uitvoering van hun taak tot de rechter richten, worden kosteloos behandeld; de grossen, afschriften en uittreksels, die zij tot dat doel aanvragen, worden hun door de griffiers vrij van alle kosten uitgereikt.

3. Exploiten door de deurwaarders ten verzoeke van de raden voor de kinderbescherming uitgebracht, worden volgens het gewone tarief vergoed. Procureurs kunnen voor hun aan de raad voor de kinderbescherming bewezen diensten salaris in rekening brengen.

Optreden zonder procureur of advocaat

4. Wanneer de raden voor de kinderbescherming op grond van een van de bepalingen van deze titel, of van de titels 9, 10, 14, 15 en 17 van dit Boek in rechte optreden, kunnen zij dit zonder procureur of advocaat doen, behalve in gedingen die met een dagvaarding aanvangen.

AFDELING 4
Registers betreffende het over minderjarigen uitgeoefende gezag

Voogdijregisters

Art. 244. Bij de kantongerechten berusten openbare registers, waarin aantekening gehouden wordt van rechtsfeiten die op het over minderjarigen uitgeoefende gezag — met inbegrip van de toeziende voogdij — betrekking hebben. Bij algemene maatregel van bestuur wordt bepaald welke rechtsfeiten aangetekend worden, en op welke wijze deze aantekening geschiedt.

TITEL 14
Ouderlijke macht

AFDELING 1
De ouderlijke macht, wat de persoon van het kind betreft

Verplichtingen kinderen en ouders

Art. 245. 1. Een kind, van welke leeftijd ook, is aan zijn ouders eerbied en ontzag verschuldigd.

2. De ouders zijn verplicht hun minderjarige kinderen te verzorgen en op te voeden.

Uitoefening ouderlijke macht

Art. 246. 1. Gedurende hun huwelijk bezitten de ouders de ouderlijke macht over hun minderjarige kinderen.

2. Zij oefenen deze macht gezamenlijk uit. Geschillen tussen de ouders hieromtrent kunnen op verzoek van beiden of een van hen aan de kinderrechter worden voorgelegd, die alvorens te beslissen, een vergelijk tussen de ouders beproeft. Deze neemt een zodanige beslissing als hem in het belang van het kind wenselijk voorkomt.

3. Verkeert een van de ouders in de onmogelijkheid de ouderlijke macht uit te oefenen, dan oefent de andere ouder die alleen uit. Verkeren beide ouders in deze onmogelijkheid, dan benoemt de kantonrechter een voogd overeenkomstig artikel 297 van dit boek.

4. Een ouder die onder curatele is gesteld, wordt geacht in de onmogelijkheid te verkeren de ouderlijke macht uit te oefenen.

Wijziging in verblijf van het kind

Art. 246a. 1. Indien het kind door een ander of anderen dan zijn ouders die de ouderlijke macht over hem uitoefenen, als behorende tot het gezin met instemming van de ouders ten minste een jaar is verzorgd en opgevoed geworden, kunnen de ouders niet dan met toestemming van degenen die de verzorging en opvoeding op zich hebben genomen, wijziging in het verblijf van het kind brengen.

2. Voor zover de volgens het vorige lid vereiste toestemmingen niet worden verkregen, kunnen zij op verzoek van de ouders door die van de kinderrechter worden vervangen. Dit verzoek wordt slechts afgewezen, indien gegronde vrees bestaat dat bij inwilliging de belangen van het kind zouden worden verwaarloosd.

3. In geval van afwijzing van het verzoek is de beschikking van kracht gedurende een door de kinderrechter te bepalen termijn, welke de duur van zes maanden niet te boven mag gaan. Is echter voor het einde van deze termijn een verzoek of vordering tot ondertoezichtstelling van het kind, dan wel tot ontheffing of ontzetting van een of beide ouders aanhangig gemaakt, dan blijft de beschikking gelden, totdat op het verzoek of de vordering bij gewijsde is beslist.

AFDELING 2
De ouderlijke macht, wat het vermogen van het kind betreft

De met het bewind belaste personen

Art. 247. 1. De ouders voeren gezamenlijk het bewind over het vermogen van het kind en vertegenwoordigen gezamenlijk het kind in burgelijke handelingen, met dien verstande dat een ouder alleen, mits met toestemming van de andere ouder, hiertoe ook bevoegd is. De toestemming kan telkens slechts worden verleend voor een bepaalde rechtshandeling of voor een bepaald doel.

2. Geschillen tussen de ouders omtrent de toepassing van het vorige lid kunnen op verzoek van beiden of een van hen aan de kantonrechter worden voorgelegd, die alvorens te beslissen, een vergelijk tussen de ouders beproeft. Deze neemt een zodanige beslissing als hem in het belang van het kind wenselijk voorkomt.

3. Oefent een der ouders de ouderlijke macht alleen uit, dan wordt door die ouder het bewind over het vermogen van het kind gevoerd en het kind in burgelijke handelingen vertegenwoordigd.

4. Van het bepaalde in het eerste en derde lid kan worden afgeweken:
a. ingevolge de artikelen 169 en 155 van dit boek, bij scheiding van tafel en bed op gemeenschappelijk verzoek van de echtgenoten;
b. ingevolge artikel 276, tweede lid, van dit boek, bij ontheffing of ontzetting van de ouderlijke macht;

c. indien hij die een minderjarige goederen schenkt of vermaakt, bij de gift, onderscheidenlijk bij uiterste wilsbeschikking bepaalt dat een ander het bewind over die goederen zal voeren.

5. In het laatstbedoelde geval zijn de ouders, of — indien een ouder de ouderlijke macht alleen uitoefent — is die ouder bevoegd van de bewindvoerder rekening en verantwoording te vragen.

6. Bij het vervallen van het door de schenker of erflater ingestelde bewind zijn het eerste en tweede lid, onderscheidenlijk het derde lid van toepassing.

Verplichtingen bewindvoerende ouder

Art. 248. De ouders moeten het bewind over het vermogen van hun kind als goede bewindvoerders voeren. Bij slecht bewind zijn zij voor de daaraan te wijten schade aansprakelijk, behoudens voor de vruchten van dat vermogen voor zover de wet hun het genot daarvan toekent.

Toepasselijkheid bepalingen m.b.t. bewind van voogd

Art. 249. Op het bewind van de ouders of een ouder zijn de artikelen 342, tweede lid, 344-357 en 370 van dit boek van overeenkomstige toepassing; het aldaar met betrekking tot de toeziende voogd bepaalde geldt voor de ouder die niet het bewind voert, mits deze tot de voogdij bevoegd is.

Bijzondere curator

Art. 250. Wanneer de belangen van de ouders of een van hen in strijd mochten zijn met die van de kinderen, benoemt de kantonrechter op verzoek van een belanghebbende of ambtshalve een bijzondere curator om deze kinderen terzake te vertegenwoordigen.

Vruchtgenot van vermogen kind

Art. 251. 1. Elke ouder die het gezag over zijn wettige of natuurlijke kinderen uitoefent, heeft het vruchtgenot van hun vermogen. Indien het kind bij de ouder inwoont, omvat het vruchtgenot het inkomen uit arbeid van het kind.

2. Ingeval geen van beide ouders bedoeld gezag uitoefent, komt het vruchtgenot hun slechts toe voor zover zij van dit gezag zijn ontheven.

Lasten van vruchtgenot

Art. 252. Aan bedoeld vruchtgenot zijn de lasten verbonden, die op vruchtgebruikers rusten.

Beperking van vruchtgenot

Art. 253. De ouder heeft geen vruchtgenot van het vermogen, ten aanzien waarvan bij uiterste wilsbeschikking van de erflater of bij de gift is bepaald dat de ouders daarvan het vruchtgenot niet zullen hebben.

AFDELING 3
Ondertoezichtstelling van kinderen

Grond onder toezichtstelling

Art. 254. 1. Indien een kind zodanig opgroeit, dat het met zedelijke of lichamelijke ondergang wordt bedreigd, kan de kinderrechter het onder toezicht stellen.

Uitspraak op verzoek of vordering

2. Hij kan dit doen op verzoek van een van de ouders, een van de bloed- of aanverwanten tot en met de vierde graad, de raad voor de kinderbescherming, of op vordering van het openbaar ministerie.

Benoeming gezinsvoogd

Art. 255. 1. Bij de toewijzing van het verzoek of van de vordering benoemt de kinderrechter tevens een gezinsvoogd, die onder zijn leiding op het kind toezicht houdt.

2. In de regel wint de kinderrechter alvorens tot de benoeming over te gaan het gevoelen in van een rechtspersoon die als gezinsvoogdij-instelling door Onze Minister van Justitie op grond van artikel 60, eerste lid, onder b van de Wet op de jeugdhulpverlening wordt gesubsidieerd. Hij roept ingeval van benoeming van een natuurlijke persoon zoveel mogelijk de medewerking in van een gezinsvoogdij-instelling bij het uitoefenen van de leiding van het toezicht. De gezinsvoogdij-instelling die tot gezinsvoogd is benoemd, wijst een contactpersoon aan die namens haar de taken van een gezinsvoogd uitoefent.

3. Bij de toepassing van de vorige leden let de kinderrechter op de godsdienstige gezindheid van het kind en van het gezin waartoe het kind behoort.

4. De kinderrechter die een kind onder toezicht heeft gesteld, kan de vervulling van de taak overdragen aan de kinderrechter van de woon- of verblijfplaats van de minderjarige. Bij algemene maatregel van bestuur worden hieromtrent nadere regels gesteld.

Vervanging gezinsvoogd

Art. 256. De kinderrechter is bevoegd te allen tijde de gezinsvoogd door een ander te vervangen.

Voorlopige ondertoezichtstelling

Art. 257. De kinderrechter kan hangende het onderzoek het kind voorlopig onder toezicht stellen. Dit voorlopig toezicht blijft gelden, totdat omtrent de ondertoezichtstelling bij gewijsde is beslist.

Duur ondertoezichtstelling

Art. 258. 1. De kinderrechter bepaalt de duur van de ondertoezichtstelling op een termijn van ten hoogste één jaar, die hij telkens met ten hoogste één jaar kan verlengen.

2. De kinderrechter kan de ondertoezichtstelling te allen tijde opheffen. Zij eindigt door de meerderjarigheid van het kind.

Taak gezinsvoogd

Art. 259. De gezinsvoogd zoekt zoveel mogelijk persoonlijk aanraking met het kind, en met het gezin waartoe het behoort. Hij bevordert het geestelijk, lichamelijk en toekomstig stoffelijk welzijn van het kind. Hij dient de ouders van raad bij de verzorging en opvoeding, en tracht hen te overreden hiertoe het nodige te doen.

Verplichting ouders

Art. 260. 1. Bij de verzorging en opvoeding van het onder toezicht gestelde kind moeten de ouders zich gedragen naar de aanwijzingen van de gezinsvoogd.

Inroepen beslissing kinderrechter

2. Een ouder, die met de gezinsvoogd van mening verschilt ten aanzien van de in het belang van het kind te nemen maatregelen, kan op mondeling of schriftelijk verzoek de beslissing van de kinderrechter inroepen.

Machtiging kinderrechter

3. Aanwijzing tot het nemen van maatregelen die kosten zullen veroorzaken, kan de gezinsvoogd slechts geven met machtiging van de kinderrechter.

Plaatsing kind buiten gezin

4. Plaatsing van het kind buiten het gezin geschiedt, behoudens in de gevallen dat de ouders daartoe zonder bezwaar van de gezinsvoogd overgaan, alleen krachtens de artikelen 262 en 263 van dit boek of krachtens de Wet bijzondere opnemingen in psychiatrische ziekenhuizen.

Brengen kind voor kinderrechter

Art. 261. De kinderrechter kan te allen tijde bevelen, dat het kind door de gezinsvoogd voor hem wordt gebracht.

Opnemen ter observatie

Art. 262. De kinderrechter kan het kind tot onderzoek van zijn geestelijke of lichamelijke gesteldheid voor ten hoogste drie maanden doen opnemen in een op grond van de Wet op de jeugdhulpverlening bekostigde voorziening, behorende tot de categorie, genoemd onder II, onderdeel 2, van de bijlage bij die wet. Hij kan de termijn van de opneming eenmaal met ten hoogste twee maanden verlengen, indien het belang van het kind dit gebiedend noodzakelijk maakt.

Opnemen in inrichting

Art. 263. 1. Indien dit in het belang van de verzorging en opvoeding noodzakelijk is, kan de kinderrechter het kind doen opnemen in een op grond van de Wet op de jeugdhulpverlening voor bekostiging in aanmerking gebrachte voorziening of elders. De kinderrechter kan volstaan met het aanwijzen van de categorie van voorzieningen waarin de opneming zal geschieden.

2. Bij zijn keuze let de kinderrechter op de wensen van hen die het gezag uitoefenen, en op de godsdienstige gezindheid van het kind en van het gezin, waartoe het kind behoort.

3. De kinderrechter bepaalt de duur van de opneming op een termijn van ten hoogste een jaar. Hij kan deze termijn tot ten hoogste twee jaren verlengen en te allen tijde verkorten.

4. Verdere verlenging is, telkens ten hoogste met een jaar, slechts mogelijk:
a. wanneer het kind de leeftijd van zestien jaren heeft bereikt;
b. wanneer het kind de leeftijd van dertien jaren heeft bereikt, doch alleen indien de verlenging bepaaldelijk ter wille van de voortzetting van een aangevangen opleiding noodzakelijk is;
c. indien de verlenging bepaaldelijk ter wille van de voortzetting van een aangevangen behandeling van medische aard noodzakelijk is.

5. De termijn van opneming in een tuchtschool kan voor hen die de leeftijd van zestien jaren nog niet hebben bereikt de zes maanden niet overschrijden. Overigens is die termijn ten hoogste twaalf maanden.

6. Opneming in een tehuis, behorende tot een categorie, genoemd onder II, onderdeel 1 tot en met 4 of onder III, onderdeel 2 van de bijlage bij de Wet op de jeugdhulpverlening, voor zover dit door Onze Minister van Justitie in stand wordt gehouden, eindigt mede door een besluit van Onze Minister van Justitie, de kinder-

rechter gehoord, wanneer Onze Minister van Justitie dit in verband met een juiste verdeling der in die tehuizen beschikbare plaatsruimte noodzakelijk oordeelt.

Kosten

Art. 264. 1. De kosten van de maatregelen bedoeld in artikel 260, derde lid van dit boek, komen ten laste van de ouders, of — voor zover deze onvermogend zijn — ten laste van het kind; voor zover ook dit laatste onvermogend is, blijven die kosten ten laste van de Staat. Op de kosten die ten laste van de ouders komen, is artikel 402a van dit boek van overeenkomstige toepassing.

2. Voor de toepassing van het eerste lid wordt een stiefouder die krachtens titel 17 van dit boek verplicht is tot het verstrekken van levensonderhoud, met een ouder gelijkgesteld.

Nadere regelingen bij amvb

Art. 265. Bij algemene maatregel van bestuur worden voorschriften gegeven ten aanzien van alles wat in verband met de uitvoering van de voorschriften van deze afdeling nog nadere voorziening behoeft.

AFDELING 4
Ontheffing en ontzegging van de ouderlijke macht

Gronden voor ontheffing

Art. 266. Mits het belang van de kinderen zich daar niet tegen verzet, kan de rechtbank een ouder van de ouderlijke macht over een of meer van zijn kinderen ontheffen, op grond dat hij ongeschikt of onmachtig is zijn plicht tot verzorging en opvoeding te vervullen.

Ontheffing op verzoek of vordering

Art. 267. 1. Ontheffing wordt slechts uitgesproken op verzoek van de raad voor de kinderbescherming, of op vordering van het openbaar ministerie.

2. In het geval, bedoeld bij het tweede lid onder d, van artikel 268 van dit boek, kan, indien de kinderrechter een verzoek van de ouders om toestemming tot wijziging in het verblijf van hun kind heeft afgewezen, de ontheffing bovendien verzocht worden door degene, die het kind op het tijdstip van het verzoek tenminste een jaar verzorgd en opgevoed heeft. Indien het kind door meer dan een persoon wordt verzorgd en opgevoed, kan het verzoek slechts door dezen gemeenschappelijk worden gedaan. Is de ontheffing verzocht of gevorderd, dan blijft het tweede lid van artikel 246a, van dit boek buiten toepassing, totdat op het verzoek of de vordering bij gewijsde is beslist.

Verzet ouders

Art. 268. 1. Ontheffing kan niet worden uitgesproken, indien de ouder zich daartegen verzet.

2. Deze regel lijdt uitzondering:

a. indien na een ondertoezichtstelling van ten minste zes maanden blijkt, of na een opneming krachtens het bepaalde in de artikelen 262 en 263 van dit boek van meer dan een jaar en zes maanden gegronde vrees bestaat, dat deze maatregel — door de ongeschiktheid of onmacht van een ouder om zijn plicht tot verzorging en opvoeding te vervullen — onvoldoende is om het kind voor zedelijke of lichamelijke ondergang te behoeden;

b. indien zonder de ontheffing van de ene ouder, de ontzetting van de andere ouder de kinderen niet aan diens invloed zou onttrekken;

c. indien de geestvermogens van de ouder zodanig zijn gestoord, dat hij niet in staat is zijn wil te bepalen of de betekenis van zijn verklaring te begrijpen;

d. indien na een verzorging en opvoeding met instemming van de ouder — anders dan uit hoofde van een ondertoezichtstelling of een voorlopige toevertrouwing aan de raad voor de kinderbescherming — van ten minste een jaar in een ander gezin dan het ouderlijke, een voortzetting daarvan noodzakelijk is en van terugkeer naar de ouder ernstig nadeel voor het kind moet worden gevreesd.

Gronden voor ontzetting

Art. 269. 1. Indien de rechtbank dit in het belang van de kinderen noodzakelijk oordeelt, kan zij een ouder van de ouderlijke macht over een of meer van zijn kinderen ontzetten, op grond van:

a. misbruik van de ouderlijke macht, of grove verwaarlozing van de verzorging of opvoeding van een of meer kinderen;

b. slecht levensgedrag;

c. onherroepelijke veroordeling:

1°. wegens opzettelijke deelneming aan enig misdrijf met een onder zijn gezag staande minderjarige;

2°. wegens het plegen tegen de minderjarige van een van de misdrijven, omschreven

in de titels XIII-XV en XVIII-XX van het tweede boek van het Wetboek van Strafrecht;
3°. tot een vrijheidsstraf van twee jaar of langer;
d. het in ernstige mate veronachtzamen van de aanwijzingen van de gezinsvoogd of belemmeren van een krachtens het bepaalde in de artikelen 262 en 263 van dit boek bevolen opneming;
e. het bestaan van gegronde vrees voor verwaarlozing van de belangen van het kind,doordat de ouder het kind terugeist of terugneemt van anderen, die diens verzorging en opvoeding op zich hebben genomen.
2. Onder misdrijf worden in dit artikel begrepen medeplichtigheid aan en poging tot misdrijf.

Ontzetting op verzoek of vordering

Art. 270. 1. Ontzetting van de ouderlijke macht wordt slechts uitgesproken op verzoek van de andere ouder, een van de bloed- of aanverwanten van de kinderen tot en met de vierde graad, de raad voor de kinderbescherming, of op vordering van het openbaar ministerie.
2. In het geval bedoeld bij het eerste lid van het vorige artikel onder e, kan de ontzetting bovendien verzocht worden door hem, die de verzorging en opvoeding van het kind op zich genomen heeft.

Schorsing ouderlijke macht

Art. 271. 1. Indien de rechtbank dit in het belang van de kinderen noodzakelijk acht, kan zij een ouder, wiens ontzetting verzocht of gevorderd is, hangende het onderzoek geheel of gedeeltelijk in de uitoefening van de ouderlijke macht over een of meer van zijn kinderen schorsen. Gelijke bevoegdheid komt haar toe ten opzichte van een ouder, wiens ontheffing verzocht of gevorderd is, in de gevallen bedoeld in artikel 268, tweede lid, van dit boek.
2. Indien de andere ouder mede de ouderlijke macht uitoefent, wordt gedurende de schorsing deze macht door hem alleen uitgeoefend.
3. Acht de rechtbank in dit laatste geval de schorsing van de te ontzetten ouder onvoldoende om de kinderen aan diens invloed te onttrekken, dan kan zij ook de andere ouder schorsen.

Voorlopige toevertrouwing

4. Betreft de schorsing beide ouders of een ouder die de ouderlijke macht alleen uitoefent, dan vertrouwt de rechtbank de kinderen voorlopig toe aan de raad voor de kinderbescherming, waarbij zij deze laatste ten aanzien van persoon en vermogen van deze kinderen de bevoegdheden verleent, die zij geschikt acht.

Geldigheidsduur dezer beschikkingen

5. De in dit artikel bedoelde beschikkingen blijven van kracht, totdat de uitspraak omtrent de ontzetting of de ontheffing in kracht van gewijsde is gegaan. De rechtbank kan zodanige beschikking evenwel met ingang van een vroeger tijdstip herroepen.

Voorlopige toevertrouwing door officier van justitie

Art. 272. 1. Op grond van feiten die tot ontzetting van een ouder kunnen leiden, kan de officier van justitie — indien hij dit in het belang van de kinderen noodzakelijk acht — deze aan de macht van de ouders onttrekken en voorlopig aan de raad voor de kinderbescherming toevertrouwen. Gelijke bevoegdheid komt hem toe op grond van feiten die tot ontheffing van een ouder kunnen leiden in de gevallen bedoeld in artikel 268, tweede lid, van dit boek.

Vorderen bekrachtiging door rechtbank

2. De toevertrouwing vervalt, indien de officier van justitie niet binnen veertien dagen van de rechtbank haar bekrachtiging heeft gevorderd.
3. Wordt de bekrachtiging tijdig gevorderd, dan kan de rechtbank hetzij de teruggave van de kinderen aan hun ouders bevelen, hetzij een van de beschikkingen geven, bedoeld in het vorige artikel.
4. In dit laatste geval bepaalt de rechtbank tevens, hoelang de gegeven beschikking van kracht zal blijven. Is echter voor het einde van deze termijn — die op verzoek van de raad voor de kinderbescherming kan worden verlengd — een verzoek of vordering tot ontzetting of ontheffing aanhangig gemaakt, dan blijft de beschikking gelden, totdat over de ontzetting of de ontheffing bij gewijsde is beslist. De rechtbank kan die beschikking evenwel met ingang van een vroeger tijdstip herroepen.

Art. 273. (Vervallen bij de wet van 2 februari 1995, Stb. 225).

Gevolgen van ontheffing of ontzetting

Art. 274. 1. Indien de ouders gezamenlijk de ouderlijke macht uitoefenen, wordt na de ontheffing of ontzetting van een van hen deze macht voortaan door de andere ouder alleen uitgeoefend.

2. In geval van ontheffing of ontzetting van een ouder, die na scheiding van tafel en bed de ouderlijke macht alleen uitoefent, kan de andere ouder — mits tot de voogdij bevoegd — de rechtbank te allen tijde verzoeken met de uitoefening van de ouderlijke macht te worden belast. Dit verzoek wordt slechts afgewezen, indien gegronde vrees bestaat dat bij inwilliging de belangen van de kinderen zouden worden verwaarloosd.

3. De rechtbank die het verzoek bedoeld bij het vorige lid heeft afgewezen, kan de beschikking steeds wijzigen. Zij doet dit echter slechts op verzoek van de betrokken ouder, en niet dan op grond van omstandigheden, waarmede de rechter bij het geven van de beschikking geen rekening heeft kunnen houden.

Benoeming voogd en toeziende voogd

Art. 275. 1. Indien de andere ouder de ouderlijke macht niet voortaan alleen uitoefent, benoemt de rechtbank een voogd en een toeziende voogd over de minderjarigen.

2. Ieder die tot uitoefening van de voogdij bevoegd is, kan tijdens het onderzoek schriftelijk aan de rechtbank verzoeken met de voogdij te worden belast.

3. In geval van ontheffing met toepassing van het tweede lid onder d, van artikel 268 van dit boek, benoemt de rechtbank bij voorkeur tot voogd degene, dan wel een dergenen, die op het tijdstip van het verzoek of de vordering het kind ten minste een jaar heeft verzorgd en opgevoed, mits deze bevoegd is tot uitoefening van de voogdij.

Bewind over vermogen kind

Art. 276. 1. Indien de ontheven of ontzette ouder het bewind over het vermogen van zijn kinderen voerde, wordt hij tevens veroordeeld tot het afleggen van rekening en verantwoording aan zijn opvolger in dit bewind.

2. Hebben de kinderen goederen gemeen, maar komen zij onder het gezag van verschillende personen, dan kan de rechtbank een van dezen of een derde aanwijzen om over deze goederen tot de verdeling het bewind te voeren. De aangewezen bewindvoerder stelt de waarborgen die de rechtbank van hem verlangt.

3. Op het bewind krachtens het vorige lid is artikel 249 van toepassing, indien een der ouders als bewindvoerder is aangewezen, en anders afdeling 12 van titel 15 van dit boek; in het laatste geval geldt het aldaar omtrent de toeziende voogd bepaalde mede voor de ouder ten aanzien van de kinderen die onder zijn gezag staan. De bewindvoerder is bij uitsluiting bevoegd tot vernietiging van rechtshandelingen van minderjarige deelgenoten, strekkend tot beheer of beschikking met betrekking tot de onder bewind staande goederen.

Herstel ouderlijke macht of voogdij

Art. 277. 1. Indien de rechtbank overtuigd is, dat een kind wederom aan zijn ontheven of ontzette ouder mag worden toevertrouwd, kan zij deze ouder in de ouderlijke macht herstellen, of tot voogd of toeziende voogd over zijn kind benoemen.

2. De bevoegdheid van een van tafel en bed gescheiden ouder om de ouderlijke macht alleen uit te oefenen, gaat niet verloren door herstel in de ouderlijke macht van de ontheven of ontzette ouder. Deze laatste kan echter de rechtbank verzoeken te bepalen, dat hij voortaan de ouderlijke macht alleen zal uitoefenen; de rechtbank doet dit niet dan op grond van omstandigheden, waarmede de rechter, die bepaald heeft dat de andere ouder de ouderlijke macht zal uitoefenen, bij die beslissing geen rekening heeft kunnen houden.

3. Was de voogdij aan de andere ouder opgedragen, dan benoemt de rechtbank de ontheven of ontzette ouder niet tot voogd dan op grond van omstandigheden, waarmede de rechter, die de voogdij aan de andere ouder heeft opgedragen, bij die beslissing geen rekening heeft kunnen houden.

4. Tot benoeming van de ontheven of ontzette ouder tot toeziende voogd gaat de rechtbank niet over dan wanneer de toeziende voogdij openstaat of de toeziende voogd haar verzoekt de ontheven of ontzette ouder in zijn plaats te benoemen.

Verzoek herstel in gezag over minderjarigen

Art. 278. 1. Herstel in het gezag over minderjarigen overeenkomstig het voorgaande artikel, kan worden verzocht door de ontheven of ontzette ouder en door de raad voor de kinderbescherming.

Proeftijd

2. Hangende het onderzoek kan zowel de raad voor de kinderbescherming als de te herstellen ouder de rechtbank verzoeken de beslissing aan te houden tot het einde van een door haar te bepalen proeftijd van ten hoogste zes maanden; gedurende die tijd zal het kind bij de te herstellen ouder verblijven. De rechtbank is te allen tijde bevoegd de proeftijd te beëindigen.

TITEL 15
Voogdij

AFDELING 1
Voogdij in het algemeen

Voogd en toeziende voogd

Art. 279. 1. Voor zover de wet niet anders bepaalt, is in iedere voogdij één voogd en één toeziende voogd.
2. De voogdij of toeziende voogdij, door één persoon uitgeoefend over kinderen van dezelfde ouders, geldt als één voogdij of toeziende voogdij.

Aanvang voogdij

Art. 280. 1. De voogdij begint:
a. voor de voogd die van rechtswege optreedt: op het tijdstip waarop hij voogd wordt;
b. voor de voogd die door een ouder is benoemd: op het tijdstip waarop hij zich na het overlijden van deze ouder bereid verklaart de voogdij te aanvaarden. De verklaring moet door de betrokkene in persoon of bij bijzondere gevolmachtigde worden afgelegd ter griffie van het kantongerecht dat overeenkomstig artikel 429c van het Wetboek van Burgerlijke Rechtsvordering in zaken betreffende minderjarigen bevoegd is. De veklaring moet worden afgelegd binnen veertien dagen, of — indien de persoon, die de verklaring moet afleggen, zich buiten Nederland bevindt — binnen twee maanden, nadat de benoeming is betekend. Tot betekening kan iedere belanghebbende, alsmede de raad voor de kinderbescherming opdracht geven;
c. voor de voogd die — nadat hij zich bereid heeft verklaard de voogdij te aanvaarden — door de rechter is benoemd: op de dag, waarop de beslissing die de benoeming inhoudt, in kracht van gewijsde is gegaan, of — zo deze uitvoerbaar bij voorraad is verklaard — daags nadat de griffier de voogd van zijn benoeming mededeling heeft gedaan. Een mondelinge bereidverklaring geschiedt ten overstaan van de rechter die benoemt; een schriftelijke bereidverklaring wordt neergelegd ter griffie waar de benoeming zal geschieden.
2. De voogdij van de na de gerechtelijke ontbinding van het huwelijk benoemde voogd, wiens benoeming bij voorraad is verklaard, begint nochtans niet, voordat de beschikking van ontbinding bij de burgelijke stand is ingeschreven.
3. In geval van benoeming van een ouder tot voogd is een bereidverklaring als bedoeld in het eerste lid onder c niet vereist.

Einde voogdij

Art. 281. 1. De voogdij eindigt op de dag, waarop in kracht van gewijsde is gegaan de beschikking waarbij:
a. de voogd is ontslagen, ontzet of ontheven;
b. het gezag over de onder zijn voogdij staande minderjarige aan een of beide ouders is opgedragen;
c. de voogdij over het minderjarige kind van de voogd aan de andere ouder is opgedragen; of
d. de voogdij overeenkomstig artikel 299a of 302 lid 4 van dit boek aan een andere voogd is opgedragen.
2. Is een beschikking als in het eerste lid bedoeld, uitvoerbaar verklaard bij voorraad, dan eindigt de voogdij daags nadat de griffier de voogd van de beschikking mededeling heeft gedaan.

Art. 282. Vervallen.

AFDELING 2
Voogdij van de vader of de moeder

Voogdij overlevende ouder

Art. 283. 1. Na de dood van een der ouders is de overlevende ouder van rechtswege voogd over hun wettige kinderen.
2. Deze regel lijdt uitzondering, wanneer en voor zover de overlevende ouder op het tijdstip van het overlijden van de andere ouder over deze kinderen geen gezag uitoefent.

Curator ongeboren vrucht

Art. 284. 1. Indien de vrouw na het overlijden van haar man verklaart zwanger te zijn, benoemt de kantonrechter op verzoek van een belanghebbende of ambtshalve een curator over de ongeboren vrucht. Op deze benoeming is artikel 299 van dit boek van toepassing.

2. De curator is verplicht alle maatregelen te nemen, die tot het behoud en beheer van de goederen nodig zijn.
3. Wanneer het kind levend geboren wordt, is de curator van rechtswege de toeziende voogd, tenzij de overige kinderen reeds een andere toeziende voogd hebben.

Voorziening in voogdij door rechtbank

Art. 285. 1. Wanneer diegene der ouders, die na de gerechtelijke ontbinding van hun huwelijk of na scheiding van tafel en bed het gezag over een of meer hunner wettige kinderen uitoefent, overlijdt, voorziet — indien de andere ouder nog in leven is — de rechtbank in de voogdij over deze kinderen; zo nodig voorziet zij tevens in de toeziende voogdij.
2. De rechtbank doet dit op verzoek van de raad voor de kinderbescherming, de toeziende voogd, de overlevende ouder, of ambtshalve.
3. De overlevende ouder die tot de voogdij bevoegd is, kan de rechtbank verzoeken met de voogdij te worden belast. Dit verzoek wordt slechts afgewezen, indien gegronde vrees bestaat dat bij inwilliging de belangen van de kinderen zouden worden verwaarloosd.
4. De bepaling van het voorgaande lid is mede van toepassing, indien de overleden ouder een voogd had benoemd.

Wijziging voogdijbeslissing

Art. 286. 1. Indien een ander dan de overlevende ouder tot voogd is benoemd, kan de rechtbank deze beslissing te allen tijde in dier voege wijzigen, dat zij deze ouder, mits hij daartoe bevoegd is, alsnog met de voogdij belast.
2. Zij gaat hiertoe slechts over op verzoek van de overlevende ouder, en niet dan op grond van omstandigheden, waarmede de rechter bij het geven van de beslissing waarvan wijziging wordt verzocht, geen rekening heeft kunnen houden.
3. Dit artikel is van overeenkomstige toepassing, indien inmiddels een door de andere ouder benoemde voogd is opgetreden.

Voogdij over natuurlijke kinderen

Art. 287. 1. Over een natuurlijk kind is de moeder van rechtswege voogdes, tenzij zij bij haar bevalling onbevoegd tot de voogdij was.
2. De moeder van een natuurlijk kind, die ten tijde van haar bevalling onbevoegd was tot de voogdij over het kind, verkrijgt deze voogdij van rechtswege, indien deze openstaat op het tijdstip waarop zij daartoe bevoegd wordt.
3. Indien op bedoeld tijdstip de voogdij niet openstaat, kan de tot de voogdij bevoegde moeder de kantonrechter verzoeken haar tot voogdes te benoemen.
4. Wanneer de vader voogd over het kind is, wordt dit verzoek slechts ingewilligd, indien de kantonrechter dit in het belang van het kind wenselijk oordeelt.
5. Wanneer een derde voogd is, wordt het verzoek slechts afgewezen indien gegronde vrees bestaat dat bij inwilliging de belangen van het kind zouden worden verwaarloosd.

Voogdij van vader van natuurlijk kind

Art. 288. 1. De tot de voogdij bevoegde vader van een natuurlijk kind kan de kantonrechter verzoeken hem tot voogd te benoemen.
2. Wanneer de voogdij openstaat of een derde daarmede belast is, wordt het verzoek slechts afgewezen, indien gegronde vrees bestaat dat bij inwilliging de belangen van het kind zouden worden verwaarloosd.
3. Wanneer de moeder voogdes over het kind is, wordt het verzoek slechts ingewilligd, indien de kantonrechter dit in het belang van het kind wenselijk oordeelt.

Voorziening bij openvallen voogdij

Art. 289. Indien de voogdij over een natuurlijk kind openvalt, kan zowel zijn vader als zijn moeder — voor zover zij bevoegd tot de voogdij zijn — de rechter verzoeken daarmede te worden belast.

Grond voor afwijzing voogdijverzoek

Art. 290. 1. Een verzoek als in het voorgaand artikel bedoeld, wordt slechts afgewezen, indien gegronde vrees bestaat dat bij inwilliging de belangen van het kind zouden worden verwaarloosd.
2. Hebben beide ouders een zodanig verzoek ingediend, dan willigt de rechter het verzoek in van degene, wiens voogdij hij het meeste in het belang van het kind oordeelt.
3. Indien, voordat over het verzoek van een ouder is beslist, de andere ouder van rechtswege voogd over het kind wordt, willigt de rechter het verzoek slechts in, indien hij dit in het belang van het kind wenselijk oordeelt.

Wijziging voogdijbeschikking

Art. 291. 1. De beslissing, waarbij ingevolge een bepaling van deze afdeling de voogdij over een natuurlijk kind aan zijn vader of moeder is opgedragen, ontnomen of geweigerd, kan door de rechter worden gewijzigd.

2. Hij doet dit slechts op verzoek van een der ouders, en niet dan op grond van omstandigheden, waarmede de rechter bij het geven van de beslissing waarvan wijziging wordt verzocht, geen rekening heeft kunnen houden.

AFDELING 2A
Voogdij na meerderjarigverklaring

Art. 291a. 1. De minderjarige vrouw die als voogdes haar kind wenst te verzorgen en op te voeden kan, indien zij de leeftijd van zestien jaren heeft bereikt, de kinderrechter verzoeken haar meerderjarig te verklaren.

2. Het verzoek kan ten behoeve van de vrouw ook worden gedaan door de raad voor de kinderbescherming. Deze behoeft hiertoe haar schriftelijke toestemming. Het verzoek vervalt, indien de vrouw haar toestemming intrekt.

3. Het verzoek kan ook voor de bevalling door of ten behoeve van de vrouw worden gedaan, alsmede indien de vrouw eerst omstreeks het tijdstip van haar bevalling de leeftijd van zestien jaren zal hebben bereikt. In dat geval wordt op het verzoek niet eerder dan na de bevalling of, indien de vrouw op dat tijdstip nog geen zestien jaar is, nadat zij die leeftijd heeft bereikt, beslist.

4. De kinderrechter willigt het verzoek slechts in, indien hij dit in het belang van de moeder en haar kind wenselijk oordeelt. Indien de voogdij niet openstaat, benoemt hij de moeder tot voogdes. Indien in de toeziende voogdij niet is voorzien, benoemt hij tevens een toeziende voogd.

5. De minderjarige ouder is bekwaam in rechte op te treden en tegen een uitspraak beroep in te stellen.

AFDELING 3
Voogdij door een der ouders opgedragen

Testamentaire voogdij

Art. 292. 1. Voor zover een ouder het gezag over zijn kinderen uitoefent, kan hij bij uiterste wilsbeschikkking of bij uitsluitend hiertoe verleden notariële akte bepalen, wie na zijn dood de voogdij over deze kinderen zal uitoefenen.

2. Hij kan geen rechtspersoon als voogd aanwijzen.

3. Hebben beide ouders van deze bevoegdheid gebruik gemaakt, en sterven zij, zonder dat men kan weten wie het eerst overleden is, dan bepaalt de kantonrechter ambtshalve wiens beschikking gevolg heeft.

Vervallen van testamentaire voogdij

Art. 293. De door de ouder getroffen regeling heeft geen gevolg of vervalt:
a. indien na zijn overlijden de andere ouder van rechtswege of krachtens rechterlijke beschikking voogd over zijn kinderen wordt;
b. indien en voor zover hij op het tijdstip van zijn overlijden het gezag over zijn kinderen niet meer uitoefende.

Ontslag testamentaire voogd

Art. 294. De door de overleden ouder benoemde voogd wordt door de kantonrechter ontslagen, indien de overlevende ouder die tot de voogdij bevoegd is geworden, de kantonrechter verzoekt met de voogdij te worden belast en de kantonrechter overtuigd is dat de kinderen aan de ouder mogen worden toevertrouwd.

AFDELING 4
Voogdij door de rechter opgedragen

Datieve voogdij

Art. 295. De kantonrechter benoemt een voogd over alle minderjarigen, die niet onder ouderlijke macht staan en in wier voogdij niet op wettige wijze is voorzien, tenzij deze benoeming aan de rechtbank is opgedragen.

Tijdelijke voogdij

Art. 296. 1. Is voorziening nodig in afwachting van het begin der voogdij overeenkomstig artikel 280 van dit boek, dan benoemt de kantonrechter een voogd voor de duur van deze omstandigheden.

2. Zodra bedoelde omstandigheden zijn vervallen, wordt deze voogd op verzoek van hem die hij vervangt, door de kantonrechter ontslagen.

Tijdelijke voogdij in andere gevallen

Art. 297. 1. De kantonrechter benoemt insgelijks een voogd, wanneer voorziening nodig is wegens:

a. tijdelijke onmogelijkheid, waarin een ouder of voogd zich bevindt, zijn gezag uit te oefenen;
b. onbekendheid van bestaan of verblijfplaats van de ouder of voogd; of
c. in gebreke blijven van de voogd, zijn voogdij uit te oefenen.

2. Is de benoeming op het eerste lid onder c gegrond, dan kan de kantonrechter de benoemde voogd een beloning toekennen en is de in gebreke gebleven voogd jegens de minderjarige aansprakelijk voor de kosten die de vervanging veroorzaakt, alsmede, behoudens zijn verhaal op de benoemde voogd, voor diens verrichtingen.

3. Zodra de in het eerste lid genoemde omstandigheden zijn vervallen, wordt de benoemde voogd op eigen verzoek of op verzoek van degene die hij vervangt, door de kantonrechter ontslagen, tenzij gegronde vrees bestaat dat bij inwilliging de belangen van de kinderen zouden worden verwaarloosd.

Schorsing ouderlijke macht of voogdij

Art. 298. Gedurende de in de beide voorgaande artikelen bedoelde voogdij is de uitoefening van de ouderlijke macht of van de voogdij geschorst.

Benoeming voogd op verzoek of ambtshalve

Art. 299. De kantonrechter benoemt de voogd op verzoek van bloed- of aanverwanten van de minderjarige, de raad voor de kinderbescherming, schuldeisers of andere belanghebbenden, of ambtshalve.

Art. 299a. 1. Degene die met instemming van de voogd een minderjarige in zijn gezin — anders dan uit hoofde van een ondertoezichtstelling of een voorlopige toevertrouwing aan de raad voor de kinderbescherming — ten minste een jaar heeft verzorgd en opgevoed, kan de kinderrechter verzoeken hem, dan wel een rechtspersoon als bedoeld in artikel 302 van dit boek, tot voogd te benoemen.

2. Indien de minderjarige door meer dan een persoon als behorende tot het gezin wordt verzorgd en opgevoed, kan het verzoek slechts door dezen gemeenschappelijk worden gedaan.

3. Het verzoek kan ook worden gedaan door de raad voor de kinderbescherming.

4. De kinderrechter willigt het verzoek slechts in, indien hij dit in het belang van de minderjarige acht en hem genoegzaam is gebleken, dat de voogd niet bereid is zich van zijn bediening te doen ontslaan. Alsdan benoemt hij bij voorkeur degene wiens benoeming wordt verzocht tot voogd, mits deze bevoegd is tot uitoefening van de voogdij.

5. Is het bij het eerste lid bedoelde verzoek gedaan, dan blijft het tweede lid van artikel 336a, van dit boek buiten toepassing, totdat op het verzoek bij gewijsde is beslist.

Art. 300. Vervallen.

Kennisgevingen van ambtenaar burgerlijke stand

Art. 301. 1. De ambtenaar van de burgerlijke stand geeft de kantonrechter onverwijld kennis:
a. van het overlijden van ieder die minderjarige kinderen achterlaat;
b. van de aangifte van de geboorte van ieder onwettig kind, waarover de moeder niet van rechtswege voogdes is.

2. De ambtenaar van de burgerlijke stand geeft de raad voor de kinderbescherming onverwijld kennis:
a. van het overlijden van ieder, die minderjarige kinderen nalaat, tenzij van rechtswege in de voogdij over deze kinderen is voorzien;
b. van de aangifte van de geboorte van ieder kind, geboren binnen 306 dagen nadat het huwelijk van zijn moeder is ontbonden, en van ieder onwettig kind;
c. van iedere door hem opgemaakte akte, houdende de erkenning of de inschrijving van een erkenning van een minderjarige;
d. van ieder huwelijk waarbij, naar hem blijkt, een kind is gewettigd, en van ieder door hem gedane inschrijving van brieven van wettiging;
e. van iedere door hem gedane inschrijving van een rechterlijke uitspraak die een minderjarige betreft, houdende vernietiging van een erkenning, gegrondverklaring van een betwisting of inroeping van een staat; of vernietiging van zulk een uitspraak.

3. Indien het huwelijk van de overledene die minderjarige kinderen nalaat, gerechtelijk was ontbonden, of de overledene van tafel en bed gescheiden was, bericht de ambtenaar van de burgerlijke stand — zo de andere ouder nog leeft — deze omstandigheden tevens aan de raad voor de kinderbescherming en aan de kantonrech-

ter; deze zendt alsdan de door hem ontvangen kennisgeving door aan de rechtbank, die over de vordering tot ontbinding van het huwelijk of tot scheiding van tafel en bed heeft beslist.

AFDELING 5
Voogdij van rechtspersonen

Opdracht voogdij aan rechtspersonen

Art. 302. 1. De rechter kan — mits op haar verzoek of na haar bereidverklaring — de voogdij opdragen aan een voogdij-instelling die als zodanig door Onze Minister van Justitie op grond van artikel 60, eerste lid onder a, van de Wet op de jeugdhulpverlening wordt gesubsidieerd.

2. De rechter die de voogdij aan een rechtspersoon opdraagt, let hierbij op de godsdienstige gezindheid van de minderjarige en van het gezin, waartoe deze behoort.

3. Elke voogdij van een rechtspersoon die door fusie ophoudt te bestaan, gaat over op de verkrijgende rechtspersoon, mits deze een rechtspersoon is waaraan de rechter krachtens lid 1 een voogdij kan opdragen.

4. Niettemin kan de kantonrechter vervolgens op verzoek van bloed- en aanverwanten van de minderjarige, van de raad voor de kinderbescherming, van belanghebbenden of ambtshalve, de voogdij aan een ander opdragen.

Rechten en plichten van rechtspersoon

Art. 303. 1. Voor zover de wet niet anders bepaalt, heeft de met voogdij belaste rechtspersoon dezelfde bevoegdheden en verplichtingen als andere voogden.

2. De uitoefening van de voogdij geschiedt door het bestuur. Dit kan een of meer van zijn leden schriftelijk machtigen tot de uitoefening van de voogdij over de minderjarigen die in de machtiging zijn genoemd.

Aansprakelijkheid

Art. 304. 1. Met de rechtspersoon zijn de bestuurders hoofdelijk en persoonlijk aansprakelijk voor iedere schade, die te wijten is aan een niet-behoorlijke uitoefening van de voogdij.

2. Iedere bestuurder zal zich echter van zijn aansprakelijkheid kunnen bevrijden door te bewijzen, dat hij geen schuld heeft aan de schade.

3. Indien het bestuur overeenkomstig het tweede lid van het vorige artikel een of meer van zijn leden in het bijzonder tot de uitoefening van de voogdij gemachtigd heeft, wordt vermoed, dat de schade uitsluitend aan de schuld van deze leden te wijten is.

Toezicht bij plaatsing in pleeggezin of inrichting

Art. 305. 1. De rechtspersoon, die hem toevertrouwde minderjarigen uit huis plaatst, houdt de raad voor de kinderbescherming binnen wiens gebied deze minderjarigen verblijven, alsook de raad voor de kinderbescherming binnen wiens gebied zij vóór hun laatste overplaatsing hebben verbleven, schriftelijk op de hoogte van de plaatsen waar zij zich bevinden.

2. Aan de toeziende voogd wordt desverlangd gelegenheid gegeven, de minderjarige over wie hij de toeziende voogdij uitoefent, eenmaal per maand te bezoeken.

3. De plaatsen, waar met voogdij belaste rechtspersonen minderjarigen geplaatst hebben, worden door iedere raad voor de kinderbescherming in zijn gebied bezocht, zo vaak hij dit ter beoordeling van de toestand der minderjarigen dienstig acht.

Plaatsing buiten Nederland

Art. 306. 1. Zonder toestemming van de kantonrechter mag een rechtspersoon een hem toevertrouwde minderjarige niet buiten Nederland plaatsen.

2. De kantonrechter verleent deze toestemming slechts, indien hij de plaatsing voor de minderjarige wenselijk acht.

AFDELING 6
Toeziende voogdij

Benoeming toeziende voogd

Art. 307. 1. In elke voogdij benoemt de rechter — tenzij anders is bepaald, de kantonrechter — een toeziende voogd.

2. Tot toeziende voogd zijn ook rechtspersonen met volledige rechtsbevoegdheid benoembaar.

Verplichte voorziening in toeziende voogdij

Art. 308. 1. De voogd die van rechtswege optreedt of door een ouder is benoemd, is verplicht dadelijk na de aanvang van zijn voogdij een toeziende voogd te doen benoemen.

2. Verzuim van deze verplichting kan aanleiding geven tot de ontzetting van de voogd overeenkomstig artikel 327 van dit boek, onverminderd zijn gehoudenheid tot schadevergoeding.

Art. 309. De rechter die een voogd benoemt, gaat, indien de toeziende voogdij openstaat, zo mogelijk bij dezelfde beschikking tot de vervulling daarvan over.

Vervulling bij openstaan toeziende voogdij

Art. 310. 1. Voor de toeziende voogd die zich bereid heeft verklaard de toeziende voogdij te aanvaarden, begint deze op de dag, waarop de beslissing, die de benoeming inhoudt, in kracht van gewijsde is gegaan, of — zo deze beslissing uitvoerbaar bij voorraad is verklaard — daags nadat de griffier hem van zijn benoeming mededeling heeft gedaan. Een mondelinge bereidverklaring geschiedt ten overstaan van de rechter die benoemt; een schriftelijke bereidverklaring wordt neergelegd ter griffie waar de benoeming zal geschieden.

Aanvang toeziende voogdij

2. De toeziende voogdij van de na de gerechtelijke ontbinding van het huwelijk benoemde toeziende voogd, wiens benoeming uitvoerbaar bij voorraad is verklaard, begint nochtans niet, voordat het vonnis van ontbinding bij de burgerlijke stand is ingeschreven.

3. In geval van benoeming van een ouder tot toeziend voogd is een bereidverklaring als bedoeld in het eerste lid niet vereist.

Art. 311. Vervallen.

Art. 312. Vervallen.

Art. 313. 1. De toeziende voogd neemt de belangen van de minderjarige waar, wanneer deze met die van de voogd in strijd zijn.

Voorziening bij strijdige belangen

2. Zijn de belangen van de minderjarige ook in strijd met die van de toeziende voogd, dan benoemt de kantonrechter op verzoek van een belanghebbende of ambtshalve een bijzondere curator om de minderjarige terzake te vertegenwoordigen.

Bijzondere curator

Art. 314. De toeziende voogd zorgt dat de voogd in alle nalatenschappen die de minderjarige opkomen, een boedelbeschrijving of een verklaring als bedoeld in artikel 339 van dit boek opmaakt.

Taak bij opgekomen nalatenschap

Art. 315. 1. Bij blijvende of tijdelijke ontstentenis van de voogd doet de toeziende voogd in de voogdij voorzien.

Taak bij ontstentenis voogd

2. In afwachting van bedoelde voorziening verricht de toeziende voogd zelf alle daden van voogdij, die geen uitstel kunnen lijden.

Art. 316. De toeziende voogd die zijn verplichtingen niet nakomt, moet de minderjarige de hem hierdoor berokkende schade vergoeden.

Aansprakelijkheid

Art. 317. Indien de toeziende voogd in gebreke blijft de toeziende voogdij uit te oefenen, belast de kantonrechter op diens kosten een andere persoon met de waarneming daarvan. Desondanks blijft de toeziende voogd jegens de minderjarige aansprakelijk, onverminderd zijn verhaal op zijn plaatsvervanger.

Waarneming toeziende voogdij

Art. 318. 1. Bij ontstentenis van de toeziende voogd doet de voogd hem onverwijld vervangen; verzuim van deze verplichting kan aanleiding geven tot ontzetting van de voogd, overeenkomstig artikel 327 van dit boek, onverminderd zijn gehoudenheid tot schadevergoeding.

Vervanging toeziende voogdij

2. Indien voorziening nodig is in afwachting van het begin der toeziende voogdij overeenkomstig artikel 310 van dit boek, zomede in de gevallen, overeenkomende met die welke in artikel 297 van dit boek omschreven zijn, is deze vervanging van de toeziende voogd van tijdelijke aard. Artikel 296 lid 2, onderscheidenlijk artikel 297 lid 3 van dit boek is alsdan van overeenkomstige toepassing.

Art. 319. 1. De toeziende voogdij eindigt op de dag, waarop in kracht van gewijsde is gegaan de beschikking waarbij:

Einde toeziende voogdij

a. de toeziende voogd is ontslagen of ontzet;
b. een ouder de ouderlijke macht heeft verkregen over de onder voogdij staande minderjarige.

2. Is de beschikking uitvoerbaar bij voorraad verklaard, dan eindigt de toeziende voogdij daags nadat de griffier de toeziende voogd van de beschikking mededeling heeft gedaan.

AFDELING 7
Ontslag van de voogdij en toeziende voogdij

Art. 320. Vervallen.

Art. 321. Vervallen.

Gronden voor ontslag

Art. 322. 1. Behoudens het bepaalde bij het volgend artikel, kan iedere voogd of toeziende voogd zich van zijn bediening doen ontslaan, indien:
a. hij aantoont, dat hij tengevolge van een sedert de aanvang van zijn bediening opgekomen geestelijk of lichamelijk gebrek niet meer in staat is deze waar te nemen;
b. hij de vijfenzestigjarige leeftijd bereikt heeft;
c. een daartoe bevoegd persoon zich schriftelijk heeft bereid verklaard de voogdij of toeziende voogdij over te nemen, en de kantonrechter deze overneming in het belang van de minderjarige acht.
2. Vervallen.
3. Een toeziende voogd kan zich van bediening doen ontslaan, wanneer hij in een ander land dan de minderjarige komt te wonen.

Niettoepasselijkheid gronden voor ouders

Art. 323. Op geen der in het vorige artikel genoemde gronden kunnen de vader en de moeder van de voogdij over hun kinderen worden ontslagen.

AFDELING 8
Onbevoegdheid tot de voogdij en de toeziende voogdij

Onbevoegdheid tot elke toeziende voogdij

Art. 324. 1. Onbevoegd tot iedere voogdij en toeziende voogdij zijn minderjarigen, onder curatele gestelden, en zij wier geestvermogens zodanig zijn gestoord, dat zij in de onmogelijkheid verkeren de voogdij of de toeziende voogdij uit te oefenen, tenzij deze stoornis van tijdelijke aard is.
2. Wanneer een voogd of toeziende voogd op een der bovengenoemde gronden onbevoegd is tot de voogdij of toeziende voogdij, ontslaat de kantonrechter hem en vervangt hem door een andere voogd of toeziende voogd.
3. Hij doet dit op verzoek van de toeziende voogd of de voogd, bloed- of aanverwanten van de minderjarige, de raad voor de kinderbescherming, schuldeisers of andere belanghebbenden, of ambtshalve.

Verval onbevoegdheid

4. Wanneer de grond van zijn onbevoegdheid is vervallen, kan de ontslagen ouder-voogd of ouder-toeziende voogd, op zijn verzoek, in plaats van degene die hem vervangt, wederom met de voogdij of toeziende voogdij worden belast, indien de kantonrechter overtuigd is dat het kind wederom aan de ouder mag worden toevertrouwd.

Onbevoegdheid t.a.v. bepaalde minderjarige

Art. 325. Zij die van het gezag — daaronder begrepen de toeziende voogdij — over zekere minderjarigen zijn ontheven of ontzet, zijn onbevoegd tot de voogdij en toeziende voogdij over deze minderjarigen, behoudens nochtans het bepaalde bij de artikelen 277 en 335 van dit boek.

AFDELING 9
Ondertoezichtstelling van onder voogdij staande minderjarigen

Ondertoezichtstelling kinderen onder voogdij

Art. 326. 1. Kinderen die onder voogdij staan van natuurlijke personen, kunnen onder toezicht worden gesteld.
2. Op deze ondertoezichtstelling zijn de bepalingen der artikelen 254-263 en 265 van dit boek van overeenkomstige toepassing, met dien verstande nochtans, dat deze ondertoezichtstelling ook door de voogd of de toeziende voogd kan worden verzocht.
3. De kosten bedoeld in artikel 264 van dit boek komen ten laste van de ouders, of — indien deze onvermogend dan wel overleden zijn — van de minderjarige zelf. Voor zover ook deze laatste onvermogend is blijven zij ten laste van de Staat. Op de kosten die ten laste van de ouders komen, is artikel 402a van dit boek van overeenkomstige toepassing.

4. Voor de toepassing van het vorige lid wordt een stiefouder die krachtens titel 17 van dit boek verplicht is tot het verstrekken van levensonderhoud, met een ouder gelijkgesteld.

AFDELING 10
Ontzetting en ontheffing van voogdij en ontzetting van toeziende voogdij

Gronden voor ontzetting toeziende voogd

Art. 327. 1. Indien de rechtbank dit in het belang van die minderjarigen noodzakelijk oordeelt, kan zij een voogd of toeziende voogd ten aanzien van een of meer tot een zelfde voogdij behorende minderjarigen ontzetten op grond van:
a. slecht levensgedrag;
b. misbruik van zijn bevoegdheid, verwaarlozing van zijn verplichtingen, of de omstandigheid dat hij niet in staat is tot een behoorlijke uitoefening van zijn voogdij of toeziende voogdij;
c. de omstandigheid, dat hij op een der beide voorgaande gronden van een andere voogdij of toeziende voogdij — of op overeenkomstige gronden van de ouderlijke macht — is ontzet;
d. de omstandigheid, dat hij in staat van faillissement verkeert;
e. de omstandigheid, dat hij in persoon, of dat zijn vader, moeder, echtgenoot of kind met de minderjarige een proces voert, waarbij diens staat of een aanmerkelijk gedeelte van diens vermogen betrokken is;
f. onherroepelijke veroordeling:
1°. wegens opzettelijke deelneming aan enig misdrijf met een onder zijn gezag staande minderjarige;
2°. wegens het plegen tegen de minderjarige van een der misdrijven, omschreven in de titels XIII-XV en XVIII-XX van het tweede boek van het Wetboek van Strafrecht;
3°. tot een vrijheidsstraf van twee jaar of langer;
g. het in ernstige mate veronachtzamen van de aanwijzingen van de gezinsvoogd of belemmering van een krachtens het bepaalde in de artikelen 262 en 263 van dit boek bevolen opneming;
h. het bestaan van gegronde vrees voor verwaarlozing van de belangen van een onder zijn gezag staande minderjarige, doordat hij de minderjarige terugeist of terugneemt van anderen, die diens verzorging en opvoeding op zich hebben genomen;*i.* de omstandigheid dat hij niet beschikt over de ingevolge artikel 2 van de Wet opneming buitenlandse pleegkinderen (Stb. 1988, 566) vereiste beginseltoestemming.
2. Onder misdrijf worden in dit artikel begrepen medeplichtigheid aan en poging tot misdrijf.

Beperking resp. uitbreiding gronden voor ontzetting

Art. 328. 1. De ouder-voogd kan noch op grond van de omstandigheid dat hij niet in staat is tot een behoorlijke uitoefening van zijn voogdij, noch op de in het eerste lid van het vorige artikel onder d en e genoemde gronden worden ontzet.
2. Ontzetting van een met voogdij belaste rechtspersoon kan slechts op de in het eerste lid van het vorige artikel onder b-e genoemde gronden geschieden. Zijn ontzetting kan echter bovendien plaatshebben, indien hij nalaat de raad voor de kinderbescherming overeenkomstig artikel 305 van dit boek op de hoogte te houden van de plaatsen, waar de hem toevertrouwde minderjarigen zich bevinden, ofwel indien hij het door de raad voor de kinderbescherming uit te oefenen toezicht of het maandelijks bezoek van de toeziende voogd belemmert of verhindert.

Ontzetting op verzoek, vordering of ambtshalve

Art. 329. 1. Ontzetting van de voogdij of toeziende voogdij kan slechts worden uitgesproken op verzoek van de toeziende voogd of de voogd, een der bloed- of aanverwanten van de minderjarige tot en met de vierde graad, de raad voor de kinderbescherming, of op vordering van het openbaar ministerie.
2. In het geval, bedoeld bij het eerste lid van artikel 327 onder h van dit boek, kan de ontzetting bovendien verzocht worden door hem, die de verzorging en opvoeding van de minderjarige op zich heeft genomen.
3. In het geval, bedoeld bij artikel 367 van dit boek kan de rechtbank de ontzetting uitspreken, ook al had de raad voor de kinderbescherming deze niet verzocht.

Ontheffing van ouder voogd

Art. 330. 1. De rechtbank kan — mits het belang van de kinderen zich daartegen niet verzet — een ouder-voogd van de voogdij over een of meer zijner kinderen ontheffen, op grond dat hij ongeschikt of onmachtig is zijn plicht tot verzorging en opvoeding te vervullen.

2. Op deze ontheffing zijn de bepalingen der artikelen 267 lid 1 en lid 2 eerste en tweede zin en 268 lid 1 en lid 2 onder a en d, van dit boek van overeenkomstige toepassing.

3. Indien de ontheffing wordt verzocht of gevorderd met overeenkomstige toepassing van het bepaalde bij het tweede lid onder d, van artikel 268 van dit boek, blijft het tweede lid van artikel 336a, van dit boek buiten toepassing, totdat op het verzoek of de vordering bij gewijsde is beslist.

Schorsing uitoefening (toeziende) voogd

Art. 331. 1. Indien de rechtbank dit in het belang van de kinderen noodzakelijk acht, kan zij een voogd of toeziende voogd, wiens ontzetting verzocht of gevorderd is, hangende haar onderzoek geheel of gedeeltelijk in de uitoefening van zijn voogdij of toeziende voogdij over een of meer der minderjarigen schorsen. Gelijke bevoegdheid komt haar toe ten opzichte van een ouder-voogd, wiens ontheffing verzocht of gevorderd is, in de gevallen bedoeld bij artikel 268, tweede lid onder a en d, van dit boek.

Voorlopige toevertrouwing door rechtbank

2. Bij schorsing van de voogd vertrouwt de rechtbank de minderjarigen voorlopig toe aan de raad voor de kinderbescherming, waarbij zij deze laatste ten aanzien van persoon en vermogen der minderjarigen zodanige bevoegdheden verleent, als zij geschikt zal achten.

3. De in dit artikel bedoelde beschikkingen blijven van kracht, totdat de uitspraak omtrent de ontzetting of de ontheffing in kracht van gewijsde is gegaan. De rechtbank kan zodanige beschikking evenwel met ingang van een vroeger tijdstip herroepen.

Voorlopige toevertrouwing door officier van justitie

Art. 332. Op grond van feiten, die tot ontzetting van de voogdij kunnen leiden, kan de officier van justitie, indien hij dit in het belang van de minderjarigen noodzakelijk acht, hen aan de macht van de voogd onttrekken en voorlopig aan de raad voor kinderbescherming toevertrouwen. Gelijke bevoegdheid komt hem toe op grond van feiten, die tot ontheffing van de voogdij kunnen leiden, in de gevallen bedoeld bij artikel 268, tweede lid onder a en d, van dit boek. De bepalingen van de laatste drie leden van artikel 272 van dit boek zijn van overeenkomstige toepassing.

Art. 333. (Vervallen bij de wet van 2 februari 1995, Stb. 225).

Voorzieningen bij ontzetting of ontheffing

Art. 334. 1. Indien de rechtbank de ontzetting of ontheffing uitspreekt, voorziet zij tevens in de voogdij of toeziende voogdij, of zo nodig in beide.

2. Ieder die tot uitoefening van de voogdij of toeziende voogdij bevoegd is, kan tijdens het onderzoek schriftelijk aan de rechtbank verzoeken daarmede te worden belast.

3. In geval van ontheffing van de ouder-voogd met overeenkomstige toepassing van artikel 268, tweede lid onder d, van dit boek, benoemt de rechtbank bij voorkeur tot voogd degene, dan wel een dergenen, die op het tijdstip van het verzoek of de vordering de minderjarige ten minste een jaar heeft verzorgd en opgevoed, mits deze bevoegd is tot uitoefening van de voogdij.

4. Ingeval van ontzetting of ontheffing van een ouder, die na de gerechtelijke ontbinding van zijn huwelijk de voogdij uitoefent, kan de andere ouder — mits hij tot voogdij bevoegd is — te allen tijde verzoeken met de uitoefening hiervan te worden belast. Dit verzoek wordt slechts afgewezen, indien gegronde vrees bestaat, dat bij inwilliging de belangen van de kinderen zouden worden verwaarloosd.

5. De rechtbank die het bij het vierde lid bedoelde verzoek heeft afgewezen, kan deze beschikking steeds wijzigen. Zij doet dit echter slechts op verzoek van laatstbedoelde ouder, en niet dan op grond van omstandigheden, waarmede de rechter bij het geven van de beschikking waarvan wijziging wordt verzocht, geen rekening heeft kunnen houden.

Herstel in de voogdij

Art. 335. De ontzette of ontheven ouder-voogd alsmede de ontzette ouder-toeziende voogd kan op de voet van de artikelen 277 en 278 van dit boek met het gezag over zijn kind — daaronder begrepen de toeziende voogdij — worden bekleed.

AFDELING 11

Het toezicht van de voogd over de persoon van de minderjarige

Verplichtingen minderjarige en voogd

Art. 336. 1. De voogd draagt zorg, dat de minderjarige overeenkomstig diens vermogen wordt verzorgd en opgevoed.

2. De minderjarige is zijn voogd eerbied verschuldigd.
3. Artikel 245 van dit boek geldt ook voor de ouder-voogd.

Wijziging in verblijf van kind

Art. 336a. 1. Indien de minderjarige door een ander of anderen dan zijn voogd, als behorende tot het gezin met instemming van de voogd ten minste een jaar is verzorgd en opgevoed geworden, kan de voogd niet dan met toestemming van degenen die de verzorging en opvoeding op zich hebben genomen, wijziging in het verblijf van de minderjarige brengen.

2. Voor zover de volgens het vorige lid vereiste toestemmingen niet worden verkregen, kunnen zij op verzoek van de voogd door die van de kinderrechter worden vervangen. Dit verzoek wordt slechts ingewilligd, indien de kinderrechter dit in het belang van de minderjarige acht. Het verzoek van de ouder-voogd wordt slechts afgewezen, indien gegronde vrees bestaat dat bij inwilliging de belangen van de minderjarige zouden worden verwaarloosd.

3. In geval van afwijzing van het verzoek is de beschikking van kracht gedurende een door de kinderrechter te bepalen termijn, welke de duur van zes maanden niet te boven mag gaan. Is echter voor het einde van deze termijn een verzoek of vordering tot ondertoezichtstelling van het kind, tot ontheffing van de ouder-voogd, tot ontzetting van de voogd, dan wel een verzoek als bedoeld in artikel 299a, van dit boek aanhangig gemaakt, dan blijft de beschikking gelden, totdat op het verzoek of de vordering bij gewijsde is beslist.

AFDELING 12
Het bewind van de voogd

Bewind van de voogd

Art. 337. 1. De voogd vertegenwoordigt de minderjarige in burgerlijke handelingen.

2. De voogd moet het bewind over het vermogen van de minderjarige als een goed voogd voeren. Bij slecht bewind is hij voor de daardoor veroorzaakte schade aansprakelijk.

3. Indien goederen die de minderjarige geschonken of vermaakt zijn, onder bewind zijn gesteld, is de voogd bevoegd van de bewindvoerder rekening en verantwoording te vorderen. Vervalt dit bewind, dan komen de goederen onder het bewind van de voogd.

Boedelbeschrijving

Art. 338. 1. De voogd zorgt dat het vermogen van de minderjarige, zoals dit bij het begin van zijn voogdij is samengesteld, zo spoedig mogelijk in het bijzijn van de toeziende voogd wordt geïnventariseerd.

2. Binnen acht weken na het begin van zijn voogdij doet de voogd ter griffie van het kantongerecht van de woonplaats van de minderjarige schriftelijk opgave van de bij dat begin aanwezige gerede gelden, effecten aan toonder en spaarbankboekjes.

3. Binnen acht maanden na het begin van zijn voogdij levert de voogd een ter bevestiging van haar deugdelijkheid door hem ondertekende boedelbeschrijving in ter griffie van het kantongerecht van de woonplaats van de minderjarige.

4. In de boedelbeschrijving is begrepen een opgave van de wijzigingen in de samenstelling van het vermogen tot het ogenblik dat zij wordt opgemaakt.

Verklaring i.p.v. boedelbeschrijving

Art. 339. 1. Wanneer de goederen van de minderjarige een waarde van *f* 10 000,— niet te boven gaan, kan de voogd een door hem en de toeziende voogd ondertekende, volgens een door Onze Minister van Justitie vastgesteld model opgemaakte, verklaring daaromtrent in plaats van de boedelbeschrijving inleveren. De voogd van twee of meer kinderen van dezelfde ouders kan met een zodanige verklaring slechts volstaan, wanneer bovendien de goederen der minderjarigen tezamen een waarde van *f* 20 000,— niet te boven gaan.

2. De kantonrechter kan te allen tijde bepalen dat alsnog een beschrijving van het vermogen van de minderjarige, zoals dit op de datum van zijn beschikking is samengesteld, met overeenkomstige toepassing van het vorige artikel moet worden opgemaakt en ingeleverd.

Verlenging termijn boedelbeschrijving of verklaring

Art. 340. 1. De kantonrechter kan bij gebleken noodzakelijkheid een langere termijn voor de inlevering van een boedelbeschrijving of een verklaring, als bedoeld in het vorige artikel, stellen.

2. Indien binnen de daarvoor gestelde termijn geen boedelbeschrijving, noch een verklaring als bedoeld in het vorige artikel is ingeleverd, doet de kantonrechter binnen tien dagen na het einde van die termijn de voogd en de toeziende voogd ten verhore oproepen.

Vordering van voogd op minderjarige

Art. 341. 1. In de boedelbeschrijving of in de verklaring, bedoeld in artikel 339 van dit boek, moet de voogd opgeven wat hij van de minderjarige heeft te vorderen. Bij gebreke hiervan zal hij zijn vorderingsrecht niet voor diens meerderjarigheid kunnen uitoefenen.

2. Zolang de voogd zijn vorderingsrecht niet kan uitoefenen, draagt de hoofdsom van zijn vordering geen rente.

Verplichtingen bij schenking of erfenis

Art. 342. 1. De vier vorige artikelen zijn van overeenkomstige toepassing, wanneer de minderjarige gedurende de voogdij door schenking, erfopvolging of making vermogen krijgt.

2. De inspecteur bij wie de aangifte voor het recht van successie, van overgang of van schenking moet worden ingediend, en aan wie ambtshalve bekend is dat de minderjarige vermogen heeft verkregen, is verplicht de kantonrechter van diens woonplaats hiervan te verwittigen.

Handelingsbevoegdheid voogd

Art. 343. De voogd kan, onverminderd zijn aansprakelijkheid voor de door zijn slecht bewind veroorzaakte schade, voor de minderjarige alle handelingen verrichten, die hij in diens belang noodzakelijk, nuttig of wenselijk acht, behoudens het bepaalde bij de volgende artikelen.

Bewaring van effecten enz.

Art. 344. 1. Voor zover de kantonrechter niet anders bepaalt, geeft de voogd de effecten aan toonder van de minderjarige in bewaring bij de Nederlandsche Bank of een ingevolge artikel 52 van de Wet toezicht kredietwezen 1992 (Stb. 1992, 722) geregistreerde kredietinstelling.

2. De kantonrechter kan aanwijzingen geven omtrent de wijze, waarop spaarbankboekjes en gelden van de minderjarige moeten worden bewaard. De kantonrechter onder wiens goedkeuring een verdeling tot stand komt, kan ter gelegenheid daarvan aanwijzingen als hier bedoeld geven. Overigens is de kantonrechter, aangewezen in artikel 429c van het Wetboek van Burgerlijke Rechtsvordering bevoegd.

3. Voor effecten aan toonder, spaarbankboekjes en gelden, die de minderjarige tezamen met een of meer andere personen toekomen, geldt het bepaalde in de vorige leden, wanneer de voogd die onder zijn berusting heeft.

Machtiging van kantonrechter

Art. 345. 1. De voogd behoeft machtiging van de kantonrechter om de navolgende handelingen voor rekening van de minderjarige te verrichten:
a. aangaan van overeenkomsten strekkende tot beschikking over goederen van de minderjarige, tenzij de handeling geld betreft, als een gewone beheersdaad kan worden beschouwd, of krachtens rechterlijk bevel geschiedt;
b. giften doen, andere dan gebruikelijke, niet bovenmatige;
c. een making of gift, waaraan lasten of voorwaarden zijn verbonden, aannemen;
d. geld lenen of de minderjarige als borg of hoofdelijke medeschuldenaar verbinden;
e. overeenkomen dat een boedel, waartoe de minderjarige gerechtigd is, voor een bepaalde tijd onverdeeld wordt gelaten.

2. De kantonrechter kan bepalen dat de voogd zijn machtiging behoeft voor het innen van vorderingen van de minderjarige, het disponeren over saldi bij giro- of kredietinstellingen daaronder begrepen.

3. Voor het aangaan van een overeenkomst tot beëindiging van een geschil waarbij de minderjarige is betrokken, behoeft de voogd geen machtiging in het geval van artikel 19 van het Wetboek van Burgerlijke Rechtsvordering of indien het voorwerp van de onzekerheid of het geschil een waarde van *f* 1500 niet te boven gaat, noch indien de overeenkomst als een beheersdaad is te beschouwen.

Goedkeuring van kantonrechter

Art. 346. 1. De voogd kan geen goederen van de minderjarige kopen, huren of pachten, zonder dat de kantonrechter de te sluiten overeenkomst goedkeurt.

2. In geval van openbare verkoop, verhuur of verpachting moet de goedkeuring binnen een maand daarna zijn aangevraagd.

Vernietiging rechtshandeling ten name van minderjarige

Art. 347. 1. Een in strijd met artikel 345 of 346 verrichte rechtshandeling ten name van de minderjarige is vernietigbaar; op de vernietigingsgrond kan slechts een beroep worden gedaan van de zijde van de minderjarige.

2. Het vorige lid geldt niet voor een rechtshandeling anders dan om niet indien de wederpartij te goeder trouw was en voor een rechtshandeling die de minderjarige geen nadeel heeft berokkend.

Art. 348. 1. De voogd kan, zonder dat de kantonrechter de te sluiten overeenkomst goedkeurt, geen inschuld ten laste van de minderjarige, noch enig beperkt recht op diens goederen van een derde verkrijgen. **Nietigheid van rechtshandeling**

2. Ontbreekt deze goedkeuring, dan is de overeenkomst nietig.

Art. 349. 1. Een voogd die zonder machtiging van de kantonrechter voor de minderjarige als eiser in rechte optreedt of tegen een uitspraak beroep instelt, wordt niet-ontvankelijk verklaard. **Bevoegdheid voogd in rechtsgeding**

2. De voogd mag niet zonder machtiging van de kantonrechter in een tegen de minderjarige ingestelde eis of in een gedane uitspraak berusten.

3. Hij kan, alvorens voor de minderjarige in rechte verweer te voeren of tegen een bij verstek gedane uitspraak verzet te doen, zich te zijner verantwoording doen machtigen door de kantonrechter.

Art. 350. 1. De voogd draagt zorg voor een doelmatige belegging van het vermogen van de minderjarige. **Belegging vermogen minderjarige**

2. Hij behoeft voor elke belegging van gelden van de minderjarige machtiging van de kantonrechter. Nochtans mag hij, voor zover de kantonrechter niet anders bepaalt, zonder diens machtiging gelden ten name van de minderjarige beleggen bij een ingevolge artikel 52 van de Wet toezicht kredietwezen 1992 geregistreerde kredietinstelling op rekeningen bestemd voor de belegging van gelden van minderjarigen, met het beding dat de gelden alleen worden terugbetaald met machtiging van de kantonrechter.

Art. 351. 1. Wanneer het vermogen van de minderjarige of een gedeelte daarvan in een onderneming van handel, landbouw of nijverheid is geplaatst, mag de voogd de zaken voor rekening, hetzij van de minderjarige alleen, hetzij van deze met anderen, niet voortzetten dan met machtiging van de kantonrechter. **In onderneming belegd vermogen**

2. Zonder machtiging van de kantonrechter mag de voogd een boedel, waartoe de minderjarige gerechtigd is, niet onverdeeld laten. **Onverdeelde boedel**

Art. 352. Ondanks het ontbreken der vereiste machtiging zijn handelingen, door de voogd verricht in strijd met artikel 350 of artikel 351, geldig.

Art. 353. 1. De voogd kan een de minderjarige opgekomen erfenis niet anders aanvaarden dan onder het voorrecht van boedelbeschrijving. **Beneficiaire aanvaarding**

2. Hij kan niet zonder machtiging van de kantonrechter een de minderjarige opgekomen erfenis verwerpen, noch van een deze toekomend aandeel in een ontbonden huwelijksgemeenschap afstand doen. **Verwerping en afstand**

Art. 354. De kantonrechter kan te allen tijde de voogd of de toeziende voogd ten verhore oproepen. Zij zijn verplicht alle door de kantonrechter gewenste inlichtingen te verstrekken. **Verstrekken inlichtingen**

Art. 355. 1. Aan een ouder-voogd die aangifte heeft gedaan van zijn voornemen een huwelijk aan te gaan, kan de kantonrechter opdragen binnen een bepaalde termijn een beschrijving van het vermogen van de kinderen op te maken in tegenwoordigheid van de toeziende voogd en deze beschrijving of een afschrift daarvan ter griffie van het kantongerecht in te leveren. **Huwelijk ouder-voogd**

2. De artikelen 339, 340 en 341 van dit boek zijn van overeenkomstige toepassing.

Art. 356. 1. Aanwijzingen en machtigingen, als in deze afdeling bedoeld, geeft de kantonrechter slechts, indien dit hem in het belang van de minderjarige noodzakelijk, nuttig of wenselijk blijkt te zijn. Hij kan een bijzondere of een algemene machtiging geven en daaraan zodanige voorwaarden verbinden, als hij dienstig oordeelt. **Gronden voor aanwijzingen en machtigingen kantonrechter**

2. Hij kan een gegeven aanwijzing of machtiging te allen tijde intrekken of de daaraan verbonden voorwaarden wijzigen.

Art. 357. Indien de kosten van een ten behoeve van een minderjarige bevolen maatregel bij rechterlijke beschikking te diens laste zijn gebracht, treedt — ingeval **Aanwijzing goederen voor verhaal kosten**

dientengevolge het vermogen van de minderjarige moet worden aangesproken — in de plaats van de bij artikel 345 van dit boek bedoelde machtiging van de kantonrechter, diens aanwijzing van de goederen die verkocht of bezwaard zullen worden.

Uitgaven van voogd

Art. 358. 1. De voogd mag alle noodzakelijke, betamelijke en behoorlijk gerechtvaardigde uitgaven aan de minderjarige in rekening brengen.

2. Indien de kantonrechter een bedrag bepaalt, hetwelk jaarlijks mag worden besteed voor de verzorging en opvoeding van de minderjarige of voor de kosten van het beheer van diens vermogen, behoeft de voogd de besteding van dat bedrag niet gespecificeerd te verantwoorden.

Beloning voogd voor bewind

3. De kantonrechter kan de voogd, met uitzondering van de ouder-voogd, een beloning ten laste van de minderjarige toekennen, indien hij dit gezien de zwaarte van de last van het bewind redelijk acht. Buiten dit geval mag de voogd voor zichzelf geen loon berekenen, tenzij hem dat is toegekend bij de akte, waarbij hij door een ouder benoemd is.

Rekening van bewind

Art. 359. 1. De kantonrechter kan te allen tijde op verzoek van de toeziende voogd of ambtshalve aan de voogd de verplichting opleggen jaarlijks of eens in de twee of drie jaren ter griffie van het kantongerecht een rekening in te dienen van zijn bewind over de goederen van de minderjarige.

2. De datum voor de indiening van de rekening wordt door de kantonrechter bepaald.

3. Gelijktijdig moet de voogd een afschrift van de rekening aan de toeziende voogd doen toekomen. Deze kan binnen twee maanden bezwaren tegen de rekening bij de kantonrechter indienen.

Onderzoek en verbetering van rekening

Art. 360. 1. Bij verschil van mening omtrent de rekening kan de kantonrechter verbetering daarvan gelasten.

2. Hij kan een of meer deskundigen benoemen, ten einde de ingediende rekening te onderzoeken.

3. De kantonrechter kan de kosten van dit onderzoek, indien slecht bewind aan het licht is gekomen, geheel of ten dele ten laste van de voogd brengen.

4. De voogd en de toeziende voogd ontvangen elk een afschrift van het door de deskundigen in te dienen schriftelijk bericht.

Bewaring der rekening

Art. 361. De periodiek door de voogd gedane rekening of een eensluidend afschrift daarvan blijft berusten ter griffie van het kantongerecht.

Schadevergoeding voor slecht bewind

Art. 362. De kantonrechter kan op verzoek van de toeziende voogd of ambtshalve de schade vaststellen, die blijkens de rekening de minderjarige door slecht bewind van de voogd geleden heeft, en deze laatste tot vergoeding daarvan veroordelen.

Zekerheidstelling door voogd

Art. 363. 1. De kantonrechter kan te allen tijde bevelen dat de voogd voor zijn bewind zekerheid stelt. Hij stelt het bedrag en de aard van de zekerheid vast. Inpandgeving van effecten aan toonder van de voogd geschiedt door hun inbewaargeving bij de Nederlandsche Bank.

2. De kantonrechter bepaalt een redelijke termijn, binnen welke de voogd hem te zijnen genoegen moet aantonen dat hij de van hem verlangde zekerheid gesteld heeft.

3. De kantonrechter kan de voogd toestaan een gestelde zekerheid door een andere te vervangen. Indien het belang van de voogd het vervallen van een gestelde zekerheid volstrekt eist of handhaving daarvan niet nodig is, kan de kantonrechter hem machtigen daarvan namens de minderjarige afstand te doen.

Einde zekerheidstelling

Art. 364. 1. De door de voogd gestelde zekerheid houdt op, zodra zijn rekening en verantwoording is goedgekeurd, of zodra de rechtsvorderingen die zijn bewind betreffen overeenkomstig artikel 377 van dit boek verjaard zijn.

2. Alsdan worden op kosten van de minderjarige hypothecaire inschrijvingen doorgehaald en pandrechten op inschrijvingen in de grootboeken der nationale schuld opgeheven.

Kennisgeving van tekortkomingen voogd

Art. 365. Indien de voogd in gebreke blijft:

a. gehoor te geven aan een oproeping van de kantonrechter om voor hem te verschijnen;

b. een boedelbeschrijving of een verklaring als bedoeld in artikel 339 van dit boek in te leveren;
c. op de door de kantonrechter bepaalde datum zijn periodieke rekening in te dienen;
d. aan de minderjarige toebehorende spaarbankboekjes, gelden, of toondereffecten die hij niet te diens name heeft doen stellen, op de voorgeschreven wijze te bewaren;
e. de kantonrechter het bewijs te leveren, dat hij een van hem verlangde zekerheid gesteld heeft; of
f. de schadevergoeding te betalen, waartoe de kantonrechter hem ingevolge artikel 362 van dit boek veroordeeld heeft,
kan de kantonrechter de raad voor de kinderbescherming hiermede in kennis stellen.

Kennisgeving van eigenmachtig bewind of ontrouw

Art. 366. Insgelijks kan de kantonrechter de raad voor de kinderbescherming ermede in kennis stellen dat:
a. de voogd in gevallen, waarin hij machtiging van de kantonrechter behoeft, zijn bewind eigenmachtig voert;
b. hij zich in zijn bewind aan ontrouw, plichtsverzuim of misbruik van bevoegdheid blijkt te hebben schuldig gemaakt.

Mogelijkheid ontzetting van voogd

Art. 367. De raad voor de kinderbescherming die van de kantonrechter zodanige mededeling ontvangt, onderwerpt, na onderzoek van de overige gedragingen van de voogd jegens de minderjarige, binnen zes weken na de dagtekening van die mededeling aan het oordeel van de rechtbank de vraag, of ontzetting van de voogd op grond van artikel 327, eerste lid onder b, van dit boek moet volgen.

Ernstig tekortschieten toeziende voogd

Art. 368. Indien de toeziende voogd in ernstige mate in de vervulling van zijn taak tekortschiet, zijn de artikelen 366 en 367 van dit boek van overeenkomstige toepassing.

Aanwijzing bewindvoerder over gemene goederen

Art. 369. 1. Indien minderjarigen die onder voogdij van verschillende voogden staan, goederen gemeen hebben, kan de kantonrechter van de woonplaats van een der minderjarigen een van de voogden of een derde aanwijzen om over deze goederen tot de verdeling het bewind te voeren. De aangewezen bewindvoerder stelt de door de rechter van hem verlangde waarborgen.

2. Komt de in het eerste lid omschreven bevoegdheid aan verschillende rechters toe, dan vervalt deze, nadat een van hen daarvan heeft gebruik gemaakt.

Overeenkomstige toepassing

3. Op het bewind zijn de bepalingen omtrent het bewind van een voogd van overeenkomstige toepassing. De bewindvoerder is bij uitsluiting bevoegd tot vernietiging van rechtshandelingen van de minderjarige, strekkend tot beheer of beschikking met betrekking tot de onder bewind staande goederen.

Aanwijzing afzonderlijke bewindvoerder

Art. 370. 1. De kantonrechter kan op verzoek van de voogd, de toeziende voogd of ambtshalve, het vermogen van de minderjarige of een deel daarvan, met inbegrip van de vruchten, voor de duur van diens minderjarigheid onder bewind stellen, indien hij dit in het belang van de minderjarige nodig oordeelt.

2. De kantonrechter benoemt de bewindvoerder en bepaalt het aan deze toekomende loon. Hij kan bij de instelling van het bewind bepalen dat de voogd de door de onderbewindstelling veroorzaakte kosten, met inbegrip van het loon, geheel of gedeeltelijk aan de minderjarige moet vergoeden, alsmede dat de voogd, behoudens zijn verhaal op de bewindvoerder, voor diens verrichtingen aansprakelijk is jegens de minderjarige.

Overeenkomstige toepassing

3. Op het bewind zijn de bepalingen omtrent het bewind van een voogd van overeenkomstige toepassing. De bewindvoerder is bij uitsluiting bevoegd tot vernietiging van rechtshandelingen van de minderjarige, strekkend tot beheer of beschikking met betrekking tot de onder bewind staande goederen.

Verplichtingen van de bewindvoerder

4. De kantonrechter bepaalt welke uitkeringen de bewindvoerder uit de onder het bewind gestelde goederen en de vruchten daarvan aan de voogd moet doen ten behoeve van de verzorging en opvoeding van de minderjarige of ten behoeve van het beheer van diens niet onder het bewind gestelde goederen. Hij kan deze beschikkingen te allen tijde op verzoek van de voogd of de bewindvoerder, of ambtshalve wijzigen.

5. De bewindvoerder is verplicht aan de kantonrechter te allen tijde alle door deze gewenste inlichtingen te verstrekken.

6. Hij is voorts verplicht jaarlijks en aan het einde van zijn bewind aan de voogd, de meerderjarig gewordene of de erfgenamen van de minderjarige, wanneer deze overleden is, ten overstaan van de kantonrechter rekening en verantwoording af te leggen.

7. Geschillen die bij de rekening en verantwoording rijzen, beslist de kantonrechter.

8. Blijft een der partijen in gebreke tot deze aflegging van rekening en verantwoording mede te werken, dan zijn de artikelen 771 en volgende van het Wetboek van Burgerlijke Rechtsvordering van toepassing.

9. De kantonrechter kan te allen tijde op verzoek van de bewindvoerder, de voogd of de toeziende voogd, of ambtshalve het bewind opheffen of de bewindvoerder ontslaan en door een ander vervangen.

Kennisgeving woonplaatsverandering

Art. 371. De voogd en de toeziende voogd zijn verplicht ter griffie van het kantongerecht kennis te geven van elke verandering in hun woonplaatsen.

Woonplaatsverandering mededelen aan de kantonrechter

Art. 371a. 1. De griffier van het gerecht dat een voogd benoemt, doet daarvan onverwijld mededeling aan de kantonrechter van de woonplaats van de voogd.

2. Woont de voogd niet meer in het kanton of is hij opgevolgd door een voogd in een ander kanton, dan zendt de griffier onverwijld de voogdijbescheiden naar de griffier van het kanton waar de voogd of opvolgende voogd woonplaats heeft, onder opgave van diens adres.

AFDELING 13
De rekening en verantwoording bij het einde van de voogdij

Rekening en verantwoording
Kosten van rekening en verantwoording

Art. 372. Na het einde van zijn bewind doet de voogd daarvan onverwijld rekening en verantwoording; de kosten hiervan worden door de voogd voorgeschoten; de kosten worden door de voogd betaald. Zij komen echter ten laste van de minderjarige, tenzij het bewind wegens ontzetting van de voogd eindigt. Voor zover de kosten niet op de minderjarige kunnen worden verhaald, komen zij ten laste van de ouders, en, zo zij ook op hen niet kunnen worden verhaald, ten laste van de Staat.

Aan wie verantwoording moet worden afgelegd

Art. 373. Deze rekening en verantwoording doet de voogd hetzij aan de meerderjarig gewordene, hetzij aan de erfgenamen van de minderjarige, wanneer deze overleden is, hetzij aan zijn opvolger in het bewind.

Aflegging verantwoording aan kantonrechter

Art. 374. 1. Bedoelde rekening en verantwoording wordt afgelegd ten overstaan van de kantonrechter, binnen wiens rechtsgebied de voogd wiens bewind eindigt woonplaats heeft, en zo mogelijk in de aanwezigheid van de toeziende voogd.

Beslissing geschillen

2. Geschillen, die bij de aflegging van de rekening en verantwoording mochten rijzen, beslist de kantonrechter.

3. Blijft een der partijen in gebreke tot deze aflegging van rekening en verantwoording mede te werken, dan zijn de artikelen 771 en volgende van het Wetboek van Burgerlijke Rechtsvordering van toepassing.

Nietigheid rechtshandelingen

Art. 375. Een rechtshandeling die de meerderjarig gewordene betreffende de voogdij of de voogdijrekening richt tot of verricht met de voogd of de toeziende voogd, is vernietigbaar, indien zij geschiedt vóór het afleggen van de rekening en verantwoording; alleen van de zijde van de meerderjarig gewordene kan een beroep op de vernietigingsgrond worden gedaan.

Rente

Art. 376. Wat de minderjarige aan de voogd schuldig blijft, draagt geen rente, zolang hij niet — na het sluiten der rekening — met de voldoening van het verschuldigde in verzuim is.

Verjaringstermijn

Art. 377. Elke rechtsvordering op grond van het gevoerde voogdijbewind — zowel van de zijde van de minderjarige als van die van de voogd — verjaart door verloop van vijf jaren na de dag, waarop de voogdij van laatstgenoemde is geëindigd.

TITEL 16
Curatele

Gronden voor onder curatelestelling

Art. 378. 1. Een meerderjarige kan door de rechtbank onder curatele worden gesteld:

a. wegens een geestelijke stoornis, waardoor de gestoorde, al dan niet met tussenpozen, niet in staat is of bemoeilijkt wordt zijn belangen behoorlijk waar te nemen;
b. wegens verkwisting;
c. wegens gewoonte van drankmisbruik, waardoor hij:
1°. zijn belangen niet behoorlijk waarneemt;
2°. in het openbaar herhaaldelijk aanstoot geeft; of
3°. eigen veiligheid of die van anderen in gevaar brengt.

2. Indien te verwachten is dat ten aanzien van een minderjarige op het tijdstip waarop hij meerderjarig zal worden, van een der in het vorige lid genoemde gronden voor curatele sprake zal zijn, kan de curatele reeds voor de meerderjarigheid worden uitgesproken.

Curatele op verzoek of vordering

Art. 379. De curatele kan worden verzocht door de betrokken persoon, zijn echtgenoot of andere levensgezel, zijn bloedverwanten in de rechte lijn en die in de zijlijn tot de vierde graad ingesloten alsmede door zijn voogd; zij kan ook worden gevorderd door het openbaar ministerie.

Provisionele bewindvoerder

Art. 380. 1. De rechter voor wie het verzoek tot ondercuratelestelling aanhangig is of laatstelijk aanhangig was, kan, desverzocht of ambtshalve, een provisionele bewindvoerder benoemen; de beschikking vermeldt het tijdstip waarop zij in werking treedt.

2. Hij regelt in deze beschikking de bevoegdheden van de bewindvoerder. Hij kan de bewindvoerder het bewind over bepaalde of alle goederen opdragen. Aan de bewindvoerder kan de rechter ook andere bevoegdheden toekennen, doch niet die welke een curator niet heeft. Voor zover de rechter niet anders bepaalt, kan degene wiens curatele is verzocht, met betrekking tot die goederen niet zonder medewerking van de bewindvoerder daden van beheer en van beschikking verrichten.

3. In de beschikking kan tevens worden bepaald dat schulden die degenen wiens curatele is verzocht, na de bekendmaking van de benoeming maakt, op de onder bewind gestelde goederen gedurende dit bewind en de curatele, indien deze volgt, niet kunnen worden verhaald.

4. De beschikking kan te allen tijde worden gewijzigd of ingetrokken door de rechter voor wie het verzoek tot ondercuratelestelling aanhangig is of laatstelijk aanhangig was.

5. De bewindvoerder komt als beloning toe vijf ten honderd van de netto-opbrengst der door hem beheerde goederen, tenzij de kantonrechter daarvoor om bijzondere redenen een ander bedrag vaststelt.

Aanvang der curatele

Art. 381. 1. De curatele werkt met ingang van de dag waarop hij is uitgesproken. In het geval, bedoeld in artikel 378, tweede lid, werkt de curatele met ingang van het tijdstip waarop de onder curatele gestelde meerderjarig wordt.

Gevolgen

2. Van deze tijdstippen is de onder curatele gestelde onbekwaam rechtshandelingen te verrichten voor zover de wet niet anders bepaalt.

3. Een onder curatele gestelde is bekwaam rechtshandelingen te verrichten met toestemming van zijn curator, voor zover deze bevoegd is die rechtshandelingen voor de onder curatele gestelde te verrichten. De toestemming kan slechts worden verleend voor een bepaalde rechtshandeling of voor een bepaald doel. De toestemming voor een bepaald doel moet schriftelijk worden verleend.

4. Met betrekking tot aangelegenheden betreffende verzorging, verpleging, behandeling en begeleiding van een onder curatele gestelde zijn de artikelen 453 en 454 van dit boek van overeenkomstige toepassing.

5. Hij is bekwaam over gelden die zijn curator voor levensonderhoud te zijner beschikking heeft gesteld, overeenkomstig deze bestemming te beschikken.

6. In zaken van curatele is degene wiens curatele het betreft bekwaam in rechte op te treden en tegen een uitspraak beroep in te stellen.

Bekwaamheid tot familierechtelijke handelingen

Art. 382. Hij die uit hoofde van verkwisting of gewoonte van drankmisbruik onder curatele is gesteld, blijft bekwaam tot het verrichten van familierechtelijke handelingen voor zover de wet niet anders bepaalt.

Benoeming curator en toeziende curator

Art. 383. 1. De rechter benoemt bij het uitspreken van de curatele of, indien hij zich nog niet voldoende voorgelicht acht, zo spoedig mogelijk daarna een curator en een toeziende curator.

Benoeming curator

2. De rechter volgt bij de benoeming van de curator de uitdrukkelijke voorkeur van de betrokkene, tenzij gegronde redenen zich tegen zodanige benoeming verzetten.

3. Tenzij het vorige lid is toegepast, wordt, indien de onder curatele gestelde is gehuwd of een andere levensgezel heeft, bij voorkeur de echtgenoot of de andere levensgezel tot curator benoemd. Is de vorige zin niet van toepassing dan wordt bij voorkeur een van zijn ouders, kinderen, broers of zusters tot curator benoemd. Huwt de onder curatele gestelde of verkrijgt hij een andere levensgezel, dan kan ieder van hen verzoeken, dat de niet onder curatele staande echtgenoot of de andere levensgezel in plaats van de tegenwoordige curator wordt benoemd.

Einde bewind provisionele bewindvoerder

4. De taak van de curator vangt aan daags nadat de griffier hem van zijn benoeming mededeling heeft gedaan. Met die dag eindigt het provisioneel bewind. De provisionele bewindvoerder is verplicht ten overstaan van de kantonrechter aan de curator rekening en verantwoording van zijn bemoeienissen af te leggen; wordt hij zelf tot curator benoemd, dan wordt de rekening en verantwoording aan de toeziende curator afgelegd. Indien de curator vóór de meerderjarigheid van de onder curatele gestelde is benoemd, vangt zijn taak aan op het tijdstip waarop de curatele in werking treedt.

5. Indien het verzoek tot ondercuratelestelling wordt afgewezen, eindigt het bewind van de provisionele bewindvoerder daags na die uitspraak, tenzij de rechter anders bepaalt, en in ieder geval uiterlijk daags nadat de afwijzing in kracht van gewijsde is gegaan.

Gevolgen afwijzing verzoek tot ondercuratelestelling

Art. 384. Indien een beschikking, waarbij curatele is uitgesproken, in hoger beroep of cassatie wordt vernietigd en het verzoek tot ondercuratelestelling alsnog wordt afgewezen, neemt de taak van de curator daags na deze uitspraak een einde. De inmiddels door de curator of met zijn toestemming verrichte handelingen blijven voor de onder curatele gestelde verbindend.

Overeenkomstige toepassing

Art. 385. 1. Behoudens het in de artikelen 383 en 384 bepaalde vinden de artikelen 280 lid 1 onder c en lid 3, 281 lid 1 onder a en lid 2, 297-299, 310 lid 1 en lid 3, 313-318, 319 lid 1 onder a en lid 2, 322 lid 1 onder a en c, 324, 336 leden 1 en 2, en 372-377 bij curatele overeenkomstige toepassing, met dien verstande dat

a. voor kantonrechter wordt gelezen rechtbank, behalve in geval van overeenkomstige toepassing van artikel 313 lid 2;

b. aan de raad voor de kinderbescherming terzake geen bevoegdheden toekomen;

c. de curator en de toeziende curator te allen tijde wegens gewichtige reden op eigen verzoek, op verzoek van de uit hoofde van verkwisting of gewoonte van drankmisbruik onder curatele gestelde, op vordering van het openbaar ministerie of ambtshalve door de rechtbank kunnen worden ontslagen.

2. Een curator of toeziende curator die niet is de echtgenoot of andere levensgezel of bloedverwant in de rechte lijn van de onder curatele gestelde, kan bovendien ontslag verzoeken, wanneer hij de curatele of toeziende curatele ten minste acht jaren heeft uitgeoefend; het ontslag wordt verleend zodra de rechtbank zich in staat acht een geschikte opvolger te benoemen.

Overeenkomstige toepassing

Art. 386. 1. Op het bewind van de curator zijn de omtrent het bewind van de voogd gegeven voorschriften van overeenkomstige toepassing. Tenzij de beloning bij het uitspreken van de curatele anders is geregeld, komt de curator — de oudercurator daaronder begrepen — als beloning toe vijf ten honderd van de netto-opbrengst der door hem beheerde goederen. Op grond van bijzondere omstandigheden kan de kantonrechter, hetzij ambtshalve, hetzij op verzoek van de curator of van de onder curatele gestelde, voor bepaalde of onbepaalde tijd de beloning anders regelen dan bij het uitspreken van de curatele of door de wet is aangegeven.

2. De inkomsten van hem die uit hoofde van een geestelijke stoornis onder curatele is gesteld, moeten in de eerste plaats worden besteed voor een voldoende verzorging van de betrokkene.

3. Voor de toepassing van de artikelen 365-368 treedt de officier van justitie in de plaats van de raad voor de kinderbescherming en het ontslag bedoeld in artikel 385 lid 1 onder c in de plaats van de ontzetting van de voogd op grond van artikel 327 lid 1 onder b.

4. Indien een gehuwde onder curatele wordt gesteld, en tussen de echtgenoten het bestuur over hun goederen en de goederen der gemeenschap anders is verdeeld dan

volgens de regels van de wet en van huwelijkse voorwaarden, bepaalt de rechter bij het uitspreken van de curatele, of en in hoeverre die verdeling ook voor de curator zal gelden.

Artt. 387 en 388. (Vervallen bij de wet van 29 oktober 1992, Stb. 669).

Einde curatele

Art. 389. 1. De curatele eindigt, wanneer bij in kracht van gewijsde gegane rechterlijke uitspraak is vastgesteld, dat de oorzaken die tot de curatele hebben aanleiding gegeven, niet meer aanwezig zijn.

2. Het verzoek of de vordering daartoe kan worden gedaan door dezelfde personen die de curatele kunnen verzoeken of vorderen.

3. De curatele eindigt voorts, wanneer bij in kracht van gewijsde gegane rechterlijke uitspraak ten behoeve van de betrokken persoon een bewind als bedoeld in titel 19 dan wel een mentorschap als bedoeld in titel 20 van dit boek is ingesteld.

Bekendmaking uitspraken

Art. 390. 1. Alle uitspraken waarbij een curatele wordt verleend of opgeheven, een provisioneel bewind wordt ingesteld of een uitspraak tot ondercuratelestelling wordt vernietigd, worden binnen tien dagen nadat zij kunnen worden ten uitvoer gelegd, vanwege de verzoekers in de Nederlandse Staatscourant benevens in twee door de rechter aan te wijzen dagbladen bekendgemaakt. Ingeval de verzoekers daarmede nalatig zijn, zijn zij hoofdelijk gehouden aan derden de daardoor veroorzaakte schade te vergoeden.

2. De bekendmaking van een ondercuratelestelling op eigen verzoek of op vordering van het openbaar ministerie geschiedt vanwege de curator, indien deze bij de ondercuratelestelling is benoemd, of anders vanwege de griffier.

Curateleregisters

Art. 391. Ter griffie van de rechtbank te 's-Gravenhage berusten openbare registers, waarin aantekening wordt gehouden van rechtsfeiten die betrekking hebben op curatele. Bij algemene maatregel van bestuur wordt bepaald welke rechtsfeiten aangetekend worden en op welke wijze deze aantekening geschiedt.

TITEL 17
Levensonderhoud

AFDELING 1
Algemene bepalingen

Alimentatieverplichtingen

Art. 392. 1. Tot het verstrekken van levensonderhoud zijn op grond van bloed- of aanverwantschap gehouden:
a. de ouders;
b. wettige en natuurlijke kinderen;
c. behuwdkinderen, schoonouders en stiefouders.

2. Deze verplichting bestaat, behalve wat betreft ouders en stiefouders jegens hun minderjarige kinderen en stiefkinderen en jegens hun kinderen bedoeld in artikel 395a van dit boek, slechts in geval van behoeftigheid van de tot levensonderhoud gerechtigde.

3. De in het eerste lid genoemde personen zijn niet verplicht levensonderhoud te verstrekken, voor zover dit van de echtgenoot of een vroegere echtgenoot overeenkomstig het in de zesde, negende of tiende titel van dit boek bepaalde kan worden verkregen.

Natuurlijk kind jegens vader

Art. 393. Een natuurlijk kind is jegens zijn vader alleen tot onderhoud verplicht, wanneer de erkenning van het kind tijdens zijn minderjarigheid is geschied.

Vader jegens niet erkend kind

Art. 394. 1. Bestaan tussen een kind en zijn vader geen familierechtelijke betrekkingen, dan is die vader slechts verplicht tot het verstrekken van levensonderhoud gedurende de minderjarigheid van het kind.

2. Is nochtans het kind na zijn meerderjarigheid door geestelijke of lichamelijke gebreken buiten staat zichzelf te onderhouden, dan blijft de in het vorige lid bedoelde vader tot zijn onderhoud verplicht; onverminderd het bepaalde in artikel 395a, eerste lid, van dit boek.

Vermoeden van vaderschap

3. Vader van een onwettig niet-erkend kind wordt vermoed te zijn, hij die tussen de 307ste en 179ste dag voor de geboorte met de moeder gemeenschap heeft gehad.

4. Een op grond van dit artikel ingediend verzoek wordt evenwel afgewezen:
a. indien de vader bewijst, dat de moeder in bedoeld tijdvak ook met een ander ge-

meenschap heeft gehad, tenzij mocht blijken dat het kind daaruit niet kan zijn ontvangen;
b. indien de rechter in gemoede overtuigd is, dat de verweerder niet de vader van het kind is.

Stiefouder

Art. 395. Een stiefouder is, onverminderd het bepaalde in artikel 395a van dit boek, alleen verplicht gedurende zijn huwelijk levensonderhoud te verstrekken aan de tot zijn gezin behorende wettige en natuurlijke minderjarige kinderen van zijn echtgenoot.

Levensonderhoud en studiekosten kinderen

Art. 395a. 1. Ouders zijn verplicht te voorzien in de kosten van levensonderhoud en studie van hun meerderjarige kinderen die de leeftijd van een en twintig jaren niet hebben bereikt. Gelijke verplichting rust op de vader van een onwettig niet-erkend kind tegen wie het verzoek, gegrond op artikel 394 van dit boek, is toegewezen.

2. Een stiefouder is gedurende zijn huwelijk jegens de tot zijn gezin behorende wettige en natuurlijke meerderjarige kinderen van zijn echtgenoot die de leeftijd van een en twintig jaren niet hebben bereikt, verplicht te voorzien in de bij het vorige lid bedoelde kosten.

Betaling kosten levensonderhoud en studie kind aan Raad voor kinderbescherming

Art. 395b. 1. Heeft de rechter het bedrag bepaald, dat een ouder of stiefouder dan wel de vader van een onwettig niet-erkend kind ter zake van de verzorging en opvoeding van zijn minderjarig kind of stiefkind moet betalen en is deze verplichting tot aan het meerderjarig worden van het kind van kracht geweest, dan geldt met ingang van dit tijdstip de rechterlijke beslissing als een tot bepaling van het bedrag ter zake van levensonderhoud en studie als in artikel 395a van dit boek bedoeld.

Kosten maatregel

2. Hetzelfde geldt, indien met toepassing van Hoofdstuk VII van de Wet op de jeugdhulpverlening het bedrag is vastgesteld dat de ouder of stiefouder ter bestrijding van de kosten van de in artikel 41f, tweede lid, van die wet bedoelde maatregelen aan Onze Minister dan wel aan de in zijn naam optredende instantie moet uitkeren.

Onderhoud behuwdkinderen en schoonouders

Art. 396. 1. De verplichting van behuwdkinderen en van schoonouders tot het verstrekken van onderhoud vervalt, wanneer het huwelijk van het behuwdkind is ontbonden.

2. De verplichting bestaat niet jegens een behuwdkind, die krachtens een in kracht van gewijsde gegane beschikking is gescheiden van tafel en bed en jegens een schoonouder, nadat deze is hertrouwd.

Bepaling bedrag voor levensonderhoud

Art. 397. 1. Bij de bepaling van het volgens de wet door bloed- en aanverwanten verschuldigde bedrag voor levensonderhoud wordt enerzijds rekening gehouden met de behoeften van de tot levensonderhoud gerechtigde en anderzijds met de draagkracht van de tot uitkering verplichte persoon.

2. Zijn meerdere bloed- of aanverwanten tot het verstrekken van levensonderhoud aan dezelfde persoon verplicht, dan is ieder van hen gehouden een deel van het bedrag te voldoen, dat de tot onderhoud gerechtigde behoeft. Bij de bepaling van dit deel wordt rekening gehouden met ieders draagkracht en de verhouding, waarin een ieder tot de gerechtigde staat.

In huis nemen van tot levensonderhoud gerechtigde

Art. 398. 1. Wanneer hij die tot levensonderhoud verplicht is, buiten staat is het daartoe vereiste geld op te brengen, kan de rechtbank bevelen, dat hij de bloed- of aanverwant, aan wie hij levensonderhoud verschuldigd is, bij zich in huis zal nemen en aldaar van het nodige voorzien.

2. Ouders zijn steeds bevoegd de rechter te verzoeken hun toe te staan zich van hun onderhoudsplicht jegens hun behoeftig meerderjarig, wettig of natuurlijk, kind op de in het eerste lid omschreven wijze te kwijten.

Matigingsrecht van rechter

Art. 399. De rechter kan de verplichting van bloed- en aanverwanten tot levensonderhoud matigen op grond van zodanige gedragingen van de tot onderhoud gerechtigde, dat verstrekking van levensonderhoud naar redelijkheid niet of niet ten volle kan worden gevergd; onverminderd hetgeen in de volgende afdeling is bepaald omtrent de voorziening in de kosten van de verzorging en opvoeding van minderjarige kinderen en stiefkinderen.

Voorrangsregeling bij meerdere gegadigden

Art. 400. 1. Indien een persoon verplicht is levensonderhoud te verstrekken aan twee of meer personen, en zijn draagkracht onvoldoende is om dit volledig aan allen te verschaffen, hebben zijn echtgenoot, zijn vroegere echtgenoot, zijn ouders, zijn kinderen — wettige of onwettige — en stiefkinderen voorrang boven zijn behuwdkinderen en zijn schoonouders.

2. Overeenkomsten waarbij van het volgens de wet verschuldigde levensonderhoud wordt afgezien, zijn nietig.

Nietige overeenkomsten

Art. 401. 1. Een rechterlijke uitspraak of een overeenkomst betreffende levensonderhoud kan bij latere rechterlijke uitspraak worden gewijzigd of ingetrokken, wanneer zij nadien door wijziging van omstandigheden ophoudt aan de wettelijke maatstaven te voldoen. De voorafgaande zin is niet van toepassing op een verzoek tot wijziging van een termijn die de rechter heeft vastgesteld op grond van artikel 157 of die is opgenomen in een overeenkomst als bedoeld in artikel 158.

Wijziging of intrekking rechterlijke uitspraak of overeenkomst

2. De termijn die de rechter heeft vastgesteld op grond van het derde of vijfde lid dan wel zesde lid, tweede zin van artikel 157 of die is opgenomen in een overeenkomst als bedoeld in artikel 158, kan op verzoek van een van de gewezen echtgenoten worden gewijzigd in geval van zo ingrijpende wijziging van omstandigheden dat ongewijzigde handhaving van de termijn naar maatstaven van redelijkheid en billijkheid niet van de verzoeker kan worden gevergd.

Verlenging is niet mogelijk indien de rechter zulks ingevolge artikel 157, vijfde lid, heeft bepaald. Op een verzoek tot verlenging is het vijfde lid, tweede en derde zin, van artikel 157 van overeenkomstige toepassing.

3. Partijen kunnen schriftelijk overeenkomen dat het eerste lid, eerste zin, van toepassing is op een verzoek tot wijziging van een termijn die is opgenomen in een overeenkomst als bedoeld in artikel 158.

4. Een rechterlijke uitspraak betreffende levensonderhoud kan ook worden gewijzigd of ingetrokken, indien zij van de aanvang af niet aan de wettelijke maatstaven heeft beantwoord doordat bij die uitspraak van onjuiste of onvolledige gegevens is uitgegaan.

5. Een overeenkomst betreffende levensonderhoud kan ook worden gewijzigd of ingetrokken, indien zij is aangegaan met grove miskenning van de wettelijke maatstaven.

Art. 402. 1. De rechter, die het bedrag van een uitkering tot levensonderhoud bepaalt, wijzigt of intrekt, stelt tevens de dag vast, van welke dit bedrag verschuldigd is of ophoudt verschuldigd te zijn.

Vaststelling betalingstermijnen

2. Bij de vaststelling van een bedrag bepaalt de rechter tevens of dit wekelijks, maandelijks of driemaandelijks moet worden voldaan.

3. Zouden op de dag, dat de uitspraak ten uitvoer kan worden gelegd, reeds meer dan één termijn verschenen zijn of meer dan één termijn terugbetaald moeten worden, dan kan de rechter ook daarvoor een betaling in termijnen toestaan.

Art. 402a. 1. De bij rechterlijke uitspraak of bij overeenkomst vastgestelde bedragen voor levensonderhoud worden jaarlijks van rechtswege gewijzigd met een door Onze Minister van Justitie vast te stellen percentage, dat, behoudens het bepaalde in het derde en vierde lid, overeenkomt met het procentuele verschil tussen het indexcijfer der lonen per 30 september van enig jaar en het overeenkomstige indexcijfer in het voorafgaande jaar.

Indexering van uitkeringen voor levensonderhoud

2. De wijziging gaat in op 1 januari volgende op de in het eerste lid genoemde datum. De beschikking waarin het percentage is vastgesteld, wordt bekend gemaakt in de Nederlandse Staatscourant.

3. Bij algemene maatregel van bestuur wordt bepaald wat onder indexcijfer der lonen wordt verstaan.

4. Het percentage van de wijziging van de bedragen voor levensonderhoud kan worden afgerond op tienden van een procent. Daarbij vindt, indien van het in het eerste lid bedoelde procentuele verschil het tweede of een volgend cijfer achter de komma vijf bedraagt, voor wat betreft die cijfers afronding naar beneden plaats.

5. De wijziging van rechtswege kan bij rechterlijke uitspraak of bij overeenkomst geheel of voor een bepaalde tijdsduur worden uitgesloten. Daarbij kan tevens worden bepaald dat en op welke wijze het bedrag voor levensonderhoud anders dan van rechtswege periodiek zal worden gewijzigd.

6. Bij de uitspraak, waarbij de tweede zin van het vorige lid toepassing heeft gevonden, en ook nadien, kan de rechter een regeling geven omtrent de wijze en de tijdstippen waarop de tot uitkering verplichte persoon aan de tot uitkering gerechtigde persoon gegevens dient te verschaffen ten behoeve van de vaststelling van de

wijziging van het bedrag voor levensonderhoud. Deze beslissingen kunnen worden gegeven en nadien worden gewijzigd op verzoek van de tot uitkering verplichte of gerechtigde persoon.

7. De uitsluiting van de wijziging van rechtswege kan bij rechterlijke uitspraak worden ingetrokken. Voor zover het een uitsluiting betreft waarbij de tweede zin van het vijfde lid niet is toegepast, kan de intrekking alleen geschieden in de gevallen bedoeld in artikel 401 van dit boek.

8. De tenuitvoerlegging van een executoriale titel betreffende de betaling van levensonderhoud geschiedt met inachtneming van de op het tijdstip van de tenuitvoerlegging ingegane wijzigingen van rechtswege dan wel met inachtneming van de wijzigingen overeenkomstig de tweede zin van het vijfde lid van dit artikel.

Beperking terugwerkende kracht

Art. 403. Geen uitkering is verschuldigd over de tijd, die op het tijdstip van het indienen van het verzoek reeds meer dan vijf jaren is verstreken.

AFDELING 2
Voorziening in de kosten van verzorging en opvoeding van minderjarige kinderen en stiefkinderen door ouders en stiefouders

Onderhoudsplicht (stief)ouders

Art. 404. 1. Ouders zijn verplicht naar draagkracht te voorzien in de kosten van verzorging en opvoeding van hun minderjarige kinderen, zowel wanneer het wettige als wanneer het onwettige kinderen zijn.

2. Gelijke verplichting bestaat voor een stiefouder in het geval van artikel 395 van dit boek.

Nakomen verplichtingen door vader van niet-erkend kind

Art. 405. 1. De vader die niet in familierechtelijke betrekking tot het kind staat, is verplicht, indien daartoe gronden zijn, waarborgen te geven tot verzekering van zijn in het vorige artikel genoemde verplichting of daartoe een som ineens te voldoen.

2. Het verzoek tot voorziening in de kosten van verzorging en opvoeding tegen de in het eerste lid bedoelde vader verjaart door verloop van vijf jaren, te rekenen van de geboortedag van het kind.

Procedure bij niet nakomen onderhoudsplicht door (stief)ouder

Art. 406. 1. Komt een ouder of stiefouder zijn verplichting tot voorziening in de kosten van verzorging en opvoeding niet of niet behoorlijk na, dan kan de andere ouder of voogd de rechtbank verzoeken het bedrag te bepalen dat deze ouder of stiefouder ten behoeve van het kind zal moeten uitkeren.

2. De rechtbank kan het in het vorige lid bedoelde bedrag reeds bepalen gelijktijdig met een door haar te geven beslissing omtrent het gezag.

3. Het bepaalde in de vorige leden is niet van toepassing op de verplichting van een vader tot voorziening in de kosten van verzorging en opvoeding van zijn kind, indien hij niet in familierechtelijke betrekking tot het kind staat.

4. Een op artikel 394 van dit boek gegrond verzoek kan ten behoeve van een minderjarig kind door hem die het gezag over het kind uitoefent, worden ingediend.

Omvang verplichting erfgenamen van vader

5. De erfgenamen van de in het vorige lid bedoelde vader kunnen ter zake van de verzorging en opvoeding van het kind na het overlijden van de erflater tot niets anders worden verplicht dat tot betaling van een som ineens die het wettelijk erfdeel, waartoe het kind als zijn natuurlijk kind ware gerechtigd geweest, niet overtreft. De aanspraken moeten, hetzij door het kind hetzij door de raad voor de kinderbescherming, binnen een jaar na het overlijden van de erflater worden geldend gemaakt.

Vergoeding van kosten door de ouders

Art. 406d.[1] 1. Bij iedere beschikking waarbij de gezinsvoogd machtiging wordt verleend om aanwijzing te geven tot een maatregel als bedoeld in artikel 260, derde lid, stelt de rechter tevens vast hoeveel de ouders of — dezen onvermogend dan wel overleden zijnde — hoeveel de minderjarige, ter bestrijding van de kosten van bedoelde maatregelen, aan Onze Minister van Justitie of de in zijn naam optredende instantie moeten uitkeren.

2. De in het eerste lid bedoelde beslissing omtrent de kosten is uitvoerbaar bij voorraad.

---

[1] Als gevolg van het intrekken van een deel van het wetsvoorstel zijn de artt. 406a t/m 406c vervallen.

Art. 407. Gelijktijdig met een door de rechtbank te geven uitspraak betreffende het over de kinderen uit te oefenen gezag na ontbinding van het huwelijk na scheiding van tafel en bed kan de rechtbank op verzoek van een ouder het bedrag wijzigen van een, in verband met de voorafgegane gezagsvoorziening, bepaalde periodieke uitkering als bedoeld in het eerste lid.

Betaling aan degene die gezag uitoefent

Art. 408. 1. Een uitkering tot voorziening in de kosten van verzorging en opvoeding of tot voorziening in de kosten van levensonderhoud en studie, waarvan het bedrag in een rechterlijke beslissing, daaronder begrepen de beslissing op grond van artikel 822, eerste lid, onder c, van het Wetboek van Burgerlijke Rechtsvordering, is vastgesteld, wordt ten behoeve van de minderjarige aan de ouder die het kind verzorgt en opvoedt of aan de voogd onderscheidenlijk aan de meerderjarige betaald.

2. Op verzoek van een gerechtigde als bedoeld in het eerste lid, van een onderhoudsplichtige dan wel op gezamenlijk verzoek van een gerechtigde en onderhoudsplichtige neemt een door Onze Minister van Justitie aangewezen raad voor de kinderbescherming de invordering van de onderhoudsgelden op zich. De executoriale titel wordt daartoe door de onderhoudsgerechtigde in handen gesteld van deze raad voor de kinderbescherming. De overhandiging daarvan machtigt de raad voor de kinderbescherming tot het doen van de invordering, zo nodig door middel van executie. Bij de aanwijzing door Onze Minister van Justitie wordt tevens en zo nodig in afwijking van artikel 239 bepaald ten behoeve van welke categorie onderhoudsgerechtigden de raad bevoegd is op te treden.

3. Kosten van invordering door de raad voor de kinderbescherming worden verhaald op de onderhoudsplichtige, onverminderd de kosten van gerechtelijke vervolging en executie. Het verhaal van kosten vindt plaats door wijziging van het bedrag, bedoeld in het eerste lid, volgens bij algemene maatregel van bestuur te stellen regels.

4. Tot invordering op verzoek van een onderhoudsgerechtigde wordt slechts overgegaan, indien de gerechtigde ter gelegenheid van de indiening van het verzoek aannemelijk heeft gemaakt dat binnen ten hoogste zes maanden voorafgaande aan de indiening van het verzoek de onderhoudsplichtige ten aanzien van ten minste één periodieke betaling tekort is geschoten in zijn verplichtingen. In deze gevallen geschiedt de invordering van bedragen die verschuldigd zijn vanaf een tijdstip van ten hoogste zes maanden voorafgaande aan de indiening van het verzoek.

5. Alvorens tot invordering met verhaal van kosten over te gaan wordt de onderhoudsplichtige bij brief met bericht van ontvangst in kennis gesteld van het voornemen daartoe en de reden daarvoor, alsmede van het bedrag inclusief de kosten van invordering. De raad wordt bevoegd tot invordering over te gaan op de veertiende dag na de verzending van de brief.

6. De invordering die op verzoek van de onderhoudsgerechtigde geschiedt, eindigt slechts, indien gedurende ten minste een half jaar regelmatig is betaald aan de raad voor de kinderbescherming en er geen bedragen meer verschuldigd zijn als bedoeld in het vierde lid, tweede volzin. De termijn van een half jaar wordt telkens verdubbeld, indien een voorgaande termijn van invordering ook op verzoek van de onderhoudsgerechtigde was aangevangen.

7. Een invordering die geldt op het tijdstip van het meerderjarig worden van het kind, wordt ten behoeve van de meerderjarige voortgezet, tenzij deze op zijn verzoek wordt beëindigd.

8. De tenuitvoerlegging van een executoriale titel betreffende de betaling van de kosten van verzorging en opvoeding of levensonderhoud en studie geschiedt met inachtneming van de wijziging, bedoeld in het derde lid.

9. Invorderingen die tien jaren nadat de minderjarige de leeftijd van een en twintig jaren heeft bereikt, nog niet door de raad voor de kinderbescherming zijn verwezenlijkt, mogen worden beëindigd. De onderhoudsgerechtigde wordt hiervan schriftelijk op de hoogte gesteld.

TITEL 18
Afwezigheid, vermissing en vaststelling van overlijden in bepaalde gevallen

AFDELING 1
Onderbewindstelling in geval van afwezigheid

Benoeming bewindvoerder

Art. 409. 1. Indien iemand die zijn woonplaats heeft verlaten niet voldoende orde op het bestuur van zijn goederen heeft gesteld, en er noodzakelijkheid bestaat om daarin geheel of gedeeltelijk te voorzien of de afwezige te doen vertegenwoordigen, benoemt de rechtbank, op verzoek van belanghebbenden of op vordering van het openbaar ministerie, een bewindvoerder, ten einde het bewind over het geheel of een gedeelte van de goederen van de afwezige te voeren en diens overige belangen waar te nemen.

Gelijkstelling met verlaten van woonplaats

2. Voor de toepassing van deze afdeling wordt met iemand die zijn woonplaats heeft verlaten, gelijk gesteld hij wiens bestaan onzeker is geworden of die onbereikbaar is, ook al staat niet vast dat hij zijn woonplaats heeft verlaten.

Toepasselijkheid bepalingen over voogdijbewind

Art. 410. 1. Voor zover de rechtbank niet anders bepaalt, vinden op het bewind van de bewindvoerder de artikelen 338, 340, 342-357, 358 lid 1 en 359-363 van dit boek overeenkomstige toepassing, met uitzondering van het aldaar met betrekking tot de toeziende voogd bepaalde en met dien verstande dat de bewindvoerder verplicht is jaarlijks ter griffie van het kantongerecht ter plaatse waar de rechtbank gevestigd is, een rekening in te dienen van zijn bewind.

2. De bewindvoerder komt als beloning toe vijf ten honderd van de netto-opbrengst der door hem beheerde goederen, tenzij de kantonrechter daarvoor om bijzondere redenen een ander bedrag vaststelt.

3. Goedkeuring van een ingediende rekening door de kantonrechter brengt geen nadeel toe aan de bevoegdheid van de rechthebbenden om na het einde van het bewind over dezelfde tijdruimte rekening en verantwoording te vragen.

4. Voor andere belangen dan vermogensbelangen van de afwezige kan de bewindvoerder slechts na een daartoe strekkende bijzondere machtiging van de rechtbank opkomen.

5. De rechtbank kan te allen tijde de bewindvoerder ontslaan en door een ander vervangen.

Einde bewind van bewindvoerder

Art. 411. Het bewind eindigt:
a. door een gezamenlijk besluit van de rechthebbende en de bewindvoerder;
b. door opzegging door de rechthebbende aan de bewindvoerder met inachtneming van een termijn van een maand;
c. wanneer de dood van de rechthebbende komt vast te staan.

AFDELING 2
Personen wier bestaan onzeker is

Machtiging uitoefening recht van erfgenaam of legataris

Art. 412. 1. Wanneer aan een persoon wiens bestaan onzeker is een erfdeel of een legaat opkomt, waartoe, indien hij niet in leven mocht zijn, anderen zouden gerechtigd zijn, verleent de rechtbank, aan die anderen op hun verzoek machtiging tot de uitoefening van het recht van erfgenaam of legataris.

2. De rechtbank kan zo nodig, openbare oproepingen bevelen en behoedmiddelen ten behoeve van de belanghebbenden voorschrijven.

3. Indien na het verlenen van de machtiging mocht blijken, dat de vermiste op de dag van het openvallen der nalatenschap heeft bestaan, kan de teruggave van de in bezit genomen goederen en van de vruchten worden gevorderd, op de voet en onder de beperkingen als hierna bij de verklaring van vermoedelijk overlijden is aangegeven.

Gronden voor verklaring rechtsvermoeden van overlijden

Art. 413. 1. Is het bestaan van een persoon onzeker en is de in het volgende lid aangegeven tijdruimte verlopen, dan kunnen belanghebbenden de rechtbank verzoeken dat zij hun zal gelasten de vermiste op te roepen ten einde van zijn in leven zijn te doen blijken, en dat zij, zo hiervan niet blijkt, zal verklaren dat er rechtsvermoeden van overlijden van de vermiste bestaat.

Termijn van afwezigheid

2. *a.* De in het vorige lid bedoelde tijdruimte beloopt vijf jaren, te rekenen van het vertrek van de vermiste of de laatste tijding van zijn leven.
b. De termijn wordt verkort tot drie jaren, wanneer hij vermist wordt in verband met oorlogsomstandigheden, een natuurramp of een andere ramp.
c. De termijn wordt verkort tot een jaar, wanneer hij heeft behoord tot de opvarenden van een schip waarvan gedurende die tijd geen berichten zijn binnengekomen, of wanneer hij is vermist ter gelegenheid van een noodlottige gebeurtenis aan een schip of een deel van de opvarenden overkomen. In het laatste geval loopt de termijn van de dag waarop de noodlottige gebeurtenis wordt geacht te hebben plaatsgegrepen. Het hier bepaalde geldt eveneens ten aanzien van de inzittenden van een luchtvaartuig.

Art. 414. 1. De rechtbank stelt dag en uur vast, waartegen de vermiste moet worden opgeroepen. De oproep loopt op een termijn van een maand of zoveel langer als de rechtbank mocht bevelen. De wijze van oproeping wordt bij algemene maatregel van bestuur geregeld.

Oproepen van vermiste

2. Indien de vermiste niet verschijnt, noch iemand voor hem opkomt die behoorlijk van het in leven zijn van de vermiste doet blijken, wordt de in het vorige lid bedoelde beschikking tweemaal herhaald.

3. Is ook op de derde oproeping niemand verschenen die behoorlijk van het in leven zijn van de vermiste heeft doen blijken, dan verklaart de rechtbank dat er rechtsvermoeden van overlijden bestaat, onverminderd haar bevoegdheid eerst nog het horen van getuigen en de overlegging van bewijsstukken te gelasten, ten bewijze dat is voldaan aan de vereisten die het vorige artikel stelt.

Verklaring rechtsvermoeden van overlijden

4. De beschikking, houdende verklaring dat er rechtsvermoeden van overlijden bestaat, noemt de dag waarop de vermiste wordt vermoed te zijn overleden; als zodanig geldt de dag volgende op die van de laatste tijding van zijn leven, tenzij voldoende vermoedens bestaan, dat hij daarna nog enige tijd in leven was.

Art. 415. Vervallen.

Art. 416. Geen hogere voorziening is toegelaten tegen beschikkingen, houdende bevel tot oproeping van de vermiste.

Hoger beroep

Art. 417. 1. Zodra de beschikking, houdende verklaring dat er rechtsvermoeden van overlijden bestaat, in kracht van gewijsde is gegaan, zendt de griffier van het college waarvoor de zaak laatstelijk aanhangig was, een afschrift van de beschikking aan de ambtenaar van de burgerlijke stand van de verlaten woonplaats of, bij gebreke van verlaten woonplaats in Nederland, van de gemeente 's-Gravenhage. Deze ambtenaar maakt van de beschikking een akte van inschrijving op, welke in overeenstemming is met de beschikking en dit uitdrukkelijk vermeldt.

Opmaken van overlijdensakte

2. Deze akte van overlijden bewijst ten aanzien van een ieder dwingend, dat de vermiste op de in de akte vermelde dag is overleden.

Art. 418. 1. Erfgenamen en legatarissen van hem, die vermoedelijk overleden is verklaard, zijn verplicht alvorens zij de goederen der nalatenschap in bezit nemen, ten genoegen van de kantonrechter zekerheid te stellen voor hetgeen zij aan de overledene, mocht deze terugkeren, of aan erfgenamen of legatarissen die een beter recht mochten hebben, moeten afdragen.

Zekerheidstelling door erfgenamen

2. De erfgenamen zijn verplicht na de inbezitneming een behoorlijke boedelbeschrijving op te maken.

Boedelbeschrijving

3. Registergoederen mogen niet vervreemd of bezwaard worden, tenzij om gewichtige redenen en met verlof van de kantonrechter. Kunnen zij bij een boedelscheiding niet zonder verkoop worden verdeeld, dan worden zij onder bewind van een derde gesteld, die de inkomsten van die goederen overeenkomstig hetgeen dienaangaande bij de verdeling is vastgesteld zal uitkeren.

Registergoederen

4. De verdeling geschiedt bij authentieke akte, waaruit tevens moet blijken wat aan legatarissen of andere gerechtigden is uitgekeerd.

Verdeling der nalatenschap

5. De goederen der nalatenschap mogen niet worden verkwist en daaruit mogen niet bovenmatige giften worden gedaan.

6. Erfgenamen en legatarissen zijn verplicht desgevraagd aan de kantonrechter de nodige inlichtingen te geven.

Verplichtingen erfgenamen

7. De in dit artikel genoemde verplichtingen vervallen, wanneer tien jaren zijn verlopen na de dag waarop de akte van overlijden overeenkomstig artikel 417 van dit Boek is opgemaakt.

Art. 419. De akte waarbij zekerheid is gesteld, de boedelbeschrijving en de akte van verdeling moeten in origineel of in authentiek afschrift worden neergelegd ter griffie van het kantonrecht.

Neerleggen stukken ter griffie

Art. 420. 1. Wanneer het aan de kantonrechter blijkt, dat een erfgenaam of legataris de hem in de twee voorgaande artikelen opgelegde verplichtingen niet is nagekomen, kan hij voor de goederen die aan die erfgenaam of legataris uit de nalatenschap toekomen, een bewindvoerder benoemen, wiens bewind eindigt, wanneer de kantonrechter beslist dat de betrokkene alsnog zijn wettelijke verplichtingen heeft nageleefd.

Benoeming bewindvoerder

2. Voor zover de kantonrechter niet anders bepaalt, vinden op het bewind van de bewindvoerder de artikelen 338, 340, 342-357, 358 lid 1 en 359-363 van dit boek overeenkomstige toepassing, met uitzondering van het aldaar met betrekking tot de toeziende voogd bepaalde en met dien verstande dat de bewindvoerder verplicht is jaarlijks ter griffie van het kantongerecht een rekening in te dienen van zijn bewind.
3. De bewindvoerder komt als beloning toe vijf ten honderd van de netto-opbrengst der door hem beheerde goederen, tenzij de kantonrechter daarvoor om bijzondere redenen een ander bedrag vaststelt.
4. De kantonrechter kan te allen tijde de bewindvoerder ontslaan en door een ander vervangen.

Toepasselijkheid bepalingen omtrent erfgenamen

Art. 421. Hetgeen in de vorige drie artikelen is bepaald omtrent erfgenamen, die goederen uit de nalatenschap ontvangen, is van overeenkomstige toepassing op de echtgenoot, die goederen ontvangt ten gevolge van de ontbinding van een huwelijksgemeenschap of de beëindiging van een deelgenootschap. Voor het uit dezen hoofde ontvangene behoeft echter geen zekerheid te worden gesteld.

Gevolgen terugkeer vermiste of onjuiste overlijdensdatum

Art. 422. 1. Wanneer de vermiste terugkeert, of wanneer blijkt dat de dag van overlijden in de akte van overlijden onjuist is vermeld, is ieder die enige goederen van de vermiste ingevolge de vorige artikelen in zijn bezit of onder zijn bewind heeft, aan de teruggekeerde of aan hen die alsdan blijken tot de goederen gerechtigd te zijn, rekening, verantwoording en afgifte schuldig.
2. Rechten door derden te goeder trouw verkregen worden geëerbiedigd. In geval echter goederen om niet zijn vervreemd, kan de rechter aan de rechthebbenden, en ten laste van hem die daardoor voordeel heeft genoten, een naar billijkheid te bepalen vergoeding toekennen.
3. Is het leven van de vermiste ten behoeve van derden verzekerd geweest, dan behouden dezen hun recht op hetgeen aan hen op het tijdstip van de terugkeer van de verzekerde is uitbetaald of als reeds opeisbaar was verschuldigd; in dat geval kunnen aan de verzekering geen andere rechten op de uitkering worden ontleend.

Gevolgen onjuiste overlijdensakte

Art. 423. 1. Indien binnen vijf jaar na de dag waarop de akte van overlijden overeenkomstig artikel 417 van dit Boek is opgemaakt, wordt bewezen dat deze akte onjuist is, zijn zij die te goeder trouw de vruchten van de nalatenschap hebben genoten, slechts verplicht daarvan de helft terug te geven; wordt de onjuistheid later bewezen, dan behoeven zij geen vruchten terug te geven.
2. Indien eerst meer dan tien jaar na de dag waarop de akte is opgemaakt, wordt bewezen dat de akte onjuist is, zijn zij die de goederen te goeder trouw in bezit hebben genomen, slechts verplicht de alsdan nog aanwezige goederen in de staat waarin zij zich bevinden, af te geven, benevens de prijs van de vervreemde goederen of de goederen die daarvoor in de plaats zijn getreden; alles zonder enige vruchten of vergoeding voor niet meer aanwezige goederen en zonder verplichting van rekening en verantwoording.
3. Iedere verbintenis tot teruggave vervalt, wanneer twintig jaar na de dag waarop de akte is opgemaakt, zijn verlopen.

Verlof rechtbank voor nieuw huwelijk

Art. 424. 1. Overlegging van een overeenkomstig artikel 417 van dit boek opgemaakte akte van overlijden is voor de achtergebleven echtgenoot niet voldoende om een nieuw huwelijk aan te gaan; hij behoeft hiertoe bovendien een hem door de rechtbank op zijn verzoek verleend verlof.

Uitstel verlof

2. De rechtbank kan het geven van het verlof uitstellen tot nog uiterlijk vijf jaren boven de in artikel 413 lid 2 van dit boek bedoelde tijd; zij kan ook, alvorens uitspraak te doen, het horen van getuigen, de overlegging van bewijsstukken, of nadere oproepingen en plaatsing daarvan in de door haar aan te wijzen dagbladen bevelen, wanneer zij dit in het belang van de vermiste nodig oordeelt.

Verlof van rechtswege

3. Indien na het verleende verlof, maar vóór het aangaan van een ander huwelijk, de vermiste terugkeert of iemand het bewijs van diens leven levert, vervalt het verlof van rechtswege.

Ontbinding huwelijk met in leven zijnde vermiste

4. Indien de achtergebleven echtgenoot krachtens het rechterlijk verlof een nieuw huwelijk aangaat, doch de vermiste op dat ogenblik nog in leven is, wordt het huwelijk met de vermiste ontbonden door de voltrekking van het nieuwe huwelijk.

Staat van voor nieuw huwelijk geboren kinderen

Art. 425. Indien de achtergebleven echtgenote van een vermiste met inachtneming van het vorige artikel een nieuw huwelijk is aangegaan, doch de vermiste nog in leven was na de dag die als datum van overlijden was vermeld in de overeenkomstig artikel 417 van dit boek opgemaakte akte, zoals deze bij de voltrekking van het nieuwe huwelijk luidde, wordt niettemin voor de bepaling van de staat van haar kinderen die voor het nieuwe huwelijk zijn geboren, het huwelijk met de vermiste geacht te zijn ontbonden op de in die akte vermelde dag.

AFDELING 3
Vaststelling van overlijden in bepaalde gevallen

Art. 426. 1. Indien het lichaam van een vermist persoon niet is kunnen worden teruggevonden doch, alle omstandigheden in aanmerking genomen, zijn overlijden als zeker kan worden beschouwd, kan op vordering van het openbaar ministerie of op verzoek van iedere belanghebbende de rechtbank verklaren dat de vermiste is overleden:
A. indien de vermissing heeft plaatsgevonden in Nederland;
B. indien de vermissing heeft plaatsgevonden tijdens een reis met een in Nederland thuisbehorend schip of luchtvaartuig;
C. indien de vermiste Nederlander was;
D. indien de vermiste zijn woon- of verblijfplaats had in Nederland.

2. Indien een persoon buiten Nederland is overleden en geen overlijdens-akte is opgemaakt of kan worden overgelegd, kan op vordering van het openbaar ministerie of op verzoek van iedere belanghebbende de rechtbank verklaren dat die persoon is overleden:
A. indien het overlijden heeft plaatsgevonden tijdens een reis met een in Nederland thuisbehorend schip of luchtvaartuig;
B. indien de overledene Nederlander was;
C. indien de overledene zijn woon- of verblijfplaats had in Nederland.

3. Voor zover mogelijk bevatten de vordering of het verzoek bedoeld in het eerste en tweede lid, of daarmee vergezeld gaande bescheiden de in artikel 427 van dit boek genoemde gegevens.

Art. 427. 1. De beschikking, houdende verklaring dat de in artikel 426 bedoelde persoon is overleden, noemt de dag en zo mogelijk het uur van het overlijden. Indien de dag van overlijden niet bekend is, wordt deze door de rechtbank vastgesteld en in de beschikking vermeld. De rechtbank houdt hierbij rekening met alle bewijzen en aanwijzingen omtrent de omstandigheden waaronder, of het tijdstip waarop het overlijden moet hebben plaatsgehad.

2. Voorts vermeldt de beschikking de geslachtsnaam, de voornamen, de kunne en, zo mogelijk, de plaats van het overlijden, de woonplaats van de overledene, de plaats en de dag van geboorte van de overledene en de geslachtsnaam en de voornamen van de persoon of van de personen, met wie de overledene gehuwd is geweest.

Art. 428. (Vervallen bij de wet van 7 juli 1994, Stb. 570).

Akte van inschrijving

Art. 429. De griffier van het college waarvoor de zaak laatstelijk aanhangig was, zendt een afschrift van de beschikking, zodra deze in kracht van gewijsde is gegaan, aan de ambtenaar van de burgerlijke stand van de gemeente 's-Gravenhage. Deze maakt van de beschikking een akte van inschrijving op, die hij in het register van overlijden opneemt.

Art. 430. De akten, opgemaakt volgens artikel 429, gelden als akten van overlijden in de zin van artikel 19, eerste lid, van dit boek.

TITEL 19
Onderbewindstelling ter bescherming van meerderjarigen

Instelling bewind door kantonrechter

Art. 431. 1. Indien een meerderjarige als gevolg van zijn lichamelijke of geestelijke toestand tijdelijk of duurzaam niet in staat is ten volle zijn vermogensrechtelijke belangen zelf behoorlijk waar te nemen, kan de kantonrechter een bewind instellen over één of meer van de goederen, die hem als rechthebbende toebehoren of zullen toebehoren. Onder aan de meerderjarige toebehorende goederen zijn in deze titel begrepen goederen die behoren tot een huwelijksgemeenschap waarin hij gehuwd is, en die niet uitsluitend onder het bestuur van zijn echtgenoot staan.

2. Indien te verwachten is dat een minderjarige op het tijdstip waarop hij meerderjarig zal worden, in de in het vorige lid bedoelde toestand zal verkeren, kan het bewind reeds voor de meerderjarigheid worden ingesteld.

3. De rechter bij wie een vordering tot het verlenen van een voorlopige machtiging of een machtiging tot voortgezet verblijf als bedoeld in de Wet bijzondere opnemingen in psychiatrische ziekenhuizen, dan wel een machtiging als bedoeld in artikel 33, eerste lid, van die wet aanhangig is, is tevens bevoegd tot de kennisneming van een vordering tot instelling van het bewind.

Instelling op verzoek vordering of ambtshalve

Art. 432. 1. Instelling van het bewind kan worden verzocht door de rechthebbende, zijn echtgenoot of andere levensgezel, zijn bloedverwanten in de rechte lijn en die in de zijlijn tot de vierde graad ingesloten, zijn voogd, zijn curator of zijn mentor als bedoeld in titel 20 van dit boek; zij kan ook worden gevorderd door het openbaar ministerie.

2. De rechter voor wie een verzoek of vordering tot ondercuratelestelling aanhangig is, kan bij afwijzing daarvan ambtshalve overgaan tot instelling van het bewind.

3. Een verzoek of vordering tot instelling van een bewind ten behoeve van een rechthebbende die onder cuatele is gesteld, wordt aanhangig gemaakt bij de rechter die bevoegd is over opheffing van de curatele te beslissen. Deze rechter kan, bij opheffing van een curatele, ook ambtshalve overgaan tot instelling van het bewind.

4. In geval van een bestuursopdracht, of een verzoek daartoe, als bedoeld in artikel 91 van dit boek, zijn het tweede en het derde lid van overeenkomstige toepassing.

Omvang van het bewind

Art. 433. 1. Tenzij bij de onderbewindstelling anders is bepaald, omvat het bewind ook de goederen die geacht moeten worden in de plaats van een aan het bewind onderworpen goed te treden, benevens de vruchten en andere voordelen die een onder bewind staand goed oplevert.

2. De kantonrechter kan, hetzij op verzoek van een persoon als bedoeld in artikel 432, eerste lid, of van een bewindvoerder, hetzij op vordering van het openbaar ministerie, hetzij ambtshalve, het ingestelde bewind tot een of meer andere goederen van de rechthebbende uitbreiden of een of meer goederen uit het bewind ontslaan; hij kan tevens handelingen als bedoeld in artikel 441 lid 2 onder f aanwijzen en de aanwijzing van zulke handelingen intrekken.

Art. 434. 1. In beschikkingen als bedoeld in de artikelen 432 en 433, tweede lid, van dit boek bepaalt de rechter ambtshalve welke goederen onder bewind worden gesteld, onderscheidenlijk uit het bewind worden ontslagen.

Tijdstip inwerkingtreding

2. Onderbewindstelling van een goed en het ontslag van een goed uit het bewind treden in werking daags nadat de griffier van de beschikking mededeling aan de rechthebbende heeft gedaan, tenzij de beschikking een later tijdstip van ingang vermeldt. In het geval, bedoeld in artikel 431, tweede lid, treedt de onderbewindstelling in werking op het tijdstip waarop de rechthebbende meerderjarig wordt.

Benoeming bewindvoerder

Art. 435. 1. De rechter die het bewind instelt, benoemt daarbij of zo spoedig mogelijk daarna een bewindvoerder. In alle andere gevallen geschiedt de benoeming door de kantonrechter. De rechter vergewist zich van de bereidheid van de door hem te benoemen persoon.

2. Zo nodig kan een tijdelijke bewindvoerder worden benoemd.

3. De rechter volgt bij de benoeming van de bewindvoerder de uitdrukkelijke voorkeur van de rechthebbende, tenzij gegronde redenen zich tegen zodanige benoeming verzetten.

4. Tenzij het vorige lid is toegepast, wordt, indien de rechthebbende is gehuwd of een andere levensgezel heeft, bij voorkeur de echtgenoot of de andere levensgezel tot bewindvoerder benoemd. Is de vorige zin niet van toepassing, dan wordt bij voorkeur een van zijn ouders, kinderen, broers of zusters tot bewindvoerder benoemd. Huwt de rechthebbende of verkrijgt hij een andere levensgezel, dan kan ieder van hen verzoeken dat de echtgenoot of andere levensgezel van de rechthebbende in de plaats van de tegenwoordige bewindvoerder wordt benoemd.

5. Handelingsonbekwamen, zij van wie één of meer goederen onder een bewind als bedoeld in deze titel zijn gesteld en zij die in staat van faillissement verkeren, kunnen niet bewindvoerder worden.

6. Rechtspersonen met volledige rechtsbevoegdheid kunnen tot bewindvoerder worden benoemd.

7. De benoemde wordt bewindvoerder daags nadat de griffier hem van zijn benoeming mededeling heeft gedaan, tenzij de beschikking een later tijdstip vermeldt.

Verplichtingen bewindvoerder

Art. 436. 1. De bewindvoerder is verplicht zo spoedig mogelijk een beschrijving van de aan het bewind onderworpen goederen op te maken en een afschrift daarvan in te leveren ter griffie van het ingevolge artikel 896 van het Wetboek van Burgerlijke Rechtsvordering bevoegde kantongerecht.
2. De artikelen 363 en 364 van dit boek zijn van overeenkomstige toepassing.
3. Indien tot het bewind registergoederen behoren, is de bewindvoerder verplicht zo spoedig mogelijk de desbetreffende rechterlijke beschikkingen en zijn benoeming in de openbare registers te doen inschrijven. Is een onderneming of een aandeel in een vennootschap onder firma onder bewind gesteld, dan is de bewindvoerder verplicht de desbetreffende rechterlijke beschikkingen en zijn benoeming in het handelsregister te doen inschrijven. Is een aandeel in een rederij onder bewind gesteld, dan is de bewindvoerder verplicht het bewind en zijn benoeming in het scheepsregister te doen inschrijven.
4. Tenzij de kantonrechter anders bepaalt, is de bewindvoerder verplicht zo spoedig mogelijk een rekening te openen bij een ingevolge artikel 52 van de Wet toezicht kredietwezen 1992 geregistreerde kredietinstelling; de bewindvoerder is voorts verplicht om uitsluitend voor de betalingen die hij bij de vervulling van zijn taak verricht of ontvangt zoveel mogelijk van deze rekening gebruik te maken.
5. De kantonrechter kan te allen tijde de bewindvoerder ten verhore doen oproepen. Deze is verplicht alle door de kantonrechter gewenste inlichtingen te verstrekken.

Twee of meer bewindvoerders

Art. 437. 1. De rechter kan twee of meer bewindvoerders benoemen, indien hij dit in het belang van een goed bewind nodig acht.
2. Zijn er twee of meer bewindvoerders, dan kan, tenzij de rechter anders bepaalt, ieder van hen alle werkzaamheden die tot het bewind behoren, alleen verrichten.
3. Bij verschil van mening tussen de bewindvoerders beslist op verzoek van een van hen de kantonrechter. Deze kan ook een verdeling van het loon vaststellen.

Beheer en beschikking over goederen

Art. 438. 1. Tijdens het bewind komt het beheer over de onder bewind staande goederen niet toe aan de rechthebbende maar aan de bewindvoerder.
2. Tijdens het bewind kan de rechthebbende slechts met medewerking van de bewindvoerder of, indien deze weigerachtig is, met machtiging van de kantonrechter over de onder het bewind staande goederen beschikken.

Ongeldige of onbevoegde rechtshandelingen

Art. 439. 1. Indien een rechtshandeling ongeldig is, omdat zij ondanks het bewind werd verricht door of gericht tot de rechthebbende, kan deze ongeldigheid aan de wederpartij slechts worden tegengeworpen, zo deze het bewind kende of had behoren te kennen.
2. Indien een goed is vervreemd of bezwaard door iemand die daartoe ingevolge het bewind niet bevoegd was, kan deze onbevoegdheid aan een verkrijger van het goed of een beperkt recht daarop slechts worden tegengeworpen, zo deze het bewind kende of had behoren te kennen.

Geen verhaal voor schulden

Art. 440. 1. Gedurende het bewind kunnen schulden die voortspruiten uit een handeling, tijdens het bewind met of jegens de rechthebbende, anders dan in overeenstemming met artikel 438, lid 2, verricht door een schuldeiser die het bewind kende of had behoren te kennen, niet op de onder het bewind staande goederen worden verhaald.
2. Indien de onderbewindstelling alle goederen betreft die daarvoor krachtens artikel 431, eerste lid, in aanmerking komen, is het vorige lid van overeenkomstige toepassing ten aanzien van niet onder het bewind staande goederen waarop verhaal mogelijk zou zijn.

Bevoegdheden bewindvoerder

Art. 441. 1. Tijdens het bewind vertegenwoordigt de bewindvoerder bij de vervulling van zijn taak de rechthebbende in en buiten rechte. De bewindvoerder draagt zorg voor een doelmatige belegging van het vermogen van de rechthebbende, voor zover dit onder het bewind staat en niet besteed behoort te worden voor een voldoende verzorging van de rechthebbende.
2. Hij behoeft echter toestemming van de rechthebbende of, indien deze daartoe niet in staat of weigerachtig is, machtiging van de kantonrechter voor de volgende

handelingen:
a. beschikken en aangaan van overeenkomsten tot beschikking over een onder het bewind staand goed, tenzij de handelingen als een gewone beheersdaad kan worden beschouwd of krachtens rechterlijk bevel geschiedt;
b. een making of gift waaraan lasten of voorwaarden zijn verbonden, aannemen;
c. geld lenen of de rechthebbende als borg of hoofdelijke medeschuldenaar verbinden;
d. overeenkomen dat een boedel, waartoe de rechthebbende gerechtigd is, voor een bepaalde tijd onverdeeld wordt gelaten;
e. het aangaan, buiten het geval van artikel 19 van het Wetboek van Burgerlijke Rechtsvordering, van een overeenkomst tot het beëindigen van het geschil, tenzij het voorwerp van het geschil een waarde van *f* 1500,— niet te boven gaat;
f. andere bij de instelling van het bewind of nadien aangewezen handelingen.

3. De kantonrechter kan ook aan de bewindvoerder een doorlopende machtiging met zodanige voorwaarden als hij geraden acht, verlenen om handelingen als in het vorige lid bedoeld te verrichten en een verleende machtiging te allen tijde wijzigen of intrekken.

4. De bewindvoerder is, met uitsluiting van de rechthebbende, bevoegd de verdeling te vorderen van goederen, waarvan een onverdeeld aandeel tot zijn bewind behoort. Tot een verdeling, ook al geschiedt zij krachtens rechterlijk bevel, behoeft de bewindvoerder toestemming of machtiging overeenkomstig het tweede lid. De kantonrechter kan, in stede van machtiging te verlenen, met overeenkomstige toepassing van artikel 181 van Boek 3 een onzijdig persoon benoemen, die in plaats van de bewindvoerder de rechthebbende bij de verdeling vertegenwoordigt.

5. De bewindvoerder is, met uitsluiting van de rechthebbende, bevoegd een aan de rechthebbende opgekomen erfenis te aanvaarden. Tenzij de aanvaarding geschiedt met toestemming van de rechthebbende, kan de bewindvoerder niet anders aanvaarden dan onder het voorrecht van boedelbeschrijving.

Onwetendheid wederpartij

Art. 442. 1. Heeft iemand als bewindvoerder een rechtshandeling verricht, dan richten de rechten en verplichtingen van de wederpartij zich naar hetgeen dienaangaande is bepaald in titel 3 van Boek 3. Regels die de bevoegdheid van een bewindvoerder betreffen en feiten die voor een oordeel omtrent zijn bevoegdheid van belang zijn, kunnen niet aan de wederpartij worden tegengeworpen, indien deze daarmee niet bekend was of had behoren te zijn.

Aansprakelijkheid voor schulden

2. De rechthebbende is, onverminderd het bepaalde in artikel 172 van Boek 6, aansprakelijk voor alle schulden die voortspruiten uit rechtshandelingen die de bewindvoerder in zijn hoedanigheid in naam van de rechthebbende verricht. Wanneer hij onder bewind staande goederen aanwijst die voor de schuld voldoende verhaald bieden, is hij niet verplicht de schuld ten laste van zijn overige vermogen te voldoen.

Machtiging bewindvoerder

Art. 443. De bewindvoerder kan alvorens in rechte op te treden zich te zijner verantwoording doen machtigen door de rechthebbende of, indien deze daartoe niet in staat of weigerachtig is, door de kantonrechter.

Aansprakelijkheid bewindvoerder

Art. 444. Een bewindvoerder is jegens de rechthebbende aansprakelijk, indien hij in de zorg van een goed bewindvoerder te kort schiet, tenzij de tekortkoming hem niet kan worden toegerekend.

Rekening en verantwoording

Art. 445. 1. De bewindvoerder legt, tenzij andere tijdstippen zijn bepaald, jaarlijks en aan het einde van het bewind rekening en verantwoording af aan de rechthebbende, alsmede aan het einde van zijn taak aan zijn opvolger. De rekening en verantwoording wordt afgelegd ten overstaan van de kantonrechter.

2. Indien de rechthebbende niet in staat is de rekening op te nemen, of het onzeker is wie de rechthebbende is, wordt de rekening en verantwoording afgelegd aan de kantonrechter. Goedkeuring van deze rekening en verantwoording door de kantonrechter belet niet dat de rechthebbende na het einde van het bewind nogmaals over dezelfde tijdsruimte rekening en verantwoording vraagt, voor zover dit niet onredelijk is.

3. De kantonrechter kan de bewindvoerder — hetzij op diens verzoek, hetzij ambtshalve — vrijstellen van de verplichting om de periodieke rekening en verantwoording te zijnen overstaan af te leggen; hij kan ook bepalen dat deze wijze van aflegging der rekening en verantwoording slechts om een door hem te bepalen aantal jaren zal geschieden.

4. Voor het overige vindt het aangaande de voogdijrekening in de afdeling 12 en 13 van titel 15 van dit boek bepaalde overeenkomstige toepassing.

Uitkering en afdracht goederen

Art. 446. 1. Voor zover de kantonrechter niet anders bepaalt, wordt bij het afleggen van de periodieke rekening en verantwoording hetgeen de goederen netto aan vruchten hebben opgebracht, onder aftrek van de verschuldigde beloning, aan de rechthebbende uitgekeerd. Op verzoek van de rechthebbende kan de kantonrechter andere tijdstippen voor de uitkering vaststellen.
2. Bij zijn eindrekening en verantwoording draagt de bewindvoerder alle goederen af aan hem die na hem tot het beheer der goederen bevoegd is. De bewindvoerder is bevoegd de afdracht op te schorten tot de voldoening van een hem toekomend saldo.
3. Wordt de rekening en verantwoording aan de kantonrechter afgelegd, dan blijven, tenzij de kantonrechter anders bepaalt, de netto-opbrengst of de af te dragen goederen onder het bewind van de bewindvoerder, totdat de rechthebbende tot de ontvangst in staat is of de onzekerheid, wie rechthebbende is, is opgeheven.

Beloning bewindvoerders

Art. 447. 1. Tenzij de beloning bij de instelling van het bewind anders is geregeld, komt de bewindvoerder of, wanneer er meer bewindvoerders zijn, hun tezamen vijf ten honderd der netto-opbrengst van de onder bewind staande goederen toe. Op grond van bijzondere omstandigheden kan de kantonrechter, hetzij ambtshalve, hetzij op verzoek van de bewindvoerder of van de rechthebbende, voor bepaalde of onbepaalde tijd de beloning anders regelen dan bij de instelling of door de wet is aangegeven.
2. Zijn er twee of meer bewindvoerders, dan wordt het loon dat hun gezamenlijk toekomt, tussen hen verdeeld in evenredigheid met de betekenis van de door ieder van hen verrichte werkzaamheden.

Einde taak bewindvoerder

Ontslag en schorsing

Art. 448. 1. De taak van de bewindvoerder eindigt:
a. bij het einde van het bewind;
b. door tijdsverloop, indien hij voor een bepaalde tijd was benoemd;
c. door zijn dood, faillietverklaring of ondercuratelestelling;
d. door de instelling van een bewind als bedoeld in deze titel over één of meer van zijn goederen;
e. door ontslag dat hem door de kantonrechter met ingang van een door deze bepaalde dag wordt verleend.
2. Het ontslag wordt hem verleend hetzij op eigen verzoek, hetzij wegens gewichtige redenen of omdat hij niet meer voldoet aan de eisen om bewindvoerder te kunnen worden, zulks op verzoek van een medebewindvoerder of de rechthebbende, op vordering van het openbaar ministerie of ambtshalve. Hangende het onderzoek kan de kantonrechter voorlopige voorzieningen in het bewind treffen en de bewindvoerder schorsen.

Verplichtingen gewezen bewindvoerder

3. Een gewezen bewindvoerder blijft verplicht al datgene te doen, wat niet zonder nadeel voor de rechthebbende kan worden uitgesteld, totdat degene die na hem tot het beheer van de goederen bevoegd is, dit heeft aanvaard. In de gevallen genoemd in het eerste lid onder c, rust deze verplichting op zijn erfgenamen, onderscheidenlijk de curator, indien zij van het bewind kennisdragen; in het geval genoemd in het eerste lid onder d, geldt dit voor de bewindvoerder, belast met het daar bedoelde bewind.
4. Artikel 384 van dit boek is van overeenkomstige toepassing.

Einde bewind

Art. 449. 1. Het bewind eindigt door het verstrijken van de tijdsduur waarvoor het is ingesteld en door de dood of ondercuratelestelling van de rechthebbende.
2. De kantonrechter kan, indien de oorzaken die tot de onderbewinstelling aanleiding heben gegeven, niet meer bestaan, het bewind opheffen op verzoek van de rechthebbende of op vordering van het openbaar ministerie; de beschikking treedt in werking zodra zij in kracht van gewijsde is gegaan, tenzij zij een eerder tijdstip van ingang aanwijst.

TITEL 20
Mentorschap ten behoeve van meerderjarigen

Instelling mentorschap

Art. 450. 1. Indien een meerderjarige als gevolg van zijn geestelijke of lichamelijke toestand tijdelijk of duurzaam niet in staat is of bemoeilijkt wordt zijn belangen van niet-vermogensrechtelijke aard zelf behoorlijk waar te nemen, kan de kantonrechter te zijnen behoeve een mentorschap instellen.

2. Indien te verwachten is dat een minderjarige op het tijdstip waarop hij meerderjarig zal worden, in de in het eerste lid bedoelde toestand zal verkeren, kan het mentorschap reeds voor de meerderjarigheid worden instesteld.

3. Het mentorschap kan eveneens worden ingesteld, indien te verwachten is dat een meerderjarige binnen afzienbare tijd in de in het eerste lid bedoelde toestand zal verkeren.

4. De rechter bij wie een vordering tot het verlenen van een voorlopige machtiging of een machtiging tot voortgezet verblijf als bedoeld in de Wet bijzondere opnemingen in psychiatrische ziekenhuizen, dan wel een machtiging als bedoeld in artikel 33, eerste lid, van die wet aanhangig is, is tevens bevoegd tot kennisneming van een vordering tot stelling van een mentorschap.

Verzoek tot mentorschap

Art. 451. 1. Het mentorschap kan worden verzocht door de betrokken persoon, zijn echtgenoot of andere levensgezel, zijn bloedverwanten in de rechte lijn en die in de zijlijn tot en met de vierde graad, zijn voogd, zijn curator of zijn bewindvoerder als bedoeld in titel 19 van dit boek. In het in artikel 450, derde lid, van dit boek bedoelde geval kan het mentorschap uitsluitend worden verzocht door de betrokkene.

2. Het mentorschap kan, behoudens in het in artikel 450, derde lid, van dit boek bedoelde geval, voorts worden gevorderd door het openbaar ministerie of worden verzocht door degene die de instelling waar de betrokkene duurzaam wordt verzorgd, exploiteert of die daarvan de leiding heeft. In het laatste geval wordt in het verzoekschrift tevens vermeld waarom de in het eerste lid genoemde personen — bloedverwanten in de zijlijn in de derde en vierde graad daaronder niet begrepen — niet tot indiening van een verzoekschrift zijn overgegaan.

3. De rechter bij wie een verzoek of vordering tot ondercuratelestelling aanhangig is, kan bij afwijzing daarvan ambtshalve overgaan tot instelling van het mentorschap.

4. Een verzoek of vordering tot omzetting van curatele in mentorschap ten behoeve van een persoon die onder curatele is gesteld, wordt aanhangig gemaakt bij de rechter die bevoegd is over opheffing van de curatele te beslissen. Deze rechter kan, bij opheffing van de curatele, ook ambtshalve overgaan tot instelling van het mentorschap.

Inwerkingtreding mentorschap

5. Het mentorschap treedt in werking daags nadat de griffier van de beschikking mededeling aan de betrokken persoon heeft gedaan, tenzij de beschikking een later tijdstip van ingang vermeldt. In het geval, bedoeld in artikel 450, tweede lid, van dit boek treedt het mentorschap in werking op het tijdstip waarop de betrokken persoon meerderjarig wordt.

Benoeming mentor

Art. 452. 1. De rechter die het mentorschap instelt, benoemt daarbij of zo spoedig mogelijk daarna een mentor. In geval van vervanging van de mentor geschiedt de benoeming door de kantonrechter. De rechter vergewist zich van de bereidheid en vormt zich een oordeel over de geschiktheid van de te benoemen persoon.

2. Zo nodig kan een tijdelijke mentor worden benoemd.

3. De rechter volgt bij de benoeming van de mentor de uitdrukkelijke voorkeur van de betrokkene, tenzij gegronde redenen zich tegen zodanige benoeming verzetten.

4. Tenzij het vorige lid is toegepast, wordt, indien de betrokkene is gehuwd of een andere levensgezel heeft, bij voorkeur de echtgenoot of de andere levensgezel tot mentor benoemd. Is de vorige zin niet van toepassing, dan wordt bij voorkeur een van zijn ouders, kinderen, broers of zusters tot mentor benoemd. Huwt de betrokkene of verkrijgt hij een andere levensgezel, dan kan ieder van hen verzoeken dat de echtgenoot of andere levensgezel van de betrokkene in de plaats van de tegenwoordige mentor wordt benoemd.

5. Indien ten behoeve van de betrokkene in een bewind als bedoeld in titel 19 van dit boek is voorzien, wordt, indien de bewindvoerder een natuurlijke persoon is, bij voorkeur de bewindvoerder tot mentor benoemd.

Uitgesloten mentorschap

6. Geen mentor kunnen worden:

a. handelingsonbekwamen;

b. zij ten behoeve van wie een mentorschap is ingesteld;

c. rechtspersonen;

d. de direct betrokken of behandeld hulpverlener;

e. personen behorende tot de leiding of tot het personeel van de instelling waar de betrokkene verblijft.

7. De taak van de mentor vangt aan daags nadat de grifier hem van zijn benoeming mededeling heeft gedaan, tenzij de beschikking een later tijdstip vermeldt.

Geen rechtshandelingen m.b.t. eigen gezondheidszorg

Art. 453. 1. Tenzij uit wet of verdrag anders voortvloeit, is de betrokkene tijdens het mentorschap onbevoegd rechtshandelingen te verrichten in aangelegenheden betreffende zijn verzorging, verpleging, behandeling en begeleiding.

2. Met betrekking tot de in het eerste lid bedoelde rechtshandelingen vertegenwoordigt de mentor de betrokkene in en buiten rechte, tenzij op grond van wet of verdrag vertegenwoordiging uitgesloten is. De mentor kan de betrokkene toestemming verlenen deze rechtshandelingen zelf te verrichten.

3. Ten aanzien van andere handelingen dan rechtshandelingen betreffende de in het eerste lid genoemde aangelegenheden treedt de mentor, voor zover de aard van de desbestreffende handeling dit toelaat, in plaats van de betrokkene op.

4. De mentor geeft aan de betrokkene raad in hem betreffende aangelegenheden van niet-vermogensrechtelijke aard en waakt over diens belangen ter zake.

5. Verzet de betrokkene zich tegen een handeling van ingrijpende aard in aangelegenheden als in het tweede en derde lid bedoeld, dan kan die handeling slechts plaatsvinden indien zij kennelijk nodig is teneinde ernstig nadeel voor de betrokkene te voorkomen.

Art. 453a. 1. Indien de rechter dit noodzakelijk acht, beslist hij tevens dat artikel 246, vierde lid, van dit boek van overeenkomstige toepassing is.

2. Tijdens het mentorschap kan de rechter een beslissing nemen als in het eerste lid bedoeld, hetzij op verzoek van een persoon als bedoeld in artikel 451, eerste en tweede lid, of van de mentor, hetzij op vordering van het openbaar ministerie, hetzij ambtshalve.

Bevorderen zelfwerkzaamheid door mentor

Art. 454. 1. De mentor is gehouden degene ten behoeve van wie het mentorschap is ingesteld zo veel mogelijk bij de vervulling van zijn taak te betrekken. De mentor bevordert dat de betrokkene rechtshandelingen en andere handelingen zelf verricht, indien deze tot een redelijke waardering van zijn belangen ter zake in staat kan worden geacht. Hij betracht de zorg van een goed mentor.

2. De mentor is jegens de betrokkene aansprakelijk, indien hij in de zorg van een goed mentor te kort schiet, tenzij de tekortkoming hem niet kan worden toegerekend.

Aansprakelijkheid voor schulden

Art. 455. Degene ten behoeve van wie het mentorschap is ingesteld, is, onverminderd het bepaalde in artikel 172 van Boek 6, aanprakelijk voor alle schulden die voortspruiten uit rechtshandelingen die de mentor in zijn hoedanigheid in naam van de betrokkene verricht.

Machtiging door betrokkene of rechter

Art. 456. De mentor kan alvorens in rechte op te treden zich te zijner verantwoording doen machtigen door de betrokken of, indien deze daartoe niet in staat of weigerachtig is, door de kantonrechter.

Vernietigbaarheid rechtshandeling

Art. 457. 1. Een rechtshandeling verricht in strijd met artikel 453 van dit boek is overeenkomstig het tweede en derde lid vernietigbaar.

2. Indien de rechtshandeling is verricht door of gericht tot de betrokkene, kan een beroep op de vernietigbaarheid slechts worden gedaan jegens een persoon die het mentorschap kende of had behoren te kennen; jegens een zodanige persoon wordt de betrokkene vermoed onbevoegd te zijn geweest.

3. Indien de rechtshandeling is verricht door of gericht tot de mentor, kan een beroep op de vernietigbaarheid slechts worden gedaan jegens een persoon die de onbevoegdheid van de mentor kende of had behoren te kennen.

Art. 458. Voor zover een of meer van de goederen van de betrokkene onder een bewind als bedoeld in titel 19 van dit boek staan, is de bewindvoerder, indien hij niet tevens mentor is, niet tot optreden bevoegd ten aanzien van aangelegenheden als in artikel 453, eerste lid, van dit boek bedoeld.

Verslag aan kantonrechter

Art. 459. 1. De mentor doet desgevraagd van zijn werkzaamheden verslag aan de kantonrechter. De kantonrechter kan te allen tijde verschijning van de mentor in persoon gelasten. Deze is verplicht alle door de kantonrechter gewenste inlichtingen te verstrekken.

2. Aan het einde van zijn mentorschap doet de mentor van zijn werkzaamheden schriftelijk verslag aan zijn opvolger, aan de kantonrechter alsmede aan de betrokkene, indien het mentorschap door het verstrijken van de tijdsduur waarvoor het is ingesteld of door opheffing eindigt.

Vergoeding onkosten

Art. 460. 1. De mentor mag de bij de vervulling van zijn taak noodzakelijk gemaakte kosten aan de betrokkene in rekening brengen.

2. De rechter kan aan de mentor ten laste van de betrokkene een beloning toekennen indien hij zulks redelijk acht, de financiële draagkracht van betrokkene in aanmerking genomen.

Eindiging mentorschap

Art. 461. 1. De taak van de mentor eindigt:

a. bij het einde van het mentorschap;

b. door tijdsverloop, indien hij voor een bepaalde tijd was benoemd;

c. door zijn dood;

d. door zijn ondercuratelestelling of door instelling van een mentorschap te zijnen behoeve;

e. door ontslag dat hem door de kantonrechter met ingang van een door bepaalde dag wordt verleend.

2. Het ontslag wordt hem verleend hetzij op eigen verzoek, hetzij wegens gewichtige redenen of omdat hij niet meer voldoet aan de eisen om mentor te kunnen worden, zulks op verzoek van de betrokkene, op vordering van het openbaar ministerie of ambtshalve. Hangende het onderzoek kan de kantonrechter voorlopige voorzieningen in het mentorschap treffen en de mentor schorsen.

3. Een gewezen mentor blijft verplicht al datgene te doen, wat niet zonder nadeel voor de betrokkene kan worden uitgesteld, totdat wederom een persoon bevoegd is ten aanzien van de aangelegenheden bedoeld in artikel 453, eerste lid, van dit boek. In de gevallen genoemd in het eerste lid, onder d, rust deze verplichting op diens curator of mentor, indien deze van het mentorschap kennisdraagt.

4. Artikel 384 van dit boek is van overeenkomstige toepassing.

Art. 462. 1. Het mentorschap eindigt door het verstrijken van de tijdsduur waarvoor het is ingesteld en door de dood of ondercuratelestelling van de betrokkene.

2. De kantonrechter kan, indien de noodzaak daartoe niet meer bestaat, het mentorschap opheffen op verzoek van de betrokkene of zijn mentor, danwel op vordering van het openbaar ministerie. De beschikking treedt in werking zodra zij in kracht van gewijsde is gegaan, tenzij zij een eerder tijdstip van ingang aanwijst.

BOEK 2
RECHTSPERSONEN

TITEL 1
Algemene bepalingen

Publiekrechtelijke rechtspersonen

Art. 1. 1. De Staat, de provincies, de gemeenten, de waterschappen, alsmede alle lichamen waaraan krachtens de Grondwet verordenende bevoegdheid is verleend, bezitten rechtspersoonlijkheid.

2. Andere lichamen, waaraan een deel van de overheidstaak is opgedragen, bezitten slechts rechtspersoonlijkheid, indien dit uit het bij of krachtens de wet bepaalde volgt.

3. De volgende artikelen van deze titel, behalve artikel 5, gelden niet voor de in de voorgaande leden bedoelde rechtspersonen.

Kerkgenootschappen

Art. 2. 1. Kerkgenootschappen alsmede hun zelfstandige onderdelen en lichamen waarin zij zijn verenigd, bezitten rechtspersoonlijkheid.

2. Zij worden geregeerd door hun eigen statuut, voor zover dit niet in strijd is met de wet. Met uitzondering van artikel 5 gelden de volgende artikelen van deze titel niet voor hen; overeenkomstige toepassing daarvan is geoorloofd, voor zover deze is te verenigen met hun statuut en met de aard der onderlinge verhoudingen.

Privaatrechtelijke rechtspersonen

Art. 3. Verenigingen, coöperaties, onderlinge waarborgmaatschappijen, naamloze vennootschappen, besloten vennootschappen met beperkte aansprakelijkheid en stichtingen bezitten rechtspersoonlijkheid.

Authentieke akte

Art. 4. 1. Een rechtspersoon ontstaat niet bij het ontbreken van een door een notaris ondertekende akte of een verklaring van geen bezwaar, voor zover door de wet voor de totstandkoming vereist. Het ontbreken van kracht van authenticiteit aan een door een notaris ondertekende akte verhindert het ontstaan van de rechtspersoon slechts, indien die rechtspersoon in een bij die akte gemaakte uiterste wilsbeschikking in het leven zou zijn geroepen.

Vernietiging van oprichtingshandeling

2. Vernietiging van de rechtshandeling waardoor een rechtspersoon is ontstaan, tast diens bestaan niet aan. Het vervallen van de deelneming van een of meer oprichters van een rechtspersoon heeft op zichzelf geen invloed op de rechtsgeldigheid van de deelneming der overblijvende oprichters.

3. Is ten name van een niet bestaande rechtspersoon een vermogen gevormd, dan benoemt de rechter op verzoek van een belanghebbende of op vordering van het openbaar ministerie een of meer vereffenaars. Artikel 22 is van overeenkomstige toepassing.

4. Het vermogen wordt vereffend als dat van een ontbonden rechtspersoon in de voorgewende rechtsvorm. Degenen die zijn opgetreden als bestuurders, zijn hoofdelijk verbonden voor de tot dit vermogen behorende schulden die opeisbaar zijn geworden in het tijdvak waarin zij dit deden. Zij zijn eveneens verbonden voor de schulden die voortspruiten uit in die tijd ten behoeve van dit vermogen verrichte rechtshandelingen, voor zover daarvoor niemand ingevolge de vorige zin verbonden is. Ontbreken personen die ingevolge de vorige twee zinnen verbonden zijn, dan zijn degenen die handelden, hoofdelijk verbonden.

5. Indien alsnog een rechtspersoon wordt opgericht ter opvolging in het vermogen, kan de rechter desverzocht toestaan dat dit niet wordt vereffend, doch dat het in die rechtspersoon wordt ingebracht.

Gelijkstelling met natuurlijk persoon

Art. 5. Een rechtspersoon staat wat het vermogensrecht betreft, met een natuurlijk persoon gelijk, tenzij uit de wet het tegendeel voortvloeit.

Zonder openbaarmaking geen beroep tegen derden

Art. 6. 1. Op wijzigingen in statuten en reglementen en op ontbinding van de rechtspersoon, die krachtens dit boek moeten worden openbaar gemaakt, kan voordat deze openbaarmakingen en, in geval van statutenwijziging, de voorgeschreven openbaarmaking van de gewijzigde statuten zijn geschied, geen beroep worden gedaan tegen een wederpartij en derden die daarvan onkundig waren.

2. Een door de wet toegelaten beroep op statutaire onbevoegdheid van het bestuur of van een bestuurder tot vertegenwoordiging van de rechtspersoon bij een rechtshandeling kan tegen een wederpartij die daarvan onkundig was, niet worden gedaan, indien de beperking of uitsluiting van de bevoegdheid niet ten tijde van het verrichten van die rechtshandeling op de door de wet voorgeschreven wijzen was

openbaar gemaakt. Hetzelfde geldt voor een beroep op een beperking van de vertegenwoordigingsbevoegdheid van anderen dan bestuurders, aan wie die bevoegdheid bij de statuten is toegekend.

Geen beroep op onjuiste inschrijving

3. De rechtspersoon kan tegen een wederpartij die daarvan onkundig was, niet de onjuistheid of onvolledigheid van de in het register opgenomen gegevens inroepen. Juiste en volledige inschrijving elders of openbaarmaking van de statuten is op zichzelf niet voldoende bewijs dat de wederpartij van de onjuistheid of onvolledigheid niet onkundig was.

Geen beroep op onbekendheid

4. Voor zover de wet niet anders bepaalt, kan de wederpartij van een rechtspersoon zich niet beroepen op onbekendheid met een feit dat op een door de wet aangegeven wijze is openbaar gemaakt, tenzij die openbaarmaking niet is geschied op elke wijze die de wet vereist of daarvan niet de voorgeschreven mededeling is gedaan.

5. De beide vorige leden gelden niet voor rechterlijke uitspraken die in het faillissementsregister of het surséanceregister zijn ingeschreven.

Doel-overschrijding

Art. 7. Een door een rechtspersoon verrichte rechtshandeling, is vernietigbaar, indien daardoor het doel werd overschreden en de wederpartij dit wist of zonder eigen onderzoek moest weten; slechts de rechtspersoon kan een beroep op deze grond tot vernietiging doen.

Redelijkheid en billijkheid

Art. 8. 1. Een rechtspersoon en degenen die krachtens de wet en de statuten bij zijn organisatie zijn betrokken, moeten zich als zodanig jegens elkander gedragen naar hetgeen door redelijkheid en billijkheid wordt gevorderd.

2. Een tussen hen krachtens wet, gewoonte, statuten, reglementen of besluit geldende regel is niet van toepassing voor zover dit in de gegeven omstandigheden naar maatstaven van redelijkheid en billijkheid onaanvaardbaar zou zijn.

Bestuurstaak en aansprakelijkheid

Art. 9. Elke bestuurder is tegenover de rechtspersoon gehouden tot een behoorlijke vervulling van de hem opgedragen taak. Indien het een aangelegenheid betreft die tot de werkkring van twee of meer bestuurders behoort, is ieder van hen voor het geheel aansprakelijk terzake van een tekortkoming, tenzij deze niet aan hem is te wijten en hij niet nalatig is geweest in het treffen van maatregelen om de gevolgen daarvan af te wenden.

Boekhouding

Art. 10. 1. Het bestuur is verplicht van de vermogenstoestand van de rechtspersoon en van alles betreffende de werkzaamheden van de rechtspersoon, naar de eisen die voortvloeien uit deze werkzaamheden, op zodanige wijze een administratie te voeren en de daartoe behorende boeken, bescheiden en andere gegevensdragers op zodanige wijze te bewaren, dat te allen tijde de rechten en verplichtingen van de rechtspersoon kunnen worden gekend.

2. Onverminderd het bepaalde in de volgende titels is het bestuur verplicht jaarlijks binnen zes maanden na afloop van het boekjaar de balans en de staat van baten en lasten van de rechtspersoon te maken en op papier te stellen.

3. Het bestuur is verplicht de in de leden 1 en 2 bedoelde boeken, bescheiden en andere gegevensdragers gedurende tien jaren te bewaren.

4. De op een gegevensdrager aangebrachte gegevens, uitgezonderd de op papier gestelde balans en staat van baten en lasten, kunnen op een andere gegevensdrager worden overgebracht en bewaard, mits de overbrenging geschiedt met juiste en volledige weergave der gegevens en deze gegevens gedurende de volledige bewaartijd beschikbaar zijn en binnen redelijke tijd leesbaar kunnen worden gemaakt.

Boekjaar

Art. 10a. Het boekjaar van een rechtspersoon is het kalenderjaar, indien in de statuten geen ander boekjaar is aangewezen.

Aansprakelijkheid bij besturende rechtspersoon

Art. 11. De aansprakelijkheid van een rechtspersoon als bestuurder van een andere rechtspersoon rust tevens hoofdelijk op ieder die ten tijde van het ontstaan van de aansprakelijkheid van de rechtspersoon daarvan bestuurder is.

Art. 12. Het stemrecht over besluiten waarbij de rechtspersoon aan bepaalde personen, anders dan in hun hoedanigheid van lid, aandeelhouder of lid van een orgaan, rechten toekent of verplichtingen kwijtscheldt, kan door de statuten aan die personen en aan hun echtgenoot en bloedverwanten in de rechte lijn worden ontzegd.

Art. 13. 1. Een stem is nietig in de gevallen waarin een eenzijdige rechtshandeling nietig is; een stem kan niet worden vernietigd.

Stemrecht: nietigheid van een stem

2. Een onbekwame die lid is van een vereniging, kan zijn stemrecht daarin zelf uitoefenen, voorzover de statuten zich daartegen niet verzetten; in andere gevallen komt de uitoefening van het stemrecht toe aan zijn wettelijke vertegenwoordiger.

3. Tenzij de statuten anders bepalen, is het in de vergadering van een orgaan van een rechtspersoon uitgesproken oordeel van de voorzitter omtrent de uitslag van een stemming beslissend. Hetzelfde geldt voor de inhoud van een genomen besluit, voor zover werd gestemd over een niet schriftelijk vastgelegd voorstel.

4. Wordt onmiddellijk na het uitspreken van het oordeel van de voorzitter de juistheid daarvan betwist, dan vindt een nieuwe stemming plaats, indien de meerderheid der vergadering of, indien de oorspronkelijke stemming niet hoofdelijk of schriftelijk geschiedde, een stemgerechtigde aanwezige dit verlangt. Door deze nieuwe stemming vervallen de rechtsgevolgen van de oorspronkelijke stemming.

Art. 14. 1. Een besluit van een orgaan van een rechtspersoon, dat in strijd is met de wet of de statuten, is nietig, tenzij uit de wet iets anders voortvloeit.

Nietig besluit van een orgaan

2. Is een besluit nietig, omdat het is genomen ondanks het ontbreken van een door de wet of de statuten voorgeschreven voorafgaande handeling van of mededeling aan een ander dan het orgaan dat het besluit heeft genomen, dan kan het door die ander worden bekrachtigd. Is voor de ontbrekende handeling een vereiste gesteld, dan geldt dat ook voor de bekrachtiging.

3. Bekrachtiging is niet meer mogelijk na afloop van een redelijke termijn, die aan de ander is gesteld door het orgaan dat het besluit heeft genomen of door de wederpartij tot wie het was gericht.

Art. 15. 1. Een besluit van een orgaan van een rechtspersoon is, onverminderd het elders in de wet omtrent de mogelijkheid van een vernietiging bepaalde, vernietigbaar:

Vernietiging van besluit van een orgaan

a. wegens strijd met wettelijke of statutaire bepalingen die het tot stand komen van besluiten regelen;
b. wegens strijd met de redelijkheid en billijkheid die door artikel 8 worden geëist;
c. wegens strijd met een reglement.

2. Tot de bepalingen als bedoeld in het vorige lid onder a. behoren niet die welke de voorschriften bevatten waarop in artikel 14 lid 2 wordt gedoeld.

3. Vernietiging geschiedt door een uitspraak van de rechtbank van de woonplaats van de rechtspersoon:
a. op een vordering tegen de rechtspersoon van iemand die een redelijk belang heeft bij de naleving van de verplichting die niet is nagekomen, of
b. op vordering van de rechtspersoon zelf, ingesteld krachtens bestuursbesluit tegen degene die door de president der rechtbank is aangewezen op een daartoe gedaan verzoek van de rechtspersoon; in dat geval worden de kosten van het geding door de rechtspersoon gedragen.

4. Indien een bestuurder in eigen naam de vordering instelt, verzoekt de rechtspersoon de president der rechtbank iemand aan te wijzen, die terzake van het geding in de plaats van het bestuur treedt.

5. De bevoegdheid om vernietiging van het besluit te vorderen, vervalt een jaar na het einde van de dag, waarop hetzij aan het besluit voldoende bekendheid is gegeven, hetzij de belanghebbende van het besluit kennis heeft genomen of daarvan is verwittigd.

6. Een besluit dat vernietigbaar is op grond van lid 1 onder a, kan door een daartoe strekkend besluit worden bevestigd; voor dit besluit gelden dezelfde vereisten als voor het te bevestigen besluit. De bevestiging werkt niet zolang een tevoren ingestelde vordering tot vernietiging aanhangig is. Indien de vordering wordt toegewezen, geldt het vernietigde besluit als opnieuw genomen door het latere besluit, tenzij uit de strekking van dit besluit het tegendeel voortvloeit.

Bevestiging van vernietigbaar besluit

Art. 16. 1. De onherroepelijke uitspraak die de nietigheid van een besluit van een rechtspersoon vaststelt of die zulk een besluit vernietigt, is voor een ieder, behoudens request civiel of derdenverzet, bindend, indien de rechtspersoon partij in het geding is geweest. Request civiel komt ieder lid of aandeelhouder toe.

Rechtsmiddelen tegen uitspraak waarbij besluit nietig wordt verklaard/vernietigd wordt

2. Is het besluit een rechtshandeling van de rechtspersoon, die tot een wederpartij is gericht, of is het een vereiste voor de geldigheid van zulk een rechtshandeling, dan kan de nietigheid of vernietiging van het besluit niet aan die wederpartij worden tegengeworpen, indien deze het gebrek dat aan het besluit kleefde, kende noch

behoefde te kennen. Niettemin kan de nietigheid of vernietiging van een besluit tot benoeming van een bestuurder of een commissaris aan de benoemde worden tegengeworpen; de rechtspersoon vergoedt echter diens schade, indien hij het gebrek in het besluit kende noch behoefde te kennen.

Duur

Art. 17. Een rechtspersoon wordt opgericht voor onbepaalde tijd.

Omzetting

Art. 18. 1. Een rechtspersoon kan zich met inachtneming van de volgende leden omzetten in een andere rechtsvorm.

2. Voor omzetting zijn vereist:
a. een besluit tot omzetting, genomen met inachtneming van de vereisten voor een besluit tot statutenwijziging en, tenzij een stichting zich omzet, genomen met de stemmen van ten minste negen tienden van de uitgebrachte stemmen;
b. een besluit tot wijziging van de statuten;
c. een notariële akte van omzetting die de nieuwe statuten bevat.

3. De in het vorige lid onder a genoemde meerderheid is niet vereist voor een omzetting van een naamloze vennootschap in een besloten vennootschap of omgekeerd.

4. Voor de omzetting van of in een stichting en van een naamloze of besloten vennootschap in een vereniging is bovendien rechterlijke machtiging vereist.

5. Slechts de rechtspersoon kan machtiging tot omzetting verzoeken aan de rechtbank, onder overlegging van een notarieel ontwerp van de akte. Zij wordt in elk geval geweigerd, indien een vereist besluit nietig is of indien een rechtsvordering tot vernietiging daarvan aanhangig is. Zij wordt geweigerd, indien de belangen van stemgerechtigden die niet hebben ingestemd of van anderen van wie ten minste iemand zich tot de rechter heeft gewend, onvoldoende zijn ontzien. Indien voor de omzetting machtiging van de rechter is vereist, verklaart de notaris in de akte van omzetting dat de machtiging op het ontwerp van de akte is verleend.

6. Na omzetting van een stichting moet uit de statuten blijken dat het vermogen dat zij bij de omzetting heeft en de vruchten daarvan slechts met toestemming van de rechter anders mogen worden besteed dan voor de omzetting was voorgeschreven. Hetzelfde geldt voor de statuten van een rechtspersoon voor zover dit vermogen en deze vruchten daarop krachtens fusie zijn overgegaan.

7. De rechtspersoon doet opgave van de omzetting der inschrijving in de registers waarin hij moet zijn en moet worden ingeschreven dan wel als vereniging vrijwillig is ingeschreven.

8. Omzetting beëindigt het bestaan van de rechtspersoon niet.

Ontbinding

Art. 19. 1. Een rechtspersoon wordt ontbonden:
a. door een besluit van de algemene vergadering of, indien de rechtspersoon een stichting is, door een besluit van het bestuur tenzij in de statuten anders is voorzien;
b. bij het intreden van een gebeurtenis die volgens de statuten de ontbinding tot gevolg heeft, en die niet een besluit of een op ontbinding gerichte handeling is;
c. na faillietverklaring door hetzij opheffing van het faillissement wegens de toestand van de boedel, hetzij door insolventie;
d. door het geheel ontbreken van leden, indien de rechtspersoon een vereniging, een coöperatie of een onderlinge waarborgmaatschappij is;
e. door een beschikking van de Kamer van Koophandel en Fabrieken als bedoeld in artikel 19a;
f. door de rechter in de gevallen die de wet bepaalt.

2. De rechtbank verklaart op verzoek van het bestuur of van een belanghebbende, of op vordering van het openbaar ministerie, of en op welk tijdstip de rechtspersoon is ontbonden in een geval als bedoeld in lid 1 onder b of d. De beschikking is voor een ieder bindend. Is de rechtspersoon in een register ingeschreven, dan wordt de in kracht van gewijsde gegane uitspraak, inhoudende de verklaring, door de zorg van de griffier aldaar ingeschreven.

3. Aan de registers waar de rechtspersoon is ingeschreven wordt van de ontbinding opgaaf gedaan: in de gevallen als bedoeld in lid 1, onder a, b en d door de vereffenaar, indien deze er is en anders door het bestuur, in het geval als bedoeld in lid 1, onder c door de faillissementscurator, in het geval als bedoeld in lid 1, onder e door de Kamer van Koophandel en Fabrieken en in het geval als bedoeld in lid 1 onder f door de griffier van het betrokken gerecht.

4. Indien de rechtspersoon op het tijdstip van zijn ontbinding geen baten meer heeft, houdt hij alsdan op te bestaan. In dat geval doet het bestuur of, bij toepassing van artikel 19a, de Kamer van Koophandel en Fabrieken, daarvan opgaaf aan de registers waar de rechtspersoon is ingeschreven.
5. De rechtspersoon blijft na ontbinding voortbestaan voor zover dit tot vereffening van zijn vermogen nodig is. In stukken en aankondigingen die van hem uitgaan, moet aan zijn naam worden toegevoegd: in liquidatie.
6. De rechtspersoon houdt in geval van vereffening op te bestaan op het tijdstip waarop de vereffening eindigt. De vereffenaar of de faillissementscurator doet aan de registers waar de rechtspersoon is ingeschreven, daarvan opgaaf.
7. De gegevens die omtrent de rechtspersoon in de registers zijn opgenomen op het tijdstip waarop hij ophoudt te bestaan, blijven daar gedurende tien jaren na dat tijdstip bewaard.

Ontbinding

Art. 19a. 1. Een in het handelsregister ingeschreven naamloze vennootschap, besloten vennootschap met beperkte aansprakelijkheid, coöperatie of onderlinge waarborgmaatschappij wordt door een beschikking van de Kamer van Koophandel en Fabrieken, in welker gebied die rechtspersoon zijn woonplaats heeft, ontbonden, indien de Kamer is gebleken dat ten minste twee van de hiernavolgende omstandigheden zich voordoen:
a. de rechtspersoon heeft het voor zijn inschrijving in het handelsregister of voor de inschrijving van een aan hem toebehorende onderneming verschuldigde bedrag niet voldaan gedurende ten minste een jaar na de datum waarvoor hij dat bedrag had moeten voldoen;
b. er staan gedurende ten minste een jaar geen bestuurders van de rechtspersoon in het register ingeschreven, terwijl ook geen opgaaf tot inschrijving is gedaan, dan wel er doet zich, indien er wel bestuurders staan ingeschreven, met betrekking tot alle ingeschreven bestuurders een van de navolgende omstandigheden voor:
1°. bestuurder is overleden,
2°. de bestuurder is ten minste een jaar niet bereikbaar gebleken op het in het register vermelde adres, en evenmin op het in de gemeentelijke basisadministratie persoonsgegevens ingeschreven adres, dan wel in die administratie staat ten minste een jaar geen adres van de bestuurder vermeld;
c. de rechtspersoon is ten minste een jaar in gebreke met de nakoming van de verplichting tot openbaarmaking van de jaarrekening of de balans en de toelichting overeenkomstig de artikelen 394, 396 of 397;
d. de rechtspersoon heeft ten minste een jaar geen gevolg gegeven aan een aanmaning als bedoeld in artikel 9, lid 3 van de Algemene wet inzake rijksbelastingen tot het doen van aangifte voor de vennootschapsbelasting.
2. Een in het verenigingen- of stichtingenregister ingeschreven vereniging of stichting, die niet een onderneming drijft die in het handelsregister staat ingeschreven, wordt door een beschikking van de Kamer van Koophandel en Fabrieken, binnen welker gebied zij haar woonplaats heeft, ontbonden, indien de Kamer is gebleken, dat de omstandigheid, genoemd in lid 1 onder b, zich voordoet en zij ten minste een jaar in gebreke is het voor inschrijving in het desbetreffende register verschuldigde bedrag te voldoen.
3. Indien de Kamer op grond van haar bekende gegevens gebleken is dat een rechtspersoon als bedoeld in de leden 1 en 2 voor ontbinding in aanmerking komt, deelt zij de rechtspersoon en de ingeschreven bestuurders bij aangetekende brief aan hun laatst bekende adres mee, dat zij voornemens is tot ontbinding van de rechtspersoon over te gaan, met vermelding van de omstandigheden waarop het voornemen is gegrond. De Kamer schrijft deze mededeling in het register. Als de omstandigheid, bedoeld in lid 1, onder b zich voordoet, doet de Kamer van het voornemen tot ontbinding tevens een mededeling opnemen in de Nederlandse Staatscourant. Voor zover de kosten van deze publikatie niet uit het vermogen van de rechtspersoon kunnen worden voldaan, komen deze ten laste van Onze Minister van Justitie.
4. Na verloop van acht weken na de dagtekening van de aangetekende brief ontbindt de Kamer de rechtspersoon bij beschikking, tenzij voordien is gebleken dat de omstandigheden die ingevolge het derde lid zijn vermeld, zich niet of niet meer voordoen.
5. De beschikking wordt bekend gemaakt aan de rechtspersoon en de ingeschreven bestuurders.
6. De Kamer doet van de ontbinding een mededeling opnemen in de Nederlandse Staatscourant. Lid 3, vierde zin, is van overeenkomstige toepassing.

7. Als op grond van artikel 23, lid 1 geen vereffenaars kunnen worden aangewezen, treedt de Kamer op als vereffenaar van het vermogen van de ontbonden rechtspersoon, behoudens het bepaalde in artikel 19, lid 4. Op verzoek van de Kamer benoemt de rechtbank in haar plaats een of meer andere vereffenaars.

8. Indien tegen een beschikking als bedoeld in lid 4, beroep wordt ingesteld bij het College van Beroep voor het bedrijfsleven schrijft de Kamer dat in het register in. De beslissing op het beroep wordt tevens ingeschreven. Indien de beslissing strekt tot vernietiging van de beschikking doet de Kamer een mededeling daarvan opnemen in de Nederlandse Staatscourant. Gedurende het tijdvak waarin de rechtspersoon na de beschikking tot ontbinding had opgehouden te bestaan, is er een verlengingsgrond als bedoeld in artikel 320 van Boek 3 ten aanzien van de verjaring van rechtsvorderingen van of tegen de rechtspersoon.

Verboden rechtspersoon

Art. 20. 1. Een rechtspersoon waarvan de werkzaamheid in strijd is met de openbare orde, wordt door de rechtbank op vordering van het openbaar ministerie verboden verklaard en ontbonden.

2. Een rechtspersoon waarvan het doel in strijd is met de openbare orde, wordt door de rechtbank op vordering van het openbaar ministerie ontbonden. Alvorens de ontbinding uit te spreken kan de rechtbank de rechtspersoon in de gelegenheid stellen binnen een door haar te bepalen termijn zijn doel zodanig te wijzigen dat het niet meer in strijd is met de openbare orde.

Art. 21. 1. De rechtbank ontbindt een rechtspersoon, indien:
a. aan zijn totstandkoming gebreken kleven;
b. zijn statuten niet aan de eisen der wet voldoen;
c. hij niet onder de wettelijke omschrijving van zijn rechtsvorm valt.

2. De rechtbank ontbindt de rechtspersoon niet, indien zij hem een termijn vergund heeft en hij na afloop daarvan een rechtspersoon is die aan de eisen van de wet voldoet.

3. De rechtbank kan een rechtspersoon ontbinden, indien deze de in dit boek voor zijn rechtsvorm gestelde verboden overtreedt of in ernstige mate in strijd met zijn statuten handelt.

4. De ontbinding wordt uitgesproken op verzoek van een belanghebbende of op vordering van het openbaar ministerie.

Bewind over goederen van de verboden rechtspersonen

Art. 22. 1. De rechter voor wie een verzoek of vordering tot ontbinding van de rechtspersoon aanhangig is, kan de goederen van die rechtspersoon desverlangd onder bewind stellen; de beschikking vermeldt het tijdstip waarop zij in werking treedt.

2. De rechter benoemt bij zijn beschikking een of meer bewindvoerders, en regelt hun bevoegdheden en hun beloning.

3. Voor zover de rechter niet anders bepaalt, kunnen de organen van de rechtspersoon zonder voorafgaande goedkeuring van de bewindvoerders geen besluiten nemen en kunnen vertegenwoordigers van de rechtspersoon zonder diens medewerking geen rechtshandelingen verrichten.

4. De beschikking kan te allen tijde door de rechter worden gewijzigd of ingetrokken; het bewind eindigt in ieder geval, zodra de uitspraak op de vordering of het verzoek tot ontbinding in kracht van gewijsde gaat.

5. De bewindvoerder doet aan de registers waar de rechtspersoon is ingeschreven, opgaaf van de beschikking en van de gegevens over zichzelf die omtrent een bestuurder worden verlangd.

6. Een rechtshandeling die de rechtpersoon ondanks zijn uit het bewind voortvloeiende onbevoegdheid vóór de inschrijving heeft verricht, is niettemin geldig, indien de wederpartij het bewind kende noch behoorde te kennen.

Verbod tot verhandeling van aandelen bij een vordering

Art. 22a. 1. Voor of bij het instellen van een vordering door het openbaar ministerie tot ontbinding van een naamloze vennootschap of een besloten vennootschap met beperkte aansprakelijkheid, kan het openbaar ministerie de rechter bij verzoekschrift vragen te bevelen dat, tot de uitspraak op genoemde vordering in kracht van gewijsde gaat, aan de aandeelhouders de bevoegdheid tot het vervreemden, verpanden of met vruchtgebruik belasten van aandelen wordt ontzegd.

2. De rechter beslist na summier onderzoek. Het bevel wordt gegeven onder voorwaarde dat het instellen van de vordering tot ontbinding geschiedt binnen een door de rechter daartoe te bepalen termijn. Tegen deze beschikking is geen hogere voorziening toegelaten.

3. De beschikking wordt onverwijld, zo mogelijk op dezelfde dag, betekend aan de aandeelhouders en de vennootschap. De griffier draagt zorg voor de inschrijving van de beschikking in het register waarin de rechtspersoon is ingeschreven.

4. Binnen acht dagen na de betekening in het vorige lid vermeld kunnen de aandeelhouders tegen de beschikking in verzet komen. Het verzet schorst het bevel niet, behoudens de bevoegdheid van de aandeelhouders om daarop in kort geding door de president van de rechtbank te doen beslissen. Verzet tegen de beschikking kan niet gegrond zijn op de bewering dat de aandeelhouder zijn aandelen wil overdragen.

5. De vordering tot ontbinding moet binnen acht dagen nadat deze is ingesteld aan de aandeelhouder worden betekend.

Benoeming vereffenaar

Art. 23. 1. Voor zover de rechter geen andere vereffenaars heeft benoemd en de statuten geen andere vereffenaars aanwijzen, worden de bestuurders vereffenaars van het vermogen van een ontbonden rechtspersoon. Op vereffenaars die niet door de rechter worden benoemd, zijn de bepalingen omtrent de benoeming, de schorsing, het ontslag en het toezicht op bestuurders van toepassing, voor zover de statuten niet anders bepalen. Het vermogen van een door de rechter ontbonden rechtspersoon wordt vereffend door een of meer door hem te benoemen vereffenaars.

2. Ontslaat de rechter een vereffenaar, dan kan hij een of meer andere benoemen. Ontbreken vereffenaars, dan benoemt de rechtbank een of meer vereffenaars op verzoek van een belanghebbende of op vordering van het openbaar ministerie. De vereffenaar die door de rechter is benoemd, heeft recht op de beloning welke deze hem toekent.

3. Een benoeming tot vereffenaar door de rechter gaat in daags nadat de griffier de benoeming aan de vereffenaar heeft meegedeeld; de griffier doet de mededeling terstond, indien de beslissing die de benoeming inhoudt, bij voorraad uitvoerbaar is en anders, zodra zij in kracht van gewijsde is gegaan.

4. Iedere vereffenaar doet aan de registers waar de rechtspersoon is ingeschreven, opgaaf van zijn optreden als zodanig en van de gegevens over zichzelf die van een bestuurder worden verlangd.

5. De rechtbank kan een vereffenaar met ingang van een door haar bepaalde dag ontslaan, hetzij op diens verzoek, hetzij wegens gewichtige redenen op verzoek van een medevereffenaar, op vordering van het openbaar ministerie of ambtshalve.

6. De ontslagen vereffenaar legt rekening en verantwoording af aan degenen die de vereffening voortzetten. Is de opvolger door de rechter benoemd, dan geschiedt de rekening en verantwoording ten overstaan van de rechter.

Bevoegdheid plichten en aansprakelijkheid vereffenaar

Art. 23a. 1. Een vereffenaar heeft, tenzij de statuten anders bepalen, dezelfde bevoegdheden, plichten en aansprakelijkheid als een bestuurder, voor zover deze verenigbaar zijn met zijn taak als vereffenaar.

2. Zijn er twee of meer vereffenaars, dan kan ieder van hen alle werkzaamheden verrichten, tenzij anders is bepaald. Bij verschil van mening tussen de vereffenaars beslist op verzoek van een hunner de rechter die bij de vereffening is betrokken, en anders de kantonrechter. De rechter bedoeld in de vorige zin, kan ook een verdeling van het loon vaststellen.

3. Zowel de rechtbank als een door haar in de vereffening benoemde rechter-commissaris kan voor de vereffening nodige bevelen geven, al dan niet in de vorm van een bevelschrift in executoriale vorm. De vereffenaar is verplicht hun aanwijzingen op te volgen. Tegen de bevelen en aanwijzingen staan geen rechtsmiddelen open.

4. Blijkt de vereffenaar dat de schulden de baten vermoedelijk zullen overtreffen, dan doet hij aangifte tot faillietverklaring, tenzij alle bekende schuldeisers desgevraagd instemmen met voortzetting van de vereffening buiten faillissement.

5. De voorgaande bepalingen van dit artikel en de artikelen 23b-23c zijn niet van toepassing op vereffening in faillissement.

Batig saldo en vereffening

Art. 23b. 1. De vereffenaar draagt hetgeen na de voldoening der schuldeisers van het vermogen van de ontbonden rechtspersoon is overgebleven, in verhouding tot ieders recht over aan hen die krachtens de statuten daartoe zijn gerechtigd, of anders aan de leden of aandeelhouders. Heeft geen ander recht op het overschot, dan keert hij het uit aan de Staat, die het zoveel mogelijk overeenkomstig het doel van de rechtspersoon besteedt.

2. De vereffenaar stelt een rekening en verantwoording op van de vereffening, waaruit de omvang en samenstelling van het overschot blijken. Zijn er twee of meer gerechtigden tot het overschot, dan stelt de vereffenaar een plan van verdeling op dat de grondslagen der verdeling bevat.

3. Voor zover tot het overschot iets anders dan geld behoort en de statuten of een rechterlijke beschikking geen nadere aanwijzing behelzen, komen als wijzen van verdeling in aanmerking:
a. toedeling van een gedeelte van het overschot aan ieder der gerechtigden;
b. overbedeling aan een of meer gerechtigden tegen vergoeding van de overwaarde;
c. verdeling van de netto-opbrengst na verkoop.

4. De vereffenaar legt de rekening en verantwoording en het plan van verdeling neer ten kantore van de registers waarin de rechtspersoon is ingeschreven, en in elk geval ten kantore van de rechtspersoon, als dat er is, of op een andere plaats in het arrondissement waar de rechtspersoon woonplaats heeft. De stukken liggen daar twee maanden voor ieder ter inzage. De vereffenaar maakt in een nieuwsblad bekend waar en tot wanneer zij ter inzage liggen. De rechter kan aankondiging in de Staatscourant bevelen.

5. Binnen twee maanden nadat de rekening en verantwoording en het plan zijn neergelegd en de nederlegging overeenkomstig lid 4 is bekendgemaakt en aangekondigd, kan iedere schuldeiser of gerechtigde daartegen door een verzoekschrift aan de rechtbank in verzet komen. De vereffenaar doet van gedaan verzet mededeling op de zelfde wijze als waarop de nederlegging van de rekening en verantwoording en het plan van verdeling zijn medegedeeld.

6. Telkens wanneer de stand van het vermogen daartoe aanleiding geeft, kan de vereffenaar een uitkering bij voorbaat aan de gerechtigden doen. Na de aanvang van de verzettermijn doet hij dit niet zonder machtiging van de rechter.

7. Zodra de intrekking van of beslissing op elk verzet onherroepelijk is, deelt de vereffenaar dit mede op de wijze waarop het verzet is medegedeeld. Brengt de beslissing wijziging in het plan van verdeling, dan wordt ook het gewijzigde plan van verdeling op deze wijze meegedeeld.

8. De vereffenaar consigneert geldbedragen waarover niet binnen zes maanden na de laatste betaalbaarstelling is beschikt.

9. De vereffening eindigt op het tijdstip waarop geen aan de vereffenaar bekende baten meer aanwezig zijn.

10. Na verloop van een maand nadat de vereffening is geëindigd, doet de vereffenaar rekening en verantwoording van zijn beheer aan de rechter, indien deze bij de vereffening is betrokken.

Einde vereffening

Art. 23c. 1. Indien na het tijdstip waarop de rechtspersoon is opgehouden te bestaan nog een schuldeiser of gerechtigde tot het saldo opkomt of van het bestaan van een bate blijkt, kan de rechtbank op verzoek van een belanghebbende de vereffening heropenen en zo nodig een vereffenaar benoemen. In dat geval herleeft de rechtspersoon, doch uitsluitend ter afwikkeling van de heropende vereffening. De vereffenaar is bevoegd van elk der gerechtigden terug te vorderen hetgeen deze te veel uit het overschot heeft ontvangen.

2. Gedurende het tijdvak waarin de rechtspersoon had opgehouden te bestaan, is er een verlengingsgrond als bedoeld in artikel 320 van Boek 3 ten aanzien van de verjaring van rechtsvorderingen van of tegen de rechtspersoon.

Boeken, bescheiden en andere gegevensdragers

Art. 24. 1. De boeken, bescheiden en andere gegevensdragers van een ontbonden rechtspersoon moeten worden bewaard gedurende tien jaren nadat de rechtspersoon heeft opgehouden te bestaan. Bewaarder is degene die bij of krachtens de statuten, dan wel door de algemene vergadering of, als de rechtspersoon een stichting was, door het bestuur als zodanig is aangewezen.

2. Ontbreekt een bewaarder en is de laatste vereffenaar niet bereid te bewaren, dan wordt een bewaarder, zo mogelijk uit de kring dergenen die bij de rechtspersoon waren betrokken, op verzoek van een belanghebbende benoemd door de kantonrechter binnen wiens rechtsgebied de rechtspersoon woonplaats had. Rechtsmiddelen staan niet open.

3. Binnen acht dagen na het ingaan van zijn bewaarplicht moet de bewaarder zijn naam en adres opgeven aan de registers waarin de ontbonden rechtspersoon was ingeschreven.

4. De in lid 2 genoemde kantonrechter kan desverzocht machtiging tot raadpleging van de boeken, bescheiden en andere gegevensdragers geven aan iedere belanghebbende, indien de rechtspersoon een stichting was, en overigens aan ieder die

aantoont bij inzage een redelijk belang te hebben in zijn hoedanigheid van voormalig lid of aandeelhouder van de rechtspersoon of houder van certificaten van diens aandelen, dan wel als rechtverkrijgende van een zodanige persoon.

Dochtermaatschappij

Art. 24a. 1. Dochtermaatschappij van een rechtspersoon is:
a. een rechtspersoon waarin de rechtspersoon of een of meer van zijn dochtermaatschappijen, al dat niet krachtens overeenkomst met andere stemgerechtigden, alleen of samen meer dan de helft van de stemrechten in de algemene vergadering kunnen uitoefenen;
b. een rechtspersoon waarvan de rechtspersoon of een of meer van zijn dochtermaatschappijen lid of aandeelhouder zijn en, al dan niet krachtens overeenkomst met andere stemgerechtigden, alleen of samen meer dan de helft van de bestuurders of van de commissarissen kunnen benoemen of ontslaan, ook indien alle stemgerechtigden stemmen.

2. Met een dochtermaatschappij wordt gelijk gesteld een onder eigen naam optredende vennootschap waarin de rechtspersoon of een of meer dochtermaatschappijen als vennoot volledig jegens schuldeisers aansprakelijk is voor de schulden.

3. Voor de toepassing van lid 1 worden aan aandelen verbonden rechten niet toegerekend aan degene die de aandelen voor rekening van anderen houdt. Aan aandelen verbonden rechten worden toegerekend aan degene voor wiens rekening de aandelen worden gehouden, indien deze bevoegd is te bepalen hoe de rechten worden uitgeoefend dan wel zich de aandelen te verschaffen.

4. Voor de toepassing van lid 1 worden stemrechten, verbonden aan verpande aandelen, toegerekend aan de pandhouder, indien hij mag bepalen hoe de rechten worden uitgeoefend. Zijn de aandelen evenwel verpand voor een lening die de pandhouder heeft verstrekt in de gewone uitoefening van zijn bedrijf, dan worden de stemrechten hem slechts toegerekend, indien hij deze in eigen belang heeft uitgeoefend.

Groep(s-maatschappijen)

Art. 24b. Een groep is een economische eenheid waarin de rechtspersonen en vennootschappen organisatorisch zijn verbonden. Groepsmaatschappijen zijn rechtspersonen en vennootschappen die met elkaar in een groep zijn verbonden.

Deelneming

Art. 24c. 1. Een rechtspersoon of vennootschap heeft een deelneming in een rechtspersoon, indien hij of een of meer van zijn dochtermaatschappijen alleen of samen voor eigen rekening aan die rechtspersoon kapitaal verschaffen of doen verschaffen teneinde met die rechtspersoon duurzaam verbonden te zijn ten dienste van de eigen werkzaamheid. Indien een vijfde of meer van het geplaatste kapitaal wordt verschaft, wordt het bestaan van een deelneming vermoed.

2. Een rechtspersoon heeft een deelneming in een vennootschap, indien hij of een dochtermaatschappij:
a. daarin als vennoot jegens schuldeisers volledig aansprakelijk is voor de schulden; of
b. daarin anderszins vennoot is teneinde met die vennootschap duurzaam verbonden te zijn ten dienste van de eigen werkzaamheid.

Art. 24d. Bij de vaststelling in hoeverre de leden of aandeelhouders stemmen, aanwezig of vertegenwoordigd zijn, of in hoeverre het aandelenkapitaal verschaft wordt of vertegenwoordigd is, wordt geen rekening gehouden met lidmaatschappen of aandelen waarvan de wet bepaalt dat daarvoor geen stem kan worden uitgebracht.

Dwingend recht

Art. 25. Van de bepalingen van dit boek kan slechts worden afgeweken, voor zover dat uit de wet blijkt.

TITEL 2
Verenigingen

Art. 26. 1. De vereniging is een rechtspersoon met leden die is gericht op een bepaald doel, anders dan een dat is omschreven in artikel 53 lid 1 of lid 2.
2. Een vereniging wordt bij meerzijdige rechtshandeling opgericht.
3. Een vereniging mag geen winst onder haar leden verdelen.

Volledige rechtsbevoegdheid

Art. 27. 1. Wordt een vereniging opgericht bij een notariële akte, dan moeten de volgende bepalingen in acht worden genomen.

Inhoud notariële akte

2. De akte wordt verleden in de Nederlandse taal. Een volmacht tot medewerking aan de akte moet schriftelijk zijn verleend.
3. De akte bevat de statuten van de vereniging.
4. De statuten houden in:
a. de naam van de vereniging en de gemeente in Nederland waar zij haar zetel heeft;
b. het doel van de vereniging;
c. de verplichtingen die de leden tegenover de vereniging hebben, of de wijze waarop zodanige verplichtingen kunnen worden opgelegd;
d. de wijze van bijeenroeping van de algemene vergadering;
e. de wijze van benoeming en ontslag van de bestuurders;
f. de bestemming van het batig saldo van de vereniging in geval van ontbinding, of de wijze waarop de bestemming zal worden vastgesteld.

Aansprakelijkheid notaris

5. De notaris, ten overstaan van wie de akte wordt verleden, draagt zorg dat de akte voldoet aan het in de leden 2-4 bepaalde. Bij verzuim is hij persoonlijk jegens hen die daardoor schade hebben geleden, aansprakelijk.

Art. 28. 1. Is een vereniging niet overeenkomstig het eerste lid van het vorige artikel opgericht, dan kan de algemene vergadering besluiten de statuten te doen opnemen in een notariële akte.
2. De leden 2-5 van het vorige artikel zijn van overeenkomstige toepassing.

Inschrijving in verenigingenregister

Art. 29. 1. De bestuurders van een vereniging waarvan de statuten zijn opgenomen in een notariële akte, zijn verplicht haar te doen inschrijven in een openbaar register, gehouden door de Kamer van Koophandel en Fabrieken, binnen welker gebied de vereniging haar woonplaats heeft, en een authentiek afschrift van de akte, dan wel een authentiek uittreksel van de akte bevattende de statuten, ten kantore van dat register neer te leggen.
2. De bestuurders dragen zorg dat in het register steeds worden ingeschreven
a. de naam, de voornamen en de woonplaats van alle bestuurders;
b. de naam, de voornamen en de woonplaats van de bestuurders aan wie door de statuten vertegenwoordigingsbevoegdheid is toegekend, alsmede de vermelding of zij bevoegd zijn de vereniging afzonderlijk, gezamenlijk of tezamen met een of meer anderen te vertegenwoordigen;
c. de naam, de voornamen en de woonplaats van anderen dan bestuurders aan wie de statuten bevoegdheid tot vertegenwoordiging toekennen, alsmede de bepalingen omtrent die bevoegdheid.
3. De bestuurders kunnen ter inschrijving in het register opgeven de naam, de voornamen en de woonplaats van gevolmachtigden van de vereniging met de inhoud der hun verstrekte volmacht.

Hoofdelijke aansprakelijkheid naast vereniging

4. Zolang de opgave ter eerste inschrijving en nederlegging niet zijn geschied, is iedere bestuurder voor een rechtshandeling waardoor hij de vereniging verbindt, naast de vereniging hoofdelijk aansprakelijk.

Wijziging inschrijving door rechtbank

5. Een ieder te wiens aanzien hetgeen in het register is ingeschreven, onvolledig of onjuist is, alsook het openbaar ministerie en de Kamer van Koophandel en Fabrieken, kan zich wenden tot de rechtbank, binnen welker rechtsgebied het register wordt gehouden, met het verzoek doorhaling, aanvulling of wijziging van het ingeschrevene te gelasten. Zodra de uitspraak, waarin een zodanige doorhaling, aanvulling of wijziging is gelast, in kracht van gewijsde is gegaan, wordt zij door de zorg van de griffier van het college waarvoor de zaak laatstelijk aanhangig was, in het register ingeschreven.
6. Voor ieder jaar dat de vereniging in het register is ingeschreven is zij aan de Kamer van Koophandel en Fabrieken een bij algemene maatregel van bestuur vast te stellen bedrag verschuldigd. Is een verschuldigd bedrag voor het geheel of een deel niet tijdig voldaan, dan maant de Kamer de vereniging schriftelijk aan om alsnog binnen acht dagen na ontvangst van de aanmaning het daarin vermelde bedrag aan de Kamer te doen toekomen. Volgt op deze aanmaning de betaling binnen de gestelde termijn niet, dan vaardigt de Kamer een dwangbevel uit. Het dwangbevel levert een executoriale titel op, die met toepassing van de voorschriften van het Wetboek van Burgerlijke Rechtsvordering kan worden tenuitvoergelegd. De aanmaning en incasso van het dwangbevel geschieden op kosten van de schuldenaar.
7. Binnen dertig dagen na de betekening staat verzet tegen het dwangbevel open door dagvaarding van de betrokken Kamer voor de kantonrechter binnen wiens rechtsgebied de Kamer haar zetel heeft. Het verzet schorst de tenuitvoerlegging.
8. Het verzet kan niet worden gegrond op de bewering, dat het ter zake van de inschrijving verschuldigde bedrag ten onrechte is opgelegd of onjuist is bepaald.

9. Alles wat verder betreft het register, het opbergen en bewaren van de neergelegde statuten en de andere bij de Kamer van Koophandel en Fabrieken ingediende bescheiden, het ter inzage geven en het geven van afschriften en uittreksels, alsmede de voor een en ander te berekenen kosten, wordt bij algemene maatregel van bestuur geregeld. Daarin kan worden bepaald dat in plaats van de neergelegde statuten en de andere bij de Kamer ingediende bescheiden fotografische reproducties worden opgeborgen en bewaard.

Vereniging met beperkte rechtsbevoegdheid

Art. 30. 1. Een vereniging waarvan de statuten niet zijn opgenomen in een notariële akte, kan geen registergoederen verkrijgen en kan geen erfgenaam zijn.
2. De bestuurders zijn hoofdelijk naast de vereniging verbonden voor schulden uit een rechtshandeling die tijdens hun bestuur opeisbaar worden. Na hun aftreden zijn zij voorts hoofdelijk verbonden voor schulden, voortspruitend uit een tijdens hun bestuur verrichte rechtshandeling, voor zover daarvoor niemand ingevolge de vorige zin naast de vereniging is verbonden. Aansprakelijkheid ingevolge een der voorgaande zinnen rust niet op degene die niet tevoren over de rechtshandeling is geraadpleegd en die heeft geweigerd haar, toen zij hem bekend werd, als bestuurder voor zijn verantwoording te nemen. Ontbreken personen die ingevolge de eerste of de tweede zin naast de vereniging zijn verbonden, dan zijn degenen die handelden, hoofdelijk verbonden.

Inschrijving in verenigingenregister

3. De bestuurders van een zodanige vereniging kunnen haar doen inschrijven in het register, bedoeld in artikel 29 lid 1 van dit Boek, gehouden door de Kamer van Koophandel en Fabrieken, binnen welker gebied de vereniging haar woonplaats heeft. Indien de statuten op schrift zijn gesteld, leggen zij alsdan een afschrift daarvan ten kantore van dat register neer. De leden 2, 3, 5, 6 en 7 van artikel 29 van dit Boek zijn van overeenkomstige toepassing.

Subsidiaire aansprakelijkheid

4. Heeft de inschrijving, bedoeld in het vorige lid, plaatsgevonden, dan is degene die uit hoofde van lid 2 wordt verbonden slechts aansprakelijk, voor zover de wederpartij aannemelijk maakt dat de vereniging niet aan de verbintenis zal voldoen.

Art. 31. Vervallen.

Art. 32. (Vervallen bij de wet van 29 juni 1994, Stb. 506).

Toelating leden

Art. 33. Tenzij de statuten anders bepalen, beslist het bestuur over de toelating van een lid en kan bij niet-toelating de algemene vergadering alsnog tot toelating besluiten.

Persoonlijk lidmaatschap

Art. 34. 1. Het lidmaatschap van de vereniging is persoonlijk, tenzij de statuten anders bepalen.
2. Tenzij de statuten van de vereniging anders bepalen, gaat door fusie van een lid dat rechtspersoon is, het lidmaatschap over op de verkrijgende rechtspersoon.

Art. 34a. Verbintenissen kunnen slechts bij of krachtens de statuten aan het lidmaatschap worden verbonden.

Einde lidmaatschap

Art. 35. 1. Het lidmaatschap eindigt:
a. door de dood van het lid, tenzij de statuten overgang krachtens erfrecht toelaten;
b. door opzegging door het lid;
c. door opzegging door de vereniging;
d. door ontzetting.
2. De vereniging kan het lidmaatschap opzeggen in de gevallen in de statuten genoemd, voorts wanneer een lid heeft opgehouden aan de vereisten door de statuten voor het lidmaatschap gesteld, te voldoen, alsook wanneer redelijkerwijs van de vereniging niet gevergd kan worden het lidmaatschap te laten voortduren. Tenzij de statuten dit aan een ander orgaan opdragen, geschiedt de opzegging door het bestuur.
3. Ontzetting kan alleen worden uitgesproken wanneer een lid in strijd met de statuten, reglementen of besluiten der vereniging handelt, of de vereniging op onredelijke wijze benadeelt.
4. Tenzij de statuten dit aan een ander orgaan opdragen, geschiedt de ontzetting door het bestuur. Het lid wordt ten spoedigste schriftelijk van het besluit, met opgave van redenen, in kennis gesteld. Hem staat, behalve wanneer krachtens de statuten het besluit door de algemene vergadering is genomen, binnen één maand na ontvangst van de kennisgeving van het besluit, beroep op de algemene vergadering

of een daartoe bij de statuten aangewezen orgaan of derde open. De statuten kunnen een andere regeling van het beroep bevatten, doch de termijn kan niet korter dan op één maand worden gesteld. Gedurende de beroepstermijn en hangende het beroep is het lid geschorst.

5. Wanneer het lidmaatschap in de loop van een boekjaar eindigt, blijft, tenzij de statuten anders bepalen, desniettemin de jaarlijkse bijdrage voor het geheel verschuldigd.

Opzegging lidmaatschap

Art. 36. 1. Tenzij de statuten anders bepalen, kan opzegging van het lidmaatschap slechts geschieden tegen het einde van een boekjaar en met inachtneming van een opzeggingstermijn van vier weken; op deze termijn is de Algemene termijnenwet niet van toepassing. In ieder geval kan het lidmaatschap worden beëindigd door opzegging tegen het eind van het boekjaar, volgend op dat waarin wordt opgezegd, of onmiddellijk, indien redelijkerwijs niet gevergd kan worden het lidmaatschap te laten voortduren.

2. Een opzegging in strijd met het in het vorige lid bepaalde, doet het lidmaatschap eindigen op het vroegst toegelaten tijdstip volgende op de datum waartegen was opgezegd.

3. Een lid kan voorts zijn lidmaatschap met onmiddellijke ingang opzeggen binnen een maand nadat een besluit waarbij zijn rechten zijn beperkt of zijn verplichtingen zijn verzwaard, hem is bekend geworden of medegedeeld; het besluit is alsdan niet op hem van toepassing. Deze bevoegdheid tot opzegging kan de leden bij de statuten worden ontzegd voor het geval van wijziging van de daar nauwkeurig omschreven rechten en verplichtingen en voorts in het algemeen voor het geval van wijziging van geldelijke rechten en verplichtingen.

4. Een lid kan zijn lidmaatschap ook met onmiddellijke ingang opzeggen binnen een maand nadat hem een besluit is meegedeeld tot omzetting van de vereniging in een andere rechtsvorm of tot fusie.

Benoeming bestuur

Art. 37. 1. Het bestuur wordt uit de leden benoemd. De statuten kunnen echter bepalen dat bestuurders ook buiten de leden kunnen worden benoemd.

2. De benoeming geschiedt door de algemene vergadering. De statuten kunnen de wijze van benoeming echter ook anders regelen, mits elk lid middellijk of onmiddellijk aan de stemming over de benoeming der bestuurders kan deelnemen.

Benoeming door niet-leden

3. De statuten kunnen bepalen, dat een of meer der bestuursleden, mits minder dan de helft, door andere personen dan de leden worden benoemd.

Bindende voordracht

4. Is in de statuten bepaald dat een bestuurder in een vergadering uit een bindende voordracht moet worden benoemd, dan kan aan die voordracht het bindend karakter worden ontnomen door een met ten minste twee derden van de uitgebrachte stemmen genomen besluit van die vergadering. In de statuten kan worden bepaald dat op deze vergadering ten minste een bepaald aantal stemmen moet kunnen worden uitgebracht; dit aantal mag niet hoger worden gesteld dan twee derden van het aantal stemmen dat door de stemgerechtigden gezamenlijk kan worden uitgebracht.

Kandidaten stellen

5. Indien ingevolge de statuten een bestuurslid door leden of afdelingen buiten een vergadering wordt benoemd, dan moet aan de leden gelegenheid worden geboden kandidaten te stellen. De statuten kunnen bepalen dat dit recht slechts aan een aantal leden gezamenlijk toekomt, mits hun aantal niet hoger wordt gesteld dan een vijfde van het aantal leden dat aan de verkiezing kan deelnemen. De statuten kunnen voorts bepalen dat aldus gestelde kandidaten slechts zijn benoemd, indien zij ten minste een bepaald aantal stemmen op zich hebben verenigd, mits dit aantal niet groter is dan twee derden van het aantal der uitgebrachte stemmen.

Ontslag of schorsing

6. Een bestuurslid kan, ook al is hij voor een bepaalde tijd benoemd, te allen tijde door het orgaan dat hem heeft benoemd, worden ontslagen of geschorst. Een veroordeling tot herstel van de dienstbetrekking tussen de vereniging en bestuurder kan door de rechter niet worden uitgesproken.

7. Tenzij de statuten anders bepalen, wijst het bestuur uit zijn midden een voorzitter, een secretaris en een penningmeester aan.

Stemrecht leden

Art. 38. 1. Behoudens het in het volgende artikel bepaalde, hebben alle leden die niet geschorst zijn, toegang tot de algemene vergadering en hebben daar ieder één stem; een geschorst lid heeft toegang tot de vergadering waarin het besluit tot schorsing wordt behandeld, en is bevoegd daarover het woord te voeren. De statuten kunnen aan bepaalde leden meer dan één stem toekennen.

2. Tenzij de statuten anders bepalen, treden de voorzitter en de secretaris van het bestuur of hun vervangers, als zodanig ook op bij de algemene vergadering.

Voorzitter/secretaris alg. verg.

3. De statuten kunnen bepalen dat personen die deel uitmaken van andere organen der vereniging en die geen lid zijn, in de algemene vergadering stemrecht kunnen uitoefenen. Het aantal der door hen gezamenlijk uitgebrachte stemmen zal echter niet meer mogen zijn dan de helft van het aantal der door de leden uitgebrachte stemmen.

4. Tenzij de statuten anders bepalen, kan iemand die krachtens lid 1 of lid 3 stemgerechtigd is, aan een andere stemgerechtigde schriftelijk volmacht verlenen tot het uitbrengen van zijn stem.

Afgevaardigden

Art. 39. 1. De statuten kunnen bepalen dat de algemene vergadering zal bestaan uit afgevaardigden die door en uit de leden worden gekozen. De wijze van verkiezing en het aantal van de afgevaardigden worden door de statuten geregeld; elk lid moet middellijk of onmiddellijk aan de verkiezing kunnen deelnemen. De leden 4 en 5 van artikel 37 zijn bij de verkiezing van overeenkomstige toepassing. Artikel 38 lid 3 is van overeenkomstige toepassing op personen die deel uitmaken van andere organen der vereniging en die geen afgevaardigde zijn.

Referendum

2. De statuten kunnen bepalen dat bepaalde besluiten van de algemene vergadering aan een referendum zullen worden onderworpen. De statuten regelen de gevallen waarin, de tijd waarbinnen, en de wijze waarop het referendum zal worden gehouden. Hangende de uitslag van het referendum wordt de uitvoering van het besluit geschorst.

Bevoegdheden algemene vergadering

Art. 40. 1. Aan de algemene vergadering komen in de vereniging alle bevoegdheden toe, die niet door de wet of de statuten aan andere organen zijn opgedragen.

Besluit van alle leden

2. Een eenstemmig besluit van alle leden of afgevaardigden, ook al zijn deze niet in een vergadering bijeen, heeft, mits met voorkennis van het bestuur genomen, dezelfde kracht als een besluit van de algemene vergadering.

Bijeenroepen algemene vergadering

Art. 41. 1. Het bestuur roept de algemene vergadering bijeen, zo dikwijls het dit wenselijk oordeelt, of wanneer het daartoe volgens de wet of de statuten verplicht is. De statuten kunnen deze bevoegdheid ook aan anderen dan het bestuur verlenen.

Leden initiatief

2. Op schriftelijk verzoek van ten minste een zodanig aantal leden of afgevaardigden als bevoegd is tot het uitbrengen van een tiende gedeelte der stemmen in de algemene vergadering of van een zoveel geringer aantal als bij de statuten is bepaald, is het bestuur verplicht tot het bijeenroepen van een algemene vergadering op een termijn van niet langer dan vier weken na indiening van het verzoek.

3. Indien aan het verzoek binnen veertien dagen geen gevolg wordt gegeven, kunnen, tenzij in de statuten de wijze van bijeenroeping der algemene vergadering voor dit geval anders is geregeld, de verzoekers zelf tot die bijeenroeping overgaan op de wijze waarop het bestuur de algemene vergadering bijeenroept of bij advertentie in ten minste één ter plaatse waar de vereniging gevestigd is, veelgelezen dagblad. De verzoekers kunnen alsdan anderen dan bestuursleden belasten met de leiding der vergadering en het opstellen der notulen.

Art. 41a. De artikelen 37-41 zijn van overeenkomstige toepassing op de afdelingen van een vereniging die geen rechtspersonen zijn en die een algemene vergadering en een bestuur hebben; hetgeen in die artikelen omtrent de statuten is bepaald, kan in een afdelingsreglement worden neergelegd.

Statutenwijziging Agendering

Art. 42. 1. In de statuten van de vereniging kan geen verandering worden gebracht dan door een besluit van een algemene vergadering, waartoe is opgeroepen met de mededeling dat aldaar wijziging van de statuten zal worden voorgesteld. De termijn voor oproeping tot een zodanige vergadering bedraagt ten minste zeven dagen.

Bekendmaking tekstvoorstel

2. Zij die de oproeping tot de algemene vergadering ter behandeling van een voorstel tot statutenwijziging hebben gedaan, moeten ten minste vijf dagen vóór de vergadering een afschrift van dat voorstel, waarin de voorgedragen wijziging woordelijk is opgenomen, op een daartoe geschikte plaats voor de leden ter inzage leggen tot na afloop van de dag waarop de vergadering wordt gehouden. Aan de afdelingen waaruit de vereniging bestaat en aan afgevaardigden moet het voorstel ten minste veertien dagen vóór de vergadering ter kennis zijn gebracht; de vorige zin is alsdan niet van toepassing.

3. Het bepaalde in de eerste twee leden is niet van toepassing, indien in de algemene vergadering alle leden of afgevaardigden aanwezig of vertegenwoordigd zijn en het besluit tot statutenwijziging met algemene stemmen wordt genomen.
4. Het in dit artikel en de eerste twee leden van het volgende artikel bepaalde is van overeenkomstige toepassing op een besluit tot ontbinding.

Statutenwijziging; versterkte meerderheid

Art. 43. 1. Tenzij de statuten anders bepalen, behoeft een besluit tot statutenwijziging ten minste twee derden van de uitgebrachte stemmen.
2. Voor zover de bevoegdheid tot wijziging bij de statuten mocht zijn uitgesloten, is wijziging niettemin mogelijk met algemene stemmen in een vergadering, waarin alle leden of afgevaardigden aanwezig of vertegenwoordigd zijn.
3. Een bepaling in de statuten, welke de bevoegdheid tot wijziging van een of meer andere bepalingen beperkt, kan slechts worden gewijzigd met inachtneming van gelijke beperking.
4. Een bepaling in de statuten, welke de bevoegdheid tot wijziging van een of meer andere bepalingen uitsluit, kan slechts worden gewijzigd met algemene stemmen in een vergadering, waarin alle leden of afgevaardigden aanwezig of vertegenwoordigd zijn.

Notariële akte

5. Heeft de vereniging volledige rechtsbevoegdheid, dan treedt de wijziging niet in werking dan nadat hiervan een notariële akte is opgemaakt. De bestuurders zijn verplicht een authentiek afschrift van de wijziging en de gewijzigde statuten neder te leggen ten kantore van het in artikel 29 van dit Boek bedoelde register.
6. De bestuurders van een vereniging met beperkte rechtsbevoegdheid, waarvan de statuten overeenkomstig artikel 30 lid 3 van dit Boek in afschrift ten kantore van het in artikel 29 van dit Boek bedoelde register zijn nedergelegd, zijn verplicht aldaar tevens een afschrift van de wijziging en van de gewijzigde statuten neder te leggen.

Taak bestuur

Art. 44. 1. Behoudens beperkingen volgens de statuten is het bestuur belast met het besturen van de vereniging.

Bevoegdheidsbeperking

2. Slechts indien dit uit de statuten voortvloeit, is het bestuur bevoegd te besluiten tot het aangaan van overeenkomsten tot verkrijging, vervreemding en bezwaring van registergoederen, en tot het aangaan van overeenkomsten waarbij de vereniging zich als borg of hoofdelijk medeschuldenaar verbindt, zich voor een derde sterk maakt of zich tot zekerheidstelling voor een schuld van een ander verbindt. De statuten kunnen deze bevoegdheid aan beperkingen en voorwaarden binden. De uitsluiting, beperkingen en voorwaarden gelden mede voor de bevoegdheid tot vertegenwoordiging van de vereniging ter zake van deze handelingen, tenzij de statuten anders bepalen.

Vertegenwoordigings-bevoegdheid

Art. 45. 1. Het bestuur vertegenwoordigt de vereniging, voor zover uit de wet niet anders voortvloeit.
2. De statuten kunnen de bevoegdheid tot vertegenwoordiging bovendien toekennen aan een of meer bestuurders. Zij kunnen bepalen dat een bestuurder de vereniging slechts met medewerking van een of meer anderen mag vertegenwoordigen.
3. Bevoegdheid tot vertegenwoordiging die aan het bestuur of aan een bestuurder toekomt, is onbeperkt en onvoorwaardelijk, voor zover uit de wet niet anders voortvloeit. Een wettelijk toegelaten of voorgeschreven beperking van of voorwaarde voor de bevoegdheid tot vertegenwoordiging kan slechts door de vereniging worden ingeroepen.
4. De statuten kunnen ook aan andere personen dan bestuurders bevoegdheid tot vertegenwoordiging toekennen.

Handelen voor de leden

Art. 46. De vereniging kan, voor zover uit de statuten niet het tegendeel voortvloeit, ten behoeve van de leden rechten bedingen en, voor zover dit in de statuten uitdrukkelijk is bepaald, te hunnen laste verplichtingen aangaan. Zij kan nakoming van bedongen rechten jegens en schadevergoeding aan een lid vorderen, tenzij dit zich daartegen verzet.

Tegenstrijdig belang

Art. 47. In alle gevallen waarin de vereniging een tegenstrijdig belang heeft met een of meer bestuurders of commissarissen kan de algemene vergadering een of meer personen aanwijzen om de vereniging te vertegenwoordigen.

Jaarverslag

Art. 48. 1. Het bestuur brengt op een algemene vergadering binnen zes maanden na afloop van het boekjaar, behoudens verlenging van deze termijn door de algemene vergadering, een jaarverslag uit over de gang van zaken in de vereniging en over het gevoerde beleid. Het legt de balans en de staat van baten en lasten met een toelichting ter goedkeuring aan de vergadering over. Deze stukken worden ondertekend door de bestuurders en commissarissen; ontbreekt de ondertekening van een of meer hunner, dan wordt daarvan onder opgave van redenen melding gemaakt. Na verloop van de termijn kan ieder lid van de gezamenlijke bestuurders in rechte vorderen dat zij deze verplichting nakomen.

2. Ontbreekt een raad van commissarissen en wordt omtrent de getrouwheid van de stukken aan de algemene vergadering niet overgelegd een verklaring afkomstig van een accountant als bedoeld in artikel 393 lid 1, dan benoemt de algemene vergadering jaarlijks een commissie van ten minste twee leden die geen deel van het bestuur mogen uitmaken. De commissie onderzoekt de stukken bedoeld in de tweede zin van lid 1, en brengt aan de algemene vergadering verslag van haar bevindingen uit. Het bestuur is verplicht de commissie ten behoeve van haar onderzoek alle door haar gevraagde inlichtingen te verschaffen, haar desgewenst de kas en de waarden te tonen en de boeken, bescheiden en andere gegevensdragers van de vereniging voor raadpleging beschikbaar te stellen.

Art. 49. (Vervallen bij de wet van 13 december 1989, Stb. 1990, 1).

Art. 50. Vervallen.

Commerciële vereniging

Art. 50a. De artikelen 131, 138, 139, 149 en 150 zijn van overeenkomstige toepassing in geval van faillissement van een vereniging waarvan de statuten zijn opgenomen in een notariële akte en die aan de heffing van vennootschapsbelasting is onderworpen.

Inschrijving aankondigingen i.v.m. faillissement

Art. 51. In geval van faillissement of surséance van betaling van een vereniging die is ingeschreven in het register, bedoeld in artikel 29 van dit Boek, worden de aankondigingen welke krachtens de Faillissementswet in de Nederlandse Staatscourant worden opgenomen, door hem die met die openbaarmaking is belast, mede ter inschrijving in dat register opgegeven.

Afwijking van voorschriften

Art. 52. Voorzover van de bepalingen van deze titel in de statuten kan worden afgeweken, kan deze afwijking alleen geschieden bij op schrift gestelde statuten.

TITEL 3
Coöperaties en onderlinge waarborgmaatschappijen

AFDELING 1
Algemene bepalingen

Coöperatie

Art. 53. 1. De coöperatie is een bij notariële akte als coöperatie opgerichte vereniging. Zij moet zich blijkens de statuten ten doel stellen in bepaalde stoffelijke behoeften van haar leden te voorzien krachtens overeenkomsten, anders dan van verzekering, met hen gesloten in het bedrijf dat zij te dien einde te hunnen behoeve uitoefent of doet uitoefenen.

Onderlinge waarborgmaatschappij

2. De onderlinge waarborgmaatschappij is een bij notariële akte als onderlinge waarborgmaatschappij opgerichte vereniging. Zij moet zich blijkens de statuten ten doel stellen met haar leden verzekeringsovereenkomsten te sluiten of leden en mogelijk anderen in het kader van een wettelijke regeling verzekerd te houden, een en ander in het verzekeringsbedrijf dat zij te dien einde ten behoeve van haar leden uitoefent.

3. De statuten van een coöperatie kunnen haar veroorloven overeenkomsten als die welke zij met haar leden sluit, ook met anderen aan te gaan; hetzelfde geldt voor de statuten van een onderlinge waarborgmaatschapij waarbij iedere verplichting van leden of oud-leden om in de tekorten bij te dragen is uitgesloten.

4. Indien een coöperatie of een onderlinge waarborgmaatschappij de in het vorige lid bedoelde bevoegdheid uitoefent, mag zij dat niet in een zodanige mate doen, dat de overeenkomsten met de leden slechts van ondergeschikte betekenis zijn.

Bep. m.b.t. verenigingen toepasselijk

Art. 53a. De bepalingen van de vorige titel zijn, met uitzondering van de artikelen 26 lid 3 en 44 lid 2, op de coöperatie en de onderlinge waarborgmaatschappij van toepassing, voor zover daarvan in deze titel niet wordt afgeweken.

Oprichting bij notariële akte
Naam

Art. 54. 1. Een coöperatie en een onderlinge waarborgmaatschappij worden opgericht door een meerzijdige rechtshandeling bij notariële akte.

2. De naam van een coöperatie moet het woord „coöperatief" bevatten, die van een onderlinge waarborgmaatschappij het woord „onderling" of „wederkerig". De naam van de rechtspersoon moet aan het slot de letters W.A., B.A. of U.A. overeenkomstig artikel 56 dragen.

3. Voor de toepassing van de artikelen 29 leden 1-4, 43 lid 5 en 50 lid 2 treedt voor inschrijving in het verenigingenregister en nederlegging ten kantore daarvan in de plaats: inschrijving in het handelsregister en nederlegging ten kantore daarvan.

Art. 54a. (Vervallen bij de wet van 10 november 1988, Stb. 517).

Aansprakelijkheid leden

Art. 55. 1. Zij die bij de ontbinding leden waren, of minder dan een jaar te voren hebben opgehouden leden te zijn, zijn tegenover de rechtspersoon naar de in de statuten aangegeven maatstaf voor een tekort aansprakelijk; wordt een coöperatie of onderlinge waarborgmaatschappij ontbonden door haar insolventie nadat zij in staat van faillissement is verklaard, dan wordt de termijn van een jaar niet van de dag der ontbinding, maar van de dag der faillietverklaring gerekend. De statuten kunnen een langere termijn dan een jaar vaststellen.

Aansprakelijkheid voor gelijke delen

2. Bevatten de statuten niet een maatstaf voor ieders aansprakelijkheid, dan zijn allen voor gelijke delen aansprakelijk.

3. Kan op een of meer van de leden of oud-leden het bedrag van zijn aandeel in het tekort niet worden verhaald, dan zijn voor het ontbrekende de overige leden en oud-leden, ieder naar evenredigheid van zijn aandeel, aansprakelijk. Deze aansprakelijkheid bestaat ook, indien de vereffenaars afzien van verhaal op een of meer leden of oud-leden, op grond dat door de uitoefening van het verhaalsrecht een bate voor de boedel niet zou worden verkregen. Indien de vereffening geschiedt onder toezicht van personen, door de wet met dat toezicht belast, kunnen de vereffenaars van dat verhaal slechts afzien met machtiging van deze personen.

4. De aansprakelijke leden en oud-leden zijn gehouden tot onmiddellijke betaling van hun aandeel in een geraamd tekort, vermeerderd met 50 ten honderd, of zoveel minder als de vereffenaars voldoende achten, tot voorlopige dekking van een nadere omslag voor de kosten van invordering en van het aandeel van hen, die in gebreke mochten blijven aan hun verplichting te voldoen.

5. Een lid of oud-lid is niet bevoegd tot verrekening van zijn schuld uit hoofde van dit artikel.

Uitsluiting of beperking aansprakelijkheid

Art. 56. 1. Een coöperatie of een onderlinge waarborgmaatschappij kan in afwijking van het in het vorige artikel bepaalde in haar statuten iedere verplichting van haar leden of oud-leden om in een tekort bij te dragen, uitsluiten of tot een maximum beperken. De leden kunnen hierop slechts een beroep doen, indien de rechtspersoon aan het slot van zijn naam in het eerste geval de letters U.A. (uitsluiting van aansprakelijkheid), en in het tweede geval de letters B.A. (beperkte aansprakelijkheid) heeft geplaatst. Een rechtspersoon waarop de eerste zin niet is toegepast, plaatst de letters W.A. (wettelijke aansprakelijkheid) aan het slot van zijn naam.

Voeren volledige naam

2. De genoemde rechtspersonen zijn, behoudens in telegrammen en reclames, verplicht haar naam volledig te voeren.

Raad van commissarissen
Taak

Art. 57. 1. Bij de statuten kan worden bepaald dat er een raad van commissarissen zal zijn. De raad bestaat uit een of meer natuurlijke personen.

2. De raad van commissarissen heeft tot taak toezicht te houden op het beleid van het bestuur en op de algemene gang van zaken in de rechtspersoon en de daarmee verbonden onderneming. Hij staat het bestuur met raad ter zijde. Bij de vervulling van hun taak richten de commissarissen zich naar het belang van de rechtspersoon en de daarmee verbonden onderneming.

3. Tenzij bij de statuten anders is bepaald, is de raad van commissarissen bevoegd iedere door de algemene vergadering benoemde bestuurder te allen tijde te schorsen. Deze schorsing kan te allen tijde door de algemene vergadering worden opgeheven.

4. Behoudens het bepaalde in artikel 47 vertegenwoordigt de raad van commissarissen de rechtspersoon in andere gevallen van strijdig belang met een of meer bestuurders dan het sluiten of wijzigen van overeenkomsten zoals deze met alle leden in gelijke omstandigheden worden gesloten. De statuten kunnen van deze bepaling afwijken.

5. De statuten kunnen aanvullende bepalingen omtrent de taak en de bevoegdheden van de raad en van zijn leden bevatten.
6. Tenzij de statuten anders bepalen, kan de algemene vergadering aan de commissarissen als zodanig een bezoldiging toekennen.
7. Tenzij de statuten de commissarissen stemrecht toekennen, hebben zij als zodanig in de algemene vergadering slechts raadgevende stem.
8. Het bestuur verschaft de raad van commissarissen tijdig de voor de uitoefening van diens taak noodzakelijke gegevens.

Art. 57a. 1. Op de benoeming van commissarissen die niet reeds bij de akte van oprichting zijn aangewezen, is artikel 37 van overeenkomstige toepassing, tenzij zij overeenkomstig artikel 63f geschiedt.

Benoeming commissarissen

2. Bij een aanbeveling of voordracht tot benoeming van een commissaris worden van de kandidaat medegedeeld zijn leeftijd, zijn beroep en de betrekkingen die hij bekleedt of die hij heeft bekleed voor zover die van belang zijn in verband met de vervulling van de taak van een commissaris. Tevens wordt vermeld aan welke rechtspersonen hij reeds als commissaris is verbonden; indien zich daaronder rechtspersonen bevinden, die tot een zelfde groep behoren, kan met de aanduiding van de groep worden volstaan. De aanbeveling en de voordracht worden met redenen omkleed.
3. Degene die de leeftijd van 72 jaren heeft bereikt, kan niet tot commissaris worden benoemd. Een commissaris treedt uiterlijk af op de dag waarop de jaarlijkse algemene vergadering wordt gehouden in het boekjaar waarin hij de leeftijd van 72 jaren bereikt. Bij de statuten kan de leeftijdsgrens lager worden gesteld.

Art. 58. 1. Jaarlijks binnen zes maanden na afloop van het boekjaar, behoudens verlenging van deze termijn met ten hoogste vijf maanden door de algemene vergadering op grond van bijzondere omstandigheden, maakt het bestuur een jaarrekening op en legt het deze voor de leden ter inzage ten kantore van de rechtspersoon. Binnen deze termijn legt het bestuur ook het jaarverslag ter inzage, tenzij artikel 403 voor de rechtspersoon geldt. Binnen deze termijn legt het bestuur ook het jaarverslag ter inzage, tenzij artikel 403 voor de rechtspersoon geldt. De termijn kan voor beleggingsmaatschappijen waaraan ingevolge de Wet toezicht beleggingsinstellingen een vergunning is verleend, bij of krachtens die wet worden bekort. De jaarrekening wordt vastgesteld door de algemene vergadering die het bestuur uiterlijk een maand na afloop van de termijn doet houden. Artikel 48 lid 2 is van overeenkomstige toepassing.

Jaarrekening

2. De opgemaakte jaarrekening wordt ondertekend door de bestuurders en door de commissarissen; ontbreekt de ondertekening van een of meer hunner, dan wordt daarvan onder opgave van reden melding gemaakt.

Ondertekening

3. De rechtspersoon zorgt dat de opgemaakte jaarrekening, het jaarverslag en de krachtens artikel 392 lid 1 toe te voegen gegevens vanaf de oproep voor de algemene vergadering, bestemd tot behandeling van de jaarrekening, te zijnen kantore aanwezig zijn. De leden kunnen de stukken aldaar inzien en er kosteloos een afschrift van verkrijgen.
4. Ten laste van de door de wet voorgeschreven reserves mag een tekort slechts worden gedelgd voor zover de wet dat toestaat.

Delging tekort t.l.v. reserves

5. Onze Minister van Economische Zaken kan desverzocht om gewichtige redenen ontheffing verlenen van de verplichting tot het opmaken, het overleggen en het vaststellen van de jaarrekening.

Art. 59. 1. Coöperaties en onderlinge waarborgmaatschappijen zijn niet bevoegd door een besluit wijzigingen in de met haar leden in de uitoefening van haar bedrijf aangegane overeenkomsten aan te brengen, tenzij zij zich deze bevoegdheid in de overeenkomst op duidelijke wijze hebben voorbehouden. Een verwijzing naar statuten, reglementen, algemene voorwaarden of dergelijke, is daartoe niet voldoende.

Wijziging overeenkomsten met leden

2. Op een wijziging als in het vorige lid bedoeld kan de rechtspersoon zich tegenover een lid slechts beroepen indien de wijziging schriftelijk aan het lid was medegedeeld.

Art. 60. Voor de coöperatie geldt voorts dat, met behoud der vrijheid van uittreding uit de coöperatie, daaraan bij de statuten voorwaarden, in overeenstemming met haar doel en strekking, kunnen worden verbonden. Een voorwaarde welke verder gaat dan geoorloofd is, wordt in zoverre voor niet geschreven behouden.

Voorwaarden bij uittreden

Aanvrage en opzegging lidmaatschap

Art. 61. Voor een coöperatie, die in haar statuten niet iedere verplichting van haar leden of oud-leden om in een tekort bij te dragen heeft uitgesloten, gelden bovendien de volgende bepalingen;
a. Het lidmaatschap wordt schriftelijk aangevraagd. Aan de aanvrager wordt eveneens schriftelijk bericht, dat hij als lid is toegelaten of geweigerd. Wanneer hij is toegelaten, wordt hem tevens medegedeeld onder welk nummer hij als lid in de administratie der coöperatie is ingeschreven. Niettemin behoeft, ten bewijze van de verkrijging van het lidmaatschap, van een schriftelijke aanvrage en een schriftelijk bericht als hiervoor bedoeld niet te blijken.
b. De geschriften, waarbij het lidmaatschap wordt aangevraagd, worden gedurende ten minste tien jaren door het bestuur bewaard. Echter behoeven de hierbedoelde geschriften niet te worden bewaard voor zover het betreft diegenen, van wie het lidmaatschap kan blijken uit een door hen ondertekende, gedagtekende verklaring in de administratie van de coöperatie.
c. De opzegging van het lidmaatschap kan slechts geschieden, hetzij bij een afzonderlijk geschrift, hetzij door een door het lid ondertekende, gedagtekende verklaring in de administratie van de coöperatie. Het lid dat de opzegging doet, ontvangt daarvan een schriftelijke erkenning van het bestuur. Wordt de schriftelijke erkenning niet binnen veertien dagen gegeven, dan is het lid bevoegd de opzegging op kosten van de vereniging bij deurwaardersexploot te herhalen.

Ledenlijst

d. Een door het bestuur gewaarmerkt afschrift van de ledenlijst wordt ten kantore van het handelsregister neergelegd bij de inschrijving van de coöperatie. Binnen een maand na het einde van ieder boekjaar wordt door het bestuur een schriftelijke opgave van de wijzigingen die de ledenlijst in de loop van het boekjaar heeft ondergaan, aan de ten kantore van het handelsregister neergelegde lijst toegevoegd of wordt, indien de Kamer van Koophandel en Fabrieken dit nodig oordeelt, een nieuwe lijst neergelegd.

Lidmaatschap onderlinge waarborgmaatschappij

Art. 62. Voor een onderlinge waarborgmaatschappij gelden voorts de volgende bepalingen:
a. Zij die als verzekeringnemer bij een onderlinge waarborgmaatschappij een overeenkomst van verzekering lopende hebben, zijn van rechtswege lid van de waarborgmaatschappij. Bij de onderlinge waarborgmaatschappij die krachtens haar statuten ook verzekeringnemers die geen lid zijn mag verzekeren, kan van deze bepaling worden afgeweken.
b. Tenzij de statuten anders bepalen, duurt het lidmaatschap dat uit een verzekeringsovereenkomst ontstaat, voort totdat alle door het lid met de waarborgmaatschappij gesloten verzekeringsovereenkomsten zijn geëindigd. Bij overdracht of overgang van de rechten en verplichtingen uit zodanige overeenkomst gaat het lidmaatschap, voor zover uit die overeenkomst voortvloeiende, op de nieuwe verkrijger of de nieuwe verkrijgers over, een en ander behoudens afwijkende bepalingen in de statuten.
c. Indien het waarborgkapitaal van een onderlinge waarborgmaatschappij in aandelen is verdeeld, zijn de artikelen 79-89, 90-92, 95, 96 lid 1, 98 leden 1 en 6, en 98c leden 1 en 2 van dit boek van overeenkomstige toepassing.

Bescherming aanduiding coöperatief, enz.

Art. 63. 1. Het is aan een persoon die geen coöperatie of een onderlinge waarborgmaatschappij is, verboden zaken te doen met gebruik van de aanduiding „coöperatief", „onderling" of „wederkerig".

2. Ingeval van overtreding van dit verbod kan iedere coöperatie of onderlinge waarborgmaatschappij vorderen, dat de overtreder zich op straffe van een door de rechter te bepalen dwangsom onthoudt het gewraakte woord bij het doen van zaken te gebruiken.

AFDELING 2
De raad van commissarissen bij de grote coöperatie en bij de grote onderlinge waarborgmaatschappij

Begripsbepaling afhankelijke maatschappij

Art. 63a. In deze afdeling wordt onder een afhankelijke maatschappij verstaan:
a. een rechtspersoon waaraan de coöperatie of onderlinge waarborgmaatschappij of een of meer afhankelijke maatschappijen alleen of samen voor eigen rekening ten minste de helft van het geplaatste kapitaal verschaffen.
b. een vennootschap waarvan een onderneming in het handelsregister is ingeschreven en waarvoor de coöperatie of onderlinge waarborgmaatschappij als vennote jegens derden volledig aansprakelijk is voor alle schulden.

Verplichting doen van opgave

Art. 63b. 1. Een coöperatie of onderlinge waarborgmaatschappij moet, indien lid 2 op haar van toepassing is, binnen twee maanden na de vaststelling van haar jaarrekening door de algemene vergadering, aan het handelsregister opgeven dat zij voldoet aan de in lid 2 gestelde voorwaarden. Totdat artikel 63c lid 3 toepassing heeft gevonden, vermeldt het bestuur in elk volgend jaarverslag wanneer de opgave is gedaan; wordt de opgaaf doorgehaald, dan wordt daarvan melding gemaakt in het eerste jaarverslag dat na de doorhaling wordt uitgebracht.

2.[1] De verplichting tot opgave geldt, indien:
a. het eigen vermogen volgens de balans met toelichting ten minste een bij koninklijk besluit vastgesteld grensbedrag beloopt,
b. de rechtspersoon of een afhankelijke maatschappij krachtens wettelijke verplichting een ondernemingsraad heeft ingesteld, en
c. bij de rechtspersoon en haar afhankelijke maatschappijen te zamen in de regel ten minste honderd werknemers in Nederland werkzaam zijn.

3. Het in onderdeel a van lid 2 genoemde grensbedrag wordt ten hoogste eenmaal in de twee jaren verhoogd of verlaagd, evenredig aan de ontwikkeling van een bij algemene maatregel van bestuur, de Sociaal-Economische Raad gehoord, aan te wijzen prijsindexcijfer sedert een bij die maatregel te bepalen datum; het wordt daarbij afgerond op het naaste veelvoud van twee en een half miljoen gulden. Het bedrag wordt niet opnieuw vastgesteld zo lang als het onafgeronde bedrag minder dan twee miljoen gulden afwijkt van het laatst vastgestelde bedrag.

4. Onder het eigen vermogen wordt in onderdeel a van lid 2 begrepen de gezamenlijke verrichte en nog te verrichten inbreng van vennoten bij wijze van geldschieting in afhankelijke maatschappijen die commanditaire vennootschap zijn, voor zover dit niet tot dubbeltelling leidt.

Toepasselijke bepalingen

Art. 63c. 1. De artikelen 63f tot en met 63j zijn van toepassing op een rechtspersoon waaromtrent een in artikel 63b bedoelde opgaaf gedurende drie jaren onafgebroken is ingeschreven. Deze termijn wordt geacht niet te zijn onderbroken, indien een doorhaling van de opgaaf, welke tijdens die termijn ten onrechte heeft plaatsgevonden, ongedaan is gemaakt.

2. De doorhaling van de inschrijving op de grond dat de rechtspersoon niet meer voldoet aan de voorwaarden van artikel 63b lid 2 doet de toepasselijkheid van de artikelen 63f tot en met 63j slechts eindigen, indien na de doorhaling drie jaren zijn verstreken waarin de rechtspersoon niet opnieuw tot de opgaaf verplicht is geweest.

3. De coöperatie of onderlinge waarborgmaatschappij brengt haar statuten in overeenstemming met de artikelen 63f tot en met 63j welke voor haar gelden, uiterlijk met ingang van de dag waarop die artikelen krachtens lid 1 op haar van toepassing worden.

Art. 63d. 1. De artikelen 63f tot en met 63j gelden niet voor een rechtspersoon wier werkzaamheid zich uitsluitend of nagenoeg uitsluitend beperkt tot het beheer en de financiering van afhankelijke maatschappijen en van haar en hun deelnemingen in andere rechtspersonen, mits de werknemers van de Nederlandse afhankelijke maatschappijen vertegenwoordigd zijn in een ondernemingsraad die de bevoegdheden heeft, bedoeld in de artikelen 158 en 268.

2. Onze Minister van Justitie kan, gehoord de Sociaal-Economische Raad, aan een coöperatie of onderlinge waarborgmaatschappij op haar verzoek ontheffing verlenen van een of meer der artikelen 63f tot en met 63j. De ontheffing kan onder beperkingen worden verleend en daaraan kunnen voorschriften worden verbonden. Zij kan worden gewijzigd en ingetrokken.

Art. 63e. Een coöperatie of onderlinge waarborgmaatschappij waarvoor artikel 63c niet geldt, kan bij haar statuten de wijze van benoeming en ontslag van commissarissen en de taak en bevoegdheden van de raad van commissarissen regelen overeenkomstig de artikelen 63f tot en met 63j, indien zij of een afhankelijke maatschappij en ondernemingsraad heeft ingesteld waarop de bepalingen van de Wet op de ondernemingsraden van toepassing zijn. Deze regeling in de statuten verliest haar gelding zodra de ondernemingsraad ophoudt te bestaan of op die raad niet langer de bepalingen van de Wet op de ondernemingsraden van toepassing zijn.

---

[1] Bij besluit van 14 november 1992, Stb. 602, is bepaald dat het bedrag genoemd in artikel 63b, lid 2 onder a is vastgesteld op vijfentwintig miljoen gulden.

Raad van commissarissen

Art. 63f. 1. De grote coöperatie en de grote onderlinge waarborgmaatschappij hebben een raad van commissarissen.

2. De commissarissen worden, behoudens het bepaalde in lid 8, op voordracht van de raad van commissarissen benoemd door de algemene vergadering, voorzover de benoeming niet reeds is geschied bij de akte van oprichting of voordat dit artikel op de rechtspersoon van toepassing is geworden.

3. De raad van commissarissen bestaat uit ten minste drie leden. Is het aantal commissarissen minder dan drie, dan bevordert de raad onverwijld maatregelen tot aanvulling van zijn ledental.

4. De algemene vergadering, de ondernemingsraad en het bestuur kunnen aan de raad van commissarissen personen aanbevelen om als commissaris voor te dragen. De raad van commissarissen deelt hun daartoe tijdig mede, wanneer en ten gevolge waarvan in zijn midden een plaats moet worden vervuld.

5. De raad van commissarissen geeft aan de algemene vergadering en de ondernemingsraad kennis van de naam van degene die hij voordraagt, met inachtneming van artikel 57a lid 2.

6. De algemene vergadering benoemt de voorgedragen persoon, tenzij de ondernemingsraad binnen twee maanden na de kennisgeving of de algemene vergadering zelf uiterlijk in de eerste vergadering na die twee maanden tegen de voordracht bezwaar maakt:

a. op grond dat de voorschriften van lid 4, tweede volzin, of lid 5 niet behoorlijk zijn nageleefd;

b. op grond van de verwachting dat de voorgedragen persoon ongeschikt zal zijn voor de vervulling van de taak van de commissaris; of

c. op grond van de verwachting dat de raad van commissarissen bij benoeming overeenkomstig het voornemen niet naar behoren zal zijn samengesteld.

Bezwaar OR

7. Het bezwaar wordt aan de raad van commissarissen onder opgave van redenen medegedeeld.

Ongegrondverklaring OR

8. Niettegenstaande het bezwaar van de ondernemingsraad kan de voorgedragen candidaat worden benoemd, indien de ondernemingskamer van het gerechtshof te Amsterdam het bezwaar ongegrond verklaart op verzoek van een daartoe door de raad van commissarissen aangewezen vertegenwoordiger. Op diens verzoek benoemt de ondernemingskamer de voorgedragen candidaat, indien de algemene vergadering bezwaar heeft gemaakt of hem niet in haar daartoe bijeengeroepen vergadering heeft benoemd, tenzij de ondernemingskamer een bezwaar van de algemene vergadering gegrond acht.

9. Verweer kan worden gevoerd door een vertegenwoordiger, daartoe aangewezen door de ledenvergadering of door de ondernemingsraad die het in lid 6 bedoelde bezwaar heeft gemaakt.

10. Tegen de beslissing van de ondernemingskamer staat geen rechtsmiddel open. De ondernemingskamer kan geen veroordeling in de proceskosten uitspreken.

Ondernemingsraad

11. Voor de toepassing van dit artikel wordt onder de ondernemingsraad verstaan de ondernemingsraad van de onderneming van de rechtspersoon of van een afhankelijke maatschappij. Zijn er twee of meer ondernemingsraden, dan zijn deze gelijkelijk bevoegd. Is voor de betrokken onderneming of ondernemingen een centrale ondernemingsraad ingesteld, dan komen de bevoegdheden van de ondernemingsraad volgens dit artikel toe aan de centrale ondernemingsraad. De ondernemingsraad neemt geen besluit als bedoeld in dit artikel dan na er ten minste eenmaal over te hebben overlegd met de rechtspersoon.

Benoeming bij ontbreken alle commissarissen

Art. 63g. 1. Ontbreken alle commissarissen, dan kunnen de ondernemingsraad en het bestuur personen voor benoeming tot commissaris aanbevelen aan de ledenvergadering. Degene die de algemene vergadering bijeenroept, deelt de ondernemingsraad en het bestuur tijdig mede dat de benoeming van commissarissen onderwerp van behandeling zal zijn.

2. De benoeming is van kracht, tenzij de ondernemingsraad binnen twee maanden na overeenkomstig artikel 63f lid 5 in kennis te zijn gesteld van de naam van de benoemde persoon, overeenkomstig artikel 63f lid 6 bij de rechtspersoon bezwaar maakt. Niettegenstaande dit bezwaar wordt de benoeming van kracht, indien de ondernemingskamer van het gerechtshof te Amsterdam op verzoek van een daartoe door de algemene vergadering aangewezen vertegenwoordiger het bezwaar ongegrond verklaart.

3. De leden van 10 en 11 van artikel 63f zijn van overeenkomstige toepassing.

Incompatibiliteiten

Art. 63h. 1. Commissaris kunnen niet zijn:

a. personen in dienst van de rechtspersoon;
b. personen in dienst van een afhankelijke maatschappij;
c. bestuurders en personen in dienst van een werknemersorganisatie welke pleegt betrokken te zijn bij de vaststelling van de arbeidsvoorwaarden van de onder a en b bedoelde personen.

2. De statuten mogen voor ten hoogste twee derden van het aantal commissarissen bepalen dat zij worden benoemd uit een kring waartoe ten minste de leden van de rechtspersoon behoren.

Aftreden commissaris

Art. 63i. 1. Een commissaris treedt uiterlijk af, indien hij na zijn laatste benoeming vier jaren commissaris is geweest. De termijn kan bij de statuten worden verlengd tot de dag van de eerstvolgende algemene vergadering na afloop van de vier jaren of na de dag waarop dit artikel voor de rechtspersoon is gaan gelden.

Ontslag commissaris

2. De ondernemingskamer van het gerechtshof te Amsterdam kan op verzoek een commissaris ontslaan wegens verwaarlozing van zijn taak, wegens andere gewichtige redenen of wegens ingrijpende wijziging van de omstandigheden op grond waarvan handhaving van de commissaris redelijkerwijs niet van de rechtspersoon kan worden verlangd. Het verzoek kan worden ingediend door een vertegenwoordiger, daartoe aangewezen door de raad van commissarissen, door de algemene vergadering of door de ondernemingsraad. Artikel 63f lid 11 is van overeenkomstige toepassing.

Schorsing commissaris

3. Een commissaris kan slechts worden geschorst door de raad van commissarissen. De schorsing vervalt van rechtswege, indien niet binnen een maand na de aanvang der schorsing een verzoek als bedoeld in lid 2 is ingediend bij de ondernemingskamer.

Besluiten aan goedkeuring RvC onderworpen

Art. 63j. 1. Aan de goedkeuring van de raad van commissarissen zijn onderworpen de besluiten van het bestuur omtrent:
a. uitgifte van schuldbrieven ten laste van de rechtspersoon;
b. uitgifte van schuldbrieven ten laste van een commanditaire vennootschap of vennootschap onder firma waarvan de rechtspersoon volledig aansprakelijke vennoot is;
c. aanvrage van notering of van intrekking der notering van de schuldbrieven, bedoeld in de onderdelen a en b, in de prijscourant van enige beurs;
d. het aangaan of verbreken van duurzame samenwerking van de rechtspersoon of een afhankelijke maatschappij met een andere rechtspersoon of vennootschap dan wel als volledig aansprakelijk vennoot in een commanditaire vennootschap of vennootschap onder firma, indien deze samenwerking of verbreking van ingrijpende betekenis is voor de rechtspersoon;
e. het nemen van een deelneming ter waarde van ten miste een vierde van het bedrag van het eigen vermogen volgens de balans met toelichting van de rechtspersoon, door deze of een afhankelijke maatschappij in het kapitaal van een vennootschap, alsmede het ingrijpend vergroten of verminderen van zulk een deelneming;
f. investeringen welke een bedrag vereisen, gelijk aan een vierde van het eigen vermogen volgens de balans met toelichting van de rechtspersoon;
g. een voorstel tot wijziging der statuten;
h. een voorstel tot ontbinding van de rechtspersoon;
i. aangifte van faillissement en aanvrage van surséance van betaling;
j. beëindiging van de dienstbetrekking van een aanmerkelijk aantal arbeiders van de rechtspersoon of een afhankelijke maatschappij tegelijkertijd of binnen een kort tijdsbestek;
k. ingrijpende wijziging in de arbeidsomstandigheden van een aanmerklijk aantal arbeiders van de rechtspersoon of van een afhankelijke maatschappij.

2. Het ontbreken van de goedkeuring van de raad van commissarissen op een besluit als bedoeld in lid 1 tast de vertegenwoordigingsbevoegdheid van het bestuur of bestuurders niet aan.

3. Voor besluiten van de rechtspersoon als bedoeld in de onderdelen d, e, f, j en k van lid 1 is enig besluit vereist van het bestuur.

TITEL 4
Naamloze vennootschappen

AFDELING 1
Algemene bepalingen

Definitie N.V.

Art. 64. 1. De naamloze vennootschap is een rechtspersoon met een in overdraagbare aandelen verdeeld maatschappelijk kapitaal. Een aandeelhouder is niet persoonlijk aansprakelijk voor hetgeen in naam van de vennootschap wordt verricht en is niet gehouden boven het bedrag dat op zijn aandeel behoort te worden gestort in de verliezen van de vennootschap bij te dragen.

Oprichting

2. De vennootschap wordt door een of meer personen opgericht bij notariële akte op het ontwerp waarvan Onze Minister van Justitie een verklaring heeft verleend dat hem van geen bezwaren is gebleken. Tenzij de oprichting bij een akte van fusie geschiedt, neemt iedere oprichter tevens in het kapitaal deel.

Verklaring van geen bezwaar

3. De akte van oprichting moet binnen drie maanden na de dagtekening van de verklaring van geen bezwaar zijn verleden, op straffe van verval van de verklaring. Onze Minister kan op verzoek van belanghebbenden op grond van gewichtige redenen deze termijn met ten hoogste drie maanden verlengen.

Inhoud oprichtingsakte

Art. 65. De akte van oprichting van een naamloze vennootschap wordt verleden in de Nederlandse taal. Een volmacht tot medewerking aan die akte moet schriftelijk zijn verleend.

Art. 66. 1. De akte van oprichting moet de statuten van de naamloze vennootschap bevatten. De statuten bevatten de naam, de zetel en het doel van de vennootschap.

2. De naam vangt aan of eindigt met de woorden Naamloze Vennootschap, hetzij voluit geschreven, hetzij afgekort tot „N.V.".

3. De zetel moet zijn gelegen in Nederland.

Maatschappelijk en geplaatst kapitaal; soorten aandelen

Art. 67. 1. De statuten vermelden het bedrag van het maatschappelijke kapitaal en het aantal en het bedrag van de aandelen. Zijn er verschillende soorten aandelen, dan vermelden de statuten het aantal en het bedrag van elke soort. De akte van oprichting vermeldt het bedrag van het geplaatste kapitaal en van het gestorte deel daarvan. Zijn er verschillende soorten aandelen dan worden de bedragen van het geplaatste en van het gestorte kapitaal uitgesplitst per soort. De akte vermeldt voorts van ieder die bij de oprichting aandelen neemt de in artikel 86 lid 2 onder b en c bedoelde gegevens met het aantal en de soort van de door hem genomen aandelen en het daarop gestorte bedrag.

Minimum kapitaal

2. Het maatschappelijke en het geplaatste kapitaal moeten ten minste het minimumkapitaal bedragen. Het minimumkapitaal bedraagt honderdduizend gulden. Bij algemene maatregel van bestuur wordt dit bedrag verhoogd, indien het recht van de Europese Gemeenschappen verplicht tot verhoging van het geplaatste kapitaal. Voor naamloze vennootschappen die bestaan op de dag voordat deze verhoging in werking treedt, wordt zij eerst achttien maanden na die dag van kracht.

Minimum gestorte kapitaal

3. Het gestorte deel van het geplaatste kapitaal moet ten minste honderdduizend gulden bedragen.

Minimale plaatsing

4. Van het maatschappelijke kapitaal moet ten minste een vijfde gedeelte zijn geplaatst.

Ministeriële verklaring van geen bezwaar

Art. 68. 1. Ter verkrijging van een verklaring van Onze Minister van Justitie dat hem van geen bezwaren is gebleken, moet een ontwerp van de akte van oprichting aan de Minister worden ingezonden. Tevens moet aan Onze Minister van Justitie ten bate van 's Rijks kas een bedrag van honderd vijftig gulden worden voldaan.[1] Wij kunnen bij algemene maatregel van bestuur dit bedrag verhogen in verband met de stijging van het loon- en prijspeil.

Weigeringsgronden

2. De verklaring mag alleen worden geweigerd op grond dat er, gelet op de voornemens of de antecedenten van de personen die het beleid van de vennootschap zullen bepalen of mede bepalen, gevaar bestaat dat de vennootschap zal worden ge-

---

[1] Bij het besluit van 11 maart 1993, Stb. 157, is bepaald dat dit bedrag twee honderd gulden bedraagt.

bruikt voor ongeoorloofde doeleinden of dat haar werkzaamheid zal leiden tot benadeling van haar schuldeisers; of dat de akte in strijd is met de openbare orde of de wet.

3. Ten behoeve van de uitoefening van het toezicht, bedoeld in lid 2, verstrekken de bedrijfsverenigingen die belast zijn met de uitvoering van de wettelijke arbeidsongeschiktheidsverzekeringen, de wettelijke ziekengeldverzekeringen en de wettelijke werkloosheidsverzekeringen desgevraagd aan Onze Minister van Justitie de inlichtingen die deze behoeft. De bedrijfsverenigingen verstrekken hem desgevraagd inzage of uittreksel van de gegevens waarover zij beschikt.

Inschrijving

Art. 69. 1. De bestuurders zijn verplicht de vennootschap te doen inschrijven in het handelsregister en een authentiek afschrift van de akte van oprichting en van de daaraan ingevolge de artikelen 93a, 94 en 94a gehechte stukken neer te leggen ten kantore van het handelsregister. Tegelijkertijd moeten zij opgave doen van het totaal van de vastgestelde en geraamde kosten die met de oprichting verband houden en ten laste van de vennootschap komen.

Aansprakelijkheid vóór inschrijving en storting

2. De bestuurders zijn naast de vennootschap hoofdelijk aansprakelijk voor elke tijdens hun bestuur verrichte rechtshandeling waardoor de vennootschap wordt verbonden in het tijdvak voordat:
a. de opgave ter eerste inschrijving in het handelsregister, vergezeld van de neer te leggen afschriften, is geschied,
b. het gestorte deel van het kapitaal ten minste het bij de oprichting voorgeschreven minimumkapitaal bedraagt, en
c. op het bij de oprichting geplaatste kapitaal ten minste een vierde van het nominale bedrag is gestort.

Art. 70. Vervallen

Omzetting N.V.

Art. 71. 1. Wanneer de naamloze vennootschap zich krachtens artikel 18 omzet in een vereniging, coöperatie of onderlinge waarborgmaatschappij, wordt iedere aandeelhouder lid, tenzij hij de schadeloosstelling heeft gevraagd, bedoeld in lid 2.

2. Op het besluit tot omzetting is artikel 100 van toepassing, tenzij de vennootschap zich omzet in een besloten vennootschap. Na zulk een besluit kan iedere aandeelhouder die niet met het besluit heeft ingestemd, de vennootschap schadeloosstelling vragen voor het verlies van zijn aandelen. Het verzoek tot schadeloosstelling moet schriftelijk aan de vennootschap worden gedaan binnen één maand nadat zij aan de aandeelhouder heeft meegedeeld dat hij deze schadeloosstelling kan vragen. De mededeling geschiedt op de zelfde wijze als de oproeping tot een algemene vergadering.

3. Bij gebreke van overeenstemming wordt de schadeloosstelling bepaald door een of meer onafhankelijke deskundigen, ten verzoeke van de meest gerede partij te benoemen door de rechtbank bij de machtiging tot omzetting of door haar president. De artikelen 351 en 352 zijn van toepassing.

Omzetting B.V. in N.V.

Art. 72. 1. Wanneer een besloten vennootschap zich krachtens artikel 18 omzet in een naamloze vennootschap, worden aan de akte van omzetting gehecht:
a. een verklaring van Onze Minister van Justitie, waarop artikel 235 van toepassing is, dat hem van bezwaren tegen de omzetting en statutenwijziging niet is gebleken;
b. een verklaring van een accountant als bedoeld in artikel 393 lid 1, waaruit blijkt dat het eigen vermogen van de vennootschap op een dag binnen vijf maanden voor de omzetting ten minste overeenkwam met het gestorte en opgevraagde deel van het kapitaal.

2. Wanneer een andere rechtspersoon zich krachtens artikel 18 omzet in een naamloze vennootschap, worden aan de akte van omzetting gehecht:
a. een verklaring van Onze Minister van Justitie, waarop artikel 68 van toepassing is, dat hem van bezwaren tegen de omzetting en statutenwijziging niet is gebleken;
b. een verklaring van een accountant als bedoeld in artikel 393 lid 1, waaruit blijkt dat het eigen vermogen van de rechtspersoon op een dag binnen vijf maanden voor de omzetting ten minste het bedrag beloopt van het gestorte deel van het geplaatste kapitaal volgens de akte van omzetting; bij het eigen vermogen mag de waarde worden geteld van hetgeen na die dag uiterlijk onverwijld na de omzetting op aandelen zal worden gestort;
c. indien de rechtspersoon leden heeft, de schriftelijke toestemming van ieder lid wiens aandelen niet worden volgestort door omzetting van de reserves van de rechts-

persoon;
d. indien een stichting wordt omgezet, de rechterlijke machtiging daartoe.
3. Wanneer een vereniging, coöperatie of onderlinge waarborgmaatschappij zich krachtens artikel 18 omzet in een naamloze vennootschap, wordt ieder lid aandeelhouder. De omzetting kan niet geschieden, zolang een lid nog kan opzeggen op grond van artikel 36 lid 4.

Art. 73. (Vervallen bij de wet van 29 juni 1994, Stb. 506).

Ontbinding N.V.

Art. 74. 1. Op vordering van het openbaar ministerie ontbindt de rechtbank de naamloze vennootschap wanneer deze haar doel, door een gebrek aan baten, niet kan bereiken, en kan de rechtbank de vennootschap ontbinden, wanneer deze haar werkzaamheid tot verwezenlijking van haar doel heeft gestaakt. Het openbaar ministerie deelt de Kamer van Koophandel en Fabrieken, in wier handelsregister de vennootschap is ingeschreven, mee dat het voornemens is een vordering tot ontbinding in te stellen.
2. De rechtbank ontbindt de vennootschap op vordering van het openbaar ministerie wanneer het geplaatste kapitaal of het gestorte deel daarvan geringer is dan het minimumkapitaal.
3. Alvorens de ontbinding uit te spreken kan de rechter de vennootschap in de gelegenheid stellen binnen een door hem te bepalen termijn het verzuim te herstellen of zich om te zetten in een besloten vennootschap met beperkte aansprakelijkheid.

Voeren naam N.V.

Art. 75. 1. Uit alle geschriften, gedrukte stukken en aankondigingen, waarin de naamloze vennootschap partij is of die van haar uitgaan, met uitzondering van telegrammen en reclames, moeten de volledige naam van de vennootschap en haar woonplaats duidelijk blijken.
2. Indien melding wordt gemaakt van het kapitaal van de vennootschap, moet in elk geval worden vermeld welk bedrag is geplaatst, en hoeveel van het geplaatste bedrag is gestort.

Art. 76. Vervallen bij de wet van 10 november 1988, Stb. 517.

Art. 76a. 1. Onder beleggingsmaatschappij met veranderlijk kapitaal wordt verstaan een naamloze vennootschap,
a. die uitsluitend ten doel heeft haar vermogen zodanig te beleggen dat de risico's daarvan worden gespreid, ten einde haar aandeelhouders in de opbrengst te doen delen,
b. waarvan het bestuur krachtens de statuten bevoegd is aandelen in haar kapitaal uit te geven, te verwerven en te vervreemden,
c. waarvan de aandelen, met uitzondering van aandelen waaraan de statuten een bijzonder recht inzake de zeggenschap in de vennootschap verbinden, worden opgenomen in de prijscourant van een beurs, en
d. waarvan de statuten bepalen dat de vennootschap beleggingsmaatschappij met veranderlijk kapitaal is.

Deze woorden steeds vermeld

2. De vennootschap moet aan het handelsregister opgeven dat zij „beleggingsmaatschappij met veranderlijk kapitaal" is. Deze woorden moeten ook in alle geschriften, gedrukte stukken en aankondigingen, waarin de beleggingsmaatschappij met veranderlijk kapitaal partij is of die van haar uitgaan, met uitzondering van telegrammen en reclames, duidelijk bij haar naam worden vermeld.

Handelsregister

Art. 77. Wanneer in deze titel het kantoor van het handelsregister wordt vermeld, wordt onder het handelsregister verstaan het register van de plaats, waar de vennootschap volgens haar statuten haar zetel heeft.

Geplaatst gedeelte kapitaal

Art. 78. Wanneer in de statuten wordt gesproken van de houders van zoveel aandelen als tezamen een zeker gedeelte van het maatschappelijk kapitaal der vennootschap uitmaken, wordt, tenzij het tegendeel uit de statuten blijkt, onder kapitaal verstaan het geplaatste gedeelte van het maatschappelijk kapitaal.

AFDELING 2
De aandelen

Aandelen

Art. 79. 1. Aandelen zijn de gedeelten, waarin het maatschappelijk kapitaal bij de statuten is verdeeld.

2. Onderaandelen zijn de onderdelen, waarin de aandelen krachtens de statuten zijn of kunnen worden gesplitst.
3. De bepalingen van deze titel over aandelen en aandeelhouders vinden overeenkomstige toepasing op onderaandelen en houders van onderaandelen voor zover uit die bepalingen niet anders blijkt.

Art. 80. 1. Bij het nemen van het aandeel moet daarop het nominale bedrag worden gestort alsmede, indien het aandeel voor een hoger bedrag wordt genomen, het verschil tussen die bedragen. Bedongen kan worden dat een deel, ten hoogste drie vierden, van het nominale bedrag eerst behoeft te worden gestort nadat de vennootschap het zal hebben opgevraagd.

Stortingsplicht

2. Het is geoorloofd aan hen die zich in hun beroep belasten met het voor eigen rekening plaatsen van aandelen, bij overeenkomst toe te staan op de door hen genomen aandelen minder te storten dan het nominale bedrag, mits ten minste vier en negentig ten honderd van dit bedrag uiterlijk bij het nemen van de aandelen in geld wordt gestort.
3. Een aandeelhouder kan niet geheel of gedeeltelijk worden ontheven van de verplichting tot storting, behoudens het bepaalde in artikel 99.
4. De aandeelhouder en, in het geval van artikel 90, de voormalige aandeelhouder zijn niet bevoegd tot verrekening van hun schuld uit hoofde van dit artikel.

Geen compensatie

Art. 80a. 1. Storting op een aandeel moet in geld geschieden voor zover niet een andere inbreng is overeengekomen.

Storting in (vreemd) geld

2. Voor of bij de oprichting kan storting in vreemd geld slechts geschieden indien de akte van oprichting vermeldt dat storting in vreemd geld is toegestaan; na de oprichting kan dit slechts geschieden met toestemming van de naamloze vennootschap.
3. Met storting in vreemd geld wordt aan de stortingsplicht voldaan voor het bedrag waartegen het gestorte bedrag vrijelijk in Nederlands geld kan worden gewisseld. Bepalend is de wisselkoers op de dag van de storting dan wel, indien vroeger dan een maand voor de oprichting is gestort, op de dag van de oprichting of, na toepassing van de volgende zin, op de daar bedoelde dag. De vennootschap kan storting verlangen tegen de wisselkoers op een bepaalde dag binnen twee maanden voor de laatste dag waarop moet worden gestort, mits de aandelen of certificaten onverwijld na de uitgifte zullen worden opgenomen in de prijscourant van een beurs buiten Nederland.

Art. 80b. 1. Indien inbreng anders dan in geld is overeengekomen, moet hetgeen wordt ingebracht naar economische maatstaven kunnen worden gewaardeerd. Een recht op het verrichten van werk of diensten kan niet worden ingebracht.

Inbreng anders dan in geld

2. Inbreng anders dan in geld moet onverwijld geschieden na het nemen van het aandeel of na de dag waartegen een bijstorting is uitgeschreven of waarop zij is overeengekomen.

Art. 81. Aan een aandeelhouder kan niet, zelfs niet door wijziging van de statuten, tegen zijn wil enige verplichting boven de storting tot het nominale bedrag van het aandeel worden opgelegd.

Verplichting beperkt tot volstorten

Art. 82. 1. De statuten bepalen of aandelen op naam of aan toonder luiden.

Aandelen op naam, aan toonder of met beide mogelijkheden

2. Indien aandelen zowel op naam als aan toonder kunnen luiden, moet de naamloze vennootschap op verzoek van een aandeelhouder een op naam luidend volgestort aandeel aan toonder stellen of omgekeerd, voor zover de statuten niet anders bepalen, en wel ten hoogste tegen de kostprijs.
3. Bewijzen van aandeel aan toonder mogen niet aan de aandeelhouders worden afgegeven dan tegen storting van ten minste het volle bedrag van die aandelen, behoudens de bepaling van het tweede lid van artikel 80 van dit Boek.

Art. 83. Tegenover de latere verkrijger te goeder trouw staat aan de naamloze vennootschap niet het bewijs open, dat een aandeel aan toonder niet is volgestort, of dat op een aandeel op naam niet is gestort hetgeen een vanwege de vennootschap op het aandeelbewijs gestelde verklaring als storting op het nominale bedrag vermeldt.

Bescherming latere verkrijgers

Art. 84. De vereffenaar van een naamloze vennootschap en, in geval van faillissement, de curator zijn bevoegd tot uitschrijving en inning van alle nog niet gedane

Bevoegdheid curator/vereffenaar

stortingen op de aandelen, onverschillig hetgeen bij de statuten daaromtrent is bepaald.

Register van aandeelhouders

Art. 85. 1. Het bestuur van de vennootschap houdt een register waarin de namen en de adressen van alle houders van aandelen op naam zijn opgenomen, met vermelding van de datum waarop zij de aandelen hebben verkregen, de datum van de erkenning of betekening, alsmede van het op ieder aandeel gestorte bedrag. Daarin worden tevens opgenomen de namen en adressen van hen die een recht van vruchtgebruik of pandrecht op die aandelen hebben, met vermelding van de datum waarop zij het recht hebben verkregen, de datum van erkenning of betekening, alsmede met vermelding welke aan de aandelen verbonden rechten hun overeenkomstig de leden 2 en 4 van de artikelen 88 en 89 van dit boek toekomen.

2. Het register wordt regelmatig bijgehouden; daarin wordt mede aangetekend elk verleend ontslag van aansprakelijkheid voor nog niet gedane stortingen.

3. Het bestuur verstrekt desgevraagd aan een aandeelhouder, een vruchtgebruiker en een pandhouder om niet een uittreksel uit het register met betrekking tot zijn recht op een aandeel. Rust op het aandeel een recht van vruchtgebruik of een pandrecht, dan vermeldt het uittreksel aan wie de in de leden 2 en 4 van de artikelen 88 en 89 van dit Boek bedoelde rechten toekomen.

4. Het bestuur legt het register ten kantore van de vennootschap ter inzage van de aandeelhouders, alsmede van de vruchtgebruikers en pandhouders aan wie de in lid 4 van de artikelen 88 en 89 van dit Boek bedoelde rechten toekomen. De vorige zin is niet van toepassing op het gedeelte van het register dat buiten Nederland ter voldoening aan de aldaar geldende wetgeving of ingevolge beursvoorschriften wordt gehouden. De gegevens van het register omtrent niet-volgestorte aandelen zijn ter inzage van een ieder; afschrift of uittreksel van deze gegevens wordt ten hoogste tegen kostprijs verstrekt.

Uitgifte en levering aandelen

Art. 86. 1. Voor de uitgifte en levering van een aandeel op naam, niet zijnde een aandeel als bedoeld in artikel 86c, of de levering van een beperkt recht daarop, is vereist een daartoe bestemde ten overstaan van een in Nederland standplaats hebbende notaris verleden akte waarbij de betrokkenen partij zijn. Geen afzonderlijke akte is vereist voor de uitgifte van aandelen die bij de oprichting worden geplaatst.

Inhoud akte van uitgifte of levering

2. Akten van uitgifte of levering moeten vermelden:
a. de titel van de rechtshandeling en op welke wijze het aandeel of het beperkt recht daarop is verkregen;
b. naam, voornamen, geboortedatum, geboorteplaats, woonplaats en adres van de natuurlijke personen die bij de rechtshandeling partij zijn;
c. rechtsvorm, naam, woonplaats en adres van de rechtspersonen die bij de rechtshandeling partij zijn;
d. het aantal en de soort aandelen waarop de rechtshandeling betrekking heeft, alsmede
e. naam, woonplaats en adres van de vennootschap op welker aandelen de rechtshandeling betrekking heeft.

Werking levering van rechtswege

Art. 86a. 1. De levering van een aandeel op naam of de levering van een beperkt recht daarop overeenkomstig artikel 86 lid 1 werkt mede van rechtswege tegenover de vennootschap.

Behoudens in het geval dat de vennootschap zelf bij de rechtshandeling partij is, kunnen de aan het aandeel verbonden rechten eerst worden uitgeoefend nadat zij de rechtshandeling heeft erkend of de akte aan haar is betekend overeenkomstig de bepalingen van artikel 86b, dan wel deze heeft erkend door inschrijving in het aandeelhoudersregister als bedoeld in lid 2.

2. De vennootschap die kennis draagt van de rechtshandeling als bedoeld in het eerste lid kan, zolang haar geen erkenning daarvan is verzocht noch betekening van de akte aan haar is geschied, die rechtshandeling eigener beweging erkennen door inschrijving van de verkrijger van het aandeel of het beperkte recht daarop in het aandeelhoudersregister. Zij doet daarvan aanstonds bij aangetekende brief mededeling aan de bij de rechtshandeling betrokken partijen met het verzoek alsnog een afschrift of uittreksel als bedoeld in artikel 86b lid 1 aan haar over te leggen. Na ontvangst daarvan plaatst zij, ten bewijze van de erkenning, een aantekening op het stuk op de wijze als in artikel 86b voor de erkenning wordt voorgeschreven; als datum van erkenning wordt de dag van de inschrijving vermeld.

3. Indien een rechtshandeling als bedoeld in het eerste lid heeft plaatsgevonden zonder dat dit heeft geleid tot een daarop aansluitende wijziging in het register van

aandeelhouders, kan deze noch aan de vennootschap noch aan anderen die te goeder trouw de in het aandeelhoudersregister ingeschreven persoon als aandeelhouder of eigenaar van een beperkt recht op een aandeel hebben beschouwd, worden tegengeworpen.

Art. 86b. 1. Behoudens het bepaalde in artikel 86a lid 2 geschiedt de erkenning in de akte dan wel op grond van overlegging van een notarieel afschrift of uittreksel van de akte.

Erkenning

2. Bij erkenning op grond van overlegging van een notarieel afschrift of uittreksel wordt een gedagtekende verklaring geplaatst op het overgelegde stuk.

3. De betekening geschiedt van een notarieel afschrift of uittreksel van de akte.

Art. 86c. 1. Voor de levering van een aandeel op naam of de levering van een beperkt recht daarop in een vennootschap, waarvan aandelen of certificaten van aandelen zijn toegelaten tot de officiële notering van een gereglementeerde effectenbeurs in de zin van artikel 1, onderdeel d, van de Wet toezicht effectenverkeer, die onder toezicht staat van de overheid of van een door de overheid erkende autoriteit of instelling, of waarvan aandelen of certificaten van aandelen, naar ten tijde van de rechtshandeling op goede gronden kan worden verwacht, daartoe spoedig zullen worden toegelaten, gelden de volgende bepalingen.

2. Voor de levering van een aandeel op naam of de levering van een beperkt recht daarop zijn vereist een daartoe bestemde akte alsmede, behoudens in het geval dat de vennootschap zelf bij die rechtshandeling partij is, schriftelijke erkenning door de vennootschap van de levering. De erkenning geschiedt in de akte, of door een gedagtekende verklaring houdende de erkenning op de akte of op een notarieel of door de vervreemder gewaarmerkt afschrift of uittreksel daarvan, of op de wijze als bedoeld in lid 3. Met de erkenning staat gelijk de betekening van die akte of dat afschrift of uittreksel aan de vennootschap. Betreft het de levering van niet volgestorte aandelen, dan kan de erkenning slechts geschieden wanneer de akte een vaste dagtekening draagt.

3. Indien voor een aandeel een aandeelbewijs is afgegeven, kunnen de statuten bepalen dat voor de levering bovendien afgifte van dat aandeelbewijs aan de vennootschap is vereist. Dit vereiste geldt niet indien het aandeelbewijs is verloren, ontvreemd of vernietigd en niet volgens de statuten kan worden vervangen. Indien het aandeelbewijs aan de vennootschap wordt afgegeven, kan de vennootschap de levering erkennen door op dat aandeelbewijs een aantekening te plaatsen waaruit van de erkenning blijkt of door het afgegeven bewijs te vervangen door een nieuw aandeelbewijs luidende ten name van de verkrijger.

4. Een pandrecht kan ook worden gevestigd zonder erkenning door of betekening aan de vennootschap. Alsdan is artikel 239 van Boek 3 van overeenkomstige toepassing, waarbij erkenning door of betekening aan de vennootschap in de plaats treedt van de in lid 3 van dat artikel bedoelde mededeling.

Art. 87. 1. Bij de statuten kan de overdraagbaarheid van aandelen op naam worden beperkt. Deze beperking kan niet zodanig zijn, dat zij de overdraagbaarheid onmogelijk of uiterst bezwaarlijk maakt. Hetzelfde geldt voor de toedeling van aandelen uit een gemeenschap.

Blokkering van aandelen

2. Bepalingen in de statuten omtrent de overdraagbaarheid van aandelen gelden niet, indien de houder krachtens de wet tot overdracht van zijn aandeel aan een eerdere houder verplicht is.

Art. 88. 1. De bevoegdheid tot het vestigen van vruchtgebruik op een aandeel kan bij de statuten niet worden beperkt of uitgesloten.

Vestigen vruchtgebruik

2. De aandeelhouder heeft het stemrecht op de aandelen waarop een vruchtgebruik is gevestigd.

Stemrecht

3. In afwijking van het voorgaande lid komt het stemrecht toe aan de vruchtgebruiker, indien zulks bij de vestiging van het vruchtgebruik is bepaald en de vruchtgebruiker een persoon is, aan wie de aandelen vrijelijk kunnen worden overgedragen. Indien de vruchtgebruiker een persoon is aan wie de aandelen niet vrijelijk kunnen worden overgedragen, komt hem het stemrecht uitsluitend toe, indien dit bij de vestiging van het vruchtgebruik is bepaald en zowel deze bepaling als — bij overdracht van het vruchtgebruik — de overgang van het stemrecht is goedgekeurd door het vennootschapsorgaan dat bij de statuten is aangewezen om goedkeuring te verlenen tot een voorgenomen overdracht van aandelen, dan wel — bij ontbreken van

zodanige aanwijzing — door de algemene vergadering van aandeelhouders. Van het bepaalde in de vorige zin kan in de statuten worden afgeweken.

4. De aandeelhouder die geen stemrecht heeft, en de vruchtgebruiker die stemrecht heeft, hebben de rechten, die door de wet zijn toegekend aan de houders van met medewerking ener vennootschap uitgegeven certificaten van aandelen. De vruchtgebruiker die geen stemrecht heeft, heeft deze rechten, tenzij deze hem bij de vestiging of de overdracht van het vruchtgebruik of bij de statuten der vennootschap worden onthouden.

Vergoeding claims

5. Indien de statuten der vennootschap niet anders bepalen, komen ook aan de aandeelhouder toe de uit het aandeel voortspruitende rechten, strekkende tot het verkrijgen van aandelen, met dien verstande dat hij de waarde van deze rechten moet vergoeden aan de vruchtgebruiker, voor zover deze krachtens zijn recht van vruchtgebruik daarop aanspraak heeft.

Bevoegdheid vestigen pandrecht

Art. 89.[1] 1. De bevoegdheid tot verpanding van een aandeel aan toonder kan bij de statuten niet worden beperkt of uitgesloten. Op aandelen op naam kan pandrecht worden gevestigd, voor zover de statuten niet anders bepalen.

Stemrecht op verpande aandelen

2. De aandeelhouder heeft het stemrecht op de verpande aandelen.

3. In afwijking van het voorgaande lid komt het stemrecht toe aan de pandhouder, indien zulks bij de vestiging van het pandrecht is bepaald en de pandhouder een persoon is, aan wie de aandelen vrijelijk kunnen worden overgedragen. Indien de pandhouder een persoon is aan wie de aandelen niet vrijelijk kunnen worden overgedragen, komt hem het stemrecht uitsluitend toe, indien dit bij de vestiging van het pandrecht is bepaald, en de bepaling is goedgekeurd door het vennootschapsorgaan dat bij de statuten is aangewezen om goedkeuring te verlenen tot een voorgenomen overdracht van aandelen, dan wel — bij ontbreken van zodanige aanwijzing — door de algemene vergadering van aandeelhouders. Treedt een ander in de rechten van de pandhouder, dan komt hem het stemrecht slechts toe, indien het in de vorige zin bedoelde orgaan dan wel, bij gebreke daarvan, de algemene vergadering de overgang van het stemrecht goedkeurt. Van het bepaalde in de voorgaande drie zinnen kan in de statuten worden afgeweken.

4. De aandeelhouder die geen stemrecht heeft, en de pandhouder die stemrecht heeft, hebben de rechten die door de wet zijn toegekend aan de houders van met medewerking ener vennootschap uitgegeven certificaten van aandelen. De pandhouder die geen stemrecht heeft, heeft deze rechten, tenzij deze hem bij de vestiging of de overgang van het pandrecht of bij de statuten der vennootschap worden onthouden.

Vervreemding door pandhouder

5. De bepalingen van de statuten ten aanzien van de vervreemding en overdracht van aandelen zijn van toepassing op de vervreemding en overdracht van de aandelen door de pandhouder of de verblijving van de aandelen aan de pandhouder, met dien verstande dat de pandhouder alle ten aanzien van de vervreemding en overdracht aan de aandeelhouder toekomende rechten uitoefent en diens verplichtingen ter zake nakomt.

6. Is het pandrecht overeenkomstig artikel 86c lid 4 gevestigd, dan komen de rechten volgens dit artikel de pandhouder eerst toe nadat het pandrecht door de vennootschap is erkend of aan haar is betekend.

Inpandneming eigen aandelen door N.V.

Art. 89a. 1. De naamloze vennootschap kan eigen aandelen of certificaten daarvan slechts in pand nemen, indien:

a. de in pand te nemen aandelen volgestort zijn,

b. het nominale bedrag van de in pand te nemen en de reeds gehouden of in pand gehouden eigen aandelen en certificaten daarvan tezamen niet meer dan een tiende van het geplaatste kapitaal bedraagt, en

c. de algemene vergadering van aandeelhouders de pandovereenkomst heeft goedgekeurd.

Uitzondering voor kredietinstelling

2. Dit artikel is niet van toepassing op aandelen en certificaten daarvan die een ingevolge artikel 52 van de Wet toezicht kredietwezen 1992 (Stb. 1992, 722) geregistreerde kredietinstelling in de gewone uitoefening van het kredietbedrijf in pand neemt. Deze aandelen en certificaten blijven buiten beschouwing bij de toepassing van de artikelen 98 lid 2 onder b en 98a lid 3.

---

[1] Bij besluit van 20 februari 1990, Stb. 90 is de inwerkingtreding van de wijzigingen van artt. 86, 89, 196 en 198 (Stb. 541 van 15 november 1989, invoeringswet NBW, zesde gedeelte) uitgezonderd. Deze NBW-wijzigingen zijn daarom niet in de tekst verwerkt.

Art. 90. 1. Na overdracht of toedeling van een niet volgestort aandeel blijft ieder van de vorige aandeelhouders voor het daarop nog te storten bedrag hoofdelijk jegens de naamloze vennootschap aansprakelijk. Het bestuur kan tezamen met de raad van commissarissen de vorige aandeelhouder bij authentieke of geregistreerde onderhandse akte van verdere aansprakelijkheid ontslaan; in dat geval blijft de aansprakelijkheid niettemin bestaan voor stortingen, uitgeschreven binnen een jaar na de dag waarop de authentieke akte is verleden of de onderhandse akte is geregistreerd.

Aansprakelijkheid vorige aandeelhouder

2. Indien een vorig aandeelhouder betaalt, treedt hij in de rechten die de vennootschap tegen latere houders heeft.

Art. 91. (Vervallen).

Art. 91a. 1. De houder van aandelen aan toonder die alle aandelen in het kapitaal van de vennootschap heeft verkregen, geeft hiervan schriftelijk kennis aan de vennootschap binnen acht dagen na de laatste verkrijging.

2. De houder van aandelen aan toonder die ophoudt houder te zijn van alle aandelen in het kapitaal van de vennootschap doordat een derde een of meer van zijn aandelen verkrijgt, geeft hiervan schriftelijk kennis aan de vennootschap binnen acht dagen nadien. Indien de houder van alle aandelen overlijdt of door fusie ophoudt te bestaan, geven de verkrijgers hiervan schriftelijk kennis aan de vennootschap binnen een maand na het overlijden onderscheidenlijk de fusie.

3. Indien alle aandelen in het kapitaal van de vennootschap behoren tot een huwelijksgemeenschap, wordt de vennootschap geacht een enkele aandeelhouder te hebben in de zin van dit artikel en rust op ieder van de deelgenoten de verplichting tot kennisgeving overeenkomstig dit artikel.

4. Voor de toepassing van dit artikel worden aandelen gehouden door de vennootschap of haar dochtermaatschappijen niet meegeteld.

Art. 92. 1. Voor zover bij de statuten niet anders is bepaald, zijn aan alle aandelen in verhouding tot hun bedrag gelijke rechten en verplichtingen verbonden.

In principe gelijke rechten en plichten

2. De naamloze vennootschap moet de aandeelhouders onderscheidenlijk certificaathouders die zich in gelijke omstandigheden bevinden, op dezelfde wijze behandelen.

Art. 92a. 1. Hij die als aandeelhouder voor eigen rekening ten minste 95% van het geplaatste kapitaal van de naamloze vennootschap verschaft, kan tegen de gezamenlijke andere aandeelhouders een vordering instellen tot overdracht van hun aandelen aan de eiser. Hetzelfde geldt, indien twee of meer groepsmaatschappijen dit deel van het geplaatste kapitaal samen verschaffen en samen de vordering instellen tot overdracht aan een hunner.

Uitkoop kleine minderheid

2. Over de vordering oordeelt in eerste aanleg de ondernemingskamer van het gerechtshof te Amsterdam. Van de uitspraak staat uitsluitend beroep in cassatie open.

3. Indien tegen een of meer gedaagden verstek is verleend, moet de rechter ambtshalve onderzoeken of de eiser of eisers de vereisten van lid 1 vervullen.

4. De rechter wijst de vordering tegen alle gedaagden af, indien een gedaagde ondanks de vergoeding ernstige stoffelijke schade zou lijden door de overdracht, een gedaagde houder is van een aandeel waaraan de statuten een bijzonder recht inzake de zeggenschap in de vennootschap verbinden of een eiser jegens een gedaagde afstand heeft gedaan van zijn bevoegdheid de vordering in te stellen.

5. Indien de rechter oordeelt dat de leden 1 en 4 de toewijzing van de vordering niet beletten, kan hij bevelen dat een of drie deskundigen zullen berichten over de waarde van de over te dragen aandelen. De eerste drie zinnen van artikel 350 lid 3 en de artikelen 351 en 352 zijn van toepassing. De rechter stelt de prijs vast die de over te dragen aandelen op een door hem te bepalen dag hebben. Zo lang en voor zover de prijs niet is betaald, wordt hij verhoogd met rente, gelijk aan de wettelijke rente, van die dag af tot de overdracht; uitkeringen op de aandelen die in dit tijdvak betaalbaar worden gesteld, strekken op de dag van betaalbaarstelling tot gedeeltelijke betaling van de prijs.

6. De rechter die de vordering toewijst, veroordeelt de overnemer aan degenen aan wie de aandelen toebehoren of zullen toebehoren de vastgestelde prijs met rente te betalen tegen levering van het onbezwaarde recht op de aandelen. De rechter geeft omtrent de kosten van het geding zodanige uitspraak als hij meent dat behoort. Een gedaagde die geen verweer heeft gevoerd, wordt niet verwezen in de kosten.

7. Staat het bevel tot overdracht bij gerechtelijk gewijsde vast, dan deelt de overnemer de dag en plaats van betaalbaarstelling en de prijs schriftelijk mee aan de houders van de over te nemen aandelen van wie hij het adres kent. Hij kondigt deze ook aan in een landelijk verspreid dagblad, tenzij hij van allen het adres kent.

8. De overnemer kan zich altijd van zijn verplichtingen ingevolge de leden 6 en 7 bevrijden door de vastgestelde prijs met rente voor alle nog niet overgenomen aandelen te consigneren, onder mededeling van hem bekende rechten van pand en vruchtgebruik en de hem bekende beslagen. Door deze mededeling gaat beslag over van de aandelen op het recht op uitkering. Door het consigneren gaat het recht op de aandelen onbezwaard op hem over en gaan rechten van pand of vruchtgebruik over op het recht op uitkering. Aan aandeel- en dividendbewijzen waarop na de overgang uitkeringen betaalbaar zijn gesteld, kan nadien geen recht jegens de vennootschap meer worden ontleend. De overnemer maakt het consigneren en de prijs per aandeel op dat tijdstip bekend op de wijze van lid 7.

AFDELING 3
Het vermogen van de naamloze vennootschap

Rechtshandelingen t.b.v. N.V. in oprichting

Art. 93. 1. Uit rechtshandelingen, verricht namens een op te richten naamloze vennootschap, ontstaan slechts rechten en verplichtingen voor de vennootschap wanneer zij die rechtshandelingen na haar oprichting uitdrukkelijk of stilzwijgend bekrachtigt of ingevolge lid 4 wordt verbonden.

Hoofdelijke gebondenheid

2. Degenen die een rechtshandeling verrichten namens een op te richten naamloze vennootschap zijn, tenzij met betrekking tot die rechtshandeling uitdrukkelijk anders is bedongen, daardoor hoofdelijk verbonden, totdat de vennootschap na haar oprichting de rechtshandeling heeft bekrachtigd.

Hoofdelijke aansprakelijkheid

3. Indien de vennootschap haar verplichtingen uit de bekrachtigde rechtshandeling niet nakomt, zijn degenen die namens de op te richten vennootschap handelden hoofdelijk aansprakelijk voor de schade die de derde dientengevolge lijdt, indien zij wisten of redelijkerwijs konden weten dat de vennootschap haar verplichtingen niet zou kunnen nakomen, onverminderd de aansprakelijkheid terzake van de bestuurders wegens de bekrachtiging. De wetenschap dat de vennootschap haar verplichtingen niet zou kunnen nakomen, wordt vermoed aanwezig te zijn, wanneer de vennootschap binnen een jaar na de oprichting in staat van faillissement wordt verklaard.

Directe binding

4. De oprichters kunnen de vennootschap in de akte van oprichting slechts verbinden door het uitgeven van aandelen, het aanvaarden van stortingen daarop, het aanstellen van bestuurders, het benoemen van commissarissen en het verrichten van rechtshandelingen als bedoeld in artikel 94 lid 1. Indien een oprichter hierbij onvoldoende zorgvuldigheid heeft betracht, zijn de artikelen 9 en 138 van overeenkomstige toepassing.

Bankverklaring

Art. 93a. 1. Indien voor of bij de oprichting op aandelen wordt gestort in geld, moeten aan de akte van oprichting een of meer verklaringen worden gehecht, inhoudende dat de bedragen die op de bij de oprichting te plaatsen aandelen moeten worden gestort:

a. hetzij terstond na de oprichting ter beschikking zullen staan van de naamloze vennootschap,

b. hetzij alle op een zelfde tijdstip, ten vroegste vijf maanden voor de oprichting, op een afzonderlijke rekening stonden welke na de oprichting uitsluitend ter beschikking van de vennootschap zal staan, mits de vennootschap de stortingen in de akte aanvaardt.

Storting in vreemd geld

2. Indien vreemd geld is gestort, moet uit de verklaring blijken tegen hoeveel geld het vrijelijk kon worden gewisseld op een dag waarop krachtens artikel 80a lid 3 de koers bepalend is voor de stortingsplicht.

Aan notaris af te geven bankverklaring

3. Zulk een verklaring kan slechts worden afgelegd door een bankier die hetzij als kredietinstelling is geregistreerd ingevolge artikel 52 van de Wet toezicht Kredietwezen 1992, hetzij in een andere lidstaat van de Europese Gemeenschappen of in een andere staat die partij is bij de Overeenkomst betreffende de Europese Economische Ruimte is onderworpen aan bedrijfseconomisch toezicht van overheidswege. Zij kan slechts worden afgegeven aan een notaris.

4. Worden voor de oprichting aan de rekening, bedoeld in onderdeel b van lid 1, bedragen onttrokken, dan zijn de oprichters hoofdelijk jegens de vennootschap verbonden tot vergoeding van die bedragen, totdat de vennootschap de onttrekkingen uitdrukkelijk heeft bekrachtigd.

5. De notaris moet de bankiers wier verklaring hij heeft ontvangen terstond verwittigen van de oprichting. Indien de oprichting niet doorgaat, moet hij hun de verklaring terugzenden.

6. Indien na de oprichting in vreemd geld is gestort, legt de vennootschap binnen twee weken na de storting een verklaring, als bedoeld in lid 2, van een in het derde lid bedoelde bankier neer ten kantore van het handelsregister.

Bezwarende rechtshandelingen

Art. 94. 1. Rechtshandelingen:
a. in verband met het nemen van aandelen waarbij bijzondere verplichtingen op de naamloze vennootschap worden gelegd,
b. rakende het verkrijgen van aandelen op andere voet dan waarop de deelneming in de naamloze vennootschap voor het publiek wordt opengesteld,
c. strekkende om enigerlei voordeel te verzekeren aan een oprichter der naamloze vennootschap of aan een bij de oprichting betrokken derde,
d. betreffende inbreng op aandelen anders dan in geld,
moeten in haar geheel worden opgenomen in de akte van oprichting of in een geschrift dat daaraan in origineel of in authentiek afschrift wordt gehecht en waarnaar de akte van oprichting verwijst. Indien de vorige zin niet in acht is genomen, kunnen voor de vennootschap uit deze rechtshandelingen geen rechten of verplichtingen ontstaan.

2. Na de oprichting kunnen de in het vorige lid bedoelde rechtshandelingen zonder voorafgaande goedkeuring van de algemene vergadering van aandeelhouders slechts worden verricht, indien en voor zover aan het bestuur de bevoegdheid daartoe uitdrukkelijk bij de statuten is verleend.

3. Van het bepaalde in dit artikel zijn uitgezonderd de in artikel 80 lid 2 bedoelde overeenkomsten.

Waardebepaling inbreng op aandelen, anders dan in geld

Art. 94a. 1. Indien bij de oprichting inbreng op aandelen anders dan in geld wordt overeengekomen, maken de oprichters een beschrijving op van hetgeen wordt ingebracht, met vermelding van de daaraan toegekende waarde en van de toegepaste waarderingsmethoden. Deze methoden moeten voldoen aan normen die in het maatschappelijk verkeer als aanvaardbaar worden beschouwd. De beschrijving heeft betrekking op de toestand van hetgeen wordt ingebracht op een dag die niet eerder dan vijf maanden voor de oprichting ligt. De beschrijving wordt door alle oprichters ondertekend en aan de akte van oprichting gehecht.

Eventuele deskundigenverklaring

2. Over de beschrijving van hetgeen wordt ingebracht moet een accountant als bedoeld in artikel 393, eerste lid een verklaring afleggen, die aan de akte van oprichting moet worden gehecht. Hierin verklaart hij dat de waarde van hetgeen wordt ingebracht, bij toepassing van in het maatschappelijke verkeer als aanvaardbaar beschouwde waarderingsmethoden, ten minste beloopt het bedrag van de stortingsplicht, in geld uitgedrukt, waaraan met de inbreng moet worden voldaan. Indien bekend is dat de waarde na de beschrijving aanzienlijk is gedaald, is een tweede verklaring vereist.

Geen beschrijving en accountantsverklaring

3. De beschrijving en accountantsverklaring zijn niet vereist, indien aan de volgende voorwaarden is voldaan:
a. alle oprichters hebben besloten af te zien van de opstelling van de deskundigenverklaring;
b. een of meer rechtspersonen op wier jaarrekening titel 9 van toepassing is, of die krachtens de toepasselijke wet voldoen aan de eisen van de vierde richtlijn van de Raad van de Europese Gemeenschappen inzake het vennootschapsrecht, nemen alle uit te geven aandelen tegen inbreng anders dan in geld;
c. elke inbrengende rechtspersoon beschikt ten tijde van de inbreng over niet uitkeerbare reserves, voor zover nodig door het bestuur hiertoe afgezonderd uit de uitkeerbare reserves, ter grootte van het nominale bedrag der door de rechtspersoon genomen aandelen;
d. elke inbrengende rechtspersoon verklaart dat hij een bedrag van ten minste de nominale waarde der door hem genomen aandelen ter beschikking zal stellen voor de voldoening van schulden van de vennootschap aan derden, die ontstaan in het tijdvak tussen de plaatsing van de aandelen en een jaar nadat de vastgestelde jaarrekening van de vennootschap over het boekjaar van de inbreng is neergelegd ten kantore van het handelsregister, voor zover de vennootschap deze niet kan voldoen en de schuldeisers hun vordering binnen twee jaren na deze nederlegging schriftelijk aan een van de inbrengende rechtspersonen hebben opgegeven;
e. elke inbrengende rechtspersoon heeft zijn laatste vastgestelde balans met toelichting, met de accountantsverklaring daarbij, neergelegd ten kantore van het handels-

register en sedert de balansdatum zijn nog geen achttien maanden verstreken;
f. elke inbrengende rechtspersoon zondert een reserve af ter grootte van het nominale bedrag der door hem genomen aandelen en kan dit doen uit reserves waarvan de aard dit niet belet;
g. de vennootschap doet ten kantore van het handelsregister opgave van het onder a bedoelde besluit en elke inbrengende rechtspersoon doet aan hetzelfde kantoor opgave van zijn onder d vermelde verklaring.

Verplichtingen voor inbrengende rechtspersoon

4. Indien het vorige lid is toegepast, mag een inbrengende rechtspersoon zijn tegen de inbreng genomen aandelen niet vervreemden in het tijdvak, genoemd in dat lid onder d, en moet hij de reserve, genoemd in dat lid onder f aanhouden tot twee jaar na dat tijdvak. Nadien moet de reserve worden aangehouden tot het bedrag van de nog openstaande opgegeven vorderingen als bedoeld in het vorige lid onder d. De oorspronkelijke reserve wordt verminderd met betalingen op de opgegeven vorderingen.

5. De inbrengende rechtspersoon en alle in lid 3 onder d bedoelde schuldeisers kunnen de kantonrechter van de woonplaats van de vennootschap verzoeken, een bewind over de vorderingen in te stellen, strekkende tot hun voldoening daarvan uit de krachtens lid 3 onder d ter beschikking gestelde bedragen. Voor zover nodig, zijn de bepalingen van de Faillissementswet omtrent de verificatie van vorderingen en de vereffening van overeenkomstige toepassing. Een schuldeiser kan zijn vordering niet met een schuld aan een inbrengende rechtspersoon verrekenen. Over de vorderingen kan slechts onder de last van het bewind worden beschikt en zij kunnen slechts onder die last worden uitgewonnen, behalve voor schulden die voortspruiten uit handelingen welke door de bewindvoerder in zijn hoedanigheid zijn verricht. De kantonrechter regelt de bevoegdheden en de beloning van de bewindvoerder; hij kan zijn beschikking te allen tijde wijzigen.

Inbreng op aandelen anders dan in geld na oprichting

Art. 94b. 1. Indien na de oprichting inbreng op aandelen anders dan in geld wordt overeengekomen, maakt de vennootschap overeenkomstig artikel 94a lid 1 een beschrijving op van hetgeen wordt ingebracht. De beschrijving heeft betrekking op de toestand op een dag die niet eerder dan vijf maanden ligt voor de dag waarop de aandelen worden genomen dan wel waartegen een bijstorting is uitgeschreven of waarop zij is overeengekomen. De bestuurders ondertekenen de beschrijving; ontbreekt de handtekening van een of meer hunner, dan wordt daarvan onder opgave van reden melding gemaakt.

Accountantsverklaring

2. Artikel 94a lid 2 is van overeenkomstige toepassing.

Wanneer deze niet vereist is

3. Indien alle aandeelhouders hebben besloten af te zien van de opstelling van de beschrijving en accountantsverklaring en overeenkomstig het derde lid, onder b-g, van artikel 94a is gehandeld, is geen beschrijving of accountantsverklaring vereist en is artikel 94a leden 4 en 5 van overeenkomstige toepassing.

Terinzagelegging beschrijving inbreng enz.

4. De vennootschap legt, binnen acht dagen na de dag waarop de aandelen zijn genomen dan wel waarop de bijstorting opeisbaar werd, de accountantsverklaring bij de inbreng of een afschrift daarvan neer ten kantore van het handelsregister met opgave van de namen van de inbrengers en van het bedrag van het aldus gestorte deel van het geplaatste kapitaal.

Uitzondering

5. Dit artikel is niet van toepassing voor zover de inbreng bestaat uit aandelen of certificaten van aandelen, daarin converteerbare rechten of winstbewijzen van een andere rechtspersoon, waarop de vennootschap een openbaar bod heeft uitgebracht, mits deze effecten of een deel daarvan zijn opgenomen in de prijscourant van een effectenbeurs of geregeld op de incourante markt worden verhandeld.

Nachgründung

Art. 94c. 1. Een rechtshandeling die de naamloze vennootschap heeft verricht zonder goedkeuring van de algemene vergadering van aandeelhouders of zonder de verklaring, bedoeld in lid 3, kan ten behoeve van de vennootschap worden vernietigd, indien de rechtshandeling:
a. strekt tot het verkrijgen van goederen, met inbegrip van vorderingen die worden verrekend, die een jaar voor de oprichting of nadien toebehoorden aan een oprichter, en
b. is verricht voordat twee jaren zijn verstreken na de inschrijving van de vennootschap in het handelsregister.

Beschrijving en waardebepaling

2. Indien de goedkeuring wordt gevraagd, maakt de vennootschap een beschrijving op van de te verkrijgen goederen en van de tegenprestatie. De beschrijving heeft betrekking op de toestand van het beschrevene op een dag die niet voor de oprichting ligt. In de beschrijving worden de waarden vermeld die aan de goederen en te-

genprestatie worden toegekend alsmede de toegepaste waarderingsmethoden. Deze methoden moeten voldoen aan normen die in het maatschappelijke verkeer als aanvaardbaar worden beschouwd. De bestuurders ondertekenen de beschrijving; ontbreekt de handtekening van een of meer hunner, dan wordt daarvan onder opgave van reden melding gemaakt.

Accountantsverklaring

3. Artikel 94a lid 2 is van overeenkomstige toepassing, met dien verstande dat de verklaring moet inhouden dat de waarde van de te verkrijgen goederen, bij toepassing van in het maatschappelijk verkeer als aanvaardbaar beschouwde waarderingsmethoden, overeenkomt met ten minste de waarde van de tegenprestatie.

4. Op het ter inzage leggen en in afschrift ter beschikking stellen van de in de vorige leden bedoelde stukken is artikel 102 van overeenkomstige toepassing.

5. De vennootschap legt binnen acht dagen na de rechtshandeling of na de goedkeuring, indien achteraf verleend, de in het derde lid bedoelde verklaring of een afschrift daarvan neer ten kantore van het handelsregister.

6. Voor de toepassing van dit artikel blijven buiten beschouwing:
a. verkrijgingen op een openbare veiling of ter beurze,
b. verkrijgingen die onder de bedongen voorwaarden tot de gewone bedrijfsuitoefening van de vennootschap behoren,
c. verkrijgingen waarvoor een deskundigenverklaring als bedoeld in artikel 94a is afgelegd, en
d. verkrijgingen ten gevolge van fusie.

Verbod eigen aandelen te nemen

Art. 95. 1. De naamloze vennootschap mag geen eigen aandelen nemen.

2. Aandelen die de vennootschap in strijd met het vorige lid heeft genomen, gaan op het tijdstip van het nemen over op de gezamenlijke bestuurders. Iedere bestuurder is hoofdelijk aansprakelijk voor de volstorting van deze aandelen met de wettelijke rente van dat tijdstip af. Zijn de aandelen bij de oprichting geplaatst, dan is dit lid van overeenkomstige toepassing op de gezamenlijke oprichters.

3. Neemt een ander een aandeel in eigen naam maar voor rekening van de vennootschap, dan wordt hij geacht het voor eigen rekening te nemen.

Emissiebevoegdheid

Art. 96. 1. De naamloze vennootschap kan na de oprichting slechts aandelen uitgeven ingevolge een besluit van de algemene vergadering van aandeelhouders of van een ander vennootschapsorgaan dat daartoe bij besluit van de algemene vergadering of bij de statuten voor een bepaalde duur van ten hoogste vijf jaren is aangewezen. Bij de aanwijzing moet zijn bepaald hoeveel aandelen mogen worden uitgegeven. De aanwijzing kan telkens voor niet langer dan vijf jaren worden verlengd. Tenzij bij de aanwijzing anders is bepaald, kan zij niet worden ingetrokken.

Instemming groepen aandeelhouders

2. Zijn er verschillende soorten aandelen, dan is voor de geldigheid van het besluit van de algemene vergadering tot uitgifte of tot aanwijzing vereist een voorafgaand of gelijktijdig goedkeurend besluit van elke groep houders van aandelen van een zelfde soort aan wier rechten de uitgifte afbreuk doet.

Terinzagelegging

3. De vennootschap legt binnen acht dagen na een besluit van de algemene vergadering tot uitgifte of tot aanwijzing een volledige tekst daarvan neer ten kantore van het handelsregister.

4. De vennootschap doet binnen acht dagen na elke uitgifte van aandelen hiervan opgave ten kantore van het handelsregister, met vermelding van aantal en soort.

5. Dit artikel is van overeenkomstige toepassing op het verlenen van rechten tot het nemen van aandelen, maar is niet van toepassing op het uitgeven van aandelen aan iemand die een voordien reeds verkregen recht tot het nemen van aandelen uitoefent.

Voorkeursrecht bij emissie (claim)

Art. 96a. 1. Behoudens de beide volgende leden heeft iedere aandeelhouder bij uitgifte van aandelen een voorkeursrecht naar evenredigheid van het gezamenlijke bedrag van zijn aandelen. Tenzij de statuten anders bepalen, heeft hij evenwel geen voorkeursrecht op aandelen die worden uitgegeven tegen inbreng anders dan in geld. Hij heeft geen voorkeursrecht op aandelen die worden uitgegeven aan werknemers van de naamloze vennootschap of van een groepsmaatschappij.

2. Voor zover de statuten niet anders bepalen, hebben houders van aandelen die
a. niet boven een bepaald percentage van het nominale bedrag of slechts in beperkte mate daarboven delen in de winst, of
b. niet boven het nominale bedrag of slechts in beperkte mate daarboven delen in een overschot na vereffening,
geen voorkeursrecht op uit te geven aandelen.

3. Voor zover de statuten niet anders bepalen, hebben de aandeelhouders geen voorkeursrecht op uit te geven aandelen in een van de in het vorige lid onder a en b omschreven soorten.

Aankondiging Staatscourant

4. De vennootschap kondigt de uitgifte met voorkeursrecht en het tijdvak waarin dat kan worden uitgeoefend, aan in de Staatscourant en in een landelijk verspreid dagblad, tenzij alle aandelen op naam luiden en de aankondiging aan alle aandeelhouders schriftelijk geschiedt aan het door hen opgegeven adres.

Uitoefening voorkeursrecht

5. Het voorkeursrecht kan worden uitgeoefend gedurende ten minste twee weken na de dag van aankondiging in de Staatscourant of na de verzending van de aankondiging aan de aandeelhouders.

Beperking of uitsluiting van voorkeursrecht

6. Het voorkeursrecht kan worden beperkt of uitgesloten bij besluit van de algemene vergadering van aandeelhouders. In het voorstel hiertoe moeten de redenen voor het voorstel en de keuze van de voorgenomen koers van uitgifte schriftelijk worden toegelicht. Het voorkeursrecht kan ook worden beperkt of uitgesloten door het ingevolge artikel 96 lid 1 aangewezen vennootschapsorgaan, indien dit bij besluit van de algemene vergadering of bij de statuten voor een bepaalde duur van ten hoogste vijf jaren is aangewezen als bevoegd tot het beperken of uitsluiten van het voorkeursrecht. De aanwijzing kan telkens voor niet langer dan vijf jaren worden verlengd. Tenzij bij de aanwijzing anders is bepaald, kan zij niet worden ingetrokken.

7. Voor een besluit van de algemene vergadering tot beperking of uitsluiting van het voorkeursrecht of tot aanwijzing is een meerderheid van ten minste twee derden der uitgebrachte stemmen vereist, indien minder dan de helft van het geplaatste kapitaal in de vergadering is vertegenwoordigd. De vennootschap legt binnen acht dagen na het besluit een volledige tekst daarvan neer ten kantore van het handelsregister.

8. Bij het verlenen van rechten tot het nemen van aandelen hebben de aandeelhouders een voorkeursrecht; de vorige leden zijn van overeenkomstige toepassing. Aandeelhouders hebben geen voorkeursrecht op aandelen die worden uitgegeven aan iemand die een, voordien reeds verkregen recht tot het nemen van aandelen uitoefent.

Uitzonderingsbepaling

Art. 96b. De artikelen 96 en 96a gelden niet voor een beleggingsmaatschappij met veranderlijk kapitaal.

Plaatsing tot een lager bedrag dan bekend gemaakt

Art. 97. Indien, in het geval van uitgifte van aandelen na de oprichting, bekend is gemaakt welk bedrag zal worden uitgegeven en slechts een lager bedrag kan worden geplaatst, wordt dit laatste bedrag slechts geplaatst indien de voorwaarden van uitgifte dat uitdrukkelijk bepalen.

Verkrijging niet volgestorte aandelen nietig; voorwaarden voor verkrijging volgestorte aandelen; bevoegdheid tot verkrijging met of zonder machtiging

Art. 98. 1. Verkrijging door de naamloze vennootschap van niet volgestorte aandelen in haar kapitaal is nietig.

2. Volgestorte eigen aandelen mag de vennootschap slechts verkrijgen om niet of indien:

a. het eigen vermogen, verminderd met de verkrijgingsprijs, niet kleiner is dan het gestorte en opgevraagde deel van het kapitaal, vermeerderd met de reserves die krachtens de wet of de statuten moeten worden aangehouden, en

b. het nominale bedrag van de aandelen in haar kapitaal die de vennootschap verkrijgt, houdt of in pand houdt of die worden gehouden door een dochtermaatschappij, niet meer beloopt dan een tiende van het geplaatste kapitaal.

3. Voor het vereiste in lid 2 onder a is bepalend de grootte van het eigen vermogen volgens de laatst vastgestelde balans, verminderd met de verkrijgingsprijs voor aandelen in het kapitaal van de vennootschap en uitkeringen uit winst of reserves aan anderen die zij en haar dochtermaatschappijen na de balansdatum verschuldigd werden. Is een boekjaar meer dan zes maanden verstreken zonder dat de jaarrekening is vastgesteld en zo nodig goedgekeurd, dan is verkrijging overeenkomstig lid 2 niet toegestaan.

4. Verkrijging anders dan om niet moet door de statuten zijn toegelaten en de algemene vergadering van aandeelhouders moet het bestuur daartoe hebben gemachtigd. Deze machtiging geldt voor ten hoogste achttien maanden. De algemene vergadering moet in de machtiging bepalen hoeveel aandelen mogen worden verkregen, hoe zij mogen worden verkregen en tussen welke grenzen de prijs moet liggen.

5. De machtiging is niet vereist, voor zover de statuten toestaan dat de vennootschap eigen aandelen verkrijgt om, krachtens een voor hen geldende regeling, over

te dragen aan arbeiders in dienst van de vennootschap of van een groepsmaatschappij. Deze aandelen moeten zijn opgenomen in de prijscourant van een beurs.

6. De leden 1-4 gelden niet voor aandelen die de vennootschap onder algemene titel verkrijgt.

Verkrijging onder algemene titel

7. De leden 2-4 gelden niet voor aandelen die een ingevolge artikel 52 van de Wet toezicht kredietwezen 1992 (Stb. 1992, 722) geregistreerde kredietinstelling in opdracht en voor rekening van een ander verkrijgt.

Uitzonderingen

8. De leden 2-4 gelden niet voor een beleggingsmaatschappij met veranderlijk kapitaal. Het geplaatste kapitaal van zulk een beleggingsmaatschappij, verminderd met het bedrag van de aandelen die zij zelf houdt, moet ten minste een tiende van het maatschappelijke kapitaal bedragen.

9. Onder het begrip aandelen in dit artikel zijn certificaten daarvan begrepen.

Hoofdelijke aansprakelijkheid voor onwettig verkregen aandelen

Art. 98a. 1. Verkrijging van aandelen op naam in strijd met de leden 2-4 van het vorige artikel is nietig. De bestuurders zijn hoofdelijk aansprakelijk jegens de vervreemder te goeder trouw die door de nietigheid schade lijdt.

2. Aandelen aan toonder en certificaten van aandelen die de naamloze vennootschap in strijd met de leden 2-4 van het vorige artikel heeft verkregen, gaan op het tijdstip van de verkrijging over op de gezamenlijke bestuurders. Iedere bestuurder is hoofdelijk aansprakelijk voor de vergoeding aan de vennootschap van de verkrijgingsprijs met de wettelijke rente daarover van dat tijdstip af.

Overgaan aandelen op bestuurders, Hoofdelijke aansprakelijkheid

3. De vennootschap kan niet langer dan gedurende drie jaren na omzetting in een naamloze vennootschap of nadat zij eigen aandelen om niet of onder algemene titel heeft verkregen, samen met haar dochtermaatschappijen meer aandelen in haar kapitaal houden dan een tiende van het geplaatste kapitaal; eigen aandelen die zij zelf in pand heeft, worden meegeteld. De aandelen die de vennootschap te veel houdt, gaan op het einde van de laatste dag van die drie jaren over op de gezamenlijke bestuurders. Dezen zijn hoofdelijk aansprakelijk voor de betaling aan de vennootschap van de waarde van de aandelen op dat tijdstip met de wettelijke rente van dat tijdstip af. Onder het begrip aandelen in dit lid zijn certificaten daarvan begrepen.

4. Het vorige lid is van overeenkomstige toepassing op elk niet volgestort eigen aandeel dat de vennootschap onder algemene titel heeft verkregen en niet binnen drie jaren daarna heeft vervreemd of ingetrokken.

5. Het derde lid is van overeenkomstige toepassing op elk eigen aandeel of certificaat daarvan dat de vennootschap ingevolge het vijfde lid van het vorige artikel heeft verkregen zonder machtiging van de algemene vergadering van aandeelhouders en dat zij gedurende een jaar houdt.

Verplichting tot overdracht

Art. 98b. Indien een ander in eigen naam voor rekening van de naamloze vennootschap aandelen in haar kapitaal of certificaten daarvan verkrijgt, moet hij deze onverwijld tegen betaling aan de vennootschap overdragen. Indien deze aandelen op naam luiden, is het tweede lid van het vorige artikel van overeenkomstige toepassing.

Verbod zekerheidsstelling enz.

Art. 98c. 1. De naamloze vennootschap mag niet, met het oog op het nemen of verkrijgen door anderen van aandelen in haar kapitaal of van certificaten daarvan, leningen verstrekken, zekerheid stellen, een koersgarantie geven, zich op andere wijze sterk maken of zich hoofdelijk of anderszins naast of voor anderen verbinden-.Dit verbod geldt ook voor haar dochtermaatschappijen.

2. Het verbod geldt niet indien aandelen of certificaten van aandelen worden genomen of verkregen door of voor arbeiders in dienst van de vennootschap of van een groepsmaatschappij.

3. Het verbod geldt niet voor een ingevolge artikel 52 van de Wet toezicht kredietwezen 1992 (Stb. 1992, 722) geregistreerde kredietinstelling, voor zover zij in de gewone uitoefening van het kredietbedrijf handelt.

Verkrijgen eigen aandelen door dochtermaatschappijen

Art. 98d. 1. Een dochtermaatschappij mag voor eigen rekening geen aandelen nemen of doen nemen in het kapitaal van de naamloze vennootschap. Zulke aandelen mogen dochtermaatschappijen voor eigen rekening slechts verkrijgen of doen verkrijgen, voor zover de naamloze vennootschap zelf ingevolge de leden 1-6 van artikel 98 eigen aandelen mag verkrijgen.

Aansprakelijkheid bestuurders

2. Indien is gehandeld in strijd met het vorige lid, zijn de bestuurders van de naamloze vennootschap hoofdelijk aansprakelijk tot vergoeding aan de dochtermaatschappij van de verkrijgingsprijs met de wettelijke rente daarover van het tijd-

stip af waarop de aandelen zijn genomen of verkregen. Betaling van de vergoeding geschiedt tegen overdracht van deze aandelen. Een bestuurder behoeft de verkrijgingsprijs niet te vergoeden, indien hij bewijst dat het nemen of verkrijgen niet aan de naamloze vennootschap is te wijten.

3. Een dochtermaatschappij mag,
a. nadat zij dochtermaatschappij is geworden,
b. nadat de vennootschap waarvan zij dochtermaatschappij is, is omgezet in een naamloze vennootschap, of
c. nadat zij als dochtermaatschappij aandelen in het kapitaal van de naamloze vennootschap om niet of onder algemene titel heeft verkregen, niet langer dan gedurende drie jaren samen met de naamloze vennootschap en haar andere dochtermaatschappijen meer van deze aandelen voor eigen rekening houden of doen houden dan een tiende van het geplaatste kapitaal. De bestuurders van de naamloze vennootschap zijn hoofdelijk aansprakelijk voor de vergoeding aan de dochtermaatschappij van de waarde van de aandelen die zij te veel houdt of doet houden op het einde van de laatste dag van die drie jaren, met de wettelijke rente van dat tijdstip af. Betaling van de vergoeding geschiedt tegen overdracht van de aandelen. Een bestuurder behoeft de vergoeding niet te betalen, indien hij bewijst dat het niet aan de naamloze vennootschap is te wijten dat de aandelen nog worden gehouden.

4. Onder het begrip aandelen in dit artikel zijn certificaten daarvan begrepen.

Intrekking aandelen; vermindering

Art. 99. 1. De algemene vergadering van aandeelhouders kan besluiten tot vermindering van het geplaatste kapitaal door intrekking van aandelen of door het bedrag van aandelen bij statutenwijziging te verminderen. In dit besluit moeten de aandelen waarop het besluit betrekking heeft, worden aangewezen en moet de uitvoering van het besluit zijn geregeld.

2. Een besluit tot intrekking kan slechts betreffen aandelen die de vennootschap zelf houdt of waarvan zij de certificaten houdt, dan wel alle aandelen van een soort waarvan voor de uitgifte in de statuten is bepaald dat zij kunnen worden ingetrokken met terugbetaling, of wel de uitgelote aandelen van een soort waarvan voor de uitgifte in de statuten is bepaald dat zij kunnen worden uitgeloot met terugbetaling.

3. Vermindering van het bedrag van aandelen zonder terugbetaling en zonder ontheffing van de verplichting tot storting moet naar evenredigheid op alle aandelen van een zelfde soort geschieden. Van het vereiste van evenredigheid mag worden afgeweken met instemming van alle betrokken aandeelhouders.

Gedeeltelijke terugbetaling of ontheffing stortingsplicht

4. Gedeeltelijke terugbetaling op aandelen of ontheffing van de verplichting tot storting is slechts mogelijk ter uitvoering van een besluit tot vermindering van het bedrag van de aandelen. Zulk een terugbetaling of ontheffing moet naar evenredigheid op alle aandelen geschieden, tenzij voor de uitgifte van een bepaalde soort aandelen in de statuten is bepaald dat terugbetaling of ontheffing kan geschieden uitsluitend op die aandelen; voor die aandelen geldt de eis van evenredigheid. Van het vereiste van evenredigheid mag worden afgeweken met instemming van alle betrokken aandeelhouders.

5. Zijn er verschillende soorten aandelen, dan is voor een besluit tot kapitaalvermindering een voorafgaand of gelijktijdig goedkeurend besluit vereist van elke groep houders van aandelen van een zelfde soort aan wier rechten afbreuk wordt gedaan.

Vereiste stemmen meerderheid

6. Voor een besluit tot kapitaalvermindering is een meerderheid van ten minste twee derden der uitgebrachte stemmen vereist, indien minder dan de helft van het geplaatste kapitaal in de vergadering is vertegenwoordigd. Deze bepaling is van overeenkomstige toepassing op een besluit als bedoeld in het vijfde lid.

7. De oproeping tot een vergadering waarin een in dit artikel genoemd besluit wordt genomen, vermeldt het doel van de kapitaalvermindering en de wijze van uitvoering. Het tweede, derde en vierde lid van artikel 123 zijn van overeenkomstige toepassing.

Publicatie besluit kapitaalvermindering

Art. 100. 1. De naamloze vennootschap legt de in artikel 99 lid 1 bedoelde besluiten neer ten kantore van het handelsregister en kondigt de nederlegging aan in een landelijk verspreid dagblad.

Zekerheidstelling

2. De vennootschap moet, op straffe van gegrondverklaring van een verzet als bedoeld in het volgende lid, voor iedere schuldeiser die dit verlangt zekerheid stellen of hem een andere waarborg geven voor de voldoening van zijn vordering. Dit geldt niet, indien de schuldeiser voldoende waarborgen heeft of de vermogenstoestand van de vennootschap voldoende zekerheid biedt dat de vordering zal worden voldaan.

3. Binnen twee maanden na de in het eerste lid vermelde aankondiging kan iedere schuldeiser door een verzoekschrift aan de rechtbank tegen het besluit tot kapitaalvermindering in verzet komen met vermelding van de waarborg die wordt verlangd.

Verzet door crediteuren

4. Voordat de rechter beslist, kan hij de vennootschap in de gelegenheid stellen binnen een door hem bepaalde termijn een door hem omschreven waarborg te geven. Op een ingesteld rechtsmiddel kan hij, indien het kapitaal al is verminderd, het stellen van een waarborg bevelen en daaraan een dwangsom verbinden.

5. Een besluit tot vermindering van het geplaatste kapitaal wordt niet van kracht zolang verzet kan worden gedaan. Indien tijdig verzet is gedaan, wordt het besluit eerst van kracht, zodra het verzet is ingetrokken of de opheffing van het verzet uitvoerbaar is. Een voor de vermindering van het kapitaal vereiste akte van statutenwijziging kan niet eerder worden verleden.

6. Indien de vennootschap haar kapitaal wegens geleden verliezen vermindert tot een bedrag dat niet lager is dan dat van haar eigen vermogen, behoeft zij geen waarborg te geven en wordt het besluit onmiddellijk van kracht.

7. Dit artikel is niet van toepassing, indien een beleggingsmaatschappij met veranderlijk kapitaal wettig verkregen eigen aandelen intrekt.

Jaarrekening

Art. 101. 1. Jaarlijks binnen vijf maanden na afloop van het boekjaar der vennootschap behoudens verlenging van deze termijn met ten hoogste zes maanden door de algemene vergadering op grond van bijzondere omstandigheden, maakt het bestuur een jaarrekening op en legt het deze voor de aandeelhouders ter inzage ten kantore van de vennootschap. Binnen deze termijn legt het bestuur ook het jaarverslag over, tenzij artikel 403 voor de vennootschap geldt. De termijn kan voor beleggingsmaatschappijen waaraan ingevolge de Wet toezicht beleggingsinstellingen (Stb. 1990, 380) een vergunning is verleend, bij of krachtens die wet worden bekort.

2. De jaarrekening wordt ondertekend door de bestuurders en door de commissarissen; ontbreekt de ondertekening van een of meer hunner, dan wordt daarvan onder opgave van reden melding gemaakt.

3. De jaarrekening wordt vastgesteld door de algemene vergadering, tenzij deze bevoegdheid overeenkomstig artikel 163 van dit Boek toekomt aan de raad van commissarissen; in dat geval behoeft de jaarrekening echter de goedkeuring van de algemene vergadering van aandeelhouders.

Ontheffing om gewichtige redenen

4. Onze Minister van Economische Zaken kan desverzocht om gewichtige redenen ontheffing verlenen van de verplichting tot het opmaken, het overleggen en het vaststellen van de jaarrekening.

Inzage jaarstukken

Art. 102. 1. De naamloze vennootschap zorgt dat de opgemaakte jaarrekening, het jaarverslag en de krachtens artikel 392 lid 1 toe te voegen gegevens vanaf de oproep voor de algemene vergadering, bestemd tot hun behandeling, te haren kantore aanwezig zijn. De houders van haar aandelen of van met haar medewerking uitgegeven certificaten daarvan kunnen de stukken aldaar inzien en er kosteloos een afschrift van verkrijgen.

Inzage voor een ieder

2. Luiden deze aandelen of certificaten aan toonder of heeft de vennootschap schuldbrieven aan toonder uitstaan, dan kan tevens ieder de stukken, voor zover zij na vaststelling openbaar gemaakt moeten worden, inzien en daarvan tegen ten hoogste de kostprijs een afschrift verkrijgen. Deze bevoegdheid vervalt zodra deze stukken zijn neergelegd ten kantore van het handelsregister.

Openbaarmaking door de vennootschap die ter beurze noteert

Art. 103. 1. Indien aandelen van de vennootschap, schuldbrieven of certificaten van deze aandelen of schuldbrieven, die met haar medewerking zijn uitgegeven, zijn opgenomen in de prijscourant van enige beurs, maakt de vennootschap haar halfjaar- en kwartaalcijfers openbaar zodra zij beschikbaar zijn. Deze verplichting geldt niet, zolang deze cijfers slechts aan bestuurders, commissarissen en de ondernemingsraad worden verstrekt.

2. Zulk een vennootschap maakt het voorstel tot een uitkering op aandelen of op andere effecten en besluiten tot tussentijdse uitkering onverwijld openbaar.

Delgen tekort ten laste reserves

Art. 104. Ten laste van de door de wet voorgeschreven reserves mag een tekort slechts worden gedelgd voor zover de wet dat toestaat.

Winstverdeling

Art. 105. 1. Voor zover bij de statuten niet anders is bepaald, komt de winst de aandeelhouders ten goede.

2. De naamloze vennootschap kan aan de aandeelhouders en andere gerechtigden tot de voor uitkering vatbare winst slechts uitkeringen doen voor zover haar eigen vermogen groter is dan het bedrag van het gestorte en opgevraagde deel van het kapitaal vermeerderd met de reserves die krachtens de wet of de statuten moeten worden aangehouden.

3. Uitkering van winst geschiedt na de vaststelling of goedkeuring van de jaarrekening waaruit blijkt dat zij geoorloofd is.

Tussentijdse uitkeringen

4. De vennootschap mag tussentijds slechts uitkeringen doen, indien de statuten dit toelaten en aan het vereiste van het tweede lid is voldaan blijkens een tussentijdse vermogensopstelling. Deze heeft betrekking op de stand van het vermogen op ten vroegste de eerste dag van de derde maand voor de maand waarin het besluit tot uitkering bekend wordt gemaakt. Zij wordt opgemaakt met inachtneming van in het maatschappelijke verkeer als aanvaardbaar beschouwde waarderingsmethoden. In de vermogensopstelling worden de krachtens de wet of de statuten te reserveren bedragen opgenomen. Zij wordt ondertekend door de bestuurders; ontbreekt de handtekening van een of meer hunner, dan wordt daarvan onder opgave van reden melding gemaakt. De vennootschap legt de vermogensopstelling ten kantore van het handelsregister neer binnen acht dagen na de dag waarop het besluit tot uitkering wordt bekend gemaakt.

5. Bij de berekening van de winstverdeling tellen de aandelen die de vennootschap in haar kapitaal houdt, mede, tenzij bij de statuten anders is bepaald.

6. Bij de berekening van het winstbedrag, dat op ieder aandeel zal worden uitgekeerd, komt slechts het bedrag van de verplichte stortingen op het nominale bedrag van de aandelen in aanmerking, tenzij bij de statuten anders is bepaald.

7. De statuten kunnen bepalen dat de vordering van een aandeelhouder niet door verloop van vijf jaren verjaart, doch eerst na een langere termijn vervalt. Een zodanige bepaling is alsdan van overeenkomstige toepassing op de vordering van een houder van een certificaat van een aandeel op de aandeelhouder.

Terugbetaling ten onrechte gedane uitkeringen

8. Een uitkering in strijd met het tweede of vierde lid moet worden terugbetaald door de aandeelhouder of andere winstgerechtigde die wist of behoorde te weten dat de uitkering niet geoorloofd was.

Art. 106. Vervallen.

AFDELING 4
De algemene vergadering van aandeelhouders

Bevoegdheden

Art. 107. 1. Aan de algemene vergadering van aandeelhouders behoort, binnen de door de wet en de statuten gestelde grenzen, alle bevoegdheid, die niet aan het bestuur of aan anderen is toegekend.

2. Het bestuur en de raad van commissarissen verschaffen haar alle verlangde inlichtingen, tenzij een zwaarwichtig belang der vennootschap zich daartegen verzet.

Jaarvergadering

Art. 108. 1. Jaarlijks wordt ten minste één algemene vergadering gehouden.

2. Wanneer bij de statuten niet een kortere termijn is gesteld, wordt de jaarvergadering gehouden binnen zes maanden na afloop van het boekjaar der vennootschap.

Maatregelen bij sterke vermogensdaling

Art. 108a. Binnen drie maanden nadat het voor het bestuur aannemelijk is dat het eigen vermogen van de naamloze vennootschap is gedaald tot een bedrag gelijk aan of lager dan de helft van het gestorte en opgevraagde deel van het kapitaal, wordt een algemene vergadering van aandeelhouders gehouden ter bespreking van zo nodig te nemen maatregelen.

Bijeenroepen algemene vergadering

Art. 109. Het bestuur en de raad van commissarissen zijn bevoegd tot het bijeenroepen van een algemene vergadering; bij de statuten kan deze bevoegdheid ook aan anderen worden verleend.

Machtiging tot bijeenroepen

Art. 110. 1. Een of meer houders van aandelen die gezamenlijk ten minste een tiende gedeelte van het geplaatste kapitaal vertegenwoordigen, of een zoveel geringer bedrag als bij de statuten is bepaald, kunnen door de president van de rechtbank op hun verzoek worden gemachtigd tot de bijeenroeping van een algemene vergadering. De president wijst dit verzoek af, indien hem niet is gebleken, dat verzoekers voordien aan het bestuur en aan de raad van commissarissen schriftelijk en onder nauwkeurige opgave van de te behandelen onderwerpen het verzoek hebben gericht

een algemene vergadering bijeen te roepen, en dat noch het bestuur noch de raad van commissarissen — daartoe in dit geval gelijkelijk bevoegd — de nodige maatregelen hebben getroffen, opdat de algemene vergadering binnen zes weken na het verzoek kon worden gehouden.
2. Voor de toepassing van dit artikel worden met houders van aandelen gelijkgesteld de houders van de certificaten van aandelen, welke met medewerking van de vennootschap zijn uitgegeven.

Redelijk belang

Art. 111. 1. De president van de rechtbank verleent, na verhoor of oproeping van de naamloze vennootschap, de verzochte machtiging, indien de verzoekers summierlijk hebben doen blijken, dat de in het vorige artikel gestelde voorwaarden zijn vervuld, en dat zij een redelijk belang hebben bij het houden van de vergadering. De president van de rechtbank stelt de vorm en de termijnen voor de oproeping tot de algemene vergadering vast. Hij kan tevens iemand aanwijzen, die met de leiding van de algemene vergadering zal zijn belast.
2. Bij de oproeping ingevolge het eerste lid wordt vermeld dat zij krachtens rechterlijke machtiging geschiedt. De op deze wijze gedane oproeping is rechtsgeldig, ook indien mocht blijken dat de machtiging ten onrechte was verleend.
3. Tegen de beschikking van de president is generlei voorziening toegelaten, behoudens cassatie in het belang der wet.

Art. 112. Indien zij, die krachtens artikel 109 van dit Boek of de statuten tot de bijeenroeping bevoegd zijn, in gebreke zijn gebleven een bij artikel 108 of artikel 108a van dit Boek of de statuten voorgeschreven algemene vergadering te doen houden, kan iedere aandeelhouder door de president van de rechtbank worden gemachtigd zelf daartoe over te gaan. Artikel 110 lid 2 en artikel 111 van dit Boek zijn van overeenkomstige toepassing.

Oproeping ter vergadering

Art. 113. 1. Tot de algemene vergadering worden opgeroepen de aandeelhouders alsmede de houders van de certificaten van aandelen, welke met medewerking van de vennootschap zijn uitgegeven.
2. De oproeping geschiedt door aankondiging in een landelijk verspreid dagblad.
3. De statuten kunnen de oproeping anders regelen, tenzij aandelen aan toonder of, met medewerking van de vennootschap, certificaten aan toonder van aandelen zijn uitgegeven.

Oproeping (Agenda)

Art. 114. 1. Bij de oproeping worden de te behandelen onderwerpen vermeld of wordt medegedeeld dat de aandeelhouders en de houders van met medewerking van de vennootschap uitgegeven certificaten van haar aandelen er ten kantore van de vennootschap kennis van kunnen nemen.
2. Omtrent onderwerpen waarvan de behandeling niet bij de oproeping of op de zelfde wijze is aangekondigd met inachtneming van de voor de oproeping gestelde termijn, kan niet wettig worden besloten, tenzij het besluit met algemene stemmen wordt genomen in een vergadering, waarin het gehele geplaatste kapitaal vertegenwoordigd is.
3. Mededelingen welke krachtens de wet of de statuten aan de algemene vergadering moeten worden gericht, kunnen geschieden door opneming hetzij in de oproeping hetzij in het stuk dat ter kennisneming ten kantore der vennootschap is neergelegd, mits daarvan in de oproeping melding wordt gemaakt.

Oproepingstermijn

Art. 115. Behoudens het bepaalde bij de tweede zin van het eerste lid van artikel 111 van dit Boek, geschiedt de oproeping niet later dan op de vijftiende dag vóór die der vergadering. Was die termijn korter of heeft de oproeping niet plaats gehad, dan kunnen geen wettige besluiten worden genomen, tenzij met algemene stemmen in een vergadering, waarin het gehele geplaatste kapitaal vertegenwoordigd is.

Plaats algemene vergadering

Art. 116. De algemene vergaderingen worden gehouden in Nederland ter plaatse bij de statuten vermeld, of anders elders waar de naamloze vennootschap haar woonplaats heeft. In een algemene vergadering, gehouden in een andere gemeente dan behoort, kunnen wettige besluiten slechts worden genomen, indien het gehele geplaatste kapitaal vertegenwoordigd is.

Rechten aandeelhouders

Art. 117. 1. Iedere aandeelhouder is bevoegd, in persoon of bij een schriftelijk gevolmachtigde, de algemene vergaderingen bij te wonen, daarin het woord te voeren en het stemrecht uit te oefenen. Houders van onderaandelen, tezamen uitmakende het bedrag van een aandeel, oefenen deze rechten gezamenlijk uit, hetzij door één van hen, hetzij door een schriftelijk gevolmachtigde. Bij de statuten kan de bevoegdheid van aandeelhouders zich te doen vertegenwoordigen, worden beperkt.

2. Iedere houder van een met medewerking van de vennootschap uitgegeven certificaat van een aandeel is bevoegd, in persoon of bij een schriftelijk gevolmachtigde, de algemene vergadering bij te wonen en daarin het woord te voeren. De voorlaatste en de laatste zin van lid 1 zijn van overeenkomstige toepassing.

3. Wanneer bij de statuten is bepaald dat de houders van aandelen de bewijsstukken van hun recht vóór de algemene vergadering in bewaring moeten geven, worden bij de oproeping voor die vergadering vermeld de plaats waar en de dag waarop zulks uiterlijk moet geschieden. Die dag kan niet vroeger worden gesteld dan op de zevende dag voor die der vergadering. Indien de statuten voorschriften overeenkomstig de voorgaande bepalingen van dit lid bevatten, gelden deze mede voor de houders van de certificaten van aandelen die met medewerking van de vennootschap zijn uitgegeven.

4. De bestuurders en de commissarissen hebben als zodanig in de algemene vergaderingen een raadgevende stem.

Stemrecht

Art. 118. 1. Slechts aandeelhouders hebben stemrecht. Iedere aandeelhouder heeft tenminste één stem.

2. Indien het maatschappelijk kapitaal in aandelen van een zelfde bedrag is verdeeld, brengt iedere aandeelhouder zoveel stemmen uit als hij aandelen heeft.

3. Indien het maatschappelijk kapitaal in aandelen van verschillend bedrag is verdeeld, is het aantal stemmen van iedere aandeelhouder gelijk aan het aantal malen, dat het bedrag van het kleinste aandeel is begrepen in het gezamenlijk bedrag van zijn aandelen; gedeelten van stemmen worden verwaarloosd.

4. Echter kan het door een zelfde aandeelhouder uit te brengen aantal stemmen bij de statuten worden beperkt, mits aandeelhouders wier bedrag aan aandelen gelijk is, hetzelfde aantal stemmen uitbrengen en de beperking voor de houders van een groter bedrag aan aandelen niet gunstiger is geregeld dan voor de houders van een kleiner bedrag aan aandelen.

5. Van het bepaalde bij het tweede en het derde lid kan bij de statuten ook op andere wijze worden afgeweken, mits aan eenzelfde aandeelhouder niet meer dan zes stemmen worden toegekend indien het maatschappelijk kapitaal is verdeeld in honderd of meer aandelen, en niet meer dan drie stemmen indien het kapitaal in minder dan honderd aandelen is verdeeld.

6. Onderaandelen die tezamen het bedrag van een aandeel uitmaken worden met een zodanig aandeel gelijkgesteld.

7. Voor een aandeel dat toebehoort aan de vennootschap of aan een dochtermaatschappij daarvan kan in de algemene vergadering geen stem worden uitgebracht; evenmin voor een aandeel waarvan een hunner de certificaten houdt. Vruchtgebruikers en pandhouders van aandelen die aan de vennootschap en haar dochtermaatschappijen toebehoren, zijn evenwel niet van hun stemrecht uitgesloten, indien het vruchtgebruik of pandrecht was gevestigd voordat het aandeel aan de vennootschap of een dochtermaatschappij daarvan toebehoorde. De vennootschap of een dochtermaatschappij daarvan kan geen stem uitbrengen voor een aandeel waarop zij een recht van vruchtgebruik of een pandrecht heeft.

Art. 119. Vervallen.

Vereist aantal stemmen

Art. 120. 1. Alle besluiten waaromtrent bij de wet of de statuten geen grotere meerderheid is voorgeschreven, worden genomen bij volstrekte meerderheid van de uitgebrachte stemmen. Staken de stemmen bij verkiezing van personen, dan beslist het lot, staken de stemmen bij een andere stemming, dan is het voorstel verworpen; een en ander voor zover in de wet of de statuten niet een andere oplossing is aangegeven. Deze oplossing kan bestaan in het opdragen van de beslissing aan een derde.

Quorum

2. Tenzij bij de wet of de statuten anders is bepaald, is de geldigheid van besluiten niet afhankelijk van het ter vergadering vertegenwoordigd gedeelte van het kapitaal.

3. Indien in de statuten is bepaald dat de geldigheid van een besluit afhankelijk is van het ter vergadering vertegenwoordigd gedeelte van het kapitaal en dit gedeelte ter vergadering niet vertegenwoordigd was, kan, tenzij de statuten anders bepalen, een nieuwe vergadering worden bijeengeroepen waarin het besluit kan worden genomen, onafhankelijk van het op deze vergadering vertegenwoordigd gedeelte van

het kapitaal. Bij de oproeping tot de nieuwe vergadering moet worden vermeld dat en waarom een besluit kan worden genomen, onafhankelijk van het ter vergadering vertegenwoordigd gedeelte van het kapitaal.

4. Het bestuur van de vennootschap houdt van de genomen besluiten aantekening. De aantekeningen liggen ten kantore van de vennootschap ter inzage van de aandeelhouders en de houders van de met medewerking van de vennootschap uitgegeven certificaten van haar aandelen. Aan ieder van dezen wordt desgevraagd afschrift of uittreksel van deze aantekeningen verstrekt tegen ten hoogste de kostprijs.

Wijziging statuten

Art. 121. 1. De algemene vergadering is bevoegd de statuten te wijzigen; voor zover bij de statuten de bevoegdheid tot wijziging mocht zijn uitgesloten, is wijziging niettemin mogelijk met algemene stemmen in een vergadering waarin het gehele geplaatste kapitaal is vertegenwoordigd.

Beperking wijzigingsmogelijkheid

2. Een bepaling in de statuten, die de bevoegdheid tot wijziging van een of meer andere bepalingen der statuten beperkt, kan slechts worden gewijzigd met inachtneming van gelijke beperking.

3. Een bepaling in de statuten, die de bevoegdheid tot wijziging van een of meer andere bepalingen uitsluit, kan slechts worden gewijzigd met algemene stemmen in een vergadering waarin het gehele geplaatste kapitaal is vertegenwoordigd.

Art. 122. Wijziging van een bepaling der statuten, waarbij aan een ander dan aan aandeelhouders der vennootschap als zodanig enig recht is toegekend, kan indien de gerechtigde in de wijziging niet toestemt, aan diens recht geen nadeel toebrengen; tenzij ten tijde van de toekenning van het recht de bevoegdheid tot wijziging bij die bepaling uitdrukkelijk was voorbehouden.

Agendering

Art. 123. 1. Wanneer aan de algemene vergadering een voorstel tot wijziging van de statuten zal worden gedaan, moet zulks steeds bij de oproeping tot de algemene vergadering worden vermeld.

2. Degenen die zodanige oproeping hebben gedaan, moeten tegelijkertijd een afschrift van dat voorstel waarin de voorgedragen wijziging woordelijk is opgenomen, ten kantore van de vennootschap nederleggen ter inzage voor iedere aandeelhouder tot de afloop der vergadering. Artikel 114 lid 2 is van overeenkomstige toepassing.

3. De aandeelhouders moeten in de gelegenheid worden gesteld van de dag der nederlegging tot die der algemene vergadering een afschrift van het voorstel, gelijk bij het vorige lid bedoeld, te verkrijgen. Deze afschriften worden kosteloos verstrekt.

4. Hetgeen in dit artikel met betrekking tot aandeelhouders is bepaald, is van overeenkomstige toepassing op houders van met medewerking der vennootschap uitgegeven certificaten van aandelen.

Notariële akte

Art. 124. 1. Van een wijziging in de statuten wordt, op straffe van nietigheid, een notariële akte opgemaakt. De akte wordt verleden in de Nederlandse taal.

2. Die akte kan bestaan in een notarieel proces-verbaal van de algemene vergadering, waarin de wijziging aangenomen is, of in een later verleden notariële akte. Het bestuur is bevoegd de akte te doen verlijden, ook zonder daartoe door de algemene vergadering te zijn gemachtigd. De algemene vergadering kan het bestuur of een of meer andere personen machtigen de veranderingen aan te brengen, die nodig mochten blijken om de bij het volgende artikel bedoelde verklaring te verkrijgen.

3. Wordt het maatschappelijke kapitaal gewijzigd, dan vermeldt de akte welk deel daarvan is geplaatst.

Verklaring van geen bezwaar

Art. 125. 1. De wijziging in de statuten wordt niet van kracht, dan nadat door Onze Minister van Justitie is verklaard, dat hem van bezwaren niet is gebleken.

2. De in het vorige lid bedoelde verklaring mag alleen worden geweigerd op grond dat door de wijziging de vennootschap een verboden karakter zou verkrijgen of dat er gevaar bestaat dat door de wijziging de vennootschap gebruikt zal worden voor ongeoorloofde doeleinden; of dat de wijziging of de wijze waarop zij is tot stand gekomen strijdt met de openbare orde, de wet of een wettige bepaling der statuten.

3. Ter verkrijging van die verklaring moet de akte, houdende de wijziging, of een ontwerp daarvan aan Onze voornoemde Minister worden ingezonden. Indien de akte bestaat uit een notarieel proces-verbaal van de algemene vergadering, kan een notarieel uittreksel daarvan worden ingezonden. Tevens moet aan Onze Minister

van Justitie ten bate van 's Rijks kas een bedrag van honderd vijftig gulden worden voldaan[1]. Wij kunnen bij algemene maatregel van bestuur dit bedrag verhogen in verband met de stijging van het loon- en prijspeil.

Deponering wijziging en nieuwe statuten

Art. 126. De bestuurders zijn verplicht een authentiek afschrift van de wijziging en de gewijzigde statuten neder te leggen ten kantore van het handelsregister.

Statutenwijziging gedurende faillissement

Art. 127. Gedurende het faillissement der naamloze vennootschap kan in haar statuten geen wijziging worden aangebracht dan met toestemming van de curator.

Besluitvorming buiten vergadering

Art. 128. De statuten kunnen bepalen dat besluitvorming van aandeelhouders op andere wijze dan in een vergadering kan geschieden, tenzij aandelen aan toonder of, met medewerking van de vennootschap, certificaten van aandelen zijn uitgegeven. Indien de statuten een zodanige regeling bevatten, is zulk een besluitvorming slechts mogelijk met algemene stemmen van de stemgerechtigde aandeelhouders. De stemmen kunnen alleen schriftelijk worden uitgebracht.

AFDELING 5
Het bestuur van de naamloze vennootschap en het toezicht op het bestuur

Taak bestuur

Art. 129. Behoudens beperkingen volgens de statuten is het bestuur belast met het besturen van de vennootschap.

Vertegenwoordigingsbevoegdheid

Art. 130. 1. Het bestuur vertegenwoordigt de vennootschap, voor zover uit de wet niet anders voortvloeit.

2. De bevoegdheid tot vertegenwoordiging komt mede aan iedere bestuurder toe. De statuten kunnen echter bepalen dat zij behalve aan het bestuur slechts toekomt aan een of meer bestuurders. Zij kunnen voorts bepalen dat een bestuurder de vennootschap slechts met medewerking van een of meer anderen mag vertegenwoordigen.

3. Bevoegdheid tot vertegenwoordiging die aan het bestuur of aan een bestuurder toekomt, is onbeperkt en onvoorwaardelijk, voor zover uit de wet niet anders voortvloeit. Een wettelijk toegelaten of voorgeschreven beperking van of voorwaarde voor de bevoegdheid tot vertegenwoordiging kan slechts door de vennootschap worden ingeroepen.

4. De statuten kunnen ook aan andere personen dan bestuurders bevoegdheid tot vertegenwoordiging toekennen.

Rechterlijke competentie

Art. 131. De rechtbank binnen welker rechtsgebied de vennootschap haar woonplaats heeft, neemt kennis van alle rechtsvorderingen betreffende de overeenkomst tussen de naamloze vennootschap en de bestuurder, daaronder begrepen de vordering bedoeld bij artikel 138 van dit Boek, waarvan het bedrag onbepaald is of *f* 5000 te boven gaat. In de gevallen van het elfde lid van artikel 138 is bevoegd de rechtbank die het faillissement heeft uitgesproken. Dezelfde rechtbank neemt kennis van verzoeken als bedoeld in artikel 1639w van Boek 7A betreffende de in de eerste zin genoemde overeenkomst.

Benoeming bestuurders

Art. 132. De benoeming van bestuurders geschiedt voor de eerste maal bij de akte van oprichting en later door de algemene vergadering van aandeelhouders, tenzij zij overeenkomstig artikel 162 van dit Boek door de Raad van commissarissen geschiedt.

Art. 133. 1. Bij de statuten kan worden bepaald, dat de benoeming door de algemene vergadering zal geschieden uit een voordracht, die ten minste twee personen voor iedere te vervullen plaats bevat.

2. De algemene vergadering kan echter aan zodanige voordracht steeds het bindend karakter ontnemen bij een besluit genomen met twee derden van de uitgebrachte stemmen, die meer dan de helft van het geplaatste kapitaal vertegenwoordigen.

3. De vorige leden zijn niet van toepassing, indien de benoeming geschiedt door de raad van commissarissen.

---

[1] Bij het besluit van 11 maart 1993, Stb. 157, is dit bedrag vastgesteld op tweehonderd gulden.

Art. 134. 1. Iedere bestuurder kan te allen tijde worden geschorst en ontslagen door degene die bevoegd is tot benoeming.

Schorsing, ontslag

2. Indien in de statuten is bepaald dat het besluit tot schorsing of ontslag slechts mag worden genomen met een versterkte meerderheid in een algemene vergadering, waarin een bepaald gedeelte van het kapitaal is vertegenwoordigd, mag deze versterkte meerderheid twee derden der uitgebrachte stemmen, vertegenwoordigende meer dan de helft van het kapitaal, niet te boven gaan.

3. Een veroordeling tot herstel van de dienstbetrekking tussen naamloze vennootschap en bestuurder kan door de rechter niet worden uitgesproken.

4. De statuten moeten voorschriften bevatten omtrent de wijze, waarop in het bestuur van de vennootschap voorlopig wordt voorzien ingeval van ontstentenis of belet van bestuurders.

Art. 135. Voor zover bij de statuten niet anders is bepaald, wordt de bezoldiging van bestuurders door de algemene vergadering vastgesteld.

Bezoldiging

Art. 136. Tenzij bij de statuten anders is bepaald, is het bestuur zonder opdracht der algemene vergadering niet bevoegd aangifte te doen tot faillietverklaring van de naamloze vennootschap.

Aangifte tot faillietverklaring

Art. 137. 1. Rechtshandelingen van de vennootschap jegens de houder van alle aandelen in het kapitaal van de vennootschap of jegens een deelgenoot in een huwelijksgemeenschap waartoe alle aandelen in het kapitaal van de vennootschap behoren, waarbij de vennootschap wordt vertegenwoordigd door deze aandeelhouder of door een van de deelgenoten, worden schriftelijk vastgelegd. Voor de toepassing van de vorige zin worden aandelen gehouden door de vennootschap of haar dochtermaatschappijen niet meegeteld. Indien de eerste zin niet in acht is genomen, kan de rechtshandeling ten behoeve van de vennootschap worden vernietigd.

2. Lid 1 is niet van toepassing op rechtshandelingen die onder de bedongen voorwaarden tot de gewone bedrijfsuitoefening van de vennootschap behoren.

Art. 138. 1. In geval van faillissement van de naamloze vennootschap is iedere bestuurder jegens de boedel hoofdelijk aansprakelijk voor het bedrag van de schulden voor zover deze niet door vereffening van de overige baten kunnen worden voldaan, indien het bestuur zijn taak kennelijk onbehoorlijk heeft vervuld en aannemelijk is dat dit een belangrijke oorzaak is van het faillissement.

Aansprakelijkheid bestuurders bij faillissement

2. Indien het bestuur niet heeft voldaan aan zijn verplichtingen uit de artikelen 10 of 394, heeft het zijn taak onbehoorlijk vervuld en wordt vermoed dat onbehoorlijke taakvervulling een belangrijke oorzaak is van het faillissement. Hetzelfde geldt indien de vennootschap volledig aansprakelijk vennoot is van een vennootschap onder firma of commanditaire vennootschap en niet voldaan is aan de verplichtingen uit artikel 15a van Boek 3. Een onbelangrijk verzuim wordt niet in aanmerking genomen.

Onbehoorlijke taakvervulling

3. Niet aansprakelijk is de bestuurder die bewijst dat de onbehoorlijke taakvervulling door het bestuur niet aan hem te wijten is en dat hij niet nalatig is geweest in het treffen van maatregelen om de gevolgen daarvan af te wenden.

Disculpatie

4. De rechter kan het bedrag waarvoor de bestuurders aansprakelijk zijn verminderen indien hem dit bovenmatig voorkomt, gelet op de aard en de ernst van de onbehoorlijke taakvervulling door het bestuur, de andere oorzaken van het faillissement, alsmede de wijze waarop dit is afgewikkeld. De rechter kan voorts het bedrag van de aansprakelijkheid van een afzonderlijke bestuurder verminderen indien hem dit bovenmatig voorkomt, gelet op de tijd gedurende welke die bestuurder als zodanig in functie is geweest in de periode waarin de onbehoorlijke taakvervulling plaats vond.

Rechterlijke matiging

5. Is de omvang van het tekort nog niet bekend, dan kan de rechter, al dan niet met toepassing van het vierde lid, bepalen dat van het tekort tot betaling waarvan hij de bestuurders veroordeelt, een staat wordt opgemaakt overeenkomstig de bepalingen van de zesde titel van het tweede boek van het Wetboek van Burgerlijke Rechtsvordering.

6. De vordering kan slechts worden ingesteld op grond van onbehoorlijke taakvervulling in de periode van drie jaren voorafgaande aan het faillissement. Een aan de bestuurder verleende kwijting staat aan het instellen van de vordering niet in de weg.

Termijn

Beleidsbepalers

7. Met een bestuurder wordt voor de toepassing van dit artikel gelijkgesteld degene die het beleid van de vennootschap heeft bepaald of mede heeft bepaald, als ware hij bestuurder. De vordering kan niet worden ingesteld tegen de door de rechter benoemde bewindvoerder.

8. Dit artikel laat onverlet de bevoegdheid van de curator tot het instellen van een vordering op grond van de overeenkomst met de bestuurder of op grond van artikel 9.

Pauliana

9. Indien een bestuurder ingevolge dit artikel aansprakelijk is en niet in staat is tot betaling van zijn schuld terzake, kan de curator de door die bestuurder onverplicht verrichte rechtshandelingen waardoor de mogelijkheid tot verhaal op hem is verminderd, ten behoeve van de boedel door een buitengerechtelijke verklaring vernietigen, indien aannemelijk is dat deze geheel of nagenoeg geheel met het oogmerk van vermindering van dat verhaal zijn verricht. Artikel 45 leden 4 en 5 van Boek 3 is van overeenkomstige toepassing.

Voorschot curator

10. Indien de boedel ontoereikend is voor het instellen van een rechtsvordering op grond van dit artikel of artikel 9 of voor het instellen van een voorafgaand onderzoek naar de mogelijkheid daartoe, kan de curator Onze Minister van Justitie verzoeken hem bij wijze van voorschot de benodigde middelen te verschaffen. Onze Minister kan regels stellen voor de beoordeling van de gegrondheid van het verzoek en de grenzen waarbinnen het verzoek kan worden toegewezen. Het verzoek moet de gronden bevatten waarop het berust, alsmede een beredeneerde schatting van de kosten en de omvang van het onderzoek. Het verzoek, voor zover het betreft het instellen van een voorafgaand onderzoek, behoeft de goedkeuring van de rechter-commissaris.

Buitenlandse rechtspersoon

11. Dit artikel is van overeenkomstige toepassing in geval van faillissement van een naar buitenlands recht opgerichte rechtspersoon die aan de heffing van vennootschapsbelasting is onderworpen. In dat geval zijn eveneens aansprakelijk als bestuurders degenen die met de leiding van de hier te lande verrichte werkzaamheden zijn belast.

Aansprakelijkheid bestuurders bij misleiding

Art. 139. Indien door de jaarrekening, door tussentijdse cijfers die de vennootschap bekend heeft gemaakt of door het jaarverslag een misleidende voorstelling wordt gegeven van de toestand der vennootschap, zijn de bestuurders tegenover derden hoofdelijk aansprakelijk voor de schade, door dezen dientengevolge geleden. De bestuurder die bewijst dat dit aan hem niet te wijten is, is niet aansprakelijk.

Raad van commissarissen

Art. 140. 1. Bij de statuten kan worden bepaald dat er een raad van commissarissen zal zijn. De raad bestaat uit één of meer natuurlijke personen.

2. De raad van commissarissen heeft tot taak toezicht te houden op het beleid van het bestuur en op de algemene gang van zaken in de vennootschap en de met haar verbonden onderneming. Hij staat het bestuur met raad ter zijde. Bij de vervulling van hun taak richten de commissarissen zich naar het belang van de vennootschap en de met haar verbonden onderneming.

3. De statuten kunnen aanvullende bepalingen omtrent de taak en de bevoegdheden van de raad en van zijn leden bevatten.

Art. 141. Het bestuur verschaft de raad van commissarissen tijdig de voor de uitoefening van diens taak noodzakelijke gegevens.

Benoeming door algemene vergadering

Art. 142. 1. De commissarissen die niet reeds bij de akte van oprichting zijn aangewezen, worden benoemd door de algemene vergadering van aandeelhouders, tenzij de benoeming overeenkomstig artikel 158 van dit Boek geschiedt.

2. De eerste twee leden van artikel 133 van dit Boek zijn van overeenkomstige toepassing, indien de benoeming door de algemene vergadering van aandeelhouders geschiedt.

3. Bij een aanbeveling of voordracht tot benoeming van een commissaris worden van de kandidaat medegedeeld zijn leeftijd, zijn beroep, het bedrag aan door hem gehouden aandelen in het kapitaal der vennootschap en de betrekkingen die hij bekleedt of die hij heeft bekleed voor zover die van belang zijn in verband met de vervulling van de taak van een commissaris. Tevens wordt vermeld aan welke rechtspersonen hij reeds als commissaris is verbonden; indien zich daaronder rechtspersonen bevinden, die tot een zelfde groep behoren, kan met de aanduiding van de groep worden volstaan. De aanbeveling en de voordracht worden met redenen omkleed.

4. Degene die de leeftijd van 72 jaren heeft bereikt, kan niet tot commissaris worden benoemd. Een commissaris treedt uiterlijk af op de dag waarop de jaarlijkse algemene vergadering wordt gehouden in het boekjaar waarin hij de leeftijd van 72 jaren bereikt. Bij de statuten kan de leeftijdsgrens lager worden gesteld.

Benoeming niet door algemene vergadering

Art. 143. Bij de statuten kan worden bepaald dat een of meer commissarissen, doch ten hoogste een derde van het gehele aantal, zullen worden benoemd door anderen dan de algemene vergadering. Is de benoeming van commissarissen geregeld overeenkomstig de artikelen 158 en 159 van dit Boek, dan vindt de vorige zin geen toepassing.

Schorsing, ontslag

Art. 144. 1. Een commissaris kan worden geschorst en ontslagen door degene, die bevoegd is tot benoeming, tenzij artikel 161 leden 2 en 3 van dit Boek van toepassing is.
2. Het tweede en het derde lid van artikel 134 van dit Boek zijn van overeenkomstige toepassing.

Bezoldiging

Art. 145. Tenzij de statuten anders bepalen, kan de algemene vergadering van aandeelhouders aan de commissarissen als zodanig een bezoldiging toekennen.

Vertegenwoordiging N.V. bij tegenstrijdig belang

Art. 146. Tenzij bij de statuten anders is bepaald, wordt de naamloze vennootschap in alle gevallen waarin zij een tegenstrijdig belang heeft met een of meer bestuurders, vertegenwoordigd door commissarissen. De algemene vergadering is steeds bevoegd een of meer andere personen daartoe aan te wijzen.

Schorsing bestuurder

Art. 147. 1. Tenzij bij de statuten anders is bepaald, is de raad van commissarissen bevoegd iedere bestuurder te allen tijde te schorsen.
2. De schorsing kan te allen tijde door de algemene vergadering worden opgeheven, tenzij de bevoegdheid tot benoeming van de bestuurders bij de raad van commissarissen berust.

Art. 148. Vervallen.

Toepasselijkheid bepalingen

Art. 149. Het bepaalde bij de artikelen 9, 131 en 138 vindt overeenkomstige toepassing ten aanzien van de taakvervulling door de raad van commissarissen.

Aansprakelijkheid commissarissen

Art. 150. Indien door de jaarrekening een misleidende voorstelling wordt gegeven van de toestand der vennootschap, zijn de commissarissen naast de bestuurders tegenover derden hoofdelijk aansprakelijk voor de schade, door dezen dientengevolge geleden. De commissaris die bewijst dat zulks niet aan een tekortkoming zijnerzijds in het toezicht is te wijten, is niet aansprakelijk.

Verrichten daden van bestuur

Art. 151. 1. Allen, commissarissen of anderen, die, zonder deel uit te maken van het bestuur der naamloze vennootschap, krachtens enige bepaling der statuten of krachtens besluit der algemene vergadering, voor zekere tijd of onder zekere omstandigheden daden van bestuur verrichten, worden te dien aanzien, wat hun rechten en verplichtingen ten opzichte van de vennootschap en van derden betreft, als bestuurders aangemerkt.
2. Het goedkeuren van bepaalde bestuurshandelingen of het daartoe machtigen geldt niet als het verrichten van daden van bestuur.

AFDELING 6
De raad van commissarissen bij de grote naamloze vennootschap

Afhankelijke maatschappij

Art. 152. In deze afdeling wordt onder een afhankelijke maatschappij verstaan:
a. een rechtspersoon waaraan de naamloze vennootschap of een of meer afhankelijke maatschappijen alleen of samen voor eigen rekening ten minste de helft van het geplaatste kapitaal verschaffen;
b. een vennootschap waarvan een onderneming in het handelsregister is ingeschreven en waarvoor de naamloze vennootschap of een afhankelijke maatschappij als vennote jegens derden volledig aansprakelijk is voor alle schulden.

Verplichting doen van opgave

Art. 153. 1. Een naamloze vennootschap moet, indien het volgende lid op haar van toepassing is, binnen twee maanden na de vaststelling of goedkeuring van haar jaarrekening door de algemene vergadering van aandeelhouders ten kantore van het handelsregister opgaaf doen, dat zij aan de in dat lid gestelde voorwaarden voldoet. Totdat artikel 154 lid 3 van dit Boek toepassing heeft gevonden, vermeldt het bestuur in elk volgend jaarverslag wanneer de opgaaf is gedaan; wordt de opgaaf doorgehaald, dan wordt daarvan melding gemaakt in het eerste jaarverslag dat na de datum van die doorhaling wordt uitgebracht.

Structuurvennootschap

2.[1] De verplichting tot het doen van een opgaaf geldt, indien:
a. het geplaatste kapitaal der vennootschap tezamen met de reserves volgens de balans met toelichting ten minste een bij koninklijk besluit vastgesteld bedrag beloopt,
b. de vennootschap of een afhankelijke maatschappij krachtens wettelijke verplichting een ondernemingsraad heeft ingesteld, en
c. bij de vennootschap en haar afhankelijke maatschappijen tezamen in de regel ten minste honderd arbeiders in Nederland werkzaam zijn.

Geen opgaveverplichting

3. De verplichting tot het doen van een opgaaf geldt niet voor:
a. een vennootschap die afhankelijke maatschappij is van een rechtspersoon waarop de artikelen 63f tot en met 63j, de artikelen 158 tot en met 161 en 164 of de artikelen 268 tot en met 271 en 274 van toepassing zijn.
b. een vennootschap wier werkzaamheid zich uitsluitend of nagenoeg uitsluitend beperkt tot het beheer en de financiering van groepsmaatschappijen, en van haar en hun deelnemingen in andere rechtspersonen, mits de arbeiders in dienst van de vennootschap en de groeps-maatschappijen in meerderheid buiten Nederland werkzaam zijn,
c. een vennootschap uitsluitend of nagenoeg uitsluitend aan een vennootschap als bedoeld onder b of in artikel 263 lid 3 onder b, en aan de in die bepalingen genoemde groepsmaatschappijen en rechtspersonen diensten ten behoeve van het beheer en de financiering verleent, en
d. een vennootschap waarin voor ten minste de helft van het geplaatste kapitaal volgens een onderlinge regeling tot samenwerking wordt deelgenomen door twee of meer rechtspersonen waarop de artikelen 63f tot en met 63j, de artikelen 158 tot en met 161 en 164 of de artikelen 268 tot en met 271 en 274 van toepassing zijn of die afhankelijke maatschappij zijn van zulk een rechtspersoon.

4. Het in onderdeel a van lid 2 genoemde grensbedrag wordt ten hoogste eenmaal in de twee jaren verhoogd of verlaagd, evenredig aan de ontwikkeling van een bij algemene maatregel van bestuur, de Sociaal-Economische Raad gehoord, aan te wijzen prijsindexcijfer sedert een bij die maatregel te bepalen datum; het wordt daarbij afgerond op het naaste veelvoud van twee en een half miljoen gulden. Het bedrag wordt niet opnieuw vastgesteld zo lang als het onafgeronde bedrag minder dan twee miljoen gulden afwijkt van het laatst vastgestelde bedrag.

5. Onder het geplaatste kapitaal met de reserves wordt in lid 2 onder a begrepen de gezamenlijke verrichte en nog te verrichten inbreng van vennoten bij wijze van geldschieting in afhankelijke maatschappijen die commanditaire vennootschap zijn, voor zover dit niet tot dubbeltelling leidt.

Toepasselijke bepalingen

Art. 154. 1. De artikelen 158-164 van dit Boek zijn van toepassing op een vennootschap waaromtrent een opgaaf als bedoeld in het vorige artikel gedurende drie jaren onafgebroken is ingeschreven; deze termijn wordt geacht niet te zijn onderbroken, indien een doorhaling van de opgaaf, welke tijdens die termijn ten onrechte heeft plaatsgevonden, is ongedaan gemaakt.

2. De doorhaling van de inschrijving op grond van de omstandigheid dat de vennootschap niet meer voldoet aan de voorwaarden, genoemd in het tweede lid van het vorige artikel, doet de toepasselijkheid van de artikelen 158-164 van dit Boek slechts eindigen, indien drie jaren na de doorhaling zijn verstreken en de vennootschap gedurende die termijn niet opnieuw tot het doen van de opgaaf is verplicht geweest.

3. De vennootschap brengt haar statuten in overeenstemming met de artikelen 158-164 welke voor haar gelden, uiterlijk met ingang van de dag waarop die artikelen krachtens lid 1 op haar van toepassing worden.

Verzwakt regiem

Art. 155. 1. In afwijking van het vorige artikel gelden de artikelen 162 en 163 van dit Boek niet voor een vennootschap waarin een deelneming voor ten minste de helft van het geplaatste kapitaal wordt gehouden:
a. door een rechtspersoon waarvan de arbeiders in meerderheid buiten Nederland

[1] Bij het besluit van 14 november 1992, Stb. 602, is bepaald dat het bedrag genoemd in artikel 153, lid 2 is vastgesteld op vijfentwintig miljoen gulden.

werkzaam zijn of door afhankelijke maatschappijen daarvan;
b. volgens een onderlinge regeling tot samenwerking door een aantal van zulke rechtspersonen of maatschappijen, of
c. volgens een onderlinge regeling tot samenwerking door een of meer van zulke rechtspersonen en een of meer rechtspersonen waarvoor artikel 153 lid 3 onder *a* of artikel 263 lid 3 onder *a* geldt of waarop de artikelen 63f tot en met 63j, de artikelen 158 tot en met 161 en 164 of de artikelen 268 tot en met 271 en 274 van toepassing zijn.
2. De uitzondering volgens het vorige lid geldt echter niet, indien de arbeiders in dienst van de vennootschap, tezamen met die in dienst van de rechtspersoon of rechtspersonen, in meerderheid in Nederland werkzaam zijn.
3. Voor de toepassing van dit artikel worden onder arbeiders, in dienst van een rechtspersoon, begrepen de arbeiders in dienst van groepsmaatschappijen.

Ontheffing

Art. 156. Onze Minister van Justitie kan, gehoord de Sociaal-Economische Raad, aan een vennootschap op haar verzoek ontheffing verlenen van een of meer der artikelen 158-164 van dit Boek: de ontheffing kan onder beperkingen worden verleend en daaraan kunnen voorschriften worden verbonden; zij kan voorts worden gewijzigd en ingetrokken.

Raad van commissarissen: vrijwillige toepassing structuurregeling

Art. 157. 1. Een vennootschap waarvoor artikel 154 van dit Boek niet geldt, kan bij haar statuten de wijze van benoeming en ontslag van commissarissen en de taak en bevoegdheden van de raad van commissarissen regelen overeenkomstig de artikelen 158-164 van dit Boek indien zij of een afhankelijke maatschappij een ondernemingsraad heeft ingesteld waarop de bepalingen van de Wet op de ondernemingsraden van toepassing zijn. Zij mag daarbij artikel 162 van dit Boek, artikel 163 van dit Boek of deze beide artikelen buiten toepassing laten. De in dit lid bedoelde regeling in de statuten verliest haar gelding zodra de ondernemingsraad ophoudt te bestaan of op de ondernemingsraad niet langer de bepalingen van de Wet op de ondernemingsraden van toepassing zijn.
2. Een vennootschap waarvoor artikel 155 van dit Boek geldt, kan de bevoegdheid tot benoeming en ontslag van bestuurders en die tot vaststelling van de jaarrekening regelen overeenkomstig de artikelen 162 en 163 van dit Boek.

Benoeming; coöptatie; geen bindende voordracht

Art. 158. 1. De vennootschap heeft een raad van commissarissen.
2. De commissarissen worden, behoudens het bepaalde in het voorlaatste lid, benoemd door de raad van commissarissen, voor zover de benoeming niet reeds is geschied bij de akte van oprichting of voordat dit artikel op de vennootschap van toepassing is geworden. De bevoegdheid tot benoeming kan niet door enige bindende voordracht worden beperkt.
3. De raad van commissarissen bestaat uit ten minste drie leden. Is het aantal commissarissen minder dan drie, dan neemt de raad onverwijld maatregelen tot aanvulling van zijn ledental.

Aanbevelingsrecht algemene vergadering en OR

4. De algemene vergadering van aandeelhouders, de ondernemingsraad en het bestuur kunnen aan de raad van commissarissen personen voor benoeming tot commissaris aanbevelen. De raad van commissarissen deelt hun daartoe tijdig mede, wanneer en ten gevolge waarvan in zijn midden een plaats moet worden vervuld.
5. De raad geeft aan de algemene vergadering van aandeelhouders en de ondernemingsraad kennis van de naam van degene die hij wenst te benoemen, met inachtneming van het derde lid van artikel 142 van dit Boek.

Bezwaar; samenstelling naar behoren

6. De raad benoemt deze persoon, tenzij de algemene vergadering of de ondernemingsraad tegen de voorgenomen benoeming bezwaar maakt op grond dat de voorschriften van lid 4, tweede volzin, of lid 5 niet behoorlijk zijn nageleefd, dan wel op grond van de verwachting dat de voorgedragen persoon ongeschikt zal zijn voor de vervulling van de taak van commissaris of dat de raad van commissarissen bij benoeming overeenkomstig het voornemen niet naar behoren zal zijn samengesteld.
7. Het besluit van de algemene vergadering tot het kenbaar maken van bezwaar moet worden genomen in de eerstvolgende vergadering na het verstrijken van een termijn van veertien dagen na de kennisgeving. De ondernemingsraad moet het besluit tot het kenbaar maken van bezwaar nemen binnen twee maanden na de kennisgeving.
8. Het bezwaar wordt aan de raad van commissarissen onder opgave van redenen medegedeeld.

Ongegrondverklaring door OK

9. Niettegenstaande het bezwaar van de algemene vergadering of de ondernemingsraad kan de benoeming overeenkomstig het voornemen geschieden, indien de

ondernemingskamer van het gerechtshof te Amsterdam op verzoek van een daartoe aangewezen vertegenwoordiger van de raad van commissarissen het bezwaar ongegrond verklaart.

10. Een verweerschrift kan worden ingediend door een daartoe aangewezen vertegenwoordiger van de algemene vergadering of van de ondernemingsraad die het in lid 6 bedoelde bezwaar heeft gemaakt. De ondernemingskamer doet ook de vertegenwoordigers oproepen die door de algemene vergadering of de ondernemingsraad die geen bezwaar heeft gemaakt, zijn aangewezen. Tegen de beslissing van de ondernemingskamer is geen hogere voorziening toegelaten. De ondernemingskamer kan geen veroordeling in de proceskosten uitspreken.

11. De algemene vergadering van aandeelhouders kan de bevoegdheden en verplichtingen die haar en haar vertegenwoordigers volgens dit artikel toekomen, voor een door haar te bepalen duur van telkens ten hoogste twee achtereenvolgende jaren, overdragen aan een commissie van aandeelhouders waarvan zij de leden aanwijst; in dat geval geeft de raad van commissarissen, met inachtneming van het derde lid van artikel 142 van dit Boek, aan de commissie kennis van de naam van degene die hij tot commissaris wenst te benoemen. De algemene vergadering kan te allen tijde de overdracht ongedaan maken.

Overheidscommissaris

12. De statuten kunnen bepalen dat een of meer commissarissen van overheidswege worden benoemd. Met betrekking tot een zodanige benoeming heeft degene die met deze benoeming is belast, de bevoegdheden en verplichtingen die volgens de voorgaande leden voor de raad van commissarissen gelden, en hebben jegens hem de algemene vergadering van aandeelhouders, de ondernemingsraad en het bestuur de bevoegdheden en verplichtingen die zij volgens de voorgaande leden hebben jegens de raad van commissarissen; de raad van commissarissen kan voor deze benoeming een aanbeveling doen.

Ondernemingsraad

13. Voor de toepassing van dit artikel wordt onder de ondernemingsraad verstaan de ondernemingsraad van de onderneming der vennootschap of van de onderneming van een afhankelijke maatschappij. Indien er meer dan één ondernemingsraad is, zijn de raden gelijkelijk bevoegd. Is voor de betrokken onderneming of ondernemingen een centrale ondernemingsraad ingesteld, dan komen de bevoegdheden van de ondernemingsraad volgens dit artikel toe aan de centrale ondernemingsraad. De ondernemingsraad neemt geen besluit als bedoeld in dit artikel, dan nadat over de betrokken aangelegenheid ten minste éénmaal overleg is gepleegd tussen de vennootschap en de ondernemingsraad.

Benoeming bij ontbreken alle commissarissen

Art. 159. 1. Ontbreken alle commissarissen, dan geschiedt de benoeming door de algemene vergadering van aandeelhouders.

2. De ondernemingsraad en het bestuur kunnen personen voor benoeming tot commissaris aanbevelen. Degene die de algemene vergadering van aandeelhouders bijeenroept, deelt de ondernemingsraad tijdig mede dat de benoeming van commissarissen onderwerp van behandeling in de algemene vergadering zal zijn.

3. De benoeming is van kracht, tenzij de ondernemingsraad, na overeenkomstig het vijfde lid van het vorige artikel in kennis te zijn gesteld van de naam van de benoemde persoon, onder opgave van redenen een bezwaar tegen de benoeming aan de vennootschap kenbaar maakt. Niettegenstaande het bezwaar van de ondernemingsraad wordt de benoeming van kracht, indien de ondernemingskamer van het gerechtshof te Amsterdam op verzoek van een daartoe aangewezen vertegenwoordiger van de algemene vergadering het bezwaar ongegrond verklaart.

4. Het zesde, zevende, tiende, elfde en dertiende lid van het vorige artikel zijn van overeenkomstige toepassing.

Incompatibiliteiten

Art. 160. Commissaris kunnen niet zijn:
a. personen die in dienst zijn van de vennootschap;
b. personen die in dienst zijn van een afhankelijke maatschappij;
c. bestuurders en personen in dienst van een werknemersorganisatie welke pleegt betrokken te zijn bij de vaststelling van de arbeidsvoorwaarden van de onder a en b bedoelde personen.

Aftreden commissaris

Art. 161. 1. Een commissaris treedt uiterlijk af, indien hij na zijn laatste benoeming vier jaren commissaris is geweest. De termijn kan bij de statuten worden verlengd tot de dag van de eerstvolgende algemene vergadering van aandeelhouders na afloop van de vier jaren of na de dag waarop dit artikel voor de rechtspersoon is gaan gelden.

Ontslag commissaris

2. De ondernemingskamer van het gerechtshof te Amsterdam kan op een desbetreffend verzoek een commissaris ontslaan wegens verwaarlozing van zijn taak, wegens andere gewichtige redenen of wegens ingrijpende wijziging der omstandigheden op grond waarvan handhaving als commissaris redelijkerwijze niet van de vennootschap kan worden verlangd. Het verzoek kan worden ingediend door de vennootschap, ten deze vertegenwoordigd door de raad van commissarissen, alsmede door een daartoe aangewezen vertegenwoordiger van de algemene vergadering van aandeelhouders of van de ondernemingsraad, bedoeld in het laatste lid van artikel 158 van dit Boek. Het elfde en het dertiende lid van artikel 158 zijn van overeenkomstige toepassing.

Schorsing commissaris

3. Een commissaris kan worden geschorst door de raad van commissarissen; de schorsing vervalt van rechtswege, indien de vennootschap niet binnen een maand na de aanvang der schorsing een verzoek als bedoeld in het vorige lid bij de ondernemingskamer heeft ingediend.

4. Onverminderd het bepaalde in het eerste en het tweede lid kan een commissaris die van overheidswege is aangewezen, worden geschorst en ontslagen door degene die met de benoeming is belast; het voorgaande lid is niet op hem van toepassing.

Benoeming bestuurders

Art. 162. De Raad van commissarissen benoemt de bestuurders der vennootschap; deze bevoegdheid kan niet door enige bindende voordracht worden beperkt. Hij geeft de algemene vergadering van aandeelhouders kennis van een voorgenomen benoeming van een bestuurder der vennootschap; hij ontslaat een bestuurder niet dan nadat de algemene vergadering over het voorgenomen ontslag is gehoord. Het elfde lid van artikel 158 van dit Boek is van overeenkomstige toepassing.

Vaststelling/ goedkeuring jaarrekening

Art. 163. De raad van commissarissen stelt de jaarrekening vast. Hij legt deze gelijktijdig ter goedkeuring aan de algemene vergadering van aandeelhouders en ter bespreking aan de in artikel 158 lid 13 bedoelde ondernemingsraad over.

Door commissarissen goed te keuren besluiten

Art. 164. 1. Aan de goedkeuring van de raad van commissarissen zijn onderworpen de besluiten van het bestuur omtrent:
a. uitgifte en verkrijging van aandelen in en schuldbrieven ten laste van de vennootschap of van schuldbrieven ten laste van een commanditaire vennootschap of vennootschap onder firma waarvan de vennootschap volledig aansprakelijke vennote is;
b. medewerking aan de uitgifte van certificaten van aandelen;
c. aanvrage van notering of van intrekking der notering van de onder a en b bedoelde stukken in de prijscourant van enige beurs;
d. het aangaan of verbreken van duurzame samenwerking van de vennootschap of een afhankelijke maatschappij met een andere rechtspersoon of vennootschap dan wel als volledig aansprakelijke vennote in een commanditaire vennootschap onder firma, indien deze samenwerking of verbreking van ingrijpende betekenis is voor de vennootschap;
e. het nemen van een deelneming ter waarde van ten minste een vierde van het bedrag van het geplaatste kapitaal met de reserves volgens de balans met toelichting van de vennootschap, door haar of een afhankelijke maatschappij in het kapitaal van een andere vennootschap, alsmede het ingrijpend vergroten of verminderen van zulk een deelneming;
f. investeringen welke een bedrag gelijk aan ten minste een vierde gedeelte van het geplaatste kapitaal met de reserves der vennootschap volgens haar balans met toelichting vereisen;
g. een voorstel tot wijziging van de statuten;
h. een voorstel tot ontbinding van de vennootschap;
i. aangifte van faillissement en aanvraag van surséance van betaling;
j. beëindiging van de dienstbetrekking van een aanmerkelijk aantal arbeiders van de vennootschap of van een afhankelijke maatschappij tegelijkertijd of binnen een kort tijdsbestek;
k. ingrijpende wijziging in de arbeidsomstandigheden van een aanmerkelijk aantal arbeiders van de vennootschap of van een afhankelijke maatschappij;
l. een voorstel tot vermindering van het geplaatste kapitaal.

2. Het ontbreken van de goedkeuring van de raad van commissarissen op een besluit als bedoeld in lid 1 tast de vertegenwoordigingsbevoegdheid van het bestuur of bestuurders niet aan.

Art. 165. Vervallen.

AFDELING 7
De ontbinding van de naamloze vennootschap

Artt. 166-174. Vervallen.

AFDELING 8
Het beroep

Beroep

Art. 174a. De aanvrager kan beroep instellen bij het College van Beroep voor het bedrijfsleven tegen:
a. de weigering van een verzoek als bedoeld in artikel 64, lid 3, tweede zin;
b. de weigering van een verklaring als bedoeld in artikel 68, lid 2;
c. de weigering van een verklaring als bedoeld in artikel 125, lid 2 en
d. een beschikking tot weigering, wijziging of intrekking van de ontheffing, alsmede een beschikking tot verlening van de ontheffing voor zover daaraan voorschriften zijn verbonden dan wel daarbij beperkingen zijn opgelegd als bedoeld in artikel 156.

TITEL 5
Besloten vennootschappen met beperkte aansprakelijkheid

AFDELING 1
Algemene bepalingen

Definitie B.V.

Art. 175. 1. De besloten vennootschap met beperkte aansprakelijkheid is een rechtspersoon met een in aandelen verdeeld maatschappelijk kapitaal. Aandeelbewijzen worden niet uitgegeven; de aandelen zijn niet vrij overdraagbaar. Een aandeelhouder is niet persoonlijk aansprakelijk voor hetgeen in naam van de vennootschap wordt verricht en is niet gehouden boven het bedrag dat op zijn aandelen behoort te worden gestort in de verliezen van de vennootschap bij te dragen.

Oprichting

2. De vennootschap wordt door een of meer personen opgericht bij notariële akte op het ontwerp waarvan Onze Minister van Justitie een verklaring heeft verleend dat hem van geen bezwaren is gebleken. Tenzij de oprichting bij akte van fusie geschiedt, neemt iedere oprichter tevens in het kapitaal deel.

Verklaring van geen bezwaar

3. De akte van oprichting moet binnen drie maanden na de dagtekening van de verklaring van geen bezwaar zijn verleden, op straffe van verval van de verklaring. Onze Minister kan op verzoek van belanghebbenden op grond van gewichtige redenen deze termijn met ten hoogste drie maanden verlengen.

Art. 176. De akte van oprichting van de vennootschap wordt verleden in de Nederlandse taal. Een volmacht tot medewerking aan die akte moet schriftelijk zijn verleend.

Inhoud oprichtingsakte

Art. 177. 1. De akte van oprichting moet de statuten van de vennootschap bevatten. De statuten bevatten de naam, de zetel en het doel van de vennootschap.
2. De naam vangt aan of eindigt met de woorden Besloten Vennootschap met beperkte aansprakelijkheid, hetzij voluit geschreven, hetzij afgekort tot „B.V.".
3. De zetel moet zijn gelegen in Nederland.

Inhoud statuten

Art. 178. 1. De statuten vermelden het bedrag van het maatschappelijk kapitaal en het aantal en het bedrag van de aandelen. Zijn er verschillende soorten aandelen, dan vermelden de statuten het aantal en het bedrag van elke soort. De akte van oprichting vermeldt het bedrag van het geplaatste kapitaal en van het gestorte deel daarvan. Zijn er verschillende soorten aandelen dan worden de bedragen van het geplaatste en van het gestorte kapitaal uitgesplitst per soort. De akte vermeldt voorts van ieder die bij de oprichting aandelen neemt de in artikel 196 lid 2 onder b en c bedoelde gegevens met het aantal en de soort van de door hem genomen aandelen en het daarop gestorte bedrag.

Minimumkapitaal; a.m.v.b.

2. Het maatschappelijke en het geplaatste kapitaal en het gestorte deel daarvan moeten bij de oprichting ten minste het minimumkapitaal bedragen dat bij koninklijk besluit is vastgesteld. Het minimumkapitaal wordt ten hoogste eenmaal in de twee jaren verhoogd of verlaagd, evenredig aan de ontwikkeling sedert 1 januari 1985 van een bij algemene maatregel van bestuur aan te wijzen prijsindexcijfer; het wordt daarbij afgerond op het naaste veelvoud van vijfduizend gulden. Het minimumkapitaal wordt niet opnieuw vastgesteld zo lang als het minder dan vierduizend gulden afwijkt van het onafgeronde bedrag.

3. Is de som van het gestorte en opgevraagde deel van het kapitaal en de reserves die krachtens een andere wetsbepaling of de statuten moeten worden aangehouden, geringer dan het laatst vastgestelde minimumkapitaal, dan moet de vennootschap een reserve aanhouden ter grootte van het verschil.

Gebonden reserve

4. Van het maatschappelijke kapitaal moet ten minste een vijfde gedeelte zijn geplaatst.

Art. 179. 1. Ter verkrijging van een verklaring van Onze Minister van Justitie dat hem van geen bezwaren is gebleken, moet een ontwerp van de akte van oprichting aan de Minister worden ingezonden. Tevens moet aan Onze Minister van Justitie ten bate van 's Rijks kas een bedrag van honderdvijftig gulden[1] worden voldaan. Wij kunnen bij algemene maatregel van bestuur dit bedrag verhogen in verband met de stijging van het loon- en prijspeil.

Ministeriële verklaring van geen bezwaar

2. De verklaring mag alleen worden geweigerd op grond dat er, gelet op de voornemens of de antecedenten van de personen die het beleid van de vennootschap zullen bepalen of mede bepalen, gevaar bestaat dat de vennootschap zal worden gebruikt voor ongeoorloofde doeleinden of dat haar werkzaamheid zal leiden tot benadeling van haar schuldeisers; of dat de akte in strijd is met de openbare orde of de wet.

3. Ten behoeve van de uitoefening van het toezicht, bedoeld in lid 2, verstrekken de bedrijfsverenigingen die belast zijn met de uitvoering van de wettelijke arbeidsongeschiktheidsverzekeringen, de wettelijke ziekengeldverzekeringen en de wettelijke werkloosheidsverzekeringen desgevraagd aan Onze Minister van Justitie de inlichtingen die deze behoeft. De bedrijfsverenigingen verstrekken hem desgevraagd inzage of uittreksel van de gegevens waarover zij beschikt.

Art. 180. 1. De bestuurders zijn verplicht de vennootschap te doen inschrijven in het handelsregister en een authentiek afschrift van de akte van oprichting en van de daaraan ingevolge de artikelen 203a, 204 en 204a gehechte stukken neer te leggen ten kantore van het handelsregister. Tegelijkertijd moeten zij opgave doen van het totaal van de vastgestelde en geraamde kosten die met de oprichting verband houden en ten laste van de vennootschap komen.

Inschrijving

2. De bestuurders zijn naast de vennootschap hoofdelijk aansprakelijk voor elke tijdens hun bestuur verrichte rechtshandeling waardoor de vennootschap wordt verbonden in het tijdvak voordat:

Aansprakelijkheid bestuurder

a. de opgave ter eerste inschrijving in het handelsregister, vergezeld van de neer te leggen afschriften, is geschied,
b. het gestorte deel van het kapitaal ten minste het bij de oprichting voorgeschreven minimumkapitaal bedraagt, en
c. op het bij de oprichting geplaatste kapitaal ten minste een vierde van het nominale bedrag is gestort.

Art. 181. 1. Wanneer de besloten vennootschap zich krachtens artikel 18 omzet in een vereniging, coöperatie of onderlinge waarborgmaatschappij, wordt iedere aandeelhouder lid, tenzij hij de schadeloosstelling heeft gevraagd, bedoeld in lid 2.

Omzetting B.V.

2. Op het besluit tot omzetting is artikel 209 van toepassing, tenzij de vennootschap zich omzet in een naamloze vennootschap. Na zulk een besluit kan iedere aandeelhouder die niet met het besluit heeft ingestemd, de vennootschap schadeloosstelling vragen voor het verlies van zijn aandelen. Het verzoek tot schadeloosstelling moet schriftelijk aan de vennootschap worden gedaan binnen één maand nadat zij aan de aandeelhouder heeft meegedeeld dat hij deze schadeloosstelling kan vragen. De mededeling geschiedt op de zelfde wijze als de oproeping tot een algemene vergadering.

3. Bij gebreke van overeenstemming wordt de schadeloosstelling bepaald door een of meer onafhankelijke deskundigen, ten verzoeke van de meest gerede partij te benoemen door de rechtbank bij de machtiging tot omzetting of door haar president. De artikelen 351 en 352 zijn van toepassing.

Art. 182. Vervallen.

Art. 183. 1. Wanneer een naamloze vennootschap zich krachtens artikel 18 omzet in een besloten vennootschap, worden aan de akte van omzetting gehecht:

Omzetting NV in BV

---

[1] Bij het besluit van 11 maart 1993, Stb. 157, is dit bedrag vastgesteld op tweehonderd gulden.

a. een verklaring van Onze Minister van Justitie, waarop artikel 125 van toepassing is, dat hem van bezwaren tegen de omzetting en statutenwijziging niet is gebleken;
b. een verklaring van een deskundige als bedoeld in artikel 393, waaruit blijkt dat het eigen vermogen van de vennootschap op een dag binnen vijf maanden voor de omzetting ten minste overeenkwam met het gestorte en opgevraagde deel van het kapitaal volgens de akte van omzetting.

2. Wanneer een andere rechtspersoon zich krachtens artikel 18 omzet in een besloten vennootschap, worden aan de akte van omzetting gehecht:
a. een verklaring van Onze Minister van Justitie waarop artikel 179 van toepassing is, dat hem van bezwaren tegen de omzetting en statutenwijziging niet is gebleken;
b. een verklaring van een deskundige als bedoeld in artikel 393, waaruit blijkt dat het eigen vermogen van de rechtspersoon op een dag binnen vijf maanden voor de omzetting ten minste het bedrag beloopt van het gestorte deel van het geplaatste kapitaal volgens de akte van omzetting; bij het eigen vermogen mag de waarde worden geteld van hetgeen na die dag uiterlijk onverwijld na de omzetting op aandelen zal worden gestort;
c. indien de rechtspersoon leden heeft, de schriftelijke toestemming van ieder lid wiens aandelen niet worden volgestort door omzetting van de reserves van de rechtspersoon;
d. indien een stichting wordt omgezet, de rechterlijke machtiging daartoe.

3. Wanneer een vereniging, coöperatie of onderlinge waarborgmaatschappij zich krachtens artikel 18 omzet in een besloten vennootschap wordt ieder lid aandeelhouder. De omzetting kan niet geschieden, zolang een lid nog kan opzeggen op grond van artikel 36 lid 4.

4. Na de omzetting kunnen een aandeelhouder, een vruchtgebruiker en een pandhouder de aan een aandeel verbonden rechten niet uitoefenen, zolang zij niet in het in artikel 194 bedoelde register zijn ingeschreven. Voor zover aandeelbewijzen zijn uitgegeven, vindt geen inschrijving plaats dan tegen afgifte van de aandeelbewijzen aan de vennootschap.

Art. 184. (Vervallen bij de wet van 29 juni 1994, Stb. 506).

Ontbinding BV

Art. 185. 1. Op vordering van het openbaar ministerie ontbindt de rechtbank de vennootschap, wanneer deze haar doel, door een gebrek aan baten, niet kan bereiken, en kan de rechtbank de vennootschap ontbinden, wanneer deze haar werkzaamheden tot verwezenlijking van haar doel heeft gestaakt. Het openbaar ministerie deelt de Kamer van Koophandel en Fabrieken, in wier handelsregister de vennootschap is ingeschreven, mee dat het voornemens is een vordering tot ontbinding in te stellen.

2. Op vordering van het openbaar ministerie wordt een vennootschap waarvan het eigen vermogen geringer is dan het laatst vastgestelde minimumkapitaal door de rechtbank ontbonden, indien:
a. zij in strijd met de wet winst of reserves heeft uitgekeerd;
b. zij in strijd met de wet haar kapitaal heeft verminderd;
c. zij of een dochtermaatschappij aandelen in haar kapitaal of certificaten daarvan in strijd met de wet heeft verkregen, of
d. het eigen vermogen nooit ten minste het bij de oprichting vereiste minimumkapitaal heeft geëvenaard.

3. Alvorens de ontbinding uit te spreken kan de rechter de vennootschap in de gelegenheid stellen binnen een door hem te bepalen termijn het verzuim te herstellen.

Voeren naam BV

Art. 186. 1. Uit alle geschriften, gedrukte stukken en aankondigingen, waarin de vennootschap partij is of die van haar uitgaan, met uitzondering van telegrammen en reclames, moeten de volledige naam van de vennootschap en haar woonplaats duidelijk blijken.

2. Indien melding wordt gemaakt van het kapitaal van de vennootschap, moet daarbij in elk geval worden vermeld welk bedrag is geplaatst, en hoeveel van het geplaatste bedrag is gestort.

Art. 187. Vervallen bij de wet van 10 november 1988, Stb. 517.

Handelsregister

Art. 188. Wanneer in deze titel het kantoor van het handelsregister wordt vermeld, wordt onder het handelsregister verstaan het register van de plaats, waar de vennootschap volgens haar statuten haar zetel heeft.

Art. 189. Wanneer in de statuten wordt gesproken van de houders van zoveel aandelen als tezamen een zeker gedeelte van het maatschappelijk kapitaal der vennootschap uitmaken, wordt, tenzij het tegendeel uit de statuten blijkt, onder kapitaal verstaan het geplaatste gedeelte van het maatschappelijk kapitaal.

Geplaatst gedeelte kapitaal

AFDELING 2
De aandelen

Art. 190. Aandelen zijn de gedeelten, waarin het maatschappelijk kapitaal bij de statuten is verdeeld.

Aandelen

Art. 191. 1. Bij het nemen van het aandeel moet daarop het nominale bedrag worden gestort. Bedongen kan worden dat een deel, ten hoogste drie vierden, van het nominale bedrag eerst behoeft te worden gestort nadat de vennootschap het zal hebben opgevraagd.

Stortingsplicht

2. Een aandeelhouder kan niet geheel of gedeeltelijk worden ontheven van de verplichting tot storting, behoudens het bepaalde in artikel 208.
3. De aandeelhouder en, in het geval van artikel 199, de voormalige aandeelhouder zijn niet bevoegd tot verrekening van hun schuld uit hoofde van dit artikel.

Art. 191a. 1. Storting op een aandeel moet in geld geschieden voor zover niet een andere inbreng is overeengekomen.

Storting in (vreemd) geld

2. Voor of bij de oprichting kan storting in vreemd geld slechts geschieden, indien de akte van oprichting vermeldt dat storting in vreemd geld is toegestaan; na de oprichting kan dit slechts geschieden met toestemming van de vennootschap.
3. Met storting in vreemd geld wordt aan de stortingsplicht voldaan voor het bedrag waartegen het gestorte bedrag vrijelijk in Nederlands geld kan worden gewisseld. Bepalend is de wisselkoers op de dag van de storting dan wel, indien vroeger dan een maand voor de oprichting is gestort, op de dag van de oprichting.

Art. 191b. 1. Indien inbreng anders dan in geld is overeengekomen, moet hetgeen wordt ingebracht naar economische maatstaven kunnen worden gewaardeerd. Een recht op het verrichten van werk of diensten kan niet worden ingebracht.

Inbreng anders dan in geld

2. Inbreng anders dan in geld moet onverwijld geschieden na het nemen van het aandeel of na de dag waartegen een bijstorting is uitgeschreven of waarop zij is overeengekomen.

Art. 192. Aan een aandeelhouder kan niet, zelfs niet door wijziging van de statuten, tegen zijn wil enige verplichting boven de storting tot het nominale bedrag van het aandeel worden opgelegd.

Verplichting beperkt tot volstorten

Art. 193. De vereffenaar van een vennootschap en, in geval van faillissement, de curator, zijn bevoegd tot uitschrijving en inning van alle nog niet gedane stortingen op de aandelen, onverschillig hetgeen bij de statuten daaromtrent is bepaald.

Bevoegdheid vereffenaar resp. curator

Art. 194. 1. Het bestuur van de vennootschap houdt een register waarin de namen en de adressen van alle aandeelhouders zijn opgenomen, met vermelding van de datum waarop zij de aandelen hebben verkregen, de datum van de erkenning of betekening, alsmede van het op ieder aandeel gestorte bedrag. Daarin worden tevens opgenomen de namen en adressen van hen die een recht van vruchtgebruik of pandrecht op aandelen hebben, met vermelding van de datum waarop zij het recht hebben verkregen, de datum van erkenning of betekening, alsmede met vermelding welke aan de aandelen verbonden rechten hun overeenkomstig de leden 2 en 4 van de artikelen 197 en 198 van dit boek toekomen.

Aandeelhoudersregister

2. Het register wordt regelmatig bijgehouden; daarin wordt mede aangetekend elk verleend ontslag van aansprakelijkheid voor nog niet gedane stortingen.
3. Het bestuur verstrekt desgevraagd aan een aandeelhouder, een vruchtgebruiker en een pandhouder om niet een uittreksel uit het register met betrekking tot zijn recht op een aandeel. Rust op het aandeel een recht van vruchtgebruik of een pandrecht, dan vermeldt het uittreksel aan wie de in de leden 2 en 4 van de artikelen 197 en 198 van dit Boek bedoelde rechten toekomen.
4. Het bestuur legt het register ten kantore van de vennootschap ter inzage van de aandeelhouders, alsmede van de vruchtgebruikers en pandhouders aan wie de in lid 4 van de artikelen 197 en 198 van dit Boek bedoelde rechten toekomen. De ge-

gevens van het register omtrent niet-volgestorte aandelen zijn ter inzage van een ieder; afschrift of uittreksel van deze gegevens wordt ten hoogste tegen kostprijs verstrekt.

Beperkte overdrachtsbevoegdheid

Art. 195. 1. Een aandeelhouder kan, voor zover de statuten deze bevoegdheid niet beperken of uitsluiten, een of meer van zijn aandelen vrijelijk overdragen aan zijn echtgenoot, aan zijn bloed- en aanverwanten, in de rechte lijn onbeperkt en in de zijlijn in de tweede graad, aan een mede-aandeelhouder en aan de vennootschap. De kring van personen aan wie de aandeelhouder een of meer van zijn aandelen vrijelijk kan overdragen, kan bij de statuten worden uitgebreid tot zijn bloed- en aanverwanten in de zijlijn, of sommigen van hen, in de derde en vierde graad.

Blokkeringsregeling

2. Voor iedere andere overdracht dan die welke ingevolge het vorige lid vrijelijk kan geschieden, dienen de statuten een blokkeringsregeling te bevatten.

Goedkeuringsstelsel

3. Deze blokkeringsregeling dient zodanig te zijn dat de aandeelhouder voor de overdracht, wil zij geldig zijn, de goedkeuring behoeft van een bij de statuten daartoe aangewezen orgaan der vennootschap. De overdracht moet plaatsvinden binnen drie maanden nadat de goedkeuring is verleend. De goedkeuring wordt geacht te zijn verleend indien het orgaan der vennootschap dat met de beslissing is belast niet gelijktijdig met de weigering van de goedkeuring aan de verzoeker opgave doet van een of meer gegadigden die bereid zijn al de aandelen waarop het verzoek om goedkeuring betrekking heeft tegen contante betaling te kopen.

Aanbiedingsstelsel

4. Het derde lid vindt geen toepassing, voor zover de statuten een blokkeringsregeling bevatten, volgens welke de aandeelhouder die een of meer aandelen wil vervreemden, deze eerst moet aanbieden aan zijn mede-aandeelhouders. Deze regeling kan voorts inhouden dat, zo de mede-aandeelhouders het aanbod niet aanvaarden, het aanbod moet geschieden aan andere gegadigden, aangewezen door een bij de statuten daarmede belast orgaan der vennootschap. De aanbieder blijft bevoegd zijn aanbod in te trekken, mits dit geschiedt binnen een maand nadat hem bekend is aan welke gegadigden hij al de aandelen waarop het aanbod betrekking heeft kan verkopen en tegen welke prijs. Indien vaststaat dat niet al de aandelen waarop het aanbod betrekking heeft tegen contante betaling worden gekocht, zal de aanbieder de aandelen binnen drie maanden na die vaststelling vrijelijk mogen overdragen.

5. De blokkeringsregeling dient zodanig te zijn dat de aandeelhouder, indien hij dit verlangt, van degenen die als gegadigden in de zin van het derde lid worden opgegeven of aan wie ingevolge de blokkeringsregeling als bedoeld in het vierde lid moet worden aangeboden een prijs ontvangt, gelijk aan de waarde van zijn aandeel of aandelen, vastgesteld door een of meer onafhankelijke deskundigen.

6. De vennootschap zelf kan slechts met instemming van de aandeelhouder ingevolge het derde of het vierde lid gegadigde zijn.

Grens aan beperking overdracht

7. Beperking van de overdraagbaarheid van de aandelen kan niet zodanig geschieden, dat die overdraagbaarheid onmogelijk of uiterst bezwaarlijk wordt gemaakt. Hetzelfde geldt voor toedeling van aandelen uit een gemeenschap.

8. Bepalingen in de statuten omtrent overdraagbaarheid van aandelen gelden niet, indien de houder krachtens de wet tot overdracht van zijn aandeel aan een eerdere houder verplicht is.

Uitgifte en levering aandelen

Art. 196. 1. Voor de uitgifte en levering van een aandeel of de levering van een beperkt recht daarop is vereist een daartoe bestemde ten overstaan van een in Nederland standplaats hebbende notaris verleden akte waarbij de betrokkenen partij zijn. Geen afzonderlijke akte is vereist voor de uitgifte van aandelen die bij de oprichting worden geplaatst.

Inhoud akte

2. Akten van uitgifte of levering moeten vermelden:

a. de titel van de rechtshandeling en op welke wijze het aandeel of het beperkt recht daarop is verkregen;

b. naam, voornamen, geboortedatum, geboorteplaats, woonplaats en adres van de natuurlijke personen die bij de rechtshandeling partij zijn;

c. rechtsvorm, naam, woonplaats en adres van de rechtspersonen die bij de rechtshandeling partij zijn;

d. het aantal en de soort aandelen waarop de rechtshandeling betrekking heeft, alsmede

e. naam, woonplaats en adres van de vennootschap op welker aandelen de rechtshandeling betrekking heeft.

Art. 196a. 1. De levering van een aandeel of de levering van een beperkt recht daarop overeenkomstig artikel 196 lid 1 werkt mede van rechtswege tegenover de vennootschap. Behoudens in het geval dat de vennootschap zelf bij de rechtshandeling partij is, kunnen de aan het aandeel verbonden rechten eerst worden uitgeoefend nadat zij de rechtshandeling heeft erkend of de akte aan haar is betekend overeenkomstig de bepalingen van artikel 196b, dan wel deze heeft erkend door inschrijving in het aandeelhoudersregister als bedoeld in lid 2.

2. De vennootschap die kennis draagt van de rechtshandeling als bedoeld in het eerste lid kan, zolang haar geen erkenning daarvan is verzocht noch betekening van de akte aan haar is geschied, die rechtshandeling eigener beweging erkennen door inschrijving van de verkrijger van het aandeel of het beperkte recht in het aandeelhoudersregister. Zij doet daarvan aanstonds bij aangetekende brief mededeling aan de bij de rechtshandeling betrokken partijen met het verzoek alsnog een afschrift of uittreksel als bedoeld in artikel 196b lid 1 aan haar over te leggen. Na ontvangst daarvan plaatst zij, ten bewijze van de erkenning, een aantekening op het stuk op de wijze als in artikel 196b voor de erkenning wordt voorgeschreven; als datum van erkenning wordt de dag van de inschrijving vermeld.

3. Indien een rechtshandeling als bedoeld in het eerste lid heeft plaatsgevonden zonder dat dit heeft geleid tot een daarop aansluitende wijziging in het register van aandeelhouders, kan deze noch aan de vennootschap noch aan anderen die te goeder trouw de in het aandeelhoudersregister ingeschreven persoon als aandeelhouder of eigenaar van een beperkt recht op een aandeel hebben beschouwd, worden tegengeworpen.

Art. 196b. 1. Behoudens het bepaalde in artikel 196a lid 2 geschiedt de erkenning in de akte dan wel op grond van overlegging van een notarieel afschrift of uittreksel van de akte.

2. Bij erkenning op grond van overlegging van een notarieel afschrift of uittreksel wordt een gedagtekende verklaring geplaatst op het overgelegde stuk.

3. De betekening geschiedt van een notarieel afschrift of uittreksel van de akte.

Vestigen vruchtgebruik

Art. 197. 1. De bevoegdheid tot het vestigen van vruchtgebruik op een aandeel kan bij de statuten niet worden beperkt of uitgesloten.

Stemrecht op aandelen in vruchtgebruik

2. De aandeelhouder heeft het stemrecht op de aandelen waarop een vruchtgebruik is gevestigd.

3. In afwijking van het voorgaande lid komt het stemrecht toe aan de vruchtgebruiker, indien zulks bij de vestiging van het vruchtgebruik is bepaald en de vruchtgebruiker een persoon is, aan wie de aandelen overeenkomstig artikel 195 lid 1 van dit Boek vrijelijk kunnen worden overgedragen. Indien de vruchtgebruiker niet zulk een persoon is, komt hem het stemrecht uitsluitend toe, indien dit bij de vestiging van het vruchtgebruik is bepaald en de statuten dit niet verbieden, mits zowel deze bepaling als — bij overdracht van het vruchtgebruik — de overgang van het stemrecht is goedgekeurd door het vennootschapsorgaan dat bij de statuten is aangewezen om goedkeuring te verlenen tot een voorgenomen overdracht van aandelen, dan wel — bij ontbreken van zodanige aanwijzing — door de algemene vergadering van aandeelhouders.

4. De aandeelhouder die geen stemrecht heeft en de vruchtgebruiker die stemrecht heeft, hebben de rechten, die door de wet zijn toegekend aan de houders van met medewerking ener vennootschap uitgegeven certificaten van aandelen. De vruchtgebruiker die geen stemrecht heeft, heeft deze rechten, indien de statuten dit bepalen en bij de vestiging of overdracht van het vruchtgebruik niet anders is bepaald.

Vergoeding claims

5. Uit het aandeel voortspruitende rechten, strekkende tot het verkrijgen van aandelen, komen aan de aandeelhouder toe met dien verstande dat hij de waarde daarvan moet vergoeden aan de vruchtgebruiker, voor zover deze krachtens zijn recht van vruchtgebruik daarop aanspraak heeft.

Vestigen pandrecht

Art. 198.[1] 1. Op aandelen kan pandrecht worden gevestigd, indien de statuten niet anders bepalen.

Stemrecht op verpande aandelen

2. De aandeelhouder heeft het stemrecht op de verpande aandelen.

3. In afwijking van het voorgaande lid komt het stemrecht toe aan de pandhouder, indien zulks bij de vestiging van het pandrecht is bepaald en de pandhouder een persoon is, aan wie de aandelen overeenkomstig artikel 195 lid 1 van dit Boek vrije-

[1] Bij besluit van 20 februari 1990, Stb. 90 is de inwerkingtreding van de wijzigingen van artt. 86, 89, 196 en 198 (Stb. 541 van 15 november 1989. Invoeringswet NBW, zesde gedeelte) uitgezonderd. Deze NBW-wijzigingen zijn daarom niet in de tekst verwerkt.

lijk kunnen worden overgedragen. Indien de pandhouder niet zulk een persoon is, komt hem het stemrecht uitsluitend toe indien dit bij de vestiging van het pandrecht is bepaald en de vestiging van het pandrecht is goedgekeurd door het vennootschapsorgaan dat bij de statuten is aangewezen om goedkeuring te verlenen tot een voorgenomen overdracht van aandelen, dan wel — bij ontbreken van zodanige aanwijzing — door de algemene vergadering van aandeelhouders. Treedt een ander in de rechten van de pandhouders, dan komt hem het stemrecht slechts toe, indien het in de vorige zin bedoelde orgaan dan wel, bij gebreke daarvan, de algemene vergadering de overgang van het stemrecht goedkeurt. De bevoegdheid tot toekenning van het stemrecht aan de pandhouder kan in de statuten worden uitgesloten.

4. De aandeelhouder die geen stemrecht heeft en de pandhouder die stemrecht heeft, hebben de rechten, die door de wet zijn toegekend aan de houders van met medewerking ener vennootschap uitgegeven certificaten van aandelen. De pandhouder die geen stemrecht heeft, heeft deze rechten indien de statuten dit bepalen en bij de vestiging of overgang van het pandrecht niet anders is bepaald.

Vervreemding door pandhouder

5. Artikel 195 van dit Boek en de statutaire bepalingen ten aanzien van de vervreemding en overdracht van aandelen zijn van toepassing op de vervreemding en overdracht van de aandelen door de pandhouder of de verblijving van de aandelen aan de pandhouder, met dien verstande dat de pandhouder alle ten aanzien van de vervreemding en overdracht aan de aandeelhouder toekomende rechten uitoefent en diens verplichtingen ter zake nakomt.

Aansprakelijkheid vorige aandeelhouder

Art. 199. 1. Na overdracht of toedeling van een niet volgestort aandeel blijft ieder van de vorige aandeelhouders voor het daarop nog te storten bedrag hoofdelijk jegens de vennootschap aansprakelijk. Het bestuur kan te zamen met de raad van comissarissen de vorige aandeelhouders bij authentieke of geregistreerde onderhandse akte van verdere aansprakelijkheid ontslaan; in dat geval blijft de aansprakelijkheid niettemin bestaan voor stortingen, uitgeschreven binnen een jaar na de dag waarop de authentieke akte is verleden of de onderhandse is geregistreerd.

2. Indien een vorige aandeelhouder betaalt, treedt hij in de rechten die de vennootschap tegen latere houders heeft.

Art. 200. Vervallen.

In principe gelijke rechten en plichten

Art. 201. 1. Voor zover bij de statuten niet anders is bepaald, zijn aan alle aandelen in verhouding tot hun bedrag gelijke rechten en verplichtingen verbonden.

2. De vennootschap moet de aandeelhouders onderscheidenlijk certificaathouders die zich in gelijke omstandigheden bevinden, op de zelfde wijze behandelen.

Uitkoop kleine minderheid

Art. 201a. 1. Hij die als aandeelhouder voor eigen rekening ten minste 95% van het geplaatste kapitaal van de vennootschap verschaft, kan tegen de gezamenlijke andere aandeelhouders een vordering instellen tot overdracht van hun aandelen aan de eiser. Hetzelfde geldt, indien twee of meer groepsmaatschappijen dit deel van het geplaatste kapitaal samen verschaffen en samen de vordering instellen tot overdracht aan een hunner.

2. Over de vordering oordeelt in eerste aanleg de ondernemingskamer van het gerechtshof te Amsterdam. Van de uitspraak staat uitsluitend beroep in cassatie open.

3. Indien tegen een of meer gedaagden verstek is verleend, moet de rechter ambtshalve onderzoeken of de eiser of eisers de vereisten van lid 1 vervullen.

4. De rechter wijst de vordering tegen alle gedaagden af, indien een gedaagde ondanks de vergoeding ernstige stoffelijke schade zou lijden door de overdracht, een gedaagde houder is van een aandeel waaraan de statuten een bijzonder recht inzake de zeggenschap in de vennootschap verbinden of een eiser jegens een gedaagde afstand heeft gedaan van zijn bevoegdheid de vordering in te stellen.

5. Indien de rechter oordeelt dat de leden 1 en 4 de toewijzing van de vordering niet beletten, kan hij bevelen dat een of drie deskundigen zullen berichten over de waarde van de over te dragen aandelen. De eerste drie zinnen van artikel 350 lid 3 en de artikelen 351 en 352 zijn van toepassing. De rechter stelt de prijs vast die de over te dragen aandelen op een door hem te bepalen dag hebben. Zo lang en voor zover de prijs niet is betaald, wordt hij verhoogd met rente, gelijk aan de wettelijke rente, van die dag af tot de overdracht; uitkeringen op de aandelen die in dit tijdvak betaalbaar worden gesteld, strekken op de dag van betaalbaarstelling tot gedeeltelijke betaling van de prijs.

6. De rechter die de vordering toewijst, veroordeelt de overnemer aan degenen aan wie de aandelen toebehoren of zullen toebehoren de vastgestelde prijs met rente te betalen tegen levering van het onbezwaarde recht op de aandelen. De rechter geeft omtrent de kosten van het geding zodanige uitspraak als hij meent dat behoort. Een gedaagde die geen verweer heeft gevoerd, wordt niet verwezen in de kosten.

7. Staat het bevel tot overdracht bij gerechtelijk gewijsde vast, dan deelt de overnemer de dag en plaats van betaalbaarstelling en de prijs schriftelijk mee aan de houders van de over te nemen aandelen van wie hij het adres kent. Hij kondigt deze ook aan in een landelijk verspreid dagblad, tenzij hij van allen het adres kent.

8. De overnemer kan zich altijd van zijn verplichtingen ingevolge de leden 6 en 7 bevrijden door de vastgestelde prijs met rente voor alle nog niet overgenomen aandelen te consigneren, onder mededeling van hem bekende rechten van pand en vruchtgebruik en de hem bekende beslagen. Door deze mededeling gaat beslag over van de aandelen op het recht op uitkering. Door het consigneren gaat het recht op de aandelen onbezwaard op hem over en gaan rechten van pand of vruchtgebruik over op het recht op uitkering. Aan aandeel- en dividendbewijzen waarop na de overgang uitkeringen betaalbaar zijn gesteld, kan nadien geen recht jegens de vennootschap meer worden ontleend. De overnemer maakt het consigneren en de prijs per aandeel op dat tijdstip bekend op de wijze van lid 7.

Geen certificaten aan toonder

Art. 202. Certificaten aan toonder van aandelen mogen niet worden uitgegeven. Indien in strijd hiermede is gehandeld, kunnen, zolang certificaten aan toonder uitstaan, de aan het aandeel verbonden rechten niet worden uitgeoefend.

AFDELING 3
Het vermogen van de vennootschap

Rechtshandelingen namens op te richten BV

Art. 203. 1. Uit rechtshandelingen, verricht namens een op te richten besloten vennootschap met beperkte aansprakelijkheid, ontstaan slechts rechten en verplichtingen voor de vennootschap wanneer zij die rechtshandelingen na haar oprichting uitdrukkelijk of stilzwijgend bekrachtigt of ingevolge lid 4 wordt verbonden.

Hoofdelijke gebondenheid

2. Degenen die een rechtshandeling verrichten namens een op te richten besloten vennootschap met beperkte aansprakelijkheid zijn, tenzij met betrekking tot die rechtshandeling uitdrukkelijk anders is bedongen, daardoor hoofdelijk verbonden, totdat de vennootschap na haar oprichting de rechtshandeling heeft bekrachtigd.

Hoofdelijke aansprakelijkheid

3. Indien de vennootschap haar verplichtingen uit de bekrachtigde rechtshandeling niet nakomt, zijn degenen die namens de op te richten vennootschap handelden hoofdelijk aansprakelijk voor de schade die de derde dientengevolge lijdt, indien zij wisten of redelijkerwijs konden weten dat de vennootschap haar verplichtingen niet zou kunnen nakomen, onverminderd de aansprakelijkheid terzake van de bestuurders wegens de bekrachtiging. De wetenschap dat de vennootschap haar verplichtingen niet zou kunnen nakomen, wordt vermoed aanwezig te zijn, wanneer de vennootschap binnen een jaar na de oprichting in staat van faillissement wordt verklaard.

Directe binding

4. De oprichters kunnen de vennootschap in de akte van oprichting slechts verbinden door het uitgeven van aandelen, het aanvaarden van stortingen daarop, het aanstellen van bestuurders, het benoemen van commissarissen en het verrichten van rechtshandelingen als bedoeld in artikel 204 lid 1. Indien een oprichter hierbij onvoldoende zorgvuldigheid heeft betracht, zijn de artikelen 9 en 248 van overeenkomstige toepassing.

Bankverklaring

Art. 203a. 1. Indien voor of bij de oprichting op aandelen wordt gestort in geld, moeten aan de akte van oprichting een of meer verklaringen worden gehecht, inhoudende dat de bedragen die op de bij de oprichting te plaatsen aandelen moeten worden gestort:
a. hetzij terstond na de oprichting ter beschikking zullen staan van de vennootschap;
b. hetzij alle op een zelfde tijdstip, ten vroegste vijf maanden voor de oprichting, op een afzonderlijke rekening stonden welke na de oprichting uitsluitend ter beschikking van de vennootschap zal staan, mits de vennootschap de stortingen in de akte aanvaardt.

2. Indien vreemd geld is gestort, moet uit de verklaring blijken tegen hoeveel geld het vrijelijk kon worden gewisseld op een dag waarop daarmee krachtens artikel 191a lid 3 kon worden voldaan aan de stortingsplicht.

Aan notaris af te geven bankverklaring

3. Zulk een verklaring kan slechts worden afgelegd door een bankier die hetzij als kredietinstelling is geregistreerd ingevolge artikel 52 van de Wet toezicht krediet-

wezen 1992, hetzij in een lidstaat van de Europese Gemeenschappen of in een andere staat die partij is bij de Overeenkomst betreffende de Europese Economische Ruimte is onderworpen aan bedrijfseconomisch toezicht van overheidswege. Zij kan slechts worden afgegeven aan een notaris.

4. Worden voor de oprichting aan de rekening, bedoeld in onderdeel b van lid 1, bedragen onttrokken, dan zijn de oprichters hoofdelijk jegens de vennootschap verbonden tot vergoeding van die bedragen, totdat de vennootschap de onttrekkingen uitdrukkelijk heeft bekrachtigd.

5. De notaris moet de bankiers wier verklaring hij heeft ontvangen terstond verwittigen van de oprichting. Indien de oprichting niet doorgaat, moet hij hun de verklaring terugzenden.

6. Indien na de oprichting in vreemd geld is gestort, legt de vennootschap binnen twee weken na de storting een verklaring, als bedoeld in lid 2, van een in het derde lid bedoelde bankier neer ten kantore van het handelsregister.

Bezwarende rechtshandelingen

Art. 204. 1. Rechtshandelingen:
a. in verband met het nemen van aandelen waarbij bijzondere verplichtingen op de vennootschap worden gelegd,
b. strekkende om enigerlei voordeel te verzekeren aan een oprichter der vennootschap of aan een bij de oprichting betrokken derde,
c. betreffende inbreng op aandelen anders dan in geld,
moeten in haar geheel worden opgenomen in de akte van oprichting of in een geschrift dat daaraan in origineel of in authentiek afschrift wordt gehecht en waarnaar de akte van oprichting verwijst. Indien de vorige zin niet in acht is genomen, kunnen voor de vennootschap uit deze rechtshandelingen geen rechten of verplichtingen ontstaan.

2. Na de oprichting kunnen de in het vorige lid bedoelde rechtshandelingen zonder voorafgaande goedkeuring van de algemene vergadering van aandeelhouders slechts worden verricht, indien en voor zover aan het bestuur de bevoegdheid daartoe uitdrukkelijk bij de statuten is verleend.

Waardebepaling inbreng op aandelen, anders dan in geld

Art. 204a. 1. Indien bij de oprichting inbreng op aandelen anders dan in geld wordt overeengekomen, maken de oprichters een beschrijving op van hetgeen wordt ingebracht, met vermelding van de daaraan toegekende waarde en van de toegepaste waarderingsmethoden. Deze methoden moeten voldoen aan normen die in het maatschappelijke verkeer als aanvaardbaar worden beschouwd. De beschrijving heeft betrekking op de toestand van hetgeen wordt ingebracht op een dag die niet eerder ligt dan hetzij vijf maanden voor de oprichting hetzij een maand voordat de ministeriële verklaring van geen bezwaar is aangevraagd voor een oprichting die uiterlijk een maand na de verklaring van geen bezwaar geschiedt. De beschrijving wordt door alle oprichters ondertekend. De vennootschap legt deze te haren kantore ter inzage van de houders van haar aandelen of van certificaten daarvan die met haar medewerking zijn uitgegeven.

Eventuele accountantsverklaring

2. Over de beschrijving van hetgeen wordt ingebracht moet een registeraccountant, of een accountant-administratieconsulent een verklaring afleggen. Indien wordt ingebracht in een vennootschap waarvan de jaarrekening moet worden onderzocht, mag slechts hij die bevoegd is tot het verplichte onderzoek van de jaarrekening, de verklaring over de beschrijving afleggen. Hetzelfde geldt, indien de waarde van alle in te brengen activa, zonder aftrek van passiva, ten minste *f* 8 000 000 bedraagt. De verklaring houdt in dat de waarde van hetgeen wordt ingebracht, bij toepassing van in het maatschappelijke verkeer als aanvaardbaar beschouwde waarderingsmethoden, ten minste beloopt het in de verklaring genoemde bedrag van de stortingsplicht, in geld uitgedrukt, waaraan met de inbreng moet worden voldaan. De verklaring moet aan de akte van oprichting worden gehecht. Indien bekend is dat de waarde na de beschrijving aanzienlijk is gedaald, is een tweede verklaring vereist.

Wanneer deze niet vereist is

3. De beschrijving en accountantsverklaring zijn niet vereist, indien alle oprichters hiervan hebben afgezien en een rechtspersoon die aandelen heeft genomen of waarvan een groepsmaatschappij aandelen heeft genomen, de volgende vereisten vervult:
a. de rechtspersoon heeft bij het handelsregister waar de vennootschap is ingeschreven een verklaring neergelegd dat hij zich hoofdelijk aansprakelijk stelt voor de uit rechtshandelingen van de vennootschap voortvloeiende schulden;
b. zijn laatste vastgestelde balans met toelichting is krachtens de toepasselijke wet vastgesteld en onderzocht in overeenstemming met de vierde richtlijn van de Euro-

pese Gemeenschappen inzake het vennootschapsrecht; een in het Nederlands, Frans, Duits of Engels gesteld exemplaar daarvan en van de accountantsverklaring daarover overeenkomstig die wet is neergelegd ten kantore van het handelsregister en sedert de balansdatum zijn nog geen achttien maanden verlopen;
c. blijkens de onder b bedoelde balans overtreft het eigen vermogen van de rechtspersoon het nominaal gestorte bedrag van de aandelen waarop na de balansdatum wordt ingebracht met toepassing van dit lid in vennootschappen waarvoor de rechtspersoon een verklaring heeft afgelegd als bedoeld onder a.
4. Artikel 404 is van overeenkomstige toepassing met dien verstande, dat de verklaring niet kan worden ingetrokken binnen twee jaren na de inbreng.

Inbreng op aandelen anders dan in geld na oprichting

Art. 204b. 1. Indien na de oprichting inbreng op aandelen anders dan in geld wordt overeengekomen, maakt de vennootschap overeenkomstig artikel 204a lid 1 een beschrijving op van hetgeen wordt ingebracht. De beschrijving heeft betrekking op de toestand op een dag die niet eerder dan vijf maanden ligt voor de dag waarop de aandelen worden genomen dan wel waartegen een bijstorting is uitgeschreven of waarop zij is overeengekomen. De bestuurders ondertekenen de beschrijving; ontbreekt de handtekening van een of meer hunner, dan wordt daarvan onder opgave van reden melding gemaakt.

Accountantsverklaring

2. Artikel 204a lid 2 is van overeenkomstige toepassing.

Wanneer deze niet vereist is

3. De leden 3 en 4 van artikel 204a zijn van toepassing, met dien verstande dat niet de oprichters maar alle aandeelhouders moeten hebben afgezien van het opstellen van de beschrijving en de accountantsverklaring.

Terinzagelegging beschrijving inbreng enz.

4. De vennootschap legt, binnen acht dagen na de dag waarop de aandelen zijn genomen dan wel waarop de bijstorting opeisbaar werd, de accountantsverklaring bij de inbreng of een afschrift daarvan neer ten kantore van het handelsregister met opgave van de namen van de inbrengers en van het bedrag van het aldus gestorte deel van het geplaatste kapitaal.

Uitzondering

5. Dit artikel is niet van toepassing voor zover de inbreng bestaat uit aandelen, certificaten van aandelen, daarin converteerbare rechten of winstbewijzen van een andere rechtspersoon, waarop de vennootschap een openbaar bod heeft uitgebracht, mits deze effecten of een deel daarvan zijn opgenomen in de prijscourant van een effectenbeurs of geregeld op de incourante markt worden verhandeld.

Nachgründung

Art. 204c. 1. Een rechtshandeling die de vennootschap heeft verricht zonder goedkeuring van de algemene vergadering van aandeelhouders of zonder de verklaring, bedoeld in lid 3, kan ten behoeve van de vennootschap worden vernietigd, indien de rechtshandeling:
a. strekt tot het verkrijgen van goederen, met inbegrip van vorderingen die worden verrekend, die een jaar voor de oprichting of nadien toebehoorden aan een oprichter of aandeelhouder, en
b. is verricht voordat twee jaren zijn verstreken na de inschrijving van de vennootschap in het handelsregister.

Beschrijving en waardebepaling

2. Indien de goedkeuring wordt gevraagd, maakt de vennootschap een beschrijving op van de te verkrijgen goederen en van de tegenprestatie. De beschrijving heeft betrekking op de toestand van het beschrevene op een dag die niet voor de oprichting ligt. In de beschrijving worden de waarden vermeld die aan de goederen en tegenprestatie worden toegekend alsmede de toegepaste waarderingsmethoden. Deze methoden moeten voldoen aan normen die in het maatschappelijke verkeer als aanvaardbaar worden beschouwd. De bestuurders ondertekenen de beschrijving; ontbreekt de handtekening van een of meer hunner, dan wordt daarvan onder opgave van reden melding gemaakt.

Accountantsverklaring

3. Artikel 204a lid 2 is van overeenkomstige toepassing, met dien verstande dat de verklaring moet inhouden dat de waarde van de te verkrijgen goederen, bij toepassing van in het maatschappelijke verkeer als aanvaardbaar beschouwde waarderingsmethoden, overeenkomt met ten minste de waarde van de tegenprestatie.
4. Op het ter inzage leggen en in afschrift ter beschikking stellen van de in de vorige leden bedoelde stukken is artikel 212 van overeenkomstige toepassing.
5. De vennootschap legt binnen acht dagen na de rechtshandeling of na de goedkeuring, indien achteraf verleend, de in het derde lid bedoelde verklaring of een afschrift daarvan neer ten kantore van het handelsregister.
6. Voor de toepassing van dit artikel blijven buiten beschouwing:
a. verkrijgingen op een openbare veiling of ter beurze,
b. verkrijgingen die onder de bedongen voorwaarden tot de gewone bedrijfsuitoefe-

ning van de vennootschap behoren,
c. verkrijgingen waarvoor een accountantsverklaring als bedoeld in artikel 204a is afgelegd, en
d. verkrijgingen ten gevolge van fusie.

7. De leden 3 en 4 van artikel 204a zijn van overeenkomstige toepassing, met dien verstande dat niet de oprichters maar alle aandeelhouders moeten hebben afgezien van het opstellen van de beschrijving en de accountantsverklaring en dat de waarde van alle tegenprestaties waarbij dat is geschied, wordt overtroffen door het eigen vermogen van de medeaansprakelijke rechtspersoon.

Verbod eigen aandelen te nemen

Art. 205. De vennootschap kan geen eigen aandelen nemen.

Emissiebevoegdheid

Art. 206. 1. De vennootschap kan slechts ingevolge een besluit van de algemene vergadering van aandeelhouders na de oprichting aandelen uitgeven, voor zover bij de statuten geen ander orgaan is aangewezen. De algemene vergadering kan haar bevoegdheid hiertoe overdragen aan een ander orgaan en kan deze overdracht herroepen.

2. Het vorige lid is van overeenkomstige toepassing op het verlenen van rechten tot het nemen van aandelen, maar is niet van toepassing op het uitgeven van aandelen aan iemand die een voordien reeds verkregen recht tot het nemen van aandelen uitoefent.

Voorkeursrecht bij emissie (claim)

Art. 206a. 1. Voor zover de statuten niet anders bepalen, heeft iedere aandeelhouder bij uitgifte van aandelen een voorkeursrecht naar evenredigheid van het gezamenlijke bedrag van zijn aandelen, behoudens de beide volgende leden. Hij heeft geen voorkeursrecht op aandelen die worden uitgegeven aan werknemers van de vennootschap of van een groepsmaatschappij. Het voorkeursrecht kan, telkens voor een enkele uitgifte, worden beperkt of uitgesloten bij besluit van de algemene vergadering van aandeelhouders, voor zover de statuten niet anders bepalen.

2. Voor zover de statuten niet anders bepalen, hebben houders van aandelen die
a. niet boven een bepaald percentage van het nominale bedrag of slechts in beperkte mate daarboven delen in de winst, of
b. niet boven het nominale bedrag of slechts in beperkte mate daarboven delen in een overschot na vereffening,
geen voorkeursrecht op uit te geven aandelen.

3. Voor zover de statuten niet anders bepalen, hebben de aandeelhouders geen voorkeursrecht op uit te geven aandelen in een van de in het vorige lid onder a en b omschreven soorten.

Aankondiging uitgifte met voorkeursrecht

4. De vennootschap kondigt de uitgifte met voorkeursrecht en het tijdvak waarin dat kan worden uitgeoefend, aan in een schriftelijke mededeling aan alle aandeelhouders aan het door hen opgegeven adres.

Uitoefening voorkeursrecht

5. Het voorkeursrecht kan worden uitgeoefend gedurende ten minste vier weken na de dag van de verzending van de aankondiging.

6. Voor zover de statuten niet anders bepalen, hebben de aandeelhouders een voorkeursrecht bij het verlenen van rechten tot het nemen van andere aandelen dan de in lid 2 onder a en b omschreven soorten; de vorige leden zijn van overeenkomstige toepassing. Aandeelhouders hebben geen voorkeursrecht op aandelen die worden uitgegeven aan iemand die een voordien reeds verkregen recht tot het nemen van aandelen uitoefent.

Overdracht aandelen aan BV

Art. 207. 1. Verkrijging door de vennootschap van niet volgestorte aandelen in haar kapitaal is nietig.

2. Volgestorte eigen aandelen mag de vennootschap slechts verkrijgen om niet of indien:
a. het eigen vermogen, verminderd met de verkrijgingsprijs, niet kleiner is dan het gestorte en opgevraagde deel van het kapitaal vermeerderd met de reserves die krachtens de wet of de statuten moeten worden aangehouden,
b. het nominale bedrag van de te verkrijgen en de reeds door de vennootschap en haar dochtermaatschappijen tezamen gehouden aandelen in haar kapitaal niet meer dan de helft van het geplaatste kapitaal bedraagt,
c. de statuten de verkrijging toestaan, en
d. machtiging tot de verkrijging is verleend door de algemene vergadering van aandeelhouders of door een ander vennootschapsorgaan dat daartoe bij de statuten of door de algemene vergadering van aandeelhouders is aangewezen.

3. Voor de geldigheid van de verkrijging is bepalend de grootte van het eigen vermogen volgens de laatst vastgestelde balans, verminderd met de verkrijgingsprijs voor aandelen in het kapitaal van de vennootschap en uitkeringen uit winst of reserves aan anderen, die zij en haar dochtermaatschappijen na de balansdatum verschuldigd werden. Is een boekjaar meer dan zes maanden verstreken zonder dat de jaarrekening is vastgesteld en zo nodig goedgekeurd, dan is verkrijging overeenkomstig lid 2 niet toegestaan.

4. De vorige leden gelden niet voor aandelen die de vennootschap onder algemene titel verkrijgt.

5. Onder het begrip aandelen in dit artikel zijn certificaten daarvan begrepen.

Nietigheid inkoop eigen aandelen

Art. 207a. 1. Verkrijging van aandelen in strijd met het tweede lid van het vorige artikel is nietig. De bestuurders zijn hoofdelijk aansprakelijk jegens de vervreemder te goeder trouw die door de nietigheid schade lijdt.

2. De vennootschap mag niet langer dan gedurende drie jaren nadat zij eigen aandelen om niet of onder algemene titel heeft verkregen, samen met haar dochtermaatschappijen meer aandelen in haar kapitaal houden dan de helft van het geplaatste kapitaal. De bestuurders zijn hoofdelijk aansprakelijk voor de vergoeding aan de vennootschap van de waarde van de aandelen die zij te veel houdt of doet houden op het einde van de laatste dag van die drie jaren, met de wettelijke rente van dat tijdstip af. Betaling van de vergoeding geschiedt tegen overdracht van de aandelen.

3. Lid 2 is van overeenkomstige toepassing op elk niet volgestort aandeel dat de vennootschap onder algemene titel heeft verkregen en niet binnen drie jaren daarna heeft vervreemd of ingetrokken.

Certificaten

4. Onder het begrip aandelen in dit artikel zijn certificaten daarvan begrepen.

Verkrijging aandelen voor rekening vennootschap

Art. 207b. Indien een ander in eigen naam aandelen in het kapitaal van de vennootschap of certificaten daarvan neemt of verkrijgt voor rekening van de vennootschap zelf, wordt hij geacht deze voor eigen rekening te nemen dan wel te verkrijgen.

Verbod zekerheidstelling enz.

Art. 207c. 1. De vennootschap mag niet, met het oog op het nemen of verkrijgen door anderen van aandelen in haar kapitaal of van certificaten daarvan, zekerheid stellen, een koersgarantie geven, zich op andere wijze sterk maken of zich hoofdelijk of anderszins naast of voor anderen verbinden. Dit verbod geldt ook voor haar dochtermaatschappijen.

2. Leningen met het oog op het nemen of verkrijgen van aandelen in haar kapitaal of van certificaten daarvan, mag de vennootschap slechts verstrekken tot ten hoogste het bedrag van de uitkeerbare reserves en voor zover de statuten dit toestaan.

3. De vennootschap houdt een niet uitkeerbare reserve aan tot het uitstaande bedrag van de in het vorige lid genoemde leningen.

Verkrijging aandelen door dochtermij.

Art. 207d. 1. Een dochtermaatschappij mag voor eigen rekening geen aandelen nemen of doen nemen in het kapitaal van de vennootschap. Zulke aandelen mogen dochtermaatschappijen voor eigen rekening onder bijzondere titel slechts verkrijgen of doen verkrijgen, voor zover de vennootschap zelf ingevolge de leden 1-3 van artike! 207 eigen aandelen mag verkrijgen.

2. Indien is gehandeld in strijd met het vorige lid, zijn de bestuurders van de vennootschap hoofdelijk aansprakelijk tot vergoeding aan de dochtermaatschappij van de verkrijgingsprijs met de wettelijke rente daarover van het tijdstip af waarop de aandelen zijn genomen of verkregen. Betaling van de vergoeding geschiedt tegen overdracht van deze aandelen. Een bestuurder behoeft de verkrijgingsprijs niet te vergoeden, indien hij bewijst dat het nemen of verkrijgen niet aan de vennootschap is te wijten.

3. Een dochtermaatschappij mag, nadat zij dochtermaatschappij is geworden of nadat zij als dochtermaatschappij aandelen in het kapitaal van de vennootschap om niet of onder algemene titel heeft verkregen, niet langer dan gedurende drie jaren samen met de vennootschap en haar andere dochtermaatschappijen meer van deze aandelen voor eigen rekening houden of doen houden dan de helft van het geplaatste kapitaal. De bestuurders van de vennootschap zijn hoofdelijk aansprakelijk voor de vergoeding aan de dochtermaatschappij van de waarde van de aandelen die zij te veel houdt of doet houden op het einde van de laatste dag van die drie jaren, met de wettelijke rente van dat tijdstip af. Betaling van de vergoeding geschiedt te-

gen overdracht van de aandelen. Een bestuurder behoeft de vergoeding niet te betalen, indien hij bewijst dat het niet aan de vennootschap is te wijten dat de aandelen nog worden gehouden.

4. Onder het begrip aandelen in dit artikel zijn certificaten daarvan begrepen.

Intrekking aandelen; vermindering kapitaal (amortisatie)

Art. 208. 1. De algemene vergadering van aandeelhouders kan besluiten tot vermindering van het geplaatste kapitaal door intrekking van aandelen of door het bedrag van aandelen bij statutenwijziging te verminderen. In dit besluit moeten de aandelen waarop het besluit betrekking heeft, worden aangewezen en moet de uitvoering van het besluit zijn geregeld. Het gestorte en opgevraagde deel van het kapitaal mag niet kleiner worden dan het ten tijde van het besluit voorgeschreven minimumkapitaal.

2. Een besluit tot intrekking kan slechts betreffen aandelen die de vennootschap zelf houdt of waarvan zij de certificaten houdt, dan wel alle aandelen van een soort waarvan alle aandeelhouders instemmen of waarvan voor de uitgifte in de statuten is bepaald dat zij kunnen worden ingetrokken met terugbetaling, of wel de uitgelote aandelen van een soort waarvan voor de uitgifte in de statuten is bepaald dat zij kunnen worden uitgeloot met terugbetaling.

3. Vermindering van het bedrag van aandelen zonder terugbetaling en zonder ontheffing van de verplichting tot storting moet naar evenredigheid op alle aandelen van een zelfde soort geschieden. Van het vereiste van evenredigheid mag worden afgeweken met instemming van alle betrokken aandeelhouders.

Gedeeltelijke terugbetaling of ontheffing stortingsplicht

4. Gedeeltelijke terugbetaling op aandelen of ontheffing van de verplichting tot storting is slechts mogelijk ter uitvoering van een besluit tot vermindering van het bedrag van de aandelen. Zulk een terugbetaling of ontheffing moet naar evenredigheid op alle aandelen geschieden, tenzij voor de uitgifte van een bepaalde soort aandelen in de statuten is bepaald dat terugbetaling of ontheffing kan geschieden uitsluitend op die aandelen; voor die aandelen geldt de eis van evenredigheid. Van het vereiste van evenredigheid mag worden afgeweken met instemming van alle betrokken aandeelhouders.

5. De oproeping tot een vergadering waarin een in dit artikel genoemd besluit wordt genomen, vermeldt het doel van de kapitaalvermindering en de wijze van uitvoering. Het tweede, derde en vierde lid van artikel 233 zijn van overeenkomstige toepassing.

Publicatie besluit kapitaalvermindering

Art. 209. 1. De vennootschap legt de in het vorige artikel bedoelde besluiten neer ten kantore van het handelsregister en kondigt de nederlegging aan in een landelijk verspreid dagblad.

Zekerheidstelling

2. De vennootschap moet, op straffe van gegrondverklaring van een verzet als bedoeld in het volgende lid, voor iedere schuldeiser die dit verlangt zekerheid stellen of hem een andere waarborg geven voor de voldoening van zijn vordering. Dit geldt niet, indien de schuldeiser voldoende waarborgen heeft of de vermogenstoestand van de vennootschap voldoende zekerheid biedt dat de vordering zal worden voldaan.

Verzet door crediteuren

3. Binnen twee maanden na de in het eerste lid vermelde aankondiging kan iedere schuldeiser door een verzoekschrift aan de rechtbank tegen het besluit tot kapitaalvermindering in verzet komen met vermelding van de waarborg die wordt verlangd.

4. Voordat de rechter beslist, kan hij de vennootschap in de gelegenheid stellen binnen een door hem gestelde termijn een door hem omschreven waarborg te geven. Op een ingesteld rechtsmiddel kan hij, indien het kapitaal al is verminderd, het stellen van een waarborg bevelen en daaraan een dwangsom verbinden.

5. Een besluit tot vermindering van het geplaatste kapitaal wordt niet van kracht zolang verzet kan worden gedaan. Indien tijdig verzet is gedaan, wordt het besluit eerst van kracht, zodra het verzet is ingetrokken of de opheffing van het verzet uitvoerbaar is. Een voor de vermindering van het kapitaal vereiste akte van statutenwijziging kan niet eerder worden verleden.

6. Indien de vennootschap haar kapitaal wegens geleden verliezen vermindert tot een bedrag dat niet lager is dan dat van haar eigen vermogen, behoeft zij geen waarborg te geven en wordt het besluit onmiddellijk van kracht.

Jaarrekening

Art. 210. 1. Jaarlijks binnen vijf maanden na afloop van het boekjaar der vennootschap behoudens verlenging van deze termijn met ten hoogste zes maanden door de algemene vergadering op grond van bijzondere omstandigheden, maakt het bestuur een jaarrekening op en legt het deze voor de aandeelhouders ter inzage ten kantore van de vennootschap. Binnen deze termijn legt het bestuur ook het jaarverslag ter inzage voor de aandeelhouders, tenzij artikel 403 voor de vennootschap geldt. De termijn kan voor beleggingsmaatschappijen waaraan ingevolge de Wet toezicht beleggingsinstellingen (Stb. 1990, 380) een vergunning is verleend, bij of krachtens die wet worden bekort.

2. De jaarrekening wordt ondertekend door de bestuurders en door de commissarissen; ontbreekt de ondertekening van een of meer hunner, dan wordt daarvan onder opgave van reden melding gemaakt.

3. De jaarrekening wordt vastgesteld door de algemene vergadering, tenzij deze bevoegdheid overeenkomstig artikel 273 van dit Boek toekomt aan de raad van commissarissen; in dat geval behoeft de jaarrekening echter de goedkeuring van de algemene vergadering van aandeelhouders.

Ontheffing om gewichtige redenen

4. Onze Minister van Economische Zaken kan desverzocht om gewichtige redenen ontheffing verlenen van de verplichting tot het opmaken, het overleggen en het vaststellen van de jaarrekening.

Art. 211. Vervallen.

Inzage jaarstukken

Art. 212. De vennootschap zorgt dat de opgemaakte jaarrekening, het jaarverslag en de krachtens artikel 392 lid 1 toe te voegen gegevens vanaf de oproep voor de algemene vergadering, bestemd tot hun behandeling, te haren kantore aanwezig zijn. De houders van haar aandelen of van met haar medewerking uitgegeven certificaten op naam daarvan kunnen de stukken aldaar inzien en er kosteloos een afschrift van verkrijgen.

Art. 213. Vervallen.

Art. 214. Vervallen.

Delgen tekort ten laste reserves

Art. 215. Ten laste van de door de wet voorgeschreven reserves mag een tekort slechts worden gedelgd voor zover de wet dat toestaat.

Winstverdeling

Art. 216. 1. Voor zover bij de statuten niet anders is bepaald, komt de winst de aandeelhouders ten goede.

2. De vennootschap kan aan de aandeelhouders en andere gerechtigden tot de voor uitkering vatbare winst slechts uitkeringen doen voor zover het eigen vermogen groter is dan het gestorte en opgevraagde deel van het kapitaal vermeerderd met de reserves die krachtens de wet of de statuten moeten worden aangehouden.

3. Uitkering van winst geschiedt na de vaststelling of goedkeuring van de jaarrekening waaruit blijkt dat zij geoorloofd is.

Tussentijdse uitkeringen

4. De vennootschap mag tussentijds slechts uitkeringen doen, indien de statuten dit toelaten en aan het vereiste van het tweede lid is voldaan.

5. Bij de berekening van de winstverdeling tellen de aandelen die de vennootschap in haar kapitaal houdt, mede, tenzij bij de statuten anders is bepaald.

6. Bij de berekening van het winstbedrag, dat op ieder aandeel zal worden uitgekeerd, komt slechts het bedrag van de verplichte stortingen op het nominale bedrag van de aandelen in aanmerking, tenzij bij de statuten anders is bepaald.

7. De statuten kunnen bepalen dat de vordering van een aandeelhouder niet door verloop van vijf jaren verjaart, doch eerst na een langere termijn vervalt. Een zodanige bepaling is alsdan van overeenkomstige toepassing op de vordering van de houder van een certificaat van een aandeel op de aandeelhouder.

AFDELING 4
De algemene vergadering van de aandeelhouders

Bevoegdheden

Art. 217. 1. Aan de algemene vergadering van aandeelhouders behoort, binnen de door de wet en de statuten gestelde grenzen, alle bevoegdheid, die niet aan het bestuur of aan anderen is toegekend.

2. Het bestuur en de raad van commissarissen verschaffen haar alle verlangde inlichtingen, tenzij een zwaarwichtig belang der vennootschap zich daartegen verzet.

Jaarvergadering

Art. 218. 1. Jaarlijks wordt ten minste één algemene vergadering gehouden.

2. Wanneer bij de statuten niet een kortere termijn is gesteld, wordt de jaarvergadering gehouden binnen zes maanden na afloop van het boekjaar der vennootschap.

Bijeenroepen algemene vergadering

Art. 219. Het bestuur en de raad van commissarissen zijn bevoegd tot het bijeenroepen van een algemene vergadering; bij de statuten kan deze bevoegdheid ook aan anderen worden verleend.

Machtiging tot bijeenroepen

Art. 220. 1. Een of meer houders van aandelen die gezamenlijk ten minste een tiende gedeelte van het geplaatste kapitaal vertegenwoordigen, of een zoveel geringer bedrag als bij de statuten is bepaald, kunnen door de president van de rechtbank op hun verzoek worden gemachtigd tot de bijeenroeping van een algemene vergadering. De president wijst dit verzoek af, indien hem niet is gebleken, dat verzoekers voordien aan het bestuur en aan de raad van commissarissen, schriftelijk en onder nauwkeurige opgave van de te behandelen onderwerpen het verzoek hebben gericht een algemene vergadering bijeen te roepen, en dat noch het bestuur noch de raad van commissarissen — daartoe in dit geval gelijkelijk bevoegd — de nodige maatregelen hebben getroffen, opdat de algemene vergadering binnen zes weken na het verzoek kon worden gehouden.

2. Voor de toepassing van dit artikel worden met houders van aandelen gelijkgesteld de houders van de certificaten op naam van aandelen, welke met medewerking van de vennootschap zijn uitgegeven.

Redelijk belang

Art. 221. 1. De president van de rechtbank verleent, na verhoor of oproeping van de vennootschap, de verzochte machtiging, indien de verzoekers summierlijk hebben doen blijken, dat de in het vorige artikel gestelde voorwaarden zijn vervuld, en dat zij een redelijk belang hebben bij het houden van de vergadering. De president van de rechtbank stelt de vorm en de termijnen voor de oproeping tot de algemene vergadering vast. Hij kan tevens iemand aanwijzen, die met de leiding van de algemene vergadering zal zijn belast.

2. Bij de oproeping ingevolge het eerste lid wordt vermeld dat zij krachtens rechterlijke machtiging geschiedt. De op deze wijze gedane oproeping is rechtsgeldig, ook indien mocht blijken dat de machtiging ten onrechte was verleend.

3. Tegen de beschikking van de president is generlei voorziening toegelaten, behoudens cassatie in het belang der wet.

Art. 222. Indien zij, die krachtens artikel 219 tot de bijeenroeping bevoegd zijn, in gebreke zijn gebleven een bij artikel 218 of de statuten voorgeschreven algemene vergadering te doen houden, kan iedere aandeelhouder door de president van de rechtbank worden gemachtigd zelf daartoe over te gaan. Artikel 220, lid 2 en artikel 221 zijn van overeenkomstige toepassing.

Oproepingsbrieven

Art. 223. 1. De oproeping tot een algemene vergadering van aandeelhouders geschiedt door middel van oproepingsbrieven gericht aan de adressen der aandeelhouders, zoals deze zijn vermeld in het register van aandeelhouders.

2. Zijn er met medewerking van de vennootschap certificaten op naam van haar aandelen uitgegeven, dan worden de houders daarvan opgeroepen door aankondiging in een landelijk verspreid dagblad. De statuten kunnen deze oproeping anders regelen.

Inhoud oproepingsbrieven

Art. 224. 1. De oproepingsbrieven vermelden de te behandelen onderwerpen. Bij de oproeping in een dag- of nieuwsblad worden de te behandelen onderwerpen vermeld of wordt meegedeeld dat de houders van met medewerking van de vennootschap uitgegeven certificaten van haar aandelen er ten kantore van de vennootschap kennis van kunnen nemen.

2. Omtrent onderwerpen waarvan de behandeling niet bij de oproeping of op de zelfde wijze is aangekondigd met inachtneming van de voor oproeping gestelde termijn, kan niet wettig worden besloten, tenzij het besluit met algemene stemmen wordt genomen in een vergadering waarin het gehele geplaatste kapitaal vertegenwoordigd is.

3. Mededelingen welke krachtens de wet of de statuten aan de algemene vergadering moeten worden gericht, kunnen geschieden door opneming in de oproepingsbrieven alsmede, in voorkomend geval, hetzij in de aankondiging in een dag- of nieuwsblad, hetzij in het stuk dat ter kennisneming ten kantore van de vennootschap is neergelegd, mits daarvan in de aankondiging melding wordt gemaakt.

Oproepingstermijn

Art. 225. Behoudens het bepaalde bij de tweede zin van het eerste lid van artikel 221 geschiedt de oproeping niet later dan op de vijftiende dag vóór die der vergadering. Was die termijn korter of heeft de oproeping niet plaatsgehad, dan kunnen geen wettige besluiten worden genomen, tenzij met algemene stemmen in een vergadering, waarin het gehele geplaatste kapitaal vertegenwoordigd is.

Art. 226. De algemene vergaderingen worden gehouden in Nederland ter plaatse bij de statuten vermeld, of anders in de gemeente waar de vennootschap haar woonplaats heeft. In een algemene vergadering, gehouden elders dan behoort, kunnen wettige besluiten slechts worden genomen, indien het gehele geplaatste kapitaal vertegenwoordigd is.

Plaats algemene vergadering

Art. 227. 1. Iedere aandeelhouder is bevoegd, in persoon of bij schriftelijk gevolmachtigde, de algemene vergadering van aandeelhouders bij te wonen, daarin het woord te voeren en het stemrecht uit te oefenen. Bij de statuten kan de bevoegdheid van aandeelhouders zich te doen vertegenwoordigen, worden beperkt.

Rechten aandeelhouders

2. Iedere houder van een met medewerking van de vennootschap uitgegeven certificaat op naam van een aandeel is bevoegd, in persoon of bij schriftelijke gevolmachtigde, de algemene vergadering bij te wonen en daarin het woord te voeren. De laatste zin van lid 1 is van overeenkomstige toepassing.

3. De statuten kunnen bepalen, dat voor bijwoning van de aandeelhoudersvergadering vereist is, dat de aandeelhouder van zijn voornemen hiertoe kennis geeft aan het bestuur van de vennootschap. Bij de oproeping van de vergadering wordt alsdan vermeld de dag waarop de kennisgeving uiterlijk moet geschieden. Deze dag kan niet vroeger worden gesteld dan op de derde dag voor die der vergadering. Indien de statuten een voorschrift overeenkomstig de voorgaande bepalingen van dit lid voor de aandeelhouders bevatten, geldt dat mede voor de houders van de certificaten op naam van aandelen, die met medewerking van de vennootschap zijn uitgegeven.

4. De bestuurders en de commissarissen hebben als zodanig in de algemene vergaderingen een raadgevende stem.

Art. 228. 1. Slechts aandeelhouders hebben stemrecht. Iedere aandeelhouder heeft ten minste één stem.

Stemrecht

2. Indien het maatschappelijk kapitaal in aandelen van een zelfde bedrag is verdeeld, brengt iedere aandeelhouder zoveel stemmen uit als hij aandelen heeft.

3. Indien het maatschappelijk kapitaal in aandelen van verschillend bedrag is verdeeld, is het aantal stemmen van iedere aandeelhouder gelijk aan het aantal malen, dat het bedrag van het kleinste aandeel is begrepen in het gezamenlijk bedrag van zijn aandelen; gedeelten van stemmen worden verwaarloosd.

4. Echter kan het door een zelfde aandeelhouder uit te brengen aantal stemmen bij de statuten worden beperkt, mits aandeelhouders wier bedrag aan aandelen gelijk is, hetzelfde aantal stemmen uitbrengen en de beperking voor de houders van een groter bedrag aan aandelen niet gunstiger is geregeld dan voor de houders van een kleiner bedrag aan aandelen.

5. Van het bepaalde bij het tweede en het derde lid kan bij de statuten ook op andere wijze worden afgeweken, mits aan een zelfde aandeelhouder niet meer dan zes stemmen worden toegekend indien het maatschappelijk kapitaal is verdeeld in honderd of meer aandelen, en niet meer dan drie stemmen indien het kapitaal in minder dan honderd aandelen is verdeeld.

6. Voor een aandeel dat toebehoort aan de vennootschap of aan een dochtermaatschappij daarvan kan in de algemene vergadering geen stem worden uitgebracht; evenmin voor een aandeel waarvan een hunner de certificaten houdt. Vruchtgebruikers en pandhouders van aandelen die aan de vennootschap en haar dochtermaatschappijen toebehoren, zijn evenwel niet van hun stemrecht uitgesloten, indien het vruchtgebruik of pandrecht was gevestigd voordat het aandeel aan de vennootschap of een dochtermaatschappij daarvan toebehoorde.
De vennootschap of een dochtermaatschappij daarvan kan geen stem uitbrengen voor een aandeel waarop zij een recht van vruchtgebruik of een pandrecht heeft.

Stemrecht vennootschap

Art. 229. Vervallen.

Art. 230. 1. Alle besluiten waaromtrent bij de statuten geen grotere meerderheid is voorgeschreven, worden genomen bij volstrekte meerderheid van de uitgebrachte stemmen.
Staken de stemmen bij verkiezing van personen, dan beslist het lot, staken de stemmen bij een andere stemming, dan is het voorstel verworpen; een en ander voor zo-

Vereist aantal stemmen

ver in de statuten niet een andere oplossing is aangegeven. Deze oplossing kan bestaan in het opdragen van de beslissing aan een derde.

2. Tenzij bij de statuten anders is bepaald, is de geldigheid van besluiten niet afhankelijk van het ter vergadering vertegenwoordigd gedeelte van het kapitaal.

3. Indien in de statuten is bepaald dat de geldigheid van een besluit afhankelijk is van het ter vergadering vertegenwoordigd gedeelte van het kapitaal en dit gedeelte ter vergadering niet vertegenwoordigd was, kan, tenzij de statuten anders bepalen, een nieuwe vergadering worden bijeengeroepen waarin het besluit kan worden genomen, onafhankelijk van het op deze vergadering vertegenwoordigd gedeelte van het kapitaal. Bij de oproeping tot de nieuwe vergadering moet worden vermeld dat en waarom een besluit kan worden genomen, onafhankelijk van het ter vergadering vertegenwoordigd gedeelte van het kapitaal.

4. Het bestuur van de vennootschap houdt van de genomen besluiten aantekening. De aantekeningen liggen ten kantore van de vennootschap ter inzage van de aandeelhouders en de houders van de met medewerking van de vennootschap uitgegeven certificaten van haar aandelen. Aan ieder van dezen wordt desgevraagd afschrift of uittreksel van deze aantekeningen verstrekt tegen ten hoogste de kostprijs.

Wijziging statuten

Art. 231. 1. De algemene vergadering is bevoegd de statuten te wijzigen; voor zover bij de statuten de bevoegdheid tot wijziging mocht zijn uitgesloten, is wijziging niettemin mogelijk met algemene stemmen in een vergadering waarin het gehele geplaatste kapitaal is vertegenwoordigd.

2. Een bepaling in de statuten, die de bevoegdheid tot wijziging van een of meer andere bepalingen der statuten beperkt, kan slechts worden gewijzigd met inachtneming van gelijke beperking.

3. Een bepaling in de statuten, die de bevoegdheid tot wijziging van een of meer andere bepalingen uitsluit, kan slechts worden gewijzigd met algemene stemmen in een vergadering waarin het gehele geplaatste kapitaal is vertegenwoordigd.

Art. 232. Wijziging van een bepaling der statuten, waarbij aan een ander dan aan aandeelhouders der vennootschap als zodanig enig recht is toegekend, kan indien de gerechtigde in de wijziging niet toestemt, aan diens recht geen nadeel toebrengen; tenzij ten tijde van de toekenning van het recht de bevoegdheid tot wijziging bij die bepaling uitdrukkelijk was voorbehouden.

Agendering

Art. 233. 1. Wanneer aan de algemene vergadering een voorstel tot wijziging van de statuten zal worden gedaan, moet zulks steeds bij de oproeping tot de algemene vergadering worden vermeld.

2. Degenen die zodanige oproeping hebben gedaan, moeten tegelijkertijd een afschrift van dat voorstel waarin de voorgedragen wijziging woordelijk is opgenomen, ten kantore van de vennootschap nederleggen ter inzage voor iedere aandeelhouder tot de afloop der vergadering. Artikel 224 lid 2 is van overeenkomstige toepassing.

3. De aandeelhouders moeten in de gelegenheid worden gesteld van de dag der nederlegging tot die der algemene vergadering een afschrift van het voorstel, gelijk bij het vorige lid bedoeld, te verkrijgen. Deze afschriften worden kosteloos verstrekt.

4. Hetgeen in dit artikel met betrekking tot aandeelhouders is bepaald, is van overeenkomstige toepassing op houders van met medewerking der vennootschap uitgegeven certificaten op naam van aandelen.

Notariële akte

Art. 234. 1. Van een wijziging in de statuten wordt, op straffe van nietigheid, een notariële akte opgemaakt. De akte wordt verleden in de Nederlandse taal.

2. Die akte kan bestaan in een notarieel proces-verbaal van de algemene vergadering, waarin de wijziging aangenomen is, of in een later verleden notariële akte. Het bestuur is bevoegd de akte te doen verlijden, ook zonder daartoe door de algemene vergadering te zijn gemachtigd. De algemene vergadering kan het bestuur of een of meer andere personen machtigen de veranderingen aan te brengen, die nodig mochten blijken om de bij het volgende artikel bedoelde verklaring te verkrijgen.

3. Wordt het maatschappelijk kapitaal gewijzigd, dan vermeldt de akte welk deel daarvan is geplaatst.

Verklaring van geen bezwaar

Art. 235. 1. De wijziging in de statuten wordt niet van kracht, dan nadat door Onze Minister van Justitie is verklaard dat hem van bezwaren niet is gebleken.

2. De in het vorige lid bedoelde verklaring mag alleen worden geweigerd op grond dat door de wijziging de vennootschap een verboden karakter zou verkrijgen of dat er gevaar bestaat dat door de wijziging de vennootschap gebruikt zal worden

voor ongeoorloofde doeleinden; of dat de wijziging of de wijze waarop zij is tot stand gekomen strijdt met de openbare orde, de wet of een wettige bepaling der statuten.

3. Ter verkrijging van die verklaring moet de akte, houdende de wijziging, of een ontwerp daarvan aan Onze voornoemde Minister worden ingezonden. Indien de akte bestaat uit een notarieel proces-verbaal van de algemene vergadering, kan een notarieel uittreksel daarvan worden ingezonden. Tevens moet aan Onze Minister van Justitie ten bate van 's Rijks kas een bedrag van honderd vijftig gulden[1] worden voldaan. Wij kunnen bij algemene maatregel van bestuur dit bedrag verhogen in verband met de stijging van het loon- en prijspeil.

Deponering wijziging en nieuwe statuten

Art. 236. De bestuurders zijn verplicht een authentiek afschrift van de wijziging en de gewijzigde statuten neder te leggen ten kantore van het handelsregister.

Statutenwijziging gedurende faillissement

Art. 237. Gedurende het faillissement der vennootschap kan in haar statuten geen wijziging worden aangebracht dan met toestemming van de curator.

Besluitvorming buiten vergadering

Art. 238. De statuten kunnen bepalen dat besluitvorming van aandeelhouders op andere wijze dan in een vergadering kan geschieden, tenzij met medewerking van de vennootschap certificaten op naam van aandelen zijn uitgegeven. Indien de statuten een zodanige regeling bevatten, is zulk een besluitvorming slechts mogelijk met algemene stemmen van de stemgerechtigde aandeelhouders. De stemmen kunnen alleen schriftelijk worden uitgebracht.

AFDELING 5
Het bestuur van de vennootschap en het toezicht op het bestuur

Taak bestuur

Art. 239. Behoudens beperkingen volgens de statuten is het bestuur belast met het besturen van de vennootschap.

Vertegenwoordigingsbevoegdheid

Art. 240. 1. Het bestuur vertegenwoordigt de vennootschap, voor zover uit de wet niet anders voortvloeit.

2. De bevoegdheid tot vertegenwoordiging komt mede aan iedere bestuurder toe. De statuten kunnen echter bepalen dat zij behalve aan het bestuur slechts toekomt aan een of meer bestuurders. Zij kunnen voorts bepalen dat een bestuurder de vennootschap slechts met medewerking van een of meer anderen mag vertegenwoordigen.

3. Bevoegdheid tot vertegenwoordiging die aan het bestuur of aan een bestuurder toekomt, is onbeperkt en onvoorwaardelijk, voor zover uit de wet niet anders voortvloeit. Een wettelijk toegelaten of voorgeschreven beperking van of voorwaarde voor de bevoegdheid tot vertegenwoordiging kan slechts door de vennootschap worden ingeroepen.

4. De statuten kunnen ook aan andere personen dan bestuurders bevoegdheid tot vertegenwoordiging toekennen.

Rechterlijke competentie

Art. 241. De rechtbank, binnen welker rechtsgebied de vennootschap haar woonplaats heeft, neemt kennis van alle rechtsvorderingen betreffende de overeenkomst tussen de vennootschap en de bestuurder, daaronder begrepen de vordering bedoeld bij artikel 248 van dit Boek, waarvan het bedrag onbepaald is of *f* 5000 te boven gaat. Dezelfde rechtbank neemt kennis van verzoeken als bedoeld in artikel 1639w betreffende de in de eerste zin genoemde overeenkomst.

Benoeming bestuurders

Art. 242. De benoeming van bestuurders geschiedt voor de eerste maal bij de akte van oprichting en later door de algemene vergadering van aandeelhouders, tenzij zij overeenkomstig artikel 272 van dit Boek door de raad van commissarissen geschiedt.

Art. 243. 1. Bij de statuten kan worden bepaald, dat de benoeming door de algemene vergadering zal geschieden uit een voordracht, die ten minste twee personen voor iedere te vervullen plaats bevat.

---

[1] Bij het besluit van 11 maart 1993, Stb. 157, is dit bedrag vastgesteld op twee honderd gulden.

2. De algemene vergadering kan echter aan zodanige voordracht steeds het bindend karakter ontnemen bij een besluit genomen met twee derden van de uitgebrachte stemmen, die meer dan de helft van het geplaatste kapitaal vertegenwoordigen.

3. De vorige leden zijn niet van toepassing, indien de benoeming geschiedt door de raad van commissarissen.

Schorsing, ontslag

Art. 244. 1. Iedere bestuurder kan te allen tijde worden geschorst en ontslagen door degene die bevoegd is tot benoeming.

2. Indien in de statuten is bepaald dat het besluit tot schorsing of ontslag slechts mag worden genomen met een versterkte meerderheid in een algemene vergadering, waarin een bepaald gedeelte van het kapitaal is vertegenwoordigd, mag deze versterkte meerderheid twee derden der uitgebrachte stemmen, vertegenwoordigende meer dan de helft van het kapitaal, niet te boven gaan.

3. Een veroordeling tot herstel van de dienstbetrekking tussen vennootschap en bestuurder kan door de rechter niet worden uitgesproken.

4. De statuten moeten voorschriften bevatten omtrent de wijze, waarop in het bestuur van de vennootschap voorlopig wordt voorzien in geval van ontstentenis of belet van bestuurders.

Bezoldiging

Art. 245. Voor zover bij de statuten niet anders is bepaald, wordt de bezoldiging van bestuurders door de algemene vergadering vastgesteld.

Aangifte tot faillietverklaring

Art. 246. Tenzij bij de statuten anders is bepaald, is het bestuur zonder opdracht der algemene vergadering niet bevoegd aangifte te doen tot faillietverklaring van de vennootschap.

Art. 247. 1. Rechtshandelingen van de vennootschap jegens de houder van alle aandelen in het kapitaal van de vennootschap of jegens een deelgenoot in een huwelijksgemeenschap waartoe alle aandelen in het kapitaal van de vennootschap behoren, waarbij de vennootschap wordt vertegenwoordigd door deze aandeelhouder of door een van de deelgenoten, worden schriftelijk vastgelegd. Voor de toepassing van de vorige zin worden aandelen gehouden door de vennootschap of haar dochtermaatschappijen niet meegeteld. Indien de eerste zin niet in acht is genomen, kan de rechtshandeling ten behoeve van de vennootschap worden vernietigd.

2. Lid 1 is niet van toepassing op rechtshandelingen die onder de bedongen voorwaarden tot de gewone bedrijfsuitoefening van de vennootschap behoren.

Aansprakelijkheid bestuurders bij faillissement

Art. 248. 1. In geval van faillissement van de vennootschap is iedere bestuurder jegens de boedel hoofdelijk aansprakelijk voor het bedrag van de schulden voor zover deze niet voor vereffening van de overige baten kunnen worden voldaan, indien het bestuur zijn taak kennelijk onbehoorlijk heeft vervuld en aannemelijk is dat dit een belangrijke oorzaak is van het faillissement.

Onbehoorlijke taakvervulling

2. Indien het bestuur niet heeft voldaan aan zijn verplichtingen uit de artikelen 10 of 394, heeft het zijn taak onbehoorlijk vervuld en wordt vermoed dat onbehoorlijke taakvervulling een belangrijke oorzaak is van het faillissement. Hetzelfde geldt indien de vennootschap volledig aansprakelijk vennoot is van een vennootschap onder firma of commanditaire vennootschap en niet voldaan is aan de verplichtingen uit artikel 6 van het Wetboek van Koophandel. Een onbelangrijk verzuim wordt niet in aanmerking genomen.

Disculpatie

3. Niet aansprakelijk is de bestuurder die bewijst dat de onbehoorlijke taakvervulling door het bestuur niet aan hem te wijten is en dat hij niet nalatig is geweest in het treffen van maatregelen om de gevolgen daarvan af te wenden.

Rechterlijke matiging

4. De rechter kan het bedrag waarvoor de bestuurders aansprakelijk zijn verminderen indien hem dit bovenmatig voorkomt, gelet op de aard en de ernst van de onbehoorlijke taakvervulling door het bestuur, de andere oorzaken van het faillissement, alsmede de wijze waarop dit is afgewikkeld. De rechter kan voorts het bedrag van de aansprakelijkheid van een afzonderlijke bestuurder verminderen indien hem dit bovenmatig voorkomt, gelet op de tijd gedurende welke die bestuurder als zodanig in functie is geweest in de periode waarin de onbehoorlijke taakvervulling plaats vond.

5. Is de omvang van het tekort nog niet bekend, dan kan de rechter, al dan niet met toepassing van het vierde lid, bepalen dat van het tekort tot betaling waarvan

hij de bestuurders veroordeelt, een staat wordt opgemaakt overeenkomstig de bepalingen van de zesde titel van het tweede boek van het Wetboek van Burgerlijke Rechtsvordering.

Termijn

6. De vordering kan slechts worden ingesteld op grond van onbehoorlijke taakvervulling in de periode van drie jaren voorafgaande aan het faillissement. Een aan de bestuurder verleende kwijting staat aan het instellen van de vordering niet in de weg.

Beleidsbepalers

7. Met een bestuurder wordt voor de toepassing van dit artikel gelijkgesteld degene die het beleid van de vennootschap heeft bepaald of mede heeft bepaald, als ware hij bestuurder. De vordering kan niet worden ingesteld tegen de door de rechter benoemde bewindvoerder.

8. Dit artikel laat onverlet de bevoegdheid van de curator tot het instellen van een vordering op grond van de overeenkomst met de bestuurder of op grond van artikel 9.

Pauliana

9. Indien een bestuurder ingevolge dit artikel aansprakelijk is en niet in staat is tot betaling van zijn schuld terzake, kan de curator de door die bestuurder onverplicht verrichte rechtshandelingen waardoor de mogelijkheid tot verhaal op hem is verminderd, ten behoeve van de boedel door een buitengerechtelijke verklaring vernietigen, indien aannemelijk is dat deze geheel of nagenoeg geheel met het oogmerk van vermindering van dat verhaal zijn verricht. Artikel 45 leden 4 en 5 van Boek 3 is van overeenkomstige toepassing.

10. Artikel 138 lid 10 is van toepassing.

Aansprakelijkheid bestuurders bij misleiding

Art. 249. Indien door de jaarrekening, door tussentijdse cijfers of door het jaarverslag voor zover deze bekend zijn gemaakt, een misleidende voorstelling wordt gegeven van de toestand der vennootschap, zijn de bestuurders tegenover derden hoofdelijk aansprakelijk voor de schade, door dezen dientengevolge geleden. De bestuurder die bewijst dat dit aan hem niet te wijten is, is niet aansprakelijk.

Raad van commissarissen

Art. 250. 1. Bij de statuten kan worden bepaald dat er een raad van commissarissen zal zijn. De raad bestaat uit een of meer natuurlijke personen.

2. De raad van commissarissen heeft tot taak toezicht te houden op het beleid van het bestuur en op de algemene gang van zaken in de vennootschap en de met haar verbonden onderneming. Hij staat het bestuur met raad ter zijde. Bij de vervulling van hun taak richten de commissarissen zich naar het belang van de vennootschap en de met haar verbonden onderneming.

3. De statuten kunnen aanvullende bepalingen omtrent de taak en de bevoegdheden van de raad en van zijn leden bevatten.

Art. 251. Het bestuur verschaft de raad van commissarissen tijdig de voor de uitoefening van diens taak noodzakelijke gegevens.

Benoeming

Art. 252. 1. De commissarissen die niet reeds bij de akte van oprichting zijn aangewezen, worden benoemd door de algemene vergadering van aandeelhouders, tenzij de benoeming overeenkomstig artikel 268 van dit Boek geschiedt.

2. De eerste twee leden van artikel 243 van dit Boek zijn van overeenkomstige toepassing, indien de benoeming door de algemene vergadering van aandeelhouders geschiedt.

3. Bij een aanbeveling of voordracht tot benoeming van een commissaris worden van de kandidaat medegedeeld zijn leeftijd, zijn beroep, het bedrag aan door hem gehouden aandelen in het kapitaal der vennootschap en de betrekkingen die hij bekleedt of die hij heeft bekleed voor zover die van belang zijn in verband met de vervulling van de taak van een commissaris. Tevens wordt vermeld aan welke rechtspersonen hij reeds als commissaris is verbonden; indien zich daaronder rechtspersonen bevinden, die tot een zelfde groep behoren, kan met de aanduiding van die groep worden volstaan. De aanbeveling en de voordracht worden met redenen omkleed.

4. Degene die de leeftijd van 72 jaren heeft bereikt, kan niet tot commissaris worden benoemd. Een commissaris treedt uiterlijk af op de dag waarop de jaarlijkse algemene vergadering wordt gehouden in het boekjaar waarin hij de leeftijd van 72 jaren bereikt. Bij de statuten kan de leeftijdsgrens lager worden gesteld.

Art. 253. Bij de statuten kan worden bepaald dat een of meer commissarissen, doch ten hoogste een derde van het gehele aantal, zullen worden benoemd door anderen dan de algemene vergadering. Is de benoeming van commissarissen geregeld overeenkomstig de artikelen 268 en 269 van dit Boek, dan vindt de vorige zin geen toepassing.

Schorsing, ontslag

Art. 254. 1. Een commissaris kan worden geschorst en ontslagen door degene die bevoegd is tot benoeming, tenzij artikel 271 leden 2 en 3 van dit Boek van toepassing is.

2. Het tweede en het derde lid van artikel 244 van dit Boek zijn van overeenkomstige toepassing.

Bezoldiging

Art. 255. Tenzij de statuten anders bepalen, kan de algemene vergadering van aandeelhouders aan de commissarissen als zodanig een bezoldiging toekennen.

Vertegenwoordiging van BV bij tegenstrijdig belang

Art. 256. Tenzij bij de statuten anders is bepaald, wordt de vennootschap in alle gevallen waarin zij een tegenstrijdig belang heeft met een of meer bestuurders, vertegenwoordigd door commissarissen. De algemene vergadering is steeds bevoegd een of meer andere personen daartoe aan te wijzen.

Schorsing bestuurder

Art. 257. 1. Tenzij bij de statuten anders is bepaald, is de raad van commissarissen bevoegd iedere bestuurder te allen tijde te schorsen.

2. De schorsing kan te allen tijde door de algemene vergadering worden opgeheven, tenzij de bevoegdheid tot benoeming van de bestuurders bij de raad van commissarissen berust.

Art. 258. Vervallen.

Toepasselijkheid bepalingen

Art. 259. Het bepaalde bij de artikelen 9, 241 en 248 vindt overeenkomstige toepassing ten aanzien van de taakvervulling door de raad van commissarissen.

Aansprakelijkheid commissarissen

Art. 260. Indien door de openbaar gemaakte jaarrekening een misleidende voorstelling wordt gegeven van de toestand der vennootschap, zijn de commissarissen naast de bestuurders tegenover derden hoofdelijk aansprakelijk voor de schade, door dezen dientengevolge geleden. De commissaris die bewijst dat zulks niet aan een tekortkoming zijnerzijds in het toezicht is te wijten, is niet aansprakelijk.

Verrichten daden van bestuur

Art. 261. 1. Allen, commissarissen of anderen, die, zonder deel uit te maken van het bestuur der vennootschap, krachtens enige bepaling der statuten of krachtens besluit der algemene vergadering, voor zekere tijd of onder zekere omstandigheden daden van bestuur verrichten, worden te dien aanzien, wat hun rechten en verplichtingen ten opzichte van de vennootschap en van derden betreft, als bestuurders aangemerkt.

2. Het goedkeuren van bepaalde bestuurshandelingen of het daartoe machtigen geldt niet als het verrichten van daden van bestuur.

AFDELING 6
De raad van commissarissen bij de grote besloten vennootschap met beperkte aansprakelijkheid

Afhankelijke maatschappij

Art. 262. In deze afdeling wordt onder een afhankelijke maatschappij verstaan:
a. een rechtspersoon waaraan de vennootschap of een of meer afhankelijke maatschappijen alleen of samen voor eigen rekening ten minste de helft van het geplaatste kapitaal verschaffen,
b. een vennootschap waarvan een onderneming in het handelsregister is ingeschreven en waarvoor de vennootschap of een afhankelijke maatschappij als vennote jegens derden volledig aansprakelijk is voor alle schulden.

Verplichting doen van opgave

Art. 263. 1. Een besloten vennootschap met beperkte aansprakelijkheid moet, indien het volgende lid op haar van toepassing is, binnen twee maanden na de vaststelling of goedkeuring van haar jaarrekening door de algemene vergadering van aandeelhouders ten kantore van het handelsregister opgaaf doen, dat zij aan de in dat lid gestelde voorwaarden voldoet. Totdat artikel 264, lid 3 van dit Boek toepassing heeft gevonden, vermeldt het bestuur in elk volgend jaarverslag wanneer de opgaaf is gedaan; wordt de opgaaf doorgehaald, dan wordt daarvan melding gemaakt in het eerste jaarverslag dat na de datum van die doorhaling wordt uitgebracht.

Structuurvennootschap

2.[1] De verplichting tot het doen van opgaaf geldt, indien:
a. het geplaatste kapitaal der vennootschap tezamen met de reserves volgens de balans met toelichting ten minste een bij koninklijk besluit vastgesteld grensbedrag beloopt,
b. de vennootschap of een afhankelijke maatschappij krachtens wettelijke verplichting een ondernemingsraad heeft ingesteld, en
c. bij de vennootschap en haar afhankelijke maatschappijen tezamen in de regel ten minste honderd arbeiders in Nederland werkzaam zijn.

Geen opgaveverplichting

3. De verplichting tot het doen van een opgaaf geldt niet voor:
a. een vennootschap die afhankelijke maatschappij is van een rechtspersoon waarop de artikelen 63f tot en met 63j, de artikelen 158 tot en met 161 en 164 of de artikelen 268 tot en met 271 en 274 van toepassing zijn,
b. een vennootschap wier werkzaamheid zich uitsluitend of nagenoeg uitsluitend beperkt tot het beheer en de financiering van groepsmaatschappijen, en van haar en hun deelnemingen in andere rechtspersonen, mits de arbeiders in dienst van de vennootschap en de groepsmaatschappijen in meerderheid buiten Nederland werkzaam zijn,
c. een vennootschap die uitsluitend of nagenoeg uitsluitend aan een vennootschap als bedoeld onder b of in artikel 153 lid 3 onder b, en aan de in die bepalingen genoemde groepsmaatschappijen en rechtspersonen diensten ten behoeve van het beheer en de financiering verleent, en
d. een vennootschap waarin een deelneming voor ten minste de helft van het geplaatste kapitaal volgens een onderlinge regeling tot samenwerking wordt deelgenomen door twee of meer rechtspersonen waarop de artikelen 63f tot en met 63j, de artikelen 158 tot en met 161 en 164 of de artikelen 268 tot en met 271 en 274 van toepassing zijn of die afhankelijke maatschappij zijn van zulk een rechtspersoon.

4. Het in onderdeel a van lid 2 genoemde grensbedrag wordt ten hoogste eenmaal in de twee jaren verhoogd of verlaagd, evenredig aan de ontwikkeling van een bij algemene maatregel van bestuur, de Sociaal-Economische Raad gehoord, aan te wijzen prijsindexcijfer sedert een bij die maatregel te bepalen datum; het wordt daarbij afgerond op het naaste veelvoud van twee en een half miljoen gulden. Het bedrag wordt niet opnieuw vastgesteld zo lang als het onafgeronde bedrag minder dan twee miljoen gulden afwijkt van het laatst vastgestelde bedrag.

5. Onder het geplaatste kapitaal met de reserves wordt in lid 2 onder *a* begrepen de gezamenlijke verrichte en nog te verrichten inbreng van vennoten bij wijze van geldschieting in afhankelijke maatschappijen die commanditaire vennootschap zijn, voor zover dit niet tot dubbeltelling leidt.

Toepasselijke bepalingen

Art. 264. 1. De artikelen 268-274 van dit Boek zijn van toepassing op een vennootschap waaromtrent een opgaaf als bedoeld in het vorige artikel gedurende drie jaren onafgebroken is ingeschreven; deze termijn wordt geacht niet te zijn onderbroken, indien een doorhaling van de opgaaf, welke tijdens die termijn ten onrechte heeft plaatsgevonden, is ongedaan gemaakt.

2. De doorhaling van de inschrijving op grond van de omstandigheid dat de vennootschap niet meer voldoet aan de voorwaarden, genoemd in het tweede lid van het vorige artikel, doet de toepasselijkheid van de artikelen 268-274 van dit Boek slechts eindigen, indien drie jaren na de doorhaling zijn verstreken en de vennootschap gedurende die termijn niet opnieuw tot het doen van de opgaaf is verplicht geweest.

3. De vennootschap brengt haar statuten in overeenstemming met de artikelen 268-274 welke voor haar gelden, uiterlijk met ingang van de dag waarop die artikelen krachtens lid 1 op haar van toepassing worden.

Niet-toepasselijkheid bepalingen

Art. 265. 1. In afwijking van het vorige artikel gelden de artikelen 272 en 273 van dit Boek niet voor een vennootschap waarin een deelneming voor ten minste de helft van het geplaatste kapitaal wordt gehouden:
a. door een rechtspersoon waarvan de arbeiders in meerderheid buiten Nederland werkzaam zijn of door afhankelijke maatschappijen daarvan
b. volgens een onderlinge regeling tot samenwerking door een aantal van zulke rechtspersonen of maatschappijen, of
c. volgens een onderlinge regeling tot samenwerking door een of meer zulke rechtspersonen of maatschappijen en een of meer rechtspersonen waarvoor artikel 153 lid 3 onder *a* of artikel 263 lid 3 onder *a* geldt of waarop de artikelen 63f tot en met

[1] Bij het besluit van 14 november 1992, Stb. 602, is bepaald dat het bedrag genoemd in artikel 263, lid 2 is vastgesteld op vijfentwintig miljoen gulden.

63j, de artikelen 158 tot en met 161 en 164 of de artikelen 268 tot en met 271 en 274 van toepassing zijn.

2. De uitzondering volgens het vorige lid geldt echter niet, indien de arbeiders in dienst van de vennootschap, tezamen met die in dienst van de rechtspersoon of rechtspersonen, in meerderheid in Nederland werkzaam zijn.

3. Voor de toepassing van dit artikel worden onder arbeiders, in dienst van een rechtspersoon, begrepen de arbeiders in dienst van groepsmaatschappijen.

Ontheffing

Art. 266. Onze Minister van Justitie kan, gehoord de Sociaal-Economische Raad, aan een vennootschap op haar verzoek ontheffing verlenen van een of meer der artikelen 268-274 van dit Boek; de ontheffing kan onder beperkingen worden verleend en daaraan kunnen voorschriften worden verbonden; zij kan voorts worden gewijzigd en ingetrokken.

Raad van commissarissen: vrijwillige toepassing structuurregeling

Art. 267. 1. Een vennootschap waarvoor artikel 264 van dit Boek niet geldt, kan bij haar statuten de wijze van benoeming en ontslag van commissarissen en de taak en bevoegdheden van de raad van commissarissen regelen overeenkomstig de artikelen 268-274 van dit Boek indien zij of een afhankelijke maatschappij een ondernemingsraad heeft ingesteld waarop de bepalingen van de Wet op de ondernemingsraden van toepassing zijn. Zij mag daarbij artikel 272 van dit Boek, artikel 273 van dit Boek of deze beide artikelen buiten toepassing laten. De in dit lid bedoelde regeling in de statuten verliest haar gelding zodra de ondernemingsraad ophoudt te bestaan of op de ondernemingsraad niet langer de bepalingen van de Wet op de ondernemingsraden van toepassing zijn.

2. Een vennootschap waarvoor artikel 265 van dit Boek geldt, kan de bevoegdheid tot benoeming en ontslag van bestuurders en die tot vaststelling van de jaarrekening regelen overeenkomstig de artikelen 272 en 273 van dit Boek.

Benoeming: coöptatie; geen bindende voordracht

Art. 268. 1. De vennootschap heeft een raad van commissarissen.

2. De commissarissen worden, behoudens het bepaalde in het voorlaatste lid, benoemd door de raad van commissarissen, voor zover de benoeming niet reeds is geschied bij de akte van oprichting of voordat dit artikel op de vennootschap van toepassing is geworden. De bevoegdheid tot benoeming kan niet door enige bindende voordracht worden beperkt.

3. De raad van commissarissen bestaat uit ten minste drie leden. Is het aantal commissarissen minder dan drie, dan neemt de raad onverwijld maatregelen tot aanvulling van zijn ledental.

Aanbevelingsrecht algemene vergadering en OR

4. De algemene vergadering van aandeelhouders, de ondernemingsraad en het bestuur kunnen aan de raad van commissarissen personen voor benoeming tot commissaris aanbevelen. De raad van commissarissen deelt hun daartoe tijdig mede, wanneer en ten gevolge waarvan in zijn midden een plaats moet worden vervuld.

5. De raad geeft aan de algemene vergadering van aandeelhouders en de ondernemingsraad kennis van de naam van degene die hij wenst te benoemen, met inachtneming van het derde lid van artikel 252 van dit Boek.

Bezwaar; samenstelling naar behoren

6. De raad benoemt deze persoon, tenzij de algemene vergadering of de ondernemingsraad tegen de voorgenomen benoeming bezwaar maakt op grond dat de voorschriften van lid 4, tweede volzin, of lid 5 niet behoorlijk zijn nageleefd, dan wel op grond van de verwachting dat de voorgedragen persoon ongeschikt zal zijn voor de vervulling van de taak van commissaris of dat de raad van commissarissen bij benoeming overeenkomstig het voornemen niet naar behoren zal zijn samengesteld.

7. Het besluit van de algemene vergadering tot het kenbaar maken van bezwaar moet worden genomen in de eerstvolgende vergadering na het verstrijken van een termijn van veertien dagen na de kennisgeving. De ondernemingsraad moet het besluit tot het kenbaar maken van bezwaar nemen binnen twee maanden na de kennisgeving.

8. Het bezwaar wordt aan de raad van commissarissen onder opgave van redenen medegedeeld.

Ongegrondverklaring bezwaar door OR

9. Niettegenstaande het bezwaar van de algemene vergadering of de ondernemingsraad kan de benoeming overeenkomstig het voornemen geschieden, indien de ondernemingskamer van het gerechtshof te Amsterdam op verzoek van een daartoe aangewezen vertegenwoordiger van de raad van commissarissen het bezwaar ongegrond verklaart.

10. Een verweerschrift kan worden ingediend door een daartoe aangewezen vertegenwoordiger van de algemene vergadering of van de ondernemingsraad die het in lid 6 bedoelde bezwaar heeft gemaakt. De ondernemingskamer doet ook de verte-

genwoordigers oproepen die door de algemene vergadering of de ondernemingsraad die geen bezwaar heeft gemaakt, zijn aangewezen. Tegen de beslissing van de ondernemingskamer is geen hogere voorziening toegelaten. De ondernemingskamer kan geen veroordeling in de proceskosten uitspreken.

11. De algemene vergadering van aandeelhouders kan de bevoegdheden en verplichtingen die haar en haar vertegenwoordigers volgens dit artikel toekomen, voor een door haar te bepalen duur van telkens ten hoogste twee achtereenvolgende jaren, overdragen aan een commissie van aandeelhouders waarvan zij de leden aanwijst; in dat geval geeft de raad van commissarissen, met inachtneming van het derde lid van artikel 252 van dit Boek, aan de commissie kennis van de naam van degene die hij tot commissaris wenst te benoemen. De algemene vergadering kan te allen tijde de overdracht ongedaan maken.

Overheidscommissaris

12. De statuten kunnen bepalen dat een of meer commissarissen van overheidswege worden benoemd. Met betrekking tot een zodanige benoeming heeft degene die met deze benoeming is belast, de bevoegdheden en verplichtingen die volgens de voorgaande leden voor de raad van commissarissen gelden, en hebben jegens hem de algemene vergadering van aandeelhouders, de ondernemingsraad en het bestuur de bevoegdheden en verplichtingen die zij volgens de voorgaande leden hebben jegens de raad van commissarissen; de raad van commissarissen kan voor deze benoeming een aanbeveling doen.

13. Voor de toepassing van dit artikel wordt onder de ondernemingsraad verstaan de ondernemingsraad van de onderneming der vennootschap of van de onderneming van een afhankelijke maatschappij. Indien er meer dan één ondernemingsraad is, zijn deze raden gelijkelijk bevoegd. Is voor de betrokken onderneming of ondernemingen een centrale ondernemingsraad ingesteld, dan komen de bevoegdheden van de ondernemingsraad volgens dit artikel toe aan de centrale ondernemingsraad. De ondernemingsraad neemt geen besluit als bedoeld in dit artikel, dan nadat over de betrokken aangelegenheid ten minste éénmaal overleg is gepleegd tussen de vennootschap en de ondernemingsraad.

Benoeming bij ontbreken commissarissen

Art. 269. 1. Ontbreken alle commissarissen, dan geschiedt de benoeming door de algemene vergadering van aandeelhouders.

2. De ondernemingsraad en het bestuur kunnen personen voor benoeming tot commissaris aanbevelen. Degene die de algemene vergadering van aandeelhouders bijeenroept, deelt de ondernemingsraad tijdig mede dat de benoeming van commissarissen onderwerp van behandeling in de algemene vergadering zal zijn.

3. De benoeming is van kracht, tenzij de ondernemingsraad, na overeenkomstig het vijfde lid van het vorige artikel in kennis te zijn gesteld van de naam van de benoemde persoon, onder opgave van redenen een bezwaar tegen de benoeming aan de vennootschap kenbaar maakt. Niettegenstaande het bezwaar van de ondernemingsraad wordt de benoeming van kracht, indien de ondernemingskamer van het gerechtshof te Amsterdam op verzoek van een daartoe aangewezen vertegenwoordiger van de algemene vergadering het bezwaar ongegrond verklaart.

4. Het zesde, zevende, tiende, elfde en dertiende lid van het vorige artikel zijn van overeenkomstige toepassing.

Incompatibiliteiten

Art. 270. Commissaris kunnen niet zijn:
a. personen die in dienst zijn van de vennootschap;
b. personen die in dienst zijn van een afhankelijke maatschappij;
c. bestuurders en personen in dienst van een werknemersorganisatie welke pleegt betrokken te zijn bij de vaststelling van de arbeidsvoorwaarden van de onder a en b bedoelde personen.

Zittingsduur

Art. 271. 1. Een commissaris treedt uiterlijk af, indien hij na zijn laatste benoeming vier jaren commissaris is geweest. De termijn kan bij de statuten worden verlengd tot de dag van de eerstvolgende algemene vergadering van aandeelhouders na afloop van de vier jaren of na de dag waarop dit artikel voor de rechtspersoon is gaan gelden.

Ontslag

2. De ondernemingskamer van het gerechtshof te Amsterdam kan op een desbetreffend verzoek een commissaris ontslaan wegens verwaarlozing van zijn taak, wegens andere gewichtige redenen of wegens ingrijpende wijziging der omstandigheden op grond waarvan handhaving als commissaris redelijkerwijze niet van de vennootschap kan worden verlangd. Het verzoek kan worden ingediend door de vennootschap, ten deze vertegenwoordigd door de raad van commissarissen, alsmede door een daartoe aangewezen vertegenwoordiger van de algemene vergadering van aan-

deelhouders of van de ondernemingsraad, bedoeld in het laatste lid van artikel 268 van dit Boek. Het elfde en het dertiende lid van artikel 268 zijn van overeenkomstige toepassing.

Schorsing

3. Een commissaris kan worden geschorst door de raad van commissarissen; de schorsing vervalt van rechtswege, indien de vennootschap niet binnen een maand na de aanvang der schorsing een verzoek als bedoeld in het vorige lid bij de ondernemingskamer heeft ingediend.

4. Onverminderd het bepaalde in het eerste en het tweede lid kan een commissaris die van overheidswege is aangewezen, worden geschorst en ontslagen door degene die met de benoeming is belast; het voorgaande lid is niet op hem van toepassing.

Benoeming bestuurders

Art. 272. De raad van commissarissen benoemt de bestuurders der vennootschap; deze bevoegdheid kan niet door enige bindende voordracht worden beperkt. Hij geeft de algemene vergadering van aandeelhouders kennis van een voorgenomen benoeming van een bestuurder der vennootschap; hij ontslaat een bestuurder niet dan nadat de algemene vergadering over het voorgenomen ontslag is gehoord. Het elfde lid van artikel 268 van dit Boek is van overeenkomstige toepassing.

Vaststelling/goedkeuring jaarrekening

Art. 273. De raad van commissarissen stelt de jaarrekening vast. Hij legt deze gelijktijdig ter goedkeuring aan de algemene vergadering van aandeelhouders en ter bespreking aan de in artikel 268 lid 13 bedoelde ondernemingsraad over.

Door commissarissen goed te keuren besluiten

Art. 274. 1. Aan de goedkeuring van de raad van commissarissen zijn onderworpen de besluiten van het bestuur omtrent:
a. uitgifte en verkrijging van aandelen in en schuldbrieven ten laste van de vennootschap of van schuldbrieven ten laste van een commanditaire vennootschap of vennootschap onder firma waarvan de vennootschap volledig aansprakelijke vennote is;
b. medewerking aan de uitgifte van certificaten op naam van aandelen;
c. aanvrage van notering of van intrekking der notering van de onder a bedoelde schuldbrieven en de onder b bedoelde certificaten in de prijscourant van enige beurs;
d. het aangaan of verbreken van duurzame samenwerking van de vennootschap of een afhankelijke maatschappij met een andere rechtspersoon of vennootschap dan wel als volledig aansprakelijke vennote in een commanditaire vennootschap of vennootschap onder firma, indien deze samenwerking of verbreking van ingrijpende betekenis is voor de vennootschap;
e. het nemen van een deelneming ter waarde van ten minste een vierde van het bedrag van het geplaatste kapitaal met de reserves volgens de balans met toelichting van de vennootschap, door haar of een afhankelijke maatschappij in het kapitaal van een andere vennootschap, alsmede het ingrijpend vergroten of verminderen van zulk een deelneming;
f. investeringen welke een bedrag gelijk aan ten minste een vierde gedeelte van het geplaatste kapitaal met de reserves der vennootschap volgens haar balans met toelichting vereisen;
g. een voorstel tot wijziging van de statuten;
h. een voorstel tot ontbinding van de vennootschap;
i. aangifte van faillissement en aanvraag van surséance van betaling;
j. beëindiging van de dienstbetrekking van een aanmerkelijk aantal arbeiders van de vennootschap of van een afhankelijke maatschappij tegelijkertijd of binnen een kort tijdsbestek;
k. ingrijpende wijziging in de arbeidsomstandigheden van een aanmerkelijk aantal arbeiders van de vennootschap of van een afhankelijke maatschappij;
l. een voorstel tot vermindering van het geplaatste kapitaal.

2. Het ontbreken van goedkeuring van de raad van commissarissen op een besluit als bedoeld in lid 1 tast de vertegenwoordigingsbevoegdheid van het bestuur of bestuurders niet aan.

Art. 275. Vervallen.

AFDELING 7
De ontbinding van de vennootschap

Artt. 276-284. Vervallen.

AFDELING 8
Het beroep

Beroep

Art. 284a. De aanvrager kan beroep instellen bij het College van Beroep voor het bedrijfsleven tegen:
a. een weigering van het verzoek als bedoeld in artikel 175, lid 3, tweede zin;
b. een weigering van de verklaring als bedoeld in artikel 179, lid 2;
c. een weigering van de verklaring als bedoeld in artikel 235, lid 2 en
d. een beschikking tot weigering, wijziging of intrekking van de ontheffing, alsmede een beschikking tot verlening van de ontheffing voor zover daaraan voorschriften zijn verbonden dan wel daarbij beperkingen zijn opgelegd in artikel 266.

TITEL 6
Stichtingen

Definitie

Art. 285. 1. Een stichting is een door een rechtshandeling in het leven geroepen rechtspersoon, welke geen leden kent en beoogt met behulp van een daartoe bestemd vermogen een in de statuten vermeld doel te verwezenlijken.

Geen leden

2. Indien de statuten een of meer personen de bevoegdheid geven in de vervulling van ledige plaatsen in organen van de stichting te voorzien, wordt zij niet uit dien hoofde aangemerkt leden te kennen.

Doel

3. Het doel van de stichting mag niet inhouden het doen van uitkeringen aan oprichters of aan hen die deel uitmaken van haar organen noch ook aan anderen, tenzij wat deze laatsten betreft de uitkeringen een ideële of sociale strekking hebben.

Oprichtingsakte

Art. 286. 1. Een stichting moet worden opgericht bij notariële akte.
2. De akte wordt verleden in de Nederlandse taal. Een volmacht tot medewerking aan de akte moet schriftelijk zijn verleend. De stichting kan worden opgericht bij openbaar testament dat in een vreemde taal is verleden; de statuten van de stichting moeten ook dan in de Nederlandse taal luiden.
3. De akte bevat de statuten van de stichting.

Inhoud statuten

4. De statuten moeten inhouden:
a. de naam der stichting, met het woord stichting als deel van de naam;
b. het doel der stichting;
c. de wijze van benoeming en ontslag der bestuurders;
d. de gemeente in Nederland waar zij haar zetel heeft;
e. de bestemming van het overschot na vereffening van de stichting in geval van ontbinding, of de wijze waarop de bestemming zal worden vastgesteld.
5. De notaris, ten overstaan van wie de akte is verleden, draagt zorg dat de statuten bevatten hetgeen in de leden 2-4 is genoemd. Bij verzuim is hij persoonlijk jegens hen die daardoor schade hebben geleden, aansprakelijk.

Zetel

Art. 287. Bij gebreke van een aanwijzing van een zetel in de statuten, heeft de stichting haar zetel in de gemeente, waar de notaris voor wie de akte is verleden, ten tijde van het passeren der akte zijn standplaats had.

Oprichting bij uiterste wilsbeschikking

Art. 288. 1. Wanneer een erflater iets heeft vermaakt aan een stichting die hij in een bij notariële akte gemaakte uiterste wilsbeschikking heeft in het leven geroepen, is de stichting erfgenaam of legataris, naar gelang het haar vermaakte aan een erfstelling of aan een legaat beantwoordt.

Aan erfgenamen opgelegde last tot oprichting

2. Heeft hij bij een in andere vorm gemaakte uiterste wil verklaard een stichting in het leven te roepen, dan wordt deze beschikking aangemerkt als een aan de gezamenlijke erfgenamen opgelegde last om die stichting op te richten.
3. Degene op wie een last om een stichting op te richten rust, kan daartoe op vordering van het Openbaar Ministerie worden veroordeeld door de rechtbank van het sterfhuis, of, indien de erflater zijn laatste woonplaats niet in Nederland had, door de rechtbank te 's-Gravenhage. De rechter kan bepalen, dat het vonnis dezelfde rechtskracht heeft als een in wettige vorm opgemaakte akte van hem die tot de rechtshandeling gehouden is of dat een door de rechter aan te wijzen vertegenwoordiger de handeling zal verrichten.

Inschrijving in stichtingenregister

Art. 289. 1. De bestuurders zijn verplicht de stichting benevens de naam, de voornamen en de woonplaats of laatste woonplaats van de oprichter of oprichters te doen inschrijven in een openbaar register, gehouden door de Kamer van Koophandel en Fabrieken, binnen welker gebied de stichting haar woonplaats heeft, en een authentiek afschrift dan wel een authentiek uittreksel van de akte van oprichting bevattende de statuten, ten kantore van dat register neer te leggen.

2. De bestuurders dragen zorg dat in het register steeds worden ingeschreven:
a. de naam, de voornamen en de woonplaats van alle bestuurders;
b. de naam, de voornamen en de woonplaats van de bestuurders aan wie door de statuten vertegenwoordigingsbevoegdheid is toegekend, alsmede de vermelding of zij bevoegd zijn de stichting afzonderlijk, gezamenlijk of tezamen met een of meer anderen te vertegenwoordigen;
c. de naam, de voornamen en de woonplaats van anderen dan bestuurders, aan wie de statuten bevoegdheid tot vertegenwoordiging toekennen, alsmede de bepalingen omtrent die bevoegdheid.

3. De bestuurders kunnen ter inschrijving in het register opgeven de naam, de voornamen en de woonplaats van gevolmachtigden van de stichting met de inhoud der hun verstrekte volmacht.

4. Zolang de opgave ter eerste inschrijving en nederlegging niet zijn geschied, is iedere bestuurder voor een rechtshandeling, waardoor hij de stichting verbindt, naast de stichting hoofdelijk aansprakelijk.

5. Een ieder te wiens aanzien hetgeen in het register is ingeschreven, onvolledig of onjuist is, alsook het Openbaar Ministerie en de Kamer van Koophandel en Fabrieken, kan zich wenden tot de rechtbank binnen welker rechtsgebied het register wordt gehouden, met het verzoek of de vordering, al naar de omstandigheden, doorhaling, aanvulling of wijziging van het ingeschrevene te gelasten.

6. Voor ieder jaar dat de stichting in het register is ingeschreven is zij aan de Kamer van Koophandel en Fabrieken een bij algemene maatregel van bestuur vast te stellen bedrag verschuldigd. Is een verschuldigd bedrag voor het geheel of een deel niet tijdig voldaan, dan maant de Kamer de stichting schriftelijk aan om alsnog binnen acht dagen na de ontvangst van de aanmaning het daarin vermelde bedrag aan de Kamer te doen toekomen. Volgt op deze aanmaning de betaling binnen de gestelde termijn niet, dan vaardigt de Kamer een dwangbevel uit. Het dwangbevel levert een executoriale titel op, die met toepassing van de voorschriften van het Wetboek van Burgerlijke Rechtsvordering kan worden tenuitvoergelegd. De aanmaning en incasso van het dwangbevel geschieden op kosten van de schuldenaar.

7. Binnen dertig dagen na de betekening staat verzet tegen het dwangbevel open door dagvaarding van de betrokken Kamer voor de kantonrechter binnen wiens rechtsgebied de Kamer haar zetel heeft. Het verzet schorst de tenuitvoerlegging.

8. Het verzet kan niet worden gegrond op de bewering, dat het ter zake van de inschrijving verschuldigde bedrag ten onrechte is opgelegd of onjuist is bepaald.

Regeling bij a.m.v.b.

9. Alles wat verder betreft het register, het opbergen en bewaren van de neergelegde statuten en de andere bij de Kamer van Koophandel en Fabrieken ingediende bescheiden, het ter inzage geven en het geven van afschriften en uittreksels, alsmede de voor een en ander te berekenen kosten, wordt bij algemene maatregel van bestuur geregeld. Daarin kan worden bepaald dat in plaats van de neergelegde statuten en de andere bij de Kamer ingediende bescheiden fotografische reproducties worden opgeborgen en bewaard.

Art. 290. Vervallen.

Bevoegdheden stichtingsbestuur

Art. 291. 1. Behoudens beperkingen volgens de statuten is het bestuur belast met het besturen van de stichting.

2. Slechts indien dit uit de statuten voortvloeit, is het bestuur bevoegd te besluiten tot het aangaan van overeenkomsten tot verkrijging, vervreemding en bezwaring van registergoederen, en tot het aangaan van overeenkomsten waarbij de stichting zich als borg of hoofdelijk medeschuldenaar verbindt, zich voor een derde sterk maakt of zich tot zekerheidstelling voor een schuld van een ander verbindt. De statuten kunnen deze bevoegdheid aan beperkingen en voorwaarden binden. De uitsluiting, beperkingen en voorwaarden gelden mede voor de bevoegdheid tot vertegenwoordiging van de stichting ter zake van deze handelingen, tenzij de statuten anders bepalen.

Vertegenwoordigingsbevoegdheid

Art. 292. 1. Het bestuur vertegenwoordigt de stichting, voor zover uit de wet niet anders voortvloeit.

2. De statuten kunnen de bevoegdheid tot vertegenwoordiging bovendien toekennen aan een of meer bestuurders. Zij kunnen bepalen dat een bestuurder de stichting slechts met medewerking van een of meer anderen mag vertegenwoordigen.

3. Bevoegdheid tot vertegenwoordiging die aan het bestuur of aan een bestuurder toekomt, is onbeperkt en onvoorwaardelijk, voor zover uit de wet niet anders voortvloeit. Een wettelijk toegelaten of voorgeschreven beperking van of voorwaarde voor de bevoegdheid tot vertegenwoordiging kan slechts door de stichting worden ingeroepen.
4. De statuten kunnen ook aan andere personen dan bestuurders bevoegdheid tot vertegenwoordiging toekennen.

Wijziging statuten

Art. 293. De statuten van de stichting kunnen door haar organen slechts worden gewijzigd, indien de statuten daartoe de mogelijkheid openen. De wijziging moet op straffe van nietigheid bij notariële akte tot stand komen. De bestuurders zijn verplicht een authentiek afschrift van de wijziging en de gewijzigde statuten neer te leggen ten kantore van het in artikel 289 van dit Boek bedoelde register.

Statutenwijziging door de rechtbank

Art. 294. 1. Indien ongewijzigde handhaving van de statuten zou leiden tot gevolgen, die bij de oprichting redelijkerwijze niet kunnen zijn gewild, en de statuten de mogelijkheid van wijziging niet voorzien of zij die tot wijziging de bevoegdheid hebben, zulks nalaten, kan de rechtbank op verzoek van een oprichter of van het bestuur of op vordering van het openbaar ministerie de statuten wijzigen.
2. De rechtbank wijkt daarbij zo min mogelijk van de bestaande statuten af; indien wijziging van het doel noodzakelijk is, wijst zij een doel aan dat aan het bestaande verwant is. Met inachtneming van het vorenstaande is de rechtbank bevoegd, zo nodig, de statuten op een andere wijze te wijzigen dan is verzocht of gevorderd.
3. Met overeenkomstige toepassing van de beide vorige leden kan de rechtbank de statuten wijzigen om ontbinding van de stichting op een grond als vermeld in artikel 21 of artikel 301 lid 1 onder a te voorkomen.

Art. 295. Een besluit tot wijziging van de statuten kan te allen tijde op verzoek van de stichting, van een belanghebbende of op vordering van het openbaar ministerie door de rechtbank worden vernietigd, indien de wijziging tot gevolg heeft dat de stichting kan worden ontbonden op een grond als bedoeld in de artikelen 21 of 301 lid 1, en die wijziging niet tot omzetting leidt. Overigens zijn artikel 15 leden 3 en 4 en artikel 16 van toepassing.

Art. 296. In een geding, waarin ontbinding van een stichting op een grond als vermeld in artikel 21 of 301, lid 1 onder a wordt verzocht of gevorderd, kan de rechtbank de bevoegdheden in de beide voorgaande artikelen genoemd, ambtshalve uitoefenen.

Controle op stichtingen

Art. 297. 1. Het openbaar ministerie bij de rechtbank is, bij ernstige twijfel of de wet of de statuten te goeder trouw worden nageleefd, dan wel het bestuur naar behoren wordt gevoerd, bevoegd aan het bestuur inlichtingen te verzoeken.
2. Bij niet- of niet-behoorlijke voldoening aan het verzoek kan de president van de rechtbank, desgevorderd, bevelen dat aan het openbaar ministerie de boeken, bescheiden en andere gegevensdragers van de stichting voor raadpleging beschikbaar te stellen en de waarden der stichting worden getoond. Tegen de beschikking van de president staat geen hoger beroep of cassatie open.

Ontslag bestuurder

Art. 298. 1. Een bestuurder die:
a. iets doet of nalaat in strijd met de bepalingen van de wet of van de statuten, dan wel zich schuldig maakt aan wanbeheer, of
b. niet of niet behoorlijk voldoet aan een door de president der rechtbank, ingevolge het vorige artikel, gegeven bevel, kan door de rechtbank worden ontslagen. Dit kan geschieden op vordering van het openbaar ministerie of op verzoek van iedere belanghebbende.
2. De rechtbank kan, hangende het onderzoek, voorlopige voorzieningen in het bestuur treffen en de bestuurder schorsen.
3. Een door de rechtbank ontslagen bestuurder kan gedurende vijf jaren na het ontslag geen bestuurder van de stichting worden.

Aanvulling bestuur

Art. 299. Telkens wanneer het door de statuten voorgeschreven bestuur geheel of gedeeltelijk ontbreekt en daarin niet overeenkomstig de statuten wordt voorzien, kan de rechtbank, op verzoek van iedere belanghebbende of op vordering van het openbaar ministerie in de vervulling van de ledige plaats voorzien. De rechtbank neemt daarbij zoveel mogelijk de statuten in acht.

Art. 300. Vervallen.

Commerciële stichting; aansprakelijkheid bestuurders

Art. 300a. De artikelen 131, 138, 139, 149 en 150 zijn van overeenkomstige toepassing in geval van faillissement van een stichting die aan de heffing van vennootschapsbelasting is onderworpen.

Ontbinding van een stichting

Art. 301. 1. De rechtbank ontbindt de stichting op verzoek van een belanghebbende of op vordering van het openbaar ministerie, indien:
a. het vermogen van de stichting ten enenmale onvoldoende is voor de verwezenlijking van haar doel, en de mogelijkheid dat een voldoend vermogen door bijdragen of op andere wijze in afzienbare tijd zal worden verkregen, in hoge mate onwaarschijnlijk is;
b. het doel der stichting is bereikt of niet meer kan worden bereikt, en wijziging van het doel niet in aanmerking komt.

2. De rechtbank kan ook ambtshalve de stichting ontbinden tegelijk met de afwijzing van een verzoek of vordering als bedoeld in artikel 294.

Inschrijving in stichtingenregister

Art. 302. In kracht van gewijsde gegane rechterlijke uitspraken, inhoudende:
— doorhaling, aanvulling of wijziging van het in het register ingeschrevene,
— wijziging van de statuten van de stichting,
— wijziging van of voorziening in het bestuur, of
— vernietiging van een besluit tot wijziging van de statuten,
worden door de zorg van de griffier van het college waarvoor de zaak laatstelijk aanhangig was ingeschreven in het in artikel 289 van dit Boek genoemde register.

Art. 303. In geval van faillissement of surséance van betaling van een stichting worden aankondigingen welke krachtens de Faillissementswet in de Nederlandse Staatscourant worden opgenomen, door hem die met de openbaarmaking is belast, mede ter inschrijving in het register, bedoeld in artikel 289 van dit Boek, opgegeven.

Deelnemers aan pensioenfonds

Art. 304. 1. De deelnemers aan een pensioenfonds of aan een fonds als bedoeld in artikel 1637s, tweede lid, onder c, van dit wetboek, worden voor de toepassing van artikel 285 van dit Boek niet beschouwd als leden van een stichting die als een zodanig fonds werkzaam is.

Salaris en pensioen van oprichters

2. Voor de toepassing van artikel 285 lid 3 van dit Boek gelden als uitkeringen aan oprichters van zulk een stichting of aan hen die deel uitmaken van haar organen, niet de uitkeringen die voortvloeien uit een recht op pensioen of uit een aanspraak krachtens een arbeidsovereenkomst waarin een beding als bedoeld in artikel 1637s, tweede lid, onder c, van dit wetboek is opgenomen.

Artt. 305-307. Vervallen.

TITEL 7
Fusie

AFDELING 1
Algemeen

Toepasselijkheid bepalingen

Art. 308. 1. De bepalingen van deze titel zijn van toepassing op de vereniging, de coöperatie, de onderlinge waarborgmaatschappij, de stichting, de naamloze vennootschap en de besloten vennootschap met beperkte aansprakelijkheid.

2. Zij zijn niet van toepassing op verenigingen zonder volledige rechtsbevoegdheid en op verenigingen van appartementseigenaars.

Definitie fusie

Art. 309. Fusie is de rechtshandeling van twee of meer rechtspersonen waarbij een van deze het vermogen van de andere onder algemene titel verkrijgt of waarbij een nieuwe rechtspersoon die bij deze rechtshandeling door hen samen wordt opgericht, hun vermogen onder algemene titel verkrijgt.

Mogelijkheden tot fusie

Art. 310. 1. Rechtspersonen kunnen fuseren met rechtspersonen die de zelfde rechtsvorm hebben.

2. Wordt de verkrijgende rechtspersoon nieuw opgericht, dan moet hij de rechtsvorm hebben van de fuserende rechtspersonen.
3. Voor de toepassing van dit artikel worden de naamloze en de besloten vennootschap als rechtspersonen met de zelfde rechtsvorm aangemerkt.
4. Een verkrijgende vereniging, coöperatie, onderlinge waarborgmaatschappij of stichting kan ook fuseren met een naamloze of besloten vennootschap waarvan zij alle aandelen houdt. Een verkrijgende stichting, naamloze of besloten vennootschap kan ook fuseren met een vereniging, coöperatie of onderlinge waarborgmaatschappij waarvan zij het enige lid is.
5. Een ontbonden rechtspersoon mag niet fuseren, indien reeds uit hoofde van de vereffening een uitkering aan leden of aandeelhouders is gedaan.
6. Een rechtspersoon mag niet fuseren gedurende faillissement of surséance van betaling.

Verdwijnende rechtspersoon

Art. 311. 1. Met uitzondering van de verkrijgende rechtspersoon houden de fuserende rechtspersonen door het van kracht worden van de fusie op te bestaan.
2. De leden of aandeelhouders van de verdwijnende rechtspersonen worden door de fusie lid of aandeelhouder van de verkrijgende rechtspersoon, uitgezonderd in de gevallen van de artikelen 310 lid 4, 333 of 334, of wanneer krachtens de ruilverhouding van de aandelen zelfs geen recht bestaat op een enkel aandeel.

Fusievoorstel

Art. 312. 1. De besturen van de te fuseren rechtspersonen stellen een voorstel tot fusie op.
2. Dit voorstel vermeldt ten minste:

Inhoud

a. de rechtsvorm, naam en zetel van de te fuseren rechtspersonen;
b. de statuten van de verkrijgende rechtspersoon zoals die luiden en zoals zij na de fusie zullen luiden of, indien de verkrijgende rechtspersoon nieuw wordt opgericht, het ontwerp van de akte van oprichting;
c. welke rechten of vergoedingen ingevolge artikel 320 ten laste van de verkrijgende rechtspersoon worden toegekend aan degenen die anders dan als lid of aandeelhouder bijzondere rechten hebben jegens de verdwijnende rechtspersonen, zoals rechten op een uitkering van winst of tot het nemen van aandelen, en met ingang van welk tijdstip;
d. welke voordelen in verband met de fusie worden toegekend aan een bestuurder of commissaris van een te fuseren rechtspersoon of aan een ander die bij de fusie is betrokken;
e. de voornemens over de samenstelling na de fusie van het bestuur en, als er een raad van commissarissen zal zijn, van die raad;
f. voor elk van de verdwijnende rechtspersonen het tijdstip met ingang waarvan financiële gegevens zullen worden verantwoord in de jaarrekening of andere financiële verantwoording van de verkrijgende rechtspersoon;
g. de voorgenomen maatregelen in verband met de overgang van het lidmaatschap of aandeelhouderschap van de verdwijnende rechtspersonen;
h. de voornemens omtrent voortzetting of beëindiging van werkzaamheden;
i. wie in voorkomend geval het besluit tot fusie moeten goedkeuren.
3. Fuserende coöperaties of onderlinge waarborgmaatschappijen vermelden tevens de invloed van de fusie op de grootte van de goodwill en de uitkeerbare reserves van de verkrijgende rechtspersoon.

Ondertekening fusievoorstel

4. Het voorstel tot fusie wordt ondertekend door de bestuurders van elke te fuseren rechtspersoon; ontbreekt de handtekening van een of meer hunner, dan wordt daarvan onder opgave van reden melding gemaakt.

Toelichting

Art. 313. 1. In een schriftelijke toelichting geeft het bestuur van elke te fuseren rechtspersoon de redenen voor de fusie met een uiteenzetting over de verwachte gevolgen voor de werkzaamheden en een toelichting uit juridisch, economisch en sociaal oogpunt.

Jaarrekening of tussentijdse vermogensopstelling

2. Indien het laatste boekjaar van de rechtspersoon, waarover een jaarrekening of andere financiële verantwoording is vastgesteld en openbaar gemaakt, meer dan zes maanden voor de nederlegging van het voorstel tot fusie is verstreken, maakt het bestuur een jaarrekening of tussentijdse vermogensopstelling op. Deze heeft betrekking op de stand van het vermogen op ten vroegste de eerste dag van de derde maand voor de maand waarin zij wordt neergelegd. De vermogensopstelling wordt opgemaakt met inachtneming van de indeling en de waarderingsmethoden die in de laatst vastgestelde jaarrekening of andere financiële verantwoording zijn toegepast,

tenzij daarvan gemotiveerd wordt afgeweken op de grond dat de aktuele waarde belangrijk afwijkt van de boekwaarde. In de vermogensopstelling worden de krachtens de wet of de statuten te reserveren bedragen opgenomen.

Bijzondere rechten jegens de verdwijnende vennootschap

3. In de gevallen van de artikelen 310 lid 4 en 333 is geen toelichting vereist voor de verdwijnende rechtspersoon, tenzij anderen dan de verkrijgende rechtspersoon een bijzonder recht jegens de verdwijnende rechtspersoon hebben, zoals een recht op uitkering van winst of tot het nemen van aandelen.

Stukken neerleggen bij register

Art. 314. 1. Elke te fuseren rechtspersoon legt, naar gelang hij in het handels-, verenigingen- of stichtingenregister van zijn woonplaats moet zijn ingeschreven, ten kantore daarvan neer:
a. het voorstel tot fusie,
b. de laatste drie vastgestelde jaarrekeningen of andere financiële verantwoordingen van de te fuseren rechtspersonen, met de deskundigenverklaring daarbij, voor zover deze stukken ter inzage liggen of moeten liggen,
c. de jaarverslagen van de te fuseren rechtspersonen over de laatste drie afgesloten jaren, voor zover deze ter inzage liggen of moeten liggen,
d. tussentijdse vermogensopstellingen of niet vastgestelde jaarrekeningen, voor zover vereist ingevolge artikel 313 lid 2.

Stukken ter inzake leggen ten kantore rechtspersoon, gerechtigden tot inzage

2. Tegelijkertijd legt het bestuur de stukken, met inbegrip van jaarrekeningen en jaarverslagen die niet ter openbare inzage behoeven te liggen, samen met de toelichtingen van de besturen op het voorstel neer ten kantore van de rechtspersoon of, bij gebreke van een kantoor, aan de woonplaats van een bestuurder. De stukken liggen tot het tijdstip van de fusie, en op het adres van de verkrijgende rechtspersoon onderscheidenlijk van een bestuurder daarvan nog zes maanden nadien, ter inzage voor de leden of aandeelhouders, en voor hen die een bijzonder recht jegens de rechtspersoon hebben, zoals een recht op een uitkering van winst of tot het nemen van aandelen. In dit tijdvak kunnen zij kosteloos een afschrift daarvan krijgen.

3. De te fuseren rechtspersonen kondigen in een landelijk verspreid dagblad aan dat de stukken zijn neergelegd, met opgave van de openbare registers waar zij liggen en van het adres waar zij krachtens lid 2 ter inzage liggen.

4. Indien de ondernemingsraad of medezeggenschapsraad van een te fuseren rechtspersoon of een vereniging van werknemers die werknemers van de rechtspersoon of van een dochtermaatschappij onder haar leden telt, schriftelijk een advies of opmerkingen indient, worden deze tegelijk met het voorstel tot fusie of onmiddellijk na ontvangst, neergelegd op het adres bedoeld in lid 2. De tweede en derde zin van lid 2 zijn van overeenkomstige toepassing.

5. Indien de besturen van de te fuseren rechtspersonen het voorstel tot fusie wijzigen, zijn de leden 1—4 van overeenkomstige toepassing.

6. De leden 2 en 4 gelden niet voor stichtingen.

Inlichtingen algemene vergadering

Art. 315. 1. Het bestuur van elke te fuseren rechtspersoon is verplicht de algemene vergadering in te lichten over na het voorstel tot fusie gebleken belangrijke wijzigingen in de omstandigheden die de mededelingen in het voorstel tot fusie of in de toelichting hebben beïnvloed.

2. Voor een stichting geldt deze verplichting jegens degenen die blijkens de statuten de fusie moeten goedkeuren.

Zekerheidsstelling schuldeisers

Art. 316. 1. Ten minste een van de te fuseren rechtspersonen moet, op straffe van gegrondverklaring van een verzet als bedoeld in het volgende lid, voor iedere schuldeiser van deze rechtspersonen die dit verlangt zekerheid stellen of hem een andere waarborg geven voor de voldoening van zijn vordering. Dit geldt niet, indien de schuldeiser voldoende waarborgen heeft of de vermogenstoestand van de verkrijgende rechtspersoon na de fusie niet minder waarborg zal bieden dat de vordering zal worden voldaan, dan er voordien is.

2. Tot een maand nadat alle te fuseren rechtspersonen de nederlegging van het voorstel tot fusie hebben aangekondigd kan iedere schuldeiser door een verzoekschrift aan de rechtbank tegen het voorstel tot fusie in verzet komen met vermelding van de waarborg die wordt verlangd.

3. Voordat de rechter beslist, kan hij de rechtspersonen in de gelegenheid stellen binnen een door hem gestelde termijn een door hem omschreven waarborg te geven.

4. Indien tijdig verzet is gedaan, mag de akte van fusie eerst worden verleden, zodra het verzet is ingetrokken of de opheffing van het verzet uitvoerbaar is.

5. Indien de akte van fusie al is verleden, kan de rechter op een ingesteld rechtsmiddel het stellen van een door hem omschreven waarborg bevelen en daaraan een dwangsom verbinden.

Art. 317. 1. Het besluit tot fusie wordt genomen door de algemene vergadering; in een stichting wordt het besluit genomen door degene die de statuten mag wijzigen of, als geen ander dat mag, door het bestuur. Het besluit mag niet afwijken van het voorstel tot fusie.

Fusiebesluit

2. Een besluit tot fusie kan eerst worden genomen na verloop van een maand na de dag waarop alle fuserende rechtspersonen de nederlegging van het voorstel tot fusie hebben aangekondigd.

3. Een besluit tot fusie wordt genomen op dezelfde wijze als een besluit tot wijziging van de statuten. Vereisen de statuten hiervoor goedkeuring, dan geldt dit ook voor het besluit tot fusie. Vereisen de statuten voor de wijziging van afzonderlijke bepalingen verschillende meerderheden, dan is voor een besluit tot fusie de grootste daarvan vereist, en sluiten de statuten wijziging van bepalingen uit, dan zijn de stemmen van alle stemgerechtigde leden of aandeelhouders vereist; een en ander tenzij die bepalingen na de fusie onverminderd zullen gelden.

Besluit op zelfde wijze genomen als besluit tot statutenwijziging

4. Lid 3 geldt niet, voor zover de statuten een andere regeling voor besluiten tot fusie geven.

5. Een besluit tot fusie van een stichting behoeft de goedkeuring van de rechtbank, tenzij de statuten het mogelijk maken alle bepalingen daarvan te wijzigen. De rechtbank wijst het verzoek af, indien er gegronde redenen zijn om aan te nemen dat de fusie strijdig is met het belang van de stichting.

Art. 318. 1. De fusie geschiedt bij notariële akte en wordt van kracht met ingang van de dag na die waarop de akte is verleden. De akte mag slechts worden verleden binnen zes maanden na de aankondiging van de nederlegging van het voorstel of, indien dit als gevolg van gedaan verzet niet mag, binnen een maand na intrekking of nadat de opheffing van het verzet uitvoerbaar is geworden.

Notariële akte

2. Aan de voet van de akte verklaart de notaris dat hem is gebleken dat de vormvoorschriften in acht zijn genomen voor alle besluiten die deze titel en de statuten voor het tot stand komen van de fusie vereisen en dat voor het overige de daarvoor in deze titel en in de statuten gegeven voorschriften zijn nageleefd.

3. De verkrijgende rechtspersoon doet de fusie binnen acht dagen na het verlijden inschrijven in de handels-, verenigingen- en stichtingenregisters van de woonplaats van elke gefuseerde rechtspersoon en van zichzelf, naar gelang van elks inschrijfplicht. Daarbij wordt een afschrift van de akte van fusie met de notariële verklaring aan de voet daarvan ten kantore van elk register neergelegd.

Neerleggen notariële verklaring bij register

4. De verkrijgende rechtspersoon doet binnen een maand opgave van de fusie aan de beheerders van andere openbare registers waarin overgang van rechten of de fusie kan worden ingeschreven. Gaat door de fusie een registergoed op de verkrijgende rechtspersoon over, dan is deze verplicht binnen deze termijn aan de bewaarder van de openbare registers, bedoeld in afdeling 2, titel 1 van Boek 3, de voor de inschrijving van de fusie vereiste stukken aan te bieden.

Art. 319. 1. Pandrecht en vruchtgebruik op een recht van lidmaatschap of op aandelen van de verdwijnende rechtspersonen gaan over op hetgeen daarvoor in de plaats treedt.

Pandrecht en vruchtgebruik op aandelen van de verdwijnende rechtspersoon

2. Rust het pandrecht of vruchtgeberuik op een recht van lidmaatschap of op aandelen waarvoor niets in de plaats treedt, dan moet de verkrijgende rechtspersoon een gelijkwaardige vervanging geven.

Art. 320. 1. Hij die, anders dan als lid of aandeelhouder, een bijzonder recht jegens een verdwijnende rechtspersoon heeft, zoals een recht op een uitkering van winst of tot het nemen van aandelen, moet een gelijkwaardig recht in de verkrijgende rechtspersoon krijgen, of schadeloosstelling.

Bijzondere gerechtigde, schadeloosstelling

2. De schadeloosstelling wordt bij gebreke van overeenstemming bepaald door een of meer onafhankelijke deskundigen, ten verzoeke van de meest gerede partij te benoemen door de president van de rechtbank van de woonplaats van de verkrijgende rechtspersoon.

3. Artikel 319 is van overeenkomstige toepassing op pandrecht of vruchtgebruik dat op de bijzondere rechten was gevestigd.

Art. 321. 1. Op het tijdstip met ingang waarvan de verkrijgende rechtspersoon de

Jaarrekening van de verdwijnende rechtspersoon

financiële gegevens van een verdwijnende rechtspersoon zal verantwoorden in de eigen jaarrekening of andere financiële verantwoording, is het laatste boekjaar van die verdwijnende rechtspersoon geëindigd.

2. De verplichtingen omtrent de jaarrekening of andere financiële verantwoording van de verdwijnende rechtspersonen rusten na de fusie op de verkrijgende rechtspersoon.

3. Waarderingsverschillen tussen de verantwoording van activa en passiva in de laatste jaarrekening of andere financiële verantwoording van de verdwijnende rechtspersonen en in de eerste jaarrekening of andere financiële verantwoording waarin de verkrijgende rechtspersoon deze activa en passiva verantwoordt, moeten worden toegelicht.

4. De verkrijgende rechtspersoon moet wettelijke reserves vormen op de zelfde wijze als waarop de verdwijnende rechtspersonen wettelijke reserves moesten aanhouden, tenzij de wettelijke grond voor het aanhouden daarvan is vervallen.

Wijziging of ontbinding door de rechter

Art. 322. 1. Indien ten gevolge van de fusie een overeenkomst van een fuserende rechtspersoon naar maatstaven van redelijkheid en billijkheid niet ongewijzigd in stand behoort te blijven, wijzigt of ontbindt de rechter de overeenkomst op vordering van een der partijen. Aan de wijziging of ontbinding kan terugwerkende kracht worden verleend.

2. De bevoegdheid tot het instellen van de vordering vervalt door verloop van zes maanden na de nederlegging van de akte van fusie ten kantore van de openbare registers van de woonplaatsen van de gefuseerde rechtspersonen.

3. Indien uit de wijziging of ontbinding van de overeenkomst schade ontstaat voor de wederpartij, is de rechtspersoon gehouden tot vergoeding daarvan.

Vernietiging fusie door de rechter

Art. 323. 1. De rechter kan een fusie alleen vernietigen:
a. indien de door een notaris ondertekende akte van fusie geen authentiek geschrift is;
b. wegens het niet naleven van artikel 310, leden 5 en 6, artikel 316, lid 4 of 318 lid 2;
c. wegens nietigheid, het niet van kracht zijn of een grond tot vernietiging van een voor de fusie vereist besluit van de algemene vergadering of, in een stichting, van het bestuur;
d. wegens het niet naleven van artikel 317 lid 5.

2. Vernietiging geschiedt door een uitspraak van de rechter van de woonplaats van de verkrijgende rechtspersoon op vordering tegen de rechtspersoon van een lid, aandeelhouder, bestuurder of andere belanghebbende. Een niet door de rechter vernietigde fusie is geldig.

3. De bevoegdheid tot het instellen van de vordering tot vernietiging vervalt door herstel van het verzuim of door verloop van zes maanden na de nederlegging van de akte van fusie ten kantore van de openbare registers van de woonplaatsen van de gefuseerde rechtspersonen.

4. De fusie wordt niet vernietigd:
a. indien de rechtspersoon binnen een door de rechter te bepalen tijdvak het verzuim heeft hersteld,
b. indien de reeds ingetreden gevolgen van de fusie bezwaarlijk ongedaan kunnen worden gemaakt.

5. Heeft de eiser tot vernietiging van de fusie schade geleden door een verzuim dat tot vernietiging had kunnen leiden, en vernietigt de rechter de fusie niet, dan kan de rechter de rechtspersoon veroordelen tot vergoeding van de schade. De rechtspersoon heeft daarvoor verhaal op de schuldigen aan het verzuim en, tot ten hoogste het genoten voordeel, op degenen die door het verzuim zijn bevoordeeld.

6. De vernietiging wordt, door de zorg van de grifier van het gerecht waar de vordering laatstelijk aanhangig was, ingeschreven in de verenigingen-, stichtingen- en handelsregisters waarin de fusie ingevolge artikel 318 lid 3 moet zijn ingeschreven.

7. De rechtspersonen zijn hoofdelijk aansprakelijk voor verbintenissen die, ten laste van de rechtspersoon waarin zij gefuseerd zijn geweest, zijn ontstaan na de fusie en voordat de vernietiging in de registers is ingeschreven.

Onherroepelijke uitspraak

8. De onherroepelijke uitspraak tot vernietiging van een fusie is voor ieder bindend. Verzet van derden en request-civiel zijn niet toegestaan.

AFDELING 2
Bijzondere bepalingen voor fusies van naamloze en besloten vennootschappen

Art. 324. Deze afdeling is van toepassing, indien een naamloze of besloten vennootschap fuseert.

Fusie NV of BV

Art. 325. 1. Indien krachtens de ruilverhouding van de aandelen recht bestaat op geld of schuldvorderingen, mag het gezamenlijke bedrag daarvan een tiende van het nominale bedrag van de toegekende aandelen niet te boven gaan.

2. Bij de akte van fusie kan de verkrijgende vennootschap aandelen in haar kapitaal die zij zelf of een andere fuserende vennootschap houdt, intrekken tot ten hoogste het bedrag van de aandelen die zij toekent aan haar nieuwe aandeelhouders. De artikelen 99, 100, 208 en 209 gelden niet voor dit geval.

3. Aandelen in het kapitaal van de verdwijnende vennootschappen die worden gehouden door of voor rekening van de fuserende vennootschappen, vervallen.

Art. 326. 1. Het voorstel tot fusie vermeldt naast de in artikel 312 genoemde gegevens:

Fusievoorstel

a. de ruilverhouding van de aandelen en eventueel de omvang van de betalingen krachtens de ruilverhouding;
b. met ingang van welk tijdstip en in welke mate de aandeelhouders van de verdwijnende vennootschappen zullen delen in de winst van de verkrijgende vennootschap;
c. de invloed van de fusie op de grootte van de goodwill, het agio en de uitkeerbare reserves in de balans van de verkrijgende vennootschap;
d. hoeveel aandelen eventueel zullen worden ingetrokken met toepassing van artikel 325 lid 2.

2. Het voorstel tot fusie moet zijn goedgekeurd door de raad van commissarissen van elke vennootschap en wordt door de commissarissen ondertekend; ontbreekt de handtekening van een of meer hunner, dan wordt daarvan onder opgave van reden melding maakt.

Art. 327. In de toelichting op het voorstel tot fusie moet het bestuur mededelen:

Toelichting fusievoorstel

a. volgens welke methode of methoden de ruilverhouding van de aandelen is vastgesteld;
b. of deze methode of methoden in het gegeven geval passen;
c. tot welke waardering elke gebruikte methode leidt;
d. indien meer dan een methode is gebruikt, of het bij de waardering aangenomen betrekkelijke gewicht van de methoden in het maatschappelijke verkeer als aanvaardbaar kan worden beschouwd; en
e. welke bijzondere moeilijkheden er eventueel zijn geweest bij de waardering en bij de bepaling van de ruilverhouding.

Art. 328. 1. Een door het bestuur aangewezen deskundige als bedoeld in artikel 393 moet het voorstel tot fusie onderzoeken en moet verklaren of de voorgestelde ruilverhouding van de aandelen, mede gelet op de bijgevoegde stukken, naar zijn oordeel redelijk is. Hij moet tevens verklaren dat het eigen vermogen van elke verdwijnende vennootschap op de dag waarop de jaarrekening of tussentijdse vermogensopstelling betrekking heeft ten minste overeen kwam met het nominaal gestorte bedrag op de gezamenlijke aandelen die haar aandeelhouders ingevolge de fusie krijgen, vermeerderd met betalingen waarop zij krachtens de ruilverhouding recht hebben.

Deskundige onderzoekt fusievoorstel

2. De deskundige moet tevens een verslag opstellen, waarin hij zijn oordeel geeft over de mededelingen, bedoeld in artikel 327.

3. Indien twee of meer van de fuserende vennootschappen naamloze vennootschappen zijn, wordt slechts de zelfde persoon als deskundige aangewezen, indien de voorzitter van de ondernemingskamer van het gerechtshof te Amsterdam de aanwijzing op hun eenparige verzoek heeft goedgekeurd.

4. De deskundigen zijn bij alle fuserende vennootschappen gelijkelijk tot onderzoek bevoegd.

5. Op de verklaring van de deskundige is artikel 314 van overeenkomstige toepassing en op zijn verslag de leden 2 en 3 van artikel 314.

Art. 329. Artikel 314 lid 2 geldt ook ten behoeve van houders van met medewerking van de vennootschap uitgegeven certificaten van haar aandelen.

Besluit tot fusie van algemene vergadering; versterkte meerderheid

Art. 330. 1. Voor het besluit tot fusie van de algemene vergadering is in elk geval een meerderheid van ten minste twee derden vereist, indien minder dan de helft van het geplaatste kapitaal ter vergadering is vertegenwoordigd.
2. Zijn er verschillende soorten aandelen, dan is naast het besluit tot fusie van de algemene vergadering vereist een voorafgaand of gelijktijdig goedkeurend besluit van elke groep houders van aandelen van een zelfde soort aan wier rechten de fusie afbreuk doet. Goedkeuring kan eerst geschieden na verloop van een maand na de dag waarop alle fuserende vennootschappen de nederlegging van het voorstel tot fusie hebben aangekondigd.
3. De algemene vergadering kan machtiging verlenen de veranderingen aan te brengen die nodig mochten blijken om de ministeriële verklaring van geen bezwaar te verkrijgen op de statutenwijziging van de verkrijgende vennootschap, indien voorgenomen, of voor de oprichting van de verkrijgende vennootschap.
4. De notulen van de algemene vergaderingen waarin tot fusie wordt besloten of waarin deze ingevolge lid 2 wordt goedgekeurd, worden opgemaakt bij notariële akte.

Bestuursbesluit verkrijgende vennootschap

Art. 331. 1. Tenzij de statuten anders bepalen, kan een verkrijgende vennootschap bij bestuursbesluit tot fusie besluiten.
2. Dit besluit kan slechts worden genomen, indien de vennootschap het voornemen hiertoe heeft vermeld in de aankondiging dat het voorstel tot fusie is neergelegd.
3. Het besluit kan niet worden genomen, indien een of meer aandeelhouders die tezamen ten minste een twintigste van het geplaatste kapitaal vertegenwoordigen, of een zoveel geringer bedrag als in de statuten is bepaald, binnen een maand na de aankondiging aan het bestuur hebben verzocht de algemene vergadering bijeen te roepen om over de fusie te besluiten. De artikelen 317 en 330 zijn dan van toepassing.

Verklaring van geen bezwaar

Art. 332. De ministeriële verklaring dat van geen bezwaren is gebleken tegen de wijziging van de statuten van de verkrijgende vennootschap moet zijn verleend voordat de akte van fusie wordt verleden.

Fusie met 100%-dochter

Art. 333. 1. Indien de verkrijgende vennootschap fuseert met een vennootschap waarvan zij alle aandelen houdt of met een vereniging, coöperatie of onderlinge waarborgmaatschappij waarvan zij het enige lid is, zijn de artikelen 326-328 niet van toepassing.
2. Indien iemand, of een ander voor zijn rekening, alle aandelen houdt in het kapitaal van de te fuseren vennootschappen en de verkrijgende vennootschap geen aandelen toekent ingevolge de akte van fusie zijn de artikelen 326-328 niet van toepassing.
3. Indien een verkrijgende vereniging, coöperatie, onderlinge waarborgmaatschappij of stichting fuseert met een naamloze of besloten vennootschap waarvan zij alle aandelen houdt, is van deze afdeling slechts van toepassing artikel 329.

Fusie met groepsmaatschappij

Art. 334. 1. De akte van fusie kan bepalen dat de aandeelhouders van de verdwijnende vennootschappen aandeelhouder worden van een groepsmaatschappij van de verkrijgende vennootschap. Zij worden dan geen aandeelhouder van de verkrijgende vennootschap.
2. Zulk een fusie is slechts mogelijk, indien de groepsmaatschappij alleen of samen met een andere groepsmaatschappij het gehele geplaatste kapitaal van de verkrijgende vennootschap verschaft en hiertoe, voor zover de statuten niet anders bepalen, heeft besloten overeenkomstig de regels omtrent uitgifte van aandelen.
3. De groepsmaatschappij die de aandelen toekent geldt naast de verkrijgende vennootschap als fuserende rechtspersoon. Op haar rusten de verplichtingen die ingevolge de artikelen 312-329 op een verkrijgende vennootschap rusten, met uitzondering van de verplichtingen uit de artikelen 316, 317, 318 lid 4, 321 lid 2 en lid 4, 323 lid 7; voor de toepassing van artikel 328 lid 3 blijft zij buiten beschouwing. De artikelen 312 lid 2 onder b, 320, 325 lid 2 en 326 lid 1 onder b gelden alsdan niet voor de verkrijgende vennootschap.

TITEL 8
Geschillenregeling en het recht van enquête

AFDELING 1
Geschillenregeling

Toepasselijkheid bepalingen

Art. 335. 1. De bepalingen van deze afdeling zijn van toepassing op de besloten vennootschap met beperkte aansprakelijkheid.

2. De bepalingen van deze afdeling zijn eveneens van toepassing op de naamloze vennootschap waarvan de statuten:
a. uitsluitend aandelen op naam kennen,
b. een blokkeringsregeling bevatten, en
c. niet toelaten dat met medewerking van de vennootschap certificaten aan toonder worden uitgegeven.

Aandeelhouders kunnen overdracht aandelen vorderen

Art. 336. 1. Een of meer houders van aandelen die alleen of gezamenlijk ten minste een derde van het geplaatste kapitaal verschaffen, kunnen van een aandeelhouder die door zijn gedragingen het belang van de vennootschap zodanig schaadt, dat het voortduren van zijn aandeelhouderschap in redelijkheid niet kan worden geduld, in rechte vorderen dat hij zijn aandelen overeenkomstig artikel 341 overdraagt.

2. De vordering kan niet worden ingesteld door de vennootschap of een dochtermaatschappij van de vennootschap. De houder van aandelen waarvan de vennootschap of een dochtermaatschappij certificaten houdt, kan de vordering slechts instellen indien en voor zover certificaten door anderen worden gehouden. Een aandeelhouder ten titel van beheer kan de vordering slechts voor door hem beheerde aandelen instellen indien de desbetreffende certificaathouders daarmee tevoren hebben ingestemd.

3. Tot de kennisneming van de vordering is in eerste aanleg bevoegd de arrondissementsrechtbank van de woonplaats van de vennootschap. Hoger beroep kan uitsluitend worden ingesteld bij de ondernemingskamer van het gerechtshof te Amsterdam. Artikel 344 van het Wetboek van Burgerlijke Rechtsvordering is van toepassing met dien verstande dat voor „de meervoudige kamer" en „een meervoudige kamer" wordt gelezen: de ondernemingskamer.

4. De rechter kan zijn beslissing omtrent de vordering voor een door hem te bepalen termijn aanhouden, indien ten processe blijkt dat de vennootschap of één of meer aandeelhouders op zich nemen maatregelen te treffen waardoor het nadeel dat de vennootschap lijdt zoveel mogelijk wordt ongedaan gemaakt of beperkt.

Geschillenregeling in statuten

Art. 337. Indien de statuten of een overeenkomst een regeling bevatten voor de oplossing van geschillen tussen aandeelhouders, zijn de eisers niet ontvankelijk in hun vordering, tenzij gebleken is dat die regeling niet kan worden toegepast.

Art. 338. 1. Nadat de dagvaarding aan hem is betekend en tot de dag waarop het vonnis onherroepelijk is geworden, kan de gedaagde zijn aandelen niet vervreemden, verpanden of daarop een vruchtgebruik vestigen, tenzij de eisers daarvoor toestemming verlenen. Indien de eisers de toestemming weigeren, kan de rechter voor wie het geschil aanhangig is op vordering van gedaagde de toestemming verlenen, indien gedaagde bij de rechtshandeling een redelijk belang heeft. Tegen de beslissing van de rechter staat geen hogere voorziening open.

2. Nadat het vonnis waarbij de vordering is toegewezen onherroepelijk is geworden, kan de gedaagde de aandelen slechts overdragen met inachtneming van de bepalingen van artikel 339 tot en met 341.

Benoeming deskundigen

Art. 339. 1. Indien de vordering wordt toegewezen benoemt de rechter een of drie deskundigen die over de prijs van de aandelen schriftelijk bericht moeten uitbrengen. De artikelen 222 tot en met 236 van het Wetboek van Burgerlijke Rechtsvordering zijn voor het overige van toepassing. De deskundigen vangen hun werkzaamheden pas aan, nadat het vonnis onherroepelijk is geworden. Tegen de deskundigenbenoeming staat geen hogere voorziening open.

Verbod uitoefening stemrecht

2. Indien de eisers zulks gevorderd hebben, kan de rechter bij het vonnis waarbij de vordering wordt toegewezen, de gedaagde verbieden het stemrecht nog uit te oefenen. Dit verbod kan uitvoerbaar bij voorraad worden verklaard.

3. De deskundigen stellen hun bericht op met inachtneming van hetgeen omtrent de vaststelling van de waarde van de aandelen in de blokkeringsregeling is bepaald. De artikelen 351 en 352 zijn van overeenkomstige toepassing.

Prijsbepaling aandelen

Art. 340. 1. Nadat de deskundigen hun bericht hebben uitgebracht, bepaalt de rechter de prijs van de aandelen. Bij hetzelfde vonnis bepaalt hij tevens wie van de partijen de kosten van het deskundigenbericht moet dragen. Hij kan ook bepalen dat de vennootschap de kosten moet dragen na deze ter zake te hebben gehoord. Hij kan de kosten verdelen tussen partijen onderling of tussen partijen of een van hen en de vennootschap.

2. Het vonnis houdt tevens een veroordeling in van de eisers tot contante betaling van de hun zo nodig na toepassing van artikel 341 lid 5 over te dragen aandelen. Indien artikel 341 lid 6 van toepassing is, omvat die veroordeling mede de certificaathouders die met het instellen van de vordering hebben ingestemd.

Levering en aanvaarding aandelen

Art. 341. 1. De gedaagde is verplicht binnen twee weken nadat hem een afschrift van het onherroepelijk geworden vonnis als bedoeld in artikel 340 lid 1 is betekend, zijn aandelen aan de eisers te leveren en de eisers zijn verplicht de aandelen tegen gelijktijdige betaling van de vastgestelde prijs te aanvaarden, behoudens het bepaalde in lid 2. De aanvaarding geschiedt zoveel mogelijk naar evenredigheid van ieders aandelenbezit, tenzij anders wordt overeengekomen. Met eisers worden gelijkgesteld de aandeelhouders die zich in het rechtsgeding aan de zijde van de eisers hebben gevoegd en daarbij de wens te kennen hebben gegeven in dezelfde positie als de eisers te worden geplaatst.

2. Indien in de statutaire blokkeringsregeling is bepaald dat de aandeelhouder die een of meer aandelen wil vervreemden, deze moet aanbieden aan zijn mede-aandeelhouders of anderen, biedt de vennootschap de aandelen onverwijld nadat een afschrift van het onherroepelijk geworden vonnis aan haar is betekend, schriftelijk namens de gedaagde aan de aandeelhouders of anderen aan, zoveel mogelijk met overeenkomstige toepassing van de statutaire regeling en deelt hun daarbij tevens de vastgestelde prijs mee. Zij kunnen het aanbod binnen een maand na verzending van de mededeling aanvaarden door schriftelijke kennisgeving aan de vennootschap. De vennootschap kan slechts met instemming van de gedaagde aandelen aanvaarden. Binnen een week na het verstrijken van deze termijn deelt de vennootschap aan de gedaagde en de eisers mee of en zo ja hoeveel aandelen zijn aanvaard en aan wie deze zijn toegewezen. De gedaagde is verplicht onverwijld na ontvangst van deze mededeling zijn aandelen aan de mede-aandeelhouders of de anderen te leveren tegen gelijktijdige betaling.

3. Indien in het geval van lid 2 geen aandelen zijn aanvaard of minder aandelen zijn aanvaard dan zijn aangeboden, of de vastgestelde prijs niet binnen twee weken na ontvangst van de mededeling van de vennootschap omtrent de toewijzing van de aandelen aan de gedaagde die tot gelijktijdige levering wilde overgaan wordt voldaan, vindt lid 1 toepassing ten aanzien van de aandelen, de overgebleven aandelen of de aandelen waarvoor niet tijdig betaling is ontvangen.

4. Blijft de gedaagde in gebreke met de levering van zijn aandelen, dan levert de vennootschap namens hem de aandelen tegen gelijktijdige betaling.

5. Blijven een of meer eisers in gebreke met de aanvaarding van de aandelen tegen gelijktijdige betaling van de vastgestelde prijs, dan zijn de overige eisers verplicht om binnen twee weken nadat dit is komen vast te staan die aandelen die gelijktijdige betaling te aanvaarden, ieder zoveel mogelijk naar evenredigheid van zijn aandelenbezit.

6. Is een eiser aandeelhouder ten titel van beheer, dan zijn naast hem de certificaathouders die met het instellen van de vordering hebben ingestemd, aansprakelijk voor het krachtens dit artikel verschuldigde, ieder zoveel mogelijk naar evenredigheid van zijn bezit aan certificaten. Blijven een of meer van deze certificaathouders in gebreke, dan zijn de overige certificaathouders die met het instellen van de vordering hebben ingestemd verplicht dat deel te voldoen, ieder zoveel mogelijk naar evenredigheid van zijn bezit aan certificaten.

7. Op verzoek van de meest gerede partij beslist de rechter die de vordering in eerste instantie of in hoger beroep heeft toegewezen over geschillen betreffende de uitvoering van de regeling. Tegen deze beslissing staat geen hogere voorziening open.

Aandeelhouders kunnen overgang stemrecht vorderen

Art. 342. 1. Een of meer houders van aandelen die alleen of gezamenlijk ten minste een derde van het geplaatste kapitaal verschaffen, kunnen van een stemgerechtigde vruchtgebruiker of pandhouder van een aandeel in rechte vorderen dat het stemrecht op het aandeel overgaat op de houder van het aandeel, indien die vruchtgebruiker of pandhouder door zijn gedragingen het belang van de vennootschap zodanig schaadt dat in redelijkheid niet kan worden geduld dat hij het stemrecht blijft uitoefenen.

2. Een afschrift van het exploit van dagvaarding moet onverwijld door eisers aan de houder van het aandeel, die niet zelf tevens eiser is, worden betekend. Artikel 336, leden 2, 3 en 4 en artikel 339 lid 2 zijn van toepassing en de artikelen 337 en 338 lid 1 zijn van overeenkomstige toepassing, in dier voege dat in het geval van artikel 338 lid 1 de vruchtgebruiker of pandhouder het vruchtgebruik of het pandrecht niet op een ander kan doen overgaan.

3. Indien de vordering tot overgang van het stemrecht is toegewezen, vindt de overgang plaats door het in kracht van gewijsde gaan van het vonnis.

Aandeelhouder kan verplichte overname van zijn aandelen vorderen

Art. 343. 1. De aandeelhouder die door gedragingen van een of meer mede-aandeelhouders zodanig in zijn rechten of belangen wordt geschaad dat het voortduren van zijn aandeelhouderschap in redelijkheid niet meer van hem kan worden gevergd, kan van die mede-aandeelhouders in rechte vorderen dat zijn aandelen overeenkomstig de leden 3, 4 en 5 van dit artikel worden overgenomen. De artikelen 336 leden 3 en 4, 337, 338 lid 1, 339 leden 1 en 3, en 340 lid 1 zijn van toepassing. Het vonnis houdt tevens in een veroordeling van de eisers tot levering aan gedaagden van de hun, zo nodig na toepassing van het zevende lid, over te dragen aandelen.

2. De aandeelhouder tegen wie een vordering is ingesteld kan een andere aandeelhouder in het geding oproepen, indien hij van oordeel is dat de vordering ook of uitsluitend tegen die aandeelhouder had behoren te worden ingesteld.
De artikelen 68 tot en met 74 van het Wetboek van Burgerlijke Rechtsvordering zijn van overeenkomstige toepassing.

3. Binnen twee weken nadat hem een afschrift van het onherroepelijk geworden vonnis als bedoeld in artikel 340 lid 1 is betekend, is ieder van de gedaagden verplicht het door de rechter vastgestelde aantal aandelen tegen gelijktijdige betaling van de vastgestelde prijs over te nemen, behoudens het bepaalde in lid 4 en is de eiser verplicht zijn aandelen aan de gedaagden te leveren. Met gedaagden worden gelijkgesteld de aandeelhouders die zich in het rechtsgeding aan de zijde van de gedaagden hebben gevoegd en daarbij de wens te kennen hebben gegeven in dezelfde positie als de gedaagden te worden geplaatst.

4. Indien in de statutaire blokkeringsregeling is bepaald dat de aandeelhouder die een of meer aandelen wil vervreemden deze moet aanbieden aan zijn mede-aandeelhouders of anderen, biedt de vennootschap de aandelen onverwijld nadat een afschrift van het onherroepelijk geworden vonnis aan haar is betekend, schriftelijk namens de eiser aan de aandeelhouders of anderen aan, zoveel mogelijk met overeenkomstige toepassing van de statutaire regeling en deelt hun daarbij tevens de vastgestelde prijs mee. Zij kunnen het aanbod binnen een maand na verzending van de mededeling aanvaarden door schriftelijke kennisgeving aan de vennootschap. De vennootschap kan slechts met instemming van de eiser aandelen aanvaarden. Binnen een week na het verstrijken van deze termijn deelt de vennootschap aan de eiser en de gedaagden mee of en zo ja hoeveel aandelen zijn aanvaard en aan wie deze zijn toegewezen. De eiser is verplicht onverwijld na ontvangst van deze mededeling zijn aandelen aan de mede- aandeelhouders of de anderen te leveren tegen gelijktijdige betaling.

5. Indien in het geval van lid 4 geen aandelen zijn aanvaard of minder aandelen zijn aanvaard dan zijn aangeboden, of de vastgestelde prijs niet binnen twee weken na ontvangst van de mededeling van de vennootschap omtrent de toewijzing van de aandelen aan de eiser die tot gelijktijdige levering wilde overgaan wordt voldaan, vindt ten aanzien van de aandelen, de overgebleven aandelen of de aandelen waarvoor niet tijdig betaling is ontvangen lid 3 toepassing, met dien verstande dat de aanvaarding van de niet afgenomen aandelen door de gedaagden zoveel mogelijk geschiedt naar evenredigheid van het voor ieder overeenkomstig lid 3 vastgestelde aantal aandelen.

6. Blijft de eiser in gebreke met de levering van zijn aandelen, dan levert de vennootschap namens hem de aandelen, tegen gelijktijdige betaling.

7. Blijven een of meer gedaagden in gebreke met de aanvaarding van de aandelen tegen gelijktijdige betaling van de vastgestelde prijs, dan zijn de overige gedaagden verplicht om binnen twee weken nadat dit is komen vast te staan die aandelen tegen gelijktijdige betaling te aanvaarden, zoveel mogelijk naar evenredigheid van het voor ieder overeenkomstig lid 3 vastgestelde aantal aandelen.

8. Is een gedaagde aandeelhouder ten titel van beheer, dan zijn naast hem de certificaathouders aansprakelijk voor het krachtens dit artikel verschuldigde, ieder

zoveel mogelijk naar evenredigheid van zijn bezit aan certificaten. Blijven een of meer certificaathouders in gebreke, dan zijn de overige certificaathouders verplicht dat deel te voldoen, ieder zoveel mogelijk naar evenredigheid van zijn bezit aan certificaten.

9. Op verzoek van de meest gerede partij beslist de rechter die de vordering in eerste instantie of in hoger beroep heeft toegewezen over geschillen betreffende de uitvoering van de regeling. Tegen deze beslissing staat geen hogere voorziening open.

AFDELING 2
Het recht van enquête

Toepasselijkheid op bepaalde rechtspersonen

Art. 344. De bepalingen van deze afdeling zijn van toepassing op:
a. de coöperatie, de onderlinge waarborgmaatschappij, de naamloze vennootschap en de besloten vennootschap met beperkte aansprakelijkheid;
b. de stichting en de vereniging met volledige rechtsbevoegdheid die een onderneming in stand houden waarvoor ingevolge de wet een ondernemingsraad moet worden ingesteld.

Indienen verzoekschrift tot onderzoek

Art. 345. 1. Op schriftelijk verzoek van degenen die krachtens de artikelen 346 en 347 daartoe bevoegd zijn, kan de ondernemingskamer van het gerechtshof te Amsterdam een of meer personen benoemen tot het instellen van een onderzoek naar het beleid en de gang van zaken van een rechtspersoon, hetzij in de gehele omvang daarvan, hetzij met betrekking tot een gedeelte of een bepaald tijdvak. Onder het beleid en de gang van zaken van een rechtspersoon zijn mede begrepen het beleid en de gang van zaken van een commanditaire vennootschap of een vennootschap onder firma waarvan de rechtspersoon volledig aansprakelijke vennoot is.

2. De procureur-generaal bij het gerechtshof te Amsterdam kan om redenen van openbaar belang een vordering doen tot het instellen van een onderzoek als bedoeld in het eerste lid. Hij kan ter voorbereiding van een vordering een of meer deskundige personen belasten met het inwinnen van inlichtingen over het beleid en de gang van zaken van de rechtspersonen. De rechtspersoon is verplicht de gevraagde inlichtingen te verschaffen en desgevraagd ook inzage in zijn boeken en bescheiden te geven aan de deskundigen.

Bevoegdheid indiening verzoekschrift

Art. 346. Tot het indienen van een verzoek als bedoeld in artikel 345 zijn bevoegd
a. indien het betreft een vereniging, een coöperatie of een onderlinge waarborgmaatschappij: de leden van de rechtspersoon ten getale van ten minste 300, of zoveel leden als ten minste een tiende gedeelte van het ledental uitmaken, of zoveel leden als tezamen bevoegd zijn tot het uitbrengen van ten minste een tiende gedeelte der stemmen in de algemene vergadering;
b. indien het betreft een naamloze vennootschap of een besloten vennootschap met beperkte aansprakelijkheid: een of meer houders van aandelen of van certificaten van aandelen, die alleen of gezamenlijk ten minste een tiende gedeelte van het geplaatste kapitaal vertegenwoordigen of rechthebbenden zijn op een bedrag van aandelen of certificaten daarvan tot een nominale waarde van *f* 500 000 of zoveel minder als de statuten bepalen;
c. degenen, aan wie daartoe bij de statuten of bij overeenkomst met de rechtspersoon de bevoegdheid is toegekend.

Art. 347. Tot het indienen van een verzoek als bedoeld in artikel 345 is voorts bevoegd een vereniging van werknemers die in de onderneming van de rechtspersoon werkzame personen onder haar leden telt en ten minste twee jaar volledige rechtsbevoegdheid bezit, mits zij krachtens haar statuten ten doel heeft de belangen van haar leden als werknemers te behartigen en als zodanig in de bedrijfstak of onderneming werkzaam is.

Art. 348. Indien de rechtspersoon wegens het bedrijf dat hij uitoefent, is onderworpen aan het toezicht van de Verzekeringskamer of van De Nederlandsche Bank N.V., doet de griffier een afschrift van het verzoekschrift, dan wel van de vordering van de procureur-generaal, ook aan de toezichthoudende instelling toekomen.

Niet ontvankelijkheid verzoekers en P.G.

Art. 349. 1. De verzoekers en de procureur-generaal zijn niet ontvankelijk, indien niet blijkt dat zij schriftelijk tevoren hun bezwaren tegen het beleid of de gang van zaken hebben kenbaar gemaakt aan het bestuur en de raad van commissarissen en sindsdien een zodanige termijn is verlopen dat de rechtspersoon redelijkerwijze de gelegenheid heeft gehad deze bezwaren te onderzoeken en naar aanleiding daarvan maatregelen te nemen.

2. Een vereniging van werknemers is voorts niet ontvankelijk, indien zij niet tevoren de ondernemingsraad die is verbonden aan een onderneming die de rechtspersoon zelfstandig of als volledig aansprakelijke vennoot in stand houdt, in de gelegenheid heeft gesteld schriftelijk van zijn gevoelen te doen blijken. De procureur-generaal deelt bij zijn vordering mede of hij de ondernemingsraad in de gelegenheid heeft gesteld van zijn gevoelen te doen blijken.

Art. 350. 1. De ondernemingskamer wijst het verzoek of de vordering slechts toe, wanneer blijkt van gegronde redenen om aan een juist beleid te twijfelen.

Grond voor toewijzing

2. Indien de ondernemingskamer het verzoek afwijst, en daarbij beslist dat het naar haar oordeel niet op redelijke grond is gedaan, kan de rechtspersoon tegen de verzoeker of verzoekers bij de ondernemingskamer een eis instellen tot vergoeding van de schade die hij ten gevolge van het verzoek lijdt. Voor de instelling van een vordering tegen een verzoeker geldt als diens woonplaats mede de woonplaats die hij voor de indiening van het verzoek heeft gekozen.

Eis tot schadevergoeding bij afwijzing

3. Wordt het verzoek of de vordering toegewezen, dan stelt de ondernemingskamer het bedrag vast dat het onderzoek ten hoogste mag kosten. De ondernemingskamer kan hangende het onderzoek dit bedrag op verzoek van de door haar benoemde personen verhogen, na verhoor, althans oproeping van de oorspronkelijke verzoekers. De ondernemingskamer bepaalt de vergoeding van de door haar benoemde personen. De rechtspersoon betaalt de kosten van het onderzoek; in geval van geschil beslist de ondernemingskamer op verzoek van de meest gerede partij. De ondernemingskamer kan bepalen dat de rechtspersoon voor de betaling der kosten zekerheid moet stellen.

Kosten toegewezen onderzoek

Art. 351. 1. De door de ondernemingskamer benoemde personen zijn gerechtigd tot raadpleging van de boeken, bescheiden en andere gegevensdragers van de rechtspersoon en de vennootschap bedoeld in artikel 345 lid 1 waarvan zij de kennisneming tot juiste vervulling van hun taak nodig achten. De bezittingen van de rechtspersoon en de vennootschap moeten hun desverlangd worden getoond. De bestuurders, de commissarissen zo die er zijn, alsmede degenen die in dienst zijn van de rechtspersoon of de vennootschap, zijn verplicht desgevraagd alle inlichtingen te verschaffen die nodig zijn voor de uitvoering van het onderzoek. Eenzelfde verplichting rust op hen die bestuurders of commissarissen van de rechtspersoon of vennootschap waren, of bij deze in dienst waren, gedurende het tijdvak waarover het onderzoek zich uitstrekt.

Bevoegdheden personen met onderzoek belast

2. De ondernemingskamer kan, indien dit voor de juiste vervulling van hun taak nodig is, de door haar benoemde personen op hun verzoek machtigen tot het raadplegen van de boeken, bescheiden en andere gegevensdragers en het zich doen tonen van de bezittingen van een rechtspersoon die nauw verbonden is met de rechtspersoon ten aanzien waarvan het onderzoek plaatsvindt. De bepalingen van de derde en de vierde volzin van het lid 1 zijn van overeenkomstige toepassing.

3. Het is de met het onderzoek belaste personen verboden, hetgeen hun bij hun onderzoek blijkt, verder bekend te maken dan hun opdracht met zich brengt.

Art. 352. 1. Wanneer aan een met het onderzoek belaste persoon wordt geweigerd overeenkomstig het vorige artikel raadpleging van boeken, bescheiden of andere gegevensdragers te verlenen of bezittingen te tonen, geeft de voorzitter van de ondernemingskamer op verzoek van die persoon de bevelen die de omstandigheden nodig maken.

Bevelen van voorzitter ondernemingskamer

2. De bevelen kunnen inhouden de opdracht aan de openbare macht om voor zoveel nodig bijstand te verlenen en de last om een woning binnen te treden, wanneer de plaats waar de boeken, bescheiden en andere gegevensdragers of de bezittingen zich bevinden, een woning is, of alleen door een woning toegankelijk. De woning wordt niet tegen de wil van de bewoner binnengetreden dan na vertoon van de last van de voorzitter.

Art. 352a. De met het onderzoek belaste personen kunnen de ondernemingskamer verzoeken een of meer personen als getuigen te horen. In het verzoek worden de namen en adressen van de te horen personen alsmede de feiten en omstandigheden waarover deze moeten worden gehoord vermeld. De onderzoekers zijn bevoegd bij het verhoor aanwezig te zijn en aan de getuigen vragen te stellen.

Verslag uitkomst onderzoek

Art. 353. 1. Het verslag van de uitkomst van het onderzoek wordt ter griffie van het gerechtshof te Amsterdam nedergelegd.

2. De procureur-generaal bij het gerechtshof, de rechtspersoon, alsmede de verzoekers en hun procureurs, ontvangen een exemplaar van het verslag. In het geval, bedoeld in artikel 348, ontvangt ook de Verzekeringskamer, onderscheidenlijk De Nederlandsche Bank N.V. een exemplaar van het verslag. De ondernemingskamer kan bepalen dat het verslag voorts geheel of gedeeltelijk ter inzage ligt voor de door haar aan te wijzen andere personen of voor een ieder.

3. Het is aan anderen dan de rechtspersoon verboden mededelingen aan derden te doen uit het verslag, voor zover dat niet voor een ieder ter inzage ligt, tenzij zij daartoe op hun verzoek door de voorzitter van de ondernemingskamer zijn gemachtigd. Een vereniging van werknemers is echter zonder een zodanige machtiging bevoegd tot het verstrekken van mededelingen uit het verslag aan de ondernemingsraad, die aan een door de rechtspersoon gedreven onderneming is verbonden.

4. Ten spoedigste na de nederlegging geeft de griffier daarvan kennis aan de verzoeker en aan de rechtspersoon; indien de ondernemingskamer dit beveelt, draagt hij voorts zorg voor de bekendmaking van de nederlegging en van de in het tweede lid bedoelde beschikking in de Nederlandse Staatscourant.

Verhaal kosten onderzoek

Art. 354. De ondernemingskamer kan na kennisneming van het verslag op verzoek van de rechtspersoon beslissen, dat deze de kosten van het onderzoek geheel of gedeeltelijk kan verhalen op de verzoekers, indien uit het verslag blijkt dat het verzoek niet op redelijke grond is gedaan, dan wel op een bestuurder, een commissaris of een ander die in dienst van de rechtspersoon is, indien uit het verslag blijkt dat deze verantwoordelijk is voor een onjuist beleid of een onbevredigende gang van zaken van de rechtspersoon. De laatste zin van het tweede lid van artikel 350 van dit Boek is van toepassing.

Voorzieningen bij wanbeleid

Art. 355. 1. Indien uit het verslag van wanbeleid is gebleken, kan de ondernemingskamer op verzoek van de oorspronkelijke verzoekers en, indien het verslag voor hen ter inzage ligt, op verzoek van anderen die aan de in artikel 346 of 347 van dit Boek gestelde vereisten voldoen, of op vordering van de procureur-generaal, ingesteld om redenen van openbaar belang, een of meer van de in het volgende artikel genoemde voorzieningen treffen, welke zij op grond van de uitkomst van het onderzoek geboden acht.

2. Het verzoek moet geschieden en de vordering moet worden ingesteld binnen twee maanden na nederlegging van het verslag ter griffie.

3. De artikelen 348 en 349a zijn van overeenkomstige toepassing.

4. In het geval, bedoeld in artikel 348, neemt de ondernemingskamer geen beslissing, alvorens de Verzekeringskamer onderscheidenlijk De Nederlandsche Bank N.V. in de gelegenheid te hebben gesteld over het verzoek te worden gehoord.

5. De ondernemingskamer kan haar beslissing voor een door haar te bepalen termijn aanhouden, indien de rechtspersoon op zich neemt, bepaalde maatregelen te treffen die een einde maken aan het wanbeleid of die de gevolgen welke daaruit zijn voortgevloeid, zoveel mogelijk ongedaan maken of beperken.

Art. 356. De voorzieningen, bedoeld in het vorige artikel, zijn:

a. schorsing of vernietiging van een besluit van de bestuurders, van commissarissen, van de algemene vergadering of van enig ander orgaan van de rechtspersoon;
b. schorsing of ontslag van een of meer bestuurders of commissarissen;
c. tijdelijke aanstelling van een of meer bestuurders of commissarissen;
d. tijdelijke afwijking van de door de ondernemingskamer aangegeven bepalingen van de statuten;
e. tijdelijke overdracht van aandelen ten titel van beheer;
f. ontbinding van de rechtspersoon.

Geldingsduur voorlopige voorzieningen

Art. 357. 1. De ondernemingskamer bepaalt de geldingsduur van de door haar getroffen tijdelijke voorzieningen; zij kan op verzoek van de verzoekers, bedoeld in artikel 355 van dit Boek, of van de rechtspersoon dan wel op vordering van de procureur-generaal die duur verlengen en verkorten.

2. De ondernemingskamer regelt zo nodig de gevolgen van de door haar getroffen voorzieningen.

3. Een door de ondernemingskamer getroffen voorziening kan door de rechtspersoon niet ongedaan worden gemaakt; een besluit daartoe is nietig.
4. De ondernemingskamer kan aan degenen die zij tijdelijk aanstelt tot bestuurder of commissaris, een beloning ten laste van de rechtspersoon toekennen.
5. Zij kan aan hen opdragen haar regelmatig verslag uit te brengen.
6. De ondernemingskamer spreekt de ontbinding van de rechtspersoon niet uit, wanneer het belang van de leden of aandeelhouders of van degenen die in dienst van de rechtspersoon zijn, dan wel het openbaar belang zich daartegen verzet.

Voorlopige tenuitvoerlegging voorzieningen

Art. 358. 1. De ondernemingskamer kan de voorlopige tenuitvoerlegging der voorzieningen genoemd in artikel 356 onder a-e bevelen.
2. De griffier der ondernemingskamer doet ten kantore van het handels-, vereniging- of stichtingenregister waar de rechtspersoon of vennootschap is ingeschreven, een afschrift van de beschikkingen der ondernemingskamer nederleggen. Van beschikkingen die niet voorlopig ten uitvoer kunnen worden gelegd, geschiedt de nederlegging zodra zij in kracht van gewijsde zijn gegaan.
3. In het geval, bedoeld in artikel 348 ontvangt de Verzekeringskamer, onderscheidenlijk De Nederlandsche Bank N.V. van de griffier een afschrift van de beschikkingen van de ondernemingskamer.

Beroep in cassatie

Art. 359. Tot het instellen van een beroep in cassatie tegen de beschikkingen van de ondernemingskamer uit hoofde van deze afdeling is, buiten de personen bedoeld in artikel 426, eerste lid, van het Wetboek van Burgerlijke Rechtsvordering, de rechtspersoon bevoegd, ongeacht of deze bij de ondernemingskamer is verschenen.

TITEL 9
De jaarrekening en het jaarverslag

AFDELING 1
Algemene bepaling

Werkingssfeer

Art. 360. 1. Deze titel is van toepassing op de coöperatie, de onderlinge waarborgmaatschappij, de naamloze vennootschap en de besloten vennootschap met beperkte aansprakelijkheid. Ongeacht hun rechtsvorm is deze titel op banken als bedoeld in artikel 415 van toepassing.
2. Deze titel is eveneens van toepassing op een commanditaire vennootschap of een vennootschap onder firma waarvan alle vennoten die volledig jegens schuldeisers aansprakelijk zijn voor de schulden, kapitaalvennootschappen naar buitenlands recht zijn.

AFDELING 2
Algemene bepalingen omtrent de jaarrekening

Jaarrekening

Art. 361. 1. In dit boek wordt onder jaarrekening verstaan: de balans en de winst- en verliesrekening met de toelichting.

Exploitatierekening

2. Coöperaties vervangen de winst- en verliesrekening door een exploitatierekening, indien het in artikel 362 lid 1 bedoelde inzicht daardoor wordt gediend; op deze rekening zijn de bepalingen omtrent de winst- en verliesrekening zoveel mogelijk van overeenkomstige toepassing. Bepalingen omtrent winst en verlies zijn zoveel mogelijk van overeenkomstige toepassing op het exploitatiesaldo.
3. De bepalingen van deze titel gelden voor jaarrekeningen en hun onderdelen, zowel in de vorm waarin zij door het bestuur zijn opgemaakt als in de vorm waarin zij door het bevoegde orgaan van de rechtspersoon zijn vastgesteld of goedgekeurd.

Groepsjaarrekening

4. Bij de toepassing van de artikelen 367, 370 lid 1, 375, 376, 377 lid 5 en 381 moeten overeenkomstige vermeldingen als met betrekking tot groepsmaatschappijen worden opgenomen met betrekking tot andere maatschappijen:
a. die op voet van de leden 1, 3 en 4 van artikel 24a rechten in de rechtspersoon kunnen uitoefenen, ongeacht of zij rechtspersoonlijkheid hebben, of
b. die dochtermaatschappij zijn van de rechtspersoon, van een groepsmaatschappij of van een maatschappij als bedoeld in onderdeel a.

Getrouwe, duidelijke en stelselmatige weergave

Art. 362. 1. De jaarrekening geeft volgens normen die in het maatschappelijk verkeer als aanvaardbaar worden beschouwd een zodanig inzicht dat een verantwoord oordeel kan worden gevormd omtrent het vermogen en het resultaat, alsmede voor zover de aard van een jaarrekening dat toelaat, omtrent de solvabiliteit en de

liquiditeit van de rechtspersoon.
Indien de internationale vertakking van zijn groep dit rechtvaardigt kan de rechtspersoon de jaarrekening opstellen naar de normen die in het maatschappelijk verkeer in een van de andere lidstaten van de Europese Gemeenschappen als aanvaardbaar worden beschouwd en het in de eerste volzin bedoelde inzicht geven. Indien de rechtspersoon van deze mogelijkheid gebruik maakt wordt door hem hiervan in de toelichting melding gemaakt.

2. De balans met de toelichting geeft getrouw, duidelijk en stelselmatig de grootte van het vermogen en zijn samenstelling in actief- en passiefposten op het einde van het boekjaar weer. De balans mag het vermogen weergeven, zoals het wordt samengesteld met inachtneming van de bestemming van de winst of de verwerking van het verlies, of, zolang deze niet vaststaat, met inachtneming van het voorstel daartoe.

3. De winst- en verliesrekening met de toelichting geeft getrouw, duidelijk en stelselmatig de grootte van het resultaat van het boekjaar en zijn afleiding uit de posten van baten en lasten weer.

4. Indien het verschaffen van het in lid 1 bedoelde inzicht dit vereist, verstrekt de rechtspersoon in de jaarrekening gegevens ter aanvulling van hetgeen in de bijzondere voorschriften van en krachtens deze titel wordt verlangd. Indien dit noodzakelijk is voor het verschaffen van dat inzicht, wijkt de rechtspersoon van die voorschriften af; de reden van deze afwijking wordt in de toelichting uiteengezet, voor zover nodig onder opgaaf van de invloed ervan op vermogen en resultaat.

5. De baten en lasten van het boekjaar worden in de jaarrekening opgenomen, onverschillig of zij tot ontvangsten of uitgaven in dat boekjaar hebben geleid.

In ernstige mate tekortschieten jaarrekening

6. De jaarrekening wordt vastgesteld en aan goedkeuring onderworpen met inachtneming van hetgeen omtrent de financiële toestand op de balansdatum is gebleken tussen het opmaken van de jaarrekening en de algemene vergadering waarin zij wordt behandeld, voor zover dat onontbeerlijk is voor het in lid 1 bedoelde inzicht. Blijkt nadien dat de jaarrekening in ernstige mate tekortschiet in het geven van dit inzicht, dan bericht het bestuur daaromtrent onverwijld aan de leden of aandeelhouders en legt het een mededeling daaromtrent neder ten kantore van het handelsregister; bij de mededeling wordt een accountantsverklaring gevoegd, indien de jaarrekening overeenkomstig artikel 393 is onderzocht.

Vreemde geldeenheid

7. Indien de werkzaamheid van de rechtspersoon of de internationale vertakking van zijn groep dat rechtvaardigt, mag de jaarrekening of alleen de geconsolideerde jaarrekening worden opgesteld in een vreemde geldeenheid. De posten worden in de Nederlandse taal omschreven, tenzij de algemene vergadering tot het gebruik van een andere taal heeft besloten.

Vorm van de jaarrekening

Art. 363. 1. De samenvoeging, de ontleding en de rangschikking van de gegevens in de jaarrekening en de toelichting op die gegevens zijn gericht op het inzicht dat de jaarrekening krachtens artikel 362 lid 1 beoogt te geven. Daarbij worden de voorschriften krachtens lid 6 en de andere afdelingen van deze titel in acht genomen.

Saldering

2. Het is niet geoorloofd in de jaarrekening activa en passiva of baten en lasten tegen elkaar te laten wegvallen, indien zij ingevolge deze titel in afzonderlijke posten moeten worden opgenomen.

3. Een post behoeft niet afzonderlijk te worden vermeld, indien deze in het geheel van de jaarrekening van te verwaarlozen betekenis is voor het wettelijk vereiste inzicht. Krachtens deze titel vereiste vermeldingen mogen achterwege blijven voor zover zij op zichzelf genomen en tezamen met soortgelijke vermeldingen voor dit inzicht van te verwaarlozen betekenis zouden zijn. Vermeldingen krachtens de artikelen 378, 382 en 383 mogen evenwel niet achterwege blijven.

Afwijken indeling van voorgaand jaar

4. De indeling van de balans en van de winst- en verliesrekening mag slechts wegens gegronde redenen afwijken van die van het voorafgaande jaar; in de toelichting worden de verschillen aangegeven en worden de redenen die tot afwijking hebben geleid, uiteengezet.

5. Zoveel mogelijk wordt bij iedere post van de jaarrekening het bedrag van het voorafgaande boekjaar vermeld; voor zover nodig, wordt dit bedrag ter wille van de vergelijkbaarheid herzien en wordt de afwijking ten gevolge van de herziening toegelicht.

Algemene en bijzondere jaarrekening-schema's

6. Wij kunnen voor de indeling van de jaarrekening bij algemene maatregel van bestuur modellen en nadere voorschriften vaststellen, die gelden voor de daarbij omschreven rechtspersonen. Bij de toepassing daarvan worden de indeling, bena-

ming en omschrijving van de daarin voorkomende posten aangepast aan de aard van het bedrijf van de rechtspersoon, voor zover dat krachtens de algemene maatregel is toegelaten.

AFDELING 3
Voorschriften omtrent de balans en de toelichting daarop

§ 1. *Hoofdindeling van de balans*

Art. 364. 1. Op de balans worden de activa onderscheiden in vaste en vlottende activa, al naar gelang zij zijn bestemd om de uitoefening van de werkzaamheid van de rechtspersoon al of niet duurzaam te dienen.

Vaste en vlottende activa

2. Onder de vaste activa worden afzonderlijk opgenomen de immateriële, materiële en financiële vaste activa.

3. Onder de vlottende activa worden afzonderlijk opgenomen de voorraden, vorderingen, effecten, liquide middelen, en, voor zover zij niet onder de vorderingen zijn vermeld, de overlopende activa.

Overlopende posten

4. Onder de passiva worden afzonderlijk opgenomen het eigen vermogen, de voorzieningen, de schulden en, voor zover zij niet onder de schulden zijn vermeld, de overlopende passiva.

§ 2. *Activa*

Art. 365. 1. Onder de immateriële vaste activa worden afzonderlijk opgenomen:

Immateriële vaste activa

a. kosten die verband houden met de oprichting en de uitgifte van aandelen;
b. kosten van onderzoek en ontwikkeling;
c. kosten van verwerving ter zake van concessies, vergunningen en rechten van intellectuele eigendom;
d. kosten van goodwill die van derden is verkregen;
e. vooruitbetalingen op immateriële vaste activa.

2. Voor zover de rechtspersoon de kosten, vermeld in de onderdelen a en b van lid 1, activeert, moet hij deze toelichten en moet hij ter hoogte daarvan een reserve aanhouden.

Art. 366. 1. Onder de materiële vaste activa worden afzonderlijk opgenomen:

Materiële vaste activa

a. bedrijfsgebouwen en -terreinen;
b. machines en installaties;
c. andere vaste bedrijfsmiddelen, zoals technische en administratieve uitrusting;
d. materiële vaste bedrijfsactiva in uitvoering en vooruitbetalingen op materiële vaste activa;
e. niet aan het produktieproces dienstbare materiële vaste activa.

2. Indien de rechtspersoon op of met betrekking tot materiële vaste activa slechts een beperkt zakelijk of persoonlijk duurzaam genotsrecht heeft, wordt dit vermeld.

Art. 367. Onder de financiële vaste activa worden afzonderlijk opgenomen:

Financiële vaste activa, deelnemingen

a. aandelen, certificaten van aandelen en andere vormen van deelneming in groepsmaatschappijen;
b. andere deelnemingen;
c. vorderingen op groepsmaatschappijen;
d. vorderingen op andere rechtspersonen en vennootschappen die een deelneming hebben in de rechtspersoon of waarin de rechtspersoon een deelneming heeft;
e. overige effecten;
f. overige vorderingen, met afzonderlijke vermelding van de vorderingen uit leningen en voorschotten aan leden of houders van aandelen op naam.

Art. 368. 1. Het verloop van elk der posten, behorende tot de vaste activa, gedurende het boekjaar wordt in een sluitend overzicht weergegeven. Daaruit blijken:

Overzicht mutaties vaste activa

a. de boekwaarde aan het begin van het boekjaar;
b. de som van de waarden waartegen de in het boekjaar verkregen activa zijn te boek gesteld, en de som van de boekwaarden der activa waarover de rechtspersoon aan het einde van het boekjaar niet meer beschikt;
c. de herwaarderingen over het boekjaar overeenkomstig artikel 390 lid 1;
d. de afschrijvingen, de waardeverminderingen en de terugneming daarvan over het

boekjaar;
e. de boekwaarde aan het einde van het boekjaar.

2. Voorts worden voor elk der posten behorende tot de vaste activa opgegeven:
a. de som der herwaarderingen die betrekking hebben op de activa welke op de balansdatum aanwezig zijn;
b. de som der afschrijvingen en waardeverminderingen op de balansdatum.

Onder vlottende activa behorende voorraden

Art. 369. Onder de tot de vlottende activa behorende voorraden worden afzonderlijk opgenomen:
a. grond- en hulpstoffen;
b. onderhanden werk;
c. gereed produkt en handelsgoederen;
d. vooruitbetalingen op voorraden.

Onder vlottende activa behorende vorderingen

Art. 370. 1. Onder de tot de vlottende activa behorende vorderingen worden afzonderlijk opgenomen:
a. vorderingen op handelsdebiteuren;
b. vorderingen op groepsmaatschappijen;
c. vorderingen op andere rechtspersonen en vennootschappen die een deelneming hebben in de rechtspersoon of waarin de rechtspersoon een deelneming heeft;
d. opgevraagde stortingen van geplaatst kapitaal;
e. overige vorderingen, met uitzondering van die waarop de artikelen 371 en 372 van toepassing zijn, en met afzonderlijke vermelding van de vorderingen uit leningen en voorschotten aan leden of houders van aandelen op naam.

2. Bij elk van de in lid 1 vermelde groepen van vorderingen wordt aangegeven tot welk bedrag de resterende looptijd langer is dan een jaar.

Onder vlottende activa behorende effecten

Art. 371. 1. Behoren tot de vlottende activa aandelen en andere vormen van belangen in niet in de consolidatie betrokken maatschappijen als bedoeld in artikel 361 lid 4, dan worden deze afzonderlijk onder de effecten opgenomen. Vermeld wordt de gezamenlijke waarde van de overige tot de vlottende activa behorende effecten die in de prijscourant van een Nederlandse of buitenlandse beurs zijn opgenomen.

2. Omtrent de effecten wordt vermeld, in hoeverre deze niet ter vrije beschikking van de rechtspersoon staan.

Liquide middelen

Art. 372. 1. Onder de liquide middelen worden opgenomen de kasmiddelen, de tegoeden op bank- en girorekeningen, alsmede de wissels en cheques.

2. Omtrent de tegoeden wordt vermeld, in hoeverre deze niet ter vrije beschikking van de rechtspersoon staan.

§ 3. *Passiva*

Eigen vermogen

Art. 373. 1. Onder het eigen vermogen worden afzonderlijk opgenomen:
a. het geplaatste kapitaal;
b. agio;
c. herwaarderingsreserves;
d. andere wettelijke reserves, onderscheiden naar hun aard;
e. statutaire reserves;
f. overige reserves;
g. niet verdeelde winsten, met afzonderlijke vermelding van het resultaat na belastingen van het boekjaar, voor zover de bestemming daarvan niet in de balans is verwerkt.

2. Is het geplaatste kapitaal niet volgestort, dan wordt in plaats daarvan het gestorte kapitaal vermeld of, indien stortingen zijn uitgeschreven, het gestorte en opgevraagde kapitaal. Het geplaatste kapitaal wordt in deze gevallen vermeld.

3. Het kapitaal wordt niet verminderd met het bedrag van eigen aandelen of certificaten daarvan die de rechtspersoon of een dochtermaatschappij houdt.

4. Wettelijke reserves zijn de reserves die moeten worden aangehouden ingevolge de artikelen 94a lid 3 onderdeel f, 178 lid 3, 207c lid 3, 365 lid 2, 389 lid 6 en 390.

5. In een jaarrekening die in een vreemde geldeenheid wordt opgesteld, wordt de in lid 1 onderdeel a bedoelde post opgenomen in die geldeenheid, naar de koers op de balansdatum. Tevens worden dan deze koers en het bedrag in Nederlands geld vermeld. Voor de toepassing van artikel 178 lid 3 wordt naar de zelfde koers gerekend.

Voorzieningen

Art. 374. 1. Op de balans worden voorzieningen opgenomen tegen:
a. verplichtingen en verliezen waarvan de omvang op de balansdatum onzeker is, doch redelijkerwijs is te schatten;
b. op de balansdatum bestaande risico's ter zake van bepaalde te verwachten verplichtingen of verliezen waarvan de omvang redelijkerwijs is te schatten;
c. kosten welke in een volgend boekjaar zullen worden gemaakt, mits het maken van die kosten zijn oorsprong mede vindt in het boekjaar of in een voorafgaand boekjaar en de voorziening strekt tot gelijkmatige verdeling van lasten over een aantal boekjaren.
2. Waardevermindering van een actief wordt niet door vorming van een voorziening tot uitdrukking gebracht.
3. De voorzieningen worden gesplitst naar de aard der verplichtingen, verliezen en kosten waartegen zij worden getroffen; zij worden overeenkomstig de aard nauwkeurig omschreven. In de toelichting wordt zoveel mogelijk aangegeven in welke mate de voorzieningen als langlopend moeten worden beschouwd.
4. In ieder geval worden afzonderlijk opgenomen:
a. de voorziening voor belastingverplichtingen, die na het boekjaar kunnen ontstaan, doch aan het boekjaar of een voorafgaand boekjaar moeten worden toegerekend, met inbegrip van de voorziening voor belastingen die uit waardering boven de verkrijgings- of vervaardigingsprijs kan voortvloeien;
b. de voorziening voor pensioenverplichtingen.

Schulden

Art. 375. 1. Onder de schulden worden afzonderlijk opgenomen:
a. obligatieleningen, pandbrieven en andere leningen met afzonderlijke vermelding van de converteerbare leningen;
b. schulden aan kredietinstellingen;
c. ontvangen vooruitbetalingen op bestellingen voor zover niet reeds op actiefposten in mindering gebracht;
d. schulden aan leveranciers en handelskredieten;
e. te betalen wissels en cheques;
f. schulden aan groepsmaatschappijen;
g. schulden aan rechtspersonen en vennootschappen die een deelneming hebben in de rechtspersoon of waarin de rechtspersoon een deelneming heeft, voor zover niet reeds onder f vermeld;
h. schulden ter zake van belastingen en premiën van sociale verzekering;
i. schulden ter zake van pensioenen;
j. overige schulden.
2. Bij elke in lid 1 vermelde groep van schulden wordt aangegeven tot welk bedrag de resterende looptijd langer is dan één jaar, met aanduiding van de rentevoet daarover en met afzonderlijke vermelding tot welk bedrag de resterende looptijd langer is dan vijf jaar.
3. Onderscheiden naar de in lid 1 genoemde groepen, wordt aangegeven voor welke schulden zakelijke zekerheid is gesteld en in welke vorm dat is geschied. Voorts wordt medegedeeld ten aanzien van welke schulden de rechtspersoon zich, al dan niet voorwaardelijk, heeft verbonden tot het bezwaren of niet bezwaren van goederen, voor zover dat noodzakelijk is voor het verschaffen van het in artikel 362 lid 1 bedoelde inzicht.
4. Aangegeven wordt tot welk bedrag schulden in rang zijn achtergesteld bij de andere schulden; de aard van deze achterstelling wordt toegelicht.
5. Is het bedrag waarmee de schuld moet worden afgelost hoger dan het ontvangen bedrag, dan mag het verschil, mits afzonderlijk vermeld, uiterlijk tot de aflossing worden geactiveerd.
6. Het bedrag wordt vermeld dat de rechtspersoon op leningen die zijn opgenomen onder de schulden met een resterende looptijd van meer dan een jaar, moet aflossen tijdens het boekjaar, volgend op dat waarop de jaarrekening betrekking heeft.
7. Bij converteerbare leningen worden de voorwaarden van conversie medegedeeld.

Aansprakelijkstelling voor schulden van derden

Art. 376. Heeft de rechtspersoon zich aansprakelijk gesteld voor schulden van anderen of loopt hij nog risico voor verdisconteerde wissels of chèques, dan worden de daaruit voortvloeiende verplichtingen, voor zover daarvoor op de balans geen voorzieningen zijn opgenomen, vermeld en ingedeeld naar de vorm der geboden zekerheid. Afzonderlijk worden vermeld de verplichtingen die ten behoeve van groepsmaatschappijen zijn aangegaan.

AFDELING 4
Voorschriften omtrent de winst- en verliesrekening en de toelichting daarop

Winst- en verliesrekening

Art. 377. 1. Op de winst- en verliesrekening worden afzonderlijk opgenomen:
a. de baten en lasten uit de gewone bedrijfsuitoefening, de belastingen daarover en het resultaat uit de gewone bedrijfsuitoefening na belastingen;
b. de buitengewone baten en lasten, de belastingen daarover en het buitengewone resultaat na belastingen;
c. de overige belastingen;
d. het resultaat na belastingen.

2. De baten en lasten uit de gewone bedrijfsuitoefening worden hetzij overeenkomstig lid 3, hetzij overeenkomstig lid 4 gesplitst.

3. Afzonderlijk worden opgenomen:
a. de netto-omzet;
b. de toe- of afneming van de voorraad gereed produkt en onderhanden werk ten opzichte van de voorafgaande balansdatum;
c. de geactiveerde produktie ten behoeve van het eigen bedrijf;
d. de overige bedrijfsopbrengsten;
e. de lonen;
f. de sociale lasten met afzonderlijke vermelding van de pensioenlasten;
g. de kosten van grond- en hulpstoffen en de overige externe kosten;
h. de afschrijvingen en de waardeverminderingen ten laste van de immateriële en de materiële vaste activa, gesplitst naar die groepen activa;
i. waardeverminderingen van vlottende activa, voor zover zij de bij de rechtspersoon gebruikelijke waardeverminderingen overtreffen;
j. de overige bedrijfskosten;
k. het resultaat uit deelnemingen;
l. opbrengsten van andere effecten en vorderingen, die tot de vaste activa behoren;
m. de overige rentebaten en soortgelijke opbrengsten;
n. de wijzigingen in de waarde van de financiële vaste activa en van de effecten die tot de vlottende activa behoren;
o. de rentelasten en soortgelijke kosten.

4. Afzonderlijk worden opgenomen:
a. de netto-omzet;
b. de kostprijs van de omzet, met uitzondering van de daarin opgenomen rentelasten, doch met inbegrip van de afschrijvingen en waardeverminderingen;
c. het bruto-omzetresultaat als saldo van de posten a en b;
d. de verkoopkosten, met inbegrip van de afschrijvingen en buitengewone waardeverminderingen;
e. de algemene beheerskosten, met inbegrip van de afschrijvingen en waardeverminderingen;
f. de overige bedrijfsopbrengsten;
g. het resultaat uit deelnemingen;
h. opbrengsten uit andere effecten en vorderingen die tot de vaste activa behoren;
i. de overige rentebaten en soortgelijke opbrengsten;
j. de wijzigingen in de waarde van de financiële vaste activa en van de effecten die tot de vlottende activa behoren;
k. de rentelasten en soortgelijke kosten.

5. Bij de posten k-o van lid 3 en de posten g-k van lid 4 worden afzonderlijk vermeld de baten en lasten uit de verhouding met groepsmaatschappijen.

6. Onder de netto-omzet wordt verstaan de opbrengst uit levering van goederen en diensten uit het bedrijf van de rechtspersoon, onder aftrek van kortingen en dergelijke en van over de omzet geheven belastingen.

Buitengewone baten en lasten

7. Als buitengewone baten en lasten worden aangemerkt de baten en lasten die niet uit de gewone uitoefening van het bedrijf van de rechtspersoon voortvloeien. Tenzij deze baten en lasten van ondergeschikte betekenis zijn voor de beoordeling van het resultaat, worden zij naar aard en omvang toegelicht; hetzelfde geldt voor de baten en lasten welke aan een ander boekjaar moeten worden toegerekend, voor zover zij niet tot de buitengewone baten en lasten zijn gerekend.

AFDELING 5
Bijzondere voorschriften omtrent de toelichting

Nadere gegevens omtrent eigen vermogen

Art. 378. 1. Het verloop van het eigen vermogen gedurende het boekjaar wordt weergegeven in een overzicht. Daaruit blijken:

a. het bedrag van elke post aan het begin van het boekjaar;
b. de toevoegingen en de verminderingen van elke post over het boekjaar, gesplitst naar hun aard;
c. het bedrag van elke post aan het einde van het boekjaar.

2. In het overzicht wordt de post gestort en opgevraagd kapitaal uitgesplitst naar de soorten aandelen. Afzonderlijk worden vermeld de eindstand en de gegevens over het verloop van de aandelen in het kapitaal van de rechtspersoon en van de certificaten daarvan, die deze zelf of een dochtermaatschappij voor eigen rekening houdt of doet houden. Vermeld wordt op welke post van het eigen vermogen de verkrijgingsprijs of boekwaarde daarvan in mindering is gebracht.

Eigen aandelen

3. Opgegeven wordt op welke wijze stortingen op aandelen zijn verricht die in het boekjaar opeisbaar werden of vrijwillig zijn verricht, met de zakelijke inhoud van de in het boekjaar verrichte rechtshandelingen, waarop een der artikelen 94, 94c, 204 of 204c van toepassing is. Een naamloze vennootschap vermeldt iedere verwerving en vervreemding voor haar rekening van eigen aandelen en certificaten daarvan; daarbij worden medegedeeld de redenen van verwerving, het aantal, het nominale bedrag en de overeengekomen prijs van de bij elke handeling betrokken aandelen en certificaten en het gedeelte van het kapitaal dat zij vertegenwoordigen.

4. Een naamloze vennootschap vermeldt de gegevens omtrent het aantal, de soort en het nominale bedrag van de eigen aandelen of de certificaten daarvan:
a. die zij of een ander voor haar rekening op de balansdatum in pand heeft;
b. die zij of een dochtermaatschappij op de balansdatum houdt op grond van verkrijging met toepassing van artikel 98 lid 5.

Lijst van deelnemingen

Art. 379. 1. De rechtspersoon vermeldt naam, woonplaats en het verschafte aandeel in het geplaatste kapitaal van elke maatschappij:
a. waaraan hij alleen of samen met een of meer dochtermaatschappijen voor eigen rekening ten minste een vijfde van het geplaatste kapitaal verschaft of doet verschaffen, of
b. waarin hij als vennoot jegens de schuldeisers volledig aansprakelijk is voor de schulden.

2. Van elke in onderdeel a van lid 1 bedoelde maatschappij vermeldt de rechtspersoon ook het bedrag van het eigen vermogen en resultaat volgens haar laatst vastgestelde jaarrekening, tenzij:
a. de rechtspersoon de financiële gegevens van de maatschappij consolideert;
b. de rechtspersoon de maatschappij op zijn balans of geconsolideerde balans overeenkomstig artikel 389 leden 1 tot en met 8 verantwoordt;
c. de rechtspersoon de financiële gegevens van de maatschappij wegens te verwaarlozen belang dan wel op grond van artikel 408 niet consolideert; of
d. minder dan de helft van het kapitaal van de maatschappij voor rekening van de rechtspersoon wordt verschaft en de maatschappij wettig haar balans niet openbaar maakt.

3. Tenzij zulk een maatschappij haar belang in de rechtspersoon wettig niet pleegt te vermelden, vermeldt de rechtspersoon:
a. naam en woonplaats van de maatschappij die aan het hoofd van zijn groep staat, en
b. naam en woonplaats van elke maatschappij die zijn financiële gegevens consolideert in haar openbaar gemaakte geconsolideerde jaarrekening, alsmede de plaats waar afschriften daarvan tegen niet meer dan de kostprijs zijn te verkrijgen.

4. Onze Minister van Economische Zaken kan van de verplichtingen, bedoeld in de leden 1, 2 en 3, desverzocht ontheffing verlenen, indien gegronde vrees bestaat dat door de vermelding ernstig nadeel kan ontstaan. Deze ontheffing kan telkens voor ten hoogste vijf jaren worden gegeven. In de toelichting wordt vermeld dat ontheffing is verleend of aangevraagd. Hangende de aanvraag is openbaarmaking niet vereist.

5. De vermeldingen, vereist in dit artikel en in artikel 414 mogen gezamenlijk worden opgenomen. De rechtspersoon mag het deel van de toelichting dat deze vermeldingen bevat afzonderlijk ter inzage van ieder neerleggen ten kantore van het handelsregister, mits beide delen van de toelichting naar elkaar verwijzen.

Uitsplitsing omzet

Art. 380. 1. Indien de inrichting van het bedrijf van de rechtspersoon is afgestemd op werkzaamheden in verschillende bedrijfstakken, wordt met behulp van cijfers inzicht gegeven in de mate waarin elk van de soorten van die werkzaamheden tot de netto-omzet heeft bijgedragen.

2. De netto-omzet wordt op overeenkomstige wijze gesplitst naar de onderscheiden gebieden waarin de rechtspersoon goederen en diensten levert.
3. Artikel 379 lid 4 is van overeenkomstige toepassing.

Langlopende verplichtingen

Art. 381. Vermeld wordt tot welke belangrijke, niet in de balans opgenomen, financiële verplichtingen de rechtspersoon voor een aantal toekomstige jaren is verbonden, zoals die welke uit langlopende overeenkomsten voortvloeien. Daarbij worden afzonderlijk vermeld de verplichtingen jegens groepsmaatschappijen. Artikel 375 lid 3 is van overeenkomstige toepassing.

Gemiddeld aantal werknemers

Art. 382. Medegedeeld wordt het gemiddelde aantal gedurende het boekjaar bij de rechtspersoon werkzame werknemers, ingedeeld op een wijze die is afgestemd op de inrichting van het bedrijf. Heeft artikel 377, lid 3 geen toepassing in de winst- en verliesrekening gevonden, dan worden de aldaar onder *e* en *f* verlangde gegevens vermeld.

Bezoldiging bestuurders en commissarissen

Art. 383. 1. Opgegeven worden het bedrag van de bezoldigingen, met inbegrip van de pensioenlasten, en van de andere uitkeringen voor de gezamenlijke bestuurders en gewezen bestuurders en, afzonderlijk, voor de gezamenlijke commissarissen en gewezen commissarissen. De vorige zin heeft betrekking op de bedragen die in het boekjaar ten laste van de rechtspersoon zijn gekomen. Indien de rechtspersoon dochtermaatschappijen heeft of de financiële gegevens van andere maatschappijen consolideert, worden de bedragen die in het boekjaar te hunnen laste zijn gekomen, in de opgave begrepen. Een opgave die een enkele persoon zou betreffen blijft achterwege.

Leningen en voorschotten aan bestuurders en commissarissen

2. Met uitzondering van de laatste zin is lid 1 tevens van toepassing op het bedrag van de leningen, voorschotten en garanties, ten behoeve van bestuurders en commissarissen van de rechtspersoon verstrekt door de rechtspersoon, zijn dochtermaatschappijen en de maatschappen waarvan hij de gegevens consolideert. Opgegeven worden de nog openstaande bedragen, de rentevoet, de belangrijkste overige bepalingen en de aflossingen gedurende het boekjaar.

AFDELING 6
Voorschriften omtrent de grondslagen van waardering en van bepaling van het resultaat

Keuze waarderingsgrondslag

Art. 384. 1. Bij de keuze van een grondslag voor de waardering van een actief en van een passief en voor de bepaling van het resultaat laat de rechtspersoon zich leiden door de voorschriften van artikel 362 leden 1-4. Als grondslag komen in aanmerking de verkrijgings- of vervaardigingsprijs en, voor de materiële en financiële vaste activa en de voorraden, tevens de actuele waarde.

Voorzichtigheidsbeginsel

2. Bij de toepassing van de grondslagen wordt voorzichtigheid betracht. Winsten worden slechts opgenomen, voor zover zij op de balansdatum zijn verwezenlijkt. Verliezen en risico's die hun oorsprong vinden vóór het einde van het boekjaar, worden in acht genomen, indien zij vóór het opmaken van de jaarrekening zijn bekend geworden.

Verondersteld going-concern

3. Bij de waardering van activa en passiva wordt uitgegaan van de veronderstelling dat het geheel der werkzaamheden van de rechtspersoon waaraan die activa en passiva dienstbaar zijn, wordt voortgezet, tenzij die veronderstelling onjuist is of haar juistheid aan gerede twijfel onderhevig is; alsdan wordt dit onder mededeling van de invloed op vermogen en resultaat in de toelichting uiteengezet.
4. Bij algemene maatregel van bestuur kunnen regels worden gesteld omtrent de inhoud, de grenzen en de wijze van toepassing van waardering tegen actuele waarden.
5. De grondslagen van de waardering van de activa en de passiva en de bepaling van het resultaat worden met betrekking tot elk der posten uiteengezet. De grondslagen voor de omrekening van in vreemde valuta luidende bedragen worden uiteengezet; tevens wordt vermeld op welke wijze koersverschillen zijn verwerkt.
6. Slechts wegens gegronde redenen mogen de waardering van activa en passiva en de bepaling van het resultaat geschieden op andere grondslagen dan die welke in het voorafgaande boekjaar zijn toegepast. De reden der verandering wordt in de toelichting uiteengezet. Tevens wordt inzicht gegeven in haar betekenis voor vermogen en resultaat, aan de hand van aangepaste cijfers voor het boekjaar of voor het voorafgaande boekjaar.

Art. 385. 1. De activa en passiva worden, voor zover zij in hun betekenis voor het in artikel 362 lid 1 bedoelde inzicht verschillen, afzonderlijk gewaardeerd.

Afzonderlijke waardering activa en passiva

2. De waardering van gelijksoortige bestanddelen van voorraden en effecten mag geschieden met toepassing van gewogen gemiddelde prijzen, van de regels „eerst-in, eerst-uit" (Fifo), „laatst-in, eerst-uit" (Lifo), of van soortgelijke regels.

3. Materiële vaste activa en voorraden van grond- en hulpstoffen die geregeld worden vervangen en waarvan de gezamenlijke waarde van ondergeschikte betekenis is, mogen tegen een vaste hoeveelheid en waarde worden opgenomen, indien de hoeveelheid, samenstelling en waarde slechts aan geringe veranderingen onderhevig zijn.

4. De in artikel 365 lid 1 onder *c-e* genoemde activa worden opgenomen tot ten hoogste de daarvoor gedane uitgaven, verminderd met de afschrijvingen.

Verbod activering eigen aandelen

5. Eigen aandelen of certificaten daarvan die de rechtspersoon houdt of doet houden, mogen niet worden geactiveerd. De aan het belang in een dochtermaatschappij toegekende waarde wordt, al dan niet evenredig aan het belang, verminderd met de verkrijgingsprijs van aandelen in de rechtspersoon en van certificaten daarvan, die de dochtermaatschappij voor eigen rekening houdt of doet houden; heeft zij deze aandelen of certificaten verkregen voor het tijdstip waarop zij dochtermaatschappij werd, dan komt evenwel hun boekwaarde op dat tijdstip in mindering of een evenredig deel daarvan.

Afschrijvingen

Art. 386. 1. De afschrijvingen geschieden onafhankelijk van het resultaat van het boekjaar.

2. De methoden volgens welke de afschrijvingen zijn berekend, worden in de toelichting uiteengezet.

Disagio

3. De geactiveerde kosten in verband met de oprichting en met de uitgifte van aandelen en de kosten van onderzoek en ontwikkeling worden afgeschreven in ten hoogste vijf jaren. De geactiveerde kosten van goodwill worden afgeschreven naar gelang van de verwachte gebruiksduur. De afschrijvingsduur mag vijf jaren slechts te boven gaan, indien de goodwill aan een aanzienlijk langer tijdvak kan worden toegerekend; alsdan moet de afschrijvingsduur met de redenen hiervoor worden opgegeven.

4. Op vaste activa met beperkte gebruiksduur wordt jaarlijks afgeschreven volgens een stelsel dat op de verwachte toekomstige gebruiksduur is afgestemd.

5. Op het overeenkomstig artikel 375 lid 5 geactiveerde deel van een schuld wordt tot de aflossing jaarlijks een redelijk deel afgeschreven.

Waardevermindering van activa

Art. 387. 1. Waardeverminderingen van activa worden onafhankelijk van het resultaat van het boekjaar in aanmerking genomen.

Waardering vlottende activa

2. Vlottende activa worden gewaardeerd tegen marktwaarde, indien deze op de balansdatum lager is dan de verkrijgings- of vervaardigingsprijs. De waardering geschiedt tegen een andere lagere waarde, indien het in artikel 362 lid 1 bedoelde inzicht daardoor wordt gediend.

3. Indien redelijkerwijs een buitengewone waardevermindering van vlottende activa op korte termijn valt te voorzien, mag bij de waardering hiermede rekening worden gehouden.

Duurzame waardevermindering vaste activa

4. Bij de waardering van de vaste activa wordt rekening gehouden met een vermindering van hun waarde, indien deze naar verwachting duurzaam is. Bij de waardering van de financiële vaste activa mag in ieder geval met op de balansdatum opgetreden waardevermindering rekening worden gehouden.

5. De afboeking overeenkomstig de voorgaande leden wordt, voor zover zij niet krachtens artikel 390 lid 3 aan de herwaarderingsreserve wordt onttrokken, ten laste van de winst- en verliesrekening gebracht. De afboeking wordt ongedaan gemaakt, zodra de waardevermindering heeft opgehouden te bestaan. De afboekingen ingevolge lid 3 en die ingevolge lid 4, alsmede de terugnemingen, worden afzonderlijk in de winst- en verliesrekening of in de toelichting opgenomen.

Waardering verkrijgingsprijs

Art. 388. 1. De verkrijgingsprijs waartegen een actief wordt gewaardeerd, omvat de inkoopprijs en de bijkomende kosten.

Waardering vervaardigingsprijs

2. De vervaardigingsprijs waartegen een actief wordt gewaardeerd, omvat de aanschaffingskosten van de gebruikte grond- en hulpstoffen en de overige kosten, welke rechtstreeks aan de vervaardiging kunnen worden toegerekend. In de vervaardigingsprijs kunnen voorts worden opgenomen een redelijk deel van de indirecte

kosten en de rente op schulden over het tijdvak dat aan de vervaardiging van het actief kan worden toegerekend; in dat geval vermeldt de toelichting dat deze rente is geactiveerd.

Waardering deelneming

Art. 389. 1. De deelnemingen in maatschappijen waarin de rechtspersoon invloed van betekenis uitoefent op het zakelijke en financiële beleid, worden verantwoord overeenkomstig de leden 2 en 3. Indien de rechtspersoon of een of meer van zijn dochtermaatschappijen alleen of samen een vijfde of meer van de stemmen van de leden, vennoten of aandeelhouders naar eigen inzicht kunnen uitbrengen of doen uitbrengen, wordt vermoed dat de rechtspersoon invloed van betekenis uitoefent.

2. De rechtspersoon bepaalt de netto-vermogenswaarde van de deelneming door de activa, voorzieningen en schulden van de maatschappij waarin hij deelneemt te waarderen en haar resultaat te berekenen op de zelfde grondslagen als zijn eigen activa, voorzieningen, schulden en resultaat. Deze wijze van waardering moet worden vermeld.

3. Wanneer de rechtspersoon onvoldoende gegevens ter beschikking staan om de netto-vermogenswaarde te bepalen, mag hij uitgaan van een waarde die op andere wijze overeenkomstig deze titel is bepaald en wijzigt hij deze waarde met het bedrag van zijn aandeel in het resultaat en in de uitkeringen van de maatschappij waarin hij deelneemt. Deze wijze van waardering moet worden vermeld.

4. In de jaarrekening van een rechtspersoon die geen bank is als bedoeld in artikel 415 mag de verantwoording van een deelneming in een bank overeenkomstig afdeling 14 van deze titel geschieden. In de jaarrekening van een bank als bedoeld in artikel 415 wordt een deelneming in een rechtspersoon die geen bank is, verantwoord overeenkomstig de voorschriften voor banken met uitzondering van artikel 424 en onverminderd de eerste zin van lid 5.

Deze uitzondering behoeft niet te worden toegepast ten aanzien van deelnemingen, waarin werkzaamheden worden verricht, die rechtstreeks liggen in het verlengde van het bankbedrijf.

5. In de jaarrekening van een rechtspersoon die geen verzekeringsmaatschappij is als bedoeld in artikel 427 mag de verantwoording van een deelneming in een verzekeringsmaatschappij overeenkomstig afdeling 15 van deze titel geschieden. In de jaarrekening van een verzekeringsmaatschappij als bedoeld in artikel 427 wordt een deelneming in een rechtspersoon die geen verzekeringsmaatschappij is, verantwoord overeenkomstig de voorschriften voor verzekeringsmaatschappijen, onverminderd de eerste zin van lid 4 van dit artikel.

Reserve

6. De rechtspersoon moet een reserve aanhouden ter hoogte van zijn aandeel in de resultaten uit de deelnemingen sedert de eerste waardering overeenkomstig lid 2 of lid 3, verminderd met de uitkeringen waarop hij sedertdien tot het vaststellen van zijn jaarrekening recht heeft verkregen; uitkeringen waarvan hij zonder beperking ontvangst in Nederland kan bewerkstelligen, mogen eveneens in mindering worden gebracht. Deze reserve kan in kapitaal worden omgezet. Onder de in dit lid bedoelde uitkeringen worden niet begrepen uitkeringen in aandelen.

7. Indien de waarde bij de eerste waardering overeenkomstig lid 2 of lid 3 lager is dan de verkrijgingsprijs of de voorafgaande boekwaarde van de deelneming, wordt het verschil zichtbaar ten laste van de winst- en verliesrekening of van het eigen vermogen gebracht, dan wel als goodwill geactiveerd. Voor deze berekening wordt ook de verkrijgingsprijs verminderd overeenkomstig artikel 385 lid 5.

8. Indien de waarde bij de eerste waardering overeenkomstig lid 2 of lid 3 hoger is dan de verkrijgingsprijs, is artikel 390 van toepassing op het verschil, voor zover dit geen nadelen weerspiegelt die voor de rechtspersoon aan de deelneming zijn verbonden. Voor deze berekening wordt ook de verkrijgingsprijs verminderd overeenkomstig artikel 385 lid 5.

9. Wegens in de toelichting te vermelden gegronde redenen mag worden afgeweken van toepassing van lid 1.

Herwaarderingsreserve

Art. 390. 1. De rechtspersoon die een actief herwaardeert op een hoger bedrag, neemt op de balans een herwaarderingsreserve op ter grootte van het verschil tussen de boekwaarde van voor en na de herwaardering.

2. De herwaarderingsreserve kan in kapitaal worden omgezet.

3. De herwaarderingsreserve wordt verminderd voor zover de gereserveerde bedragen niet meer noodzakelijk zijn voor de toepassing van het gekozen waarderingsstelsel en voor het bereiken van het doel der herwaardering. De herwaarderingsre-

serve mag niet verder worden verminderd dan tot de som der in de reserve opgenomen herwaarderingen van activa welke op de balansdatum nog aanwezig zijn.

4. De verminderingen van de herwaarderingsreserve die ten gunste van de winst- en verliesrekening worden gebracht, worden in een afzonderlijke post opgenomen.

5. In de toelichting wordt uiteengezet, of en op welke wijze in samenhang met de herwaardering rekening wordt gehouden met de invloed van belastingen op vermogen en resultaat.

AFDELING 7
Jaarverslag

Jaarverslag

Art. 391. 1. Het jaarverslag geeft een getrouw beeld omtrent de toestand op de balansdatum en de gang van zaken gedurende het boekjaar van de rechtspersoon en van de groepsmaatschappijen waarvan de financiële gegevens in zijn jaarrekening zijn opgenomen. Het jaarverslag wordt in de Nederlandse taal gesteld, tenzij de algemene vergadering tot het gebruik van een andere taal heeft besloten.

2. In het jaarverslag worden mededelingen gedaan omtrent de verwachte gang van zaken; daarbij wordt, voor zover gewichtige belangen zich hiertegen niet verzetten, in het bijzonder aandacht besteed aan de investeringen, de financiering en de personeelsbezetting en aan de omstandigheden waarvan de ontwikkeling van de omzet en van de rentabiliteit afhankelijk is. Mededelingen worden gedaan omtrent de werkzaamheden op het gebied van onderzoek en ontwikkeling. Vermeld wordt hoe bijzondere gebeurtenissen waarmee in de jaarrekening geen rekening behoeft te worden gehouden, de verwachtingen hebben beïnvloed.

3. Het jaarverslag mag niet in strijd zijn met de jaarrekening.

AFDELING 8
Overige gegevens

Gegevens toevoegen aan jaarrekening en jaarverslag

Art. 392. 1. Het bestuur voegt de volgende gegevens toe aan de jaarrekening en het jaarverslag:
a. de accountantsverklaring, bedoeld in artikel 393 lid 5 of een mededeling waarom deze ontbreekt;
b. een weergave van de statutaire regeling omtrent de bestemming van de winst;
c. een opgave van de bestemming van de winst of de verwerking van het verlies, of, zolang deze niet vaststaat, het voorstel daartoe;
d. een weergave van de statutaire regeling omtrent de bijdrage in een tekort van een coöperatie of onderlinge waarborgmaatschappij, voor zover deze van de wettelijke bepalingen afwijkt;
e. een lijst van namen van degenen aan wie een bijzonder statutair recht inzake de zeggenschap in de rechtspersoon toekomt, met een omschrijving van de aard van dat recht;
f. een opgave van het aantal winstbewijzen en soortgelijke rechten met vermelding van de bevoegdheden die zij geven;
g. een opgave van de gebeurtenissen na de balansdatum met belangrijke financiële gevolgen voor de rechtspersoon en de in zijn geconsolideerde jaarrekening betrokken maatschappijen tezamen, onder mededeling van de omvang van die gevolgen.
h. opgave van het bestaan van nevenvestigingen en van de landen waar nevenvestigingen zijn, alsmede van hun handelsnaam indien deze afwijkt van die van de rechtspersoon.

2. De gegevens mogen niet in strijd zijn met de jaarrekening en met het jaarverslag.

3. Is een recht als bedoeld in lid 1 onder e in een aandeel belichaamd, dan wordt vermeld hoeveel zodanige aandelen elk der rechthebbenden houdt. Komt een zodanig recht aan een vennootschap, vereniging, coöperatie, onderlinge waarborgmaatschappij of stichting toe, dan worden tevens de namen van de bestuurders daarvan medegedeeld.

Ontheffing voor ten hoogste 5 jaar

4. Het bepaalde in lid 1 onder e en in lid 3 is niet van toepassing, voor zover Onze Minister van Economische Zaken desverzocht aan de rechtspersoon wegens gewichtige redenen ontheffing heeft verleend; deze ontheffing kan telkens voor ten hoogste vijf jaren worden verleend.

AFDELING 9
Deskundigenonderzoek

Accountantsonderzoek jaarrekening

Art. 393. 1. De rechtspersoon verleent opdracht tot onderzoek van de jaarrekening aan een registeraccountant of aan een Accountant-Administratieconsulent ten aanzien van wie bij de inschrijving in het in artikel 36, eerste lid, van de Wet op de Accountants-Administratieconsulenten bedoelde register een aantekening is geplaatst als bedoeld in artikel 36, derde lid, van die wet. De opdracht kan worden verleend aan een organisatie waarin accountants die mogen worden aangewezen, samenwerken.

Bevoegdheid verlenen opdracht

2. Tot het verlenen van de opdracht is de algemene vergadering van leden of aandeelhouders bevoegd. Gaat deze daartoe niet over, dan is de raad van commissarissen bevoegd of, zo deze ontbreekt of in gebreke blijft, het bestuur. De aanwijzing van een accountant wordt door generlei voordracht beperkt; de opdracht kan te allen tijde worden ingetrokken door de algemene vergadering en door degene die haar heeft verleend; de door het bestuur verleende opdracht kan bovendien door de raad van commissarissen worden ingetrokken. De algemene vergadering hoort de accountant op diens verlangen omtrent de intrekking van een hem verleende opdracht of omtrent het hem kenbaar gemaakte voornemen daartoe.

Onderzoek

3. De accountant onderzoekt of de jaarrekening het in artikel 362 lid 1 vereiste inzicht geeft. Hij gaat voorts na, of de jaarrekening aan de bij en krachtens de wet gestelde voorschriften voldoet, of het jaarverslag, voor zover hij dat kan beoordelen, overeenkomstig deze titel is opgesteld en met de jaarrekening verenigbaar is, en of de in artikel 392 lid 1, onderdelen b tot en met g vereiste gegevens zijn toegevoegd.

4. De accountant brengt omtrent zijn onderzoek verslag uit aan de raad van commissarissen en aan het bestuur. Hij maakt daarbij ten minste melding van zijn bevindingen met betrekking tot de betrouwbaarheid en continuïteit van de geautomatiseerde gegevensverwerking.

Verklaring

5. De accountant geeft de uitslag van zijn onderzoek weer in een verklaring omtrent de getrouwheid van de jaarrekening; voor het onderzoek volgens de tweede zin van lid 3 mag hij volstaan met de vermelding van hem gebleken tekortkomingen.

6. De jaarrekening kan niet worden vastgesteld of goedgekeurd, indien het daartoe bevoegde orgaan geen kennis heeft kunnen nemen van de verklaring van de accountant, die aan de jaarrekening moest zijn toegevoegd, tenzij onder de overige gegevens een wettige grond wordt medegedeeld waarom de verklaring ontbreekt.

7. Iedere belanghebbende kan van de rechtspersoon nakoming van de in lid 1 omschreven verplichting vorderen.

AFDELING 10
Openbaarmaking

Openbaarmaking jaarrekening; Handelsregister

Art. 394. 1. De rechtspersoon is verplicht tot openbaarmaking van de jaarrekening binnen acht dagen na de vaststelling; behoeft de jaarrekening goedkeuring, dan loopt de termijn van de goedkeuring af. De openbaarmaking geschiedt door nederlegging van een volledig in de Nederlandse taal gesteld exemplaar of, als dat niet is vervaardigd, een exemplaar in het Frans, Duits of Engels, ten kantore van het handelsregister van de plaats waar de rechtspersoon volgens zijn statuten zijn zetel heeft. Op het exemplaar moet de dag van vaststelling en goedkeuring zijn aangetekend.

2. Is de jaarrekening niet binnen twee maanden na afloop van de voor het opmaken voorgeschreven termijn overeenkomstig de wettelijke voorschriften vastgesteld en goedgekeurd, dan maakt het bestuur onverwijld de opgemaakte jaarrekening op de in lid 1 voorgeschreven wijze openbaar; op de jaarrekening wordt vermeld dat zij nog niet is vastgesteld of goedgekeurd. Binnen twee maanden na gerechtelijke vernietiging van een jaarrekening moet de rechtspersoon een afschrift van de in de uitspraak opgenomen bevelen met betrekking tot de jaarrekening neerleggen ten kantore van het handelsregister, met vermelding van de uitspraak.

3. Uiterlijk dertien maanden na afloop van het boekjaar moet de rechtspersoon de jaarrekening op de in lid 1 voorgeschreven wijze openbaar hebben gemaakt.

Openbaarmaking jaarverslag en toegevoegde gegevens

4. Gelijktijdig met en op dezelfde wijze als de jaarrekening wordt een in de zelfde taal of in het Nederlands gesteld exemplaar van het jaarverslag en van de overige in artikel 392 bedoelde gegevens openbaar gemaakt. Het voorafgaande geldt, behalve voor de in artikel 392 lid 1 onder a, c, f en g genoemde gegevens, niet, indien de stukken ten kantore van de rechtspersoon ter inzage van een ieder worden

gehouden en op verzoek een volledig of gedeeltelijk afschrift daarvan ten hoogste tegen de kostprijs wordt verstrekt; hiervan doet de rechtspersoon opgaaf ter inschrijving in het handelsregister.

5. De vorige leden gelden niet, indien Onze Minister van Economische Zaken de in artikel 58, artikel 101 of artikel 210 genoemde ontheffing heeft verleend; alsdan wordt een afschrift van die ontheffing ten kantore van het handelsregister nedergelegd.

Bewaarplicht

6. De in de vorige leden bedoelde bescheiden worden gedurende tien jaren bewaard. De Kamer van Koophandel en Fabrieken mag de op deze bescheiden geplaatste gegevens overbrengen op andere gegevensdragers, die zij in hun plaats in het handelsregister bewaart, mits die overbrenging geschiedt met juiste en volledige weergave der gegevens en deze gegevens gedurende de volledige bewaartijd zijn en binnen redelijke tijd leesbaar kunnen worden gemaakt.

7. Iedere belanghebbende kan van de rechtspersoon nakoming van de in de leden 1-5 omschreven verplichtingen vorderen.

Toegevoegde accountantsverklaring

Art. 395. 1. Wordt de jaarrekening op andere wijze dan ingevolge het vorige artikel openbaar gemaakt, dan wordt daaraan in ieder geval de in artikel 393 lid 5 bedoelde accountantsverklaring toegevoegd. Voor de toepassing van de vorige zin geldt als de jaarrekening van een rechtspersoon waarop artikel 397 van toepassing is, mede de jaarrekening in de vorm waarin zij ingevolge dat artikel openbaar mag worden gemaakt. Is de verklaring niet afgelegd, dan wordt de reden daarvan vermeld.

2. Wordt slechts de balans of de winst- en verliesrekening, al dan niet met toelichting of wordt de jaarrekening in beknopte vorm op andere wijze dan ingevolge het vorige artikel openbaar gemaakt, dan wordt dit ondubbelzinnig vermeld onder verwijzing naar de openbaarmaking krachtens wettelijk voorschrift, of, zo deze niet is geschied, onder mededeling van dit feit. De in artikel 393 lid 5 bedoelde accountantsverklaring mag alsdan niet worden toegevoegd. Bij de openbaarmaking wordt medegedeeld of de accountant deze verklaring heeft afgelegd. Is de verklaring afgelegd, dan wordt een mededeling van de accountant toegevoegd welke strekking zijn verklaring bij de jaarrekening heeft. Is de verklaring niet afgelegd, dan wordt de reden daarvan vermeld.

3. Is de jaarrekening nog niet vastgesteld of goedgekeurd, dan wordt dit bij de in lid 1 en lid 2 bedoelde stukken vermeld. Indien een mededeling als bedoeld in de laatste zin van artikel 362 lid 6 is gedaan, wordt dit eveneens vermeld.

AFDELING 11
Vrijstellingen op grond van de omvang van het bedrijf van de rechtspersoon

Kleine rechtspersonen

Art. 396.[1] 1. De leden 3 tot en met 8 gelden voor een rechtspersoon die op twee opeenvolgende balansdata, zonder onderbreking nadien op twee opeenvolgende balansdata, heeft voldaan aan twee of drie van de volgende vereisten:
a. de waarde van de activa volgens de balans met toelichting bedraagt, op de grondslag van verkrijgings- en vervaardigingsprijs, niet meer dan *f* 6 miljoen;
b. de netto-omzet over het boekjaar bedraagt niet meer dan *f* 12 miljoen;
c. het gemiddeld aantal werknemers over het boekjaar bedraagt minder dan 50.

Dochtermaatschappij

2. Voor de toepassing van lid 1 worden meegeteld de waarde van de activa, de netto-omzet en het getal der werknemers van groepsmaatschappijen, die in de consolidatie zouden moeten worden betrokken als de rechtspersoon een geconsolideerde jaarrekening zou moeten opmaken. Dit geldt niet, indien de rechtspersoon artikel 408 toepast.

3. Van de ingevolge afdeling 3 voorgeschreven opgaven behoeft geen andere te worden gedaan dan voorgeschreven in de artikelen 364, 373, 375 lid 3 en 376, alsmede, zonder uitsplitsing naar soort schuld of vordering, in de artikelen 370 lid 2 en 375 lid 2 en de opgave van het ingehouden deel van het resultaat.

4. In de winst- en verliesrekening worden de posten genoemd in artikel 377 lid 3 onder a-d en g, onderscheidenlijk lid 4 onder a-c en f, samengetrokken tot een post bruto-bedrijfsresultaat; de rechtspersoon vermeldt in een verhoudingscijfer in welke mate de netto-omzet ten opzichte van die van het vorige jaar is gestegen of gedaald.

---

[1] Bij besluit van 20 februari 1990, Stb. 90 is de inwerkingtreding van de wijzigingen van artt. 86, 89, 196 en 198 (Stb. 541 van 15 november 1989. Invoeringswet NBW, zesde gedeelte) uitgezonderd. Deze NBW-wijzigingen zijn daarom niet in de tekst verwerkt.

5. Het in artikel 378 lid 1 genoemde overzicht wordt slechts gegeven voor de herwaarderingsreserve, behoudens de tweede zin van artikel 378 lid 3; opgegeven worden het aantal geplaatste aandelen en het bedrag per soort, aantal en bedrag van de in het boekjaar uitgegeven aandelen en van de aandelen en certificaten daarvan die de rechtspersoon of een dochtermaatschappij voor eigen rekening houdt. De artikelen 380 en 383 lid 1 zijn niet van toepassing.

6. Artikel 391 is niet van toepassing, tenzij krachtens wettelijke verplichtingen een ondernemingsraad moet worden ingesteld. Artikel 393 lid 1 is niet van toepassing.

7. Artikel 394 is slechts van toepassing met betrekking tot een overeenkomstig lid 3 beperkte balans en de toelichting. In de openbaar gemaakte toelichting blijven achterwege de nadere gegevens omtrent de winst- en verliesrekening, alsmede de gegevens bedoeld in artikel 378 lid 3, tweede zin.

8. Indien de rechtspersoon geen winst beoogt, behoeft hij artikel 394 niet toe te passen, mits hij
a. de in lid 7 bedoelde stukken aan schuldeisers en houders van aandelen in zijn kapitaal of van certificaten daarvan op hun verzoek onmiddellijk kosteloos toezendt of ten kantore van de rechtspersoon ter inzage geeft; en
b. ten kantore van het handelsregister een verklaring van een openbare accountant heeft neergelegd, inhoudende dat de rechtspersoon in het boekjaar geen werkzaamheden heeft verricht buiten de doelomschrijving en dat dit artikel op hem van toepassing is.

Art. 397.[1] 1. Behoudens artikel 396 gelden de leden 3, 4, 5 en 6 voor een rechtspersoon die op twee opeenvolgende balansdata, zonder onderbreking nadien op twee opeenvolgende balansdata, heeft voldaan aan twee of drie van de volgende vereisten:

Middelgrote onderneming

a. de waarde van de activa volgens de balans met toelichting bedraagt, op de grondslag van verkrijgings- en vervaardigingsprijs, niet meer dan *f* 24 miljoen;
b. de netto-omzet over het boekjaar bedraagt niet meer dan *f* 48 miljoen;
c. het gemiddeld aantal werknemers over het boekjaar bedraagt minder dan 250.

Dochtermaatschappij

2. Voor de toepassing van lid 1 worden meegeteld de waarde van de activa, de netto-omzet en het getal der werknemers van groepsmaatschappijen, die in de consolidatie zouden moeten worden betrokken als de rechtspersoon een geconsolideerde jaarrekening zou moeten opmaken. Dit geldt niet, indien de rechtspersoon artikel 408 toepast.

3. In de winst- en verliesrekening worden de posten genoemd in artikel 377 lid 3, onder a-d en g, onderscheidenlijk lid 4, onder a-c en f, samengetrokken tot een post bruto-bedrijfsresultaat; de rechtspersoon vermeldt in een verhoudingscijfer, in welke mate de netto-omzet ten opzichte van die van het vorige jaar is gestegen of gedaald.

4. Artikel 380 is niet van toepassing.

5. Van de in afdeling 3 voorgeschreven opgaven behoeven in de openbaar gemaakte balans met toelichting slechts vermelding die welke voorkomen in de artikelen 364, 365 lid 1 onder d, 366, 367 onder a-d, 370 lid 1 onder b en c, 373, 374 leden 3 en 4, 375 lid 1 onder a, b, f en g en lid 3, alsmede 376 en de overlopende posten. De leden 2 van de artikelen 370 en 375 vinden toepassing zowel op het totaal van de vorderingen en schulden als op de posten uit lid 1 van die artikelen welke afzonderlijke vermelding behoeven. De openbaar te maken winst- en verliesrekening en de toelichting mogen worden beperkt overeenkomstig lid 3 en lid 4.

6. De gegevens, bedoeld in artikel 392 lid 1 onderdelen e en f, en lid 3 worden niet openbaar gemaakt.

Art. 398. 1. Artikel 396 of artikel 397 geldt voor het eerste en tweede boekjaar ook voor een rechtspersoon die op de balansdatum van het eerste boekjaar aan de desbetreffende vereisten heeft voldaan.

2. Artikel 396 leden 3 tot en met 7 en artikel 397 leden 3 tot en met 6 zijn van toepassing voor zover de algemene vergadering uiterlijk zes maanden na het begin van het boekjaar niet anders heeft besloten.

3. De artikelen 396 en 397 zijn niet van toepassing op een rechtspersoon waarvoor artikel 401 lid 1 geldt.

---

[1] De bedragen genoemd in artikel 397, lid 1 , onder a en b, zijn vastgesteld bij besluit van 25 januari 1995, Stb. 50, en zijn voor het eerst van toepassing op de jaarrekening, het jaarverslag en de daaraan te voegen overige gegevens over het boekjaar dat aanvangt op of na 1 januari 1995.

4. Bij algemene maatregel van bestuur worden de in artikel 396 lid 1 en artikel 397 lid 1 genoemde bedragen verlaagd, indien het recht van de Europese Gemeenschappen daartoe verplicht, en kunnen zij worden verhoogd, voor zover geoorloofd, telkens tot een veelvoud van een half miljoen gulden.

AFDELING 12
Bepalingen omtrent rechtspersonen van onderscheiden aard

Art. 399. (Vervallen bij de wet van 16 september 1993, Stb. 1993, 517).

Art. 400. Onze Minister van Financiën kan financiële instellingen die geen bank als bedoeld in artikel 415 zijn, op haar verzoek al dan niet onder voorwaarden toestaan afdeling 14, met uitzondering van artikel 424, toe te passen.

Beleggingsinstelling

Art. 401. 1. Een beleggingsmaatschappij waaraan ingevolge de Wet toezicht beleggingsinstellingen (Stb. 1990, 380) een vergunning is verleend, moet in aanvulling op de bepalingen van deze titel tevens voldoen aan de vereisten voor haar jaarrekening, gesteld bij of krachtens de Wet toezicht beleggingsinstellingen. Voor deze beleggingsmaatschappij kan bij of krachtens die wet van artikel 394, tweede, derde en vierde lid, worden afgeweken.

2. Een beleggingsmaatschappij mag haar beleggingen tegen marktwaarde waarderen. Nadelige koersverschillen ten opzichte van de voorafgaande balansdatum behoeven niet ten laste van de winst- en verliesrekening te worden gebracht, mits zij op de reserves worden afgeboekt; voordelige koersverschillen mogen op de reserves worden bijgeboekt. De bedragen worden in de balans of in de toelichting vermeld. Onder beleggingsmaatschappij wordt in dit lid verstaan een rechtspersoon die uitsluitend ten doel heeft het vermogen zodanig te beleggen dat de risico's daarvan worden gespreid, teneinde de leden of aandeelhouders in de opbrengst te doen delen.

3. Op een beleggingsmaatschappij met veranderlijk kapitaal is artikel 378 lid 3, tweede zin, niet van toepassing.

Geconsolideerde jaarrekening en resultaat uit deelnemingen

Art. 402. Zijn de financiële gegevens van een rechtspersoon verwerkt in zijn geconsolideerde jaarrekening dan behoeft in de eigen winst- en verliesrekening slechts het resultaat uit deelnemingen na aftrek van de belastingen daarover als afzonderlijke post te worden vermeld. In de toelichting van de geconsolideerde jaarrekening wordt de toepassing van de vorige zin meegedeeld.

Afwijken van voorschriften door tot een groep behorende rechtspersonen

Art. 403. 1. Een tot een groep behorende rechtspersoon behoeft de jaarrekening niet overeenkomstig de voorschriften van deze titel in te richten, mits:
a. de balans in elk geval vermeldt de som van de vaste activa, de som van de vlottende activa, en het bedrag van het eigen vermogen, van de voorzieningen en van de schulden, en de winst- en verliesrekening in elk geval vermeldt het resultaat uit de gewone bedrijfsuitoefening en het saldo der overige baten en lasten, een en ander na belastingen;
b. de leden of aandeelhouders na de aanvang van het boekjaar en voor de vaststelling of goedkeuring van de jaarrekening schriftelijk hebben verklaard met afwijking van de voorschriften in te stemmen;
c. de financiële gegevens van de rechtspersoon door een andere rechtspersoon of vennootschap zijn geconsolideerd in een geconsolideerde jaarrekening waarop krachtens het toepasselijke recht de zevende richtlijn van de Raad van de Europese Gemeenschappen inzake het vennootschapsrecht of een der beide richtlijnen van de Raad van de Europese Gemeenschappen betreffende de jaarrekening en de geconsolideerde jaarrekening van banken en andere financiële instellingen dan wel van verzekeringsondernemingen van toepassing is;
d. de geconsolideerde jaarrekening, voor zover niet gesteld of vertaald in het Nederlands, is gesteld of vertaald in het Frans, Duits of Engels;
e. de accountantsverklaring en het jaarverslag, zijn gesteld of vertaald in de zelfde taal als de geconsolideerde jaarrekening;

Hoofdelijke aansprakelijkheid

f. de onder c bedoelde rechtspersoon of vennootschap schriftelijk heeft verklaard zich hoofdelijk aansprakelijk te stellen voor de uit rechtshandelingen van de rechtspersoon voortvloeiende schulden; en
g. de verklaringen, bedoeld in de onderdelen b en f zijn neergelegd ten kantore van het handelsregister waar de rechtspersoon is ingeschreven alsmede, telkens binnen zes maanden na de balansdatum of binnen een maand na een geoorloofde latere

openbaarmaking, de stukken of vertalingen, genoemd in de onderdelen d en e dan wel een verwijzing naar het kantoor van het handelsregister waar zij liggen.

2. Zijn in de groep of het groepsdeel waarvan de gegevens in de geconsolideerde jaarrekening zijn opgenomen, de in lid 1 onder f bedoelde rechtspersoon of vennootschap en een andere nevengeschikt, dan is lid 1 slechts van toepassing, indien ook deze andere rechtspersoon of vennootschap een verklaring van aansprakelijkstelling heeft afgelegd; in dat geval zijn lid 1 onder g en artikel 404 van overeenkomstige toepassing.

3. Voor een rechtspersoon waarop lid 1 van toepassing is, gelden de artikelen 391 tot en met 394 niet.

4. Indien de tot de groep behorende rechtspersonen een bank als bedoeld in artikel 415 is, vermeldt de balans in afwijking van lid 1, onder a, in elk geval de som van de activa en van de passiva en het bedrag van het eigen vermogen en vermeld de winst- en verliesrekening in elk geval het resultaat uit de gewone bedrijfsuitoefening, het bedrag der belastingen en het saldo der overige baten en lasten.

5. Indien de tot de groep behorende rechtspersoon een verzekeringsmaatschappij als bedoeld in artikel 427 is, vermeldt de balans in afwijking van lid 1, onder a, in elk geval de som van de beleggingen en van de vorderingen, en het bedrag van het eigen vermogen, van de technische voorzieningen en van de schulden, en bestaat de winst- en verliesrekening in elk geval uit de niet-technische rekening, waarop ten minste worden vermeld de resultaten voor belastingen uit de gewone uitoefening van het schade- en levensverzekeringsbedrijf, het saldo der overige baten en lasten en het resultaat uit de gewone bedrijfsuitoefening na belastingen.

Intrekking aansprakelijkheidsstelling

Art. 404. 1. Behoudens de artikelen 204a lid 4 en 204c lid 7 kan een in artikel 403 bedoelde aansprakelijkstelling worden ingetrokken door nederlegging van een daartoe strekkende verklaring ten kantore van het handelsregister.

2. Niettemin blijft de aansprakelijkheid bestaan voor schulden die voortvloeien uit rechtshandelingen welke zijn verricht voordat jegens de schuldeiser een beroep op de intrekking kan worden gedaan.

3. De overblijvende aansprakelijkheid wordt ten opzichte van de schuldeiser beëindigd, indien de volgende voorwaarden zijn vervuld:

a. de rechtspersoon behoort niet meer tot de groep;

b. een mededeling van het voornemen tot beëindiging heeft ten minste twee maanden lang ter inzage gelegen ten kantore van het handelsregister waar de rechtspersoon is ingeschreven;

c. ten minste twee maanden zijn verlopen na de aankondiging in een landelijk verspreid dagblad dat en waar de mededeling ter inzage ligt;

d. tegen het voornemen heeft de schuldeiser niet tijdig verzet gedaan of zijn verzet is ingetrokken dan wel bij onherroepelijke rechterlijke uitspraak ongegrond verklaard.

4. Indien de schuldeiser dit verlangt moet, op straffe van gegrondverklaring van een verzet als bedoeld in lid 5, voor hem zekerheid worden gesteld of hem een andere waarborg worden gegeven voor de voldoening van zijn vorderingen waarvoor nog aansprakelijkheid loopt. Dit geldt niet, indien hij na het beëindigen van de aansprakelijkheid, gezien de vermogenstoestand van de rechtspersoon of uit anderen hoofde, voldoende waarborgen heeft dat deze vorderingen zullen worden voldaan.

5. Tot twee maanden na de aankondiging kan de schuldeiser voor wiens vordering nog aansprakelijkheid loopt, tegen het voornemen tot beëindiging verzet doen door een verzoekschrift aan de rechtbank van de woonplaats van de rechtspersoon die hoofdschuldenaar is.

6. De rechter verklaart het verzet slechts gegrond nadat een door hem omschreven termijn om een door hem omschreven waarborg te geven is verlopen, zonder dat deze is gegeven.

Art. 404a. (Vervallen bij de wet van 10 november 1988, Stb. 517).

AFDELING 13
Geconsolideerde jaarrekening

Geconsolideerde jaarrekening

Art. 405. 1. Een geconsolideerde jaarrekening is de jaarrekening waarin de activa, passiva, baten en lasten van de rechtspersonen en vennootschappen die een groep of groepsdeel vormen, als één geheel worden opgenomen.

2. De geconsolideerde jaarrekening moet overeenkomstig artikel 362 lid 1 inzicht geven betreffende de groep of het groepsdeel.

Groepsmaatschappij

Art. 406. 1. De rechtspersoon die, alleen of samen met een andere groepsmaatschappij, aan het hoofd staat van zijn groep, neemt in de toelichting van zijn jaarrekening een geconsolideerde jaarrekening op van de eigen financiële gegevens met die van zijn dochtermaatschappijen in de groep en andere groepsmaatschappijen.

2. Een rechtspersoon waarop lid 1 niet van toepassing is, maar die in zijn groep een of meer dochtermaatschappijen heeft, neemt in de toelichting van zijn jaarrekening een geconsolideerde jaarrekening op. Deze omvat de financiële gegevens van het groepsdeel, bestaande uit de rechtspersoon, zijn dochtermaatschappijen in de groep en andere groepsmaatschappijen die onder de rechtspersoon vallen.

3. Indien consolidatie van een groepsmaatschappij wegens verschil in werkzaamheden strijdig zou zijn met het wettelijk vereiste inzicht, moet haar jaarrekening, of in voorkomend geval haar geconsolideerde jaarrekening, afzonderlijk in de toelichting worden opgenomen. Belangrijke niet zichtbare gevolgen van de afzondering moeten worden toegelicht.

4. De rechtspersoon die geen bank als bedoeld in artikel 415 is, en waarvan de geconsolideerde jaarrekening voor een belangrijk deel de financiële gegevens van banken bevat, geeft in de toelichting ten minste dat inzicht in de financiële gegevens van de banken als één geheel dat vereist is volgens de voorschriften van de richtlijn van de Raad van de Europese Gemeenschappen betreffende de jaarrekening en de geconsolideerde jaarrekening van banken en andere financiële instellingen; belangrijke gevolgen van de uitsplitsing van deze gegevens moeten worden toegelicht.

5. De rechtspersoon die geen verzekeringsmaatschappij als bedoeld in artikel 399 is, waarvan de geconsolideerde jaarrekening voor een belangrijk deel de financiële gegevens van verzekeringsmaatschappijen bevat, geeft in de toelichting ten minste dat inzicht in de financiële gegevens van de verzekeringsmaatschappijen als één geheel dat vereist is volgens de voorschriften van de richtlijn van de Raad van de Europese Gemeenschappen betreffende de jaarrekening en de geconsolideerde jaarrekening van verzekeringsondernemingen; belangrijke gevolgen van de uitsplitsing van de gegevens moeten worden toegelicht.

6. De uitsplitsing van de gegevens, bedoeld in de leden 4 en 5, geschiedt wat betreft de balans zoveel mogelijk in overeenstemming met de vormvoorschriften opgenomen in de richtlijnen, bedoeld in de leden 4 en 5, en biedt in ieder geval inzicht in het eigen vermogen van de banken onderscheidenlijk de verzekeringsmaatschappijen als één geheel.

7. In de geconsolideerde jaarrekening van een rechtspersoon, die geen bank als bedoeld in artikel 415 is, mag ten aanzien van groepsmaatschappijen die bank zijn, te zamen met de in artikel 426 lid 1 bedoelde andere groepsmaatschappijen, artikel 424 worden toegepast.

Geen consolidatie-verplichting

Art. 407. 1. De verplichting tot consolidatie geldt niet voor gegevens:
a. van groepsmaatschappijen wier gezamenlijke betekenis te verwaarlozen is op het geheel,
b. van groepsmaatschappijen waarvan de nodige gegevens slechts tegen onevenredige kosten of met grote vertraging te verkrijgen of te ramen zijn,
c. van groepsmaatschappijen waarin het belang slechts wordt gehouden om het te vervreemden.

2. Consolidatie mag achterwege blijven, indien
a. bij consolidatie de grenzen van artikel 396 niet zouden worden overschreden;
b. geen in de consolidatie te betrekken maatschappij effecten heeft uitstaan die zijn opgenomen in de prijscourant van een beurs; en
c. niet binnen zes maanden na de aanvang van het boekjaar daartegen schriftelijk bezwaar bij de rechtspersoon is gemaakt door ten minste een tiende der leden of door houders van ten minste een tiende van het geplaatste kapitaal.

3. Indien de rechtspersoon groepsmaatschappijen beheert krachtens een regeling tot samenwerking met een rechtspersoon waarvan de financiële gegevens niet in zijn geconsolideerde jaarrekening worden opgenomen, mag hij zijn eigen financiële gegevens buiten de geconsolideerde jaarrekening houden. Dit geldt slechts, indien de rechtspersoon geen andere werkzaamheden heeft dan het beheren en financieren van groepsmaatschappijen en deelnemingen, en indien hij in zijn balans artikel 389 toepast.

Achterwege blijven van consolidatie groepsdeel

Art. 408. 1. Consolidatie van een groepsdeel mag achterwege blijven, mits:
a. niet binnen zes maanden na de aanvang van het boekjaar daartegen schriftelijk bezwaar bij de rechtspersoon is gemaakt door ten minste een tiende der leden of

door houders van ten minste een tiende van het geplaatste kapitaal;
b. de financiële gegevens die de rechtspersoon zou moeten consolideren zijn opgenomen in de geconsolideerde jaarrekening van een groter geheel;
c. de geconsolideerde jaarrekening en het jaarverslag zijn opgesteld overeenkomstig de voorschriften van de zevende richtlijn van de Raad van de Europese Gemeenschappen inzake het vennootschapsrecht of overeenkomstig de voorschriften van een der richtlijnen van de Raad van de Europese Gemeenschappen betreffende de jaarrekening en de geconsolideerde jaarrekening van banken en andere financiële instellingen dan wel van verzekeringsondernemingen dan wel, indien deze voorschriften niet behoeven te zijn gevolgd, op gelijkwaardige wijze;
d. de geconsolideerde jaarrekening met accountantsverklaring en jaarverslag, voor zover niet gesteld of vertaald in het Nederlands, zijn gesteld of vertaald in het Frans, Duits of Engels, en wel in de zelfde taal; en
e. telkens binnen zes maanden na de balansdatum of binnen een maand na een geoorloofde latere openbaarmaking ten kantore van het handelsregister waar de rechtspersoon is ingeschreven de in onderdeel d genoemde stukken of vertalingen zijn neergelegd dan wel een verwijzing is neergelegd naar het kantoor van het handelsregister waar zij liggen.

2. Onze Minister van Justitie kan voorschriften voor de jaarrekening aanwijzen die, zo nodig aangevuld met door hem gegeven voorschriften, als gelijkwaardig zullen gelden aan voorschriften overeenkomstig de zevende richtlijn. Intrekking van een aanwijzing kan slechts boekjaren betreffen die nog niet zijn begonnen.

3. De rechtspersoon moet de toepassing van lid 1 in de toelichting vermelden.

Art. 409. De financiële gegevens van een rechtspersoon of vennootschap mogen in de geconsolideerde jaarrekening worden opgenomen naar evenredigheid tot het daarin gehouden belang, indien:
a. in die rechtspersoon of vennootschap een of meer in de consolidatie opgenomen maatschappijen krachtens een regeling tot samenwerking met andere aandeelhouders, leden of vennoten samen de rechten of bevoegdheden kunnen uitoefenen als bedoeld in artikel 24a, lid 1; en
b. hiermee voldaan wordt aan het wettelijke inzichtvereiste.

Art. 410. 1. De bepalingen van deze titel over de jaarrekening en onderdelen daarvan, uitgezonderd de artikelen 365 lid 2, 378, 379, 383, 389 leden 6, 8 en 9, en 390, zijn van overeenkomstige toepassing op de geconsolideerde jaarrekening.

2. Voorraden hoeven niet te worden uitgesplitst, indien dat wegens bijzondere omstandigheden onevenredige kosten zou vergen.

3. Wegens gegronde, in de toelichting te vermelden redenen mogen andere waarderingsmethoden en grondslagen voor de berekening van het resultaat worden toegepast dan in de eigen jaarrekening van de rechtspersoon.

4. Staat een buitenlandse rechtspersoon mede aan het hoofd van de groep, dan mag het groepsdeel waarvan hij aan het hoofd staat, in de consolidatie worden opgenomen overeenkomstig zijn recht, met een uiteenzetting van de invloed daarvan op het vermogen en resultaat.

5. De in artikel 382 bedoelde gegevens worden voor het geheel van de volledig in de consolidatie betrokken maatschappijen vermeld, afzonderlijk worden de in de eerste zin van artikel 382 bedoelde gegevens vermeld voor het geheel van de naar evenredigheid in de consolidatie betrokken maatschappijen.

Geen uitsplitsing EV

Art. 411. 1. In de geconsolideerde jaarrekening behoeft het eigen vermogen niet te worden uitgesplitst.

2. Het aandeel in het groepsvermogen en in het geconsolideerde resultaat dat niet aan de rechtspersoon toekomt, wordt vermeld.

3. Verschillen tussen het eigen vermogen volgens de balans en volgens de geconsolideerde balans en tussen het resultaat na belastingen volgens de winst- en verliesrekening en volgens de geconsolideerde winst- en verliesrekening moeten worden toegelicht.

Balansdatum

Art. 412. 1. De balansdatum voor de geconsolideerde jaarrekening is de zelfde als voor de jaarrekening van de rechtspersoon zelf.

2. In geen geval mag de geconsolideerde jaarrekening worden opgemaakt aan de hand van gegevens, opgenomen meer dan drie maanden voor of na de balansdatum.

Art. 413. Indien de gegevens van een maatschappij voor het eerst in de consolidatie worden opgenomen en daarbij een waardeverschil ontstaat ten opzichte van de daaraan voorafgaande waardering van het belang daarin, moeten dit verschil en de berekeningswijze worden vermeld. Is de waarde lager, dan is artikel 389 lid 7 van toepassing op het verschil; is de waarde hoger, dan wordt het verschil opgenomen in het groepsvermogen, voor zover het geen nadelen weerspiegelt die aan de deelneming zijn verbonden.

Vermelding gegevens

Art. 414. 1. De rechtspersoon vermeldt, onderscheiden naar de hierna volgende categorieën, de naam en woonplaats van rechtspersonen en vennootschappen:
a. die hij volledig in zijn geconsolideerde jaarrekening betrekt;
b. waarvan de financiële gegevens in de geconsolideerde jaarrekening worden opgenomen voor een deel, evenredig aan het belang daarin;
c. waarin een deelneming wordt gehouden die in de geconsolideerde jaarrekening overeenkomstig artikel 389 wordt verantwoord;
d. die dochtermaatschappij zijn zonder rechtspersoonlijkheid en niet ingevolge de onderdelen a, b of c zijn vermeld;
e. waaraan een of meer volledig in de consolidatie betrokken maatschappijen of dochtermaatschappijen daarvan alleen of samen voor eigen rekening ten minste een vijfde van het geplaatste kapitaal verschaffen of doen verschaffen, en die niet ingevolge de onderdelen a, b of c zijn vermeld.

2. Tevens wordt vermeld:
a. op grond van welke omstandigheid elke maatschappij volledig in de consolidatie wordt betrokken, tenzij deze bestaat in het kunnen uitoefenen van het merendeel van de stemrechten en het verschaffen van een daaraan evenredig deel van het kapitaal;
b. waaruit blijkt dat een rechtspersoon of vennootschap waarvan financiële gegevens overeenkomstig artikel 409 in de geconsolideerde jaarrekening zijn opgenomen, daarvoor in aanmerking komt;
c. in voorkomend geval de reden voor het niet consolideren van een dochtermaatschappij, vermeld ingevolge lid 1 onder c, d of e;
d. het deel van het geplaatste kapitaal dat wordt verschaft;
e. het bedrag van het eigen vermogen en resultaat van elke krachtens onderdeel e van lid 1 vermelde maatschappij volgens haar laatst vastgestelde jaarrekening.

3. Indien vermelding van naam, woonplaats en het gehouden deel van het geplaatste kapitaal van een dochtermaatschappij waarop onderdeel c van lid 1 van toepassing is, dienstig is voor het wettelijk vereiste inzicht, mag zij niet achterwege blijven, al is de deelneming van te verwaarlozen betekenis. Onderdeel e van lid 2 geldt niet ten aanzien van maatschappijen waarin een belang van minder dan de helft wordt gehouden en die wettig de balans niet openbaar maken.

4. Artikel 379 lid 4 is van overeenkomstige toepassing op de vermeldingen op grond van de leden 1 en 2.

5. Vermeld wordt ten aanzien van welke rechtspersonen de rechtspersoon een aansprakelijkstelling overeenkomstig artikel 403 heeft afgegeven.

AFDELING 14
Bepalingen voor banken

Begripsbepaling

Art. 415. In deze afdeling wordt onder bank verstaan: de ingevolge artikel 52, tweede lid, onder a, van de Wet toezicht kredietwezen 1992 (Stb. 1992, 722) geregistreerde kredietinstellingen.

Art. 416. 1. Voor zover in deze afdeling niet anders is bepaald, gelden de afdelingen 1, 2, 5 tot en met 10 en 13 van deze titel voor banken, alsmede de artikelen 365 lid 2, 366 lid 2, 368, 373 leden 2 tot en met 5, 374, leden 1, 2 en 4, 375 leden 5 en 7, 376, tweede volzin, 377 lid 7, en de artikelen 402, 403 en 404.

Vaste activa banken

2. Voor banken gelden de deelnemingen, de immateriële en de materiële activa als vaste activa. Andere effecten en verdere activa gelden als vaste activa, voor zover zij bestemd zijn om duurzaam voor de bedrijfsuitoefening te worden gebruikt.

3. Over een ontwerp van een algemene maatregel van bestuur als bedoeld in artikel 363, zesde lid, voor zover deze strekt ter uitvoering van de bepalingen van deze afdeling, en over een ontwerp van een algemene maatregel van bestuur als bedoeld in artikel 417 wordt De Nederlandsche Bank N.V. gehoord.

Verzoek om ontheffing; Nederlandsche Bank wordt gehoord

4. Ten aanzien van een bank geeft Onze Minister van Economische Zaken geen beslissing op een verzoek om ontheffing als bedoeld in de artikelen 58 lid 5, 101 lid 4, 210 lid 4, 379 lid 4 of 392 lid 4 dan nadat hij daarover de Nederlandsche Bank N.V. heeft gehoord.

Regels m.b.t. winst- en verliesrekening Amvb

Art. 417. Bij algemene maatregel van bestuur worden ter uitvoering van richtlijnen van de raad van de Europese Gemeenschappen inzake de jaarrekening en de geconsolideerde jaarrekening van banken regels gesteld met betrekking tot de balans en de winst- en verliesrekening alsmede de toelichtingen daarop.

Art. 418. (niet aanwezig)

Afwijking winst- en verliesrekening indien noodzakelijk

Art. 419. De indeling, de benaming en de omschrijving van de posten van de balans en de winst- en verliesrekening mogen voor banken die niet één van de in artikel 360, eerste zin, genoemde rechtsvormen hebben, of voor gespecialiseerde banken afwijkingen bevatten, voor zover deze wegens hun rechtsvorm respectievelijk de bijzondere aard van hun bedrijf noodzakelijk zijn.

Waardeverminderingen: wijze van salderen

Art. 420. 1. Waardeverminderingen op de tot de vaste activa behorende effecten en deelnemingen mogen in de winst- en verliesrekening met de ongedaanmakingen van de afboekingen worden gesaldeerd, voor zover de waardeverminderingen niet aan de herwaarderingsreserve worden onttrokken.

2. Het eerste lid is eveneens van toepassing op de waardeverminderingen en ongedaanmakingen van de afboekingen ter zake van vorderingen op bankiers, klanten en voorzieningen voor voorwaardelijke verplichtingen en onherroepelijk toegezegde verplichtingen die tot een kredietrisico kunnen leiden.

Waardestijgingen van tot handelsportefeuille behorende effecten

3. Waardestijgingen van de niet tot de vaste activa, maar wel tot de handelsportefeuille behorende effecten die tegen marktwaarde worden gewaardeerd, worden in de winst- en verliesrekening in aanmerking genomen. Waardeverminderingen van deze effecten worden overeenkomstig artikel 387 leden 1 tot en met 3 in aanmerking genomen.

Art. 421. 1. Artikel 368 is van toepassing op de posten, behorende tot de vaste activa; gesaldeerde bedragen als bedoeld in artikel 420 lid 1 mogen met andere posten in het overzicht worden samengevoegd.

2. Artikel 376 tweede volzin is alleen van toepassing op de posten buiten de balanstelling.

3. Gelijksoortige handelingen als bedoeld in artikel 378 lid 3, tweede zin, mogen gezamenlijk worden verantwoord. Artikel 378 lid 4 onder a geldt niet voor de aandelen of certificaten daarvan die de bank in de gewone bedrijfsuitoefening in pand heeft genomen.

4. Artikel 381, eerste volzin, is slechts van toepassing voor zover de desbetreffende gegevens niet in de posten buiten de balanstelling zijn opgenomen.

5. Met uitzondering van de nog openstaande bedragen is de tweede zin van artikel 383 lid 2 niet van toepassing.

Waardering waardepapieren

Art. 422. 1. Waardepapieren met een vaste of van de rentestand afhankelijke rente die tot de vaste activa behoren, worden op de grondslag van de verkrijgingsprijs of tegen aflossingswaarde gewaardeerd, onverminderd de toepassing van artikel 387 lid 4.

Vermelding verschil verkrijgingsprijs en aflossingswaarde

2. Indien deze waardepapieren tegen aflossingswaarde in de balans worden opgenomen, wordt het verschil tussen de verkrijgingsprijs en de aflossingswaarde vermeld en over de jaren sinds de aanschaf gespreid als resultaat verantwoord. Het verschil mag ook in één keer worden verantwoord, indien de verkrijgingsprijs hoger was dan de aflossingswaarde.

3. De niet tot de vaste activa behorende effecten worden gewaardeerd op de grondslag van de verkrijgingsprijs of tegen marktwaarde. Het verschil tussen beide waarden wordt voor het geheel van deze effecten vermeld.

Opname vaste activa in vreemde valuta

Art. 423. 1. Vaste activa in vreemde valuta die niet door contante of termijntransacties worden gedekt, worden opgenomen tegen de dagkoers op de balansdatum of op de datum van verkrijging van deze activa.

2. Niet afgewikkelde termijntransacties in vreemde valuta worden opgenomen tegen de dag- of termijnkoers op de balansdatum.

3. De overige activa en passiva in vreemde valuta worden opgenomen tegen de dagkoers op de balansdatum.

4. Verschillen, ontstaan bij de omrekening van activa en passiva worden in de winst- en verliesrekening verantwoord. Zij mogen evenwel ten gunste of ten laste van een niet-uitkeerbare reserve worden gebracht, voor zover zij betrekking hebben op vaste activa of termijntransacties ter dekking daarvan; het totaal van de positieve verschillen en dat van de negatieve verschillen wordt alsdan vermeld.

Verantwoording verschillen omrekening van activa en passiva

Art. 424. Een bank mag op de balans onder de passiva onmiddellijk na de voorzieningen een post omvattende de dekking voor algemene bankrisico's opnemen, voor zover zulks geboden is om redenen van voorzichtigheid wegens de algemene risico's van haar bankbedrijf. Het saldo van de toegevoegde en onttrokken bedragen aan deze post wordt als afzonderlijke post in de winst- en verliesrekening opgenomen.

Opname van post dekking algemene bankrisico's

Art. 425. Een bank ten aanzien waarvan een beslissing als bedoeld in artikel 12, eerste lid, van de Wet toezicht kredietwezen 1992 is genomen, behoeft de jaarrekening en het jaarverslag niet volgens de voorschriften van deze titel in te richten, mits de financiële gegevens zijn opgenomen in de geconsolideerde jaarrekening, het jaarverslag en de overige gegevens van de bank op wier aansprakelijkheid de ontheffing is gegrond; de artikelen 393 en 394 gelden niet voor de bank waaraan de ontheffing is verleend. Aan de geconsolideerde jaarrekening worden een jaarverslag en overige gegevens toegevoegd, die betrekking hebben op de in de geconsolideerde jaarrekening begrepen rechtspersonen en instellingen gezamenlijk.

Plichten bank waaraan ontheffing is verleend

Art. 426. 1.In de geconsolideerde jaarrekening van een bank worden ten minste groepsmaatschappijen wier werkzaamheden rechtstreeks in het verlengde van het bankbedrijf liggen of die bestaan uit het verrichten van nevendiensten in het verlengde van het bankbedrijf geconsolideerd overeenkomstig de voorschriften voor banken. Andere groepsmaatschappijen die geen bank zijn en die in de geconsolideerde jaarrekening van een bank worden opgenomen, worden eveneens verantwoord overeenkomstig de voorschriften voor banken, met uitzondering evenwel van artikel 424.

Verantwoording groepsmij. in geconsolideerde jaarrekening

Is de groepsmaatschappij die in de geconsolideerde jaarrekening van een bankengroep wordt opgenomen, een verzekeringsmaatschappij als bedoeld in artikel 427, dan wordt deze geconsolideerd overeenkomstig de voorschriften voor verzekeringsmaatschappijen.

2. De groepsmaatschappij aan het hoofd van de groep die de gegevens consolideert van een groep of een groepsdeel, welke geen of nagenoeg geen andere werkzaamheid heeft dan de uitoefening van het bankbedrijf, wordt in de geconsolideerde jaarrekening opgenomen overeenkomstig de voorschriften voor banken. Dit geldt slechts, indien deze groepsmaatschappij geen andere werkzaamheid heeft dan het beheren en financieren van groepsmaatschappijen en deelnemingen.

3. De leden 2 en 3 van artikel 407 zijn niet van toepassing. Indien een bank artikel 407 lid 1 onder c toepast ten aanzien van een dochtermaatschappij die eveneens bank is, en waarin het belang wordt gehouden vanwege een financiële bijstandsverlening, wordt de jaarrekening van laatstgenoemde bank gevoegd bij de geconsolideerde jaarrekening van eerstgenoemde bank. De belangrijke voorwaarden, waaronder de financiële bijstandsverlening plaatsvindt, worden vermeld.

AFDELING 15
Bepalingen voor verzekeringsmaatschappijen

§ 1 Algemene bepalingen

Art. 427. 1. In deze afdeling wordt onder verzekeringsmaatschappij verstaan: de rechtspersoon waarop artikel 72 van de Wet toezicht verzekeringsbedrijf 1993 van toepassing is alsmede de rechtspersoon, bedoeld in artikel 14, eerste lid, onder a van die wet.

Verzekeringsmaatschappij

2. Een rechtspersoon die het verzekeringsbedrijf uitoefent, doch die geen verzekeringsmaatschappij is, mag de voor verzekeringsmaatschappijen geldende voorschriften toepassen, indien het in artikel 362 lid 1 bedoelde inzicht daardoor wordt gediend.

Art. 428. 1. Voor zover in deze afdeling niet anders is bepaald, gelden de afdelingen 1, 2, 5 tot en met 10 en 13 van deze titel voor verzekeringsmaatschappijen, alsmede de artikelen 365, 366 lid 2, 368 lid 1, 373, 374, 375, leden 2, 3 en 5 tot en met 7, 376, 377 lid 7, 402, 403 en 404.

2. Voor verzekeringsmaatschappijen gelden de deelnemingen, de immateriële activa en de beleggingen als vaste activa. Verdere activa gelden als vaste activa, voor zover zij bestemd zijn om duurzaam voor de bedrijfsuitoefening te worden gebruikt.

3. Over ontwerpen van een algemene maatregel van bestuur als bedoeld in de artikelen 363 lid 6 of 442 lid 1, voor zover deze strekken ter uitvoering van de bepalingen van deze afdeling, en over een ontwerp van een algemene maatregel van bestuur als bedoeld in artikel 444 lid 2 wordt de Verzekeringskamer gehoord.

4. Ten aanzien van een verzekeringsmaatschappij geeft Onze Minister van Economische Zaken geen beslissing op een verzoek om ontheffing als bedoeld in de artikelen 58 lid 5, 101 lid 4, 210 lid 4 of 392 lid 4 dan nadat hij daarover de Verzekeringskamer heeft gehoord.

§ 2. Voorschriften omtrent de balans en de toelichting daarop

Opname onder activa/passiva

Art. 429. 1. Onder de activa worden afzonderlijk opgenomen:
a. de immateriele activa op de wijze bepaald in artikel 365;
b. de beleggingen;
c. de beleggingen waarbij de tot uitkering gerechtigde het beleggingsrisico draagt, alsmede de spaarkasbeleggingen;
d. de vorderingen;
e. de overige activa; en
f. de overlopende activa.

2. Onder de passiva worden afzonderlijk opgenomen:
a. het eigen vermogen, op de wijze bepaald in artikel 373;
b. de achtergestelde schulden;
c. de technische voorzieningen eigen aan het verzekeringsbedrijf;
d. de technische voorzieningen voor verzekeringen waarbij de tot uitkering gerechtigde het beleggingsrisico draagt en die voor spaarkassen;
e. de voorzieningen, op de wijze bepaald in artikel 374;
f. de niet-opeisbare schulden in het kader van een herverzekeringsovereenkomst van een maatschappij die haar verplichtingen herverzekert;
g. de schulden; en
h. de overlopende passiva.

Opname onder beleggingen

Art. 430. 1. Onder de beleggingen worden afzonderlijk opgenomen:
a. terreinen en gebouwen, al dan niet in aanbouw, en de vooruitbetalingen daarop, met afzonderlijke vermelding van de terreinen en gebouwen voor eigen gebruik;
b. beleggingen in groepsmaatschappijen en deelnemingen;
c. overige financiële beleggingen;

2. Op de balans van een maatschappij die herverzekeringen aanneemt, worden onder de beleggingen tevens afzonderlijk opgenomen de niet ter vrije beschikking staande vorderingen in het kader van een herverzekeringsovereenkomst.

3. Bij de beleggingen in groepsmaatschappijen en deelnemingen worden afzonderlijk vermeld:
a. aandelen, certificaten van aandelen en andere vormen van deelneming in groepsmaatschappijen;
b. andere deelnemingen;
c. waardepapieren met een vaste of van de rentestand afhankelijke rente uitgegeven door en vorderingen op groepsmaatschappijen; en
d. waardepapieren met een vaste of van de rentestand afhankelijke rente uitgegeven door en vorderingen op andere rechtspersonen en vennootschappen die een deelneming hebben in de verzekeringsmaatschappij of waarin de verzekeringsmaatschappij een deelneming heeft.

4. Van de overige financiële beleggingen worden afzonderlijk vermeld:
a. aandelen, certificaten van aandelen, deelnemingsbewijzen en andere niet-vastrentende waardepapieren;
b. waardepapieren met een vaste of van de rentestand afhankelijke rente;
c. belangen in beleggingspools;
d. vorderingen uit leningen voor welke zakelijke zekerheid is gesteld;
e. andere vorderingen uit leningen;
f. deposito's bij banken;
g. andere financiële beleggingen.

5. Tenzij de post andere financiële beleggingen van ondergeschikte betekenis is op het geheel van de overige financiële beleggingen, wordt zij naar aard en omvang toegelicht.

Art. 431. Artikel 368 lid 1 is niet van toepassing op de overige financiële beleggingen, bedoeld in artikel 430 lid 1, onder c.

Opname onder de vorderingen

Art. 432. 1. Onder de vorderingen worden afzonderlijk opgenomen:
a. vorderingen uit verzekeringsovereenkomsten, anders dan herverzekering, met afzonderlijke vermelding van de vorderingen op verzekeringnemers en op tussenpersonen;
b. vorderingen uit herverzekeringsovereenkomsten;
c. overige vorderingen.

2. Onderscheiden naar de in lid 1 genoemde groepen, worden aangegeven de vorderingen op groepsmaatschappijen en de vorderingen op andere rechtspersonen en vennootschappen die een deelneming hebben in de verzekeringsmaatschappij of waarin de verzekeringsmaatschappij een deelneming heeft.

Opname onder overige activa

Art. 433. 1. Onder de overige activa worden afzonderlijk opgenomen:
a. materiële activa als bedoeld in artikel 366 lid 1 die niet onder de post terreinen en gebouwen moeten worden opgenomen, alsmede voorraden als bedoeld in artikel 369;
b. liquide middelen, als bedoeld in artikel 372 lid 1;
c. andere activa.

2. Tenzij de post andere activa van ondergeschikte betekenis is op het geheel van de overige activa, wordt zij naar aard en omvang toegelicht.

Opname onder overlopende activa

Art. 434. 1. Onder de overlopende activa worden afzonderlijk opgenomen:
a. vervallen, maar nog niet opeisbare rente en huur;
b. overlopende acquisitiekosten, voor zover niet reeds in mindering gebracht op de technische voorziening niet-verdiende premies dan wel op de technische voorziening levensverzekering;
c. overige overlopende activa.

2. Vermeld worden de overlopende acquisitiekosten voor onderscheidenlijk levensverzekering en schadeverzekering.

Opname onder de technische voorzieningen

Art. 435. 1. Onder de technische voorzieningen worden afzonderlijk opgenomen:
a. de voorziening voor niet-verdiende premies en lopende risico's;
b. de voorziening voor levensverzekering;
c. de voorziening voor te betalen schaden of voor te betalen uitkeringen;
d. de voorziening voor winstdeling en kortingen;
e. de egalisatievoorziening, voor zover egalisatie van winsten en verliezen bij of krachtens de wet is toegestaan;
f. de overige technische voorzieningen.

2. Artikel 374 is van toepassing op de verzekeringstechnische voorzieningen, voor zover de aard van de technische voorzieningen zich daartegen niet verzet.

3. Op de technische voorzieningen, daaronder begrepen de technische voorzieningen, bedoeld in artikel 429 lid 2, onder d, wordt het deel dat door herverzekeringsovereenkomsten wordt gedekt op de balans in mindering gebracht. Eveneens worden op deze voorzieningen de rentestandkortingen in mindering gebracht.

4. Indien op de technische voorzieningen acquisitiekosten in mindering zijn gebracht, worden deze afzonderlijk vermeld.

5. Indien de technische voorziening voor lopende risico's niet wordt opgenomen bij de technische voorziening niet-verdiende premies, wordt zij in de overige technische voorzieningen opgenomen. Tenzij de voorziening voor lopende risico's van ondergeschikte betekenis is op het geheel van de voorziening niet-verdiende premies wordt de omvang toegelicht.

6. In het levensverzekeringsbedrijf behoeft geen technische voorziening voor niet-verdiende premies onderscheidenlijk voor te betalen uitkeringen te worden vermeld.

7. Onder de technische voorziening levensverzekering mag de voorziening, bedoeld in artikel 374 lid 4, onder b, worden opgenomen. In dat geval wordt in de toelichting het bedrag van de voorziening vermeld.

Opname onder de schulden

Art. 436. 1. Onder de schulden worden afzonderlijk opgenomen:
a. schulden uit verzekeringsovereenkomsten, anders dan herverzekering;

b. schulden uit herverzekeringsovereenkomsten;
c. obligatieleningen, pandbrieven en andere leningen met afzonderlijke vermelding van converteerbare leningen;
d. schulden aan banken;
e. overige schulden, met afzonderlijke vermelding van schulden ter zake van belastingen en premies sociale verzekering.

2. Onderscheiden naar de in lid 1 genoemde groepen, worden aangegeven de schulden aan groepsmaatschappijen en de schulden aan andere rechtspersonen en vennootschappen die een deelneming hebben in de verzekeringsmaatschappij of waarin de verzekeringsmaatschappij een deelneming heeft.

3. Artikel 375 lid 2 is van toepassing op elke in lid 1 vermelde groep van schulden.

4. Artikel 376 is niet van toepassing op verplichtingen uit verzekeringsovereenkomsten.

§ 3. Voorschriften omtrent de winst- en verliesrekening en de toelichting daarop

Winst- en verliesrekening

Art. 437. 1. In deze afdeling wordt onder winst- en verliesrekening verstaan: een technische rekening schadeverzekering, een technische rekening levensverzekering en een niet-technische rekening. De technische rekeningen worden toegepast naar gelang van de aard van het bedrijf van de verzekeringsmaatschappij.

2. Een verzekeringsmaatschappij die uitsluitend herverzekert of die naast herverzekering het schadeverzekeringsbedrijf uitoefent, mag de technische rekeningen toepassen naar gelang de aard van de overeenkomsten die worden herverzekerd, dan wel uitsluitend de technische rekening schadeverzekering. Indien uitsluitend de technische rekening schadeverzekering wordt toegepast, worden afzonderlijk de brutopremies vermeld, onderscheiden naar levensverzekering en schadeverzekering.

3. Op de technische rekening schadeverzekering worden afzonderlijk opgenomen de baten en de lasten uit de gewone uitoefening van het schadeverzekeringsbedrijf en het resultaat daarvan voor belastingen.

4. Op de technische rekening levensverzekering worden afzonderlijk opgenomen de baten en de lasten uit de gewone uitoefening van het levensverzekeringsbedrijf en het resultaat daarvan voor belastingen.

5. Op de niet-technische rekening worden afzonderlijk opgenomen:
a. de resultaten voor belastingen uit de gewone uitoefening van het schadeverzekeringsbedrijf en het levensverzekeringsbedrijf, de opbrengsten en lasten uit beleggingen alsmede de niet-gerealiseerde opbrengsten en verliezen van beleggingen welke niet worden toegewezen aan of toekomen aan het schade- of levensverzekeringsbedrijf, en de toegerekende opbrengsten uit beleggingen overgeboekt van of aan de technische rekeningen, de andere baten en lasten, de belastingen op het resultaat van de gewone bedrijfsuitoefening, en dit resultaat na belastingen;
b. de buitengewone baten en lasten, de belastingen daarover en het buitengewone resultaat na belastingen;
c. de overige belastingen;
d. het resultaat na belastingen.

6. Op de niet gerealiseerde opbrengsten en verliezen van beleggingen is artikel 438 lid 4 van toepassing.

Opname op de technische rekeningen

Art. 438. 1. Afzonderlijk worden op de technische rekeningen, onder aftrek van herverzekeringsbaten en -lasten, opgenomen:
a. de verdiende premies;
b. de opbrengsten uit beleggingen;
c. de niet-gerealiseerde opbrengsten van beleggingen;
d. de overige baten;
e. de schaden of uitkeringen;
f. de toe- of afneming van de technische voorzieningen die niet onder andere posten moeten worden vermeld;
g. de toe- of afneming van de technische voorziening voor winstdeling en kortingen;
h. de bedrijfskosten;
i. de lasten in verband met beleggingen;
j. het niet-gerealiseerde verlies van beleggingen, op de wijze, bedoeld in lid 4;
k. de overige lasten;
l. de aan de niet-technische rekening toe te rekenen opbrengsten uit beleggingen;
m. de toe- of afneming van de egalisatievoorziening.

2. Tenzij aan het schadeverzekeringsbedrijf beleggingen rechtstreeks kunnen worden toegewezen, worden in de technische rekening schadeverzekering de posten b en c van lid 1 vervangen door een post die de aan het schadeverzekeringsbedrijf toegerekende opbrengsten van beleggingen omvat, en vervallen de posten i, j, en *l* van lid 1. Post m wordt slechts in de technische rekening schadeverzekering opgenomen.

3. Bij de toerekening van opbrengsten van beleggingen van het ene deel van de winst- en verliesrekening aan het andere, worden de reden en de grondslag vermeld.

4. Waardestijgingen van beleggingen die op de grondslag van de actuele waarde worden gewaardeerd, mogen in de winst- en verliesrekening in aanmerking worden genomen onder post c van lid 1 of, indien de uitzondering van het tweede lid zich niet voordoet dan wel artikel 445 lid 3 wordt toegepast, in de niet-technische rekening. Indien de eerste volzin toepassing vindt, worden de waardeverminderingen van deze beleggingen niet als een last in verband met beleggingen overeenkomstig artikel 440 lid 5 onder b verantwoord, maar opgenomen onder post j van lid 1. Waardestijgingen en waardeverminderingen van de beleggingen, bedoeld in artikel 429 lid 1, onder c, moeten in de winst- en verliesrekening in aanmerking worden genomen op de wijze als in de eerste twee volzinnen aangegeven.

Uitsplitsing posten op de technische en niet-technische rekeningen

Art. 439. 1. Op de technische en niet-technische rekeningen worden de volgende posten, naar gelang zij daarop voorkomen, overeenkomstig de volgende leden uitgesplitst.

2. De verdiende premies worden uitgesplitst in:
a. de brutopremies die tijdens het boekjaar zijn vervallen, uitgezonderd de samen met de premies geïnde belastingen of andere bij of krachtens de wet vereiste bijdragen;
b. de door de verzekeringsmaatschappij betaalde en verschuldigde herverzekeringspremies, onder aftrek van de bij de aanvang van het boekjaar verschuldigde herverzekeringspremies;
c. de toe- of afneming van de technische voorziening voor niet-verdiende premies, alsmede, indien van toepassing, van de technische voorziening voor lopende risico's;
d. het herverzekeringsdeel van de toe- of afneming, bedoeld onder c.

3. In de technische rekening levensverzekering mag de toe- of afneming van de technische voorziening niet-verdiende premies onderdeel uitmaken van de toe- of afneming van de technische voorziening levensverzekering en behoeft de uitsplitsing, bedoeld in lid 2, onder d, niet te worden gemaakt.

4. De schaden dan wel uitkeringen worden gesplitst in:
a. de voor eigen rekening betaalde schaden of uitkeringen, met afzonderlijke opneming van de totaal betaalde schaden of uitkeringen en van het daarin begrepen herverzekeringsdeel;
b. de toe- of afneming van de voorziening voor te betalen schaden of uitkeringen voor eigen rekening, met afzonderlijke opneming van het herverzekeringsdeel en van de som van deze beide bedragen.

5. Bij de post toe- of afneming van de technische voorzieningen die niet onder andere posten moeten worden vermeld, wordt afzonderlijk opgenomen:
a. de toe- of afneming van de technische voorziening voor levensverzekering voor eigen rekening met afzonderlijke opneming van het herverzekeringsdeel en van de som van beide bedragen;
b. de toe- of afneming van de overige technische voorzieningen.

6. Tenzij van ondergeschikte betekenis op het geheel van toe- of afneming van de voorziening voor te betalen schaden of uitkeringen, worden de aard en omvang aangegeven van het verloop in het boekjaar van het deel van de voorziening dat betreft de nog niet afgewikkelde schaden uit eerdere boekjaren.

Vermelding bij bedrijfskosten

Art. 440. 1. Bij de bedrijfskosten worden afzonderlijk vermeld:
a. de acquisitiekosten;
b. de toe- of afneming van de overlopende acquisitiekosten;
c. de beheerskosten, de personeelskosten en de afschrijvingen op bedrijfsmiddelen, voor zover deze niet onder de acquisitiekosten, de schaden of de lasten in verband met beleggingen zijn opgenomen;
d. de op de bedrijfskosten in mindering gebrachte provisie en winstdeling die ter zake van herverzekeringsovereenkomsten is ontvangen.

2. Als acquisitiekosten worden aangemerkt de middellijk of onmiddellijk met het sluiten van verzekeringsovereenkomsten samenhangende kosten.

3. Bij de opbrengsten uit beleggingen worden afzonderlijk vermeld:
a. de opbrengsten uit deelnemingen;
b. de opbrengsten uit andere beleggingen, gesplitst naar opbrengsten uit terreinen en gebouwen en uit de overige beleggingen;
c. de terugnemingen van de waardeverminderingen van beleggingen, voor zover niet krachtens artikel 390 lid 3 in de herwaarderingsreserve opgenomen;
d. de opbrengsten bij verkoop van beleggingen.

4. Onderscheiden naar de in lid 3 onder a en b genoemde groepen worden de opbrengsten uit de verhouding met groepsmaatschappijen aangegeven.

5. Bij de lasten in verband met beleggingen worden afzonderlijk vermeld:
a. de kosten in verband met het beheer van beleggingen, met inbegrip van de rentekosten;
b. de waardeverminderingen van beleggingen, voor zover niet krachtens artikel 390 lid 3 aan de herwaarderingsreserve onttrokken, alsmede de afschrijvingen op beleggingen;
c. het verlies bij verkoop van beleggingen.

6. Het bedrag van de winstdeling en dat van de kortingen worden in de toelichting opgenomen.

§ 4. Bijzondere voorschriften omtrent de toelichting

Art. 441. 1. Artikel 380 is niet van toepassing.

Schadeverzekeringsbedrijf; herverzekeringslasten

2. Een verzekeringsmaatschappij die het schadeverzekerings- of schadeherverzekeringsbedrijf uitoefent, vermeldt in een overzicht de volgende gegevens, waarin het herverzekeringsdeel is begrepen:
a. de geboekte premies;
b. de verdiende premies;
c. de schaden;
d. de bedrijfskosten; en
e. de som van de herverzekeringsbaten- en lasten.

3. Deze gegevens worden gesplitst naar schadeverzekering en herverzekering, indien ten minste een tiende deel van de geboekte premies uit herverzekeringsovereenkomsten afkomstig is.

Zeeverzekering, transportverzekering

4. De gegevens met betrekking tot schadeverzekering worden onderscheiden naar de volgende groepen:
a. ongevallen en ziekte;
b. wettelijke aansprakelijkheid motorrijtuigen;
c. motorrijtuigen overig;
d. zee-, transport- en luchtvaartverzekering;
e. brand en andere schade aan zaken;
f. algemene aansprakelijkheid, met uitzondering van de wettelijke aansprakelijkheid motorrijtuigen en van de aansprakelijkheid voor zee, transport en luchtvaart;
g. krediet en borgtocht;
h. rechtsbijstand;
i. hulpverlening; en
j. diverse geldelijke verliezen, indien de geboekte premies voor een groep meer dan 10 miljoen ecu bedragen. De verzekeringsmaatschappij vermeldt ten minste de gegevens van haar drie belangrijkste groepen.

Levensverzekeringsbedrijf; herverzekeringslasten

5. Een verzekeringsmaatschappij die het levensverzekerings- of levensherverzekeringsbedrijf uitoefent, vermeldt in een overzicht de geboekte premies, met inbegrip van het herverzekeringsdeel, en het saldo van de herverzekeringsbaten en -lasten. De geboekte premies worden gesplitst naar levensverzekering en herverzekering, indien ten minste een tiende deel van de geboekte premies uit herverzekeringsovereenkomsten afkomstig is.

6. De geboekte premies levensverzekering worden onderscheiden naar:
a. premies uit collectieve verzekeringsovereenkomsten en die uit individuele overeenkomsten;
b. koopsommen en weerkerende betalingen; en
c. premies van overeenkomsten waarbij de tot uitkering gerechtigde het beleggingsrisico draagt, van overeenkomsten met en van overeenkomsten zonder winstdeling;
een onder a, b of c vermelde categorie die een tiende gedeelte of minder bedraagt van het totaal van de geboekte premies behoeft niet te worden vermeld.

7. Vermeld wordt het bedrag van de premies, met inbegrip van het herverzekeringsdeel, die zijn geboekt op verzekeringsovereenkomsten gesloten vanuit:

a. Nederland;
b. het overige grondgebied van de Europese Gemeenschappen; en
c. de landen daarbuiten, telkens indien dat bedrag groter is dan het twintigste deel van het totaal van de geboekte premies.

8. Opgegeven wordt het bedrag van de betaalde en verschuldigde provisies, ongeacht de aard van de provisie.

§ 5. Bijzondere voorschriften omtrent de grondslagen van waardering en van bepaling van het resultaat

Waarderingsgrondslagen beleggingen

Art. 442. 1. Als actuele waarde van de beleggingen komt slechts in aanmerking de marktwaarde overeenkomstig de regels gesteld bij algemene maatregel van bestuur, onverminderd het bepaalde in artikel 389.

2. De beleggingen waarbij de tot uitkering gerechtigde het beleggingsrisico draagt, alsmede spaarkasbeleggingen worden gewaardeerd op de grondslag van de actuele waarde.

3. Voor elk der posten behorende tot de beleggingen die op de balansdatum aanwezig zijn, worden opgegeven:
a. de verkrijgings- of vervaardigingsprijs, indien de waardering op de grondslag van de actuele waarde geschiedt;
b. de actuele waarde op de balansdatum, indien de waardering op de grondslag van de verkrijgings- of vervaardigingsprijs geschiedt.

4. Indien beleggingen in terreinen en gebouwen op de grondslag van de actuele waarde worden gewaardeerd, behoeft artikel 386 lid 4 niet te worden toegepast. Indien het beleggingen in terreinen en gebouwen in eigen gebruik betreft, wordt in de toelichting op de winst- en verliesrekening het bedrag van de aan deze beleggingen toegerekende opbrengst aangegeven alsmede het toegerekende bedrag van de huisvestigingskosten.

Waardering waardepapieren behorend tot de beleggingen

Art. 443. 1. Waardepapieren met een vaste of van de rentestand afhankelijke rente die tot de beleggingen behoren, mogen tegen aflossingswaarde worden gewaardeerd, onverminderd de toepassing van artikel 387 lid 4.

2. Indien deze waardepapieren tegen aflossingswaarde op de balans worden opgenomen, wordt het verschil tussen de verkrijgingsprijs en de aflossingswaarde vermeld en over de jaren sinds de aanschaf gespreid als resultaat verantwoord. Het verschil mag ook in één keer als resultaat worden verantwoord, indien de verkrijgingsprijs hoger was dan de aflossingswaarde.

3. Indien deze waardepapieren voor het einde van de looptijd worden verkocht en de opbrengst wordt aangewend voor de aankoop van soortgelijke waardepapieren, mag het verschil tussen de opbrengst en de boekwaarde gelijkelijk gespreid over de resterende looptijd van de oorspronkelijke waardepapieren als resultaat worden verantwoord. De vorige zin is niet van toepassing indien de waardepapieren op de grondslag van de actuele waarde worden gewaardeerd.

4. De vorderingen uit leningen voor welke zakelijke zekerheid is gesteld en andere vorderingen uit leningen, bedoeld in artikel 430 lid 4, onder d en e, mogen eveneens tegen aflossingswaarde worden gewaardeerd.

Waardering technische voorzieningen

Art. 444. 1. De technische voorzieningen worden gewaardeerd op voor de bedrijfstak aanvaardbare grondslagen. Bij de waardering van de technische voorzieningen wordt ervan uitgegaan dat de verzekeringsmaatschappij in staat moet zijn te voldoen aan haar naar maatstaven van redelijkheid en billijkheid voorzienbare verplichtingen uit verzekeringsovereenkomsten. De bepaling van de technische voorziening voor levensverzekering en van die voor periodiek te betalen schaden of uitkeringen geschiedt door terzake deskundigen.

2. Ten behoeve van verzekeringsmaatschappijen als bedoeld in artikel 7, eerste lid, onder a van de Wet toezicht verzekeringsbedrijf (Stb. 1990, 342) worden bij algemene maatregel van bestuur regels gesteld omtrent de waardering van de technische voorziening voor te betalen schaden.

§ 6. Bijzondere bepalingen voor de geconsolideerde jaarrekening

Geconsolideerde jaarrekening

Art. 445. 1. In de geconsolideerde jaarrekening van een verzekeringsmaatschappij worden groepsmaatschappijen die geen verzekeringsmaatschappij zijn en die in de geconsolideerde jaarrekening worden opgenomen, verantwoord overeenkomstig de voorschriften voor verzekeringsmaatschappijen. Is de groepsmaatschappij die in de geconsolideerde jaarrekening van een verzekeringsgroep wordt opgenomen, een bank als bedoeld in artikel 415, dan wordt deze geconsolideerd overeenkomstig de voorschriften voor banken.

2. De groepsmaatschappij aan het hoofd van de groep die de gegevens consolideert van een groep of een groepsdeel, welke geen of nagenoeg geen andere werkzaamheid heeft dan de uitoefening van het verzekeringsbedrijf, wordt in de geconsolideerde jaarrekening opgenomen overeenkomstig de voorschriften voor verzekeringsmaatschappijen. Dit geldt slechts, indien deze groepsmaatschappij geen of nagenoeg geen andere werkzaamheid heeft dan het beheren en financieren van groepsmaatschappijen en deelnemingen.

3. In een geconsolideerde winst- en verliesrekening die zowel schade- als levensverzekeringsmaatschappijen betreft, mogen alle opbrengsten van beleggingen in de niet-technische rekening worden opgenomen. Zowel in de technische rekening schadeverzekering als in de technische rekening levensverzekering vervallen dan de posten i, j en *l* van artikel 438 lid 1 en worden de posten b en c dan artikel 438 lid 1 vervangen door een post die onderscheidenlijk de aan de technische rekening schadeverzekering en levensverzekering toegerekende opbrengsten van beleggingen omvat.

4. Artikel 407 lid 2 is niet van toepassing.

Uitzondering elimineren winst en verlies

Art. 446. 1. Winsten en verliezen die voortvloeien uit overeenkomsten tussen in de consolidatie opgenomen groepsmaatschappijen behoeven niet te worden geëlimineerd, indien de overeenkomsten op basis van marktvoorwaarden zijn aangegaan en daaruit ten gunste van tot uitkering gerechtigden rechten voortvloeien. De toepassing van deze uitzondering wordt vermeld, alsmede de invloed daarvan op het vermogen en resultaat, tenzij deze invloed van ondergeschikte betekenis is.

2. De termijn van drie maanden, bedoeld in artikel 412 lid 2, wordt verlengd tot zes maanden voor in de geconsolideerde jaarrekening op te nemen gegevens ter zake van herverzekering.

3. Indien een buitenlandse verzekeringsmaatschappij deel uitmaakt van de groep, mogen de technische voorzieningen van deze maatschappij in de consolidatie worden opgenomen overeenkomstig de waarderingsvoorschriften van haar recht, voor zover dat recht afwijking van die voorschriften niet toestaat. Het gemaakte gebruik van de uitzondering wordt in de toelichting vermeld.

4. Het derde lid is van overeenkomstige toepassing ten aanzien van de beleggingen waarbij de tot uitkering gerechtigde het beleggingsrisico draagt en ten aanzien van de spaarkasbeleggingen.

BOEK 3
VERMOGENSRECHT IN HET ALGEMEEN

TITEL 1
Algemene bepalingen

AFDELING 1
Begripsbepalingen

Art. 1. *(3.1.1.0)* Goederen zijn alle zaken en alle vermogensrechten. **Goed**

Art. 2. *(3.1.1.1)* Zaken zijn de voor menselijke beheersing vatbare stoffelijke objecten. **Zaak**

Art. 3. *(3.1.1.2)* 1. Onroerend zijn de grond, de nog niet gewonnen delfstoffen, de met de grond verenigde beplantingen, alsmede de gebouwen en werken die duurzaam met de grond zijn verenigd, hetzij rechtstreeks, hetzij door vereniging met andere gebouwen of werken. **Onroerende zaak**

2. Roerend zijn alle zaken die niet onroerend zijn. **Roerende zaak**

Art. 4. *(3.1.1.3)* 1. Al hetgeen volgens verkeersopvatting onderdeel van een zaak uitmaakt, is bestanddeel van die zaak. **Bestanddeel door verkeersopvatting**

2. Een zaak die met een hoofdzaak zodanig verbonden wordt dat zij daarvan niet kan worden afgescheiden zonder dat beschadiging van betekenis wordt toegebracht aan een der zaken, wordt bestanddeel van de hoofdzaak. **Bestanddeel door verbinding**

Art. 5. *(3.1.1.3a)* Inboedel is het geheel van tot huisraad en tot stoffering en meubilering van een woning dienende roerende zaken, met uitzondering van boekerijen en verzamelingen van voorwerpen van kunst, wetenschap of geschiedkundige aard. **Inboedel**

Art. 6. *(3.1.1.5)* Rechten die, hetzij afzonderlijk hetzij tezamen met een ander recht, overdraagbaar zijn, of er toe strekken de rechthebbende stoffelijk voordeel te verschaffen, ofwel verkregen zijn in ruil voor verstrekt of in het vooruitzicht gesteld stoffelijk voordeel, zijn vermogensrechten. **Vermogensrecht**

Art. 7. *(3.1.1.6)* Een afhankelijk recht is een recht dat aan een ander recht zodanig verbonden is, dat het niet zonder dat andere recht kan bestaan. **Afhankelijk recht**

Art. 8. *(3.1.1.7)* Een beperkt recht is een recht dat is afgeleid uit een meer omvattend recht, hetwelk met het beperkte recht is bezwaard. **Beperkt recht**

Art. 9. *(3.1.1.9)* 1. Natuurlijke vruchten zijn zaken die volgens verkeersopvatting als vruchten van andere zaken worden aangemerkt. **Natuurlijke vruchten**

2. Burgerlijke vruchten zijn rechten die volgens verkeersopvatting als vruchten van goederen worden aangemerkt. **Burgerlijke vruchten**

3. De afzonderlijke termijnen van een lijfrente gelden als vruchten van het recht op de lijfrente. **Termijnen lijfrente**

4. Een natuurlijke vrucht wordt een zelfstandige zaak door haar afscheiding, een burgerlijke vrucht een zelfstandig recht door haar opeisbaar worden. **Afscheiding; opeisbaar worden**

Art. 10. *(3.1.1.10)* Registergoederen zijn goederen voor welker overdracht of vestiging inschrijving in daartoe bestemde openbare registers noodzakelijk is. **Registergoederen**

Art. 11. *(3.1.1.12)* Goede trouw van een persoon, vereist voor enig rechtsgevolg, ontbreekt niet alleen, indien hij de feiten of het recht, waarop zijn goede trouw betrekking moet hebben, kende, maar ook indien hij ze in de gegeven omstandigheden behoorde te kennen. Onmogelijkheid van onderzoek belet niet dat degene die goede reden tot twijfel had, aangemerkt wordt als iemand die de feiten of het recht behoorde te kennen. **Goede trouw**

Art. 12. *(3.1.1.13)* Bij de vaststelling van wat redelijkheid en billijkheid eisen, moet rekening worden gehouden met algemeen erkende rechtsbeginselen, met de in Nederland levende rechtsovertuigingen en met de maatschappelijke en persoonlijke belangen, die bij het gegeven geval zijn betrokken. **Redelijkheid en billijkheid**

Misbruik van bevoegdheid

Art. 13. *(3.1.1.14)* 1. Degene aan wie een bevoegdheid toekomt, kan haar niet inroepen, voor zover hij haar misbruikt.

2. Een bevoegdheid kan onder meer worden misbruikt door haar uit te oefenen met geen ander doel dan een ander te schaden of met een ander doel dan waarvoor zij is verleend of in geval men, in aanmerking nemende de onevenredigheid tussen het belang bij de uitoefening en het belang dat daardoor wordt geschaad, naar redelijkheid niet tot die uitoefening had kunnen komen.

3. Uit de aard van een bevoegdheid kan voortvloeien dat zij niet kan worden misbruikt.

Strijd met publiekrecht

Art. 14. *(3.1.1.15)* Een bevoegdheid die iemand krachtens het burgerlijk recht toekomt, mag niet worden uitgeoefend in strijd met geschreven of ongeschreven regels van publiekrecht.

Toepassing buiten vermogensrecht

Art. 15. *(3.1.1.16)* De artikelen 11-14 vinden buiten het vermogensrecht toepassing, voor zover de aard van de rechtsbetrekking zich daartegen niet verzet.

AFDELING 1A
Het voeren van een administratie

Art. 15a. 1. Een ieder die een bedrijf of zelfstandig een beroep uitoefent, is verplicht van zijn vermogenstoestand en van alles betreffende zijn bedrijf of beroep, naar de eisen van dat bedrijf of beroep, op zodanige wijze een administratie te voeren en de daartoe behorende boeken, bescheiden en andere gegevensdragers op zodanige wijze te bewaren, dat te allen tijde zijn rechten en verplichtingen kunnen worden gekend.

2. De leden 2 tot en met 4 van artikel 10 van Boek 2 zijn van overeenkomstige toepassing.

AFDELING 2
Inschrijvingen betreffende registergoederen

Openbare registers

Art. 16. *(3.1.2.1)* 1. Er worden openbare registers gehouden, waarin feiten die voor de rechtstoestand van registergoederen van belang zijn, worden ingeschreven.

Nadere regeling bij wet

2. Welke deze openbare registers zijn, waar en op welke wijze een inschrijving in de registers kan worden verkregen, welke stukken daartoe aan de bewaarder moeten worden aangeboden, wat deze stukken moeten inhouden, hoe de registers worden ingericht, hoe de inschrijvingen daarin geschieden, en hoe de registers kunnen worden geraadpleegd, wordt geregeld bij de wet.

Inschrijfbare feiten

Art. 17. *(3.1.2.2)* 1. Behalve die feiten waarvan inschrijving krachtens andere wetsbepalingen mogelijk is, kunnen in deze registers de volgende feiten worden ingeschreven:

Rechtshandelingen

a. rechtshandelingen die een verandering in de rechtstoestand van registergoederen brengen, of in enig ander opzicht voor die rechtstoestand van belang zijn;

Erfopvolging

b. erfopvolgingen die registergoederen betreffen, daaronder begrepen de opvolging door de Staat krachtens artikel 879, tweede lid, en de inbezitstelling krachtens artikel 1175 van Boek 4;

Vervulling voorwaarde

c. vervulling van de voorwaarde, gesteld in een ingeschreven voorwaardelijke rechtshandeling, en de verschijning van een onzeker tijdstip, aangeduid in de aan een ingeschreven rechtshandeling verbonden tijdsbepaling, alsmede de dood van een vruchtgebruiker van een registergoed;

Regeling gemeenschap

d. reglementen en andere regelingen die tussen medegerechtigden in registergoederen zijn vastgesteld;

Rechterlijke uitspraak

e. rechterlijke uitspraken die de rechtstoestand van registergoederen of de bevoegdheid daarover te beschikken betreffen, mits zij uitvoerbaar bij voorraad zijn of een verklaring van de griffier wordt overgelegd, dat daartegen geen gewoon rechtsmiddel meer openstaat of dat hem drie maanden na de uitspraak niet van het instellen van een gewoon rechtsmiddel is gebleken, benevens de tegen de bovenbedoelde uitspraken ingestelde rechtsmiddelen;

Instelling rechtsvordering

f. instelling van rechtsvorderingen en indiening van verzoekschriften ter verkrijging van een rechterlijke uitspraak die de rechtstoestand van een registergoed betreft;

Beslag

g. executoriale en conservatoire beslagen op registergoederen;

Naamsverandering

h. naamsveranderingen die tot registergoederen gerechtigde personen betreffen;

Verjaring

i. verjaring die leidt tot verkrijging van een registergoed of tenietgaan van een beperkt recht dat een registergoed is;

Overheidsbeschikking

j. beschikkingen en uitspraken, waarbij een krachtens een bijzondere wetsbepaling ingeschreven beschikking wordt vernietigd, ingetrokken of gewijzigd.

Persoonlijke rechten beperkt inschrijfbaar

2. Huur- en pachtovereenkomsten en andere feiten die alleen persoonlijke rechten geven of opheffen, kunnen slechts worden ingeschreven, indien een bijzondere wetsbepaling dit toestaat.

Aanbieding tegen bewijs van ontvangst

Art. 18. *(3.1.2.2a)* Worden de bewaarder der registers stukken ter inschrijving aangeboden, dan verstrekt hij de aanbieder een bewijs van ontvangst, vermeldende de aard dier stukken alsmede dag, uur en minuut van de aanbieding.

Inschrijving terstond

Art. 19. *(3.1.2.3)* 1. Indien de voor een inschrijving nodige stukken worden aangeboden, de aangeboden stukken aan de wettelijke eisen voldoen en andere wettelijke vereisten voor inschrijving zijn vervuld, dan geschiedt de inschrijving terstond na de aanbieding.

2. Als tijdstip van inschrijving geldt het tijdstip van aanbieding van de voor de inschrijving vereiste stukken.

3. Op verlangen van de aanbieder tekent de bewaarder de verrichte inschrijving op het ontvangstbewijs aan.

4. Indien de bewaarder vermoedt dat de in de aangeboden stukken vermelde kenmerken niet overeenstemmen met die welke met betrekking tot het registergoed behoren te worden vermeld, of dat de in te schrijven rechtshandeling door een onbevoegde is verricht of onverenigbaar is met een andere rechtshandeling, ter inschrijving waarvan hem de nodige stukken zijn aangeboden, is hij bevoegd de aanbieder en andere belanghebbenden daarop opmerkzaam te maken.

Weigering inschrijving voorlopige aantekening

Art. 20. *(3.1.2.4)* 1. De bewaarder der registers weigert een inschrijving te doen, indien niet is voldaan aan de eisen, bedoeld in artikel 19, eerste lid. Hij boekt de aanbieding in het register van voorlopige aantekeningen met vermelding van de gerezen bedenkingen.

Inschrijving op bevel president rechtbank

2. Wanneer de weigering ten onrechte is geschied, beveelt de president van de rechtbank, rechtdoende in kort geding, op vordering van de belanghebbende de bewaarder de inschrijving alsnog te verrichten, zulks onverminderd de bevoegdheid van de gewone rechter. De president kan de oproeping van door hem aan te wijzen andere belanghebbenden gelasten. Het bevel van de president is van rechtswege uitvoerbaar bij voorraad.

3. Wordt de geweigerde inschrijving alsnog bevolen, dan verricht de bewaarder haar terstond nadat de eiser haar opnieuw heeft verzocht.

Tijdstip van inschrijving na hernieuwde aanbieding

4. Indien de belanghebbende binnen twee weken na de oorspronkelijke aanbieding aan de bewaarder een dagvaarding in kort geding ter verkrijging van het in lid 2 bedoelde bevel heeft doen uitbrengen en de aanvankelijk geweigerde inschrijving alsnog is verricht op een hernieuwde aanbieding van dezelfde stukken, gedaan binnen een week na een in eerste aanleg gegeven bevel, wordt de inschrijving geacht te zijn geschied op het tijdstip waarop de oorspronkelijke aanbieding plaatsvond. Hetzelfde geldt, indien de bewaarder op een hernieuwde aanbieding alsnog overgaat tot inschrijving binnen twee weken hetzij na de oorspronkelijke aanbieding, hetzij na een hem tijdig uitgebrachte dagvaarding hangende het geding in eerste aanleg.

Kenbaarheid van voorlopige aantekening

5. Een feit waarvan slechts blijkt uit een overeenkomstig lid 1 tweede zin, geboekt stuk, wordt geacht niet door raadpleging van de registers kenbaar te zijn, tenzij het krachtens het vorige lid geacht moet worden reeds ten tijde van de raadpleging ingeschreven te zijn geweest.

Doorhaling voorlopige aantekening

6. Een voorlopige aantekening wordt door de bewaarder doorgehaald, zodra hem is gebleken dat de voorwaarden voor toepassing van het vierde lid niet meer kunnen worden vervuld, of de inschrijving met inachtneming van het tijdstip van oorspronkelijke aanbieding alsnog heeft plaatsgevonden.

Rangorde van inschrijvingen

Art. 21. *(3.1.2.4a)* 1. De rangorde van inschrijvingen die op een zelfde registergoed betrekking hebben, wordt bepaald door de volgorde der tijdstippen van inschrijving, tenzij uit de wet een andere rangorde voortvloeit.

Gelijktijdige inschrijvingen

2. Vinden twee inschrijvingen op één zelfde tijdstip plaats en zouden deze leiden tot onderling onverenigbare rechten van verschillende personen op dat goed, dan wordt de rangorde bepaald:

a. ingeval de ter inschrijving aangeboden akten op verschillende dagen zijn opgemaakt: door de volgorde van die dagen;

b. ingeval beide akten op dezelfde dag zijn opgemaakt en het notariële akten, daaronder begrepen notariële verklaringen, betreft: door de volgorde van de tijdstippen waarop ieder van die akten of verklaringen is opgemaakt.

Na inschrijving geen beroep op niet-inachtneming formaliteiten

Art. 22. *(3.1.2.5)* Wanneer een feit in de registers is ingeschreven, kan daarna de geldigheid van de inschrijving niet meer worden betwist op grond dat de formaliteiten die voor de inschrijving worden vereist, niet zijn in acht genomen.

Beroep op goede trouw

Art. 23. *(3.1.2.6)* Het beroep van een verkrijger van een registergoed op goede trouw wordt niet aanvaard, wanneer dit beroep insluit een beroep op onbekendheid met feiten die door raadpleging van de registers zouden zijn gekend.

Bescherming verkrijgers t.a.v. niet ingeschreven feiten

Art. 24. *(3.1.2.7)* 1. Indien op het tijdstip waarop een rechtshandeling tot verkrijging van een recht op een registergoed onder bijzondere titel in de registers wordt ingeschreven, een eveneens voor inschrijving in de registers vatbaar feit niet met betrekking tot dat registergoed ingeschreven was, kan dit feit aan de verkrijger niet worden tegengeworpen, tenzij hij het kende.

Uitzonderingen (1)

2. Het eerste lid is niet van toepassing ten aanzien van:
a. feiten die naar hun aard vatbaar zijn voor inschrijving in een register van de burgerlijke stand, een huwelijksgoederenregister of een boedelregister, ook indien het feit in een gegeven geval daarin niet kan worden ingeschreven, omdat daarop de Nederlandse wet niet van toepassing is;
b. in het curateleregister ingeschreven ondercuratelestelling en opheffing van curatele;
c. in het faillissementsregister en in het surséanceregister ingeschreven rechterlijke uitspraken;
d. aanvaarding en verwerping van een nalatenschap;
e. verjaring.

Uitzonderingen (2)

3. Het eerste lid is evenmin van toepassing ten aanzien van erfopvolgingen en uiterste wilsbeschikkingen die op het tijdstip van de inschrijving van de rechtshandeling nog niet ingeschreven waren, doch daarna, mits binnen drie maanden na de dood van de erflater, alsnog in de registers zijn ingeschreven.

Bescherming verkrijgers t.a.v. onjuistheid ingeschreven feiten (1)

Art. 25. *(3.1.2.8)* Indien op het tijdstip waarop een rechtshandeling ter verkrijging van een recht op een registergoed onder bijzondere titel wordt ingeschreven, een feit met betrekking tot dat registergoed in de registers was ingeschreven krachtens een authentieke akte waarin het feit door een ambtenaar met kracht van authenticiteit werd vastgesteld, kan de onjuistheid van dit feit aan de verkrijger niet worden tegengeworpen, tenzij hij deze onjuistheid kende of door raadpleging van de registers de mogelijkheid daarvan had kunnen kennen.

Bescherming verkrijgers t.a.v. onjuistheid ingeschreven feiten (2)

Art. 26. *(3.1.2.8a)* Indien op het tijdstip waarop een rechtshandeling ter verkrijging van een recht op een registergoed onder bijzondere titel wordt ingeschreven, met betrekking tot dat registergoed een onjuist feit in de registers ingeschreven was, kan de onjuistheid van dit feit door hem die redelijkerwijze voor overeenstemming van de registers met de werkelijkheid had kunnen zorgdragen, aan de verkrijger niet worden tegengeworpen, tenzij deze de onjuistheid kende of door raadpleging van de registers de mogelijkheid daarvan had kunnen kennen.

Rechterlijke verklaring omtrent beweerd recht op een registergoed

Art. 27. *(3.1.2.9)* 1. Hij die beweert enig recht op een registergoed te hebben, kan alle belanghebbenden bij openbare oproeping, en daarnaast hen die als rechthebbende of beslaglegger op dat goed ingeschreven staan, ieder bij name dagvaarden om te horen verklaren dat hem het recht waarop hij aanspraak maakt, toekomt. Alvorens een zodanige eis toe te wijzen, kan de rechter de maatregelen bevelen en de bewijsopdrachten doen, welke hij in het belang van mogelijke niet-verschenen rechthebbenden nuttig oordeelt. Artikel 79, eerste lid, van het Wetboek van Burgerlijke Rechtsvordering is niet van toepassing. Een krachtens dit artikel verkregen verklaring wordt niet in de registers ingeschreven, voordat het vonnis in kracht van gewijsde is gegaan.

Rechtsmiddelen

2. Tegen het vonnis is geen verzet toegelaten. Hoger beroep en cassatie staan volgens de gewone regels open, behoudens de volgende uitzonderingen. Artikel 335 van het Wetboek van Burgerlijke Rechtsvordering is niet van toepassing. De dagvaarding waarbij het rechtsmiddel wordt ingesteld, moet op straffe van niet-ontvankelijkheid binnen acht dagen worden ingeschreven in het register, bedoeld in artikel 433 van het Wetboek van Burgerlijke Rechtsvordering. De termijn voor ho-

ger beroep begint voor niet-verschenen belanghebbenden te lopen vanaf de betekening van de uitspraak aan hen bij name, voor zover zij ingeschreven waren, of bij openbaar exploit, zo zij niet ingeschreven waren. Cassatie staat alleen open voor verschenen belanghebbenden.

Niet-verschenen belanghebbenden

3. De krachtens lid 1 ingeschreven verklaring wordt ten aanzien van niet-verschenen belanghebbenden die niet bij name zijn gedagvaard, vermoed juist te zijn, zolang het tegendeel niet bewezen is. Op de onjuistheid kan echter geen beroep worden gedaan ten nadele van hen die, daarmee onbekend, de verkrijger van het vonnis onder bijzondere titel zijn opgevolgd.

Openbare oproeping

4. Een openbare oproeping als bedoeld in lid 1 geschiedt overeenkomstig artikel 4 onder 7°, tweede en derde lid van het Wetboek van Burgerlijke Rechtsvordering. Een openbaar exploit als bedoeld in lid 2 geschiedt op dezelfde wijze, tenzij de rechter nadere maatregelen voorschrijft als bedoeld in lid 1. De in lid 1 bedoelde maatregelen kunnen bestaan in het voorschrijven van al of niet herhaalde aankondigingen van een door de rechter vast te stellen inhoud in één of meer binnen- of buitenlandse dagbladen.

Verklaring van waardeloosheid

Art. 28. *(3.1.2.10)* 1. Is een inschrijving waardeloos, dan zijn degenen te wier behoeve zij anders zou hebben gestrekt, verplicht van deze waardeloosheid aan hem die daarbij een onmiddellijk belang heeft, op diens verzoek een schriftelijke verklaring af te geven. De verklaringen vermelden de feiten waarop de waardeloosheid berust, tenzij de inschrijving een hypotheek of een beslag betreft.

Doorhaling van inschrijving

2. Verklaringen als in lid 1 bedoeld kunnen in de registers worden ingeschreven. Indien de inschrijving een hypotheek of een beslag betreft, machtigen deze verklaringen na inschrijving gezamenlijk de bewaarder tot doorhaling daarvan.

Rechterlijke verklaring van waardeloosheid

Art. 29. *(3.1.2.10a)* 1. Worden de vereiste verklaringen niet afgegeven, dan verklaart de rechtbank de inschrijving waardeloos op vordering van de onmiddellijk belanghebbende. Wordt ter verkrijging van dit bevel iemand die in de registers staat ingeschreven gedagvaard, dan worden daarmee tevens gedagvaard al zijn rechtverkrijgenden die geen nieuwe inschrijving hebben genomen.

2. Alvorens een zodanige verklaring uit te spreken kan de rechter de maatregelen bevelen en de bewijsopdrachten doen, welke hij in het belang van mogelijk niet-verschenen rechthebbenden nuttig oordeelt.

Rechtsmiddelen

3. Verzet, hoger beroep en cassatie moeten op straffe van niet-ontvankelijkheid binnen acht dagen na het instellen van het rechtsmiddel worden ingeschreven in de registers, bedoeld in de artikelen 85 en 433 van het Wetboek van Burgerlijke Rechtsvordering. Zo alle ingeschreven gedaagden zijn verschenen, is artikel 79, eerste lid, van dat wetboek niet van toepassing. Zo voor een ingeschreven gedaagde geen verzet, maar hoger beroep openstaat, geldt hetzelfde voor zijn rechtverkrijgenden die geen nieuwe inschrijving hebben genomen. In afwijking van artikel 81 van dat wetboek begint de termijn van verzet in elk geval te lopen vanaf de betekening van het vonnis aan de ingeschreven gedaagde, ook als de betekening niet aan hem in persoon geschiedt, zulks mede ten opzichte van zijn rechtverkrijgenden die geen nieuwe inschrijving hebben genomen, tenzij de rechter hiertoe nadere maatregelen heeft bevolen en aan dat bevel niet is voldaan. Cassatie staat alleen open voor verschenen belanghebbenden.

Machtiging tot doorhaling

4. Het vonnis dat de verklaring bevat, kan niet worden ingeschreven, voordat het in kracht van gewijsde is gegaan. Indien de waardeloze inschrijving een hypotheek of beslag betreft, machtigt het vonnis na inschrijving de bewaarder tot doorhaling daarvan.

Aansprakelijkheid van de Staat

Art. 30. *(3.1.2.11)* Onverminderd de aansprakelijkheden van de Dienst voor het kadaster en de openbare registers, bedoeld in artikel 117, eerste en tweede lid, van de Kadasterwet, is de Staat aansprakelijk, wanneer iemand ten gevolge van omstandigheden die naar redelijkheid en billijkheid niet voor zijn rekening komen, door toepassing van een der artikelen 24, 25 of 27 zijn recht verliest.

Nederlandse notaris

Art. 31. *(3.1.2.12)* Waar een wetsbepaling die betrekking heeft op registergoederen, een notariële akte of een notariële verklaring voorschrijft, is een akte of verklaring van een Nederlandse notaris vereist.

TITEL 2
Rechtshandelingen

Handelings-bekwaamheid

Art. 32. *(3.2.1)* 1. Iedere natuurlijke persoon is bekwaam tot het verrichten van rechtshandelingen, voor zover de wet niet anders bepaalt.

2. Een rechtshandeling van een onbekwame is vernietigbaar. Een eenzijdige rechtshandeling van een onbekwame, die niet tot een of meer bepaalde personen gericht was, is echter nietig.

Door verklaring geopenbaarde wil

Art. 33. *(3.2.2)* Een rechtshandeling vereist een op een rechtsgevolg gerichte wil die zich door een verklaring heeft geopenbaard.

Geestelijke stoornis

Art. 34. *(3.2.2a)* 1. Heeft iemand wiens geestvermogens blijvend of tijdelijk zijn gestoord, iets verklaard, dan wordt een met de verklaring overeenstemmende wil geacht te ontbreken, indien de stoornis een redelijke waardering der bij de handeling betrokken belangen belette, of indien de verklaring onder invloed van die stoornis is gedaan. Een verklaring wordt vermoed onder invloed van de stoornis te zijn gedaan, indien de rechtshandeling voor de geestelijk gestoorde nadelig was, tenzij het nadeel op het tijdstip van de rechtshandeling redelijkerwijze niet was te voorzien.

Gevolg

2. Een zodanig ontbreken van wil maakt een rechtshandeling vernietigbaar. Een eenzijdige rechtshandeling die niet tot een of meer bepaalde personen gericht was, wordt door het ontbreken van wil echter nietig.

Vertrouwens-beginsel

Art. 35. *(3.2.3)* Tegen hem die eens anders verklaring of gedraging, overeenkomstig de zin die hij daaraan onder de gegeven omstandigheden redelijkerwijze mocht toekennen, heeft opgevat als een door die ander tot hem gerichte verklaring van een bepaalde strekking, kan geen beroep worden gedaan op het ontbreken van een met deze verklaring overeenstemmende wil.

Bescherming derden die in vertrouwen hebben gehandeld

Art. 36. *(3.2.3a)* Tegen hem die als derde op grond van een verklaring of gedraging, overeenkomstig de zin die hij daaraan onder de gegeven omstandigheden redelijkerwijze mocht toekennen, het ontstaan, bestaan of tenietgaan van een bepaalde rechtsbetrekking heeft aangenomen en in redelijk vertrouwen op de juistheid van die veronderstelling heeft gehandeld, kan door degene om wiens verklaring of gedraging het gaat, met betrekking tot deze handeling op de onjuistheid van die veronderstelling geen beroep worden gedaan.

Verklaringen vormvrij

Art. 37. *(3.2.4)* 1. Tenzij anders is bepaald, kunnen verklaringen, met inbegrip van mededelingen, in iedere vorm geschieden, en kunnen zij in een of meer gedragingen besloten liggen.

Schriftelijke verklaring ook bij exploit

2. Indien bepaald is dat een verklaring schriftelijk moet worden gedaan, kan zij, voor zover uit de strekking van die bepaling niet anders volgt, ook bij exploit geschieden.

Ontvangsttheorie

3. Een tot een bepaalde persoon gerichte verklaring moet, om haar werking te hebben, die persoon hebben bereikt. Nochtans heeft ook een verklaring die hem tot wie zij was gericht, niet of niet tijdig heeft bereikt, haar werking, indien dit niet of niet tijdig bereiken het gevolg is van zijn eigen handeling, van de handeling van personen voor wie hij aansprakelijk is, of van andere omstandigheden die zijn persoon betreffen en rechtvaardigen dat hij het nadeel draagt.

Verklaring onjuist overgebracht

4. Wanneer een door de afzender daartoe aangewezen persoon of middel een tot een ander gerichte verklaring onjuist heeft overgebracht, geldt het ter kennis van de ontvanger gekomene als de verklaring van de afzender, tenzij de gevolgde wijze van overbrenging door de ontvanger was bepaald.

Intrekking verklaring

5. Intrekking van een tot een bepaalde persoon gerichte verklaring moet, om haar werking te hebben, die persoon eerder dan of gelijktijdig met de ingetrokken verklaring bereiken.

Tijdsbepaling; voorwaarde

Art. 38. *(3.2.5)* 1. Tenzij uit de wet of uit de aard van de rechtshandeling anders voortvloeit, kan een rechtshandeling onder een tijdsbepaling of een voorwaarde worden verricht.

Geen terugwerkende kracht

2. De vervulling van een voorwaarde heeft geen terugwerkende kracht.

Nietigheid wegens gebrek aan vorm

Art. 39. *(3.2.6)* Tenzij uit de wet anders voortvloeit, zijn rechtshandelingen die niet in de voorgeschreven vorm zijn verricht, nietig.

Art. 40. *(3.2.7)* 1. Een rechtshandeling die door inhoud of strekking in strijd is met de goede zeden of de openbare orde, is nietig.

Nietigheid wegens goede zeden; openbare orde
Strijd met de wet

2. Strijd met een dwingende wetsbepaling leidt tot nietigheid van de rechtshandeling, doch, indien de bepaling uitsluitend strekt ter bescherming van één der partijen bij een meerzijdige rechtshandeling, slechts tot vernietigbaarheid, een en ander voor zover niet uit de strekking van de bepaling anders voortvloeit.

3. Het vorige lid heeft geen betrekking op wetsbepalingen die niet de strekking hebben de geldigheid van daarmede strijdige rechtshandelingen aan te tasten.

Art. 41. *(3.2.7a)* Betreft een grond van nietigheid slechts een deel van een rechtshandeling, dan blijft deze voor het overige in stand, voor zover dit, gelet op inhoud en strekking van de handeling, niet in onverbrekelijk verband met het nietige deel staat.

Partiële nietigheid

Art. 42. *(3.2.8)* Beantwoordt de strekking van een nietige rechtshandeling in een zodanige mate aan die van een andere, als geldig aan te merken rechtshandeling, dat aangenomen moet worden dat die andere rechtshandeling zou zijn verricht, indien van de eerst genoemde wegens haar ongeldigheid was afgezien, dan komt haar de werking van die andere rechtshandeling toe, tenzij dit onredelijk zou zijn jegens een belanghebbende die niet tot de rechtshandeling als partij heeft medegewerkt.

Conversie (Omzetting)

Art. 43. *(3.2.9)* 1. Rechtshandelingen die, hetzij rechtstreeks, hetzij door tussenkomende personen, strekken tot verkrijging door:

Handelingsonbevoegdheid

a. rechters, leden van het openbaar ministerie, gerechtsauditeurs, griffiers, advocaten,
procureurs, deurwaarders en notarissen van goederen waarover een geding aanhangig is voor het gerecht, onder welks rechtsgebied zij hun bediening uitoefenen;
b. ambtenaren, van goederen die door hen of te hunnen overstaan worden verkocht, of
c. personen met openbaar gezag bekleed, van goederen die toebehoren aan het Rijk, provincies, gemeenten of andere openbare instellingen en aan hun beheer zijn toevertrouwd,zijn nietig en verplichten de verkrijgers tot schadevergoeding.

2. Lid 1 onder a heeft geen betrekking op uiterste wilsbeschikkingen, door een erflater ten voordele van zijn wettelijke erfgenamen gemaakt, noch op rechtshandelingen krachtens welke deze erfgenamen goederen der nalatenschap verkrijgen.

3. In het geval bedoeld in het eerste lid onder c is de rechtshandeling geldig, indien zij met Onze goedkeuring is geschied of het een verkoop in het openbaar betreft. Indien de rechtshandeling strekt tot verkrijging door een lid van de gemeenteraad onderscheidenlijk de burgemeester komt de in de vorige zin bedoelde bevoegdheid tot goedkeuring toe aan gedeputeerde staten, onderscheidenlijk de Commissaris van de Koningin.

Art. 44. *(3.2.10)* 1. Een rechtshandeling is vernietigbaar, wanneer zij door bedreiging, door bedrog of door misbruik van omstandigheden is tot stand gekomen.

Vernietigbaarheid rechtshandeling
Bedreiging

2. Bedreiging is aanwezig, wanneer iemand een ander tot het verrichten van een bepaalde rechtshandeling beweegt door onrechtmatig deze of een derde met enig nadeel in persoon of goed te bedreigen. De bedreiging moet zodanig zijn, dat een redelijk oordelend mens daardoor kan worden beïnvloed.

Bedrog

3. Bedrog is aanwezig, wanneer iemand een ander tot het verrichten van een bepaalde rechtshandeling beweegt door enige opzettelijk daartoe gedane onjuiste mededeling, door het opzettelijk daartoe verzwijgen van enig feit dat de verzwijger verplicht was mede te delen, of door een andere kunstgreep. Aanprijzingen in algemene bewoordingen, ook al zijn ze onwaar, leveren op zichzelf geen bedrog op.

Misbruik van omstandigheden

4. Misbruik van omstandigheden is aanwezig, wanneer iemand die weet of moet begrijpen dat een ander door bijzondere omstandigheden, zoals noodtoestand, afhankelijkheid, lichtzinnigheid, abnormale geestestoestand of onervarenheid, bewogen wordt tot het verrichten van een rechtshandeling, het tot stand komen van die rechtshandeling bevordert, ofschoon hetgeen hij weet of moet begrijpen hem daarvan zou behoren te weerhouden.

Bescherming wederpartij

5. Indien een verklaring is tot stand gekomen door bedreiging, bedrog of misbruik van omstandigheden van de zijde van iemand die geen partij bij de rechtshandeling is, kan op dit gebrek geen beroep worden gedaan jegens een wederpartij die geen reden had het bestaan ervan te veronderstellen.

Benadeling schuldeisers: actio Pauliana

Art. 45. *(3.2.11)* 1. Indien een schuldenaar bij het verrichten van een onverplichte rechtshandeling wist of behoorde te weten dat daarvan benadeling van een of meer schuldeisers in hun verhaalsmogelijkheden het gevolg zou zijn, is de rechtshandeling vernietigbaar en kan de vernietigingsgrond worden ingeroepen door iedere door de rechtshandeling in zijn verhaalsmogelijkheden benadeelde schuldeiser, onverschillig of zijn vordering vóór of na de handeling is ontstaan.

Rechtshandeling anders dan om niet

2. Een rechtshandeling anders dan om niet, die hetzij meerzijdig is, hetzij eenzijdig en tot een of meer bepaalde personen gericht, kan wegens benadeling slechts worden vernietigd, indien ook degenen met of jegens wie de schuldenaar de rechtshandeling verrichtte, wisten of behoorden te weten dat daarvan benadeling van een of meer schuldeisers het gevolg zou zijn.

Bescherming bevoordeelde bij rechtsh. om niet

3. Wordt een rechtshandeling om niet wegens benadeling vernietigd, dan heeft de vernietiging ten aanzien van de bevoordeelde die wist noch behoorde te weten dat van de rechtshandeling benadeling van een of meer schuldeisers het gevolg zou zijn, geen werking, voor zover hij aantoont dat hij ten tijde van de verklaring of het instellen van de vordering tot vernietiging niet ten gevolge van de rechtshandeling gebaat was.

Relatieve werking

4. Een schuldeiser die wegens benadeling tegen een rechtshandeling opkomt, vernietigt deze slechts te zijnen behoeve en niet verder dan nodig is ter opheffing van de door hem ondervonden benadeling.

Bescherming derde te goeder trouw

5. Rechten, door derden te goeder trouw anders dan om niet verkregen op goederen die het voorwerp waren van de vernietigde rechtshandeling, worden geëerbiedigd. Ten aanzien van de derde te goeder trouw die om niet heeft verkregen, heeft de vernietiging geen werking voor zover hij aantoont dat hij op het ogenblik dat het goed van hem wordt opgeëist, niet ten gevolge van de rechtshandeling gebaat is.

Vermoedens wetenschap van benadeling

Art. 46. *(3.2.11a)* 1. Indien de rechtshandeling waardoor een of meer schuldeisers zijn benadeeld, is verricht binnen één jaar voor het inroepen van de vernietigingsgrond en de schuldenaar zich niet reeds voor de aanvang van die termijn tot die rechtshandeling had verplicht, wordt vermoed dat men aan beide zijden wist of behoorde te weten dat een zodanige benadeling het gevolg van de rechtshandeling zou zijn:

1°. bij overeenkomsten, waarbij de waarde der verbintenis aan de zijde van de schuldenaar aanmerkelijk die der verbintenis aan de andere zijde overtreft;

2°. bij rechtshandelingen ter voldoening van of zekerheidstelling voor een niet opeisbare schuld;

3°. bij rechtshandelingen, door de schuldenaar die een natuurlijk persoon is, verricht met of jegens:

a. zijn echtgenoot, zijn pleegkind of een bloed- of aanverwant tot in de derde graad;

b. een rechtspersoon waarin hij, zijn echtgenoot, zijn pleegkind of een bloed- of aanverwant tot in de derde graad bestuurder of commissaris is, dan wel waarin deze personen, afzonderlijk of tezamen, als aandeelhouder rechtstreeks of middellijk voor ten minste de helft van het geplaatste kapitaal deelnemen;

4°. bij rechtshandelingen, door de schuldenaar die rechtspersoon is, verricht met of jegens een natuurlijke persoon:

a. die bestuurder of commissaris van de rechtspersoon is, dan wel met of jegens diens echtgenoot, pleegkind of bloed- of aanverwant tot in de derde graad;

b. die al dan niet tezamen met zijn echtgenoot, zijn pleegkinderen en zijn bloed- of aanverwanten tot in de derde graad, als aandeelhouder rechtstreeks of middellijk voor ten minste de helft van het geplaatste kapitaal deelneemt;

c. wiens echtgenoot, pleegkinderen of bloed- of aanverwanten tot in de derde graad, afzonderlijk of tezamen, als aandeelhouder rechtstreeks of middellijk voor tenminste de helft van het geplaatste kapitaal deelnemen;

5°. bij rechtshandelingen, door de schuldenaar die rechtspersoon is, verricht met of jegens een andere rechtspersoon, indien

a. een van deze rechtspersonen bestuurder is van de andere;

b. een bestuurder, natuurlijk persoon, van een van deze rechtspersonen, of diens echtgenoot, pleegkind of bloed- of aanverwant tot in de derde graad, bestuurder is van de andere;

c. een bestuurder, natuurlijk persoon, of een commissaris van een van deze rechtspersonen, of diens echtgenoot, pleegkind of bloed- of aanverwant tot in de derde graad, afzonderlijk of tezamen, als aandeelhouder rechtstreeks of middellijk voor ten minste de helft van het geplaatste kapitaal deelneemt in de andere.

d. in beide rechtspersonen voor ten minste de helft van het geplaatste kapitaal

rechtstreeks of middellijk wordt deelgenomen door dezelfde rechtspersoon, dan wel dezelfde natuurlijke persoon, al dan niet tezamen met zijn echtgenoot, zijn pleegkinderen en zijn bloed- of aanverwanten tot in de derde graad;
6°. bij rechtshandelingen, door de schuldenaar die rechtspersoon is, verricht met of jegens een groepsmaatschappij.
2. Met een echtgenoot wordt een andere levensgezel gelijkgesteld.
3. Onder pleegkind wordt verstaan hij die duurzaam als eigen kind is verzorgd en opgevoed.
4. Onder bestuurder, commissaris of aandeelhouder wordt mede verstaan hij die minder dan een jaar vóór de rechtshandeling bestuurder, commissaris of aandeelhouder is geweest.
5. Indien de bestuurder van een rechtspersoon-bestuurder zelf een rechtspersoon is, wordt deze rechtspersoon met de rechtspersoon-bestuurder gelijkgesteld.

Vermoeden wetenschap bij rechtsh. om niet

Art. 47. *(3.2.11b)* In geval van benadeling door een rechtshandeling om niet, die de schuldenaar heeft verricht binnen één jaar vóór het inroepen van de vernietigingsgrond, wordt vermoed dat hij wist of behoorde te weten dat benadeling van een of meer schuldeisers het gevolg van de rechtshandeling zou zijn.

Schuldenaar

Art. 48. *(3.2.11c)* Onder schuldenaar in de zin van de drie vorige artikelen is begrepen hij op wiens goed voor de schuld van een ander verhaal kan worden genomen.

Vernietiging

Art. 49. *(3.2.13)* Een vernietigbare rechtshandeling wordt vernietigd hetzij door een buitengerechtelijke verklaring, hetzij door een rechterlijke uitspraak.

Buitengerechtelijke verklaring

Art. 50. *(3.2.14)* 1. Een buitengerechtelijke verklaring die een rechtshandeling vernietigt, wordt door hem in wiens belang de vernietigingsgrond bestaat, gericht tot hen die partij bij de rechtshandeling zijn.
2. Een buitengerechtelijke verklaring kan een rechtshandeling met betrekking tot een registergoed die heeft geleid tot een inschrijving in de openbare registers of tot een tot levering van een registergoed, bestemde akte, slechts vernietigen indien alle partijen in de vernietiging berusten.

Rechterlijke uitspraak

Art. 51. *(3.2.15)* 1. Een rechterlijke uitspraak vernietigt een rechtshandeling doordat zij een beroep in rechte op een vernietigingsgrond aanvaardt.
2. Een rechtsvordering tot vernietiging van een rechtshandeling wordt ingesteld tegen hen die partij bij de rechtshandeling zijn.
3 Een beroep in rechte op een vernietigingsgrond kan te allen tijde worden gedaan ter afwering van een op de rechtshandeling steunende vordering of andere rechtsmaatregel. Hij die dit beroep doet, is verplicht om zo spoedig mogelijk daarvan mededeling te doen aan de partijen bij de rechtshandeling die niet in het geding zijn verschenen.

Verjaringstermijnen: drie jaar

Art. 52. *(3.2.17)* 1. Rechtsvorderingen tot vernietiging van een rechtshandeling verjaren:
a. in geval van onbekwaamheid: drie jaren nadat de onbekwaamheid is geëindigd, of; indien de onbekwame een wettelijke vertegenwoordiger heeft, drie jaren nadat de handeling ter kennis van de wettelijke vertegenwoordiger is gekomen;
b. in geval van bedreiging of misbruik van omstandigheden: drie jaren nadat deze invloed heeft opgehouden te werken;
c. in geval van bedrog, dwaling of benadeling: drie jaren nadat het bedrog, de dwaling of de benadeling is ontdekt;
d. in geval van een andere vernietigingsgrond: drie jaren nadat de bevoegdheid om deze vernietigingsgrond in te roepen, aan degene aan wie deze bevoegdheid toekomt, ten dienste is komen te staan.

Geen buitengerechtelijke verklaring

2. Na de verjaring van de rechtsvordering tot vernietiging van de rechtshandeling kan deze niet meer op dezelfde vernietigingsgrond door een buitengerechtelijke verklaring worden vernietigd.

Terugwerkende kracht vernietiging

Art. 53. *(3.2.17b)* 1. De vernietiging werkt terug tot het tijdstip waarop de rechtshandeling is verricht.

Werking aan vernietiging ontzeggen

2. Indien de reeds ingetreden gevolgen van een rechtshandeling bezwaarlijk ongedaan gemaakt kunnen worden, kan de rechter desgevraagd aan een vernietiging

geheel of ten dele haar werking ontzeggen. Hij kan aan een partij die daardoor onbillijk wordt bevoordeeld, de verplichting opleggen tot een uitkering in geld aan de partij die benadeeld wordt.

Opheffing nadeel

Art. 54. *(3.2.17c)* 1. De bevoegdheid om ter vernietiging van een meerzijdige rechtshandeling een beroep te doen op misbruik van omstandigheden vervalt, wanneer de wederpartij tijdig een wijziging van de gevolgen van de rechtshandeling voorstelt, die het nadeel op afdoende wijze opheft.

Rechterlijke wijziging rechtsgevolgen

2. Bovendien kan de rechter op verlangen van een der partijen, in plaats van een vernietiging wegens misbruik van omstandigheden uit te spreken, ter opheffing van dit nadeel de gevolgen van de rechtshandeling wijzigen.

Bevestiging

Art. 55. *(3.2.18)* 1. De bevoegdheid om ter vernietiging van een rechtshandeling een beroep op een vernietigingsgrond te doen vervalt, wanneer hij aan wie deze bevoegdheid toekomt, de rechtshandeling heeft bevestigd, nadat de verjaringstermijn ter zake van de rechtsvordering tot vernietiging op die grond een aanvang heeft genomen.

Redelijke termijn

2. Eveneens vervalt de bevoegdheid om een beroep op een vernietigingsgrond te doen, wanneer een onmiddellijk belanghebbende na de aanvang van de verjaringstermijn aan hem aan wie deze bevoegdheid toekomt een redelijke termijn heeft gesteld om te kiezen tussen bevestiging en vernietiging en deze binnen deze termijn geen keuze heeft gedaan.

Art. 56. *(3.2.18b)* Voor de toepassing van de artikelen 50-55 gelden mede als partij:
a. in geval van eenzijdige tot een of meer bepaalde personen gerichte rechtshandeling: die personen;
b. in geval van andere eenzijdige rechtshandelingen: zij die onmiddellijk belanghebbenden zijn bij de instandhouding van die handeling.

Preventief toezicht overheidsorgaan

Art. 57. *(3.2.19)* Behoeft een rechtshandeling om het beoogde gevolg te hebben goedkeuring, machtiging, vergunning of enige andere vorm van toestemming van een overheidsorgaan of van een andere persoon, die geen partij bij de rechtshandeling is, dan kan iedere onmiddellijk belanghebbende aan hen die partij bij de rechtshandeling zijn geweest, aanzeggen dat, indien niet binnen een redelijke, bij die aanzegging gestelde termijn die toestemming wordt verkregen, de handeling te zijnen aanzien zonder gevolg zal blijven.

Bekrachtiging (convalescentie)

Art. 58. *(3.2.20)* 1. Wanneer eerst na het verrichten van een rechtshandeling een voor haar geldigheid gesteld wettelijk vereiste wordt vervuld, maar alle onmiddellijk belanghebbenden die zich op dit gebrek hadden kunnen beroepen, in de tussen de handeling en de vervulling van het vereiste liggende tijdsruimte de handeling als geldig hebben aangemerkt, is daarmede de rechtshandeling bekrachtigd.

Handelingsonbekwaamheid

2. Het vorige lid is niet van toepassing op het geval dat een rechtshandeling nietig is als gevolg van handelingsonbekwaamheid van degene die haar heeft verricht en deze vervolgens handelingsbekwaam wordt.

Rechten van derden

3. Inmiddels verkregen rechten van derden behoeven aan bekrachtiging niet in de weg te staan, mits zij worden geëerbiedigd.

Overeenkomstige toepassing buiten vermogensrecht

Art. 59. *(3.2.21)* Buiten het vermogensrecht vinden de bepalingen van deze titel overeenkomstige toepassing, voor zover de aard van de rechtshandeling of van de rechtsbetrekking zich daartegen niet verzet.

TITEL 3 Volmacht

Volmacht

Art. 60. *(3.3.1)* 1. Volmacht is de bevoegdheid die een volmachtgever verleent aan een ander, de gevolmachtigde, om in zijn naam rechtshandelingen te verrichten.

In ontvangstneming verklaring

2. Waar in deze titel van rechtshandeling wordt gesproken, is daaronder het in ontvangst nemen van een verklaring begrepen.

Uitdrukkelijk, stilzwijgend

Art. 61. *(3.3.2)* 1. Een volmacht kan uitdrukkelijk of stilzwijgend worden verleend.

Vertrouwen toereikende volmacht

2. Is een rechtshandeling in naam van een ander verricht, dan kan tegen de wederpartij, indien zij op grond van een verklaring of gedraging van die ander heeft

aangenomen en onder de gegeven omstandigheden redelijkerwijze mocht aannemen dat een toereikende volmacht was verleend, op de onjuistheid van deze veronderstelling geen beroep worden gedaan.

3. Indien een volgens wet of gebruik openbaar gemaakte volmacht beperkingen bevat, die zo ongebruikelijk zijn dat de wederpartij ze daarin niet behoefde te verwachten, kunnen deze haar niet worden tegengeworpen, tenzij zij ze kende.

Ongebruikelijke beperkingen

Art. 62. *(3.3.3)* 1. Een algemene volmacht strekt zich slechts uit tot daden van beschikking, indien schriftelijk en ondubbelzinnig is bepaald dat zij zich ook tot die daden uitstrekt. Onder algemene volmacht wordt verstaan de volmacht die alle zaken van de volmachtgever en alle rechtshandelingen omvat, met uitzondering van hetgeen ondubbelzinnig is uitgesloten.

Algemene volmacht

2. Een bijzondere volmacht die in algemene bewoordingen is verleend, strekt zich slechts uit tot daden van beschikking, indien dit ondubbelzinnig is bepaald. Niettemin strekt een volmacht die voor een bepaald doel is verleend, zich uit tot alle daden van beheer en van beschikking die dienstig kunnen zijn tot het bereiken van dit doel.

Bijzondere volmacht

Art. 63. *(3.3.4)* 1. De omstandigheid dat iemand onbekwaam is tot het verrichten van rechtshandelingen voor zichzelf, maakt hem niet onbekwaam tot het optreden als gevolmachtigde.

Handelingsonbekwame en volmacht

2. Wanneer een volmacht door een onbekwaam persoon is verleend, is een krachtens die volmacht door de gevolmachtigde verrichte rechtshandeling op gelijke wijze geldig, nietig of vernietigbaar, als wanneer zij door de onbekwame zelf zou zijn verricht.

Art. 64. *(3.3.5)* Tenzij anders is bepaald, is een gevolmachtigde slechts in de navolgende gevallen bevoegd de hem verleende volmacht aan een ander te verlenen:

Ondervolmacht (Substitutie)

a. voor zover de bevoegdheid hiertoe uit de aard der te verrichten rechtshandelingen noodzakelijk voortvloeit of in overeenstemming is met het gebruik;
b. voor zover de verlening van de volmacht aan een andere persoon in het belang van de volmachtgever noodzakelijk is en deze zelf niet in staat is een voorziening te treffen;
c. voor zover de volmacht goederen betreft, die gelegen zijn buiten het land waarin de gevolmachtigde zijn woonplaats heeft.

Art. 65. *(3.3.5a)* Is een volmacht aan twee of meer personen tezamen verleend, dan is ieder van hen bevoegd zelfstandig te handelen, tenzij anders is bepaald.

Meer gevolmachtigden

Art. 66. *(3.3.6)* 1. Een door de gevolmachtigde binnen de grenzen van zijn bevoegdheid in naam van de volmachtgever verrichte rechtshandeling treft in haar gevolgen de volmachtgever.

Handeling binnen grenzen volmacht

2. Voor zover het al of niet aanwezig zijn van een wil of van wilsgebreken, alsmede bekendheid of onbekendheid met feiten van belang zijn voor de geldigheid of de gevolgen van een rechtshandeling, komen ter beoordeling daarvan de volmachtgever of de gevolmachtigde of beiden in aanmerking, al naar gelang het aandeel dat ieder van hen heeft gehad in de totstandkoming van de rechtshandeling en in de bepaling van haar inhoud.

Wil, wilsgebreken, etc.

Art. 67. *(3.3.7)* 1. Hij die een overeenkomst aangaat in naam van een nader te noemen volmachtgever, moet diens naam noemen binnen de door de wet, de overeenkomst of het gebruik bepaalde termijn of, bij gebreke hiervan, binnen een redelijke termijn.

Nader te noemen volmachtgever

2. Wanneer hij de naam van de volmachtgever niet tijdig noemt, wordt hij geacht de overeenkomst voor zichzelf te hebben aangegaan, tenzij uit de overeenkomst anders voortvloeit.

Volmachtgever wordt niet genoemd

Art. 68. *(3.3.7a)* Tenzij anders is bepaald, kan een gevolmachtigde slechts dan als wederpartij van de volmachtgever optreden, wanneer de inhoud van de te verrichten rechtshandeling zo nauwkeurig vaststaat, dat strijd tussen beider belangen uitgesloten is.

Selbsteintritt

Art. 69. *(3.3.8)* 1. Wanneer iemand zonder daartoe bevoegd te zijn als gevolmachtigde in naam van een ander heeft gehandeld, kan laatstgenoemde de rechtshandeling bekrachtigen en haar daardoor hetzelfde gevolg verschaffen, als zou zijn

Bekrachtiging

ingetreden wanneer zij krachtens een volmacht was verricht.

Vormvereiste

2. Is voor het verlenen van een volmacht tot de rechtshandeling een bepaalde vorm vereist, dan geldt voor de bekrachtiging hetzelfde vereiste.

Bekrachtiging heeft geen gevolg

3. Een bekrachtiging heeft geen gevolg, indien op het tijdstip waarop zij geschiedt, de wederpartij reeds heeft te kennen gegeven dat zij de handeling wegens het ontbreken van een volmacht als ongeldig beschouwt, tenzij de wederpartij op het tijdstip dat zij handelde heeft begrepen of onder de gegeven omstandigheden redelijkerwijs heeft moeten begrijpen dat geen toereikende volmacht was verleend.

Redelijke termijn

4. Een onmiddellijk belanghebbende kan degene in wiens naam gehandeld is, een redelijke termijn voor de bekrachtiging stellen. Hij behoeft niet met een gedeeltelijke of voorwaardelijke bekrachtiging genoegen te nemen.

Handhaving verleende rechten

5. Rechten door de volmachtgever vóór de bekrachtiging aan derden verleend, blijven gehandhaafd.

Instaan voor bestaan en omvang volmacht

Art. 70. *(3.3.9)* Hij die als gevolmachtigde handelt, staat jegens de wederpartij in voor het bestaan en de omvang van de volmacht, tenzij de wederpartij weet of behoort te begrijpen dat een toereikende volmacht ontbreekt of de gevolmachtigde de inhoud van de volmacht volledig aan de wederpartij heeft medegedeeld.

Bewijs van volmacht

Art. 71. *((3.3.10)* 1. Verklaringen, door een gevolmachtigde afgelegd, kunnen door de wederpartij als ongeldig van de hand worden gewezen, indien zij de gevolmachtigde terstond om bewijs van de volmacht heeft gevraagd en haar niet onverwijld hetzij een geschrift waaruit de volmacht volgt is overgelegd, hetzij de volmacht door de volmachtgever is bevestigd.

Uitzondering

2. Bewijs van volmacht kan niet worden verlangd, indien de volmacht door de volmachtgever ter kennis van de wederpartij was gebracht, indien zij op een door wet of gebruik bepaalde wijze was bekendgemaakt, of indien zij voorvloeit uit een aanstelling waarmede wederpartij bekend is.

Einde volmacht

Art. 72. *(3.3.11)* Een volmacht eindigt:
a. door de dood, de ondercuratelestelling of het faillissement van de volmachtgever;
b. door de dood, de ondercuratelestelling of het faillissement van de gevolmachtigde, tenzij anders is bepaald;
c. door herroeping door de volmachtgever;
d. door opzegging door de gevolmachtigde.

Bijzondere regels t.a.v. dood en ondercuratelestelling van volmachtgever

Art. 73. *(3.3.12)* 1. Niettegenstaande de dood of de ondercuratelestelling van de volmachtgever blijft de gevolmachtigde bevoegd de rechtshandelingen te verrichten, die nodig zijn voor het beheer van een onderneming.

2. Niettegenstaande de dood of de ondercuratelestelling van de volmachtgever blijft de gevolmachtigde bevoegd rechtshandelingen te verrichten, die niet zonder nadeel kunnen worden uitgesteld. Hetzelfde geldt indien de gevolmachtigde de volmacht heeft opgezegd.

3. De in de vorige leden vermelde bevoegdheid eindigt een jaar na het overlijden, de onder curatelestelling of de opzegging.

Onherroepelijke volmacht

Art. 74. *(3.3.13)* 1. Voor zover een volmacht strekt tot het verrichten van een rechtshandeling in het belang van de gevolmachtigde of van een derde, kan worden bepaald dat zij onherroepelijk is, of dat zij niet eindigt door de dood of ondercuratelestelling van de volmachtgever. Eerstgenoemde bepaling sluit, tenzij anders blijkt, de tweede in.

Wederpartij

2. Bevat de volmacht een bepaling als in het vorige lid bedoeld, dan mag de wederpartij aannemen dat het aldaar voor de geldigheid van die bepaling gestelde vereiste vervuld is, tenzij het tegendeel voor haar duidelijk kenbaar is.

Verlenen aan ander

3. Tenzij anders is bepaald, kan de gevolmachtigde een overeenkomstig het eerste lid onherroepelijk verleende volmacht ook buiten de in artikel 64 genoemde gevallen aan een ander verlenen.

Wijziging of buiten werkingstelling

4. De rechtbank kan op verzoek van de volmachtgever, of van een erfgenaam of de curator van de volmachtgever, een bepaling als in het eerste lid bedoeld wegens gewichtige redenen wijzigen of buiten werking stellen.

Teruggave geschriften waaruit volmacht blijkt

Art. 75. *(3.3.14)* 1. Na het einde van de volmacht moet de gevolmachtigde desgevorderd geschriften waaruit de volmacht blijkt, teruggeven of toestaan dat de volmachtgever daarop aantekent dat de volmacht is geëindigd. In geval van een bij notariële akte verleende volmacht tekent de notaris die de minuut onder zijn berusting heeft, op verzoek van de volmachtgever het einde van de volmacht daarop aan.

2. Wanneer te vrezen is dat een gevolmachtigde van een volmacht ondanks haar einde gebruik zal maken, kan de volmachtgever zich wenden tot de president van de rechtbank met verzoek de wijze van bekendmaking van het einde van de volmacht te bepalen, die ten gevolge zal hebben dat het tegen een ieder kan worden ingeroepen. Tegen een toewijzende beschikking krachtens dit lid is geen hogere voorziening toegelaten.

Bekendmaking einde volmacht

Art. 76. *(3.3.16)* 1. Een oorzaak die de volmacht heeft doen eindigen, kan tegenover een wederpartij die noch van het einde van de volmacht, noch van die oorzaak kennis droeg, slechts worden ingeroepen:

Van het einde van volmacht onkundige wederpartij

a. indien het einde van de volmacht of de oorzaak die haar heeft doen eindigen aan de wederpartij was medegedeeld of was bekend gemaakt op een wijze die krachtens wet of verkeersopvattingen meebrengt dat de volmachtgever het einde van de volmacht aan de wederpartij kan tegenwerpen;
b. indien de dood van de volmachtgever van algemene bekendheid was;
c. indien de aanstelling of tewerkstelling, waaruit de volmacht voortvloeide, op een voor derden kenbare wijze was beëindigd;
d. indien de wederpartij van de volmacht op geen andere wijze had kennis gekregen dan door een verklaring van de gevolmachtigde.

2. In de gevallen van het vorige lid is de gevolmachtigde die voortgaat op naam van de volmachtgever te handelen, tot schadevergoeding gehouden jegens de wederpartij die van het einde van de volmacht geen kennis droeg. Hij is niet aansprakelijk indien hij wist noch behoorde te weten dat de volmacht was geëindigd.

Aansprakelijkheid gevolmachtigde

Art. 77. *(3.3.16a)* Wordt ondanks de dood van de volmachtgever krachtens de volmacht een geldige rechtshandeling verricht, dan worden de erfgenamen van de volmachtgever en de wederpartij gebonden alsof de handeling bij het leven van de volmachtgever was verricht.

Gebondenheid erfgenamen

Art. 78. *(3.3.16b)* Wanneer iemand optreedt als vertegenwoordiger uit anderen hoofde dan volmacht, zijn de artikelen 63 lid 1, 66 lid 1, 67, 69, 70, 71 en 75 lid 2 van overeenkomstige toepassing, voor zover uit de wet niet anders voortvloeit.

Vertegenwoordiging buiten volmacht

Art. 79. *(3.3.16c)* Buiten het vermogensrecht vinden de bepalingen van deze titel overeenkomstige toepassing, voor zover de aard van de rechtshandeling of van de rechtsbetrekking zich daartegen niet verzet.

Overeenkomstige toepassing buiten vermogensrecht

TITEL 4
Verkrijging en verlies van goederen

AFDELING 1
Algemene bepalingen

Art. 80. *(3.4.1.1)* 1. Men kan goederen onder algemene en onder bijzondere titel verkrijgen.

Verkrijging van goederen

2. Men verkrijgt goederen onder algemene titel door erfopvolging, door boedelmenging en door opvolging in het vermogen van een rechtspersoon die heeft opgehouden te bestaan.

Onder alg. titel

3. Men verkrijgt goederen onder bijzondere titel door overdracht, door verjaring en door onteigening, en voorts op de overige in de wet voor iedere soort aangegeven wijzen van rechtsverkrijging.

Onder bijz. titel

4. Men verliest goederen op de voor iedere soort in de wet aangegeven wijzen.

Verlies van goederen

Art. 81. *(3.4.1.2)* 1. Hij aan wie een zelfstandig en overdraagbaar recht toekomt, kan binnen de grenzen van dat recht de in de wet genoemde beperkte rechten vestigen.

Vestiging beperkt recht

Hij kan ook zijn recht onder voorbehoud van een zodanig beperkt recht overdragen, mits hij de voorschriften zowel voor overdracht van een zodanig goed, als voor vestiging van een zodanig beperkt recht in acht neemt.

Voorbehoud van beperkt recht

2. Beperkte rechten gaan teniet door:

Tenietgaan beperkt recht

a. het tenietgaan van het recht waaruit het beperkte recht is afgeleid;
b. verloop van de tijd waarvoor, of de vervulling van de ontbindende voorwaarde waaronder het beperkte recht is gevestigd;
c. afstand;

d. opzegging, indien de bevoegdheid daartoe bij de wet of bij de vestiging van het recht aan de hoofdgerechtigde, aan de beperkt gerechtigde of aan beiden is toegekend;
e. vermenging;
en voorts op de overige in de wet voor iedere soort aangegeven wijzen van tenietgaan.

Afstand; vermenging

3. Afstand en vermenging werken niet ten nadele van hen die op het tenietgaande beperkte recht op hun beurt een beperkt recht hebben. Vermenging werkt evenmin ten voordele van hen die op het bezwaarde goed een beperkt recht hebben en het tenietgaande recht moesten eerbiedigen.

Afhankelijk recht

Art. 82. *(3.4.1.2a)* Afhankelijke rechten volgen het recht waaraan zij verbonden zijn.

AFDELING 2
Overdracht van goederen en afstand van beperkte rechten

Overdraagbaarheid

Art. 83. *(3.4.2.1)* 1. Eigendom, beperkte rechten en vorderingsrechten zijn overdraagbaar, tenzij de wet of de aard van het recht zich tegen een overdracht verzet.

2. De overdraagbaarheid van vorderingsrechten kan ook door een beding tussen schuldeiser en schuldenaar worden uitgesloten.

3. Alle andere rechten zijn slechts overdraagbaar, wanneer de wet dit bepaalt.

Vereisten overdracht

Art. 84. *(3.4.2.2)* 1. Voor overdracht van een goed wordt vereist een levering krachtens geldige titel, verricht door hem die bevoegd is over het goed te beschikken.

Bepaalbaarheid

2. Bij de titel moet het goed met voldoende bepaaldheid omschreven zijn.

Zekerheid: geen titel tot overdracht

3. Een rechtshandeling die ten doel heeft een goed over te dragen tot zekerheid of die de strekking mist het goed na de overdracht in het vermogen van de verkrijger te doen vallen, is geen geldige titel van overdracht van dat goed.

Verkrijging onder voorwaarde

4. Wordt ter uitvoering van een voorwaardelijke verbintenis geleverd, dan wordt slechts een recht verkregen, dat aan dezelfde voorwaarde als die verbintenis is onderworpen.

Overdracht voor bepaalde tijd

Art. 85. *(3.4.2.2a)* 1. Een verbintenis strekkende tot overdracht van een goed voor een bepaalde tijd, wordt aangemerkt als een verbintenis tot vestiging van een vruchtgebruik op het goed voor de gestelde tijd.

Overdracht onder opschortende tijdsbepaling

2. Een verbintenis strekkende tot overdracht van een goed onder opschortende tijdsbepaling, wordt aangemerkt als een verbintenis tot onmiddellijke overdracht van het goed met gelijktijdige vestiging van een vruchtgebruik van de vervreemder op het goed voor de gestelde tijd.

Bescherming tegen beschikkingsonbevoegdheid (1)

Art. 86. *(3.4.2.3a)* 1. Ondanks onbevoegdheid van de vervreemder is een overdracht overeenkomstig artikel 90, 91 of 93 van een roerende zaak, niet-registergoed, of een recht aan toonder of order geldig, indien de overdracht anders dan om niet geschiedt en de verkrijger te goeder trouw is.

Beperkt recht

2. Rust op een in het vorige lid genoemd goed dat overeenkomstig artikel 90, 91 of 93 anders dan om niet wordt overgedragen, een beperkt recht dat de verkrijger op dit tijdstip kent noch behoort te kennen, dan vervalt dit recht, in het geval van overdracht overeenkomstig artikel 91 onder dezelfde opschortende voorwaarde als waaronder geleverd is.

3. Niettemin kan de eigenaar van een roerende zaak, die het bezit daarvan door diefstal heeft verloren, deze gedurende drie jaren, te rekenen van de dag van de diefstal af, als zijn eigendom opeisen, tenzij:
a. de zaak door een natuurlijke persoon die niet in de uitoefening van een beroep of bedrijf handelde, is verkregen van een vervreemder die van het verhandelen aan het publiek van soortgelijke zaken anders dan als veilinghouder zijn bedrijf maakt in een daartoe bestemde bedrijfsruimte, zijnde een gebouwde onroerende zaak of een gedeelte daarvan met de bij het een en ander behorende grond, en in de normale uitoefening van dat bedrijf handelde; of
b. het geld dan wel toonder- of orderpapier betreft.

4. Op de in het vorige lid bedoelde termijn zijn de artikelen 316, 318 en 319 betreffende de stuiting van de verjaring van een rechtsvordering van overeenkomstige toepassing.

Art. 86a. 1. Artikel 86 kan niet worden tegengeworpen aan een lid-staat van de Europese Unie of aan een andere staat die partij is bij de Overeenkomst betreffende de Europese Economische Ruimte die een roerende zaak opeist, die krachtens de nationale wetgeving van die staat een cultuurgoed is in de zin van artikel 1, onder 1, van richtlijn nr. 93/7/EEG van de Raad van de Europese Gemeenschappen van 15 maart 1993 betreffende de teruggave van cultuurgoederen die op onrechtmatige wijze buiten het grondgebied van een lid-staat zijn gebracht (PbEG L 74), mits die zaak in de zin van die richtlijn op onrechtmatige wijze buiten het grondgebied van die staat is gebracht.

Uitzonderingen bescherming tegen beschikkingsonbevoegdheid

2. Artikel 86 kan evenmin worden tegengeworpen aan degene die als eigenaar een roerende zaak opeist, die op het tijdstip waarop hij het bezit daarvan verloor, krachtens de Wet tot behoud van cultuurbezit als beschermd voorwerp was aangewezen of waarvan de uitvoer op grond van artikel 14a van die wet verboden is. Degene die toen op de lijst waarop het beschermde voorwerp was geplaatst of op een inventarislijst, bedoeld in artikel 14a, tweede lid, van die wet, als eigenaar werd vermeld, wordt vermoed toen eigenaar van de zaak geweest te zijn.

Vergoeding

3. De rechter die een vordering als bedoeld in lid 1 toewijst, kent aan de bezitter een naar gelang van de omstandigheden vast te stellen billijke vergoeding toe, indien deze bij de verkrijging van de zaak de nodige zorgvuldigheid heeft betracht. Hetzelfde geldt indien de rechter een vordering als bedoeld in lid 2 toewijst, tenzij opeising zonder vergoeding bij toepasselijkheid van artikel 86 lid 3 mogelijk zou zijn geweest.

4. De vergoeding omvat in elk geval hetgeen aan de bezitter verschuldigd is krachtens de artikelen 120 en 121. Zij wordt bij afgifte van de zaak uitgekeerd.

Gegevens betreffende vervreemder

Art. 87. *(3.4.2.3aa)* 1. Een verkrijger die binnen drie jaren na zijn verkrijging gevraagd wordt wie het goed aan hem vervreemdde, dient onverwijld de gegevens te verschaffen, die nodig zijn om deze terug te vinden of die hij ten tijde van zijn verkrijging daartoe voldoende mocht achten. Indien hij niet aan deze verplichting voldoet, kan hij de bescherming die de artikelen 86 en 86a aan een verkrijger te goeder trouw bieden, niet inroepen.

Geld

2. Het vorige lid is niet van toepassing ten aanzien van geld.

Bescherming tegen beschikkingsonbevoegdheid (2)

Art. 88. *(3.4.2.3b)* 1. Ondanks onbevoegdheid van de vervreemder is een overdracht van een registergoed, van een recht op naam, of van een ander goed waarop artikel 86 niet van toepassing is, geldig, indien de verkrijger te goeder trouw is en de onbevoegdheid voortvloeit uit de ongeldigheid van een vroegere overdracht, die niet het gevolg was van onbevoegdheid van de toenmalige vervreemder.

2. Lid 1 geldt niet voor roerende zaken die krachtens de Wet tot behoud van cultuurbezit als beschermd voorwerp zijn aangewezen voor zover de overdracht ongeldig is als gevolg van het bepaalde in artikel 7 van die wet.

Levering onroerende zaken

Art. 89. *(3.4.2.4)* 1. De voor overdracht van onroerende zaken vereiste levering geschiedt door een daartoe bestemde, tussen partijen opgemaakte notariële akte, gevolgd door de inschrijving daarvan in de daartoe bestemde openbare registers. Zowel de verkrijger als de vervreemder kan de akte doen inschrijven.

Titel van overdracht

2. De tot levering bestemde akte moet nauwkeurig de titel van overdracht vermelden; bijkomstige bedingen die niet de overdracht betreffen, kunnen in de akte worden weggelaten.

Levering door gevolmachtigde

3. Treedt bij een akte van levering iemand als gevolmachtigde van een der partijen op, dan moet in de akte de volmacht nauwkeurig worden vermeld.

Andere registergoederen

4. Het in dit artikel bepaalde vindt overeenkomstige toepassing op de levering, vereist voor de overdracht van andere registergoederen.

Levering roerende zaken

Art. 90. *(3.4.2.5)* 1. De levering vereist voor de overdracht van roerende zaken, niet-registergoederen, die in de macht van de vervreemder zijn, geschiedt door aan de verkrijger het bezit der zaak te verschaffen.

Werking levering eerst op later tijdstip

2. Blijft de zaak na de levering in handen van de vervreemder, dan werkt de levering tegenover een derde die een ouder recht op de zaak heeft, eerst vanaf het tijdstip dat de zaak in handen van de verkrijger is gekomen, tenzij de oudere gerechtigde met vervreemding heeft ingestemd.

Levering onder opschortende voorwaarde

Art. 91. *(3.4.2.5a)* De levering van in het vorige artikel bedoelde zaken ter uitvoering van een verbintenis tot overdracht onder opschortende voorwaarde, geschiedt door aan de verkrijger de macht over de zaak te verschaffen.

Eigendomsvoorbehoud

Art. 92. *(3.4.2.5b)* 1. Heeft een overeenkomst de strekking dat de een zich de eigendom van een zaak die in de macht van de ander wordt gebracht, voorbehoudt totdat een door de ander verschuldigde prestatie is voldaan, dan wordt hij vermoed zich te verbinden tot overdracht van de zaak aan de ander onder opschortende voorwaarde van voldoening van die prestatie.

2. Een eigendomsvoorbehoud kan slechts geldig worden bedongen ter zake van vorderingen betreffende de tegenprestatie voor door de vervreemder aan de verkrijger krachtens overeenkomst geleverde of te leveren zaken of krachtens een zodanige overeenkomst tevens ten behoeve van de verkrijger verrichte of te verrichten werkzaamheden, alsmede ter zake van de vorderingen wegens tekortschieten in de nakoming van zodanige overeenkomsten. Voor zover een voorwaarde op deze grond nietig is, wordt zij voor ongeschreven gehouden.

Vervulling voorwaarde

3. Een voorwaarde als in lid 1 bedoeld wordt voor vervuld gehouden, wanneer de vervreemder op enige andere wijze dan door voldoening van de tegenprestatie wordt bevredigd, wanneer de verkrijger van zijn verplichting daartoe wordt bevrijd uit hoofde van artikel 60 van Boek 6, of wanneer de verjaring van de rechtsvordering ter zake van de tegenprestatie is voltooid. Behoudens afwijkend beding, geldt hetzelfde bij afstand van het recht op de tegenprestatie.

Levering rechten aan toonder of order

Art. 93. *(3.4.2.6)* De levering, vereist voor de overdracht van een recht aan toonder waarvan het toonderpapier in de macht van de vervreemder is, geschiedt door de levering van dit papier op de wijze en met de gevolgen als aangegeven in de artikelen 90, 91 en 92. Voor overdracht van een recht aan order, waarvan het orderpapier in de macht van de vervreemder is, geldt hetzelfde, met dien verstande dat voor de levering tevens endossement vereist is.

Levering rechten op naam

Art. 94. *(3.4.2.7)* 1. Buiten de in het vorige artikel geregelde gevallen worden tegen een of meer bepaalde personen uit te oefenen rechten geleverd door een daartoe bestemde akte, en mededeling daarvan aan die personen door de vervreemder of verkrijger.

Debiteur onbekend

2. De levering van een tegen een bepaalde, doch op de dag waarop de akte wordt opgemaakt onbekende persoon uit te oefenen recht dat op die dag aan de vervreemder toebehoort, werkt terug tot die dag, indien de mededeling met bekwame spoed wordt gedaan, nadat die persoon bekend is geworden.

Uittreksel akte en titel

3. De personen tegen wie het recht moet worden uitgeoefend, kunnen verlangen dat hun een door de vervreemder gewaarmerkt uittreksel van de akte en haar titel wordt ter hand gesteld. Bedingen die voor deze personen van geen belang zijn, behoeven daarin niet te worden opgenomen. Is van een titel geen akte opgemaakt, dan moet hun de inhoud, voor zover voor hen van belang, schriftelijk worden medegedeeld.

Levering in andere gevallen

Art. 95. *(3.4.2.7a)* Buiten de in de artikelen 89-94 geregelde gevallen en behoudens het in de artikelen 96 en 98 bepaalde, worden goederen geleverd door een daartoe bestemde akte.

Levering aandeel in een goed

Art. 96. *(3.4.2.7b)* De levering van een aandeel in een goed geschiedt op overeenkomstige wijze en met overeenkomstige gevolgen als is bepaald met betrekking tot levering van dat goed.

Levering toekomstige goederen

Art. 97. *(3.4.2.10)* 1. Toekomstige goederen kunnen bij voorbaat worden geleverd, tenzij het verboden is deze tot onderwerp van een overeenkomst te maken of het registergoederen zijn.

Dubbele levering bij voorbaat

2. Een levering bij voorbaat van een toekomstig goed werkt niet tegen iemand die het goed ingevolge een eerdere levering bij voorbaat heeft verkregen. Betreft het een roerende zaak, dan werkt zij jegens deze vanaf het tijdstip dat de zaak in handen van de verkrijger is gekomen.

Overeenkomstige toepassing

Art. 98. *(3.4.2.11)* Tenzij de wet anders bepaalt, vindt al hetgeen in deze afdeling omtrent de overdracht van een goed is bepaald, overeenkomstige toepassing op de vestiging, de overdracht en de afstand van een beperkt recht op een zodanig goed.

AFDELING 3
Verkrijging en verlies door verjaring

Art. 99. *(3.4.3.1)* 1. Rechten op roerende zaken die niet-registergoederen zijn, en rechten aan toonder of order worden door een bezitter te goeder trouw verkregen door een onafgebroken bezit van drie jaren, andere goederen door een onafgebroken bezit van tien jaren.

Verkrijgende verjaring

2. Lid 1 geldt niet voor roerende zaken die krachtens de Wet tot behoud van cultuurbezit als beschermd voorwerp zijn aangewezen of deel uitmaken van een openbare collectie of van een inventarislijst als bedoeld in artikel 14a, tweede lid, van die wet, mits het bezit na die aanwijzing of gedurende dit deel uitmaken is begonnen.

Art. 100. *(3.4.3.2)* Hij die een nalatenschap in bezit heeft genomen, kan die nalatenschap en de daartoe behorende goederen niet eerder door verjaring ten nadele van de rechthebbende verkrijgen dan nadat diens rechtsvordering tot opeising van die nalatenschap is verjaard.

Nalatenschap

Art. 101. *(3.4.3.3)* Een verjaring begint te lopen met de aanvang van de dag na het begin van het bezit.

Aanvang verjaringstermijn

Art. 102. *(3.4.3.4)* 1. Hij die een ander onder algemene titel in het bezit opvolgt, zet een lopende verjaring voort.

Voortzetting verjaring

2. Hetzelfde doet de bezitter te goeder trouw die het bezit van een ander anders dan onder algemene titel heeft verkregen.

Art. 103. *(3.4.3.4a)* Onvrijwillig bezitsverlies onderbreekt de loop der verjaring niet, mits het bezit binnen het jaar wordt terugverkregen of een binnen het jaar ingestelde rechtsvordering tot terugverkrijging van het bezit leidt.

Onvrijwillig bezitsverlies

Art. 104. *(3.4.3.5)* 1. Wanneer de verjaring van de rechtsvordering strekkende tot beëindiging van het bezit wordt gestuit of verlengd, wordt daarmede de verkrijgende verjaring dienovereenkomstig gestuit of verlengd.

Stuiting en verlenging verjaring

2. In dit en de beide volgende artikelen wordt onder verjaring van een rechtsvordering de verjaring van de bevoegdheid tot tenuitvoerlegging van de uitspraak waarbij de eis is toegewezen, begrepen.

Verjaring bevoegdheid tot tenuitvoering uitspraak

Art. 105. *(3.4.3.8)* 1. Hij die een goed bezit op het tijdstip waarop de verjaring van de rechtsvordering strekkende tot beëindiging van het bezit wordt voltooid, verkrijgt dat goed, ook al was zijn bezit niet te goeder trouw.

Voltooiing verjaring

2. Heeft iemand vóór dat tijdstip het bezit onvrijwillig verloren, maar het na dat tijdstip, mits binnen het jaar na het bezitsverlies of uit hoofde van een binnen dat jaar ingestelde rechtsvordering, terugverkregen, dan wordt hij als de bezitter op het in het vorige lid aangegeven tijdstip aangemerkt.

Onvrijwillig bezitsverlies

Art. 106. *(3.4.3.8a)* Wanneer de verjaring van de rechtsvordering van een beperkt gerechtigde tegen de hoofdgerechtigde tot opheffing van een met het beperkte recht strijdige toestand wordt voltooid, gaat het beperkte recht teniet, voor zover de uitoefening daarvan door die toestand is belet.

Verlies beperkt recht door verjaring

TITEL 5
Bezit en houderschap

Art. 107. *(3.5.1)* 1. Bezit is het houden van een goed voor zichzelf.

Bezit

2. Bezit is onmiddellijk, wanneer iemand bezit zonder dat een ander het goed voor hem houdt.

Onmiddellijk bezit

3. Bezit is middellijk, wanneer iemand bezit door middel van een ander die het goed voor hem houdt.

Middellijk bezit

4. Houderschap is op overeenkomstige wijze onmiddellijk of middellijk.

Middellijk en onmiddellijk houderschap

Art. 108. *(3.5.2)* Of iemand een goed houdt en of hij dit voor zichzelf of voor een ander doet, wordt naar verkeersopvatting beoordeeld, met inachtneming van de navolgende regels en overigens op grond van uiterlijke feiten.

Verkeersopvatting, navolgende regels, uiterlijke feiten

Houden voor zichzelf

Art. 109. *(3.5.3)* Wie een goed houdt, wordt vermoed dit voor zichzelf te houden.

Bezitsverkrijging door een ander

Art. 110. *(3.5.4)* Bestaat tussen twee personen een rechtsverhouding die de strekking heeft dat hetgeen de ene op bepaalde wijze zal verkrijgen, door hem voor de ander zal worden gehouden, dan houdt de ene het ter uitvoering van die rechtsverhouding door hem verkregene voor de ander.

Interversie

Art. 111. *(3.5.5)* Wanneer men heeft aangevangen krachtens een rechtsverhouding voor een ander te houden, gaat men daarmede onder dezelfde titel voort, zolang niet blijkt dat hierin verandering is gebracht, hetzij ten gevolge van een handeling van hem voor wie men houdt, hetzij ten gevolge van een tegenspraak van diens recht.

Bezitsverkrijging

Art. 112. *(3.5.6)* Bezit wordt verkregen door inbezitneming, door overdracht of door opvolging onder algemene titel.

In bezitneming

Art. 113. *(3.5.7)* 1. Men neemt een goed in bezit door zich daarover de feitelijke macht te verschaffen.

2. Wanneer een goed in het bezit van een ander is, zijn enkele op zichzelf staande machtsuitoefeningen voor een inbezitneming onvoldoende.

Overdracht bezit

Art. 114. *(3.5.8)* Een bezitter draagt zijn bezit over door de verkrijger in staat te stellen die macht uit te oefenen, die hij zelf over het goed kon uitoefenen.

Overdracht door tweezijdige verklaring

Art. 115. *(3.5.9)* Voor de overdracht van het bezit is een tweezijdige verklaring zonder feitelijke handeling voldoende:

a. wanneer de vervreemder de zaak bezit en hij haar krachtens een bij de levering gemaakt beding voortaan voor de verkrijger houdt;

b. wanneer de verkrijger houder van de zaak voor de vervreemder was;

c. wanneer een derde voor de vervreemder de zaak hield, en haar na de overdracht voor de ontvanger houdt. In dit geval gaat het bezit niet over voordat de derde de overdracht heeft erkend, dan wel de vervreemder of de verkrijger de overdracht aan hem heeft medegedeeld.

Opvolging onder algemene titel

Art. 116. *(3.5.10)* Hij die onder een algemene titel een ander opvolgt, volgt daarmede die ander op in diens bezit en houderschap, met alle hoedanigheden en gebreken daarvan.

Bezitsverlies

Art. 117. *(3.5.11)* 1. Een bezitter van een goed verliest het bezit, wanneer hij het goed kennelijk prijsgeeft, of wanneer een ander het bezit van het goed verkrijgt.

2. Zolang niet een der in het vorige lid genoemde gronden van bezitsverlies zich heeft voorgedaan, duurt een aangevangen bezit voort.

Bezit te goeder trouw

Art. 118. *(3.5.12)* 1. Een bezitter is te goeder trouw, wanneer hij zich als rechthebbende beschouwt en zich ook redelijkerwijze als zodanig mocht beschouwen.

Goede trouw blijft

2. Is een bezitter eenmaal te goeder trouw, dan wordt hij geacht dit te blijven.

Goede trouw verondersteld

3. Goede trouw wordt vermoed aanwezig te zijn; het ontbreken van goede trouw moet worden bewezen.

Processuele functie bezit

Art. 119. *(3.5.13)* 1. De bezitter van een goed wordt vermoed rechthebbende te zijn.

2. Ten aanzien van registergoederen wijkt dit vermoeden, wanneer komt vast te staan dat de wederpartij of diens rechtsvoorganger te eniger tijd rechthebbende was en dat de bezitter zich niet kan beroepen op verkrijging nadien onder bijzondere titel waarvoor inschrijving in de registers vereist is.

Positie bezitter te goeder trouw: vruchten, kosten, schade en retentierecht

Art. 120. *(3.5.14)* 1. Aan een bezitter te goeder trouw behoren de afgescheiden natuurlijke en de opeisbaar geworden burgerlijke vruchten toe.

2. De rechthebbende op een goed, die dit opeist van een bezitter te goede trouw of die het van deze heeft terugontvangen, is verplicht de ten behoeve van het goed gemaakte kosten alsmede de schade waarvoor de bezitter op grond van het in titel 3 van Boek 6 bepaalde uit hoofde van zijn bezit jegens derden aansprakelijk mocht zijn, aan deze te vergoeden, voor zover de bezitter niet door de vruchten van het goed en de overige voordelen die hij ter zake heeft genoten, voor het een en ander

is schadeloos gesteld. De rechter kan de verschuldigde vergoeding beperken, indien volledige vergoeding zou leiden tot onbillijke bevoordeling van de bezitter jegens de rechthebbende.
3. Zolang een bezitter te goeder trouw de hem verschuldigde vergoeding niet heeft ontvangen, is hij bevoegd de afgifte van het goed op te schorten.
4. Het in dit artikel bepaalde is ook van toepassing op hem die meent en mocht menen dat hij het bezit rechtmatig heeft verkregen, ook al weet hij dat de handelingen die voor de levering van het recht nodig zijn, niet hebben plaatsgevonden.

Positie bezitter niet te goeder trouw: vruchten, schadevergoeding (Jus tollendi)

Art. 121. *(3.5.15)* 1. Een bezitter die niet te goeder trouw is, is jegens de rechthebbende behalve tot afgifte van het goed ook verplicht tot het afgeven van de afgescheiden natuurlijke en de opeisbaar geworden burgerlijke vruchten, onverminderd zijn aansprakelijkheid op grond van het in titel 3 van Boek 6 bepaalde voor door de rechthebbende geleden schade.
2. Hij heeft tegen de rechthebbende alleen een vordering tot vergoeding van de kosten die hij ten behoeve van het goed of tot winning van de vruchten heeft gemaakt, voor zover hij deze vergoeding van de rechthebbende kan vorderen op grond van het bepaalde omtrent ongerechtvaardigde verrijking.
3. Het in dit artikel bepaalde is ook op de bezitter te goeder trouw van toepassing vanaf het tijdstip waarop de rechthebbende zijn recht tegen hem heeft ingeroepen.

Overdracht goed aan bezitter

Art. 122. *(3.5.15a)* Indien de rechthebbende ter bevrijding van de door hem ingevolge de beide vorige artikelen verschuldigde vergoedingen op zijn kosten het goed aan de bezitter wil overdragen, is de bezitter gehouden hieraan mede te werken.

Jus tollendi

Art. 123. *(3.5.15b)* Heeft de bezitter van een zaak daaraan veranderingen of toevoegingen aangebracht, dan is hij bevoegd om, in plaats van de hem op grond van de artikelen 120 en 121 daarvoor toekomende vergoeding te vorderen, deze veranderingen of toevoegingen weg te nemen, mits hij de zaak in de oude toestand terugbrengt.

Overeenkomstige toepassing

Art. 124. *(3.5.16)* Wanneer iemand een goed voor een ander houdt en dit door een derde als rechthebbende van hem wordt opgeëist, vindt hetgeen in de voorgaande vier artikelen omtrent de bezitter is bepaald, te zijnen aanzien toepassing met inachtneming van de rechtsverhouding waarin hij tot die ander stond.

Bezitsbescherming

Art. 125. *(3.5.17)* 1. Hij die het bezit van een goed heeft verkregen, kan op grond van een daarna ingetreden bezitsverlies of bezitsstoornis tegen derden dezelfde rechtsvorderingen instellen tot terugverkrijging van het goed en tot opheffing van de stoornis, die de rechthebbende op het goed toekomen. Nochtans moeten deze rechtsvorderingen binnen het jaar na het verlies of de stoornis worden ingesteld.

Uitzondering

2. De vordering wordt afgewezen, indien de gedaagde een beter recht dan de eiser heeft tot het houden van het goed of de storende handelingen krachtens een beter recht heeft verricht, tenzij de gedaagde met geweld of op heimelijke wijze aan de eiser het bezit heeft ontnomen of diens bezit heeft gestoord.

Onrechtmatige daad

3. Het in dit artikel bepaalde laat voor de bezitter, ook nadat het in het eerste lid bedoelde jaar is verstreken, en voor de houder onverlet de mogelijkheid een vordering op grond van onrechtmatige daad in te stellen, indien daartoe gronden zijn.

TITEL 6
Bewind

Artt. 126 tot en met 165 gereserveerd

TITEL 7
Gemeenschap

AFDELING 1
Algemene bepalingen

Gemeenschap

Art. 166. *(3.7.1.1)* 1. Gemeenschap is aanwezig, wanneer een of meer goederen toebehoren aan twee of meer deelgenoten gezamenlijk.

Gelijke aandelen

2. De aandelen van de deelgenoten zijn gelijk, tenzij uit hun rechtsverhouding anders voortvloeit.

Redelijkheid en billijkheid

3. Op de rechtsbetrekkingen tussen de deelgenoten is artikel 2 van Boek 6 van overeenkomstige toepassing.

Zaaksvervanging

Art. 167. *(3.7.1.1a)* Goederen die geacht moeten worden in de plaats van een gemeenschappelijk goed te treden behoren tot de gemeenschap.

Regeling genot, gebruik, beheer

Art. 168. *(3.7.1.2)* 1. De deelgenoten kunnen het genot, het gebruik en het beheer van gemeenschappelijke goederen bij overeenkomst regelen.

Regeling door rechter; bewind

2. Voor zover een overeenkomst ontbreekt, kan de kantonrechter op verzoek van de meest gerede partij een zodanige regeling treffen, zo nodig met onderbewindstelling van de goederen. Hij houdt daarbij naar billijkheid rekening zowel met de belangen van partijen als met het algemeen belang.

Onvoorziene omstandigheden

3. Een bestaande regeling kan op verzoek van de meest gerede partij door de kantonrechter wegens onvoorziene omstandigheden gewijzigd of buiten werking gesteld worden.

Rechtverkrijgenden

4. Een regeling is ook bindend voor de rechtverkrijgenden van een deelgenoot.

Opheffing bewind

5. Op een overeenkomstig lid 2 ingesteld bewind zijn, voor zover de kantonrechter niet anders heeft bepaald, de artikelen 433 lid 1, 435, 436 leden 1-3, 437, 438 lid 1, 439, 441 lid 1, eerste zin, en 442-448 van Boek 1 van toepassing. Het kan door een gezamenlijk besluit van de deelgenoten of op verzoek van een hunner door de kantonrechter worden opgeheven.

Bevoegdheid te gebruiken

Art. 169. *(3.7.1.3)* Tenzij een regeling anders bepaalt, is iedere deelgenoot bevoegd tot het gebruik van een gemeenschappelijk goed, mits dit gebruik met het recht van de overige deelgenoten te verenigen is.

Onderhoud, handelingen die geen uitstel kunnen lijden

Art. 170. *(3.7.1.3a)* 1. Handelingen dienende tot gewoon onderhoud of tot behoud van een gemeenschappelijk goed, en in het algemeen handelingen die geen uitstel kunnen lijden, kunnen door ieder der deelgenoten zo nodig zelfstandig worden verricht. Ieder van hen is bevoegd ten behoeve van de gemeenschap verjaring te stuiten.

Overig beheer

2. Voor het overige geschiedt het beheer door de deelgenoten tezamen, tenzij een regeling anders bepaalt. Onder beheer zijn begrepen alle handelingen die voor de normale exploitatie van het goed dienstig kunnen zijn, alsook het aannemen van aan de gemeenschap verschuldigde prestaties.

Andere handelingen

3. Tot andere handelingen betreffende een gemeenschappelijk goed dan in de vorige leden vermeld, zijn uitsluitend de deelgenoten tezamen bevoegd.

Rechtsvorderingen en verzoekschriften

Art. 171. *(3.7.1.3b)* Tenzij een regeling anders bepaalt, is iedere deelgenoot bevoegd tot het instellen van rechtsvorderingen en het indienen van verzoekschriften ter verkrijging van een rechterlijke uitspraak ten behoeve van de gemeenschap. Een regeling die het beheer toekent aan een of meer der deelgenoten, sluit, tenzij zij anders bepaalt, deze bevoegdheid voor de anderen uit.

Vruchten en voordelen naar evenredigheid gedeeld

Art. 172. *(3.7.1.4)* Tenzij een regeling anders bepaalt, delen de deelgenoten naar evenredigheid van hun aandelen in de vruchten en andere voordelen die het gemeenschappelijke goed oplevert, en moeten zij in dezelfde evenredigheid bijdragen tot de uitgaven die voortvloeien uit handelingen welke bevoegdelijk ten behoeve van de gemeenschap zijn verricht.

Rekening en verantwoording

Art. 173. *(3.7.1.5)* Ieder der deelgenoten kan van degene onder hen die voor de overigen beheer heeft gevoerd, jaarlijks en in ieder geval bij het einde van het beheer rekening en verantwoording vorderen.

Machtiging goed te gelde te maken

Art. 174. *(3.7.1.7)* 1. De rechter die ter zake van een vordering tot verdeling bevoegd zou zijn of voor wie een zodanige vordering reeds aanhangig is kan een deelgenoot op diens verzoek ten behoeve van de voldoening van een voor rekening van de gemeenschap komende schuld of om andere gewichtige redenen machtigen tot het te gelde maken van een gemeenschappelijk goed. Indien een deelgenoot voor wie een te verkopen goed een bijzondere waarde heeft, bereid is het goed tegen vergoeding van de geschatte waarde over te nemen, kan de voormelde rechter deze overneming bevelen.

2. De in lid 1 bedoelde rechter kan een deelgenoot op diens verzoek machtigen een gemeenschappelijk goed te bezwaren met een recht van pand of hypotheek tot zekerheid voor de voldoening van een voor rekening van de gemeenschap komende schuld die reeds bestaat of waarvan het aangaan geboden is voor het behoud van een goed der gemeenschap.

Machtiging goed te bezwaren

Art. 175. *(3.7.1.8)* 1. Tenzij uit de rechtsverhouding tussen de deelgenoten anders voortvloeit, kan ieder van hen over zijn aandeel in een gemeenschappelijk goed beschikken.

Beschikkingsbevoegdheid over aandeel

2. Indien uit de rechtsverhouding tussen de deelgenoten voortvloeit dat zij niet, tenzij met aller toestemming, bevoegd zijn over hun aandeel te beschikken, zijn de leden 3 en 4 van artikel 168 van overeenkomstige toepassing.

3. De schuldeisers van een deelgenoot kunnen zijn aandeel in een gemeenschappelijk goed uitwinnen. Na de uitwinning van een aandeel kunnen beperkingen van de bevoegdheid om over de aandelen te beschikken niet worden ingeroepen tussen de verkrijger van dat aandeel en de overige deelgenoten.

Uitwinning aandeel

Art. 176. *(3.7.1.8a)* 1. De verkrijger van een aandeel of een beperkt recht daarop moet van de verkrijging onverwijld mededeling doen aan de overige deelgenoten of aan degene die door de deelgenoten of de rechter met het beheer over het goed is belast.

Verkrijging van aandeel

2. Een overgedragen aandeel wordt verkregen onder de last aan de gemeenschap te vergoeden hetgeen de vervreemder haar schuldig was. Vervreemder en verkrijger zijn hoofdelijk voor deze vergoeding aansprakelijk. De verkrijger kan zich aan deze verplichting onttrekken door zijn aandeel op zijn kosten aan de overige deelgenoten over te dragen; dezen zij verplicht aan een zodanige overdracht mede te werken.

Vervreemder en verkrijger hoofdelijk aansprakelijk

3. De vorige leden zijn niet van toepassing bij uitwinning van de gezamenlijke aandelen in een gemeenschappelijk goed.

Uitwinning van de gezamenlijke aandelen

Art. 177. *(3.7.1.8b)* 1. Wordt een gemeenschappelijk goed verdeeld of overgedragen, terwijl op het aandeel van een deelgenoot een beperkt recht rust, dan komt dat recht te rusten op het goed voor zover dit door die deelgenoot wordt verkregen, en wordt het goed voor het overige van dat recht bevrijd, onverminderd hetgeen de beperkt gerechtigde of de deelgenoot op wiens aandeel zijn recht rust, krachtens hun onderlinge verhouding van de ander wegens een door deze aldus ontvangen overwaarde heeft te vorderen.

Verdeling of overdracht goed met een beperkt recht op aandeel

2. Een verdeling, alsmede een overdracht waartoe de deelgenoten zich na bezwaring met het beperkte recht hebben verplicht, behoeft de medewerking van de beperkt gerechtigde.

Medewerking beperkt gerechtigde

3. Een bij toedeling van het goed aan de in het eerste lid genoemde deelgenoot bedongen recht van pand of hypotheek tot waarborg van hetgeen hij aan een of meer der deelgenoten ten gevolge van de verdeling schuldig is of mocht worden, heeft, mits het gelijktijdig met de levering van het hem toegedeelde daarop wordt gevestigd, voorrang boven een beperkt recht dat een deelgenoot tevoren op zijn aandeel had gevestigd.

Pand of hypotheek t.b.v. deelgenoten

Art. 178. *(3.7.1.9)* 1. Ieder der deelgenoten, alsmede hij die een beperkt recht op een aandeel heeft, kan te allen tijde verdeling van een gemeenschappelijk goed vorderen, tenzij uit de aard van de gemeenschap of uit het in de volgende leden bepaalde anders voortvloeit.

Recht tot vordering van verdeling

2. Op verlangen van een deelgenoot kan de rechter voor wie een vordering tot verdeling aanhangig is bepalen dat alle of sommige opeisbare schulden die voor rekening van de gemeenschap komen, moeten worden voldaan alvorens tot de verdeling wordt overgegaan.

Voldoening gemeenschapschulden

3. Indien de door een onmiddellijke verdeling getroffen belangen van een of meer deelgenoten aanmerkelijk groter zijn dan de belangen die door de verdeling worden gediend, kan de rechter voor wie een vordering tot verdeling aanhangig is, op verlangen van een deelgenoot een of meermalen, telkens voor ten hoogste drie jaren, een vordering tot verdeling uitsluiten.

Belangen deelgenoten bij verdeling

4. Indien geen vordering tot verdeling aanhangig is, kan een beslissing als bedoeld in de leden 2 en 3 op verzoek van ieder van de deelgenoten worden gegeven door de rechter die ter zake van de vordering tot verdeling bevoegd zou zijn.

Bevoegde rechter

5. Zij die bevoegd zijn verdeling te vorderen, kunnen hun bevoegdheid daartoe een of meer malen bij overeenkomst, telkens voor ten hoogste vijf jaren, uitsluiten. De leden 3 en 4 van artikel 168 zijn op een zodanige overeenkomst van overeenkomstige toepassing.

Vordering van algehele verdeling

Art. 179. *(3.7.1.9a)* 1. Indien verdeling van een gemeenschappelijk goed wordt gevorderd, kan ieder der deelgenoten verlangen dat alle tot de gemeenschap behorende goederen en de voor rekening van de gemeenschap komende schulden in de verdeling worden begrepen, tenzij er gewichtige redenen zijn voor een gedeeltelijke verdeling. Van de verdeling worden die goederen uitgezonderd, die wegens een der in artikel 178 genoemde gronden onverdeeld moeten blijven.

Overgeslagen goederen

2. De omstandigheid dat bij een verdeling een of meer goederen zijn overgeslagen, heeft alleen ten gevolge dat daarvan een nadere verdeling kan worden gevorderd.

Toedeling schuld

3. Op de toedeling van een schuld is afdeling 2 van titel 3 van Boek 6 van toepassing.

Verdeling op vordering schuldeiser

Art. 180. *(3.7.1.9b)* 1. Een schuldeiser die een opeisbare vordering op een deelgenoot heeft, kan verdeling van de gemeenschap vorderen, doch niet verder dan nodig is voor het verhaal van zijn vordering. Artikel 178 lid 3 is van toepassing.

2. Heeft een schuldeiser een bevel tot verdeling van de gemeenschap verkregen dan behoeft de verdeling zijn medewerking.

Benoeming onzijdig persoon

Art. 181. *(3.7.1.10)* 1. Voor het geval dat deelgenoten of zij wier medewerking vereist is, niet medewerken tot een verdeling nadat deze bij rechterlijke uitspraak is bevolen, benoemt de rechter die in eerste aanleg van de vordering tot verdeling heeft kennis genomen, indien deze benoeming niet reeds bij die uitspraak heeft plaatsgehad, op verzoek van de meest gerede partij een onzijdig persoon die hen bij de verdeling vertegenwoordigt en daarbij hun belangen naar eigen beste inzicht behartigt. Hebben degenen die niet medewerken tegenstrijdige belangen, dan wordt voor ieder van hen een onzijdig persoon benoemd.

Plichten onzijdig persoon

2. Een onzijdig persoon is verplicht hetgeen aan de door hem vertegenwoordigde persoon ingevolge de verdeling toekomt, voor deze in ontvangst te nemen en daarover tot de afgifte aan de rechthebbende op de voet van artikel 410 van Boek 1 het bewind te voeren.

Beloning

3. De beloning die de onzijdige persoon ten laste van de rechthebbende toekomt, wordt op zijn verzoek vastgesteld door de rechter die hem benoemde.

Verdeling

Art. 182. *(3.7.1.11)* Als een verdeling wordt aangemerkt iedere rechtshandeling waartoe alle deelgenoten, hetzij in persoon, hetzij vertegenwoordigd, medewerken en krachtens welke een of meer van hen een of meer goederen der gemeenschap met uitsluiting van de overige deelgenoten verkrijgen. De handeling is niet een verdeling, indien zij strekt tot nakoming van een voor rekening van de gemeenschap komende schuld aan een of meer deelgenoten, die niet voortspruit uit een rechtshandeling als bedoeld in de vorige zin.

Wijze en vorm van verdeling vrij

Art. 183. *(3.7.1.12)* 1. De verdeling kan geschieden op de wijze en in de vorm die partijen goeddunkt, mits de deelgenoten en zij wier medewerking vereist is, allen het vrije beheer over hun goederen hebben en in persoon of bij een door hen aangewezen vertegenwoordiger medewerken, dan wel in geval van bewind over hun recht, worden vertegenwoordigd door de bewindvoerder, voorzien van de daartoe vereiste toestemming of machtiging.

Verdeling bij notariële akte

2. In andere gevallen moet, tenzij de rechter anders bepaalt, de verdeling geschieden bij notariële akte en worden goedgekeurd door de kantonrechter die bevoegd is de wettelijke vertegenwoordiger van degene die het vrije beheer over zijn goederen mist, tot beschikkingshandelingen te machtigen.

3. Indien een der partijen minderjarig is of onder curatele staat, moeten de toeziende voogd en de toeziende curator bij de verdeling tegenwoordig zijn.

Toerekening aandeel op schuld aan gemeenschap

Art. 184. *(3.7.1.13)* 1. Ieder der deelgenoten kan bij een verdeling verlangen dat op het aandeel van een andere deelgenoot wordt toegerekend hetgeen deze aan de gemeenschap schuldig is. De toerekening geschiedt ongeacht de gegoedheid van de schuldenaar. Is het een schuld onder tijdsbepaling, dan wordt zij voor haar contante waarde op het tijdstip der verdeling toegerekend.

2. Het vorige lid is niet van toepassing op schulden onder een opschortende voorwaarde die nog niet vervuld is.

Art. 185. *(3.7.1.14)* 1. Voor zover de deelgenoten en zij wier medewerking vereist is, over een verdeling niet tot overeenstemming kunnen komen, gelast op vordering van de meest gerede partij de rechter de wijze van verdeling of stelt hij zelf de verdeling vast, rekening houdende naar billijkheid zowel met de belangen van partijen als met het algemeen belang.

Verdeling door tussenkomst rechter

2. Als wijzen van verdeling komen daarbij in aanmerking:
a. toedeling van een gedeelte van het goed aan ieder der deelgenoten;
b. overbedeling van een of meer deelgenoten tegen vergoeding van de overwaarde;
c. verdeling van de netto-opbrengst van het goed of een gedeelte daarvan, nadat dit op een door de rechter bepaalde wijze zal zijn verkocht.

Wijzen van verdeling

3. Zo nodig kan de rechter bepalen dat degene die overbedeeld wordt, de overwaarde geheel of ten dele in termijnen mag voldoen. Hij kan daaraan de voorwaarde verbinden dat zekerheid tot een door hem bepaald bedrag en van een door hem bepaalde aard wordt gesteld.

Voldoening overwaarde

Art. 186. *(3.7.1.14a)* 1. Voor de overgang van het aan ieder der deelgenoten toegedeelde is een levering vereist op dezelfde wijze als voor overdracht is voorgeschreven.

Levering van het toegedeelde

2. Hetgeen een deelgenoot verkrijgt, houdt hij onder dezelfde titel als waaronder de deelgenoten dit tezamen vóór de verdeling hielden.

Art. 187. *(3.7.1.15)* 1. De papieren en bewijzen van eigendom, tot de toegedeelde goederen behorende, worden overgegeven aan hem, aan wie de goederen zijn toegedeeld.

Papieren en bewijzen van eigendom

2. Algemene boedelpapieren en stukken als bedoeld in lid 1, die betrekking hebben op aan meer deelgenoten toegedeelde goederen, verblijven bij hem die de meerderheid der betrokken deelgenoten daartoe heeft benoemd, onder verplichting aan de overige deelgenoten inzage, en zo iemand dit verlangt, afschriften of uittreksels op diens kosten af te geven.

Inzage van boedelpapieren

3. Bij gebreke van een meerderheid als bedoeld in het vorige lid geschiedt de daar bedoelde benoeming op verlangen van een deelgenoot door de rechter die de verdeling vaststelt, of in andere gevallen op verzoek van een deelgenoot door de kantonrechter. Tegen een beslissing krachtens dit lid is geen hogere voorziening toegelaten.

Art. 188. *(3.7.1.16)* 1. Tenzij anders is overgekomen, zijn deelgenoten verplicht in evenredigheid van hun aandelen elkander de schade te vergoeden die het gevolg is van een uitwinning of stoornis, voortgekomen uit een vóór de verdeling ontstane oorzaak, alsmede, wanneer een vordering voor het volle bedrag is toegedeeld, de schade die voortvloeit uit onvoldoende gegoedheid van de schuldenaar op het ogenblik van de verdeling.

Aansprakelijkheid voor uitwinning of stoornis

2. Wordt een deelgenoot door zijn eigen schuld uitgewonnen of gestoord, dan zijn de overige deelgenoten niet verplicht tot vergoeding van zijn schade.

Eigen schuld van deelgenoot

3. Een verplichting tot vergoeding van schade die voortvloeit uit onvoldoende gegoedheid van de schuldenaar vervalt door verloop van drie jaren na de verdeling en na het opeisbaar worden van de toegedeelde vordering.
4. Indien verhaal op een deelgenoot voor zijn aandeel in een krachtens het eerste lid verschuldigde schadevergoeding onmogelijk blijkt, wordt het aandeel van ieder der andere deelgenoten naar evenredigheid verhoogd.

Aansprakelijkheid voor onvoldoende gegoedheid; verhoging

AFDELING 2
Enige bijzondere gemeenschappen

Art. 189. *(3.7.2.0)* 1. De bepalingen van deze titel gelden niet voor een huwelijksgemeenschap, maatschap, vennootschap of rederij, zolang zij niet ontbonden zijn, noch voor de gemeenschap van een in appartementsrechten gesplitst gebouw, zolang de splitsing niet is opgeheven.

Bijzondere vormen van gemeenschap

2. Voor de gemeenschap van een nalatenschap, voor een ontbonden huwelijksgemeenschap, maatschap, vennootschap of rederij en voor de gemeenschap van een gebouw waarvan de splitsing in appartementsrechten is opgeheven, gelden de volgende bepalingen van deze afdeling, alsmede die van de eerste afdeling, voor zover daarvan in deze afdeling niet wordt afgeweken.

Beschikkingsonbevoegdheid over aandeel in gemeenschapsgoed

Art. 190. *(3.7.2.1)* 1. Een deelgenoot kan niet beschikken over zijn aandeel in een tot de gemeenschap behorend goed afzonderlijk, en zijn schuldeisers kunnen een zodanig aandeel niet uitwinnen, zonder toestemming van de overige deelgenoten.

Wel pand- of hypotheekrecht vestigen

2. Nochtans kan een deelgenoot op een zodanig aandeel ook zonder toestemming van de andere deelgenoten een recht van pand of hypotheek vestigen. Zolang het goed tot de gemeenschap behoort, kan de pand-of hypotheekhouder niet tot verkoop overgaan, tenzij de overige deelgenoten hierin toestemmen.

Beschikkingsbevoegdheid over aandeel in gemeenschap als rechtsverhouding dit toelaat

Art. 191. *(3.7.2.2)* 1. Tenzij uit de rechtsverhouding tussen de deelgenoten anders voortvloeit, kan ieder der deelgenoten over zijn aandeel in de gehele gemeenschap beschikken en kunnen zijn schuldeisers een zodanig aandeel uitwinnen.

2. Indien uit de rechtsverhouding tussen de deelgenoten voortvloeit dat zij niet, tenzij met aller toestemming bevoegd zijn over hun aandeel te beschikken, zijn de leden 3 en 4 van artikel 168 van overeenkomstige toepassing.

Verhaal van een gemeenschapsschuld

Art. 192. *(3.7.2.2a)* Tot de gemeenschap behorende schulden kunnen op de goederen van de gemeenschap worden verhaald.

Verzet van schuldeiser tegen verdeling

Art. 193. *(3.7.2.2b)* Een schuldeiser wiens vordering op de goederen van de gemeenschap kan worden verhaald, is bevoegd zich tegen verdeling van de gemeenschap te verzetten. Een verdeling die na dit verzet is tot stand gekomen, is vernietigbaar met dien verstande dat de vernietigingsgrond slechts kan worden ingeroepen door de schuldeiser die zich verzette en dat hij de verdeling slechts te zijnen behoeve kan vernietigen en niet verder dan nodig is tot opheffing van de door hem ondervonden benadeling.

Boedelbeschrijving

Art. 194. *(3.7.2.3)* 1. Ieder der deelgenoten kan vorderen dat een verdeling aanvangt met een boedelbeschrijving.

Deelgenoot verbeurt aandeel

2. Een deelgenoot die opzettelijk tot de gemeenschap behorende goederen verzwijgt, zoek maakt of verborgen houdt, verbeurt zijn aandeel in die goederen aan de andere deelgenoten.

AFDELING 3
Nietige en vernietigbare verdelingen

Nietige verdeling

Art. 195. *(3.7.3.1)* 1. Een verdeling waaraan niet alle deelgenoten en alle andere personen wier medewerking vereist was, hebben deelgenomen, is nietig, tenzij zij is geschied bij een notariële akte, in welk geval zij slechts kan worden vernietigd op vordering van degene die niet aan de verdeling heeft deelgenomen. Deze rechtsvordering verjaart door verloop van één jaar nadat de verdeling te zijner kennis gekomen is.

Terugvordering t.b.v. gemeenschap

2. Heeft aan een verdeling iemand deelgenomen die niet tot de gemeenschap gerechtigd was, of is een deelgenoot bij de verdeling opgekomen voor een groter aandeel dan hem toekwam, dan kan het ten onrechte uitgekeerde ten behoeve van de gemeenschap worden teruggevorderd; voor het overige blijft de verdeling van kracht.

Vernietigbare verdeling

Art. 196. *(3.7.3.2)* 1. Behalve op de algemene voor vernietiging van rechtshandelingen geldende gronden is een verdeling ook vernietigbaar, wanneer een deelgenoot omtrent de waarde van een of meer der te verdelen goederen en schulden heeft gedwaald en daardoor voor meer dan een vierde gedeelte is benadeeld.

Vermoeden van dwaling

2. Wanneer een benadeling voor meer dan een vierde is bewezen, wordt de benadeelde vermoed omtrent de waarde van een of meer der te verdelen goederen en schulden te hebben gedwaald.

Berekening benadering

3. Om te beoordelen of benadeling heeft plaatsgehad, worden de goederen en schulden der gemeenschap geschat naar hun waarde op het tijdstip van de verdeling. Goederen en schulden die onverdeeld zijn gelaten worden niet meegerekend.

Uitzondering op lid 1

4. Een verdeling is niet op grond van dwaling omtrent de waarde van een of meer der te verdelen goederen en schulden vernietigbaar, indien de benadeelde de toedeling te zijnen bate of schade heeft aanvaard.

Opheffing benadeling

Art. 197. *(3.7.3.3)* De bevoegdheid tot vernietiging van een verdeling uit hoofde van benadeling vervalt, wanneer de andere deelgenoten aan de benadeelde hetzij in geld, hetzij in natura opleggen hetgeen aan diens aandeel ontbrak.

Art. 198. *(3.7.3.3a)* Wordt een beroep in rechte op vernietigbaarheid van een verdeling gedaan, dan kan de rechter, onverminderd het in de artikelen 53 en 54 bepaalde, op verlangen van een der partijen de verdeling wijzigen, in plaats van de vernietiging uit te spreken.

Wijziging verdeling

Art. 199. *(3.7.3.3b)* Op een verdeling zijn de artikelen 228-230 van Boek 6 niet van toepassing.

„Gewone" dwalingsregeling mist toepassing

Art. 200. *(3.7.3.4)* Een rechtsvordering tot vernietiging van een verdeling vervalt door verloop van drie jaren na de verdeling.

Verjaring

TITEL 8
Vruchtgebruik

Art. 201. *(3.8.1)* Vruchtgebruik geeft het recht om goederen die aan een ander toebehoren, te gebruiken en daarvan de vruchten te genieten.

Vruchtgebruik

Art. 202. *(3.8.2)* Vruchtgebruik ontstaat door vestiging of door verjaring.

Ontstaanswijzen

Art. 203. *(3.8.3)* 1. Vruchtgebruik kan worden gevestigd ten behoeve van één persoon, ofwel ten behoeve van twee of meer personen hetzij gezamenlijk hetzij bij opvolging. In het laatste geval moeten ook de later geroepenen op het ogenblik van de vestiging bestaan.

Vestigingsmogelijkheden

2. Vruchtgebruik kan niet worden gevestigd voor langer dan het leven van de vruchtgebruiker. Vruchtgebruik ten behoeve van twee of meer personen wast bij het einde van het recht van een hunner bij dat van anderen aan, bij ieder in evenredigheid van zijn aandeel, en eindigt eerst door het tenietgaan van het recht van de laatst overgeblevene, tenzij anders is bepaald.

Duur vruchtgebruik

3. Is de vruchtgebruiker een rechtspersoon, dan eindigt het vruchtgebruik door ontbinding van de rechtspersoon, en in ieder geval na verloop van dertig jaren na de dag van vestiging.

Duur vruchtgebruik bij rechtspersoon

Art. 204. *(3.8.3a)* 1. Bij een uiterste wilsbeschikking kan bewind worden ingesteld over een daarbij gelegateerd vruchtgebruik of over de goederen waarop het rust. In geval van vruchtgebruik krachtens een andere titel dan legaat, kan dit bij notariële akte geschieden.

Bewind over vruchtgebruik

2. Op het bewind zijn de artikelen 433 lid 1, 435, 436 leden 1-3, 437, 438 lid 1, 439, 441 leden 1 en 4, 442-448 en 449 lid 2 van Boek 1 van toepassing met dien verstande dat de vruchtgebruiker en de hoofdgerechtigde beiden als rechthebbende gelden, voor zover uit hun rechtsverhouding niet anders voortvloeit.

Art. 205. *(3.8.4)* 1. Tenzij een bewind reeds tot een voldoende boedelbeschrijving heeft geleid of daartoe verplicht, moet de vruchtgebruiker in tegenwoordigheid of na behoorlijke oproeping van de hoofdgerechtigde een notariële beschrijving van de goederen opmaken. De beschrijving kan onderhands worden opgemaakt, indien de hoofdgerechtigde tegenwoordig is en hoofdgerechtigde en vruchtgebruiker een regeling hebben getroffen omtrent haar bewaring.

Boedelbeschrijving

2. Zowel de vruchtgebruiker als de hoofdgerechtigde hebben het recht om in de beschrijving alle bijzonderheden te doen opnemen, die dienstig zijn om de toestand waarin de aan het vruchtgebruik onderworpen zaken zich bevinden, te doen kennen.

3. De hoofdgerechtigde is bevoegd de levering en afgifte van de aan het vruchtgebruik onderworpen goederen op te schorten, indien de vruchtgebruiker niet terzelfder tijd zijn verplichting tot beschrijving nakomt.

Opschortingsrecht

4. De vruchtgebruiker moet jaarlijks aan de hoofdgerechtigde een ondertekende nauwkeurige opgave zenden van de goederen die niet meer aanwezig zijn, van de goederen die daarvoor in de plaats zijn gekomen, en van de voordelen die de goederen hebben opgeleverd en die geen vruchten zijn.

Jaarlijkse opgave

5. De vruchtgebruiker kan van de verplichtingen die ingevolge de voorgaande leden op hem rusten, niet worden vrijgesteld.

6. Tenzij anders is bepaald, komen de kosten van de beschrijving en van de in lid 4 bedoelde jaarlijkse opgave ten laste van de vruchtgebruiker.

Kosten

Art. 206. *(3.8.5)* 1. De vruchtgebruiker moet voor de nakoming van zijn verplichtingen jegens de hoofdgerechtigde zekerheid stellen, tenzij hij hiervan is vrijge-

Zekerheid stellen

steld of de belangen van de hoofdgerechtigde reeds voldoende zijn beveiligd door de instelling van een bewind.

2. Is de vruchtgebruiker van het stellen van zekerheid vrijgesteld, dan kan de hoofdgerechtigde jaarlijks verlangen dat hem de aan het vruchtgebruik onderworpen zaken worden getoond. Ten aanzien van waardepapieren en gelden kan, behoudens bijzondere omstandigheden, met overlegging van een verklaring van een geregistreerde krediet-instelling worden volstaan.

Gebruiken en verbruiken

Art. 207. *(3.8.6)* 1. Een vruchtgebruiker mag de aan het vruchtgebruik onderworpen goederen gebruiken of verbruiken overeenkomstig de bij de vestiging van het vruchtgebruik gestelde regels of, bij gebreke van zodanige regels, met inachtneming van de aard van de goederen en de ten aanzien van het gebruik of verbruik bestaande plaatselijke gewoonten.

Beheer; overige handelingen

2. Een vruchtgebruiker is voorts bevoegd tot alle handelingen die tot een goed beheer van de aan het vruchtgebruik onderworpen goederen dienstig kunnen zijn. Tot alle overige handelingen ten aanzien van die goederen zijn de hoofdgerechtigde en de vruchtgebruiker slechts tezamen bevoegd.

Zorgplicht

3. Jegens de hoofdgerechtigde is de vruchtgebruiker verplicht ten aanzien van de aan het vruchtgebruik onderworpen goederen en het beheer daarover de zorg van een goed vruchtgebruiker in acht te nemen.

Art. 208. *(3.8.6a)* 1. Van zaken die aan het vruchtgebruik zijn onderworpen, mag de vruchtgebruiker de bestemming die deze bij de aanvang van het vruchtgebruik hadden, niet veranderen zonder toestemming van de hoofdgerechtigde of machtiging van de kantonrechter.

2. Tenzij in de akte van vestiging anders is bepaald, is de vruchtgebruiker van een zaak, zowel tijdens de duur van zijn recht als bij het einde daarvan, bevoegd om aan de zaak aangebrachte veranderingen en toevoegingen weg te nemen, mits hij de zaak in de oude toestand terugbrengt.

Gebruikelijke verzekeringen

Art. 209. *(3.8.7)* 1. De vruchtgebruiker is verplicht het voorwerp van zijn vruchtgebruik ten behoeve van de hoofdgerechtigde te verzekeren tegen die gevaren, waartegen het gebruikelijk is een verzekering te sluiten. In ieder geval is de vruchtgebruiker, indien een gebouw aan zijn vruchtgebruik is onderworpen, verplicht dit tegen brand te verzekeren.

Verzekering door hoofdgerechtigde

2. Voorzover de vruchtgebruiker aan de in het eerste lid omschreven verplichtingen niet voldoet, is de hoofdgerechtigde bevoegd zelf een verzekering te nemen en is de vruchtgebruiker verplicht hem de kosten daarvan te vergoeden.

Vruchtgebruiker int vorderingen

Art. 210. *(3.8.8)* 1. Tenzij bij de vestiging anders is bepaald, is de vruchtgebruiker bevoegd in en buiten rechte nakoming te eisen van aan het vruchtgebruik onderworpen vorderingen en tot het in ontvangst nemen van betalingen.

Ontbinding overeenkomst

2. Tenzij bij de vestiging anders is bepaald, is hij tot ontbinding en opzegging van overeenkomsten slechts bevoegd, wanneer dit tot een goed beheer dienstig kan zijn.

3. De hoofdgerechtigde is slechts bevoegd de in de vorige leden genoemde bevoegdheden uit te oefenen, indien hij daartoe toestemming van de vruchtgebruiker of machtiging van de kantonrechter heeft gekregen. Tegen de machtiging van de kantonrechter krachtens dit lid is geen hogere voorziening toegelaten.

Soortgoederen

Art. 211. *(3.8.9)* 1. Ook wanneer bij de beschrijving of in een jaarlijkse opgave een of meer goederen die aan het vruchtgebruik onderworpen zijn, slechts naar hun soort zijn aangeduid, behoudt de hoofdgerechtigde daarop zijn recht.

2. De vruchtgebruiker is verplicht zodanige goederen afgescheiden van zijn overig vermogen te houden.

Bevoegdheid tot vervreemding

Art. 212. *(3.8.10)* 1. Voor zover de aan een vruchtgebruik onderworpen goederen bestemd zijn om vervreemd te worden, is de vruchtgebruiker tot vervreemding overeenkomstig hun bestemming bevoegd.

Bevoegdheid te beschikken

2. Bij de vestiging van het vruchtgebruik kan aan de vruchtgebruiker de bevoegdheid worden gegeven ook over andere dan de in het vorige lid genoemde goederen te beschikken. Ten aanzien van deze goederen vinden de artikelen 208, 210 lid 2 en 217 lid 2 en 3, tweede zin, en lid 4, geen toepassing.

Toestemming en machtiging

3. In andere gevallen mag een vruchtgebruiker slechts vervreemden of bezwaren met toestemming van de hoofdgerechtigde of machtiging van de kantonrechter. De

machtiging wordt alleen gegeven, wanneer het belang van de vruchtgebruiker of de hoofdgerechtigde door de vervreemding of bezwaring wordt gediend en het belang van de ander daardoor niet wordt geschaad.

Zaaksvervanging

Art. 213. *(3.8.11)* 1. Hetgeen in de plaats van aan vruchtgebruik onderworpen goederen treedt doordat daarover bevoegdelijk wordt beschikt, behoort aan de hoofdgerechtigde toe en is eveneens aan het vruchtgebruik onderworpen. Hetzelfde is het geval met hetgeen door inning van aan vruchtgebruik onderworpen vorderingen wordt ontvangen, en met vorderingen tot vergoeding die in de plaats van aan vruchtgebruik onderworpen goederen treden, waaronder begrepen vorderingen ter zake van waardevermindering van die goederen.

2. Ook zijn aan het vruchtgebruik onderworpen de voordelen die een goed tijdens het vruchtgebruik oplevert en die geen vruchten zijn.

Belegging van gelden

Art. 214. *(3.8.12)* 1. Tenzij bij de vestiging anders is bepaald, moeten gelden die tot het vruchtgebruik behoren, in overleg met de hoofdgerechtigde vruchtdragend belegd of in het belang van de overige aan het vruchtgebruik onderworpen goederen besteed worden.

2. In geval van geschil omtrent hetgeen ten aanzien van de in het eerste lid bedoelde gelden dient te geschieden, beslist daaromtrent de persoon die bij de vestiging van het vruchtgebruik daartoe is aangewezen, of bij gebreke van een zodanige aanwijzing, de kantonrechter. Tegen een beschikking van de kantonrechter krachtens dit lid is geen hogere voorziening toegelaten.

Bij vestiging vruchtgebruik gegeven bevoegdheid te vervreemden en te verteren

Art. 215. *(3.8.13)* 1. Komt de vruchtgebruiker de bevoegdheid tot gehele of gedeeltelijke vervreemdeling of vertering van aan het vruchtgebruik onderworpen goederen toe, dan kan de hoofdgerechtigde bij het einde van het vruchtgebruik afgifte vorderen van de in vruchtgebruik gegeven goederen of hetgeen daarvoor in de plaats getreden is, voor zover de vruchtgebruiker of zijn rechtverkrijgenden niet bewijzen dat die goederen verteerd of door toeval teniet gegaan zijn.

2. Bij de vestiging van het vruchtgebruik kunnen een of meer personen worden aangewezen, wier toestemming voor de vervreemding en voor de vertering nodig is. Staat het vruchtgebruik onder bewind, dan zijn de vervreemding en de vertering van de medewerking van de bewindvoerder afhankelijk.

3. Komt de vruchtgebruiker de bevoegdheid tot vervreemding of vertering toe, dan mag hij de goederen ook voor gebruikelijke kleine geschenken bestemmen.

Vruchten

Art. 216. *(3.8.14)* De vruchtgebruiker komen alle vruchten toe, die tijdens het vruchtgebruik afgescheiden of opeisbaar worden. Bij de vestiging van het vruchtgebruik kan nader worden bepaald wat met betrekking tot het vruchtgebruik als vrucht moet worden beschouwd.

Verhuren en verpachten

Art. 217. *(3.8.16)* 1. De vruchtgebruiker is bevoegd de aan het vruchtgebruik onderworpen zaken te verhuren of te verpachten, voor zover bij de vestiging van het vruchtgebruik niet anders is bepaald.

Toestemming, machtiging

2. Indien bij de vestiging van het vruchtgebruik een onroerende zaak niet verhuurd of verpacht was, kan de vruchtgebruiker niet verhuren of verpachten zonder toestemming van de hoofdgerechtigde of machtiging van de kantonrechter, tenzij de bevoegdheid daartoe hem bij de vestiging van het vruchtgebruik is toegekend.

Gestand doen van huur en pacht

3. Na het einde van het vruchtgebruik is de hoofdgerechtigde verplicht een bevoegdelijk aangegane huur of verpachting gestand te doen. Hij kan nochtans gestanddoening weigeren, voor zover zonder zijn toestemming hetzij de overeengekomen tijdsduur van de huur langer is dan met het plaatselijk gebruik overeenstemt of bedrijfsruimte in de zin van artikel 1624 lid 2 van Boek 7A is verhuurd voor een langere tijd dan vijf jaren, hetzij de verpachting is geschied voor een langere duur dan twaalf jaren voor hoeven en zes jaren voor los land, hetzij de verhuring of verpachting is geschied op ongewone, voor hem bezwarende voorwaarden.

Redelijke termijn

4. De hoofdgerechtigde verliest de bevoegdheid gestanddoening te weigeren, wanneer de huurder of pachter hem een redelijke termijn heeft gesteld om zich omtrent de gestanddoening te verklaren en hij zich niet binnen deze termijn heeft uitgesproken.

5. Indien de hoofdgerechtigde volgens de vorige leden niet verplicht is tot gestanddoening van een door de vruchtgebruiker aangegane verhuring van woonruimte waarin de huurder bij het eindigen van het vruchtgebruik zijn hoofdverblijf heeft en waarop de artikelen 1623a-1623f van Boek 7A van toepassing zijn, moet hij

de huurovereenkomst niettemin met de huurder voortzetten met dien verstande dat artikel 1623k, tweede lid, van Boek 7A van overeenkomstige toepassing is.

Verkrijgen rechterlijke uitspraak

Art. 218. *(3.8.17)* Tot het instellen van rechtsvorderingen en het indienen van verzoekschriften ter verkrijging van een rechterlijke uitspraak die zowel het recht van de vruchtgebruiker als dat van de hoofdgerechtigde betreft, is ieder van hen bevoegd, mits hij zorg draagt dat de ander tijdig in het geding wordt geroepen.

Stemrecht

Art. 219. *(3.8.17a)* Buiten de gevallen, geregeld in de artikelen 88 en 197 van Boek 2, blijft de uitoefening van stemrecht, verbonden aan een goed dat aan vruchtgebruik is onderworpen, de hoofdgerechtigde toekomen, tenzij bij de vestiging van het vruchtgebruik anders is bepaald.

Gewone lasten en herstellingen

Art. 220. *(3.8.18)* 1. Gewone lasten en herstellingen worden door de vruchtgebruiker gedragen en verricht. De vruchtgebruiker is verplicht, wanneer buitengewone herstellingen nodig zijn, aan de hoofdgerechtigde van deze noodzakelijkheid kennis te geven en hem gelegenheid te verschaffen tot het doen van deze herstellingen. De hoofdgerechtigde is niet tot het doen van enige herstelling verplicht.

Evenredige bijdrage

2. Nochtans is een hoofdgerechtigde, aan wie tengevolge van een beperking in het genot van de vruchtgebruiker een deel van de vruchten toekomt, verplicht naar evenredigheid bij te dragen in de lasten en kosten, die volgens het voorgaande lid ten laste van de vruchtgebruiker komen.

Vruchtgebruiker schiet ernstig tekort; bevoegdheden rechtbank

Art. 221. *(3.8.19)* 1. Indien de vruchtgebruiker in ernstige mate tekortschiet in de nakoming van zijn verplichtingen, kan de rechtbank op vordering van de hoofdgerechtigde aan deze het beheer toekennen of het vruchtgebruik onder bewind stellen.

2. De rechtbank kan hangende het geding het vruchtgebruik bij voorraad onder bewind stellen.

3. De rechtbank kan voor het bewind of beheer zodanige voorschriften geven als zij dienstig acht. Op het bewind zijn, voor zover deze voorschriften niet anders bepalen, de artikelen 433 lid 1, 435, 436 leden 1-3, 437, 438 lid 1, 439, 441 leden 1 en 4 en 442-449 van Boek 1 van toepassing met dien verstande dat de vruchtgebruiker en de hoofdgerechtigde beiden als rechthebbende gelden, voor zover uit hun rechtsverhouding niet anders voortvloeit.

Voldoening schulden bij vruchtgebruik algemeenheid van goederen

Art. 222. *(3.8.20)* 1. Wanneer een nalatenschap, onderneming of soortgelijke algemeenheid in vruchtgebruik is gegeven, kan de hoofdgerechtigde van de vruchtgebruiker verlangen dat de tot die algemeenheid behorende schulden uit de tot het vruchtge bruik behorende goederen worden voldaan of, voor zover de hoofdgerechtigde deze schulden uit eigen middelen heeft voldaan, dat hem het betaalde, vermeerderd met rente van de dag der betaling af, uit het vruchtgebruik wordt teruggegeven. Voldoet de vruchtgebruiker een schuld uit eigen vermogen, dan behoeft de hoofdgerechtigde hem het voorgeschotene eerst bij het einde van het vruchtgebruik terug te geven.

Overeenkomstige toepassing

2. Het in het voorgaande lid bepaalde vindt overeenkomstige toepassing, wanneer het vruchtgebruik is gevestigd op bepaalde goederen en daarop buitengewone lasten drukken.

Overdracht vruchtgebruik, bezwaring daarvan

Art. 223. *(3.8.20a)* Een vruchtgebruiker kan zijn recht overdragen of bezwaren zonder dat daardoor de duur van het recht gewijzigd wordt. Naast de verkrijger is de oorspronkelijke vruchtgebruiker hoofdelijk voor alle uit het vruchtgebruik voortspruitende verplichtingen jegens de hoofdgerechtigde aansprakelijk. Is aan de oorspronkelijke vruchtgebruiker bij de vestiging van het vruchtgebruik een grotere bevoegdheid tot vervreemding, verbruik of vertering gegeven dan de wet aan de vruchtgebruiker toekent, dan komt die ruimere bevoegdheid niet aan de latere verkrijgers van het vruchtgebruik toe.

Afstand

Art. 224. *(3.8.21a)* Indien een vruchtgebruiker uit hoofde van de aan het vruchtgebruik verbonden lasten en verplichtingen op zijn kosten afstand van zijn recht wil doen, is de hoofdgerechtigde gehouden hieraan mede te werken.

Vruchtgebruik geëindigd

Art. 225. *(3.8.22)* Na het eindigen van het vruchtgebruik rust op de vruchtgebruiker of zijn rechtverkrijgenden de verplichting de goederen ter beschikking van de hoofdgerechtigde te stellen.

Art. 226. *(3.8.24)* 1. Op een recht van gebruik en een recht van bewoning vinden de regels betreffende vruchtgebruik overeenkomstige toepassing, behoudens de navolgende bepalingen.

Recht van gebruik en bewoning

2. Indien enkel het recht van gebruik is verleend, heeft de rechthebbende de bevoegdheid de aan zijn recht onderworpen zaken te gebruiken en er de vruchten van te genieten, die hij voor zich en zijn gezin behoeft.

Recht van gebruik

3. Indien enkel het recht van bewoning is verleend, heeft de rechthebbende de bevoegdheid de aan zijn recht onderworpen woning met zijn gezin te bewonen.

Recht van bewoning

4. Hij die een der in dit artikel omschreven rechten heeft, kan zijn recht niet vervreemden of bezwaren, noch de zaak door een ander laten gebruiken of de woning door een ander laten bewonen.

Geen vervreemdingsbevoegdheid, etc.

TITEL 9
Rechten van pand en hypotheek

AFDELING 1
Algemene bepalingen

Art. 227. *(3.9.1.1)* 1. Het recht van pand en het recht van hypotheek zijn beperkte rechten, strekkende om op de daaraan onderworpen goederen een vordering tot voldoening van een geldsom bij voorrang boven andere schuldeisers te verhalen. Is het recht op een registergoed gevestigd, dan is het een recht van hypotheek; is het recht op een ander goed gevestigd, dan is het een recht van pand.

Pand en hypotheek

2. Een recht van pand of hypotheek op een zaak strekt zich uit over al hetgeen de eigendom van de zaak omvat.

Art. 228. *(3.9.1.2)* Op alle goederen die voor overdracht vatbaar zijn, kan een recht van pand hetzij van hypotheek worden gevestigd.

Vestigingsmogelijkheden

Art. 229. *(3.9.1.3)* 1. Het recht van pand of hypotheek brengt van rechtswege mee een recht van pand op alle vorderingen tot vergoeding die in de plaats van het verbonden goed treden, waaronder begrepen vorderingen ter zake van waardevermindering van het goed.

Zaaksvervanging

2. Dit pandrecht gaat boven ieder op de vordering gevestigd ander pandrecht.

Rangorde

Art. 230. *(3.9.1.4)* Een recht van pand of hypotheek is ondeelbaar, zelfs dan wanneer de verbintenis waarvoor het recht is gevestigd, twee of meer schuldeisers of schuldenaars heeft en de verbintenis tussen hen wordt verdeeld.

Ondeelbaar

Art. 231. *(3.9.1.5)* 1. Een recht van pand of hypotheek kan zowel voor een bestaande als voor een toekomstige vordering worden gevestigd. De vordering kan op naam, aan order of aan toonder luiden. Zij kan zowel een vordering op de pand- of hypotheekgever zelf als een vordering op een ander zijn.

Pand en hypotheek ook voor toekomstige vorderingen

2. De vordering waarvoor pand of hypotheek wordt gegeven, moet voldoende bepaalbaar zijn.

Bepaalbare vorderingen

Art. 232. *Gereserveerd*

Art. 233. *(3.9.1.6a)* 1. De pand- of hypotheekgever die niet tevens de schuldenaar is, is aansprakelijk voor waardevermindering van het goed, voor zover de waarborg van de schuldeiser daardoor in gevaar wordt gebracht en daarvan aan de pand- of hypotheekgever of aan een persoon waarvoor deze aansprakelijk is, een verwijt kan worden gemaakt.

2. Door hem ten behoeve van het goed anders dan tot onderhoud daarvan gemaakte kosten kan hij van de pand- of hypotheekhouder terugvorderen, doch slechts indien deze zich op het goed heeft verhaald en voor zover genoemde kosten tot een hogere opbrengst van het goed te diens bate hebben geleid.

Aansprakelijkheid pand- of hypotheekgever die niet schuldenaar is; kosten

Art. 234. *(3.9.1.6b)* 1. Indien voor een zelfde vordering zowel goederen van de schuldenaar als van een derde zijn verpand of verhypothekeerd, kan de derde, wanneer de schuldeiser tot executie overgaat, verlangen dat die van de schuldenaar mede in de verkoop worden begrepen en het eerst worden verkocht.

Eerst verkoop verbonden goederen die de schuldenaar toebehoren

Positie beperkt gerechtigde

2. Zijn voor een zelfde vordering twee of meer goederen verpand of verhypothekeerd en rust op een daarvan een beperkt recht dat de schuldeiser bij de executie niet behoeft te eerbiedigen, dan heeft de beperkt gerechtigde een overeenkomstige bevoegdheid als in het eerste lid is vermeld.

President rechtbank

3. Indien de schuldeiser weigert aan een op lid 1 of lid 2 gegrond verlangen te voldoen, kan de president van de rechtbank op verzoek van de meest gerede partij of, in geval van een hypotheek, van de notaris ten overstaan van wie de verkoop zal geschieden, op deze weigering beslissen. Het verzoek schorst de executie. Tegen een beschikking krachtens dit lid is geen hogere voorziening toegelaten.

Verbod van toeëigening

Art. 235. *(3.9.1.7)* Elk beding waarbij de pand- of hypotheekhouder de bevoegdheid wordt gegeven zich het verbonden goed toe te eigenen, is nietig.

AFDELING 2
Pandrecht

Vestiging pandrecht op roerende zaak, recht aan toonder of order;

Art. 236. *(3.9.2.1)* 1. Pandrecht op een roerende zaak, op een recht aan toonder of order, of op het vruchtgebruik van een zodanige zaak of recht, wordt gevestigd door de zaak of het toonder- of orderpapier te brengen in de macht van de pandhouder of van een derde omtrent wie partijen zijn overeengekomen. De vestiging van een pandrecht op een recht aan order of op het vruchtgebruik daarvan vereist tevens endossement.

Op andere goederen

2. Op andere goederen wordt pandrecht gevestigd op overeenkomstige wijze als voor de levering van het te verpanden goed is bepaald.

Vestiging bezitloos pandrecht op roerende zaak, recht aan toonder

Art. 237. *(3.9.2.2)* 1. Pandrecht op een roerende zaak, op een recht aan toonder, of op het vruchtgebruik van een zodanige zaak of recht, kan ook worden gevestigd bij authentieke of geregistreerde onderhandse akte, zonder dat de zaak of het toonderpapier wordt gebracht in de macht van de pandhouder of van een derde.

2. De pandgever is verplicht in de akte te verklaren dat hij tot het verpanden van het goed bevoegd is alsmede hetzij dat op het goed geen beperkte rechten rusten, hetzij welke rechten daarop rusten.

Pandgever schiet in zijn verplichtingen tekort

3. Wanneer de pandgever of de schuldenaar in zijn verplichtingen jegens de pandhouder tekortschiet of hem goede grond geeft te vrezen dat in die verplichtingen zal worden tekortgeschoten, is deze bevoegd te vorderen dat de zaak of het toonderpapier in zijn macht of in die van een derde wordt gebracht. Rusten op het goed meer pandrechten, dan kan iedere pandhouder jegens wie de pandgever of de schuldenaar tekortschiet, deze bevoegdheid uitoefenen, met dien verstande dat een andere dan de hoogst gerangschikte slechts afgifte kan vorderen aan een tussen de gezamenlijke pandhouders overeengekomen of door de rechter aan te wijzen pandhouder of derde.

Te velde staande vruchten of beplantingen

4. Wanneer de pandgever of de schuldenaar in zijn verplichtingen jegens de pandhouder die een bij voorbaat gevestigde pandrecht op te velde staande vruchten of beplantingen heeft, tekortschiet, kan de kantonrechter de pandhouder op diens verzoek machtigen zelf de te velde staande vruchten of beplantingen in te oogsten. Is de pandgever eigenaar van de grond of ontleent hij zijn recht op de vruchten of beplantingen aan een beperkt recht op de grond, dan kan de beschikking waarbij het verzoek wordt toegewezen, worden ingeschreven in de openbare registers.

5. Tegen een beschikking krachtens het vorige lid is geen hogere voorziening toegelaten.

Bescherming tegen beschikkingsonbevoegde pandgever

Art. 238. *(3.9.2.2a)* 1. Ondanks onbevoegdheid van de pandgever is de vestiging van een pandrecht op een roerende zaak, op een recht aan toonder of order of op het vruchtgebruik van een zodanige zaak of recht geldig, indien de pandhouder te goeder trouw is op het tijdstip waarop de zaak of het toonder- of geëndosseerde orderpapier in zijn macht of in die van een derde is gebracht.

Rangorde

2. Rust op een in lid 1 genoemd goed een beperkt recht dat de pandhouder op het in dat lid bedoelde tijdstip kent noch behoort te kennen, dan gaat het pandrecht in rang boven dit beperkte recht.

3. Wordt het pandrecht gevestigd op een roerende zaak waarvan de eigenaar het bezit door diefstal heeft verloren, of op een vruchtgebruik op een zodanige zaak, dan zijn lid 3, aanhef en onder *b*, en lid 4 van artikel 86 van overeenkomstige toepassing.

4. Dit artikel kan niet worden tegengeworpen aan degene die de zaak opeist, indien volgens artikel 86a leden 1 en 2 ook artikel 86 niet aan hem tegengeworpen zou kunnen worden.

Art. 239. *(3.9.2.3)* 1. Pandrecht op een tegen een of meer bepaalde personen uit te oefenen recht dat niet aan toonder of order luidt, of op het vruchtgebruik van een zodanig recht kan ook worden gevestigd bij authentieke of geregistreerde onderhandse akte, zonder mededeling daarvan aan die personen, mits dit recht op het tijdstip van de vestiging van het pandrecht reeds bestaat of rechtstreeks zal worden verkregen uit een dan reeds bestaande rechtsverhouding.

Vestiging stil pandrecht op andere goederen

2. Het tweede lid van artikel 237 is van overeenkomstige toepassing.

3. Wanneer de pandgever of de schuldenaar in zijn verplichtingen jegens de pandhouder tekortschiet of hem goede grond geeft te vrezen dat in die verplichtingen zal worden tekortgeschoten, is deze bevoegd van de verpanding mededeling te doen aan de in het eerste lid genoemde personen. Pandhouder en pandgever kunnen overeenkomen dat deze bevoegdheid op een ander tijdstip ingaat.

Pandgever schiet in zijn verplichtingen tekort

4. Artikel 88 geldt slechts voor de pandhouder, wiens recht overeenkomstig lid 1 is gevestigd, indien hij te goeder trouw is op het tijdstip van de in lid 3 bedoelde mededeling.

Art. 240. *(3.9.2.3a)* Pandrecht op een aandeel in een goed wordt gevestigd op overeenkomstige wijze en met overeenkomstige gevolgen als voorgeschreven ten aanzien van de vestiging van pandrecht op dat goed.

Pandrecht op aandeel in goed

Art. 241. *(3.9.2.3b)* De pandhouder is verplicht desgevorderd aan de pandgever een schriftelijke verklaring af te geven van de aard en, voor zover mogelijk, het bedrag van de vordering waarvoor het verpande tot zekerheid strekt.

Aard en bedrag verpande vordering

Art. 242. *(3.9.2.4)* Een pandhouder is niet bevoegd het goed dat hij in pand heeft, te herverpanden, tenzij deze bevoegdheid hem ondubbelzinnig is toegekend.

Herverpanding

Art. 243. *(3.9.2.5)* 1. Hij die uit hoofde van een pandrecht een zaak onder zich heeft, moet als een goed pandhouder voor de zaak zorgdragen.

Zorgplicht

2. Door een pandhouder betaalde kosten tot behoud en tot onderhoud, met inbegrip van door hem betaalde aan het goed verbonden lasten, moeten hem door de pandgever worden terugbetaald; het pandrecht strekt mede tot zekerheid daarvoor. Andere door hem ten behoeve van het pand gemaakte kosten kan hij van de pandgever slechts terugvorderen, indien hij ze met diens toestemming heeft gemaakt, onverminderd diens aansprakelijkheid uit zaakwaarneming of ongerechtvaardigde verrijking.

Kosten tot behoud en onderhoud

Art. 244. *(3.9.2.5a)* Tenzij anders is bedongen, strekt een pandrecht tot zekerheid van een of meer bepaalde vorderingen tevens tot zekerheid voor drie jaren rente die over deze vorderingen krachtens overeenkomst of wet verschuldigd is.

Pandrecht ook voor drie jaar rente

Art. 245. *(3.9.2.6)* Tot het instellen van rechtsvorderingen tegen derden ter bescherming van het verpande goed is zowel de pandhouder als de pandgever bevoegd, mits hij zorg draagt dat de ander tijdig in het geding wordt geroepen.

Instellen rechtsvorderingen

Art. 246. *(3.9.2.7)* 1. Rust het pandrecht op een vordering, dan is de pandhouder bevoegd in en buiten rechte nakoming daarvan te eisen en betalingen in ontvangst te nemen. Deze bevoegdheden blijven bij de pandgever, zolang het pandrecht niet aan de schuldenaar van de vordering is medegedeeld.

Pandhouder bevoegd vordering te innen

2. Degene aan wie de in lid 1 bedoelde bevoegdheden toekomen, is tevens bevoegd tot opzegging, wanneer de vordering niet opeisbaar is, maar door opzegging opeisbaar gemaakt kan worden. Hij is jegens de ander gehouden niet nodeloos van deze bevoegdheid gebruik te maken.

Bevoegdheid vordering opeisbaar te doen worden

3. Rust op de vordering meer dan één pandrecht, dan komen de in de vorige leden aan de pandhouder toegekende bevoegdheden alleen aan de hoogst gerangschikte pandhouder toe.

Oudste pandhouder

4. Na mededeling van de verpanding aan de schuldenaar kan de pandgever deze bevoegdheden slechts uitoefenen, indien hij daartoe toestemming van de pandhouder of machtiging van de kantonrechter heeft gekregen.

5. Bij inning van een verpande vordering door de pandhouder of met machtiging van de kantonrechter door de pandgever komen de pandrechten waarmee de vordering bezwaard was, op het geïnde te rusten.

Uitoefening stemrecht

Art. 247. *(3.9.2.8)* Buiten de gevallen, geregeld in de artikelen 89 en 198 van Boek 2, blijft de uitoefening van stemrecht, verbonden aan een goed waarop een pandrecht rust, de pandgever toekomen, tenzij anders is bedongen.

Bevoegdheid tot parate executie

Art. 248. *(3.9.2.9)* 1. Wanneer de schuldenaar in verzuim is met de voldoening van hetgeen waarvoor het pand tot waarborg strekt, is de pandhouder bevoegd het verpande goed te verkopen en het hem verschuldigde op de opbrengst te verhalen.

2. Partijen kunnen bedingen dat eerst tot verkoop kan worden overgegaan, nadat de rechter op vordering van de pandhouder heeft vastgesteld dat de schuldenaar in verzuim is.

Hoger pandrecht blijft gehandhaafd

3. Een lager gerangschikte pandhouder of beslaglegger kan het verpande goed slechts verkopen met handhaving van de hoger gerangschikte pandrechten.

Mededeling voorgenomen verkoop

Art. 249. *(3.9.2.10)* 1. Tenzij anders is bedongen, is een pandhouder die tot verkoop wil overgaan verplicht, voor zover hem dit redelijkerwijze mogelijk is, ten minste drie dagen tevoren de voorgenomen verkoop met vermelding van plaats en tijd op bij algemene maatregel van bestuur te bepalen wijze mede te delen aan de schuldenaar en de pandgever, alsmede aan hen die op het goed een beperkt recht hebben of daarop beslag hebben gelegd.

Lossing

2. De aanzegging moet zo nauwkeurig mogelijk de som aangeven, waarvoor het pand kan worden gelost. Lossing kan tot op het tijdstip van de verkoop plaatsvinden, mits ook de reeds gemaakte kosten van executie worden voldaan.

Verkoop in het openbaar

Art. 250. *(3.9.2.11)* 1. De verkoop geschiedt in het openbaar naar de plaatselijke gewoonten en op de gebruikelijke voorwaarden.

Verkoop ter markt of beurze

2. Bestaat het pand uit goederen die op een markt of beurs verhandelbaar zijn, dan kan de verkoop geschieden op een markt door tussenkomst van een makelaar in het vak of ter beurze door die van een bevoegde tussenpersoon overeenkomstig de regels en gebruiken die aldaar voor een gewone verkoop gelden.

Pandhouder mag bieden

3. De pandhouder is bevoegd mede te bieden.

Verkoop op afwijkende wijze

Art. 251. *(3.9.2.12)* 1. Tenzij anders is bedongen, kan de president van de rechtbank op verzoek van de pandhouder of de pandgever bepalen dat het pand zal worden verkocht op een van het vorige artikel afwijkende wijze, of op verzoek van de pandhouder bepalen dat het pand voor een door de president van de rechtbank vast te stellen bedrag aan de pandhouder als koper zal verblijven.

Overeengekomen verkoop op afwijkende wijze

2. Nadat de pandhouder bevoegd is geworden tot verkoop over te gaan, kunnen pandhouder en pandgever een van het vorige artikel afwijkende wijze van verkoop overeenkomen. Rust op het verpande goed een beperkt recht of een beslag, dan is daartoe tevens de medewerking van de beperkt gerechtigde of de beslaglegger vereist.

Mededeling van geschiede verkoop

Art. 252. *(3.9.2.13)* Tenzij anders is bedongen, is de pandhouder verplicht, voor zover hem dit redelijkerwijze mogelijk is, uiterlijk op de dag volgende op die van de verkoop daarvan op bij algemene maatregel van bestuur te bepalen wijze kennis te geven aan de schuldenaar en de pandgever, alsmede aan hen die op het goed een beperkt recht hebben of daarop beslag hebben gelegd.

Netto-opbrengst; uitkering overschot

Art. 253. *(3.9.2.14)* 1. De pandhouder houdt, na voldoening van de kosten van executie, van de netto-opbrengst af het aan hem verschuldigde bedrag waarvoor hij pandrecht heeft. Het overschot wordt aan de pandgever uitgekeerd. Zijn er pandhouders of andere beperkt gerechtigden, wier recht op het goed door de executie is vervallen, of hebben schuldeisers op het goed of op de opbrengst beslag gelegd, dan handelt de pandhouder overeenkomstig het bepaalde in artikel 490b van het Wetboek van Burgerlijke Rechtsvordering.

Verrekening

2. De pandhouder kan de door hem aan de voormelde belanghebbenden uit te keren bedragen niet voldoen door verrekening, tenzij het een uitkering aan de pandgever betreft en deze uitkering niet plaats vindt gedurende diens faillissement of surséance of de vereffening van zijn nalatenschap.

Art. 254. *(3.9.2.14a)* 1. Wanneer op roerende zaken die volgens verkeersopvatting bestemd zijn om een bepaalde onroerende zaak duurzaam te dienen en door hun vorm als zodanig zijn te herkennen, of op machinerieën of werktuigen die bestemd zijn om daarmede een bedrijf in een bepaalde hiertoe ingerichte fabriek of werkplaats uit te oefenen, overeenkomstig artikel 237 een pandrecht is gevestigd voor een vordering waarvoor ook hypotheek gevestigd is op die onroerende zaak, fabriek of werkplaats of op een daarop rustend beperkt recht, kan worden bedongen dat de schuldeiser bevoegd is de verpande en verhypothekeerde goederen tezamen volgens de voor hypotheek geldende regels te executeren.

Pandrechten op roerende zaken die onroerende zaken dienen

2. Executeert de schuldeiser overeenkomstig het beding, dan zijn de artikelen 268-273 op het pandrecht van overeenkomstige toepassing en is de toepasselijkheid van de artikelen 248-253 van uitgesloten.

Executie als bij hypotheek

3. Het beding kan, onder vermelding van de pandrechten waarop het betrekking heeft, worden ingeschreven in de registers waarin de hypotheek is ingeschreven.

Art. 255. *(3.9.2.15)* 1. Bestaat het pand uit geld dan is de pandhouder, zodra zijn vordering opeisbaar is geworden, zonder voorafgaande aanzegging bevoegd zich uit het pand te voldoen overeenkomstig artikel 253. Hij is daartoe verplicht, indien de pandgever zulks vordert en deze bevoegd is de vordering in de verpande valuta te voldoen.

Pand op geld

2. Artikel 252 vindt overeenkomstige toepassing.

Art. 256. *(3.9.2.16)* Wanneer een pandrecht is tenietgegaan, is de pandhouder verplicht te verrichten hetgeen zijnerzijds nodig is opdat de pandgever de hem toekomende feitelijke macht over het goed herkrijgt, en desverlangd aan de pandgever een schriftelijk bewijs te verstrekken dat het pandrecht geëindigd is. Is de vordering waarvoor het pandrecht tot zekerheid strekte met een beperkt recht bezwaard, dan rust een overeenkomstige verplichting op de beperkt gerechtigde.

Verplichtingen jegens pandgever bij tenietgaan pandrecht

Art. 257. *(3.9.2.17)* Indien degene die uit hoofde van een pandrecht een zaak onder zich heeft, in ernstige mate in de zorg voor de zaak tekortschiet, kan de rechtbank op vordering van de pandgever of een pandhouder bevelen dat de zaak aan een van hen wordt afgegeven of in gerechtelijke bewaring van een derde wordt gesteld.

Ernstige tekortkoming in zorg voor het pand

Art. 258. *(3.9.2.18)* 1. Wanneer een in pand gegeven goed als bedoeld in artikel 236 lid 1 in de macht van de pandgever komt, eindigt het pandrecht, tenzij het met toepassing van artikel 237 lid 1 werd gevestigd.

Einde pandrecht

2. Afstand van een pandrecht kan geschieden bij enkele overeenkomst, mits van de toestemming van de pandhouder uit een schriftelijke verklaring blijkt.

Afstand pandrecht

AFDELING 3
Pandrecht van certificaathouders

Art. 259. *(3.9.3.1)* 1. Wanneer iemand door het uitgeven van certificaten derden doet delen in de opbrengst van door hem op eigen naam verkregen aandelen of schuldvorderingen, hebben de certificaathouders een vordering tot uitkering van het hun toegezegde tegen de uitgever van de certificaten.

Vordering tot uitkering

2. Zijn de oorspronkelijke aandelen of schuldvorderingen op naam gesteld en de certificaten uitgegeven met medewerking van de uitgever van de oorspronkelijke aandelen of schuldvorderingen, dan verkrijgen de certificaathouders tevens gezamenlijk een pandrecht op die aandelen of schuldvorderingen. Zijn de certificaten uitgegeven voor schuldvorderingen op naam zonder medewerking van de schuldenaar, dan verkrijgen de certificaathouders een zodanig pandrecht door mededeling van de uitgifte aan de schuldenaar. Zijn de certificaten uitgegeven voor aandelen of schuldvorderingen aan toonder, dan verkrijgen de certificaathouders een zodanig pandrecht, zonder dat het papier in de macht van de certificaathouders of een derde behoeft te worden gebracht.

Gezamenlijk pandrecht

3. Dit pandrecht geeft aan de certificaathouders alleen de bevoegdheid in geval van niet-uitbetaling van het hun verschuldigde met inachtneming van de volgende regels het pand geheel of gedeeltelijk te doen verkopen en zich uit de opbrengst te voldoen. Een certificaathouder die hiertoe wenst over te gaan wendt zich tot de president van de rechtbank van de woonplaats van degene die de certificaten heeft uitgegeven met verzoek een bewindvoerder over het pand te benoemen, die voor de verkoop en de verdeling van de opbrengst zorg draagt. Indien niet alle certificaat-

Aan het pandrecht verbonden bevoegdheid

houders met de verkoop instemmen, wordt slechts een deel van het pand dat overeenkomt met het recht van de andere certificaathouders verkocht; de rechten van deze laatsten gaan door de verdeling van de opbrengst onder hen teniet. De president kan op verlangen, van elke certificaathouder of ambtshalve maatregelen bevelen in het belang van de certificaathouders die niet met de verkoop hebben ingestemd, en bepalen dat de verkoop door hem moet worden goedgekeurd, wil zij geldig zijn.

AFDELING 4
Recht van hypotheek

Vestiging hypotheek; aanduiding vordering; bedrag

Art. 260. *(3.9.4.2)* 1. Hypotheek wordt gevestigd door een tussen partijen opgemaakte notariële akte waarbij de hypotheekgever aan de hypotheekhouder hypotheek op een registergoed verleent, gevolgd door haar inschrijving in de daartoe bestemde openbare registers. De akte moet een aanduiding bevatten van de vordering waarvoor de hypotheek tot zekerheid strekt, of van de feiten aan de hand waarvan die vordering zal kunnen worden bepaald. Tevens moet het bedrag worden vermeld waarvoor de hypotheek wordt verleend of, wanneer dit bedrag nog niet vaststaat, het maximumbedrag dat uit hoofde van de hypotheek op het goed kan worden verhaald. De hypotheekhouder moet in de akte woonplaats kiezen in Nederland.

Kosten verlening en vestiging

2. Tenzij anders is bedongen, komen de kosten van verlening en vestiging ten laste van de schuldenaar.

Authentieke volmacht

3. Bij de in het eerste lid bedoelde akte kan iemand slechts krachtens een bij authentieke akte verleende volmacht als gevolmachtigde voor de hypotheekgever optreden.

Overeenkomstige toepassing

4. Voor het overige vinden de algemene voorschriften die voor vestiging van beperkte rechten op registergoederen gegeven zijn, ook op de vestiging van een hypotheek toepassing.

Voorrang hypotheek voor onbetaalde kooppenningen

Art. 261. *(3.9.4.5)* 1. Is bij een koopovereenkomst hypotheek op het verkochte goed tot waarborg van onbetaalde kooppenningen bedongen en is dit beding in de leveringsakte vermeld, dan heeft deze hypotheek, mits de akte waarbij zij werd verleend tegelijk met de leveringsakte wordt ingeschreven, voorrang boven alle andere aan de koper ontleende rechten, ten aanzien waarvan tegelijk een inschrijving plaatsvond.

Overeenkomstig voorrang bij verdeling

2. Lid 1 vindt overeenkomstige toepassing op een bij een verdeling bedongen hypotheek op een toegedeeld goed tot waarborg van hetgeen hij aan wie het goed is toegedeeld, aan de andere deelgenoten ten gevolge van de verdeling schuldig is of mocht worden.

Afwijkende rangorde hypotheken

Art. 262. *(3.9.4.6)* 1. Bij een notariële akte die in de registers wordt ingeschreven, kan worden bepaald dat een hypotheek ten aanzien van een of meer hypotheken op hetzelfde goed een hogere rang heeft dan haar volgens het tijdstip van haar inschrijving toekomt, mits uit de akte blijkt dat de gerechtigden tot die andere hypotheek of hypotheken daarin toestemmen.

Afwijkende rangorde hypotheek en beperkt recht

2. Met overeenkomstige toepassing van het eerste lid kan ook worden bepaald dat een hypotheek en een ander beperkt recht ten aanzien van elkaar worden geacht in andere volgorde te zijn ontstaan dan is geschied.

Hypotheek ook voor drie jaar rente

Art. 263. *(3.9.4.7)* 1. Tenzij in de hypotheekakte anders is bepaald, strekt een hypotheek tot zekerheid van een of meer bepaalde vorderingen tevens tot zekerheid voor drie jaren rente die daarover krachtens de wet verschuldigd is.

2. Een beding dat een hypotheek tot zekerheid van een of meer bepaalde vorderingen tevens strekt tot zekerheid van rente over een langer tijdvak dan drie jaren zonder vermelding van een maximumbedrag, is nietig.

Huurbeding

Art. 264. *(3.9.4.8)* 1. Indien de hypotheekakte een uitdrukkelijk beding bevat waarbij de hypotheekgever in zijn bevoegdheid is beperkt, hetzij om het bezwaarde goed buiten toestemming van de hypotheekhouder te verhuren of te verpachten, hetzij ten aanzien van de wijze waarop of van de tijd gedurende welke het goed zal kunnen worden verhuurd of verpacht, hetzij ten aanzien van de vooruitbetaling van huur- of pachtpenningen, hetzij om het recht op de huur- of pachtpenningen te vervreemden of te verpanden, kan dit beding niet alleen tegen latere verkrijgers van het bezwaarde goed, maar ook tegen de huurder of pachter en tegen degene aan wie het recht op de huur- of pachtpenningen werd vervreemd of verpand, worden ingeroepen, zulks zowel door de hypotheekhouder, als na de uitwinning van het bezwaarde goed door de koper, dit laatste echter alleen voor zover deze bevoegdheid op het tijdstip van de verkoop nog aan de hypotheekouder toekwam en deze de uitoefening daarvan blijkens de verkoopvoorwaarden aan de koper overlaat.

2. De inroeping kan niet geschieden, voordat het in artikel 544 van het Wetboek van Burgerlijke Rechtsvordering bedoelde exploit van aanzegging of overneming is uitgebracht. De bepalingen betreffende vernietigbaarheid zijn van toepassing met dien verstande dat de termijn van artikel 52 lid 1 loopt vanaf de voormelde aanzegging of overneming en dat een in strijd met het beding gekomen rechtshandeling slechts wordt vernietigd ten behoeve van degene die het inroept, en niet verder dan met diens recht in overeenstemming is.

Pachtbeding

3. Indien het beding is gemaakt met betrekking tot hoeven of los land, heeft het slechts werking voor zover het niet in strijd is met enig dwingend wettelijk voorschrift omtrent pacht. Zodanig beding heeft geen werking, voor zover de grondkamer bindend aan de pachtovereenkomst een daarmee strijdige inhoud heeft gegeven, dan wel het beding niet kon worden nageleefd, omdat de grondkamer een wijzigingsovereenkomst die aan het beding beantwoordde, heeft vernietigd. Een beding dat de hypotheekgever verplicht is hoeven voor kortere tijd dan twaalf jaren en los land voor kortere tijd dan zes jaren te verpachten, is nietig.

4. Indien het beding is gemaakt met betrekking tot huur van woonruimte of huur van bedrijfsruimte, heeft het slechts werking, voor zover het niet in strijd is met enig dwingend wettelijk voorschrift omtrent zodanige huur. Het beding dat de verhuur van woonruimte of bedrijfsruimte uitsluit, kan niet tegen de huurder worden ingeroepen, voor zover de woonruimte of bedrijfsruimte ten tijde van de vestiging van de hypotheek reeds was verhuurd en de nieuwe verhuring niet op ongewone, voor de hypotheekhouder meer bezwarende voorwaarden heeft plaatsgevonden.

5. Voor zover een beroep op een beding tot gevolg zal hebben dat de huurder van woonruimte, waarop de artikelen 1623a—1623f van Boek 7A van toepassing zijn, moet ontruimen, kan het beding slechts worden ingeroepen nadat de president van de rechtbank daartoe op verzoek van de hypotheekhouder verlof heeft verleend. Het verlof is niet vereist ten aanzien van een huurovereenkomst met vernietiging waarvan de huurder schriftelijk heeft ingestemd of die is tot stand gekomen na de bekendmaking, bedoeld in artikel 516 van het Wetboek van Burgerlijke Rechtsvordering.

6. De president verleent het verlof, tenzij ook met instandhouding van de huurovereenkomst kennelijk een voldoende opbrengst zal worden verkregen om alle hypotheekhouders die het beding hebben gemaakt en dit jegens de huurder kunnen inroepen, te voldoen. Zo hij het verlof verleent, veroordeelt hij tevens de opgeroepen of verschenen huurders en onderhuurders tot ontruiming en stelt hij een termijn vast van ten hoogste één jaar na de betekening aan de huurder of onderhuurder van zijn beschikking, waarbinnen geen ontruiming mag plaatsvinden. Tegen een beschikking waarbij het verlof wordt verleend, staat geen hogere voorziening open.

7. Indien het recht van de huurder of pachter door vernietiging krachtens lid 2 verloren gaat, wordt aan hem uit de bij de executie verkregen netto-opbrengst van het goed met voorrang onmiddellijk na hen tegen wie hij zijn recht niet kon inroepen, een vergoeding uitgekeerd ten bedrage van de schade die hij als gevolg van de vernietiging lijdt. Is de koper bevoegd het beding in te roepen, dan wordt van hetgeen aan de schuldeisers met een lagere rang toekomt, een met de te verwachten schade overeenkomend bedrag gereserveerd, totdat vaststaat dat de koper van zijn bevoegdheid geen gebruik maakt.

8. Onder de huurder in de zin van dit artikel wordt begrepen degene die ingevolge artikel 1623g lid 1 of artikel 1623h lid 1 van Boek 7A medehuurder is.

Beding inrichting of gedaante goed niet te veranderen

Art. 265. *(3.9.4.8a)* Indien de hypotheekakte een uitdrukkelijk beding bevat, volgens hetwelk de hypotheekgever de inrichting of gedaante van het bezwaarde goed niet of niet zonder toestemming van de hypotheekhouder mag veranderen, kan op dit beding geen beroep worden gedaan, wanneer tot de verandering machtiging is verleend aan de huurder door de kantonrechter op grond van de bepalingen betreffende huur van bedrijfsruimte of aan de pachter of verpachter door de grondkamer op grond van de bepalingen betreffende pacht.

Jus tollendi

Art. 266. *(3.9.4.8b)* Is een zaak aan hypotheek onderworpen en heeft de hypotheekgever hieraan na de vestiging van de hypotheek veranderingen of toevoegingen aangebracht zonder dat hij verplicht was deze mede tot onderpand voor de vordering te doen strekken, dan is hij bevoegd deze veranderingen en toevoegingen weg te nemen, mits hij de zaak in de oude toestand terugbrengt en desverlangd voor de tijd dat dit nog niet is geschied, ter zake van de waardevermindering zekerheid stelt. Degene die gerechtigd is tot te velde staande vruchten of beplantingen, is bevoegd deze in te oogsten; kon dit voor de executie niet geschieden, dan zijn hij en de koper verplicht zich jegens elkaar te gedragen overeenkomstig de verplichtingen die afgaande en opkomende pachters op grond van de bepalingen betreffende pacht jegens elkaar hebben.

Beding tot in beheer nemen en tot ontruiming

Art. 267. *(3.9.4.9)* In de hypotheekakte kan worden bedongen dat de hypotheekhouder bevoegd is om het verhypothekeerde goed in beheer te nemen, indien de hypotheekgever in zijn verplichtingen jegens hem in ernstige mate te kort schiet en de president van de rechtbank hem machtiging verleent. Eveneens kan in de akte worden bedongen dat de hypotheekhouder bevoegd is de aan de hypotheek onderworpen zaak onder zich te nemen, indien zulks met het oog op de executie vereist is. Zonder uitdrukkelijke bedingen mist de hypotheekhouder deze bevoegdheden.

Bevoegdheid tot openbare verkoop

Art. 268. *(3.9.4.11)* 1. Indien de schuldenaar in verzuim is met de voldoening van hetgeen waarvoor de hypotheek tot waarborg strekt, is de hypotheekhouder bevoegd het verbonden goed in het openbaar ten overstaan van een bevoegde notaris te doen verkopen.

Bevoegdheid tot onderhandse verkoop

2. Op verzoek van de hypotheekhouder of de hypotheekgever kan de president van de rechtbank bepalen dat de verkoop onderhands zal geschieden bij een overeenkomst die hem bij het verzoek ter goedkeuring wordt voorgelegd. Indien door de hypotheekgever, of door een hypotheekhouder, beslaglegger of beperkt gerechtigde, die bij een hogere opbrengst van het goed belang heeft, voor de afloop van de behandeling van het verzoek aan de president een gunstiger aanbod wordt voorgelegd, kan deze bepalen dat de verkoop overeenkomstig dit aanbod zal geschieden.

3. Het in lid 2 bedoelde verzoek wordt ingediend binnen de in het Wetboek van Burgerlijke Rechtsvordering daarvoor bepaalde termijn. Tegen een beschikking krachtens lid 2 is geen hogere voorziening toegelaten.

4. Een executie als in de vorige leden bedoeld geschiedt met inachtneming van de daarvoor in het Wetboek van Burgerlijke Rechtsvordering voorgeschreven formaliteiten.

Geen andere vormen van parate executie

5. De hypotheekhouder kan niet op andere wijze zijn verhaal op het verbonden goed uitoefenen. Een daartoe strekkend beding is nietig.

Lossing

Art. 269. *(3.9.4.14)* Tot op het tijdstip van de toewijzing ter veiling of van de goedkeuring door de president van de onderhandse verkoop kan de verkoop worden voorkomen door voldoening van hetgeen waarvoor de hypotheek tot waarborg strekt, alsmede van de reeds gemaakte kosten van executie.

Koopprijs te voldoen aan notaris

Art. 270. *(3.9.4.16)* 1. De koper is gehouden de koopprijs te voldoen in handen van de notaris, te wiens overstaan de openbare verkoop heeft plaatsgevonden of door wie de akte van overdracht ingevolge de onderhandse verkoop is verleden. De kosten van de executie worden uit de koopprijs voldaan.

Notaris voldoet uit netto opbrengst

2. Wanneer geen hypotheken van een ander dan de verkoper zijn ingeschreven en geen schuldeiser op het goed of op de koopprijs beslag heeft gelegd of zijn vordering ontleend aan artikel 264 lid 7 en evenmin door de executie een beperkt recht op het goed vervalt of een recht van een huurder of pachter verloren gaat, draagt de notaris aan de verkoper uit de netto-opbrengst van het goed af hetgeen aan deze blijkens een door hem aan de notaris te verstrekken verklaring krachtens zijn door hypotheek verzekerde vordering of vorderingen toekomt; het overschot keert de notaris uit aan hem wiens goed is verkocht.

Notaris stort in consignatiekas

3. Zijn er meer hypotheekhouders of zijn er schuldeisers of beperkt gerechtigden als in het vorige lid bedoeld, dan stort de notaris de netto-opbrengst onverwijld bij een door hem aangewezen bewaarder die aan de eisen van artikel 445 van het Wetboek van Burgerlijke Rechtsvordering voldoet. Wanneer het goed door de eerste hypotheekhouder is verkocht en deze vóór of op de betaaldag aan de notaris een verklaring heeft overgelegd van hetgeen hem van de opbrengst toekomt krachtens de door de eerste hypotheek verzekerde vordering of andere vorderingen die eveneens door hypotheek zijn verzekerd en in rang onmiddellijk bij de eerste aansluiten, met vermelding van schuldeisers wier vordering boven de zijne rang neemt, blijft de storting nochtans achterwege voor hetgeen aan de verkoper blijkens deze verklaring toekomt, en keert de notaris dit aan deze uit. Deze verklaring moet zijn voorzien van een aantekening van de president van de rechtbank binnen welker rechtsgebied

het verbonden goed zich geheel of grotendeels bevindt, inhoudende dat hij de verklaring heeft goedgekeurd, nadat hem summierlijk van de juistheid ervan is gebleken. Tegen de goedkeuring is geen hogere voorziening toegelaten.

Opschorting

4. Ingeval de notaris ernstige redenen heeft om te vermoeden dat de hem ingevolge de leden 2 of 3 verstrekte verklaring onjuist is, kan hij de uitkering aan de hypotheek houder opschorten tot de in lid 3 aangewezen president op vordering van de meest gerede partij of op verlangen van de notaris omtrent de uitkering heeft beslist.

5. Wanneer de hypotheekhouders, de schuldeisers die op het goed of op de koopprijs beslag hebben gelegd of hun vordering ontlenen aan artikel 264 lid 7, de beperkt gerechtigden wier recht door de executie vervalt, alsmede degene wiens goed is verkocht het vóór de betaaldag omtrent de verdeling van de te storten som eens zijn geworden, blijft de storting achterwege en keert de notaris aan ieder het hem toekomende uit.

Aansprakelijkheid Staat

6. Voor zover de verplichtingen welke ingevolge dit artikel op de notaris rusten, niet worden nagekomen, is de Staat jegens belanghebbenden voor de daaruit voor hen voortvloeiende schade met de notaris hoofdelijk aansprakelijk.

Dwingend recht

7. Van het in dit artikel bepaalde kan in de verkoopvoorwaarden niet worden afgeweken.

Rangregeling

Art. 271. *(3.9.4.17)* 1. Na de betaling van de koopprijs zijn alle in het vijfde lid van het vorige artikel genoemde belanghebbenden bevoegd een gerechtelijke rangregeling te verzoeken om tot verdeling van de opbrengst te komen overeenkomstig de formaliteiten die in het Wetboek van Burgerlijke Rechtsvordering zijn voorgeschreven.

Uitkering na overeenstemming

2. Indien deze belanghebbenden met betrekking tot de verdeling alsnog tot overeenstemming komen en daarvan door een authentieke akte doen blijken aan de bewaarder bij wie de opbrengst is gestort, dan keert deze aan ieder het hem volgens deze akte toekomende uit.

Rekening en verantwoording

Art. 272. *(3.9.4.18)* 1. Een verkoper die van de notaris betaling heeft ontvangen, is verplicht desverlangd aan hem wiens goed is verkocht, en aan de schuldenaar binnen één maand na de betaling rekening en verantwoording te doen.

2. Een hypotheekhouder, een schuldeiser of een beperkt gerechtigde, die in de rangregeling is begrepen, kan binnen één maand na de sluiting daarvan gelijke rekening en verantwoording vragen, indien hij daarbij een rechtstreeks belang heeft.

Zuivering

Art. 273. *(3.9.4.19)* 1. Door de levering ingevolge een executoriale verkoop en de voldoening van de koopprijs gaan alle op het verkochte goed rustende hypotheken teniet en vervallen de ingeschreven beslagen, alsook de beperkte rechten die niet tegen de verkoper ingeroepen kunnen worden.

Verklaring van zuivering

2. Wanneer de koper aan de president van de rechtbank binnen welker rechtsgebied het verbonden goed zich geheel of grotendeels bevindt, de bewijsstukken overlegt, dat de verkoop met inachtneming van de wettelijke voorschriften heeft plaatsgehad en dat de koopprijs in handen van de notaris is gestort, wordt hem van het tenietgaan en vervallen van de in het vorige lid bedoelde hypotheken, beperkte rechten en beslagen een verklaring verstrekt. Tegen de beschikking die een zodanige verklaring inhoudt, is geen hogere voorziening toegelaten.

Verklaring inschrijfbaar; doorhaling

3. De verklaring kan bij of na de levering in de registers worden ingeschreven. Zij machtigt dan de bewaarder der registers tot doorhaling van de inschrijvingen betreffende hypotheken en beslagen.

Verklaring van tenietgaan bij authentieke akte

Art. 274. *(3.9.4.20)* 1. Wanneer een hypotheek is tenietgegaan, is de schuldeiser verplicht aan de rechthebbende op het bezwaarde goed op diens verzoek en op diens kosten bij authentieke akte een verklaring af te geven, dat de hypotheek is vervallen. Is de vordering waarvoor de hypotheek tot zekerheid strekte met een beperkt recht bezwaard, dan rust een overeenkomstige verplichting op de beperkt gerechtigde.

Doorhaling

2. Deze verklaringen kunnen in de registers worden ingeschreven. Zij machtigen dan tezamen de bewaarder tot doorhaling.

3. Worden de vereiste verklaringen niet afgegeven, dan is artikel 29 van overeenkomstige toepassing.

Vermenging

4. Is de hypotheek door vermenging tenietgegaan, dan wordt de bewaarder tot doorhaling gemachtigd door een daartoe strekkende verklaring, afgelegd bij authentieke akte door hem aan wie het goed toebehoort, tenzij op de vordering een beperkt recht rust.

Schriftelijke volmacht

Art. 275. *(3.9.4.20a)* Een volmacht tot het afleggen van een verklaring als bedoeld in het vorige artikel moet schriftelijk zijn verleend.

TITEL 10
Verhaalsrecht op goederen

AFDELING 1
Algemene bepalingen

Verhaal op alle goederen

Art. 276. *(3.10.1.1)* Tenzij de wet of een overeenkomst anders bepaalt, kan een schuldeiser zijn vordering op alle goederen van zijn schuldenaar verhalen.

Gelijkheid van schuldeisers behoudens wettelijke voorrang

Art. 277. *(3.10.1.2)* 1. Schuldeisers hebben onderling een gelijk recht om, na voldoening van de kosten van executie, uit de netto-opbrengst van de goederen van hun schuldenaar te worden voldaan naar evenredigheid van ieders vordering, behoudens de door de wet erkende redenen van voorrang.

Overeengekomen lagere rang

2. Bij overeenkomst van een schuldeiser met de schuldenaar kan worden bepaald dat zijn vordering jegens alle of bepaalde andere schuldeisers een lagere rang neemt dan de wet hem toekent.

Soorten voorrang

Art. 278. *(3.10.1.3)* 1. Voorrang vloeit voort uit pand, hypotheek en voorrecht en uit de andere in de wet aangegeven gronden.

Voorrechten

2. Voorrechten ontstaan alleen uit de wet. Zij rusten of op bepaalde goederen of op alle tot een vermogen behorende goederen.

Rangorde pand, hypotheek en voorrecht

Art. 279. *(3.10.1.3)* Pand en hypotheek gaan boven voorrecht, tenzij de wet anders bepaalt.

Rangorde voorrechten (1)

Art. 280. *(3.10.1.3b)* Voorrechten op bepaalde goederen hebben voorrang boven die welke op alle tot een vermogen behorende goederen rusten, tenzij de wet anders bepaalt.

Rangorde voorrechten (2)

Art. 281. *(3.10.1.3c)* 1. Onderscheiden voorrechten die op hetzelfde bepaalde goed rusten, hebben gelijke rang, tenzij de wet anders bepaald.
2. De voorrechten op alle goederen worden uitgeoefend in de volgorde waarin de wet hen plaatst.

Voorrang beperkt gerechtigde ter zake van schadevergoeding; bedrag

Art. 282. *(3.10.1.3d)* Indien door een executie een ander beperkt recht dan pand of hypotheek vervalt, omdat het niet kan worden ingeroepen tegen een pand- of hypotheekhouder of een beslaglegger op het goed, wordt aan de beperkt gerechtigde uit de netto-opbrengst van het goed, met voorrang onmiddellijk na de vorderingen van degenen tegen wie hij zijn recht niet kan inroepen, terzake van zijn schade een vergoeding uitgekeerd. De vergoeding wordt gesteld op het bedrag van de waarde die het vervallen recht, zo het bij de executie in stand zou zijn gebleven, ten tijde van de executie zou hebben gehad.

AFDELING 2
Bevoorrechte vorderingen op bepaalde goederen

Zaaksvervanging

Art. 283. *(3.10.3.2)* Een voorrecht op een bepaald goed strekt zich mede uit over vorderingen tot vergoedingen die in de plaats van dat goed zijn getreden, waaronder begrepen vorderingen ter zake van waardevermindering van het goed.

Voorrecht wegens kosten tot behoud

Art. 284. *(3.10.3.3)* 1. Een vordering tot voldoening van kosten, tot behoud van een goed gemaakt, is bevoorrecht op het goed dat aldus is behouden.

Voorrang t.a.v. rechten op het goed

2. De schuldeiser kan de vordering op het goed verhalen, zonder dat hem rechten van derden op dit goed kunnen worden tegengeworpen, tenzij deze rechten na het maken van de kosten tot behoud zijn verkregen. Een na het maken van die kosten overeenkomstig artikel 237 gevestigd pandrecht kan slechts aan de schuldeiser worden tegengeworpen, indien de zaak of het toonderpapier in de macht van de

pandhouder of een derde is gebracht. Een na het maken van die kosten overeenkomstig artikel 90 verkregen recht kan slechts aan de schuldeiser worden tegengeworpen, indien tevens aan de eisen van lid 2 van dat artikel is voldaan.

Voorrang t.a.v. andere voorrechten

3. Het voorrecht heeft voorrang boven alle andere voorrechten, tenzij de vorderingen waaraan deze andere voorrechten zijn verbonden, na het maken van de kosten tot behoud zijn ontstaan.

Voorrang wegens bearbeiding

Art. 285. *(3.10.3.5)* 1. Hij die uit hoofde van een overeenkomst tot aanneming van werk een vordering wegens bearbeiding van een zaak heeft, is deswege op die zaak bevoorrecht, mits hij persoonlijk aan de uitvoering van in de uitoefening van zijn bedrijf aangenomen werk pleegt deel te nemen dan wel een vennootschap of een rechtspersoon is, waarvan een of meer beherende vennoten of bestuurders dit plegen te doen. Het voorrecht vervalt na verloop van twee jaren sedert het ontstaan van de vordering.

Voorrang t.a.v. pandrecht

2. Het voorrecht heeft voorrang boven een overeenkomstig artikel 237 op de zaak gevestigd pandrecht, tenzij dit recht eerst na het ontstaan van de bevoorrechte vordering is gevestigd en de zaak in de macht van de pandhouder of een derde is gebracht.

Voorrang op appartementsrecht

Art. 286. *(3.10.3.6)* 1. De door een appartementseigenaar of een vruchtgebruiker van een appartementsrecht aan de gezamenlijke appartementseigenaars of de vereniging van eigenaars verschuldigde, in het lopende of het voorafgaande kalenderjaar opeisbaar geworden bijdragen zijn bevoorrecht op het appartementsrecht.

Bearbeiding

2. In geval van bearbeiding van een gebouw dat in appartementen is verdeeld, rust het voorrecht van artikel 285 op ieder appartement voor het bedrag, waarvoor de eigenaar van dat appartement aansprakelijk is.

Samenloop

3. Bij samenloop van het voorrecht van het eerste lid en dat van artikel 285 heeft het laatstgenoemde voorrang.

Voorrecht wegens vordering tot vergoeding van schade

Art. 287. *(3.10.3.15)* 1. De vordering tot vergoeding van schade is bevoorrecht op de vordering die de schuldenaar uit hoofde van verzekering van zijn aansprakelijkheid op de verzekeraar mocht hebben, voor zover deze vordering de verplichting tot vergoeding van deze schade betreft.

Voorrang t.a.v. rechten op de vordering

2. De schuldeiser kan zijn vordering op de vordering waarop het voorrecht rust verhalen, zonder dat hem rechten van derden op deze laatste vordering kunnen worden tegengeworpen.

AFDELING 3
Bevoorrechte vorderingen op alle goederen

Voorrechten op alle goederen

Art. 288. *(3.10.4.1)* De bevoorrechte vorderingen op alle goederen zijn de vorderingen ter zake van:
a. de kosten van de aanvraag tot faillietverklaring, doch alleen ter zake van het faillissement dat op de aanvraag is uitgesproken, alsmede van de kosten, door een schuldeiser gemaakt, ter verkrijging van vereffening buiten faillissement;
b. de kosten van lijkbezorging, voor zover zij in overeenstemming zijn met een stand en het fortuin van de overledene;
c. hetgeen een arbeider, een gewezen arbeider en hun nabestaanden ter zake van reeds vervallen termijnen van pensioen van de werkgever te vorderen hebben, voor zover de vordering niet ouder is dan een jaar;
d. hetgeen waarop een arbeider, niet zijnde een bestuurder van de rechtspersoon bij wie hij in dienst is, een gewezen arbeider en hun nabestaanden ter zake van in de toekomst tot uitkering komende termijnen van toegezegd pensioen jegens de werkgever recht hebben;
e. al hetgeen een arbeider over het lopende en het voorafgaande kalenderjaar in geld op grond van de arbeidsovereenkomst van zijn werkgever te vorderen heeft, alsmede de bedragen door de werkgever aan de arbeider in verband met de beëindiging van de dienstbetrekking verschuldigd uit hoofde van de bepalingen van het Burgerlijk Wetboek betreffende de arbeidsovereenkomst.

Art. 289. *(3.10.4.2)* 1. Eveneens bevoorrecht op alle goederen zijn de vorderingen die zijn ontstaan uit de oplegging van de in de artikelen 49 en 50 van het Verdrag tot oprichting van de Europese Gemeenschap voor Kolen en Staal van 18 april 1951, (Trb. 1951, 82) bedoelde heffingen en verhogingen wegens vertraging in de betaling van deze vorderingen.

2. Dit voorrecht heeft dezelfde rang als het voorrecht terzake van de vordering wegens omzetbelasting.

AFDELING 4
Retentierecht

Retentierecht

Art. 290. *(3.10.4A.1)* Retentierecht is de bevoegdheid die in de bij de wet aangegeven gevallen aan een schuldeiser toekomt, om de nakoming van een verplichting tot afgifte van een zaak aan zijn schuldenaar op te schorten totdat de vordering wordt voldaan.

Inroeping tegen later recht

Art. 291. *(3.10.4A.2)* 1. De schuldeiser kan het retentierecht mede inroepen tegen derden die een recht op de zaak hebben verkregen, nadat zijn vordering was ontstaan en de zaak in zijn macht was gekomen.

Inroeping tegen eerder recht

2. Hij kan het retentierecht ook inroepen tegen derden met een ouder recht, indien zijn vordering voortspruit uit een overeenkomst die de schuldenaar bevoegd was met betrekking tot de zaak aan te gaan, of hij geen reden had om aan de bevoegdheid van de schuldenaar te twijfelen.

Voorrang

Art. 292. *(3.10.4A.4)* De schuldeiser kan zijn vordering op de zaak verhalen met voorrang boven allen tegen wie het retentierecht kan worden ingeroepen.

Kosten zorg voor de zaak

Art. 293. *(3.10.4A.4a)* Het retentierecht kan mede worden uitgeoefend voor de kosten die de schuldeiser heeft moeten maken ter zake van de zorg die hij krachtens de wet ten aanzien van de zaak in acht moet nemen.

Einde retentierecht

Art. 294. *(3.10.4A.5)* Het retentierecht eindigt doordat de zaak in de macht komt van de schuldenaar of de rechthebbende, tenzij de schuldeiser haar weer uit hoofde van dezelfde rechtsverhouding onder zich krijgt.

Opeisen

Art. 295 *(3.10.4A.5a)* Raakt de zaak uit de macht van de schuldeiser, dan kan hij haar opeisen onder dezelfde voorwaarden als een eigenaar.

TITEL 11
Rechtsvorderingen

Veroordeling te geven, te doen of na te laten

Art. 296. *(3.11.1)* 1. Tenzij uit de wet, uit de aard der verplichting of uit een rechtshandeling anders volgt, wordt hij die jegens een ander verplicht is iets te geven, te doen of na te laten, daartoe door de rechter, op vordering van de gerechtigde, veroordeeld.

Veroordeling onder voorwaarde of tijdsbepaling

2. Hij die onder een voorwaarde of een tijdsbepaling tot iets is gehouden, kan onder die voorwaarde of tijdsbepaling worden veroordeeld.

Reële executie

Art. 297. *(3.11.2)* Indien een prestatie door tenuitvoerlegging van een executoriale titel wordt afgedwongen, heeft dit dezelfde rechtsgevolgen als die van een vrijwillige nakoming van de uit die titel blijkende verplichting tot die prestatie.

Oudste recht op levering

Art. 298. *(3.11.2a)* Vervolgen twee of meer schuldeisers ten aanzien van één goed met elkaar botsende rechten op levering, dan gaat in hun onderlinge verhouding het oudste recht op levering voor, tenzij uit de wet, uit de aard van hun rechten, of uit de eisen van redelijkheid en billijkheid anders voortvloeit.

Machtigen te doen verrichten

Art. 299. *(3.11.3)* 1. Wanneer iemand niet verricht waartoe hij is gehouden, kan de rechter hem jegens wie de verplichting bestaat, op diens vordering machtigen om zelf datgene te bewerken waartoe nakoming zou hebben geleid.

Machtigen te doen vernietigen

2. Op gelijke wijze kan hij jegens wie een ander tot een nalaten is gehouden, worden gemachtigd om hetgeen in strijd met die verplichting is verricht, teniet te doen.

Kosten

3. De kosten die noodzakelijk zijn voor de uitvoering der machtiging, komen ten laste van hem die zijn verplichting niet is nagekomen. De uitspraak waarbij de machtiging wordt verleend, kan tevens de voldoening van deze kosten op vertoon van de daartoe nodige, in de uitspraak te vermelden bescheiden gelasten.

Vonnis vervangt akte; machtiging aan vertegenwoordiger

Art. 300. *(3.11.4)* 1. Is iemand jegens een ander gehouden een rechtshandeling te verrichten, dan kan, tenzij de aard van de rechtshandeling zich hiertegen verzet, de rechter op vordering van de gerechtigde bepalen dat zijn uitspraak dezelfde kracht heeft als een in wettige vorm opgemaakte akte van degene die tot de rechtshandeling gehouden is, of dat een door hem aan te wijzen vertegenwoordiger de handeling zal verrichten. Wijst de rechter een vertegenwoordiger aan, dan kan hij bepalen dat de door deze te verrichten handeling zijn goedkeuring behoeft.

Vonnis treedt in plaats van akte

2. Is de gedaagde gehouden om tezamen met de eiser een akte op te maken, dan kan de rechter bepalen dat zijn uitspraak in de plaats van de akte of een deel daarvan zal treden.

Inschrijving uitspraak in openbare registers

Art. 301. *(3.11.4a)* 1. Een uitspraak waarvan de rechter heeft bepaald dat zij in de plaats treedt van een tot levering van een registergoed bestemde akte of van een deel van een zodanige akte, kan slechts in de openbare registers worden ingeschreven, indien zij is betekend aan degene die tot de levering werd veroordeeld, en
a. in kracht van gewijsde is gegaan, of
b. uitvoerbaar bij voorraad is en een termijn van veertien dagen of zoveel korter of langer als in de uitspraak is bepaald, sedert de betekening van de uitspraak is verstreken.

Inschrijving rechtsmiddel in openbare registers

2. Verzet, hoger beroep en cassatie moeten op straffe van niet-ontvankelijkheid binnen acht dagen na het instellen van het rechtsmiddel worden ingeschreven in de registers, bedoeld in de artikelen 85 en 433 van het Wetboek van Burgerlijke Rechtsvordering. In afwijking van artikel 81 van dat wetboek begint de verzettermijn te lopen vanaf de betekening van het vonnis aan de veroordeelde, ook als de betekening niet aan hem in persoon geschiedt.

3. Indien de werking van een uitspraak als bedoeld in lid 1 door de rechter aan een voorwaarde is gebonden, weigert de bewaarder de inschrijving van die uitspraak, indien niet tevens een notariële verklaring of een authentiek afschrift daarvan wordt overgelegd, waaruit van de vervulling van de voorwaarde blijkt.

Verklaring van recht

Art. 302. *(3.11.7)* Op vordering van een bij een rechtsverhouding onmiddellijk betrokken persoon spreekt de rechter omtrent die rechtsverhouding een verklaring van recht uit.

Geen belang, geen vordering

Art. 303. *(3.11.8)* Zonder voldoende belang komt niemand een rechtsvordering toe.

Rechtsvordering niet overdraagbaar

Art. 304. *(3.11.9)* Een rechtsvordering kan niet van het recht tot welks bescherming zij dient, worden gescheiden.

Bevoegdheid arbiters

Art. 305. *(3.11.9a)* De in de voorgaande artikelen van deze titel aan de rechter toegekende bevoegdheden komen mede aan scheidsmannen toe, tenzij partijen anders zijn overeengekomen.

Art. 305a. 1. Een stichting of vereniging met volledige rechtsbevoegdheid kan een rechtsvordering instellen die strekt tot bescherming van gelijksoortige belangen van andere personen, voorzover zij deze belangen ingevolge haar statuten behartigt.

2. Een rechtspersoon als bedoeld in lid 1 is niet ontvankelijk, indien hij in de gegeven omstandigheden onvoldoende heeft getracht het gevorderde door het voeren van overleg met de gedaagde te bereiken.

3. Een rechtsvordering als bedoeld in lid 1 kan niet strekken tot schadevergoeding te voldoen in geld.

4. Een gedraging kan niet ten grondslag worden gelegd aan een rechtsvordering als bedoeld in lid 1, voor zover degene die door deze gedraging wordt getroffen, daartegen bezwaar maakt.

5. Een rechterlijke uitspraak heeft geen gevolg ten aanzien van een persoon tot bescherming van wiens belang de rechtsvordering strekt en die zich verzet tegen werking van de uitspraak ten opzichte van hem, tenzij de aard van de uitspraak meebrengt dat de werking niet slechts ten opzichte van deze persoon kan worden uitgesloten.

Art. 305b. 1. Een rechtspersoon als bedoeld in artikel 1 van Boek 2 kan een rechtsvordering instellen die strekt tot bescherming van de belangen van andere personen, voor zover hem de behartiging van deze belangen is toevertrouwd.

2. De leden 2 tot en met 5 van artikel 305a van dit Boek zijn van overeenkomstige toepassing.

Verjaring

Art. 306. *(3.11.10)* Indien de wet niet anders bepaalt, verjaart een rechtsvordering door verloop van twintig jaren.

Rechtsvordering tot nakoming

Art. 307. *(3.11.11)* 1. Een rechtsvordering tot nakoming van een verbintenis uit overeenkomst tot een geven of een doen verjaart door verloop van vijf jaren na de aanvang van de dag, volgende op die waarop de vordering opeisbaar is geworden.

Nakoming na onbepaalde tijd

2. In geval van een verbintenis tot nakoming na onbepaalde tijd loopt de in lid 1 bedoelde termijn pas van de aanvang van de dag, volgende op die waartegen de schuldeiser heeft medegedeeld tot opeising over te gaan, en verjaart de in lid 1 bedoelde rechtsvordering in elk geval door verloop van twintig jaren na de aanvang van de dag, volgende op die waartegen de opeising, zonodig na opzegging door de schuldeiser, op zijn vroegst mogelijk was.

Rechtsvordering tot betaling renten e.d.

Art. 308. *(3.11.12)* Rechtsvorderingen tot betaling van renten van geldsommen, lijfrenten, dividenden, huren, pachten en voorts alles wat bij het jaar of een kortere termijn moet worden betaald, verjaren door verloop van vijf jaren na de aanvang van de dag, volgende op die waarop de vordering opeisbaar is geworden.

Rechtsvordering uit onverschuldigde betaling

Art. 309. *(3.11.12a)* Een rechtsvordering uit onverschuldigde betaling verjaart door verloop van vijf jaren na de aanvang van de dag, volgende op die waarop de schuldeiser zowel met het bestaan van zijn vordering als met de persoon van de ontvanger is bekend geworden en in ieder geval twintig jaren nadat de vordering is ontstaan.

Rechtsvordering tot schadevergoeding; betaling boete

Art. 310. *(3.11.13)* 1. Een rechtsvordering tot vergoeding van schade of tot betaling van een bedongen boete verjaart door verloop van vijf jaren na de aanvang van de dag, volgende op die waarop de benadeelde zowel met de schade of de opeisbaarheid van de boete als met de daarvoor aansprakelijke persoon bekend is geworden, en in ieder geval door verloop van twintig jaren na de gebeurtenis waardoor de schade is veroorzaakt of de boete opeisbaar is geworden.

2. Is de schade een gevolg van verontreiniging van lucht, water of bodem, dan wel van de verwezenlijking van een gevaar als bedoeld in artikel 175 van Boek 6, dan verjaart de rechtsvordering tot vergoeding van schade, in afwijking van het aan het slot van lid 1 bepaalde, in ieder geval door verloop van dertig jaren na de gebeurtenis waardoor de schade is veroorzaakt.

3. Voor de toepassing van lid 2 wordt onder gebeurtenis verstaan een plotseling optredend feit, een voortdurend feit of een opeenvolging van feiten met dezelfde oorzaak. Bestaat de gebeurtenis uit een voortdurend feit, dan begint de termijn van dertig jaren bedoeld in lid 2 te lopen nadat dit feit is opgehouden te bestaan. Bestaat de gebeurtenis uit een opeenvolging van feiten met dezelfde oorzaak, dan begint deze termijn te lopen na dit laatste feit.

4. Indien de gebeurtenis waardoor de schade is veroorzaakt, een misdrijf oplevert als bedoeld in de artikelen 240b en 242 tot en met 250ter van het Wetboek van Strafrecht en is gepleegd ten aanzien van een minderjarige, verjaart de rechtsvordering tot vergoeding van schade tegen de schuldige aan het misdrijf niet zolang het recht tot strafvordering niet door verjaring is vervallen.

Verjaring van internationale rechtsvorderingen m.b.t. cultuurgoederen

Art. 310a. 1. Een rechtsvordering tot opeising van een roerende zaak die krachtens de nationale wetgeving van een lid-staat van de Europese Unie of van een andere staat die partij is bij de Overeenkomst betreffende de Europese Economische Ruimte een cultuurgoed is in de zin van artikel 1, onder 1, van de richtlijn, bedoeld in artikel 86a, en waarvan die staat teruggave vordert op de grond dat zij op onrechtmatige wijze buiten zijn grondgebied is gebracht, verjaart door verloop van één jaar na de aanvang van de dag, volgende op die waarop de plaats waar de zaak zich bevindt en de identiteit van de bezitter of de houder aan die staat zijn bekend geworden, en in elk geval door verloop van dertig jaren na de aanvang van de dag volgende op die waarop de zaak buiten het grondgebied van die staat is gebracht.

2. De laatste termijn bedraagt vijfenzeventig jaren in het geval van zaken die deel uitmaken van openbare collecties in de zin van artikel 1, onder 1, van de richtlijn, bedoeld in artikel 86a, en van kerkelijke goederen als bedoeld in de richtlijn in de lid-staten van de Europese Unie of in de andere staten die partij zijn bij de Overeenkomst betreffende de Europese Economische Ruimte, waar deze zijn onderworpen aan speciale beschermende maatregelen krachtens nationaal recht.

Art. 310b. 1. Een rechtsvordering tot opeising van een roerende zaak die krachtens de Wet tot behoud van cultuurbezit als beschermd voorwerp is aangewezen of deel uitmaakt van een openbare collectie of van een inventarislijst als bedoeld in artikel 14a, tweede lid, van die wet en die na die aanwijzing of gedurende dit deel uitmaken uit het bezit van de eigenaar is geraakt, verjaart door verloop van vijf jaren na de aanvang van de dag waarop de plaats waar de zaak zich bevindt en de identiteit van de bezitter of de houder zijn bekend geworden, en in elk geval door verloop van dertig jaren na de aanvang van de dag waarop een niet-rechthebbende bezitter van de zaak is geworden.

Opeising van beschermde voorwerpen; verjaring

2. De verjaring krachtens lid 1 treedt in elk geval niet in voordat de rechtsvordering tot teruggave van de zaak is verjaard, die de Staat voor de rechter van een andere lid-staat van de Europese Unie of van een andere staat die partij is bij de Overeenkomst betreffende de Europese Economische Ruimte kan instellen op grond dat de zaak op onrechtmatige wijze buiten het grondgebied van Nederland is gebracht.

Art. 311. *(3.11.13aa)* 1. Een rechtsvordering tot ontbinding van een overeenkomst op grond van een tekortkoming in de nakoming daarvan of tot herstel van een tekortkoming verjaart door verloop van vijf jaren na de aanvang van de dag, volgende op die waarop de schuldeiser met de tekortkoming bekend is geworden en in ieder geval twintig jaren nadat de tekortkoming is ontstaan.

Rechtsvordering tot ontbinding

2. Een rechtsvordering tot ongedaanmaking als bedoeld in artikel 271 van Boek 6 verjaart door verloop van vijf jaren na de aanvang van de dag, volgende op die waarop de overeenkomst is ontbonden.

Rechtsvordering tot ongedaanmaking

Art. 312. *(3.11.13ab)* Rechtsvorderingen terzake van een tekortkoming in de nakoming, alsmede die tot betaling van wettelijke of bedongen rente en die tot afgifte van vruchten, verjaren, behoudens stuiting of verlenging, niet later dan de rechtsvordering tot nakoming van de hoofdverplichting of, zo de tekortkoming vatbaar is voor herstel, de rechtsvordering tot herstel van de tekortkoming.

Termijn van verjaring hoofdverplichting

Art. 313. *(3.11.15)* Indien de wet niet anders bepaalt, begint de termijn van verjaring van een rechtsvordering tot nakoming van een verplichting om te geven of te doen met de aanvang van de dag, volgende op die waarop de onmiddellijke nakoming kan worden gevorderd.

Aanvang verjaringstermijn

Art. 314. *(3.11.15a)* 1. De termijn van verjaring van een rechtsvordering tot opheffing van een onrechtmatige toestand begint met de aanvang van de dag, volgende op die waarop de onmiddellijke opheffing van die toestand gevorderd kan worden.

Onmiddellijke opheffing onrechtmatige toestand

2. De termijn van verjaring van een rechtsvordering strekkende tot beëindiging van het bezit van een niet-rechthebbende begint met de aanvang van de dag, volgende op die waarop een niet-rechthebbende bezitter is geworden of de onmiddellijke opheffing gevorderd kon worden van de toestand waarvan diens bezit de voortzetting vormt.

Art. 315. *(3.11.15b)* De termijn van verjaring van een rechtsvordering tot opeising van een nalatenschap begint met de aanvang van de dag, volgende op die van het overlijden van de erflater.

Overlijden erflater

Art. 316. *(3.11.16)* 1. De verjaring van een rechtsvordering wordt gestuit door het instellen van een eis, alsmede door iedere andere daad van rechtsvervolging van de zijde van de gerechtigde, die in de vereiste vorm geschiedt.

Stuiting door instellen eis

2. Leidt een ingestelde eis niet tot toewijzing, dan is de verjaring slechts gestuit, indien binnen zes maanden, nadat het geding door het in kracht van gewijsde gaan van een uitspraak of op andere wijze is geëindigd, een nieuwe eis wordt ingesteld en deze alsnog tot toewijzing leidt. Wordt een daad van rechtsvervolging ingetrokken, dan stuit zij de verjaring niet.

Nieuwe eis

3. De verjaring van een rechtsvordering wordt ook gestuit door een handeling, strekkende tot verkrijging van een bindend advies, mits van die handeling met bekwame spoed mededeling wordt gedaan aan de wederpartij en zij tot verkrijging van een bindend advies leidt. Is dit laatste niet het geval, dan is het vorige lid van overeenkomstige toepassing.

Stuiting en bindend advies

Schriftelijke aanmaning of ondubbelzinnige mededeling

Art. 317. *(3.11.17)* 1. De verjaring van een rechtsvordering tot nakoming van een verbintenis wordt gestuit door een schriftelijke aanmaning of door een schriftelijke mededeling waarin de schuldeiser zich ondubbelzinnig zijn recht op nakoming voorbehoudt.

2. De verjaring van andere rechtsvorderingen wordt gestuit door een schriftelijke aanmaning, indien deze binnen zes maanden wordt gevolgd door een stuitingshandeling als in het vorige artikel omschreven.

Stuiting door erkenning

Art. 318. *(3.11.18)* Erkenning van het recht tot welks bescherming een rechtsvordering dient, stuit de verjaring van de rechtsvordering tegen hem die het recht erkent.

Nieuwe verjaringstermijn na stuiting

Art. 319. *(3.11.18a)* 1. Door stuiting van de verjaring van een rechtsvordering,anders dan door het instellen van een eis die door toewijzing wordt gevolgd, begint een nieuwe verjaringstermijn te lopen met de aanvang van de volgende dag. Is bindend advies gevraagd en verkregen, dan begint de nieuwe verjaringstermijn te lopen met de aanvang van de dag, volgende op die waarop het bindend advies is uitgebracht.

Duur nieuwe termijn

2. De nieuwe verjaringstermijn is gelijk aan de oorspronkelijke, doch niet langer dan vijf jaren. Niettemin treedt de verjaring in geen geval op een eerder tijdstip in dan waarop ook de oorspronkelijke termijn zonder stuiting zou zijn verstreken.

Verlenging termijn

Art. 320. *(3.11.19)* Wanneer een verjaringstermijn zou aflopen tijdens het bestaan van een verlengingsgrond of binnen zes maanden na het verdwijnen van een zodanige grond, loopt de termijn voort totdat zes maanden na het verdwijnen van die grond zijn verstreken.

Verlenging van verjaring

Art. 321. *(3.11.20)* 1. Een grond voor verlenging van de verjaring bestaat:
a. tussen niet van tafel en bed gescheiden echtgenoten;
b. tussen een wettelijke vertegenwoordiger en de onbekwame die hij vertegenwoordigt;
c. tussen een bewindvoerder en de rechthebbende voor wie hij het bewind voert, ter zake van vorderingen die dit bewind betreffen;
d. tussen rechtspersonen en haar bestuurders;
e. tussen een beneficiair aanvaarde nalatenschap en een erfgenaam;
f. tussen de schuldeiser en zijn schuldenaar die opzettelijk het bestaan van de schuld of de opeisbaarheid daarvan verborgen houdt.

2. De onder *b* en *c* genoemde gronden voor verlenging duren voort totdat de eindrekening van de wettelijke vertegenwoordiger of de bewindvoerder is gesloten.

Geen ambtshalve toepassing

Art. 322. *(3.11.20a)* 1. De rechter mag niet ambtshalve het middel van verjaring toepassen.

Afstand door verklaring

2. Afstand van verjaring geschiedt door een verklaring van hem die de verjaring kan inroepen.

Wanneer afstand

3. Voordat de verjaring voltooid is, kan geen afstand van verjaring worden gedaan.

Tenietgaan pand- en hypotheekrecht

Art. 323. *(3.11.20b)* 1. Door voltooiing van de verjaring van de rechtsvordering tot nakoming van een verbintenis gaan de pand- of hypotheekrechten die tot zekerheid daarvan strekken, teniet.

Uitzondering(1)

2. Nochtans verhindert de verjaring niet dat het pandrecht op het verbonden goed wordt uitgeoefend, indien dit bestaat in een roerende zaak of een recht aan toonder of order en deze zaak of het toonder- of orderpapier in de macht van de pandhouder of een derde is gebracht.

Uitzondering (2)

3. De rechtsvordering tot nakoming van een verbintenis tot zekerheid waarvan een hypotheek strekt, verjaart niet voordat twintig jaren zijn verstreken na de aanvang van de dag volgend op die waarop de hypotheek aan de verbintenis is verbonden.

Verjaring bevoegdheid tenuitvoerlegging rechterlijke of arbitrale uitspraak

Art. 324. *(3.11.20c)* 1. De bevoegdheid tot tenuitvoerlegging van een rechterlijke of arbitrale uitspraak verjaart door verloop van twintig jaren na de aanvang van de dag, volgende op die van de uitspraak, of, indien voor tenuitvoerlegging daarvan vereisten zijn gesteld waarvan de vervulling niet afhankelijk is van de wil van degene die de uitspraak heeft verkregen, na de aanvang van de dag, volgende op die waarop deze vereisten zijn vervuld.

2. Wordt vóórdat de verjaring is voltooid, door een der partijen ter aantasting van de ten uitvoer te leggen veroordeling een rechtsmiddel of een eis ingesteld, dan begint de termijn eerst met de aanvang van de dag, volgende op die waarop het geding daarover is geëindigd.

Nieuwe termijn

3. De verjaringstermijn bedraagt vijf jaren voor wat betreft hetgeen ingevolge de uitspraak bij het jaar of kortere termijn moet worden betaald.

Kortere termijn

4. Voor wat betreft renten, boeten, dwangsommen en andere bijkomende veroordelingen, treedt de verjaring, behoudens stuiting of verlenging, niet later in dan de verjaring van de bevoegdheid tot tenuitvoerlegging van de hoofdveroordeling.

Bijkomende veroordelingen

Art. 325. *(3.11.20d)* 1. Op de verjaring van het vorige artikel zijn de artikelen 319-323 van overeenkomstige toepassing.

Overeenkomstige toepassing

2. De verjaring van het vorige artikel wordt gestuit door:
a. betekening van de uitspraak of schriftelijke aanmaning;
b. erkenning van de in de uitspraak vastgestelde verplichting;
c. iedere daad van tenuitvoerlegging, mits daarvan binnen de door de wet voorgeschreven tijd of, bij gebreke van zodanig voorschrift, met bekwame spoed mededeling aan de wederpartij wordt gedaan.

Stuiting verjaring tenuitvoerlegging

Art. 326. *(3.11.21)* Buiten het vermogensrecht vinden de voorafgaande artikelen overeenkomstige toepassing, voor zover de aard van de betrokken rechtsverhouding zich daartegen niet verzet.

Overeenkomstige toepassing

BOEK 4
ERFRECHT

ELFDE TITEL
Van erfopvolging bij versterf

EERSTE AFDEELING
Algemeene bepalingen

Grond voor erfopvolging

Art. 877. Erfopvolging heeft alleen door den dood plaats.

Onzekerheid over vooroverlijden

Art. 878. 1. Wanneer de volgorde waarin twee of meer personen zijn overleden niet kan worden bepaald, worden die personen geacht gelijktijdig te zijn overleden en valt aan de ene persoon geen voordeel uit de nalatenschap van de andere ten deel.

2. Indien een belanghebbende ten gevolge van omstandigheden die hem niet kunnen worden toegerekend, moeilijkheden ondervindt bij het bewijs van de volgorde van overlijden, kan de rechter hem een of meer malen uitstel verlenen, zulks voor zover redelijkerwijs mag worden aangenomen dat het bewijs binnen de termijn van het uitstel kan worden geleverd.

3. De bepalingen van dit boek met betrekking tot vooroverlijden zijn van overeenkomstige toepassing bij gelijktijdig overlijden.

Wettelijke erfgenamen

Art. 879. 1. Tot de erfenis worden door de wet geroepen zij die tot de overledene in familierechtelijke betrekking stonden, en de langstlevende echtgenoot, volgens de hierna vastgestelde regelen.

2. Bij gebreke van zodanige personen als bedoeld in het vorige lid, vervallen de goederen aan den staat, onder den last om de schulden te voldoen, voor zoo ver de waarde dier goederen toereikende is.

Opvolging van rechtswege: saisine

Art. 880. 1. De erfgenamen treden van regtswege in het bezit der goederen, en regstvorderingen van den overledene.

Gerechtelijke bewaring

2. Indien er geschil ontstaat wie erfgenaam, en alzoo tot dat bezit bevoegd is, kan de regter bevelen dat de goederen onder geregtelijke bewaring zullen worden gesteld.

Verzegeling nalatenschap en boedelbeschrijving

3. De staat moet zich door den regter doen in het bezit stellen, en is, op straffe van schadevergoeding, gehouden de nalatenschap te laten verzegelen, en eene boedelbeschrijving te doen opmaken, in den vorm, voor de aanvaarding van nalatenschappen onder het voorregt van boedelbeschrijving vastgesteld.

Rechtsvordering tot verkrijging der erfenis: Hereditatis Petitio

Art. 881. 1. De erfgenaam heeft eene regtsvordering tot verkrijging der erfenis tegen alle degenen die, het zij onder dien titel of zonder titel, in het bezit zijn van de geheele nalatenschap, of van een gedeelte daarvan, mitsgaders tegen degenen, die met arglist hebben opgehouden te bezitten.

2. Hij kan deze regtsvordering instellen voor het geheel, indien hij alleen erfgenaam is, en voor zijn aandeel, zoo er meerdere erfgenamen zijn.

3. Die regtsvordering strekt tot afgifte van al hetgeen zich, onder welken titel ook, in de nalatenschap bevindt, met de vruchten, inkomsten en schadeloosstelling, volgens de regelen welke ten aanzien van de opvordering van eigendom zijn voorgeschreven.

Art. 882. Vervallen.

Vereisten voor erfgenaamschap

Art. 883. Ten einde als erfgenamen te kunnen optreden, moet men bestaan op het oogenblik dat de erfenis is opengevallen.

Art. 884. Vervallen.

Onwaardigen van erfenis uitgesloten

Art. 885. Als onwaardig om erfgenamen te zijn, worden beschouwd en als zoodanig van de erfenis uitgesloten:

1°. Hij, die veroordeeld is, ter zake dat hij den overledene heeft omgebragt of getracht heeft om te brengen;

2°. Hij, die bij regterlijke uitspraak overtuigd is tegen den erflater lasterlijk te hebben ingebragt eene beschuldiging van een misdrijf waartegen eene vrijheidsstraf met een maximum van ten minste vier jaren is bedreigd;

3°. Hij, die den overledene door geweld of feitelijkheid belet heeft zijnen uitersten wil te maken of te herroepen;
4°. Hij, die den uitersten wil van den overledene heeft verduisterd, vernietigd of vervalscht.

Art. 886. De erfgenaam, die uit hoofde van onwaardigheid van de erfenis is uitgesloten, is gehouden tot de teruggave van alle vruchten en inkomsten, waarvan hij sedert het openvallen der erfenis genot heeft gehad.

Teruggaveplicht van onwaardige

Art. 887. Kinderen van eenen onwaardig verklaarden persoon, uit eigen hoofde tot de erfenis komende, zijn niet uitgesloten door de schuld van hunne ouders; doch deze zijn in geen geval bevoegd om van de goederen dier nalatenschap het vruchtgenot te vorderen, hetwelk de wet aan ouders op de goederen van hunne kinderen toekent.

Kinderen van onwaardige

Art. 888. Plaatsvervulling geeft aan den vertegenwoordigenden persoon het regt om te treden in de plaats, in den graad en in de regten van dengenen die vertegenwoordigd wordt.

Plaatsvervulling

Art. 889. 1. Plaatsvervulling heeft in de regte nedergaande linie in het oneindige plaats.
2. Dezelve wordt in alle gevallen toegelaten, het zij de kinderen van den overledene te zamen tot de erfenis komen met de nakomelingen van een vooroverleden kind, het zij, alle de kinderen van den overledene vóór hem gestorven zijnde, de nakomelingen dier vooroverledene kinderen zich onderling in gelijke of ongelijke graden bestaan.

Plaatsvervulling in neergaande linie

Art. 890. Er bestaat geene plaatsvervulling ten opzigte van naastbestaanden in de opgaande linie. De naaste in ieder der beide linien sluit ten allen tijde dengenen uit, die in eenen verderen graad is.

Geen plaatsvervulling in opgaande linie

Art. 891. In de zijdlinie wordt de plaatsvervulling toegelaten ten voordeele van kinderen en nakomelingen van des overledenens broeders en zusters, het zij die gezamenlijk met hunne ooms of moeijen tot de nalatenschap komen, het zij dat, na het vooroverlijden der broeders en zusters van den overledene, de erfenis overga tot dezelver nakomelingen, aan elkander in gelijke of in ongelijke graden bestaande.

Plaatsvervulling in zijlinie

Art. 892. Plaatsvervulling wordt ook toegelaten in de erfopvolging van zijdmagen, wanneer nevens dengenen, die den erflater het naast in den bloede bestaat, er nog kinderen of afkomelingen aanwezig zijn van vooroverleden broeders of zusters van eerstgemelden.

Plaatsvervulling van zijdmagen: „nevens dengenen"

Art. 893. In alle de gevallen, waarin plaatsvervulling wordt toegelaten, heeft de verdeeling bij staken plaats; indien dezelfde staak verscheiden takken heeft voortgebragt, geschiedt de onderverdeeling in iederen tak wederom bij staken, en onder de personen in denzelfden tak geschiedt de verdeeling bij hoofden.

Verdeling bij staken

Art. 894. Niemand kan voor eenen levenden persoon bij plaatsvervulling optreden.

Art. 895. Een kind ontleent niet van zijne ouders het regt om hen te vertegenwoordigen, en men kan zelfs dengene vertegenwoordigen wiens boedel men niet heeft willen aanvaarden.

Recht van plaatsvervulling

Art. 896. De wet slaat geen acht, noch op den aard. noch op den oorsprong der goederen, om de erfopvolging in dezelve te regelen.

Aard en oorsprong der goederen

Art. 897. 1. Alle erfenissen welke, het zij geheellijk, het zij voor een gedeelte, aan bloedverwanten in de opgaande of zijdlinie te beurt vallen, worden in twee gelijke deelen gekloofd, waarvan het eene aan de nabestaanden in de vaderlijke, en het andere aan die in de moederlijke linie, te beurt valt, behoudens de bepalingen in artikel 901, 902 en 906 voorkomende.

Kloven van erfenissen

2. De erfenis kan nimmer uit de eene linie tot de andere overgaan, dan wanneer er in ééne der beide linien, noch bloedverwant in de opgaande linie, noch zijdmaag gevonden wordt.

Geen verdere kloving

Art. 898. Deze eerste verdeeling tusschen de vaderlijke en de moederlijke linien daargesteld zijnde, heeft er geene verdere kloving tusschen de onderscheidene takken plaats; maar de helft, aan iedere linie te beurt gevallen, behoort aan den erfgenaam, of de erfgenamen, welke den overledene het naast in graad bestaan, behoudens het geval van plaatsvervulling.

TWEEDE AFDEELING
Van de orde der erfopvolging

Erfopvolging van kinderen of hun afstammelingen

Art. 899. 1. De kinderen of hunne afstammelingen erven van hunne ouders, grootouders, of verdere bloedverwanten in de opgaande linie, zonder onderscheid van kunne of eerstgeboorte, en zelfs wanneer zij uit verschillende huwelijken verwekt zijn.

Erfopvolging voor gelijke delen

2. Zij erven voor gelijke deelen bij hoofden, wanneer zij allen in den eersten graad zijn en uit eigen hoofde geroepen worden; zij erven bij staken, wanneer zij allen, of een gedeelte hunner, bij plaatsvervulling opkomen.

Erfopvolging langstlevende echtgenoot

Art. 899a. Voor zoveel betreft de nalatenschap van de vooroverleden echtgenoot wordt de langstlevende echtgenoot voor de toepassing der bepalingen van deze titel met een kind van de overledene gelijkgesteld.

Recht van langstlevende echtgenoot t.a.v. inboedel

Art. 899b. 1. De langstlevende echtgenoot mag de inboedel tot zich nemen, tenzij hij tezamen erft met nakomelingen van de erflater die niet zijn eigen nakomelingen zijn.

2. Voor zoover deze inboedel behoort tot de nalatenschap van den erflater, komt de waarde daarvan alsdan in mindering van het erfdeel van dien echtgenoot.

3. Overtreft die waarde die van het erfdeel, dan moet het verschil aan de mede-erfgenamen vooraf worden vergoed.

Inboedel

4. In dit artikel wordt onder inboedel begrepen: alle roerende zaken, met uitzondering van geld, geldswaardige papieren, schepen, luchtvaartuigen en zaken die in de uitoefening van een beroep of bedrijf worden gebruikt.

Art. 899c. (Vervallen).

Verdeling bij ontbreken van kinderen, echtgenoot, broers of zusters

Art. 900. 1. Indien de overledene noch nakomelingen, noch echtgenoot, noch broeders of zusters achtergelaten heeft, wordt de nalatenschap in twee gelijke deelen tusschen de bloedverwanten in de vaderlijke, en die in de moederlijke opgaande linie verdeeld, behoudens de bepaling van artikel 906.

2. De naaste in graad in de opgaande linie bekomt de helft aan zijne linie behoorende, met uitsluiting van alle anderen.

3. Bloedverwanten in de opgaande linie, van denzelfden graad, erven bij hoofde.

Erfdeel overlevende ouders

Art. 901. 1. Wanneer de vader en de moeder van eenen persoon, welke overleden is zonder nakomelingen en zonder echtgenoot na te laten, hem overleven, bekomt ieder hunner een derde gedeelte der nalatenschap, indien de verstorvene slechts éénen broeder of éénе zuster heeft achtergelaten, welke het overige derde gedeelte bekomt.

2. De vader en de moeder erven ieder voor een vierde gedeelte, indien de overledene meerdere broeders of zusters heeft achtergelaten, en in dat geval, vallen aan deze laatstgemelde de twee overige vierde gedeelten te beurt.

Erfdeel langstlevende ouder

Art. 902. Wanneer de vader of moeder van iemand, overleden zonder nakomelingen en zonder echtgenoot na te laten, vóór hem gestorven is, zal de langstlevende de helft der nalatenschap bekomen, indien de overledene slechts éénen broeder of éénе zuster achterlaat; één derde, indien hij er twee achtergelaten heeft; en één vierde gedeelte, indien er meerdere broeders of zusters achtergebleven zijn. De overige deelen vallen aan de broeders en zusters te beurt.

Erfdeel voor broers en zusters

Art. 903. Indien vader en moeder van eenen persoon, welke gestorven is zonder nakomelingen en zonder echtgenoot na te laten, vooroverleden zijn, worden de broeders en zusters tot de geheele erfenis geroepen.

Art. 904. De verdeeling van al hetgeen, volgens de bepalingen der hierbovenstaande artikelen, aan de broeders en de zusters toekomt, geschiedt onder hen in gelijke deelen, indien zij allen van hetzelfde bed zijn; indien dat niet het geval is, wordt hetgeen zij erven in twee gelijke deelen tusschen de vaderlijke en de moederlijke linien des overledenen verdeeld; de volle broeders en zusters bekomen hun deel in beide de linien, en die van halven bedde slechts in de linie tot welke zij behooren. Indien er niet dan halve broeders of zusters, van éénen kant slechts, zijn achtergebleven, bekomen zij de geheele nalatenschap, met uitsluiting van alle andere bloedverwanten in de andere linie.

Wijze verdeling tussen broers en zusters

Art. 905. 1. Bij gebreke van broeders en zusters, en tevens van nabestaanden in eene der beide opgaande linien, komt de nalatenschap voor de eene helft aan de in leven zijnde bloedverwanten in de opgaande linie, en voor de wederhelft aan de zijdmagen in de andere linie, met uitzondering van het geval bij het volgende artikel vermeld.

2. Bij gebreke van broeders en zusters en van nabestaanden in de beide opgaande linien, worden in iedere zijdlinie de naaste bloedverwanten, ieder voor de helft, tot de erfenis geroepen.

3. Indien er in dezelfde zijdlinie bloedverwanten van denzelfden graad gevonden worden, deelen zij onder elkander bij hoofden, behoudens de bepaling van artikel 892.

Erfopvolging in zijlinie

Art. 906. De langstlevende vader of moeder erft alleen de geheele nalatenschap van zijn kind, hetwelk zonder nakomelingen, echtgenoot, broeders of zusters na te laten, overleden is.

Gehele nalatenschap aan langstlevende ouder

Art. 907. Onder de benaming van broeders en zusters, in deze afdeeling voorkomende, worden steeds de afstammelingen van ieder hunner begrepen.

Broers en zusters én hun afstammeling

Art. 908. 1. Bloedverwanten welke den overledene verder dan in den zesde graad in de zijdlinie bestaan erven niet.

2. Indien in de eene linie geene bloedverwanten van den graad, waarin men erven kan, gevonden worden, bekomen de bloedverwanten in de andere linie de geheele erfenis.

Abintestaat erfrecht tot zesde graad

(De DERDE AFDEELING van de elfde titel van het derde boek *Van erfopvolging wanneer er natuurlijk kinderen aanwezig zijn,* artt. 909—920, is vervallen bij de wet van 27 oktober 1982, Stb. 608 met terugwerkende kracht tot 13 juni 1979.)

TWAALFDE TITEL
Van uiterste willen

EERSTE AFDEELING
Algemeene bepalingen

Art. 921. 1. De goederen, welke iemand bij zijn overlijden nalaat, behooren aan zijne wettelijke erfgenamen, voor zoo verre hij daarover niet bij uitersten wil wettiglijk mogt hebben beschikt.

2. Men kan geen afstand doen van een erfenis die nog niet opengevallen is, noch over een zodanige nalatenschap enig beding aangaan, zelfs niet met toestemming van degene over wiens nalatenschap gehandeld wordt, behoudens de bepalingen van artikel 146 van Boek 1.

Afwijking wettelijk erfrecht bij uiterste wil

Art. 922. Een testament of uiterste wil is eene akte, houdende de verklaring van hetgeen iemand wil dat na zijnen dood zal geschieden, en welke akte door hem kan worden herroepen.

Begrip testament of uiterste wil

Art. 923. 1. Uiterste wilsbeschikkingen ten aanzien van goederen zijn, of algemeen, of onder eenen algemeenen titel, of onder eenen bijzonderen titel.

2. Elke dezer beschikkingen, het zij dezelve gedaan zij onder de benaming van erfstelling, het zij onder de benaming van legaat, of onder elke andere benaming, zal kracht hebben, volgens de regelen bij dezen titel voorgeschreven.

Making onder algemene of bijzondere titel

Art. 924. Eene uiterste wilsbeschikking ten voordeele van de naaste bloedverwanten, of het naaste bloed van den erflater, zonder verdere aanduiding, wordt ge-

Uiterste wilsbeschikkingen t.b.v. naaste verwanten

acht te zijn gemaakt ten voordeele van zijne door de wet geroepen erfgenamen.

Uiterste wilsbeschikking t.b.v. de armen

Art. 925. De uiterste wilsbeschikking ten voordeele van de armen, zonder andere aanduiding, wordt geacht gemaakt te zijn ten behoeve van alle de noodlijdenden, zonder onderscheid van godsdienst, welke in de plaats alwaar de erfenis is opengevallen, door armen-inrigtingen bedeeld worden.

Verbod making over de hand of fideïcommissaire making

Art. 926. 1. De erfstellingen over de hand of fidei-commissaire substituten zijn verboden.

2. Dienvolgens is, zelfs ten aanzien van den benoemden erfgenaam of legataris, nietig en van onwaarde elke beschikking, waarbij dezelve belast wordt de erfenis of het legaat te bewaren, en aan eenen derde, voor het geheel, of voor een gedeelte, uit te keeren.

Toegelaten fideïcommissaire making

Art. 927. Van de bij het vorige artikel verboden erfstellingen over de hand zijn uitgezonderd die welke bij de zevende en achtste afdeelingen van dezen titel zijn toegelaten.

Fideïcommis de residuo

Art. 928. 1. De bepaling waarbij een derde, of, bij diens vooroverlijden, alle deszelfs kinderen, reeds geboren of die nog zullen worden geboren, zijn geroepen tot het geheel of tot een gedeelte van hetgeen de erfgenaam of legataris, bij zijn overlijden, van de erfenis of van het legaat onvervreemd of onverteerd zal overlaten, is geene verbodene erfstelling over de hand.

2. Door zoodanige erfstelling of legaat mag de erflater zijne erfgenamen, aan welke een wettelijk erfdeel toekomt, niet benadeelen.

Vulgaire substitutie

Art. 929. De beschikking, waardoor een derde tot eene erfenis of een legaat geroepen wordt, in het geval dat de geroepen erfgenaam of legataris dezelve niet geniet, is van waarde.

Art. 930. Artikel 926 is niet van toepassing op een legaat van een vruchtgebruik.

Art. 931. Een voorwaarde of een last die de strekking heeft de bevoegdheid tot vervreemding of bezwaring van goederen uit te sluiten, wordt voor niet geschreven gehouden.

Geen uitleg bij duidelijke bewoordingen

Art. 932. Indien de bewoordingen eener uiterste wilsbeschikking duidelijk zijn, mag men daarvan door uitlegging niet afwijken.

Bij twijfel bedoeling erflater nagaan

Art. 933. Indien daarentegen de bewoordingen eener uiterste wilsbeschikking voor onderscheidene opvattingen vatbaar zijn, moet men veeleer nagaan welke de bedoeling der erflaters geweest zij, dan zich, tegen die bedoeling, aan den letterlijken zin der woorden houden.

Uitleg bewoordingen der beschikking

Art. 934. In zoodanig geval, moeten ook de bewoordingen worden opgevat in den zin die met den aard der beschikking en derzelver onderwerp het meest overeenkomt, en bij voorkeur in dier voege dat de beschikking eenige uitwerking of gevolg hebbe.

Onverstaanbare, onmogelijke of ongeoorloofde voorwaarden

Art. 935. In alle uiterste wilsbeschikkingen worden de voorwaarden, die onverstaanbaar of onmogelijk zijn, of die met de wetten en goede zeden strijden, voor niet geschreven gehouden.

Beletten vervulling voorwaarden

Art. 936. De voorwaarde wordt gehouden voor vervuld, wanneer hij, die bij de niet-vervulling daarvan belang mogt hebben, de vervulling heeft belet.

Valse beweegreden

Art. 937. De vermelding van een valsche beweegreden wordt voor niet geschreven gehouden, ten zij uit den uitersten wil blijken mogt dat de erflater de beschikking niet zoude hebben gemaakt, indien hij van de valschheid der beweegreden kennis had gedragen.

Ongeoorloofde beweegreden

Art. 938. De vermelding van eene, het zij ware, het zij valsche, beweegreden, die echter met de wetten of de goede zeden strijdt, maakt de erfstelling of het legaat nietig.

Art. 939. Indien een ondeelbare last aan verscheidene erfgenamen of legatarissen is opgelegd geworden, en een of meerder hunner van de erfenis of het legaat afzien, of wel onbekwaam zijn om het gemaakte te beuren, zal hij die zich voor het geheel van den last wil kwijten, het hem nagelaten gedeelte kunnen vorderen, en zijn verhaal hebben op de nalatenschap, voor hetgeen hij voor de andere mogt hebben betaald.

Ondeelbare last, opgelegd aan meerderen

Art. 940. Uiterste willen, gemaakt ten gevolge van dwang, bedrog of arglist, zijn nietig. Artikel 44 van Boek 3 is niet van toepassing.

Dwang, bedrog, arglist

Art. 941. 1. Wanneer de volgorde waarin twee of meer personen zijn overleden niet kan worden bepaald, worden die personen geacht gelijktijdig te zijn overleden en valt aan de ene persoon geen voordeel krachtens de uiterste wil van de andere ten deel.

2. Artikel 878, tweede lid, is van overeenkomstige toepassing.

Gelijktijdig overlijden

TWEEDE AFDEELING

Van de bekwaamheid om bij uitersten wil te beschikken of daarvan voordeel te genieten

Art. 942. Tot het maken of herroepen van eenen uitersten wil moet men zijne verstandelijke vermogens bezitten.

Verstandelijke vermogens

Art. 943. Vervallen.

Art. 944. Behalve zij die handelingsbekwaam zijn, kunnen ook minderjarigen die de leeftijd van zestien jaren hebben bereikt, en zij die op een andere grond dan wegens een geestelijke stoornis onder curatele gesteld zijn, uiterste wilsbeschikkingen maken.

Bekwaamheid

Art. 945. De bekwaamheid van den erflater wordt beoordeeld naar den staat waarin hij zich bevond op het oogenblik dat de uiterste wil gemaakt is.

Tijdstip beoordeling bekwaamheid

Art. 946. 1. Om uit krachte van eenen uitersten wil iets te kunnen genieten, moet men bestaan op het oogenblik van den dood des erflaters.

2. Deze bepaling is niet toepasselijk op personen, die geroepen zijn om uit stichtingen genot te trekken.

3. Indien een rechtspersoon die iets uit kracht van een uiterste wil kan genieten, is opgehouden te bestaan ten gevolge van een fusie, heeft de verkrijgende rechtspersoon het recht in zijn plaats en rechten te treden.

Vereiste voor bevoordeelde

Art. 947. Vervallen.

Art. 948. Een echtgenoot kan geen voordeel genieten door de uiterste wilsbeschikkingen van zijnen mede-echtgenoot, indien het huwelijk zonder behoorlijke toestemming mogt zijn aangegaan, en de erflater gestorven is op een tijdstip, waarop de wettigheid van dit huwelijk te dier oorzake nog in regten kon worden betwist.

Uitsluiting echtgenoot bij mogelijke betwisting wettigheid huwelijk

Art. 949 - 949b. Vervallen.

Art. 950. Echtgenooten kunnen, ten opzigte van de goederen welke in gemeenschap zijn, niet verder beschikken dan over het aandeel dat ieder hunner in de gemeenschap heeft. Indien echter eenig goed uit de gemeenschap is gemaakt, kan de legataris hetzelve niet in natura vorderen, indien dat goed niet aan de erfgenamen van den erflater is aanbedeeld. In dat geval, wordt de legataris schadeloos gesteld uit het aandeel in de gemeenschap, aan de erfgenamen van den erflater aangekomen, en, bij ongenoegzaamheid, uit de goederen aan die erfgenamen persoonlijk toebehoorende.

Beschikkingsrecht echtgenoten t.a.v. gemeenschapsgoederen

Art. 951. 1. Een minderjarige, ofschoon den ouderdom van zestien jaren bereikt hebbende, kan bij uitersten wil ten voordele van zijnen voogd geene beschikking maken.

Geen making t.b.v. voogd

2. Meerderjarig geworden zijnde, kan hij zijnen gewezen voogd niet bij uitersten wil bevoordeelen, dan na het afleggen en sluiten der voogdij-rekening.

Making t.b.v. gewezen voogd

3. Van de twee hier-boven gemelde gevallen zijn uitgezonderd bloedverwanten van den minderjarige in de opgaande linie, die zijne voogden zijn, of geweest zijn.

Geen making t.b.v. leermeester

Art. 952. 1. Minderjarigen kunnen niet bij uitersten wil beschikken ten voordeele van hunne leermeesters, gouverneurs of gouvernanten, welke met hen tezamen wonen, noch ten voordeele van hunne onderwijzers of onderwijzeressen, bij welke de minderjarigen in de kost besteed zijn.

Uitzondering

2. Hiervan zijn uitgezonderd de beschikkingen tot vergelding van gedane diensten, bij wijze van legaat gemaakt, met inachtneming echter zoo wel van de gegoedheid van den maker, als van de diensten die aan denzelven zijn bewezen.

Geen making t.b.v. arts, apotheker, geestelijke

Art. 953. 1. De geneesheren, heelmeesters, apothekers en andere personen de geneeskunde uitoefenende, welke iemand gedurende de ziekte, waaraan hij overleden is, bediend hebben, alsmede de bedienaars van de godsdienst, welke hem gedurende die ziekte hebben bijgestaan, kunnen geen voordeel trekken uit de uiterste wilsbeschikkingen, welke zoodanig persoon, gedurende den loop dier ziekte, te hunnen behoeve mogt hebben gemaakt.

Geen making t.b.v. verzorgers en verplegers

2. Ook kan degene die een voor de verzorging of verpleging van bejaarden of geestelijk gestoorden bestemde instelling exploiteert of die daarvan de leiding heeft of daarin werkzaam is, geen voordeel trekken uit de uiterste wilsbeschikkingen, welke zodanig persoon gedurende een verblijf in die instelling te zijnen behoeve mocht hebben gemaakt.

Uitzonderingen

3. Hiervan zijn uitgezonderd:

1°. De beschikkingen tot vergelding van gedane diensten, bij wijze van legaat gemaakt, even als bij het vorige artikel is vastgesteld;

2°. De beschikkingen ten voordeele van den echtgenoot van den erflater;

3°. De beschikkingen, zelfs algemeene, gemaakt ten voordeele van bloedverwanten tot den vierde graad ingesloten, indien de overledene geene erfgenamen in de regte linie mogt hebben nagelaten; ten ware degene, te wiens voordeele de beschikking gemaakt is, zelf onder het getal dier erfgenamen mogt behooren.

Geen making t.b.v. notaris en getuigen

Art. 954. De notaris, die eenen uitersten wil bij openbare akte heeft verleden, en de getuigen die daarbij zijn tegenwoordig geweest, kunnen niets genieten van hetgeen aan hen bij dien uitersten wil mogt zijn gemaakt.

Art. 955 t/m 957. Vervallen.

Making t.b.v onbekwamen is nietig

Art. 958. 1. Eene uiterste wilsbeschikking, gemaakt ten voordeele van iemand die onbekwaam is om te erven, is nietig, zelfs wanneer de beschikking mogt zijn gemaakt op den naam van eenen tusschenbeide komenden persoon.

Tussenbeide komende personen

2. Voor tusschenbeiden komende personen worden gehouden, de vader en de moeder, de kinderen en afstammelingen, en de echtgenoot van dengenen die onbekwaam is om te erven.

Onwaardigheid om te erven

Art. 959. Hij, die veroordeeld is omdat hij den erflater heeft omgebragt; hij, die den uitersten wil des erflaters heeft verdonkerd, vernietigd of vervalscht; of die den erflater door geweld of dadelijkheden heeft belet zijnen uitersten wil te herroepen of te veranderen, zal, evenmin als zijn mede-echtgenoot en zijne kinderen, uit den uitersten wil eenig voordeel kunnen genieten.

DERDE AFDEELING

Van de legitime portie of het wettelijk erfdeel, en van de inkorting der giften, welke die portie zouden verminderen

Definitie legitime portie

Art. 960. De legitime portie of het wettelijk erfdeel is een gedeelte der goederen, hetwelk aan de bij de wet geroepene erfgenamen in de regte linie wordt toegekend, en waarover de overledene, noch bij gifte onder de levenden, noch bij uitersten wil, heeft mogen beschikken.

Legitieme portie kinderen

Art. 961. 1. In de nederdalende linie, indien de erflater slechts één kind nalaat, bestaat dat wettelijk erfdeel in de helft van de goederen, welke het kind bij versterf zoude hebben geërfd.

2. Indien er twee kinderen overblijven, is het wettelijke erfdeel voor ieder kind twee derde gedeelten van hetgeen hetzelve bij versterf zoude erven.

3. In geval de overledene drie of meer kinderen nalaat, zal het wettelijk erfdeel drie vierde gedeelte bedragen van hetgeen elk kind bij versterf zoude gehad hebben.

4. Onder den naam van kinderen worden begrepen de afstammelingen, in welken graad zij ook zijn; echter worden deze alleen gerekend in plaats van het kind, hetwelk zij in de nalatenschap van den erflater vertegenwoordigen.

Uitbreiding begrip kinderen

Art. 962. In de opgaande linie bedraagt het wettelijk erfdeel altijd de helft van hetgeen, volgens de wet, aan elken bloedverwant in die linie bij versterf toekomt.

Wettelijk erfdeel in opgaande linie

Art. 963. Vervallen.

Art. 963a. 1. In de gevallen, waarin voor het berekenen der legitieme portie rekening moet worden gehouden met erfgenamen, die wel zijn erfgenamen bij versterf, doch niet zijn legitimarissen, zal, wanneer aan anderen dan bedoelden erfgenamen, hetzij bij akte onder de levenden, hetzij bij uitersten wil, meer is geschonken dan het aandeel bedraagt, waarover men zou mogen beschikken, indien zoodanige erfgenamen niet aanwezig waren, bedoelde giften of schenkingen kunnen worden verminderd tot genoemd bedrag, zulks op de vordering en ten bate van de legitimarissen en van derzelver erfgenamen of regthebbenden.

2. De artikelen 967-976 vinden overeenkomstige toepassing.

Beschikkingsbevoegdheid erflater i.g.v. a.i.-erfgenamen - niet - legitimaris

Art. 964. Bij gebreke van legitimarissen mogen de giften, bij akte onder de levenden of bij uitersten wil gedaan, het geheele beloop der goederen van de nalatenschap bevatten.

Giften bij gebreke van legitimarissen

Art. 965. Wanneer de beschikking, bij akte onder de levenden of bij uitersten wil gedaan, bestaat in een vruchtgebruik of in eene lijfrente, waarvan het beloop het wettelijk erfdeel benadeelt, hebben de erfgenamen, aan welke dat erfdeel is toegekend, de keus of om deze beschikking uit te voeren, of wel om aan de begiftigden of legatarissen den eigendom van het beschikbaar gedeelte af te staan.

Keuze bij schending legitieme door vruchtgebruik of lijfrente

Art. 966. Het aandeel, waarover men beschikken mag, kan, het zij in het geheel of gedeeltelijk, bij akte onder de levenden of bij uitersten wil, aan vreemden, of wel aan kinderen of andere personen die tot eene erfenis geregtigd zijn, worden weggeschonken, behoudens de gevallen waarin deze laatste, naar aanleiding van den zestienden titel van dit boek, tot inbreng gehouden zijn.

Wegschenken aandeel, waarover beschikt mag worden

Art. 967. 1. Legitimarissen en hun rechtverkrijgenden onder algemene titel kunnen makingen en giften die aan het wettelijk erfdeel tekort doen, door inkorting verminderen, indien voldaan is aan de vereisten, in deze afdeling daartoe gesteld. Door inkorting wordt een making of gift vernietigd, voor zover zij aan het wettelijk erfdeel tekort doet. Artikel 52 van Boek 3 is niet van toepassing.

2. Desniettegenstaande zullen de legitimarissen van die vermindering niets kunnen genieten ten nadeele van de schuldeischers van den overledene.

Inkorting

Art. 968. Om de hoegrootheid van het wettelijk erfdeel te bepalen, maakt men eene opsomming van alle de goederen, die op het tijdstip van het overlijden van den gever of erflater aanwezig waren; men voegt daarbij het beloop der goederen, waarover bij giften onder de levenden beschikt is, berekend naar den staat, waarin zij zich op het tijdstip der gift bevonden hebben, en hunne waarde op het oogenblik van het overlijden van den gever; men berekent over alle die goederen, na de schulden daarvan te hebben afgetrokken, hoeveel, naar mate van de betrekking der legitimarissen, het erfdeel is, hetwelk zij kunnen vorderen, en men trekt daarvan af hetgeen deze, zelfs met vrijstelling van inbreng, van den overledene hebben ontvangen.

Berekening wettelijk erfdeel of legitieme portie

Art. 969. Alle vervreemding van eenig goed, het zij onder den last eener lijfrente, het zij met voorbehoud van vruchtgebruik, aan een der erfgenamen in de regte linie gedaan, wordt beschouwd als eene gift.

Vervreemding aan erfgenaam als gift beschouwd

Art. 970. 1. Indien de gegevene zaak voor het overlijden van den schenker, buiten schuld van den begiftigde, is verloren gegaan, zal zij niet worden begrepen onder de massa der goederen over welke het wettelijk erfdeel moet worden berekend.

2. De gegevene zaak zal onder de massa worden begrepen, indien zij ter oorzaak van het onvermogen van den begiftigde niet kan worden terug verkregen.

Teniet gaan geschonken zaak

Volgorde inkorting

Art. 971. De giften onder de levenden zullen nimmer mogen worden verminderd, dan nadat alle de goederen, welke bij uitersten wil zijn weggemaakt, zullen bevonden worden niet genoegzaam te zijn om het wettelijk aandeel te verzekeren. Wanneer alsdan eene vermindering van de giften onder de levenden moet plaats hebben, zal men dezelve aanvangen met de gift welke het laatst gedaan is, en alzoo verder van deze tot de vroegere opklimmen.

Wijze van inkorting in natura; opleggen van geld

Art. 972. 1. De teruggave van de goederen, welke naar aanleiding van het voorgaande artikel moet plaats hebben, geschiedt in natura, niettegenstaande alle tegenstrijdige bepalingen.

2. Indien echter de vermindering moet worden toegepast op een goed, hetwelk niet gevoegelijk kan worden verdeeld, zal de begiftigde, zelfs wanneer het een vreemde is, de bevoegdheid hebben om in gereed geld op te leggen hetgeen den legitimaris toekomt.

Vermindering van makingen

Art. 973. De vermindering der bij uitersten wil gedane makingen zal geschieden zonder onderscheid te maken tusschen de erfstellingen en legaten, tenzij de erflater uitdrukkelijk mogt hebben bevolen dat deze of gene erfstelling of legaat bij voorkeur moest worden voldaan; in welk geval, zoodanige erfstelling of legaat niet zal worden verminderd, dan in geval de waarde van de andere makingen niet mogt toereikend zijn om het wettelijk erfdeel op te leveren.

Teruggave van vruchten

Art. 974. De begiftigde zal de vruchten van hetgeen de gift meer bedraagt dan het gedeelte waarover beschikt kan worden terug geven, te rekenen van den dag dat de gever overleden is, indien de eisch tot vermindering is gedaan binnen het jaar, en anderzins van den dag dat die eisch gedaan zal zijn.

Terugkerende goederen zijn onbezwaard

Art. 975. De goederen, die uit krachte van vermindering in den boedel moeten terug keeren, worden daardoor vrij van beperkte rechten die daarop sinds de uitvoering van de gift zijn gevestigd.

Volgorde van inkorting

Art. 976. 1. Tegenover derde-verkrijgers van vermaakte of gegeven goederen, aan wie niet een beroep op de artikelen 86-88 van Boek 3 toekomt, moet worden ingekort volgens de volgorde dier vervreemdingen, te beginnen met die vervreemding welke het laatst gedaan is.

2. Desniettemin zal de inkorting tegen derde verkrijgers geen plaats hebben, dan voor zoo verre de begiftigde geene andere goederen mogt hebben overgehouden, welke in de gift begrepen waren, en deze niet genoegzaam zijn om het wettelijk erfdeel in zijn geheel te voldoen, of indien de waarde der vervreemde goederen niet op zijne persoonlijke goederen mogt kunnen worden verhaald.

Verjaring rechtsvordering

3. De rechtsvordering tot inkorting jegens derde-verkrijgers verjaart door het tijdsverloop van drie jaren, te rekenen van den dag waarop de legitimaris de erfenis heeft aanvaard.

VIERDE AFDEELING
Van den vorm der uiterste willen

Verbod gemeenschappelijke uiterste wil

Art. 977. Geen uiterste wil kan bij dezelfde akte door twee of meer personen gemaakt worden, het zij ten voordeele van eenen derde, het zij onder den titel van eene wederkeerige of onderlinge beschikking.

Vorm van uiterste wil

Art. 978. Een uiterste wil kan alleen worden gemaakt, of bij eene olographiesche of eigenhandig geschreven akte, of bij eene openbare akte, of bij eene geheime of geslotene beschikking.

Olografisch testament

Art. 979. 1. Een olographiesche uiterste wil moet met de hand des erflaters geheel geschreven en geteekend zijn.

2. Dezelve moet door den erflater bij eenen notaris in bewaring worden gesteld.

Vormvoorschriften

3. De notaris, bijgestaan door twee getuigen, zal daarvan onmiddellijk eene door hem met den erflater en de getuigen geteekende akte van bewaargeving opmaken, het zij aan den voet van den uitersten wil, indien dezelve open aan hem is ter hand gesteld, hetzij afzonderlijk, indien het stuk verzegeld aan hem mogt zijn aangeboden;

in welk laatste geval de erflater, in tegenwoordigheid van den notaris en de getuigen, op den omslag moet aanteekenen en door zijne onderteekening bekrachtigen, dat hetzelve zijnen uitersten wil bevat.

Akte van bewaargeving

4. In geval de erflater door eenige verhindering, die na de onderteekening van den uitersten wil of van den omslag is opgekomen, den omslag of de akte van bewaargeving, of wel beiden, niet kan teekenen, moet de notaris daarvan, even als van de oorzaak des beletsels, melding maken.

Werking olograaf gelijk aan openbaar testament

Art. 980. 1. Zoodanige olographiesche uiterste wil, overeenkomstig het voorgaande artikel, door den notaris zijnde in bewaring genomen, heeft dezelfde kracht als een bij openbare akte gemaakte uiterste wil, en wordt gerekend gemaakt te zijn op den dag der akte van bewaargeving, zonder aanzien der dagteekening welke zich in den uitersten wil zelven mogt bevinden.

2. De als olographiesche uiterste wil door den notaris in bewaring genomen akte wordt, tot het bewijs van het tegendeel, vermoed met de hand van den erflater geheel geschreven en geteekend te zijn.

Herroeping olograaf door teruggave

Art. 981. 1. De erflater kan ten allen tijde zijn olographiesch testament terug vorderen, mits hij, ter verantwoording van den notaris, van de teruggave bij eene authentieke akte doe blijken.

2. Door de teruggave wordt het olographiesch testament als herroepen beschouwd.

Codicil

Art. 982. 1. Bij een enkele onderhandse, door de erflater geheel geschreven, gedagtekende en ondertekende verklaring kunnen, zonder verdere formaliteiten, beschikkingen na dode worden gemaakt, doch alleen en bij uitsluiting ter aanstelling van executeuren, ter bestelling van lijkbezorging, tot het maken van legaten van klederen, van lijfstoebehoren, van bepaalde lijfssieraden en van bijzondere meubelen.

Herroeping

2. De herroeping van zodanige verklaring kan op dezelfde wijze onder de hand geschieden.

Art. 983. Vervallen.

Aanbieding olografisch testament aan kantonrechter

Art. 984. Een olographiesche uiterste wil, welke gesloten aan den notaris is ter hand gesteld, zal, na den dood des erflaters, aan den kantonregter worden aangeboden, welke zal handelen zoo als bij artikel 989, ten aanzien van beslotene uiterste willen is voorgeschreven.

Openbaar testament

Art. 985. Een uiterste wil bij openbare akte moet ten overstaan, van eenen notaris, en in tegenwoordigheid van twee getuigen, worden verleden.

Vormvoorschriften openbaar testament

Art. 986. 1. De notaris moet den wil des erflaters, zoo als die zakelijk aan hem door den erflater is opgegeven, in duidelijke bewoordingen schrijven of doen schrijven.

2. Indien de opgave buiten de tegenwoordigheid der getuigen is gedaan, en het opstel door den notaris is gereed gemaakt, moet de erflater, alvorens de voorlezing daarvan geschiede, zijnen wil nader zakelijk, in tegenwoordigheid der getuigen, opgeven.

3. Daarna zal, in tegenwoordigheid der getuigen, de uiterste wil door den notaris worden voorgelezen, en na die voorlezing door hem aan den erflater worden afgevraagd of het voorgelezene zijnen uitersten wil bevat.

4. Indien de uiterste wil in tegenwoordigheid der getuigen is opgegeven, en terstond is in geschrift gebragt, zal gelijke voorlezing en afvraging in tegenwoordigheid der getuigen geschieden.

5. De akte moet vervolgens door den erflater, den notaris en de getuigen worden onderteekend.

6. Indien de erflater verklaart dat hij niet kan onderteekenen, of indien hij daarin verhinderd wordt, moet ook die verklaring en de oorzaak der verhindering in de akte worden vermeld.

7. Van de nakoming van alle deze formaliteiten moet uitdrukkelijk worden melding gemaakt in de akte van uitersten wil.

Besloten of geheim testament

Art. 987. 1. Wanneer de erflater een besloten of geheim testament wil maken, zal hij verpligt zijn zijne beschikkingen te onderteekenen, het zij hij die zelf geschreven hebbe, het zij hij die door eenen anderen hebbe laten schrijven; het papier hetwelk zijne beschikking bevat, of het papier hetwelk tot een omslag dient, indien er een omslag gebruikt wordt, zal gesloten en verzegeld worden.

Akte van superscriptie

2. De erflater zal hetzelfde alzoo gesloten en verzegeld aan den notaris, in tegenwoordigheid van vier getuigen, aanbieden, of hij zal het in hunne tegenwoordigheid moeten doen sluiten en verzegelen, en moeten verklaren dat in het gemelde papier zijn uiterste wil begrepen is, en dat die uiterste wil, hetzij door hem zelven geschreven en door hem geteekend is of door een ander geschreven en door hem geteekend is. De notaris zal daarvan eene akte van superscriptie opmaken, die op dat papier, of op het papier tot omslag dienende, zal geschreven worden; deze akte zal zoo wel door den erflater, als door den notaris, benevens de getuigen, onderteekend worden, en in geval de erflater door eenige verhindering, die na de onderteekening van den uitersten wil is opgekomen, de akte van superscriptie niet kan onderteekenen, zal van de oorzaak van het beletsel melding gemaakt worden.

3. Alle de in tegenwoordigheid van den notaris en de getuigen in acht te nemen formaliteiten moeten worden vervuld, zonder intusschen tot eenige andere akte over te gaan.

4. De besloten of geheime uiterste wil moet onder de minuten van den notaris blijven berusten, die dat stuk ontvangen heeft.

Besloten testament van stomme

Art. 988. 1. In geval de erflater niet kan spreken, maar wel schrijven, zal hij een besloten uitersten wil kunnen maken, mits dezelve met zijne hand geheel geschreven, gedagteekend en onderteekend worde; hij denzelven aan den notaris en de getuigen aanbiede, en boven de akte van superscriptie in hunne tegenwoordigheid schrijve en onderteekene dat het papier hetwelk hij hun aanbiedt zijn uiterste wil is; waarna de notaris de akte van superscriptie zal schrijven en daarin melding maken dat de erflater die verklaring, in tegenwoordigheid van den notaris en de getuigen, geschreven heeft, en zal bovendien worden in acht genomen al hetgeen bij het voorgaande artikel is bepaald.

Wederlegbaar rechtsvermoeden

2. De uiterste willen, in het voorgaande en in dit artikel bedoeld, worden, tot het bewijs van het tegendeel, vermoed door den erflater onderteekend, laatstgemelde uiterste willen daarenboven met zijne hand geheel geschreven en gedagteekend te zijn.

Opening besloten of geheim testament door kantonrechter

Art. 989. Na den dood van den erflater, moet de besloten of geheime uiterste wil worden aangeboden aan den regter van het kanton alwaar de erfenis is opengevallen; deze regter zal dien uitersten wil openen en proces-verbaal opmaken van de aanbieding en de opening van den uitersten wil, alsmede van den staat waarin zich dezelve bevindt, en dit stuk daarna aan den notaris, die de aanbieding heeft gedaan, terug geven.

Kennisgeving van bestaand testament

Art. 990. De notaris, die onder zijne minuten eenen uitersten wil, van welken aard ook, heeft, moet daarvan, na den dood van den erflater aan de belanghebbende personen kennis geven.

Vereisten voor getuigen

Art. 991. 1. De getuigen, die bij het maken van uiterste willen tegenwoordig zijn, moeten zijn meerderjarig, en ingezetenen van het koningrijk. Zij moeten de taal verstaan waarin de uiterste wil is opgesteld, of die waarin de akte van superscriptie of van bewaargeving is geschreven.

2. Tot getuigen van eenen uitersten wil, bij openbare akte op te maken, kunnen niet genomen worden de erfgenamen of de legatarissen, noch derzelver bloedverwanten of aangehuwden, tot in den vierden graad ingesloten, noch de kinderen of kleinkinderen, of bloedverwanten in denzelfden graad, noch de huisbedienden der notarissen voor welke de uiterste wil verleden wordt.

Art. 992. Vervallen.

Openbare uiterste wil van militairen

Art. 993. 1. In geval van oorlog of burgeroorlog kunnen militairen en andere tot de krijgsmacht behorende personen een openbare uiterste wil maken ten overstaan van een officier van de krijgsmacht.

2. Ook buiten het geval van oorlog of burgeroorlog kan op deze wijze een uiterste wil worden gemaakt door militairen en andere personen, die behoren tot een gedeelte van de krijgsmacht dat is aangewezen:
a. ter deelneming aan een militaire expeditie;
b. ter bestrijding van een vijandelijke macht;
c. ter handhaving van de onzijdigheid van de Staat;
d. tot enig optreden hetzij tot collectieve of individuele zelfverdediging, hetzij tot

handhaving of herstel van de internationale orde en veiligheid; of
e. ter voldoening aan een vordering van het bevoegde gezag in geval van oproerige beweging.

3. In krijgsgevangenschap kan in plaats van een officier ook een onderofficier optreden.

4. Officieren en onderofficieren mogen hun medewerking slechts verlenen indien de erflater zich niet tot een bevoegde notaris of consulaire ambtenaar kan wenden. Niet-inachtneming van dit voorschrift schaadt de geldigheid van de uiterste wil niet.

Art. 993a. (Vervallen bij de wet van 14 november 1991, Stb. 631)

Beperking mogelijkheid voor militairen of noodwachters

Art. 993b. 1. De in artikel 993, eerste lid, vermelde mogelijkheid blijft bestaan totdat de Koning heeft vastgesteld dat voor de toepassing van die bepaling de oorlog of de burgeroorlog als geëindigd moet worden beschouwd.

2. De in artikel 993, tweede lid, vermelde mogelijkheid blijft bestaan totdat op de bij algemene maatregel van bestuur te bepalen wijze is bekendgemaakt dat de aanwijzing is geëindigd.

Openbare uiterste wil tijdens zeereis óf luchtreis

Art. 994. Zij die zich op een reis aan boord van een zeeschip of luchtvaartuig bevinden, kunnen een openbare uiterste wil maken ten overstaan van de gezagvoerder of de eerste officier, of bij gebreke van deze personen ten overstaan van hem die hun plaats vervult.

Openbare uiterste wil in buitengewone omstandigheden

Art. 995. Op plaatsen waar voor de erflater het normale verkeer met een bevoegde notaris of consulaire ambtenaar verboden of verbroken is als gevolg van rampen, gevechtshandelingen, besmettelijke ziekten of andere buitengewone omstandigheden, kan hij een openbare uiterste wil maken ten overstaan van een notaris of Nederlandse consulaire ambtenaar, ook indien deze niet krachtens de gewone regelen bevoegd is, of de burgemeester, de secretaris of een wethouder der gemeente, een ten kantore van een notaris werkzame kandidaat-notaris, een advocaat, een procureur, een officier van de krijgsmacht of van een gemeentelijke of regionale brandweer dan wel van de inspectie voor het brandweerwezen, of een daartoe door de minister van justitie bevoegd verklaarde ambtenaar.

Vormvoorschriften openbaar noodtestament

Art. 996. 1. De uiterste willen, bedoeld in de artikelen 993, 994 en 995, worden verleden in tegenwoordigheid van twee getuigen. Zij worden op behoorlijke wijze op schrift gesteld, en door de erflater, alsmede door de getuigen en degene te wiens overstaan zij zijn verleden, ondertekend.

2. De getuigen moeten meerderjarig zijn en de taal verstaan, waarin de uiterste wil is opgesteld. In de gevallen van de artikelen 993 en 995 geldt het vereiste van meerderjarigheid niet voor getuigen die militairen zijn of deelnemen aan het bestrijden van een ramp als bedoeld in artikel 1 van de Rampenwet (Stb. 1985, 88).

3. Indien de erflater of één van de getuigen door onkunde of door een andere oorzaak wordt verhinderd te ondertekenen, staat dit aan de geldigheid van de uiterste wil niet in de weg, indien van de oorzaak van verhindering in de akte uitdrukkelijk melding wordt gemaakt.

4. Artikel 954 is van overeenkomstige toepassing.

Olografisch noodtestament

Art. 997. 1. De erflater is in de gevallen van de artikelen 993, 994 en 995 ook bevoegd een door hem ondertekende onderhandse uiterste wil te maken, die hij in tegenwoordigheid van twee getuigen gesloten of open in bewaring geeft aan een persoon te wiens overstaan hij ingevolge die artikelen een openbare uiterste wil kan doen verlijden. Deze persoon maakt daarvan onmiddellijk een akte van bewaargeving op, hetzij op het papier van de uiterste wil, hetzij op de omslag daarvan, het zij op een afzonderlijk papier; artikel 996, eerste, tweede en derde lid, is op die akte van overeenkomstige toepassing.

2. De artikelen 980, eerste lid, 981, 993, vierde lid, en 993b zijn van overeenkomstige toepassing op de onderhandse uiterste wil. De in artikel 981 bedoelde teruggave geschiedt door degene die het testament onder zich heeft; artikel 996, eerste, tweede en derde lid, is van overeenkomstige toepassing op de akte van terugneming.

3. De in bewaring gegeven uiterste wil wordt tot het bewijs van het tegendeel vermoed door de erflater ondertekend te zijn.

Geldigheid zonder inbewaargeving

Art. 997a. Indien in een geval, bedoeld in het vorige artikel, de onderhandse uiterste wil is gedagtekend en de erflater overlijdt zonder dat de uiterste wil overeenkomstig de wet in bewaring is gegeven, is de uiterste wil niettemin geldig, tenzij de erflater redelijkerwijze alsnog een uiterste wil overeenkomstig de voorgaande artikelen van deze afdeling had kunnen maken.

Centraal Testamentenregister

Art. 998. 1. Hij die een akte van uiterste wil, van bewaargeving of van terugneming, als bedoeld in de artikelen 993-997a, onder zich heeft, zendt deze akte zo spoedig mogelijk in gesloten omslag naar het Centraal Testamentenregister te 's-Gravenhage.

2. Het vorige lid geldt niet voor akten, opgemaakt door of ten overstaan van een volgens de gewone regelen bevoegde notaris of consulaire ambtenaar, en voor de door dezen in bewaring genomen akten van uiterste wil.

Verval noodtestament

Art. 999. 1. De uiterste willen, bedoeld in de artikelen 993-997, zijn krachteloos indien de erflater overlijdt meer dan zes maanden nadat voor hem de mogelijkheid is geëindigd, een uiterste wil te maken op een van de in die artikelen genoemde wijzen.

2. De termijn wordt telkens met een maand verlengd, indien de erflater redelijkerwijze niet in staat is geweest in de laatstverstreken maand een uiterste wil te maken.

Inachtneming formaliteiten op straffe van nietigheid

Art. 1000. De formaliteiten, waaraan de onderscheidene uiterste willen, volgens de bepalingen van deze afdeeling, onderworpen zijn, moeten worden in acht genomen, op straffe van nietigheid.

VIJFDE AFDEELING
Van de erfstellingen

Definitie erfstelling

Art. 1001. Erfste lling is eene uiterste wilsbeschikking, waarbij de erflater aan een of meer personen de goederen geeft, welke hij bij zijn overlijden zal nalaten, het zij in het geheel, het zij voor een gedeelte, zoo als de helft, een derde.

Opvolging van rechtswege: saisine

Art. 1002. 1. Bij het overlijden van den erflater, treden van regtswege in het bezit van de nagelatene goederen, zoo wel de bij uitersten wil benoemde erfgenamen, als degenen aan wie de wet een gedeelte in de nalatenschap toekent.

2. De artikelen 881 en 882 zijn op hen toepasselijk.

Art. 1003. Vervallen.

ZESDE AFDEELING
Van legaten

Definitie legaat

Art. 1004. Een legaat is eene bijzondere beschikking, waarbij de erflater aan een of meer personen zekere bepaalde goederen geeft, of wel alle zijne goederen van eene zekere soort, of het vruchtgebruik van alle of van een gedeelte zijner goederen.

Recht op verkrijging van legataris

Art. 1005. Alle zuivere en onvoorwaardelijke legaten geven, van den dag van het overlijden van den erflater af, aan den legataris het recht op verkrijging van het gelegateerde, welk regt op zijne erfgenamen of regtverkrijgenden overgaat.

Verzoek legataris tot afgifte

Art. 1006. 1. De legataris zal de afgifte van het gelegateerde aan de erfgenamen of legatarissen, die daarmede belast zijn, moeten vragen.

Recht op vruchten of rente

2. Hij heeft regt op de vruchten of rente, van den dag af van het overlijden van den erflater, indien de eisch tot afgifte binnen het jaar is gedaan, of indien die afgifte binnen hetzelfde tijdvak vrijwillig heeft plaats gehad. Indien die eisch later geschiedt, heeft hij slechts regt op de vruchten en de rente, te rekenen van den dag dat de eisch gedaan is.

3. Degene op wie de schuld uit een legaat van een geldsom rust, komt niet in verzuim door het enkele verstrijken van een voor de voldoening bepaalde termijn.

Art. 1007. Vervallen.

Belastingen op legaten

Art. 1008. De belastingen welke, onder welke benaming ook, op legaten ten behoeve van den staat gelegd zijn, komen ten laste van den legataris, ten zij de erflater het tegendeel hebbe bevolen.

Art. 1009. Indien de erflater aan onderscheidene legatarissen de voldoening van eenen last heeft opgelegd, zijn zij daartoe gehouden, elk in evenredigheid van de hoegrootheid van zijn legaat, ten zij de erflater daaromtrent anders mogt hebben beschikt.

Last, opgelegd aan meer legatarissen

Art. 1010. Het gelegateerde zal worden uitgekeerd met al hetgeen daartoe behoort, en in den staat waarin het zich op den dag van het overlijden van den erflater bevindt.

Omvang van gelegateerde

Art. 1011. 1. Hetgeen echter de erflater, na het legateren van enige onroerende zaak of een beperkt recht waaraan deze is onderworpen, tot vergroting van die zaak heeft aangekocht of verkregen, is, al ware het ook daaraan grenzende, niet in het legaat begrepen, tenzij de erflater anders hadde bevolen.

2. De verbeteringen, verfraaijingen of nieuwe opbouwingen, op de onroerende zaak door den erflater gemaakt, of de vergrooting van den omtrek van eenen ingesloten grond, zullen zonder nieuwe beschikking gerekend worden een gedeelte van het legaat uit te maken.

Omvang legaat van onroerende zaak

Art. 1012. Indien vóór of na het maken van den uitersten wil, de gelegateerde zaak voor eene schuld van de nalatenschap, of ook voor de schuld van eenen derde, bij hypotheek verbonden of met een vruchtgebruik belast is, is degene die het legaat moet uitkeeren niet gehouden om het goed van dat verband te ontheffen, ten ware hij bij eene uitdrukkelijke beschikking van den erflater belast zij zulks te doen.

Bezwaring gelegateerde zaak

Art. 1013. Wanneer de erflater eenig bepaald goed van een ander gelegateerd heeft, zal dit legaat nietig zijn, het zij de erflater al dan niet geweten hebbe dat dit goed hem niet toebehoorde.

Legaat van zaak van een ander is nietig

Art. 1014. De bepaling van het vorige artikel belet echter niet dat aan den erfgenaam of legataris, als voorwaarde, de verpligting kan worden opgelegd om aan derden zekere uitkeeringen uit zijne eigene goederen te doen, of schulden kwijt te schelden.

Last

Art. 1015. Legaten van onbepaalde zaken, doch van een zeker geslacht, zijn bestaanbaar, het zij de erflater zoodanige zaken hebbe nagelaten of niet.

Legaat van soortzaken

Art. 1016. Wanneer het legaat in eene onbepaalde zaak bestaat, is de erfgenaam niet verpligt de beste soort te geven, maar hij kan ook met het afgeven der slechtste niet volstaan.

Gemiddelde kwaliteit

Art. 1017. Indien blootelijk de vruchten of inkomsten zijn gelegateerd, zonder dat de erflater het woord vruchtgebruik of gebruik heeft gebezigd, blijft het goed onder het beheer van den erfgenaam, die verpligt is de vruchten en inkomsten aan den legataris uit te keeren.

Legaat van vruchten of inkomsten

Art. 1018. Een legaat, aan eenen schuldeischer gemaakt, wordt niet gerekend tot afdoening der schuld te zijn nagelaten, zoo min als een legaat, aan dienstboden gemaakt, kan geacht worden tot betaling van verdiend loon gegeven te zijn.

Legaat aan schuldeiser of huishoudelijke hulp

Art. 1019. Wanneer de nalatenschap niet voor het geheel of een gedeelte is aanvaard, of wanneer dezelve is aanvaard onder het voorregt van boedelbeschrijving, en de nagelatene goederen niet voldoende zijn om de legaten in hun geheel te voldoen, zullen alle de legaten, in evenredigheid van hunne hoegrootheid, worden verminderd, ten ware de erflater daaromtrent anders mogt hebben beschikt.

Vermindering van legaten

ZEVENDE AFDEELING

Van de geoorloofde erfstellingen over de hand, ten behoeve van kleinkinderen en afstammelingen van broeders en zusters

Art. 1020. 1. De goederen waarover ouders het regt van beschikking hebben, kunnen door hen, bij uitersten wil, geheel of gedeeltelijk, worden gegeven aan een of meer hunner kinderen, met last om die goederen uit te keeren, zoo wel aan derzelver kinderen die reeds geboren zijn, als aan die welke nog geboren zullen worden.

Fideïcommis t.b.v. kinderen en kleinkinderen

2. In geval van vooroverlijden van een kind, zal dezelfde beschikking kunnen worden gemaakt ten voordeele van een of meer kleinkinderen, met last om de goederen aan hunne kinderen, welke reeds geboren zijn, en nog geboren zullen worden, uit te keeren.

Fideïcommis t.b.v. broers en zusters en hun kinderen

Art. 1021. 1. Insgelijks zal de uiterste wilsbeschikking bestaanbaar zijn ten voordeele van een of meer broeders of zusters van den erflater, voor het geheel of een gedeelte der goederen die bij de wet niet buiten beschikking gehouden zijn, onder den last om de goederen uit te keeren, zoo wel aan de kinderen van zijne voorzeide broeders en zusters, welke reeds geboren zijn, als aan die welke nog geboren zullen worden.

2. Dezelfde beschikking kan worden gemaakt ten voordeele van een of meer kinderen van vooroverleden broeders of zusters, onder den last om de goederen uit te keeren, zoo wel aan derzelver kinderen die reeds geboren zijn, als aan die welke nog geboren zullen worden.

Plaatsvervulling bij vooroverlijden kind

Art. 1022. 1. Indien de bezwaarde erfgenaam sterft, met achterlating van kinderen in den eersten graad, en afkomelingen van een vooroverleden kind, zullen deze laatste, bij plaatsvervulling, het aandeel van het vooroverleden kind genieten.

2. Hetzelfde zal plaats hebben, indien, alle de kinderen in den eersten graad vooroverleden zijnde, degene die met de overgave belast is niet dan kleinkinderen nalaat.

Beperking making tot één graad

Art. 1023. De beschikkingen, bij artikel 1020 en 1021 toegelaten, zullen niet anders gelden dan voor zoo verre de erfstelling over de hand slechts zal zijn gemaakt voor éénen graad, en ten voordeele van alle de kinderen van den bezwaarden persoon die reeds geboren zijn, en nog geboren zullen worden, zonder uitzondering, of voorrang van ouderdom of kunne.

Aanvang recht van verwachter

Art. 1024. 1. De regten van de bij erfstelling over de hand geroepene erfgenamen nemen aanvang op het tijdstip dat het genot van den bezwaarde ophoudt.

Geen benadeling schuldeisers bij afstaan genot

2. De vrijwillige afstand van het genot, ten voordeele van de verwachters gedaan, zal geen nadeel kunnen toebrengen aan de schuldeischers van den bezwaarden persoon, wier schuldvorderingen ouder dan deze afstand zijn, noch aan de kinderen die na dien afstand mogten geboren worden.

Bewind

Art. 1025. 1. Hij die de, volgens de voorgaande artikelen, geoorloofde beschikkingen maakt, mag bij uitersten wil, of bij eene latere notariele akte, het goed zelf, gedurende den tijd van het bezwaar, onder het beheer stellen van een of meer bewindvoerders.

2. Op het bewind zijn de bepalingen omtrent het bewind over een vruchtgebruik van toepassing.

Benoeming nieuwe bewindvoerder

Art. 1026. Bij overlijden, of bij gebreke van den gestelden bewindvoerder, benoemt de kantonrechter, op verzoek van de bezwaarden of van andere belanghebbenden, of ook op vordering van het openbaar ministerie, eenen anderen in de plaats van den ontbrekenden.

Boedelbeschrijving verplicht

Art. 1027. 1. Binnen eene maand na het overlijden van dengenen die, onder den last van uitkeering, over de goederen beschikt heeft, zal, op verzoek van den gestelden bewindvoerder, van den belanghebbende, of van het openbaar ministerie, eene boedelbeschrijving worden gemaakt van alle de goederen die de nalatenschap uitmaken.

Bijzondere lijst

2. Indien het gemaakte slechts in een legaat bestaat, zal er eene bijzondere lijst worden gemaakt van alle de daaronder begrepene voorwerpen.

3. Deze boedelbeschrijving of lijst zal de begrooting der goederen bevatten.

Opmaken der boedelbeschrijving of lijst

Art. 1028. 1. De boedelbeschrijving of lijst zal gemaakt worden in tegenwoordigheid van den benoemden bewindvoerder en andere belanghebbenden, of deze behoorlijk zijnde opgeroepen.

2. Indien deze bij de boedelbeschrijving tegenwoordig zijn, kan dezelve onder de hand geschieden; in welk geval, dat stuk, binnen den tijd van veertien dagen na het voleindigen van de boedelbeschrijving, ter griffie van de arrondissementsregtbank moet worden overgebragt.

3. De kosten, daarop vallende, komen ten laste der goederen, in de beschikking over de hand begrepen.

Art. 1029. Indien de erflater geenen bewindvoerder heeft benoemd, worden de goederen door den bezwaarden erfgenaam beheerd, en is deze verpligt zekerheid te stellen voor de bewaring, het behoorlijk gebruik en de wederoplevering der goederen, ten ware de erflater hem uitdrukkelijk van alle verpligting tot het stellen van zekerheid hadde vrijgesteld.

Zekerheidstelling bij beheer bezwaarde erfgenamen

Art. 1030. De bezwaarde erfgenaam die, in het geval van het vorige artikel, geene zekerheid kan stellen, moet gedoogen dat de goederen, op verzoek van belanghebbenden, of op de vordering van het openbaar ministerie, worden gesteld onder het beheer van eenen bewindvoerder, door de kantonrechter te benoemen. Op het beheer zijn de bepalingen omtrent het bewind over een vruchtgebruik van toepassing.

Voorziening bij ontbreken zekerheidstelling

Art. 1031. De bezwaarde erfgenaam, die zelf het beheer heeft, moet het bezwaarde goed als een goed huisvader gebruiken, en staat daaromtrent, alsmede ten aanzien van het dragen van kosten en lasten, en het doen van reparatien, gelijk met eenen vruchtgebruiker.

Beheer door bezwaarde erfgenaam; bewaarplicht

Art. 1032. 1. De registergoederen, alsmede de renten en schuldvorderingen, mogen niet worden vervreemd of bezwaard dan met machtiging van de kantonrechter, na verhoor van den verwachter en van het openbaar ministerie.

Verbod van beschikking zonder machtiging kantonrechter

2. Deze machtiging kan alleen verleend worden, ingeval van volstrekte noodzakelijkheid, of van blijkbaar voordeel, zoo wel van den verwachter als van de bezwaarde erfgenamen, en, in geval van vervreemding, tegen zekerheid van wederbelegging onder het fidei-commissair verband, indien de bezwaarde het goed zelf beheert.

3. Indien de goederen onder bewind zijn gesteld, zijn de bewindvoerders verpligt de opbrengst te beleggen op den voet als ten aanzien van voogden is voorgeschreven.

Belegging opbrengst

Artt. 1033-1035. Vervallen.

ACHTSTE AFDEELING

Van de erfstellingen over de hand in hetgeen de erfgenaamof legataris onvervreemd en onverteerd zal nalaten

Art. 1036. In geval van erfstelling, of van legaat, op den voet als bij artikel 928 is vermeld, is de bezwaarde erfgenaam of legataris bevoegd om het aan hem gemaakte te vervreemden en te verteren, en zelfs bij schenking onder de levenden daarover te beschikken, tenzij dit laatste door den erflater, voor het geheel of ten deele, mogt zijn verboden.

Beschikkingsrecht bij fideïcommis de residuo

Art. 1037. De verpligting tot het maken eener boedelbeschrijving of lijst, na het overlijden van den erflater, en tot het overbrengen van die stukken ter griffie van de arrondissements-regtbank, bij artikel 1027 en 1028 voorgeschreven, is ook toepasselijk op den bezwaarden erfgenaam of legataris, van welken bij deze afdeeling wordt gehandeld, doch hij is niet gehouden om eenige zekerheid te stellen.

Boedelbeschrijving of lijst

Art. 1038. 1. Na het overlijden van den bezwaarden erfgenaam of legataris, heeft de verwachter het regt om de dadelijke afgifte te vorderen van hetgeen van de erfenis of van het legaat in natura mogt zijn overgebleven.

Recht van verwachter na overlijden bezwaarde erfgenaam of legataris

2. Ten aanzien van de gereede penningen of van de opbrengst der vervreemde goederen, kan uit aanteekeningen van den bezwaarden erfgenaam of legataris, uit huisselijke papieren, of door alle andere bewijsmiddelen worden opgemaakt, of, en in hoeverre, er iets van de erfenis of van het legaat is overgebleven.

NEGENDE AFDEELING

Van het herroepen van uiterste wilsbeschikkingen en het vervallen van dezelve

Art. 1039. Een uiterste wil kan, noch in zijn geheel, noch ten deele, herroepen worden dan bij eene latere uiterste wilsbeschikking, of bij eene bijzondere notariële akte, waarbij de erflater de geheele of gedeeltelijke intrekking van zijnen vroegeren uitersten wil te kennen geeft, onverminderd de bepaling van artikel 981.

Uitdrukkelijke herroeping

Niet herroepen van vroegere beschikkingen

Art. 1040. Indien eene latere uiterste wil, welke de uitdrukkelijke herroeping van den vorigen bevat, niet is voorzien van de formaliteiten welke tot de deugdelijkheid van eenen uitersten wil worden vereischt, maar wel van die welke gevorderd worden tot de deugdelijkheid van eene notariële akte, zullen de vroegere beschikkingen, welke in de latere akte mogten zijn herhaald, niet als herroepen worden beschouwd.

Stilzwijgende herroeping

Art. 1041. 1. Een latere uiterste wil, waarbij de voorgaande niet op eene uitdrukkelijke wijze herroepen wordt, vernietigt alleen de beschikkingen, in dien vroegeren uitersten wil vervat, welke met de nieuwe beschikkingen niet zijn overeen te brengen, of daarmede strijden.

2. De bepaling van dit artikel is niet toepasselijk, wanneer de latere uiterste wil nietig is, uit hoofde van gebrek in den vorm, al ware dezelve ook geldig als notariële akte.

Effect herroeping bij niet-effectuering nieuwe akte

Art. 1042. De herroeping, het zij uitdrukkelijk, het zij stilzwijgende, bij eenen lateren uitersten wil gedaan, zal volkomen van kracht zijn, ofschoon die nieuwe akte buiten gevolg blijve, door de onbevoegdheid van den gestelden erfgenaam of legataris, of door hunne weigering om de erfenis te aanvaarden.

Herroeping legaat door vervreemding

Art. 1043. Alle vervreemding, zelfs bij verkoop, met vermogen van wederinkoop, of bij verruiling, welke de erflater van het gelegateerde goed, geheel of gedeeltelijk, doet, zal de herroeping van het legaat, ten aanzien van al wat vervreemd of verruild is, met zich brengen; ten ware het vervreemde goed in des erflaters boedel mogt zijn terug gekeerd.

Vervallen voorwaardelijke beschikking

Art. 1044. Alle beschikking bij uitersten wil gedaan, onder eene voorwaarde, van eene onzekere gebeurtenis afhangende, en van zoodanige aard dat de erflater gerekend moet worden aan het al of niet voorvallen dier gebeurtenis de uitvoering zijner beschikking verbonden te hebben, zal vervallen, indien de gestelde erfgenaam of legataris vóór de vervulling der voorwaarde komt te overlijden.

Verval beschikking onder tijdsbepaling

Art. 1045. Wanneer de voorwaarde, volgens de bedoeling van den erflater, alleen de uitvoering der beschikking opschort, belet zulks niet dat de gestelde erfgenaam of legataris een verkregen regt hebbe, hetwelk hij aan zijne erfgenamen overdraagt.

Verval van legaat door tenietgaan der zaak

Art. 1046. 1. Een legaat vervalt, wanneer het gelegateerde goed, bij het leven van den erflater, geheel is te niet gedaan.

2. Hetzelfde heeft ook plaats, indien het goed, na zijnen dood, zonder toedoen of schuld van den erfgenaam of van andere personen, door welke het legaat verschuldigd is, te niet is gegaan, ofschoon deze mogten hebben verzuimd dat goed op zijn tijd uit te keeren, wanneer het, in handen van den legataris geweest zijnde, eveneens zoude zijn te niet gegaan.

Vermindering legaat van rente, enz.

Art. 1047. Een legaat van eene rente, inschuld of andere schuldvordering op eenen derde, vervalt ten aanzien van hetgeen gedurende het leven van den erflater daarop mogt zijn betaald.

Verval making t.g.v. verwerping of onbekwaamheid

Art. 1048. 1. Eene beschikking, bij uitersten wil gedaan, vervalt, wanneer de gestelde erfgenaam of legataris de erfenis of het legaat verwerpt, of onbekwaam bevonden wordt om dezelve te genieten.

Echter niet t.a.v. voordelen t.b.v. derden

2. Indien bij de beschikking voordeelen aan derden waren gemaakt, zullen dezelve, in dat geval, niet vervallen, maar zal degene aan wien de erfenis of het legaat opkomt daarmede belast blijven, behoudens echter de bevoegdheid van dezen, om van de erfenis of van het legaat gaaf en onvoorwaardelijk afstand te doen, ten behoeve van dengenen aan wien de voordeelen waren besproken.

Aanwas i.g.v. gezamenlijke erfstelling of legaat

Art. 1049. 1. Er zal aanwas plaats hebben ten voordeele van de gestelde erfgenamen of legatarissen, in geval de erfstelling of het legaat aan verscheidene personen gezamenlijk gemaakt is, en de beschikking ten opzigte van eenigen der mede-erfgenamen of mede-legatarissen geen gevolg kan hebben.

2. De erfstelling of het legaat zal geacht worden gezamenlijk gemaakt te zijn, wanneer het gemaakt is bij eene en dezelfde beschikking, en de erflater niet aan elk der mede-erfgenamen of mede-legatarissen zijn bepaald aandeel in het goed heeft aangewezen, zoo als de helft, een derde deel, enz.

3. De uitdrukking voor gelijke aandeelen of gedeelten wordt niet geacht eene aanwijzing te zijn van een zoodanig bepaald aandeel, als waarvan in dit artikel gesproken wordt.

Gezamenlijk legaat

Art. 1050. Voorts zal de erflater mede geacht worden gezamenlijk gelegateerd te hebben, wanneer eene zaak, die zonder schade te lijden niet voor verdeeling vatbaar is, bij dezelfde akte aan onderscheidene personen, al ware het ook afzonderlijk, is gemaakt geworden.

Vervallen verklaring van uiterste wilsbeschikking

Art. 1051. De vervallen-verklaring van uiterste wilsbeschikkingen kan, na den dood des erflaters, worden gevraagd, ter zake van het niet ten uitvoer brengen der voorwaarden.

DERTIENDE TITEL
Van uitvoerders van uiterste wilsbeschikkingen en van bewindvoerders

Aanstelling uitvoerder uiterste wilsbeschikking; executeur testementair

Art. 1052. 1. Een erflater mag, het zij bij uitersten wil, het zij bij zoodanige onderhandsche akte als bij artikel 982 vermeld is, het zij bij eene bijzondere notariële akte, een of meer uitvoerders van zijne uiterste wilsbeschikkingen aanstellen.
2. Hij kan ook verscheiden personen benoemen ten einde bij ontstentenis elkander als uitvoerders op te volgen.

Uitsluiting als executeur testementair

Art. 1053. Handelingsonbekwamen, zij van wie een of meer goederen onder een bewind als bedoeld in titel 19 van Boek 1 zijn gesteld, en zij die in staat van faillissement verkeren, kunnen niet uitvoerder van uiterste wilsbeschikkingen zijn.

Inbezitneming van nalatenschap door executeur testementair

Art. 1054. 1. Aan de uitvoerders van uiterste wilsbeschikkingen kan door den erflater de bezitneming van alle de goederen der nalatenschap, of van een bepaald gedeelte daarvan, worden gegeven.
2. Het bezit zal van regtswege niet langer duren dan één jaar, te rekenen van den dag waarop de uitvoerders zich in het bezit hebben kunnen stellen.

Beëindiging bezit executeur

Art. 1055. Indien alle de erfgenamen het daaromtrent eens zijn, kunnen zij het bezit doen ophouden, mits zij de uitvoerders der uiterste wilsbeschikking in staat stellen tot de betaling of afgifte der zuivere en onvoorwaardelijke legaten, of doen blijken dat die legaten reeds zijn voldaan.

Verzegeling nalatenschap

Art. 1056. De uitvoerders eener uiterste wilsbeschikking moeten de nalatenschap doen verzegelen, indien er minderjarigen of onder curatele gestelde erfgenamen zijn, welke op het overlijden van den erflater van geene voogden of curators zijn voorzien, of zoodanige erfgenamen welke noch in persoon noch bij gemagtigden, tegenwoordig zijn.

Opmaken boedelbeschrijving

Art. 1057. Zij moeten eene boedelbeschrijving doen opmaken van de goederen der nalatenschap, in tegenwoordigheid, of na bij behoorlijk exploit gedane oproeping der erfgenamen welke zich binnen het koningrijk bevinden.

Uitvoering uiterste wil

Art. 1058. Zij dragen zorg dat des overledenens uiterste wil worde ten uitvoer gelegd, en zij kunnen, in geval van geschil, in regten optreden, om de geldigheid van den uitersten wil staande te houden.

Verkoop ter uitkering legaten

Art. 1059. 1. Indien de vereischte penningen niet voorhanden zijn tot het uitkeeren der legaten, hebben de uitvoerders de bevoegdheid om de goederen des boedels in het openbaar, en volgens de gebruiken der plaats, te doen verkoopen; alles ten ware de erfgenamen mogten goedvinden om het noodige voorschot van penningen te doen. Voor de verkoop van registergoederen behoeven de uitvoerders de toestemming der erfgenamen of, bij gebreke daarvan, de machtiging van de kantonrechter.
2. Die verkoop zal ook onder de hand kunnen geschieden, indien alle de erfgenamen het daaromtrent zijn eens geworden, behoudens de bepalingen ten opzigte van minderjarigen en onder curatele gestelde personen.

Invordering schulden door uitvoerder

Art. 1060. De uitvoerders die het bezit van de nalatenschap hebben zijn bevoegd om, zelfs in regten, de schulden in te vorderen welke, gedurende dat bezit, vervallen en opeischbaar zijn.

Verbod verkoop goederen; rekening en verantwoording

Art. 1061. Zij hebben geene bevoegdheid om de goederen der nalatenschap te verkoopen, ten eind dezelve tot verdeling te brengen, maar zijn verpligt om, bij het eindigen van hun beheer, aan de belanghebbenden rekening en verantwoording te doen, met uitkeering van alle de goederen des boedels, benevens het slot der rekening, ten einde tusschen de erfgenamen verdeeld te worden. In het maken der verdeling moeten zij de erfgenamen behulpzaam zijn, indien deze zulks vorderen.

Macht uitvoerder persoonlijk

Art. 1062. De magt van den uitvoerder eens uitersten wil gaat niet tot zijne erfgenamen over.

Aansprakelijkheid i.g.v. meer executeurs

Art. 1063. Indien er verscheidene uitvoerders van eene uiterste wilsbeschikking zijn, die dezen last aangenomen hebben, kan één hunner, bij gebreke van de andere, alleen werkzaam zijn, en zij zijn ieder voor het geheel ter zake van hun beheer aansprakelijk, ten ware de erflater hunne werkzaamheden mogt verdeeld hebben, en dat ieder hunner zich binnen den kring der hem opgedragene bemoeijenissen hebbe gehouden.

Kosten van uitvoerder

Art. 1064. De onkosten, door den uitvoerder eener uiterste wilsbeschikking gemaakt, voor de verzegeling, de boedelbeschrijving, de rekening en verantwoording, en de overige tot zijne werkzaamheden betrekkelijke zaken, komen ten laste der nalatenschap.

Nietige ontheffing

Art. 1065. Elke bepaling, waarbij de erflater bevolen heeft dat de uitvoerder zijns uitersten wils van het opmaken eener boedelbeschrijving, of van het afleggen van rekening en verantwoording, zal zijn ontheven, is van regtswege nietig.

Aanstelling bewindvoerder

Art. 1066. 1. Onverminderd het reeds bepaalde voor het geval van vruchtgebruik, van erfstellingen over de hand, en van minderjarigen en onder curatele gestelden, mag de erflater bij uitersten wil, of bij eene bijzondere notariële akte, een of meer bewindvoerders aanstellen, ten einde de goederen, aan zijne erfgenamen of legatarissen nagelaten, gedurende dezelver leven, of gedurende eenen bepaalden tijd, te beheeren, mits hierdoor geene inbreuk worde gemaakt op de vrije uitkeering van het wettelijk aandeel der erfgenamen.

2. De bepalingen van artikel 1063 zijn op dit geval toepasselijk.

Benoeming bewindvoerders door kantonrechter

Art. 1067. Indien de erflater geene personen heeft aangewezen welke in de plaats van de ontbrekende bewindvoerders zullen optreden, wordt daarin door de kantonrechter, op verhoor van het openbaar ministerie, voorzien.

Niet verplicht executeursschap te aanvaarden

Art. 1068. 1. Niemand is gehouden den last van uitvoerder eener uiterste wilsbeschikking, of van bewindvoerder eener erfenis of eens legaats, aan te nemen, doch hij die zoodanigen last heeft aanvaard is verpligt denzelven te voleindigen.

Beloning uitvoerders

2. Indien de erflater aan den uitvoerder voor de waarneming zijner werkzaamheden geene bepaalde belooning heeft toegekend, of geen bijzonder legaat daarvoor aan denzelven gemaakt heeft, is laatstgemelde voor zich, of, meer dan één uitvoerder benoemd zijnde, zijn zij bevoegd voor hen te zamen als loon in rekening te brengen twee en een half ten honderd der ontvangsten en anderhalf ten honderd der uitgaven.

Redenen afzetting executeur of bewindvoerder

Art. 1069. De uitvoerders van uiterste wilsbeschikkingen, mitsgaders de bewindvoerders, bij artikel 1066 vermeld, kunnen om dezelfde redenen als de voogden worden afgezet.

VEERTIENDE TITEL
Van het regt van beraad en het voorregt van boedelbeschrijving

Recht van beraad

Art. 1070. Alle personen, aan welke eene erfenis is opgekomen en die verkiezen mogten om de gesteldheid der nalatenschap te onderzoeken, ten einde te kunnen beoordelen of het van hun belang is dezelve, het zij zuiver, het zij onder het voorregt van boedelbeschrijving, te aanvaarden, of wel te verwerpen, zullen het regt hebben om zich te beraden, en daarvan eene verklaring moeten afleggen ter griffie van de regtbank van het arrondissement, binnen hetwelk de erfenis is opengevallen; zullende die verklaring in het daartoe bestemde register worden ingeschreven.

Art. 1071. 1. Aan den erfgenaam wordt, te rekenen van den dag der afgelegde verklaring, een tijdvak van vier maanden vergund, ten einde den boedel te doen beschrijven en zich te beraden.

Termijn voor beraad

2. Niettemin is de arrondissements-regtbank bevoegd om, wanneer de erfgenaam in regten vervolgd wordt, uit hoofde van dringende redenen, den hierboven bepaalden termijn te verlengen.

Verlenging

Art. 1072. 1. Gedurende den voorschreven termijn, kan de erfgenaam, die zich beraadt, niet worden genoodzaakt de hoedanigheid van erfgenaam aan te nemen. Geene regterlijke veroordeling kan tegen hem worden verkregen, en de uitvoering van de vonnissen, die ten laste van den overledene zijn uitgesproken, blijft opgeschort.

Binnen de termijn is men geen erfgenamen

2. Hij is verpligt, even als een goed huisvader, voor het behoud der goederen van de nalatenschap zorg te dragen.

Zorg voor behoud goederen

Art. 1073. 1. De erfgenaam die zich beraadt is bevoegd om aan den regter verlof te vragen, ten einde al zoodanige voorwerpen te verkoopen welke niet behoeven of niet kunnen worden bewaard, mitsgaders om al zulke daden te verrigten die geen uitstel dulden.

Verlof van rechter tot verkoop

2. De wijze van verkoop zal bij het regterlijk verlof worden bepaald.

Art. 1074. De regter kan, op verzoek der belanghebbende partijen, alzoodanige maatregelen voorschrijven welke hij mogt noodig achten, zoo wel tot behoud van de goederen der nalatenschap, als van de belangen van derden.

Noodzakelijke maatregel tot behoud

Art. 1075. Na verloop van den termijn bij artikel 1071 bepaald, kan de erfgenaam worden genoodzaakt de nalatenschap te verwerpen of dezelfde te aanvaarden, het zij zuiver, het zij onder het voorregt van boedelbeschrijving. In het laatste geval, moet daarvan eene verklaring worden afgelegd, op dezelfde wijze als bij artikel 1070 is vastgesteld.

Dwang tot keuze door erfgenamen na afloop termijn

Art. 1076. Zelfs na verloop van den termijn, behoudt de erfgenaam het vermogen om den boedel te doen beschrijven, en denzelven onder het voorregt van boedelbeschrijving te aanvaarden, ten zij hij zich als zuiver erfgenaam hebbe gedragen.

Beneficiaire aanvaarding na afloop termijn

Art. 1077. De erfgenaam verliest het voorregt van boedelbeschrijving, en wordt als zuiver erfgenaam beschouwd:

1°. Indien hij willens en wetens, en te kwader trouw, eenige goederen, tot de nalatenschap behoorende, niet op de boedelbeschrijving heeft gebragt;

2°. Indien hij zich aan verduistering van goederen, tot de erfenis behoorende heeft schuldig gemaakt.

Verlies van voorrecht van boedelbeschrijving

Art. 1078. Het voorregt van boedelbeschrijving heeft ten gevolge:

1°. Dat de erfgenaam niet verder tot de betaling der schulden en lasten der nalatenschap gehouden is, dan ten beloope der waarde van de goederen welke dezelve bevat, en zelfs dat hij zich van die betaling kan ontslaan, door alle de goederen, tot de nalatenschap behoorende, aan de beschikking der schuldeischers en legatarissen over te laten;

2°. Dat de eigen goederen van den erfgenaam niet met die der nalatenschap worden vermengd, en dat hij het regt behoudt om zijne eigen inschulden tegen de nalatenschap te doen gelden;

3°. Dat de erfgenaam die een schuld der nalatenschap uit zijn overig vermogen heeft voldaan, optreedt als schuldeiser van de nalatenschap voor het bedrag van die schuld in de rang die zij had.

Gevolgen van beneficiaire aanvaarding

Art. 1079. De erfgenaam, die de nalatenschap onder het voorregt van boedelbeschrijving heeft aanvaard, is verpligt de daartoe behoorende goederen als een goed huisvader te besturen, en de nalatenschap, zoo dra mogelijk tot effenheid te brengen; hij is aan de schuldeischers en legatarissen verantwoording verschuldigd.

Verplichting tot beheer en rekening en verantwoording

Art. 1080. 1. Hij vermag de goederen der nalatenschap op geene andere wijze te verkoopen dan in het openbaar, en volgens de gebruiken der plaats, of door makelaars, indien er koopmansgoederen in den boedel aanwezig zijn.

Wijze verkoop goederen

2. De artikelen 57-59 van de Faillissementswet zijn van overeenkomstige toepassing, met dien verstande dat de in artikel 58 bedoelde bevoegdheden van de rechter-

commissaris, zo ter zake van de vereffening geen rechter-commissaris is benoemd, uitgeoefend worden door de kantonrechter; tegen diens beschikking staat geen rechtsmiddel open.

Zekerheidsstelling

Art. 1081. 1. Op verzoek van een belanghebbende kan de kantonrechter een of meer erfgenamen van een nalatenschap die beneficiair is aanvaard, gelasten zekerheid te stellen voor hun beheer en de nakoming van hun overige verplichtingen. De kantonrechter stelt het bedrag en de aard van de zekerheid vast.

2. Komt de erfgenaam zijn verplichting tot het stellen van zekerheid niet na, dan kan de kantonrechter op verzoek van een belanghebbende een of meer vereffenaars benoemen. De bepalingen van de dertiende titel betreffende de uitvoerders van uiterste wilsbeschikkingen zijn op de vereffenaars zoveel mogelijk van overeenkomstige toepassing.

Rekening en verantwoording erfgenamen

Art. 1082. Binnen den tijd van drie maanden, te rekenen van het verloop des termijns bij artikel 1071 bepaald, zal de erfgenaam verpligt zijn om, door middel van eene aankondiging in een der officiele dagbladen, mitsgaders in een nieuwspapier van de provincie, indien hetzelve bestaat, de onbekende schuldeischers op te roepen, ten einde zoo wel aan deze als aan degene die bekend zijn, en aan de legatarissen, dadelijk rekening en verantwoording van zijn beheer af te leggen, en hunne schuldvorderingen en legaten te voldoen, voor zoo verre het bedrag der nalatenschap toereikende zal zijn.

Pas ná verantwoording schulden voldoen

Art. 1083. 1. Na het aanzuiveren der rekening en verantwoording, zal de erfgenaam aan de schuldeischers, welke op dat tijdstip mogten bekend zijn, hunne vorderingen, het zij in het geheel, het zij in evenredigheid van het beloop der nalatenschap, moeten voldoen.

2. De schuldeischers, die na de uitdeeling opkomen, zullen, naar mate dat zij zich aanmelden alleen uit de onverkochte goederen en het overschot worden betaald.

Rangsregeling bij verzet

Art. 1084. Indien er eenig verzet plaats heeft, kunnen de schuldeischers niet worden voldaan, dan ten gevolge eener rangschikking, door den regter te regelen.

Opeisbaarheid legaten

Art. 1085. 1. De legatarissen kunnen de voldoening van hunne legaten niet eischen, dan na verloop van den bij artikel 1082 bepaalden termijn, en na de uitbetaling, waarvan bij artikel 1083 gesproken wordt.

Verhaal tegen legatarissen

2. De schuldeischers, die na de voldoening der legaten opkomen, hebben alleen hun verhaal tegen de legatarissen.

Verjaringstermijn

3. Dat verhaal verjaart door een verloop van drie jaren, na den dag op welken de uitbetaling aan den legataris heeft plaats gehad.

Aansprakelijkheid nalatige beneficiaire erfgenaam

Art. 1086. 1. De erfgenaam, die de nalatenschap onder het voorregt van boedelbeschrijving heeft aanvaard, kan niet vroeger in zijne eigen goederen worden aangesproken, dan nadat hij, tot het afleggen zijner rekening zijnde aangemaand, mogt zijn in gebreke gebleven aan die verpligting te voldoen.

2. Na het aanzuiveren der rekening, zijn zijne eigen goederen alleen aansprakelijk voor de voldoening der geldsommen, welke, van de nalatenschap afkomstig, in zijne handen zijn gekomen.

Boedelkosten

Art. 1087. De kosten van verzegeling, van boedelbeschrijving, van het opmaken der rekening; mitsgaders alle andere, die op eene wettige wijze gemaakt zijn, komen ten laste der nalatenschap.

Beneficiaire aanvaarding zonder beraad vooraf

Art. 1088. De bepalingen van artikel 1071, 1077 en volgende zijn insgelijks toepasselijk op erfgenamen, die, zonder zich van het regt van beraad bediend te hebben, eene erfenis onder het voorregt van boedelbeschrijving aanvaard hebben, door de verklaring af te leggen, bij het slot van artikel 1075 vermeld.

Nietigheid verbodsbepalingen

Art. 1089. Eene bepaling, waarbij de erflater zoude hebben verboden om van het regt van beraad en van het voorregt van boedelbeschrijving gebruik te maken, is nietig en van onwaarde.

VIJFTIENDE TITEL
Van het aanvaarden en verwerpen van erfenissen

EERSTE AFDEELING
Van het aanvaarden van erfenissen

Art. 1090. Eene erfenis kan of zuiver, of onder het voorregt van boedelbeschrijving, worden aanvaard.

Zuiver of beneficiaire aanvaarding

Art. 1091. Niemand is gehouden eene hem opgekomene erfenis te aanvaarden.

Geen verplichting tot aanvaarding

Art. 1092. Erfenissen, aan minderjarige en onder curatele gestelde personen opgekomen, kunnen niet wettiglijk worden aanvaard, dan met inachtneming der wetsbepalingen welke die personen betreffen.

Aanvaarding voor onbekwamen

Art. 1093. Het aanvaarden eener erfenis heeft eene terugwerkende kracht tot op de dag waarop dezelve is opengevallen.

Terugwerkende kracht der aanvaarding

Art. 1094. De aanvaarding eener erfenis geschiedt uitdrukkelijk of stilzwijgend; dezelve geschiedt uitdrukkelijk, wanneer men in een authentiek of onderhandsch geschrift den titel of de hoedanigheid van erfgenaam aanneemt; de aanvaarding geschiedt stilzwijgend, wanneer de erfgenaam eene daad verrigt, welke zijne meening om de erfenis te aanvaarden noodzakelijk aan den dag legt, en waartoe hij slechts in zijne hoedanigheid als erfgenaam zoude zijn bevoegd geweest.

Uitdrukkelijke of stilzwijgende aanvaarding

Art. 1095. Al hetgeen tot de begrafenis betrekking heeft, de daden dienende alleen tot bewaring, als ook die welke strekken om op de nalatenschap toezigt te hebben, of dezelve bij voorraad te beheeren, worden niet gerekend daden te zijn, welke de stilzwijgende aanvaarding eener erfenis kenschetsen.

Daden, die geen stilzwijgende aanvaarding inhouden

Art. 1096. 1. Indien erfgenamen verschillen omtrent het al of niet aanvaarden eener erfenis, kan de een dezelve aanvaarden, en de andere die verwerpen.

2. Indien erfgenamen verschillen omtrent de wijze van aanvaarding eener erfenis, wordt dezelve onder voorregt van boedelbeschrijving aanvaard.

Verschil in keuze omtrent voorwerpen, aanvaarden of beneficiair aanvaarden

Art. 1097. Wanneer iemand aan wien eene erfenis is opgekomen overleden is, zonder die verworpen of aanvaard te hebben, zijn deszelfs erfgenamen bevoegd de erfenis in zijne plaats te aanvaarden of te verwerpen, en de bepaling van het voorgaande artikel is op hen toepasselijk.

Na dood erfgenaam keuze aan opvolgers

Art. 1098. Hij, die voor zijn erfdeel eene erfenis heeft aanvaard, vermag het aandeel niet te verwerpen, hetwelk hem door regt van aanwas is opgekomen, behalve in het geval bij artikel 1100 voorzien.

Aanvaarding geschiedt voor het geheel

Art. 1099. Een aanvaarding is vatbaar voor vernietiging op grond van dwaling, indien de erfenis meer dan de helft is verminderd ten gevolge der ontdekking van een op het ogenblik der aanvaarding onbekende uiterste wilsbeschikking.

Vernietiging aanvaarding wegens dwaling

Art. 1100. Het aandeel van een erfgenaam behoort na de vernietiging van zijn aanvaarding niet door aanwas aan zijn mede-erfgenamen, dan voor zover zij het aanvaarden.

Afzonderlijke aanvaarding van aanwas

Art. 1101. De bevoegdheid om eene erfenis te aanvaarden verjaart door het verloop van dertig jaren, te rekenen van den dag waarop dezelve is opengevallen, mits vóór of na het verloop van dat tijdvak de nalatenschap aanvaard zij door een van degenen die door de wet, of door eenen uitersten wil, daartoe geroepen zijn, onverminderd echter de regten van derden op de nalatenschap, door eenigen wettigen titel verkregen.

Verjaring bevoegdheid tot aanvaarden

Art. 1102. De erfgenaam die de erfenis verworpen heeft, kan dezelve nog aanvaarden, zoo lang zij nog niet door degenen welke door de wet of door eenen uitersten wil geroepen worden, aanvaard is, behoudens de regten van derden, zoo als bij het voorgaande artikel gezegd is.

Aanvaarden na verwerping

TWEEDE AFDEELING
Van het verwerpen van erfenissen

Uitdrukkelijke verwerping erfenis

Art. 1103. Het verwerpen eener erfenis moet uitdrukkelijk geschieden, en moet plaats hebben door middel eener verklaring, afgelegd ter griffie van de arrondissementsregtbank, onder welks ressort de erfenis opengevallen is.

Verwerping werkt terug

Art. 1104. De erfgenaam, die de erfenis verwerpt, wordt geacht nooit erfgenaam geweest te zijn.

Gevolg van verwerping: aanwas

Art. 1105. Het erfdeel van degenen, die de erfenis verwerpt, vervalt aan degenen, die tot hetzelve zouden zijn geroepen, indien degene, die verwerpt bij het overlijden des erflaters niet in leven ware geweest.

Na verwerping geen plaatsvervulling

Art. 1106. Hij die eene erfenis verworpen heeft kan nimmer bij plaatsvervulling vertegenwoordigd worden: indien hij de eenige erfgenaam in zijnen graad is, of indien alle de erfgenamen de erfenis verwerpen, komen de kinderen uit eigen hoofde en erven bij gelijke deelen.

Aanvaarding door schuldeisers na verwerping

Art. 1107. 1. De schuldeischers van degenen die ten nadeele hunner regten eene erfenis heeft verworpen, kunnen zich door den regter doen magtigen om de nalatenschap in naam van hunnen schuldenaar, in zijne plaats en voor hem te aanvaarden.

Gedeeltelijke vernietiging der verwerping

2. In dat geval, wordt de verwerping der erfenis niet verder dan ten voordeele der schuldeischers, en ten beloope van hunne schuldvorderingen, vernietigd; dezelve is geenszins nietig ten voordele van den erfgenaam die de erfenis heeft verworpen.

Geen verjaring bevoegdheid tot verwerpen

Art. 1108. De bevoegdheid om eene erfenis te verwerpen kan door geene verjaring verloren gaan.

Geen verwerping of vervreemding van niet opengevallen nalatenschap

Art. 1109. Men kan, zelfs bij huwelijksche voorwaarden, geenen afstand doen van de erfenis van iemand, die nog in leven is, noch de regten vervreemden, welke men, bij vervolg van tijd, op zoodanige erfenis mogt kunnen verkrijgen.

Verlies recht om te verwerpen

Art. 1110. Erfgenamen welke goederen, tot eene nalatenschap behoorende, hebben te zoek gemaakt of verborgen gehouden, verliezen de bevoegdheid om de erfenis te verwerpen; zij blijven zuivere erfgenamen, niettegenstaande hunne verwerping, zonder dat zij eenig deel in het te zoek gemaakte of verborgene mogen vorderen.

Art. 1111. Vervallen.

ZESTIENDE TITEL
Van boedelscheiding

EERSTE AFDEELING
Van boedelscheiding en hare gevolgen

Artt. 1112-1131. Vervallen.

TWEEDE AFDELING
Van inbreng

Inbreng

Art. 1132. De erfgenamen moeten alle schenkingen onder de levenden, welke zij van de erflater hebben genoten, inbrengen en wel als volgt:
1°. Door de erfgenamen in de nederdalende linie, het zij dezelfde de nalatenschap zuiver, of onder het voorregt van boedelbeschrijving, hebben aanvaard; en het zij dezelve slechts tot het wettelijk erfdeel of tot meerder zijn geroepen; ten ware de giften met uitdrukkelijke vrijstelling van inbreng zijn gedaan, of de begiftigden bij eene authentieke akte, of bij uitersten wil, van de verpligting tot inbreng zijn ontheven;
2°. Door alle andere erfgenamen, het zij bij versterf, hetzij bij uitersten wil, doch alleen in het geval dat de erflater of schenker den inbreng uitdrukkelijk heeft bevolen of bedongen.

Beperking inbreng bij verwerping

Art. 1133. De erfgenaam die de erfenis verwerpt is niet gehouden in te brengen hetgeen aan hem geschonken is, dan ter aanvulling van zoodanig gedeelte als waardoor het wettelijk erfdeel zijner mede-erfgenamen mogt verkort zijn.

Art. 1134. Indien de inbreng meer bedraagt dan het erfdeel, behoeft dat meerdere niet te worden ingebragt, onverminderd het bepaalde bij het vorige artikel.

Geen inbreng groter dan erfdeel

Art. 1135. 1. De ouders behoeven de giften niet in te brengen die aan hun kind door deszelfs grootouders gedaan zijn.

Inbreng van giften

2. Op gelijke wijze behoeft een kind, dat uit eigen hoofde de erfenis zijner grootouders beurt, niet in te brengen de door deze aan zijne ouders gedane gift.

3. Daarentegen moet het kind, dat slechts bij plaatsvervulling die erfenis beurt, de giften inbrengen, welke aan zijne ouders gedaan zijn, zelfs indien het kind de nalatenschap zijner ouders mogt hebben verworpen.

Inbreng i.g.v. plaatsvervulling

4. Het kind is echter, in geval van zoodanige verwerping, niet jegens zijne mede-erfgenamen in de grootouderlijke nalatenschap aansprakelijk voor de schulden zijner ouders.

Art. 1136. 1. Giften, welke aan den eenen echtgenoot door een der ouders van den anderen echtgenoot gedaan zijn, zijn zelfs voor de helft niet aan inbreng onderworpen, al ware het ook dat de geschonken voorwerpen in de gemeenschap vielen.

Inbreng van giften voor de helft of geheel

2. Indien de giften gezamenlijk aan de beide echtgenooten door den vader of de moeder van een hunner gedaan zijn, moet de inbreng voor de helft plaats hebben.

Inbreng voor helft bij gezamenlijke gift

3. Wanneer de giften aan den echtgenoot door zijnen eigen vader of zijne eigene moeder gedaan zijn, moet hij dezelve voor het geheel inbrengen.

Art. 1137. 1. De inbreng geschiedt alleen in de nalatenschap des schenkers; dezelve is slechts door den eenen erfgenaam ten behoeve van den anderen verschuldigd.

Inbreng in nalatenschap schenker t.b.v. mede-erfgenamen

2. Ten behoeve van legatarissen, of van schuldeischers van den boedel, heeft geen inbreng plaats.

Art. 1138. Inbreng geschiedt, het zij door het genotene in natura in den boedel terug te brengen, het zij door zoo veel minder dan de andere deelgenooten te ontvangen.

Wijze van inbreng: in natura of door verrekening

Art. 1139. 1. De inbreng van goederen kan geschieden ter keuze des inbrengers, het zij door de zelve in natura terug te geven zoo als zij zich op het oogenblik van den inbreng bevonden, het zij door het inbrengen der waarde, welke zij ten tijde der gifte hadden.

Wijze van inbreng; keuze inbrenger: in natura of contanten

2. In het eerste geval, is de inbrenger verantwoordelijk voor de vermindering, welke de goederen door zijne schuld hebben ondergaan, en verpligt om dezelve te zuiveren van de beperkte rechten die hij daarop heeft gevestigd.

3. De inbrenger heeft recht op vergoeding van de door hem gemaakte kosten die hij niet zou hebben gedragen, indien hij vruchtgebruiker was geweest.

Art. 1140. De inbreng van gereed geld geschiedt ter keuze des inbrengers door de betaling van deszelfs bedrag, of door zich dat bedrag in mindering van zijn erfdeel te doen aanbedeelen.

Inbreng in contanten; verrekening

Art. 1141. Vervallen.

Art. 1142. Behalve de schenkingen in artikel 1132 aan inbreng onderworpen, moet ook worden ingebragt al hetgeen is verstrekt om aan den erfgenaam eenen stand, een beroep of bedrijf te verschaffen, of ter betaling van deszelfs schulden, en al hetgeen ten huwelijk is gegeven.

Oók inbreng van speciale giften

Art. 1143. Aan inbreng zijn niet onderworpen:

Vrijstelling van inbreng

De kosten van verzorging en opvoeding;

De uitkeeringen tot noodzakelijk levensonderhoud;

De uitgaven tot het aanleeren van eenigen tak van koophandel, kunst, handwerk of bedrijf;

De kosten van studie;

De kosten tot plaatsvervanging of nummerverwisseling in 's lands gewapenden dienst;

De bruiloftskosten, kleederen en kleinoodiën tot huwelijksuitzet gegeven.

Geen inbreng van teniet gedane zaken

Renten en vruchten van inbreng

Art. 1144. De rente en vruchten van hetgeen aan inbreng is onderworpen, worden eerst verschuldigd van den dag dat eene erfenis is opengevallen.

Geen inbreng van verloren gegane

Art. 1145. Al hetgeen door toeval en zonder schuld van den begiftigde is verloren gegaan, behoeft niet te worden ingebragt.

DERDE AFDEELING
Van de betaling der schulden

Draagplicht voor schulden evenredig aan erfdeel

Art. 1146. De erfgenamen die eene erfenis hebben aanvaard moeten in de betaling der schulden, legaten en andere lasten, zoo veel dragen als in evenredigheid staat met hetgeen ieder uit de nalatenschap ontvangt.

Aansprakelijkheid erfgenamen; crediteursverhaal op onverdeelde boedel

Art. 1147. Zij zijn tot die betaling persoonlijk, en ieder naar mate van de hoegrootheid van zijn erfdeel, gehouden, onverminderd de regten der schuldeischers op de geheele nalatenschap, zoo lang die nog is onverdeeld, mitsgaders die der hypothekaire schuldeischers.

Met hypotheek bezwaarde goederen

Art. 1148. 1. Indien tot de nalatenschap behoorende goederen met pand of hypotheek bezwaard zijn, heeft ieder der mede-erfgenamen het regt om te vorderen dat die lasten uit den boedel worden gekweten, en de goederen van het verband bevrijd, alvorens er tot het vormen der kavelingen worde overgegaan.

2. Wanneer de erfgenamen de nalatenschap verdeelen in den staat waarin zij zich bevindt, moet het bezwaarde goed worden geschat op denzelfden voet als de overige goederen; alsdan wordt de hoofdsom der lasten van den geheelen prijs des goeds afgetrokken, en de erfgenaam, aan wien het goed te beurt is gevallen, blijft alsdan alleen ten aanzien zijner mede-erfgenamen met de voldoening der schuld belast, en moet hen daarvoor vrijwaren.

3. Indien de lasten alleen op het goed gevestigd zijn, zonder dat daarbij een personeel verband staat, kan geen der mede-erfgenamen vorderen dat de last worde afbetaald, en alsdan wordt het goed onder de verdeeling begrepen, onder aftrek van de hoofdsom dier lasten.

Artt. 1149, 1150. Vervallen.

Legataris niet aansprakelijk voor boedelschulden

Art. 1151. Een legataris is niet voor de schulden en lasten der nalatenschap verbonden.

Art. 1152. Vervallen.

Vordering afscheiding boedel

Art. 1153. De schuldeischers en de legatarissen van den overledene mogen van de schuldeischers van den erfgenaam vorderen, dat de boedel van den overledene worde afgescheiden van dien des erfgenaams.

Art. 1154. Indien tot de nalatenschap een registergoed behoort en de schuldeisers of legatarissen hun rechtsvordering tot afscheiding binnen zes maanden nadat de nalatenschap is opengevallen hebben aangevangen, zijn zij bevoegd om het instellen daarvan te doen inschrijven in openbare registers, bedoeld in afdeling 2 van titel 1 van Boek 3 waartoe aan de bewaarder mede een authentiek afschrift van de akte van overlijden van de erflater of een ander bewijs dat de rechtsvordering binnen de voormelde termijn is ingesteld, wordt aangeboden. Na de inschrijving kan de erfgenaam het goed niet vervreemden of bezwaren ten nadele van de rechten van de eisers ten laste der nalatenschap.

Verval vorderingsrecht

Art. 1155. Dat regt kan echter niet meer worden uitgeoefend, zoo dra er schuldvernieuwing in de schuldvordering tegen den overledene plaats heeft, door den erfgenaam als schuldenaar aan te nemen.

Verjaring vorderingsrecht

Art. 1156. Hetzelve regt verjaart door het tijdsverloop van drie jaren.

Geen vorderingsrecht tot afscheiding voor schuldeisers van erfgenaam

Art. 1157. De schuldeischers van den erfgenaam hebben geene bevoegdheid om die afscheiding des boedels tegen de schuldeischers der nalatenschap te vorderen.

VIERDE AFDEELING
Van de vernietiging van aangegane boedelscheiding

Artt. 1158-1166. Vervallen.

VIJFDE AFDEELING
Van boedelverdeeling, door bloedverwanten in de opgaande linie tusschen hunne afkomelingen onderling of tusschen dezen en hun langstlevenden echtgenoot gemaakt

Art. 1167. De bloedverwanten in de opgaande linie mogen bij uiterste wilsbeschikking, of bij notariële akte, tusschen hunne afkomelingen onderling of tusschen dezen en hun langstlevenden echtgenoot de verdeeling hunner goederen maken. Op deze verdeling is artikel 186 lid 1 van Boek 3 niet van toepassing.

Bevoegdheid tot boedelverdeling tussen afstammelingen en echtgenoot

Art. 1168. Indien alle de goederen, welke de bloedverwant in de opgaande linie op den dag van zijn overlijden nalaat, niet in de verdeeling begrepen zijn geweest, zullen die niet verdeelde goederen volgens de wet worden verdeeld.

Wettelijke verdeling van niet verdeelde goederen

Art. 1169. Indien de verdeling niet gemaakt is tusschen alle de kinderen, die ten tijde van het overlijden in leven zijn, en de afkomelingen der vooroverledene, zal de verdeeling geheel en al nietig zijn. Er kan eene nieuwe verdeeling in den wettelijke vorm worden gevorderd, het zij door de kinderen of nakomelingen die daarbij geen aandeel gekregen hebben, het zij zelfs door degenen tusschen welke de verdeeling gemaakt is.

Nietigheid der verdeling

Art. 1170. De verdeeling overeenkomstig art. 1167 gemaakt, kan worden vernietigd uit hoofde van benadeeling, meer dan een vierde bedragende. Zij kan alsmede worden vernietigd, indien de verdeeling, en hetgeen met vrijstelling van inbreng is vooruit gemaakt, het wettelijk erfdeel van den een of ander der afkomelingen mogt hebben verkort. De benadeelde kan de grond tot vernietiging inroepen.

Vernietiging der verdeling

Art. 1171. De erfgenamen die een beroep doen op een der in het vorige artikel bedoelde gronden tot vernietiging, zullen de kosten, tot de schatting der goederen vereischt, moeten vooruitschieten, en die kosten zullen te hunne laste blijven, indien hunne vordering ongegrond bevonden wordt.

Schattingskosten bij vernietiging verdeling

ZEVENTIENDE TITEL
Van onbeheerde nalatenschappen

Art. 1172. Wanneer, bij het openvallen eener nalatenschap, zich niemand opdoet die daarop aanspraak maakt, of wanneer de bekende erfgenamen dezelve verwerpen, wordt de nalatenschap als onbeheerd beschouwd.

Onbeheerde nalatenschap

Art. 1173. 1. De arrondissements-regtbank, onder welker ressort de nalatenschap opengevallen is, moet op verzoek der belanghebbende personen, of op de voordragt van het openbaar ministerie, eenen curator benoemen.

Benoeming curator

2. Indien de curatele verleend wordt ter zake dat zich niemand opdoet, die als erfgenaam aanspraak op de nalatenschap maakt, benoemt de regtbank bij voorkeur tot curator den gestelden uitvoerder van den uitersten wil, ten ware deze mogt verlangen door een ander vervangen te worden.

Art. 1174. 1. De curator is gehouden de nalatenschap te doen verzegelen, en door eene notaris eene boedelbeschrijving te doen opmaken, mitsgaders de nalatenschap te beheeren en tot effenheid te brengen.

Verplichtingen van curator

2. Hij is verpligt, door oproepingen in de openbare nieuwspapieren of andere doelmatige middelen, de erfgenamen op te sporen.

3. Hij moet in regten optreden ten aanzien der regtsvorderingen, die tegen de nalatenschap zijn aangevangen, en alle regten die den overledene toebehoorden uitoefenen en voortzetten. Hij is verpligt het gereed geld, hetwelk zich in de nalatenschap bevindt, mitsgaders de opbrengst der verkochte goederen, in de kas der geregtelijke consignatiën te storten, ten einde te strekken tot behoud der regten van de belanghebbende partijen, en daarvan, aan wien zulks zal behooren, rekening te doen.

Verval goederen aan de Staat

Art. 1175. Indien zich, na verloop van drie jaren, te rekenen van het openvallen der nalatenschap, geen erfgenaam opdoet, zal de slotrekening moeten worden gedaan aan den staat, welke bevoegd zal zijn om zich bij voorraad in het bezit der nagelaten goederen te doen stellen.

Toepasselijkheid bepalingen op curators beloning

Art. 1176. De artikelen 1082-1085 en 1087 zijn ook op de curators van onbeheerde nalatenschappen toepasselijk. Zij kunnen als loon in rekening brengen twee en een half ten honderd der ontvangsten en anderhalf ten honderd der uitgaven.

BOEK 5
ZAKELIJKE RECHTEN

TITEL 1
Eigendom in het algemeen

Art. 1. *(5.1.1)* 1. Eigendom is het meest omvattende recht dat een persoon op een zaak kan hebben.

Eigendom

2. Het staat de eigenaar met uitsluiting van een ieder vrij van de zaak gebruik te maken, mits dit gebruik niet strijdt met rechten van anderen en de op wettelijke voorschriften en regels van ongeschreven recht gegronde beperkingen daarbij in acht worden genomen.

Exclusief recht

3. De eigenaar van de zaak wordt, behoudens rechten van anderen, eigenaar van de afgescheiden vruchten.

Eigendom vruchten

Art. 2. *(5.1.4)* De eigenaar van een zaak is bevoegd haar van een ieder die haar zonder recht houdt, op te eisen.

Revindicatie

Art. 3. *(5.1.5)* Voor zover de wet niet anders bepaalt, is de eigenaar van een zaak eigenaar van al haar bestanddelen.

Natrekking

TITEL 2
Eigendom van roerende zaken

Art. 4. *(5.2.1)* Hij die een aan niemand toebehorende roerende zaak in bezit neemt, verkrijgt daarvan de eigendom.

Inbezitneming

Art. 5. *(5.2.3)* 1. Hij die een onbeheerde zaak vindt en onder zich neemt, is verplicht:
a. met bekwame spoed overeenkomstig lid 2, eerste zin, van de vondst aangifte te doen, tenzij hij terstond na de vondst daarvan mededeling heeft gedaan aan degene die hij als eigenaar of als tot ontvangst bevoegd mocht beschouwen;
b. met bekwame spoed tevens overeenkomstig lid 2, tweede zin, mededeling van de vondst te doen, indien deze is gedaan in een woning, een gebouw of een vervoermiddel, tenzij hij krachtens het bepaalde onder a, slot ook niet tot aangifte verplicht was;
c. de zaak in bewaring te geven aan de gemeente die dit vordert.

Gevonden zaak; verplichtingen vinder

2. De in lid 1 onder a bedoelde aangifte kan in iedere gemeente worden gedaan bij de daartoe aangewezen ambtenaar. De in lid 1 onder b bedoelde mededeling geschiedt bij degene die de woning bewoont of het gebouw of vervoermiddel in gebruik of exploitatie heeft, dan wel bij degene die daar voor hem toezicht houdt.

Aangifte

3. De vinder is te allen tijde bevoegd de zaak aan enige gemeente in bewaring te geven. Zolang hij dit niet doet, is hij verplicht zelf voor bewaring en onderhoud zorg te dragen.

In bewaring geven; zelf bewaren

4.De vinder kan van de in lid 2, eerste zin, bedoelde ambtenaar een bewijs van aangifte of van inbewaringgeving verlangen.

Bewijsstuk

Art. 6. *(5.2.4)* 1. De vinder die aan de hem in artikel 5 lid 1 gestelde eisen heeft voldaan, verkrijgt de eigendom van de zaak één jaar na de in artikel 5 lid 1 onder a bedoelde aangifte of mededeling, mits de zaak zich op dat tijdstip nog bevindt in de macht van de vinder of van de gemeente.

Vinder wordt eigenaar

2. Is de zaak anders dan op haar vordering aan de gemeente in bewaring gegeven en valt zij onder de niet-kostbare zaken, aangewezen bij of krachtens een algemene maatregel van bestuur als bedoeld in artikel 12 onder b, dan is lid 1 niet van toepassing en is de burgemeester drie maanden na de inbewaringgeving bevoegd de zaak voor rekening van de gemeente te verkopen of haar om niet aan een derde over te dragen of te vernietigen.

Niet-kostbare zaak

3. Is de zaak in bewaring gegeven aan de gemeente en is noch lid 1, noch lid 2 van toepassing, dan is de burgemeester één jaar na de inbewaringgeving bevoegd de zaak voor rekening van de gemeente te verkopen of haar om niet aan een derde over te dragen of te vernietigen.

Verkoop voor rekening gemeente

4. De vorige leden gelden niet, wanneer de eigenaar of een ander die tot ontvangst van de zaak bevoegd is, zich daartoe heeft aangemeld bij degene die de zaak in bewaring heeft vóórdat de toepasselijke termijn is verstreken of, in de gevallen

Vinder wordt géén eigenaar.

van de leden 2 en 3, op een tijdstip na het verstrijken van de termijn, waarop de gemeente de zaak redelijkerwijs nog te zijner beschikking kan stellen.

Overgang rechtspositie vinder

Art. 7. *(5.2.5)* De vinder kan, door de zaak onverwijld af te geven aan de bewoner van de woning of de gebruiker of exploitant van de ruimte waar de vondst is gedaan, dan wel aan degene die daar voor hem toezicht houdt, zijn rechtspositie met alle daaraan verbonden verplichtingen doen overgaan op die bewoner, gebruiker of exploitant met dien verstande dat geen recht op beloning bestaat.

Verkoop van zaak die niet bewaard kan worden

Art. 8. *(5.2.6)* 1. Indien een aan de gemeente in bewaring gegeven zaak aan snel tenietgaan of achteruitgang onderhevig is of wegens de onevenredig hoge kosten of ander nadeel de bewaring daarvan niet langer van de gemeente kan worden gevergd, is de burgemeester bevoegd haar te verkopen.

Overdracht om niet; vernietiging

2. Indien de zaak zich niet voor verkoop leent, is de burgemeester bevoegd haar om niet aan een derde in eigendom over te dragen of te vernietigen.

Dier

3. Indien de gevonden zaak een dier is, is de burgemeester na verloop van twee weken, nadat het dier door de gemeente in bewaring is genomen, bevoegd het zo mogelijk tegen betaling van een koopprijs, en anders om niet, aan een derde in eigendom over te dragen. Mocht ook dit laatste zijn uitgesloten, dan is de burgemeester bevoegd het dier te doen afmaken. De termijn van twee weken behoeft niet te worden in acht genomen, indien het dier slechts met onevenredig hoge kosten gedurende dat tijdvak kan worden bewaard, of afmaking om geneeskundige redenen vereist is.

Zaaksvervanging

4. De opbrengst treedt in de plaats van de zaak.

Geld

Art. 9. *(5.2.6a)* Bestaat de aan de gemeente in bewaring gegeven zaak in geld, dan is de gemeente slechts verplicht aan degene die haar kan opeisen, een gelijk bedrag uit te keren, en vervalt deze verplichting zodra de burgemeester tot verkoop voor rekening van de gemeente bevoegd zou zijn geweest.

Kosten van bewaring

Art. 10. *(5.2.7)* 1. Hij die de zaak opeist van de gemeente of van de vinder die aan de hem in artikel 5 lid 1 gestelde eisen heeft voldaan, is verplicht de kosten van bewaring en onderhoud en tot opsporing van de eigenaar of een andere tot ontvangst bevoegde te vergoeden. De gemeente of de vinder is bevoegd de afgifte op te schorten totdat deze verplichting is nagekomen. Indien degene die de zaak opeist, de verschuldigde kosten niet binnen een maand nadat ze hem zijn opgegeven, heeft voldaan, wordt hij geacht zijn recht op de zaak te hebben prijsgegeven.

Beloning

2. De vinder die aan de op hem rustende verplichtingen heeft voldaan, heeft naar omstandigheden recht op een redelijke beloning.

Aanmelding nieuwe eigenaar

Art. 11. *(5.2.8)* Indien een vinder die op grond van artikel 6 lid 1 eigenaar is geworden van een aan de gemeente in bewaring gegeven zaak, zich niet binnen één maand na zijn verkrijging bij de gemeente heeft aangemeld om de zaak in ontvangst te nemen, is de burgemeester bevoegd de zaak voor rekening van de gemeente te verkopen, om niet aan een derde over te dragen of te vernietigen.

Algemene maatregel van bestuur
A.m.v.b.

Art. 12. *(5.2.8a)* Bij of krachtens algemene maatregel van bestuur kunnen:
a. nadere regels worden gesteld omtrent de uitoefening van de uit de artikelen 5—11 voor de gemeenten voortvloeiende bevoegdheden;
b. groepen van niet-kostbare zaken worden aangewezen, waarvoor artikel 6 lid 2 geldt;
c. nadere regels worden gesteld omtrent de aanwijzing van bepaalde soorten personen en instellingen, waarbij deze, geheel of gedeeltelijk en al dan niet onder nadere voorwaarden, worden vrijgesteld van de aangifteplicht van artikel 5 lid 1 onder a of voor de afwikkeling van vondsten worden gelijkgesteld met een gemeente;
d. voor de afwikkeling van vondsten door personen of instellingen als bedoeld onder c groepen van niet afgehaalde zaken met gevonden zaken worden gelijkgesteld.

Gevolg schatvinding

Art. 13. *(5.2.9)* 1. Een schat komt voor gelijke delen toe aan degene die hem ontdekt, en aan de eigenaar van de onroerende of roerende zaak, waarin de schat wordt aangetroffen.

Schat

2. Een schat is een zaak van waarde, die zolang verborgen is geweest dat daardoor de eigenaar niet meer kan worden opgespoord.

Aangifte

3. De ontdekker is verplicht van zijn vondst aangifte te doen overeenkomstig artikel 5 lid 1 onder a. Indien geen aangifte is gedaan of onzeker is aan wie de zaak

toekomt, kan de gemeente overeenkomstig artikel 5 lid 1 onder c vorderen dat deze aan haar in bewaring wordt gegeven, totdat vaststaat wie rechthebbende is.

Natrekking door hoofdzaak

Art. 14. *(5.2.10)* 1. De eigendom van een roerende zaak die een bestanddeel wordt van een andere roerende zaak die als hoofdzaak is aan te merken, gaat over aan de eigenaar van deze hoofdzaak.

Mede-eigenaars

2. Indien geen der zaken als hoofdzaak is aan te merken en zij toebehoren aan verschillende eigenaars, worden dezen mede-eigenaars van de nieuwe zaak, ieder voor een aandeel evenredig aan de waarde van de zaak.

Hoofdzaak

3. Als hoofdzaak is aan te merken de zaak waarvan de waarde die van de andere zaak aanmerkelijk overtreft of die volgens verkeersopvatting als zodanig wordt beschouwd.

Vermenging

Art. 15. *(5.2.11)* Worden roerende zaken die aan verschillende eigenaars toebehoren door vermenging tot één zaak verenigd, dan is het vorige artikel van overeenkomstige toepassing.

Zaaksvorming

Art. 16. *(5.2.12)* 1. Indien iemand uit een of meer roerende zaken een nieuwe zaak vormt, wordt deze eigendom van de eigenaar van de oorspronkelijke zaken. Behoorden deze toe aan verschillende eigenaars, dan zijn de vorige twee artikelen van overeenkomstige toepassing.

Eigenaar

2. Indien iemand voor zichzelf een zaak vormt of doet vormen uit of mede uit een of meer hem niet toebehorende roerende zaken, wordt hij eigenaar van de nieuwe zaak, tenzij de kosten van de vorming dit wegens hun geringe omvang niet rechtvaardigen.

3. Bij het verwerken van stoffen tot een nieuwe stof of het kweken van planten zijn de vorige leden van overeenkomstige toepassing.

Eigendom vruchten

Art. 17. *(5.2.15)* Degene die krachtens zijn genotsrecht op een zaak gerechtigd is tot de vruchten daarvan, verkrijgt de eigendom der vruchten door haar afscheiding.

Verlies eigendom

Art. 18. *(5.2.16)* De eigendom van een roerende zaak wordt verloren, wanneer de eigenaar het bezit prijsgeeft met het oogmerk om zich van de eigendom te ontdoen.

Verlies tamme dieren

Art. 19. *(5.2.17)* 1. De eigenaar van tamme dieren verliest daarvan de eigendom, wanneer zij, nadat zij uit zijn macht zijn gekomen, zijn verwilderd.

Verlies andere dieren

2. De eigenaar van andere dieren verliest daarvan de eigendom, wanneer zij de vrijheid verkrijgen en de eigenaar niet terstond beproeft ze weder te vangen of zijn pogingen daartoe staakt.

TITEL 3
Eigendom van onroerende zaken

Eigendom van de grond

Art. 20. *(5.3.1)* De eigendom van de grond omvat, voor zover de wet niet anders bepaalt:
a. de bovengrond;
b. de daaronder zich bevindende aardlagen;
c. het grondwater dat door een bron, put of pomp aan de oppervlakte is gekomen;
d. het water dat zich op de grond bevindt en niet in open gemeenschap met water op eens anders erf staat;
e. gebouwen en werken die duurzaam met de grond zijn verenigd, hetzij rechtstreeks, hetzij door vereniging met andere gebouwen en werken, voor zover ze geen bestanddeel zijn van eens anders onroerende zaak;
f. met de grond verenigde beplantingen.

Gebruik ruimte boven en onder de grond

Art. 21. *(5.3.2)* 1. De bevoegdheid van de eigenaar van de grond om deze te gebruiken, omvat de bevoegdheid tot gebruik van de ruimte boven en onder de oppervlakte.

2. Het gebruik van de ruimte boven en onder de oppervlakte is aan anderen toegestaan, indien dit zo hoog boven of zo diep onder de oppervlakte plaats vindt, dat de eigenaar geen belang heeft zich daartegen te verzetten.

3. De vorige leden zijn niet van toepassing op de bevoegdheid tot vliegen.

Toegang andermans erf

Art. 22. *(5.3.3)* Wanneer een erf niet is afgesloten, mag ieder er zich op begeven, tenzij de eigenaar schade of hinder hiervan kan ondervinden of op duidelijke wijze kenbaar heeft gemaakt, dat het verboden is zonder zijn toestemming zich op het erf te bevinden, een en ander onverminderd hetgeen omtrent openbare wegen is bepaald.

Dieren op andermans erf

Art. 23. *(5.3.4)* 1. Is een voorwerp of een dier anders dan door opzet of grove nalatigheid van de eigenaar op de grond van een ander terecht gekomen, dan moet de eigenaar van de grond hem op zijn verzoek toestaan het voorwerp of het dier op te sporen en weg te voeren.

Schadevergoeding

2. De bij de opsporing en wegvoering aangerichte schade moet door de eigenaar van het voorwerp of het dier aan de eigenaar van de grond worden vergoed. Voor deze vordering heeft laatstgenoemde een retentierecht op het voorwerp of het dier.

Staat eigenaar res nullius

Art. 24. *(5.3.5)* Aan de Staat behoren onroerende zaken die geen andere eigenaar hebben.

Bodem territoriale zee en Waddenzee

Art. 25. *(5.3.6)* De bodem van de territoriale zee en van de Waddenzee is eigendom van de Staat.

Zeestranden

Art. 26. *(5.3.7)* De stranden der zee tot aan de duinvoet worden vermoed eigendom van de Staat te zijn.

Openbare vaarwateren

Art. 27. *(5.3.7a)* 1. De grond waarop zich openbare vaarwateren bevinden, wordt vermoed eigendom van de Staat te zijn.

2. Dit vermoeden werkt niet tegenover een openbaar lichaam:
a. dat die wateren onderhoudt en het onderhoud niet van de Staat heeft overgenomen;
b. dat die wateren onderhield en waarvan dit onderhoud door de Staat of door een ander openbaar lichaam is overgenomen.

Openbare onroerende zaken

Art. 28. *(5.3.8)* 1. Onroerende zaken die openbaar zijn, met uitzondering van de stranden der zee, worden, wanneer zij door een openbaar lichaam worden onderhouden, vermoed eigendom van dat openbare lichaam te zijn.

2. Dit vermoeden werkt niet tegenover hem van wie het onderhoud is overgenomen.

Grensverplaatsing door aanwas en afslag

Art. 29. *(5.3.9)* De grens van een langs een water liggend erf verplaatst zich met de oeverlijn, behalve in geval van opzettelijke drooglegging of tijdelijke overstroming. Een overstroming is niet tijdelijk, indien tien jaren na de overstroming het land nog door het water wordt overspoeld en de drooglegging niet is begonnen.

Grensvastlegging

Art. 30. *(5.3.10)* 1. Een verplaatsing van de oeverlijn wijzigt de grens niet meer, nadat deze is vastgelegd, hetzij door de eigenaars van land en water overeenkomstig artikel 31, hetzij door de rechter op vordering van een hunner tegen de ander overeenkomstig artikel 32. De vastlegging geldt jegens een ieder.

2. Indien bij de vastlegging in plaats van de werkelijke eigenaar van een erf iemand die als zodanig in de openbare registers was ingeschreven, partij is geweest, is niettemin het vorige lid van toepassing, tenzij de werkelijke eigenaar tegen inschrijving van de akte of het vonnis verzet heeft gedaan voordat zij is geschied.

Vastlegging bij notariële akte

Art. 31. *(5.3.10a)* 1. De vastlegging van de grens door de eigenaars van land en water geschiedt bij een daartoe bestemde notariële akte, binnen veertien dagen gevolgd door de inschrijving daarvan in de openbare registers.

2. De bewaarder der registers is bevoegd van de inschrijving kennis te geven aan ieder die als rechthebbende of beslaglegger op een der erven staat ingeschreven.

3. Voor zover de in de akte beschreven grens van de toenmalige oeverlijn afwijkt, kan een derde die op het ogenblik van de inschrijving een recht op een der erven heeft, daarvan huurder of pachter is of daarop een beslag heeft doen inschrijven, de toenmalige oeverlijn als vastgelegde grens aanmerken.

Vastlegging door rechterlijke uitspraak

Art. 32. *(5.3.10b)* 1. Een vordering tot vastlegging van de grens wordt slechts toegewezen, indien de instelling ervan in de openbare registers is ingeschreven en allen die toen als rechthebbende of beslaglegger op een der erven stonden ingeschreven, tijdig in het geding zijn geroepen.

2. De rechter bepaalt de grens overeenkomstig de oeverlijn op het tijdstip van de inschrijving van de vordering. Alvorens de eis toe te wijzen, kan hij de maatregelen bevelen en de bewijsopdrachten doen, die hij in het belang van niet-verschenen belanghebbenden nuttig oordeelt.

3. De kosten van de vordering komen ten laste van de eiser.

Inschrijving rechtsmiddel in openbare registers

4. Verzet, hoger beroep en cassatie moeten op straffe van niet-ontvankelijkheid binnen acht dagen na het instellen van het rechtsmiddel worden ingeschreven in de registers, bedoeld in de artikelen 85 en 433 van het Wetboek van Burgerlijke Rechtsvordering. In afwijking van artikel 81 van dat wetboek begint de verzettermijn te lopen vanaf de betekening van het vonnis aan de ingeschrevene, ook als de betekening niet aan hem in persoon geschiedt, tenzij de rechter hiertoe nadere maatregelen heeft bevolen en aan dat bevel niet is voldaan.

5. De vastlegging treedt in op het tijdstip dat het vonnis waarbij de vordering is toegewezen, in de openbare registers wordt ingeschreven. Deze inschrijving geschiedt niet voordat het vonnis in kracht van gewijsde is gegaan.

Gevolg van grensverplaatsing na grensvaststelling

Art. 33. *(5.3.11)* 1. Verplaatst zich, nadat de grens is vastgelegd, de oeverlijn van een openbaar water landinwaarts, dan moet de eigenaar van het overspoelde erf het gebruik van het water overeenkomstig de bestemming dulden.

2. Verplaatst zich, nadat de grens is vastgelegd, de oeverlijn van een water dat de eigenaar van het aanliggende erf voor enig doel mag gebruiken, in de richting van het water, dan kan de eigenaar van dat erf vorderen dat hem op de drooggekomen grond een of meer erfdienstbaarheden worden verleend, waardoor hij zijn bevoegdheden ten aanzien van het water kan blijven uitoefenen.

3. Het vorige lid is van overeenkomstige toepassing ten behoeve van hem die het water voor enig doel mag gebruiken en daartoe een erfdienstbaarheid op het aan het water liggende erf heeft.

4. In geval van grensvastlegging overeenkomstig artikel 32 zijn de vorige leden reeds van toepassing, wanneer de oeverlijn zich na de inschrijving van de vordering verplaatst.

Oeverlijn

Art. 34. *(5.3.12)* De oeverlijn in de zin van de vorige vijf artikelen wordt bepaald door de normale waterstand, of, bij wateren waarvan het peil periodiek wisselt, door de normale hoogwaterstand. Grond, met andere dan gewoonlijk in het water levende planten begroeid, wordt echter gerekend aan de landzijde van de oeverlijn te liggen, ook al wordt die grond bij hoogwater overstroomd.

Duinvorming

Art. 35. *(5.3.13)* 1. Nieuw duin dat zich op het strand vormt, behoort aan de eigenaar van het aan het strand grenzende duin, wanneer beide duinen een geheel zijn geworden, zodanig dat zij niet meer van elkander kunnen worden onderscheiden.

2. Daarentegen verliest deze eigenaar de grond welke door afneming van het duin deel van het strand wordt.

3. Uitbreiding of afneming van een duin als bedoeld in de leden 1 en 2 brengt geen wijziging meer in de eigendom nadat de grens is vastgesteld, hetzij door de eigenaars van strand en duin, hetzij door de rechter op vordering van een hunner tegen de ander. De artikelen 30-32 zijn van overeenkomstige toepassing.

4. Buiten het geval van de leden 1 en 2 brengt uitbreiding of afneming van een duin geen wijziging in de eigendom.

Gemene muren

Art. 36. *(5.3.14)* Dient een muur, hek, heg of greppel, dan wel een niet bevaarbaar stromend water, een sloot, gracht of dergelijke watergang als afscheiding van twee erven, dan wordt het midden van deze afscheiding vermoed de grens tussen deze erven te zijn. Dit vermoeden geldt niet, indien een muur slechts aan één zijde een gebouw of werk steunt.

TITEL 4
Bevoegdheden en verplichtingen van eigenaars van naburige erven

Hinder

Art. 37. *(5.4.0)* De eigenaar van een erf mag niet in een mate of op een wijze die volgens artikel 162 van Boek 6 onrechtmatig is, aan eigenaars van andere erven hinder toebrengen zoals door het verspreiden van rumoer, trillingen, stank, rook of gassen, door het onthouden van licht of lucht of door het ontnemen van steun.

Aflopend water

Art. 38. *(5.4.1)* Lagere erven moeten het water ontvangen dat van hoger gelegen erven van nature afloopt.

Hinder door wijziging waterloop etc.

Art. 39. *(5.4.2)* De eigenaar van een erf mag niet in een mate of op een wijze die volgens artikel 162 van Boek 6 onrechtmatig is, aan eigenaars van andere erven hinder toebrengen door wijziging te brengen in de loop, hoeveelheid of hoedanigheid van over zijn erf stromend water of van het grondwater, dan wel door gebruik van water dat zich op zijn erf bevindt en in open gemeenschap staat met het water op eens anders erf.

Gebruik openbaar en stromend water

Art. 40. *(5.4.3)* 1. De eigenaar van een erf dat aan een openbaar of stromend water grenst, mag van het water gebruik maken tot bespoeling, tot drenking van vee of tot andere dergelijke doeleinden, mits hij daardoor aan eigenaars van andere erven geen hinder toebrengt in een mate of op een wijze die volgens artikel 162 van Boek 6 onrechtmatig is.

2. Betreft het een openbaar water, dan is het vorige lid slechts van toepassing voor zover de bestemming van het water zich er niet tegen verzet.

Invloed verordeningen

Art. 41. *(5.4.3a)* Van de artikelen 38, 39 en 40 lid 1 kan bij verordening worden afgeweken.

Beplantingen

Art. 42. *(5.4.4)* 1. Het is niet geoorloofd binnen de in lid 2 bepaalde afstand van de grenslijn van eens anders erf bomen, heesters of heggen te hebben, tenzij de eigenaar daartoe toestemming heeft gegeven of dat erf een openbare weg of een openbaar water is.

2. De in lid 1 bedoelde afstand bedraagt voor bomen twee meter te rekenen vanaf het midden van de voet van de boom en voor de heesters en heggen een halve meter, tenzij ingevolge een verordening of een plaatselijke gewoonte een kleinere afstand is toegelaten.

3. De nabuur kan zich niet verzetten tegen de aanwezigheid van bomen, heesters of heggen die niet hoger reiken dan de scheidsmuur tussen de erven.

4. Ter zake van een volgens dit artikel ongeoorloofde toestand is slechts vergoeding verschuldigd van de schade, ontstaan na het tijdstip waartegen tot opheffing van die toestand is aangemaand.

Muur

Art. 43. *(5.4.5)* Onder muur wordt in deze en de volgende titel verstaan iedere van steen, hout of andere daartoe geschikte stof vervaardigde, ondoorzichtige afsluiting.

Overhangende beplanting

Art. 44. *(5.4.6)* 1. Indien een nabuur wiens beplantingen over eens anders erf heenhangen, ondanks aanmaning van de eigenaar van dit erf, nalaat het overhangende te verwijderen, kan laatstgenoemde eigenaar eigenmachtig het overhangende wegsnijden en zich toeëigenen.

Wortels

2. Degene op wiens erf wortels van een ander erf doorschieten, mag deze voor zover ze doorgeschoten zijn weghakken en zich toeëigenen.

Afvallende vruchten

Art. 45. *(5.4.7)* Vruchten die van de bomen van een erf op een naburig erf vallen, behoren aan hem wie de vruchten van dit laatste erf toekomen.

Afpalingstekens

Art. 46. *(5.4.8)* De eigenaar van een erf kan te allen tijde van de eigenaar van het aangrenzende erf vorderen dat op de grens van hun erven behoorlijk waarneembare afpalingstekens gesteld of de bestaande zo nodig vernieuwd worden. De eigenaars dragen in de kosten hiervan voor gelijke delen bij.

Grensbepaling bij onzekerheid

Art. 47. *(5.4.9)* 1. Indien de loop van de grens tussen twee erven onzeker is, kan ieder der eigenaars te allen tijde vorderen dat de rechter de grens bepaalt.

2. In geval van onzekerheid waar de grens tussen twee erven ligt, geldt niet het wettelijk vermoeden dat de bezitter eigenaar is.

3. Bij het bepalen van de grens kan de rechter naar gelang van de omstandigheden het gebied waarover onzekerheid bestaat, in gelijkwaardige of ongelijkwaardige delen verdelen dan wel het in zijn geheel aan een der partijen toewijzen, al dan niet met toekenning van een schadevergoeding aan een der partijen.

Afsluiting erf

Art. 48. *(5.4.10)* De eigenaar van een erf is bevoegd dit af te sluiten.

Scheidsmuur

Art. 49. *(5.4.11)* 1. Ieder der eigenaars van aangrenzende erven in een aaneengebouwd gedeelte van een gemeente kan te allen tijde vorderen dat de andere eigenaar ertoe meewerkt, dat op de grens van de erven een scheidsmuur van twee meter hoogte wordt opgericht, voor zover een verordening of een plaatselijke gewoonte de wijze of de hoogte der afscheiding niet anders regelt. De eigenaars dragen in de kosten van de afscheiding voor gelijke delen bij.

Uitzondering

2. Het vorige lid is niet toepasselijk, indien een der erven een openbare weg of een openbaar water is.

Vensters, balkons

Art. 50. *(5.4.12)* 1. Tenzij de eigenaar van het naburige erf daartoe toestemming heeft gegeven, is het niet geoorloofd binnen twee meter van de grenslijn van dit erf vensters of andere muuropeningen, dan wel balkons of soortgelijke werken te hebben, voor zover deze op dit erf uitzicht geven.

2. De nabuur kan zich niet verzetten tegen de aanwezigheid van zodanige openingen of werken, indien zijn erf een openbare weg of een openbaar water is, indien zich tussen de erven openbare wegen of openbare wateren bevinden of indien het uitzicht niet verder reikt dan tot een binnen twee meter van de opening of het werk zich bevindende muur. Uit dezen hoofde geoorloofde openingen of werken blijven geoorloofd, ook nadat de erven hun openbare bestemming hebben verloren of de muur is gesloopt.

3. De in dit artikel bedoelde afstand wordt gemeten rechthoekig uit de buitenkant van de muur daar, waar de opening is gemaakt, of uit de buitenste naar het naburige erf gekeerde rand van het vooruitspringende werk tot aan de grenslijn der erven of de muur.

4. Wanneer de nabuur als gevolg van verjaring geen wegneming van een opening of werk meer kan vorderen, is hij verplicht binnen een afstand van twee meter daarvan geen gebouwen of werken aan te brengen die de eigenaar van het andere erf onredelijk zouden hinderen, behoudens voor zover zulk een gebouw of werk zich daar reeds op het tijdstip van de voltooiing van de verjaring bevond.

5. Ter zake van een volgens dit artikel ongeoorloofde toestand is slechts vergoeding verschuldigd van schade, ontstaan na het tijdstip waartegen opheffing van die toestand is aangemaand.

Ondoorzichtige vensters

Art. 51. *(5.4.13)* In muren, staande binnen de in het vorige artikel aangegeven afstand, mogen steeds lichtopeningen worden gemaakt, mits zij van vaststaande en ondoorzichtige vensters worden voorzien.

Afwatering

Art. 52. *(5.4.14)* 1. Een eigenaar is verplicht de afdekking van zijn gebouwen en werken zodanig in te richten, dat daarvan het water niet op eens anders erf afloopt.

Afwatering op de openbare weg

2. Afwatering op de openbare weg is geoorloofd, indien zij niet bij de wet of verordening verboden is.

Water, vuilnis

Art. 53. *(5.4.15)* Een eigenaar is verplicht er voor te zorgen dat geen water of vuilnis van zijn erf in de goot van eens anders erf komt.

Rechten naburen bij uitstekende gebouwen of werken

Art. 54. *(5.4.16)* 1. Is een gebouw of werk ten dele op, boven of onder het erf van een ander gebouwd en zou de eigenaar van het gebouw of werk door wegneming van het uitstekende gedeelte onevenredig veel zwaarder benadeeld worden dan de eigenaar van het erf door handhaving daarvan, dan kan de eigenaar van het gebouw of werk te allen tijde vorderen dat hem tegen schadeloosstelling een erfdienstbaarheid tot het handhaven van de bestaande toestand wordt verleend of, ter keuze van de eigenaar van het erf, een daartoe benodigd gedeelte van het erf wordt overgedragen.

Overhelling

2. Het vorige lid is van overeenkomstige toepassing, wanneer een gebouw of werk na verloop van tijd over andermans erf is gaan overhellen.

Kwade trouw, grove schuld

3. De vorige leden zijn niet van toepassing, indien dit voortvloeit uit een op de wet of rechtshandeling gegronde verplichting tot het dulden van de bestaande toestand of indien de eigenaar van het gebouw of werk ter zake van de bouw of zijn verkrijging kwade trouw of grove schuld verweten kan worden.

Dreigende instorting

Art. 55. *(5.4.16a)* Indien door een dreigende instorting van een gebouw of werk een naburig erf in gevaar wordt gebracht, kan de eigenaar van dat erf te allen tijde vorderen dat maatregelen worden genomen teneinde het gevaar op te heffen.

Steigerrecht

Art. 56. *(5.4.17)* Wanneer het voor het verrichten van werkzaamheden ten behoeve van een onroerende zaak noodzakelijk is van een andere onroerende zaak tijdelijk gebruik te maken, is de eigenaar van deze zaak gehouden dit na behoorlijke kennisgeving en tegen schadeloosstelling toe te staan, tenzij er voor deze eigenaar gewichtige redenen bestaan dit gebruik te weigeren of tot een later tijdstip te doen uitstellen.

Noodweg tegen schadevergoeding

Art. 57. *(5.4.18)* 1. De eigenaar van een erf dat geen behoorlijke toegang heeft tot een openbare weg of een openbaar vaarwater, kan van de eigenaars van de naburige erven te allen tijde aanwijzing van een noodweg ten dienste van zijn erf vorderen tegen vooraf te betalen of te verzekeren vergoeding van de schade welke hun door die noodweg wordt berokkend.

Verhoging schadevergoeding

2. Indien zich na de aanwijzing van de noodweg onvoorziene omstandigheden voordoen, waardoor die weg een grotere last aan de eigenaar van het erf veroorzaakt dan waarmee bij het bepalen van de in lid 1 bedoelde vergoeding was gerekend, kan de rechter het bedrag van de vergoeding verhogen.

Aanwijzing noodweg

3. Bij de aanwijzing van de noodweg wordt rekening gehouden met het belang van het ingesloten erf, dat langs die weg de openbare weg of het openbare water zo snel mogelijk kan worden bereikt, en met het belang van de bezwaarde erven om zo weinig mogelijk overlast van die weg te ondervinden. Is een erf van de openbare weg afgesloten geraakt, doordat het ten gevolge van een rechtshandeling een andere eigenaar heeft gekregen dan een vroeger daarmee verenigd gedeelte dat aan de openbare weg grenst of een behoorlijke toegang daartoe heeft, dan komt dit afgescheiden gedeelte het eerst voor de belasting met een noodweg in aanmerking.

Verlegging noodweg

4. Wanneer een wijziging in de plaatselijke omstandigheden dat wenselijk maakt, kan een noodweg op vordering van een onmiddellijk belanghebbende eigenaar worden verlegd.

Verval noodweg

5. Een noodweg vervalt, hoelang hij ook heeft bestaan, zodra hij niet meer nodig is.

Noodwaterleiding

Art. 58. *(5.4.19)* De eigenaar van een erf die water dat elders te zijner beschikking staat, door een leiding wil aanvoeren, kan tegen vooraf te betalen of te verzekeren schadevergoeding van de eigenaars der naburige erven vorderen te gedogen dat deze leiding door of over hun erven gaat.

Overeenkomstige toepassing

2. De laatste vier leden van het vorige artikel vinden daarbij overeenkomstige toepassing.

Grens onder watergang

Art. 59. *(5.4.20)* 1. Wanneer de grens van twee erven in de lengterichting onder een niet bevaarbaar stromend water, een sloot, gracht of dergelijke watergang doorloopt, heeft de eigenaar van elk dier erven met betrekking tot die watergang in zijn gehele breedte dezelfde bevoegdheden en verplichtingen als een mede-eigenaar. Iedere eigenaar is verplicht de op zijn erf gelegen kant van het water, de sloot, de gracht of de watergang te onderhouden.

2. Iedere eigenaar is gerechtigd en verplicht hetgeen tot onderhoud daaruit wordt verwijderd, voor zijn deel op zijn erf te ontvangen.

Afwijkende regeling

3. Een door de eigenaars overeengekomen afwijkende regeling is ook bindend voor hun rechtverkrijgenden.

TITEL 5
Mandeligheid

Mandeligheid erven

Art. 60. *(5.5.1)* Mandeligheid ontstaat, wanneer een onroerende zaak gemeenschappelijk eigendom is van de eigenaars van twee of meer erven en door hen tot gemeenschappelijk nut van die erven wordt bestemd bij een tussen hun opgemaakte notariële akte, gevolgd door inschrijving daarvan in de openbare registers.

Einde mandeligheid

Art. 61. *(5.5.1a)* 1. Mandeligheid die is ontstaan ingevolge het vorige artikel, eindigt:
a. wanneer de gemeenschap eindigt;
b. wanneer de bestemming van de zaak tot gemeenschappelijk nut van de erven wordt opgeheven bij een tussen de mede-eigenaars opgemaakte notariële akte, gevolgd door inschrijving daarvan in de openbare registers;
c. zodra het nut van de zaak voor elk van de erven is geëindigd.

Openbare registers

2. Het feit dat het nut van de zaak voor elk van de erven is geëindigd, kan in de openbare registers worden ingeschreven.

Mandeligheid vrijstaande scheidsmuur

Art. 62. *(5.5.2)* 1. Een vrijstaande scheidsmuur, een hek of een heg is gemeenschappelijk eigendom en mandelig, indien de grens van twee erven die aan verschillende eigenaars toebehoren, er in de lengterichting onderdoor loopt.

2. De scheidsmuur die twee gebouwen of werken, welke aan verschillende eigenaars toebehoren, gemeen hebben, is eveneens gemeenschappelijk eigendom en mandelig.

Mandeligheid scheidsmuur gebouwen

Art. 63. *(5.5.3)* 1. Het recht op een mandelige zaak kan niet worden gescheiden van de eigendom der erven.

Afhankelijk recht

2. Een vordering tot verdeling van een mandelige zaak is uitgesloten.

Geen verdeling

Art. 64. *(5.5.4)* Mandeligheid brengt mede dat iedere mede-eigenaar aan de overige mede-eigenaars toegang tot de mandelige zaak moet geven.

Toegang

Art. 65. *(5.5.5)* Mandelige zaken moeten op kosten van alle mede-eigenaars worden onderhouden, gereinigd en, indien nodig, vernieuwd.

Onderhoud vernieuwing

Art. 66. *(5.5.6)* 1. Een mede-eigenaar van een mandelige zaak kan zijn aandeel in die zaak ook afzonderlijke van zijn erf aan de overige mede-eigenaars overdragen.

Aandeel overdraagbaar

2. Indien een mede-eigenaar hiertoe op zijn kosten wil overgaan uit hoofde van de lasten van onderhoud, reiniging en vernieuwing in de toekomst, zijn de overige mede-eigenaars gehouden tot die overdracht mede te werken, mits hij hun zo nodig een recht van opstal of erfdienstbaarheid verleent, waardoor zij met betrekking tot de zaak hun rechten kunnen blijven uitoefenen.

Overdracht aandeel aan mede-eigenaars

3. De vorige leden zijn niet van toepassing op een muur die twee gebouwen of werken gemeen hebben, noch op een muur, hek of heg waardoor twee erven in een aaneengebouwd gedeelte van een gemeente van elkaar worden gescheiden.

Uitzondering

Art. 67. *(5.5.7)* 1. Iedere mede-eigenaar mag tegen de mandelige scheidsmuur aanbouwen en daarin tot op de helft der dikte balken, ribben, ankers en andere werken aanbrengen, mits hij aan de muur en aan de door de buur bevoegdelijk daarmee verbonden werken geen nadeel toebrengt.

Bouwen aan mandelige scheidsmuur

2. Behalve in noodgevallen kan een mede-eigenaar vorderen dat, vóór de andere mede-eigenaar begint met aanbrengen van het werk, deskundigen zullen vaststellen op welke wijze dit kan geschieden zonder nadeel voor de muur of voor bevoegd aangebrachte werken van de eerst vermelde eigenaar.

Art. 68. *(5.5.8)* Iedere mede-eigenaar mag op de mandelige scheidsmuur tot op de helft der dikte een goot aanleggen, mits het water niet op het erf van de andere mede-eigenaar uitloost.

Gootrecht

Art. 69. *(5.5.8a)* De artikelen 64, 65, 66 lid 2, 67 en 68 vinden geen toepassing voor zover een overeenkomstig artikel 168 van Boek 3 getroffen regeling anders bepaalt.

Regeling als bedoeld in art. 168 van Boek 3

TITEL 6
Erfdienstbaarheden

Art. 70. *(5.6.1)* 1. Een erfdienstbaarheid is een last, waarmede een onroerende zaak — het dienende erf — ten behoeve van een andere onroerende zaak — het heersende erf — is bezwaard.

Erfdienstbaarheid

2. In de akte van vestiging van een erfdienstbaarheid kan aan de eigenaar van het heersende erf de verplichting worden opgelegd aan de eigenaar van het dienende erf op al dan niet regelmatig terugkerende tijdstippen een geldsom — de retributie — te betalen.

Retributie

Art. 71. *(5.6.2)* 1. De last die een erfdienstbaarheid op het dienende erf legt, bestaat in een verplichting om op, boven of onder een der beide erven iets te dulden of niet te doen. In de akte van vestiging kan worden bepaald dat de last bovendien een verplichting inhoudt tot het aanbrengen van gebouwen, werken of beplantingen die voor de uitoefening van die erfdienstbaarheid nodig zijn, mits deze gebouwen, werken en beplantingen zich geheel of gedeeltelijk op het dienende erf zullen bevinden.

Dulden, niet doen; aanbrengen gebouwen etc.

2. De last die een erfdienstbaarheid op het dienende erf legt, kan ook bestaan in een verplichting tot onderhoud van het dienende erf of van gebouwen, werken of beplantingen die zich geheel of gedeeltelijk op het dienende erf bevinden of zullen bevinden.

Onderhoud gebouwen, etc.

Ontstaan erfdienstbaarheid

Art. 72. *(5.6.3)* Erfdienstbaarheden kunnen ontstaan door vestiging en door verjaring.

Inhoud erfdienstbaarheid

Art. 73. *(5.6.4)* 1. De inhoud van de erfdienstbaarheid en de wijze van uitoefening worden bepaald door de akte van vestiging en, voor zover in die akte regelen daaromtrent ontbreken, door de plaatselijke gewoonte. Is een erfdienstbaarheid te goeder trouw geruime tijd zonder tegenspraak op een bepaalde wijze uitgeoefend, dan is in geval van twijfel deze wijze van uitoefening beslissend.

Verplaatsing

2. Niettemin kan de eigenaar van het dienende erf voor de uitoefening van de erfdienstbaarheid een ander gedeelte van het erf aanwijzen dan waarop de erfdienstbaarheid ingevolge het vorige lid dient te worden uitgeoefend, mits deze verplaatsing zonder vermindering van genot voor de eigenaar van het heersende erf mogelijk is. Kosten, noodzakelijk voor zodanige verandering, komen ten laste van de eigenaar van het dienende erf.

Uitoefening op minst bezwarende wijze

Art. 74. *(5.6.5)* De uitoefening der erfdienstbaarheid moet op de voor het dienende erf minst bezwarende wijze geschieden.

Bevoegdheid eigenaar heersend erf

Art. 75. *(5.6.6)* 1. De eigenaar van het heersende erf is bevoegd om op zijn kosten op het dienende erf alles te verrichten wat voor de uitoefening van de erfdienstbaarheid noodzakelijk is.

Gebouwen etc. aanbrengen

2. Hij is eveneens bevoegd om op zijn kosten op het dienende erf gebouwen, werken en beplantingen aan te brengen, die voor de uitoefening van de erfdienstbaarheid noodzakelijk zijn.

Onderhoud, wegname

3. Hij is verplicht het door hem op het dienende erf aangebrachte te onderhouden, voor zover dit in het belang van het dienende erf nodig is; hij is bevoegd het weg te nemen, mits hij het erf in de oude toestand terugbrengt.

4. De eigenaar van het dienende erf heeft geen recht van gebruik van de gebouwen, werken en beplantingen, die daarop door de eigenaar van het heersende erf rechtmatig zijn aangebracht.

Regelend recht

5. In de akte van vestiging kan van de vorige leden worden afgeweken.

Invloed mandeligheid

6. In geval van mandeligheid zijn in plaats van de leden 3 en 4 de uit dien hoofde geldende regels van toepassing.

Verdeling heersend erf

Art. 76. *(5.6.7)* 1. Wanneer het heersende erf wordt verdeeld, blijft de erfdienstbaarheid bestaan ten behoeve van ieder gedeelte, ten voordele waarvan zij kan strekken.

Verdeling dienend erf

2. Wanneer het dienende erf wordt verdeeld, blijft de last rusten op ieder gedeelte, ten aanzien waarvan naar de akte van vestiging en de aard der erfdienstbaarheid de uitoefening mogelijk is.

Regelend recht

3. In de akte van vestiging kan van de vorige leden worden afgeweken.

Mede-eigenaars; hoofdelijkheid

Art. 77. *(5.6.7a)* 1. Behoort het heersende of het dienende erf toe aan twee of meer personen, hetzij als deelgenoten, hetzij als eigenaars van verschillende gedeelten daarvan, dan zijn zij hoofdelijk verbonden tot nakoming van de uit de erfdienstbaarheid voortvloeiende geldelijke verplichtingen die tijdens hun recht opeisbaar worden, voor zover deze niet over hun rechten zijn verdeeld.

Hoofdelijkheid na overdracht of toedeling

2. Na overdracht of toedeling van het heersende of het dienende erf of van een gedeelte daarvan of een aandeel daarin zijn de verkrijger en zijn rechtsvoorganger hoofdelijk verbonden voor de in lid 1 bedoelde geldelijke verplichtingen die in de voorafgaande twee jaren opeisbaar zijn geworden.

Afwijkingsmogelijkheid

3. In de akte van vestiging kan van de vorige leden worden afgeweken, doch van het tweede lid niet ten nadele van de verkrijger.

Wijziging opheffing erfdienstbaarheid

Art. 78. *(5.6.8)* De rechter kan op vordering van de eigenaar van het dienende erf een erfdienstbaarheid wijzigen of opheffen:
a. op grond van onvoorziene omstandigheden welke van dien aard zijn dat naar maatstaven van redelijkheid en billijkheid ongewijzigde instandhouding van de erfdienstbaarheid niet van de eigenaar van het dienende erf kan worden gevergd;*b.* indien ten minste twintig jaren na het ontstaan van de erfdienstbaarheid zijn verlopen en het ongewijzigd voortbestaan van de erfdienstbaarheid in strijd is met het algemeen belang.

Opheffing op vordering eigenaar dienend erf

Art. 79. *(5.6.8a)* De rechter kan op vordering van de eigenaar van het dienende erf een erfdienstbaarheid opheffen, indien de uitoefening daarvan onmogelijk is geworden of de eigenaar van het heersende erf geen redelijk belang bij de uitoefening meer heeft, en het niet aannemelijk is dat de mogelijkheid van uitoefening of het redelijk belang daarbij zal terugkeren.

Wijziging op vordering eigenaar heersend erf

Art. 80. *(5.6.8b)* De rechter kan op vordering van de eigenaar van het heersende erf de inhoud van een erfdienstbaarheid, wanneer door onvoorziene omstandigheden de uitoefening blijvend of tijdelijk onmogelijk is geworden of het belang van de eigenaar van het heersende erf aanzienlijk is verminderd, zodanig wijzigen dat de mogelijkheid van uitoefening of het oorspronkelijke belang wordt hersteld, mits deze wijziging naar maatstaven van redelijkheid en billijkheid van de eigenaar van het dienende erf kan worden gevergd.

Voorwaarden

Art. 81. *(5.6.8ba)* 1. De rechter kan een vordering als bedoeld in de artikelen 78-80 toewijzen onder door hem te stellen voorwaarden.

Positie beperkt gerechtigde

2. Rust op een der erven beperkt recht, dan is de vordering slechts toewijsbaar, indien de beperkt gerechtigde in het geding is geroepen. Bij het oordeel of aan de maatstaven van de artikelen 78 onder a, 79 en 80 is voldaan, dient mede met zijn belangen rekening te worden gehouden.

Afstand erfdienstbaarheid

Art. 82. *(5.6.8c)* 1. Indien de eigenaar van het heersende erf uit hoofde van de aan de erfdienstbaarheid verbonden lasten en verplichtingen op zijn kosten afstand van zijn recht wil doen, is de eigenaar van het dienende erf gehouden hieraan mede te werken.

2. In de akte van vestiging kan voor de eerste twintig jaren anders worden bepaald.

Vermenging

Art. 83. *(5.6.9a)* Indien op het tijdstip waarop het heersende en het dienende erf één eigenaar verkrijgen, een derde een der erven in huur of pacht of uit hoofde van een ander persoonlijk recht in gebruik heeft, gaat de erfdienstbaarheid pas door vermenging teniet bij het einde van dit gebruiksrecht.

Art. 84. *(5.6.10)* 1. Hij die een recht van erfpacht, opstal of vruchtgebruik op een onroerende zaak heeft, kan een erfdienstbaarheid ten behoeve van deze zaak bedingen. Hij kan haar ook met een erfdienstbaarheid belasten.

Erfdienstbaarheid bedongen door beperkt gerechtigde

2. Erfdienstbaarheden, bedongen door een beperkt gerechtigde ten behoeve van de zaak waarop zijn recht rust of door een opstaller ten behoeve van de opstal, gaan bij het einde van het beperkte recht slechts teniet, indien dit in de akte van vestiging van de erfdienstbaarheid is bepaald. Blijft de erfdienstbaarheid voortbestaan, dan staat een beding als bedoeld in artikel 82 lid 2 niet langer aan afstand van de erfdienstbaarheid in de weg.

Erfdienstbaarheid gevestigd door beperkt gerechtigde

3. Erfdienstbaarheden, gevestigd door een beperkt gerechtigde ten laste van de zaak waarop zijn recht rust of door een opstaller ten laste van de opstal, gaan teniet bij het einde van het beperkte recht, tenzij dit eindigt door vermenging of afstand of de eigenaar van de zaak waarop het beperkte recht rustte bij een in de openbare registers ingeschreven akte heeft verklaard met de vestiging van de erfdienstbaarheid in te stemmen.

4. De erfpachter, opstaller of vruchtgebruiker wordt voor de toepassing van de overige artikelen van deze titel aangemerkt als eigenaar van het heersende, onderscheidenlijk het dienende erf.

TITEL 7
Erfpacht

Erfpacht

Art. 85. *(5.7.1.1)* 1. Erfpacht is een zakelijk recht dat de erfpachter de bevoegdheid geeft eens anders onroerende zaak te houden en te gebruiken.

Canon

2. In de akte van vestiging kan aan de erfpachter de verplichting worden opgelegd aan de eigenaar op al dan niet regelmatig terugkerende tijdstippen een geldsom — de canon — te betalen.

Duur

Art. 86. *(5.7.1.2)* Partijen kunnen in de akte van vestiging de duur van de erfpacht regelen.

Opzegging door erfpachter

Art. 87. *(5.7.1.2a)* 1. Een erfpacht kan door de erfpachter worden opgezegd, tenzij in de akte van vestiging anders is bepaald.

door eigenaar

2. Een erfpacht kan door de eigenaar worden opgezegd, indien de erfpachter in verzuim is de canon over twee achtereenvolgende jaren te betalen of in ernstige mate tekortschiet in de nakoming van zijn andere verplichtingen. Deze opzegging moet op straffe van nietigheid binnen acht dagen worden betekend aan degenen die als beperkt gerechtigde of beslaglegger op de erfpacht in de openbare registers staan ingeschreven. Na het einde van de erfpacht is de eigenaar verplicht de waarde die de erfpacht dan heeft aan de erfpachter te vergoeden, na aftrek van hetgeen hij uit hoofde van de erfpacht van de erfpachter te vorderen heeft, de kosten daaronder begrepen.

3. Een beding dat ten nadele van de erfpachter van het vorige lid afwijkt is nietig. In de akte van vestiging kan aan de eigenaar de bevoegdheid worden toegekend tot opzegging, behoudens op grond van tekortschieten van de erfpachter in de nakoming van zijn verplichtingen.

Exploit; opzegtermijn

Art. 88. *(5.7.1.2b)* 1. Iedere opzegging geschiedt bij exploit. Zij geschiedt tenminste een jaar voor het tijdstip waartegen wordt opgezegd, doch in het geval van artikel 87 lid 2 tenminste een maand voor dat tijdstip.

2. In het geval van artikel 87 lid 2 weigert de bewaarder de inschrijving van de opzegging als niet tevens wordt overgelegd de betekening daarvan aan degenen die in de openbare registers als beperkt gerechtigde of beslaglegger op de erfpacht stonden ingeschreven.

Genot als eigenaar

Art. 89. *(5.7.1.3)* 1. Voor zover niet in de akte van vestiging anders is bepaald, heeft de erfpachter hetzelfde genot van de zaak als een eigenaar.

Geen wijziging van bestemming

2. Hij mag echter zonder toestemming van de eigenaar niet een andere bestemming aan de zaak geven of een handeling in strijd met de bestemming van de zaak verrichten.

Jus tollendi

3. Voor zover niet in de akte van vestiging anders is bepaald, heeft de erfpachter, zowel tijdens de duur van de erfpacht als bij het einde daarvan, de bevoegdheid gebouwen, werken en beplantingen, die door hemzelf of een rechtsvoorganger onverplicht zijn aangebracht of van de eigenaar tegen vergoeding der waarde zijn overgenomen, weg te nemen, mits hij de in erfpacht gegeven zaak in de oude toestand terugbrengt.

Vruchten, etc.

Art. 90. *(5.7.1.4)* 1. Voor zover niet in de akte van vestiging anders is bepaald, behoren vruchten die tijdens de duur der erfpacht zijn afgescheiden of opeisbaar geworden, en voordelen van roerende aard, die de zaak oplevert, aan de erfpachter.

Aanwas

2. Voordelen van onroerende aard behoren aan de eigenaar toe. Zij zijn eveneens aan de erfpacht onderworpen, tenzij in de akte van vestiging anders is bepaald.

Toestemming tot overdracht of toedeling

Art. 91. *(5.7.1.5)* 1. In de akte van vestiging kan worden bepaald dat de erfpacht niet zonder toestemming van de eigenaar kan worden overgedragen of toebedeeld. Een zodanige bepaling staat aan executie door schuldeisers niet in de weg.

Toestemming tot splitsing

2. In de akte van vestiging kan ook worden bepaald, dat de erfpachter zijn recht niet zonder toestemming van de eigenaar kan splitsen door overdracht of toedeling van de erfpacht op een gedeelte van de zaak.

3. Een beding als in de vorige leden bedoeld kan ook worden gemaakt ten aanzien van de appartementsrechten, waarin een gebouw door de erfpachter wordt gesplitst. Het kan slechts aan een verkrijger onder bijzondere titel van een recht op het appartementsrecht worden tegengeworpen, indien het in de akte van splitsing is omschreven.

Machtiging boedelrechter

4. Indien de eigenaar de vereiste toestemming zonder redelijke gronden weigert of zich niet verklaart, kan zijn toestemming op verzoek van degene die haar behoeft, worden vervangen door een machtiging van de kantonrechter binnen wiens rechtsgebied de zaak of het grootste gedeelte daarvan is gelegen.

Meer erfpachters; hoofdelijkheid

Art. 92. *(5.7.1.5a)* 1. Behoort de erfpacht toe aan twee of meer personen, hetzij als deelgenoten hetzij als erfpachter van verschillende gedeelten van de zaak, dan zijn zij hoofdelijk verbonden voor de gehele canon die tijdens hun recht opeisbaar wordt, voor zover deze niet over hun rechten verdeeld is.

Hoofdelijkheid overdracht of toedeling

2. Na overdracht of toedeling van de erfpacht op de zaak of een gedeelte daarvan of van een aandeel in de erfpacht zijn de verkrijger en zijn rechtsvoorganger hoofdelijk verbonden voor de door laatstgenoemde verschuldigde canon die in de voorafgaande vijf jaren opeisbaar is geworden.

Afwijkingsmogelijkheid

3. In de akte van vestiging kan van de vorige leden worden afgeweken, doch van het tweede lid niet ten nadele van de verkrijger.

Art. 93. *(5.7.1.5b)* 1. De erfpachter is bevoegd de zaak waarop het recht van erfpacht rust, geheel of ten dele in ondererfpacht te geven, voor zover in de akte van vestiging niet anders is bepaald. Aan de ondererfpachter komen ten aanzien van de zaak niet meer bevoegdheden toe dan de erfpachter jegens de eigenaar heeft.

Ondererfpacht

2. De ondererfpacht gaat bij het einde van de erfpacht teniet, tenzij deze eindigt door vermenging of afstand. De eigenaar kan voor de ter zake van de erfpacht verschuldigde canon het recht van erfpacht vrij van ondererfpacht uitwinnen. Het in de vorige zinnen van dit lid bepaalde geldt niet, indien de eigenaar bij een in de openbare registers ingeschreven notariële akte heeft verklaard met de vestiging van de ondererfpacht in te stemmen.

Einde ondererfpacht

3. Voor de toepassing van de overige artikelen van deze titel wordt de erfpachter in zijn verhouding tot de ondererfpachter als eigenaar aangemerkt.

Art. 94. *(5.7.1.6)* 1. De erfpachter is bevoegd de zaak waarop het recht van erfpacht rust, te verhuren of te verpachten, voor zover in de akte van vestiging niet anders is bepaald.

Pacht en huur

2. Na het einde van de erfpacht is de eigenaar verplicht een bevoegdelijk aangegane verhuur of verpachting gestand te doen. Hij kan nochtans gestanddoening weigeren, voor zover zonder zijn toestemming hetzij de overeengekomen tijdsduur van de huur langer is dan met het plaatselijk gebruik overeenstemt of bedrijfsruimte in de zin van artikel 1624 van Boek 7A is verhuurd voor een langere tijd dan vijf jaren, hetzij de verpachting is geschied voor een langere duur dan twaalf jaren voor hoeven en zes jaren voor los land, hetzij de verhuring of verpachting is geschied op ongewone voor hem bezwarende voorwaarden.

Pacht en huur na einde erfpacht

3. Hij verliest de bevoegdheid gestanddoening te weigeren, wanneer de huurder of pachter hem een redelijke termijn heeft gesteld om zich omtrent de gestanddoening te verklaren en hij zich niet binnen deze termijn heeft uitgesproken.

4. Indien de eigenaar volgens de vorige leden niet verplicht is tot gestanddoening van een door de erfpachter aangegane verhuring van woonruimte waarin de huurder bij het eindigen van de erfpacht zijn hoofdverblijf heeft en waarop de artikelen 1623a-1623f van Boek 7A van toepassing zijn, moet hij de verhuurovereenkomst niettemin met de huurder voortzetten met dien verstande dat artikel 1623k, tweede lid, van Boek 7A van overeenkomstige toepassing is.

Art. 95. *(5.7.1.7)* Tot het instellen van rechtsvorderingen en het indienen van verzoekschriften ter verkrijging van een rechterlijke uitspraak die zowel het recht van de eigenaar als dat van de erfpachter betreft, is ieder van hen bevoegd, mits hij zorg draagt dat de ander tijdig in het geding wordt geroepen.

Instellen rechtsvorderingen

Art. 96. *(5.7.1.8)* 1. Gewone lasten en herstellingen worden door de erfpachter gedragen en verricht. De erfpachter is verplicht, wanneer buitengewone herstellingen nodig zijn, aan de eigenaar van deze noodzakelijkheid kennis te geven en hem gelegenheid te verschaffen tot het doen van deze herstellingen. De eigenaar is niet tot het doen van enige herstelling verplicht.

Lasten en herstellingen

2. De erfpachter is verplicht de buitengewone lasten die op de zaak drukken te voldoen.

3. In de akte van vestiging kan van de vorige leden worden afgeweken.

Art. 97. *(5.7.1.8a)* 1. Indien vijf en twintig jaren na de vestiging van de erfpacht zijn verlopen, kan de rechter op vordering van de eigenaar of de erfpachter de erfpacht wijzigen of opheffen op grond van onvoorziene omstandigheden, welke van dien aard zijn dat naar maatstaven van redelijkheid en billijkheid ongewijzigde instandhouding van de akte van vestiging niet van de eigenaar of de erfpachter kan worden gevergd.

Onvoorziene omstandigheden

2. De rechter kan de vordering onder door hem vast te stellen voorwaarden toewijzen.

Voorwaarden

3. Rust op de erfpacht of op de zaak een beperkt recht, dan is de vordering slechts toewijsbaar, indien de beperkt gerechtigde in het geding is geroepen en ook te zijnen aanzien aan de maatstaf van lid 1 is voldaan.

Art. 98. *(5.7.1.9a)* 1. Wanneer de tijd waarvoor de erfpacht is gevestigd, is verstreken en de erfpachter de zaak niet op dat tijdstip heeft ontruimd, blijft de erfpacht doorlopen, tenzij de eigenaar uiterlijk zes maanden na dat tijdstip doet blijken dat hij haar als geëindigd beschouwt. De eigenaar en de erfpachter kunnen de

Erfpacht kan ondanks einde doorlopen

verlengde erfpacht opzeggen op de wijze en met inachtneming van de termijn vermeld in artikel 88.

Dwingend recht

2. Ieder beding dat ten nadele van de erfpachter van dit artikel afwijkt, is nietig.

Vergoeding waarde gebouwen, etc. na einde erfpacht

Art. 99. *(5.7.1.11)* 1. Na het einde van de erfpacht heeft de voormalige erfpachter recht op vergoeding van de waarde van nog aanwezige gebouwen, werken en beplantingen, die door hemzelf of een rechtsvoorganger zijn aangebracht of van de eigenaar tegen vergoeding der waarde zijn overgenomen.

Toegelaten afwijkingen

2. In de akte van vestiging kan worden bepaald dat de erfpachter geen recht heeft op de in het eerste lid bedoelde vergoeding:
a. indien de in erfpacht gegeven grond een andere bestemming had dan die van woningbouw;
b. indien de erfpachter de gebouwen, werken en beplantingen niet zelf heeft bekostigd;
c. indien de erfpacht geëindigd is door opzegging door de erfpachter;
d. voor zover de gebouwen, werken en beplantingen onverplicht waren aangebracht en hij ze bij het einde van de erfpacht mocht wegnemen.

Verrekening

3. De eigenaar is bevoegd van de door hem ingevolge dit artikel verschuldigde vergoeding af te houden hetgeen hij uit hoofde van de erfpacht van de erfpachter te vorderen heeft.

Retentierecht erfpachter

Art. 100. *(5.7.1.12)* 1. De erfpachter heeft een retentierecht op de in erfpacht uitgegeven zaak totdat hem de verschuldigde vergoeding is betaald.

Dwingend recht

2. Ieder van het vorige lid afwijkend beding is nietig.

Retentierecht eigenaar

3. De eigenaar heeft een retentierecht op hetgeen de erfpachter mocht hebben afgebroken, totdat hem hetgeen hij uit hoofde van de erfpacht heeft te vorderen is voldaan.

TITEL 8
Opstal

Opstal

Art. 101. *(5.8.1)* 1. Het recht van opstal is een zakelijk recht om in, op of boven een onroerende zaak van een ander gebouwen, werken of beplantingen in eigendom te hebben of te verkrijgen.

Zelfstandig of afhankelijk recht

2. Het recht van opstal kan zelfstandig dan wel afhankelijk van een ander zakelijk recht of van een recht van huur of pacht op de onroerende zaak worden verleend.

Retributie

3. In de akte van vestiging kan de opstaller de verplichting worden opgelegd aan de eigenaar op al dan niet regelmatig terugkerende tijdstippen een geldsom — de retributie — te betalen.

Beperking bevoegdheden opstaller

Art. 102. *(5.8.1a)* De bevoegdheden van de opstaller tot het gebruiken, aanbrengen en wegnemen van de gebouwen, werken en beplantingen kunnen in de akte van vestiging worden beperkt.

Vol genot

Art. 103. *(5.8.3)* Bij gebreke van een regeling daaromtrent in de akte van vestiging heeft de opstaller ten aanzien van de zaak waarop zijn recht rust, de bevoegdheden die voor het volle genot van zijn recht nodig zijn.

Overeenkomstige toepassing bepalingen erfpacht

Art. 104. *(5.8.4)* 1. De artikelen 92 en 95 zijn van overeenkomstige toepassing op het recht van opstal.2. De artikelen 86, 87, 88, 91, 93, 94, 97 en 98 zijn van overeenkomstige toepassing op een zelfstandig recht van opstal.

Overgang eigendom bij tenietgaan opstalrecht

Art. 105. *(5.8.6)* 1. Wanneer het recht van opstal tenietgaat, gaat de eigendom van de gebouwen, werken en beplantingen van rechtswege over op de eigenaar van de onroerende zaak waarop het rustte.

Jus tollendi

2. Voor zover niet in de akte van vestiging anders is bepaald, heeft de opstaller bij het einde van zijn recht de bevoegdheid gebouwen, werken en beplantingen die door hemzelf of een rechtsvoorganger onverplicht zijn aangebracht dan wel van de eigenaar tegen vergoeding der waarde zijn overgenomen weg te nemen, mits hij de onroerende zaak waarop het recht rustte in de oude toestand terugbrengt.

Overeenkomstige toepassing

3. De artikelen 99 en 100 zijn van overeenkomstige toepassing, met dien verstande dat het aan de opstaller toekomende retentierecht slechts de gebouwen, werken en beplantingen omvat.

TITEL 9
Appartementsrechten

AFDELING 1
Algemene bepalingen

Art. 106. *(5.10.1.1)* 1. Een eigenaar, erfpachter of opstaller is bevoegd zijn recht op een gebouw met toebehoren en op de daarbij behorende grond met toebehoren te splitsen in appartementsrechten.

Bevoegdheid tot splitsing van gebouw in appartementsrechten

2. Een appartementsrecht is op zijn beurt voor splitsing in appartementsrechten vatbaar. Een appartementseigenaar is hiertoe bevoegd, voor zover in de akte van splitsing niet anders is bepaald.

3. Onder appartementsrecht wordt verstaan een aandeel in de goederen die in de splitsing zijn betrokken, dat de bevoegdheid omvat tot het uitsluitend gebruik van bepaalde gedeelten van het gebouw die blijkens hun inrichting bestemd zijn of worden om als afzonderlijk geheel te worden gebruikt. Het aandeel kan mede omvatten de bevoegdheid tot het uitsluitend gebruik van bepaalde gedeelten van de bij het gebouw behorende grond.

Appartementsrecht

4. Onder appartementseigenaar wordt verstaan de gerechtigde tot een appartementsrecht.

Appartementseigenaar

5. Onder gebouw wordt in deze titel mede verstaan een groep van gebouwen die in één splitsing zijn betrokken.

Gebouw

6. Een erfpachter of opstaller is tot een splitsing in appartementsrechten slechts bevoegd na verkregen toestemming van de grondeigenaar. Indien deze de vereiste toestemming kennelijk zonder redelijke grond weigert of zich niet verklaart, kan de toestemming op verzoek van degene die haar behoeft worden vervangen door een machtiging van de kantonrechter binnen wiens rechtsgebied het gebouw of het grootste gedeelte daarvan is gelegen.

Toestemming en machtiging tot splitsing

Art. 107. *(5.10.1.1a)* Een eigenaar, erfpachter of opstaller is ook bevoegd in verband met een door hem beoogde stichting of gewijzigde inrichting van een gebouw zijn recht op het gebouw met toebehoren en de daarbij behorende grond met toebehoren te splitsen in appartementsrechten. Ook in geval van zodanige splitsing ontstaan de appartementsrechten op het tijdstip van inschrijving van de akte van splitsing.

Splitsing i.v.m. beoogde stichting of gewijzigde inrichting

Art. 108. *(5.10.1.1b)* 1. De appartementseigenaars zijn jegens elkander verplicht de bouw en de inrichting van het gebouw en de daarbij behorende grond tot stand te brengen en in stand te houden in overeenstemming met het daaromtrent in de akte van splitsing bepaalde.

Verplichting eigenaressen jegens elkaar

2. De rechter kan de uitspraak op een vordering, gegrond op het vorige lid, aanhouden wanneer een op artikel 144 lid 1 onder c, d of h gegrond verzoek aanhangig is.

Art. 109. *(5.10.1.2)* 1. De splitsing geschiedt door een daartoe bestemde notariële akte, gevolgd door inschrijving van die akte in de openbare registers.

Splitsing door inschrijving notariële akte

2. Aan de minuut van de akte van splitsing wordt een tekening gehecht, aangevende de begrenzing van de onderscheidene gedeelten van het gebouw en de grond, die bestemd zijn als afzonderlijk geheel te worden gebruikt en waarvan volgens de akte het uitsluitend gebruik in een appartementsrecht zal zijn begrepen. De tekening dient te voldoen aan de eisen, krachtens de wet bedoeld in artikel 16 lid 2 van Boek 3 voor de inschrijving daarvan te stellen.

Tekening gehecht aan minuut

3. Waar in de bepalingen van deze titel wordt gesproken van de akte van splitsing, is hieronder de tekening begrepen, tenzij uit de bepaling het tegendeel blijkt.

Art. 110. *(5.10.1.2a)* 1. Ondanks onbevoegdheid van degene die de splitsing heeft verricht, om over een daarin betrokken registergoed te beschikken, is de splitsing geldig, indien zij is gevolgd door een geldige overdracht van een appartementsrecht of vestiging van een beperkt recht op een appartementsrecht.

Beperking gevolgen splitsing door beschikkingsonbevoegde

2. Een ongeldige splitsing wordt eveneens als geldig aangemerkt, wanneer een appartementsrecht is verkregen door verjaring.

Art. 111. *(5.10.1.4)* De akte van splitsing moet inhouden:

Verplichte inhoud akte van splitsing

a. de vermelding van de plaatselijke ligging van het gebouw;

b. een nauwkeurige omschrijving van de gedeelten van de onroerende zaken die bestemd zijn om als afzonderlijk geheel te worden gebruikt, welke omschrijving kan plaatsvinden door verwijzing naar de in artikel 109 lid 2 bedoelde tekening, alsmede de vermelding voor elk dier gedeelten, tot welk appartementsrecht de bevoegdheid tot gebruik daarvan behoort;
c. de kadastrale aanduiding van de appartementsrechten en de vermelding van de appartementseigenaar;
d. een reglement, waartoe geacht worden te behoren de bepalingen van een nauwkeurig aangeduid modelreglement dat is ingeschreven in de openbare registers ter plaatse waar de akte moet worden ingeschreven.

Verplichte inhoud reglement

Art. 112. *(5.10.1.5)* 1. Het reglement moet inhouden:
a. welke schulden en kosten voor rekening van de gezamenlijke appartementseigenaars komen;
b. een regeling omtrent een jaarlijks op te stellen exploitatierekening, lopende over het voorafgaande jaar, en de door de appartementseigenaars te storten bijdragen;
c. een regeling omtrent het gebruik, het beheer en het onderhoud van de gedeelten die niet bestemd zijn om als afzonderlijk geheel te worden gebruikt;
d. door wiens zorg en tegen welke gevaren het gebouw ten behoeve van de gezamenlijke appartementseigenaars moet worden verzekerd;
e. de oprichting van een vereniging van eigenaars, die ten doel heeft het behartigen van gemeenschappelijke belangen van de appartementseigenaars, en de statuten van de vereniging.

Verplichte inhoud statuten

2. De statuten van de vereniging van eigenaars moeten bevatten:
a. de naam van de vereniging en de gemeente waar zij haar zetel heeft. De naam van de vereniging moet aanvangen met de woorden: „Vereniging van Eigenaars", hetzij voluit geschreven, hetzij afgekort tot „V.v.E.", en voorts melding maken van de ligging van het gebouw;
b. het doel van de vereniging;
c. een regeling omtrent door de appartementseigenaars periodiek, tenminste jaarlijks, aan de vereniging verschuldigde bijdragen;
d. de wijze van bijeenroeping van de algemene vergadering en de bepaling van het aantal stemmen dat ieder der appartementseigenaars in de vergadering kan uitbrengen.

Appartementsrecht en lidmaatschap

3. Het reglement kan een regeling inhouden, krachtens welke aan alle of bepaalde appartementsrechten mede verbonden is het lidmaatschap van een andere, nader in het reglement omschreven vereniging of coöperatie, voor zover dit lidmaatschap in overeenstemming is met de statuten van die vereniging of coöperatie.

Regeling omtrent afzonderlijk te gebruiken gedeelten

4. Het reglement kan inhouden een regeling omtrent het gebruik, het beheer en het onderhoud van de gedeelten die bestemd zijn om als afzonderlijk geheel te worden gebruikt. Een zodanige regeling kan inhouden dat de vergadering van eigenaars bevoegd is een appartementseigenaar of degene die zijn rechten uitoefent, om nader in het reglement aangegeven gewichtige redenen het gebruik van deze gedeelten te ontzeggen.

Grootte aandelen

Art. 113. *(5.10.1.6)* 1. De aandelen die door de splitsing in appartementsrechten ontstaan, zijn gelijk, tenzij bij de akte van splitsing een andere verhouding is bepaald.

Onderlinge draagplicht in schulden en kosten ingevolge wet of reglement

2. In de schulden en kosten die ingevolge de wet of het reglement voor rekening van de gezamenlijke appartementseigenaars komen, moeten zij onderling en jegens de vereniging van eigenaars voor elk appartementsrecht een gelijk deel bijdragen, tenzij daarvoor bij het reglement een andere verhouding is bepaald.

3. Indien de appartementseigenaars voor een in het vorige lid genoemde schuld jegens de schuldeisers gezamenlijk aansprakelijk zijn en de verschuldigde prestatie deelbaar is, zijn zij ieder verbonden voor een deel, in de verhouding bedoeld in het vorige lid.

Vereniging hoofdelijk verbonden

4. Indien de appartementseigenaars voor een in lid 2 genoemde schuld gezamenlijk aansprakelijk zijn, is de vereniging voor die schuld hoofdelijk verbonden.

Aanspr. voor schulden vereniging

5. Voor de schulden der vereniging zijn zij die appartementseigenaars waren ten tijde van het ontstaan van de schuld, met de vereniging hoofdelijk verbonden, en wel, indien de prestatie deelbaar is, ieder voor een deel in de verhouding bedoeld in lid 2.

Art. 114. *(5.10.1.7)* 1. Rust op het ogenblik van de inschrijving van de akte van splitsing een hypotheek, een beslag of een voorrecht op alle in de splitsing betrokken registergoederen, dan rust dit verband, beslag of voorrecht van dat ogenblik af op elk der appartementsrechten voor de gehele schuld.

Hypotheek, beslag en voorrecht op in de splitsing betrokken registergoederen

2. Rust op het ogenblik van de inschrijving van de akte van splitsing een hypotheek, een beslag of een voorrecht op slechts een deel van de registergoederen, dan blijft de bevoegdheid tot uitwinning van dit deel ondanks de splitsing bestaan; door de uitwinning wordt met betrekking tot dat deel de splitsing beëindigd.

Andere beperkte rechten

3. Een recht van erfdienstbaarheid, erfpacht, opstal of vruchtgebruik, dat op het ogenblik van de inschrijving van de akte van splitsing rust op de registergoederen of een deel daarvan, bestaat daarna ongewijzigd voort.

Verdeling canon en retributie

Art. 115. *(5.10.1.8)* 1. Wanneer een recht van erfpacht of opstal in de splitsing wordt betrokken, wordt de canon of retributie die daarna opeisbaar wordt, over de appartementsrechten verdeeld in een verhouding als bedoeld in artikel 113 lid 2.

Hoofdelijk aanspr. vereniging

2. De vereniging van eigenaars is hoofdelijk verbonden voor de door een of meer appartementseigenaars verschuldigde canon of retributie.

Art. 116. *(5.10.1.8a)* 1. Wanneer een recht van erfpacht of opstal in de splitsing betrokken is, geldt ter aanvulling van de artikelen 87 leden 2 en 3 en 88 het in de volgende leden bepaalde.

Opzegging bij niet-betaling

2. Opzegging van het recht wegens verzuim in de betaling van de canon of retributie kan slechts geschieden, wanneer de gehele canon of retributie over twee achtereenvolgende jaren onbetaald is gebleven.

3. Rust op een of meer appartementsrechten een beperkt recht of een beslag dan zijn artikel 87 lid 2, tweede zin en artikel 88 lid 2 mede van overeenkomstige toepassing met betrekking tot dit beperkte recht of dit beslag.

Toewijzing appartementsrecht

4. Is het voor een appartementsrecht verschuldigde deel van de canon of retributie over de twee achtereenvolgende jaren onbetaald gebleven, dan kan het appartementsrecht door de rechter op vordering van de grondeigenaar aan deze worden toegewezen. De dagvaarding moet op straffe van niet-ontvankelijkheid binnen acht dagen worden betekend aan hen die als beperkt gerechtigde of beslaglegger op het appartementsrecht in de openbare registers staan ingeschreven.

Gevolgen inschrijving vonnis

5. Door inschrijving in de openbare registers van het vonnis waarbij de toewijzing is uitgesproken, gaat het appartementsrecht op de grondeigenaar over en gaat de daarop rustende beperkte rechten en beslagen teniet. Deze inschrijving geschiedt niet, voordat het vonnis in kracht van gewijsde is gegaan. Na deze inschrijving is de grondeigenaar verplicht de waarde die het appartementsrecht heeft op het tijdstip van de inschrijving aan de gewezen appartementseigenaar te vergoeden, na aftrek van hetgeen hij uit hoofde van de erfpacht van de gewezen appartementseigenaar te vorderen heeft, de kosten daaronder begrepen.

6. In de akte van vestiging kan worden aangegeven op welke wijze de waarde als bedoeld in het vorige lid zal worden bepaald.

Dwingend recht

7. Ieder beding dat ten nadele van een appartementseigenaar van dit artikel afwijkt, is nietig.

Zelfstandig karakter appartementsrecht

Art. 117. *(5.10.1.9)* 1. Een appartementsrecht kan als een zelfstandig registergoed worden overgedragen, toegedeeld, bezwaard en uitgewonnen.

2. Onverminderd het in artikel 114 lid 2 bepaalde kunnen goederen die in de splitsing betrokken zijn niet geheel of voor een deel worden overgedragen, verdeeld, bezwaard of uitgewonnen.

Beëindiging splitsing

3. Beëindiging van de splitsing met betrekking tot een gedeelte van de in de splitsing betrokken registergoederen kan slechts geschieden door wijziging van de akte van splitsing.

4. In afwijking van lid 2 kunnen in de splitsing betrokken onroerende zaken door de gezamenlijke appartementseigenaars belast worden met een erfdienstbaarheid.

Bevoegdheid vestiging erfdienstbaarheid

Art. 118. *(5.10.1.9a)* 1. Een appartementseigenaar kan, voor zover in de akte van splitsing niet anders is bepaald, zonder medewerking van de overige appartementseigenaars op het gedeelte van de onroerende zaken dat bestemd is om als afzonderlijk geheel door hem te worden gebruikt, een erfdienstbaarheid vestigen ten behoeve van een ander gedeelte van die zaken of van een andere onroerende zaak.

Bevoegdheid erfdienstbaarheid aannemen en afstaan

2. Een appartementseigenaar kan, voor zover in de akte van splitsing niet anders is bepaald, zonder medewerking van de overige appartementseigenaars de vestiging van een erfdienstbaarheid die uitsluitend strekt ten behoeve van een gedeelte van de

onroerende zaken dat bestemd is om als afzonderlijk geheel door hem te worden gebruikt, aannemen en van zodanige erfdienstbaarheid afstand doen.

Tenietgaan erfdienstbaarheid

3. De in dit artikel bedoelde erfdienstbaarheden gaan teniet, wanneer de bevoegdheid tot uitsluitend gebruik van het gedeelte dat met de erfdienstbaarheid is belast of ten behoeve waarvan de erfdienstbaarheid is bedongen eindigt.

Veranderingen in appartement

Art. 119. *(5.10.1.12)* 1. Een appartementseigenaar mag zonder toestemming van de overige appartementseigenaars in een gedeelte dat bestemd is om als afzonderlijk geheel door hem te worden gebruikt, veranderingen aanbrengen, mits deze geen nadeel aan een ander gedeelte toebrengen. Van hetgeen hij bij een geoorloofde verandering wegneemt wordt hij enig eigenaar.

Onverwijld mededelen; verzekering

2. Hij is verplicht de vereniging van eigenaars onverwijld van een verandering kennis te geven. Leidt de verandering tot een wijziging van de verzekeringspremie, dan komt het verschil voor rekening van hem en zijn rechtsopvolgers.

Verandering die tot waardevermindering leidt

3. Blijkt ten gevolge van een verandering de waarde van de in de splitsing betrokken goederen bij de opheffing van de splitsing te zijn verminderd, dan wordt hiermede, ook al was de verandering geoorloofd, bij de verdeling van de gemeenschap rekening gehouden ten laste van hem die de verandering heeft aangebracht of zijn rechtsopvolger.

Afwijkingen bij reglement

4. Bij het reglement kan van dit artikel worden afgeweken en kunnen voor de toepassing van lid 2 wijzigingen in de wijze van gebruik met veranderingen worden gelijkgesteld.

Gebruik appartement

Art. 120. *(5.10.1.13)* 1. Onverminderd het in artikel 112 lid 4 bepaalde is een appartementseigenaar bevoegd het gedeelte dat bestemd is om als afzonderlijk geheel door hem te worden gebruikt, zelf te gebruiken of aan een ander in gebruik te geven, met inbegrip van het hem toekomende medegebruik van de gedeelten die niet bestemd zijn om als afzonderlijk geheel te worden gebruikt.

2. Voorschriften van het reglement omtrent gebruik, beheer en onderhoud zijn ook van toepassing op degeen die het gebruik verkrijgt. Andere bepalingen van het reglement kunnen in het reglement op de gebruiker van toepassing worden verklaard.

Positie huurder

3. Ten aanzien van een huurder geldt een na het tot stand komen van de huurovereenkomst ingeschreven reglementsbepaling niet, tenzij hij daarin heeft toegestemd. Weigert hij zijn toestemming of verklaart hij zich niet, dan kan de kantonrechter binnen wiens rechtsgebied het gebouw of het grootste deel daarvan is gelegen, op verzoek van iedere appartementseigenaar beslissen dat de reglementsbepaling ten aanzien van de huurder komt te gelden.

Gestand doen huur na opheffing splitsing

4. Na opheffing van de splitsing zijn de gerechtigden tot de goederen die in de splitsing waren betrokken, verplicht een verhuur gestand te doen, mits de tijd van de verhuur in overeenstemming is met het plaatselijk gebruik en de verhuur niet op ongewone, voor hem bezwarende voorwaarden is geschied.

Machtiging kantonrechter voor bepaalde handelingen

Art. 121. *(5.10.1.15)* 1. In alle gevallen waarin een appartementseigenaar voor het verrichten van een bepaalde handeling met betrekking tot de gedeelten die niet bestemd zijn als afzonderlijk geheel gebruikt te worden en, in het geval van een beding als bedoeld in artikel 112 lid 4, met betrekking tot gedeelten die bestemd zijn als afzonderlijk geheel gebruikt te worden, medewerking of toestemming behoeft van een of meer andere appartementseigenaars, van de vereniging van eigenaars of van haar organen, of waarin de vereniging of haar organen voor het verrichten van zodanige handeling toestemming behoeven van een of meer appartementseigenaars, kan die medewerking of toestemming op verzoek van degeen die haar behoeft, worden vervangen door een machtiging van de kantonrechter binnen wiens rechtsgebied het gebouw of het grootste gedeelte daarvan is gelegen. De machtiging kan worden verleend, indien de medewerking of toestemming zonder redelijke grond wordt geweigerd of degene die haar moet geven zich niet verklaart.

Aan de handeling verbonden kosten

2. Gaat de handeling met kosten gepaard, dan kan de kantonrechter op verzoek van een appartementseigenaar of van de vereniging van eigenaars tevens bepalen in welke verhouding alle of bepaalde appartementseigenaars of de vereniging van eigenaars in de kosten moeten bijdragen.

Kosten onderhoud

3. Betreft het de aanbrenging van een nieuw werk of nieuwe installatie, dan kan de kantonrechter desverzocht ook een regeling vaststellen, bepalende dat en in welke verhouding de appartementseigenaars van alle of bepaalde appartementsrechten de kosten van onderhoud van het werk of de installatie in de toekomst zullen dragen.

Art. 122. *(5.10.1.15a)* 1. Overgang onder bijzondere titel of toedeling van een appartementsrecht omvat, voor zover niet anders is bepaald, mede de als appartementseigenaar verkregen rechten. **Gevolg overgang of toedeling**

2. Na de overgang of toedeling moet de verkrijger onverwijld schriftelijk aan de vereniging van eigenaars mededeling doen van zijn verkrijging. **Onverwijlde schriftelijke mededeling**

3. Voor de ter zake van het verkregene verschuldigde bijdragen die in het lopende of het voorafgaande boekjaar opeisbaar zijn geworden of nog zullen worden, zijn de verkrijger en de vroegere appartementseigenaar hoofdelijk aansprakelijk. **Hoofdelijk aansprakelijk**

4. In het reglement kan worden bepaald in hoeverre voor bijdragen, genoemd in het vorige lid, alleen de vroegere eigenaar of alleen de verkrijger aansprakelijk zal zijn. In het reglement kan ook worden bepaald dat voor bepaalde bijdragen die later opeisbaar worden de vroegere appartementseigenaar in plaats van de verkrijger verbonden zal zijn. **Afwijking bij reglement**

Art. 123. *(5.10.1.15b)* 1. In geval van vruchtgebruik van een appartementsrecht treedt de vruchtgebruiker in de plaats van de appartementseigenaar ten aanzien van de aansprakelijkheid voor de gezamenlijke schulden en de aan de gezamenlijke appartementseigenaars en de vereniging van eigenaars verschuldigde bijdragen. De vruchtgebruiker is echter bevoegd de door hem betaalde bedragen, voor zover zij niet betrekking hebben op de gewone lasten en herstellingen, bij het einde van het vruchtgebruik van de appartementseigenaar terug te vorderen. **Verplichtingen vruchtgebruiker**

2. Wanneer de appartementseigenaar schulden of bijdragen als bedoeld in lid 1 heeft voldaan, kan hij van de vruchtgebruiker vorderen dat deze hem de betaalde bedragen, vermeerderd met de rente vanaf de dag der betaling, teruggeeft voor zover zij op gewone lasten en herstellingen betrekking hebben. Van de andere door de appartementseigenaar betaalde bedragen is de vruchtgebruiker slechts de rente van de dag der betaling tot het einde van het vruchtgebruik verschuldigd. **Verhaal door appartementseigenaar**

3. Tenzij bij de instelling van het vruchtgebruik anders wordt bepaald wordt het aan een appartementsrecht verbonden stemrecht in de vergadering van eigenaars uitgeoefend door de vruchtgebruiker.

4. Artikel 122 is van overeenkomstige toepassing bij de vestiging, bij overdracht en bij het einde van het vruchtgebruik van een appartementsrecht.

AFDELING 2
De vereniging van eigenaars

Art. 124. *(5.10.2.0)* 1. De vereniging van eigenaars is een rechtspersoon. **Gedeelte Boek 2, van toepassing**

2. Titel 1 van Boek 2 is slechts van toepassing behoudens de artikelen 4, 6, 13 lid 2, 17, 18, 19 leden 1-3, lid 5, tweede zin, en lid 6, 20, 21 en 22 en met inachtneming van de in de volgende artikelen van de onderhavige titel aangegeven afwijkingen.

3. Titel 2 van Boek 2 is slechts van toepassing voor zover de onderhavige afdeling daarnaar verwijst.

Art. 125. *(5.10.2.1)* 1. Aan de vergadering van eigenaars komen in de vereniging alle bevoegdheden toe, die niet door wet of statuten aan andere organen zijn opgedragen. **Van rechtswege lid**

2. Iedere appartementseigenaar is van rechtswege lid van de vereniging van eigenaars. Wanneer een lid ophoudt appartementseigenaar te zijn, eindigt zijn lidmaatschap van rechtswege.

3. Behoren op het tijdstip van de inschrijving van de akte van splitsing alle appartementsrechten nog aan één persoon of dezelfde personen toe, dan ontstaat de vereniging eerst zodra de appartementsrechten aan verschillende personen toebehoren.

4. Artikel 40 lid 2 van Boek 2 is van toepassing.

Art. 126. *(5.10.2.1a)* 1. De vereniging van eigenaars voert het beheer over de gemeenschap, met uitzondering van de gedeelten die bestemd zijn als afzonderlijk geheel te worden gebruikt. **Beheer**

2. De vereniging kan binnen de grenzen van haar bevoegdheid de gezamenlijke appartementseigenaars in en buiten rechte vertegenwoordigen. **Vertegenwoordiging in en buiten rechte**

3. De vereniging ziet toe op de nakoming van de verplichtingen die voor de appartementseigenaars uit het bij of krachtens de wet en het reglement bepaalde jegens **Toezicht vereniging**

elkander voortvloeien en kan te dien einde in rechte tegen hen optreden. Onder appartementseigenaars wordt hier begrepen hij die een gebruiksrecht aan een appartementseigenaar ontleent.

Toegang tot vergadering

Art. 127. *(5.10.2.1b)* 1. Alle appartementseigenaars hebben toegang tot de vergadering van eigenaars. De besluiten worden genomen bij volstrekte meerderheid van de uitgebrachte stemmen, voor zover de statuten niet anders bepalen.

Voorzitter

2. Tenzij de statuten anders bepalen, wordt de voorzitter van de vergadering van eigenaars door de vergadering uit de leden der vereniging benoemd. Zowel de voorzitter als het bestuur van de vereniging zijn bevoegd de vergadering bijeen te roepen.

Regels gebruik gemeenschappelijke gedeelten

Art. 128. *(5.10.2.1c)* 1. De vergadering van eigenaars is bevoegd regels te stellen betreffende het gebruik van de gedeelten die niet bestemd zijn als afzonderlijk geheel te worden gebruikt, voor zover het reglement daarover geen bepalingen bevat.

Naleving

2. Iedere appartementseigenaar kan een gebruiker vragen te verklaren of hij bereid is een in het vorige lid bedoelde regel na te leven. Is de gebruiker daartoe niet bereid of verklaart hij zich niet, dan kan de kantonrechter binnen wiens rechtsgebied het gebouw of het grootste gedeelte daarvan is gelegen, op verzoek van iedere appartementseigenaar beslissen dat de regel ten aanzien van de gebruiker komt te gelden.

Art. 129. *(5.10.2.1ca)* 1. Voor de toepassing van artikel 14 van Boek 2 wordt de akte van splitsing gelijkgesteld met de statuten.

2. Voor de toepassing van artikel 15 lid 1 onder c van Boek 2 geldt het reglement dat krachtens artikel 111 onder d deel van de akte van splitsing uitmaakt, niet als een reglement.

Vernietiging van besluiten

Art. 130. *(5.10.2.1d)* 1. In afwijking van artikel 15 lid 3 van Boek 2 geschiedt de vernietiging van een besluit van een orgaan van de vereniging van eigenaars door een uitspraak van de kantonrechter binnen wiens rechtsgebied het gebouw of het grootste gedeelte daarvan is gelegen, op verzoek van degene die de vernietiging krachtens dit lid kan vorderen.

Termijn voor vernietiging

2. Het verzoek tot vernietiging moet worden gedaan binnen een maand na de dag waarop de verzoeker van het besluit heeft kennis genomen of heeft kunnen kennis nemen.

Oproepen stemgerechtigen

3. De verzoeker, alle andere stemgerechtigden en de vereniging van eigenaars worden bij name opgeroepen om op het verzoek te worden gehoord. Hoger beroep kan slechts worden ingesteld binnen een maand na de dagtekening der eindbeschikking.

Schorsing

4. De rechter voor wie het verzoek aanhangig is, is bevoegd het besluit te schorsen totdat op het verzoek onherroepelijk is beslist.

Bestuur

Art. 131. *(5.10.2.1e)* 1. Het bestuur van de vereniging wordt gevormd door één bestuurder, tenzij de statuten bepalen dat er twee of meer zullen zijn. In het laatste geval wordt de vereniging, voor zover in de statuten niet anders is bepaald, tegenover derden door ieder der bestuurders vertegenwoordigd.

Benoeming bestuur

2. Het bestuur wordt door de vergadering van eigenaars, al dan niet uit de leden, benoemd en kan te allen tijde door haar worden geschorst of ontslagen. Een veroordeling tot herstel van de dienstbetrekking tussen de vereniging en een bestuurder kan door de rechter niet worden uitgesproken.

Beheer middelen vereniging

3. Voor zover de statuten niet anders bepalen, beheert het bestuur de middelen der vereniging en draagt het zorg voor de tenuitvoerlegging van de besluiten van de vergadering van eigenaars.

Afwijkingsmogelijkheden bij besluit

4. Bij besluit van de vergadering van eigenaars kan van het vorige lid worden afgeweken en kunnen aan het bestuur aanwijzingen met betrekking tot de uitoefening van zijn taak worden gegeven. Deze besluiten kunnen niet worden ingeroepen tegen de wederpartij, tenzij zij haar bekend waren of behoorden te zijn.

Toegang bestuurders tot appartementen

Art. 132. *(5.10.2.1f)* De appartementseigenaars en de gebruikers van de voor het gebruik als afzonderlijk geheel bestemde gedeelten zijn verplicht een bestuurder en door hem aan te wijzen personen toegang tot die gedeelten te verschaffen, wanneer dit voor de vervulling van de taak van het bestuur noodzakelijk is.

Art. 133. *(5.10.2.1g)* 1. Bij belet of ontstentenis van het bestuur wordt dit vervangen door de voorzitter van de vergadering van eigenaars, tenzij in de statuten of door de vergadering een andere voorziening is getroffen.

Belet of ontstentenis bestuur

2. In gevallen waarin de vereniging of de gezamenlijke appartementseigenaars een belang hebben, tegenstrijdig met dat van een bestuurder, treedt de voorzitter van de vergadering van eigenaars bij belet of ontstentenis van andere bestuurders eveneens in de plaats van het bestuur.

Tegenstrijdige belangen

Art. 134. *(5.10.2.1h)* 1. Exploiten en kennisgevingen, gericht tot de gezamenlijke appartementseigenaars, kunnen aan de persoon of de woonplaats van een bestuurder van de vereniging worden gedaan; zij behoeven dan niet de namen en de woonplaatsen van de appartementseigenaars te bevatten.

Exploiten en kennisgevingen

2. De bestuurder deelt de appartementseigenaar onverwijld de inhoud van het exploit of de kennisgeving mede.

Onverwijld mededelen

Art. 135. *(5.10.2.1i)* De artikelen 45 lid 4 en 48 van Boek 2 zijn van toepassing.

AFDELING 3
Rechten uit verzekeringsovereenkomsten

Art. 136. *(5.10.3.1)* 1. Hij, die krachtens het reglement verplicht is het gebouw te doen verzekeren, vertegenwoordigt de gezamenlijke appartementseigenaars bij de uitoefening van de rechten die uit de verzekeringsovereenkomst voortvloeien, en voert voor hen het beheer over de ontvangen verzekeringspenningen.

Beheer over verzekeringspenningen

2. Zodra tot herstel is besloten, worden de verzekeringspenningen tot dit doel aangewend, met dien verstande dat de verhouding van de waarde van de appartementsrechten na het herstel dezelfde moet zijn als tevoren. Bij de berekening van die waarde mag echter geen rekening worden gehouden met hetgeen een appartementseigenaar in het gedeelte dat hij als afzonderlijk geheel gebruikt, heeft aangebracht, tenzij hij hiervan tijdig aan de vereniging van eigenaars had kennis gegeven.

Waarde appartementsrecht

3. Herstel van schade aan gedeelten die bestemd zijn om als afzonderlijk geheel te worden gebruikt, geschiedt zoveel mogelijk volgens de aanwijzingen van de appartementseigenaars die het aangaat.

Herstel van een appartement

4. Uitkering aan ieder der appartementseigenaars van het hem toekomende aandeel in de assurantiepenningen geschiedt slechts:
a. indien na het herstel van de schade een overschot aanwezig blijkt te zijn;
b. indien drie maanden zijn verlopen nadat de vergadering van eigenaars heeft besloten van herstel of verder herstel af te zien;
c. in geval van opheffing van de splitsing.

Uitkering assurantiepenningen

5. Van het bepaalde in dit artikel kan in het reglement worden afgeweken.

Art. 137. *Gereserveerd*

Art. 138. *(5.10.3.1b)* Geschillen over herstel of de wijze van herstel beslist de kantonrechter binnen wiens rechtsgebied het gebouw of het grootste gedeelte daarvan is gelegen, op verzoek van de meest gerede partij. Hoger beroep kan slechts worden ingesteld binnen een maand na de dagtekening van de eindbeschikking.

Geschillen over herstel

AFDELING 4
Wijziging van de akte van splitsing en opheffing van de splitsing

Art. 139. *(5.10.4.1)* 1. Wijziging van de akte van splitsing kan slechts geschieden met medewerking van alle appartementseigenaars. Zij behoeft de toestemming van hen die een beperkt recht op een appartementsrecht hebben, alsmede van hen die daarop beslag hebben gelegd. Ook is toestemming nodig van de gerechtigden tot een erfdienstbaarheid, indien hun recht door de wijziging wordt verkort.

Wijziging akte van splitsing

2. Indien de wijziging uitsluitend betrekking heeft op het reglement, is de toestemming van de beslagleggers niet nodig.

3. De wijziging geschiedt door een daartoe bestemde notariële akte, gevolgd door inschrijving van die akte in de openbare registers. Indien de wijziging betrekking heeft op de begrenzing van gedeelten van het gebouw of de daarbij behorende grond die bestemd zijn als afzonderlijk geheel te worden gebruikt, is artikel 109 lid 2 van overeenkomstige toepassing.

Wijziging door notariële akte en inschrijving

Machtiging kantonrechter bij weigering medewerking of toestemming

Art. 140. *(5.10.4.2)* 1. Indien een of meer der in het eerste lid van het vorige artikel genoemden zich niet verklaren of zonder redelijke grond weigeren hun medewerking of toestemming te verlenen, kan deze worden vervangen door een machtiging van de kantonrechter binnen wiens rechtsgebied het gebouw of het grootste gedeelte daarvan is gelegen.

2. De machtiging kan slechts worden verleend op verzoek van een of meer appartementseigenaars aan wie ten minste de helft van het aantal stemmen in de vergadering van eigenaars toekomt.

3. De machtiging kan ook op verzoek van twee appartementseigenaars, of op verzoek van een appartementseigenaar aan wie verschillende appartementsrechten toebehoren worden verleend, wanneer de wijziging uitsluitend strekt tot een verandering van de onderlinge begrenzing der gedeelten die bestemd zijn door hen als afzonderlijk geheel te worden gebruikt, al dan niet gepaard gaande met een verandering in de onderlinge verhouding van hun aandelen in de goederen die in de splitsing zijn betrokken, of van hun bijdragen in de schulden en kosten die ingevolge de wet of het reglement voor rekening van de gezamenlijke appartementseigenaars komen.

Oproepen personen

4. Alle personen wier medewerking of toestemming ingevolge artikel 139 is vereist, worden bij name opgeroepen om op een verzoek als in de vorige leden bedoeld te worden gehoord.

Art. 141. *(5.10.4.2a)* 1. Bij gebreke van de in de twee voorgaande artikelen bedoelde toestemming of daarvoor in de plaats tredende machtiging wordt de wijziging vernietigd bij rechterlijke uitspraak op vordering van degeen wiens toestemming achterwege is gebleven.

Verjaring bevoegdheid tot vernietiging

2. De bevoegdheid om vernietiging te vorderen verjaart door verloop van een jaar, welke termijn begint met de aanvang van de dag, volgende op die waarop degeen die de vernietiging kan vorderen kennis heeft genomen van de wijziging dan wel hem schriftelijk van die wijziging mededeling is gedaan.

Afwijzingsgrond

3. De rechter kan de vordering afwijzen, wanneer de eiser geen schade lijdt of hem een redelijke schadeloosstelling wordt aangeboden en voor de betaling hiervan voldoende zekerheid is gesteld.

Beperkte rechten, beslagen

Art. 142. *(5.10.4.2b)* 1. Beperkte rechten en beslagen, waarmee de appartementsrechten zijn belast, rusten na de wijziging van de akte van splitsing op de gewijzigde appartementsrechten, tenzij de akte van wijziging anders bepaalt.

Voorrechten

2. Voorrechten blijven na de wijziging bestaan.

Opheffing splitsing van rechtswege

Art. 143. *(5.10.4.2c)* 1. De splitsing wordt van rechtswege opgeheven:

a. bij het eindigen van een in de splitsing betrokken recht van erfpacht of opstal, wanneer naast dit recht geen andere registergoederen in de splitsing betrokken zijn en de beëindiging niet gepaard gaat met de vestiging van een nieuw recht van erfpacht of opstal van de appartementseigenaars op dezelfde onroerende zaak;

b. door inschrijving in de openbare registers van het vonnis waarbij een in de splitsing betrokken kadastraal perceel in zijn geheel is onteigend, wanneer geen andere percelen in de splitsing betrokken zijn.

Opheffing splitsing bij notariële akte en inschrijving

2. In alle andere gevallen geschiedt de opheffing van de splitsing door een daartoe bestemde notariële akte, gevolgd door inschrijving van die akte in de openbare registers. De artikelen 139 lid 1, 140 leden 1, 2 en 4 en 141 zijn van overeenkomstige toepassing.

Rechterlijk bevel tot wijziging akte van splitsing of opheffing splitsing

Art. 144. *(5.10.4.2d)* 1. Op verzoek van een persoon wiens medewerking of toestemming tot de wijziging van de akte van splitsing of tot opheffing van de splitsing is vereist, kan de kantonrechter binnen wiens rechtsgebied het gebouw of het grootste gedeelte daarvan is gelegen, bevelen dat de akte van splitsing wordt gewijzigd dan wel de splitsing wordt opgeheven:

a. wanneer de akte van splitsing niet voldoet aan de in de artikelen 111 en 112 gestelde vereisten;

b. wanneer uit de inrichting van de gedeelten van het gebouw die bestemd zijn als afzonderlijk geheel te worden gebruikt, deze bestemming niet blijkt;

c. wanneer de bouw of inrichting van het gebouw dan wel de inrichting van de daarbij behorende grond niet of niet meer beantwoordt aan de omschrijving in de akte van splitsing;

d. in geval van splitsing met toepassing van artikel 107, wanneer de stichting of de gewijzigde inrichting van het gebouw niet binnen een termijn van drie jaren te rekenen vanaf de dag van de inschrijving is voltooid;

e. wanneer een recht van erfpacht of opstal dat naast een of meer andere registergoederen in de splitsing betrokken is, eindigt;
f. wanneer een deel der in de splitsing betrokken registergoederen is uitgewonnen, een gedeelte van de kadastrale percelen is onteigend, of degene die de splitsing verricht heeft onbevoegd was over een deel der in de splitsing betrokken registergoederen te beschikken;
f. wanneer een deel der in de splitsing betrokken registergoederen is uitgewonnen, een gedeelte van de kadastrale percelen is onteigend, of degene die de splitsing verricht heeft onbevoegd was over een deel der in de splitsing betrokken registergoederen te beschikken;
g. wanneer het gebouw ernstig is beschadigd of geheel of gedeeltelijk is gesloopt, tenzij herstel binnen redelijke tijd is te verwachten;
h. wanneer alle appartementseigenaars zich bij een overeenkomst tot de wijziging of opheffing hebben verbonden.
2. Aan de toewijzing van het verzoek kan de rechter voorwaarden verbinden.
3. Artikel 140 lid 4 is van overeenkomstige toepassing.

Uitvoering geven aan rechterlijk bevel

Art. 145. *(5.10.4.2e)* 1. De appartementseigenaars zijn verplicht aan een bevel als bedoeld in het vorige artikel uitvoering te geven, zodra de beschikking in kracht van gewijsde is gegaan. De in de artikelen 139 lid 1 en 143 lid 2 bedoelde toestemming is in dit geval niet vereist.

Vertegenwoordiger

2. Indien de kantonrechter met toepassing van artikel 300 van Boek 3 een vertegenwoordiger heeft aangewezen, stelt hij op verzoek van de meest gerede partij of ambtshalve diens salaris vast; het salaris komt ten laste van de vertegenwoordigde.

Positie beperkte rechten, enz. na opheffing splitsing

Art. 146. *(5.10.4.2f)* Beperkte rechten, beslagen en voorrechten op een appartementsrecht rusten na opheffing van de splitsing op het aandeel van de gewezen appartementseigenaar in de goederen die in de splitsing betrokken waren.

Vereniging van rechtswege ontbonden

Art. 147. *(5.10.4.2g)* 1. De vereniging van eigenaars wordt door opheffing van de splitsing van rechtswege ontbonden.
2. De vereffening geschiedt met inachtneming van de volgende afwijkingen van de artikelen 23-24 van Boek 2.
3. De vereffenaar draagt hetgeen na voldoening der schuldeisers van het vermogen van de ontbonden vereniging is overgebleven, over aan hen die bij de opheffing van de splitsing appartementseigenaar waren, ieder voor een aandeel als bedoeld in artikel 113 lid 1.
4. De artikelen 23 lid 2, eerste zin, en lid 4 en 23c lid 4 van Boek 2 zijn niet van toepassing. De in artikel 23b lid 4 van Boek 2 bedoelde nederlegging geschiedt binnen het kanton waar het gebouw of het grootste gedeelte daarvan is gelegen. In plaats van de in artikel 23c lid 2 en 24 lid 2 van Boek 2 aangewezen rechter geldt als bevoegd diezelfde rechter binnen wiens rechtsgebied het gebouw of het grootste gedeelte daarvan is gelegen.

BOEK 6
ALGEMEEN GEDEELTE VAN HET VERBINTENISSENRECHT

TITEL 1
Verbintenissen in het algemeen

AFDELING 1
Algemene bepalingen

Ontstaan van verbintenissen

Art. 1. *(6.1.1.1)* Verbintenissen kunnen slechts ontstaan, indien dit uit de wet voortvloeit.

Redelijkheid en billijkheid

Art. 2. *(6.1.1.2)* 1. Schuldeiser en schuldenaar zijn verplicht zich jegens elkaar te gedragen overeenkomstig de eisen van redelijkheid en billijkheid.

2. Een tussen hen krachtens wet, gewoonte of rechtshandeling geldende regel is niet van toepassing, voor zover dit in de gegeven omstandigheden naar maatstaven van redelijkheid en billijkheid onaanvaardbaar zou zijn.

Natuurlijke verbintenis

Art. 3. *(6.1.1.3)* 1. Een natuurlijke verbintenis is een rechtens niet-afdwingbare verbintenis.

2. Een natuurlijke verbintenis bestaat:

Afgeleide nat. verbintenis

a. wanneer de wet of een rechtshandeling aan een verbintenis de afdwingbaarheid onthoudt;

Zelfstandige nat. verb.

b. wanneer iemand jegens een ander een dringende morele verplichting heeft van zodanige aard dat naleving daarvan, ofschoon rechtens niet afdwingbaar, naar maatschappelijke opvattingen als voldoening van een aan die ander toekomende prestatie moet worden aangemerkt.

Overeenkomstige toepassing

Art. 4. *(6.1.1.4)* Op natuurlijke verbintenissen zijn de wettelijke bepalingen betreffende verbintenissen van overeenkomstige toepassing, tenzij de wet of haar strekking meebrengt dat een bepaling geen toepassing mag vinden op een niet-afdwingbare verbintenis.

Omzetting nat. verb.

Art. 5. *(6.1.1.5)* 1. Een natuurlijke verbintenis wordt omgezet in een rechtens afdwingbare door een overeenkomst van de schuldenaar met de schuldeiser.

Omzetting om niet

2. Een door de schuldenaar tot de schuldeiser gericht aanbod tot een zodanige overeenkomst om niet, geldt als aanvaard, wanneer het aanbod ter kennis van de schuldeiser is gekomen en deze het niet onverwijld heeft afgewezen.

Geen schenking

3. Op de overeenkomst zijn de bepalingen betreffende schenkingen en giften niet van toepassing.

AFDELING 2
Pluraliteit van schuldenaren en hoofdelijke verbondenheid

Aansprakelijkheid voor gelijke delen

Art. 6. *(6.1.2.1)* 1. Is een prestatie door twee of meer schuldenaren verschuldigd, dan zijn zij ieder voor een gelijk deel verbonden, tenzij uit wet, gewoonte of rechtshandeling voortvloeit dat zij voor ongelijke delen of hoofdelijk verbonden zijn.

Hoofdelijke aansprakelijkheid

2. Is de prestatie ondeelbaar of vloeit uit wet, gewoonte of rechtshandeling voort dat de schuldenaren ten aanzien van een zelfde schuld ieder voor het geheel aansprakelijk zijn, dan zijn zij hoofdelijk verbonden.

Ongelijke delen

3. Uit een overeenkomst van een schuldenaar met zijn schuldeiser kan voortvloeien dat, wanneer de schuld op twee of meer rechtsopvolgers overgaat, dezen voor ongelijke delen of hoofdelijk verbonden zullen zijn.

Gevolg hoofdelijke aansprakelijkheid

Art. 7. *(6.1.2.2)* 1. Indien twee of meer schuldenaren hoofdelijk verbonden zijn, heeft de schuldeiser tegenover ieder van hen recht op nakoming voor het geheel.

Bevrijdende werking

2. Nakoming door een der schuldenaren bevrijdt ook zijn medeschuldenaren tegenover de schuldeiser. Hetzelfde geldt, wanneer de schuld wordt gedelgd door inbetalinggeving of verrekening, alsmede wanneer de rechter op vordering van een der schuldenaren artikel 60 toepast, tenzij hij daarbij anders bepaalt.

Redelijkheid en billijkheid

Art. 8. *(6.1.2.2a)* Op de rechtsbetrekkingen tussen de hoofdelijke schuldenaren onderling is artikel 2 van overeenkomstige toepassing.

Afstand om niet

Art. 9. *(6.1.2.3)* 1. Iedere hoofdelijke schuldenaar is bevoegd namens de overige schuldenaren een aanbod tot afstand om niet van het vorderingsrecht te aanvaarden, voor zover de afstand ook de andere schuldenaren betreft.

2. Uitstel van betaling, door de schuldeiser aan een der schuldenaren verleend, werkt ook ten aanzien van zijn medeschuldenaren, voor zover blijkt dat dit de bedoeling van de schuldeiser is.

Uitstel betaling

Art. 10. *(6.1.2.4)* 1. Hoofdelijke schuldenaren zijn, ieder voor het gedeelte van de schuld dat hem in hun onderlinge verhouding aangaat, verplicht overeenkomstig de volgende leden in de schuld en in de kosten bij te dragen.

Bijdrageplicht

2. De verplichting tot bijdragen in de schuld die ten laste van een der hoofdelijke schuldenaren wordt gedelgd voor meer dan het gedeelte dat hem aangaat, komt op iedere medeschuldenaar te rusten voor het bedrag van dit meerdere, telkens tot ten hoogste het gedeelte van de schuld dat de medeschuldenaar aangaat.

Regres

3. In door een hoofdelijke schuldenaar in redelijkheid gemaakte kosten moet iedere medeschuldenaar bijdragen naar evenredigheid van het gedeelte van de schuld dat hem aangaat, tenzij de kosten slechts de schuldenaar persoonlijk betreffen.

Bijdragen in kosten

Art. 11. *(6.1.2.5)* 1. Een uit hoofde van het vorige artikel tot bijdragen aangesproken medeschuldenaar kan de verweermiddelen die hij op het tijdstip van het ontstaan van de verplichting tot bijdragen jegens de schuldeiser had, ook inroepen tegen de hoofdelijke schuldenaar die de bijdrage van hem verlangt.

Verweermiddelen mede-schuldenaar

2. Niettemin kan hij een zodanig verweermiddel niet tegen deze schuldenaar inroepen, indien het na hun beider verbintenis is ontstaan uit een rechtshandeling die de schuldeiser met of jegens de aangesprokene heeft verricht.

Beperking lid 1

3. Een beroep op verjaring van de rechtsvordering van de schuldeiser komt de tot bijdragen aangesprokene slechts toe, indien op het tijdstip van het ontstaan van de verplichting tot bijdragen zowel hijzelf als degene die de bijdrage verlangt, jegens de schuldeiser de voltooiing van de verjaring had kunnen inroepen.

Verjaring regres

4. De vorige leden zijn slechts van toepassing, voor zover uit de rechtsverhouding tussen de schuldenaren niet anders voortvloeit.

Art. 12. *(6.1.2.7)* 1. Wordt de schuld ten laste van een hoofdelijke schuldenaar gedelgd voor meer dan het gedeelte dat hem aangaat, dan gaan de rechten van de schuldeiser jegens de medeschuldenaren en jegens derden krachtens subrogatie voor dit meerdere op die schuldenaar over, telkens tot ten hoogste het gedeelte dat de medeschuldenaar of de derde aangaat in zijn verhouding tot die schuldenaar.

Subrogatie

2. Door de subrogatie wordt de vordering, indien zij een andere prestatie dan geld betrof, omgezet in een geldvordering van gelijke waarde.

Omzetting in geldvordering

Art. 13. *(6.1.2.7a)* 1. Blijkt verhaal op een hoofdelijke schuldenaar voor een vordering als bedoeld in de artikelen 10 en 12 geheel of gedeeltelijk onmogelijk, dan wordt het onverhaalbaar gebleken deel over al zijn medeschuldenaren omgeslagen naar evenredigheid van de gedeelten waarvoor de schuld ieder van hen in hun onderlinge verhouding aanging.

Omslag over draagplichtige medeschuldenaren

2. Werd de schuld geheel of gedeeltelijk gedelgd ten laste van een hoofdelijke schuldenaar wie de schuld zelf niet aanging en blijkt op geen van de medeschuldenaren wie de schuld wel aanging verhaal mogelijk, dan wordt het onverhaalbaar gebleken deel over alle medeschuldenaren wie de schuld niet aanging, omgeslagen naar evenredigheid van de bedragen waarvoor ieder op het tijdstip van de delging van de schuld jegens de schuldeiser aansprakelijk was.

Omslag niet-draagplichtige medeschuldenaren

3. Ieder der in een omslag betrokkenen blijft gerechtigd het bijgedragene alsnog van hem die geen verhaal bood, terug te vorderen.

Art. 14. *(6.1.2.7b)* Afstand door de schuldeiser van zijn vorderingsrecht jegens een hoofdelijke schuldenaar bevrijdt deze niet van zijn verplichting tot bijdragen. De schuldeiser kan hem niettemin van zijn verplichting tot bijdragen jegens een medeschuldenaar bevrijden door zich jegens deze laatste te verbinden zijn vordering op hem te verminderen met het bedrag dat als bijdrage gevorderd had kunnen worden.

Afstand vorderingsrecht en verplichting tot bijdrage

AFDELING 3
Pluraliteit van schuldeisers

Art. 15. *(6.1.3.1)* 1. Is een prestatie aan twee of meer schuldeisers verschuldigd, dan heeft ieder van hen een vorderingsrecht voor een gelijk deel, tenzij uit wet, ge-

Vorderingsrecht voor gelijke delen

woonte of rechtshandeling voortvloeit dat de prestatie hun voor ongelijke delen toekomt of dat zij gezamenlijk één vorderingsrecht hebben.

Eén vorderingsrecht

2. Is de prestatie ondeelbaar of valt het recht daarop in een gemeenschap, dan hebben zij gezamenlijk één vorderingsrecht.

3. Aan de schuldenaar kan niet worden tegengeworpen dat het vorderingsrecht in een gemeenschap valt, wanneer dit recht voortspruit uit een overeenkomst die hij met de deelgenoten heeft gesloten, maar hij niet wist noch behoefde te weten dat dit recht van die gemeenschap ging deel uitmaken.

Gemeenschap van vorderingsrecht

Art. 16. *(6.1.3.2)* Wanneer met de schuldenaar is overeengekomen dat twee of meer personen als schuldeiser de prestatie van hem voor het geheel kunnen vorderen, des dat de voldoening aan de een hem ook jegens de anderen bevrijdt, doch in de onderlinge verhouding van die personen de prestatie niet aan hen allen gezamenlijk toekomt, zijn op hun rechtsverhouding jegens de schuldenaar de in geval van gemeenschap geldende regels van overeenkomstige toepassing.

AFDELING 4
Alternatieve verbintenissen

Alternatieve verbintenis

Art. 17. *(6.1.4.1)* 1. Een verbintenis is alternatief, wanneer de schuldenaar verplicht is tot één van twee of meer verschillende prestaties ter keuze van hemzelf, van de schuldeiser of van een derde.

Keuzebevoegdheid schuldenaar

2. De keuze komt toe aan de schuldenaar, tenzij uit wet, gewoonte of rechtshandeling anders voortvloeit.

Gevolg keuze

Art. 18. *(6.1.4.3)* Een alternatieve verbintenis wordt enkelvoudig door het uitbrengen van de keuze door de daartoe bevoegde.

Overgang keuzebevoegdheid

Art. 19. *(6.1.4.3)* 1. Wanneer de keuze aan een der partijen toekomt, gaat de bevoegdheid om te kiezen op de andere partij over, indien deze haar wederpartij een redelijke termijn heeft gesteld tot bepaling van haar keuze en deze daarbinnen haar keuze niet heeft uitgebracht.

Beperking overgang

2. De bevoegdheid om te kiezen gaat echter niet over op de schuldeiser voordat deze het recht heeft om nakoming te vorderen, noch op de schuldenaar voordat deze het recht heeft om te voldoen.

Keuze bij pand of beslag

3. Indien op de vordering een pandrecht of een beslag rust en de aangevangen executie bij gebreke van een keuze niet kan worden voortgezet, kan de pandhouder of de beslaglegger aan beide partijen een redelijke termijn stellen om overeenkomstig hun onderlinge rechtsverhouding een keuze uit te brengen. Indien de keuze niet binnen deze termijn geschiedt, gaat de bevoegdheid tot kiezen op de pandhouder of beslaglegger over. Zij zijn gehouden niet nodeloos van deze bevoegdheid gebruik te maken.

Onmogelijkheid prestatie en keuze-bevoegdheid

Art. 20. *(6.1.4.4)* 1. De onmogelijkheid om een of meer der prestaties te verrichten doet geen afbreuk aan de bevoegdheid om te kiezen.

2. Indien de keuze aan de schuldenaar toekomt, is deze echter niet bevoegd een onmogelijke prestatie te kiezen, tenzij de onmogelijkheid een gevolg is van een aan de schuldeiser toe te rekenen oorzaak of deze met de keuze instemt.

AFDELING 5
Voorwaardelijke verbintenissen

Voorwaardelijke verbintenis

Art. 21. *(6.1.5.1)* Een verbintenis is voorwaardelijk, wanneer bij rechtshandeling haar werking van een toekomstige onzekere gebeurtenis afhankelijk is gesteld.

Opschortend; ontbindend

Art. 22. *(6.1.5.2)* Een opschortende voorwaarde doet de werking der verbintenis eerst met het plaatsvinden der gebeurtenis aanvangen; een ontbindende voorwaarde doet de verbintenis met het plaatsvinden der gebeurtenis vervallen.

Vervulling belet

Art. 23. *(6.1.5.3)* 1. Wanneer de partij die bij de niet-vervulling belang had, de vervulling heeft belet, geldt de voorwaarde als vervuld, indien redelijkheid en billijkheid dit verlangen.

Vervulling teweeggebracht

2. Wanneer de partij die bij de vervulling belang had, deze heeft teweeggebracht, geldt de voorwaarde als niet vervuld, indien redelijkheid en billijkheid dit verlangen.

Art. 24. *(6.1.5.4)* 1. Nadat een ontbindende voorwaarde is vervuld, is de schuldeiser verplicht de reeds verrichte prestaties ongedaan te maken, tenzij uit de inhoud of strekking van de rechtshandeling anders voortvloeit.

Ongedaanmakingsverplichting na vervulling ontb. voorw.

2. Strekt de verplichting tot ongedaanmaking tot teruggave van een goed, dan komen de na de vervulling van de voorwaarde afgescheiden natuurlijke of opeisbaar geworden burgerlijke vruchten aan de schuldenaar toe en zijn de artikelen 120-124 van Boek 3 van overeenkomstige toepassing met betrekking tot hetgeen daarin is bepaald omtrent de vergoeding van kosten en van schade, voor zover die kosten en die schade na de vervulling zijn ontstaan.

Bij goederen

Art. 25. *(6.1.5.4a)* Is een krachtens een verbintenis onder opschortende voorwaarde verschuldigde prestatie vóór de vervulling van de voorwaarde verricht, dan kan overeenkomstig afdeling 2 van titel 4 ongedaanmaking van de prestatie worden gevorderd, zolang de voorwaarde niet in vervulling is gegaan.

Ongedaanmaking bij opsch. voorw.

Art. 26. *(6.1.5.5)* Op voorwaardelijke verbintenissen zijn de bepalingen betreffende onvoorwaardelijke verbintenissen van toepassing, voor zover het voorwaardelijk karakter van de betrokken verbintenis zich daartegen niet verzet.

Rechtstreekse toepassing

AFDELING 6
Nakoming van verbintenissen

Art. 27. *(6.1.6.1)* Hij die een individueel bepaalde zaak moet afleveren, is verplicht tot de aflevering voor deze zaak zorg te dragen op de wijze waarop een zorgvuldig schuldenaar dit in de gegeven omstandigheden zou doen.

Leveringsplicht; zorgplicht

Art. 28. *(6.1.6.2)* Indien de verschuldigde zaak of zaken slechts zijn bepaald naar de soort en binnen de aangeduide soort verschil in kwaliteit bestaat, mag hetgeen de schuldenaar aflevert, niet beneden goede gemiddelde kwaliteit liggen.

Soortzaken

Art. 29. *(6.1.6.3)* De schuldenaar is zonder toestemming van de schuldeiser niet bevoegd het verschuldigde in gedeelten te voldoen.

Voldoening in gedeelten

Art. 30. *(6.1.6.4)* 1. Een verbintenis kan door een ander dan de schuldenaar worden nagekomen, tenzij haar inhoud of strekking zich daartegen verzet.

Nakoming door derde

2. De schuldeiser komt niet in verzuim, indien hij een door een derde aangeboden voldoening weigert met goedvinden van de schuldenaar.

Uitzondering

Art. 31. *(6.1.6.5)* Betaling aan een onbekwame schuldeiser bevrijdt de schuldenaar, voor zover het betaalde de onbekwame tot werkelijk voordeel heeft gestrekt of in de macht is gekomen van diens wettelijke vertegenwoordiger.

Betaling aan onbekwame

Art. 32. *(6.1.6.6)* Betaling aan een ander dan de schuldeiser of dan degene die met hem of in zijn plaats bevoegd is haar te ontvangen, bevrijdt de schuldenaar, voor zover degene aan wie betaald moest worden de betaling heeft bekrachtigd of erdoor is gebaat.

Betaling aan derde, baattrekking

Art. 33. *(6.1.6.6a)* Is de betaling gedaan in weerwil van een beslag of terwijl de schuldeiser wegens een beperkt recht, een bewind of een soortgelijk beletsel onbevoegd was haar te ontvangen, en wordt de schuldenaar deswege genoodzaakt opnieuw te betalen, dan heeft hij verhaal op de schuldeiser.

Schuldeiser onbevoegd tot ontvangst

Art. 34. *(6.1.6.7)* 1. De schuldenaar die heeft betaald aan iemand die niet bevoegd was de betaling te ontvangen, kan aan degene aan wie betaald moest worden, tegenwerpen dat hij bevrijdend heeft betaald, indien hij op redelijke gronden heeft aangenomen dat de ontvanger der betaling als schuldeiser tot de prestatie gerechtigd was of dat uit anderen hoofde aan hem moest worden betaald.

Bescherming schuldenaar bij betaling aan onbevoegde

2. Indien iemand zijn recht om betaling te vorderen verliest, in dier voege dat het met terugwerkende kracht aan een ander toekomt, kan de schuldenaar een inmiddels gedane betaling aan die ander tegenwerpen, tenzij hetgeen hij omtrent dit verlies kon voorzien, hem van de betaling had behoren te weerhouden.

Art. 35. *(6.1.6.7a)* 1. Is in geval van betaling door een derde te zijnen aanzien aan de vereisten van één der leden van het vorige artikel voldaan, dan kan hij te zij-

Betaling door derde aan derde

nen behoeve de bevrijdende werking van die betaling inroepen.

2. De schuldenaar kan de bevrijdende werking van die betaling te zijnen behoeve inroepen, indien, bij betaling door hemzelf, ook wat hem betreft aan die vereisten zou zijn voldaan.

Verhaalsrecht

Art. 36. *(6.1.6.7b)* In de gevallen, bedoeld in de twee voorgaande artikelen, heeft de ware gerechtigde verhaal op degene die de betaling zonder recht heeft ontvangen.

Opschortingsbevoegdheid

Art. 37. *(6.1.6.7c)* De schuldenaar is bevoegd de nakoming van zijn verbintenis op te schorten, indien hij op redelijke gronden twijfelt aan wie de betaling moet geschieden.

Nakoming terstond

Art. 38. *(6.1.6.9)* Indien geen tijd voor de nakoming is bepaald, kan de verbintenis terstond worden nagekomen en kan terstond nakoming worden gevorderd.

Tijdsbepaling

Art. 39. *(6.1.6.9a)* 1. Is wel een tijd voor de nakoming bepaald, dan wordt vermoed dat dit slechts belet dat eerdere nakoming wordt gevorderd.

Te vroege betaling

2. Betaling vóór de vervaldag geldt niet als onverschuldigd.

Verval tijdsbepaling

Art. 40. *(6.1.6.10)* De schuldenaar kan de tijdsbepaling niet meer inroepen:
a. wanneer hij in staat van faillissement is verklaard;
b. wanneer hij in gebreke blijft de door hem toegezegde zekerheid te verschaffen;
c. wanneer door een aan hem toe te rekenen oorzaak de voor de vordering gestelde zekerheid verminderd is, tenzij het overgeblevene nog een voldoende waarborg voor de voldoening oplevert.

Plaats van aflevering zaken

Art. 41. *(6.1.6.11)* Indien geen plaats voor de nakoming is bepaald, moet de aflevering van een verschuldigde zaak geschieden:
a. in geval van een individueel bepaalde zaak: ter plaatse waar zij zich bij het ontstaan van de verbintenis bevond;
b. in geval van een naar de soort bepaalde zaak: ter plaatse waar de schuldenaar zijn beroep of bedrijf uitoefent of, bij gebreke daarvan, zijn woonplaats heeft.

Aflevering door beschikkingsonbevoegde

Art. 42. *(6.1.6.12)* Hij die ter nakoming van een verbintenis een zaak heeft afgeleverd waarover hij niet bevoegd was te beschikken, kan vorderen dat deze wordt afgegeven aan degene aan wie zij toekomt, mits hij tegelijkertijd een andere, aan de verbintenis beantwoordende zaak aanbiedt en het belang van de schuldeiser zich niet tegen teruggave verzet.

Volgorde toerekening betaling

Art. 43. *(6.1.6.13)* 1. Verricht de schuldenaar een betaling die zou kunnen worden toegerekend op twee of meer verbintenissen jegens een zelfde schuldeiser, dan geschiedt de toerekening op de verbintenis welke de schuldenaar bij de betaling aanwijst.

2. Bij gebreke van zodanige aanwijzing geschiedt de toerekening in de eerste plaats op de opeisbare verbintenissen. Zijn er ook dan nog meer verbintenissen waarop de toerekening zou kunnen plaatsvinden, dan geschiedt deze in de eerste plaats op de meest bezwarende en zijn de verbintenissen even bezwarend, op de oudste. Zijn de verbintenissen bovendien even oud, dan geschiedt de toerekening naar evenredigheid.

Volgorde toerekening betaling (bij geldschulden)

Art. 44. *(6.1.6.14)* 1. Betaling van een op een bepaalde verbintenis toe te rekenen geldsom strekt in de eerste plaats in mindering van de kosten, vervolgens in mindering van de verschenen rente en tenslotte in mindering van de hoofdsom en de lopende rente.

2. De schuldeiser kan, zonder daardoor in verzuim te komen, een aanbod tot betaling weigeren, indien de schuldenaar een andere volgorde voor de toerekening aanwijst.

3. De schuldeiser kan volledige aflossing van de hoofdsom weigeren, indien daarbij niet tevens de verschenen en lopende rente alsmede de kosten worden voldaan.

Inbetalinggeving

Art. 45. *(6.1.6.15)* Slechts met toestemming van de schuldeiser kan een schuldenaar zich van zijn verbintenis bevrijden door een andere prestatie dan de verschuldigde, al mocht zij van gelijke of zelfs hogere waarde zijn.

Art. 46. *(6.1.6.15a)* 1. Wanneer de schuldeiser een cheque, postcheque, overschrijvingsorder of een ander hem bij wijze van betaling aangeboden papier in ontvangst neemt, wordt vermoed dat dit geschiedt onder voorbehoud van goede afloop.

Betaling per cheque, etc.

2. Is de schuldeiser bevoegd de nakoming van een op hem rustende verplichting tot het tijdstip van de betaling op te schorten, dan behoudt hij dit opschortingsrecht totdat zekerheid van goede afloop bestaat of door hem had kunnen worden verkregen.

Opschorting tot goede afloop

Art. 47. *(6.1.6.16)* 1. De kosten van betaling komen ten laste van degene die de verbintenis nakomt.

Kosten betaling

2. De kosten van een kwitantie komen ten laste van degene ten behoeve van wie het stuk wordt afgegeven.

Kosten kwitantie

Art. 48. *(6.1.6.17)* 1. De schuldeiser is verplicht voor iedere voldoening een kwitantie af te geven, tenzij uit overeenkomst, gewoonte of billijkheid anders voortvloeit.

Kwitantie

2. Indien de schuldeiser een ter zake van de schuld afgegeven bewijsstuk heeft, kan de schuldenaar bij voldoening bovendien de afgifte van dat bewijsstuk vorderen, tenzij de schuldeiser een redelijk belang heeft bij het behoud van het stuk en daarop de nodige aantekening tot bewijs van de bevrijding van de schuldenaar stelt.

Teruggave schuldbekentenis

3. De schuldenaar kan de nakoming van zijn verbintenis opschorten, indien de schuldeiser niet voldoet aan het voorschrift van het eerste lid.

Opschortingsbevoegdheid

Art. 49. *(6.1.6.17a)* 1. Bij voldoening van een vordering aan toonder of order kan de schuldenaar eisen dat een kwijting op het papier wordt gesteld en dat hem het papier wordt afgegeven.

Kwijting op papier

2. Indien de voldoening niet de gehele vordering betreft of de schuldeiser het papier nog voor de uitoefening van andere rechten nodig heeft, kan hij het papier behouden, mits hij naast de kwijting die op het papier is gesteld, tevens een afzonderlijke kwijting afgeeft.

Afzonderlijke kwijting

3. Hij kan, ongeacht of geheel of gedeeltelijk voldaan wordt, volstaan met de enkele afgifte van een kwijting, mits hij op verlangen van de wederpartij aantoont dat het papier vernietigd of waardeloos geworden is, of zekerheid stelt voor twintig jaren of een zoveel kortere tijdsduur als verwacht mag worden dat de wederpartij nog aan een vordering uit hoofde van het papier bloot zal kunnen staan.

Enkele afgifte van kwijting

4. De schuldenaar kan de nakoming van zijn verbintenis opschorten, indien de schuldeiser niet aan de vorige leden voldoet.

Opschorting

Art. 50. *(6.1.6.18)* 1. Moeten op achtereenvolgende tijdstippen gelijksoortige prestaties worden verricht, dan leveren de kwitanties van twee achtereenvolgende termijnen het vermoeden op dat ook de vroegere termijnen zijn voldaan.

Bewijskracht kwitanties

2. Indien de schuldeiser een kwitantie afgeeft voor de hoofdsom, wordt vermoed dat ook de rente en de kosten zijn voldaan.

Kwitantie en rente

Art. 51. *(6.1.6.21)* 1. Wanneer uit de wet voortvloeit dat iemand verplicht is tot het stellen van zekerheid of dat het stellen van zekerheid voorwaarde is voor het intreden van enig rechtsgevolg, heeft hij die daartoe overgaat, de keuze tussen persoonlijke en zakelijke zekerheid.

Wettelijke verplichting tot stellen zekerheid

2. De aangeboden zekerheid moet zodanig zijn, dat de vordering en, zo daartoe gronden zijn, de daarop vallende rente en kosten behoorlijk gedekt zijn en dat de schuldeiser daarop zonder moeite verhaal zal kunnen nemen.

3. Is de gestelde zekerheid door een niet aan de schuldeiser toe te rekenen oorzaak onvoldoende geworden, dan is de schuldenaar verplicht haar aan te vullen of te vervangen.

AFDELING 7
Opschortingsrechten

Art. 52. *(6.1.6A.1)* 1. Een schuldenaar die een opeisbare vordering heeft op zijn schuldeiser, is bevoegd de nakoming van zijn verbintenis op te schorten tot voldoening van zijn vordering plaatsvindt, indien tussen vordering en verbintenis voldoende samenhang bestaat om deze opschorting te rechtvaardigen.

Opschortingsbevoegdheid

2. Een zodanige samenhang kan onder meer worden aangenomen ingeval de verbintenissen over en weer voortvloeien uit dezelfde rechtsverhouding of uit zaken die partijen regelmatig met elkaar hebben gedaan.

Wanneer samenhang

Schuldeisers wederpartij

Art. 53. *(6.1.6A.2)* Een opschortingsrecht kan ook worden ingeroepen tegen de schuldeisers van de wederpartij.

Geen bevoegdheid tot opschorting

Art. 54. *(6.1.6A.3)* Geen bevoegdheid tot opschorting bestaat:
a. voor zover de nakoming van de verbintenis van de wederpartij wordt verhinderd door schuldeisersverzuim;
b. voor zover de nakoming van de verbintenis van de wederpartij blijvend onmogelijk is;
c. voor zover op de vordering van de wederpartij geen beslag is toegelaten.

Zekerheidstelling

Art. 55. *(6.1.6A.4)* Zodra zekerheid is gesteld voor de voldoening van de verbintenis van de wederpartij, vervalt de bevoegdheid tot opschorting, tenzij deze voldoening daardoor onredelijk zou worden vertraagd.

Verjaring

Art. 56. *(6.1.6A.5)* Een bevoegdheid tot opschorting blijft ook na verjaring van de rechtsvordering op de wederpartij in stand.

Retentierecht

Art. 57. *(6.1.6A.6)* Indien een bevoegdheid tot opschorting voldoet aan de omschrijving van het retentierecht in artikel 290 van Boek 3 zijn de bepalingen van de onderhavige afdeling van toepassing, voor zover daarvan in afdeling 4 van titel 10 van Boek 3 niet is afgeweken.

AFDELING 8
Schuldeisersverzuim

Schuldeisersverzuim bij niet verlenen medewerking

Art. 58. *(6.1.7.1)* De schuldeiser komt in verzuim, wanneer nakoming van de verbintenis verhinderd wordt doordat hij de daartoe noodzakelijke medewerking niet verleent of doordat een ander beletsel van zijn zijde opkomt, tenzij de oorzaak van verhindering hem niet kan worden toegerekend.

Schuldeisersverzuim bij niet voldoen aan verplichting

Art. 59. *(6.1.7.2)* De schuldeiser komt eveneens in verzuim, wanneer hij ten gevolge van hem toe te rekenen omstandigheden niet voldoet aan een verplichting zijnerzijds jegens de schuldenaar en deze op die grond bevoegdelijk de nakoming van zijn verbintenis jegens de schuldeiser opschort.

Bevrijding door rechter

Art. 60. *(6.1.7.3)* Is de schuldeiser in verzuim, dan kan de rechter op vordering van de schuldenaar bepalen dat deze van zijn verbintenis bevrijd zal zijn, al dan niet onder door de rechter te stellen voorwaarden.

Schuldenaarsverzuim eindigt

Art. 61. *(6.1.7.4)* 1. Verzuim van de schuldeiser maakt een einde aan verzuim van de schuldenaar.

Schuldenaarsverzuim treedt niet in

2. Zolang de schuldeiser in verzuim is, kan de schuldenaar niet in verzuim geraken.

Geen executie maatregelen

Art. 62. *(6.1.7.5)* Gedurende het verzuim van de schuldeiser is deze niet bevoegd maatregelen tot executie te nemen.

Vergoeding van kosten

Art. 63. *(6.1.7.6)* De schuldenaar heeft, binnen de grenzen der redelijkheid, recht op vergoeding van de kosten, gevallen op een aanbod of een inbewaringstelling als bedoeld in de artikelen 66-70 of op andere wijze als gevolg van het verzuim gemaakt.

Beperking zorgplicht

Art. 64. *(6.1.7.7)* Komt tijdens het verzuim van de schuldeiser een omstandigheid op, die behoorlijke nakoming geheel of gedeeltelijk onmogelijk maakt, dan wordt dit niet aan de schuldenaar toegerekend, tenzij deze door zijn schuld of die van een ondergeschikte is tekortgeschoten in de zorg die in de gegeven omstandigheden van hem mocht worden gevergd.

Verzuim bij soortzaken

Art. 65. *(6.1.7.8)* Wanneer bij een verbintenis tot aflevering van soortzaken de schuldenaar bepaalde, aan de verbintenis beantwoordende zaken voor de aflevering heeft aangewezen en de schuldeiser daarvan heeft verwittigd, dan is hij in geval van verzuim van de schuldeiser nog slechts tot aflevering van deze zaken verplicht. Hij blijft echter bevoegd tot aflevering van andere zaken die aan de verbintenis beantwoorden.

Art. 66. *(6.1.7.9)* Strekt de verbintenis tot betaling van een geldsom of tot aflevering van een zaak, dan is in geval van verzuim van de schuldeiser de schuldenaar bevoegd het verschuldigde ten behoeve van de schuldeiser in bewaring te stellen.

Inbewaringstelling

Art. 67. *(6.1.7.10)* De inbewaringstelling van een geldsom geschiedt door consignatie overeenkomstig de wet, die van een af te leveren zaak door deze in bewaring te geven aan iemand die zijn bedrijf maakt van het bewaren van zaken als de betrokkene ter plaatse waar de aflevering moet geschieden. Op deze bewaring zijn de regels betreffende gerechtelijke bewaring van toepassing, voor zover uit de artikelen 68-71 niet anders voortvloeit.

Inbewaringstelling van geldsom en zaken (consignatiekas)

Art. 68. *(6.1.7.11)* Gedurende de bewaring loopt over een in bewaring gestelde geldsom geen rente ten laste van de schuldenaar.

Geen rente

Art. 69. *(6.1.7.12)* 1. Gedurende de bewaring kan de schuldeiser zijn verzuim slechts zuiveren door het in bewaring gestelde te aanvaarden.

Zuivering schuldeisersverzuim

2. Zolang de schuldeiser het in bewaring gestelde niet heeft aanvaard, is de bewaargever bevoegd het uit de bewaring terug te nemen.

Terugname

Art. 70. *(6.1.7.13)* De bewaarder mag de zaak slechts aan de schuldeiser afgeven, indien deze hem alle kosten van de bewaring voldoet. Hij is na de afgifte verplicht aan de bewaargever terug te betalen, wat deze reeds had voldaan. Is de zaak afgegeven, vóórdat de schuldeiser alle kosten voldeed, dan gaan de rechten te dier zake door de betaling aan de bewaargever op de bewaarder over.

Art. 71. *(6.1.7.13a)* De rechtsvordering tegen de schuldenaar verjaart niet later dan de rechtsvordering tot uitlevering van het in bewaring gestelde.

Verjaring

Art. 72. *(6.1.7.14)* In geval van hoofdelijke verbondenheid gelden de rechtsgevolgen van het verzuim van de schuldeiser jegens ieder van de schuldenaren.

Hoofdelijke verbondenheid

Art. 73. *(6.1.7.16)* Weigert de schuldeiser een aanbod van een derde, dan zijn de artikelen 60, 62, 63 en 66-70 ten behoeve van de derde van overeenkomstige toepassing, mits het aanbod aan de verbintenis beantwoordt en de derde bij de voldoening een gerechtvaardigd belang heeft.

Aanbod tot betaling door derde

AFDELING 9
De gevolgen van het niet nakomen van een verbintenis

§ 1. Algemene bepalingen

Art. 74. *(6.1.8.1)* 1. Iedere tekortkoming in de nakoming van een verbintenis verplicht de schuldenaar de schade die de schuldeiser daardoor lijdt te vergoeden, tenzij de tekortkoming de schuldenaar niet kan worden toegerekend.

Wanprestatie

2. Voor zover nakoming niet reeds blijvend onmogelijk is, vindt lid 1 slechts toepassing met inachtneming van hetgeen is bepaald in de tweede paragraaf betreffende het verzuim van de schuldenaar.

Verzuim

Art. 75. *(6.1.8.2)* Een tekortkoming kan de schuldenaar niet worden toegerekend, indien zij niet is te wijten aan zijn schuld, noch krachtens wet, rechtshandeling of in het verkeer geldende opvattingen voor zijn rekening komt.

Niet-toerekenbare tekortkoming (overmacht)

Art. 76. *(6.1.8.3)* Maakt de schuldenaar bij de uitvoering van een verbintenis gebruik van de hulp van andere personen, dan is hij voor hun gedragingen op gelijke wijze als voor eigen gedragingen aansprakelijk.

Aansprakelijkheid voor hulppersonen

Art. 77. *(6.1.8.3a)* Wordt bij de uitvoering van een verbintenis gebruik gemaakt van een zaak die daartoe ongeschikt is, dan wordt de tekortkoming die daardoor ontstaat de schuldenaar toegerekend, tenzij dit, gelet op inhoud en strekking van de rechtshandeling waaruit de verbintenis voortspruit, de in het verkeer geldende opvattingen en de overige omstandigheden van het geval, onredelijk zou zijn.

Aansprakelijkheid voor gebruik zaken

Art. 78. *(6.1.8.4)* 1. Indien een tekortkoming de schuldenaar niet kan worden toegerekend, maar hij in verband met die tekortkoming een voordeel geniet dat hij

Schadevergoeding bij niet-toerekenbare tekortkoming

bij behoorlijke nakoming niet zou hebben gehad, heeft de schuldeiser met toepassing van de regels betreffende ongerechtvaardigde verrijking recht op vergoeding van zijn schade tot ten hoogste het bedrag van dit voordeel.

2. Bestaat dit voordeel uit een vordering op een derde, dan kan de schuldenaar aan het vorige lid voldoen door overdracht van die vordering.

Schuldeiser bevoegd tot executie en verrekening

Art. 79. *(6.1.8.4a)* Is de schuldeiser wiens schuldenaar door een hem niet toe te rekenen oorzaak verhinderd is na te komen, desondanks in staat zelf zich door executie of verrekening het verschuldigde te verschaffen, dan is hij daartoe bevoegd.

Vervroegde intreding gevolgen niet-nakoming

Art. 80. *(6.1.8.5)* 1. De gevolgen van niet-nakoming treden reeds in voordat de vordering opeisbaar is:
a. indien vaststaat dat nakoming zonder tekortkoming onmogelijk zal zijn;
b. indien de schuldeiser uit een mededeling van de schuldenaar moet afleiden dat deze in de nakoming zal tekortschieten; of
c. indien de schuldeiser goede gronden heeft te vrezen dat de schuldenaar in de nakoming zal tekortschieten en deze niet voldoet aan een schriftelijke aanmaning met opgave van die gronden om zich binnen een bij die aanmaning gestelde redelijke termijn bereid te verklaren zijn verplichtingen na te komen.

Beperking gevolg vervroegde intreding

2. Het oorspronkelijke tijdstip van opeisbaarheid blijft gelden voor de verschuldigdheid van schadevergoeding wegens vertraging en de toerekening aan de schuldenaar van onmogelijk worden van nakoming tijdens zijn verzuim.

§ 2. Verzuim van de schuldenaar

Aanvang verzuim

Art. 81. *(6.1.8.6)* De schuldenaar is in verzuim gedurende de tijd dat de prestatie uitblijft nadat zij opeisbaar is geworden en aan de eisen van de artikelen 82 en 83 is voldaan, behalve voor zover de vertraging hem niet kan worden toegerekend of nakoming reeds blijvend onmogelijk is.

Ingebrekestelling

Art. 82. *(6.1.8.7)* 1. Het verzuim treedt in, wanneer de schuldenaar in gebreke wordt gesteld bij een schriftelijke aanmaning waarbij hem een redelijke termijn voor de nakoming wordt gesteld, en nakoming binnen deze termijn uitblijft.

2. Indien de schuldenaar tijdelijk niet kan nakomen of uit zijn houding blijkt dat aanmaning nutteloos zou zijn, kan de ingebrekestelling plaatsvinden door een schriftelijke mededeling waaruit blijkt dat hij voor het uitblijven van de nakoming aansprakelijk wordt gesteld.

Verzuim van rechtswege

Art. 83. *(6.1.8.8)* Het verzuim treedt zonder ingebrekestelling in:
a. wanneer een voor de voldoening bepaalde termijn verstrijkt zonder dat de verbintenis is nagekomen, tenzij blijkt dat de termijn een andere strekking heeft.
b. wanneer de verbintenis voortvloeit uit onrechtmatige daad of strekt tot schadevergoeding als bedoeld in artikel 74 lid 1 en de verbintenis niet terstond wordt nagekomen;
c. wanneer de schuldeiser uit een mededeling van de schuldenaar moet afleiden dat deze in de nakoming van de verbintenis zal tekortschieten.

Toerekening elke onmogelijkheid nakoming aan schuldenaar

Art. 84. *(6.1.8.10)* Elke onmogelijkheid van nakoming, ontstaan tijdens het verzuim van de schuldenaar en niet toe te rekenen aan de schuldeiser, wordt aan de schuldenaar toegerekend; deze moet de daardoor ontstane schade vergoeden, tenzij de schuldeiser de schade ook bij behoorlijke en tijdige nakoming zou hebben geleden.

Vertragingsschade

Art. 85. *(6.1.8.10a)* Tot vergoeding van schade wegens vertraging in de nakoming is de schuldenaar slechts verplicht over de tijd waarin hij in verzuim is geweest.

Weigering aangeboden nakoming

Art. 86. *(6.1.8.10b)* De schuldeiser kan een na het intreden van het verzuim aangeboden nakoming weigeren, zolang niet tevens betaling wordt aangeboden van de inmiddels tevens verschuldigd geworden schadevergoeding en van de kosten.

Vervangende schadevergoeding

Art. 87. *(6.1.8.11)* 1. Voor zover nakoming niet reeds blijvend onmogelijk is, wordt de verbintenis omgezet in een tot vervangende schadevergoeding, wanneer de schuldenaar in verzuim is en de schuldeiser hem schriftelijk mededeelt dat hij schadevergoeding in plaats van nakoming vordert.

2. Geen omzetting vindt plaats, die door de tekortkoming, gezien haar ondergeschikte betekenis, niet wordt gerechtvaardigd.

§ 3. *Verdere gevolgen van niet-nakoming*

Art. 88. *(6.1.8.13)* 1. De schuldenaar die in de nakoming van zijn verbintenis is tekort geschoten, kan aan de schuldeiser een redelijke termijn stellen, waarbinnen deze moet mededelen welke van de hem bij de aanvang van de termijn ten dienste staande middelen hij wenst uit te oefenen, op straffe van slechts aanspraak te kunnen maken:

Schuldeiser moet uit bevoegdheden kiezen

a. op de schadevergoeding waarop de tekortkoming hem recht geeft en, zo de verbintenis strekt tot betaling van een geldsom, op die geldsom;
b. op ontbinding van de overeenkomst waaruit de verbintenis voortspruit, indien de schuldenaar zich erop beroept dat de tekortkoming hem niet kan worden toegerekend.

2. Heeft de schuldeiser nakoming verlangd, doch wordt daaraan niet binnen een redelijke termijn voldaan, dan kan hij al zijn rechten wederom doen gelden; het vorige lid is van overeenkomstige toepassing.

Herleving bevoegdheden

Art. 89. *(6.1.8.14)* De schuldeiser kan op een gebrek in de prestatie geen beroep meer doen, indien hij niet binnen bekwame tijd nadat hij het gebrek heeft ontdekt of redelijkerwijze had moeten ontdekken, bij de schuldenaar terzake heeft geprotesteerd.

Gebrekkig prestatie

Art. 90. *(6.1.8.14a)* 1. Bij een verhindering tot aflevering van een zaak die aan snel tenietgaan of achteruitgaan onderhevig is of waarvan om een andere reden de verdere bewaring zo bezwaarlijk is dat zij in de gegeven omstandigheden niet van de schuldenaar kan worden gevergd, is deze bevoegd de zaak op een geschikte wijze te doen verkopen. De schuldenaar is jegens de schuldeiser tot een zodanige verkoop gehouden, wanneer diens belangen deze verkoop onmiskenbaar eisen of de schuldeiser te kennen geeft de verkoop te verlangen.

Verkoop door schuldenaar

2. De netto-opbrengst treedt voor de zaak in de plaats, onverminderd de rechten van de schuldeiser wegens tekortkomingen in de nakoming van de verbintenis.

Netto-opbrengst

§ 4. *Boetebeding*

Art. 91. *(6.1.8.16)* Als boetebeding wordt aangemerkt ieder beding waarbij is bepaald dat de schuldenaar, indien hij in de nakoming van zijn verbintenis tekortschiet, gehouden is een geldsom of een andere prestatie te voldoen, ongeacht of zulks strekt tot vergoeding van schade of enkel tot aansporing om tot nakoming over te gaan.

Boetebeding

Art. 92. *(6.1.8.17)* 1. De schuldeiser kan geen nakoming vorderen zowel van het boetebeding als van de verbintenis waaraan het boetebeding verbonden is.

Boete in plaats van schadevergoeding

2. Hetgeen ingevolge een boetebeding verschuldigd is treedt in de plaats van de schadevergoeding op grond van de wet.

3. De schuldeiser kan geen nakoming vorderen van het boetebeding, indien de tekortkoming niet aan de schuldenaar kan worden toegerekend.

Art. 93. *(6.1.8.17a)* Voor het vorderen van nakoming van het boetebeding is een aanmaning of een andere voorafgaande verklaring nodig in dezelfde gevallen als deze is vereist voor het vorderen van schadevergoeding op grond van de wet.

Ingebrekestelling

Art. 94. *(6.1.8.18)* 1. Op verlangen van de schuldenaar kan de rechter, indien de billijkheid dit klaarblijkelijk eist, de bedongen boete matigen, met dien verstande dat hij de schuldeiser ter zake van de tekortkoming niet minder kan toekennen dan de schadevergoeding op grond van de wet.

Matigingsrecht

2. Op verlangen van de schuldeiser kan de rechter, indien de billijkheid dit klaarblijkelijk eist, naast een bedongen boete die bestemd is in de plaats te treden van de schadevergoeding op grond van de wet, aanvullende schadevergoeding toekennen.

Aanvullende schadevergoeding

3. Van lid 1 afwijkende bedingen zijn nietig.

AFDELING 10
Wettelijke verplichtingen tot schadevergoeding

Vermogensschade; ander nadeel

Art. 95. *(6.1.9.1)* De schade die op grond van een wettelijke verplichting tot schadevergoeding moet worden vergoed, bestaat in vermogensschade en ander nadeel, dit laatste voor zover de wet op vergoeding hiervan recht geeft.

Vermogensschade

Art. 96. *(6.1.9.2)* 1. Vermogensschade omvat zowel geleden verlies als gederfde winst.

Redelijke kosten

2. Als vermogensschade komen mede voor vergoeding in aanmerking:
a. redelijke kosten ter voorkoming of beperking van schade die als gevolg van de gebeurtenis waarop de aansprakelijkheid berust, mocht worden verwacht;
b. redelijke kosten ter vaststelling van schade en aansprakelijkheid;

Buitengerechtelijke kosten in relatie tot proceskosten

c. redelijke kosten ter verkrijging van voldoening buiten rechte, wat de kosten onder b en c betreft, behoudens voor zover in het gegeven geval krachtens artikel 57 lid 6 van het Wetboek van Burgerlijke Rechtsvordering de regels betreffende proceskosten van toepassing zijn.

Begroting en schatting schade

Art. 97. *(6.1.9.3)* De rechter begroot de schade op de wijze die het meest met de aard ervan in overeenstemming is. Kan de omvang van de schade niet nauwkeurig worden vastgesteld, dan wordt zij geschat.

Causaal verband; toerekening

Art. 98. *(6.1.9.4)* Voor vergoeding komt slechts in aanmerking schade die in zodanig verband staat met de gebeurtenis waarop de aansprakelijkheid van de schuldenaar berust, dat zij hem, mede gezien de aard van de aansprakelijkheid en van de schade, als een gevolg van deze gebeurtenis kan worden toegerekend.

Schade gevolg van meer gebeurtenissen

Art. 99. *(6.1.9.4a)* Kan de schade een gevolg zijn van twee of meer gebeurtenissen voor elk waarvan een andere persoon aansprakelijk is, en staat vast dat de schade door ten minste één van deze gebeurtenissen is ontstaan, dan rust de verplichting om de schade te vergoeden op ieder van deze personen, tenzij hij bewijst dat deze niet het gevolg is van een gebeurtenis waarvoor hijzelf aansprakelijk is.

Voordeelsverrekening

Art. 100. *(6.1.9.5)* Heeft een zelfde gebeurtenis voor de benadeelde naast schade tevens voordeel opgeleverd, dan moet, voor zover dit redelijk is, dit voordeel bij de vaststelling van de te vergoeden schade in rekening worden gebracht.

„Eigen schuld"

Art. 101. *(6.1.9.6)* 1. Wanneer de schade mede een gevolg is van een omstandigheid die aan de benadeelde kan worden toegerekend, wordt de vergoedingsplicht verminderd door de schade over de benadeelde en de vergoedingsplichtige te verdelen in evenredigheid met de mate waarin de aan ieder toe te rekenen omstandigheden tot de schade hebben bijgedragen, met dien verstande dat een andere verdeling plaatsvindt of de vergoedingsplicht geheel vervalt of in stand blijft, indien de billijkheid dit wegens de uiteenlopende ernst van de gemaakte fouten of andere omstandigheden van het geval eist.

Derde en zaken

2. Betreft de vergoedingsplicht schade, toegebracht aan een zaak die een derde voor de benadeelde in zijn macht had, dan worden bij toepassing van het vorige lid omstandigheden die aan de derde toegerekend kunnen worden, toegerekend aan de benadeelde.

Hoofdelijke aansprakelijkheid

Art. 102. *(6.1.9.8)* 1. Rust op ieder van twee of meer personen een verplichting tot vergoeding van dezelfde schade, dan zijn zij hoofdelijk verbonden. Voor de bepaling van hetgeen zij krachtens artikel 10 in hun onderlinge verhouding jegens elkaar moeten bijdragen, wordt de schade over hen verdeeld met overeenkomstige toepassing van artikel 101, tenzij uit wet of rechtshandeling een andere verdeling voortvloeit.

Hoofdelijke aansprakelijkheid en „eigen schuld"

2. Wanneer de schade mede een gevolg is van een omstandigheid die aan de benadeelde kan worden toegerekend, vindt artikel 101 toepassing op de vergoedingsplicht van ieder van de in het vorige lid bedoelde personen afzonderlijk, met dien verstande dat de benadeelde in totaal van hen niet meer kan vorderen dan hem zou zijn toegekomen, indien voor de omstandigheden waarop hun vergoedingsplichten berusten, slechts één persoon aansprakelijk zou zijn geweest. Indien verhaal op een der tot bijdragen verplichte personen niet ten volle mogelijk blijkt, kan de rechter op verlangen van een hunner bepalen dat bij toepassing van artikel 13 het onvoldaan gebleven deel mede over de benadeelde omgeslagen wordt.

Art. 103. *(6.1.9.9)* Schadevergoeding wordt voldaan in geld. Nochtans kan de rechter op vordering van de benadeelde schadevergoeding in andere vorm dan betaling van een geldsom toekennen. Wordt niet binnen redelijke termijn aan een zodanige uitspraak voldaan, dan herkrijgt de benadeelde zijn bevoegdheid om schadevergoeding in geld te verlangen.

Schadevergoeding in geld en natura

Art. 104. *(6.1.9.9a)* Indien iemand die op grond van onrechtmatige daad of een tekortkoming in de nakoming van een verbintenis jegens een ander aansprakelijk is, door die daad of tekortkoming winst heeft genoten, kan de rechter op vordering van die ander de schade begroten op het bedrag van die winst of op een gedeelte daarvan.

Art. 105. *(6.1.9.10)* 1. De begroting van nog niet ingetreden schade kan door de rechter geheel of gedeeltelijk worden uitgesteld of na afweging van goede en kwade kansen bij voorbaat geschieden. In het laatste geval kan de rechter de schuldenaar veroordelen, hetzij tot betaling van een bedrag ineens, hetzij tot betaling van periodiek uit te keren bedragen, al of niet met verplichting tot zekerheidsstelling; deze veroordeling kan geschieden onder door de rechter te stellen voorwaarden.

Nog niet ingetreden schade

2. Voor zover de rechter de schuldenaar veroordeelt tot betaling van periodiek uit te keren bedragen, kan hij in zijn uitspraak bepalen dat deze op verzoek van elk van de partijen door de rechter die in eerste aanleg van de vordering tot schadevergoeding heeft kennis genomen, kan worden gewijzigd, indien zich na de uitspraak omstandigheden voordoen, die voor de omvang van de vergoedingsplicht van belang zijn en met de mogelijkheid van het intreden waarvan bij de vaststelling der bedragen geen rekening is gehouden.

Wijziging periodieke bedragen; bevoegde rechter

Art. 106. *(6.1.9.11)* 1. Voor nadeel dat niet in vermogensschade bestaat, heeft de benadeelde recht op een naar billijkheid vast te stellen schadevergoeding:
a. indien de aansprakelijke persoon het oogmerk had zodanig nadeel toe te brengen;
b. indien de benadeelde lichamelijk letsel heeft opgelopen, in zijn eer of goede naam is geschaad of op andere wijze in zijn persoon is aangetast;
c. indien het nadeel gelegen is in aantasting van de nagedachtenis van een overledene en toegebracht is aan de niet van tafel en bed gescheiden echtgenoot of een bloedverwant tot in de tweede graad van de overledene, mits de aantasting plaatsvond op een wijze die de overledene, ware hij nog in leven geweest, recht zou hebben gegeven op schadevergoeding wegens het schaden van zijn eer of goede naam.

Ander nadeel dan vermogensschade

2. Het recht op een vergoeding, als in het vorige lid bedoeld, is niet vatbaar voor overgang en beslag, tenzij het bij overeenkomst is vastgelegd of ter zake een vordering in rechte is ingesteld. Voor overgang onder algemene titel is voldoende dat de gerechtigde aan de wederpartij heeft medegedeeld op de vergoeding aanspraak te maken.

Onvatbaarheid voor overgang en beslag

Art. 107. *(6.1.9.11a)* 1. Indien iemand ten gevolge van een gebeurtenis waarvoor een ander aansprakelijk is, lichamelijk of geestelijk letsel oploopt, is die ander behalve tot vergoeding van de schade van de gekwetste zelf, ook verplicht tot vergoeding van de kosten die een derde anders dan krachtens een verzekering ten behoeve van de gekwetste heeft gemaakt en die deze laatste, zo hij ze zelf zou hebben gemaakt, van die ander had kunnen vorderen.

Schadevergoeding aan derden bij letsel

2. Hij die krachtens het vorige lid door de derde tot schadevergoeding wordt aangesproken kan hetzelfde verweer voeren dat hem jegens de gekwetste ten dienste zou hebben gestaan.

Verweermiddelen

Art. 108. *(6.1.9.12)* 1. Indien iemand ten gevolge van een gebeurtenis waarvoor een ander jegens hem aansprakelijk is overlijdt, is die ander verplicht tot vergoeding van schade door het derven van levensonderhoud:
a. aan de niet van tafel en bed gescheiden echtgenoot en de minderjarige wettige of onwettige kinderen van de overledene, tot ten minste het bedrag van het hun krachtens de wet verschuldigde levensonderhoud;
b. aan andere bloed- of aanverwanten van de overledene, mits deze reeds ten tijde van het overlijden geheel of ten dele in hun levensonderhoud voorzag of daartoe krachtens rechterlijke uitspraak verplicht was;
c. aan degenen die reeds vóór de gebeurtenis waarop de aansprakelijkheid berust, met de overledene in gezinsverband samenwoonden en in wier levensonderhoud hij geheel of voor een groot deel voorzag, voor zover aannemelijk is dat een en ander zonder het overlijden zou zijn voortgezet en zij redelijkerwijze niet voldoende in hun

Schadevergoeding bij overlijden

levensonderhoud kunnen voorzien;
d. aan degene die met de overledenen in gezinsverband samenwoonde en in wiens levensonderhoud de overledene bijdroeg door het doen van de gemeenschappelijke huishouding, voor zover hij schade lijdt doordat na het overlijden op andere wijze in de gang van deze huishouding moet worden voorzien.

Kosten van lijkbezorging

2. Bovendien is de aansprakelijke verplicht aan degene te wiens laste de kosten van lijkbezorging zijn gekomen, deze kosten te vergoeden, voor zover zij in overeenstemming zijn met de omstandigheden van de overledene.

Verweermiddelen

3. Hij die krachtens de vorige leden tot schadevergoeding wordt aangesproken, kan hetzelfde verweer voeren, dat hem tegenover de overledene zou hebben ten dienste gestaan.

Matigingsrecht

Art. 109. *(6.1.9.12a)* 1. Indien toekenning van volledige schadevergoeding in de gegeven omstandigheden waaronder de aard van de aansprakelijkheid, de tussen partijen bestaande rechtsverhouding en hun beider draagkracht, tot kennelijk onaanvaardbare gevolgen zou leiden, kan de rechter een wettelijke verplichting tot schadevergoeding matigen.

Invloed verzekering

2. De matiging mag niet geschieden tot een lager bedrag dan waarvoor de schuldenaar zijn aansprakelijkheid voor verzekering heeft gedekt of verplicht was te dekken.
3. Ieder beding in strijd met lid 1 is nietig.

A.m.v.B.

Art. 110. *(6.1.9.12b)* Opdat de aansprakelijkheid die ter zake van schade kan ontstaan niet hetgeen redelijkerwijs door verzekering kan worden gedekt, te boven gaat, kunnen bij algemene maatregel van bestuur bedragen worden vastgesteld, waarboven de aansprakelijkheid zich niet uitstrekt. Afzonderlijke bedragen kunnen worden bepaald naar gelang van onder meer de aard van de gebeurtenis, de aard van de schade en de grond van de aansprakelijkheid.

AFDELING 11
Verbintenissen tot betaling van een geldsom.

Nominaal bedrag

Art. 111. *(6.1.9A.1)* Een verbintenis tot betaling van een geldsom moet naar haar nominale bedrag worden voldaan, tenzij uit wet, gewoonte of rechtshandeling anders voortvloeit.

Gangbaar geld

Art. 112. *(6.1.9A.2)* Het geld dat ter voldoening van de verbintenis wordt betaald, moet op het tijdstip van de betaling gangbaar zijn in het land in welks geld de betaling geschiedt.

Afronden

Art. 113. *(6.1.9A.2a)* Bij betaling in Nederlands wettig betaalmiddel wordt de verschuldigde geldsom, indien deze niet vijf cent of een veelvoud daarvan beloopt, afgerond op het meest nabij gelegen bedrag dat deelbaar is door vijf en tenminste vijf cent bedraagt.

Girale betaling

Art. 114. *(6.1.9A.3)* 1. Bestaat in een land waar de betaling moet of mag geschieden ten name van de schuldeiser een rekening, bestemd voor girale betalingen, dan kan de schuldenaar de verbintenis voldoen door het verschuldigde bedrag op die rekening te doen bijschrijven, tenzij de schuldeiser betaling op die rekening geldig heeft uitgesloten.

Creditering

2. In het geval van het vorige lid geschiedt de betaling op het tijdstip waarop de rekening van de schuldeiser wordt gecrediteerd.

Plaats van betaling

Art. 115. *(6.1.9A.4)* De plaats waar de betaling moet geschieden wordt bepaald door de artikelen 116-118, tenzij uit wet, gewoonte of rechtshandeling voortvloeit dat op een andere plaats moet of mag worden betaald.

Art. 116. *(6.1.9A.5)* 1. De betaling moet worden gedaan aan de woonplaats van de schuldeiser op het tijdstip van de betaling.

Andere plaats

2. De schuldeiser is bevoegd een andere plaats voor de betaling aan te wijzen in het land van de woonplaats van de schuldeiser op het tijdstip van de betaling of op het tijdstip van het ontstaan van de verbintenis.

Plaats van betaling aanmerkelijk bezwaarlijk

Art. 117. *(6.1.9A.6)* Indien de betaling overeenkomstig artikel 116 moet geschieden op een andere plaats dan de woonplaats van de schuldeiser op het tijdstip van het ontstaan van de verbintenis en het voldoen aan de verbintenis daardoor voor de schuldenaar aanmerkelijk bezwaarlijker zou worden, is deze bevoegd de betaling op te schorten, totdat de schuldeiser in een der in artikel 116 lid 2 bedoelde landen een andere plaats voor de betaling heeft aangewezen, waaraan een zodanig bezwaar niet is verbonden.

Plaats van bedrijfsvestiging

Art. 118. *(6.1.9A.7)* Indien de verbintenis is ontstaan bij de uitoefening van bedrijfs- of beroepsbezigheden van de schuldeiser, geldt in de artikelen 116 en 117 de plaats van vestiging waar die bezigheden worden uitgeoefend, als woonplaats van de schuldeiser.

Wettelijke rente

Art. 119. *(6.1.9A.8)* 1. De schadevergoeding, verschuldigd wegens vertraging in de voldoening van een geldsom, bestaat in de wettelijke rente van die som over de tijd dat de schuldenaar met de voldoening daarvan in verzuim is geweest.

Samengestelde interest

2. Telkens na afloop van een jaar wordt het bedrag waarover de wettelijke rente wordt berekend, vermeerderd met de over dat jaar verschuldigde rente.

Bedongen rente

3. Een bedongen rente die hoger is dan die welke krachtens de vorige leden verschuldigd zou zijn, loopt in plaats daarvan door nadat de schuldenaar in verzuim is gekomen.

Hoogte wettelijke rente: a.m.v.b.

Art. 120. *(6.1.9A.9)* De wettelijke rente wordt bij algemene maatregel van bestuur vastgesteld. Wettelijke rente die loopt op het tijdstip van inwerkingtreding van een nieuwe bij algemene maatregel van bestuur vastgestelde rentevoet, wordt met ingang van dat tijdstip volgens de nieuwe rentevoet berekend.

Buitenlands geld: bevoegdheid schuldenaar

Art. 121. *(6.1.9A.10)* 1. Strekt een verbintenis tot betaling van ander geld dan dat van het land waar de betaling moet geschieden, dan is de schuldenaar bevoegd de verbintenis in het geld van de plaats van betaling te voldoen.

Betaling effectief

2. Het vorige lid geldt niet, indien uit wet, gewoonte of rechtshandeling voortvloeit dat de schuldenaar verplicht is tot betaling effectief in het geld tot betaling waarvan de verbintenis strekt.

Buitenlands geld: bevoegdheid schuldeiser

Art. 122. *(6.1.9A.11)* 1. Strekt een verbintenis tot betaling van ander geld dan dat van het land waar de betaling moet geschieden en is de schuldenaar niet in staat of beweert hij niet in staat te zijn in dit geld te voldoen, dan kan de schuldeiser voldoening in het geld van de plaats van betaling vorderen.

Betaling effectief

2. Het vorige lid geldt mede, indien de schuldenaar verplicht is tot betaling effectief in het geld tot betaling waarvan de verbintenis strekt.

Betaling in guldens

Art. 123. *(6.1.9A.12)* 1. Ingeval in Nederland een rechtsvordering wordt ingesteld ter verkrijging van een geldsom, uitgedrukt in buitenlands geld, kan de schuldeiser veroordeling vorderen tot betaling te zijner keuze in dat buitenlandse geld of in Nederlands geld.

Executie in guldens

2. De schuldeiser die een in buitenlands geld luidende executoriale titel in Nederland kan executeren, kan het hem verschuldigde bij deze executie opeisen in Nederlands geld.

Betaling effectief

3. De vorige leden gelden mede, indien de schuldenaar verplicht is tot betaling effectief in het geld tot betaling waarvan de verbintenis strekt.

Koers bij omrekening

Art. 124. *(6.1.9A.13)* Wordt de verbintenis als gevolg van toepassing van de artikelen 121, 122 of 123 of van omzetting in een vordering tot schadevergoeding overeenkomstig het bepaalde in afdeling 9 van titel 7 voldaan in ander geld dan tot betaling waarvan zij strekt, dan geschiedt de omrekening naar de koers van de dag waarop de betaling plaatsvindt.

Koersschade

Art. 125. *(6.1.9A.14)* 1. Artikel 119 laat onverlet het recht van de schuldeiser op vergoeding van de schade die hij heeft geleden, doordat na het intreden van het verzuim de koers van het geld tot betaling waarvan de verbintenis strekt, zich ten opzichte van die van het geld van een of meer andere landen heeft gewijzigd.

Geen koersschade

2. Het vorige lid is niet van toepassing, indien de verbintenis strekt tot betaling van Nederlands geld, de betaling in Nederland moet geschieden en de schuldeiser op het tijdstip van het ontstaan van de verbintenis zijn woonplaats in Nederland had.

Koers

Art. 126. *(6.1.9A.15)* Voor de toepassing van deze afdeling geldt als koers de koers tegen welke de schuldeiser zich onverwijld het geld kan verschaffen, zulks met inachtneming van hetgeen uit wet, gewoonte en inhoud of strekking van de verbintenis mocht voortvloeien.

AFDELING 12
Verrekening

Verrekeningsverklaring

Art. 127. *(6.1.10.4)* 1. Wanneer een schuldenaar die de bevoegdheid tot verrekening heeft, aan zijn schuldeiser verklaart dat hij zijn schuld met een vordering verrekent, gaan beide verbintenissen tot hun gemeenschappelijk beloop teniet.

Bevoegdheid tot verrekening

2. Een schuldenaar heeft de bevoegdheid tot verrekening, wanneer hij een prestatie te vorderen heeft die beantwoordt aan zijn schuld jegens dezelfde wederpartij en hij bevoegd is zowel tot betaling van de schuld als tot het afdwingen van de betaling van de vordering.

Geen bevoegdheid

3. De bevoegdheid tot verrekening bestaat niet ten aanzien van een vordering en een schuld die in van elkaar gescheiden vermogens vallen.

Verrekening en vordering aan toonder of order

Art. 128. *(6.1.10.5)* 1. De schuldeiser van een vordering aan toonder of order brengt deze in verrekening door zijn verrekeningsverklaring op het papier te stellen en dit aan de wederpartij af te geven.

2. Indien de verrekening niet zijn gehele vordering betreft of hij het papier nog voor de uitoefening van andere rechten nodig heeft, kan hij het papier behouden, mits hij de verklaring niet alleen op het papier stelt, maar haar ook schriftelijk tot de wederpartij richt.

3. Hij kan, ongeacht of de verrekening de gehele vordering betreft, bij enkele, niet op het papier gestelde schriftelijke verklaring verrekenen, mits hij op verlangen van de wederpartij aantoont dat het papier vernietigd of waardeloos geworden is, of zekerheid stelt voor twintig jaren of voor een zoveel kortere tijdsduur als verwacht mag worden dat de wederpartij nog aan een vordering uit hoofde van het papier bloot zal kunnen staan.

Terugwerkende kracht

Art. 129. *(6.1.10.6)* 1. De verrekening werkt terug tot het tijdstip, waarop de bevoegdheid tot verrekening is ontstaan.

Uitz.: rente

2. Is over één der vorderingen of over beide reeds opeisbare rente betaald, dan werkt de verrekening niet verder terug dan tot het einde van de laatste termijn waarover rente is voldaan.

Koersberekening

3. Indien voor de bepaling van de werking van een verrekening bij geldschulden een koersberekening nodig is, geschiedt deze volgens dezelfde maatstaven als wanneer op de dag der verrekening wederzijdse betaling had plaatsgevonden.

Verrekening na overgang vordering

Art. 130. *(6.1.10.7)* 1. Is een vordering onder bijzondere titel overgegaan, dan is de schuldenaar bevoegd ondanks de overgang ook een tegenvordering op de oorspronkelijke schuldeiser in verrekening te brengen, mits deze tegenvordering uit dezelfde rechtsverhouding als de overgegane vordering voortvloeit of reeds vóór de overgang aan hem is opgekomen en opeisbaar geworden.

Beslag, beperkt recht

2. Het vorige lid is van overeenkomstige toepassing, wanneer op een vordering beslag is gelegd of een beperkt recht is gevestigd waarvan mededeling aan de schuldenaar is gedaan.

Uitzondering

3. De vorige leden zijn niet van toepassing, indien de overgang of de vestiging van het beperkte recht een vordering aan toonder of order betrof en is geschied overeenkomstig artikel 93 van Boek 3.

Verjaring

Art. 131. *(6.1.10.8)* 1. De bevoegdheid tot verrekening eindigt niet door verjaring van de rechtsvordering.

Uitstel van betaling, executie

2. Uitstel van betaling of van executie, bij wijze van gunst door de schuldeiser verleend, staat aan verrekening door de schuldeiser niet in de weg.

Werking verrekeningsverklaring

Art. 132. *(6.1.10.9)* Wordt een verrekeningsverklaring uitgebracht door een daartoe bevoegde, dan kan niettemin de wederpartij die grond had om nakoming van haar verbintenis te weigeren, aan de verrekeningsverklaring haar werking ontnemen door op de weigeringsgrond een beroep te doen, onverwijld nadat die verklaring werd uitgebracht en zij tot dit beroep in staat was.

Eigen bevoegdheid tot verrekening

Art. 133. *(6.1.10.10)* Nadat de ene partij een verrekeningsverklaring heeft uitgebracht, kan de andere partij, mits onverwijld, aan die verklaring haar werking ontnemen door alsnog gebruik te maken van een eigen bevoegdheid tot verrekening, doch alleen indien deze laatste verrekening verder terugwerkt.

Verrekening bij ontbinding wederkerige overeenkomst

Art. 134. *(6.1.10.11)* De schuldenaar uit een wederkerige overeenkomst, die tot verrekening bevoegd is, kan aan de verklaring van zijn wederpartij, strekkende tot ontbinding van de overeenkomst wegens niet-nakoming, haar werking ontnemen door onverwijld van zijn bevoegdheid tot verrekening gebruik te maken.

Onbevoegdheid tot verrekening

Art. 135. *(6.1.10.12)* Een schuldenaar is niet bevoegd tot verrekening:
a. voor zover beslag op de vordering van de wederpartij niet geldig zou zijn;
b. indien zijn verplichting strekt tot vergoeding van schade die hij opzettelijk heeft toegebracht.

Toewijzing ondanks verrekening

Art. 136. *(6.1.10.13)* De rechter kan een vordering ondanks een beroep van de gedaagde op verrekening toewijzen, indien de gegrondheid van dit verweer niet op eenvoudige wijze is vast te stellen en de vordering overigens voor toewijzing vatbaar is.

Onduidelijke verrekeningsverklaring

Art. 137. *(6.1.10.15)* 1. Voor zover een verrekeningsverklaring onvoldoende aangeeft welke verbintenissen in de verrekening zijn betrokken, geldt de volgorde van toerekening, aangegeven in de artikelen 43 lid 2 en 44 lid 1.

Onverwijld protest wederpartij

2. De wederpartij van degene die heeft verklaard te verrekenen, kan door een onverwijld protest aan die verklaring haar werking ontnemen, indien de toerekening op de haar verschuldigde hoofdsom, kosten en met inachtneming van artikel 129 te berekenen rente in deze verklaring in een andere volgorde is geschied dan die van artikel 44 lid 1.

Verschil in plaats van voldoening

Art. 138. *(6.1.10.16)* 1. 1. De omstandigheid dat de plaats van voldoening der verbintenissen niet dezelfde is, sluit verrekening niet uit. Hij die verrekent, is in dit geval verplicht zijn wederpartij de schade te vergoeden die deze lijdt, doordat niet wederzijds te bestemder plaatse voldoening geschiedt.
2. De wederpartij van degene die ondanks een verschil in de plaats van nakoming heeft verrekend, kan door een onverwijld protest aan de verklaring tot verrekening haar werking ontnemen, als zij er een gerechtvaardigd belang bij heeft dat geen verrekening, maar nakoming plaatsvindt.

Opschorting verplichting borg

Art. 139. *(6.1.10.17)* 1. De borg en degene wiens goed voor de schuld van een ander verbonden is, kunnen de opschorting van hun aansprakelijkheid inroepen, voor zover de schuldeiser bevoegd is zijn vordering met een opeisbare schuld aan de schuldenaar te verrekenen.

Ontslag borg

2. Zij kunnen de bevrijding van hun aansprakelijkheid inroepen, voor zover de schuldeiser een bevoegdheid tot verrekening met een schuld aan de schuldenaar heeft doen verloren gaan, tenzij hij daartoe een redelijke grond had of hem geen schuld treft.

Verrekening van rechtswege

Art. 140. *(6.1.10.18)* 1. Moeten tussen twee partijen krachtens wet, gewoonte of rechtshandeling geldvorderingen en geldschulden in één rekening worden opgenomen, dan worden zij in de volgorde waarin partijen volgens de voorgaande artikelen van deze afdeling of krachtens hun onderlinge rechtsverhouding tot verrekening bevoegd worden, dadelijk van rechtswege verrekend en is op ieder tijdstip alleen het saldo verschuldigd. Artikel 137 is niet van toepassing.

Opgave saldo

2. De partij die de rekening bijhoudt, sluit deze jaarlijks af en deelt het op dat tijdstip verschuldigde saldo mede aan de wederpartij met opgave van de aan deze nog niet eerder medegedeelde posten waaruit het is samengesteld.

Protest

3. Indien de wederpartij niet binnen redelijke tijd tegen het ingevolge het vorige lid medegedeelde saldo protesteert, geldt dit als tussen partijen vastgesteld.
4. Na vaststelling van het saldo kan ten aanzien van de afzonderlijke posten geen beroep meer worden gedaan op het intreden van verjaring of op het verstrijken van een vervaltermijn. De rechtsvordering tot betaling van het saldo verjaart door verloop van vijf jaren na de dag, volgende op die waarop de rekening is geëindigd en het saldo opeisbaar is geworden.
5. Uit de tussen partijen bestaande rechtsverhouding kan anders voortvloeien dan in de vorige leden is bepaald.

Kwitantie; bewijsstuk

Art. 141. *(6.1.10.19)* Indien een verbintenis geheel of gedeeltelijk door verrekening tenietgaat, zijn de leden 1 en 2 van artikel 48 van overeenkomstige toepassing.

TITEL 2
Overgang van vorderingen en schulden en afstand van vorderingen

AFDELING 1
Gevolgen van overgang van vorderingen

Overgang nevenrechten, etc.

Art. 142. *(6.2.1.1)* 1. Bij overgang van een vordering op een nieuwe schuldeiser verkrijgt deze de daarbij behorende nevenrechten, zoals rechten van pand en hypotheek en uit borgtocht, voorrechten en de bevoegdheid om de ter zake van de vordering en de nevenrechten bestaande executoriale titels ten uitvoer te leggen.

Nevenrechten

2. Onder de nevenrechten zijn tevens begrepen het recht van de vorige schuldeiser op bedongen rente of boete of op een dwangsom, behalve voor zover de rente opeisbaar of de boete of dwangsom reeds verbeurd was op het tijdstip van de overgang.

Afgifte van bewijsstukken

Art. 143. *(6.2.1.2)* 1. In geval van overgang van een vordering is de vorige schuldeiser verplicht de op de vordering en op de nevenrechten betrekking hebbende bewijsstukken af te geven aan de nieuwe schuldeiser. Behoudt hij zelf belang bij een bewijsstuk, dan is hij slechts verplicht om aan de nieuwe schuldeiser op diens verlangen en op diens kosten een afschrift of uittreksel af te geven, waaruit met overeenkomstige bewijskracht als uit het oorspronkelijke stuk van de vordering blijkt.

Afgifte executoriale titels

2. De vorige schuldeiser is tevens verplicht tot afgifte van de in het vorige artikel bedoelde executoriale titels of, indien hijzelf belang bij deze titels behoudt, om de nieuwe schuldeiser tot tenuitvoerlegging daarvan in de gelegenheid te stellen.

Afgifte pand

3. In geval van overgang van de gehele vordering is de vorige schuldeiser verplicht de zich in zijn handen bevindende panden af te geven aan de nieuwe schuldeiser.

Overgang hypotheek

4. In geval van overgang van een vordering waaraan hypotheek is verbonden, is de vorige schuldeiser verplicht desverlangd ertoe mede te werken dat uit de openbare registers van deze overgang blijkt.

Instaan voor verplichtingen

Art. 144. *(6.2.1.3)* 1. Brengt de overdracht van een vordering mee dat verplichtingen die uit het schuldeiserschap of uit nevenrechten voortvloeien, overgaan op de nieuwe schuldeiser, dan staat de vorige schuldeiser in voor de nakoming van deze verplichtingen.

2. Lid 1 is niet van toepassing in geval van overdracht van een vordering aan toonder of order overeenkomstig artikel 93 van Boek 3.

Verweermiddelen schuldenaar

Art. 145. *(6.2.1.4)* Overgang van een vordering laat de verweermiddelen van de schuldenaar onverlet.

Verweermiddelen bij vordering aan toonder of order

Art. 146. *(6.2.1.4a)* 1. Na een overdracht overeenkomstig artikel 93 van Boek 3 van een vordering aan toonder of aan order kan de schuldenaar een verweermiddel, gegrond op zijn verhouding tot een vorige schuldeiser, niet tegenwerpen aan de verkrijger en diens rechtsopvolgers, tenzij op het tijdstip van de overdracht het verweermiddel bekend was aan de verkrijger of voor hem kenbaar was uit het papier.

Verweermiddelen kenbaar uit openbare registers

2. Een beroep op onbekwaamheid of onbevoegdheid kan ook jegens een daarmee niet bekende verkrijger worden gedaan, indien zij ten tijde van zijn verkrijging kenbaar was uit een in een openbaar register opgenomen inschrijving, bij of krachtens de wet voorgeschreven teneinde kennisneming mogelijk te maken van de feiten waarop de onbevoegdheid of onbekwaamheid berust.

Vervalste handtekening; vervalst papier

Art. 147. *(6.2.1.5)* In geval van overdracht van een papier aan toonder of aan order verliest degene die volgens dat papier schuldenaar is, en aan wie is toe te rekenen dat het papier tegen zijn wil in omloop is of dat zijn handtekening vals of het papier vervalst is, de bevoegdheid zich daarop te beroepen tegenover de verkrijger te goeder trouw en diens rechtsopvolgers.

Beperkt recht op vordering aan toonder of order

Art. 148. *(6.2.1.6)* De artikelen 146 en 147 zijn van overeenkomstige toepassing in geval van vestiging van een beperkt recht op een vordering aan toonder of aan order.

Beroep op vernietiging of ontbinding

Art. 149. *(6.2.1.6a)* 1. Oefent de schuldenaar na overgang van de vordering onder bijzondere titel jegens de oorspronkelijke schuldeiser een bevoegdheid uit tot vernietiging of ontbinding van de rechtshandeling waaruit de vordering voortspruit, dan is hij verplicht om de nieuwe schuldeiser zo spoedig mogelijk daarvan mededeling te doen, tenzij de vernietiging of ontbinding niet aan deze kan worden tegengeworpen.

Toepassing bij beperkt gerechtigde

2. Na verjaring van de rechtsvordering tot vernietiging of ontbinding wordt een beroep op de vernietigings- of ontbindingsgrond ter afwering van een op de rechtshandeling steunende rechtsvordering of andere rechtsmaatregel gericht tot de nieuwe schuldeiser en is de schuldenaar verplicht zo spoedig mogelijk mededeling daarvan aan de oorspronkelijke schuldeiser te doen.

3. De vorige leden zijn van overeenkomstige toepassing ter zake van de uitoefening van een bevoegdheid van de schuldenaar tot vernietiging of ontbinding, nadat op de vordering met mededeling aan hem een beperkt recht is gevestigd.

AFDELING 2
Subrogatie

Subrogatie

Art. 150. *(6.2.2.7)* Een vordering gaat bij wijze van subrogatie over op een derde:

a. indien een hem toebehorend goed voor de vordering wordt uitgewonnen;

b. indien hij de vordering voldoet omdat een hem toebehorend goed voor de vordering verbonden is;

c. indien hij de vordering voldoet om uitwinning te voorkomen van een hem niet toebehorend goed, mits door de uitwinning een recht dat hij op het goed heeft, verloren zou gaan of de voldoening van een hem toekomend vorderingsrecht in gevaar zou worden gebracht;

d. krachtens overeenkomst tussen de derde die de vordering voldoet en de schuldenaar, mits de schuldeiser op het tijdstip van de voldoening deze overeenkomst kende of hem daarvan kennis was gegeven.

Beperkingen subrogatie

Art. 151. *(6.2.2.8)* 1. Subrogatie overeenkomstig artikel 150 vindt niet plaats voorzover de schuld de derde aangaat in zijn verhouding tot de schuldenaar.

2. De rechten van de schuldeiser jegens borgen en personen die geen schuldenaar zijn, gaan slechts op de derde over tot ten hoogste de bedragen, waarvoor de schuld ieder van hen aangaat in hun verhouding tot de schuldenaar.

Omslag

Art. 152. *(6.2.2.9)* 1. Blijkt verhaal krachtens subrogatie overeenkomstig artikel 150 geheel of gedeeltelijk onmogelijk, dan wordt het onvoldaan gebleven deel over de gesubrogeerde en andere in lid 2 van het vorige artikel genoemde derde omgeslagen naar evenredigheid van de bedragen waarvoor ieder op het tijdstip van de voldoening jegens de schuldeiser aansprakelijk was.

Hoogte omslag

2. De gesubrogeerde kan van geen der andere bij de omslag betrokken derden een groter bedrag vorderen dan de oorspronkelijke schuldeiser op het tijdstip van de voldoening op deze had kunnen verhalen.

Terugvordering bijgedragene

3. Ieder der in de omslag betrokkenen blijft gerechtigd het bijgedragene alsnog van hem die geen verhaal bood, terug te vorderen.

Recht op bedongen rente

Art. 153. *(6.2.2.9a)* In het geval van subrogatie in de hoofdvordering verkrijgt de gesubrogeerde het recht op bedongen rente slechts voor zover deze betrekking heeft op het tijdvak na de overgang.

Benadeling gesubrogeerde

Art. 154. *(6.2.2.9b)* De schuldeiser is jegens degene die, zo hij de vordering voldoet, zal worden gesubrogeerd, verplicht zich te onthouden van elke gedraging die ten koste van deze afbreuk doet aan de rechten waarin hij mag verwachten krachtens de subrogatie te zullen treden.

AFDELING 3
Schuld- en contractsoverneming

Schuldoverneming; werking

Art. 155. *(6.2.3.10)* Een schuld gaat van de schuldenaar over op een derde, indien deze haar van de schuldenaar overneemt. De schuldoverneming heeft pas werking jegens de schuldeiser, indien deze zijn toestemming geeft nadat partijen hem van de overneming kennis hebben gegeven.

Toestemming bij voorbaat

Art. 156. *(6.2.3.11)* 1. Heeft de schuldeiser bij voorbaat zijn toestemming tot een schuldoverneming gegeven, dan vindt de overgang plaats, zodra de schuldenaar tot overeenstemming is gekomen met de derde en partijen de schuldeiser schriftelijk van de overneming kennis hebben gegeven.

Herroepelijkheid

2. De schuldeiser kan een bij voorbaat gegeven toestemming niet herroepen, tenzij hij zich de bevoegdheid daartoe bij de toestemming heeft voorbehouden.

Nevenrechten

Art. 157. *(6.2.3.12)* 1. De bij de vordering behorende nevenrechten worden na het tijdstip van de overgang tegen de nieuwe in plaats van tegen de oude schuldenaar uitgeoefend.

Pand, hypotheek, borgtocht

2. Tot zekerheid van de overgegane schuld strekkende rechten van pand en hypotheek op een aan een der partijen toebehorend goed blijven bestaan; die op een niet aan partijen toebehorend goed en rechten uit borgtocht gaan door de overgang teniet, tenzij de pand- of hypotheekgever of borg tevoren in handhaving heeft toegestemd.

Voorrechten

3. Voorrechten op bepaalde goederen waarop de schuldeiser niet tevens een verhaalsrecht jegens derden heeft, gaan door de overgang teniet, tenzij de schuldoverneming plaatsvindt ter uitvoering van de overdracht van een onderneming waartoe ook het goed waarop het voorrecht rust, behoort. Voorrechten op het vermogen van de schuldenaar gelden na de overgang als voorrechten op het vermogen van de nieuwe schuldenaar.

Rente, boete, dwangsom

4. Bedongen renten en boeten, alsmede dwangsommen die vóór de overgang aan de schuldenaar werden opgelegd, worden door de nieuwe in plaats van door de oude schuldenaar verschuldigd, voor zover zij na het tijdstip van de overgang zijn opeisbaar geworden of verbeurd.

Rechtsverhouding nietig, etc.

Art. 158. *(6.2.3.13)* Indien de rechtsverhouding tussen de vorige en de nieuwe schuldenaar op grond waarvan de schuld is overgenomen, nietig, vernietigd of ontbonden is, kan de schuldeiser de schuld weer op de vorige schuldenaar doen overgaan door daartoe strekkende kennisgevingen aan de beide betrokken partijen; elk van hen kan de schuldeiser daartoe een redelijke termijn stellen.

Contractsoverneming

Art. 159. *(6.2.3.14)* 1. Een partij bij een overeenkomst kan haar rechtsverhouding tot de wederpartij met medewerking van deze laatste overdragen aan een derde bij een tussen haar en de derde opgemaakte akte.

Gevolg

2. Hierdoor gaan alle rechten en verplichtingen over op de derde, voor zover niet ten aanzien van bijkomstige of reeds opeisbaar geworden rechten of verplichtingen anders is bepaald.

3. Artikel 156 en de leden 1-3 van artikel 157 zijn van overeenkomstige toepassing.

AFDELING 4
Afstand en vermenging

Afstand vorderingsrecht

Art. 160. *(6.2.4.14a)* 1. Een verbintenis gaat teniet door een overeenkomst van de schuldeiser met de schuldenaar, waarbij hij van zijn vorderingsrecht afstand doet.

Afstand om niet

2. Een door de schuldeiser tot de schuldenaar gericht aanbod tot afstand om niet geldt als aanvaard, wanneer de schuldenaar van het aanbod heeft kennisgenomen en het niet onverwijld heeft afgewezen.

3. De artikelen 48 leden 1 en 2 en 49 leden 1—3 zijn van overeenkomstige toepassing.

Vermenging

Art. 161. *(6.2.4.14b)* 1. Een verbintenis gaat teniet door vermenging, wanneer door overgang van de vordering of de schuld de hoedanigheid van schuldeiser en die van schuldenaar zich in één persoon verenigen.

Géén vermenging

2. Het vorige lid is niet van toepassing:
a. zolang de vordering en de schuld in van elkaar gescheiden vermogens vallen;
b. in geval van overdracht overeenkomstig artikel 93 van Boek 3 van een vordering aan toonder of order;
c. indien de voormelde vereniging van hoedanigheden het gevolg is van een rechtshandeling onder ontbindende voorwaarde, zolang niet vaststaat dat de voorwaarde niet meer in vervulling kan gaan.

Rechten derden

3. Tenietgaan van een verbintenis door vermenging laat de op de vordering rustende rechten van derden onverlet.

TITEL 3
Onrechtmatige daad

AFDELING 1
Algemene bepalingen

Schadevergoeding

Art. 162. *(6.3.1.1)* 1. Hij die jegens een ander een onrechtmatige daad pleegt, welke hem kan worden toegerekend is verplicht de schade die de ander dientengevolge lijdt, te vergoeden.

Onrechtmatige daad

2. Als onrechtmatige daad worden aangemerkt een inbreuk op een recht en een doen of nalaten in strijd met een wettelijke plicht of met hetgeen volgens ongeschreven recht in het maatschappelijk verkeer betaamt, een en ander behoudens de aanwezigheid van een rechtvaardigingsgrond.

Toerekening aan dader

3. Een onrechtmatige daad kan aan de dader worden toegerekend, indien zij te wijten is aan zijn schuld of aan een oorzaak welke krachtens de wet of de in het verkeer geldende opvattingen voor zijn rekening komt.

Relativiteit

Art. 163. *(6.3.1.2)* Geen verplichting tot schadevergoeding bestaat, wanneer de geschonden norm niet strekt tot bescherming tegen de schade zoals de benadeelde die heeft geleden.

Kinderen tot 14 jaar

Art. 164. *(6.3.1.2a)* Een gedraging van een kind dat de leeftijd van veertien jaren nog niet heeft bereikt, kan aan hem niet als een onrechtmatige daad worden toegerekend.

Geestelijke of lichamelijke tekortkoming

Art. 165. *(6.3.1.2b)* 1. De omstandigheid dat een als een doen te beschouwen gedraging van een persoon van veertien jaren of ouder verricht is onder invloed van een geestelijke of lichamelijke tekortkoming, is geen beletsel haar als een onrechtmatige daad aan de dader toe te rekenen.

Interne draagplicht

2. Is jegens de benadeelde tevens een derde wegens onvoldoende toezicht aansprakelijk, dan is deze derde jegens de dader verplicht tot bijdragen in de schadevergoeding voor het gehele bedrag van zijn aansprakelijkheid jegens de benadeelde.

Groepsaansprakelijkheid

Art. 166. *(6.3.1.5)* 1. Indien één van tot een groep behorende personen onrechtmatig schade toebrengt en de kans op het aldus toebrengen van schade deze personen had behoren te weerhouden van hun gedragingen in groepsverband, zijn zij hoofdelijk aansprakelijk indien deze gedragingen hun kunnen worden toegerekend.

Onderlinge draagplicht

2. Zij moeten onderling voor gelijke delen in de schadevergoeding bijdragen, tenzij in de omstandigheden van het geval de billijkheid een andere verdeling vordert.

Rectificatie

Art. 167. *(6.3.1.5a)* 1. Wanneer iemand krachtens deze titel jegens een ander aansprakelijk is ter zake van een onjuiste of door onvolledigheid misleidende publicatie van gegevens van feitelijke aard, kan de rechter hem op vordering van die ander veroordelen tot openbaarmaking van een rectificatie op een door de rechter aan te geven wijze.

2. Hetzelfde geldt, indien aansprakelijkheid ontbreekt, omdat de publicatie aan de dader wegens diens onbekendheid met de onjuistheid of onvolledigheid niet als een onrechtmatige daad is toe te rekenen.

Kosten geding en openbaarmaking; verhaal

3. In het geval van lid 2 kan de rechter die de vordering toewijst bepalen dat de kosten van het geding en van de openbaarmaking van de rectificatie geheel of gedeeltelijk moeten worden gedragen door degene die de vordering heeft ingesteld. Elk der partijen heeft voor het gedeelte van de kosten van het geding en van de openbaarmaking van de rectificatie dat ingevolge de uitspraak door haar moet worden gedragen, verhaal op ieder die voor de door de publicatie ontstane schade aansprakelijk is.

Verbod en maatsch. belangen

Art. 168. *(6.3.1.5b)* 1. De rechter kan een vordering, strekkende tot verbod van een onrechtmatige gedraging, afwijzen op de grond dat deze gedraging op grond van zwaarwegende maatschappelijke belangen behoort te worden geduld. De benadeelde behoudt zijn recht op vergoeding van de schade overeenkomstig de onderhavige titel.

Ondergeschikte

2. In het geval van artikel 170 is de ondergeschikte voor deze schade niet aansprakelijk.

Alsnog verbod

3. Wordt aan een veroordeling tot schadevergoeding of tot het stellen van zekerheid daarvoor niet voldaan, dan kan de rechter alsnog een verbod van de gedraging opleggen.

AFDELING 2
Aansprakelijkheid voor personen en zaken

Anspr. voor kinderen tot 14 jaar

Art. 169. *(6.3.2.1)* 1. Voor schade aan een derde toegebracht door een als een doen te beschouwen gedraging van een kind dat nog niet de leeftijd van veertien jaren heeft bereikt en aan wie deze gedraging als een onrechtmatige daad zou kunnen worden toegerekend als zijn leeftijd daaraan niet in de weg zou staan, is degene die de ouderlijke macht of de voogdij over het kind uitoefent, aansprakelijk.

Aanspr. voor kinderen van 14-15 jaar

2. Voor schade, aan een derde toegebracht door een fout van een kind dat de leeftijd van veertien jaren al wel maar die van zestien jaren nog niet heeft bereikt, is degene die de ouderlijke macht of de voogdij over het kind uitoefent, aansprakelijk, tenzij hem niet kan worden verweten dat hij de gedraging van het kind niet heeft belet.

Aanspr. voor ondergeschikten

Art. 170. *(6.3.2.2)* 1. Voor schade, aan derde toegebracht door een fout van een ondergeschikte, is degene in wiens dienst de ondergeschikte zijn taak vervult aansprakelijk, indien de kans op de fout door de opdracht tot het verrichten van deze taak is vergroot en degene in wiens dienst hij stond, uit hoofde van hun desbetreffende rechtsbetrekking zeggenschap had over de gedragingen waarin de fout was gelegen.

Aanspr. van nat. persoon buiten beroep of bedrijf

2. Stond de ondergeschikte in dienst van een natuurlijke persoon en was hij niet werkzaam voor een beroep of bedrijf van deze persoon, dan is deze slechts aansprakelijk, indien de ondergeschikte bij het begaan van de fout handelde ter vervulling van de hem opgedragen taak.

Onderlinge draagplicht

3. Zijn de ondergeschikte en degene in wiens dienst hij stond, beiden voor de schade aansprakelijk, dan behoeft de ondergeschikte in hun onderlinge verhouding niet in de schadevergoeding bij te dragen, tenzij de schade een gevolg is van zijn opzet of bewuste roekeloosheid. Uit de omstandigheden van het geval, mede gelet op de aard van hun verhouding, kan anders voortvloeien dan in de vorige zin is bepaald.

Aanspr. voor niet ondergeschikten

Art. 171. *(6.3.2.3)* Indien een niet ondergeschikte die in opdracht van een ander werkzaamheden ter uitoefening van diens bedrijf verricht, jegens een derde aansprakelijk is voor een bij die werkzaamheden begane fout, is ook die ander jegens de derde aansprakelijk.

Aanspr. voor vertegenwoordigers

Art. 172. *(6.3.2.4.)* Indien een gedraging van een vertegenwoordiger ter uitoefening van de hem als zodanig toekomende bevoegdheden een fout jegens een derde inhoudt, is ook de vertegenwoordigde jegens de derde aansprakelijk.

Aanspr. voor gebrekkige zaken

Art. 173. *(6.3.2.5)* 1. De bezitter van een roerende zaak waarvan bekend is dat zij, zo zij niet voldoet aan de eisen die men in de gegeven omstandigheden aan de zaak mag stellen, een bijzonder gevaar voor personen of zaken oplevert, is, wanneer dit gevaar zich verwezenlijkt, aansprakelijk, tenzij aansprakelijkheid op grond van de vorige afdeling zou hebben ontbroken indien hij dit gevaar op het tijdstip van ontstaan daarvan zou hebben gekend.

Uitzonderingen

2. Indien de zaak niet aan de in het vorige lid bedoelde eisen voldoet wegens een gebrek als bedoeld in afdeling 3 van titel 3, bestaat geen aansprakelijkheid op grond van het vorige lid voor schade als in die afdeling bedoeld, tenzij

a. alle omstandigheden in aanmerking genomem, aannemelijk is dat het gebrek niet bestond op het tijdstip waarop het produkt in het verkeer is gebracht of dat het gebrek op een later tijdstip is ontstaan; of

b. het betreft zaakschade ter zake waarvan krachtens afdeling 3 van titel 3 geen recht op vergoeding bestaat op grond van de in die afdeling geregelde franchise.

3. De vorige leden zijn niet van toepassing op dieren, motorrijtuigen, schepen en luchtvaartuigen.

Aanspr. voor opstallen

Art. 174. *(6.3.2.7)* 1. De bezitter van een opstal die niet voldoet aan de eisen die men daaraan in de gegeven omstandigheden mag stellen, en daardoor gevaar voor personen of zaken oplevert, is, wanneer dit gevaar zich verwezenlijkt, aansprakelijk, tenzij aansprakelijkheid op grond van de vorige afdeling zou hebben ontbroken indien hij dit gevaar op het tijdstip van het ontstaan ervan zou hebben gekend.

2. Bij erfpacht rust de aansprakelijkheid op de bezitter van het erfpachtsrecht. Bij openbare wegen rust zij op het overheidslichaam dat moet zorgen dat de weg in goede staat verkeert, bij leidingen op de leidingbeheerder, behalve voor zover de leiding zich bevindt in een gebouw of werk en strekt tot toevoer of afvoer ten behoeve van dat gebouw of werk.

Erfpacht, wegen, leidingen

3. Onder opstal in dit artikel worden verstaan gebouwen en werken, die duurzaam met de grond zijn verenigd, hetzij rechtstreeks, hetzij door vereniging met andere gebouwen of werken.

Opstal

4. Degene die in de openbare registers als eigenaar van de opstal of van de grond staat ingeschreven, wordt vermoed de bezitter van de opstal te zijn.

Bezitter

5. Voor de toepassing van dit artikel wordt onder openbare weg mede begrepen het weglichaam, alsmede de weguitrusting.

Art. 175. 1. Degene die in de uitoefening van zijn beroep of bedrijf een stof gebruikt of onder zich heeft, terwijl van deze stof bekend is dat zij zodanige eigenschappen heeft, dat zij een bijzonder gevaar van ernstige aard voor personen of zaken oplevert, is aansprakelijk, wanneer dit gevaar zich verwezenlijkt. Onder degene die een bedrijf uitoefent, wordt mede begrepen elke rechtspersoon die de stof in de uitoefening van zijn taak gebruikt of onder zich heeft. Als bijzonder gevaar van ernstige aard geldt in elk geval dat de stof ontplofbaar, oxyderend, ontvlambaar, licht ontvlambaar of zeer licht ontvlambaar, dan wel vergiftig of zeer vergiftig is volgens de criteria en methoden, vastgesteld krachtens artikel 34, derde lid, Wet milieugevaarlijke stoffen (Stb. 1985, 639).

Aanspr. voor gevaarlijke stoffen

2. Bevindt de stof zich in de macht van een bewaarder die er zijn bedrijf van maakt zodanige stoffen te bewaren, dan rust de aansprakelijkheid uit het eerste lid op deze. Met een zodanige bewaarder wordt gelijkgesteld de vervoerder, expediteur, stuwadoor, bewaarder of soortgelijke ondernemer, die de stof ten vervoer of uit hoofde van een met het vervoer samenhangende overeenkomst in ontvangst heeft genomen, zulks voor de periode waarin de stof zich in zijn macht bevindt zonder dat afdeling 4 van titel 6, 4 van titel 11, 1 van titel 14 of 4 van titel 19 van Boek 8 van toepassing is.

Gevaarlijke stof in de macht van een bewaarder

3. Bevindt de stof zich in een leiding, dan rust de aansprakelijkheid uit het eerste lid op de leidingbeheerder, behalve voor zover de leiding zich bevindt in een gebouw of werk en strekt tot toevoer of afvoer ten behoeve van dit gebouw of werk.

4. Is de schade een gevolg van verontreiniging met de stof van lucht, water of bodem, dan rust de aansprakelijkheid uit het eerste lid op degene die bij de aanvang van de tot verontreiniging leidende gebeurtenis door dit artikel als aansprakelijke persoon werd aangewezen. Heeft de verontreiniging plaatsgevonden doordat de stof in verpakte toestand in water of bodem is gekomen of op de bodem is achtergelaten, dan wordt die gebeurtenis geacht op dit tijdstip reeds te zijn aangevangen.

5. Vormt de stof, al of niet tezamen met andere bestanddelen, een roerende zaak als bedoeld in artikel 173 lid 1, is zij in een zodanige zaak verpakt of is zij opgeslagen in een daartoe bestemd gebouw of werk als bedoeld in artikel 174 lid 3, dan rust de aansprakelijkheid uit de artikelen 173 en 174, voor wat betreft de schade die door verwezenlijking van het aan de stof verbonden gevaar is veroorzaakt, op dezelfde persoon als op wie krachtens de voorgaande leden aansprakelijkheid ter zake van de stof rust.

6. Een stof wordt geacht aan de omschrijving van de eerste zin van het eerste lid te voldoen, wanneer zij bij algemene maatregel van bestuur als zodanig is aangewezen. Een stof kan in elk geval worden aangewezen, als zij volgens de criteria en methoden, vastgesteld krachtens artikel 34, derde lid, Wet milieugevaarlijke stoffen (Stb. 1985, 639), behoort tot een der categorieën bedoeld in het tweede lid van dat artikel. De aanwijzing kan worden beperkt tot bepaalde concentraties van de stof, tot bepaalde in de algemene maatregel van bestuur te omschrijven gevaren die aan de stof verbonden zijn, en tot bepaalde daarin te omschrijven situaties waarin de stof zich bevindt.

Art. 176. 1. De exploitant van een stortplaats is aansprakelijk voor de schade die voor of na de sluiting van de stortplaats ontstaat als gevolg van verontreiniging van lucht, water of bodem met de daar voor die sluiting gestorte stoffen.

Aanspr. voor een stortplaats

2. In dit artikel wordt onder exploitant van een stortplaats verstaan:

Exploitant van een stortplaats

a. degene voor wie een vergunning geldt als bedoeld in artikel 8.1 van de Wet milieubeheer om op het in lid 6 bedoelde terrein een stortplaats op te richten, te ver-

anderen of de werking daarvan te veranderen of in werking te hebben;
b. een ieder die de stortplaats exploiteert zonder dat voor hem een zodanige vergunning geldt.

3. Indien na het bekend worden van de schade een ander exploitant van de stortplaats wordt, blijft de aansprakelijkheid voor die schade rusten op degene die tijdens dit bekend worden exploitant was.

4. Indien de schade is bekend geworden na de sluiting van de stortplaats, rust de aansprakelijkheid op degene die de laatste exploitant was. Geen aansprakelijkheid op grond van dit artikel bestaat, wanneer op het tijdstip waarop de schade bekend wordt, meer dan twintig jaren waren verstreken nadat de stortplaats was gesloten met inachtneming van de geldende overheidsvoorschriften, of de schade een gevolg is van gebruik van de grond in strijd met hetgeen wegens de aanwezigheid van de gesloten stortplaats omtrent dit gebruik is voorgeschreven.

5. Indien de exploitatie als stortplaats wettelijk is toegelaten, zijn degenen die de stoffen waardoor de verontreiniging is opgetreden, daar hebben gestort of doen storten, noch aansprakelijk krachtens artikel 175, noch krachtens afdeling 4 van titel 6, 4 van titel 11, 1 van titel 14 of 4 van titel 19 van Boek 8. Indien op de stortplaats een zaak als bedoeld in artikel 173 of een stof als bedoeld in artikel 175 is gestort, rust de aansprakelijkheid uit die artikelen op degene die krachtens de voorgaande leden als exploitant van de stortplaats aansprakelijk is.

6. Onder stortplaats is begrepen elk terrein dat door de exploitant daarvan is bestemd voor het storten van al of niet verpakte, geheel of ten dele van anderen afkomstige stoffen met als doel dat de exploitant of die anderen zich van die stoffen ontdoen door ze daar op of in de bodem te brengen. Onder storten wordt mede begrepen elke vorm van deponeren of afgeven van de stof op de stortplaats.

Anspr. voor een boorgat

Art. 177. 1. De exploitant van een boorgat is aansprakelijk voor de schade die ontstaat door uitstroming van delfstoffen als bedoeld in artikel 2 van de Wet van 21 april 1810 (Bulletin des Lois 285) als gevolg van het niet beheersen van de ondergrondse natuurkrachten die door de aanleg of bij de exploitatie van het boorgat zijn ontketend.

Exploitant van een boorgat

2. In dit artikel wordt onder exploitant van een boorgat verstaan:
a. de houder van een concessie als bedoeld in artikel 5 van de Wet van 21 april 1810 (Bulletin des Lois 285), van een vergunning als bedoeld in artikel 2 van de Wet opsporing delfstoffen (Stb. 1967, 258), of van een vergunning of ontheffing als bedoeld in artikel 2 van de Mijnwet continentaal plat (Stb. 1965, 428), die binnen het gebied waarvoor de concessie, de vergunning of de ontheffing geldt, een boorgat aanlegt of doet aanleggen dan wel een boorgat in gebruik heeft;
b. een ieder die, anders dan als ondergeschikte, een boorgat aanlegt of doet aanleggen dan wel een boorgat in gebruik heeft zonder dat hij houder is van een concessie, vergunning of ontheffing als bedoeld onder a, geldend voor de plaats van het boorgat, tenzij hij in opdracht van een ander handelt die houder is van een concessie, vergunning of ontheffing als vorenbedoeld dan wel, indien die ander dat niet is, hij daarmee niet bekend was of behoorde te zijn.

3. Indien na de gebeurtenis waardoor de uitstroming is ontstaan, een ander exploitant wordt van het boorgat, blijft de aansprakelijkheid voor alle schade die door uitstroming als gevolg van die gebeurtenis ontstaat, rusten op degene die ten tijde van die gebeurtenis exploitant was.

4. Indien de gebeurtenis waardoor de uitstroming is ontstaan, plaatsvindt nadat het boorgat is verlaten, rust de aansprakelijkheid op degene die de laatste exploitant van het boorgat was, tenzij op het tijdstip van die gebeurtenis meer dan vijf jaren waren verstreken nadat het boorgat was verlaten met inachtneming van de geldende overheidsvoorschriften.

5. Indien op de gebeurtenis waardoor de uitstroming is ontstaan, tevens een aansprakelijkheid uit artikel 173, 174 of 175 kan worden gegrond, rust die aansprakelijkheid, voor wat betreft de door die uitstroming veroorzaakte schade, op dezelfde persoon als op wie de aansprakelijkheid ter zake van het boorgat rust.

Uitzonderingen op de aansprakelijkheid

Art. 178. Geen aansprakelijkheid krachtens artikel 175, 176 of 177 bestaat indien:
a. de schade is veroorzaakt door gewapend conflict, burgeroorlog, opstand, binnenlandse onlusten, oproer of muiterij;
b. de schade is veroorzaakt door een natuurgebeuren van uitzonderlijke, onvermijdelijke en onweerstaanbare aard, behoudens de in artikel 177 lid 1 bedoelde ondergrondse natuurkrachten in het geval van dat artikel;

c. de schade is veroorzaakt uitsluitend door voldoening aan een bevel of dwingend voorschrift van de overheid;
d. de schade is veroorzaakt bij een handeling met een stof als bedoeld in artikel 175 in het belang van de benadeelde zelf, waarbij het jegens deze redelijk was hem aan het gevaar voor schade bloot te stellen;
e. de schade is veroorzaakt uitsluitend door een handelen of nalaten van een derde, geschied met het opzet schade te veroorzaken, zulks onverminderd het bepaalde in de artikelen 170 en 171;
f. het gaat om hinder, verontreiniging of andere gevolgen, ter zake waarvan aansprakelijkheid op grond van de vorige afdeling zou hebben ontbroken, zo zij door de aangesprokene bewust zouden zijn veroorzaakt.

Aanspr. voor dieren

Art. 179. *(6.3.2.8)* De bezitter van een dier is aansprakelijk voor de door het dier aangerichte schade, tenzij aansprakelijkheid op grond van de vorige afdeling zou hebben ontbroken indien hij de gedraging van het dier waardoor de schade werd toegebracht, in zijn macht zou hebben gehad.

Medebezitters

Art. 180. 1. In de gevallen van de artikelen 173, 174 en 179 zijn medebezitters hoofdelijk aansprakelijk.

Aanspr. bij overdracht onder opschortende voorwaarde

2. In geval van overdracht van een zaak onder opschortende voorwaarde van voldoening van een tegenprestatie rust de aansprakelijkheid die de artikelen 173, 174 en 179 op de bezitter leggen, vanaf het tijdstip van deze overdracht op de verkrijger.

Zaken, opstallen of dieren in uitoefening van een bedrijf

Art. 181. 1. Worden de in de artikelen 173, 174 en 179 bedoelde zaken, opstallen of dieren gebruikt in de uitoefening van een bedrijf, dan rust de aansprakelijkheid uit de artikelen 173 lid 1, 174 lid 1 en lid 2, eerste zin, en 179 op degene die dit bedrijf uitoefent, tenzij het een opstal betreft en het ontstaan van de schade niet met de uitoefening van het bedrijf in verband staat.

2. Wanneer de zaken, opstallen of dieren in de uitoefening van een bedrijf worden gebruikt door ze ter beschikking te stellen voor gebruik in de uitoefening van het bedrijf van een ander, dan wordt die ander als de uit hoofde van het vorige lid aansprakelijke persoon aangemerkt.

3. Wanneer een stof als bedoeld in artikel 175 in de uitoefening van een bedrijf wordt gebruikt door deze stof ter beschikking te stellen voor gebruik in de uitoefening van het beroep of bedrijf van een ander, wordt die ander als de uit hoofde van artikel 175 lid 1 aansprakelijke persoon aangemerkt.

Gezamenlijk handelende exploitanten

Art. 182. Indien er in de gevallen van de artikelen 176 en 177 tegelijkertijd twee of meer al of niet gezamenlijk handelende exploitanten zijn, zijn zij hoofdelijk aansprakelijk.

Geen beroep op jeugd of handicap

Art. 183. 1. Ter zake van aansprakelijkheid op grond van deze afdeling kan de aangesprokene geen beroep doen op zijn jeugdige leeftijd of geestelijke of lichamelijke tekortkoming.

Ouders of voogden aansprakelijk

2. Degene die de ouderlijke macht of voogdij uitoefent over een kind dat nog niet de leeftijd van veertien jaren heeft bereikt, is in zijn plaats uit de artikelen 173 en 179 voor de daar bedoelde zaken, stoffen en dieren aansprakelijk, tenzij deze worden gebruikt in de uitoefening van een bedrijf.

Maatregelen ter voorkoming en beperking van schade

Art. 184. 1. Onder de schade waarvoor op grond van de artikelen 173-182 aansprakelijkheid bestaat, vallen ook:
a. de kosten van iedere redelijke maatregel ter voorkoming of beperking van schade door wie dan ook genomen, nadat een ernstige en onmiddellijke dreiging is ontstaan dat schade zal worden veroorzaakt die krachtens die artikelen voor vergoeding in aanmerking komt;
b. schade en verlies veroorzaakt door zulke maatregelen.

2. Indien de maatregelen, bedoeld in het vorige lid, door een ander worden genomen dan degene die de schade zou hebben geleden ter zake waarvan de ernstige en onmiddellijke dreiging is ontstaan, kan deze ander slechts vergoeding van de in het vorige lid bedoelde kosten, schaden en verliezen vorderen, voor zover zij gevorderd hadden kunnen worden door degene die de dreigende schade zou hebben geleden, en kan de aangesprokene jegens die ander hetzelfde verweer voeren als hem jegens deze ten dienste zou hebben gestaan.

AFDELING 3
Produktenaansprakelijkheid

Produktenaansprakelijkheid
Uitsluitingen

Art. 185. 1. De producent is aansprakelijk voor de schade veroorzaakt door een gebrek in zijn produkt, tenzij:
a. hij het produkt niet in het verkeer heeft gebracht;
b. het, gelet op de omstandigheden, aannemelijk is dat het gebrek dat de schade heeft veroorzaakt, niet bestond op het tijdstip waarop hij het produkt in het verkeer heeft gebracht, dan wel dat dit gebrek later is ontstaan;
c. het produkt noch voor de verkoop of voor enige andere vorm van verspreiding met een economisch doel van de producent is vervaardigd, noch is vervaardigd of verspreid in het kader van de uitoefening van zijn beroep of bedrijf;
d. het gebrek een gevolg is van het feit dat het produkt in overeenstemming is met dwingende overheidsvoorschriften;

Ontwikkelingsrisico

e. het op grond van de stand van de wetenschappelijke en technische kennis op het tijdstip waarop hij het produkt in het verkeer bracht, onmogelijk was het bestaan van het gebrek te ontdekken;
f. wat de producent van een grondstof of fabrikant van een onderdeel betreft, het gebrek is te wijten aan het ontwerp van het produkt waarvan de grondstof of het onderdeel een bestandddeel vormt, dan wel aan de instructies die door de fabrikant van het produkt zijn verstrekt.

Vermindering of opheffing aansprakelijkheid

2. De aansprakelijkheid van de producent wordt verminderd of opgeheven rekening houdende met alle omstandigheden, indien de schade is veroorzaakt zowel door een gebrek in het produkt als door schuld van de benadeelde of een persoon voor wie de benadeelde aansprakelijk is.
3. De aansprakelijkheid van de producent wordt niet verminderd, indien de schade is veroorzaakt zowel door een gebrek in het produkt als door de gedraging van een derde.

Gebrekkig produkt

Art. 186. 1. Een produkt is gebrekkig, indien het niet de veiligheid biedt die men daarvan mag verwachten, alle omstandigheden in aanmerking genomen en in het bijzonder
a. de presentatie van het produkt;
b. het redelijkerwijs te verwachten gebruik van het produkt;
c. het tijdstip waarop het produkt in het verkeer werd gebracht.
2. Een produkt mag niet als gebrekkig worden beschouwd uitsluitend omdat nadien een beter produkt in het verkeer is gebracht.

Produkt

Art. 187. 1. Onder „produkt" wordt voor de toepassing van artikel 185 tot en met 193 verstaan een roerende zaak, ook nadat deze een bestanddeel is gaan vormen van een andere roerende of onroerende zaak, alsmede elektriciteit, zulks met

Landbouwgrondstoffen

uitzondering van landbouwprodukten en produkten van de jacht. Onder „landbouwprodukten" worden verstaan produkten van de bodem, van de veefokkerij en van de visserij, met uitzondering van produkten die een eerste bewerking of verwerking hebben ondergaan.

Producent

2. Onder „producent" wordt voor de toepassing van artikel 185 tot en met 193 verstaan de fabrikant van een eindprodukt, de producent van een grondstof of de fabrikant van een onderdeel, alsmede een ieder die zich als producent presenteert door zijn naam, zijn merk of een ander onderscheidingsteken op het produkt aan te brengen.

Andere producenten

3. Onverminderd de aansprakelijkheid van de producent, wordt een ieder die een produkt in de Europese Economische Ruimte invoert om dit te verkopen, te verhuren, te leasen of anderzins te verstrekken in het kader van zijn commerciële activiteiten, beschouwd als producent; zijn aansprakelijkheid is dezelfde als die van de producent.

Vaststelling herkomst produkt
Vaststelling importeur van produkt

4. Indien niet kan worden vastgesteld wie de producent van het produkt is, wordt elke leverancier als producent ervan beschouwd, tenzij hij de benadeelde binnen een redelijke termijn de identiteit meedeelt van de producent of van degene die hem het produkt heeft geleverd. Indien ten aanzien van een in de Europese Economische Ruimte geïmporteerd produkt niet kan worden vastgesteld wie de importeur van dat produkt is, wordt eveneens elke leverancier als producent ervan beschouwd, tenzij hij de benadeelde binnen een redelijke termijn de identiteit meedeelt van de importeur in de Europese Economische Ruimte of van een leverancier binnen de Europese Economische Ruimte die hem het produkt heeft geleverd.

Bewijs

Art. 188. De benadeelde mo[illegible]orzakelijk verband tussen het gebrek en de schade

Hoofdelijk aansprakelijk

Art. 189. Indien verschillend[illegible]85, eerste lid, aansprakelijk zijn voor dezelfde sc[illegible]el aansprakelijk.

Schade

Art. 190. 1. De aansprakelijkheid, bedoeld in artikel 185, eerste lid, bestaat voor
a. schade door dood of lichamelijk letsel;
b. schade door het produkt toegebracht aan een andere zaak die gewoonlijk voor gebruik of de verbruik in de privésfeer is bestemd en door de benadeelde ook hoofdzakelijk in de privésfeer is gebruikt of verbruikt, met toepassing van een franchise ten belope van *f* 1263, 85.

2. Het bedrag genoemd in het eerste lid wordt bij algemene maatregel van bestuur aangepast, indien op grond van artikel 18, tweede lid, van de EEG-richtlijn van 25 juli 1985 (PbEG nr. L210) de in die richtlijn genoemde bedragen worden herzien.

Verjaring vordering tot schadevergoeding

Art. 191. 1. De rechtsvordering tot schadevergoeding van de benadeelde tegen de producent ingevolge artikel 185, eerste lid, verjaart door verloop van drie jaren na de aanvang van de dag, volgende op die waarop de benadeelde met de schade, het gebrek en de identiteit van de producent bekend is geworden of had moeten worden.

Verval van recht op schadevergoeding

2. Het recht op schadevergoeding van de benadeelde jegens de producent ingevolge artikel 185, eerste lid, vervalt door verloop van tien jaren na de aanvang van de dag, volgende op die waarop de producent de zaak die de schade heeft veroorzaakt, in het verkeer heeft gebracht. Hetzelfde geldt voor het recht van een derde die mede voor de schade aansprakelijk is, terzake van regres jegens de producent.

Geen uitsluiting van aansprakelijkheid c.q. regresplicht

Art. 192. 1. De aansprakelijkheid van de producent uit hoofde van deze afdeling kan jegens de benadeelde niet worden uitgesloten of beperkt.

2. Is jegens de benadeelde tevens een derde aansprakelijk die het produkt niet gebruikt in de uitoefening van een beroep of bedrijf, dan kan niet ten nadele van die derde worden afgeweken van de regels inzake het regres.

Art. 193. Het recht op schadevergoeding jegens de producent uit hoofde van deze afdeling komt de benadeelde toe, onverminderd alle andere rechten of vorderingen.

AFDELING 4
Misleidende reclame

Misleidende mededeling omtrent goederen of diensten

Art. 194. *(6.3.4.1)* Hij die omtrent goederen of diensten die door hem of degene ten behoeve van wie hij handelt in de uitoefening van een beroep of bedrijf worden aangeboden, een mededeling openbaar maakt of laat openbaar maken, handelt onrechtmatig, indien deze mededeling in een of meer opzichten misleidend is, zoals ten aanzien van:
a. de aard, samenstelling, hoeveelheid, hoedanigheid, eigenschappen of gebruiksmogelijkheden;
b. de herkomst, de wijze of het tijdstip van vervaardigen;
c. de omvang van de voorraad;
d. de prijs of de wijze van berekenen daarvan;
e. de aanleiding of het doel van de aanbieding;
f. de toegekende onderscheidingen, getuigschriften of andere door derden uitgebrachte beoordelingen of gedane verklaringen, of de gebezigde wetenschappelijke of vaktermen, technische bevindingen of statistische gegevens;
g. de voorwaarden, waaronder goederen worden geleverd of diensten worden verricht of de betaling plaatsvindt;
h. de omvang, de inhoud of tijdsduur van de garantie;
i. de identiteit, hoedanigheden, bekwaamheid of bevoegdheid van degene door wie, onder wiens leiding of toezicht of met wiens medewerking de goederen zijn of worden vervaardigd of aangeboden of de diensten worden verricht;
j. vergelijking met andere goederen of diensten.

Omkering bewijslast t.a.v. onrechtmatigheid

Art. 195. *(6.3.4.2)* 1. Indien een vordering ingevolge artikel 194 wordt ingesteld tegen iemand die inhoud en inkleding van de mededeling geheel of ten dele zelf heeft bepaald of doen bepalen, rust op hem de bewijslast ter zake van de juistheid of volledigheid van de feiten die in de mededeling zijn vervat of daardoor worden gesuggereerd en waarop het beweerde misleidende karakter van de mededeling berust, behoudens voor zover deze bewijslastverdeling onredelijk is.

Omkering bewijslast t.a.v. toerekenbaarheid

2. Indien volgens artikel 194 onrechtmatig is gehandeld door iemand die inhoud en inkleding van de mededeling geheel of ten dele zelf heeft bepaald of doen bepalen, is hij voor de dientengevolge ontstane schade aansprakelijk, tenzij hij bewijst dat zulks noch aan zijn schuld is te wijten noch op andere grond voor zijn rekening komt.

Verbod tot publicatie; veroordeling tot rectificatie

Art. 196. *(6.3.4.3)* 1. Indien iemand door het openbaar maken of laten openbaar maken van een in artikel 194 omschreven mededeling aan een ander schade heeft toegebracht of dreigt toe te brengen, kan de rechter hem op vordering van die ander niet alleen het openbaar maken of laten openbaar maken van zodanige mededeling verbieden, maar ook hem veroordelen tot het op een door de rechter aangegeven wijze openbaar maken of laten openbaar maken van een rectificatie van die mededeling.

Kosten geding en openbaarmaking

2. Indien een vordering als in het vorige lid bedoeld wordt toegewezen jegens iemand die niet tevens aansprakelijk is voor de in artikel 195, lid 2 bedoelde schade, is artikel 167 lid 3 van overeenkomstige toepassing.

AFDELING 5
Tijdelijke regeling verhaalsrechten

Buiten toepassing i.v.m. verhaal

Art. 197. *(6.3.5.1)* 1. De artikelen 165, 166, 169, 171, 173, 174, 175, 176, 177 en 185, alsmede de afdelingen 4 van titel 6, 4 van titel 11, 1 van titel 14 en 4 van titel 19 van Boek 8 blijven buiten toepassing:
a. bij de vaststelling van het totale bedrag waarvoor aansprakelijkheid naar burgerlijk recht zou bestaan, vereist voor de berekening van het bedrag waarvoor verhaal bestaat krachtens de artikelen 90, eerste lid, van de Wet op de Arbeidsongeschiktheidsverzekering, 52a van de Ziektewet, 83b, eerste lid, van de Ziekenfondswet en 8 van de Wet Arbeidsongeschiktheidsvoorziening Militairen;
b. bij de vaststelling van het bedrag, bedoeld in artikel 3 van de Verhaalswet ongevallen ambtenaren waarboven de gehoudenheid krachtens die wet of krachtens artikel N 11 van de Algemene Burgerlijke Pensioenwet zich niet uitstrekt.

Niet vatbaar voor subrogatie

2. Rechten uit de artikelen 165, 166, 169, 171, 173, 174, 175, 176, 177 en 185, alsmede de afdelingen 4 van titel 6, 4 van titel 11, 1 van titel 14 en 4 van titel 19 van Boek 8 zijn niet vatbaar voor subrogatie:
a. krachtens artikel 284 van het Wetboek van Koophandel, behoudens voor zover de uitkering door de verzekeraar de aansprakelijkheid van de verzekerde betreft en een ander krachtens deze artikelen mede aansprakelijk was;
b. krachtens artikel 6, derde lid, van de Wet voorlopige regeling schadefonds geweldsmisdrijven.

3. Degene wiens verhaal of subrogatie door de vorige leden wordt uitgesloten, kan de in het tweede lid bedoelde rechten evenmin krachtens overeenkomst verkrijgen of te zijnen behoeve door de gerechtigde op diens naam doen uitoefenen.

TITEL 4
Verbintenissen uit andere bron dan onrechtmatige daad of overeenkomst

AFDELING 1
Zaakwaarneming

Zaakwaarneming

Art. 198. *(6.4.1.1)* Zaakwaarneming is het zich willens en wetens en op redelijke grond inlaten met de behartiging van eens anders belang, zonder de bevoegdheid daartoe aan een rechtshandeling of een elders in de wet geregelde rechtsverhouding te ontlenen.

Zorgplicht; voortzettingsplicht

Art. 199. *(6.4.1.2)* 1. De zaakwaarnemer is verplicht bij de waarneming de nodige zorg te betrachten en, voor zover dit redelijkerwijze van hem kan worden verlangd, de begonnen waarneming voort te zetten.

Verantwoording

2. De zaakwaarnemer doet, zodra dit redelijkerwijze mogelijk is, aan de belanghebbende verantwoording van hetgeen hij heeft verricht. Heeft hij voor de belanghebbende gelden uitgegeven of ontvangen, dan doet hij daarvan rekening.

Schadevergoeding

Art. 200. *(6.4.1.3)* 1. De belanghebbende is, voor zover zijn belang naar behoren is behartigd, gehouden de zaakwaarnemer de schade te vergoeden, die deze als gevolg van de waarneming heeft geleden.

Beloning

2. Heeft de zaakwaarnemer in de uitoefening van een beroep of bedrijf gehandeld, dan heeft hij, voor zover dit redelijk is, bovendien recht op een vergoeding voor zijn verrichtingen, met inachtneming van de prijzen die daarvoor ten tijde van de zaakwaarneming gewoonlijk werden berekend.

Vertegenwoordigingsbevoegdheid

Art. 201. *(6.4.1.4)* Een zaakwaarnemer is bevoegd rechtshandelingen te verrichten in naam van de belanghebbende, voor zover diens belang daardoor naar behoren wordt behartigd.

Goedkeuring door belanghebbende

Art. 202. *(6.4.1.5)* Heeft iemand die is opgetreden ter behartiging van eens anders belang, zich zonder redelijke grond daarmede ingelaten of dit belang niet naar behoren behartigd, dan kan de belanghebbende door goedkeuring van het optreden zijn bevoegdheid prijsgeven jegens hem het gebrek in te roepen. Aan de belanghebbende kan door hem een redelijke termijn voor de goedkeuring worden gesteld.

AFDELING 2
Onverschuldigde betaling

Onverschuldigde betaling; goed

Art. 203. *(6.4.2.1)* 1. Degene die een ander zonder rechtsgrond een goed heeft gegeven, is gerechtigd dit van de ontvanger als onverschuldigd betaald terug te vorderen.

Geldsom

2. Betreft de onverschuldigde betaling een geldsom, dan strekt de vordering tot teruggave van een gelijk bedrag.

Andere prestatie

3. Degene die zonder rechtsgrond een prestatie van andere aard heeft verricht, heeft eveneens jegens de ontvanger recht op ongedaanmaking daarvan.

Zorgplicht bij teruggave van goed

Art. 204. *(6.4.2.3)* 1. Heeft de ontvanger in een periode waarin hij redelijkerwijze met een verplichting tot teruggave van het goed geen rekening behoefde te houden, niet als een zorgvuldig schuldenaar voor het goed zorg gedragen, dan wordt hem dit niet toegerekend.

Teruggaveplicht geldsom bij doorbetaling

2. Degene die namens een ander, maar onbevoegd een niet aan die ander verschuldigde geldsom heeft ontvangen, is van zijn verplichting tot teruggave bevrijd, voor zover hij die geldsom aan die ander heeft doorbetaald in een periode waarin hij redelijkerwijze met die verplichting geen rekening behoefde te houden.

Ontvanger te kwader trouw

Art. 205. *(6.4.2.4)* Heeft de ontvanger het goed te kwader trouw aangenomen, dan is hij zonder ingebrekestelling in verzuim.

Vruchten; kosten; schade

Art. 206. *(6.4.2.5)* De artikelen 120, 121, 123 en 124 van Boek 3 zijn van overeenkomstige toepassing met betrekking tot hetgeen daarin is bepaald omtrent de afgifte van vruchten en de vergoeding van kosten en schade.

Recht op vergoeding kosten en uitgaven

Art. 207. *(6.4.2.6)* De ontvanger heeft, tenzij hij het goed te kwader trouw heeft aangenomen, binnen de grenzen van de redelijkheid ook recht op vergoeding van de kosten van het ontvangen en teruggeven van het goed, alsmede van uitgaven in de in artikel 204 bedoelde periode die zouden zijn uitgebleven als hij het goed niet had ontvangen.

Afstand recht op terugvordering

Art. 208. *(6.4.2.6a)* De ontvanger verliest zijn recht op de in de beide vorige artikelen bedoelde vergoedingen, indien de wederpartij afstand doet van haar recht op terugvordering en, voor zover nodig, het onverschuldigd betaalde ter bevrijding van deze vergoedingen op haar kosten aan de ontvanger overdraagt. De ontvanger is verplicht aan een zodanige overdracht mede te werken.

Ontvanger onbekwaam

Art. 209. *(6.4.2.7)* Op de onbekwame die een onverschuldigde betaling heeft ontvangen, rusten de in deze afdeling omschreven verplichtingen slechts, voor zover het ontvangene hem tot werkelijk voordeel heeft gestrekt of in de macht van zijn wettelijke vertegenwoordiger is gekomen.

Ongedaanmaking

Art. 210. *(6.4.2.8)* 1. Op de ongedaanmaking van prestaties die niet in het geven van een goed hebben bestaan, zijn de artikelen 204-209 van overeenkomstige toepassing.

Waardevergoeding

2. Sluit de aard van de prestatie uit dat zij ongedaan wordt gemaakt, dan treedt, voor zover dit redelijk is, vergoeding van de waarde van de prestatie op het ogenblik van ontvangst daarvoor in de plaats, indien de ontvanger door de prestatie is verrijkt, indien het aan hem is toe te rekenen dat de prestatie is verricht, of indien hij erin had toegestemd een tegenprestatie te verrichten.

Waardevergoeding onredelijk

Art. 211. *(6.4.2.9)* 1. Kan een prestatie die op grond van een nietige overeenkomst is verricht, naar haar aard niet ongedaan worden gemaakt en behoort zij ook niet in rechte op geld te worden gewaardeerd, dan is een tot ongedaanmaking van een tegenprestatie of tot vergoeding van de waarde daarvan strekkende vordering, voor zover deze deswege in strijd met redelijkheid en billijkheid zou zijn, eveneens uitgesloten.

Overdracht geldig

2. Is ingevolge het vorige lid terugvordering van een overgedragen goed uitgesloten, dan brengt de nietigheid van de overeenkomst niet de nietigheid van de overdracht mede.

AFDELING 3
Ongerechtvaardigde verrijking

Vordering tot schadevergoeding wegens ongerechtvaardigde verrijking

Art. 212. *(6.4.3.1)* 1. Hij die ongerechtvaardigd is verrijkt ten koste van een ander, is verplicht, voor zover dit redelijk is, diens schade te vergoeden tot het bedrag van zijn verrijking.

2. Voor zover de verrijking is verminderd als gevolg van een omstandigheid die niet aan de verrijkte kan worden toegerekend, blijft zij buiten beschouwing.

3. Is de verrijking verminderd in de periode waarin de verrijkte redelijkerwijze met een verplichting tot vergoeding van de schade geen rekening behoefde te houden, dan wordt hem dit niet toegerekend. Bij de vaststelling van deze vermindering wordt mede rekening gehouden met uitgaven die zonder de verrijking zouden zijn uitgebleven.

TITEL 5
Overeenkomsten in het algemeen

AFDELING 1
Algemene bepalingen

Overeenkomst

Art. 213. *(6.5.1.1)* 1. Een overeenkomst in de zin van deze titel is een meerzijdige rechtshandeling, waarbij een of meer partijen jegens een of meer andere een verbintenis aangaan.

Meerpartijenovereenkomst

2. Op overeenkomsten tussen meer dan twee partijen zijn de wettelijke bepalingen betreffende overeenkomsten niet toepasselijk, voor zover de strekking van de betrokken bepalingen in verband met de aard van de overeenkomst zich daartegen verzet.

Standaardregeling: a.m.v.b

Art. 214. *(6.5.1.2)* 1. Een overeenkomst door een der partijen gesloten in de uitoefening van haar bedrijf of beroep, is behalve aan de wettelijke bepalingen ook onderworpen aan een standaardregeling, wanneer voor de bedrijfstak waartoe het bedrijf behoort, of voor het beroep ten aanzien van zodanige overeenkomst een standaardregeling geldt. De bijzondere soorten van overeenkomsten waarvoor standaardregelingen kunnen worden vastgesteld en de bedrijfstak of het beroep, waarvoor elk dezer regelingen bestemd is te gelden, worden bij algemene maatregel van bestuur aangewezen.

Vaststelling etc.

2. Een standaardregeling wordt vastgesteld, gewijzigd en ingetrokken door een daartoe door Onze Minister van Justitie te benoemen commissie. Bij de wet worden nadere regelen gesteld omtrent de wijze van samenstelling en de werkwijze van de commissies.

Afkondiging

3. De vaststelling, wijziging of intrekking van een standaardregeling wordt niet van kracht voordat zij door Ons is goedgekeurd en met Ons goedkeuringsbesluit in de Nederlandse Staatscourant is afgekondigd.

Afwijking van de wet

4. Bij een standaardregeling kan worden afgeweken van wettelijke bepalingen, voor zover daarvan ook afwijking bij overeenkomst, al of niet met inachtneming van een bepaalde vorm, is toegelaten. De vorige zin lijdt uitzondering, wanneer uit een wettelijke bepaling iets anders voortvloeit.

Afwijking door partijen

5. Partijen kunnen in hun overeenkomst van een standaardregeling afwijken. Een standaardregeling kan echter voor afwijking een bepaalde vorm voorschrijven.

Art. 215. *(6.5.1.4)* Voldoet een overeenkomst aan de omschrijving van twee of meer door de wet geregelde bijzondere soorten van overeenkomsten, dan zijn de voor elk van die soorten gegeven bepalingen naast elkaar op de overeenkomst van toepassing, behoudens voor zover deze bepalingen niet wel verenigbaar zijn of de strekking daarvan in verband met de aard van de overeenkomst zich tegen toepassing verzet.

Gemengde, benoemde overeenkomst

Art. 216. *(6.5.1.6)* Hetgeen in deze en de volgende drie afdelingen is bepaald, vindt overeenkomstige toepassing op andere meerzijdige vermogensrechtelijke rechtshandelingen, voor zover de strekking van de betrokken bepalingen in verband met de aard van de rechtshandeling zich daartegen niet verzet.

Overeenkomstige toepassing

AFDELING 2
Het tot stand komen van overeenkomsten

Art. 217. *(6.5.2.1)* 1. Een overeenkomst komt tot stand door een aanbod en de aanvaarding daarvan.

2. De artikelen 219-225 zijn van toepassing, tenzij iets anders voortvloeit uit het aanbod, uit een andere rechtshandeling of uit een gewoonte.

Aanbod en aanvaarding

Art. 218. *(6.5.2.1a)* Een aanbod is geldig, nietig of vernietigbaar overeenkomstig de regels voor meerzijdige rechtshandelingen.

Aantastbaarheid aanbod

Art. 219. *(6.5.2.2)* 1. Een aanbod kan worden herroepen, tenzij het een termijn voor de aanvaarding inhoudt of de onherroepelijkheid ervan op andere wijze uit het aanbod volgt.

Herroeping aanbod

2. De herroeping kan slechts geschieden, zolang het aanbod niet is aanvaard en evenmin een mededeling, houdende de aanvaarding is verzonden.Bevat het aanbod de mededeling dat het vrijblijvend wordt gedaan, dan kan de herroeping nog onverwijld na de aanvaarding geschieden.

Herroeping

Vrijblijvend aanbod

3. Een beding waarbij één der partijen zich verbindt om, indien de wederpartij dit wenst, met haar een bepaalde overeenkomst te sluiten, geldt als een onherroepelijk aanbod.

Optie

Art. 220. *(6.5.2.3)* 1. Een bij wijze van uitloving voor een bepaalde tijd gedaan aanbod kan wegens gewichtige redenen worden herroepen of gewijzigd.

2. In geval van herroeping of wijziging van een uitloving kan de rechter aan iemand die op grond van de uitloving met de voorbereiding van een gevraagde prestatie is begonnen, een billijke schadeloosstelling toekennen.

Uitloving

Art. 221. *(6.5.2.4)* 1. Een mondeling aanbod vervalt, wanneer het niet onmiddellijk wordt aanvaard, een schriftelijk aanbod, wanneer het niet binnen een redelijke tijd wordt aanvaard.

Mondeling en schriftelijk aanbod

2. Een aanbod vervalt, doordat het wordt verworpen.

Verwerping

Art. 222. *(6.5.2.5)* Een aanbod vervalt niet door de dood of het verlies van handelingsbekwaamheid van een der partijen, noch doordat een der partijen de bevoegdheid tot het sluiten van de overeenkomst verliest als gevolg van een bewind.

Dood, onbekwaamheid, bewind

Art. 223. *(6.5.2.5a)* 1. De aanbieder kan een te late aanvaarding toch als tijdig gedaan laten gelden, mits hij dit onverwijld aan de wederpartij mededeelt.

2. Indien een aanvaarding te laat plaatsvindt, maar de aanbieder begrijpt of behoort te begrijpen dat dit voor de wederpartij niet duidelijk was, geldt de aanvaarding als tijdig gedaan, tenzij hij onverwijld aan de wederpartij mededeelt dat hij het aanbod als vervallen beschouwt.

Te late aanvaarding

Art. 224. *(6.5.2.7)* Indien een aanvaarding de aanbieder niet of niet tijdig bereikt door een omstandigheid op grond waarvan zij krachtens artikel 37 lid 3, tweede zin van Boek 3, niettemin haar werking heeft, wordt de overeenkomst geacht tot stand te zijn gekomen op het tijdstip waarop zonder de storende omstandigheid de verklaring zou zijn ontvangen.

Ontvangsttheorie

Art. 225. *(6.5.2.8)* 1. Een aanvaarding die van het aanbod afwijkt, geldt als een nieuw aanbod en als een verwerping van het oorspronkelijke.

Afwijkende aanvaarding

2. Wijkt een tot aanvaarding strekkend antwoord op een aanbod daarvan slechts op ondergeschikte punten af, dan geldt dit antwoord als aanvaarding en komt de overeenkomst overeenkomstig deze aanvaarding tot stand, tenzij de aanbieder onverwijld bezwaar maakt tegen de verschillen.

Verschillende alg. voorwaarden

3. Verwijzen aanbod en aanvaarding naar verschillende algemene voorwaarden, dan komt aan de tweede verwijzing geen werking toe, wanneer daarbij niet tevens de toepasselijkheid van de in de eerste verwijzing aangegeven algemene voorwaarden uitdrukkelijk van de hand wordt gewezen.

Vorm voor overeenkomst

Art. 226. *(6.5.2.9)* Stelt de wet voor de totstandkoming van een overeenkomst een vormvereiste, dan is dit voorschrift van overeenkomstige toepassing op een overeenkomst waarbij een partij in wier belang het strekt, zich tot het aangaan van een zodanige overeenkomst verbindt, tenzij uit de strekking van het voorschrift anders voortvloeit.

Bepaalbaarheid

Art. 227. *(6.5.2.10)* De verbintenissen die partijen op zich nemen, moeten bepaalbaar zijn.

Dwaling

Art. 228. *(6.5.2.11)* 1. Een overeenkomst die is tot stand gekomen onder invloed van dwaling en bij een juiste voorstelling van zaken niet zou zijn gesloten, is vernietigbaar:
a. indien de dwaling te wijten is aan een inlichting van de wederpartij, tenzij deze mocht aannemen dat de overeenkomst ook zonder deze inlichting zou worden gesloten;
b. indien de wederpartij in verband met hetgeen zij omtrent de dwaling wist of behoorde te weten, de dwalende had behoren in te lichten;
c. indien de wederpartij bij het sluiten van de overeenkomst van dezelfde onjuiste veronderstelling als de dwalende is uitgegaan, tenzij zij ook bij een juiste voorstelling van zaken niet had behoeven te begrijpen dat de dwalende daardoor van het sluiten van de overeenkomst zou worden afgehouden.

Geen beroep op dwaling

2. De vernietiging kan niet worden gegrond op een dwaling die een uitsluitend toekomstige omstandigheid betreft of die in verband met de aard van de overeenkomst, de in het verkeer geldende opvattingen of de omstandigheden van het geval voor rekening van de dwalende behoort te blijven.

Voortbouwende overeenkomst

Art. 229. *(6.5.2.12)* Een overeenkomst die de strekking heeft voort te bouwen op een reeds tussen partijen bestaande rechtsverhouding, is vernietigbaar, indien deze rechtsverhouding ontbreekt, tenzij dit in verband met de aard van de overeenkomst, de in het verkeer geldende opvattingen of de omstandigheden van het geval voor rekening van degene die zich op dit ontbreken beroept, behoort te blijven.

Opheffing nadeel

Art. 230. *(6.5.2.12a)* 1. De bevoegdheid tot vernietiging op grond van de artikelen 228 en 229 vervalt, wanneer de wederpartij tijdig een wijziging van de gevolgen van de overeenkomst voorstelt, die het nadeel dat de tot vernietiging bevoegde bij instandhouding van de overeenkomst lijdt, op afdoende wijze opheft.

Wijziging gevolgen overeenkomst

2. Bovendien kan de rechter op verlangen van een der partijen, in plaats van de vernietiging uit te spreken, de gevolgen van de overeenkomst ter opheffing van dit nadeel wijzigen.

AFDELING 3
Algemene voorwaarden

Algemene voorwaarden

Art. 231. *(6.5.2A.1)* In deze afdeling wordt verstaan onder:
a. algemene voorwaarden: een of meer schriftelijke bedingen die zijn opgesteld teneinde in een aantal overeenkomsten te worden opgenomen, met uitzondering van bedingen die de kern van de prestaties aangeven;
b. gebruiker: degene die algemene voorwaarden in een overeenkomst gebruikt;
c. wederpartij: degene die door ondertekening van een geschrift of op andere wijze de gelding van algemene voorwaarden heeft aanvaard.

Gebondenheid aan alg. voorwaarden

Art. 232. *(6.5.2A.2)* Een wederpartij is ook dan aan de algemene voorwaarden gebonden als bij het sluiten van de overeenkomst de gebruiker begreep of moest begrijpen dat zij de inhoud daarvan niet kende.

Vernietigbaarheid „algemene norm"

Art. 233. *(6.5.2A.2a)* Een beding in algemene voorwaarden is vernietigbaar

a. indien het, gelet op de aard en de overige inhoud van de overeenkomst, de wijze waarop de voorwaarden zijn tot stand gekomen, de wederzijds kenbare belangen van partijen en de overige omstandigheden van het geval, onredelijk bezwarend is voor de wederpartij; of
b. indien de gebruiker aan de wederpartij niet een redelijke mogelijkheid heeft geboden om van de algemene voorwaarden kennis te nemen.

Informatieplicht

Art. 234. *(6.5.2A.2b)* 1. De gebruiker heeft aan de wederpartij de in artikel 233 onder b bedoelde mogelijkheid geboden, indien hij
a. hetzij de algemene voorwaarden voor of bij het sluiten van de overeenkomst aan de wederpartij ter hand heeft gesteld,
b. hetzij, indien dit redelijkerwijs niet mogelijk is, voor de totstandkoming van de overeenkomst aan de wederpartij heeft bekend gemaakt dat de voorwaarden bij hem ter inzage liggen of bij een door hem opgegeven Kamer van Koophandel en Fabrieken of een griffie van een gerecht zijn gedeponeerd, alsmede dat zij op verzoek zullen worden toegezonden.

Redelijke mogelijkheid om kennis te nemen; ter handstelling; ter inzage of gedeponeerd

2. Indien de voorwaarden niet voor of bij het sluiten van de overeenkomst aan de wederpartij zijn ter hand gesteld, zijn de bedingen tevens vernietigbaar indien de gebruiker de voorwaarden niet op verzoek van de wederpartij onverwijld op zijn kosten aan haar toezendt.

Onverwijld toezenden

3. Het in de leden 1 onder *b* en 2 omtrent de verplichting tot toezending bepaalde is niet van toepassing, voor zover deze toezending redelijkerwijze niet van de gebruiker kan worden gevergd.

Redelijkerwijze vergen van toezending

Art. 235. *(6.5.2A.2c)* 1. Op de vernietingsgronden bedoeld in de artikelen 233 en 234, kan geen beroep worden gedaan door
a. een rechtspersoon bedoeld in artikel 360 van Boek 2, die ten tijde van het sluiten van de overeenkomst laatstelijk zijn jaarrekening openbaar heeft gemaakt, of ten aanzien waarvan op dat tijdstip laatstelijk artikel 403 lid 1 van boek 2 is toegepast;
b. een partij op wie het onder a bepaalde niet van toepassing is, indien op voormeld tijdstip bij haar vijftig of meer personen werkzaam zijn of op dat tijdstip uit een opgave op grond van artikel 17a van de Handelsregisterwet volgt dat bij haar vijftig of meer personen werkzaam zijn.

Uitzondering t.a.v. „grote bedrijven"

2. Op de vernietigingsgrond bedoeld in artikel 233 onder *a.* kan mede een beroep worden gedaan door een partij voor wie de algemene voorwaarden door een gevolmachtigde zijn gebruikt, mits de wederpartij meermalen overeenkomsten sluit waarop dezelfde of nagenoeg dezelfde algemene voorwaarden van toepassing zijn.

Gebruik door gevolmachtigde

3. Op de vernietigingsgronden bedoeld in de artikelen 233 en 234 kan geen beroep worden gedaan door een partij die meermalen dezelfde of nagenoeg dezelfde algemene voorwaarden in haar overeenkomsten gebruikt.

Door wederpartij zelf gebruikte alg. voorwaarden

4. De termijn bedoeld in artikel 52 lid 1 onder *d,* van Boek 3, begint met de aanvang van de dag, volgende op die waarop een beroep op het beding is gedaan.

Art. 236. *(6.5.2A.3)* Bij een overeenkomst tussen een gebruiker en een wederpartij, natuurlijk persoon, die niet handelt in de uitoefening van een beroep of bedrijf, wordt als onredelijk bezwarend aangemerkt een in de algemene voorwaarden voorkomend beding
a. dat de wederpartij geheel en onvoorwaardelijk het recht ontneemt de door de gebruiker toegezegde prestatie op te eisen;
b. dat de aan de wederpartij toekomende bevoegdheid tot ontbinding, zoals deze in afdeling 5 van titel 5 is geregeld, uitsluit of beperkt;
c. dat een de wederpartij volgens de wet toekomende bevoegdheid tot opschorting van de nakoming uitsluit of beperkt of de gebruiker een verdergaande bevoegdheid tot opschorting verleent dan hem volgens de wet toekomt;
d. dat de beoordeling van de vraag of de gebruiker in de nakoming van een of meer van zijn verbintenissen is te kort geschoten aan hem zelf overlaat, of dat de uitoefening van de rechten die de wederpartij ter zake van een zodanige tekortkoming volgens de wet toekomen, afhankelijk stelt van de voorwaarde dat deze eerst een derde in rechte heeft aangesproken;
e. krachtens hetwelk de wederpartij aan de gebruiker bij voorbaat toestemming verleent zijn uit de overeenkomst voortvloeiende verplichtingen op een der in afdeling 3 van titel 2 bedoelde wijzen op een derde te doen overgaan, tenzij de wederpartij te allen tijde de bevoegdheid heeft de overeenkomst te ontbinden, of de gebruiker jegens de wederpartij aansprakelijk is voor de nakoming door de derde, of de overgang plaatsvindt in verband met de overdracht van een onderneming waartoe zowel

Onredelijk bezwarende bedingen: zgn. zwarte lijst

die verplichtingen als de daartegenover bedongen rechten behoren;
f. dat voor het geval uit de overeenkomst voor de gebruiker voortvloeiende rechten op een derde overgaan, ertoe strekt bevoegdheden of verweermiddelen, die de wederpartij volgens de wet jegens die derde zou kunnen doen gelden, uit te sluiten of te beperken;
g. dat een wettelijke verjarings- of vervaltermijn waarbinnen de wederpartij enig recht moet geldend maken, tot een verjarings- onderscheidenlijk vervaltermijn van minder dan een jaar verkort;
h. dat voor het geval bij de uitvoering van de overeenkomst schade aan een derde wordt toegebracht door de gebruiker of door een persoon of zaak waarvoor deze aansprakelijk is, de wederpartij verplicht deze schade hetzij aan de derde te vergoeden, hetzij in haar verhouding tot de gebruiker voor een groter deel te dragen dan waartoe zij volgens de wet verplicht zou zijn;
i. dat de gebruiker de bevoegdheid geeft de door hem bedongen prijs binnen drie maanden na het sluiten van de overeenkomst te verhogen, tenzij de wederpartij bevoegd is in dat geval de overeenkomst te ontbinden;
j. dat in geval van een overeenkomst tot het geregeld afleveren van zaken, elektriciteit daaronder begrepen, of tot het geregeld doen van verrichtingen, leidt tot stilzwijgende verlenging of vernieuwing van meer dan een jaar;
k. dat de bevoegdheid van de wederpartij om bewijs te leveren uitsluit of beperkt, of dat de uit de wet voortvloeiende verdeling van de bewijslast ten nadele van de wederpartij wijzigt, hetzij doordat het een verklaring van haar bevat omtrent de deugdelijkheid van de haar verschuldigde prestatie, hetzij doordat het haar belast met het bewijs dat een tekortkoming van de gebruiker aan hem kan worden toegerekend;
l. dat ten nadele van de wederpartij afwijkt van artikel 37 van Boek 3, tenzij het betrekking heeft op de vorm van door de wederpartij af te leggen verklaringen of bepaalt dat de gebruiker het hem door de wederpartij opgegeven adres als zodanig mag blijven beschouwen totdat hem een nieuw adres is meegedeeld;
m. waarbij een wederpartij die bij het aangaan van de overeenkomst werkelijke woonplaats in een gemeente in Nederland heeft, woonplaats kiest anders dan voor het geval zij te eniger tijd geen bekende werkelijke woonplaats in die gemeente zal hebben, tenzij de overeenkomst betrekking heeft op een registergoed en woonplaats ten kantore van een notaris wordt gekozen.
n. dat voorziet in de beslechting van een geschil door een ander dan hetzij de rechter die volgens de wet bevoegd zou zijn, hetzij een of meer arbiters, tenzij het de wederpartij een termijn gunt van tenminste een maand nadat de gebruiker zich schriftelijk jegens haar op het beding heeft beroepen, om voor beslechting van het geschil voor de volgens de wet bevoegde rechter te kiezen.

Vermoeden van onredelijke bezwarendheid: zgn. grijze lijst

Art. 237. *(6.5.2A.4)* Bij een overeenkomst tussen een gebruiker en een wederpartij, natuurlijk persoon, die niet handelt in de uitoefening van een beroep of bedrijf, wordt vermoed onredelijk bezwarend te zijn een in algemene voorwaarden voorkomend beding:
a. dat de gebruiker een, gelet op de omstandigheden van het geval, ongebruikelijk lange of onvoldoende bepaalde termijn geeft om op een aanbod of een andere verklaring van de wederpartij te reageren;
b. dat de inhoud van de verplichtingen van de gebruiker wezenlijk beperkt ten opzichte van hetgeen de wederpartij, mede gelet op de wettelijke regels die op de overeenkomst betrekking hebben, zonder dat beding redelijkerwijze mocht verwachten;
c. dat de gebruiker de bevoegdheid verleent een prestatie te verschaffen die wezenlijk van de toegezegde prestatie afwijkt, tenzij de wederpartij bevoegd is in dat geval de overeenkomst te ontbinden;
d. dat de gebruiker van zijn gebondenheid aan de overeenkomst bevrijdt of hem de bevoegdheid daartoe geeft anders dan op in de overeenkomst vermelde gronden welke van dien aard zijn dat deze gebondenheid niet meer van hem kan worden gevergd;
e. dat de gebruiker een ongebruikelijk lange of onvoldoende bepaalde termijn voor de nakoming geeft;
f. dat de gebruiker of een derde geheel of ten dele bevrijdt van een wettelijke verplichting tot schadevergoeding;
g. dat een wederpartij volgens de wet toekomende bevoegdheid tot verrekening uitsluit of beperkt of de gebruiker een verdergaande bevoegdheid tot verrekening verleent dan hem volgens de wet toekomt;
h. dat als sanctie op bepaalde gedragingen van de wederpartij, nalaten daaronder begrepen, verval stelt van haar toekomende rechten of van de bevoegdheid bepaalde

verweren te voeren, behoudens voor zover deze gedragingen het verval van die rechten of verweren rechtvaardigen;
i. dat voor het geval de overeenkomst wordt beëindigd anders dan op grond van het feit dat de wederpartij in de nakoming van haar verbintenis is tekort geschoten, de wederpartij verplicht een geldsom te betalen, behoudens voor zover het betreft een redelijke vergoeding voor door de gebruiker geleden verlies of gederfde winst;
j. dat de wederpartij verplicht tot het sluiten van een overeenkomst met de gebruiker of met een derde, tenzij dit, mede gelet op het verband van die overeenkomst met de in dit artikel bedoelde overeenkomst, redelijkerwijze van de wederpartij kan worden gevergd;
k. dat voor een overeenkomst als bedoeld in artikel 236 onder *j* een duur bepaalt van meer dan een jaar, tenzij de wederpartij de bevoegdheid heeft de overeenkomst telkens na een jaar op te zeggen;
l. dat de wederpartij aan een opzegtermijn bindt die langer is dan drie maanden of langer dan de termijn waarop de gebruiker de overeenkomst kan opzeggen;
m. dat voor de geldigheid van een door de wederpartij te verrichten verklaring een strengere vorm dan het vereiste van een onderhandse akte stelt;
n. dat bepaalt dat een door de wederpartij verleende volmacht onherroepelijk is of niet eindigt door haar dood of onder curatelestelling, tenzij de volmacht strekt tot levering van een registergoed.

Bedingen m.b.t. vertegenwoordiging

Art. 238. *(6.5.2A.4a)* Bij een overeenkomst als bedoeld in de artikelen 236 en 237, kan jegens de wederpartij geen beroep worden gedaan:
a. op het feit dat de overeenkomst in naam van een derde is gesloten, indien dit beroep berust op het enkele feit dat een beding van deze strekking in de algemene voorwaarden voorkomt;
b. op het feit dat de algemene voorwaarden beperkingen bevatten van de bevoegdheid van een gevolmachtigde van de gebruiker, die zo ongebruikelijk zijn dat de wederpartij ze zonder het beding niet behoefde te verwachten, tenzij zij ze kende.

Wijziging etc. zgn. grijze lijst: AMvB

Art. 239. *(6.5.2A.5)* 1. Bij algemene maatregel van bestuur kunnen de onderdelen *a-n* van artikel 237 worden gewijzigd en kan hun toepassingsgebied worden beperkt.

Horen representatieve organisaties

2. Alvorens een voordracht tot vaststelling, wijziging of intrekking van een maatregel als bedoeld in het eerste lid te doen, hoort Onze Minister van Justitie de naar zijn oordeel representatieve organisaties van hen die bij het sluiten van de overeenkomsten waarop de maatregel betrekking heeft, algemene voorwaarden plegen te gebruiken en van hen die bij die overeenkomsten als hun wederpartij plegen op te treden.

Inwerkingtreding besluit

3. Een besluit als in het vorige lid bedoeld wordt zodra het is vastgesteld toegezonden aan de voorzitters van de beide Kamers van de Staten-Generaal. Een dergelijk besluit treedt niet in werking dan nadat twee maanden zijn verstreken sinds de datum van uitgifte van het Staatsblad waarin het is geplaatst.

Eigen vordering organisaties

Art. 240. *(6.5.2A.6)* 1. Op vordering van een rechtspersoon als bedoeld in lid 3 kunnen bepaalde bedingen in bepaalde algemene voorwaarden onredelijk bezwarend worden verklaard: de artikelen 233 onder *a*, 236 en 237 zijn van overeenkomstige toepassing. Voor de toepassing van de vorige zin wordt een beding in algemene voorwaarden dat in strijd is met een dwingende wetsbepaling, als onredelijk bezwarend aangemerkt.

Gedaagde

2. De vordering kan worden ingesteld tegen de gebruiker, alsmede tegen een rechtspersoon met volledige rechtsbevoegdheid die ten doel heeft de behartiging van belangen van personen die een beroep of bedrijf uitoefenen, indien hij het gebruik van de algemene voorwaarden door die personen bevordert.

Bevoegde organisaties als eiser

3. De vordering komt toe aan rechtspersonen met volledige rechtsbevoegdheid die ten doel hebben de behartiging van belangen van personen die een beroep of bedrijf uitoefenen of van eindgebruikers van niet voor een beroep of bedrijf bestemde goederen of diensten. Zij kan slechts betrekking hebben op algemene voorwaarden die worden gebruikt of bestemd zijn te worden gebruikt in overeenkomsten met personen wier belangen door de rechtspersoon worden behartigd.

Voorafgaand overleg

4. De eiser is niet ontvankelijk indien niet blijkt dat hij, alvorens de vordering in te stellen, de gebruiker of, in het geval bedoeld in artikel 1003 van het Wetboek van Burgerlijke Rechtsvordering, de aldaar bedoelde vereniging, de gelegenheid heeft geboden om in onderling overleg de algemene voorwaarden zodanig te wijzigen dat

de bezwaren die grond voor de vordering zouden opleveren, zijn weggenomen. Een termijn van zes maanden na schriftelijke kennisgeving van de bezwaren is daartoe in elk geval voldoende.
5. Voor zover een rechtspersoon met het gebruik van bedingen in algemene voorwaarden heeft ingestemd, komt hem geen vordering als bedoeld in lid 1 toe.

Bevoegde rechter

Art. 241. *(6.5.2A.7)* 1. Het Gerechtshof te 's-Gravenhage is bij uitsluiting bevoegd tot kennisneming van vorderingen als in het vorige artikel bedoeld.
2. De in het vorige artikel bedoelde rechtspersonen hebben de bevoegdheden, geregeld in de artikelen 285 en 376 van het Wetboek van Burgerlijke Rechtsvordering; artikel 379 van dat wetboek is niet van toepassing.

Nevenuitspraken

3. Op vordering van de eiser kan aan de uitspraak worden verbonden:
a. een verbod van het gebruik van de door de uitspraak getroffen bedingen of van het bevorderen daarvan;
b. een gebod om een aanbeveling tot het gebruik van deze bedingen te herroepen;
c. een veroordeling tot het openbaar maken of laten openbaar maken van de uitspraak, zulks op door de rechter te bepalen wijze en op kosten van de door de rechter te bepalen aan te geven partij of partijen.

Wegnemen bezwarend karakter

4. De rechter kan in zijn uitspraak aangeven op welke wijze het onredelijk bezwarend karakter van de bedingen waarop de uitspraak betrekking heeft kan worden weggenomen.

Bevoegde rechter

5. Geschillen terzake van de tenuitvoerlegging van de in lid 3 bedoelde veroordelingen, alsmede van de veroordeling tot betaling van een dwangsom, zo deze is opgelegd, worden bij uitsluiting door het Gerechtshof te 's-Gravenhage beslist.

Wijziging omstandigheden

Art. 242. *(6.5.2A.8)* 1. Op vordering van een of meer van degenen tegen wie de in artikel 240 lid 1 bedoelde uitspraak is gedaan, kan de rechter die uitspraak wijzigen of opheffen op grond dat zij tengevolge van een wijziging in de omstandigheden niet langer gerechtvaardigd is. De vordering wordt ingesteld tegen de rechtspersoon op wiens vordering de uitspraak was gedaan.

Ontbonden rechtspersoon

2. Indien de rechtspersoon op wiens vordering de uitspraak was gedaan, is ontbonden, wordt de zaak met een verzoekschrift ingeleid. Voor de toepassing van artikel 429f lid 1 van het Wetboek van Burgerlijke Rechtsvordering worden rechtspersonen als bedoeld in artikel 240 lid 3 als belanghebbenden aangemerkt.
3. Artikel 241 leden 1, 2, 3 onder *c* en 5 is van overeenkomstige toepassing.
4. De vorige leden zijn niet van toepassing voor zover de uitspraak betrekking had op een beding dat door de wet als onredelijk bezwarend wordt aangemerkt.

Vernietigbaarheid verboden beding in overeenkomst

Art. 243. *(6.5.2A.9)* Een beding in algemene voorwaarden dat door degene jegens wie een verbod tot gebruik ervan is uitgesproken, in strijd met het verbod in een overeenkomst wordt opgenomen, is vernietigbaar. Artikel 235 is van overeenkomstige toepassing.

Bescherming tussenschakel („beklemde detaillist")

Art. 244. *(6.4.2A.10)* 1. Een persoon die handelt in de uitoefening van een beroep of bedrijf, kan geen beroep doen op een beding in een overeenkomst met een partij die terzake van de goederen of diensten waarop die overeenkomst betrekking heeft, met gebruikmaking van algemene voorwaarden overeenkomsten met haar afnemers heeft gesloten, voor zover een beroep op dat beding onredelijk zou zijn wegens zijn nauwe samenhang met een in de algemene voorwaarden voorkomend beding dat krachtens deze afdeling is vernietigd of door een uitspraak als bedoeld in artikel 240 lid 1 is getroffen.

Derde

2. Is tegen de gebruiker een vordering als bedoeld in artikel 240 lid 1 ingesteld, dan is hij bevoegd die persoon in het geding te roepen teneinde voor recht te horen verklaren dat een beroep als bedoeld in het vorige lid onredelijk zou zijn. Artikel 241 leden 2, 3 onder *c*, 4 en 5 alsmede de artikelen 68, 69 en 73 van het Wetboek van Burgerlijke Rechtsvordering zijn van overeenkomtige toepassing.
3. Op de uitspraak is artikel 242 van overeenkomstige toepassing.
4. Op eerdere overeenkomsten met betrekking tot de voormelde goederen en diensten zijn de leden 1-3 van overeenkomstige toepassing.

Niet-toepasselijkheid afdeling 2A

Art. 245. *(6.5.2A.11)* Deze afdeling is noch van toepassing op arbeidsovereenkomsten, noch op collectieve arbeidsovereenkomsten.

Dwingend recht

Art. 246. *(6.5.2A.12)* Noch van de artikelen 231-244, noch van de bepalingen van de in artikel 239 lid 1, bedoelde algemene maatregelen van bestuur kan worden afgeweken. De bevoegdheid om een beding krachtens deze afdeling door een buitengerechtelijke verklaring te vernietigen, kan niet worden uitgesloten.

Art. 247. *(6.5.2A.13)* 1. Op overeenkomsten tussen partijen die handelen in de uitoefening van een beroep of bedrijf en die beide in Nederland gevestigd zijn, is deze afdeling van toepassing, ongeacht het recht dat de overeenkomst beheerst.

Partijen met vestiging in Nederland

2. Op overeenkomsten tussen partijen die handelen in de uitoefening van een beroep of bedrijf en die niet beide in Nederland gevestigd zijn, is deze afdeling niet van toepassing, ongeacht het recht dat de overeenkomst beheerst.

Partijen niet beide in Nederland gevestigd

3. Een partij is in de zin van de leden 1 en 2 in Nederland gevestigd, indien haar hoofdvestiging, of, zo de prestatie volgens de overeenkomst door een andere vestiging dan de hoofdvestiging moet worden verricht, deze andere vestiging zich in Nederland bevindt.

4. Op overeenkomsten tussen een gebruiker en een wederpartij, natuurlijk persoon, die niet handelt in de uitoefening van een beroep of bedrijf, is, indien de wederpartij haar gewone verblijfplaats in Nederland heeft, deze afdeling van toepassing, ongeacht het recht dat de overeenkomst beheerst.

Nederlandse consument

AFDELING 4
Rechtsgevolgen van overeenkomsten

Art. 248. *(6.5.3.1)* 1. Een overeenkomst heeft niet alleen de door partijen overeengekomen rechtsgevolgen, maar ook die welke, naar de aard van de overeenkomst, uit de wet, de gewoonte of de eisen van redelijkheid en billijkheid voortvloeien.

Redelijkheid en billijkheid: aanvullende werking

2. Een tussen partijen als gevolg van de overeenkomst geldende regel is niet van toepassing, voor zover dit in de gegeven omstandigheden naar maatstaven van redelijkheid en billijkheid onaanvaardbaar zou zijn.

Inperkende werking

Art. 249. *(6.5.3.2)* De rechtsgevolgen van een overeenkomst gelden mede voor de rechtverkrijgenden onder algemene titel, tenzij uit de overeenkomst iets anders voortvloeit.

Verkrijging onder algemene titel

Art. 250. *(6.5.3.2a)* Bij overeenkomst kan worden afgeweken van de volgende artikelen van deze afdeling, met uitzondering van de artikelen 251 lid 3, 252 lid 2 voor zover het de eis van een notariële akte betreft, en lid 3, 253 lid 1, 257-260.

Regelend en dwingend recht

Art. 251. *(6.5.3.3)* 1. Staat een uit een overeenkomst voortvloeiend, voor overgang vatbaar recht in een zodanig verband met een aan de schuldeiser toebehorend goed, dat hij bij dat recht slechts belang heeft, zolang hij het goed behoudt, dan gaat dat recht over op degene die dat goed onder bijzondere titel verkrijgt.

Overgang kwalitatief recht

2. Is voor het recht een tegenprestatie overeengekomen, dan gaat de verplichting tot het verrichten van die tegenprestatie mede over, voor zover deze betrekking heeft op de periode na de overgang. De vervreemder blijft naast de verkrijger jegens de wederpartij aansprakelijk, behoudens voor zover deze zich na de overgang in geval van uitblijven van de tegenprestatie van haar verbintenis kan bevrijden door ontbinding of beëindiging van de overeenkomst.

Overgang tegenprestatie

3. Het in de vorige leden bepaalde geldt niet, indien de verkrijger van het goed tot de wederpartij bij de overeenkomst een verklaring richt dat hij de overgang van het recht niet aanvaardt.

Verklaring van niet aanvaarding

4. Uit de rechtshandeling waarbij het goed wordt overgedragen, kan voortvloeien dat geen overgang plaatsvindt.

Geen overgang

Art. 252. *(6.5.3.4)* 1. Bij een overeenkomst kan worden bedongen dat de verplichting van een der partijen om iets te dulden of niet te doen ten aanzien van een haar toebehorend registergoed, zal overgaan op degenen die het goed onder bijzondere titel zullen verkrijgen, en dat mede gebonden zullen zijn degenen die van de rechthebbende een recht tot gebruik van het goed zullen verkrijgen.

Overgang kwalitatieve verplichting

2. Voor de werking van het in lid 1 bedoelde beding is vereist dat van de overeenkomst tussen partijen een notariële akte wordt opgemaakt, gevolgd door inschrijving daarvan in de openbare registers. Degene jegens wie de verplichting bestaat, waarop het beding betrekking heeft, moet in de akte ter zake van de inschrijving woonplaats kiezen in Nederland.

Notariële akte; inschrijving

3. Ook na inschrijving heeft het beding geen werking:

Werking

a. jegens hen die voor de inschrijving onder bijzondere titel een recht op het goed of

tot gebruik van het goed hebben verkregen;
b. jegens een beslaglegger op het goed of een recht daarop, indien de inschrijving op het tijdstip van de inschrijving van het proces-verbaal van inbeslagneming nog niet had plaats gevonden;
c. jegens hen die hun recht hebben verkregen van iemand die ingevolge het onder *a* of *b* bepaalde niet aan de bedongen verplichting gebonden was.

Overgang tegenprestatie

4. Is voor de verplichting een tegenprestatie overeengekomen, dan gaat bij de overgang van de verplichting het recht op de tegenprestatie mee over, voor zover deze betrekking heeft op de periode na de overgang en ook het beding omtrent deze tegenprestatie in de registers ingeschreven is.

Bevoegdheid te vervreemden

5. Dit artikel is niet van toepassing op verplichtingen die een rechthebbende beperken in zijn bevoegdheid het goed te vervreemden of te bezwaren.

Derdenbeding

Art. 253. *(6.5.3.5)* 1. Een overeenkomst schept voor een derde het recht een prestatie van een der partijen te vorderen of op andere wijze jegens een van hen een beroep op de overeenkomst te doen, indien de overeenkomst een beding van die strekking inhoudt en de derde dit beding aanvaardt.

Herroeping

2. Tot de aanvaarding kan het beding door degene die het heeft gemaakt, worden herroepen.

Aanvaarding

3. Een aanvaarding of herroeping van het beding geschiedt door een verklaring, gericht tot een van de beide andere betrokkenen.

Onverwijld afwijzen

4. Is het beding onherroepelijk en jegens de derde om niet gemaakt, dan geldt het als aanvaard, indien het ter kennis van de derde is gekomen en door deze niet onverwijld is afgewezen.

Gevolgen aanvaarding

Art. 254. *(6.5.3.5a)* 1. Nadat de derde het beding heeft aanvaard, geldt hij als partij bij de overeenkomst.
2. Hij kan, indien dit met de strekking van het beding in overeenstemming is, daaraan ook rechten ontlenen over de periode vóór de aanvaarding.

Aanwijzing rechthebbende

Art. 255. *(6.5.3.6.)* 1. Heeft een beding ten behoeve van een derde ten opzichte van die derde geen gevolg, dan kan degene die het beding heeft gemaakt, hetzij zichzelf, hetzij een andere derde als rechthebbende aanwijzen.

Aanwijzing van zichzelf

2. Hij wordt geacht zichzelf als rechthebbende te hebben aangewezen, wanneer hem door degene van wie de prestatie is bedongen, een redelijke termijn voor de aanwijzing is gesteld en hij binnen deze termijn geen aanwijzing heeft uitgebracht.

Nakoming

Art. 256. *(6.5.3.7.)* De partij die een beding ten behoeve van een derde heeft gemaakt, kan nakoming jegens derde vorderen, tenzij deze zich daartegen verzet.

Afwering aansprakelijkheid en ondergeschikte

Art. 257. *(6.5.3.8a)* Kan een partij bij een overeenkomst ter afwering van haar aansprakelijkheid voor een gedraging van een aan haar ondergeschikte aan de overeenkomst een verweermiddel jegens haar wederpartij ontlenen, dan kan ook de ondergeschikte, indien hij op grond van deze gedraging door de wederpartij wordt aangesproken, dit verweermiddel inroepen, als ware hijzelf bij de overeenkomst partij.

Onvoorziene omstandigheden

Art. 258. *(6.5.3.11)* 1. De rechter kan op verlangen van een der partijen de gevolgen van een overeenkomst wijzigen of deze geheel of gedeeltelijk ontbinden op grond van onvoorziene omstandigheden welke van dien aard zijn dat de wederpartij naar maatstaven van redelijkheid en billijkheid ongewijzigde instandhouding van de overeenkomst niet mag verwachten. Aan de wijziging of ontbinding kan terugwerkende kracht worden verleend.
2. Een wijziging of ontbinding wordt niet uitgesproken, voor zover de omstandigheden krachtens de aard van de overeenkomst of de in het verkeer geldende opvattingen voor rekening komen van degene die zich erop beroept.

Partij

3. Voor de toepassing van dit artikel staat degene op wie een recht of een verplichting uit een overeenkomst is overgegaan, met een partij bij die overeenkomst gelijk.

Voortdurende verplichtingen

Art. 259. *(6.5.3.12)* 1. Indien een overeenkomst ertoe strekt een rechthebbende op of een gebruiker van een registergoed als zodanig te verplichten tot een prestatie die niet bestaat in of gepaard gaat met het dulden van voortdurend houderschap, kan de rechter op zijn verlangen de gevolgen van de overeenkomst wijzigen of deze geheel of gedeeltelijk ontbinden:

a. indien ten minste tien jaren na het sluiten van de overeenkomst zijn verlopen en het ongewijzigd voortduren van de verplichting in strijd is met het algemeen belang;
b. indien de schuldeiser bij de nakoming van de verplichting geen redelijk belang meer heeft en het niet aannemelijk is dat dit belang zal terugkeren.

Termijn

2. Voor de termijn vermeld in lid 1 onder *a* telt mee de gehele periode waarin rechthebbenden op of gebruikers van het goed aan een beding van dezelfde strekking gebonden zijn geweest. De termijn geldt niet, voor zover de strijd met het algemeen belang hierin staat dat het beding een beletsel vormt voor verwerkelijking van een geldend bestemmingsplan.

Rechterlijke uitspraak: voorwaarden ontbinding

Art. 260. *(6.5.3.12a)* 1. Een wijziging of ontbinding als bedoeld in de artikelen 258 en 259 kan worden uitgesproken onder door de rechter te stellen voorwaarden.

2. Indien hij op grond van die artikelen de overeenkomst wijzigt of gedeeltelijk ontbindt, kan hij bepalen dat een of meer partijen de overeenkomst binnen een bij de uitspraak vast te stellen termijn door een schriftelijke verklaring geheel zal kunnen ontbinden. De wijziging of gedeeltelijke ontbinding treedt niet in, voordat deze termijn is verstreken.

Inschrijving uitspraak

3. Is de overeenkomst die op grond van de artikelen 258 en 259 wordt gewijzigd of geheel of gedeeltelijk ontbonden, ingeschreven in de openbare registers, dan kan ook de uitspraak waarbij de wijziging of ontbinding plaatsvond, daarin worden ingeschreven, mits deze uitspraak in kracht van gewijsde is gegaan of uitvoerbaar bij voorraad is.

Gekozen woonplaats

4. Wordt iemand te dier zake gedagvaard aan zijn overeenkomstig artikel 252 lid 2, tweede zin, gekozen woonplaats, dan zijn daarmee tevens gedagvaard al zijn rechtverkrijgenden die geen nieuwe inschrijving hebben genomen. Artikel 29 van Boek 3 lid 2 en lid 3, tweede-vijfde zin, zijn van overeenkomstige toepassing.

Inschrijving andere rechtsfeiten

5. Andere rechtsfeiten die een ingeschreven overeenkomst wijzigen of beëindigen, zijn eveneens inschrijfbaar, voor zover het rechterlijke uitspraken betreft mits zij in kracht van gewijsde zijn gegaan of uitvoerbaar bij voorraad zijn.

AFDELING 5
Wederkerige overeenkomsten

Wederkerige overeenkomst

Art. 261. *(6.5.4.1)* 1. Een overeenkomst is wederkerig, indien elk van beide partijen een verbintenis op zich neemt ter verkrijging van de prestatie waartoe de wederpartij zich daartegenover jegens haar verbindt.

Overeenkomstige toepassing

2. De bepalingen omtrent wederkerige overeenkomsten zijn van overeenkomstige toepassing op andere rechtsbetrekkingen die strekken tot het wederzijds verrichten van prestaties, voor zover de aard van die rechtsbetrekkingen zich daartegen niet verzet.

Exceptio non adimpleti contractus

Art. 262. *(6.5.4.2)* 1. Komt een der partijen haar verbintenis niet na, dan is de wederpartij bevoegd de nakoming van haar daartegenover staande verplichtingen op te schorten.

2. In geval van gedeeltelijke of niet behoorlijke nakoming is opschorting slechts toegelaten, voor zover de tekortkoming haar rechtvaardigt.

Onzekerheidsexceptie

Art. 263. *(6.5.4.4)* 1. De partij die verplicht is het eerst te presteren, is niettemin bevoegd de nakoming van haar verbintenis op te schorten, indien na het sluiten van de overeenkomst te harer kennis gekomen omstandigheden haar goede grond geven te vrezen dat de wederpartij haar daartegenover staande verplichtingen niet zal nakomen.

2. In geval er goede grond bestaat te vrezen dat slechts gedeeltelijk of niet behoorlijk zal worden nagekomen, is de opschorting slechts toegelaten voor zover de tekortkoming haar rechtvaardigt.

Art. 264. *(6.5.4.4a)* In geval van opschorting op grond van de artikelen 262 en 263 zijn de artikelen 54 onder *b* en *c* en 55 niet van toepassing.

Ontbinding

Art. 265. *(6.5.4.6)* 1. Iedere tekortkoming van een partij in de nakoming van een van haar verbintenissen geeft aan de wederpartij de bevoegdheid om de overeenkomst geheel of gedeeltelijk te ontbinden, tenzij de tekortkoming, gezien haar bijzondere aard of geringe betekenis, deze ontbinding met haar gevolgen niet rechtvaardigt.

Ontbinding en verzuim

2. Voor zover nakoming niet blijvend of tijdelijk onmogelijk is, ontstaat de bevoegdheid tot ontbinding pas, wanneer de schuldenaar in verzuim is.

Geen ontbinding bij schuldeisersverzuim

Art. 266. *(6.5.4.7)* 1. Geen ontbinding kan worden gegrond op een tekortkoming in de nakoming van een verbintenis ten aanzien waarvan de schuldeiser zelf in verzuim is.

Tekortschieten in zorg

2. Wordt echter tijdens het verzuim van de schuldeiser behoorlijke nakoming geheel of gedeeltelijk onmogelijk, dan kan de overeenkomst ontbonden worden, indien door schuld van de schuldenaar of zijn ondergeschikte is tekortgeschoten in de zorg die in de gegeven omstandigheden van hem mocht worden gevergd.

Buitengerechtelijke ontbinding

Art. 267. *(6.5.4.8)* 1. De ontbinding vindt plaats door een schriftelijke verklaring van de daartoe gerechtigde.

Rechterlijke uitspraak

2. Zij kan ook op zijn vordering door de rechter worden uitgesproken.

Verjaring

Art. 268. *(6.5.4.8a)* De bevoegdheid tot buitengerechtelijke ontbinding vervalt door verjaring van de rechtsvordering tot ontbinding. De verjaring staat niet in de weg aan gerechtelijke of buitengerechtelijke ontbinding ter afwering van een op de overeenkomst steunende rechtsvordering of andere rechtsmaatregel.

Geen terugwerkende kracht

Art. 269. *(6.5.4.9)* De ontbinding heeft geen terugwerkende kracht, behoudens dat een aanbod tot nakoming, gedaan nadat de ontbinding is gevorderd, geen werking heeft, indien de ontbinding wordt uitgesproken.

Gedeeltelijke ontbinding

Art. 270. *(6.5.4.10)* Een gedeeltelijke ontbinding houdt een evenredige vermindering in van de wederzijdse prestaties in hoeveelheid of hoedanigheid.

Bevrijding wederzijdse verbintenissen

Art. 271. *(6.5.4.14)* Een ontbinding bevrijdt de partijen van de daardoor getroffen verbintenissen. Voor zover deze reeds zijn nagekomen, blijft de rechtsgrond voor deze nakoming in stand, maar ontstaat voor partijen een verbintenis tot ongedaanmaking van de reeds door hen ontvangen prestaties.

Waardevergoeding

Art. 272. *(6.5.4.15)* 1. Sluit de aard van de prestatie uit dat zij ongedaan wordt gemaakt, dan treedt daarvoor een vergoeding in de plaats ten belope van haar waarde op het tijdstip van de ontvangst.

2. Heeft de prestatie niet aan de verbintenis beantwoord, dan wordt deze vergoeding beperkt tot het bedrag van de waarde die de prestatie voor de ontvanger op dit tijdstip in de gegeven omstandigheden werkelijk heeft gehad.

Zorgplicht schuldenaar

Art. 273. *(6.5.4.16)* Een partij die een prestatie heeft ontvangen, is vanaf het tijdstip dat zij redelijkerwijze met een ontbinding rekening moet houden, verplicht er als een zorgvuldig schuldenaar zorg voor te dragen dat de ingevolge die ontbinding verschuldigde ongedaanmaking van de prestatie mogelijk zal zijn. Artikel 78 is van overeenkomstige toepassing.

Ontvanger te kwader trouw

Art. 274. *(6.5.4.17)* Heeft een partij in weerwil van een dreigende ontbinding te kwader trouw een prestatie ontvangen, dan wordt zij na de ontbinding geacht vanaf de ontvangst van de prestatie in verzuim geweest te zijn.

Vruchten; kosten; schade

Art. 275. *(6.5.4.18)* De artikelen 120-124 van Boek 3 zijn van overeenkomstige toepassing met betrekking tot hetgeen daarin is bepaald omtrent de afgifte van vruchten en de vergoeding van kosten en schade.

Ongedaanmaking of waardevergoeding bij onbekwaamheid

Art. 276. *(6.5.4.19)* Op de onbekwame die een prestatie heeft ontvangen, rusten de in deze afdeling omschreven verplichtingen slechts, voor zover het ontvangene hem tot werkelijk voordeel heeft gestrekt of in de macht van zijn wettelijke vertegenwoordiger is gekomen.

Schadevergoeding

Art. 277. *(6.5.4.20)* 1. Wordt een overeenkomst geheel of gedeeltelijk ontbonden, dan is de partij wier tekortkoming een grond voor ontbinding heeft opgeleverd, verplicht haar wederpartij de schade te vergoeden die deze lijdt, doordat geen wederzijdse nakoming doch ontbinding van de overeenkomst plaatsvindt.

Invloed „overmacht"

2. Indien de tekortkoming niet aan de schuldenaar kan worden toegerekend, is het vorige lid slechts van toepassing binnen de grenzen van het in artikel 78 bepaalde.

Art. 278. *(6.5.4.21)* 1. De partij die ontbinding kiest van een reeds uitgevoerde overeenkomst, nadat de verhouding in waarde tussen hetgeen wederzijds bij ongedaanmaking zou moeten worden verricht, zich te haren gunste heeft gewijzigd, is verplicht door bijbetaling de oorspronkelijke waardeverhouding te herstellen, indien aannemelijk is dat zij zonder deze wijziging geen ontbinding zou hebben gekozen.

Bijbetaling bij wijziging in waardeverhouding

2. Het vorige lid is van overeenkomstige toepassing ingeval de partij te wier gunste de wijziging is ingetreden, op andere grond dan ontbinding de stoot tot ongedaanmaking geeft en aannemelijk is dat zij daartoe zonder deze wijziging niet zou zijn overgegaan.

Andere stoten tot ongedaanmaking

Art. 279. *(6.5.4.22)* 1. Op overeenkomsten waaruit tussen meer dan twee partijen verbintenissen voortvloeien, vinden de bepalingen betreffende wederkerige overeenkomsten met inachtneming van de volgende leden overeenkomstige toepassing, voor zover de aard van de overeenkomst zich daartegen niet verzet.

Meerpartijen-overeenkomst

2. De partij die een verbintenis op zich heeft genomen ter verkrijging van een daartegenover van een of meer der andere partijen bedongen prestatie, kan haar recht op ontbinding gronden op een tekortkoming in de nakoming van de verbintenis jegens haarzelf.

Ontbinding door partij zelf

3. Schiet een partij met samenhangende rechten en verplichtingen zelf tekort in de nakoming van haar verbintenis, dan kunnen in ieder geval de overige partijen gezamenlijk de overeenkomst ontbinden.

Ontbinding door overige partijen gezamenlijk

BOEK 7
BIJZONDERE OVEREENKOMSTEN
TITEL 1
Koop en ruil
AFDELING 1
Koop: Algemene bepalingen

Koop

Art. 1. *(7.1.1.1)* Koop is de overeenkomst waarbij de een zich verbindt een zaak te geven en de ander om daarvoor een prijs in geld te betalen.

Artt. 2 en 3. Gereserveerd.

Redelijke prijs

Art. 4. *(7.1.1.2)* Wanneer de koop is gesloten zonder dat de prijs is bepaald, is de koper een redelijke prijs verschuldigd; bij de bepaling van de prijs wordt rekening gehouden met de door de verkoper ten tijde van het sluiten van de overeenkomst gewoonlijk bedongen prijzen.

Consumentenkoop

Art. 5. *(7.1.1.4)* 1. In deze titel wordt verstaan onder „consumentenkoop": de koop met betrekking tot een roerende zaak, die wordt gesloten door een verkoper die handelt in de uitoefening van een beroep of bedrijf, en een koper, natuurlijk persoon, die niet handelt in de uitoefening van een beroep of bedrijf.

2. Wordt een zaak verkocht door een gevolmachtigde die handelt in de uitoefening van een beroep of bedrijf, dan wordt de koop aangemerkt als een consumentenkoop, tenzij de koper ten tijde van het sluiten van de overeenkomst weet dat de volmachtgever niet handelt in de uitoefening van een beroep of bedrijf.

3. De vorige leden zijn niet van toepassing indien de overeenkomst een registergoed of door leidingen naar de verbruiker aangevoerd water of gas betreft.

Dwingend recht

Art. 6. *(7.1.1.4a)* 1. Bij een consumentenkoop kan van de afdelingen 1-7 van deze titel niet ten nadele van de koper worden afgeweken en kunnen de rechten en vorderingen die de wet aan de koper ter zake van een tekortkoming in de nakoming van de verplichtingen van de verkoper toekent, niet worden beperkt of uitgesloten, behoudens bij een standaardregeling als bedoeld in artikel 214 van Boek 6.

2. Lid 1 is niet van toepassing op de artikelen 11-13, 26 en 35, doch bedingen in algemene voorwaarden waarbij ten nadele van de koper wordt afgeweken van die artikelen, worden als onredelijk bezwarend aangemerkt.

Toegezonden zaken

Art. 7. *(7.1.1.5)* 1. Degene aan wie eēn zaak is toegezonden en die redelijkerwijze mag aannemen dat deze toezending is geschied ten einde hem tot een koop te bewegen, is ongeacht enige andersluidende mededeling van de verzender jegens deze bevoegd de zaak om niet te behouden, tenzij het hem is toe te rekenen dat de zending is geschied.

Kosten terugzending

2. Indien de ontvanger de zaak terugzendt, komen de kosten hiervan voor rekening van de verzender.

Art. 8. Gereserveerd.

AFDELING 2
Verplichtingen van de verkoper

Plicht tot eigendomsverschaffing; Afleveringsplicht

Art. 9. *(7.1.2.1)* 1. De verkoper is verplicht de verkochte zaak met toebehoren in eigendom over te dragen en af te leveren. Onder toebehoren zijn de aanwezige titelbewijzen en bescheiden begrepen; voor zover de verkoper zelf daarbij belang behoudt, is hij slechts verplicht om aan de koper op diens verlangen en op diens kosten een afschrift of uittreksel af te geven.

2. Onder aflevering wordt verstaan het stellen van de zaak in het bezit van de koper.

3. In geval van koop met eigendomsvoorbehoud wordt onder aflevering verstaan het stellen van de zaak in de macht van de koper.

Risico

Art. 10. *(7.1.2.2)* 1. De zaak is voor risico van de koper van de aflevering af, zelfs al is de eigendom nog niet overgedragen. Derhalve blijft hij de koopprijs verschuldigd, ongeacht tenietgaan of achteruitgang van de zaak door een oorzaak die niet aan de verkoper kan worden toegerekend.

2. Hetzelfde geldt van het ogenblik af, waarop de koper in verzuim is met het verrichten van een handeling waarmede hij aan de aflevering moet medewerken. Ingeval naar de soort bepaalde zaken zijn verkocht, doet het verzuim van de koper het risico eerst op hem overgaan, wanneer de verkoper de voor de uitvoering van de overeenkomst bestemde zaken heeft aangewezen en de koper daarvan heeft verwittigd.

Risico bij verzuim koper

3. Indien de koper op goede gronden het recht op ontbinding van de koop of op vervanging van de zaak inroept, blijft deze voor risico van de verkoper.

Ontbinding koop of vervanging zaak

4. Wanneer de zaak na de aflevering voor risico van de verkoper is gebleven, is het tenietgaan of de achteruitgang ervan door toedoen van de koper eveneens voor rekening van de verkoper. De koper moet echter van het ogenblik af dat hij redelijkerwijs rekening moet houden met het feit dat hij de zaak zal moeten teruggeven, als een zorgvuldig schuldenaar voor het behoud ervan zorgen; artikel 78 van Boek 6 is van overeenkomstige toepassing.

Waardevermindering door toedoen koper

Art. 11. *(7.1.2.2a)* Indien bij een consumentenkoop de zaak bij de koper wordt bezorgd door de verkoper of een door deze aangewezen vervoerder, is de zaak pas voor risico van de koper van de bezorging af, zelfs al was zij reeds eerder afgeleverd in de zin van artikel 9.

Risico bij cons. koop: bezorgde zaken

Art. 12. *(7.1.2.3)* 1. Kosten van aflevering, die van weging en telling daaronder begrepen, komen ten laste van de verkoper.

2. Kosten van afhalen en kosten van een koopakte en van de overdracht komen ten laste van de koper.

Kosten

Art. 13. *(7.1.2.3a)* Indien bij een consumentenkoop de zaak bij de koper wordt bezorgd door de verkoper of een door deze aangewezen vervoerder, kunnen daarvoor slechts kosten worden gevorderd, voor zover zij bij het sluiten van de overeenkomst door de verkoper afzonderlijk zijn opgegeven of door de verkoper de gegevens zijn verschaft op grond waarvan zij door hem worden berekend. Hetzelfde geldt voor kosten, verschuldigd voor andere werkzaamheden die de verkoper in verband met de koop voor de koper verricht.

Kosten bij cons. koop: bezorgde zaken

Art. 14. *(7.1.2.4)* Van de dag van aflevering af komen de vruchten toe aan de koper, met dien verstande dat burgerlijke vruchten van dag tot dag berekend worden.

Vruchten

Art. 15. *(7.1.2.5)* 1. De verkoper is verplicht de verkochte zaak in eigendom over te dragen vrij van alle bijzondere lasten en beperkingen, met uitzondering van die welke de koper uitdrukkelijk heeft aanvaard.

2. Ongeacht enig andersluidend beding staat de verkoper in voor de afwezigheid van lasten en beperkingen die voortvloeien uit feiten die vatbaar zijn voor inschrijving in de openbare registers, doch daarin ten tijde van het sluiten van de overeenkomst niet waren ingeschreven.

Eigendomsoverdracht vrij van lasten etc.

Art. 16. *(7.1.2.6)* Wanneer tegen de koper een vordering wordt ingesteld tot uitwinning of tot erkenning van een recht waarmede de zaak niet belast had mogen zijn, is de verkoper gehouden in het geding te komen ten einde de belangen van de koper te verdedigen.

Bijstand in gedingt

Art. 17. *(7.1.2.7)* 1. De afgeleverde zaak moet aan de overeenkomst beantwoorden.

Conformiteit

2. Een zaak beantwoordt niet aan de overeenkomst indien zij niet de eigenschappen bezit die de koper op grond van de overeenkomst mocht verwachten. De koper mag verwachten dat de zaak de eigenschappen bezit die voor een normaal gebruik daarvan nodig zijn en waarvan hij de aanwezigheid niet behoefde te betwijfelen, alsmede de eigenschappen die nodig zijn voor een bijzonder gebruik dat bij de overeenkomst is voorzien.

3. Een andere zaak dan is overeengekomen, of een zaak van een andere soort, beantwoordt evenmin aan de overeenkomst. Hetzelfde geldt indien het afgeleverde in getal, maat of gewicht van het overeengekomene afwijkt.

Monster, model

4. Is aan de koper een monster of model getoond of verstrekt, dan moet de zaak daarmede overeenstemmen, tenzij het slechts bij wijze van aanduiding werd verstrekt zonder dat de zaak daaraan behoefde te beantwoorden.

5. Bij koop van een onroerende zaak wordt vermelding van de oppervlakte vermoed slechts als aanduiding bedoeld te zijn, zonder dat de zaak daaraan behoeft te beantwoorden.

Conformiteit bij cons. koop reclame(boodschap)

Art. 18. *(7.1.2.7a)* Bij de beoordeling van de vraag of een op grond van een consumentenkoop afgeleverde zaak aan de overeenkomst beantwoordt, gelden mededelingen die door of ten behoeve van een vorige verkoper van die zaak, handelend in de uitoefening van een beroep of bedrijf, omtrent de zaak zijn openbaar gemaakt, als mededelingen van de verkoper, behoudens voor zover deze een bepaalde mededeling kende noch behoorde te kennen of duidelijk heeft weersproken.

Executoriale verkoop

Art. 19. *(7.1.2.8)* 1. Ingeval van een executoriale verkoop kan de koper zich er niet op beroepen dat de zaak behept is met een last of een beperking die er niet op had mogen rusten, of dat deze niet aan de overeenkomst beantwoordt, tenzij de verkoper dat wist.

Parate executie

2. Hetzelfde geldt indien de verkoop bij wijze van parate executie plaatsvindt, mits de koper dit wist of had moeten weten.

AFDELING 3
Bijzondere gevolgen van niet-nakoming van de verplichtingen van de verkoper

Opheffen last of beperking

Art. 20. *(7.1.3.1)* Is de zaak behept met een last of een beperking die er niet op had mogen rusten, dan kan de koper eisen dat de last of de beperking wordt opgeheven, mits de verkoper hieraan redelijkerwijs kan voldoen.

Vorderingen koper

Art. 21. *(7.1.3.2)* 1. Beantwoordt het afgeleverde niet aan de overeenkomst, dan kan de koper eisen:
a. aflevering van het ontbrekende:
b. herstel van de afgeleverde zaak, mits de verkoper hieraan redelijkerwijs kan voldoen;
c. vervanging van de afgeleverde zaak, tenzij de afwijking van het overeengekomene te gering is om dit te rechtvaardigen, dan wel de zaak na het tijdstip dat de koper redelijkerwijze met ongedaanmaking rekening moet houden, teniet of achteruit is gegaan doordat hij niet als een zorgvuldig schuldenaar voor het behoud ervan heeft gezorgd.

Bevoegdheid verkoper

2. Indien bij een consumentenkoop de koper van een voor vervanging vatbare zaak herstel of vervanging daarvan overeenkomstig lid 1 onder b of c vordert, is de verkoper bevoegd tussen vervanging of teruggave van de koopprijs te kiezen. De verkoper is gehouden deze keuze binnen korte tijd te doen en vervolgens zijn verplichtingen binnen redelijke tijd na te komen; bij gebreke hiervan kan de koper zijn rechten op herstel of vervanging doen gelden.

Herstel afgeleverde zaak bij cons. koop

3. Indien bij een consumentenkoop de verkoper niet binnen een redelijke tijd nadat hij daartoe door de koper schriftelijk is aangemaand, aan zijn verplichting tot herstel van de afgeleverde zaak heeft voldaan, is de koper bevoegd het herstel door een derde te doen plaatsvinden en de kosten daarvan op de verkoper te verhalen.

Onverminderd andere rechten etc.

Art. 22. *(7.1.3.3)* De rechten genoemd in de artikelen 20 en 21 komen de koper toe onverminderd alle andere rechten of vorderingen.

Klachtrecht koper; verval

Art. 23. *(7.1.3.5)* 1. De koper kan er geen beroep meer op doen dat hetgeen is afgeleverd niet aan de overeenkomst beantwoordt, indien hij de verkoper daarvan niet binnen bekwame tijd nadat hij dit heeft ontdekt of redelijkerwijs had behoren te ontdekken, kennis heeft gegeven. Blijkt echter aan de zaak een eigenschap te ontbreken die deze volgens de verkoper bezat, of heeft de afwijking betrekking op feiten die hij kende of behoorde te kennen doch die hij niet heeft meegedeeld, dan moet de kennisgeving binnen bekwame tijd na de ontdekking geschieden.

Verjaring en verval

2. Rechtsvorderingen en verweren, gegrond op feiten die de stelling zouden rechtvaardigen dat de afgeleverde zaak niet aan de overeenkomst beantwoordt, verjaren door verloop van twee jaren na de overeenkomstig het eerste lid gedane ken-

nisgeving. Doch de koper behoudt de bevoegdheid om aan een vordering tot betaling van de prijs zijn recht op vermindering daarvan door gedeeltelijke ontbinding van de koop of op schadevergoeding tegen te werpen.

Termijn bij opzet verkoper

3. De termijn loopt niet zolang de koper zijn rechten niet kan uitoefenen als gevolg van opzet van de verkoper.

Cons. koop: recht op vergoeding kosten jegens verkoper

Art. 24. *(7.1.3.7)* 1. Indien op grond van een consumentenkoop een zaak is afgeleverd, die niet de eigenschappen bezit die de koper op grond van de overeenkomst mocht verwachten, heeft de koper, jegens de verkoper recht op een schadevergoeding overeenkomstig de afdelingen 9 en 10 van titel 1 van Boek 6.

2. Bestaat de tekortkoming in een gebrek als bedoeld in afdeling 3 van titel 3 van Boek 6, dan is de verkoper niet aansprakelijk voor schade als in die afdeling bedoeld, tenzij

a. hij het gebrek kende of behoorde te kennen,

b. hij de afwezigheid van het gebrek heeft toegezegd of

c. het betreft zaakschade ter zake waarvan krachtens afdeling 3 van titel 3 van Boek 6 geen recht op vergoeding bestaat op grond van de in die afdeling geregelde franchise, onverminderd zijn verweren krachtens de afdelingen 9 en 10 van titel 1 van Boek 6.

3. Indien de verkoper de schade van de koper vergoedt krachtens lid 2 onder a of b, is de koper verplicht zijn rechten uit afdeling 3 van titel 3 van Boek 6 aan de verkoper over te dragen.

Regresrecht verkoper bij cons. koop op producent

Art. 25. *(7.1.3.9)* 1. Heeft de koper, in geval van een tekortkoming als bedoeld in artikel 24, een of meer van zijn rechten ter zake van die tekortkoming tegen de verkoper uitgeoefend, dan heeft de verkoper recht op schadevergoeding jegens degene van wie hij de zaak heeft gekocht, mits ook deze bij die overeenkomst in de uitoefening van zijn beroep of bedrijf heeft gehandeld. Kosten ter zake van verweer worden slechts vergoed voor zover zij in redelijkheid door de verkoper zijn gemaakt.

2. Op een beding tot uitsluiting of beperking van de aansprakelijkheid, bedoeld in lid 1, kan slechts een beroep worden gedaan, voorzover dit, gelet op alle omstandigheden van het geval, jegens de verkoper redelijk is.

Uitzondering

3. Het recht op schadevergoeding krachtens lid 1 komt de verkoper niet toe indien de afwijking betrekking heeft op feiten die hij kende of behoorde te kennen, dan wel haar oorzaak vindt in een omstandigheid die is voorgevallen nadat de zaak aan hem werd afgeleverd.

Beperking

4. Indien aan de zaak een eigenschap ontbreekt die deze volgens de verkoper bezat, is het recht van de verkoper op schadevergoeding krachtens lid 1 beperkt tot het bedrag waarop hij aanspraak had kunnen maken indien hij de toezegging niet had gedaan.

Overeenkomstige toepassing

5. Op het verhaal krachtens eerdere koopovereenkomsten zijn de vorige leden van overeenkomstige toepassing.

Gebruikte zaken

6. De vorige leden zijn niet van toepassing voorzover het betreft schade als bedoeld in artikel 24 lid 2.

AFDELING 4
Verplichtingen van de koper

Koopprijs betalen

Art. 26. *(7.1.4.1)* 1. De koper is verplicht de prijs te betalen.

Tijd en plaats betaling

2. De betaling moet geschieden ten tijde en ter plaatse van de aflevering. Bij een consumentenkoop kan de koper tot vooruitbetaling van ten hoogste de helft van de koopprijs worden verplicht.

Betaling bij koop van onroerende zaken resp. vermogensrechten

3. Is voor de eigendomsoverdracht een notariële akte vereist, gevolgd door inschrijving daarvan in de daartoe bestemde openbare registers, dan moet het verschuldigde ten tijde van de ondertekening van deze akte tenminste uit de macht van de koper zijn gebracht en behoeft het pas na de inschrijving in de macht van de verkoper te worden gebracht.

Opschorting betaling koopprijs

Art. 27. *(7.1.4.2)* Wanneer de koper gestoord wordt of goede grond heeft te vrezen dat hij gestoord zal worden door een vordering tot uitwinning of tot erkenning van een recht op de zaak dat daarop niet had mogen rusten, kan hij de betaling van de koópprijs opschorten, tenzij de verkoper voldoende zekerheid stelt om het nadeel te dekken dat de koper dreigt te lijden.

Cons. koop: verjaring rechtsvordering tot betaling

Art. 28. *(7.1.4.2b)* Bij een consumentenkoop verjaart de rechtsvordering tot betaling van de koopprijs door verloop van twee jaren.

Zorgplicht koper; retentierecht voor kosten

Art. 29. *(7.1.4.3)* 1. Heeft de koper de zaak ontvangen doch is hij voornemens deze te weigeren, dan moet hij als een zorgvuldig schuldenaar voor het behoud ervan zorgen; hij heeft op de zaak een retentierecht totdat hij door de verkoper voor de door hem in redelijkheid gemaakte kosten schadeloos is gesteld.

In ontvangst nemen te weigeren zaak

2. De koper die voornemens is een aan hem verzonden en op de plaats van bestemming te zijner beschikking gestelde zaak te weigeren, moet, zo dit geen betaling van de koopprijs en geen ernstige bezwaren of onredelijke kosten meebrengt, deze in ontvangst nemen, tenzij de verkoper op de plaats van bestemming aanwezig is of iemand aldaar bevoegd is zich voor zijn rekening met de zorg voor de zaak te belasten.

Doen verkopen zaak door koper

Art. 30. *(7.1.4.5)* Wanneer in de gevallen, in artikel 29 voorzien, de zaak aan snel tenietgaan of achteruitgang onderhevig is of wanneer de bewaring daarvan ernstige bezwaren of onredelijke kosten zou meebrengen, is de koper verplicht de zaak op een geschikte wijze te doen verkopen.

AFDELING 5
Bijzondere gevolgen van verzuim van de koper

Specificatiebevoegdheid verkoper

Art. 31. *(7.1.5.1)* Indien de overeenkomst aan de koper de bevoegdheid geeft door aanwijzing van maat of vorm of op andere wijze de zaak te specificeren en hij daarmede in verzuim is, kan de verkoper daartoe zelf overgaan, met inachtneming van de hem bekende behoeften van de koper.

Doen verkopen zaak door verkoper

Art. 32. *(7.1.5.2)* Ingeval de koper met de inontvangstneming in verzuim is, vindt artikel 30 overeenkomstige toepassing.

AFDELING 6
Bijzondere gevallen van ontbinding

Aflevering op essentiële datum

Art. 33. *(7.1.6.1)* Indien de aflevering van een roerende zaak op een bepaalde dag essentieel is en op die dag de koper niet in ontvangst neemt, levert zulks een grond op tot ontbinding als bedoeld in artikel 265 van Boek 6.

Vrees voor niet-betaling

Art. 34. *(7.1.6.2)* De verkoper kan de koop door een schriftelijke verklaring ontbinden, indien het achterwege blijven van inontvangstneming hem goede grond geeft te vrezen dat de prijs niet zal worden betaald.

Verhoging koopprijs op grond van beding bij cons. koop

Art. 35. *(7.1.6.2a)* 1. Indien de verkoper bij een consumentenkoop krachtens een bij die overeenkomst gemaakt beding de koopprijs na het sluiten van de koop verhoogt, is de koper bevoegd de koop door een schriftelijke verklaring te ontbinden, tenzij bedongen is dat de aflevering langer dan drie maanden na de koop zal plaatsvinden.

Voorlopige koopprijs

2. Voor de toepassing van lid 1 wordt onder koopprijs begrepen het bedrag dat bij het sluiten van de overeenkomst onder voorbehoud van prijswijziging voorlopig als koopprijs is opgegeven.

AFDELING 7
Schadevergoeding

Omvang schadevergoeding bij ontbinding

Art. 36. *(7.1.7.1)* 1. In geval van ontbinding van de koop is, wanneer de zaak een dagprijs heeft, de schadevergoeding gelijk aan het verschil tussen de in de overeenkomst bepaalde prijs en de dagprijs ten dage van de niet-nakoming.

Berekening

2. Voor de berekening van deze schadevergoeding is de in aanmerking te nemen dagprijs die van de markt waar de koop plaatsvond, of, indien er geen dergelijke dagprijs is of deze bezwaarlijk zou kunnen worden toegepast, de prijs van de markt die deze redelijkerwijs kan vervangen; hierbij wordt rekening gehouden met verschillen in de kosten van vervoer van de zaak.

Dekkingskoop

Art. 37. *(7.1.7.2)* Heeft de koper of de verkoper een dekkingskoop gesloten en is hij daarbij redelijk te werk gegaan, dan komt hem het verschil toe tussen de overeengekomen prijs en die van de dekkingskoop.

Art. 38. *(7.1.7.3)* De bepalingen van de twee voorgaande artikelen sluiten het recht op een hogere schadevergoeding niet uit ingeval meer schade is geleden.

Schadevergoeding bij meer schade

AFDELING 8
Recht van reclame

Art. 39. *(7.1.8.1)* 1. De verkoper van een roerende, aan de koper afgeleverde zaak die niet een registergoed is, kan, indien de prijs niet betaald is en in verband daarmee aan de vereisten voor een ontbinding als bedoeld in artikel 265 van Boek 6 is voldaan, de zaak door een tot de koper gerichte schriftelijke verklaring terugvorderen. Door deze verklaring wordt de koop ontbonden en eindigt het recht van de koper of zijn rechtsverkrijger; de artikelen 271, 273, 275 en 276 van Boek 6 zijn van overeenkomstige toepassing.

Terugvordering afgeleverde zaak; ontbinding

2. Is slechts de prijs van een bepaald deel van het afgeleverde niet betaald, dan kan de verkoper slechts dat deel terugvorderen. Is ten aanzien van het geheel een deel van de prijs niet betaald, dan kan de verkoper een daaraan evenredig deel van het afgeleverde terugvorderen indien het afgeleverde voor een zodanige verdeling vatbaar is. In beide gevallen wordt de koop slechts voor het teruggevorderde deel van het afgeleverde ontbonden.

Terugvordering bij gedeeltelijke betaling

3. In alle andere gevallen van gedeeltelijke betaling van de prijs kan de verkoper slechts het afgeleverde in zijn geheel terugvorderen tegen teruggave van het reeds betaalde.

Art. 40. *(7.1.8.2)* Is de koper in staat van faillissement verklaard of is aan hem surséance van betaling verleend, dan heeft de terugvordering geen gevolg, indien door de curator, onderscheidenlijk door de koper en de bewindvoerder, binnen een hun daartoe door de verkoper bij diens verklaring te stellen redelijke termijn de koopprijs wordt betaald of voor deze betaling zekerheid wordt gesteld.

Terugvordering bij faillissement

Art. 41. *(7.1.8.3)* De bevoegdheid tot terugvordering kan slechts worden uitgeoefend voor zover het afgeleverde zich nog in dezelfde staat bevindt als waarin het werd afgeleverd.

Uitoefening bevoegdheid tot terugvordering

Art. 42. *(7.1.8.4)* 1. Tenzij de zaak in handen van de koper is gebleven, vervalt de bevoegdheid tot terugvordering wanneer de zaak overeenkomstig artikel 90 lid 1 of artikel 91 van Boek 3 anders dan om niet is overgedragen aan een derde die redelijkerwijs niet behoefde te verwachten dat het recht zou worden uitgeoefend.

Derde

2. Is de zaak na de aflevering anders dan om niet in vruchtgebruik gegeven of verpand, dan is lid 1 van overeenkomstige toepassing.

Art. 43. *(7.1.8.6)* De verkoper kan zijn in artikel 39 omschreven bevoegdheid niet uitoefenen, indien de koper voor de volle koopprijs handelspapier heeft geaccepteerd. Bij acceptatie voor een gedeelte van de prijs kan de verkoper die bevoegdheid slechts uitoefenen, indien hij ten behoeve van de koper zekerheid stelt voor de vergoeding van hetgeen de koper uit hoofde van zijn acceptatie zou moeten betalen.

Handelspapier

Art. 44. *(7.1.8.7)* De in artikel 39 omschreven bevoegdheid van de verkoper vervalt, wanneer zowel zes weken zijn verstreken nadat de vordering tot betaling van de koopprijs opeisbaar is geworden, als zestig dagen, te rekenen van de dag waarop de zaak onder de koper of onder iemand van zijnentwege is opgeslagen.

Termijnen

AFDELING 9
Koop op proef

Art. 45. *(7.1.9.1)* 1. Koop op proef wordt geacht te zijn gesloten onder de opschortende voorwaarde dat de zaak de koper voldoet.

Koop op proef

2. Laat deze een termijn, voldoende om de zaak te beoordelen, voorbijgaan zonder de verkoper van zijn beslissing in kennis te stellen, dan kan hij de zaak niet meer weigeren.

Voorbijgaan termijn

Art. 46. *(7.1.9.2)* Zolang de koop niet definitief is, is de zaak voor risico van de verkoper.

Risico

AFDELING 10
Koop van vermogensrechten

Koop vermogensrecht

Art. 47. *(7.1.10.1)* Een koop kan ook op een vermogensrecht betrekking hebben. In dat geval zijn de bepalingen van de vorige afdelingen van toepassing voor zover dit in overeenstemming is met de aard van het recht.

Koop nalatenschap

Art. 48. *(7.1.10.2)* 1. Hij die een nalatenschap verkoopt zonder de goederen daarvan stuk voor stuk op te geven, is slechts gehouden voor zijn hoedanigheid van erfgenaam in te staan.

2. Heeft de verkoper reeds vruchten genoten, een tot de nalatenschap behorende vordering geïnd of goederen uit de nalatenschap vervreemd, dan moet hij die aan de koper vergoeden.

3. De koper moet aan de verkoper vergoeden hetgeen deze wegens de schulden en lasten der nalatenschap heeft betaald en hem voldoen hetgeen hij als schuldeiser van de nalatenschap te vorderen had.

AFDELING 11
Van koop en verkoop op afbetaling)*

AFDELING 12
Ruil

Ruil

Art. 49. *(7.1.12.1)* Ruil is de overeenkomst waarbij partijen zich verbinden elkaar over en weer een zaak in de plaats van een andere te geven.

Overeenkomstige toepassing

Art. 50. *(7.1.12.2)* De bepalingen betreffende koop vinden overeenkomstige toepassing, met dien verstande dat elke partij wordt beschouwd als verkoper voor de prestatie die zij verschuldigd is, en als koper voor die welke haar toekomt.

TITEL 4
Huur

AFDELING 1
Begripsomschrijving

Begripsomschrijving

Art. 7.4.1.1. 1. Huur is de overeenkomst waarbij de ene partij, de verhuurder, zich verbindt aan de andere partij, de huurder, een goed in gebruik te verstrekken en de huurder zich verbindt tot een tegenprestatie.

Pacht is geen huur

2. De pachtovereenkomst wordt niet als huur aangemerkt.

AFDELING 2
De verplichtingen van de verhuurder en de gebreken van het verhuurde goed

Verplichting het goed ter beschikking te stellen

Art. 7.4.2.1. De verhuurder is verplicht het goed ter beschikking van de huurder te stellen en te laten voor zover dat voor het overeengekomen gebruik noodzakelijk is.

Verhuurder aansprakelijk voor gebreken v.h. goed

Art. 7.4.2.2. 1. De verhuurder is op de voet van de bepalingen van deze afdeling aansprakelijk voor gebreken van het goed.

Gebrek

2. Een gebrek is een staat of eigenschap van het goed of een andere niet de huurder persoonlijk betreffende omstandigheid waardoor het goed aan de huurder niet het genot kan verschaffen, dat deze bij het aangaan van de overeenkomst er van mocht verwachten.

Feitelijke stoornis door derden geen gebrek

3. Een feitelijke stoornis door derden zonder bewering van recht op het gehuurde en een bewering van recht zonder feitelijke stoornis zijn geen gebreken in de zin van lid 2.

Dwingend recht

Art. 7.4.2.3. Artikel 7.4.2.2 vormt in zoverre dwingend recht, dat de verhuurder niettegenstaande afwijkend beding aansprakelijk is voor een gebrek dat hij bij het aangaan van de overeenkomst kende.

---

*) Zie artt. 1576-1576x BW.

Verplichting tot herstel gebreken

Art. 7.4.2.4. *1. De verhuurder is verplicht op verlangen van de huurder gebreken te verhelpen, tenzij dit onmogelijk is of uitgaven vereist die in de gegeven omstandigheden redelijkerwijs niet van de verhuurder zijn te vergen.*

Kleine herstellingen

2. Deze verplichting geldt niet ten aanzien van de kleine herstellingen tot het verrichten waarvan krachtens artikel 7.4.3.5 de huurder verplicht is, en ten aanzien van gebreken voor het ontstaan waarvan de huurder jegens de verhuurder aansprakelijk is.

Verzuim

3. Is de verhuurder met het verhelpen in verzuim, dan kan, niettegenstaande strijdig beding, de huurder dit verhelpen zelf verrichten en de daarvoor gemaakte kosten, voor zover deze redelijk waren, op de verhuurder verhalen, desgewenst door deze in mindering van de huurprijs te brengen.

Vermindering huurprijs o.g.v. gebrek v.h. gehuurde

Art. 7.4.2.5. *1. De huurder kan in geval van vermindering van het huurgenot ten gevolge van een gebrek een daaraan evenredige vermindering van de huurprijs vorderen van de dag waarop hij van het gebrek behoorlijk heeft kennis gegeven aan de verhuurder, tot die waarop het gebrek is verholpen.*

2. De huurder heeft geen aanspraak op huurvermindering terzake van gebreken die hij krachtens artikel 7.4.3.5 verplicht is te verhelpen, of voor het ontstaan waarvan hij jegens de verhuurder aansprakelijk is.

Verplichting tot schadevergoeding

Art. 7.4.2.6. *Onverminderd de gevolgen van niet-nakoming van de verplichting van artikel 7.4.2.4 is de verhuurder tot vergoeding van de door een gebrek veroorzaakte schade verplicht, indien het gebrek na het aangaan van de overeenkomst is ontstaan en aan hem is toe te rekenen, alsmede indien het gebrek bij het aangaan van de overeenkomst aanwezig was en de verhuurder het toen kende of had behoren te kennen, of toen aan de huurder heeft te kennen gegeven dat het goed het gebrek niet had.*

Bevoegdheid huur te ontbinden

Art. 7.4.2.7. *1. Indien een gebrek dat de verhuurder ingevolge artikel 7.4.2.4 niet verplicht is te verhelpen, het genot dat de huurder mocht verwachten, geheel onmogelijk maakt, zijn de verhuurder en de huurder bevoegd de huur te ontbinden.*

2. Indien een gebrek het deel van een gehuurde woning dat voor de huurder en zijn gezin voor bewoning noodzakelijk is, onbewoonbaar maakt dan wel werkzaamheden tot het verhelpen van een gebrek dit doen of zullen doen, is de huurder bevoegd de huur te ontbinden.

3. Indien het gebruik van een gehuurde woning gevaren oplevert, is de huurder bevoegd de huur te ontbinden. Een hiermede strijdig beding is nietig.

4. Een verplichting van een der partijen tot schadevergoeding ter zake van een gebrek omvat mede de door het eindigen van de huur ingevolge een der voorgaande leden veroorzaakte schade.

Overnemen rechtsvordering door verhuurder

Art. 7.4.2.8. *1. Is tegen de huurder een rechtsvordering betreffende een recht op het verhuurde goed ingesteld, dan moet de verhuurder, na kennisgeving daarvan door de huurder, ter keuze van de verhuurder het geding van de huurder overnemen of deze in staat stellen mogelijk verweer te voeren.*

2. De verhuurder moet aan de huurder alle door de rechtsvordering ontstane kosten vergoeden, doch, als de kennisgeving niet onverwijld is geschied, alleen de na de kennisgeving ontstane kosten.

AFDELING 3
De verplichtingen van de huurder

Gebruik als goed huurder

Art. 7.4.3.1. *De huurder is verplicht zich ten aanzien van het gebruik van het gehuurde goed als een goed huurder te gedragen.*

Gebruik zoals overeengekomen

Art. 7.4.3.2. *De huurder is slechts bevoegd tot het gebruik van het goed dat is overeengekomen, en, zo daaromtrent niets is overeengekomen, tot het gebruik waartoe het goed naar zijn aard bestemd is.*

Aanbrengen van veranderingen

Art. 7.4.3.3. *1. De huurder mag aan het gehuurde goed slechts die veranderingen en toevoegingen aanbrengen, die bij het einde van de huur zonder noemenswaardige kosten kunnen worden ongedaan gemaakt en verwijderd.*

Ongedaan maken van veranderingen

2. De huurder is, onverminderd de rechten van de verhuurder terzake van overtreding van lid 1, tot de ontruiming bevoegd veranderingen en toevoegingen ongedaan te maken, mits daarbij het gehuurde in de oorspronkelijke toestand terugbrengende.

3. De huurder is tot het ongedaan maken van geoorloofde veranderingen en toevoegingen slechts verplicht bij ontruiming en indien de verhuurder dit dan verlangt.

Ontbinding o.g.v. ander gebruik

Art. 7.4.3.4. Ontbinding van de huur op grond dat de huurder van het gehuurde goed een ander gebruik maakt of heeft gemaakt dan dat waartoe hij bevoegd is of aan het gehuurde goed ongeoorloofde veranderingen of toevoegingen heeft aangebracht, kan slechts door de rechter geschieden. Een hiermede strijdig beding is nietig.

Kosten klein herstel voor huurder

Art. 7.4.3.5. De huurder is verplicht te zijnen koste de kleine herstellingen en die welke volgens plaatselijk gebruik voor rekening van de huurder zijn, te verrichten, tenzij zij nodig zijn geworden door het tekortschieten van de verhuurder in zijn verplichting tot het verhelpen van gebreken.

Aansprakelijkheid voor schade door tekortschieten huurder

Art. 7.4.3.6. 1. De huurder is aansprakelijk voor schade aan het verhuurde goed die is ontstaan door een hem toe te rekenen tekortschieten in de nakoming van een verplichting uit de huurovereenkomst.

Vermoeden schuld huurder

2. Alle schade behalve brandschade wordt vermoed daardoor te zijn ontstaan.

3. De huurder wordt vermoed het gehuurde in onbeschadigde toestand te hebben ontvangen.

Huurder aansprakelijk voor gedragingen gebruikers

Art. 7.4.3.7. De huurder is jegens de verhuurder op gelijke wijze als voor eigen gedragingen aansprakelijk voor de gedragingen van hen die met zijn goedvinden het gehuurde gebruiken of zich met zijn goedvinden daarop bevinden.

Gelegenheid bieden tot het verrichten van dringende werkzaamheden

Art. 7.4.3.8. Indien gedurende de huurtijd dringende werkzaamheden aan het verhuurde goed moeten worden uitgevoerd of de verhuurder daarop krachtens artikel 5.4.17 iets moet toestaan ten behoeve van een naburig erf, moet de huurder daartoe de gelegenheid geven, onverminderd zijn aanspraken op vermindering van huurprijs, op ontbinding en op schadevergoeding.

In gebruik geven gehuurde goed

Art. 7.4.3.9. De huurder is bevoegd het gehuurde goed geheel of gedeeltelijk aan een ander in gebruik te geven, tenzij hij kan verwachten dat de verhuurder tegen het in gebruik geven aan die ander redelijke bezwaren zal hebben.

Voldoen tegenprestatie

Art. 7.4.3.10. 1. De huurder is verplicht de tegenprestatie te voldoen op de tijdstippen waarop deze ingevolge de overeenkomst vervalt.

Stellen van zekerheid

2. De huurder van een woning is verplicht om hetzij deze te voorzien van huisraad waarop de verhuurder de huurprijs van een jaar kan verhalen, hetzij zekerheid te stellen voor de voldoening van de tegenprestatie van een jaar.

In pand nemen van vordering uit onderhuur

Art. 7.4.3.11. 1. Is de huurder met de nakoming van zijn verplichtingen in gebreke en heeft hij het gehuurde goed onderverhuurd, dan kan de verhuurder de vorderingen die de huurder uit de onderhuur heeft, in pand nemen door schriftelijke kennisgevingen aan de huurder en aan de onderhuurder.

Vordering maximaal twee jaar oud

2. Het pandrecht strekt tot waarborg voor al hetgeen de verhuurder uit de huurovereenkomst te vorderen heeft, voor zover zijn vordering op het ogenblik waarop de kennisgeving de onderhuurder bereikt, niet ouder is dan twee jaar. Het omvat al hetgeen de onderhuurder op dat ogenblik uit de onderhuur ter zake van het onderverhuurde goed schuldig is en daarna schuldig wordt.

3. Een beschikking door de huurder over een niet opeisbare vordering op de onderhuurder werkt niet ten nadele van de verhuurder.

Kennisgeving gebreken aan verhuurder

Art. 7.4.3.12. Indien de huurder gebreken aan het goed ontdekt of derden hem in zijn genot storen of enig recht op het goed beweren, moet hij daarvan onverwijld de verhuurder kennisgeven, bij gebreke waarvan hij verplicht is aan de verhuurder de door de nalatigheid ontstane schade te vergoeden.

Woonplaats

Art. 7.4.3.13. De huurder van een woning wordt geacht aldaar voor de uitvoering van de huurovereenkomst woonplaats te hebben gekozen, onverschillig of hij die woning zelf gebruikt dan wel haar aan een ander in gebruik heeft gegeven.

Dulden aanbrengen kennisgeving te huurlte koop

Art. 7.4.3.14. De huurder van een onroerende zaak is, indien de verhuurder tot verhuur na afloop van de lopende huur of tot verkoop wenst over te gaan, verplicht te dulden dat aan de zaak de gebruikelijke kennisgevingen van het tehuur of het tekoop zijn worden aangebracht, en aan belangstellenden gelegenheid te geven tot bezichtiging.

Ter beschikking stellen gehuurde

Art. 7.4.3.15. De huurder is verplicht het gehuurde bij het einde van de huur weder ter beschikking van de verhuurder te stellen.

Schadevergoeding bij niet ter beschikking stellen

Art. 7.4.3.16. Houdt de huurder na geëindigde huur het gehuurde onrechtmatig onder zich, dan kan de verhuurder over de tijd dat hij het goed mist, een vergoeding vorderen gelijk aan de huurprijs, onverminderd, indien zijn schade meer dan deze vergoeding bedraagt, zijn recht op het meerdere.

AFDELING 4
De overgang van de huur bij overdracht van het verhuurde goed en het eindigen van de huur

'Koop breekt geen huur'

Art. 7.4.4.1. 1. Eigendomsoverdracht van en vestiging of overdracht van een recht van vruchtgebruik, erfpacht, beklemming of opstal op het verhuurde goed door de verhuurder doen de rechten en verplichtingen van de verhuurder uit de huurovereenkomst, die daarna opeisbaar worden, overgaan op de verkrijger.
2. Overdracht door een schuldeiser van de verhuurder wordt met overdracht door de verhuurder gelijkgesteld.
3. De verkrijger wordt slechts gebonden door die bedingen van de huurovereenkomst, die onmiddelijk met het doen hebben van het gebruik van het goed tegen een door de huurder te betalen prijs verband houden.

Recht van retentie

4. Is tussen de verhuurder en de huurder overeengekomen dat bij overdracht of vestiging als genoemd in lid 1 de huur zal eindigen en dat de huurder alsdan recht zal hebben op schadevergoeding, dan behoeft de huurder het gehuurde noch aan de verhuurder noch aan de verkrijger af te geven zolang de schadevergoeding hem niet is betaald.
5. Is ten aanzien van een voor bepaalde tijd aangegane huur door de verhuurder bedongen dat in geval van zodanige overdracht of vestiging de huur zal eindigen of door de verhuurder zal kunnen worden beëindigd, dan zal niettemin de huur in dat geval tussen de verhuurder en de huurder blijven voortduren en de verkrijger jegens de huurder geen recht op afgifte van het gehuurde hebben, totdat de verhuurder de huur door een opzegging overeenkomstig de voor huur voor onbepaalde tijd geldende regels zal hebben doen eindigen, met dien verstande dat zij, indien voor dit geval beëindiging op een later tijdstip is overeengekomen, op dat latere tijdstip zal eindigen.

Art. 7.4.4.2. In geval van vestiging of overdracht van een ander dan de in artikel 7.4.4.1 lid 1 genoemde beperkte rechten op het verhuurde goed, is de gerechtigde jegens de huurder verplicht zich te onthouden van een uitoefening van dat recht, die het gebruik door de huurder belemmert.

Einde huur voor bepaalde tijd

Art. 7.4.4.3. 1. Een huur voor bepaalde tijd aangegaan eindigt, zonder dat daartoe een opzegging wordt vereist, wanneer die tijd verstreken is.

Einde huur voor onbepaalde tijd

2. Een huur voor onbepaalde tijd aangegaan eindigt door opzegging. Opzegging van de huur van een onroerende zaak kan slechts geschieden tegen een voor huurbetaling overeengekomen dag en met inachtneming van een termijn als tussen twee opvolgende voor huurbetaling overeengekomen dagen verloopt doch van ten minste veertien dagen, met dien verstande dat opzegging steeds met inachtneming van een termijn van drie maanden tegen een willekeurige dag kan geschieden.

Overeenkomstige toepassing

Art. 7.4.4.4. Artikel 7.4.4.1 lid 5 is van overeenkomstige toepassing indien ten aanzien van een voor bepaalde tijd aangegane huur door de verhuurder bedongen is dat in zekere andere omstandigheden dan de in lid 1 van dat artikel genoemde overdracht of vestiging de huur binnen die tijd zal eindigen of door de verhuurder zal kunnen worden beëindigd.

Dood door huurder

Art. 7.4.4.5. 1. De dood van de huurder of de verhuurder doet de huur niet eindigen.

Opzegging huur door erfgenamen

2. Indien ten aanzien van een voor bepaalde tijd aangegane huurovereenkomst de erfgenamen van de huurder niet bevoegd zijn het goed aan een ander in gebruik te geven, kunnen zij gedurende zes maanden na het overlijden van hun erflater de overeenkomst als een voor onbepaalde tijd aangegane huur opzeggen.

Twee of meer erfgenamen

3. Indien een huurder twee of meer erfgenamen nalaat, is de verhuurder verplicht zijn medewerking te verlenen aan de toedeling van de rechten en verplichtingen van de overleden huurder uit de huurovereenkomst door de gezamenlijke erfgenamen aan een of meer van hen, tenzij de verhuurder tegen een of meer der aangewezenen redelijke bezwaren heeft.

Voortdurend gebruik

Art. 7.4.4.6. Indien na afloop van een huurovereenkomst de huurder met goedvinden van de verhuurder het gebruik van het gehuurde behoudt, wordt daardoor, tenzij van een andere bedoeling blijkt, de overeenkomst, ongeacht de tijd waarvoor zij was aangegaan, voor onbepaalde tijd verlengd, in dier voege dat zij eindigt door opzegging als in artikel 7.4.4.3 lid 2 voorgeschreven.

TITEL 7
Opdracht

AFDELING 1
Opdracht in het algemeen

Opdracht

Art. 400. *(7.7.1.1.)* 1. De overeenkomst van opdracht is de overeenkomst waarbij de ene partij, de opdrachtnemer, zich jegens de andere partij, de opdrachtgever, verbindt buiten dienstbetrekking werkzaamheden te verrichten die in iets anders bestaan dan het tot stand brengen van een werk van stoffelijke aard, het bewaren van zaken, het uitgeven van werken of het vervoeren of doen vervoeren van personen of zaken.

2. De artikelen 401-412 zijn, onverminderd artikel 413, van toepassing, tenzij iets anders voortvloeit uit de wet, de inhoud of aard van de overeenkomst van opdracht of van een andere rechtshandeling, of de gewoonte.

Zorgplicht opdrachtnemer

Art. 401. *(7.7.1.2)* De opdrachtnemer moet bij zijn werkzaamheden de zorg van een goed opdrachtnemer in acht nemen.

Aanwijzingen

Art. 402. *(7.7.1.3)* 1. De opdrachtnemer is gehouden gevolg te geven aan tijdig verleende en verantwoorde aanwijzingen omtrent de uitvoering van de opdracht.

Opzegging opdracht wegens gewichtige redenen

2. De opdrachtnemer die op redelijke grond niet bereid is de opdracht volgens de hem gegeven aanwijzingen uit te voeren, kan, zo de opdrachtgever hem niettemin aan die aanwijzingen houdt, de overeenkomst opzeggen wegens gewichtige redenen.

Art. 403. *(7.7.1.4)* 1. De opdrachtnemer moet de opdrachtgever op de hoogte houden van zijn werkzaamheden ter uitvoering van de opdracht en hem onverwijld in kennis stellen van de voltooiing van de opdracht, indien de opdrachtgever daarvan onkundig is.

Verantwoording

2. De opdrachtnemer doet aan de opdrachtgever verantwoording van de wijze waarop hij zich van de opdracht heeft gekweten. Heeft hij bij de uitvoering van de opdracht ten laste van de opdrachtgever gelden uitgegeven of te diens behoeve gelden ontvangen, dan doet hij daarvan rekening.

Persoonlijk Karakter Opdracht

Art. 404. *(7.7.1.5)* Indien de opdracht is verleend met het oog op een persoon die met de opdrachtnemer of in zijn dienst een beroep of een bedrijf uitoefent, is die persoon gehouden de werkzaamheden, nodig voor de uitvoering van de opdracht, zelf te verrichten, behoudens voor zover uit de opdracht voortvloeit dat hij deze onder zijn verantwoordelijkheid door anderen mag laten uitvoeren; alles onverminderd de aansprakelijkheid van de opdrachtnemer.

Loon opdrachtnemer

Art. 405. *(7.7.1.6)* 1. Indien de overeenkomst door de opdrachtnemer in de uitoefening van zijn beroep of bedrijf is aangegaan, is de opdrachtgever hem loon verschuldigd.

Berekening loon

2. Indien loon is verschuldigd doch de hoogte niet door partijen is bepaald, is de opdrachtgever het op de gebruikelijke wijze berekende loon of, bij gebreke daarvan, een redelijk loon verschuldigd.

Vergoeding onkosten

Art. 406. *(7.7.1.7)* 1. De opdrachtgever moet aan de opdrachtnemer de onkosten verbonden aan de uitvoering van de opdracht vergoeden, voor zover deze niet in het loon zijn begrepen.

Vergoeding schade

2. De opdrachtgever moet de opdrachtnemer de schade vergoeden die deze lijdt ten gevolge van de hem niet toe te rekenen verwezenlijking van een aan de opdracht verbonden bijzonder gevaar. Heeft de opdrachtnemer in de uitoefening van zijn beroep of bedrijf gehandeld, dan geldt de vorige zin slechts, indien dat gevaar de risico's welke de uitoefening van dat beroep of bedrijf naar zijn aard meebrengt, te buiten gaat. Geschiedt de uitvoering van de opdracht anderszins tegen loon, dan is de eerste zin slechts van toepassing, indien bij de vaststelling van het loon met het gevaar geen rekening is gehouden.

Art. 407. *(7.7.1.8)* 1. Indien twee of meer personen tezamen een opdracht hebben gegeven, zijn zij hoofdelijk tegenover de opdrachtnemer verbonden.

Twee of meer opdrachtgevers

2. Indien twee of meer personen tezamen een opdracht hebben ontvangen, is ieder van hen voor het geheel aansprakelijk ter zake van een tekortkoming in de nakoming, tenzij de tekortkoming niet aan hem kan worden toegerekend.

Twee of meer opdrachtnemers

Art. 408. *(7.7.1.9)* 1. De opdrachtgever kan te allen tijde de overeenkomst opzeggen.

Opzegging

2. De opdrachtnemer die de overeenkomst is aangegaan in de uitoefening van een beroep of bedrijf, kan, behoudens gewichtige redenen, de overeenkomst slechts opzeggen, indien zij voor onbepaalde duur geldt en niet door volbrenging eindigt.

3. Een natuurlijk persoon die een opdracht heeft verstrekt anders dan in de uitoefening van een beroep of bedrijf, is, onverminderd artikel 406, ter zake van een opzegging geen schadevergoeding verschuldigd.

Art. 409. *(7.7.1.10)* 1. Indien de opdracht met het oog op een bepaalde persoon is verleend, eindigt zij door zijn dood.

Dood opdrachtnemer

2. Alsdan zijn diens erfgenamen, indien zij kennis dragen van de erfopvolging en van de opdracht, verplicht al datgene te doen wat de omstandigheden in het belang van de wederpartij eisen. Een overeenkomstige verplichting rust op degenen in wier dienst of met wie de opdrachtnemer een beroep of bedrijf uitoefende.

Verplichting erfgenamen

Art. 410. *(7.7.1.11)* 1. De dood van de opdrachtgever doet de opdracht slechts eindigen, indien dit uit de overeenkomst voortvloeit, en dan eerst vanaf het tijdstip waarop de opdrachtnemer de dood heeft gekend.

Dood opdrachtgever

2. Eindigt de opdracht door de dood van de opdrachtgever, dan is de opdrachtnemer niettemin verplicht al datgene te doen wat de omstandigheden in het belang van de wederpartij eisen.

Verplichting opdrachtnemer

Art. 411. *(7.7.1.12)* 1. Indien de overeenkomst eindigt voordat de opdracht is volbracht of de tijd waarvoor zij is verleend, is verstreken, en de verschuldigdheid van loon afhankelijk is van de volbrenging of van het verstrijken van die tijd, heeft de opdrachtnemer recht op een naar redelijkheid vast te stellen deel van het loon. Bij de bepaling hiervan wordt onder meer rekening gehouden met de reeds door de opdrachtnemer verrichte werkzaamheden, het voordeel dat de opdrachtgever daarvan heeft, en de grond waarop de overeenkomst is geëindigd.

Bepaling loon

2. In het in lid 1 bedoelde geval heeft de opdrachtnemer slechts recht op het volle loon, indien het einde van de overeenkomst aan de opdrachtgever is toe te rekenen en de betaling van het volle loon, gelet op alle omstandigheden van het geval, redelijk is. Op het bedrag van het loon worden de besparingen die voor de opdrachtnemer uit de voortijdige beëindiging voortvloeien, in mindering gebracht.

Vol loon in mindering brengen besparingen

Art. 412. *(7.7.1.13)* Een rechtsvordering tegen de opdrachtnemer tot afgifte van de stukken die hij ter zake van de opdracht onder zich heeft gekregen, verjaart door verloop van vijf jaren na de aanvang van de dag, volgende op die waarop zijn bemoeiingen zijn geëindigd.

Afgifte van stukken

Art. 413. *(7.7.1.14)* 1. Van artikel 408 lid 3 kan niet worden afgeweken.

Dwingend recht

2. Van de artikelen 408 lid 1 en 411 kan niet worden afgeweken ten nadele van een opdrachtgever als bedoeld in artikel 408 lid 3.

3. Van artikel 412 kan slechts op dezelfde voet worden afgeweken als van de regels inzake de verjaring van rechtsvorderingen die in titel 11 van Boek 3 zijn opgenomen.

AFDELING 2
Lastgeving

Art. 414. *(7.7.2.1)* 1. Lastgeving is de overeenkomst van opdracht waarbij de ene partij, de lasthebber, zich jegens de andere partij, de lastgever, verbindt voor rekening van de lastgever een of meer rechtshandelingen te verrichten.

Lastgeving

2. De overeenkomst kan de lasthebber verplichten te handelen in eigen naam; zij kan ook verplichten te handelen in naam van de lastgever.

Art. 415. *(7.7.2.2)* Indien een lastgeving met twee of meer lasthebbers is aangegaan, is ieder van hen bevoegd zelfstandig te handelen.

Twee of meer lasthebbers ieder bevoegd

Selbsteintritt

Art. 416. *(7.7.2.3)* 1. Een lasthebber kan slechts als wederpartij van de lastgever optreden, indien de inhoud van de rechtshandeling zo nauwkeuring vaststaat dat strijd tussen beider belangen is uitgesloten.

Lasthebber in eigen naam

2. Een lasthebber die slechts in eigen naam mag handelen, kan niettemin als wederpartij van de lastgever optreden, indien de inhoud van de rechtshandeling zo nauwkeurig vaststaat dat strijd tussen beider belangen is uitgesloten.

Schriftelijke toestemming

3. Indien de lastgever een persoon is als bedoeld in artikel 408 lid 3, is voor een rechtshandeling waarbij de lasthebber als zijn wederpartij optreedt, op straffe van vernietigbaarheid zijn schriftelijke toestemming vereist.

Loon

4. De lasthebber die in overeenstemming met de vorige leden als wederpartij van de lastgever optreedt, behoudt zijn recht op loon.

Dienen van twee heren

Art. 417. *(7.7.2.4)* 1. Een lasthebber mag slechts tevens als lasthebber van de wederpartij optreden, indien de inhoud van de rechtshandeling zo nauwkeurig vaststaat dat strijd tussen de belangen van beide lastgevers is uitgesloten.

Schriftelijke toestemming

2. Indien de lastgever een persoon is als bedoeld in artikel 408 lid 3, is voor de geoorloofdheid van een rechtshandeling waarbij de lasthebber ook als lasthebber van de wederpartij optreedt, zijn schriftelijke toestemming vereist.

Loon; schade vergoeding

3. Een lasthebber heeft geen recht op loon jegens een lastgever ten opzichte van wie hij in strijd met het in de vorige leden bepaalde handelt, onverminderd zijn gehoudenheid tot vergoeding van de dientengevolge door die lastgever geleden schade. Van deze bepaling kan niet ten nadele van een lastgever worden afgeweken.

4. Indien een der lastgevers een persoon is als bedoeld in artikel 408 lid 3, en de rechtshandeling strekt tot koop of verkoop dan wel huur of verhuur van een onroerende zaak of een gedeelte daarvan of van een recht waaraan de zaak is onderworpen, heeft de lasthebber geen recht op loon jegens de koper of huurder. Van deze bepaling kan niet ten nadele van de koper of huurder worden afgeweken, tenzij de rechtshandeling strekt tot huur of verhuur van een tot woonruimte bestemd gedeelte van een zelfstandige woning.

Eigen belang lasthebber; kennisgeving lastgever

Art. 418. *(7.7.2.5)* 1. Heeft, buiten de gevallen bedoeld in de artikelen 416 en 417, een lasthebber direct of indirect belang bij de totstandkoming van de rechtshandeling, dan is hij verplicht de lastgever daarvan in kennis te stellen, tenzij de inhoud van de rechtshandeling zo nauwkeurig vaststaat dat strijd tussen beider belangen is uitgesloten.

2. Een lasthebber heeft geen recht op loon jegens een lastgever ten opzichte van wie hij in strijd met het in lid 1 bepaalde handelt, onverminderd zijn gehoudenheid tot vergoeding van de dientengevolge door de lastgever geleden schade. Van deze bepaling kan niet ten nadele van de lastgever worden afgeweken.

Lasthebber in eigen naam bevoegd tot geldend maken recht op schade vergoeding;

Art. 419. *(7.7.2.6)* Indien een lasthebber in eigen naam een overeenkomst heeft gesloten met een derde die in de nakoming van zijn verplichtingen tekortschiet, is de derde binnen de grenzen van hetgeen omtrent zijn verplichting tot schadevergoeding overigens uit de wet voortvloeit, jegens de lasthebber mede gehouden tot vergoeding van de schade die de lastgever door de tekortkoming heeft geleden.

Niet nakomen verplichtingen jegens lastgever en faillissement lasthebber in eigen naam

Art. 420. *(7.7.2.7)* 1. Indien een lasthebber die in eigen naam een overeenkomst heeft gesloten met een derde, zijn verplichtingen jegens de lastgever niet nakomt of in staat van faillissement geraakt, kan de lastgever de voor overgang vatbare rechten van de lasthebber jegens de derde door een schriftelijke verklaring aan hen beiden op zich doen overgaan, behoudens voor zover zij in de onderlinge verhouding tussen lastgever en lasthebber aan deze laatste toekomen.

Niet nakomen verplichtingen door derde

2. Dezelfde bevoegdheid heeft de lastgever indien de derde zijn verplichtingen tegenover de lasthebber niet nakomt, tenzij deze de lastgever voldoet alsof de derde zijn verplichtingen was nagekomen.

Mededeling naam derde

3. De lasthebber is in de gevallen in dit artikel bedoeld gehouden de naam van de derde aan de lastgever op diens verzoek mede te delen.

Niet nakomen verplichtingen jegens derde of faillissement lasthebber in eigen naam

Art. 421. *(7.7.2.8)* 1. Indien een lasthebber die in eigen naam een overeenkomst heeft gesloten met een derde, zijn verplichtingen jegens de derde niet nakomt of in staat van faillissement geraakt, kan de derde na schriftelijke mededeling aan de lasthebber en de lastgever zijn rechten uit de overeenkomst tegen de lastgever uitoefenen, voor zover deze op het tijdstip van de mededeling op overeenkomstige wijze jegens de lasthebber gehouden is.

2. De lasthebber is in het geval in dit artikel bedoeld gehouden de naam van de lastgever aan de derde op diens verzoek mede te delen.

Mededeling naam lastgever

Art. 422. *(7.7.2.9)* 1. Lastgeving eindigt, behalve door opzegging overeenkomstig artikel 408, door:

Einde lastgeving

a. de dood, de ondercuratelestelling of het faillissement van de lastgever, met dien verstande dat de dood of de ondercuratelestelling de overeenkomst doet eindigen op het tijdstip waarop de lasthebber daarvan kennis krijgt;
b. de dood, de ondercuratelestelling of het faillissement van de lasthebber.

2. Van artikel 408 lid 1 voor zover van toepassing op lastgeving, en van lid 1 onder a kan niet worden afgeweken. Voor zover de overeenkomst strekt tot het verrichten van een rechtshandeling in het belang van de lasthebber of van een derde, kan echter worden bepaald dat zij niet door de lastgever kan worden opgezegd, of dat zij niet eindigt door de dood of de ondercuratelestelling van de lastgever. Artikel 74 leden 1, tweede zin, 2 en 4 van Boek 3 is van overeenkomstige toepassing.

Dwingend recht

3. Eindigt de lastgeving door de dood of de ondercuratelestelling van de lastgever, dan is de lasthebber niettemin verplicht al datgene te doen wat de omstandigheden in het belang van de wederpartij eisen.

Dood en onder curatelestelling, lastgever

4. Eindigt de lastgeving door de dood van de lasthebber, dan zijn diens erfgenamen, indien zij kennis dragen van de erfopvolging en van de lastgeving, verplicht al datgene te doen wat de omstandigheden in het belang van de wederpartij eisen. Een overeenkomstige verplichting rust op degenen in wier dienst of met wie de lasthebber een beroep of bedrijf uitoefende.

Dood lasthebber

Art. 423. *(7.7.2.10)* 1. Indien is bedongen dat de lasthebber een aan de lastgever toekomend recht in eigen naam en met uitsluiting van de lastgever zal uitoefenen, mist deze de bevoegdheid tot deze uitoefening voor de duur van de overeenkomst ook jegens derden. De uitsluiting kan niet worden tegengeworpen aan derden die haar kenden noch behoorden te kennen.

Uitsluiting bevoegdheid lastgever

2. Indien de lasthebber die de uitsluiting bedong, een rechtspersoon is die zich ingevolge zijn statuten ten doel stelt de gezamenlijke belangen van meer lastgevers door de uitoefening van de aan hen toekomende rechten te behartigen, kan in afwijking van artikel 422 lid 2 worden overeengekomen dat de lastgeving niet zal eindigen door opzegging door de lastgever op een termijn die minder dan een jaar bedraagt, noch door diens dood, ondercuratelestelling of faillissement. Dit beding sluit niet uit dat de overeenkomst op een termijn van ten minste één maand kan worden opgezegd door de erfgenamen van de lastgever of, in geval van diens faillissement of ondercuratelestelling, door de curator.

Lasthebber rechtspersoon

Art. 424. *(7.7.2.11)* 1. De artikelen 415-423 zijn van overeenkomstige toepassing op andere overeenkomsten dan lastgeving krachtens welke de ene partij verplicht of bevoegd is voor rekening van de andere partij rechtshandelingen te verrichten, voor zover de strekking van de betrokken bepalingen in verband met de aard van de overeenkomst zich daartegen niet verzet.

Overeenkomstige toepassing

2. Het vorige lid is niet van toepassing op overeenkomsten tot het vervoeren of doen vervoeren van personen of zaken.

Uitzonderingen

AFDELING 3
Bemiddelingsovereenkomst

Art. 425. *(7.7.3.1)* De bemiddelingsovereenkomst is de overeenkomst van opdracht waarbij de ene partij, de opdrachtnemer, zich tegenover de andere partij, de opdrachtgever, verbindt tegen loon als tussenpersoon werkzaam te zijn bij het tot stand brengen van een of meer overeenkomsten tussen de opdrachtgever en derden.

Bemiddelingsovereenkomst

Art. 426. *(7.7.3.2)* 1. De tussenpersoon heeft recht op loon zodra door zijn bemiddeling de overeenkomst tussen de opdrachtgever en de derde is tot stand gekomen.

Recht op loon tussenpersoon

2. Indien het recht op loon afhankelijk is gesteld van de uitvoering van de bemiddelde overeenkomst en deze overeenkomst niet wordt uitgevoerd, is de opdrachtgever het loon ook verschuldigd, tenzij de niet-uitvoering niet aan hem kan worden toegerekend.

Verschuldigd loon bij niet-uitvoering

Art. 427. *(7.7.3.3)* De artikelen 417 en 418 zijn van overeenkomstige toepassing op overeenkomsten waarbij de ene partij jegens de andere partij verplicht of be-

Dienen van twee heren/ eigen belang

voegd is als tussenpersoon werkzaam te zijn als bedoeld in artikel 425, met dien verstande dat met een tussenpersoon die tevens werkzaam is voor de wederpartij, gelijkgesteld is een tussenpersoon die zelf als wederpartij optreedt.

AFDELING 4
Agentuurovereenkomst

Agentuurovereenkomst

Art. 428. *(7.7.4.1)* 1. De agentuurovereenkomst is een overeenkomst waarbij de ene partij, de principaal, aan de andere partij, de handelsagent, opdraagt, en deze zich verbindt, voor een bepaalde of een onbepaalde tijd en tegen beloning bij de totstandkoming van overeenkomsten bemiddeling te verlenen, en deze eventueel op naam en voor rekening van de principaal te sluiten zonder aan deze ondergeschikt te zijn.

2. De bepalingen van deze afdeling zijn niet van toepassing op agentuurovereenkomsten waarop de Wet assurantiebemiddelingsbedrijf van toepassing is.

Ondertekend geschrift

3. Ieder der partijen is verplicht de wederpartij op haar verzoek een ondertekend geschrift te verschaffen dat de dan geldende inhoud van de agentuurovereenkomst weergeeft.

Schriftelijke aansprakelijkheid handelsagent

Art. 429. *(7.7.4.2)* 1. De handelsagent kan zich voor verplichtingen die voor derden uit een door hem bemiddelde of afgesloten overeenkomst voortvloeien, uitsluitend schriftelijk aansprakelijk stellen.

2. Tenzij schriftelijk anders is overeengekomen, is de handelsagent krachtens een beding van delcredere slechts aansprakelijk voor gegoedheid van de derde.

Niet aansprakelijk voor bedrag hoger dan provisie

3. Hij kan zich niet aansprakelijk stellen tot een hoger bedrag dan de overeengekomen provisie, tenzij het beding betrekking heeft op een bepaalde overeenkomst of op overeenkomsten die hij zelf in naam van de principaal sluit.

Wanverhouding risico en provisie

4. Indien er een kennelijke wanverhouding is tussen het risico dat de handelsagent op zich heeft genomen, en de bedongen provisie, kan de rechter het bedrag waarvoor de handelsagent aansprakelijk is, matigen, voor zover dit bedrag de provisie te boven gaat. De rechter houdt met alle omstandigheden rekening, in het bijzonder met de wijze waarop de handelsagent de belangen van de principaal heeft behartigd.

Verplichtingen principaal

Art. 430. *(7.7.4.3)* 1. De principaal moet alles doen wat in de gegeven omstandigheden van zijn kant nodig is om de handelsagent in staat te stellen zijn werkzaamheden te verrichten.

2. Hij moet aan de handelsagent het nodige documentatiemateriaal ter beschikking stellen over de goederen en diensten waarvoor de handelsagent bemiddelt, en hem alle inlichtingen verschaffen die nodig zijn voor de uitvoering van de agentuurovereenkomst.

3. Hij is verplicht de handelsagent onverwijld te waarschuwen, indien hij voorziet dat in een uitgesproken geringere mate dan de handelsagent mocht verwachten, overeenkomsten zullen of mogen worden afgesloten.

4. Hij moet de handelsagent binnen een redelijke termijn op de hoogte stellen van zijn aanvaarding of weigering of de niet-uitvoering van een door de handelsagent aangebrachte overeenkomst.

Recht op provisie

Art. 431. *(7.7.4.4)* 1. De handelsagent heeft recht op provisie voor de overeenkomsten die tijdens de duur der agentuurovereenkomst zijn tot stand gekomen:
a. indien de overeenkomst door zijn tussenkomst is tot stand gekomen;
b. indien de overeenkomst is tot stand gekomen met iemand die hij reeds vroeger voor een dergelijke overeenkomst had aangebracht;
c. indien de overeenkomst is afgesloten met iemand die behoort tot de klantenkring die, of gevestigd is in het gebied dat aan de handelsagent is toegewezen, tenzij uitdrukkelijk is overeengekomen dat de handelsagent ten aanzien van die klantenkring of in dat gebied niet het alleenrecht heeft.

Provisie bij overeenkomsten die door handelsagent zijn voorbereid

2. De handelsagent heeft recht op provisie voor de voorbereiding van na het einde van de agentuurovereenkomst tot stand gekomen overeenkomsten:
a. indien deze hoofdzakelijk aan de tijdens de duur van de agentuurovereenkomst door hem verrichte werkzaamheden zijn te danken en binnen een redelijke termijn na de beëindiging van die overeenkomst zijn afgesloten, of
b. indien hij of de principaal, overeenkomstig de voorwaarden bepaald in het eerste lid, de bestelling van de derde heeft ontvangen voor de beëindiging van de agentuurovereenkomst.

3. De handelsagent heeft geen recht op provisie, indien deze krachtens het tweede lid is verschuldigd aan zijn voorganger, tenzij uit de omstandigheden voortvloeit dat het billijk is de provisie tussen hen beiden te verdelen.

Aanvaarding order

Art. 432. *(7.7.4.5)* 1. Indien de rol van de handelsagent zich heeft beperkt tot het verlenen van bemiddeling bij de totstandkoming van de overeenkomst, wordt de order die hij aan zijn principaal heeft doen toekomen, voor wat betreft het recht op provisie krachtens artikel 426 geacht te zijn aanvaard, tenzij de principaal de handelsagent binnen de redelijke termijn, bedoeld in artikel 430 lid 4, mededeelt dat hij de order weigert of een voorbehoud maakt. Bij gebreke van een in de agentuurovereenkomst bepaalde termijn bedraagt de termijn een maand vanaf het tijdstip waarop hem de order is medegedeeld.

Uitdrukkelijk beding

2. Het beding dat het recht op provisie doet afhangen van de uitvoering van de overeenkomst, dient uitdrukkelijk te worden gemaakt.

3. Indien het beding, bedoeld in het tweede lid, is gemaakt, ontstaat het recht op provisie uiterlijk wanneer de derde zijn deel van de overeenkomst heeft uitgevoerd, of dit had moeten doen, indien de principaal zijn deel van de transactie had uitgevoerd.

Schriftelijke opgave provisie

Art. 433. *(7.7.4.6)* 1. De principaal is verplicht na afloop van iedere maand aan de handelsagent een schriftelijke opgave te verstrekken van de over die maand verschuldigde provisie, onder vermelding van de gegevens waarop de berekening berust; deze opgave moet worden verstrekt voor het einde van de volgende maand. Partijen kunnen schriftelijk overeenkomen dat de opgave twee- of driemaandelijks wordt verstrekt.

Inzagerecht handelsagent

2. De handelsagent is bevoegd van de principaal inzage te verlangen van de nodige bewijsstukken, echter zonder afgifte te kunnen verlangen. Hij kan zich op zijn kosten doen bijstaan door een deskundige, aanvaard door de principaal of, bij afwijzing, benoemd door de president van de bevoegde rechtbank op verzoek van de handelsagent.

3. Echter kunnen partijen schriftelijk overeenkomen dat de inzage van de bewijsstukken zal geschieden aan een derde; indien deze zijn taak niet vervult, zal de president van de rechtbank een plaatsvervanger aanwijzen.

Geheimhoudingsplicht

4. De overlegging van de bewijsstukken door de principaal geschiedt onder verplichting tot geheimhouding door de handelsagent en in de vorige leden vermelde personen. Deze laatsten zijn echter niet verplicht tot geheimhouding tegenover de handelsagent voor zover het betreft een in het eerste lid bedoeld gegeven.

Opeisbaarheid provisie

Art. 434. *(7.7.4.7)* De provisie wordt uiterlijk opeisbaar op het tijdstip waarop de schriftelijke opgave, bedoeld in artikel 433, moet worden verstrekt.

Recht op beloning

Art. 435. *(7.7.4.8)* 1. De handelsagent heeft recht op een beloning, indien hij bereid is zijn verplichtingen uit de agentuurovereenkomst na te komen of deze reeds heeft nagekomen, doch de principaal van de diensten van de handelsagent geen gebruik heeft gemaakt of in aanzienlijk geringere mate gebruik heeft gemaakt dan deze als normaal mocht verwachten, tenzij de gedraging van de principaal voortvloeit uit omstandigheden welke redelijkerwijs niet voor zijn rekening komen.

Bepalingen van de beloning

2. Bij de bepaling van deze beloning wordt rekening gehouden met het bedrag van de in de voorafgaande tijd verdiende provisie en met alle andere ter zake in acht te nemen factoren, zoals de onkosten die de handelsagent zich door het niet verrichten van werkzaamheden bespaart.

Stilzwijgende verlenging

Art. 436. *(7.7.4.9)* Een agentuurovereenkomst die na het verstrijken van de termijn waarvoor zij is aangegaan, door beide partijen wordt voortgezet, bindt partijen voor onbepaalde tijd op dezelfde voorwaarden.

Opzegging agentuurovereenkomst

Art. 437. *(7.7.4.10)* 1. Indien de agentuurovereenkomst is aangegaan voor een onbepaalde tijd of voor een bepaalde tijd met recht van tussentijdse opzegging, is ieder der partijen bevoegd haar te doen eindigen met inachtneming van de overeengekomen opzeggingstermijn. Bij gebreke van een overeenkomst dienaangaande zal de opzeggingstermijn vier maanden bedragen, vermeerderd met een maand na drie jaren looptijd van de overeenkomst en met twee maanden na zes jaren.

Termijn opzegging

2. De termijn van opzegging kan niet korter zijn dan een maand in het eerste jaar van de overeenkomst, twee maanden in het tweede jaar en drie maanden in de volgende jaren. Indien partijen langere termijnen overeenkomen, mogen deze voor de principaal niet korter zijn dan voor de handelsagent.

3. Opzegging behoort plaats te vinden tegen het einde van een kalendermaand.

Beëindigings-agentuurovereenkomst

Art. 438. *(7.7.4.11)* 1. De agentuurovereenkomst eindigt door het overlijden van de handelsagent.

2. In geval van overlijden van de principaal zijn zowel zijn erfgenamen als de handelsagent bevoegd, mits binnen negen maanden na het overlijden, de overeenkomst te doen eindigen met een opzeggingstermijn van vier maanden.

Schadeplichtig bij beëindiging

Art. 439. *(7.7.4.12)* 1. De partij die de overeenkomst beëindigt zonder eerbiediging van haar duur of zonder inachtneming van de wettelijke of overeengekomen opzeggingstermijn en zonder dat de wederpartij daarin toestemt, is schadeplichtig, tenzij zij de overeenkomst doet eindigen om een dringende, aan de wederpartij onverwijld medegedeelde reden.

Uitzondering: dringende reden

2. Dringende redenen zijn omstandigheden van zodanige aard dat van de partij die de overeenkomst doen eindigen, redelijkerwijs niet gevergd kan worden de overeenkomst, zelfs tijdelijk, in stand te laten.

3. Indien de beëindiging van de overeenkomst wegens een dringende reden gegrond is op omstandigheden waarvoor de wederpartij een verwijt treft, is laatstgenoemde schadeplichtig.

Nietig beding

4. Een beding waardoor aan een der partijen de beslissing wordt overgelaten of er een dringende reden aanwezig is, is nietig.

Verzoek tot ontbinding

Art. 440. *(7.7.4.13)* 1. Ieder der beide partijen is bevoegd de kantonrechter te verzoeken de agentuurovereenkomst te ontbinden op grond van:
a. omstandigheden die een dringende reden opleveren in de zin van artikel 439 lid 2;
b. verandering in de omstandigheden welke van dien aard is, dat de billijkheid eist dat aan de overeenkomst dadelijk of na korte tijd een einde wordt gemaakt.

2. Spreekt de rechter de ontbinding uit op grond van een omstandigheid als bedoeld in het eerste lid onder a en kan van deze omstandigheid de verweerder een verwijt worden gemaakt, dan is deze schadeplichtig.

Toekenning vergoeding

3. Spreekt de rechter de ontbinding uit op grond van hetgeen is bepaald in het eerste lid onder b, dan kan hij aan een der partijen een vergoeding toekennen. Hij kan bepalen dat deze in termijnen wordt betaald.

4. Het vijfde, zesde, zevende, negende, tiende en elfde lid van artikel 1639w van Boek 7A zijn van overeenkomstige toepassing.

Schadeloosstelling

Art. 441. *(7.7.4.14)* 1. De partij die, krachtens artikel 439 of artikel 440 lid 2, schadeplichtig is, is aan de wederpartij een som verschuldigd gelijk aan de beloning over de tijd dat de agentuurovereenkomst bij regelmatige beëindiging had behoren voort te duren. Voor de vaststelling van deze som wordt rekening gehouden met de in de voorafgaande tijd verdiende provisie en met alle andere ter zake in acht te nemen factoren.

2. De rechter is bevoegd deze som te verminderen, indien zij hem met het oog op de omstandigheden te hoog voorkomt.

Volledige vergoeding schade

3. De benadeelde partij kan, in plaats van de schadeloosstelling in de voorafgaande leden bedoeld, volledige vergoeding van haar schade vorderen, onder gehoudenheid de omvang daarvan te bewijzen.

Klantenvergoeding

Art. 442. *(7.7.4.15)* 1. Ongeacht het recht om schadevergoeding te vorderen, heeft de handelsagent bij het einde van de agentuurovereenkomst recht op een vergoeding, klantenvergoeding, voor zover:
a. hij de principaal nieuwe klanten heeft aangebracht of de overeenkomsten met de bestaande klanten aanmerkelijk heeft uitgebreid en de overeenkomsten met deze klanten de principaal nog aanzienlijke voordelen opleveren, en
b. de betaling van deze vergoeding billijk is, gelet op alle omstandigheden, in het bijzonder op de verloren provisie uit de overeenkomsten met deze klanten.

Hoogte bedrag

2. Het bedrag van de vergoeding is niet hoger dan dat van de beloning van één jaar, berekend naar het gemiddelde van de laatste vijf jaren of, indien de overeenkomst korter heeft geduurd, naar het gemiddelde van de gehele duur daarvan.

3. Het recht op vergoeding vervalt, indien de handelsagent de principaal niet uiterlijk een jaar na het einde van de overeenkomst heeft medegedeeld dat hij vergoeding verlangt.

Gevallen waarin klantenvergoeding niet verschuldigd is

4. De vergoeding is niet verschuldigd, indien de overeenkomst is beëindigd:
a. door de principaal onder omstandigheden die de handelsagent ingevolge artikel 439 lid 3 schadeplichtig maken;
b. door de handelsagent, tenzij deze beëindiging wordt gerechtvaardigd door omstandigheden die de principaal kunnen worden toegerekend, of wordt gerechtvaardigd door leeftijd, invaliditeit of ziekte van de handelsagent, op grond waarvan redelijkerwijs niet meer van hem kan worden gevergd dat hij zijn werkzaamheden voortzet;
c. door de handelsagent die, overeenkomstig een afspraak met de principaal, zijn rechten en verplichtingen uit hoofde van de agentuurovereenkomst aan een derde overdraagt.

Geldigheid concurrentiebeding

Art. 443. *(7.7.4.16)* 1. Een beding dat de handelsagent beperkt in zijn vrijheid om na het einde van de agentuurovereenkomst werkzaam te zijn, is slechts geldig voor zover:
a. het op schrift is gesteld, en
b. betrekking heeft op het soort goederen of diensten waarvan hij de vertegenwoordiging had, en op het gebied, of de klantenkring en het gebied, aan hem toevertrouwd.

Maximale looptijd beding

2. Zodanig beding is slechts geldig gedurende ten hoogste twee jaren na het einde van de overeenkomst.

Beperkingen geldigheid beding

3. Aan zodanig beding kan de principaal geen rechten ontlenen, indien de overeenkomst is geëindigd:
a. doordat hij haar zonder toestemming van de handelsagent heeft beëindigd zonder inachtneming van de wettelijke of overeengekomen termijn en zonder een dringende aan de handelsagent onverwijld medegedeelde reden;
b. doordat de handelsagent de overeenkomst heeft beëindigd vanwege een dringende, onverwijld aan de principaal medegedeelde reden waarvoor laatstgenoemde een verwijt treft;
c. door een rechterlijke uitspraak, gegrond op omstandigheden ter zake waarvan de principaal een verwijt treft.

Rechter kan beding teniet doen

4. De rechter kan, indien de handelsagent dat vraagt, zulk een beding geheel of gedeeltelijk teniet doen op grond dat, in verhouding tot het te beschermen belang van de principaal, de handelsagent door het beding onbillijk wordt benadeeld.

Verloop rechtsvorderingen

Art. 444. *(7.7.4.17)* Rechtsvorderingen gegrond op de artikelen 439 en 440 verjaren door verloop van één jaar na het feit dat de vordering deed ontstaan.

Art. 445. *(7.7.4.18)* 1. Partijen kunnen niet afwijken van de artikelen 401, 402, 403 en 426 lid 2, noch van de artikelen 428 lid 3, 429, 430, 431 lid 2, 432 lid 2, 433, 437 lid 2, 439, 440, 441, 443 en 444.
2. Evenmin kan ten nadele van de handelsagent worden afgeweken van de artikelen 432 lid 3, 434 en, vóór het einde van de overeenkomst, van artikel 442.

AFDELING 5
De overeenkomst inzake geneeskundige behandeling

Behandelingsovereenkomst; begripsbepaling

Art. 446. 1. De overeenkomst inzake geneeskundige behandeling — in deze titel verder aangeduid als de behandelingsovereenkomst — is de overeenkomst waarbij een natuurlijke persoon of een rechtspersoon, de hulpverlener, zich in de uitoefening van een geneeskundig beroep of bedrijf tegenover een ander, de opdrachtgever, verbindt tot het verrichten van handelingen op het gebied van de geneeskunst, rechtstreeks betrekking hebbende op de persoon van de opdrachtgever of van een bepaalde derde. Degene op wiens persoon de handelingen rechtstreeks betrekking hebben wordt verder aangeduid als de patiënt.

Handelingen op het gebied van de geneeskunst

2. Onder handelingen op het gebied van de geneeskunst worden verstaan:
a. alle verrichtingen — het onderzoeken en het geven van raad daaronder begrepen — rechtstreeks betrekking hebbende op een persoon en ertoe strekkende hem van een ziekte te genezen, hem voor het ontstaan van een ziekte te behoeden of zijn gezondheidstoestand te beoordelen, dan wel deze verloskundige bijstand te verlenen;
b. andere dan de onder a bedoelde handelingen, rechtstreeks betrekking hebbende op een persoon, die worden verricht door een arts of tandarts in die hoedanigheid.

3. Tot de handelingen, bedoeld in het eerste lid, worden mede gerekend het in het kader daarvan verplegen en verzorgen van de patiënt en het overigens rechtstreeks ten behoeve van de patiënt voorzien in de materiële omstandigheden waaronder die handelingen kunnen worden verricht.

4. Onder handelingen als bedoeld in het eerste lid zijn niet begrepen handelingen op het gebied van de artsenijbereidkunst in de zin van de Wet op de Geneesmiddelenvoorziening, indien deze worden verricht door een gevestigde apotheker in de zin van die wet.

5. Geen behandelingsovereenkomst is aanwezig, indien het betreft handelingen ter beoordeling van de gezondheidstoestand of medische begeleiding van een persoon, verricht in opdracht van een ander dan die persoon in verband met de vaststelling van aanspraken of verplichtingen, de toelating tot een verzekering of voorzien, of de beoordeling van de geschiktheid voor een opleiding, een arbeidsverhouding of de uitvoering van bepaalde werkzaamheden.

Handelingsbekwaamheid minderjarige

Art. 447. 1. Een minderjarige die de leeftijd van zestien jaren heeft bereikt, is bekwaam tot het aangaan van een behandelingsovereenkomst ten behoeve van zichzelf, alsmede tot het verrichten van rechtshandelingen die met de overeenkomst onmiddellijk verband houden.

2. De minderjarige is aansprakelijk voor de daaruit voortvloeiende verbintenissen, onverminderd de verplichting van zijn ouders tot voorziening in de kosten van verzorging en opvoeding.

Informatieplicht van de hulpverlener

Art. 448. 1. De hulpverlener licht de patiënt op duidelijke wijze, en desgevraagd schriftelijk in over het voorgenomen onderzoek en de voorgestelde behandeling en over de ontwikkelingen omtrent het onderzoek, de behandeling en de gezondheidstoestand van de patiënt. De hulpverlener licht een patiënt die de leeftijd van twaalf jaren nog niet heeft bereikt op zodanige wijze in als past bij zijn bevattingsvermogen.

2. Bij het uitvoeren van de in het eerste lid neergelegde verplichting laat de hulpverlener zich leiden door hetgeen de patiënt redelijkerwijze dient te weten ten aanzien van:

a. de aard en het doel van het onderzoek of de behandeling die hij noodzakelijk acht en van de uit te voeren verrichtingen;
b. de te verwachten gevolgen en risico's daarvan voor de gezondheid van de patiënt;
c. andere methoden van onderzoek of behandeling die in aanmerking komen;
d. de staat van en de vooruitzichten met betrekking tot diens gezondheid voor wat betreft het terrein van het onderzoek of de behandeling.

3. De hulpverlener mag de patiënt bedoelde inlichtingen slechts onthouden voor zover het verstrekken ervan kennelijk ernstig nadeel voor de patiënt zou opleveren. Indien het belang van de patiënt dit vereist, dient de hulpverlener de desbetreffende inlichtingen aan een ander dan de patiënt te verstrekken. De inlichtingen worden de patiënt alsnog gegeven, zodra bedoeld nadeel niet meer te duchten is. De hulpverlener maakt geen gebruik van zijn in de eerste volzin bedoelde bevoegdheid dan nadat hij daarover een andere hulpverlener heeft geraadpleegd.

Patiënt wil geen inlichtingen

Art. 449. Indien de patiënt te kennen heeft gegeven geen inlichtingen te willen ontvangen, blijft het verstrekken daarvan achterwege, behoudens voor zover het belang dat de patiënt daarbij heeft niet opweegt tegen het nadeel dat daaruit voor hemzelf of anderen kan voortvloeien.

Toestemming van de patiënt vereist

Art. 450. 1. Voor verrichtingen ter uitvoering van een behandelingsovereenkomst is de toestemming van de patiënt vereist.

2. Indien de patiënt minderjarig is en de leeftijd van twaalf maar nog niet die van zestien jaren heeft bereikt, is tevens de toestemming van de ouders die de ouderlijke macht over hem uitoefenen of van zijn voogd vereist. De verrichting kan evenwel zonder de toestemming van de ouders of de voogd worden uitgevoerd, indien zij kennelijk nodig is teneinde ernstig nadeel voor de patiënt te voorkomen, alsmede indien de patiënt ook na de weigering van de toestemming, de verrichting weloverwogen blijft wensen.

3. In het geval waarin een patiënt van zestien jaren of ouder niet in staat kan worden geacht tot een redelijke waardering van zijn belangen ter zake, worden door de hulpverlener en een persoon als bedoeld in het tweede of derde lid van artikel 465, de kennelijke opvattingen van de patiënt, geuit in schriftelijke vorm toen deze tot bedoelde redelijke waardering nog in staat was en inhoudende een weigering van

toestemming als bedoeld in het eerste lid, opgevolgd. De hulpverlener kan hiervan afwijken indien hij daartoe gegronde redenen aanwezig acht.

Schriftelijke vastlegging van de toestemming

Art. 451. Op verzoek van de patiënt legt de hulpverlener in ieder geval schriftelijk vast voor welke verrichtingen van ingrijpende aard deze toestemming heeft gegeven.

Informatieplicht van de patiënt

Art. 452. De patiënt geeft de hulpverlener naar beste weten de inlichtingen en de medewerking die deze redelijkerwijs voor het uitvoeren van de overeenkomst behoeft.

Zorgvuldigheidsplicht

Art. 453. De hulpverlener moet bij zijn werkzaamheden de zorg van een goed hulpverlener in acht nemen en handelt daarbij in overeenstemming met de op hem rustende verantwoordelijkheid, voortvloeiende uit de voor hulpverleners geldende professionele standaard.

Behandelingsdossier

Art. 454. 1. De hulpverlener richt een dossier in met betrekking tot de behandeling van de patiënt. Hij houdt in het dossier aantekening van de gegevens omtrent de gezondheid van de patiënt en de te diens aanzien uitgevoerde verrichtingen en neemt andere stukken, bevattende zodanige gegevens, daarin op, een en ander voor zover dit voor een goede hulpverlening aan hem noodzakelijk is.

2. De hulpverlener voegt desgevraagd een door de patiënt afgegeven verklaring met betrekking tot de in het dossier opgenomen stukken aan het dossier toe.

3. Onverminderd het bepaalde in artikel 455, bewaart de hulpverlener de bescheiden, bedoeld in de vorige leden, gedurende tien jaren, te rekenen vanaf het tijdstip waarop zij zijn vervaardigd, of zoveel langer als redelijkerwijs uit de zorg van een goed hulpverlener voortvloeit.

Vernietiging bescheiden op verzoek van de patiënt

Art. 455 1. De hulpverlener vernietigt de door hem bewaarde bescheiden, bedoeld in artikel 454, binnen drie maanden na een daartoe strekkend verzoek van de patiënt.

2. Het eerste lid geldt niet voor zover het verzoek bescheiden betreft waarvan redelijkerwijs aannemelijk is dat de bewaring van aanmerkelijk belang is voor een ander dan de patiënt, alsmede voor zover het bepaalde bij of krachtens de wet zich tegen vernietiging verzet.

Inzage en afschrift

Art. 456. De hulpverlener verstrekt aan de patiënt desgevraagd zo spoedig mogelijk inzage in en afschrift van de bescheiden, bedoeld in artikel 454. De verstrekking blijft achterwege voor zover dit noodzakelijk is in het belang van de bescherming van de persoonlijke levenssfeer van een ander. De hulpverlener mag voor de verstrekking van het afschrift een redelijke vergoeding in rekening brengen.

Geheimhoudingsplicht

Art. 457. 1. Onverminderd het in artikel 448, lid 3, tweede volzin, bepaalde draagt de hulpverlener zorg, dat aan anderen dan de patiënt geen inlichtingen over de patiënt dan wel inzage in of afschrift van de bescheiden, bedoeld in artikel 454, worden verstrekt dan met toestemming van de patiënt. Indien verstrekking plaatsvindt, geschiedt deze slechts voor zover daardoor de persoonlijke levenssfeer van eenander niet wordt geschaad. De verstrekking kan geschieden zonder inachtneming van de beperkingen, bedoeld in de voorgaande volzinnen, indien het bij of krachtens de wet bepaalde daartoe verplicht.

2. Onder anderen dan de patiënt zijn niet begrepen degenen die rechtstreeks betrokken zijn bij de uitvoering van de behandelingsovereenkomst en degene die optreedt als vervanger van de hulpverlener, voor zover de verstrekking noodzakelijk is voor de door hen in dat kader te verrichten werkzaamheden.

3. Daaronder zijn evenmin begrepen degenen wier toestemming ter zake van de uitvoering van de behandelingsovereenkomst op grond van de artikelen 450 en 456 is vereist. Indien de hulpverlener door inlichtingen over de patiënt dan wel inzage in of afschrift van de bescheiden te verstrekken niet geacht kan worden de zorg van een goed hulpverlener in acht te nemen, laat hij zulks achterwege.

Inlichtingen voor statistiek

Art. 458. 1. In afwijking van het bepaalde in artikel 457 lid 1, kunnen zonder toestemming van de patiënt ten behoeve van statistiek of wetenschappelijk onderzoek op het gebied van de volksgezondheid aan een ander desgevraagd inlichtingen over de patiënt of inzage in de bescheiden, bedoeld in artikel 454, worden verstrekt indien:

a. het vragen van toestemming in redelijkheid niet mogelijk is en met betrekking tot de uitvoering van het onderzoek is voorzien in zodanige waarborgen, dat de persoonlijke levenssfeer van de patiënt niet onevenredig wordt geschaad, of
b. het vragen van toestemming, gelet op de aard en het doel van het onderzoek, in redelijkheid niet kan worden verlangd en de hulpverlener zorg heeft gedragen dat de gegevens in zodanige vorm worden verstrekt dat herleiding tot individuele natuurlijke personen redelijkerwijs wordt voorkomen.

2. Verstrekking overeenkomstig het eerste lid is slechts mogelijk indien:
a. het onderzoek een algemeen belang dient,
b. het onderzoek niet zonder de desbetreffende gegevens kan worden uitgevoerd, en
c. voor zover de betrokken patiënt tegen een verstrekking niet uitdrukkelijk bezwaar heeft gemaakt.

3. Bij een verstrekking overeenkomstig het eerste lid wordt daarvan aantekening gehouden in het dossier.

Geen waarneming door anderen

Art. 459. 1. De hulpverlener voert verrichtingen in het kader van de behandelingsovereenkomst uit buiten de waarneming van anderen dan de patiënt, tenzij de patiënt ermee heeft ingestemd dat de verrichtingen kunnen worden waargenomen door anderen.

2. Onder anderen dan de patiënt zijn niet begrepen degenen van wie beroepshalve de medewerking bij de uitvoering van de verrichting noodzakelijk is.

3. Daaronder zijn evenmin begrepen degenen wier toestemming ter zake van de verrichting op grond van de artikelen 450 en 465 is vereist. Indien de hulpverlener door verrichtingen te doen waarnemen niet geacht kan worden de zorg van een goed hulpverlener in acht te nemen, laat hij zulks niet toe.

Opzeggingsverbod van de hulpverlener

Art. 460. De hulpverlener kan, behoudens gewichtige redenen, de behandelingsovereenkomst niet opzeggen.

Loon

Art. 461. 1. De opdrachtgever is de hulpverlener loon verschuldigd, behoudens voor zover deze voor zijn werkzaamheden loon ontvangt op grond van het bij of krachtens de wet bepaalde dan wel uit de overeenkomst anders voortvloeit.

2. Indien loon is verschuldigd, doch de hoogte niet door partijen is bepaald, is het op gebruikelijke wijze berekende loon of, bij gebreke daarvan, een redelijk loon verschuldigd.

3. De opdrachtgever moet de hulpverlener de onkosten, verbonden aan de uitvoering van de behandelingsovereenkomst vergoeden, voor zover deze niet in het verschuldigde loon zijn begrepen.

Aansprakelijkheid van het ziekenhuis

Art. 462. 1. Indien ter uitvoering van een behandelingsovereenkomst verrichtingen plaatsvinden in een ziekenhuis dat bij die overeenkomst geen partij is, is het ziekenhuis voor een tekortkoming daarbij mede aansprakelijk, als ware het zelf bij de overeenkomst partij.

2. Onder ziekenhuis als bedoeld in het eerste lid worden verstaan een voor de toepassing van de Ziekenfondswet of de Algemene Wet Bijzondere Ziektekosten als ziekenhuis, verpleeginrichting of zwakzinnigeninrichting erkende of aangewezen instelling of afdeling daarvan, een academisch ziekenhuis, een abortuskliniek in de zin van de Wet afbreking zwangerschap alsmede een tandheelkundige inrichting in de zin van de Wet tandheelkundige inrichtingen 1986.

Geen beperking of uitsluiting van aansprakelijkheid

Art. 463. De aansprakelijkheid van een hulpverlener of, in het geval bedoeld in artikel 462, van het ziekenhuis, kan niet worden beperkt of uitgesloten.

Geneeskundige handelingen anders dan krachtens behandelingsovereenkomst

Art. 464. 1. Indien in de uitoefening van een geneeskundig beroep of bedrijf anders dan krachtens een behandelingsovereenkomst handelingen op het gebied van de geneeskunst worden verricht, zijn deze afdeling alsmede de artikelen 404, 405 lid 2 en 406 van afdeling 1 van deze titel van overeenkomstige toepassing voor zover de aard van de rechtsbetrekking zich daartegen niet verzet.

2. Betreft het handelingen als omschreven in artikel 446 lid 5, dan:
a. worden de in artikel 454 bedoelde bescheiden slechts bewaard zolang dat noodzakelijk is in verband met het doel van het onderzoek, tenzij het bepaalde bij of krachtens de wet zich tegen vernietiging verzet;
b. wordt de persoon op wie het onderzoek betrekking heeft in de gelegenheid gesteld mee te delen of hij de uitslag en de gevolgtrekking van het onderzoek wenst te ver-

nemen en, zo ja, of hij daarvan als eerste wenst kennis te nemen teneinde te kunnen beslissen of daarvan mededeling aan anderen wordt gedaan.

Verplichtingen van de hulpverlener in bijzondere gevallen

Art. 465. 1. De verplichtingen die voor de hulpverlener uit deze titel jegens de patiënt voortvloeien worden, indien de patiënt de leeftijd van twaalf jaren nog niet heeft bereikt, door de hulpverlener nagekomen jegens de ouders die de ouderlijke macht over de patiënt uitoefenen dan wel jegens zijn voogd.

2. Hetzelfde geldt indien de patiënt de leeftijd van twaalf jaren heeft bereikt, maar niet in staat kan worden geacht tot een redelijke waardering van zijn belangen ter zake, tenzij zodanige patiënt meerderjarig is en onder curatele staat of ten behoeve van hem het mentorschap is ingesteld, in welke gevallen nakoming jegens de curator of de mentor geschiedt.

3. Indien een meerderjarige patiënt die niet in staat kan worden geacht tot een redelijke waardering van zijn belangen ter zake, niet onder curatele staat of ten behoeve van hem niet het mentorschap is ingesteld, worden de verplichtingen die voor de hulpverlener uit deze titel jegens de patiënt voortvloeien, door de hulpverlener nagekomen jegens de persoon die daartoe door de patiënt schriftelijk is gemachtigd in zijn plaats op te treden. Ontbreekt zodanige persoon, of treedt deze niet op, dan worden de verplichtingen nagekomen jegens de echtgenoot of andere levensgezel van de patiënt, tenzij deze persoon dat niet wenst, dan wel, indien ook zodanige persoon ontbreekt, jegens een ouder, kind, broer of zus van de patiënt, tenzij deze persoon dat niet wenst.

4. De hulpverlener komt zijn verplichtingen na jegens de in het eerste en tweede lid bedoelde wettelijke vertegenwoordigers van de patiënt en de in het derde lid bedoelde personen, tenzij die nakoming niet verenigbaar is met de zorg van een goed hulpverlener.

5. De persoon jegens wie de hulpverlener krachtens het tweede of het derde lid gehouden is de uit deze titel jegens de patiënt voortvloeiende verplichtingen na te komen, betracht de zorg van een goed vertegenwoordiger. Deze persoon is gehouden de patiënt zoveel mogelijk bij de vervulling van zijn taak te betrekken.

6. Verzet de patiënt zich tegen een verrichting van ingrijpende aard waarvoor een persoon als bedoeld in het tweede of derde lid toestemming heeft gegeven, dan kan de verrichting slechts worden uitgevoerd indien zij kennelijk nodig is teneinde ernstig nadeel voor de patiënt te voorkomen.

Art. 466. 1. Is op grond van artikel 465 voor het uitvoeren van een verrichting uitsluitend de toestemming van een daar bedoelde persoon in plaats van die van de patiënt vereist, dan kan tot de verrichting zonder die toestemming worden overgegaan indien de tijd voor het vragen van die toestemming ontbreekt aangezien onverwijlde uitvoering van de verrichting kennelijk nodig is teneinde ernstig nadeel voor de patiënt te voorkomen.

2. Een volgens de artikelen 450 en 465 vereiste toestemming mag worden verondersteld te zijn gegeven, indien de desbetreffende verrichtingen niet van ingrijpende aard zijn.

Lichaamsmateriaal gebruiken voor onderzoek

Art. 467. 1. Van het lichaam afgescheiden anonieme stoffen en delen kunnen worden gebruikt voor medisch statistisch of ander medisch wetenschappelijk onderzoek voor zover de patiënt van wie het lichaamsmateriaal afkomstig is, geen bezwaar heeft gemaakt tegen zodanig onderzoek en het onderzoek met de vereiste zorgvuldigheid wordt verricht.

2. Onder onderzoek met van het lichaam afgescheiden anonieme stoffen en delen wordt verstaan onderzoek waarbij is gewaarborgd dat het bij het onderzoek te gebruiken lichaamsmateriaal en de daaruit te verkrijgen gegevens niet tot de persoon herleidbaar zijn.

Art. 468. Van de bepalingen van deze afdeling en van de artikelen 404, 405 lid 2 en 406 van afdeling 1 van deze titel kan niet ten nadele van de patiënt worden afgeweken.

TITEL 7A
Reisovereenkomst

Art. 500. *(7.7A.1)* 1. In deze titel en de daarop berustende bepalingen wordt verstaan onder:

Reisorganisator

a. reisorganisator: degene die, in de uitoefening van zijn bedrijf, op eigen naam aan het publiek of aan een groep personen van te voren georganiseerde reizen aanbiedt;

Reisovereenkomst

b. reisovereenkomst: de overeenkomst waarbij een reisorganisator zich jegens zijn wederpartij verbindt tot het verschaffen van een door hem aangeboden van te voren georganiseerde reis die een overnachting of een periode van meer dan 24 uren omvat alsmede ten minste twee van de volgende diensten:
1°. vervoer,
2°. verblijf,
3°. een andere niet met vervoer of verblijf verband houdende, toeristische dienst die een significant deel van de reis uitmaakt;

Reiziger

c. reiziger:
1°. de wederpartij van de reisorganisator,
2°. degene te wiens behoeve de reis is bedongen en die dat beding heeft aanvaard, of
3°. degene aan wie overeenkomstig artikel 506 de rechtsverhouding tot de reisorganisator is overgedragen.

2. Degene die in de uitoefening van zijn bedrijf als tussenpersoon optreedt van een niet in Nederland gevestigde reisorganisator, wordt jegens zijn wederpartij als reisorganisator aangemerkt.

Prospectus

Art. 501. *(7.7A.2)* 1. Indien de reisorganisator een algemeen verkrijgbare prospectus of andere publikatie uitgeeft, vermeldt hij daarin de reissom en de andere bij algemene maatregel van bestuur bepaalde gegevens.

2. Vóór het sluiten van de reisovereenkomst deelt de reisorganisator de wederpartij schriftelijk of op andere begrijpelijke en toegankelijke wijze de in het eerste lid bedoelde gegevens mee, voor zover die gegevens aan de wederpartij nog niet bekend zijn door verstrekking van de algemeen verkrijgbare prospectus of andere publikatie.

3. Het tweede lid is niet van toepassing indien de reisovereenkomst minder dan 72 uren voor de aanvang van de reis wordt gesloten.

Afschrift van de voorwaarden

Art. 502. *(7.7A.3)* 1. De reisorganisator verschaft de wederpartij na het sluiten van de overeenkomst onverwijld een afschrift van de voorwaarden, voor zover deze niet reeds in de overgelegde bescheiden besloten liggen.

2. Vóór de aanvang van de reis deelt de reisorganisator de wederpartij of degene aan wie overeenkomstig artikel 506 de rechtsverhouding tot de reisorganisator is overgedragen schriftelijk of op andere begrijpelijke en toegankelijke wijze de bij algemene maatregel van bestuur bepaalde gegevens mee.

Opzegging

Art. 503. *(7.7A.4)* 1. De reiziger kan de reisovereenkomst te allen tijde met onmiddellijke ingang opzeggen.

2. Indien de reiziger opzegt wegens een aan hem toe te rekenen omstandigheid, vergoedt de reiziger de reisorganisator de schade die deze tengevolge van de opzegging lijdt. De schadevergoeding bedraagt ten hoogste eenmaal de reissom.

3. Indien de reiziger opzegt wegens een niet aan hem toe te rekenen omstandigheid, heeft hij recht op teruggave of kwijtschelding van de reissom of, indien de reis reeds ten dele is genoten, een evenredig deel daarvan.

Opzegging wegens gewichtige omstandigheden

Art. 504. *(7.7A.5)* 1. Onverminderd artikel 505, vierde lid, kan de reisorganisator de reisovereenkomst slechts opzeggen wegens gewichtige, de reiziger onverwijld meegedeelde omstandigheden.

2. Indien de reisorganisator opzegt wegens een niet aan de reiziger toe te rekenen omstandigheid, biedt hij deze een andere reis van gelijke of betere kwaliteit aan. Onverminderd het derde lid heeft de reiziger die dat aanbod niet aanvaardt, recht op teruggave of kwijtschelding van de reissom of, indien de reis reeds ten dele is genoten, een evenredig deel daarvan.

3. In geval van opzegging vergoedt de reisorganisator de reiziger de door deze geleden vermogensschade en een bedrag voor het derven van reisgenot, tenzij
a. hij de overeenkomst opzegt omdat het aantal aanmeldingen kleiner is dan het vereiste minimumaantal en de reiziger binnen de in de overeenkomst aangegeven termijn schriftelijk van de opzegging in kennis is gesteld, of
b. de opzegging het gevolg is van overmacht, waaronder overboeken niet is begrepen. Onder overmacht worden in deze titel verstaan abnormale en onvoorzienbare omstandigheden die onafhankelijk zijn van de wil van degene die zich erop beroept en waarvan de gevolgen ondanks alle voorzorgsmaatregelen niet konden worden vermeden.

Art. 505. *(7.7A.6)* 1. De reisorganisator kan bedingen dat hij de reisovereenkomst op een wezenlijk punt mag wijzigen wegens gewichtige, de reiziger onverwijld medegedeelde omstandigheden. De reiziger kan de wijziging afwijzen.

Wijziging reisovereenkomst

2. Behoudens lid 1 kan de reisorganisator bedingen dat hij de reisovereenkomst mag wijzigen wegens gewichtige, de reiziger onverwijld meegedeelde omstandigheden. De reiziger kan de wijziging slechts afwijzen indien zij hem tot nadeel van meer dan geringe betekenis strekt.

3. De reisorganisator kan bedingen dat hij tot twintig dagen voor de aanvang van de reis de reissom mag verhogen in verband met wijzigingen in de vervoerkosten met inbegrip van brandstofkosten, de verschuldigde heffingen of de toepasselijke wisselkoersen. Bij toepassing van dit beding geeft de reisorganisator aan op welke wijze de verhoging is berekend. De reiziger kan de verhoging afwijzen.

4. Na een afwijzing als in de voorgaande leden bedoeld, kan de reisorganisator de reisovereenkomst opzeggen. De reiziger heeft recht op teruggave of kwijtschelding van de reissom of, indien de reis reeds ten dele is genoten, een evenredig deel daarvan. Indien de reisorganisator opzegt na een afwijzing door de reiziger als bedoeld in de leden 1 en 2, is bovendien artikel 504, derde lid, van overeenkomstige toepassing.

Art. 506. *(7.7A.7)* 1. Tijdig voor de aanvang van de reis kan de reiziger zijn rechtsverhouding tot de reisorganisator overdragen aan een derde die aan alle voorwaarden van de reisovereenkomst voldoet. Een termijn van zeven dagen voor de aanvang van de reis wordt geacht in ieder geval tijdig te zijn.

Overdracht rechtsverhouding aan een derde

2. De overdracht vindt plaats door een daarop gerichte overeenkomst met de derde en schriftelijke mededeling daarvan door de overdragende reiziger aan de reisorganisator. De overdragende reiziger en de derde zijn hoofdelijk verbonden tot betaling van de reissom en de kosten in verband met de overdracht.

Art. 507. *(7.7A.8)* 1. De reisorganisator is verplicht tot uitvoering van de reisovereenkomst overeenkomstig de verwachtingen die de reiziger op grond van de reisovereenkomst redelijkerwijs mocht hebben.

„Conformiteit"

2. Indien de reis niet verloopt overeenkomstig de verwachtingen die de reiziger op grond van de reisovereenkomst redelijkerwijs mocht hebben, is de reisorganisator verplicht de schade te vergoeden, tenzij de tekortkoming in de nakoming niet aan hem is toe te rekenen noch aan de persoon van wiens hulp hij bij de uitvoering van de overeenkomst gebruik maakt, omdat

a. de tekortkoming in de uitvoering van de reisovereenkomst is toe te rekenen aan de reiziger;

b. de tekortkoming in de uitvoering van de reisovereenkomst die niet te voorzien was of kon worden opgeheven, is toe te rekenen aan een derde die niet bij de levering van de in de reis begrepen diensten is betrokken; of

c. de tekortkoming in de uitvoering van de overeenkomst is te wijten aan overmacht als bedoeld in artikel 504 lid 3 onder *b* dan wel aan een gebeurtenis die de organisator of degene van wiens hulp hij bij de uivoering van de reisovereenkomst gebruik maakt, met inachtneming van alle mogelijke zorgvuldigheid niet kon voorzien of verhelpen.

3. De reisorganisator is naar gelang van de omstandigheden verplicht de reiziger hulp en bijstand te verlenen, indien de reis niet verloopt overeenkomstig de verwachtingen die deze op grond van de reisovereenkomst redelijkerwijs mocht hebben. Indien de oorzaak daarvan aan de reiziger moet worden toegerekend, is de reisorganisator tot verlening van hulp en bijstand slechts verplicht voor zover dat redelijkerwijs van hem gevergd kan worden. De kosten voor de verleende hulp en bijstand komen in dat geval voor rekening van de reiziger. De kosten voor de verleende hulp en bijstand komen voor rekening van de reisorganisator, indien de tekortkoming in de nakoming aan hem of aan de persoon van wiens hulp hij bij de uitvoering van de overeenkomst gebruik maakt, overeenkomstig het tweede lid is toe te rekenen.

Verplichting tot verlening van hulp en bijstand

Art. 508. *(7.7A.9)* 1. Tenzij het tweede lid van dit artikel van toepassing is, kan de reisorganisator zijn aansprakelijkheid voor schade, veroorzaakt door dood of letsel van de reiziger, niet uitsluiten of beperken.

Aansprakelijkheid (bij dood en letsel)

2. Indien op een in de reisovereenkomst begrepen dienst een verdrag van toepassing is, kan de reisorganisator zich beroepen op een uitsluiting of beperking van aansprakelijkheid die dat verdrag aan een dienstverlener als zodanig toekent of toestaat.

Aansprakelijkheid (voor eigen handelen of nalaten reisorganisator)

Art. 509. *(7.7A.10)* 1. De reisorganisator kan zijn aansprakelijkheid voor schade die uit zijn eigen handelen of nalaten ontstaat niet beperken of uitsluiten, indien dat handelen of nalaten geschiedt met het opzet de schade te veroorzaken of het handelen of nalaten roekeloos geschiedt en met de wetenschap dat de schade daaruit waarschijnlijk zou voortvloeien.

2. Voor zover de reisorganisator niet zelf de in de reisovereenkomst begrepen diensten verleent, kan hij zijn aansprakelijkheid voor andere dan de in artikel 508 bedoelde schade beperken tot driemaal de reissom.

Ander nadeel dan vermogensschade

Art. 510. *(7.7A.11)* Een tekortkoming in de nakoming van een verbintenis die hem kan worden toegerekend, verplicht de reisorganisator mede tot vergoeding van ander nadeel dan vermogensschade, voor zover door die tekortkoming derving van reisgenot is veroorzaakt.

Vergoeding derving reisgenot

Art. 511. *(7.7A.12)* De vergoeding voor derving van reisgenot als bedoeld in de artikelen 504, derde lid, en 510 bedraagt ten hoogste eenmaal de reissom.

Art. 512. *(7.7A.13)* 1. De reisorganisator neemt de maatregelen die nodig zijn om te verzekeren dat, wanneer hij wegens financieel onvermogen zijn verplichtingen jegens de reiziger niet of niet verder kan nakomen, wordt zorggedragen hetzij voor overneming van zijn verplichtingen door een ander hetzij voor terugbetaling van de reissom of, indien de reis reeds ten dele is genoten, een evenredig deel daarvan. Indien de reiziger reeds op de plaats van bestemming is aangekomen dient, voor zover de reisovereenkomst dat vervoer omvat, in ieder geval te worden zorggedragen voor de terugreis.

2. De reisorganisator maakt de in het eerste lid bedoelde maatregelen openbaar door deze te vermelden in de algemeen verkrijgbare prospectus of andere publikatie, bedoeld in artikel 501, of op andere begrijpelijke en toegankelijke wijze.

Art. 513. *(7.7A.14)* Van het bij of krachtens deze titel bepaalde kan ten nadele van de reiziger niet worden afgeweken.

TITEL 9
Bewaarneming

Bewaarneming

Art. 600. *(7.9.1)* Bewaarneming is de overeenkomst waarbij de ene partij, de bewaarnemer, zich tegenover de andere partij, de bewaargever, verbindt, een zaak die de bewaargever hem toevertrouwt of zal toevertrouwen, te bewaren en terug te geven.

Loon bewaarnemer

Art. 601. *(7.9.2)* 1. Indien de overeenkomst door de bewaarnemer in de uitoefening van zijn beroep of bedrijf is aangegaan, is de bewaargever hem loon verschuldigd.

Berekening loon

2. Indien loon verschuldigd is, doch de hoogte niet door partijen is bepaald, is de bewaargever het op de gebruikelijke wijze berekende loon of, bij gebreke daarvan, een redelijk loon verschuldigd.

Vergoeding onkosten

3. De bewaargever moet aan de bewaarnemer de aan de bewaring verbonden onkosten vergoeden, voor zover deze niet in het loon zijn begrepen, alsook de schade die de bewaarnemer als gevolg van de bewaring heeft geleden.

Zorgplicht bewaarnemer

Art. 602. *(7.9.3)* De bewaarnemer moet bij de bewaring de zorg van een goed bewaarder in acht nemen.

Gebruik zaak door bewaarnemer

Art. 603. *(7.9.4)* 1. De bewaarnemer mag de zaak slechts gebruiken voor zover de bewaargever daarvoor toestemming heeft gegeven, of het gebruik nodig is om de zaak in goede staat te houden of te brengen.

In bewaringgeving zaak aan een derde

2. Zonder toestemming van de bewaargever mag de bewaarnemer de zaak niet aan een derde in bewaring geven, tenzij dit in het belang van de bewaargever noodzakelijk is.

Onderbewaarneming

3. Voor gedragingen van een onderbewaarnemer met betrekking tot de zaak is de bewaarnemer op gelijke wijze aansprakelijk als voor eigen gedragingen, tenzij de bewaarneming niet tegen bewaarloon geschiedt en de bewaarnemer tot het in onderbewaring geven genoodzaakt was ten gevolge van hem niet toe te rekenen omstandigheden.

Art. 604. *(7.9.5.)* De vruchten die de zaak in het tijdvak tussen de ontvangst en de teruggave oplevert, moeten door de bewaarnemer aan de bewaargever worden afgedragen.

Vruchten

Art. 605. *(7.9.6.)* 1. De bewaargever kan onverwijlde teruggave en de bewaarnemer onverwijlde terugneming van de zaak vorderen.

Onverwijlde teruggave en -neming zaak

2. Wegens gewichtige redenen kan de kantonrechter binnen wiens rechtsgebied de zaak zich bevindt, op verzoek van een van de partijen een van het vorige lid of van de overeenkomst afwijkend tijdstip voor de teruggave of terugneming bepalen. Dit lid is niet van toepassing in geval van gerechtelijke bewaring.

Afwijkend tijdstip

3. De teruggave moet geschieden op de plaats waar de zaak volgens de overeenkomst moet worden bewaard, tenzij bij de overeenkomst een andere plaats voor de teruggave is aangewezen.

Plaats teruggave

4. De bewaarnemer is gehouden de zaak terug te geven in de staat waarin hij haar heeft ontvangen.

Staat van de zaak bij teruggave

Art. 606. *(7.9.7)* Indien twee of meer personen tezamen een zaak in bewaring hebben genomen, zijn zij hoofdelijk verbonden tot teruggave daarvan en tot vergoeding van de schade die het gevolg is van een tekortschieten in de nakoming van die verplichting, tenzij de tekortkoming aan geen van hen kan worden toegerekend.

Twee of meer bewaarnemers

Art. 607. *(7.9.7a)* 1. Indien ter zake van een bewaarneming een ceel of een ander stuk aan toonder of order is afgegeven, geldt levering daarvan vóór de aflevering van de daarin aangeduide zaken als levering van die zaken.
2. Het eerste lid is niet van toepassing op registergoederen.

Levering zaken bij afgifte ceel e.d.

Art. 608. *(7.9.8)* 1. Indien een onderbewaarnemer door een bewaargever buiten overeenkomst voor met betrekking tot de zaak geleden schade wordt aangesproken, is hij jegens deze niet verder aansprakelijk dan hij zou zijn als wederpartij bij de overeenkomst, waarbij de bewaargever de zaak in bewaring gegeven heeft.

Aansprakelijkheid onderbewaarnemer

2. Indien een bewaarnemer buiten overeenkomst voor met betrekking tot de zaak geleden schade wordt aangesproken door een derde die geen bewaargever is, is hij niet verder aansprakelijk dan hij als wederpartij van de bewaargever uit de met deze gesloten overeenkomst zou zijn.

Buiten overeenkomst aanspreken van bewaarnemer door derde

3. Indien een onderbewaarnemer door een zodanige derde wordt aangesproken, is hij niet verder aansprakelijk dan hij als bewaarnemer op grond van het vorige lid zou zijn.
4. De vorige leden kunnen niet worden ingeroepen door een bewaarnemer of onderbewaarnemer die bij het sluiten van de overeenkomst uit hoofde waarvan hij de zaak ontving, wist of had behoren te weten dat zijn wederpartij jegens degene door wie hij werd aangesproken, niet bevoegd was de zaak aan hem in bewaring te geven.

Wetenschap (onder-) bewaarnemer

Art. 609. *(7.9.9)* 1. De hotelhouder is als een bewaarnemer aansprakelijk voor beschadiging of verlies van zaken, die in het hotel zijn meegebracht door een gast die daar zijn intrek heeft genomen.
2. Hij is niet aansprakelijk voor gedragingen van personen die de gast zelf in het hotel heeft meegebracht of uitgenodigd, en voor schade door zaken die de gast zelf heeft meegebracht.

Aansprakelijkheid hotelhouder voor door gasten meegebrachte zaken

3. Hij heeft op de in lid 1 bedoelde zaken een retentierecht voor al hetgeen hij van de gast te vorderen heeft ter zake van logies, kost, consumpties en als hotelhouder verrichte diensten.

Retentierecht

TITEL 14
Borgtocht

AFDELING 1
Algemene bepalingen

Art. 850. *(7.14.1.1)* 1. Borgtocht is de overeenkomst waarbij de ene partij, de borg, zich tegenover de andere partij, de schuldeiser, verbindt tot nakoming van een verbintenis, die een derde, de hoofdschuldenaar, tegenover de schuldeiser heeft of zal krijgen.

Borgtocht

Geldigheid

2. Voor de geldigheid van een borgtocht is niet vereist dat de hoofdschuldenaar deze kent.

Toepasselijke bepalingen

3. Op borgtocht zijn de bepalingen omtrent hoofdelijke verbintenissen van toepassing, voor zover daarvan in deze titel niet wordt afgeweken.

Afhankelijk recht

Art. 851. *(7.14.1.2)* 1. De borgtocht is afhankelijk van de verbintenis van de hoofdschuldenaar, waarvoor zij is aangegaan.

Bepaalbaarheid bij toekomstige verbintenissen

2. Borgtocht kan slechts voor toekomstige verbintenissen van de hoofdschuldenaar worden aangegaan, voor zover zij voldoende bepaalbaar zijn.

Verweermiddelen

Art. 852. *(7.14.1.3)* 1. Verweermiddelen die de hoofdschuldenaar jegens de schuldeiser heeft, kunnen ook door de borg worden ingeroepen, indien zij het bestaan, de inhoud of het tijdstip van nakoming van de verbintenis van de hoofdschuldenaar betreffen.

Opschortingsbevoegdheid borg

2. Indien de schuldenaar bevoegd is om ter vernietiging van de rechtshandeling waaruit de verbintenis voortspruit, een beroep op een vernietigingsgrond te doen en hem door de borg of door de schuldeiser een redelijke termijn is gesteld ter uitoefening van die bevoegdheid, is de borg gedurende die termijn bevoegd de nakoming van zijn verbintenis op te schorten.

3. Zolang de hoofdschuldenaar bevoegdelijk de nakoming van zijn verbintenis jegens de schuldeiser opschort, is ook de borg bevoegd de nakoming van zijn verbintenis op te schorten.

Tenietgaan borgtocht

Art. 853. *(7.14.1.4)* Door voltooiing van de verjaring van de rechtsvordering tot nakoming van de verbintenis van de hoofdschuldenaar, gaat de borgtocht teniet.

Verbintenis anders dan betaling geldsom

Art. 854. *(7.14.1.5)* Strekt de verbintenis van de hoofdschuldenaar tot iets anders dan tot betaling van een geldsom, dan geldt de borgtocht voor de vordering tot schadevergoeding in geld, verschuldigd op grond van niet-nakoming van die verbintenis, tenzij uitdrukkelijk anders is bedongen.

Nakoming borg subsidiair

Art. 855. *(7.14.1.6)* 1. De borg is niet gehouden tot nakoming voordat de hoofdschuldenaar in de nakoming van zijn verbintenis is tekort geschoten.

Mededeling van ingebrekestelling

2. De schuldeiser die de hoofdschuldenaar overeenkomstig artikel 82 van Boek 6 in gebreke stelt, is verplicht hiervan tegelijkertijd de borg mededeling te doen.

Rente

Art. 856. *(7.14.1.7)* 1. De borg is slechts wettelijke rente verschuldigd over het tijdvak dat hijzelf in verzuim is, tenzij de hoofdschuldenaar in verzuim is krachtens artikel 83 onder b van Boek 6.

Kosten van rechtsvervolging

2. De borg is gehouden de kosten van rechtsvervolging van de hoofdschuldenaar te vergoeden, indien hij tijdig door mededeling van het voornemen tot rechtsvervolging in de gelegenheid is gesteld deze kosten te voorkomen.

AFDELING 2
Borgtocht, aangegaan buiten beroep of bedrijf

Dwingend recht bij particuliere borgtocht

Art. 857. *(7.14.2.1)* De bepalingen van deze afdeling zijn van toepassing op borgtochten die zijn aangegaan door een natuurlijk persoon die noch handelde in de uitoefening van zijn beroep of bedrijf, noch ten behoeve van de normale uitoefening van het bedrijf van een naamloze vennootschap of besloten vennootschap, waarvan hij bestuurder is en alleen of met zijn medebestuurders de meerderheid der aandelen heeft.

Geldigheid tot in geld uitgedrukt maximum-bedrag

Art. 858. *(7.14.2.2)* 1. Indien het bedrag van de verbintenis van de hoofdschuldenaar op het tijdstip van het aangaan van de borgtocht niet vaststaat, is de borgtocht slechts geldig, voor zover een in geld uitgedrukt maximum-bedrag is overeengekomen.

Rente en kosten

2. Overeenkomstig artikel 856 verschuldigde rente en kosten kunnen ongeacht dit maximum worden gevorderd.

Bewijs van particuliere borgtocht

Art. 859. *(7.14.2.3)* 1. Tegenover de borg wordt de borgtocht slechts door een door hem ondertekend geschrift bewezen.

2. De borgtocht kan door alle middelen worden bewezen, indien vaststaat dat de borg de verbintenis van de hoofdschuldenaar geheel of gedeeltelijk is nagekomen.

3. Voor het bewijs van de overeenkomst die tot het aangaan van de borgtocht verplicht, geldt dezelfde eis als gesteld in lid 1 en in het geval van lid 2 dezelfde vrijheid.

Bezwarende voorwaarden

Art. 860. *(7.14.2.4)* De borg is niet gebonden, voor zover voor zijn verbintenis meer bezwarende voorwaarden zouden gelden dan die waaronder de hoofdschuldenaar gebonden is, behoudens voor zover het betreft de wijze waarop tegenover de borg het bewijs van bestaan en omvang van de verbintenis van de hoofdschuldenaar geleverd kan worden.

Borgtocht voor toekomstige verbintenissen

Art. 861. *(7.14.2.5)* 1. Een borgtocht die voor toekomstige verbintenissen is aangegaan, kan:
a. te allen tijde worden opgezegd, indien zij niet voor een bepaalde duur geldt;
b. na vijf jaren worden opgezegd, indien zij wel voor een bepaalde duur geldt.

Opzegging

2. Na de opzegging duurt de borgtocht voor de reeds ontstane verbintenissen voort.

Toekomstige verbintenissen tot vergoeding van schade

3. Een borg is niet verbonden voor toekomstige verbintenissen tot vergoeding van schade, waarvoor de hoofdschuldenaar jegens de schuldeiser aansprakelijk is, voor zover de schuldeiser de schade had kunnen voorkomen door een toezicht als redelijkerwijs van hem gevergd kon worden.

Toekomstige verbintenissen uit onverplicht verrichte rechtshandeling

4. Een borg is evenmin verbonden voor toekomstige verbintenissen uit een rechtshandeling die de schuldeiser onverplicht heeft verricht, nadat hij bekend was geworden met omstandigheden die de mogelijkheid van verhaal op de hoofdschuldenaar aanmerkelijk hebben verminderd, zulks tenzij de borg uitdrukkelijk met de rechtshandeling heeft ingestemd of deze handeling geen uitstel kon lijden.

Dwingend recht

Art. 862. *(7.14.2.6)* Niet kan ten nadele van de borg worden afgeweken:
a. van de artikelen 852-856 en 858-861;
b. van de verplichtingen die de schuldeiser krachtens artikel 154 van Boek 6 jegens de borg heeft met het oog op diens mogelijke subrogatie.

Overeenkomstige toepassing

Art. 863. *(7.14.2.7)* De bepalingen van deze afdeling zijn van overeenkomstige toepassing op overeenkomsten, waarbij iemand als bedoeld in artikel 857 zich verbindt tot een bepaalde prestatie voor het geval een derde een bepaalde verbintenis met een andere inhoud jegens de schuldeiser niet nakomt.

Recht op vergoeding van opdrachtnemer jegens opdrachtgever

Art. 864. *(7.14.2.8)* 1. Indien in opdracht en voor rekening van iemand als bedoeld in artikel 857 ter zake van de verbintenis van een ander een borgtocht of een overeenkomst als bedoeld in artikel 863 wordt aangegaan, heeft de opdrachtnemer voor hetgeen hij aan de schuldeiser heeft voldaan, geen recht op vergoeding jegens de opdrachtgever voor zover de onderhavige afdeling aan diens aansprakelijkheid als borg in de weg gestaan zou hebben. Artikel 861 is tussen opdrachtgever en opdrachtnemer van overeenkomstige toepassing.

Afwijkingen

2. Van het eerste lid kan slechts worden afgeweken, indien dit geschiedt bij een door de opdrachtgever ondertekend geschrift waarin de aard van de afwijking wordt omschreven, en het een opdracht betreft aan een bank of andere instelling die haar bedrijf van het verstrekken van borgtochten maakt.

AFDELING 3
De gevolgen van de borgtocht tussen de hoofdschuldenaar en de borg en tussen borgen en voor de verbintenis aansprakelijke niet-schuldenaren onderling

Overeenkomstige toepassing

Art. 865. *(7.14.3.1)* Op de rechtsbetrekkingen tussen hoofdschuldenaar en borg en op die tussen borgen en andere voor de verbintenis aansprakelijke niet-schuldenaren onderling is artikel 2 van Boek 6 overeenkomstige toepassing.

Regres voor gehele bedrag

Art. 866. *(7.14.3.2)* 1. De borg heeft voor het gehele bedrag dat hij aan hoofdsom, rente en kosten aan de schuldeiser heeft moeten voldoen, krachtens artikel 10 van Boek 6 een vordering op de hoofdschuldenaar.

Uitzondering bij wettelijke rente

2. De borg kan noch aan artikel 10 van Boek 6, noch aan artikel 12 van Boek 6 een vordering op de hoofdschuldenaar ontlenen voor wettelijke rente over de periode waarin hij door hem persoonlijk betreffende omstandigheden in verzuim is geweest, of voor kosten die hem persoonlijk betreffen of door hem in redelijkheid niet behoefden te worden gemaakt.

Borgtocht voor twee of meer hoofdschuldenaren

3. Heeft iemand zich ter zake van dezelfde verbintenis borg gesteld voor twee of meer hoofdelijk verbonden hoofdschuldenaren, dan zijn deze, in afwijking van artikel 10, lid 1 van Boek 6 en artikel 12, lid 1 van Boek 6, jegens de borg hoofdelijk verbonden voor hetgeen deze aan hoofdsom, rente en kosten op hen kan verhalen.

4. Uit de rechtsverhouding tussen de borg en een of meer hoofdschuldenaren kan iets anders voortvloeien dan de leden 1-3 meebrengen.

Overdracht vordering wegens onverschuldigde betaling

Art. 867. *(7.14.3.3)* Indien de borg de verbintenis is nagekomen zonder de hoofdschuldenaar daarvan mededeling te doen en deze daarna zijnerzijds de schuldeiser heeft betaald, kan de hoofdschuldenaar tegenover de borg volstaan met overdracht aan deze van zijn vordering wegens onverschuldigde betaling op de schuldeiser.

Verweermiddelen hoofdschuldenaar

Art. 868. *(7.14.3.4)* Een krachtens artikel 10 van Boek 6 aangesproken hoofdschuldenaar kan de verweermiddelen die hij op het tijdstip van het ontstaan van de verhaalsvordering jegens de schuldeiser had, ook inroepen tegen de borg; de leden 2 en 4 van artikel 11 van Boek 6 zijn van overeenkomstige toepassing.

Omslag

Art. 869. *(7.14.3.6)* De borg te wiens laste de schuld is gedelgd, kan met overeenkomstige toepassing van artikel 152 van Boek 6. het onverhaalbaar gebleken gedeelte omslaan over zichzelf, zijn medeborgen en de niet-schuldenaren die voor de verbintenis aansprakelijk waren.

Regres achterborg

Art. 870. *(7.14.3.7)* De achterborg die de verbintenis van de borg is nagekomen, kan ten behoeve van zichzelf het verhaal uitoefenen dat de borg, indien hij zelf de verbintenis was nagekomen, zou hebben gehad jegens de hoofdschuldenaar of jegens medeborgen of niet-schuldenaren die voor de verbintenis aansprakelijk waren.

TITEL 15
Vaststellingsovereenkomst

Begripsbepaling

Art. 900. *(7.15.1)* 1. Bij een vaststellingsovereenkomst binden partijen, ter beëindiging of ter voorkoming van onzekerheid of geschil omtrent hetgeen tussen hen rechtens geldt, zich jegens elkaar aan een vaststelling daarvan, bestemd ook te gelden voor zover zij van de tevoren bestaande rechtstoestand mocht afwijken.

Tot standkoming vaststelling

2. De vaststelling kan tot stand komen krachtens een beslissing van partijen gezamenlijk of krachtens een aan één van hen of aan een derde opgedragen beslissing.

3. Een bewijsovereenkomst staat met een vaststellingsovereenkomst gelijk voor zover zij een uitsluiting van tegenbewijs meebrengt.

4. Deze titel is niet van toepassing op de overeenkomst van arbitrage.

Art. 901. *(7.15.2)* 1. De totstandkoming van de vaststelling is gebonden aan de vereisten waaraan moet worden voldaan om de met de beslissing beoogde rechtstoestand, uitgaande van die waarvan zij mogelijk afwijkt, tot stand te brengen.

Verplichting partijen

2. Ieder van de partijen is jegens de andere verplicht te verrichten hetgeen van haar zijde nodig is om aan de vereisten voor de totstandkoming van de vaststelling te voldoen.

3. Voor zover aan deze vereisten kan worden voldaan door een verklaring van partijen of een hunner, wordt deze verkaring in de vaststellingsovereenkomst besloten geacht, tenzij uit de overeenkomst anders voortvloeit.

Strijd met dwingend recht

Art. 902. *(7.15.3)* Een vaststelling ter beëindiging van onzekerheid of geschil op vermogensrechtelijk gebied is ook geldig als zij in strijd mocht blijken met dwingend recht, tenzij zij tevens naar inhoud of strekking in strijd komt met de goede zeden of de openbare orde.

Rechten van derden

Art. 903. *(7.15.4)* Een vaststelling van hetgeen in het verleden rechtens is geweest, kan geen afbreuk doen aan inmiddels verkregen rechten van derden.

Vernietigbare beslissing

Art. 904. *(7.15.5)* 1. Indien gebondenheid aan een beslissing van een partij of van een derde in verband met inhoud of wijze van totstandkoming daarvan in de gegeven omstandigheden naar maatstaven van redelijkheid en billijkheid onaanvaardbaar zou zijn, is die beslissing vernietigbaar.

2. Indien de beslissing van een partij of een derde vernietigd wordt, nietig blijkt of niet binnen een aan die partij of derde daartoe te stellen redelijke termijn wordt

verkregen, kan de rechter een beslissing geven, tenzij uit de overeenkomst of de aard van de beslissing voortvloeit dat zij op andere wijze moet worden vervangen.

Ontbinding treft andere beslissing

Art. 905. *(7.15.6)* Indien een ontbinding van een vaststellingsovereenkomst wegens een tekortkoming in de nakoming daarvan een reeds tot stand gekomen, aan een partij of een derde opgedragen beslissing zou treffen, kan deze ontbinding niet door een eenzijdige verklaring geschieden en kan de rechter haar afwijzen op de grond dat degene die haar vordert, voldoende middelen heeft om van de wederpartij opheffing van of vergoeding voor de tekortkoming te verkrijgen.

Rechtsgrond elders dan in overeenkomst

Art. 906. *(9.15.7)* 1. De bepalingen van deze titel vinden overeenkomstige toepassing, wanneer een vaststelling haar rechtsgrond elders dan in een overeenkomst vindt.

2. Artikel 904 vindt overeenkomstige toepassing wanneer aan een der partijen bij een rechtsverhouding of aan een derde de bevoegdheid is gegeven de regeling van de verhouding aan te vullen of te wijzigen.

3. Lid 2 geldt niet voor aanvulling of wijziging bij een besluit van een orgaan van een rechtspersoon, indien dit besluit krachtens artikel 15 van Boek 2 bij strijd met redelijkheid en billijkheid vernietigbaar is.

4. De leden 1 en 2 gelden niet voor zover de strekking van de betrokken bepaling in verband met de aard van de rechtsverhouding zich tegen de overeenkomstige toepassing verzet.

BOEK 7A
BIJZONDERE OVEREENKOMSTEN; VERVOLG

VIJFDE TITEL A
Van koop en verkoop op afbetaling

AFDELING 1
Van koop en verkoop op afbetaling in het algemeen

Koop en verkoop op afbetaling

Art. 1576. 1. Koop en verkoop op afbetaling is de koop en verkoop, waarbij partijen overeenkomen dat de koopprijs wordt betaald in termijnen, waarvan twee of meer verschijnen, nadat de verkochte zaak aan de koper is afgeleverd.

2. De overeenkomst is niet van kracht voordat partijen de door de koper te betalen prijs hebben bepaald.

3. Alle overeenkomsten, welke dezelfde strekking hebben, onder welke vorm of welke benaming ook aangegaan, worden als koop en verkoop op afbetaling aangemerkt.

4. Koop en verkoop op afbetaling in de zin der wet zijn niet de overeenkomsten welke betrekking hebben op:
a. onroerende zaken,
b. zeeschepen waarvan de bruto-inhoud tenminste twintig kubieke meters of de bruto-tonnage tenminste 6 bedraagt, die teboekstaan of die teboekgesteld kunnen worden in het in artikel 193 van Boek 8 genoemde register,
c. binnenschepen die teboekstaan of die teboekgesteld moeten worden doch niet teboekstaan, in het in artikel 783 van Boek 8 genoemde register,
d. luchtvaartuigen teboekstaand in het register genoemd in de Wet teboekgestelde Luchtvaartuigen.

5. Het in deze titel bepaalde vindt overeenkomstige toepassing op vermogensrechten, niet zijnde registergoederen, voor zover dat in overeenstemming is met de aard van het recht.

Dwingend recht

Art. 1576a. Van de bepalingen van deze titel mag slechts worden afgeweken, indien en voor zoover dit daaruit blijkt.

Schriftelijke vastlegging schadevergoeding of straf

Art. 1576b. 1. Bedingen, waarbij of krachtens welke den schuldenaar, voor het geval hij eenige verplichting uit de overeenkomst niet vervult, de betaling van zekere som als schadevergoeding of eenige straf wordt of kan worden opgelegd, kunnen alleen bij schriftelijk aangegane overeenkomst worden gemaakt.

Matigingsrecht van rechter

2. Indien de overeengekomen of opgelegde schadevergoeding of straf den rechter bovenmatig voorkomt, kan deze haar, ten aanzien van het hem voorgelegde geval, verminderen of opheffen.

Vervroegde opeisbaarheid

Art. 1576c. 1. Vervroegde opeischbaarheid, als straf wegens nalatigheid van den kooper in het betalen van termijnen, kan alleen bedongen worden voor het geval de achterstand bedraagt, ten aanzien van één termijn tenminste een tiende, of ten aanzien van meer termijnen gezamenlijk tenminste een twintigste deel van den geheelen koopprijs.

2. Onder geheelen koopprijs wordt verstaan de som van alle betalingen, waartoe de kooper bij regelmatige nakoming van de overeenkomst gehouden is.

3. Het tweede lid van artikel 1576b is hier niet van toepassing.

Ingebrekestelling vereist

Art. 1576d. Op eenig beding, als bedoeld in de voorafgaande twee artikelen, kan wegens niet tijdige nakoming beroep alleen worden gedaan, indien de schuldenaar, na in gebreke te zijn gesteld, nalatig blijft om zijne verplichtingen na te komen.

Vervroegde betaling

Art. 1576e. 1. De kooper is steeds bevoegd tot vervroegde betaling van één of meer eerstvolgende termijnen van den koopprijs.

2. In geval van vervroegde betaling ineens van het geheele nog verschuldigde bedrag heeft hij recht op een aftrek, berekend naar vijf ten honderd 's jaars over elken daarbij vervroegd betaalden termijn.

3. Van de bepalingen van dit artikel kan ten voordeele van den kooper door partijen worden afgeweken.

Geven van zekerheid voor betaling

Art. 1576f. 1. Overdracht, inpandgeving of elke andere handeling, waardoor de kooper aan den verkooper of aan een derde eenig recht toekent op zijn loon, pensioen of andere periodieke inkomsten wegens arbeidsovereenkomst, kan ter zake van koop en verkoop op afbetaling, behalve voor opeischbare verplichtingen, alleen geschieden voor betalingen, waartoe de kooper bij regelmatige nakoming van de overeenkomst zal gehouden zijn, en voor de kosten.

2. De handeling heeft alsdan geene werking dan naar gelang bedoelde termijnen verschijnen overeenkomstig een bij schriftelijke overeenkomst vastgelegd plan van regelmatige afbetaling of naar gelang er kosten vallen, telkens tot het beloop daarvan.

3. Bovendien is vereischt, dat de kooper, na in gebreke te zijn gesteld, nalatig is gebleven. Alleen de termijnen en kosten, waarover de ingebrekestelling is geschied, en die, welke daarna verschijnen, komen in aanmerking bij het bepalen van bedoelde werking.

4. Ten aanzien van hem, die de uitkeering wegens arbeidsovereenkomst verschuldigd is, heeft de handeling geen gevolg, alvorens de ingebrekestelling van den kooper en het plan van regelmatige afbetaling met opgave van hetgeen daarop voldaan is en van de gevorderde kosten schriftelijk te zijner kennis zijn gebracht, dan wel schriftelijk door hem zijn erkend. Betalingen, dienovereenkomstig te goeder trouw door hem gedaan, bevrijden hem tegenover den kooper.

Art. 1576g. Volmacht tot invordering van loon, pensioen of andere periodieke vorderingen ter zake van eene arbeidsovereenkomst, onder welken vorm of welke benaming ook, door den kooper verleend, is steeds herroepelijk.

Volmacht tot invordering herroepelijk

AFDELING 2
Van huurkoop

Art. 1576h. 1. Huurkoop is de koop en verkoop op afbetaling, waarbij partijen overeenkomen, dat de verkochte zaak niet door enkele aflevering in eigendom overgaat, maar pas door vervulling van de opschortende voorwaarde van algehele betaling van wat door de koper uit hoofde van de koopovereenkomst verschuldigd is.

Huurkoop

2. Alle overeenkomsten, welke dezelfde strekking hebben, hetzij als huur en verhuur, hetzij onder anderen vorm of andere benaming aangegaan, worden als huurkoop aangemerkt.

3. Onder huurkoop is begrepen de overeenkomst, waarbij ter zake van een koop en verkoop een derde, die den eigendom der zaak verwerft, aan den kooper crediet verleent des dat het geheel van handelingen de strekking van huurkoop erlangt.

Art. 1576i. 1. Huurkoop wordt aangegaan bij authentieke of onderhandsche akte, welke voldoet aan de bepalingen van artikel 1576j.

Aangaan bij akte

2. Hetzelfde geldt voor overeenkomsten, welke bestaande overeenkomsten zoodanig wijzigen of aanvullen, dat daardoor huurkoop zou ontstaan.

3. Wordt de overeenkomst aangegaan bij onderhandsche akte, dan moet deze, zoo de kooper dit verlangt, in dubbel worden opgemaakt.

4. Het dubbel, of zoo dit niet is opgemaakt, een authenthiek of door den verkooper onderteekend afschrift, wordt zoo spoedig mogelijk na het sluiten van de overeenkomst door den verkooper aan den kooper verstrekt.

5. Verder afschrift kan de kooper te allen tijde tegen betaling van de kosten vorderen.

Art. 1576j. 1. De akte van huurkoop moet duidelijk vermelden den geheelen koopprijs, als bedoeld in artikel 1576c, het plan van regelmatige afbetaling, als bedoeld in artikel 1576f, en de bedingen betreffende voorbehoud en overgang van eigendom.

Inhoud der akte

2. In de gevallen, bedoeld in het tweede en het derde lid van artikel 1576h, treden de overeenkomstige gegevens hiervoor in de plaats.

3. Ontbreekt eene akte, welke voldoet aan genoemde voorwaarden, dan geldt de overeenkomst niet als huurkoop, doch wordt de koop en verkoop op afbetaling geacht te zijn gesloten zonder beding, dat de verkochte zaak niet door enkele aflevering aan den kooper overgaat.

Ontbreken geldige akte

Art. 1576k. Ter zake van huurkoop kan de koper, indien hij bij het aangaan van de overeenkomst werkelijke woonplaats in een gemeente in Nederland heeft, geen woonplaats kiezen, behalve voor het geval dat hij te eniger tijd geen bekende werkelijke woonplaats in die gemeente mocht hebben.

Geen gekozen woonplaats

Verplichtingen van huurverkoper

Art. 1576l. 1. De verkoper is verplicht de verkochte zaak aan de koper te leveren door aan deze de macht over de zaak te verschaffen. Op zijn verdere verplichtingen zijn de bepalingen van de eerste, tweede en derde afdeling van titel 1 van Boek 7 van toepassing.

Vervreemding breekt geen huurkoop

2. Vervreemding door den verkooper van de in huurkoop afgeleverde zaak werkt niet ten nadeele van den huurkooper.

Rechten en verplichtingen van huurkoper

Art. 1576m. 1. De kooper heeft van de zaak, die hij krachtens huurkoop onder zich heeft, het genot, ook voordat hij den eigendom daarvan verkrijgt.

2. Hij mag de zaak gebruiken overeenkomstig hare bestemming.

3. Hare gedaante of inrichting mag hij niet veranderen, noch de zaak verhuren of zijn genot aan anderen afstaan.

4. De zaak is voor risico van de koper van de aflevering af. De leden 2, 3 en 4 van artikel 10 van Boek 7 zijn van toepassing.

5. Van deze bepalingen kan bij overeenkomst worden afgeweken. Van lid 4 kan echter bij een consumentenkoop niet ten nadele van de koper worden afgeweken.

Genot der vruchten

Art. 1576n. 1. De vruchten, welke de zaak tijdens het genot oplevert, behooren den kooper toe. Voorzoover bij de akte van huurkoop hiervan is afgeweken, heeft de kooper niettemin het genot der vruchten, indien niet anders is overeengekomen.

2. De burgerlijke vruchten worden, voor zoover niet anders is overeengekomen, gerekend van dag tot dag verkregen te worden en den kooper toe te behooren, naarmate zijn genot duurt, welk ook het tijdstip moge wezen, waarop dezelve betaalbaar zijn.

Teruggave vruchten

3. De verplichting tot teruggave van de in huurkoop afgeleverde zaak omvat die tot teruggave van de vruchten, welke den verkooper toebehooren.

Art. 1576o. Vervallen.

Art. 1576p. Vervallen.

Gevolgen nalatig blijven van huurkoper

Art. 1576q. Ontbinding van huurkoop, of teruggave van eene in huurkoop gehouden zaak krachtens daartoe gemaakt beding, kan, wegens niet tijdige nakoming door den kooper van zijne verplichtingen, niet worden ingeroepen of gevorderd, tenzij de kooper, na in gebreke te zijn gesteld, nalatig blijft om zijne verplichtingen na te komen.

Teruggave bij voorraad bij voorlopige voorziening

Art. 1576r. Wanneer de verkoper ontbinding van de overeenkomst of teruggave van de in huurkoop afgeleverde zaak kan vorderen, kan de kantonrechter, indien de verkoper zulks verzoekt en daarbij redelijk belang heeft, bij voorlopige voorziening teruggave bij voorraad bevelen.

Gevolgen beding van terugneming

Art. 1576s. Indien, wegens het niet nakomen door den kooper van zijne verplichtingen de in huurkoop afgeleverde zaak krachtens daartoe gemaakt beding wordt teruggenomen, heeft dit ontbinding van de overeenkomst tot gevolg, tenzij tusschen partijen anders overeengekomen is.

Verrekening bij ontbinding

Art. 1576t. Indien bij ontbinding van de overeenkomst wegens het niet nakomen door den kooper van zijne verplichtingen de verkooper in beteren vermogenstoestand zou geraken dan bij het in stand blijven van de overeenkomst, vindt volledige verrekening plaats.

Machtiging tot retentie

Art. 1576u. Indien bij ontbinding der overeenkomst de kooper recht mocht hebben op eenige terugbetaling, kan hij door den rechter worden gemachtigd de zaak, die hij terug moet geven, onder zich te houden, totdat het hem verschuldigde wordt betaald of de verkooper daarvoor voldoende zekerheid heeft gesteld.

Inlossing van zaak na terugneming

Art. 1576v. 1. Indien wegens niet betaling van verschenen termijnen de in huurkoop afgeleverde zaak is teruggenomen zonder voorafgaande rechterlijke tusschenkomst, kan de kooper gedurende veertien dagen na de terugneming de zaak inlossen, door betaling van de verschenen termijnen en de verschuldigde rente, boeten en kosten.

2. Mocht de overeenkomst zijn ontbonden, dan wordt dit door de inlossing ongedaan gemaakt.

3. Bij herhaling van het in het eerste lid genoemde geval heeft de kooper het recht van inlossing alleen onder volledige betaling.

4. Aan de vordering tot inlossing, anders dan onder volledige betaling, behoeft de verkooper niet te voldoen, indien omstandigheden aanwezig zijn, die tot toepassing van artikel 1576r aanleiding zouden geven.

5. Van de bepalingen van dit artikel kan ten voordeele van den kooper door partijen worden afgeweken. **Aanvullend recht**

Art. 1576w. In het vonnis, waarbij de verplichting tot teruggave van eene in huurkoop afgeleverde zaak wordt vastgesteld of de overeenkomst wordt ontbonden, kan een bevel tot teruggave worden opgenomen. **Rechterlijk bevel tot teruggave**

Art. 1576x. 1. Bij het vonnis, dat bevel tot teruggave uit kracht van huurkoop inhoudt, kan de geldswaarde der terug te geven zaak worden vastgesteld. **Vaststelling geldswaarde terug te geven zaak**

2. In dat geval kan de tenuitvoerlegging ook door uitwinning geschieden.

ZESDE TITEL
Van ruiling

Artt. 1577-1582. Vervallen.

ZEVENDE TITEL
Van huur en verhuur

EERSTE AFDEELING
Algemeene bepaling

Art. 1583. Vervallen.

Art. 1584. 1. Huur en verhuur is eene overeenkomst, waarbij de eene partij zich verbindt om de andere het genot eener zaak te doen hebben, gedurende eenen bepaalden tijd en tegen eenen bepaalden prijs, welken de laatstgemelde aanneemt te betalen.

2. Men kan allerlei soort van zaken, het zij onroerende, het zij roerende, verhuren.

3. De pachtovereenkomst wordt niet onder de overeenkomst van huur en verhuur begrepen. Zij wordt bij afzonderlijke wet geregeld. **Afzonderlijke pachtregeling**

Art. 1585. De bepalingen van deze en de volgende afdeling zijn mede van toepassing op de huur van vermogensrechten, voor zover de strekking van die bepalingen of de aard van het recht zich daartegen niet verzet.

TWEEDE AFDEELING
Van de regelen, welke gemeen zijn aan verhuringen van huizen en van andere zaken

Art. 1586. De verhuurder is, door den aard van de overeenkomst, en zonder dat daartoe eenig bijzonder beding vereischt wordt, verpligt: **Verplichting verhuurder**

1°. Om het verhuurde aan den huurder ter beschikking te stellen;
2°. Om hetzelve te onderhouden in zoodanigen staat, dat het tot gebruik waartoe het verhuurd is dienen kan;
3°. Om den huurder het rustig genot daarvan te doen hebben, zoo lang de huur duurt.

Art. 1587. 1. De verhuurder is gehouden de verhuurde zaak in alle opzichten in goede staat van onderhoud ter beschikking te stellen. **Staat van onderhoud verhuurde zaak**

2. Hij moet daaraan gedurende den huurtijd, alle reparatien laten doen welke noodzakelijk mogten worden, met uitzondering van degene tot welke de huurder verpligt is.

Art. 1588. 1. De verhuurder moet den huurder instaan voor alle gebreken van de verhuurde zaak, welke het gebruik daarvan verhinderen, al mogt ook de verhuurder dezelve tijdens het doen der verhuring niet gekend hebben. **Vrijwaring voor gebreken**

2. Indien door die gebreken eenig nadeel voor den huurder ontstaat, is de verhuurder gehouden hem deswege schadeloos te stellen. **Schadeloosstelling huurder**

Geheel of gedeeltelijk vergaan verhuurde

Art. 1589. Indien, gedurende den huurtijd, de verhuurde zaak door eenig toeval geheel en al vergaan is, vervalt de huurovereenkomst van regtswege. Indien de zaak slechts ten deele vergaan is, heeft de huurder de keus om, naar gelang der omstandigheden, of vermindering van de huurprijs te vorderen of de huurovereenkomst te ontbinden; doch hij kan, in geen dier beide gevallen, aanspraak op schadevergoeding maken.

Geen verandering verhuurd pand door verhuurder

Art. 1590. De verhuurder mag, gedurende den huurtijd, de gedaante of inrigting van de verhuurde zaak niet veranderen.

Gedogen van dringende reparaties

Art. 1591. 1. Indien, gedurende den huurtijd, de verhuurde zaak dringende reparatien noodig heeft, welke niet tot na het eindigen der huur kunnen worden uitgeteld, moet de huurder dezelve gedoogen, welke ongemakken hem ook hierdoor worden veroorzaakt, en hoewel hij ook, gedurende het doen dier reparatien van een gedeelte van de verhuurde zaak verstoken zij.

2. Doch indien deze reparatien langer dan veertig dagen duren, zal de huurprijs verminderd worden naar evenredigheid van den tijd, en van het gedeelte van de verhuurde zaak, waarvan de huurder zal zijn verstoken geweest.

Mogelijkheid verbreken huurovereenkomst

3. Indien de reparatien van dien aard zijn dat daardoor het gehuurde, hetgeen den huurder en zijn huisgezin ter bewoning noodzakelijk is, onbewoonbaar wordt, kan dezelve de huur doen verbreken.

Geen vrijwaring voor feitelijke stoornis

Art. 1592. De verhuurder is niet verpligt den huurder te waarborgen tegen de belemmeringen welke hem derden, door feitelijkheden, in zijn genot toebrengen, zonder overigens eenig regt op het gehuurde te beweren; behoudens het regt van den huurder om dezelve uit eigen hoofde te vervolgen.

Vermindering huurprijs bij rechtsstoornis

Art. 1593. Indien, daarentegen, de huurder in deszelfs genot is gestoord geworden, ten gevolge eener regtsvordering welke tot den eigendom van de zaak betrekking heeft, heeft hij het regt om eene geëvenredigde vermindering van den huurprijs te vorderen, mits van die stoornis of belemmering aan den eigenaar behoorlijk kennis gegeven zij.

Oproepen verhuurder tot vrijwaring

Art. 1594. Indien degenen die de feitelijkheden gepleegd hebben enig recht ten aanzien van de verhuurde zaak beweren te hebben, of indien de huurder zelf in regten gedagvaard is om tot ontruiming van het geheel of van een gedeelte van de zaak verwezen te worden, of om de uitoefening van eenige erfdienstbaarheid of een ander recht ten aanzien van de zaak te gedoogen, moet hij den verhuurder daarvan beteekening doen, en hij kan denzelven tot vrijwaring oproepen.

Wederverhuur afstand van huur

Art. 1595. 1. De huurder mag, indien hem dit vermogen niet is toegestaan, de zaak niet weder verhuren, noch zijne huur aan een ander afstaan.

2. Indien het gehuurde in een huis of in eene woning bestaat, welke de huurder zelf bewoont, kan hij een gedeelte daarvan, onder zijne verantwoordelijkheid, aan een ander verhuren, indien hem dat vermogen niet bij de overeenkomst is ontzegd geworden.

Hoofdverplichtingen van huurder

Art. 1596. De huurder is tot twee hoofdverpligtingen gehouden:
1°. Om het gehuurde als een goed huurder te gebruiken, en overeenkomstig de bestemming welke daaraan bij de huurovereenkomst gegeven is, of volgens die welke, bij gebreke van overeenkomst daaromtrent, naar gelang der omstandigheden voorondersteld wordt;
2°. Om den huurprijs op de bepaalde termijnen te voldoen.

Art. 1597. Vervallen.

Oplevering volgens beschrijving

Art. 1598. Indien tusschen den verhuurder en den huurder eene beschrijving van het verhuurde is opgemaakt, is laatstgemelde gehouden de zaak in dien staat weder op te leveren, waarin hij deze, volgens die beschrijving, heeft aanvaard; met uitzondering van hetgeen door ouderdom of door onvermijdelijke toevallen vergaan of van waarde verminderd is.

Oplevering zonder beschrijving

Art. 1599. Indien geene beschrijving is opgemaakt, wordt de huurder, ten aanzien van het onderhoud, hetwelk ten laste van huurders komt, behoudens tegenbewijs, voorondersteld het gehuurde in goeden staat te hebben aanvaard, en moet hij hetzelfve in dien staat terug geven.

Art. 1600. 1. De huurder is aansprakelijk voor schade aan de verhuurde zaak die is ontstaan door een hem toe te rekenen tekortschieten in de nakoming van een verplichting uit de huurovereenkomst.

2. Alle schade behalve brandschade wordt vermoed daardoor te zijn ontstaan.

Art. 1601. Vervallen.

Art. 1602. De huurder is jegens de verhuurder op gelijke wijze als voor eigen gedragingen aansprakelijk voor de gedragingen van hen die met zijn goedvinden het gehuurde gebruiken of zich met zijn goedvinden daarop bevinden.

Afbreken veranderingen bij ontruiming

Art. 1603. De huurder mag, bij ontruiming van de gehuurde zaak, afbreken en naar zich nemen al hetgeen hij daaraan, op zijne kosten, heeft doen maken, mits zulks gedaan worde zonder beschadiging van de zaak.

Art. 1604. Vervallen.

Geschil over bedrag mondelinge huur

Art. 1605. Wanneer er geschil ontstaat over den prijs eener verhuring, bij monde aangegaan, waarvan de uitvoering begonnen is, en er geene kwijting aanwezig is, moet de verhuurder op zijnen eed geloofd worden, ten ware de huurder mogt verkiezen den huurprijs door deskundigen te doen begrooten.

Einde schriftelijke huur

Art. 1606. Indien de huur bij geschrift is aangegaan, houdt dezelve van regtswege op, wanneer de bepaalde tijd verstreken is, zonder dat daartoe eene opzegging vereischt worde.

Einde mondelinge huur

Art. 1607. Indien de huur zonder geschrift is aangegaan, houdt dezelve op den bepaalden tijd niet op, dan voor zoo verre de eene partij aan de andere de huur heeft opgezegd, met inachtneming der termijnen welke het plaatselijk gebruik medebrengt.

Na opzegging geen stilzwijgende wederverhuring

Art. 1608. Wanneer de eene partij aan de andere eene opzegging van huur heeft beteekend, kan de huurder, hoewel in het genot blijvende, zich niet beroepen op eene stilzwijgende wederinhuring.

Nieuwe huur na einde schriftelijke huur

Art. 1609. Indien, na het eindigen van eene verhuring bij geschrifte aangegaan, de huurder in het genot is gebleven en gelaten, ontstaat daardoor eene nieuwe huur, waarvan de gevolgen geregeld worden bij de artikelen, tot mondelinge verhuring betrekkelijk.

Beperking borgtocht tot oude huur

Art. 1610. In het geval der twee voorgaande artikelen, strekt zich de borgtogt, voor de huur gesteld, niet uit tot de verpligtingen die uit de verlenging der huur ontstaan.

Geen tenietgaan huur door de dood

Art. 1611. De huur-overeenkomst gaat geenszins te niet door den dood van den verhuurder, noch door dien van den huurder.

Vervreemding breekt geen huur

Art. 1612. 1. Door verkoop van het verhuurde wordt eene te voren aangegane huur niet verbroken, ten ware dit bij de verhuring mogt voorbehouden zijn.

2. Bij zoodanig voorbehoud, kan de huurder, zonder uitdrukkelijk beding geene aanspraak op vergoeding maken, maar met dat laatste beding, is hij niet tot ontruiming van het gehuurde verpligt, zoo lang de verschuldigde vergoeding niet is gekweten.

Art. 1613. Vervallen.

Inachtneming opzegtermijn door koper

Art. 1614. Een kooper die gebruik wil maken van de bevoegdheid, bij de huurovereenkomst voorbehouden om, in geval van verkoop, den huurder tot de ontruiming van het gehuurde te noodzaken, is verpligt den huurder zoodanigen tijd te voren te waarschuwen, als het plaatselijk gebruik tot het doen van opzeggingen medebrengt.

Verklaring, dat verhuurder zaak zelf wil betrekken

Art. 1615. De verhuurder kan de huur niet doen ophouden door te verklaren dat hij de verhuurde zaak zelf wil betrekken, ten ware het tegendeel mogt bedongen zijn.

Opzegtermijn bij zelf betrekken van goed door verhuurder

Art. 1616. Indien men bij de huurovereenkomst is overeengekomen dat de verhuurder de bevoegdheid zoude hebben om het verhuurde huis of andere onroerende zaak zelf te betrekken is hij verpligt, vooraf eene opzegging te doen beteekenen, zooveel tijd te voren, als bij artikel 1614 is vastgesteld.

DERDE AFDEELING

Van de regelen welke bijzonder betrekkelijk zijn tot huur van huizen en huisraad

Art. 1617. Vervallen.

Art. 1618. Vervallen.

Geringe en dagelijkse reparaties

Art. 1619. 1. Geringe en dagelijksche reparatien zijn voor rekening van den huurder.

2. Bij gebreke van overeenkomst, worden als zoodanig aangemerkt reparatien aan winkelkasten, de sluiting der luiken of blinden, de binnensloten, de vensterglazen, zoo binnen als buiten 's huis, en al hetgeen verder door het plaatselijk gebruik daaronder begrepen wordt.

3. Niettemin komen die reparatien ten laste van den verhuurder, indien zij door den vervallen toestand van het verhuurde of door overmagt zijn noodzakelijk geworden.

Schoonhouden putten, enz.

Art. 1620. 1. Het schoonhouden van putten, regenbakken en sekreten komt ten laste van den verhuurder, indien het tegendeel niet bedongen is.

2. Het schoonhouden der schoorsteenen komt, bij gebreke van beding, ten laste van den huurder.

Huurtermijn meubelen

Art. 1621. De huur van meubelen, om een geheel huis, eene geheele woning, een winkel, of eenig ander vertrek, daarmede te stofferen, wordt gehouden voor zoo lang te zijn aangegaan, als de huizen, woningen, winkels of vertrekken, volgens plaatselijk gebruik, doorgaans verhuurd worden.

Huurtermijn gestoffeerde kamers

Art. 1622. 1. De huur van gestoffeerde kamers wordt gehouden bij het jaar te zijn aangegaan, wanneer dezelve is aangegaan voor eene zekere som in het jaar;

Bij de maand, wanneer dezelve is aangegaan tegen eene bepaalde som in de maand;

Bij den dag, wanneer dezelve is aangegaan tegen eene bepaalde som voor iederen dag.

2. Indien niet blijkt dat de huur voor eene zekere som bij het jaar, bij de maand, of voor iederen dag, is aangegaan, wordt dezelve geacht volgens plaatselijk gebruik te zijn gesloten.

Stilzwijgende voortzetting huur

Art. 1623. Indien de huurder van een huis of vertrek, na het eindigen van den huurtijd, bij schriftelijke overeenkomst bepaald, in het bezit van het gehuurde blijft, zonder dat zich de verhuurder daartegen verzet, wordt hij geacht het verhuurde op dezelfde voorwaarden te blijven behouden, voor den tijd welken het plaatselijk gebruik medebrengt, en kan hij het verhuurde niet verlaten, noch daaruit gezet worden, dan na eene tijdige opzegging, overeenkomstig het plaatselijk gebruik gedaan.

VIERDE AFDELING

Van de regelen welke betrekkelijk zijn tot huur en verhuur van woonruimte

Toepasselijkheid bepalingen van deze afdeling

Art. 1623a. 1. De volgende bepalingen van deze afdeling zijn uitsluitend van toepassing op de overeenkomst van huur en verhuur van woonruimte, met uitzondering van die, welke een gebruik van woonruimte betreft dat naar zijn aard slechts van korte duur is. De artikelen 1623b-1623f, 1623j, 1623k, eerste en tweede lid, 1623l, 1623n, derde lid en 1623o, zijn voorts niet van toepassing op de huur en de verhuur van woonruimte in gebouwen, welke aan een gemeente toebehoren en ten tijde van het aangaan van de overeenkomst voor afbraak bestemd zijn. Op de huur en verhuur van woonruimte die niet een zelfstandige woning vormt en deel uitmaakt van een woning waarin de verhuurder zijn hoofdverblijf heeft en waarin niet eerder aan dezelfde huurder deze of andere woonruimte is verhuurd geweest, zijn gedurende negen maanden na het ingaan van de overeenkomst de artikelen 1623b, vierde lid, 1623c tot en met 1623f, 1623j, 1623l en 1623o niet van toepassing en is artikel 1623n, derde lid, in zoverre van toepassing dat de in dat lid bedoelde opzegging uitsluitend wordt beheerst door artikel 1623b, met uitzondering van het vierde lid van dat artikel.

Omschrijving woonruimte

2. Onder woonruimte wordt verstaan een gebouwde onroerende zaak die als zelfstandige woning is verhuurd, of een als woning verhuurd gedeelte daarvan, dan wel een woonwagen of een standplaats, alsmede de onroerende aanhorigheden.

Zelfstandige woning

3. Onder zelfstandige woning wordt verstaan de woning welke een eigen toegang heeft en welke de bewoner kan bewonen zonder daarbij afhankelijk te zijn van wezenlijke voorzieningen buiten die woning.

4. Onder woonwagen wordt verstaan een voor bewoning bestemd gebouw dat is geplaatst op een standplaats en dat in zijn geheel of in delen kan worden verplaatst, met uitzondering van wagens die een eigen aandrijving hebben en wagens waarvoor voor het voortbewegen ervan over een weg geen ontheffing ingevolge de Wegenverkeerswet van bij of krachtens die wet gegeven voorschriften met betrekking tot verkeersregels van verkeerstekens is vereist.

5. Onder standplaats wordt verstaan:
a. een standplaats als bedoeld in artikel 1, eerste lid, onder h, van de Woningwet, voor het bouwen waarvan een vergunning is verleend als bedoeld in artikel 40, eerste lid, van die wet of
b. een kavel die ingevolge een bestemmingsplan als bedoeld in de Wet op de Ruimtelijke Ordening bestemd is voor het plaatsen van een woonwagen of
c. een kavel waarop zich één of meer gebouwen bevinden, die met het oog op het plaatsen ván een woonwagen op die kavel zijn gebouwd en voor het bouwen waarvan een vergunning is verleend als bedoeld in artikel 47, eerste lid, van de Woningwet 1962.

Huurprijs

6. Onder huurprijs wordt in deze afdeling verstaan het begrip huurprijs bedoeld in artikel 1, onder e, van de Huurprijzenwet woonruimte.

1612 dwingend recht

7. Op de overeenkomst van huur en verhuur van woonruimte is artikel 1612 niet van toepassing, voor zover het de verhuurder toestaat te bedingen dat de huur wordt verbroken door verkoop van het verhuurde.

Opzegging huurovereenkomst

Art. 1623b. 1. Een overeenkomst, welke is aangegaan voor onbepaalde tijd, moet worden opgezegd tegen een voor de betaling van de huurprijs geldende dag.

2. In afwijking van artikel 1606 houdt de bij geschrifte aangegane huurovereenkomst van woonruimte niet van rechtswege op, wanneer de bepaalde tijd verstreken is, doch moet zij worden opgezegd. Een voor bepaalde tijd, hetzij bij geschrift, hetzij zonder geschrift aangegane overeenkomst moet worden opgezegd tegen een voor de betaling van de huurprijs geldende dag, doch niet vallend voor het verstrijken van de bepaalde tijd.

3. De opzegging moet geschieden bij deurwaardersexploit of bij aangetekende brief. Is ingevolge het bepaalde in artikel 1623g, eerste lid, de echtgenoot van de huurder medehuurder, dan moet de opzegging aan beide echtgenoten afzonderlijk worden gedaan.

4. De opzegging door de verhuurder moet op straffe van nietigheid de gronden vermelden die tot de opzegging hebben geleid. Een opzegging door de verhuurder op andere dan de in artikel 1623e, eerste lid, genoemde gronden is nietig. De huurder moet bij de opzegging worden gevraagd binnen zes weken schriftelijk aan de verhuurder mede te delen of hij al dan niet toestemt in de beëindiging van de overeenkomst.

5. Bij de opzegging moeten, in afwijking in zoverre van de artikelen 1607, 1609 en 1623, de hierna omschreven termijnen in acht worden genomen.

6. Bij opzegging door de huurder is de termijn gelijk aan de tijd, welke tussen twee opvolgende voor betaling van de huurprijs overeengekomen dagen verstrijkt, doch niet korter dan een maand en niet langer dan drie maanden.

7. Bij opzegging door de verhuurder is de termijn niet korter dan drie maanden; voor elk jaar dat de huurder krachtens overeenkomst ononderbroken in het genot van het gehuurde is geweest wordt deze termijn van rechtswege met een maand verlengd, tot ten hoogste zes maanden.

Conversie

8. Een opzegging, die in strijd met het eerste, tweede of zesde lid is gedaan en een opzegging die op kortere termijn is gedaan dan is voorgeschreven in het zevende lid, gelden niettemin als waren zij gedaan tegen de voorgeschreven dag en met inachtneming van de voorgeschreven termijn.

9. Elk beding, waarbij in strijd met het zesde lid een langere opzeggingstermijn of waarbij in strijd met het zevende lid een kortere opzeggingstermijn wordt overeengekomen of waarbij van andere bepalingen van dit artikel wordt afgeweken, is nietig.

10. De bepalingen van dit artikel gelden niet indien de beëindiging geschiedt met wederzijds goedvinden nadat de huur is ingegaan.

Vordering vaststelling einde huurovereenkomst

Art. 1623c. 1. Een opgezegde huurovereenkomst blijft, tenzij de huurder de overeenkomst heeft opgezegd of na de opzegging door de verhuurder schriftelijk in de beëindiging ervan heeft toegestemd, na de datum waartegen rechtsgeldig is opgezegd van rechtswege van kracht, totdat de rechter onherroepelijk heeft beslist op een vordering van de verhuurder, als in het volgende lid bedoeld.

2. De verhuurder kan, indien hij zes weken na de opzegging geen schriftelijke mededeling van de huurder dat hij in de beëindiging van de huurovereenkomst toestemt, heeft ontvangen, op de gronden vermeld in de opzegging vorderen dat de kantonrechter het tijdstip zal vaststellen waarop de huurovereenkomst zal eindigen.

3. De verhuurder legt aan de kantonrechter een verklaring van de huurcommissie bedoeld in artikel 2 van de Wet op de huurcommissies over, inhoudende hetzij de vaststelling dat de huurder de woonruimte niet heeft onderverhuurd, hetzij de namen en woonplaatsen van de onderhuurders, zomede alle verdere gegevens betreffende de onderhuurders, welke naar het oordeel van de commissie ter kennis van de rechter behoren te worden gebracht.

4. De verhuurder is in zijn vordering niet ontvankelijk indien hij niet de in het vorige lid bedoelde verklaring overlegt. De rechter spreekt de niet ontvankelijkheid niet uit dan nadat hij de verhuurder in de gelegenheid heeft gesteld het gepleegde verzuim binnen een door hem te bepalen termijn te herstellen.

5. Elk met de bepalingen van dit artikel strijdig beding is nietig.

Rechterlijke beslissing

Art. 1623d. 1. Bij zijn beslissing op de vordering bedoeld in artikel 1623c, tweede lid, neemt de rechter uitsluitend de in de opzegging vermelde gronden in aanmerking.

2. Indien de rechter de vordering afwijst, wordt de overeenkomst van rechtswege verlengd. De rechter beslist of de overeenkomst voor onbepaalde of voor bepaalde tijd wordt voortgezet.

3. Indien de rechter de vordering toewijst, stelt hij tevens het tijdstip van de ontruiming vast.

4. Het vonnis levert een voor tenuitvoerlegging vatbare titel op.

Voorwaarden voor toewijzing vordering

Art. 1623e. 1. De rechter kan de vordering slechts toewijzen:

1°. indien de huurder zich niet heeft gedragen zoals een goed huurder betaamt;

2°. indien een verhuurder als bedoeld in het tweede lid een overeenkomst voor bepaalde tijd heeft aangegaan en hij uitdrukkelijk heeft bedongen, dat het gehuurde na de afloop van die termijn moet worden ontruimd, tenzij blijkt dat de verhuurder geen belang meer heeft bij de ontruiming;

3°. indien de verhuurder aannemelijk maakt dat hij het verhuurde zo dringend nodig heeft voor eigen gebruik — vervreemding van de zaak niet daaronder begrepen — dat van hem, de belangen en behoeften van beide partijen en van onderhuurders naar billijkheid in aanmerking genomen, niet kan worden gevergd dat de huurovereenkomst wordt verlengd en mits blijkt, dat de huurder andere passende woonruimte kan verkrijgen;

4°. indien de huurder niet toestemt in een redelijk aanbod tot het aangaan van een nieuwe huurovereenkomst met betrekking tot dezelfde woonruimte, voor zover, in het geval dat de Huurprijzenwet woonruimte op de opgezegde huurovereenkomst van toepassing is, dit aanbod niet een wijziging inhoudt van de huurprijs of van de kosten, bedoeld in artikel 12, eerste lid, van genoemde wet;

5°. indien de verhuurder een krachtens een geldend bestemmingsplan op het verhuurde liggende bestemming wil verwezenlijken;

6°. indien de verhuurder, in geval van een huurovereenkomst als bedoeld in artikel 1623a, eerste lid, derde zin, die niet binnen het in die zin genoemde tijdvak is opgezegd, aannemelijk maakt dat zijn belangen bij beëindiging van de overeenkomst zwaarder wegen dan de belangen van de huurder bij voortzetting daarvan.

2. In het geval bedoeld in het vorige lid onder 2° kan het daarbedoelde beding slechts worden gemaakt door de verhuurder die de woonruimte niet zelf heeft bewoond, noch deze eerder heeft verhuurd en die na de afloop van de termijn waarvoor de huurovereenkomst wordt aangegaan de woonruimte zal betrekken, door de

verhuurder die zelf de vorige bewoner van de woonruimte is en die na de afloop van de termijn waarvoor de huurovereenkomst wordt aangegaan de woonruimte weer zal betrekken of door de verhuurder, jegens wie de vorige huurder het recht heeft verkregen na de afloop van de termijn waarvoor de huurovereenkomst wordt aangegaan de woonruimte weer te betrekken.

3. De rechter houdt bij de beoordeling van de vraag of andere woonruimte voor de huurder passend is, geen rekening met de bijdragen uit 's Rijks kas welke een huurder ter tegemoetkoming in de kosten, verbonden aan het genot van een woning, kan verkrijgen.

4. Voor de toewijzing van de vordering op de grond, vermeld in het eerste lid, onder 3°, is, indien ten aanzien van de woonruimte hoofdstuk II van de Huisvestingswet van toepassing is, voorts vereist dat de verhuurder een huisvestingsvergunning als bedoeld in artikel 7, eerste lid, van die wet overlegt.

5. Een opzegging door de verhuurder, die rechtsopvolger van een vorige verhuurder is, op de grond dat hij zelf het verhuurde in gebruik wil nemen, is nietig, indien deze geschiedt binnen drie jaar nadat de rechtsopvolging schriftelijk ter kennis van de huurder is gebracht.

Verhuis- en inrichtingskosten

6. De rechter kan in zijn beslissing tot toewijzing van de vordering tot beëindiging van de huurovereenkomst als bedoeld in het eerste lid, onder 3° en 5°, een bedrag vaststellen dat de verhuurder aan de huurder moet betalen ter tegemoetkoming in diens verhuis- en inrichtingskosten. Alvorens een beslissing te geven waarin een bedrag als in de vorige zin bedoeld wordt vastgesteld, brengt de rechter zijn voornemen ter kennis van partijen en stelt hij een termijn binnen welke de verhuurder de bevoegdheid heeft de opzegging in te trekken. Indien de verhuurder van die bevoegdheid gebruik maakt, zal de rechter alleen een beslissing geven omtrent de proceskosten.

Schadevergoeding

7. Indien de verhuurder de overeenkomst heeft opgezegd op de grond dat hij zelf het verhuurde duurzaam in gebruik wil nemen en de vordering tot beëindiging van de huurovereenkomst is toegewezen, dan wel de huurder in de beëindiging van de overeenkomst heeft toegestemd, is de verhuurder jegens de huurder tot schadevergoeding gehouden, indien de wil om het verhuurde duurzaam in gebruik te nemen in werkelijkheid niet aanwezig is geweest. Artikel 1628a, tweede, derde en vierde lid is van overeenkomstige toepassing.

8. In de gevallen, bedoeld in het eerste lid, onder 1° en 4°, kan de rechter, alvorens de vordering toe te wijzen de huurder een termijn van ten hoogste een maand toestaan om alsnog aan zijn verplichtingen te voldoen of het aanbod te aanvaarden.

Hernieuwde vordering vaststelling beëindiging

Art. 1623f. 1. Indien de rechter de huurovereenkomst verlengd heeft, kan de verhuurder nadat hij de overeenkomst heeft opgezegd overeenkomstig artikel 1623b, wederom vorderen dat de rechter het tijdstip zal vaststellen waarop de overeenkomst zal eindigen. Indien de overeenkomst krachtens een beslissing bedoeld in artikel 1623d, tweede lid, voor onbepaalde tijd van kracht blijft, kan de verhuurder de overeenkomst op grond van dezelfde feiten niet opnieuw binnen drie jaren, nadat de beslissing onherroepelijk is geworden, opzeggen. Als de overeenkomst verlengd is voor bepaalde tijd, kan deze vordering telkens na het tijdstip dat drie maanden voor het eind van de termijn van verlenging ligt, worden ingesteld.

2. De artikelen 1623c, 1623d en 1623e zijn van overeenkomstige toepassing.

Echtgenoot medehuurder

Art. 1623g. 1. De echtgenoot van een huurder is van rechtswege medehuurder, zolang de woonruimte de echtgenoot tot hoofdverblijf strekt, ongeacht of de huurovereenkomst vóór dan wel na het aangaan van het huwelijk is gesloten.

2. Voor de verplichtingen uit de huurovereenkomst, behalve voor zover deze reeds opeisbaar waren voordat de echtgenoot medehuurder werd, zijn de huurder en de medehuurder jegens de verhuurder hoofdelijk aansprakelijk.

3. Indien de huurovereenkomst ten aanzien van de huurder eindigt, wordt de medehuurder huurder.

4. Indien de in het eerste lid bedoelde echtgenoot, hetzij ingevolge een beschikking als bedoeld in artikel 826, eerste lid, onder a, van het Wetboek van Burgerlijke Rechtsvordering, hetzij ingevolge onderlinge overeenstemming in verband met een vordering of een verzoek tot echtscheiding of scheiding van tafel en bed, niet het gebruik heeft van de echtelijke woning, brengt dit voor de toepassing van dit artikel geen verandering in het hoofdverblijf.

5. In geval van echtscheiding of scheiding van tafel en bed kan de rechter op verzoek van een echtgenoot bepalen wie van de echtgenoten huurder van de woonruimte zal zijn.

Andere persoon of medehuurder

Art. 1623h. 1. Indien op het gezamenlijke verzoek van de huurder van woonruimte en van een andere persoon die in de woonruimte zijn hoofdverblijf heeft en met de huurder een duurzame gemeenschappelijke huishouding heeft, alsmede van een medehuurder wanneer die er is, de verhuurder niet binnen drie maanden schriftelijk heeft verklaard er mede in te stemmen dat die andere persoon medehuurder zal zijn, kunnen de huurder en die andere persoon, alsmede een medehuurder wanneer die er is, gezamenlijk vorderen dat de kantonrechter zal bepalen dat deze persoon met ingang van een in het vonnis te bepalen tijdstip medehuurder zal zijn.

2. Nadat een verzoek aan de verhuurder als bedoeld in het vorige lid is gedaan, kan een vordering tot ontbinding van de huurovereenkomst op de grond dat de huurder in strijd met hetgeen overeengekomen is, met een ander in de woonruimte een gemeenschappelijke huishouding heeft, niet meer worden toegewezen. Deze omstandigheid levert alsdan evenmin een grond voor opzegging van de huurovereenkomst op.

3. De kantonrechter wijst de vordering bedoeld in het eerste lid slechts af:
a. indien de persoon bedoeld in het eerste lid niet gedurende tenminste twee jaren in de woonruimte zijn hoofdverblijf heeft en met de huurder een duurzame gemeenschappelijke huishouding heeft;
b. indien, mede gelet op hetgeen is komen vast te staan omtrent de gemeenschappelijke huishouding en de tijdsduur daarvan, de vordering kennelijk slechts de strekking heeft de persoon bedoeld in het eerste lid op korte termijn de positie van huurder te verschaffen;
c. indien de persoon bedoeld in het eerste lid vanuit financieel oogpunt onvoldoende waarborg biedt voor een behoorlijke nakoming van de huurovereenkomst.

4. Voor de verplichtingen uit de huurovereenkomst zijn de persoon die de huurovereenkomst heeft aangegaan en ieder van de personen die op grond van dit artikel medehuurder of huurder is, hoofdelijk jegens de verhuurder aansprakelijk, met dien verstande dat een medehuurder niet aansprakelijk is voor verplichtingen die reeds opeisbaar waren voordat hij medehuurder werd.

5. De bepalingen omtrent het eindigen van de huurovereenkomst zijn op de personen bedoeld in het vorige lid afzonderlijk van toepassing, met dien verstande dat een persoon de hoedanigheid van medehuurder in ieder geval verliest, indien hij zijn hoofdverblijf niet langer in de woonruimte heeft. Indien de huurovereenkomst ten aanzien van de huurder eindigt, wordt de medehuurder huurder.

6. Is ten aanzien van de woonruimte hoofdstuk II van de Huisvestingswet van toepassing, dan zet de medehuurder in afwijking van het vorige lid de huurovereenkomst slechts voort, indien de kantonrechter dit heeft bepaald op een daartoe door die persoon binnen twee maanden na het tijdstip waarop hij huurder is geworden, ingestelde vordering en in elk geval zolang op deze vordering nog niet onherroepelijk is beslist. De kantonrechter wijst het verzoek slechts af, indien de eiser niet een voor hem geldende huisvestingsvergunning als bedoeld in artikel 7, eerste lid, van die wet overlegt.

7. Ieder van de personen bedoeld in het vierde lid kan vorderen dat de kantonrechter zal bepalen dat een of meer van deze personen de huurovereenkomst met ingang van een in het vonnis te bepalen tijdstip niet langer zullen voortzetten. De kantonrechter wijst de vordering slechts toe, indien dit naar billijkheid, met inachtneming van de omstandigheden van het geval, geboden is, met dien verstande dat hij de vordering in ieder geval toewijst, indien de eiser aantoont dat de persoon waarop de vordering betrekking heeft, zijn positie van medehuurder heeft verkregen op grond van een niet mede door de eiser aan de verhuurder gedaan verzoek of van een door hem ingestelde vordering als bedoeld in het eerste lid.

Voortzetting huurovereenkomst bij overlijden huurder

Art. 1623i. 1. Bij het overlijden van de huurder van woonruimte zet de medehuurder de huurovereenkomst als huurder voort. Hij kan de huurovereenkomst binnen zes maanden na het overlijden bij deurwaardersexploit of aangetekende brief opzeggen met ingang van de eerste dag van de tweede maand na de opzegging.

2. De persoon die niet op grond van het vorige lid huurder wordt, doch wel in de woonruimte zijn hoofdverblijf heeft en met de overleden huurder een duurzame gemeenschappelijke huishouding heeft gehad, zet de huurovereenkomst voort gedurende zes maanden na het overlijden van de huurder; de tweede zin van het vorige lid is van toepassing. Hij zet de overeenkomst ook nadien voort, indien de kantonrechter dit heeft bepaald op een daartoe strekkende binnen die termijn ingestelde vordering, en in elk geval zolang op deze vordering nog niet onherroepelijk is beslist.

3. De kantonrechter wijst de vordering bedoeld in het vorige lid in ieder geval af:
a. indien de eiser niet aannemelijk heeft gemaakt dat hij aan de vereisten van het vorige lid voldoet;
b. indien de eiser vanuit financieel oogpunt onvoldoende waarborg biedt voor een behoorlijke nakoming van de huurovereenkomst;
c. indien het woonruimte betreft waarop hoofdstuk II van de Huisvestingswet van toepassing is, indien de eiser niet een huisvestingsvergunning als bedoeld in artikel 7, eerste lid, van die wet overlegt.

4. Het vierde lid, de eerste zin van het vijfde lid en het zevende lid van artikel 1623h zijn van overeenkomstige toepassing.

5. Komt vast te staan, dat een persoon ten onrechte een beroep op voortzetting van de huurovereenkomst krachtens dit artikel heeft gedaan, dan blijft hij over de tijd gedurende welke hij het genot van de woonruimte heeft gehad jegens de verhuurder aansprakelijk voor de nakoming van de huurovereenkomst die voor hem zou hebben bestaan als hij huurder was geweest. Heeft meer dan één persoon ten onrechte een beroep op voortzetting van de huurovereenkomst gedaan, dan is ieder van hen jegens de verhuurder hoofdelijk aansprakelijk.

6. Zijn er geen personen die krachtens dit artikel de huurovereenkomst voortzetten, dan eindigt deze aan het eind van de tweede maand na het overlijden van de huurder. De erfgenamen zijn bevoegd de huurovereenkomst tegen het eind van de eerste maand na het overlijden van de huurder te doen eindigen.

7. Van dit artikel kan niet ten nadele van de personen aan wie dit artikel recht op voortzetting van de huurovereenkomst toekent en van de erfgenamen bedoeld in het vorige lid worden afgeweken.

8. Van artikel 1611 kan niet bij overeenkomst worden afgeweken.

Onderhoud of reparatie op kosten verhuurder

Art. 1623j. Indien de rechter ingevolge artikel 299 van Boek 3 de huurder machtigt bepaalde onderhoudswerken of reparaties ten koste van de verhuurder uit te voeren, kan hij tevens, ongeacht enig andersluidend beding, bepalen of en tot welk bedrag de huurder de gemaakte kosten met de huurprijs kan verrekenen.

Onderhuur overeenkomst

Art. 1623k. 1. De onderhuurovereenkomst die betrekking heeft op een zelfstandige woning waar de onderhuurder zijn hoofdverblijf heeft, wordt in geval van beëindiging van de huurovereenkomst tussen huurder en verhuurder voortgezet door de verhuurder.

2. De verhuurder kan binnen een half jaar nadat hij op grond van het eerste lid de onderhuurovereenkomst heeft voortgezet vorderen dat de kantonrechter zal bepalen dat de overeenkomst met ingang van een in het vonnis te bepalen tijdstip zal eindigen op de grond dat:
a. de wederpartij vanuit financieel oogpunt onvoldoende waarborg biedt voor een behoorlijke nakoming van de overeenkomst;
b. de onderhuurovereenkomst is aangegaan met de kennelijke strekking de onderhuurder de positie van huurder te verschaffen;
c. in de gegeven omstandigheden naar maatstaven van redelijkheid en billijkheid, mede gelet op de inhoud van huurovereenkomsten die betrekking hebben op soortgelijke woonruimte alsmede op de inhoud van de geëindigde overeenkomst tussen hem en de huurder, niet van hem kan worden gevergd dat hij de overeenkomst met de wederpartij voortzet.

3. Ingeval van onderverhuur van woonruimte, welke al dan niet een zelfstandige woning vormt, zet degene die op grond van de artikelen 1623g, 1623h of 1623i huurder is geworden of de huurovereenkomst heeft voortgezet, als onderverhuurder de overeenkomst met de onderhuurder voort.

Ruil van woonruimte

Art. 1623*l*. 1. De huurder van woonruimte die een ruil van woonruimte wenst te bewerkstelligen, kan vorderen dat de kantonrechter, ongeacht enig andersluidend beding, hem zal machtigen om een ander in zijn plaats als huurder te stellen. Indien op de woonruimte hoofdstuk II van de Huisvestingswet van toepassing is, moet de eiser een ten behoeve van de voorgestelde huurder afgegeven huisvestingsvergunning als bedoeld in artikel 7, eerste lid, van die wet met betrekking tot die woonruimte overleggen.

2. De rechter beslist met inachtneming van de omstandigheden van het geval, met dien verstande dat hij de vordering slechts kan toewijzen, indien de huurder een zwaarwichtig belang bij de ruil van woonruimte heeft en dat hij deze steeds afwijst, indien de voorgestelde huurder vanuit financieel oogpunt niet voldoende waarborg

biedt voor een behoorlijke nakoming van de huurovereenkomst. De rechter kan aan de machtiging voorwaarden verbinden of daarbij een last opleggen.

Art. 1623m. Vervallen bij de wet van 31 januari 1991, Stb. 50.

Ontbinding o.g.v. niet nakomen verplichtingen door huurder

Art. 1623n. 1. Ontbinding van de huurovereenkomst op de grond dat de huurder zijn verplichtingen niet nakomt, kan slechts door de rechter geschieden.

2. Alvorens de ontbinding van de huurovereenkomst uit te spreken, kan de rechter de huurder een termijn van ten hoogste een maand toestaan om alsnog aan zijn verplichtingen te voldoen.

3. Indien de huurovereenkomst overigens krachtens een bepaling in de overeenkomst zonder opzegging zou eindigen, moet zij niettemin worden opgezegd. De artikelen 1623b-1623f vinden alsdan toepassing.

4. Elk met dit artikel strijdig beding is nietig.

Ontbinding huurovereenkomst

Art. 1623o. 1. Indien iemand door eigendomsovergang verhuurder van woonruimte in de zin van artikel 1623a is geworden en een krachtens een geldend bestemmingsplan op het verhuurde liggende bestemming wil verwezenlijken, ontbindt de rechter op vordering van de verhuurder de huurovereenkomst met ingang van een door hem te bepalen datum.

2. De huurder heeft recht op schadeloosstelling. Wanneer de huurtijd nog een of meer jaren moet duren, is de schadeloosstelling gelijk aan de huurprijs van twee jaren. Wanneer de huurtijd minder dan een jaar moet duren, is de schadeloosstelling gelijk aan de huurprijs van een jaar. Bij de berekening der schade wordt niet gelet op veranderingen, welke kennelijk zijn tot stand gebracht om de schadeloosstelling te verhogen.

VIJFDE AFDELING

Van de regelen welke bijzonder betrekkelijk zijn tot huur en verhuur van bedrijfsruimte

Toepasselijkheid der bepalingen

Art. 1624. 1. De bepalingen van deze afdeling zijn bij uitsluiting van toepassing op huur en verhuur van bedrijfsruimte. Indien een overeenkomst de kenmerken bevat van huur en verhuur van bedrijfsruimte en tevens van enige andere soort van overeenkomst, zullen zowel de bepalingen betreffende de huur en verhuur van bedrijfsruimte als die betreffende die andere soort van overeenkomst van toepassing zijn; in geval van strijd tussen deze bepalingen zullen die omtrent de huur en verhuur van bedrijfsruimte van toepassing zijn.

Omschrijving bedrijfsruimte

2. Onder bedrijfsruimte wordt verstaan een gebouwde onroerende zaak of een gedeelte daarvan, die krachtens overeenkomst van huur en verhuur is bestemd voor de uitoefening van een kleinhandelsbedrijf, van een restaurant- of cafébedrijf, van een afhaal- en besteldienst, of van een ambachtsbedrijf, een en ander indien in de verhuurde ruimte een voor het publiek toegankelijk lokaal voor rechtstreekse levering van roerende zaken of voor dienstverlening aanwezig is, dan wel krachtens zulk een overeenkomst is bestemd voor de uitoefening van een hotelbedrijf. Tot de bedrijfsruimte wordt ook gerekend de bij het een en ander behorende grond en de onzelfstandige woning. Als bedrijfsruimte wordt voorts aangemerkt een onroerende zaak die krachtens overeenkomst van huur en verhuur is bestemd voor uitoefening van een kampeerbedrijf. Bij algemene maatregel van bestuur kan het begrip kampeerbedrijf nader worden bepaald.

Niet toepasselijke bepalingen

3. De artikelen 1606-1610, 1614-1616 en 1623 zijn niet van toepassing. Artikel 1612 is niet van toepassing voor zover het de verhuurder toestaat te bedingen dat de huur wordt verbroken door verkoop van het verhuurde.

Duur huurovereenkomst

Art. 1625. De huurovereenkomst geldt voor vijf jaar of, als een langere bepaalde duur is overeengekomen, voor die langere duur.

Verlenging van rechtswege

Art. 1626. 1. De huurovereenkomst welke voor vijf jaar geldt, wordt na ommekomst van deze duur van rechtswege met vijf jaar verlengd. De overeenkomst die voor een langere termijn dan vijf jaar is aangegaan, wordt na ommekomst van die termijn van rechtswege verlengd met een tweede termijn die zoveel korter is dan vijf jaar als de eerste termijn langer is dan vijf jaar. Op de overeenkomst die voor tien jaar of langer is aangegaan, is dit artikel niet van toepassing.

2. De in het vorige lid bedoelde verlenging van rechtswege vindt niet plaats als de overeenkomst met inachtneming van het in artikel 1627, eerste lid, bepaalde is opgezegd. Zij vindt evenwel ook na zodanige opzegging plaats, indien de vordering bedoeld in artikel 1627a, tweede lid, wordt afgewezen.

Nadere vaststelling huurprijs

3. Wanneer tussen de partijen geen overeenstemming bestaat over wijziging van de huurprijs in verband met de verlenging, stelt de kantonrechter op vordering van de meest gerede partij de huurprijs nader vast, indien deze niet overeenstemt met die van vergelijkbare bedrijfsruimte ter plaatse. Bij de nadere vaststelling van de huurprijs let de rechter op het gemiddelde van de huurprijzen van vergelijkbare bedrijfsruimte ter plaatse welke zich hebben voorgedaan in een tijdvak van vijf jaren voorafgaande aan de dag van het instellen van de vordering. Iedere aldus in de vergelijking te betrekken huurprijs wordt herleid volgens de algemene ontwikkeling van het prijspeil sinds de dag waarop die huurprijs gold tot aan die van het instellen van de vordering. De rechter zal een vordering tot verhoging van de huurprijs evenwel afwijzen voor zover deze is gegrond op verbeteringen van het gehuurde, die door de huurder zijn aangebracht. De vordering kan worden ingesteld tot uiterlijk drie maanden na de verlenging, dan wel na het onherroepelijk worden van de beslissing tot afwijzing van de vordering bedoeld in artikel 1627a, tweede lid, indien dat op een latere dag plaatsvindt.

Opzegging

Art. 1627. 1. De overeenkomst die voor vijf jaar geldt en de overeenkomst die is aangegaan voor een duur welke langer is dan vijf jaar maar korter dan tien jaar kunnen tegen het eind van de duur door ieder der partijen worden opgezegd. De opzegging geschiedt bij deurwaardersexploit of bij aangetekende brief. De termijn van opzegging bedraagt ten minste een jaar.

2. Een opzegging door de verhuurder is nietig, indien:

a. de opzegging niet de gronden vermeldt die tot de opzegging hebben geleid;

b. de opzegging geschiedt op de grond vermeld in artikel 1628, eerste lid, onder a, door een verhuurder die rechtsopvolger van een vorige verhuurder is en niet is de echtgenoot, bloed- of aanverwant in de eerste graad of een pleegkind van die vorige verhuurder, binnen drie jaren nadat de rechtsopvolging schriftelijk ter kennis van de huurder is gebracht;

c. bij de opzegging niet aan de huurder wordt gevraagd om binnen zes weken schriftelijk aan de verhuurder mede te delen of hij al dan niet toestemt in de beëindiging van de overeenkomst.

3. Ieder der partijen kan reeds in de procedure tot beëindiging van de overeenkomst de nadere vaststelling van de huurprijs, als bedoeld in het derde lid van het vorige artikel, vorderen voor het geval de vordering bedoeld in artikel 1627a, tweede lid, mocht worden afgewezen.

4. De overeenkomst loopt, indien haar geldigheidsduur tijdens de procedure verstrijkt in elk geval voort tot het tijdstip waarop onherroepelijk op de vordering is beslist. Indien de rechter de vordering toewijst, stelt hij tevens het tijdstip van de ontruiming vast. Het vonnis levert een voor tenuitvoerlegging vatbare titel op. Indien de rechter de vordering afwijst, wordt de termijn van de verlenging geacht te zijn ingegaan bij het verstrijken van de geldigheidsduur van de overeenkomst.

Definitie pleegkind

5. Onder pleegkind wordt verstaan hij die duurzaam als een eigen kind is verzorgd en opgevoed.

Tijdelijke beëindiging opgezegde overeenkomst

Art. 1627a. 1. Een door de verhuurder opgezegde overeenkomst blijft, tenzij de huurder na de opzegging door de verhuurder schriftelijk in de beëindiging ervan heeft toegestemd, na het tijdstip waartegen rechtsgeldig is opgezegd van rechtswege van kracht, totdat de beslissing op de vordering bedoeld in het volgende lid onherroepelijk is geworden.

2. De verhuurder kan, indien hij zes weken na de opzegging geen schriftelijke mededeling van de huurder dat hij in de beëindiging van de overeenkomst toestemt, heeft ontvangen, op de gronden vermeld in de opzegging vorderen dat de kantonrechter het tijdstip zal vaststellen waarop de overeenkomst zal eindigen.

Gronden voor toewijzing vordering

Art. 1628. 1. De rechter kan de vordering slechts toewijzen, indien:

a. de verhuurder aannemelijk maakt dat hij of zijn echtgenoot, een bloed- of aanverwant in de eerste graad of een pleegkind als bedoeld in artikel 1627, vijfde lid, het verhuurde persoonlijk in duurzaam gebruik wil nemen als bedrijfsruimte in de zin van artikel 1624 en hij het verhuurde daartoe dringend nodig heeft; onder gebruik wordt vervreemding van de zaak niet inbegrepen;

b. de bedrijfsvoering van de huurder niet is geweest zoals een goed huurder betaamt.

Vaststelling tegemoetkoming

2. De rechter kan in zijn beslissing tot toewijzing van de vordering op de grond vermeld in het vorige lid, onder a, een bedrag vaststellen dat de verhuurder aan de huurder moet betalen ter tegemoetkoming in diens verhuis- en inrichtingskosten. Alvorens een beslissing te geven waarin een bedrag als in de vorige zin bedoeld wordt vastgesteld, brengt de rechter zijn voornemen ter kennis van partijen en stelt hij een termijn binnen welke de verhuurder de bevoegdheid heeft de opzegging in te trekken. Indien de verhuurder van die bevoegdheid gebruik maakt, zal de rechter alleen een beslissing geven omtrent de proceskosten.

Schadevergoeding

Art. 1628a. 1. In geval van toewijzing van de vordering op de grond vermeld in artikel 1628, eerste lid, onder a, is de verhuurder jegens de huurder tot schadevergoeding gehouden, indien de wil om het verhuurde persoonlijk in duurzaam gebruik te nemen als bedrijfsruimte in de zin van artikel 1624, in werkelijkheid niet aanwezig is geweest. De verhuurder is eveneens jegens de huurder tot schadevergoeding gehouden, wanneer hij de overeenkomst heeft opgezegd op de grond, genoemd in het eerste lid van het vorige artikel onder a, en de huurder in de beëindiging van de overeenkomst heeft toegestemd, indien de wil om het verhuurde persoonlijk in duurzaam gebruik te nemen als bedrijfsruimte in de zin van artikel 1624 in werkelijkheid niet aanwezig is geweest.

2. Behoudens tegenbewijs wordt die wil geacht niet aanwezig te zijn geweest, indien niet binnen één jaar na het einde van de huurovereenkomst het verhuurde door een persoon genoemd in het eerste lid van het vorige artikel onder a in duurzaam gebruik is genomen.

3. De rechter is bevoegd op vordering van de huurder of ambtshalve in een beslissing als bedoeld in het eerste lid, een bedrag te bepalen, dat de verhuurder aan de huurder moet betalen, ingeval later mocht blijken, dat die wil in werkelijkheid niet aanwezig is geweest, onverminderd het recht van de huurder op verdere schadevergoeding.

4. De vordering van de huurder tot schadevergoeding of tot betaling van het bedrag, bedoeld in het vorige lid, vervalt vijf jaren na het einde van de huurovereenkomst.

Dwingend recht

Art. 1629. 1. Behoudens het bepaalde in dit en het volgende artikel, zijn de artikelen 1625-1628a van toepassing, al mocht ook door partijen anders zijn overeengekomen.

Goedkeuring

2. Afwijkende bedingen in de huurovereenkomst, of in een overeenkomst tot wijziging van de huurovereenkomst, zijn slechts van kracht indien zij door de kantonrechter zijn goedgekeurd. Ieder der partijen kan de beslissing van de rechter verzoeken. Het verzoekschrift bevat de tekst van de goed te keuren bedingen alsmede een beknopte vermelding van de bijzondere omstandigheden die de goedkeuring wenselijk maken. De rechter verleent zijn goedkeuring alleen op grond van de bijzondere omstandigheden van het geval.

3. De overeenkomst tot beëindiging van een huurovereenkomst, aangegaan nadat de huur is ingegaan, behoeft geen goedkeuring van de rechter.

4. Een verzoek als bedoeld in het tweede lid moet worden ingediend ter griffie van het kanton waarin de bedrijfsruimte is gelegen.

Geldige overeenkomst zonder goedkeuring

Art. 1630. 1. Zonder goedkeuring van de rechter is geldig de overeenkomst voor een duur van twee jaar of korter. De artikelen 1625-1629 zijn op die overeenkomst niet van toepassing.

Overeenkomst van rechtswege

2. Indien het genot aangevangen krachtens een overeenkomst als bedoeld in het eerste lid, langer dan twee jaar heeft geduurd, geldt van rechtswege een overeenkomst op de tussen partijen laatstelijk geldende voorwaarden, doch voor vijf jaar, waarop de reeds verstreken twee jaar in mindering komen. Op deze overeenkomst zijn de artikelen 1625-1629 van toepassing.

Andere overeenkomst vóór binnen twee jaar

3. Het in het tweede lid omschreven rechtsgevolg treedt niet in, indien partijen voor het verstrijken van de termijn van twee jaar een andere overeenkomst sluiten, vallende onder artikel 1625, dan wel een daarvan afwijkende overeenkomst, mits de in artikel 1629, tweede lid, bedoelde goedkeuring is verzocht vóór het verstrijken van de termijn van twee jaren. Indien de rechter afwijzend op het verzoek tot goedkeuring beslist, stelt hij tevens het tijdstip van de ontruiming vast. De beschikking levert een voor tenuitvoerlegging vatbare titel op.

Nadere vaststelling huurprijs

4. Indien het intreden van het in het tweede lid omschreven rechtsgevolg daartoe aanleiding geeft, kan de huurprijs nader worden vastgesteld. Bij gebreke van overeenstemming geschiedt deze vaststelling door de kantonrechter op vordering van de

meest gerede partij. Hij zal een vordering tot verhoging van de huurprijs evenwel afwijzen voor zover het is gegrond op verbeteringen van het gehuurde, die door de huurder zijn aangebracht. De vordering moet worden ingesteld uiterlijk drie maanden na het verstrijken van de termijn van twee jaar.

Opzegging tegen einde termijn van verlenging

Art. 1631. 1. De overeenkomst waarvan de oorspronkelijke ingevolge artikel 1625 geldende duur krachtens artikel 1626 is verlengd, houdt niet van rechtswege op wanneer de termijn van de verlenging is verstreken. Zij kan door ieder der partijen tegen het einde van die termijn worden opgezegd. De opzegging kan slechts bij deurwaardersexploit of bij aangetekende brief geschieden. De termijn van opzegging bedraagt ten minste een jaar. Een opzegging die is gedaan op kortere termijn, geldt niettemin als ware zij gedaan met inachtneming van de voorgeschreven termijn.

Nietige opzegging

2. Een opzegging door de verhuurder is nietig, indien:
a. de opzegging niet de gronden vermeldt die tot de opzegging hebben geleid;
b. de opzegging geschiedt op de grond dat de verhuurder het verhuurde in gebruik wil nemen, door een verhuurder die rechtsopvolger van een vorige verhuurder is en niet is de echtgenoot, bloed- of aanverwant in de eerste graad of een pleegkind als bedoeld in artikel 1627, vijfde lid, van die vorige verhuurder, binnen drie jaren nadat de rechtsopvolging schriftelijk ter kennis van de huurder is gebracht;
c. de opzegging ertoe strekt om een verhoging van de huurprijs te bewerkstelligen;
d. bij de opzegging niet aan de huurder wordt gevraagd om binnen zes weken schriftelijk aan de verhuurder mede te delen of hij al dan niet toestemt in de beëindiging van de overeenkomst.

Beëindiging opgezegde overeenkomst

3. Artikel 1627a is van overeenkomstige toepassing. De rechter kan evenwel, indien het verweer van de huurder hem kennelijk ongegrond voorkomt, bepalen dat de overeenkomst in afwijking van het bepaalde in het eerste lid van dat artikel niet verder van kracht blijft en zijn toewijzend vonnis uitvoerbaar bij voorraad verklaren.

4. Elk met de bepalingen van dit artikel strijdig beding is nietig.

Grond voor afwijzing vordering tot verlenging toewijzingsgronden

Art. 1631a. 1. De rechter wijst de vordering af, indien van de huurder, bij redelijke afweging van zijn belangen bij verlenging van de overeenkomst tegen de belangen van de verhuurder bij beëindiging van de overeenkomst, niet kan worden gevergd dat hij het gehuurde ontruimt.

2. De rechter wijst de vordering in ieder geval toe:
1°. indien de bedrijfsvoering van de huurder niet is geweest zoals een goed huurder betaamt;
2°. indien de verhuurder aannemelijk maakt dat hij of zijn echtgenoot, een bloed- of aanverwant in de eerste graad of een pleegkind als bedoeld in artikel 1627, vijfde lid, het verhuurde persoonlijk in duurzaam gebruik wil nemen als bedrijfsruimte in de zin van artikel 1624 en hij het verhuurde daartoe dringend nodig heeft; onder gebruik wordt vervreemding van de zaak niet begrepen;
3°. indien de verhuurder een krachtens een geldend bestemmingsplan op het verhuurde liggende bestemming wil verwezenlijken;
4°. indien de huurder niet toestemt in een redelijk aanbod tot het aangaan van een nieuwe overeenkomst met betrekking tot het gehuurde, voor zover dit aanbod niet een wijziging van de huurprijs inhoudt.

Vaststelling tegemoetkoming

3. Ingeval de verhuurder de overeenkomst heeft opgezegd op de grond dat één of meer der in het vorige lid, onder 2°, genoemde personen het gehuurde in gebruik willen nemen, kan de rechter in zijn beslissing tot toewijzing van de vordering op de grond vermeld in het eerste lid of in het vorige lid, onder 2°, een bedrag vaststellen dat de verhuurder aan de huurder moet betalen ter tegemoetkoming in diens verhuis- en inrichtingskosten. Alvorens een beslissing te geven waarin een bedrag als in de vorige zin bedoeld wordt vastgesteld, brengt de rechter zijn voornemen ter kennis van partijen en stelt hij een termijn binnen welke de verhuurder de bevoegdheid heeft de opzegging in te trekken. Indien de verhuurder van die bevoegdheid gebruik maakt, zal de rechter alleen een beslissing geven omtrent de proceskosten.

Schadevergoedingsplicht jegens huurder

4. In geval van toewijzing van de vordering op de grond vermeld in het tweede lid, onder 2°, is de verhuurder jegens de huurder tot schadevergoeding gehouden, indien de wil om het verhuurde persoonlijk in duurzaam gebruik te nemen als bedrijfsruimte in de zin van artikel 1624 in werkelijkheid niet aanwezig is geweest. De verhuurder is eveneens jegens de huurder tot schadevergoeding gehouden, wanneer hij de overeenkomst heeft opgezegd op de grond genoemd in het tweede lid, onder 2°, en de huurder in de beëindiging van de overeenkomst heeft toegestemd, indien de wil om het verhuurde persoonlijk in duurzaam gebruik te nemen als bedrijfs-

ruimte in de zin van artikel 1624 in werkelijkheid niet aanwezig is geweest. Indien de overeenkomst is opgezegd op de grond dat de in het tweede lid, onder 2°, genoemde personen het verhuurde persoonlijk in duurzaam gebruik willen nemen en de vordering is toegewezen op grond van het eerste lid, is de verhuurder tot schadevergoeding jegens de huurder gehouden, indien de wil om het verhuurde persoonlijk in duurzaam gebruik te nemen in werkelijkheid niet aanwezig is geweest. Het tweede, derde en vierde lid van artikel 1628a zijn van overeenkomstige toepassing.

5. In het geval bedoeld in het tweede lid, onder 4°, staat de rechter, alvorens over de vordering te beslissen, de huurder een termijn van ten hoogste een maand toe om alsnog het aanbod te aanvaarden.

Verdere rechterlijke beslissingen

6. Indien de rechter de vordering afwijst, bepaalt hij tevens het tijdstip tot hetwelk de overeenkomst wordt verlengd.

7. Indien de rechter de vordering toewijst, stelt hij tevens het tijdstip van de ontruiming vast. Het vonnis levert een voor tenuitvoerlegging vatbare titel op.

8. Wanneer tussen de partijen geen overeenstemming bestaat over wijziging van de huurprijs in verband met de verlenging, stelt de kantonrechter op vordering van de meest gerede partij de huurprijs nader vast, indien deze niet overeenstemt met die van vergelijkbare bedrijfsruimte ter plaatse. Bij de nadere vaststelling van de huurprijs let de rechter op het gemiddelde van de huurprijzen van vergelijkbare bedrijfsruimte ter plaatse welke zich hebben voorgedaan in een tijdvak van vijf jaren voorafgaande aan de dag van het instellen van de vordering. Iedere aldus in de vergelijking te betrekken huurprijs wordt herleid volgens de algemene ontwikkeling van het prijspeil sinds de dag waarop die huurprijs gold tot aan die van het instellen van de vordering. De rechter zal een vordering tot verhoging van de huurprijs evenwel afwijzen voor zover het is gegrond op verbeteringen van het gehuurde, die door de huurder zijn aangebracht.

Hernieuwde vordering tot beëindiging

Art. 1631b. 1. Indien de rechter de overeenkomst verlengd heeft, kan de verhuurder, tenzij de termijn van verlenging niet meer dan een jaar bedraagt, na opzegging van de overeenkomst wederom vorderen dat de rechter het tijdstip zal vaststellen waarop de overeenkomst zal eindigen. Deze vordering kan niet eerder dan zes maanden voor het einde van de termijn van verlenging worden ingesteld.

2. De artikelen 1631 en 1631a zijn van overeenkomstige toepassing.

Duur overeenkomst bij niet opzegging

Art. 1631c. 1. Vindt geen opzegging krachtens het eerste lid van artikel 1631 plaats, dan loopt de overeenkomst voor onbepaalde tijd door, tenzij uit de overeenkomst een bepaalde tijd voortvloeit of partijen een bepaalde tijd overeenkomen.

2. Artikel 1631a, achtste lid, is van overeenkomstige toepassing.

Opzegging der overeenkomst

Art. 1631d. 1. De in het vorige artikel bedoelde overeenkomst voor onbepaalde tijd moet met een termijn van ten minste een jaar worden opgezegd.

2. De in het vorige artikel bedoelde overeenkomst voor bepaalde tijd en de overeenkomst die voor een bepaalde tijd van tien jaar of langer is aangegaan, houden niet van rechtswege op wanneer de bepaalde tijd is verstreken. Zij kunnen door ieder der partijen tegen het einde van de bepaalde tijd worden opgezegd. De opzegging moet geschieden bij deurwaardersexploit of bij aangetekende brief. De termijn van opzegging bedraagt ten minste een jaar. Een opzegging die is gedaan op kortere termijn, geldt niettemin als ware zij gedaan met inachtneming van de voorgeschreven termijn.

3. De artikelen 1631, tweede, derde, vierde en vijfde lid, 1631a, 1631b en 1631c zijn van overeenkomstige toepassing.

Opzegging door erfgenamen huurder

Art. 1632. Indien bij een voor bepaalde tijd aangegane huurovereenkomst de erfgenamen van de huurder niet bevoegd zijn de bedrijfsruimte aan een ander in gebruik te geven, kunnen zij ongeacht enig andersluidend beding gedurende zes maanden na het overlijden van hun erflater de overeenkomst opzeggen. De opzegging geschiedt bij deurwaardersexploit of aangetekende brief. De termijn van opzegging bedraagt zes maanden.

Wijziging huurprijs

Art. 1632a. 1. Ongeacht enig andersluidend beding kan de verhuurder of de huurder vorderen dat de kantonrechter de huurprijs, ingeval deze niet overeenstemt met die van vergelijkbare bedrijfsruimte ter plaatse, nader vast zal stellen:
a. indien de overeenkomst voor bepaalde tijd geldt, na afloop van de overeengekomen duur;
b. indien de overeenkomst voor onbepaalde tijd geldt, telkens wanneer vijf jaren zijn

verstreken sinds de datum met ingang waarvan de overeenkomst is aangegaan.

2. Bij de nadere vaststelling van de huurprijs let de rechter op het gemiddelde van de huurprijzen van vergelijkbare bedrijfsruimte ter plaatse welke zich hebben voorgedaan in een tijdvak van vijf jaren voorafgaande aan de dag van het instellen van de vordering. Iedere aldus in de vergelijking te betrekken huurprijs wordt herleid volgens de algemene ontwikkeling van het prijspeil sinds de dag waarop die huurprijs gold tot aan die van het instellen van de vordering. De rechter zal één vordering tot verhoging van de huurprijs evenwel afwijzen voor zover het is gegrond op verbeteringen van het gehuurde, die door de huurder zijn aangebracht.

Verandering van het gehuurde

Art. 1633. 1. De huurder is niet bevoegd de inrichting of gedaante van het gehuurde geheel of gedeeltelijk te veranderen dan na schriftelijke toestemming van de verhuurder.

2. Indien de verhuurder de toestemming niet verleent, kan de huurder, ongeacht enig andersluidend beding, vorderen dat de kantonrechter hem zal machtigen tot het aanbrengen van de veranderingen. De verhuurder en de hypotheekhouder, zo die er is, worden gehoord, althans opgeroepen.

3. De rechter wijst de vordering slechts toe, indien de veranderingen noodzakelijk zijn voor een doelmatige uitoefening van het bedrijf van de huurder en geen gewichtige bezwaren van de verhuurder zich tegen het aanbrengen daarvan verzetten.

4. De rechter kan aan de machtiging voorwaarden verbinden of daarbij een last opleggen; hij kan op vordering van de meest gerede partij de huurprijs verhogen indien de veranderingen daartoe aanleiding geven.

Verrekening onderhoudskosten met huurprijs

Art. 1634. Indien de rechter ingevolge artikel 299 van Boek 3 de huurder machtigt bepaalde onderhoudswerken of reparatiën ten koste van de verhuurder uit te voeren, kan hij tevens, ongeacht enig andersluidend beding, bepalen of en tot welk bedrag de huurder de gemaakte kosten met de huurprijs kan verrekenen.

Overdracht bedrijf en huur

Art. 1635. 1. De huurder die het in het gehuurde uitgeoefende bedrijf aan een ander wenst over te dragen, kan, ongeacht enig andersluidend beding, vorderen dat hij gemachtigd wordt om die ander in zijn plaats als huurder te stellen.

2. De rechter beslist met inachtneming van de omstandigheden van het geval, met dien verstande dat hij de vordering slechts kan toewijzen, indien de huurder een zwaarwichtig belang heeft bij de overdracht van het bedrijf en dat hij haar steeds afwijst, indien de voorgestelde huurder niet voldoende waarborgen biedt voor een richtige nakoming van de huurovereenkomst en voor een behoorlijke bedrijfsvoering.

3. De rechter kan aan de machtiging voorwaarden verbinden of daarbij een last opleggen.

Vergoeding voor genieten van voordeel

Art. 1635a. 1. Indien de verhuurder, nadat de huurovereenkomst door opzegging zijnerzijds is geëindigd, voordeel geniet tengevolge van het feit dat het verhuurde vervolgens wordt gebezigd voor de uitoefening van een bedrijf, gelijksoortig aan het door de gewezen huurder aldaar uitgeoefende, kan de gewezen huurder van de verhuurder een naar billijkheid te berekenen vergoeding vorderen.

2. Voordeel, voortvloeiend uit de aard of de ligging van het verhuurde, of uit daaraan aangebrachte veranderingen, komt voor de toepassing van het vorige lid niet in aanmerking.

3. De vergoeding kan niet worden toegekend wanneer het verhuurde voor de uitoefening van het gelijksoortige bedrijf eerst wordt gebezigd nadat sedert het eindigen van de huurovereenkomst meer dan een jaar is verstreken.

4. Bedingen waarin ten nadele van de huurder wordt afgeweken van de bepalingen van dit artikel, zijn nietig.

Niet nakomen verplichtingen door huurder

Art. 1636. 1. Ontbinding van de overeenkomst op de grond dat de huurder zijn verplichtingen niet nakomt, kan slechts door de rechter geschieden.

2. Alvorens te beslissen over een vordering tot ontbinding van de overeenkomst, kan de rechter de huurder een termijn toestaan om alsnog aan zijn verplichtingen te voldoen.

3. Indien de overeenkomst overigens krachtens een bepaling in de overeenkomst zonder opzegging zou eindigen, moet zij niettemin met inachtneming van de bepalingen van deze afdeling worden opgezegd.

4. Elk met dit artikel strijdig beding is nietig.

Schadeloosstelling bij afbraak in algemeen belang

Art. 1636a. 1. De verhuurder die door eigendomsovergang van het verhuurde onder bijzondere titel verhuurder is geworden is, indien hij de huurovereenkomst door opzegging doet eindigen in verband met de omstandigheid dat het gebouwde met het oog op de uitvoering van werken in het algemeen belang zal worden afgebroken, aan de huurder en de onderhuurder aan wie voor de eigendomsovergang bevoegdelijk is onderverhuurd, een schadeloosstelling schuldig wegens het verlies van de kans, dat de huurverhouding zonder deze eigendomsovergang zou hebben voortgeduurd.

2. De verhuurder is de in het eerste lid bedoelde schadeloosstelling eveneens schuldig indien de eigendomsovergang is geschied nadat een vorige verhuurder de huurovereenkomst heeft opgezegd in verband met de omstandigheid dat na de eigendomsovergang het gebouwde met het oog op de uitvoering van werken in het algemeen belang zal worden afgebroken. Is de huurovereenkomst voor de eigendoms overgang geëindigd, dan is de schadeloosstelling verschuldigd door de eigenaar die tot de afbraak overgaat.

3. Een opzegging wordt vermoed in verband met de omstandigheid dat het gebouwde met het oog op de uitvoering van werken in het algemeen belang zal worden afgebroken, te zijn geschied, indien de afbraak aanvangt binnen zes jaren na de opzegging.

4. Werken tot verwezenlijking van een bestemmingsplan strekkende tot reconstructie van een bebouwde kom, worden in elk geval geacht in het algemeen belang te zijn.

5. Dit artikel is, behalve op bedrijfsruimte in de zin van artikel 1624, ook van toepassing op een andere gebouwde onroerende zaak die voor de uitoefening van een bedrijf is verhuurd.

Ontbinding op vordering nieuwe verhuurder

Art. 1636b. 1. Indien iemand door eigendomsovergang verhuurder is geworden en een krachtens een geldend bestemmingsplan op het verhuurde liggende bestemming wil verwezenlijken, ontbindt de rechter op vordering van de verhuurder de huurovereenkomst met ingang van een door hem te bepalen datum.

Recht op schadeloosstelling

2. De huurder en de onderhuurder aan wie bevoegdelijk is onderverhuurd kunnen een schadeloosstelling vorderen. Bij de bepaling daarvan wordt rekening gehouden met de kans dat de huurverhouding zonder de eigendomsovergang zou hebben voortgeduurd.

ZEVENDE TITEL A
Van de overeenkomsten tot het verrichten van arbeid

EERSTE AFDEELING
Algemeene bepalingen

Art. 1637. (Vervallen bij de wet van 27 mei 1993, Stb. 309)

Arbeidsovereenkomst

Art. 1637a. De arbeidsovereenkomst is de overeenkomst, waarbij de eene partij, de arbeider, zich verbindt, in dienst van de andere partij, den werkgever, tegen loon gedurende zekeren tijd arbeid te verrichten.

Aanneming van werk

Art. 1637b. De aanneming van werk van stoffelijke aard is de overeenkomst, waarbij de eene partij, de aannemer, zich verbindt, voor de andere partij, den aanbesteder, tegen eenen bepaalden prijs een bepaald werk tot stand te brengen.

Toepasselijkheid bepalingen arbeidsovereenkomst

Art. 1637c. 1. Indien eene overeenkomst de kenmerken bevat van eene arbeidsovereenkomst en van eenige andere soort van overeenkomst, zullen zoowel de bepalingen betreffende de arbeidsovereenkomst als die betreffende de andere soort van overeenkomst, welker kenmerken zij mede bevat, van toepassing zijn; in geval van strijd tusschen deze bepalingen zullen die der arbeidsovereenkomst van toepassing zijn.

2. Indien eene aanneming van werk door meerdere soortgelijke overeenkomsten, zij het ook telkens met eenigen tusschentijd, is gevolgd, of indien het, bij het aangaan eener aanneming van werk, blijkbaar in de bedoeling van partijen ligt meerdere dergelijke overeenkomsten aan te gaan, in dier voege, dat de verschillende aannemingen te zamen als eene arbeidsovereenkomst kunnen worden beschouwd, zullen de bepalingen betreffende de arbeidsovereenkomst op deze overeenkomsten gezamenlijk en op elke harer afzonderlijk, met uitsluiting van de bepalingen der zesde afdeeling van dezen titel, van toepassing zijn. Is evenwel in een dergelijk geval de

eerste overeenkomst bij wijze van proef aangegaan, dan zal deze geacht worden hāren aard van aanneming van werk te hebben behouden en zullen de bepalingen der zesde afdeeling op haar van toepassing zijn.

TWEEDE AFDEELING
Van de arbeidsovereenkomst in het algemeen

Art. 1637d. Wanneer eene arbeidsovereenkomst schriftelijk wordt aangegaan, zijn de kosten der akte en andere bijkomende onkosten ten laste van den werkgever.

Kosten ten laste van werkgever

Art. 1637e. 1. Indien bij het sluiten der overeenkomst een hand- of godspenning is gegeven en aangenomen, ontleent geene der partijen daaraan de bevoegdheid van de overeenkomst af te zien door het laten behouden of het teruggeven van dien hand- of godspenning.

Hand- of godspenning

2. De hand- of godspenning kan in mindering worden gebracht op het loon, indien de dienstbetrekking niet langer dan drie maanden heeft bestaan, terwijl zij voor langeren of voor onbepaalden tijd is aangegaan.

Art. 1637f. 1. De werkgever is verplicht aan de arbeider een schriftelijke opgave te verstrekken met ten minste de volgende gegevens;
a. naam en woonplaats van partijen;
b. de plaats of plaatsen waar de arbeid wordt verricht;
c. de functie van de arbeider of de aard van zijn arbeid;
d. het tijdstip van indiensttreding;
e. indien de overeenkomst voor bepaalde tijd is gesloten, de duur van de overeenkomst;
f. de aanspraak op vakantie of de wijze van berekening van de aanspraak;
g. de duur van de door partijen in acht te nemen opzegtermijnen of de wijze van berekening van deze termijnen;
h. het loon en de termijn van uitbetaling alsmede, indien het loon afhankelijk is van de uitkomsten van de te verrichten arbeid, de per dag of per week aan te bieden hoeveelheid arbeid, de prijs per stuk en de tijd die redelijkerwijs met de uitvoering is gemoeid;
i. de gebruikelijke arbeidsduur per dag of per week;
j. of de arbeider gaat deelnemen aan een pensioenregeling;
k. indien de arbeider voor een langere termijn dan een maand werkzaam zal zijn buiten Nederland, mede de duur van die werkzaamheid, de huisvesting, de toepasselijkheid van de Nederlandse sociale verzekeringswetgeving dan wel opgave van de voor de uitvoering van die wetgeving verantwoordelijke organen, de geldsoort waarin betaling zal plaatsvinden, de vergoedingen waarop de arbeider recht heeft en de wijze waarop de terugkeer geregeld is;
l. de toepasselijke collectieve arbeidsovereenkomst of regeling door of namens een bevoegd publiekrechtelijk orgaan.

2. Voorzover de gegevens, bedoeld in het eerste lid, onderdelen a tot en met j, zijn vermeld in een schriftelijk aangegane arbeidsovereenkomst of in de opgave, bedoeld in artikel 1638o, kan vermelding achterwege blijven. Voorzover de gegevens, bedoeld in het eerste lid, onderdelen f tot en met i, zijn vermeld in een toepasselijke collectieve arbeidsovereenkomst of regeling door of namens een bevoegd publiekrechtelijk orgaan, kan worden volstaan met een verwijzing naar deze overeenkomst of regeling.

3. De werkgever verstrekt de opgave binnen een maand na de aanvang van de werkzaamheden of zo veel eerder als de overeenkomst eindigt. De gegevens, bedoeld in het eerste lid, onderdeel k, worden verstrekt voor het vertrek. De opgave wordt door de werkgever ondertekend. Wijziging in de gegevens wordt binnen een maand nadat de wijziging van kracht is geworden aan de arbeider schriftelijk medegedeeld, tenzij deze voortvloeit uit wijziging van een wettelijk voorschrift, collectieve arbeidsovereenkomst of regeling door of namens een bevoegd publiekrechtelijk orgaan.

4. Indien de overeenkomst betreft het doorgaans op minder dan drie dagen per week uitsluitend of nagenoeg uitsluitend verrichten van huishoudelijke of persoonlijke diensten ten behoeve van een natuurlijk persoon, behoeft de werkgever slechts op verzoek gegevens te verstrekken.

5. De werkgever die weigert de opgaven te verstrekken of daarin onjuiste mededelingen opneemt, is jegens de arbeider aansprakelijk voor de daardoor veroorzaakte schade.

6. Het eerste tot en met vijfde lid zijn van overeenkomstige toepassing op een overeenkomst die de voorwaarden regelt van een of meer arbeidsovereenkomsten die partijen zullen sluiten indien na oproep arbeid wordt verricht, en op het aangaan van een andere overeenkomst dan een arbeidsovereenkomst, al dan niet gevolgd door andere soortgelijke overeenkomsten, waarbij de ene partij, natuurlijke persoon, zich verbindt voor de andere partij tegen beloning arbeid te verrichten, tenzij deze overeenkomst wordt aangegaan in beroep of bedrijf. Op de in dit lid bedoelde overeenkomsten is artikel 1637d van overeenkomstige toepassing.

7. Indien het zesde lid van toepassing is, word in de schriftelijke opgave, bedoeld in het eerst[1] lid tevens vermeld welke overeenkomst is aangegaan.

8. Een beding in strijd met dit artikel is nietig.

Arbeidsovereenkomst met minderjarige; machtiging

Art. 1637g. 1. Een minderjarige is bekwaam als arbeider arbeidsovereenkomsten aan te gaan, indien hij daartoe door zijnen wettelijken vertegenwoordiger, hetzij mondeling, hetzij schriftelijk, is gemachtigd.

2. Eene mondelinge machtiging kan slechts strekken tot het aangaan van eene bepaalde arbeidsovereenkomst. Zij wordt verleend in tegenwoordigheid van den werkgever of van dengene, die namens dezen handelt. Zij kan niet voorwaardelijk worden verleend.

3. Indien de machtiging schriftelijk is verleend, is de minderjarige verplicht haar ter hand te stellen aan den werkgever, die den minderjarige onverwijld een gewaarmerkt afschrift daarvan doet toekomen en de machtiging bij het einde der dienstbetrekking aan den minderjarige of diens rechtverkrijgenden teruggeeft.

4. Voor zoover zulks niet door het stellen van bepaalde voorwaarden in de machtiging uitdrukkelijk is uitgesloten, staat de minderjarige in alles, wat betrekking heeft op de arbeidsovereenkomst, door hem ingevolge de verleende machtiging aangegaan, met een meerderjarige gelijk, behoudens het bepaalde bij het derde lid van artikel 1638f. Echter kan hij niet in rechte verschijnen zonder bijstand van zijnen wettelijken vertegenwoordiger, behalve wanneer den rechter gebleken is, dat de wettelijke vertegenwoordiger niet bij machte is zich te verklaren.

Stilzwijgende machtiging tot aangaan overeenkomst

Art. 1637h. Indien een daartoe niet bekwaam minderjarige eene arbeidsovereenkomst heeft aangegaan en dientengevolge gedurende vier weken, zonder verzet van zijnen wettelijken vertegenwoordiger, in dienst van den werkgever arbeid heeft verricht, wordt hij geacht door dien vertegenwoordiger mondeling tot het aangaan dier arbeidsovereenkomst gemachtigd te zijn geweest.

Echtgenoten

Art. 1637i. Eene tusschen echtgenooten aangegane arbeidsovereenkomst is nietig.

Verbindendheid vastgesteld reglement

Art. 1637j. 1. Een door den werkgever vastgesteld reglement is voor den arbeider slechts verbindend, indien deze schriftelijk heeft verklaard zich met dat reglement te vereenigen, en indien tevens is voldaan aan de navolgende vereischten:

1°. dat een volledig exemplaar van het reglement kosteloos door of vanwege den werkgever aan den arbeider is verstrekt;

2°. dat door of vanwege den werkgever een door dezen onderteekend volledig exemplaar van het reglement ter inzage voor een ieder is nedergelegd ter griffie van het kantongerecht, binnen welks ressort de onderneming, in welke het reglement geldt, gevestigd is;

3°. dat een volledig exemplaar van het reglement op eene voor den arbeider gemakkelijk toegankelijke plaats, zoo mogelijk in het arbeidslokaal, zoodanig opgehangen zij en blijve, dat het duidelijk leesbaar is.

2. De nederlegging en de inzage van het reglement ter griffie geschieden kosteloos.

3. Elk beding, strijdig met eenige bepaling van dit artikel, is nietig.

Verbindendheid nieuw of gewijzigd reglement

Art. 1637k. 1. Indien gedurende de dienstbetrekking een reglement wordt vastgesteld of het bestaande wordt gewijzigd, is dit nieuwe of gewijzigde reglement voor den arbeider slechts verbindend, indien een volledig exemplaar van het ontwerp daarvan of van de ontworpen wijzigingen hem kort vóór de vaststelling gedurende zoodanigen tijd kosteloos ter inzage is verstrekt, dat hij zich over den inhoud behoorlijk heeft kunnen beraden.

---

[1] „eerst" dient kennelijk gelezen te worden als „eerste".

2. Indien de arbeider na vaststelling van het nieuwe of het gewijzigde reglement weigert de verklaring af te geven, dat hij zich daarmede verenigt, wordt deze weigering aangemerkt als een opzegging van de dienstbetrekking tegen de dag, waarop het nieuwe of het gewijzigde reglement in werking zal treden. Is de tijd tussen de dag, waarop het nieuwe of het gewijzigde reglement aan de arbeider door of vanwege de werkgever ter verkrijging van de bovenbedoelde verklaring is aangeboden, en die waarop het in werking zal treden, korter dan die gedurende welke de dienstbetrekking bij regelmatige beëindiging had behoren voort te duren, dan is de werkgever schadeplichtig.

Gevolg nieuw of gewijzigd reglement

3. Elk beding, strijdig met eenige bepaling van dit artikel, is nietig.

Art. 1637*l*. Eene verklaring des arbeiders, waarbij hij zich verbindt zich met elk in de toekomst vast te stellen reglement, of met elke toekomstige wijziging van een bestaand reglement, te vereenigen, is nietig.

Nietigheid aanvaarding reglement bij voorbaat

Art. 1637m. Van de bepalingen van het reglement kan alleen dan bij bijzondere overeenkomst worden afgeweken, indien deze schriftelijk is aangegaan.

Afwijking van reglement

Art. 1637n. Vervallen.

Art. 1637o. Ter berekening van het in geld vastgesteld loon per dag wordt, voor de toepassing van dezen titel, de dag gesteld op acht uren, de week op vijf dagen, de maand op twee en twintig dagen en het jaar op tweehonderdzestig dagen. Is het loon, het zij voor het geheel, hetzij gedeeltelijk, op andere wijze dan naar tijdruimte vastgesteld, dan wordt als het in geld vastgesteld loon per dag aangenomen het gemiddeld loon des arbeiders, berekend over de laatst voorafgaande dertig werkdagen; bij gebreke van dien maatstaf wordt als loon aangenomen het gebruikelijk loon voor den, wat aard, plaats en tijd betreft, meest nabij komenden arbeid.

Berekening dagloon

Art. 1637p. Het loon van arbeiders, welke niet bij den werkgever inwonen, mag niet anders worden vastgesteld dan in:

Loonvorm niet inwonende arbeiders

1° geld;
2°. voedsel te nuttigen, alsmede verlichtings- en verwarmingsmiddelen te gebruiken, ter plaatse waar ze worden verstrekt;
3°. kleeding, door den arbeider bij de waarneming der dienstbetrekking te dragen;
4°. eene bepaalde hoeveelheid der voortbrengselen van het bedrijf, waarin het loon verdiend wordt, of der grond- of hulpstoffen in dat bedrijf gebruikt, een en ander voor zoover die voortbrengselen of grond- of hulpstoffen, wat aard en hoeveelheid betreft, behooren tot de eerste levensbehoeften van den arbeider en zijn gezin, of als grond- of hulpstoffen, werktuigen of gereedschappen in het bedrijf des arbeiders worden gebezigd, en in ieder geval met uitsluiting van alcoholhoudende drank;
5°. het gebruik van eene aangewezen woning of lokaal, van een bepaald stuk grond of van weide of stalling voor een bepaald aantal naar de soort aangeduide dieren, toebehoorende aan den arbeider of aan een der leden van zijn gezin; het gebruik van werktuigen of gereedschappen, alsmede het onderhoud daarvan;
6°. bepaalde werkzaamheden of diensten, door of voor rekening van den werkgever voor den arbeider te verrichten;
7°. onderricht, door of vanwege den werkgever aan den arbeider te verstrekken.

Art. 1637q. 1. Indien bij overeenkomst of bij reglement geen bepaald loon is vastgesteld, heeft de arbeider aanspraak op zoodanig loon als ten tijde van het sluiten der overeenkomst voor arbeid als de bedongene, ter plaatse waar deze moest worden verricht, gebruikelijk was.

Bepaling loon naar gebruik of billijkheid

2. Indien zoodanig gebruik niet bestaat, wordt het loon met inachtneming der omstandigheden naar billijkheid bepaald.

Art. 1637r. 1. Voor zoover het loon anders dan volgens artikel 1637p geoorloofd is, is vastgesteld, wordt het op een bedrag in geld gewaardeerd en geacht vastgesteld te zijn op het vijfvoud van dit bedrag.

Vaststelling loon bij onjuiste loonbepaling

2. Het geheele loon, dat dientengevolge verschuldigd zal zijn, zal echter het overeenkomstig de bepalingen van het voorgaande artikel berekende loon niet met meer dan een derde mogen overschrijden.
3. Elk beding, strijdig met eenige bepaling van dit artikel, is nietig.

Art. 1637s. 1. Ongeoorloofd en nietig is elk beding tusschen den werkgever of

Nietigheid beding gedwongen loonbesteding

een van diens beambten of zetbazen en eenen onder een hunner gestelden arbeider, waarbij deze zich verbindt, het loon of zijne overige inkomsten of een gedeelte daarvan op eene bepaalde wijze te besteden, of zich zijne benoodigdheden op eenen bepaalde plaats of bij eenen bepaalden persoon aan te schaffen.

Uitzonderingen

2. Van deze bepaling is uitgezonderd het beding waarbij de arbeider zich verbindt:
a. deel te nemen in een fonds, waarop de Pensioen- en spaarfondsenwet van toepassing is en ten aanzien waarvan aan de voorschriften dier wet voldaan wordt;
b. bij te dragen tot de premiebetaling voor een levensverzekering overeenkomstig de voorschriften dienaangaande door de Pensioen- en spaarfondsenwet gesteld;
c. deel te nemen in enig ander fonds dan onder a bedoeld, mits dat fonds voldoet aan de voorwaarden, bij algemene maatregel van bestuur gesteld;
d. deel te nemen aan een regeling tot sparen te zijnen behoeve, anders dan onder a-c bedoeld, mits die regeling voldoet aan de voorwaarden, bij algemene maatregel van bestuur gesteld.

3. Voor de nakoming van een beding als bedoeld in het vorige lid kan de werkgever de daartoe nodige bedragen op het loon van de arbeider inhouden; hij is alsdan verplicht deze bedragen overeenkomstig het beding ten behoeve van de arbeider te voldoen.

4. Een minderjarige is zonder machtiging van zijn wettelijke vertegenwoordiger bekwaam tot het verrichten van de handelingen waartoe het in het tweede lid bedoeld beding hem verplicht. Met betrekking tot de deelneming aan enige regeling krachtens een zodanig beding staat hij met de meerderjarige gelijk.

5. In afwijking van het vorige lid is de minderjarige niet bekwaam tot verkrijging van uitbetaling van tegoed uit hoofde van enige regeling tot sparen als bedoeld, indien zijn wettelijke vertegenwoordiger tevoren schriftelijk bezwaar heeft gemaakt bij degene op wie de verplichting tot betaling rust.

6. De minderjarige kan ter zake van de deelneming niet in rechte verschijnen zonder bijstand van zijn wettelijke vertegenwoordiger, tenzij de wettelijke vertegenwoordiger niet bij machte is zich te verklaren.

7. Vervallen.

8. Behoudens het in het derde lid bepaalde is een beding dat tot strekking heeft enig bedrag van het loon op de betaaldag niet uit te betalen, nietig.

Vordering uit hoofde van gedwongen loonbetaling

Art. 1637t. 1. Indien de arbeider ingevolge een ongeoorloofd en nietig beding, als bedoeld bij het voorgaande artikel, met den werkgever eenige overeenkomst heeft aangegaan, ontstaat daaruit geenerlei verbintenis. De arbeider is gerechtigd het reeds te dier zake op zijn loon in rekening geledene of door hem betaalde van den werkgever terug te vorderen, zonder gehouden te zijn tot teruggave van hetgeen hem ter voldoening aan de overeenkomst is verstrekt.

2. Niettemin is de rechter bevoegd, bij toewijzing van de vordering des arbeiders, de veroordeeling te beperken tot zoodanig bedrag als hem met het oog op de omstandigheden van het geval billijk zal voorkomen, doch uiterlijk tot de som waarop de door den arbeider geleden schade door hem wordt gewaardeerd.

3. Heeft de arbeider ingevolge een ongeoorloofd en nietig beding, als voormeld, met een ander dan den werkgever eenige overeenkomst aangegaan, dan heeft hij het recht het bedrag van hetgeen hij uit dien hoofde betaald heeft of nog verschuldigd is, van den werkgever te vorderen. De bepaling van het tweede lid is ook ten deze van toepassing.

4. Ieder vorderingsrecht des arbeiders krachtens dit artikel vervalt na verloop van zes maanden.

Boetebeding

Art. 1637u. 1. De werkgever kan slechts boete stellen op de overtreding van voorschriften van een reglement, indien die voorschriften bepaaldelijk zijn aangeduid en de boete in het reglement is aangegeven.

2. De overeenkomst, waarbij boete wordt bedongen, wordt schriftelijk aangegaan.

3. De overeenkomst of het reglement, waarbij boete is bedongen, moet nauwkeurig de bestemming der boeten vermelden. Zij mogen noch onmiddellijk, noch middellijk strekken tot persoonlijk voordeel van den werkgever zelven of van dengene, wien deze de bevoegdheid heeft verleend den arbeiders boete op te leggen.

4. Iedere boete, in een reglement of in eene overeenkomst bedongen, moet op een bepaald bedrag gesteld zijn, uitgedrukt in de munt, waarin het loon in geld vastgelegd is.

5. Binnen eene week mag aan een arbeider geen hooger bedrag aan gezamelijke boeten worden opgelegd dan zijn in geld vastgesteld loon voor een halve dag. Geene afzonderlijke boete mag hooger dan dit bedrag worden gesteld.
6. Elk beding, strijdig met eenige bepaling van dit artikel, is nietig. Echter mag, doch alleen ten aanzien van arbeiders wier in geld vastgesteld loon per dag meer bedraagt dan het bedrag van het als minimum geldende dagloon, vastgesteld krachtens artikel 14 van de Wet op de arbeidsongeschiktheidsverzekering, bij schriftelijk aangegane overeenkomst of bij reglement van de bepalingen van het derde, vierde en vijfde lid worden afgeweken. Is zulks geschied, dan zal de rechter steeds bevoegd zijn de boete op eene kleinere som te bepalen, indien de opgelegde hem bovenmatig voorkomt.
7. Ondergaat het bedrag van het dagloon, genoemd in het vorige lid, wijziging, dan wordt de werking van bedingen waarbij van het derde, vierde of vijfde lid is afgeweken, geschorst jegens arbeiders wier in geld vastgesteld loon per dag niet meer bedraagt dan het gewijzigde bedrag van het minimum dagloon.
8. Het in dit en het volgende artikel bepaalde is mede van toepassing op een door de werkgever bedongen boete als bedoeld in de artikelen 91-94 van Boek 6.

Boete en schadevergoeding niet gelijktijdig

Art. 1637v. De mogelijkheid een boete op te leggen laat het recht op schadevergoeding op grond van de wet onverlet. Echter mag de werkgever ter zake van een zelfde feit niet boete heffen en tevens schadevergoeding vorderen.
Elk beding strijdig met de tweede zin van het vorige lid is nietig.

Art. 1637w. Vervallen.

Concurrentiebeding

Art. 1637x. 1. Een beding tusschen den werkgever en den arbeider, waarbij deze laatste beperkt wordt in zijne bevoegdheid om na het einde der dienstbetrekking op zekere wijze werkzaam te zijn, is slechts geldig, indien het bij schriftelijk aangegane overeenkomst of bij reglement met eenen meerderjarigen arbeider is tot stand gekomen.
2. De rechter kan, hetzij op de vordering van den arbeider, hetzij ingevolge diens daartoe strekkend verweer in een geding, zulk een beding geheel of gedeeltelijk te niet doen op grond dat, in verhouding tot het te beschermen belang des werkgevers, de arbeider door dat beding onbillijk wordt benadeeld.
3. Aan een beding, als in het eerste lid bedoeld, kan de werkgever geen rechten ontlenen, indien hij wegens de wijze, waarop de dienstbetrekking is beëindigd, schadeplichtig is geworden.
4. Indien door den werkgever van den arbeider eene schadevergoeding is bedongen voor het geval, dat deze in strijd handelt met een beding, als in het eerste lid bedoeld, zal de rechter steeds bevoegd zijn de schadevergoeding op eene kleinere som te bepalen, zoo de bedongene hem bovenmatig voorkomt.
5. Indien een beding, als in het eerste lid bedoeld, de arbeider in belangrijke mate belemmert om anders dan in dienst van de werkgever werkzaam te zijn, kan de rechter steeds bepalen dat de werkgever voor de duur der beperking aan de arbeider een vergoeding moet betalen. De rechter stelt de hoogte van deze vergoeding met het oog op de omstandigheden van het geval naar billijkheid vast; hij kan toestaan dat de vergoeding op de door hem te bepalen wijze in termijnen wordt betaald. De vergoeding is niet verschuldigd, indien de arbeider wegens de wijze, waarop de dienstbetrekking is beëindigd, schadeplichtig is geworden.

Gelijke behandeling van mannen en vrouwen

Art. 1637ij. 1. De werkgever mag geen onderscheid maken tussen mannen en vrouwen bij het aangaan van de arbeidsovereenkomst, het verstrekken van onderricht aan de arbeider, in de arbeidsvoorwaarden, bij de bevordering en bij de beëindiging van de arbeidsovereenkomst. Niet onder de arbeidsvoorwaarden zijn begrepen uitkeringen of aanspraken ingevolge pensioenregelingen.
2. Van het in de eerste zin van het eerste lid van dit artikel bepaalde mag, voor zover het het aangaan van de arbeidsovereenkomst en het verstrekken van onderricht betreft, worden afgeweken in die gevallen waarin het geslacht bepalend is. Daarbij is artikel 5, derde lid, van de Wet gelijke behandeling van mannen en vrouwen van overeenkomstige toepassing.
3. Van het in de eerste zin van het eerste lid bepaalde mag worden afgeweken, indien het bedingen betreft die op de bescherming van de vrouw, met name in verband met zwangerschap of moederschap, betrekking hebben.
4. Van het in de eerste zin van het eerste lid bepaalde mag worden afgeweken indien het bedingen betreft die vrouwelijke arbeiders in een bevoorrechte positie beo-

gen te plaatsen teneinde feitelijke ongelijkheden op te heffen of te verminderen en het onderscheid in een redelijke verhouding staat tot het beoogde doel.

5. In dit artikel wordt onder onderscheid tussen mannen en vrouwen verstaan direct en indirect onderscheid tussen mannen en vrouwen. Onder direct onderscheid wordt mede verstaan, onderscheid op grond van zwangerschap, bevalling en moederschap. Onder indirect onderscheid wordt verstaan onderscheid op grond van andere hoedanigheden dan het geslacht, bijvoorbeeld echtelijke staat of gezinsomstandigheden, dat onderscheid op grond van geslacht tot gevolg heeft. Het in het eerste lid neergelegde verbod van onderscheid geldt niet ten aanzien van indirect onderscheid dat objectief gerechtvaardigd is.

6. De beëindiging van de dienstbetrekking door de werkgever wegens de omstandigheid dat de arbeider in of buiten rechte een beroep heeft gedaan op het in het eerste lid van dit artikel bepaalde is nietig. De arbeider kan gedurende twee maanden na de opzegging of na de beëindiging van de dienstbetrekking, indien de werkgever deze anders dan door opzegging heeft doen eindigen, de nietigheid van de beëindiging inroepen. Het inroepen van de nietigheid geschiedt door kennisgeving aan de werkgever. De beëindiging bedoeld in de eerste zin van dit artikellid maakt de werkgever niet schadeplichtig. Ieder vorderingsrecht van de arbeider in verband met het inroepen van de nietigheid van de beëindiging van de dienstbetrekking krachtens dit artikellid verjaart na verloop van zes maanden.

7. Elk beding dat strijdig is met het in de eerste zin van het eerste lid bepaalde is nietig.

Niet toepasselijkheid der bepalingen op ambtenaren

Art. 1637z. De bepalingen van dezen titel zijn niet van toepassing ten aanzien van personen in dienst van staat, provincie, gemeente, waterschap of eenig ander publiekrechtelijk lichaam, ten ware zij, hetzij vóór of bij den aanvang der dienstbetrekking door of namens partijen, hetzij bij wet of verordering, van toepassing zijn verklaard.

DERDE AFDEELING

Van de verplichtingen des werkgevers

Tijdige loonbetaling

Art. 1638. De werkgever is verplicht den arbeider zijn loon op den bepaalden tijd te voldoen.

Duur loonverplichting

Art. 1638a. Het loon, naar tijdruimte vastgesteld, is verschuldigd van het tijdstip, waarop de arbeider in dienst is getreden, tot dat van het einde der dienstbetrekking.

Geen arbeid, geen loon

Art. 1638b. Geen loon is verschuldigd voor den tijd, gedurende welken de arbeider den bedongen arbeid niet heeft verricht.

Behoud loonaanspraak bij ziekte

Art. 1638c. 1. Evenwel heeft de arbeider, wanneer hij ten gevolge van ziekte verhinderd is geweest zijn arbeid te verrichten, voor een tijdvak van zes weken aanspraak op 70% van het naar tijdruimte vastgestelde loon, maar tenminste op het voor hem geldende wettelijke minimumloon, tenzij de ziekte door zijn opzet is veroorzaakt of het gevolg is van een gebrek waarover hij bij het aangaan van de arbeidsovereenkomst de werkgever opzettelijk valse inlichtingen heeft gegeven.

Vermindering loon met ziekte-uitkering

2. Komt hem in zoodanig geval krachtens enige wettelijk voorgeschreven verzekering of krachtens eenige verzekering of uit eenig fonds, waarin de deelneming is bedongen bij of voortvloeit uit de arbeidsovereenkomst, eene geldelijke vergoeding of uitkeering toe, dan wordt het loon verminderd met het bedrag dier vergoeding of uitkeering.

Behoud loonaanspraak bij nakomen verplichting

3. Eveneens behoudt de arbeider zijne aanspraak op het naar tijdruimte vastgesteld loon voor eenen korten, naar billijkheid te berekenen tijd, wanneer hij, hetzij ten gevolge van de vervulling eener door wet of overheid, zonder geldelijke vergoeding, opgelegde verplichting, die niet in zijn vrijen tijd kon geschieden, hetzij ten gevolge van zeer bijzondere, buiten zijne schuld ontstane, omstandigheden, verhinderd is geweest zijn arbeid te verrichten.

4. Onder zeer bijzondere omstandigheden worden, voor de toepassing van dit artikel, begrepen: de bevalling van de echtgenoote van den arbeider zoomede het overlijden en de begrafenis van een zijner huisgenooten of van een zijner bloed- en aanverwanten in de rechte linie onbepaald en in den tweeden graad der zijdlinie. Evenzoo wordt onder de vervulling eener door wet of overheid opgelegde verplichting begrepen de uitoefening der kiesbevoegdheid.

5. Is het loon in geld op andere wijze dan naar tijdruimte vastgesteld, dan zijn de bepalingen van dit artikel eveneens van toepassing met dien verstande, dat als loon wordt aangenomen het gemiddeld loon, hetwelk de arbeider, wanneer hij niet verhinderd ware geweest, gedurende dien tijd had kunnen verdienen.

6. Het loon wordt echter verminderd met het bedrag der onkosten, welke de arbeider zich door het niet-verrichten van den arbeid heeft bespaard.

Afwijking van deze bepalingen

7. Van dit artikel mag alleen bij schriftelijke overeenkomst of bij reglement worden afgeweken. Ten aanzien van de in het eerste lid bedoelde aanspraak op het voor de arbeider geldende wettelijk minimumloon mag ten nadele van de arbeider slechts in zoverre worden afgeweken dat bedongen kan worden dat de arbeider voor de eerste twee dagen van het daar bedoelde tijdvak van zes weken geen aanspraak op loon heeft.

8. Voor de toepassing van het eerste en zevende lid worden perioden waarin de arbeider ten gevolge van ziekte verhinderd is geweest zijn arbeid te verrichten, samengeteld, indien zij elkaar met een onderbreking van minder dan vier weken opvolgen.

Behoud loon bij afzien van bedongen arbeid door werkgever

Art. 1638d. 1. Ook verliest de arbeider zijne aanspraak op het naar tijdruimte vastgesteld loon niet, indien hij bereid was den bedongen arbeid te verrichten, doch de werkgever daarvan geen gebruik heeft gemaakt, hetzij door eigen schuld of zelfs ten gevolge van, hem persoonlijk betreffende, toevallige verhindering.

2. De bepalingen van het tweede, vijfde en zesde lid van het voorgaande artikel zijn van toepassing.

3. Van de bepalingen van dit artikel mag alleen bij schriftelijke overeenkomst of bij reglement worden afgeweken.

Mededeling van bewijsstukken ter loonbepaling

Art. 1638e. 1. Bestaat het loon voor het geheel of voor een gedeelte in een bedrag, dat afhankelijk is gesteld van enig gegeven, dat uit de boeken, bescheiden of andere gegevensdragers van de werkgever moet kunnen blijken, dan heeft de arbeider het recht van de werkgever mededeling te verlangen van zodanige bewijsstukken als voor hem nodig zijn om tot de kennis van dat gegeven te geraken.

2. Afwijking van het voorgaande lid is alleen in zoverre geoorloofd, dat bij schriftelijk aangegane overeenkomst of bij reglement kan worden bepaald aan wie, in afwijking van het eerste lid, de mededeling van de genoemde bewijsstukken zal geschieden. Van een aanwijzing zijn uitgesloten arbeiders, die in dienst van de werkgever met de boekhouding zijn belast.

3. De mededeling van de bewijsstukken door of vanwege de werkgever geschiedt desverlangd onder uitdrukkelijke verplichting van geheimhouding door de arbeider en degene, die hem overeenkomstig het voorgaand lid vervangt; deze kan echter nimmer tot geheimhouding tegenover de arbeider worden verplicht, behoudens voorzover het betreft de winst in de onderneming van de werkgever of in een deel daarvan gemaakt.

4. De verplichting tot geheimhouding is, voorzover de rechter dit nodig oordeelt, opgeheven, indien de opgave in rechte wordt betwist.

Loonbetaling aan gemachtigde

Art. 1638f. 1. Een volmacht tot de vordering van loon moet schriftelijk worden verleend.

Loonbetaling aan wettelijk vertegenwoordiger

2. Indien in de in artikel 1637g genoemde schriftelijke machtiging de voorwaarde is opgenomen, dat het in geld vastgesteld loon, geheel of gedeeltelijk, in stede van aan den minderjarige, aan den wettelijken vertegenwoordiger zelven moet worden voldaan, wordt deze ten opzichte van de voldoening van het loon, of van het gedeelte hetwelk hem moet worden voldaan, als de arbeider aangemerkt.

3. Ook indien geene zoodanige voorwaarde in de machtiging is opgenomen, wordt het aan den minderjarige verschuldigd in geld vastgesteld loon aan den wettelijken vertegenwoordiger voldaan, wanneer deze zich tegen de voldoening aan den minderjarige schriftelijk verzet.

4. In andere gevallen dan die, bedoeld in het tweede en het derde lid van dit artikel, is de werkgever door betaling aan den minderjarige behoorlijk gekweten.

5. Voldoening aan derden, in strijd met de bepalingen van dit of het volgende artikel, is nietig.

Toekenning recht op loon aan derde

Art. 1638g. 1. Overdracht, inpandgeving of elke andere handeling, waardoor de arbeider eenig recht op zijn loon aan eenen derde toekent, is slechts in zoover geldig als een beslag op zijn loon geldig zoude zijn.

2. Een volmacht tot invordering van het loon is slechts geldig, inzien zij schriftelijk is verleend. Zij is steeds herroepelijk.
3. Elk beding, strijdig met eenige bepaling van dit artikel, is nietig.

Betaling loon in wettig betaalmiddel

Art. 1638h. De voldoening van het in geld vastgesteld loon geschiedt in Nederlands wettig betaalmiddel of met toepassing van artikel 114, eerste lid, van Boek 6 met dien verstande dat in buitenlands geld vastgesteld loon zal worden berekend naar den koers van dag en plaats der betaling, of, indien aldaar geen koers bestaat, naar dien der naastbijgelegen handelsplaats, waar een koers bestaat.

Betaling loon in ander bestanddeel dan geld

Art. 1638i. De voldoening van het loon, voor zoover het in andere bestanddeelen dan in geld is vastgesteld, geschiedt volgens hetgeen bij overeenkomst of reglement is bedongen, of in elk geval, bedoeld in artikel 1637r, naar de daar gestelde regelen.

Gevolgen nietigheid loonbetaling

Art. 1638j. 1. Voldoening van het loon, voor zoover zij anders heeft plaats gehad dan bij de voorgaande twee artikelen is bepaald, is nietig. De arbeider behoudt het recht van den werkgever het verschuldigd loon te vorderen zonder gehouden te zijn hem het bij de nietige voldoening ontvangene terug te geven.
2. Niettemin is de rechter bevoegd, bij toewijzing van de vordering des arbeiders, de veroordeling te beperken tot zoodanig bedrag als hem met het oog op de omstandigheden van het geval billijk zal voorkomen, doch uiterlijk tot de som, waarop de door den arbeider geleden schade door hem wordt gewaardeerd.
3. Ieder vorderingsrecht des arbeiders krachtens dit artikel vervalt na verloop van zes maanden.

Plaats der loonbetaling

Art. 1638k. Indien de plaats der voldoening van het loon niet bij overeenkomst of reglement, of door het gebruik, is bepaald of het loon met toepassing van artikel 114, eerste lid, van Boek 6, betaald wordt, geschiedt de voldoening hetzij ter plaatse waar de arbeid in den regel wordt verricht, hetzij ten kantore des werkgevers, indien dit gelegen is in dezelfde gemeente waar de meerderheid der arbeiders woont, hetzij aan de woning des arbeiders, ter keuze van den werkgever.

Tijdstip betaling naar tijdruimte vastgesteld loon

Art. 1638*l* 1. De uitbetaling van het in geld naar tijdruimte vastgesteld loon zal geschieden als volgt:
indien het loon bij de week of bij kortere tijdruimte is vastgesteld, telkens na eene week;
indien het loon is vastgesteld bij eene tijdruimte, langer dan eene week, doch korter dan eene maand, telkens na verloop van den tijd, waarbij het loon vastgesteld is;
indien het loon bij de maand is vastgesteld, telkens na eene maand;
indien het loon bij langere tijdruimte dan eene maand is vastgesteld, telkens na een kwartaal.
2. Van deze regeling mag slechts in zooverre worden afgeweken, dat bij schriftelijk aangegane overeenkomst of bij reglement de uitbetaling mag worden bepaald, van loon, dat bij eene kortere tijdruimte dan eene halve maand is vastgesteld, op telkens na eene halve maand, en van loon, dat bij de maand is vastgesteld, op telkens na een kwartaal.
3. Vervallen.
4. De uitbetaling van het loon van arbeiders, die bij den werkgever inwonen, zal, met afwijking in zooverre van bovenstaande bepalingen, geschieden telkens na verloop van de tijdruimte, aangegeven door het plaatselijk gebruik, tenzij bij schriftelijk aangegane overeenkomst of bij reglement is bedongen, dat de uitbetaling volgens de bepalingen van het eerste lid zal geschieden.
5. De uitbetalingstermijnen, bij of ingevolge dit artikel vastgesteld, zullen door partijen, met onderling goedvinden, steeds mogen worden ingekort.

Tijdstip betaling niet naar tijdruimte vastgesteld loon

Art. 1638m. De uitbetaling van het in geld doch niet naar tijdruimte vastgesteld loon, zal geschieden met inachtneming van de bepalingen van het voorgaande artikel, met dien verstande, dat dit loon geacht zal worden te zijn vastgesteld bij de tijdruimte, waarbij het loon gewoonlijk wordt vastgesteld voor den arbeid, welke ten aanzien van aard, plaats en tijd het meest nabijkomt aan den arbeid, waarvoor het loon verschuldigd is.

Art. 1638n. 1. Voor zooverre het in geld vastgesteld loon bestaat in een bedrag, dat afhankelijk is gesteld van eenig gegeven, dat uit des werkgevers boeken, bescheiden of andere gegevensdragers moet kunnen blijken, zal de uitbetaling geschieden telkens wanneer het bedrag van dat loon kan worden bepaald, met dien verstande, dat de uitbetaling ten minste eenmaal per jaar zal geschieden.

Tijdstip betaling loon, gebaseerd op gegevens boekhouding

2. Voor zoover het gegeven in het eerste lid bedoeld betreft de winst, in des werkgevers onderneming of een deel daarvan behaald en de aard van het bedrijf of het gebruik medebrengt, dat deze winst eerst na langer tijdsverloop dan één jaar wordt bepaald, kan bij schriftelijk aangegane overeenkomst of bij reglement worden bedongen, dat de uitbetaling telkens na die bepaling zal geschieden.

Art. 1638o. 1. Indien het loon in geld voor een gedeelte naar tijdruimte, voor een ander gedeelte op andere wijze, of wel indien het loon in gedeelten naar meerdere verschillende tijdruimten, is vastgesteld, zullen voor ieder dier gedeelten de voorschriften der artikelen 1638l tot en met 1638n van toepassing zijn.

Betaling bij op verschillende wijze vastgestelde loongedeelten

2. De werkgever is verplicht bij elke uitbetaling van het in geld vastgesteld loon de arbeider een schriftelijke opgave te verstrekken van het loonbedrag, van de bedragen waaruit dit is samengesteld, van de bedragen die op het loonbedrag zijn ingehouden, alsmede van het bedrag van het loon waarop een persoon van de leeftijd van de arbeider over de desbetreffende uitbetalingstermijn ingevolge het bepaalde bij of krachtens de Wet minimumloon en minimumvakantiebijslag als minimumloon aanspraak heeft, tenzij zich ten opzichte van de voorafgaande uitbetaling in geen van deze bedragen een wijziging heeft voorgedaan.

3. De opgave vermeldt voorts de naam van de werkgever en van de arbeider, de termijn waarop de uitbetaling betrekking heeft, alsmede de overeengekomen arbeidsduur.

Elk beding strijdig met het tweede en derde lid van dit artikel is nietig.

Art. 1638p. 1. Bij iedere uitbetaling zal het geheele bedrag van het verschuldigde loon worden voldaan.

Betaling gehele loonbedrag

2. Echter kan ten aanzien van het in geld, doch afhankelijk van de uitkomsten van den te verrichten arbeid, vastgesteld loon bij schriftelijk aangegane overeenkomst of bij reglement worden bedongen, dat telkens, behoudens definitieve afrekening op den eersten betaaldag waarop daartoe de mogelijkheid zal bestaan, zal worden uitbetaald een zeker gedeelte van het loon, bedragende ten minste drie vierden van het gebruikelijk loon voor den, wat aard, plaats en tijd betreft, meest nabij komenden arbeid.

Gedeeltelijke loonbetaling bij stukloon

Art. 1638q. 1. Voor zooverre het in geld vastgesteld loon, of het gedeelte daarvan, dat overblijft na aftrek van hetgeen door den werkgever niet behoeft te worden uitbetaald, en na aftrek van hetgeen, waarop derden overeenkomstig de bepalingen van dezen titel rechten doen gelden, niet wordt uitbetaald uiterlijk den derden werkdag na dien, waarop ingevolge de artikelen 1638l, 1638m en 1638o de betaling had moeten geschieden, heeft de arbeider, indien deze niet-betaling aan den werkgever is toe te schrijven, aanspraak op eene verhooging wegens de vertraging, welke voor den vierden tot en met den achtsten werkdag bedraagt vijf ten honderd per dag en voor elken volgenden werkdag een ten honderd, met dien verstande, dat de verhooging wegens vertraging in geen geval de helft van het verschuldigd bedrag zal te boven gaan. Niettemin is de rechter bevoegd de verhooging te beperken tot zoodanig bedrag als hem met het oog op de omstandigheden van het geval billijk zal voorkomen.

Verhoging wegens vertraagde loonbetaling

2. Een beding waarbij van enige bepaling van dit artikel wordt afgeweken, is alleen geldig ten aanzien van arbeiders wier in geld vastgestelde loon per dag meer bedraagt dan het bedrag van het als minimum geldende dagloon, vastgesteld krachtens artikel 14 van de Wet op de arbeidsongeschiktheidsverzekering. Ondergaat het bedrag van dit dagloon wijziging, dan wordt de werking van het beding geschorst jegens arbeiders wier in geld vastgestelde loon per dag niet meer bedraagt dan het gewijzigde bedrag van dat dagloon.

Art. 1638r. 1. Behalve bij het eindigen der dienstbetrekking, is verrekening door de werkgever van zijn schuld tot uitbetaling van het loon alleen toegelaten met de volgende vorderingen op de arbeider:

Verrekening t.a.v. loonvordering

1°. de door hem aan den werkgever verschuldigde schadevergoeding;
2°. de boeten, door hem volgens artikel 1637u aan den werkgever verschuldigd, mits door dezen een schriftelijk bewijs worde afgegeven, vermeldende het bedrag van ie-

dere boete, alsmede den tijd waarop en de reden waarom zij is opgelegd, met opgave van de overtreden bepaling van het reglement of van de schriftelijk aangegane overeenkomst;
3°. de huurprijs van eene woning, een lokaal, een stuk grond of van werktuigen of gereedschappen, door den arbeider in eigen bedrijf gebruikt, welke door den werkgever bij schriftelijk aangegane overeenkomst aan den arbeider zijn verhuurd;
4°. de koopprijs van gewone en dagelijksche benoodigdheden der huishouding, daaronder niet begrepen alcoholhoudende drank, alsmede van grond- of hulpstoffen door den arbeider in eigen bedrijf gebruikt, een en ander door den werkgever aan den arbeider geleverd, mits van die levering blijke uit eene schriftelijke, door den arbeider afgegeven, verklaring, vermeldende de oorzaak en het bedrag der schuld, en mits de werkgever niet meer berekene dan den kostenden prijs, en die prijs niet hooger zij dan die, waarvoor de arbeider zich die benoodigdheden der huishouding, grond- of hulpstoffen elders zoude kunnen aanschaffen;
5°. de voorschotten op het loon, door den werkgever in geld aan den arbeider verstrekt, mits daarvan blijke door eene verklaring als in het voorgaande nummer vermeld;
6°. het bedrag van hetgeen op het loon te veel is betaald;
7°. de kosten van verpleging en geneeskundige behandeling, welke ingevolge artikel 1638ij ten laste van den arbeider komen.

Beperkte verrekening

2. Ter zake van hetgeen de werkgever krachtens de nummers 2° en 4° tezamen zou kunnen vorderen, mag door hem bij elke uitbetaling van het loon niet meer worden verrekend, dan een tiende gedeelte van het in geld vastgestelde loon, dat alsdan zou moeten worden uitbetaald.

3. Elk beding, waardoor den werkgever eene ruimere bevoegdheid tot verrekening zoude worden toegekend is nietig.

Inhouden gedeelte van loon

Art. 1638s. Vervallen.

Loon in vorm van kost en inwoning

Art. 1638t. 1. Indien het loon des arbeiders geheel of gedeeltelijk in inwoning, kost, of andere levensbenoodigdheden is vastgesteld, is de werkgever verplicht dit, mits overeenkomstig de vereischten van gezondheid en goede zeden, volgens plaatselijk gebruik te voldoen.

2. Elk beding, waardoor deze verplichting des werkgevers zoude worden uitgesloten of beperkt, is nietig.

Vergoeding i.g.v. kost en inwoning

Art. 1638u. De werkgever, die tijdelijk verhinderd is het loon, voor zoover dit in inwoning, kost of andere levensbenoodigdheden is vastgesteld, te voldoen, zonder dat deze verhindering het gevolg is van eigen toedoen van den arbeider, is dezen eene vergoeding schuldig, waarvan het bedrag bij overeenkomst of, bij gebreke van dien, door het plaatselijk gebruik wordt bepaald.

Vervulling godsdienstplichten en ontspanning

Art. 1638v. De werkgever is gehouden inwonende arbeiders, zonder korting van hun loon, in de gelegenheid te stellen hunne godsdienstplichten te vervullen, alsmede ontspanning van den arbeid te genieten, in beide gevallen op de wijze bij overeenkomst of, bij gebreke van dien, door het plaatselijk gebruik bepaald.

Geen arbeid op zondagen en feestdagen

Art. 1638w. 1. De werkgever is gehouden den arbeid dusdanig te regelen, dat de arbeider geen arbeid heeft te verrichten op Zondagen en op die dagen, die volgens het plaatselijk gebruik ten aanzien van den bedongen arbeid met Zondagen worden gelijkgesteld, behalve voor zooverre het tegendeel is bedongen of uit den aard van den arbeid voortvloeit.

Volgen lessen door minderjarigen

2. Ten aanzien van minderjarige arbeiders is de werkgever gehouden den arbeid dusdanig te regelen, dat zij volgens het plaatselijk gebruik in de gelegenheid gesteld zijn de lessen te volgen in inrichtingen voor godsdienst-, voortgezet-, herhalings- of vakonderwijs. Elk beding, strijdig met dit voorschrift, is nietig.

Vrije middag

3. Ten aanzien van de arbeider, die per week ten minste op zes dagen en gedurende ten minste twee en veertig uren in dienst van dezelfde werkgever in of ten behoeve van diens particuliere huishouding werkzaamheden verricht, is de werkgever gehouden de arbeid zodanig te regelen dat de arbeider elke week op een overeengekomen vaste dag, niet zijnde een zondag, tussen een en zes uur des namiddags geen arbeid behoeft te verrichten. Onder werkzaamheden als bedoeld in de vorige volzin zijn begrepen werkzaamheden van huishoudelijke aard, in dienst van dezelfde werkgever verricht in de ruimte die deze voor de uitoefening van zijn beroep of bedrijf te zijnen huize bezigt. Partijen kunnen overeenkomen, dat in plaats van op een mid-

dag, geen arbeid behoeft te worden verricht op maandag tussen acht uur des morgens en één uur des namiddags. Elk beding in strijd met dit lid is nietig.

4. Niettemin mag de werkgever de arbeider in bijzondere omstandigheden arbeid laten verrichten gedurende de uren tijdens welke deze ingevolge het in het vorige lid bepaalde recht heeft op vrije tijd, mits hij de arbeider daarvoor een evenredige verhoging van het loon betaalt.

Art. 1638x. 1. De werkgever is verplicht de lokalen, werktuigen en gereedschappen, waarin of waarmede hij den arbeid doet verrichten, op zoodanige wijze in te richten en te onderhouden, alsmede omtrent het verrichten van den arbeid zoodanige regelingen te treffen en aanwijzingen te verstrekken, dat de arbeider tegen gevaar voor lijf, eerbaarheid en goed zoover beschermd is, als redelijkerwijze in verband met den aard van den arbeid gevorderd kan worden.

Bescherming tegen gevaar

2. Zijn die verplichtingen niet nagekomen, dan is de werkgever gehouden tot vergoeding der schade aan den arbeider dientengevolge in de uitoefening zijner dienstbetrekking overkomen, tenzij door hem het bewijs wordt geleverd, dat die niet-nakoming aan overmacht, of die schade in belangrijke mate mede aan grove schuld van den arbeider is te wijten.

Schadevergoedingsplicht bij niet nakomen

3. Indien de arbeider, ten gevolge van het niet nakomen dier verplichtingen door den werkgever, in de uitoefening zijner dienstbetrekking zoodanig letsel heeft bekomen, dat daarvan de dood het gevolg is, is de werkgever overeenkomstig artikel 108 van Boek 6 jegens de daar bedoelde personen aansprakelijk, tenzij door hem het bewijs wordt geleverd, dat die niet-nakoming aan overmacht, of de dood in belangrijke mate mede aan grove schuld van den arbeider is te wijten.

4. Elk beding, waardoor deze verplichtingen des werkgevers zouden worden uitgesloten of beperkt, is nietig.

Art. 1638ij. 1. De werkgever is verplicht in geval van ziekte of ongeval van eenen bij hem inwonenden arbeider, zoolang de dienstbetrekking duurt doch uiterlijk tot een tijd van zes weken, voor diens behoorlijke verpleging en geneeskundige behandeling zorg te dragen, voor zooverre daarin niet uit anderen hoofde is voorzien. Hij is gerechtigd de kosten op den arbeider te verhalen, doch voor zooveel betreft die der eerste vier weken alleen dan wanneer de ziekte, of het ongeval door diens opzet of onzedelijkheid veroorzaakt of het gevolg is van een lichaamsgebrek, waaromtrent de arbeider bij het aangaan der overeenkomst den werkgever opzettelijk valsche inlichtingen heeft gegeven.

Kosten ziekte inwonende arbeider

2. Elk beding, waardoor deze verplichtingen des werkgevers zouden worden uitgesloten of beperkt, is nietig.

Art. 1638z. De werkgever is in het algemeen verplicht al datgene te doen en na te laten, wat een goed werkgever in gelijke omstandigheden behoort te doen en na te laten.

Algemene verplichting werkgever

Art. 1638aa. 1. De werkgever is verplicht bij het eindigen der dienstbetrekking den arbeider op diens verlangen een getuigschrift uit te reiken.

Getuigschrift

2. Het getuigschrift bevat eene juiste opgave omtrent den aard van den verrichten arbeid en den duur der dienstbetrekking, alsmede, doch alleen op bijzonder verzoek van dengene aan wien het getuigschrift moet worden uitgereikt, omtrent de wijze, waarop de arbeider aan zijne verplichtingen heeft voldaan en de wijze, waarop de dienstbetrekking geëindigd is; heeft de werkgever de dienstbetrekking echter zonder het aanvoeren van redenen doen eindigen, dan is hij slechts gehouden zulks te vermelden, zonder verplicht te zijn de redenen zelve mede te deelen; heeft de arbeider de dienstbetrekking doen eindigen en is hij deswege schadeplichtig geworden, dan is de werkgever gerechtigd zulks in het getuigschrift te vermelden.

Inhoud getuigschrift

3. De werkgever, die weigert het gevraagde getuigschrift af te geven, die in het getuigschrift tegen beter weten onjuiste mededeelingen opneemt, of die het getuigschrift van een kenmerk voorziet, bestemd om aangaande den arbeider eenige mededeling te doen, welke niet in de bewoordingen van het getuigschrift is vervat, is zoowel jegens den arbeider als jegens derden aansprakelijk voor de daardoor veroorzaakte schade.

Aansprakelijkheid werkgever t.a.v. getuigschrift

4. Elk beding, waardoor deze verplichtingen des werkgevers zouden worden uitgesloten of beperkt, is nietig.

Art. 1638bb. 1. De werkgever is verplicht aan de arbeider over elk jaar, dat de dienstbetrekking heeft geduurd, vakantie te verlenen gedurende ten minste viermaal

Aantal vakantiedagen

het bedongen aantal arbeidsdagen per week, of, als de bedongen arbeidstijd in uren per jaar is uitgedrukt, gedurende ten minste een overeenkomstig aantal dagen.
2. (Vervallen).

Berekening aanspraak op vakantie

Art. 1638cc. 1. Heeft op enig tijdstip de dienstbetrekking nog geen jaar of nog niet wederom een jaar geduurd, dan heeft de arbeider ten minste aanspraak op vakantie in verhouding tot het verstreken deel van het jaar.
2. Bij collectieve arbeidsovereenkomst of bij regeling door of namens een bevoegd publiekrechtelijk orgaán kan ten aanzien van arbeiders, wier dienstbetrekking eindigt nadat deze ten minste een maand heeft geduurd, van het eerste lid worden afgeweken in dier voege, dat de aanspraak op vakantie wordt berekend over tijdvakken van een maand.

Bij ontbreken recht op loon geen vakantie

Art. 1638dd. 1. De arbeider heeft geen aanspraak op vakantie over de tijd, gedurende welke hij wegens het niet verrichten van de bedongen arbeid geen aanspraak op in geld vastgesteld loon heeft.

Behoud aanspraak op vakantie

2. Evenwel heeft de arbeider aanspraak op vakantie over het tijdvak, gedurende hetwelk hij geen recht op loon heeft:
a. omdat hij, anders dan voor eerste oefening als dienstplichtige is opgeroepen ter vervulling van zijn militaire dienst of vervangende dienst;
b. omdat hij verlof als bedoeld in artikel 1638jj geniet;
c. omdat hij, met toestemming van de werkgever, deelneemt aan een bijeenkomst welke wordt georganiseerd door een vakvereniging waarvan hij lid is;
d. omdat hij onvrijwillig werkloos is;
e. omdat hij verlof als bedoeld in artikel 1638nn geniet.
3. Bovendien heeft de vrouwelijke arbeider die de bedongen arbeid niet verricht wegens zwangerschap of bevalling aanspraak op vakantie over het tijdvak dat zij recht heeft op ziekengeld in verband met haar bevalling.
4. Voorts heeft de jeugdige arbeider aanspraak op vakantie over de tijd welke hij besteedt aan het volgen van onderricht waartoe hij krachtens de wet door de werkgever in de gelegenheid moet worden gesteld.
5. De arbeider die de bedongen arbeid niet verricht wegens ziekte, heeft, tenzij de ziekte door zijn opzet is veroorzaakt, ongeacht of een aanspraak op in geld vastgesteld loon bestaat, aanspraak op vakantie over het tijdvak van de laatste zes maanden waarin de arbeid niet verricht werd, met dien verstande dat tijdvakken samengeteld worden als zij elkaar met onderbreking van minder dan een maand opvolgen. De in de eerste volzin genoemde aanspraak bestaat niet indien de arbeider de bedongen arbeid slechts gedurende een gedeelte van de tijd niet verricht.
6. De in het tweede lid onder d, derde en vijfde lid, genoemde aanspraak vervalt indien de dienstbetrekking door de arbeider wordt beëindigd alvorens de arbeid is hervat.

Niet als vakantiedagen aan te merken dagen

Art. 1638ee. 1. Dagen of gedeelten van dagen waarop de arbeider de bedongen arbeid niet verricht wegens redenen als bedoeld in artikel 1638c, derde en vierde lid, en artikel 1638dd, tweede, derde, vierde en vijfde lid, mogen niet als vakantie aangemerkt worden.
2. In afwijking van het eerste lid kan bij schriftelijke overeenkomst of bij reglement overeengekomen worden dat dagen of gedeelten van dagen waarop de arbeider de bedongen arbeid niet verricht wegens de reden bedoeld in artikel 1638dd, vijfde lid, als vakantiedagen worden aangemerkt, met dien verstande dat hij tenminste recht houdt op de vakantie bedoeld in artikel 1638bb.

Recht op aaneengesloten vakantieperiode

Art. 1638ff. 1. De werkgever is verplicht de arbeider, wiens aanspraak op vakantie of op verlof als bedoeld in artikel 1638jj daartoe toereikend is, desverlangd jaarlijks op zodanige wijze vakantie of verlof te verlenen, dat de arbeider gedurende twee opeenvolgende weken, of, indien de bedrijfsvoering dit noodzakelijk maakt dan wel de arbeider dit wenst, gedurende tweemaal een week geen arbeid hoeft te verrichten.
2. De werkgever is verplicht de overige vakantiedagen of verlofdagen te verlenen, naar gelang de aanspraak van de arbeider op een zodanige dag toereikend is.

Vaststelling vakantie

Art. 1638gg. 1. De werkgever stelt de tijdstippen van aanvang en einde van de vakantie vast na overleg met de arbeider, voor zover in het overleg of in de vaststelling niet is voorzien bij schriftelijke overeenkomst of reglement, dan wel bij of krachtens collectieve arbeidsovereenkomst, regeling door of namens een bevoegd

publiekrechtelijk orgaan of de wet. Dit overleg en deze vaststelling vinden, tenzij bijzondere omstandigheden dit verhinderen, zo tijdig plaats, dat de arbeider gelegenheid heeft tot het treffen van voorbereidingen voor de besteding van de vakantie.
2. De werkgever doet de in het eerste lid van artikel 1638ff bedoelde tijdvakken zoveel mogelijk aanvangen tussen 30 april en 1 oktober.
3. De werkgever kan, indien daartoe gewichtige redenen aanwezig zijn, na overleg met de arbeider, het door hem vastgestelde tijdvak van de vakantie wijzigen.
4. De schade, welke de arbeider tengevolge van de wijziging van het tijdvak lijdt, wordt door de werkgever vergoed.

Gedurende vakantie recht op loon

Art. 1638hh. 1. De arbeider behoudt gedurende het genot van de hem toekomende vakantie aanspraak op loon.
2. Bij collectieve arbeidsovereenkomst of bij regeling door of namens een bevoegd publiekrechtelijk orgaan kan van het bepaalde in het eerste lid worden afgeweken, mits daarbij tevens voorzieningen zijn getroffen, door welke de arbeider schadeloos wordt gesteld voor derving van loon wegens vakantie. Deze schadeloosstelling wordt als loon beschouwd.

Bij einde dienstbetrekking toekomende vakantie

Art. 1638ii. 1. De arbeider heeft wegens hem bij het einde van de dienstbetrekking toekomende vakantie aanspraak op een uitkering in geld tot een bedrag van het loon over een tijdvak gelijk aan die vakantie, tenzij voor hem een voorziening geldt als bedoeld in artikel 1638hh, tweede lid.
2. De werkgever is verplicht bij het einde van de dienstbetrekking aan de arbeider een verklaring uit te reiken waaruit blijkt van de duur van de vakantie en van het verlof zonder behoud van loon welke aan de arbeider op dat tijdstip nog toekomen.

Aanspraak op verlof zonder behoud van loon

Art. 1638jj. 1. De arbeider heeft aanspraak op verlof zonder behoud van loon gedurende de tijd, waarover de in artikel 1638ii bedoelde uitkering is berekend of op welke de schadeloosstelling, welke daarvoor bij toepassing van artikel 1638hh, tweede lid, in de plaats treedt, betrekking heeft.
2. De artikelen 1638ee en 1638gg zijn op het verlof van overeenkomstige toepassing.

Geen schade vergoeding

Art. 1638kk. Schadevergoeding ter vervanging van niet of niet op de juiste wijze verleende vakantie is niet toegelaten, zolang de dienstbetrekking duurt.

Verjaringstermijn

Art. 1638*ll*. 1. Ieder vorderingsrecht tot toekenning van vakantie of van verlof zonder behoud van loon, als bedoeld in artikel 1638jj, verjaart na verloop van twee jaren na het tijdstip, waarop de aanspraak is ontstaan.
2. Een verjaringstermijn van zes maanden geldt ten aanzien van vorderingen ter zake van:
a. schade, ontstaan ten gevolge van het niet verlenen van vastgestelde vakantie of van vastgesteld verlof te rekenen van het tijdstip waarop die vakantie of dit verlof had moeten ingaan;
b. schade, ontstaan ten gevolge van het wijzigen van een vastgestelde vakantie of van een vastgesteld verlof, te rekenen van het tijdstip waarop de wijziging de arbeider bekend is geworden;
c. de uitkering, bedoeld in artikel 1638ii, te rekenen van het tijdstip van het einde van de dienstbetrekking.

Dwingend recht

Art. 1638mm. Elk beding, waarbij van de artikelen 1638bb-1638jj en 1638ll ten nadele van de arbeider afgeweken wordt, is nietig, tenzij en voor zover zodanige afwijking bij die artikelen is toegelaten.

Verlof bij lidmaatschap van vertegenwoordigend orgaan

Art. 1638nn. 1. De arbeider kan verlangen dat de werkgever hem verlof zonder behoud van loon verleent voor het als lid bijwonen van vergaderingen van de Eerste Kamer der Staten-Generaal, van vertegenwoordigende organen van publiekrechtelijke lichamen die bij rechtstreekse verkiezing worden samengesteld, uitgezonderd echter de Tweede Kamer der Staten-Generaal, alsmede van commissies uit deze organen. Deze bepaling vindt mede toepassing op de arbeider die deel uitmaakt van een met algemeen bestuur belast orgaan van een waterschap, veenschap of veenpolder.
2. Bestaat daarover tussen de werkgever en de arbeider geen overeenstemming, dan stelt de kantonrechter op verzoek van de meest gerede partij vast in welke mate

dit verlof behoort te worden verleend. De rechter beoordeelt in hoever, gezien het belang dat de arbeider aan de in het eerste lid bedoelde vergaderingen kan deelnemen, in redelijkheid van de werkgever kan worden gevergd dat de arbeider afwezig is.

3. Wanneer tussen partijen geen overeenstemming over het verlof bestaat, kan de werkgever de dienstbetrekking niet wegens het bijwonen van vergaderingen van het vertegenwoordigend orgaan doen eindigen, zolang de rechter omtrent het verlof niet heeft beslist. De beschikking van de rechter is uitvoerbaar bij voorraad.

4. De vorige leden vinden overeenkomstige toepassing op gedeputeerden, wethouders en leden van het dagelijks bestuur van een waterschap, veenschap of veenpolder wier functie niet als een volledige wordt bezoldigd. Bij algemene maatregel van bestuur wordt bepaald, welke gedeputeerdenfuncties en wethoudersfuncties voor de toepassing van dit artikel als volledig bezoldigd worden aangemerkt.

5. Elk beding waarbij ten nadele van de arbeider van het bepaalde in dit artikel wordt afgeweken, is nietig.

6. De bepalingen van dit artikel blijven buiten toepassing ten aanzien van die groepen van arbeiders voor wie uit hoofde van verlening van Rijksvergoeding bij of krachtens de wet een andere regeling is vastgesteld.

Ouderschapsverlof

Art. 1638oo. 1. De arbeider die als ouder in familierechtelijke betrekking staat tot een kind, onderscheidenlijk de arbeider die blijkens een gewaarmerkt afschrift van de benodigde gegevens uit de basisadministratie persoonsgegevens op hetzelfde adres woont als een kind en duurzaam de verzorging en opvoeding van dat kind als eigen kind op zich heeft genomen, heeft recht op verlof zonder behoud van loon. Indien de ter zake van het recht op het verlof in de eerste volzin gestelde voorwaarden ten aanzien van meer kinderen van de arbeider met ingang van hetzelfde tijdstip worden vervuld, bestaat het recht slechts ten aanzien van één van die kinderen.

2. Het verlof bedraagt een aaneengesloten periode van ten hoogste zes maanden over ten hoogste dat deel van de arbeidsduur per week dat twintig uur te boven gaat. Geen recht op verlof bestaat over tijdvakken gelegen na de datum waarop het kind als leerling kan worden toegelaten tot de basisschool.

3. Het recht bestaat slechts indien de dienstbetrekking in Nederland wordt vervuld en deze ten minste een jaar heeft geduurd. Artikel 1639k, eerste lid, is van overeenkomstige toepassing.

4. De arbeider meldt het voornemen om verlof op te nemen ten minste twee maanden voor het tijdstip van ingang van het verlof schriftelijk aan de werkgever onder opgave van de periode, het aantal uren en de spreiding daarvan over de week. De tijdstippen van ingang en einde van het verlof kunnen afhankelijk worden gesteld van de datum van de bevalling, van het einde van het bevallingsverlof of van de aanvang van de verzorging.

5. De werkgever is verplicht in te stemmen met een verzoek van de arbeider om het verlof niet op te nemen of niet voort te zetten op grond van onvoorziene omstandigheden, tenzij gewichtige redenen zich hiertegen verzetten. De werkgever behoeft aan het verzoek niet met ingang van een vroeger tijdstip gevolg te geven dan vier weken na het verzoek. In het geval dat het verlof met toepassing van de eerste volzin, na het tijdstip van ingang daarvan niet wordt voortgezet, vervalt het recht op het overige deel van dat verlof.

6. De werkgever kan, na overleg met de arbeider, de spreiding van de uren over de week op grond van gewichtige redenen wijzigen, tot vier weken voor het tijdstip van ingang van het verlof.

7. Van het eerste tot en met het zesde lid kan slechts worden afgeweken bij collectieve arbeidsovereenkomst of bij regeling door of namens een bevoegd publiekrechtelijk orgaan, mits het aantal uren verlof waarop de arbeider op grond van die regeling recht heeft tenminste gelijk is aan het aantal uren waarop hij recht zou hebben bij de toepassing van de eerste volzin van het tweede lid.

VIERDE AFDEELING

Van de verplichtingen des arbeiders

Verplichting verrichten arbeid

Art. 1639. De arbeider is verplicht den bedongen arbeid naar zijn beste vermogen te verrichten. Voor zoover aard en omvang van den te verrichten arbeid niet bij overeenkomst of reglement zijn omschreven, beslist daaromtrent het gebruik.

Persoonlijke verplichting arbeider

Art. 1639a. De arbeider is verplicht den arbeid zelf te verrichten; hij kan zich daarin niet dan met toestemming des werkgevers door eenen derde doen vervangen.

2. De rechtsvordering tot nakoming van de arbeidsverplichting van de arbeider onder bepaling van een dwangsom of van gijzeling is niet toegelaten.

Art. 1639b. De arbeider is verplicht zich te houden aan de voorschriften omtrent het verrichten van den arbeid alsmede aan die, welke strekken ter bevordering van de goede orde in de onderneming des werkgevers, hem door of namens den werkgever binnen de perken van wet of verordening, van overeenkomst of reglement, gegeven.

Verplichting nakoming voorschriften

Art. 1639c. De arbeider, die bij den werkgever inwoont, is verplicht zich te gedragen naar de orde des huizes.

Verplichting inwonende arbeider

Art. 1639d. De arbeider is in het algemeen verplicht al datgene te doen en na te laten, wat een goed arbeider in gelijke omstandigheden behoort te doen en na te laten.

Algemene verplichting arbeider

Art. 1639da. 1. De arbeider die bij de uitvoering van de overeenkomst schade toebrengt aan de werkgever of aan een derde jegens wie de werkgever tot vergoeding van die schade is gehouden, is te dier zake niet jegens de werkgever aansprakelijk, tenzij de schade een gevolg is van zijn opzet of bewuste roekeloosheid. Uit de omstandigheden van het geval kan, mede gelet op de aard van de betreffende overeenkomst, anders voortvloeien dan in de vorige zin is bepaald.

2. Afwijking van het vorige lid en van artikel 170 lid 3 van Boek 6 ten nadele van de arbeider is slechts mogelijk bij schriftelijke overeenkomst en slechts voor zover de arbeider te dier zake is verzekerd.

VIJFDE AFDEELING

Van de verschillende wijzen waarop de dienstbetrekking, door arbeidsovereenkomst ontstaan, eindigt

Art. 1639e. 1. De dienstbetrekking eindigt van rechtswege, wanneer de tijd is verstreken, bij overeenkomst of reglement, bij de wet of door het gebruik aangegeven.

Einde dienstbetrekking van rechtswege

2. Voorafgaande opzegging is in dat geval nodig:

Einde na voorafgaande opzegging

1°. indien zulks bij schriftelijk aangegane overeenkomst of bij reglement is bepaald;
2°. indien volgens de wet of het gebruik opzegging behoort plaats te vinden en daarvan niet, waar zulks geoorloofd is, bij schriftelijk aangegane overeenkomst of bij reglement is afgeweken.

3. Een beding, krachtens hetwelk de dienstbetrekking van rechtswege eindigt wegens het in het huwelijk treden van de arbeider, is nietig.

4. Een beding, krachtens hetwelk de dienstbetrekking van rechtswege eindigt wegens zwangerschap of bevalling van de arbeidster, is nietig.

Art. 1639f. 1. Indien de dienstbetrekking na het verstrijken van de tijd, in het eerste lid van het voorgaande artikel omschreven, door partijen zonder tegenspraak wordt voortgezet, wordt zij geacht voor dezelfde tijd, doch telkens ten hoogste voor een jaar, op de vroegere voorwaarden wederom te zijn aangegaan.

Stilzwijgende verlenging dienstbetrekking

2. Hetzelfde geldt, wanneer in de gevallen, waarin opzegging nodig is, tijdige opzegging achterwege blijft en de gevolgen van de voortzetting der dienstbetrekking niet opzettelijk zijn geregeld.

3. Indien een voor bepaalde tijd aangegane dienstbetrekking is voortgezet, is voor haar beëindiging voorafgaande opzegging nodig.

4. Voor de toepassing van het bepaalde in het vorige lid worden dienstbetrekkingen tussen dezelfde partijen, welke elkander met tussenpozen van niet meer dan 31 dagen zijn opgevolgd, geacht een voortgezette dienstbetrekking te vormen, tenzij de dienstbetrekkingen louter betreffen het verrichten van losse, ongeregelde arbeid en zij ieder voor zich binnen 31 dagen eindigen.

5. Van het bepaalde in het derde en het vierde lid kan slechts worden afgeweken bij collectieve arbeidsovereenkomst of bij regeling door of namens een bevoegd publiekrechtelijk orgaan.

Art. 1639g. Indien de duur ener dienstbetrekking noch bij overeenkomst of reglement, noch bij de wet of door het gebruik is aangegeven, heeft ieder der partijen het recht, de dienstbetrekking te doen eindigen door opzegging.

Opzegging

Opzegging tegen bepaalde dag

Art. 1639h. 1. Opzegging mag alleen geschieden tegen de dag of tegen een der dagen, bij overeenkomst of reglement of door het gebruik daarvoor aangewezen; bij gebreke van dergelijke aanwijzing mag opzegging tegen elke dag geschieden.

2. De werkgever kan niet opzeggen wegens het huwelijk van de arbeider.

Geen opzegging gedurende ziekte arbeider

3. De werkgever kan niet opzeggen gedurende de tijd, dat de arbeider ongeschikt is tot het verrichten van zijn arbeid wegens ziekte, tenzij de ongeschiktheid ten minste twee jaren heeft geduurd.

4. De werkgever kan de dienstbetrekking met een arbeidster die geschikt is om de bedongen arbeid te verrichten niet opzeggen gedurende de zwangerschap en wegens haar bevalling. De werkgever kan ter staving van de zwangerschap een verklaring van een geneeskundige of van een verloskundige verlangen. Voorts kan de werkgever de dienstbetrekking van de arbeidster, die haar arbeid na de bevalling heeft hervat, niet opzeggen gedurende het tijdvak van zes weken na het verstrijken van de periode waarin zij recht had op ziekengeld in verband met haar bevalling.

5. De werkgever kan niet opzeggen gedurende de tijd dat de arbeider verhinderd is de bedongen arbeid te verrichten omdat hij als dienstplichtige is opgeroepen ter vervulling van zijn militaire dienst of vervangende dienst.

6. Het bepaalde in het derde, vierde en vijfde lid is niet toepasselijk bij een opzegging welke nodig is krachtens artikel 1639f derde lid.

7. Van het bepaalde in het derde en het vijfde lid kan slechts worden afgeweken bij collectieve arbeidsovereenkomst of bij regeling door of namens een bevoegd publiekrechtelijk orgaan. Deze afwijking kan evenwel geen betrekking hebben op opzegging van arbeidsters die zwanger zijn dan wel bevallingsverlof genieten.

Opzegtermijn

Art. 1639i. 1. De termijn van opzegging is gelijk aan de tijd, die gewoonlijk tussen twee opvolgende uitbetalingen van het in geld vastgesteld loon verstrijkt, doch niet langer dan zes weken. Deze beperking geldt niet voor zover een langere duur uit het bepaalde in het volgende lid en in artikel 1639j voortspruit.

2. Bij schriftelijk aangegane overeenkomst of bij reglement mag van de bepaling van de eerste zin van het voorgaande lid worden afgeweken, mits de termijn van opzegging niet langer zij dan zes maanden en voor de werkgever niet korter worde gesteld dan voor de arbeider. Is slechts voor een der partijen een regeling getroffen, dan geldt zij ook voor de andere; is een kortere termijn voor de werkgever bepaald dan voor de arbeider, dan geldt de langste termijn ook voor de werkgever; is een langere termijn bepaald dan geoorloofd was, dan geldt de langste geoorloofde termijn.

Verlenging opzegtermijn

Art. 1639j. 1. Onverminderd het bepaalde in artikel 1639i bedraagt de termijn van opzegging voor de werkgever ten minste zoveel weken als de dienstbetrekking na de meerderjarigheid van de arbeider gehele jaren heeft geduurd en voor de arbeider ten minste zoveel weken als de dienstbetrekking na zijn meerderjarigheid tijdvakken van twee gehele jaren heeft geduurd, met dien verstande, dat uit deze hoofde de opzeggingstermijn voor de werkgever ten hoogste 13 weken en voor de arbeider ten hoogste 6 weken zal bedragen.

2. De termijn van opzegging die krachtens het vorige lid voor de werkgever geldt, wordt verlengd met een week voor elk vol jaar, gedurende hetwelk de arbeider na het bereiken van de leeftijd van 45 jaren bij hem in dienst is geweest; de duur van deze verlenging bedraagt evenwel ten hoogste 13 weken.

3. De termijn van opzegging voor de werkgever bedraagt ten minste drie weken ten aanzien van een arbeider die op de dag van opzegging de leeftijd van 50 jaren heeft bereikt en ten minste een jaar bij hem in dienst is geweest.

4. Het tweede en derde lid zijn niet van toepassing ten aanzien van een arbeider die de leeftijd van 65 jaren heeft bereikt.

5. Van het eerste, tweede en derde lid kan slechts worden afgeweken bij collectieve arbeidsovereenkomst of bij regeling door of namens een bevoegd publiekrechtelijk orgaan.

6. Echter mogen de in het eerste, tweede en derde lid bedoelde termijnen bij schriftelijke overeenkomst of reglement worden verlengd, mits de termijn van opzegging voor de arbeider niet langer zij dan 6 maanden en voor de werkgever niet korter worden gesteld dan op het dubbele van die voor de arbeider.

Begrip niet-onderbroken dienstbetrekking

Art. 1639k. 1. Voor de toepassing van artikel 1639j, eerste lid, worden dienstbetrekkingen geacht eenzelfde, niet onderbroken dienstbetrekking te vormen:
a. indien zij bestaan hebben tussen dezelfde partijen en elkander met tussenpozen van niet meer dan 31 dagen zijn opgevolgd, tenzij de dienstbetrekkingen louter heb-

ben betroffen het verrichten van losse, ongeregelde arbeid en zij ieder voor zich binnen 31 dagen zijn geëindigd;
b. indien een zelfde arbeider achtereenvolgens in dienst is geweest bij verschillende werkgevers, die redelijkerwijze geacht moeten worden ten aanzien van de verrichte arbeid elkanders opvolgers te zijn;
c. in geval van herstel der dienstbetrekking ingevolge artikel 1639t.
2. Van het bepaalde in het vorige lid kan slechts worden afgeweken bij collectieve arbeidsovereenkomst of bij regeling door of namens een bevoegd publiekrechtelijk orgaan.

Einde door dood van arbeider

Art. 1639*l*. 1. De dienstbetrekking eindigt door de dood van de arbeider.

Uitkering aan nagelaten betrekkingen

2. Niettemin is de werkgever verplicht aan de nagelaten betrekkingen van de arbeider over de periode vanaf de dag na overlijden tot en met de laatste dag van de tweede maand na die, waarin het overlijden plaatsvond, een uitkering te verlenen ten bedrage van het loon dat de arbeider laatstelijk rechtens toekwam.

Nagelaten betrekkingen

3. Voor de toepassing van dit artikel wordt onder nagelaten betrekkingen verstaan de langstlevende der echtgenoten van wie de arbeider niet duurzaam gescheiden leefde, dan wel de daarmee op grond van een wettelijk voorgeschreven ziekte- of arbeidsongeschiktheidsverzekering ter zake van de uitkering bij overlijden gelijkgestelde persoon, of bij ontstentenis van deze de minderjarige wettige of natuurlijke kinderen.

Vermindering overlijdensuitkering

4. De overlijdensuitkering, bedoeld in het tweede lid, kan worden verminderd met het bedrag van de uitkering dat aan de nagelaten betrekkingen terzake van het overlijden van de arbeider toekomt krachtens een wettelijk voorgeschreven ziekte- of arbeidsongeschiktheidsverzekering.

Geen recht op uitkering

5. Het bepaalde in het tweede lid geldt niet indien tengevolge van het toedoen van de arbeider geen aanspraak bestaat op een uitkering krachtens een wettelijk voorgeschreven ziekte- of arbeidsongeschiktheidsverzekering.
6. Elk beding, waarbij van het bepaalde in dit artikel ten nadele van de nagelaten betrekkingen wordt afgeweken, is nietig.

Geen einde door dood van werkgever

Art. 1639m. De dienstbetrekking eindigt niet door de dood des werkgevers, tenzij uit de overeenkomst het tegendeel voortvloeit. Echter zijn zowel de erfgenamen des werkgevers als de arbeider bevoegd de dienstbetrekking, voor een bepaalde tijd aangegaan, door opzegging met inachtneming van de bepalingen der artikelen 1639h, 1639i en 1639j te doen eindigen, als ware zij aangegaan voor onbepaalde tijd.

Proeftijd

Art. 1639n. 1. Indien een proeftijd is bedongen, is ieder der partijen, zolang die tijd niet is verstreken, bevoegd de dienstbetrekking zonder opzegging of zonder inachtneming van de voor opzegging geldende bepalingen te doen eindigen.
2. Bij een zodanige beëindiging is het bepaalde in de artikelen 1639s en 1639t niet van toepassing.

Maximum-proeftijd

3. Elk beding, waarbij de proeftijd niet voor beide partijen gelijk, of wel op langer dan twee maanden gesteld wordt, alsmede elk beding, waarbij door het aangaan van een nieuwe proeftijd de gezamenlijke proeftijden langer dan twee maanden worden, is nietig.

Schadeplichtigheid bij beëindiging zonder opzegging

Art. 1639o. 1. Ieder der partijen kan de dienstbetrekking zonder opzegging of zonder inachtneming van de voor opzegging geldende bepalingen doen eindigen, doch de partij, die dit doet zonder dat de wederpartij daarin toestemt, is schadeplichtig, tenzij zij de dienstbetrekking aldus doet eindigen om een dringende, aan de wederpartij onverwijld medegedeelde reden.
2. Indien de werkgever zonder dat de arbeider daarin toestemt de dienstbetrekking zonder opzegging doet eindigen, zijn het tweede, derde, vierde en vijfde lid van artikel 1639h van overeenkomstige toepassing, tenzij hij de dienstbetrekking aldus doet eindigen om een dringende, aan de wederpartij onverwijld medegedeelde reden.

Schadeplichtigheid bij verschaffen dringende reden

3. Eveneens is schadeplichtig de partij, die door opzet of schuld aan de wederpartij een dringende reden heeft gegeven om de dienstbetrekking zonder opzegging of zonder inachtneming van de voor opzegging geldende bepalingen te doen eindigen, indien de wederpartij van die bevoegdheid heeft gebruik gemaakt of de rechter op die grond krachtens artikel 1639w de arbeidsovereenkomst ontbonden heeft verklaard.

Schadeloosstelling of volledige schadevergoeding

4. Ingeval een der partijen schadeplichtig is, heeft de wederpartij de keus de in artikel 1639r genoemde schadeloosstelling of een volledige schadevergoeding te vorderen.

5. Het niet in acht nemen van artikel 1639h, tweede, derde, vierde of vijfde lid, of van het tweede lid maakt de werkgever niet schadeplichtig. De arbeider kan in die gevallen gedurende twee maanden na de opzegging of na de beëindiging der dienstbetrekking indien de werkgever deze anders dan door opzegging heeft doen eindigen, de nietigheid van de beëindiging inroepen. Het inroepen van de nietigheid geschiedt door kennisgeving aan de werkgever.

Dringende redenen voor werkgever

Art. 1639p. 1. Voor de werkgever worden als dringende redenen in de zin van het eerste lid van het voorgaande artikel beschouwd zodanige daden, eigenschappen of gedragingen van de arbeider, die ten gevolge hebben, dat van de werkgever redelijkerwijze niet kan gevergd worden de dienstbetrekking te laten voortduren.

2. Dringende redenen zullen onder andere aanwezig geacht kunnen worden:

1°. wanneer de arbeider bij de afsluiting der overeenkomst de werkgever heeft misleid door het vertonen van valse of vervalste getuigschriften, of deze opzettelijk valse inlichtingen heeft gegeven omtrent de wijze waarop zijn vorige dienstbetrekking is geëindigd;

2°. wanneer hij, in ernstige mate, de bekwaamheid of geschiktheid blijkt te missen tot de arbeid, waarvoor hij zich heeft verbonden;

3°. wanneer hij zich ondanks waarschuwing overgeeft aan dronkenschap of ander liederlijk gedrag;

4° wanneer hij zich schuldig maakt aan diefstal, verduistering, bedrog of andere misdrijven, waardoor hij het vertrouwen des werkgevers onwaardig wordt;

5°. wanneer hij de werkgever, diens familieleden of huisgenoten, of zijn medearbeiders mishandelt, grovelijk beledigt of op ernstige wijze bedreigt;

6° wanneer hij de werkgever, diens familieleden of huisgenoten, of zijn medearbeiders verleidt of tracht te verleiden tot handelingen, strijdig met de wetten of de goede zeden;

7°. wanneer hij opzettelijk, of ondanks waarschuwing roekeloos, des werkgevers eigendom beschadigt, of aan ernstig gevaar blootstelt;

8°. wanneer hij opzettelijk, of ondanks waarschuwing roekeloos, zich zelf of anderen aan ernstig gevaar blootstelt;

9°. wanneer hij bijzonderheden aangaande des werkgevers huishouding of bedrijf, die hij behoorde geheim te houden, bekend maakt;

10°. wanneer hij hardnekkig weigert te voldoen aan redelijke bevelen of opdrachten, hem door of namens de werkgever verstrekt;

11°. wanneer hij op andere wijze grovelijk de plichten veronachtzaamt, welke de overeenkomst hem oplegt;

12°. wanneer hij door opzet of roekeloosheid buiten staat geraakt of blijft de bedongen arbeid te verrichten.

3. Bedingen, waardoor aan de werkgever de beslissing wordt overgelaten of er een dringende reden in de zin van artikel 1639o, eerste lid, aanwezig is, zijn nietig.

Dringende redenen voor werknemer

Art. 1639q. 1. Voor de arbeider worden als dringende redenen in de zin van artikel 1639o, eerste lid, beschouwd zodanige omstandigheden, die ten gevolge hebben, dat van de arbeider redelijkerwijze niet kan gevergd worden de dienstbetrekking te laten voortduren.

2. Dringende redenen zullen onder andere aanwezig geacht kunnen worden:

1°. wanneer de werkgever de arbeider, diens familieleden of huisgenoten mishandelt, grovelijk bedreigt of op ernstige wijze bedreigt, of gedoogt dat dergelijke handelingen door een zijner huisgenoten of ondergeschikten worden gepleegd;

2°. wanneer hij de arbeider, diens familieleden of huisgenoten verleidt of tracht te verleiden tot handelingen, strijdig met de wetten of de goede zeden, of gedoogt dat dergelijke verleiding of poging tot verleiding door een zijner huisgenoten of ondergeschikten worden gepleegd;

3° wanneer hij het loon niet op de bepaalde tijd voldoet;

4° wanneer hij, waar kost en inwoning bedongen zijn, niet op behoorlijke wijze daarin voorziet;

5° wanneer hij de arbeider, wiens loon afhankelijk van de uitkomsten van de te verrichten arbeid is vastgesteld, geen voldoende arbeid verschaft;

6°. Wanneer hij de arbeider, wiens loon afhankelijk van de uitkomsten van de te verrichten arbeid is vastgesteld, de bedongen hulp niet of niet in behoorlijke mate verschaft;

7°. wanneer hij op andere wijze grovelijk de plichten veronachtzaamt, welke de overeenkomst hem oplegt;
8°. wanneer hij, zonder dat de aard der dienstbetrekking dit medebrengt, de arbeider, niettegenstaande diens weigering, gelast, arbeid in het bedrijf van een andere werkgever te verrichten;
9°. wanneer de voortduring der dienstbetrekking voor de arbeider zoude verbonden zijn met ernstige gevaren voor leven, gezondheid, zedelijkheid of goede naam, welke niet blijkbaar waren ten tijde van het sluiten der overeenkomst;
10°. wanneer de arbeider door ziekte of andere oorzaken zonder zijn toedoen buiten staat geraakt de bedongen arbeid te verrichten.

3. Bedingen, waardoor aan de arbeider de beslissing wordt overgelaten, of er een dringende reden in de zin van artikel 1639o, eerste lid, aanwezig is, zijn nietig.

Bepaling bedrag schadeloosstelling

Art. 1639r. 1. De schadeloosstelling, bedoeld in artikel 1639o, vierde lid, is gelijk aan het bedrag van het in geld vastgesteld loon voor de tijd, dat de dienstbetrekking bij regelmatige beëindiging had behoren voort te duren.

2. Is het loon des arbeiders, hetzij voor het geheel, hetzij gedeeltelijk, niet naar tijdruimte vastgesteld, dan geldt de maatstaf van artikel 1637o, tweede zin.

3. Elk beding, waarbij ten behoeve van de arbeider een schadeloosstelling tot een lager bedrag wordt bedongen, is nietig.

4. Bij schriftelijk aangegane overeenkomst of bij reglement mag een schadeloosstelling tot een hoger bedrag worden vastgesteld.

5. De rechter is bevoegd de schadeloosstelling, zo deze hem met het oog op de omstandigheden van het geval bovenmatig voorkomt, op een kleinere som te bepalen, doch niet op minder dan het in geld vastgesteld loon voor de duur van de opzeggingstermijn ingevolge de artikelen 1639h, 1639i en 1639j, noch op minder dan het in geld vastgesteld loon voor 3 maanden.

6. Indien de door de arbeider verschuldigde schadeloosstelling meer bedraagt dan het in geld vastgesteld loon voor een maand of de door de werkgever verschuldigde schadeloosstelling meer bedraagt dan het in geld vastgesteld loon voor 3 maanden, kan de rechter toestaan, dat de schadeloosstelling op door hem te bepalen wijze in termijnen wordt betaald.

7. Van het bedrag der verschuldigde schadeloosstelling is de wettelijke rente verschuldigd, te rekenen van de dag, waarop de dienstbetrekking is geëindigd.

Kennelijk onredelijke beëindiging

Art. 1639s. 1. Indien een der partijen de dienstbetrekking, al of niet met inachtneming van de voor de beëindiging geldende bepalingen, kennelijk onredelijk doet eindigen, kan de rechter steeds aan de wederpartij naar billijkheid een schadevergoeding toekennen.

2. Beëindiging van de dienstbetrekking door de werkgever zal onder andere kennelijk onredelijk geacht kunnen worden:
1°. wanneer deze geschiedt zonder opgave van redenen of onder opgave van een voorgewende of valse reden;
2°. wanneer, mede in aanmerking genomen de voor de arbeider getroffen voorzieningen en de voor hem bestaande mogelijkheden om ander passend werk te vinden, de gevolgen der beëindiging voor hem te ernstig zijn in vergelijking met het belang van de werkgever bij de beëindiging;
3°. wanneer deze geschiedt in verband met een verhindering van de arbeider om de bedongen arbeid te verrichten, als bedoeld in artikel 1639h, vijfde lid.
4°. wanneer deze geschiedt in afwijking van een in de bedrijfstak of de onderneming krachtens wettige regeling of gebruik geldende getalsverhoudings- of anciënniteitsregeling, tenzij hiervoor zwaarwichtige gronden aanwezig zijn;
5° Wanneer deze geschiedt wegens het enkele feit dat de arbeider met een beroep op een ernstig gewetensbezwaar weigert de bedongen arbeid te verrichten.

3. Beëindiging van de dienstbetrekking door de arbeider zal onder andere kennelijk onredelijk geacht kunnen worden;
1°. wanneer deze geschiedt zonder opgave van redenen of onder opgave van een voorgewende of valse reden;
2°. wanneer de gevolgen der beëindiging voor de werkgever te ernstig zijn in vergelijking met het belang van de arbeider bij de beëindiging.

4. Bedingen, waardoor aan een der partijen de beslissing wordt overgelaten of de dienstbetrekking al of niet kennelijk onredelijk is beëindigd, zijn nietig.

Herstel dienstbetrekking

Art. 1639t. 1. De rechter kan de partij, die schadeplichtig is geworden volgens artikel 1639o of die de dienstbetrekking kennelijk onredelijk doet eindigen, ook veroordelen de dienstbetrekking te herstellen.

2. Indien de rechter een zodanige veroordeling uitspreekt, kan hij bepalen voor of op welk tijdstip de dienstbetrekking moet worden hersteld en kan hij voorzieningen treffen omtrent de rechtsgevolgen van de onderbreking.

3. De rechter kan in het vonnis, houdende veroordeling tot herstel der dienstbetrekking, bepalen dat de verplichting tot herstel vervalt door betaling van een in het vonnis vastgestelde afkoopsom. Is in het vonnis geen afkoopsom vastgesteld, dan zal de rechter deze alsnog vaststellen, indien een der partijen daartoe een verzoek indient. Een zodanig verzoek, door de tot herstel veroordeelde partij ingediend, schorst de tenuitvoerlegging van het vonnis, voorzover betreft de veroordeling tot herstel der dienstbetrekking, totdat op het verzoek is beslist, met dien verstande, dat, wanneer het verzoek is ingediend door de werkgever, deze in ieder geval verplicht blijft gedurende de schorsing het loon te betalen.

Afkoopsom

4. De rechter stelt de hoogte der afkoopsom met het oog op de omstandigheden van het geval naar billijkheid vast; hij kan toestaan dat de afkoopsom op door hem te bepalen wijze in termijnen wordt betaald.

5. Indien een afkoopsom wegens het niet naleven van een verplichting om een dienstbetrekking te herstellen op andere wijze is vastgesteld, kan de rechter het bedrag van de verschuldigde afkoopsom op verzoek van de meest gerede partij wijzigen in zodanig bedrag als hem met het oog op de omstandigheden van het geval billijk zal voorkomen en kan hij toelaten dat de afkoopsom op door hem te bepalen wijze in termijnen wordt betaald.

Verjaringstermijn

Art. 1639u. 1. Ieder vorderingsrecht krachtens artikel 1639o, vierde lid, 1639s, eerste lid, en 1639t, eerste lid, verjaart na verloop van zes maanden.

2. Ieder vorderingsrecht van de arbeider in verband met het inroepen van de nietigheid van de beëindiging van de dienstbetrekking krachtens artikel 1639o, laatste lid, verjaart na verloop van zes maanden.

Opzegging langdurige dienstbetrekking

Art. 1639v. 1. Indien de dienstbetrekking is aangegaan voor langer dan vijf jaren of voor de duur van het leven van een bepaalde persoon, is niettemin de arbeider bevoegd, van het ogenblik, waarop vijf jaren sedert haar aanvang zijn verlopen, haar op te zeggen met inachtneming van een termijn van zes maanden.

2. Elk beding, waardoor deze bevoegdheid tot opzegging wordt uitgesloten of beperkt, is nietig.

Ontbinding wegens gewichtige redenen

Art. 1639w. 1. Ieder der partijen is te allen tijde bevoegd zich tot de kantonrechter te wenden met het verzoek, de arbeidsovereenkomst wegens gewichtige redenen te ontbinden. Elk beding waardoor deze bevoegdheid wordt uitgesloten of beperkt, is nietig.

Gewichtige reden

2. Als gewichtige redenen worden beschouwd omstandigheden, die een dringende reden, als bedoeld in artikel 1639o, eerste lid, zouden hebben opgeleverd indien de dienstbetrekking deswege onverwijld beëindigd ware, alsook veranderingen in de omstandigheden, welke van dien aard zijn, dat de dienstbetrekking billijkheidshalve dadelijk of na korte tijd behoort te eindigen.

3. Het verzoek wordt gedaan aan de ingevolge artikel 97 tot en met 99 van het Wetboek van Burgerlijke Rechtsvordering bevoegde kantonrechter.

4. Het verzoekschrift vermeldt de plaats waar de arbeid gewoonlijk wordt verricht, alsmede de naam en de woonplaats of bij gebreke van een woonplaats in Nederland het werkelijk verblijf van de wederpartij.

5. De kantonrechter kan, indien het verzoek verknocht is aan een zaak die tussen dezelfde personen reeds voor een andere rechter aanhangig is, de verwijzing naar die andere rechter bevelen. De griffier zendt een afschrift van de beschikking, alsmede het verzoekschrift en de overige stukken van het geding ter verdere behandeling aan de rechter naar wie is verwezen.

6. De behandeling vangt niet later aan dan in de vierde week volgende op die waarin het verzoekschrift is ingediend.

7. Indien de rechter het verzoek inwilligt, bepaalt hij op welk tijdstip de dienstbetrekking eindigt.

Toekenning vergoeding

8. Indien de rechter het verzoek inwilligt wegens veranderingen in de omstandigheden kan hij, zo hem dat met het oog op de omstandigheden van het geval billijk voorkomt, aan een der partijen ten laste van de wederpartij een vergoeding toekennen; hij kan toestaan dat de vergoeding op door hem te bepalen wijze in termijnen wordt betaald.

9. Alvorens een ontbinding, waaraan een vergoeding verbonden wordt, uit te spreken, stelt de rechter de partijen van zijn voornemen in kennis en stelt hij een termijn, binnen welke de verzoeker de bevoegdheid heeft zijn verzoek in te trekken. Indien de verzoeker dat doet, zal de rechter alleen een beslissing geven omtrent de proceskosten.

Intrekken verzoek; proceskosten

10. Het in het vorige lid bepaalde is van overeenkomstige toepassing indien de rechter voornemens is een ontbinding uit te spreken zonder daaraan een door de verzoeker verzochte vergoeding te verbinden.

11. Tegen een beschikking krachtens dit artikel kan hoger beroep noch cassatie worden ingesteld.

Art. 1639x. De bepalingen van deze afdeling sluiten voor geen van beide partijen de mogelijkheid uit van ontbinding wegens een tekortkoming in de nakoming van de overeenkomst en van schadevergoeding. De ontbinding kan slechts door de rechter worden uitgesproken.

Ontbinding wegens wanprestatie

VIJFDE AFDELING A

Art. 1639aa. 1. Voor de toepassing van deze afdeling wordt
a. onder onderneming een dienst of instelling begrepen;
b. onder overgang van een onderneming verstaan: overgang van een onderneming of een onderdeel daarvan ten gevolge van een overeenkomst, inzonderheid een overeenkomst tot verkoop, verhuur, verpachting of uitgifte in vruchtgebruik.

Uitbreiding begrip onderneming; overgang van onderneming

2. Deze afdeling is niet van toepassing met betrekking tot de bemanning van een zeeschip.

Niet toepasselijkheid

Art. 1639bb. Door de overgang van een onderneming gaan de rechten en verplichtingen welke op dat tijdstip voor de werkgever in die onderneming voortvloeien uit een arbeidsovereenkomst tussen hem en een daar werkzame arbeider van rechtswege over op de verkrijger. Evenwel is die werkgever nog gedurende een jaar na de overgang naast de verkrijger hoofdelijk verbonden voor de nakoming van de verplichtingen uit de arbeidsovereenkomst, die zijn ontstaan vóór dat tijdstip.

Gevolgen overgang onderneming

Art. 1639cc. 1. Artikel 1639bb is niet van toepassing op rechten en verplichtingen van de werkgever, die voortvloeien uit een toezegging omtrent pensioen, als omschreven in artikel 1, eerste lid, onder a, van de Pensioen en spaarfondsenwet, dan wel uit een spaarregeling als bedoeld in artikel 3, eerste lid, van die wet.

Pensioentoezeggingen en spaarregelingen

2. Voor de nakoming van verplichtingen van de werkgever, die op het tijdstip van de overgang van de onderneming voor hem voortvloeien uit een pensioentoezegging of spaarregeling als bedoeld in het eerste lid, waarop artikel 2, eerste lid, onderscheidenlijk 3, eerste lid, van de Pensioen- en spaarfondsenwet ingevolge het bij of krachtens die wet bepaalde niet van toepassing is, is de verkrijger hoofdelijk verbonden naast de eerstgenoemde.

3. Het tweede lid is niet van toepassing voor wat betreft verplichtingen jegens een werknemer die op het tijdstip van de overgang middellijk of onmiddellijk houder is van aandelen, welke ten minste een tiende gedeelte van het geplaatste kapitaal van de onderneming vertegenwoordigen.

Art. 1639dd. Heeft de overgang van de onderneming een wijziging van de omstandigheden ten nadele van de werknemer tot gevolg en wordt de arbeidsovereenkomst deswege ontbonden ingevolge artikel 1639w, dan geldt zij met het oog op de toepassing van het achtste lid van dat artikel als ontbonden wegens een reden welke voor rekening van de werkgever komt.

Ontbinding wegens gewichtige redenen

ZESDE AFDEELING
Van aanneming van werk

Art. 1640. Bij aanneming van werk kan men overeenkomen dat de aannemer alleen arbeid verrigten, of wel dat hij ook de stof leveren zal.

Arbeid en levering materiaal

Art. 1641. Ingeval de aannemer de stof moet leveren, en het werk, op welke wijze ook, vergaat, alvorens het geleverd is, komt het verlies voor zijne rekening, ten ware de aanbesteder nalatig zij geweest om het werk te ontvangen.

Risico t.a.v. geleverd materiaal

Alleen aansprakelijk voor schuld

Art. 1642. Indien de aannemer alleen arbeid moet verrigten, en het werk vergaat, is hij slechts voor zijne schuld aansprakelijk.

Risico bij verloren gaan buiten schuld

Art. 1643. Indien het werk, in het geval bij het voorgaande artikel vermeld, buiten eenig pligtverzuim van den aannemer is verloren gegaan, voordat de levering geschied is, en zonder dat de aanbesteder nalatig is geweest om het werk op te nemen en goed te keuren, heeft de aannemer geene aanspraak op den bedongen prijs, ten ware de zaak door een gebrek in de stof zelve verloren ware gegaan.

Oplevering en betaling bij gedeelten

Art. 1644. Indien een werk bij het stuk of bij de maat bearbeid wordt, kan hetzelve bij gedeelten worden opgenomen; die opneming wordt geacht geschied te zijn voor alle de betaalde gedeelten, wanneer de aanbesteder den aannemer telkens betaalt naar evenredigheid van hetgeen afgewerkt is.

Aansprakelijkheid na oplevering gebouw

Art. 11645. Indien een gebouw, voor eenen bepaalden prijs aangenomen en afgemaakt, geheel of gedeeltelijk vergaat door een gebrek in de zamenstelling, of zelfs uit hoofde van de ongeschiktheid van den grond, zijn de bouwmeesters en aannemers daarvoor, gedurende tien jaren, aansprakelijk.

Geen eenzijdige verhoging aanneemsom

Art. 1646. Indien een bouwmeester of aannemer op zich opgenomen heeft om een gebouw bij aanneming te maken, volgens een bestek, met den eigenaar van den grond beraamd en vastgesteld, kan hij geene vermeerdering van den prijs vorderen, noch onder voorwendsel van vermeerdering der arbeidsloonen of bouwstoffen, noch onder dat van gemaakte veranderingen of bijvoegselen die niet in het bestek begrepen zijn, indien die veranderingen of vergrootingen niet schriftelijk zijn ingewilligd, en over derzelver prijs met den eigenaar geene overeenkomst is getroffen.

Opzegging door aanbesteder

Art. 1647. De aanbesteder kan, des goedvindende, de aanneming opzeggen, ofschoon het werk reeds begonnen zij, mits hij den aannemer, wegens alle deszelfs gemaakte kosten, arbeid en winstderving, volkomen schadeloos stelle.

Dood van de aannemer

Art. 1648. 1. Aanneming van werk houdt op door den dood van den aannemer.

Betaling aan erfgenamen

2. Maar de aanbesteder is gehouden aan de erfgenamen, naar evenredigheid van den bij de overeenkomst bedongen prijs, te betalen de waarde van het gedane werk en die der in gereedheid gebragte bouwstoffen, mits dat werk of die bouwstoffen hem tot eenig nut kunnen verstrekken.

Art. 1649. Vervallen.

Rechtsvordering ambachtslieden op aanbesteder

Art. 1650. Metselaars, timmerlieden, smids en andere ambachtslieden, welke tot het zetten van een gebouw of het maken van eenig ander aangenomen werk gebezigd zijn, hebben geene regtsvordering tegen dengene te wiens behoeve de werken gemaakt zijn, dan ten beloope van hetgene deze aan den aannemer schuldig is op het oogenblik waarop zij hunne regtsvordering aanleggen.

Onderaannemers

Art. 1651. 1. Metselaars, timmerlieden, smids en andere ambachtslieden, die zelven onmiddellijk en voor eenen bepaalden prijs een werk op zich nemen, zijn gehouden aan de regelen in deze afdeeling voorgeschreven.

2. Zij zijn aannemers in het vak waarin zij werkzaam zijn.

Art. 1652. Vervallen.

Art. 1653. Vervallen.

ACHTSTE TITEL
Van het regt van beklemming

Art. 1654. Vervallen.

NEGENDE TITEL
Van maatschap

EERSTE AFDEELING
Algemene bepalingen

Art. 1655. Maatschap is eene overeenkomst, waarbij twee of meerdere personen zich verbinden om iets in gemeenschap te brengen, met het oogmerk om het daaruit ontstaande voordeel met elkander te deelen.

Maatschap

Art. 1656. Vervallen.

Art. 1657. Maatschappen zijn of algeheel, of bijzonder.

Onderscheiding

Art. 1658. De wet kent slechts de algehele maatschap van winst. Zij verbiedt alle maatschappen, het zij van alle goederen, het zij van een bepaald gedeelte van dezelve, onder eenen algemeenen titel; onverminderd de bepalingen, vastgesteld in den zevenden en achtsten titel van het eerste boek van dit Wetboek.

Alleen algehele maatschap van winst

Art. 1659. De algeheele maatschap van winst bevat slechts hetgeen partijen, onder welke benaming ook, gedurende den loop der maatschap door hare vlijt zullen verkrijgen.

Omvang algehele maatschap van winst

Art. 1660. De bijzondere maatschap is de zoodanige welke slechts betrekking heeft tot zekere bepaalde goederen, of tot derzelver gebruik, of tot de vruchten die daarvan zullen getrokken worden, of tot eene bepaalde onderneming, of tot de uitoefening van eenig bedrijf of beroep.

Bijzondere maatschap

TWEEDE AFDEELING
Van de verbindtenissen der vennooten onderling

Art. 1661. De maatschap begint van het oogenblik der overeenkomst, indien daarbij geen ander tijdstip bepaald is.

Aanvang maatschap

Art. 1662. De inbreng van de vennnoot kan bestaan in geld, goederen, genot van goederen en arbeid.
Op de inbreng van een goed zijn de bepalingen omtrent koop, op de inbreng van genot van een goed de artikelen 1584-1623 van overeenkomstige toepassing, voor zover de aard van de rechtsverhouding zich daartegen niet verzet.

Inbreng

Art. 1663. Vervallen.

Art. 1664. Vervallen.

Art. 1665. Wanneer een der vennooten, voor zijne eigene rekening, eene opeischbare som te vorderen heeft van iemand die mede eene insgelijks opeischbare som verschuldigd is aan de maatschap, moet de betaling, welke hij ontvangt, op de inschuld der maatschap en op die van hemzelven, naar evenredigheid van beide die vorderingen, toegerekend worden, al ware het ook dat hij, bij de kwijting, alles in mindering of voldoening van zijne eigene inschuld mogt gebragt hebben; maar indien hij bij de kwijting bepaald heeft dat de geheele betaling zoude strekken voor de inschuld der maatschap, zal deze bepaling worden nagekomen.

Betaling door schuldenaar van vennoot èn van maatschap

Art. 1666. Indien een der vennooten zijn geheel aandeel in eene gemeene inschuld der maatschap ontvangen heeft, en de schuldenaar naderhand onvermogend is geworden, is die vennoot gehouden het ontvangene in de gemeene kas in te brengen, al had hij ook voor zijn aandeel kwijting gegeven.

Ontvangst aandeel in gemene inschuld

Art. 1667. Vervallen.

Art. 1668. Vervallen.

Art. 1669. Vervallen.

Art. 1670. 1. Indien bij de overeenkomst van maatschap het aandeel van ieder

Bepaling aandeel winst en verlies

vennoot in de winsten en de verliezen niet is bepaald, is elks aandeel geëvenredigd aan hetgeen hij in de maatschap heeft ingebragt.

2. Ten aanzien van dengenen die slechts zijne nijverheid heeft ingebragt, wordt het aandeel in de winsten en de verliezen berekend gelijk te staan met het aandeel van dengenen der vennooten die het minst heeft ingebragt.

Geen begroting aandeel door vennoot of derde

Art. 1671. 1. De vennooten kunnen niet bedingen dat zij de regeling der hoegrootheid van hun aandeel aan een hunner of aan eenen derde zullen overlaten.

2. Een zoodanig beding wordt voorondersteld niet geschreven te zijn, en zullen alzoo de verordeningen van het voorgaande artikel worden in acht genomen.

Niet alle voordelen aan één vennoot

Art. 1672. 1. Het beding, waarbij aan een der vennooten alle de voordeelen mogten toegezegd, zijn, is nietig.

2. Maar het is geoorloofd te bedingen dat alle de verliezen bij uitsluiting door een, of meer der vennooten zullen gedragen worden.

Macht van beherend vennoot

Art. 1673. 1. De vennoot die bij een bijzonder beding van de overeenkomst van maatschap met het beheer belast is, kan, zelfs in weerwil der overige vennooten, alle daden verrigten, welke tot zijn beheer betrekkelijk zijn.

Herroeping

2. Deze magt kan, zoo lang de maatschap duurt, niet zonder gewichtige reden herroepen worden; maar indien dezelve niet bij de overeenkomst der maatschap, maar bij eene latere akte, is gegeven, is zij, even als eene eenvoudige lastgeving, herroepelijk.

Meer beherende vennoten

Art. 1674. Indien verscheidene vennooten met het beheer belast zijn, zonder dat hunne bijzondere werkzaamheden bepaald zijn, of zonder beding dat de een buiten den anderen niets zoude mogen verrigten, is ieder van hen afzonderlijk tot alle handelingen, dat beheer betreffende, bevoegd.

Gemeenschappelijk beheer

Art. 1675. Indien er bedongen is dat een der beheerders niets buiten de anderen zoude mogen verrigten, vermag de eene, zonder eene nieuwe overeenkomst, niet te handelen zonder medewerking van den anderen, al mogt deze zich ook voor het oogenblik in de onmogelijkheid bevinden om aan de daden van het beheer deel te nemen.

Regels omtrent beheer

Art. 1676. Bij gebreke van bijzondere bedingen omtrent de wijze van beheer, moeten de volgende regelen worden in acht genomen:

1°. De vennooten worden geacht zich over en weder de magt te hebben verleend om, de een voor den anderen, te beheeren. Hetgeen ieder van hen verrigt is ook verbindende voor het aandeel der overige vennooten, zonder dat hij hunne toestemming hebbe bekomen; onverminderd het regt van deze laatstgemelden, of van een hunner, om zich tegen de handeling, zoo lang die nog niet gesloten is, te verzetten;

2°. Ieder der vennooten mag gebruik maken van de goederen aan de maatschap toebehoorende, mits hij dezelve tot zoodanige einden gebruike, als waartoe zij gewoonlijk bestemd zijn, en mits hij zich van dezelve niet bediene tegen het belang der maatschap, of op zoodanige wijze, dat de overige vennooten daardoor verhinderd worden om van die goederen volgens hun regt, mede gebruik te maken;

3°. Ieder vennoot heeft de bevoegdheid om de overige vennooten te verpligten in de onkosten te dragen, welke tot behoud der aan de maatschap behoorende goederen noodzakelijk zijn;

4°. Geen der vennooten kan, zonder toestemming der overige, eenige nieuwigheden daarstellen ten aanzien der onroerende zaken, welke tot de maatschap behooren, al beweerde hij ook dat dezelve voor de maatschap voordeelig waren.

Art. 1677. Vervallen.

Deelgenootschap in aandeel

Art. 1678. Elk der vennooten mag, zelfs zonder toestemming der overige, eenen derden persoon aannemen als deelgenoot in het aandeel hetwelk hij in de maatschap heeft; doch hij kan denzelven, zonder zoodanige toestemming, niet als medelid der maatschap toelaten, al mogt hij ook met het beheer der zaken van de maatschap belast zijn.

DERDE AFDEELING
Van de verbindtenissen der vennooten ten aanzien van derden

Aansprakelijkheid voor schulden

Art. 1679. De vennooten zijn niet ieder voor het geheel voor de schulden der maatschap verbonden; en een der vennooten kan de overige niet verbinden, indien deze hem daartoe geene volmagt gegeven hebben.

In principe aansprakelijkheid voor gelijke delen

Art. 1680. De vennooten kunnen door den schuldeischer, met wien zij gehandeld hebben, aangesproken worden, ieder voor gelijke som en gelijk aandeel, al ware het in dat het aandeel in de maatschap van den eenen minder dan dat van den anderen bedroeg; ten zij, bij het aangaan der schuld, dezelver verpligting, om in evenredigheid van het aandeel in de maatschap van elk vennoot te dragen, uitdrukkelijk zij bepaald.

Handeling voor rekening maatschap

Art. 1681. Het beding dat eene handeling voor rekening der maatschap is aangegaan, verbindt slechts den vennoot die dezelve aangegaan heeft, maar niet de overige, ten zij de laatstgenoemde hem daartoe volmagt hadden gegeven, of de zaak ten voordele der maatschap gestrekt hebbe.

Vordering uitvoering overeenkomst

Art. 1682. Indien een der vennooten in naam der maatschap eene overeenkomst heeft aangegaan, kan de maatschap de uitvoering daarvan vorderen.

VIERDE AFDEELING
Van de verschillende wijzen waarop de maatschap eindigt

Einde der maatschap

Art. 1683. Een maatschap wordt ontbonden:
1°. Door verloop van den tijd voor welken dezelve is aangegaan;
2°. Door het tenietgaan van een goed of de volbrenging der handeling, die het onderwerp der maatschap uitmaakt;
3°. Door opzegging van een vennoot aan de andere vennoten;
4°. Door den dood of de curatele van één hunner, of indien hij in staat van faillissement is verklaard.

Ontbinding wegens gewichtige redenen

Art. 1684. De rechter kan op vordering van ieder der vennoten de maatschap wegens gewichtige redenen ontbinden.
Een zodanige ontbinding heeft geen terugwerkende kracht. De rechter kan de vordering toewijzen onder door hem te stellen voorwaarden en een partij die in de naleving van haar verplichtingen is tekortgeschoten, met overeenkomstige toepassing van artikel 277 van Boek 6 tot schadevergoeding veroordelen.
De artikelen 265-279 van Boek 6 zijn op een maatschap niet van toepassing.

Art. 1685. Vervallen.

Vernietigbaarheid opzegging

Art. 1686. Een opzegging is vernietigbaar, indien zij in strijd met de redelijkheid en billijkheid is geschied.
Een vennootschap voor bepaalde tijd of voor een bepaald werk aangegaan, kan niet worden opgezegd, tenzij dit is bedongen.

Art. 1687. Vervallen.

Voortduren maatschap na overlijden vennoot

Art. 1688. 1. Indien bedongen is, dat, in geval van overlijden van een der vennooten, de maatschap met deszelfs erfgenaam, of alleen tusschen de overblijvende vennooten, zoude voortduren, moet dat beding worden nagekomen.

Recht erfgenaam overleden vennoot

2. In het tweede geval, heeft de erfgenaam des overledenen geen verder regt dan op de verdeeling der maatschap, overeenkomstig de gesteldheid waarin dezelve zich ten tijde van dat overlijden bevond; doch hij deelt in de voordeelen en draagt in de verliezen, die de noodzakelijke gevolgen zijn van verrigtingen, welke vóór het overlijden van den vennoot, wiens erfgenaam hij is, hebben plaats gehad.

Art. 1689. Vervallen.

TIENDE TITEL
Van zedelijke ligchamen

Artt. 1690-1702. Vervallen.

ELFDE TITEL
Van schenkingen

EERSTE AFDEELING
Algemeene bepalingen

Schenking

Art. 1703. 1. Schenking is eene overeenkomst, waarbij de schenker, bij zijn leven, om niet en onherroepelijk eenig goed afstaat ten behoeve van den begiftigde die hetzelve aanneemt.

2. De wet erkent geene andere schenkingen dan schenkingen onder de levenden.

Geen schenking toekomstig goed

Art. 1704. 1. Schenking vermag alleen de tegenwoordige goederen van den schenker te bevatten.

2. Indien dezelve toekomstige goederen bevat, is zij te dien opzigte nietig.

Geen voorbehoud beschikkingsbevoegdheid

Art. 1705. De schenker mag zich niet voorbehouden de bevoegdheid om over een voorwerp, in de schenking begrepen, te beschikken; zoodanige schenking wordt voor zoo veel dat voorwerp aangaat als nietig beschouwd.

Voorbehoud van genot of vruchtgebruik

Art. 1706. Het is aan den schenker geoorloofd zich het genot of vruchtgebruik van geschonkene goederen, te zijnen eigen voordeele voor te behouden, of daarover ten behoeve van een ander te beschikken; in welke gevallen, de bepalingen van de achtste titel van Boek 3 van dit Wetboek zullen moeten worden in acht genomen.

Schenking onder last

Art. 1707. Eene schenking is nietig, indien zij gemaakt is onder voorwaarde om andere schulden of lasten te voldoen dan die welke uitgedrukt staan in de akte van schenking zelve, of in eenen staat welke daaraan zal moeten zijn vastgehecht.

Voorbehoud beschikking over geldsom

Art. 1708. 1. De schenker mag zich voorbehouden om over eene bepaalde geldsom uit de geschonkene goederen te beschikken,

2. Indien hij overlijdt zonder over die geldsom beschikt te hebben, blijft het geschonkene in het geheel aan den begiftigde.

Voorbehoud terugkeer bij overlijden

Art. 1709. De schenker vermag zich het regt voor te behouden om de gegevene goederen tot zich te doen terug keeren, het zij in geval de begiftigde alleen, of deze en zijne afkomelingen, vóór den schenker kwamen te overlijden, maar dit kan niet anders bedongen worden dan ten behoeve van den schenker alleen.

Gevolgen recht van terugkeer

Art. 1710. Het gevolg van het regt van terugkeering zal daarin bestaan dat alle vervreemdingen der geschonken goederen worden vernietigd, en die goederen tot den schenker terugkeeren, vrij en ontheven van alle lasten en hypotheken welke daarop sedert het tijdstip der schenking mogten gelegd zijn.

Geen vrijwaring i.g.v. uitwinning

Art. 1711. De schenker is in geval van uitwinning tot geene vrijwaring gehouden.

Toepasselijkheid bepaling op schenkingen

Art. 1712. De bepalingen van artikel 926, 927, 928, 929 en 931, die van artikel 941, en eindelijk de zevende en achtste afdeelingen van den twaalfden titel van Boek 4, zijn op schenkingen toepasselijk.

TWEEDE AFDEELING
Van de bekwaamheid om bij wege van schenking te beschikken, en voordeel te genieten

Bekwaamheid tot beschikken en genieten

Art. 1713. Alle personen mogen bij wege van schenking beschikken en genieten, uitgezonderd de zoodanige welke de wet daartoe onbekwaam verklaart.

Schenking door minderjarigen

Art. 1714. Minderjarigen mogen niet bij wege van schenking beschikken, behoudens hetgeen bij den achtsten titel van het eerste boek van dit Wetboek is vastgesteld.

Schenking tussen echtgenoten

Art. 1715. 1. Schenkingen tusschen echtgenooten, staande huwelijk gedaan, zijn verboden.

2. Deze bepaling is echter niet toepasselijk op geschenken of handgiften van roerende zaken of geldsommen, waarvan de waarden of het beloop niet bovenmatig is, in aanmerking van de gegoedheid des schenkers.

Art. 1716. Ten einde bekwaam te zijn om bij wege van schenking voordeel te genieten, moet de begiftigde, op het tijdstip waarop de schenking heeft plaats gehad, bestaan.

Schenking aan bestaande personen

Art. 1717. Vervallen.

Art. 1718. De bepalingen van het tweede en van het laatste lid van artikel 951, mitsgaders artikel 953, 954 en 958 van Boek 4, zijn op schenkingen toepasselijk.

Toepasselijkheid bepalingen op schenkingen

DERDE AFDEELING
Van den vorm der schenkingen

Art. 1719. Geene schenking, uitgezonderd degene waarvan bij artikel 1724 wordt gehandeld, kan op straffe van nietigheid anders gedaan worden dan bij eene notariële akte, waarvan de minuut onder den notaris is verbleven.

Schenking bij notariële akte

Art. 1720. 1. Geene schenking is voor den schenker verbindende, of brengt eenig gevolg hoegenaamd te weeg, dan van den dag waarop dezelve in uitdrukkelijke bewoordingen zal zijn aangenomen, het zij door den begiftigde zelven, het zij door eenen persoon, aan wien door dezen, bij eene authentieke akte, de volmagt is verleend om schenkingen aan te nemen, welke aan den begiftigde gedaan zijn, of in het vervolg mogten gedaan worden.

2. Indien de aanneming niet bij de akte van schenking zelve gedaan is, zal zulks geschieden bij eene latere authentieke akte, waarvan eene minute zal worden gehouden, mits dit plaats hebbe gedurende het leven van den schenker; in welk geval, de schenking, ten opzigte van dezen laatstgenoemde, slechts van kracht zal zijn van den dag, waarop de aanneming aan dezen zal zijn beteekend geworden.

Aanneming der schenking

Art. 1721. Een schenker kan door geen akte van bevestiging de gebreken verhelpen ener schenking die nietig in de vorm is; die schenking moet om geldig te zijn, opnieuw in de wettige vorm worden gebracht.

De bevestiging, bekrachtiging of vrijwillige nakoming ener schenking, door de erfgenamen of rechtverkrijgenden van de schenker, na diens overlijden gedaan, versteekt dezen van de bevoegdheid om zich op enig gebrek in de vorm te beroepen.

Gebrekkige schenking

Art. 1722. 1. Schenking aan minderjarigen, die onder ouderlijke macht staan, kan worden aangenomen door de ouders of — indien een ouderlijke macht alleen uitoefent — door die ouder.

2. Schenking, aan onder voogdij staande minderjarigen of onder curatele gestelden gedaan, wordt aangenomen door den voogd of curator.

3. Indien de in artikel 345, eerste lid onder c, van Boek 1, bedoelde machtiging is vereist en deze wordt verleend, blijft de schenking van kracht al mocht de schenker vóór het verlenen van de machtiging zijn overleden.

Schenking aan minderjarigen of onder curatele gestelden

Art. 1723. Vervallen.

Art. 1724. De giften van hand tot hand, van roerende zaken, geldsommen of schuldvorderingen aan toonder, vereischen geene akte, en zijn van kracht door de enkele overlevering aan den begiftigde, of aan eenen derde, die het gegevene voor hem aanneemt.

Giften van hand tot hand

VIERDE AFDEELING
Van het herroepen en te niet doen van schenkingen

Art. 1725. Een schenking is, ongeacht of zij reeds is uitgevoerd, vernietigbaar:

1° uit hoofde van niet-vervulling van de voorwaarden waaronder zij gedaan is;

2° indien de begiftigde is veroordeeld wegens het opzettelijk plegen van of medeplichtigheid aan een misdrijf jegens de schenker;

3° indien de begiftigde wettelijk verplicht is in het onderhoud van de schenker bij te dragen en hij in verzuim is deze verplichting na te komen.

Vernietigbaarheid schenking

Artt. 1726-1728. Vervallen.

Vervaltermijn der rechtsvordering

Art. 1729. 1. De bevoegdheid in rechte een beroep te doen op een vernietigingsgrond, vermeld in artikel 1725, onder 2 en 3, vervalt na verloop van een jaar na de dag waarop die grond is ontstaan en aan de schenker bekend heeft kunnen zijn.

Geen vordering van en tegen erfgenamen

2. Het beroep kan niet worden gedaan door den schenker tegen de erfgenamen van den begiftigde, noch door de erfgenamen van den schenker tegen den begiftigde, ten ware, in dat laatste geval, de regtsvordering reeds door den schenker ware aangevangen, of deze binnen het jaar van de ten laste gelegde daad mogt zijn overleden.

Geen hinder aan bepalingen huwelijkse voorwaarden

Art. 1730. Door de bepalingen van dezen titel wordt geen hinder toegebragt aan hetgeen bij den achtsten titel van het eerste boek van dit Wetboek is vastgesteld.

TWAALFDE TITEL
Van bewaargeving

Artt. 1731-1776. Vervallen.

DERTIENDE TITEL
Van bruikleening

EERSTE AFDEELING
Algemeene bepalingen

Bruiklening

Art. 1777. Bruikleening is eene overeenkomst, waarbij de eene partij aan de andere eene zaak om niet ten gebruike geeft, onder voorwaarde dat degene die deze zaak ontvangt, dezelve, na daarvan gebruik te hebben gemaakt, of na eenen bepaalden tijd, zal terug geven.

Eigendom uitgeleende zaak

Art. 1778. De uitleener blijft eigenaar van de geleende zaak.

Art. 1779. Vervallen.

Overgang op erfgenamen

Art. 1780. 1. De verbindtenissen, welke uit de bruikleening voortspruiten, gaan over tot de erfgenamen van dengenen die ter leen geeft, en van hem die ter leen ontvangt.

2. Maar indien men de uitleening gedaan heeft alleen uit aanmerking van dengenen die ter leen ontvangt, en aan deszelfs persoon in het bijzonder, kunnen deszelfs erfgenamen het verder genot van de geleende zaak niet blijven behouden.

TWEEDE AFDEELING
Van de verpligtingen van dengenen die iets ter bruikleening ontvangt

Verplichtingen bruiklener

Art. 1781. 1. Die iets ter leen ontvangt is gehouden, als een goed huisvader, voor de bewaring en het behoud van de geleende zaak te zorgen.

2. Hij mag daarvan geen ander gebruik maken dan hetwelk de aard der zaak medebrengt, of bij de overeenkomst bepaald is.

Aansprakelijkheid voor verlies der zaak

Art. 1782. Indien de geleende zaak verloren gaat door een toeval, hetwelk degene die dezelve ter leen ontvangen heeft, door zijne eigene zaak te gebruiken, had kunnen voorkomen, of indien hij, slechts een van beide kunnende behouden, aan de zijne den voorrang heeft gegeven, is hij voor het verlies der andere zaak aansprakelijk.

Verlies van geschatte zaak

Art. 1783. Indien de zaak bij het ter leen geven geschat is, komt het verlies van dezelve, al ontstond dat ook door toeval, ten laste van dengenen die de zaak ter leen ontvangen heeft, ten ware het tegendeel mogt bedongen zijn.

Waardevermindering door gebruik

Art. 1784. Indien de zaak alleen tengevolge van het gebruik waartoe dezelve geleend is, en buiten schuld van den gebruiker, in waarde vermindert, is deze wegens die vermindering niet aansprakelijk.

Onkosten voor gebruik gemaakt

Art. 1785. Indien de gebruiker, om van de geleende zaak gebruik te kunnen maken, eenige onkosten gemaakt heeft, kan hij dezelve niet terug vorderen.

Art. 1786. Indien een zaak in bruikleen is gegeven aan twee of meer personen tezamen, zijn zij hoofdelijk verbonden tot teruggave daarvan en tot vergoeding van de schade die het gevolg is van een tekortschieten in de nakoming van die verplichting, tenzij de tekortkoming aan geen van hen kan worden toegerekend.

Hoofdelijke verbondenheid

DERDE AFDEELING
Van de verpligtingen van den uitleener

Art. 1787. De uitleener kan de geleende zaak niet terug vorderen dan na verloop van den bepaalden tijd, of, bij gebreke eener dusdanige bepaling, nadat dezelve tot het gebruik waartoe zij was uitgeleend gediend heeft, of heeft kunnen dienen.

Tijd van terugvordering

Art. 1788. Indien evenwel de uitleener, gedurende dat tijdsverloop, of voor dat de behoefte van den gebruiker opgehouden heeft, de geleende zaak, om dringende en onverwachts opkomende redenen, zelf benoodigd heeft, kan de regter, naar gelang der omstandigheden, den gebruiker noodzaken het geleende aan den uitleener terug te geven.

Voortijdige terugvordering voor eigen gebruik

Art. 1789. Indien de gebruiker, gedurende de bruikleening tot behoud der zaak eenige buitengewone noodzakelijke onkosten heeft moeten maken, welke zoo dringende waren dat hij daarvan te voren aan den uitleener geene kennis heeft kunnen geven, is deze verpligt hem dezelve te vergoeden.

Buitengewone noodzakelijke onkosten tot behoud der zaak

Art. 1790. Indien de ter leen gegevene zaak zoodanige gebreken heeft, dat daardoor aan dengenen die zich van dezelve bedient nadeel zoude kunnen worden toegebragt, is de uitleener, zoo hij die gebreken gekend, en daarvan aan den gebruiker geene kennis gegeven heeft, voor de gevolgen verantwoordelijk.

Aansprakelijkheid voor gebreken

VEERTIENDE TITEL
Van verbruikleening

EERSTE AFDEELING
Algemeene bepalingen

Art. 1791. Verbruikleening is eene overeenkomst, waarbij de eene partij aan de andere eene zekere hoeveelheid van verbruikbare goederen afgeeft, onder voorwaarde dat de laatstgemelde haar even zoo veel, van gelijke soort en hoedanigheid teruggeve.

Verbruiklening

Art. 1792. Uit krachte dezer verbruikleening, wordt degene die ter leen ontvangt rechthebbende op het geleende goed; en indien hetzelve, op welke wijze ook vergaat, komt dat verlies voor zijne rekening.

Verbruiklener wordt eigenaar

Art. 1793. De schuld, uit leening van geld voortspruitende, bestaat alleen in de geldsom die bij de overeenkomst is uitgedrukt.

Geldlening

Art. 1794. Vervallen.

Art. 1795. Vervallen.

TWEEDE AFDEELING
Van de verpligtingen des uitleeners

Art. 1796. De uitleener kan het ter leen gegevene niet terug eischen, voordat de tijd, bij de overeenkomst bepaald, verstreken is.

Geen voortijdige terugvordering

Art. 1797. Geene tijdsbepaling gemaakt zijnde, kan de regter, wanneer de uitleener de teruggave vordert, naar gelang der omstandigheden, aan dengenen die het goed ter leen ontvangen heeft, eenig uitstel toestaan.

Uitstel van teruggave

Art. 1798. Indien men is overeengekomen dat hij die een goed ter leen heeft ontvangen dit zal terug geven, wanneer hij daartoe in staat zal zijn, zal de regter, naar gelang der omstandigheden, den tijd der teruggave bepalen.

Bepaling tijdstip teruggave door rechter

Art. 1799. De bepaling van artikel 1790 is op verbruikleening toepasselijk.

Aansprakelijkheid voor gebreken

DERDE AFDEELING
Van de verpligtingen des leeners

Verplichting tot teruggave

Art. 1800. Die iets ter leen ontvangt is verpligt hetzelve, in gelijke hoeveelheid en hoedanigheid en op den bepaalden tijd, terug te geven.

Bepaling waarde geleende zaak

Art. 1801. 1. Indien hij zich in de onmogelijkheid bevindt om hieraan te voldoen, is hij gehouden de waarde van het geleende te betalen, waarbij zal moeten in aanmerking genomen worden de tijd en de plaats, waarop het goed, ten gevolge der overeenkomst, had moeten worden teruggegeven.

2. Indien deze tijd en plaats niet bepaald zijn, moet de voldoening geschieden overeenkomstig de waarde welke het geleende goed, ten tijde waarop en ter plaatse alwaar de leening geschied is, gehad heeft.

VIERDE AFDEELING
Van het ter leen geven op interessen

Art. 1802. Vervallen.

Art. 1803. Vervallen.

Schriftelijk rentebeding

Art. 1804. De hoegrootheid der bij overeenkomst bedongene rente moet in geschrift worden bepaald.

Rente bedongen, doch niet bepaald

Art. 1805. Indien de uitleener rente bedongen heeft, zonder dat het beloop daarvan bepaald zij, is degene die ter leen ontvangen heeft gehouden het beloop der wettelijke rente te voldoen.

Veronderstelde voldoening der rente

Art. 1806. Het bewijs van de betaling der hoofdsom zonder voorbehoud van rente gegeven zijnde, doet de voldoening der rente vooronderstellen, en de schuldenaar wordt daarvan bevrijd.

VIJFTIENDE TITEL
Van gevestigde of altijddurende renten

Vestiging altijddurende rente

Art. 1807. Het vestigen eener altijddurende rente is eene overeenkomst, waarbij de uitleener interessen bedingt, tegen betaling eener hoofdsom welke hij aanneemt niet terug te zullen vorderen.

Aflossing der rente

Art. 1808. 1. Deze rente is uit haren aard aflosbaar.

2. Partijen kunnen alleenlijk overeenkomen dat de aflossing niet geschieden zal dan na verloop van eenen zekeren tijd, welke niet langer dan voor tien jaren mag gesteld worden, of zonder dat zij den schuldeischer vooraf verwittigd hebben op eenen zekeren, door hen bevorens vastgestelden termijn, welke echter den tijd van een jaar niet zal mogen te boven gaan.

Verplichting tot aflossing

Art. 1809. De schuldenaar eener altijddurende rente kan tot de aflossing genoodzaakt worden:

1°. Indien hij niets betaald heeft op de gedurende twee achtereenvolgende jaren verschuldigde renten;

2°. Indien hij verzuimt aan den geldschieter de bij de overeenkomst beloofde zekerheid te bezorgen;

3°. Indien hij in staat van faillissement is verklaard.

Ontheffing verplichting tot aflossing

Art. 1810. In de twee eerste gevallen, bij het vorige artikel vermeld, kan de schuldenaar zich van de verpligting tot aflossing ontheffen, indien hij binnen de twintig dagen, te rekenen van de geregtelijke aanmaning, alle de verschenen termijnen betaalt of de beloofde zekerheid stelt.

ZESTIENDE TITEL
Van kans-overeenkomsten

EERSTE AFDEELING
Algemeene bepaling

Art. 1811. 1. Eene kans-overeenkomst is eene handeling, waarvan de uitkomsten, met betrekking tot voordeel en nadeel, het zij voor alle partijen, het zij voor eenige derzelve, van eene onzekere gebeurtenis afhangen. **Kansovereenkomst**

2. Van dien aard zijn:
De overeenkomst van verzekering;
Lijfrenten;
Spel en weddingschap;
Overeenkomsten tot verrekening van een koers- of prijsverschil.

3. De eerste overeenkomst wordt bij het Wetboek van Koophandel geregeld.

TWEEDE AFDEELING
Van de overeenkomst van lijfrenten en derzelver gevolgen

Art. 1812. Vervallen.

Art. 1813. Lijfrente kan worden gevestigd, het zij op het lijf des geldschieters, of van hem wien men daarvan het genot geeft, het zij op dat van eenen derde, ofschoon deze daarvan geen genot hebbe. **Verzekerde persoon**

Art. 1814. Dezelve kan gevestigd worden op het lijf van een of meer personen. **Vestiging op meerdere personen**

Artt. 1815, 1816. Vervallen.

Art. 1817. Lijfrente kan tot zoodanig beloop van renten gesteld worden, als partijen goedvinden te bepalen. **Lijfrentebedrag onbeperkt**

Art. 1818. Vervallen.

Art. 1819. Indien de schuldenaar met betaling van verschenen lijfrente in verzuim is, kan de renteheffer vorderen dat zekerheid wordt gesteld over de te vervallen rente. **Verzuim**

Artt. 1820, 1821. Vervallen.

Art. 1822. 1. De gerechtigde tot een lijfrente heeft slechts een verkregen regt op de lijfrente, naar evenredigheid van het getal der dagen welke degene geleefd heeft, op wiens lijf de rente is gevestigd. **Recht op rentetermijn bij overlijden verzekerde**

2. Indien echter de overeenkomst medebrengt dat de rente vooruit moet worden betaald, is het regt op den termijn die betaald had behooren te zijn verkregen van den dag waarop de betaling had moeten geschieden.

Art. 1823. Vervallen.

Art. 1824. De rentheffer kan de verschenen rente niet vorderen, dan door te doen blijken van het leven van hem op wien de lijfrente gevestigd zij. **Vordering rente slechts bij bewijs van leven**

DERDE AFDEELING
Van spel en weddingschap

Art. 1825. De wet staat geene regtsvordering toe, ter zake van eene schuld uit spel of uit weddingschap voortgesproten. **Geen vordering uit spel of weddenschap**

Art. 1826. 1. Onder de hier-boven staande bepaling zijn echter niet begrepen die spelen welke geschikt zijn tot ligchaamsoefening, als het schermen, wedloopen en dergelijke. **Niet toepasselijk op sportwedstrijden**

2. Niettemin kan de regter den eisch ontzeggen of verminderen, wanneer hem de som overmatig toeschijnt. **Ontzegging of vermindering som door rechter**

Art. 1827. Van de vorige twee artikelen kan op generlei wijze worden afgeweken.

Geen terugvordering bij vrijwillige betaling

Art. 1828. In geen geval, kan hij die het verlorene vrijwillig betaald heeft hetzelve terug eischen, ten ware, van den kant van dengenen die gewonnen heeft, bedrog, list, of opligting hebbe plaats gehad.

ZEVENTIENDE TITEL
Van lastgeving

Artt. 1829-1887. Vervallen.

NEGENTIENDE TITEL

Artt. 1888-1901. Vervallen bij de wet van 27 mei 1993, Stb. 309.

Algemene slotbepaling

Toepasselijkheid Algemene termijnenwet

Art. 2031. 1. De Algemene termijnenwet is niet van toepassing op de termijnen, gesteld in de artikelen 280 lid 1 onder c, 281 lid 2, 310 lid 1, 319 lid 2 van Boek 1 en 252 van Boek 3, alsmede in de zevende titel A van Boek 7A.

Algemeen erkende feestdagen

Onder algemeen erkende feestdagen worden in dit wetboek verstaan de in artikel 3 van de Algemene termijnenwet als zodanig genoemde en de bij of krachtens dat artikel daarmede gelijkgestelde dagen.

BOEK 8
VERKEERSMIDDELEN EN VERVOER
I ALGEMENE BEPALINGEN

TITEL 1
Algemene bepalingen

Schip

Art. 1. 1. In dit wetboek worden onder schepen verstaan alle zaken, geen luchtvaartuig zijnde, die blijkens hun constructie bestemd zijn om te drijven en drijven of hebben gedreven.

2. Bij algemene maatregel van bestuur kunnen zaken, die geen schepen zijn, voor de toepassing van bepalingen van dit wetboek als schip worden aangewezen, dan wel bepalingen van dit wetboek niet van toepassing worden verklaard op zaken, die schepen zijn.

Bestanddeelvorming

3. Voortbewegingswerktuigen en andere machinerieën worden bestanddeel van het schip op het ogenblik dat, na hun inbouw, hun bevestiging daaraan zodanig is als deze ook na voltooiing van het schip zal zijn.

Scheepstoebehoren

4. Onder scheepstoebehoren worden verstaan de zaken, die, geen bestanddeel van het schip zijnde, bestemd zijn om het schip duurzaam te dienen en door hun vorm als zodanig zijn te herkennen, alsmede die navigatie- en communicatiemiddelen, die zodanig met het schip zijn verbonden, dat zij daarvan kunnen worden afgescheiden, zonder dat beschadiging van betekenis aan hen of aan het schip wordt toegebracht.

5. Behoudens afwijkende bedingen wordt het scheepstoebehoren tot het schip gerekend. Een afwijkend beding kan worden ingeschreven in de openbare registers, bedoeld in afdeling 2 van titel 1 van Boek 3.

Schip in aanbouw

6. Voor de toepassing van het derde, het vierde en het vijfde lid van dit artikel wordt onder schip mede verstaan een schip in aanbouw.

Zeeschip

Art. 2. 1. In dit wetboek worden onder zeeschepen verstaan de schepen, die teboekstaan in het in artikel 193 genoemde register, alsmede de schepen, die noch in dit register, noch in het in artikel 783 genoemde register te boekstaan en blijkens hun constructie uitsluitend of in hoofdzaak voor drijven in zee zijn bestemd.

2. Bij algemene maatregel van bestuur kunnen schepen, die geen zeeschepen zijn, voor de toepassing van bepalingen van dit wetboek als zeeschip worden aangewezen, dan wel bepalingen van dit wetboek niet van toepassing worden verklaard op schepen, die zeeschepen zijn.

Zeevissersschip

3. In dit wetboek worden onder zeevissersschepen verstaan zeeschepen, die blijkens hun constructie uitsluitend of in hoofdzaak voor de bedrijfsmatige visvangst zijn bestemd.

Binnenschip

Art. 3. 1. In dit wetboek worden onder binnenschepen verstaan de schepen, die teboekstaan in het in artikel 783 genoemde register, alsmede de schepen, die noch in dit register, noch in het in artikel 193 genoemde register teboekstaan en blijkens hun constructie noch uitsluitend noch in hoofdzaak voor drijven in zee zijn bestemd.

2. Bij algemene maatregel van bestuur kunnen schepen, die geen binnenschepen zijn, voor de toepassing van bepalingen van dit wetboek als binnenschip worden aangewezen, dan wel bepalingen van dit wetboek niet van toepassing worden verklaard op schepen, die binnenschepen zijn.

Binnenwater

Art. 4. Onder voorbehoud van artikel 552 worden in dit boek de Dollart, de Waddenzee, het IJsselmeer, de stromen, de riviermonden en andere zo nodig voor de toepassing van bepalingen van dit boek bij algemene maatregel van bestuur aan te wijzen wateren, binnen zo nodig nader bij algemene maatregel van bestuur te bepalen grenzen, als binnenwater beschouwd.

Opvarenden

Art. 5. In dit wetboek worden onder opvarenden verstaan alle zich aan boord van een schip bevindende personen.

Kapitein; schipper

Art. 6. In dit wetboek worden de kapitein en de schipper aangemerkt als lid van de bemanning.

Art. 7. (Vervallen bij de wet van 2 december 1991, Stb. 664).

Bagage

Art. 8. In dit wetboek worden onder bagage verstaan de zaken, die een vervoerder in verband met een door hem gesloten overeenkomst van personenvervoer op zich neemt te vervoeren met uitzondering van zaken, vervoerd onder een het vervoer van zaken betreffende overeenkomst.

Art. 9. (Vervallen bij de wet van 2 december 1991, Stb. 664).

Reder

Art. 10. In dit wetboek wordt onder reder verstaan de eigenaar van een zeeschip.

Art. 11. (Vervallen bij de wet van 2 december 1991, Stb. 664).

Nietigheid wegens strijd met dwingende wetsbepaling

Art. 12. In dit boek leidt strijd met een dwingende wetsbepaling tot ambtshalve toe te passen nietigheid van de rechtshandeling.

Aansprakelijkheid voor kernschade

Art. 13. Dit boek laat onverlet enige voor Nederland van kracht zijnde internationale overeenkomst of enige wet die de aansprakelijkheid voor kernschade regelt.

Art. 14. (Vervallen bij de wet van 2 december 1991, Stb. 664).

TITEL 2
Algemene bepalingen betreffende vervoer

AFDELING 1
Overeenkomst van goederenvervoer

Overeenkomst van goederenvervoer

Art. 20. De overeenkomst van goederenvervoer is de overeenkomst, waarbij de ene partij (de vervoerder) zich tegenover de andere partij (de afzender) verbindt zaken te vervoeren.

Afleveringsplicht; ter destinatie; gaaf

Art. 21. De vervoerder is verplicht ten vervoer ontvangen zaken ter bestemming af te leveren en wel in de staat waarin hij hen heeft ontvangen.

Zonder vertraging

Art. 22. Onverminderd artikel 21 is de vervoerder verplicht ten vervoer ontvangen zaken zonder vertraging te vervoeren.

Overmacht

Art. 23. De vervoerder is niet aansprakelijk voor schade, voor zover deze is veroorzaakt door een omstandigheid die een zorgvuldig vervoerder niet heeft kunnen vermijden en voor zover zulk een vervoerder de gevolgen daarvan niet heeft kunnen verhinderen.

Schadevergoedingsplicht afzender

Art. 24. De afzender is verplicht de vervoerder de schade te vergoeden die deze lijdt doordat de overeengekomen zaken, door welke oorzaak dan ook, niet op de overeengekomen plaats en tijd te zijner beschikking zijn.

Opzegging

Art. 25. 1. Alvorens zaken ter beschikking van de vervoerder zijn gesteld, is de afzender bevoegd de overeenkomst op te zeggen. Hij is verplicht de vervoerder de schade te vergoeden die deze ten gevolge van de opzegging lijdt.

2. De opzegging geschiedt door een mondelinge of schriftelijke kennisgeving en de overeenkomst eindigt op het ogenblik van ontvangst daarvan.

Informatieplicht

Art. 26. De afzender is verplicht de vervoerder omtrent de zaken alsmede omtrent de behandeling daarvan tijdig al die opgaven te doen, waartoe hij in staat is of behoort te zijn, en waarvan hij weet of behoort te weten, dat zij voor de vervoerder van belang zijn, tenzij hij mag aannemen dat de vervoerder deze gegevens kent.

Documentatie

Art. 27. De afzender is verplicht de vervoerder de schade te vergoeden die deze lijdt doordat de documenten, die van de zijde van de afzender voor het vervoer vereist zijn, door welke oorzaak dan ook, niet naar behoren aanwezig zijn.

Opzegging door wederpartij bij bijzondere omstandigheden

Art. 28. 1. Wanneer vóór of bij de aanbieding van de zaken aan de vervoerder omstandigheden aan de zijde van een der partijen zich opdoen of naar voren komen, die haar wederpartij bij het sluiten van de overeenkomst niet behoefde te kennen,

doch die, indien zij haar wel bekend waren geweest, redelijkerwijs voor haar grond hadden opgeleverd de vervoerovereenkomst niet of op andere voorwaarden aan te gaan, is deze wederpartij bevoegd de overeenkomst op te zeggen.
2. De opzegging geschiedt door een mondelinge of schriftelijke kennisgeving en de overeenkomst eindigt op het ogenblik van ontvangst daarvan.
3. Naar maatstaven van redelijkheid en billijkheid zijn partijen na opzegging der overeenkomst verplicht elkaar de daardoor geleden schade te vergoeden.

Verschuldigdheid vracht

Art. 29. De vracht is verschuldigd na aflevering van de zaken ter bestemming.

Recht afgifte van zaken te weigeren

Art. 30. 1. De vervoerder is gerechtigd afgifte van zaken, die hij in verband met de vervoerovereenkomst onder zich heeft, te weigeren aan ieder, die uit anderen hoofde dan de vervoerovereenkomst recht heeft op aflevering van die zaken, tenzij op de zaken beslag is gelegd en uit de vervolging van dit beslag een verplichting tot afgifte aan de beslaglegger voortvloeit.

Recht van retentie

2. De vervoerder kan het recht van retentie uitoefenen op zaken, die hij in verband met de vervoerovereenkomst onder zich heeft, voor hetgeen hem door de ontvanger verschuldigd is of zal worden terzake van het vervoer van die zaken. Hij kan dit recht tevens uitoefenen voor hetgeen bij wijze van rembours op die zaak drukt. Dit retentierecht vervalt zodra aan de vervoerder is betaald het bedrag waarover geen geschil bestaat en voldoende zekerheid is gesteld voor de betaling van die bedragen, waaromtrent wel geschil bestaat of welker hoogte nog niet kan worden vastgesteld. De vervoerder behoeft echter geen zekerheid te aanvaarden voor hetgeen bij wijze van rembours op de zaak drukt.
3. De in dit artikel aan de vervoer toegekende rechten komen hem niet toe jegens een derde, indien hij op het tijdstip dat hij de zaak ten vervoer ontving, reden had te twijfelen aan de bevoegdheid van de afzender jegens die derde hem de zaak ten vervoer ter beschikking te stellen.

Vordering buiten overeenkomst

Art. 31. Wordt de vervoerder dan wel de afzender of een ondergeschikte van een hunner buiten overeenkomst aangesproken, dan zijn de artikelen 361 tot en met 366 van overeenkomstige toepassing.

Art. 32. Deze afdeling geldt slechts ten aanzien van niet elders in dit boek geregelde overeenkomsten van goederenvervoer.

AFDELING 2
Overeenkomst van gecombineerd goederenvervoer

Overeenkomst van gecombineerd goederenvervoer

Art. 40. De overeenkomst van gecombineerd goederenvervoer is de overeenkomst van goederenvervoer, waarbij de vervoerder (gecombineerd vervoerder) zich bij een en dezelfde overeenkomst tegenover de afzender verbindt dat het vervoer deels over zee, over binnenwateren, over de weg, langs spoorstaven, door de lucht of door een pijpleiding dan wel door middel van enige andere vervoerstechniek zal geschieden.

Kameleonsysteem

Art. 41. Bij een overeenkomst van gecombineerd goederenvervoer gelden voor ieder deel van het vervoer de op dat deel toepasselijke rechtsregelen.

Aansprakelijkheid gecombineerd vervoerder

Art. 42. 1. Indien de gecombineerd vervoerder de zaken niet zonder vertraging ter bestemming aflevert in de staat waarin hij hen heeft ontvangen en niet is komen vast te staan, waar de omstandigheid, die het verlies, de beschadiging of de vertraging veroorzaakte, is opgekomen, is hij voor de daardoor ontstane schade aansprakelijk, tenzij hij bewijst, dat hij op geen der delen van het vervoer, waar het verlies, de beschadiging of de vertraging kan zijn opgetreden, daarvoor aansprakelijk is.
2. Nietig is ieder beding, waarbij van dit artikel wordt afgeweken.

Kameleonsysteem

Art. 43. 1. Indien de gecombineerd vervoerder aansprakelijk is voor schade ontstaan door beschadiging, geheel of gedeeltelijk verlies, vertraging of enig ander schadeveroorzakend feit en niet is komen vast te staan waar de omstandigheid, die hiertoe leidde, is opgekomen, wordt zijn aansprakelijkheid bepaald volgens de rechtsregelen die toepasselijk zijn op dat deel of die delen van het vervoer, waarop deze omstandigheid kan zijn opgekomen en waaruit het hoogste bedrag aan schade vergoeding voortvloeit.

2. Nietig is ieder beding, waarbij van dit artikel wordt afgeweken.

CT-document

Art. 44. 1. De gecombineerd vervoerder kan op verlangen van de afzender, geuit alvorens zaken te zijner beschikking worden gesteld, terzake van het vervoer een document (CT-document) opmaken, dat door hem wordt gedateerd en ondertekend en aan de afzender wordt afgegeven. De ondertekening kan worden gedrukt of door een stempel dan wel enig ander kenmerk van oorsprong worden vervangen.

Gegevens

2. Op het CT-document worden vermeld:
a. de afzender,
b. de ten vervoer ontvangen zaken met omschrijving van de algemene aard daarvan, zoals deze omschrijving gebruikelijk is,
c. een of meer der volgende gegevens met betrekking tot de onder b bedoelde zaken:
1° aantal,
2° gewicht,
3° volume,
4° merken,
d. de plaats waar de gecombineerd vervoerder de zaken ten vervoer heeft ontvangen,
e. de plaats waarheen de gecombineerd vervoerder op zich neemt de zaken te vervoeren,
f. de gadresseerde die, ter keuze van de afzender, wordt aangegeven hetzij bij name of andere aanduiding, hetzij als order van de afzender of van een ander, hetzij als toonder. De enkele woorden „aan order" worden geacht de order van de afzender aan te geven,
g. de gecombineerd vervoerder,
h. het aantal exemplaren van het document indien dit in meer dan één exemplaar is uitgegeven,
i. al hetgeen overigens afzender en gecombineerd vervoerder gezamenlijk goeddunkt.

3. De aanduidingen vermeld in het tweede lid onder a tot en met c worden in het CT-document opgenomen aan de hand van door de afzender te verstrekken gegevens, met dien verstande dat de gecombineerd vervoerder niet verplicht is in het CT-document enig gegeven met betrekking tot de zaken op te geven of te noemen, waarvan hij redelijke gronden heeft te vermoeden, dat het niet nauwkeurig de in werkelijkheid door hem ontvangen zaken weergeeft of tot het toetsen waarvan hij geen redelijke gelegenheid heeft gehad. De gecombineerd vervoerder wordt vermoed geen redelijke gelegenheid te hebben gehad de hoeveelheid en het gewicht van gestorte of gepompte zaken te toetsen. De afzender staat in voor de juistheid, op het ogenblik van de inontvangstneming van de zaken, van de door hem verstrekte gegevens.

4. Partijen zijn verplicht elkaar de schade te vergoeden die zij lijden door het ontbreken van in het tweede lid genoemde gegevens.

Verhandelbaarheid

Art. 45. De verhandelbare exemplaren van het CT-document, waarin is vermeld hoeveel van deze exemplaren in het geheel zijn afgegeven, gelden alle voor één en één voor alle. Niet verhandelbare exemplaren moeten als zodanig worden aangeduid.

CT-document: als cognossement

Art. 46. 1. Voor het deel van het vervoer, dat overeenkomstig de tussen partijen gesloten overeenkomst zal plaatsvinden als vervoer over zee of binnenwateren, wordt het CT-document als cognossement aangemerkt.

als vrachtbrief

2. Voor het deel van het vervoer, dat overeenkomstig de tussen partijen gesloten overeenkomst over de weg zal plaatsvinden, wordt het CT-document als vrachtbrief aangemerkt.

als „ander" document

3. Voor het deel van het vervoer, dat overeenkomstig de tussen partijen gesloten overeenkomst langs spoorstaven of door de lucht zal plaatsvinden, wordt het CT-document, mits het mede aan de daarvoor gestelde vereisten voldoet, als voor dergelijk vervoer bestemd document aangemerkt.

Rechtsverhouding gecombineerd vervoerder en afzender

Art. 47. Indien een overeenkomst van gecombineerd goederenvervoer is gesloten en bovendien een CT-document is afgegeven, wordt, behoudens artikel 51 tweede lid, tweede volzin, de rechtsverhouding tussen de gecombineerd vervoerder en de afzender door de bedingen van de overeenkomst van gecombineerd goederenvervoer en niet door die van dit CT-document beheerst. Behoudens het in artikel 51 eerste lid gestelde vereiste van houderschap van het CT-document, strekt dit hun dan slechts tot bewijs van de ontvangst der zaken door de gecombineerd vervoerder.

Bewijskracht CT-document

Art. 48. 1. Het CT-document bewijst, behoudens tegenbewijs, dat de gecombineerd vervoerder de zaken heeft ontvangen en wel zoals deze daarin zijn omschreven. Tegenbewijs tegen het CT-document wordt niet toegelaten, wanneer het is overgedragen aan een derde te goeder trouw.

2. Indien in het CT-document de clausule: „aard, gewicht, aantal, volume of merken onbekend" of enige andere clausule van dergelijke strekking is opgenomen, binden zodanige in het CT-document voorkomende vermeldingen omtrent de zaken de gecombineerd vervoerder niet, tenzij bewezen wordt dat hij de aard, het gewicht, het aantal, het volume of de merken der zaken heeft gekend of had behoren te kennen.

3. Een CT-document, dat de uiterlijk zichtbare staat of gesteldheid van de zaak niet vermeldt, levert, behoudens tegenbewijs dat ook jegens een derde mogelijk is, een vermoeden op dat de gecombineerd vervoerder die zaak voor zover uiterlijk zichtbaar in goede staat of gesteldheid heeft ontvangen.

4. Een in het CT-document opgenomen waarde-opgave schept, behoudens tegenbewijs, een vermoeden, doch bindt niet de gecombineerd vervoerder die haar kan betwisten.

5. Verwijzingen in het CT-document worden geacht slechts die bedingen daarin te voegen, die voor degeen, jegens wie daarop een beroep wordt gedaan, duidelijk kenbaar zijn. Een dergelijk beroep is slechts mogelijk voor hem, die op schriftelijk verlangen van degeen jegens wie dit beroep kan worden gedaan of wordt gedaan, aan deze onverwijld die bedingen heeft doen toekomen.

6. Dit artikel laat onverlet de bepalingen die aan cognossement of vrachtbrief een grote bewijskracht toekennen.

7. Nietig is ieder beding, waarbij van het vijfde lid van dit artikel wordt afgeweken.

Levering CT-document aan order

Art. 49. Een CT-document aan order wordt geleverd op de wijze als aangegeven in afdeling 2 van titel 4 van Boek 3.

Levering CT-document

Art. 50. Levering van het CT-document vóór de aflevering van de daarin vermelde zaken door de vervoerder geldt als levering van die zaken.

Recht op aflevering

Art. 51. 1. Indien een CT-document is afgegeven, heeft uitsluitend de regelmatige houder daarvan, tenzij hij niet op rechtmatige wijze houder is geworden, jegens de gecombineerd vervoerder het recht aflevering van de zaken overeenkomstig de op deze rustende verpichtingen te vorderen. Onverminderd dit recht op aflevering heeft hij — en hij alleen — voor zover de gecombineerd vervoerder aansprakelijk is wegens het niet nakomen van de op hem rustende verplichting zaken zonder vertraging ter bestemming af te leveren in de staat waarin hij hen heeft ontvangen, uitsluitend het recht te dier zake schadevergoeding te vorderen.

2. Jegens de houder van het CT-document, die niet de afzender was, is de gecombineerd vervoerder gehouden aan en kan hij een beroep doen op de bedingen van het CT-document. Jegens iedere houder van het CT-document kan hij de daaruit duidelijk kenbare rechten tot betaling geldend maken. Jegens de houder van het CT-document, die ook de afzender was, kan de gecombineerd vervoerder zich bovendien op de bedingen van de overeenkomst van gecombineerd goederenvervoer en op zijn persoonlijke verhouding tot de afzender beroepen.

Het beste recht

Art. 52. Van de houders van verschillende exemplaren van hetzelfde CT-document heeft hij het beste recht, die houder is van het exemplaar, waarvan ná de gemeenschappelijke voorman, die houder was van al die exemplaren, het eerst een ander houder is geworden te goeder trouw en onder bezwarende titel.

AFDELING 3
Overeenkomst tot het doen vervoeren van goederen

Expeditie-overeenkomst

Art. 60. De overeenkomst tot het doen vervoeren van goederen is de overeenkomst, waarbij de ene partij (de expediteur) zich jegens zijn wederpartij (de opdrachtgever) verbindt tot het te haren behoeve met een vervoerder sluiten van een of meer overeenkomsten van vervoer van door deze wederpartij ter beschikking te stellen zaken, dan wel tot het te haren behoeve maken van een beding in een of meer zodanige vervoerovereenkomsten.

Expediteur als vervoerder

Art. 61. 1. Voor zover de expediteur de overeenkomst tot het sluiten waarvan hij zich verbond, zelf uitvoert, wordt hij zelf aangemerkt als de vervoerder uit die overeenkomst.

2. Nietig is ieder beding, waarbij van dit artikel wordt afgeweken.

Mededelingsplicht bij vertraging

Art. 62. 1. Indien de zaken niet zonder vertraging ter bestemming worden afgeleverd in de staat, waarin zij ter beschikking zijn gesteld, is de expediteur, voor zover hij een vervoerovereenkomst die hij met een ander zou sluiten, zelf uitvoerde, verplicht zulks onverwijld aan de opdrachtgever die hem kennis gaf van de schade mede te delen.

2. Doet de expediteur de in het eerste lid bedoelde mededeling niet, dan is hij, wanneer hij daardoor niet tijdig als vervoerder is aangesproken, naast vergoeding van de schade die de opdrachtgever overigens dientengevolge leed, een schadeloosstelling verschuldigd gelijk aan de schadevergoeding, die hij zou hebben moeten voldoen, wanneer hij wel tijdig als vervoerder zou zijn aangesproken.

3. Nietig is ieder beding, waarbij van dit artikel wordt afgeweken.

Art. 63. 1. Indien de zaken niet zonder vertraging ter bestemming worden afgeleverd in de staat, waarin zij ter bechikking zijn gesteld, is de expediteur voor zover hij de vervoerovereenkomst, welke hij met een ander zou sluiten, niet zelf uitvoerde, verplicht de opdrachtgever onverwijld te doen weten welke vervoerovereenkomsten hij ter uitvoering van zijn verbintenis aanging. Hij is tevens verplicht de opdrachtgever alle documenten en gegevens ter beschikking te stellen, waarover hij beschikt of die hij redelijkerwijs kan verschaffen, voor zover deze althans kunnen dienen tot verhaal van opgekomen schade.

Bevoegdheid van opdrachtgever tot geldend maken van rechten

2. De opdrachtgever verkrijgt jegens degeen, met wie de expediteur heeft gehandeld, van het ogenblik af, waarop hij de expediteur duidelijk kenbaar maakt, dat hij hen wil uitoefenen, de rechten en bevoegdheden, die hem zouden zijn toegekomen, wanneer hij zelf als afzender de overeenkomst zou hebben gesloten. Hij kan ter zake in rechte optreden, wanneer hij overlegt een door de expediteur — of in geval van diens faillissement door diens curator — af te geven verklaring, dat tussen hem en de expediteur ten aanzien van de zaken een overeenkomst tot het doen vervoeren daarvan werd gesloten.

3. Komt de expediteur een verplichting als in het eerste lid bedoeld niet na, dan is hij, naast vergoeding van de schade die de opdrachtgever overigens dientengevolge leed, een schadeloosstelling verschuldigd gelijk aan de schadevergoeding die de opdrachtgever van hem had kunnen verkrijgen, wanneer hij de overeenkomst die hij sloot, zelf had uitgevoerd, verminderd met de schadevergoeding die de opdrachtgever mogelijkerwijs van de vervoerder verkreeg.

4. Nietig is ieder beding, waarbij van dit artikel wordt afgeweken.

Schadevergoedingsplicht opdrachtgever

Art. 64. De opdrachtgever is verplicht de expediteur de schade te vergoeden die deze lijdt doordat de overeengekomen zaken, door welke oorzaak dan ook, niet op de overeengekomen plaats en tijd ter beschikking zijn.

Opzegging

Art. 65. 1. Alvorens zaken ter beschikking zijn gesteld, is de opdrachtgever bevoegd de overeenkomst op te zeggen. Hij is verplicht de expediteur de schade te vergoeden die deze ten gevolge van de opzegging lijdt.

2. De opzegging geschiedt door schriftelijke kennisgeving en de overeenkomst eindigt op het ogenblik van ontvangst daarvan.

Informatieplicht

Art. 66. 1. De opdrachtgever is verplicht de expediteur omtrent de zaken alsmede omtrent de behandeling daarvan tijdig al die opgaven te doen, waartoe hij in staat is of behoort te zijn, en waarvan hij weet of behoort te weten, dat zij voor de expediteur van belang zijn, tenzij hij mag aannemen, dat de expediteur deze gegevens kent.

2. De expediteur is niet gehouden, doch wel gerechtigd, te onderzoeken of de hem gedane opgaven juist en volledig zijn.

Documentatie

Art. 67. De opdrachtgever is verplicht de expediteur de schade te vergoeden die deze lijdt doordat de documenten, die van de zijde van de opdrachtgever voor het uitvoeren van de opdracht vereist zijn, door welke oorzaak dan ook, niet naar behoren aanwezig zijn.

Opzegging door wederpartij bij bijzondere omstandigheden

Art. 68. 1. Wanneer vóór of bij de terbeschikkingstelling van de zaken

omstandigheden aan de zijde van een der partijen zich opdoen of naar voren komen, die haar wederpartij bij het sluiten van de overeenkomst niet behoefde te kennen, doch die, indien zij haar wel bekend waren geweest, redelijkerwijs voor haar grond hadden opgeleverd de overeenkomst niet of op andere voorwaarden aan te gaan, is deze wederpartij bevoegd de overeenkomst op te zeggen.
2. De opzegging geschiedt door schriftelijke kennisgeving en de overeenkomst eindigt op het ogenblik van ontvangst daarvan.
3. Naar maatstaven van redelijkheid en billijkheid zijn partijen na opzegging der overeenkomst verplicht elkaar de daardoor geleden schade te vergoeden.

Recht afgifte van zaken te weigeren

Art. 69. 1. De expediteur is gerechtigd afgifte van zaken of documenten, die hij in verband met de overeenkomst onder zich heeft, te weigeren aan ieder, die uit anderen hoofde dan de overeenkomst tot doen vervoeren recht heeft op aflevering daarvan, tenzij daarop beslag is gelegd en uit de vervolging van dit beslag een verplichting tot afgifte aan de beslaglegger voortvloeit.

Recht van retentie

2. De expediteur kan het recht van retentie uitoefenen op zaken of documenten, die hij in verband met de overeenkomst onder zich heeft, voor hetgeen hem terzake van de overeenkomst door zijn opdrachtgever verschuldigd is of zal worden. Hij kan dit recht tevens uitoefenen voor hetgeen bij wijze van rembours op de zaak drukt. Dit retentierecht vervalt zodra aan de expediteur is betaald het bedrag waarover geen geschil bestaat en voldoende zekerheid is gesteld voor de betaling van die bedragen, waaromtrent wel geschil bestaat of welker hoogte nog niet kan worden vastgesteld. De expediteur behoeft echter geen zekerheid te aanvaarden voor hetgeen bij wijze van rembours op de zaak drukt.
3. De in dit artikel aan de expediteur toegekende rechten komen hem niet toe jegens een derde, indien hij op het tijdstip dat hij de zaak of het document onder zich kreeg, reden had te twijfelen aan de bevoegdheid van de opdrachtgever jegens die derde hem die zaak of dat document ter beschikking te stellen.

Aansprakelijkheid buiten overeenkomst; wederpartij

Art. 70. Indien een overeenkomst tot het doen vervoeren van goederen niet naar behoren wordt uitgevoerd, dan wel een zaak niet zonder vertraging ter bestemming wordt afgeleverd in de staat, waarin zij ter beschikking is gesteld, is de expediteur, die te dier zake door zijn wederpartij buiten overeenkomst wordt aangesproken, jegens deze niet verder aansprakelijk dan hij dit zou zijn op grond van de door hen gesloten overeenkomst tot het doen vervoeren van die zaak.

Aansprakelijkheid buiten overeenkomst; derde

Art. 71. Indien een overeenkomst tot het doen vervoeren van goederen niet naar behoren wordt uitgevoerd, dan wel een zaak niet zonder vertraging ter bestemming wordt afgeleverd in de staat, waarin zij ter beschikking is gesteld, is de expediteur, die te dier zake buiten overeenkomst wordt aangesproken, behoudens de artikelen 361 tot en met 366, artikel 880 en artikel 1081, niet verder aansprakelijk dan hij dit zou zijn tegenover zijn opdrachtgever.

Aansprakelijkheid buiten overeenkomst ondergeschikte

Art. 72. Indien een vordering, als genoemd in het vorige artikel, buiten overeenkomst wordt ingesteld tegen een ondergeschikte van de expediteur, dan is deze ondergeschikte, mits hij de schade veroorzaakte in de werkzaamheden, waartoe hij werd gebruikt, niet verder aansprakelijk dan een dergelijke expediteur, die hem tot deze werkzaamheden gebruikte, dit op grond van het vorige artikel zou zijn.

Maximering totaal verhaalbaar bedrag

Art. 73. Het totaal van de bedragen, verhaalbaar op de expediteur, al dan niet gezamenlijk met het bedrag, verhaalbaar op de wederpartij van degene die de vordering instelt, en hun ondergeschikten mag, behoudens in geval van schade ontstaan uit eigen handeling of nalaten van de aangesprokene, geschied hetzij met het opzet die schade te veroorzaken, hetzij roekeloos en met de wetenschap dat die schade er waarschijnlijk uit zou voortvloeien, niet overtreffen het totaal, dat op grond van de door hen ingeroepen overeenkomst is verschuldigd.

AFDELING 4
Overeenkomst van personenvervoer

Overeenkomst van personenvervoer

Art. 80. 1. De overeenkomst van personenvervoer is de overeenkomst, waarbij de ene partij (de vervoerder) zich tegenover de andere partij verbindt een of meer personen (reizigers) te vervoeren.
2. De overeenkomst van personenvervoer als omschreven in artikel 100 is geen overeenkomst van personenvervoer in de zin van deze afdeling.

Aansprakelijkheid

Art. 81. De vervoerder is aansprakelijk voor schade veroorzaakt door dood of letsel in verband met het vervoer aan de reiziger overkomen.

Overmacht

Art. 82. 1. De vervoerder is niet aansprakelijk voor schade ontstaan door dood of letsel, voor zover deze dood of dit letsel is veroorzaakt door een omstandigheid die een zorgvuldig vervoerder niet heeft kunnen vermijden en voor zover zulk een vervoerder de gevolgen daarvan niet heeft kunnen verhinderen.

2. De vervoerder kan niet om zich van zijn aansprakelijkheid voor schade door dood of letsel van de reiziger veroorzaakt te ontheffen, beroep doen op de gebrekkigheid of het slecht functioneren van het vervoermiddel of van het materiaal waarvan hij zich voor het vervoer bedient.

Schuld of nalatigheid reiziger

Art. 83. Indien de vervoerder bewijst, dat schuld of nalatigheid van de reiziger schade heeft veroorzaakt of daartoe heeft bijgedragen, kan de aansprakelijkheid van de vervoerder daarvoor geheel of gedeeltelijk worden opgeheven.

Nietigheid afwijkend beding

Art. 84. Nietig is ieder voor het aan de reiziger overkomen voorval gemaakt beding waarbij de ingevolge artikel 81 op de vervoerder drukkende aansprakelijkheid of bewijslast wordt verminderd op andere wijze dan in deze afdeling is voorzien.

Letsel of dood van de reiziger

Art. 85. 1. In geval van aan de reiziger overkomen letsel en van de dood van de reiziger zijn de artikelen 107 en 108 van Boek 6 niet van toepassing op de vorderingen die de vervoerder als wederpartij van een andere vervoerder tegen deze laatste instelt.

2. De aansprakelijkheid van de vervoerder is in geval van dood of letsel van de reiziger beperkt tot een bij of krachtens algemene maatregel van bestuur te bepalen bedrag of bedragen.

Schadevergoedingsplicht wederpartij vervoerder

Art. 86. De wederpartij van de vervoerder is verplicht deze de schade te vergoeden die hij lijdt doordat de reiziger, door welke oorzaak dan ook, niet tijdig ten vervoer aanwezig is.

Art. 87. De wederpartij van de vervoerder is verplicht deze de schade te vergoeden die hij lijdt doordat de documenten met betrekking tot de reiziger, die van haar zijde voor het vervoer vereist zijn, door welke oorzaak dan ook, niet naar behoren aanwezig zijn.

Opzegging door vervoerder bij bijzondere omstandigheden

Art. 88. 1. Wanneer vóór of tijdens het vervoer omstandigheden aan de zijde van de wederpartij van de vervoerder of de reiziger zich opdoen of naar voren komen, die de vervoerder bij het sluiten van de overeenkomst niet behoefde te kennen, doch die, indien zij hem wel bekend waren geweest, redelijkerwijs voor hem grond hadden opgeleverd de vervoerovereenkomst niet of op andere voorwaarden aan te gaan, is de vervoerder bevoegd de overeenkomst op te zeggen en de reiziger uit het vervoermiddel te verwijderen.

2. De opzegging geschiedt door een mondelinge of schriftelijke kennisgeving aan de wederpartij van de vervoerder of aan de reiziger en de overeenkomst eindigt op het ogenblik van ontvangst van de eerst ontvangen kennisgeving.

3. Naar maatstaven van redelijkheid en billijkheid zijn partijen na opzegging der overeenkomst verplicht elkaar de daardoor geleden schade te vergoeden.

Opzegging door wederpartij bij bijzondere omstandigheden

Art. 89. 1. Wanneer vóór of tijdens het vervoer omstandigheden aan de zijde van de vervoerder zich opdoen of naar voren komen, die diens wederpartij bij het sluiten van de overeenkomst niet behoefde te kennen, doch die, indien zij haar wel bekend waren geweest, redelijkerwijs voor haar grond hadden opgeleverd de vervoerovereenkomst niet of op andere voorwaarden aan te gaan, is deze wederpartij van de vervoerder bevoegd de overeenkomst op te zeggen.

2. De opzegging geschiedt door een mondelinge of schriftelijke kennisgeving en de overeenkomst eindigt op het ogenblik van ontvangst daarvan.

3. Naar maatstaven van redelijkheid en billijkheid zijn partijen na opzegging der overeenkomst verplicht elkaar de daardoor geleden schade te vergoeden.

Opzegging

Art. 90. 1. De wederpartij van de vervoerder is steeds bevoegd de overeenkomst op te zeggen. Zij is verplicht de vervoerder de schade te vergoeden, die deze ten gevolge van de opzegging lijdt.

2. Zij kan dit recht niet uitoefenen, wanneer daardoor de reis van het vervoermiddel zou worden vertraagd.
3. De opzegging geschiedt door een mondelinge of schriftelijke kennisgeving en de overeenkomst eindigt op het ogenblik van ontvangst daarvan.

Vordering buiten overeenkomst

Art. 91. Wordt de vervoerder, zijn wederpartij, de reiziger of een ondergeschikte van een hunner buiten overeenkomst aangesproken, dan zijn de artikelen 361 tot en met 366 van overeenkomstige toepassing.

Art. 92. Deze afdeling geldt slechts ten aanzien van niet elders in dit boek geregelde overeenkomsten van personenvervoer.

AFDELING 5
Overeenkomst tot binnenlands openbaar personenvervoer

Overeenkomst van binnenlands openbaar personenvervoer

Art. 100. 1. De overeenkomst van personenvervoer in de zin van deze afdeling is de overeenkomst van personenvervoer, waarbij de ene partij (de vervoerder) zich tegenover de andere partij verbindt aan boord van een vervoermiddel, geen luchtvaartuig noch luchtkussenvoertuig zijnde, een of meer personen (reizigers) en al dan niet hun handbagage binnen Nederland hetzij langs spoorstaven hetzij op andere wijze en dan volgens een voor een ieder kenbaar schema van reismogelijkheden (dienstregeling) te vervoeren. Tijd- of reisbevrachting is, voor zover het niet betreft vervoer langs spoorstaven, geen overeenkomst van personenvervoer in de zin van deze afdeling.
2. Als vervoerder in de zin van deze afdeling wordt tevens beschouwd de instantie die op een mogelijkerwijs afgegeven vervoerbewijs is vermeld. Wordt enig vervoerbewijs afgegeven dan zijn de artikelen 56, tweede lid, 75 eerste lid en 186, eerste lid van boek 2 niet van toepassing.

Handbagage

3. In deze afdeling wordt onder handbagage verstaan de bagage met inbegrip van levende dieren, die de reiziger als gemakkelijk mee te voeren, draagbare dan wel met de hand verrijdbare zaken op of bij zich heeft.
4. Bij algemene maatregel van bestuur, die voor ieder vervoermiddel onderling verschillende bepalingen kan bevatten, kunnen zaken, die geen handbagage zijn, voor de toepassing van bepalingen van deze afdeling als handbagage worden aangewezen, dan wel bepalingen van deze afdeling niet van toepassing worden verklaard op zaken, die handbagage zijn.

Kameleonsysteem

Art. 101. 1. Indien een of meer vervoerders zich bij een en dezelfde overeenkomst verbinden tot vervoer met onderling al dan niet van aard verschillende vervoermiddelen, gelden voor ieder deel van het vervoer de op dat deel toepasselijke rechtsregelen.
2. Indien een voertuig dat voor het vervoer wordt gebezigd aan boord van een schip wordt vervoerd, gelden voor dat deel van het vervoer de op het vervoer te water toepasselijke rechtsregelen, met dien verstande echter dat de vervoerder zich niet kan beroepen op lichamelijke of geestelijke tekortkomingen van de bestuurder van het voertuig die in de tijd, dat de reiziger aan boord daarvan was, tot schade leidden.
3. Bij de overeenkomst waarbij de ene partij zich bij een en dezelfde overeenkomst tegenover de andere partij verbindt deels tot het vervoer van personen als bedoeld in artikel 100, deels tot ander vervoer, gelden voor ieder deel van het vervoer de op dat deel toepasselijke rechtsregelen.

Vervoer van personen

Art. 102. 1. Vervoer van personen omvat uitsluitend de tijd dat de reiziger aan boord van het vervoermiddel is, daarin instapt op daaruit uitstapt.

Vervoer van personen per schip

2. Vervoer van personen per schip omvat bovendien de tijd dat de reiziger te water wordt vervoerd tussen wal en schip of tussen schip en wal, indien de prijs hiervan in de vracht is inbegrepen of het voor dit hulpvervoer gebezigde schip door de vervoerder ter beschikking van de reiziger is gesteld. Het omvat echter niet de tijd dat de reiziger verblijft op een ponton, een steiger, een veerstoep of enig ander schip, dat ligt tussen de wal en het schip aan boord waarvan hij vervoerd zal worden of werd, in een stationsgebouw, op een kade of enige andere haveninstallatie.

Vervoer van handbagage

Art. 103. 1. Vervoer van handbagage omvat uitsluitend de tijd dat deze aan boord van het vervoermiddel is, daarin wordt ingeladen of daaruit wordt uitgeladen, alsmede de tijd dat zij onder de hoede van de vervoerder is.

Vervoer van handbagage per schip

2. Vervoer van handbagage per schip omvat bovendien de tijd dat de handbagage te water wordt vervoerd tussen wal en schip of tussen schip en wal, indien de prijs hiervan in de vracht is inbegrepen of het voor dit hulpvervoer gebezigde schip door de vervoerder ter beschikking van de reiziger is gesteld. Het omvat echter niet de tijd dat de handbagage zich bevindt op een ponton, een steiger, een veerstoep of enig ander schip, dat ligt tussen de wal en het schip aan boord waarvan zij vervoerd zal worden of werd, in een stationsgebouw, op een kade of enige andere haveninstallatie, tenzij zij zich daar onder de hoede van de vervoerder bevindt.

Art. 104. (Vervallen bij de wet van 2 december 1991, Stb. 664).

Aansprakelijkheid vervoerder bij dood of letsel

Art. 105. 1. De vervoerder is aansprakelijk voor schade veroorzaakt door dood of letsel van de reiziger ten gevolge van een ongeval dat in verband met en tijdens het vervoer aan de reiziger is overkomen.

2. In afwijking van het eerste lid is de vervoerder niet aansprakelijk, voor zover het ongeval is veroorzaakt door een omstandigheid die een zorgvuldig vervoerder niet heeft kunnen vermijden en voor zover zulk een vervoerder de gevolgen daarvan niet heeft kunnen verhinderen.

3. Lichamelijke of geestelijke tekortkomingen van de bestuurder van het voertuig alsmede gebrekkigheid of slecht functioneren van het vervoermiddel of van het materiaal, waarvan hij zich voor het vervoer bedient, worden aangemerkt als een omstandigheid die een zorgvuldig vervoerder heeft kunnen vermijden en waarvan zulk een vervoerder de gevolgen heeft kunnen verhinderen. Onder materiaal wordt niet begrepen een ander vervoermiddel aan boord waarvan het vervoermiddel zich bevindt.

4. Bij de toepassing van het tweede lid wordt slechts dan rekening gehouden met een gedraging van een derde, indien geen andere omstandigheid, die mede tot het ongeval leidde, voor rekening van de vervoerder is.

Aansprakelijkheid vervoerder bij (hand)bagage

Art. 106. 1. De vervoerder is aansprakelijk voor schade veroorzaakt door geheel of gedeeltelijk verlies dan wel beschadiging van handbagage of van een als bagage ten vervoer aangenomen voertuig of schip en de zaken aan boord daarvan, voor zover dit verlies of deze beschadiging is ontstaan tijdens het vervoer en is veroorzaakt

a. door een aan de reiziger overkomen ongeval dat voor rekening van de vervoerder komt, of

b. door een omstandigheid die een zorgvuldig vervoerder heeft kunnen vermijden of waarvan zulk een vervoerder de gevolgen heeft kunnen verhinderen.

2. Lichamelijke of geestelijke tekortkomingen van de bestuurder van het voertuig alsmede gebrekkigheid of slecht functioneren van het vervoermiddel of van het materiaal waarvan hij zich voor het vervoer bedient, worden aangemerkt als een omstandigheid die een zorgvuldig vervoerder heeft kunnen vermijden en waarvan zulk een vervoerder de gevolgen heeft kunnen verhinderen. Onder materiaal wordt niet begrepen een ander vervoermiddel aan boord waarvan het vervoermiddel zich bevindt.

3. Bij de toepassing van het eerste lid wordt slechts dan rekening gehouden met een gedraging van een derde, indien geen andere omstandigheid die mede tot het voorval leidde voor rekening van de vervoerder is.

4. Dit artikel laat de artikelen 545 en 1006 onverlet.

Geen schadevergoeding

Art. 107. De vervoerder is terzake van door de reiziger aan boord van het vervoermiddel gebrachte zaken, die hij, indien hij hun aard of gesteldheid had gekend, niet aan boord van het vervoermiddel zou hebben toegelaten en waarvoor hij geen bewijs van ontvangst heeft afgegeven, geen enkele schadevergoeding verschuldigd indien de reiziger wist of behoorde te weten dat de vervoerder de zaken niet ten vervoer zou hebben toegelaten; de reiziger is alsdan aansprakelijk voor alle kosten en schaden voor de vervoerder voortvloeiend uit de aanbieding ten vervoer of uit het vervoer zelf.

Geen aansprakelijkheid

Art. 108. De vervoerder is niet aansprakelijk voor schade die is veroorzaakt door vertraging, door welke oozaak dan ook vóór, tijdens of na het vervoer opgetreden, dan wel is veroorzaakt door welke afwijking van de dienstregeling dan ook.

Schuld of nalatigheid reiziger

Art. 109. 1. Indien de vervoerder bewijst, dat schuld of nalatigheid van de reiziger schade heeft veroorzaakt of daartoe heeft bijgedragen, kan de aansprakelijkheid van de vervoerder daarvoor geheel of gedeeltelijk worden opgeheven.

2. Indien personen van wier hulp de vervoerder bij de uitvoering van zijn verbintenis gebruik maakt, op verzoek van de reiziger diensten bewijzen, waartoe de vervoerder niet is verplicht, worden zij aangemerkt als te handelen in opdracht van de reiziger aan wie zij deze diensten bewijzen.

A.m.v.b.

Art. 110. 1. De in deze afdeling bedoelde aansprakelijkheid van de vervoerder is beperkt tot bij of krachtens algemene maatregel van bestuur te bepalen bedrag of bedragen.

2. Dit artikel laat de Elfde Titel A en Afdeling 10A van de Dertiende Titel van het Tweede Boek van het Wetboek van Koophandel onverlet.

Geen beroep op beperking van aansprakelijkheid

Art. 111. 1. De vervoerder kan zich niet beroepen op enige beperking van zijn aansprakelijkheid, voor zover de schade is ontstaan uit zijn eigen handeling of nalaten, geschied hetzij met het opzet die schade te veroorzaken, hetzij roekeloos en met de wetenschap dat die schade er waarschijnlijk uit zou voortvloeien.

2. Nietig is ieder beding, waarbij van dit artikel wordt afgeweken.

Nietigheid afwijkend beding

Art. 112. Nietig is ieder vóór het aan de reiziger overkomen ongeval, of vóór het verlies of de beschadiging van handbagage of van als bagage ten vervoer aangenomen vaartuig of schip en de zaken aan boord daarvan, gemaakt beding, waarbij de ingevolge de artikelen 105 en 106 op de vervoerder drukkende aansprakelijkheid of bewijslast wordt verminderd op andere wijze dan in deze afdeling is voorzien.

Verlies of beschadiging handbagage

Art. 113. 1. In geval van verlies of beschadiging van handbagage wordt de vordering tot schadevergoeding gewaardeerd naar de omstandigheden.

2. In geval van aan de reiziger overkomen letsel en van de dood van de reiziger zijn de artikelen 107 en 108 van Boek 6 niet van toepassing op de vorderingen die de vervoerder als wederpartij van een andere vervoerder tegen deze laatste instelt.

Eigen aansprakelijkheid reiziger

Art. 114. 1. Onverminderd artikel 107 en onverminderd artikel 179 van Boek 6 is de reiziger aansprakelijk voor schade veroorzaakt door zijn handeling of nalaten, dan wel door zijn handbagage of een als bagage aangenomen voertuig of schip en de zaken aan boord daarvan.

2. In afwijking van het eerste lid is de reiziger niet aansprakelijk, voor zover de schade is veroorzaakt door een omstandigheid die een zorgvuldig reiziger niet heeft kunnen vermijden en voor zover zulk een reiziger de gevolgen daarvan niet heeft kunnen verhinderen.

3. De hoedanigheid of een gebrek van zijn handbagage, of een als bagage aangenomen vaartuig of schip en de zaken aan boord daarvan, wordt aangemerkt als een omstandigheid die een zorgvuldig reiziger heeft kunnen vermijden en waarvan zulk een reiziger de gevolgen heeft kunnen verhinderen.

4. De schade wordt aangemerkt het door de vervoerder naar zijn redelijk oordeel vast te stellen bedrag te belopen, doch indien de vervoerder meent dat de schade meer dan vijfhonderd gulden beloopt moet hij zulks bewijzen.

A.m.v.b.

Art. 115. Behoeft deze afdeling in het belang van een goede uitvoering ervan nadere regeling, dan geschiedt dit bij algemene maatregel van bestuur.

Vorderingen buiten overeenkomst

Art. 116. Wordt de vervoerder, zijn wederpartij, de reiziger of een ondergeschikte van een dezer buiten overeenkomst aangesproken, dan zijn de artikelen 361 tot en met 366 en 1081 van overeenkomstige toepassing.

AFDELING 6

Overeenkomst van gecombineerd vervoer van personen

Overeenkomst van gecombineerd vervoer van personen

Art. 120. De overeenkomst van gecombineerd vervoer van personen is de overeenkomst van personenvervoer, waarbij de vervoerder (gecombineerd vervoerder) zich bij een en dezelfde overeenkomst verbindt dat het vervoer deels over zee, over binnenwateren, over de weg, langs spoorstaven, door de lucht dan wel door middel van enige andere vervoerstechniek zal geschieden.

Kameleonsysteem

Art. 121. Bij een overeenkomst van gecombineerd vervoer van personen gelden voor ieder deel van het vervoer de op dat deel toepasselijke rechtsregelen.

II. ZEERECHT

TITEL 3
Het zeeschip en de zaken aan boord daarvan

AFDELING 1
Rederij van het zeeschip

Rederij

Art. 160. 1. Indien een zeeschip blijkens de openbare registers, bedoeld in afdeling 2 van titel 1 van Boek 3 aan twee of meer personen gezamenlijk toebehoort, bestaat tussen hen een rederij. Wanneer de eigenaren van het schip onder een gemeenchappelijke naam optreden bestaat slechts een rederij, indien zulks uitdrukkelijk bij akte is overeengekomen en deze akte in die registers is ingeschreven.

2. De rederij is geen rechtspersoon.

Lidmaatschap

Art. 161. Iedere mede-eigenaar is van rechtswege lid der rederij. Wanneer een lid ophoudt eigenaar te zijn, eindigt zijn lidmaatschap van rechtswege.

Redelijkheid en billijkheid

Art. 162. De leden der rederij moeten zich jegens elkander gedragen naar hetgeen door de redelijkheid en de billijkheid wordt gevorderd.

Boekhouder

Art. 163. In iedere rederij kan een boekhouder worden aangesteld. Een vennootschap is tot boekhouder benoembaar.

Bevoegdheden boekhouder

Art. 164. De boekhouder kan slechts met toestemming van de leden der rederij overgaan tot enige buitengewone herstelling van het schip of tot benoeming of ontslag van een kapitein.

Inzage in boeken e.d.

Art. 165. De boekhouder geeft aan ieder lid der rederij op diens verlangen kennis en opening van alle aangelegenheden de rederij betreffende en inzage van alle boeken, brieven en documenten, op zijn beheer betrekking hebbende.

Rekening en verantwoording

Art. 166. De boekhouder is verplicht, zo dikwijls een terzake mogelijk bestaand gebruik dit medebrengt, doch in ieder geval telkens na verloop van een jaar en bij het einde van zijn beheer, binnen zes maanden aan de leden der rederij rekening en verantwoording te doen van zijn beheer met overlegging van alle bewijsstukken daarop betrekking hebbende. Hij is verplicht aan ieder van hen uit te keren wat hem toekomt.

Art. 167. Ieder lid der rederij is verplicht de rekening en verantwoording van de boekhouder binnen drie maanden op te nemen en te sluiten.

Goedkeuring rekening en verantwoording door meerderheid

Art. 168. De goedkeuring der rekening en verantwoording door de meerderheid van de leden der rederij bindt slechts hen, die daartoe hebben medegewerkt, behoudens dat zij ook een lid dat aan de rekening en verantwoording niet heeft medegewerkt bindt, wanneer dit lid nalaat de rekening en verantwoording in rechte te betwisten binnen één jaar, nadat hij daarvan heeft kunnen kennis nemen en nadat de goedkeuring door de meerderheid hem schriftelijk is medegedeeld.

Einde betrekking boekhouder

Art. 169. 1. De betrekking van de boekhouder eindigt, indien over hem een provisionele bewindvoerder is benoemd, hij onder curatele is gesteld, terzake van krankzinnigheid in een gesticht is geplaatst, in staat van faillissement is verklaard, hij niet langer de nationaliteit van een van de lid-staten van de Europese Gemeenschappen of van een van de overige Staten die partij zijn bij de Overeenkomst betreffende de Europese Economische Ruimte bezit of buiten het grondgebied van een van de lid-staten van de Europese Gemeenschappen of van een van de overige Staten die partij zijn bij de Overeenkomst betreffende de Europese Economische Ruimte gaat wonen.

2. De betrekking van een vennootschap als boekhouder eindigt indien deze vennootschap ophoudt een rechtspersoon als bedoeld in artikel 311, derde lid, van het Wetboek van Koophandel te zijn.

Art. 170. 1. Is de boekhouder lid der rederij, dan heeft hij, indien de leden zijn betrekking doen eindigen of hem een dringende reden hebben gegeven op grond waarvan hij zijnerzijds de betrekking doet eindigen, het recht te verlangen, dat zijn aandeel door de overige leden wordt overgenomen tegen zodanige prijs als deskundigen het op het tijdstip, waarop hij de overneming verlangt, waard zullen achten. Hij heeft dit recht niet, indien hij aan de leden der rederij een dringende reden heeft gegeven op grond waarvan zij de betrekking doen eindigen.

Boekhouder lid rederij

2. Hij moet van zijn verlangen tot overneming kennis geven aan de leden der rederij binnen een maand, nadat zijn betrekking is geëindigd. Wanneer aan zijn verlangen niet binnen een maand is voldaan of wanneer niet binnen twee weken na het overnemen van zijn aandeel de daarvoor bepaalde prijs aan hem is voldaan, kan de rechter op een binnen twee maanden door de boekhouder gedaan verzoek bevelen dat het schip wordt verkocht. De wijze van verkoop wordt door de rechter bepaald.

3. Door ieder van hen die tot de overneming verplicht zijn, wordt van het overgenomen aandeel een gedeelte verkregen, evenredig aan zijn aandeel in het schip.

Art. 171. 1. Alle besluiten, de aangelegenheden der rederij betreffende, worden genomen bij meerderheid van stemmen van de leden der rederij.

Besluitvorming

2. Het kleinste aandeel geeft één stem; ieder groter aandeel zoveel stemmen als het aantal malen, dat in dit aandeel het kleinste begrepen is.

3. Besluiten tot

a. aanstelling van een boekhouder, die buiten het grondgebied van een van de lid-staten van de Europese Gemeenschappen of van een van de overige Staten die partij zijn bij de Overeenkomst betreffende de Europese Economische Ruimte woont, niet is lid der rederij, niet de nationaliteit van een van de lid-staten van de Europese Gemeenschappen of van een van de overige Staten die partij zijn bij de Overeenkomst betreffende de Europese Economische Ruimte bezit of een vennootschap is, niet zijnde een rechtspersoon als bedoeld in artikel 311, derde lid, van het Wetboek van Koophandel,

b. uitbreiding van de bevoegdheid van de boekhouder buiten de grenzen getrokken door artikel 178 eerste lid,

c. het sluiten, voor meer dan zes maanden, van een rompbevrachting, een tijdbevrachting of een overeenkomst, als genoemd in artikel 531 of artikel 991,

d. ontbinding der rederij tijdens de loop van een overeenkomst tot vervoer, van een overeenkomst waarbij het schip ter beschikking van een ander is gesteld, of van een ter visvangst ondernomen reis,

e. de gehele of gedeeltelijke overdracht van een aandeel in het schip, waardoor dit de hoedanigheid van Nederlands schip zou verliezen, vereisen eenstemmigheid.

Art. 172. Op rederijen van zeevissersschepen is artikel 171 derde lid, onder a niet van toepassing.

Art. 173. Indien tengevolge van staking der stemmen de exploitatie van het schip wordt belet, kan de rechter op een binnen twee maanden door een lid der rederij gedaan verzoek bevelen dat het schip wordt verkocht. De wijze van verkoop wordt door de rechter bepaald.

Staking van stemmen

Art. 174. 1. Indien is besloten omtrent enige buitengewone herstelling van het schip, omtrent benoeming of ontslag van de kapitein, dan wel omtrent het aangaan van een vervoerovereenkomst waarbij het schip ter beschikking van een ander wordt gesteld, kan ieder lid der rederij, dat tot het besluit niet heeft medegewerkt of daartegen heeft gestemd, verlangen dat zij die vóór het besluit hebben gestemd, zijn aandeel overnemen tegen zodanige prijs, als deskundigen het op het tijdstip, waarop hij de overneming verlangt, waard zullen achten. Hij moet van zijn verlangen tot overneming kennisgeven aan de boekhouder of, indien er geen boekhouder is, aan hen, die voorstemden, binnen een maand nadat het besluit te zijner kennis is gebracht. Wanneer aan zijn verlangen niet binnen een maand is voldaan of wanneer niet binnen twee weken na het overnemen van zijn aandeel de daarvoor bepaalde prijs aan hem is voldaan, kan de rechter op een binnen twee maanden door het lid der rederij gedaan verzoek bevelen dat het schip wordt verkocht. De wijze van verkoop wordt door de rechter bepaald.

Vordering tot overneming aandeel

2. Door ieder van hen die tot de overneming verplicht zijn, wordt van het overgenomen aandeel een gedeelte verkregen, evenredig aan zijn aandeel in het schip.

Bevel tot verkoop van aandeel in het schip

Art. 175. Indien anders dan door overdracht van een aandeel in het schip, dit schip zou ophouden een Nederlands schip te zijn in de zin van artikel 311 van het Wetboek van Koophandel, kan de rechter, op een binnen twee maanden door een lid der rederij gedaan verzoek, bevelen, dat het aandeel in het schip wordt verkocht. De wijze van verkoop wordt door de rechter bepaald. Het aandeel mag alleen worden toegewezen aan een gegadigde, door wiens verkrijging het schip weer een Nederlands schip is in de zin van artikel 311 van het Wetboek van Koophandel.

Evenredige bijdrage tot uitgaven

Art. 176. De leden der rederij moeten naar evenredigheid van hun aandeel bijdragen tot de uitgaven der rederij, waartoe bevoegdelijk is besloten.

Evenredige winst- en verliesverdeling

Art. 177. De leden der rederij delen in de winst en het verlies naar evenredigheid van hun aandeel in het schip.

Vertegenwoordiging rederij door boekhouder

Art. 178. 1. Is een boekhouder aangesteld, dan is hij, onverminderd artikel 360 eerste lid en met uitsluiting van ieder lid der rederij, in alles wat de normale exploitatie van het schip medebrengt, bevoegd voor de rederij met derden te handelen en de rederij te vertegenwoordigen.

2. Indien de rederij in het handelsregister is ingeschreven kunnen beperkingen van de bevoegdheid van de boekhouder aan derden, die daarvan onkundig waren, niet worden tegengeworpen, tenzij deze beperkingen uit dat register blijken. Is de rederij niet in het handelsregister ingeschreven, dan kunnen beperkingen van de bevoegdheid van de boekhouder aan derden slechts worden tegengeworpen, wanneer hun die bekend waren.

3. De boekhouder heeft alle verplichtingen na te komen, die de wet de reder oplegt.

Tegenwerpingen aan (onkundige) derden

Art. 179. Indien de rederij in het handelsregister is ingeschreven, kunnen de aanstelling van een boekhouder of het eindigen van diens betrekking aan derden, die daarvan onkundig waren, niet worden tegengeworpen zo lang niet inschrijving daarvan in het handelsregister heeft plaats gehad. Is de rederij niet in het handelsregister ingeschreven dan kunnen de aanstelling van een boekhouder of het eindigen van diens betrekking aan derden slechts worden tegengeworpen wanneer dit hun bekend was.

Vertegenwoordiging

Art. 180. 1. Indien er geen boekhouder is, alsmede in geval van ontstentenis of belet van de boekhouder, wordt de rederij vertegenwoordigd en kan voor haar worden gehandeld door een of meer harer leden, mits alleen of tezamen eigenaar zijnde van meer dan de helft van het schip.

2. In de gevallen genoemd in het eerste lid kunnen handelingen, die geen uitstel kunnen lijden, zo nodig door ieder lid zelfstandig worden verricht en is ieder lid bevoegd ten behoeve van de rederij verjaring te stuiten.

Evenredige aansprakelijkheid voor verbintenissen

Art. 181. Voor de verbintenissen van de rederij zijn haar leden aansprakelijk, ieder naar evenredigheid van zijn aandeel in het schip.

Geen ontbinding rederij

Art. 182. De rederij wordt niet ontbonden door de dood van een harer leden noch door diens faillissement, plaatsing ter zake van krankzinnigheid in een gesticht of plaatsing onder curatele.

Opzegging lidmaatschap

Art. 183. Het lidmaatschap der rederij kan niet worden opgezegd; evenmin kan een lid van het lidmaatschap der rederij worden vervallen verklaard.

Ontbinding rederij en verkoop schip

Art. 184. Indien tot ontbinding der rederij is besloten, moet het schip worden verkocht. Indien binnen twee maanden na het besluit het schip nog niet is verkocht, kan de rechter op een binnen twee maanden door een lid der rederij gedaan verzoek, bevelen tot deze verkoop over te gaan. De wijze van verkoop wordt door de rechter bepaald. Een besluit tot verkoop of een ingevolge artikel 170, artikel 173 of artikel

174 gegeven bevel tot verkoop van het schip staat gelijk met een besluit tot ontbinding der rederij.

Vereffening na ontbinding

Art. 185. 1. Na ontbinding blijft de rederij bestaan voor zover dit tot haar vereffening nodig is.

2. De boekhouder, zo die er is, is met de vereffening belast.

Nietigheid afwijkend beding

Art. 186. Nietig is ieder beding, waarbij wordt afgeweken van de artikelen 161-163, 169, 170 eerste en tweede lid, 178 derde lid, 180, 182 en 183.

AFDELING 2
Rechten op zeeschepen

Schip; reder

Art. 190. 1. In de afdelingen 2 tot en met 5 van titel 3 worden onder schepen mede verstaan schepen in aanbouw. Onder reder wordt mede verstaan de eigenaar van een zeeschip in aanbouw.

2. Indien een schip in aanbouw een schip in de zin van artikel 1 is geworden, ontstaat daardoor niet een nieuw schip.

Art. 191. In deze afdeling wordt verstaan onder:
a. de openbare registers: de openbare registers, bedoeld in afdeling 2 van titel 1 van Boek 3;
b. het register: het register bedoeld in artikel 193.

Hoofdelijke verbondenheid

Art. 192. De in deze afdelingen aan de reder opgelegde verplichtingen rusten, indien het schip toebehoort aan meer personen, aan een vennootschap onder firma, aan een commanditaire vennootschap of aan een rechtspersoon, mede op iedere mede-eigenaar, beherende vennoot of bestuurder.

Openbaar register

Art. 193. 1. Er wordt een afzonderlijk openbaar register gehouden voor de teboekstelling van zeeschepen, dat deel uitmaakt van de openbare registers.

Teboekstelling

Art. 194. 1. Teboekstelling is slechts mogelijk
— van een in aanbouw zijnd zeeschip: indien het in Nederland in aanbouw is;
— van een afgebouwd zeeschip: indien het een Nederlands schip is in de zin van artikel 311 van het Wetboek van Koophandel
— dan wel ingeval het een zeevissersschip is: indien het is ingeschreven in een krachtens artikel 3 der Visserijwet 1963 aangehouden register.

2. Teboekstelling is niet mogelijk van een zeeschip dat reeds teboekstaat in het register, in het in artikel 783 genoemde register of in enig soortgelijk buitenlands register.

3. In afwijking van het tweede lid is teboekstelling van een zeeschip dat in een buitenlands register teboekstaat mogelijk, wanneer dit schip, nadat de teboekstelling ervan in dat register is doorgehaald, een Nederlands schip in de zin van artikel 311 van het Wetboek van Koophandel zal zijn of wanneer dit schip als zeevissersschip is ingeschreven in een krachtens artikel 3 der Visserijwet 1963 aangehouden register. Deze teboekstelling heeft evenwel slechts rechtsgevolg, wanneer zij binnen 30 dagen is gevolgd door aantekening in het register, dat de teboekstelling in het buitenlandse register is doorgehaald, of wanneer, ingeval de bewaarder van een buitenlands register ondanks daartoe schriftelijk tot hem gericht verzoek doorhaling weigert, van dit verzoek en van het feit dat er geen gevolg aan is gegeven, aantekening in het Nederlandse register is geschied.

4. De teboekstelling wordt verzocht door de reder van het zeeschip. Hij moet daarbij ter inschrijving overleggen een door hem ondertekende verklaring, dat naar zijn beste weten het schip voor teboekstelling als zeeschip vatbaar is. Indien het verzoek tot teboekstelling als zeeschip in aanbouw betreft, gaat deze verklaring vergezeld van een bewijs dat het schip in Nederland in aanbouw is. Indien het een verzoek tot teboekstelling als zeeschip, niet zijnde een zeeschip in aanbouw of een zeevissersschip, betreft, gaat deze verklaring vergezeld van een door of namens Onze Minister van Verkeer en Waterstaat afgegeven verklaring als bedoeld in artikel 311a, eerste lid, van het Wetboek van Koophandel. Indien het een verzoek tot teboekstelling als zeevissersschip betreft, gaat deze verklaring vergezeld van een bewijs dat het schip is ingeschreven in een krachtens artikel 3 van de Visserijwet 1963 aangehouden register.

5. De teboekstelling in het register heeft geen rechtsgevolg, wanneer aan de vereisten van de voorgaande leden van dit artikel niet is voldaan.

6. Bij de aanvraag tot teboekstelling wordt woonplaats gekozen in Nederland. Deze woonplaats wordt in de aanvraag tot teboekstelling vermeld en kan door een andere in Nederland gelegen woonplaats worden vervangen.

Doorhaling teboekstelling

Art. 195. 1. De teboekstelling wordt slechts doorgehaald
a. op verzoek van degeen, die in het register als reder vermeld staat;
b. op aangifte van de reder of ambtshalve
1° als het schip is vergaan, gesloopt is of blijvend ongeschikt voor drijven is geworden;
2° als van het schip gedurende 6 maanden na het laatste uitvaren of de dag, waartoe zich de laatst ontvangen berichten uitstrekken, in het geheel geen tijding is aangekomen, zonder dat dit aan een algemene storing in de berichtgeving kan worden geweten;
3° als het schip door rovers of vijanden is genomen;
4° als het schip, indien het niet in het register te boek zou staan, een binnenschip zou zijn in de zin van artikel 3 of artikel 780;
5° als het schip niet of niet meer de hoedanigheid van Nederlands schip heeft dan wel niet of niet meer is ingeschreven in een krachtens artikel 3 der Visserijwet 1963 aangehouden register. Ambtshalve doorhaling wegens het verlies van de hoedanigheid van Nederlands schip geschiedt uitsluitend na ontvangst van een mededeling van de intrekking van een verklaring als bedoeld in artikel 311a, eerste lid, van het Wetboek van Koophandel. Wanneer het schip de hoedanigheid van Nederlands schip heeft verloren door toewijzing na een executie buiten Nederland, dan wel de inschrijving van het schip in een krachtens artikel 3 der Visserijwet 1963 aangehouden register is doorgehaald, vindt doorhaling slechts plaats, wanneer hetzij de reder, degenen van wier recht uit een inschrijving blijkt en de beslagleggers gelegenheid hebben gehad hun rechten op de opbrengst geldend te maken en hun daartoe ook feitelijk de gelegenheid is gegeven, hetzij deze personen hun toestemming tot de doorhaling verlenen of hun vorderingen zijn voldaan.

2. In de in het eerste lid onder b genoemde gevallen is de reder tot het doen van aangifte verplicht binnen drie maanden nadat de reden tot doorhaling zich heeft voorgedaan.

3. Wanneer ten aanzien van het schip inschrijvingen of voorlopige aantekeningen ten gunste van derden bestaan, geschiedt doorhaling slechts, wanneer geen dezer derden zich daartegen verzet.

4. Doorhaling geschiedt slechts na op verzoek van de meest gerede partij verleende machtiging van de rechter.

Rechtsgevolg niet-doorhaling

Art. 196. 1. Zolang de teboekstelling in het register niet is doorgehaald heeft teboekstelling van een zeeschip in een buitenlands register of vestiging in het buitenland van rechten daarop, voor vestiging waarvan in Nederland inschrijving in de openbare registers vereist zou zijn geweest, geen rechtsgevolg.

2. In afwijking van het eerste lid wordt een teboekstelling of vestiging van rechten als daar bedoeld erkend, wanneer deze geschiedde onder voorwaarde van doorhaling van de teboekstelling in het Nederlandse register binnen 30 dagen na de teboekstelling van het schip in het buitenlandse register.

Zakelijke rechten

Art. 197. De enige zakelijke rechten, waarvan een in het register teboekstaand zeeschip het voorwerp kan zijn, zijn de eigendom, de hypotheek, het vruchtgebruik en de in artikel 211 en artikel 217 eerste lid onder b genoemde voorrechten.

Art. 198. (Vervallen bij de wet van 2 december 1991, Stb. 644).

inschrijving uitspraak

Art. 199. 1. Een in het register teboekstaand zeeschip is een registergoed.

2. Bij toepassing van artikel 301 van Boek 3 ter zake van akten die op de voet van artikel 89 leden 1 en 4 van Boek 3 zijn bestemd voor de levering van zodanig zeeschip, kan de in het eerst genoemde artikel bedoelde uitspraak van de Nederlandse rechter niet worden ingeschreven, zolang zij niet in kracht van gewijsde is gegaan.

Art. 200. (Vervallen bij de wet van 2 december 1991, Stb. 644).

Verkrijgende verjaring

Art. 201. Eigendom, hypotheek en vruchtgebruik op een teboekstaand zeeschip worden door een bezitter te goeder trouw verkregen door een onafgebroken bezit van vijf jaren.

Art. 202. Onverminderd het bepaalde in artikel 260 eerste lid van Boek 3 wordt in de notariële akte waarbij hypotheek wordt verleend op een teboekstaand zeeschip of op een recht waaraan een zodanig schip is onderworpen, duidelijk het aan de hypotheek onderworpen schip vermeld.

Vermelding hypotheek in notariële akte

Art. 203. Behoudens afwijkende, uit de openbare registers blijkende, bedingen omvat de hypotheek de zaken die uit hoofde van hun bestemming blijvend met het schip zijn verbonden en die toebehoren aan de reder van het schip. Artikel 266 van Boek 3 is niet van toepassing.

Object hypotheekrecht

Art. 204. De door hypotheek gedekte vordering neemt rang na de vorderingen, genoemd in de artikelen 210, 211, 221, 222 eerste lid, 831 en 832 eerste lid, doch vóór alle andere vorderingen, waaraan bij deze of enige andere wet een voorrecht is toegekend.

Rangorde

Art. 205. Indien de vordering rente draagt, strekt de hypotheek mede tot zekerheid voor de renten der hoofdsom, vervallen gedurende de laatste drie jaren voorafgaand aan het begin van de uitwinning en gedurende de loop hiervan. Artikel 263 van Boek 3 is niet van toepassing.

Hypotheek mede voor renten

Art. 206. Op hypotheek op een aandeel in een teboekstaand zeeschip is artikel 177 van Boek 3 niet van toepassing; de hypotheek blijft na vervreemding of toedeling van het aandeel in stand.

Hypotheek op aandeel

Art. 207. 1. De eerste twee leden van artikel 264 van Boek 3 zijn in geval van een hypotheek waaraan een teboekstaand zeeschip is onderworpen, mede van toepassing op bevrachtingen.
2. De artikelen 234 en 261 van Boek 3 zijn op een zodanige hypotheek niet van toepassing.

Overeenkomstige toepassing

Art. 208. In geval van vruchtgebruik op een teboekstaand zeeschip zijn de bepalingen van artikel 217 van Boek 3 mede van toepassing op bevrachting voor zover die bepalingen niet naar hun aard uitsluitend op pacht, huur van bedrijfsruimte of huur van woonruimte van toepassing zijn.

Vruchtgebruik

AFDELING 3
Voorrechten op zeeschepen

Art. 210. 1. In geval van uitwinning van een zeeschip worden de kosten van uitwinning, van het derde Boek, de kosten van bewaking tijdens deze uitwinning of verkoop, alsmede de kosten van gerechtelijke rangregeling en verdeling van de opbrengst onder de schuldeisers uit de opbrengst van de verkoop voldaan boven alle andere vorderingen, waaraan bij deze of enige andere wet een voorrecht is toegekend.

Voorrecht wegens kosten uitwinning, bewaking; voorrang

2. In geval van verkoop van een gestrand, onttakeld of gezonken zeeschip, dat de overheid in het openbaar belang heeft doen opruimen, worden de kosten der wrakopruiming uit de opbrengst van de verkoop voldaan boven alle andere vorderingen, waaraan bij deze of enige andere wet een voorrecht is toegekend.

Voorrecht kosten wrakopruiming

3. De in de vorige leden bedoelde vorderingen staan in rang gelijk en worden ponds-pondsgewijs betaald.

Gelijke rang

Art. 210a. Artikel 192 van Boek 3 en artikel 60 tweede lid eerste zin, derde lid en vierde lid, van de Faillissementswet zijn op zeeschepen niet van toepassing.

Art. 211. Boven alle andere vorderingen waaraan bij deze of enige andere wet een voorrecht is toegekend zijn, behoudens artikel 210, op een zeeschip bevoorrecht:
a. in geval van beslag: de vorderingen ter zake van kosten na het beslag gemaakt tot behoud van het schip, daaronder begrepen de kosten van herstellingen, die onontbeerlijk waren voor het behoud van het schip;
b. de vorderingen ontstaan uit de arbeidsovereenkomsten van de kapitein of de andere leden der bemanning, met dien verstande dat de vorderingen met betrekking tot loon, salaris of beloningen slechts bevoorrecht zijn tot op een bedrag over een

Bijzondere voorrechten

tijdvak van twaalf maanden verschuldigd;
c. de vorderingen ter zake van hulpverlening alsmede ter zake van de bijdragen van het schip in avarij-grosse.

Art. 212. Wanneer een vordering uit hoofde van artikel 211 bevoorrecht is, zijn de renten hierop en de kosten ten einde een voor tenuitvoerlegging vatbare titel te verkrijgen gelijkelijk bevoorrecht.

Rangorde voorrechten

Art. 213. 1. De bevoorrechte vorderingen, genoemd in artikel 211, nemen rang in de volgorde, waarin zij daar zijn gerangschikt.

2. Bevoorrechte vorderingen onder dezelfde letter vermeld, staan in rang gelijk, doch de vorderingen genoemd in artikel 211 onder c nemen onderling rang naar de omgekeerde volgorde van de tijdstippen, waarop zij ontstonden.

3. In rang gelijkstaande vorderingen worden ponds-pondsgewijs betaald.

Object van voorrecht

Art. 214. De voorrechten, genoemd in artikel 211, strekken zich uit tot
a. alle zaken, die uit hoofde van hun bestemming blijvend met het schip zijn verbonden en die toebehoren aan de reder van het schip;
b. de schadevergoedingen, verschuldigd voor het verlies van het schip of voor niet herstelde beschadiging daarvan, daarbij inbegrepen dat deel van een beloning voor hulpverlening, van een beloning voor vlotbrengen of van een vergoeding in avarij-grosse, dat tegenover een zodanig verlies of beschadiging staat. Dit geldt eveneens wanneer deze schadevergoedingen of vorderingen tot beloning zijn overgedragen of met pandrecht zijn bezwaard. Deze schadevergoedingen omvatten echter niet vergoedingen welke zijn verschuldigd krachtens een overeenkomst van verzekering van het schip, die dekking geeft tegen het risico van verlies of avarij. Artikel 283 van Boek 3 is niet van toepassing.

Zaaksgevolg

Art. 215. 1. De schuldeiser, die een voorrecht heeft op grond van artikel 211, vervolgt zijn recht op het schip, in wiens handen dit zich ook bevinde.

2. Voorrechten als bedoeld in artikel 211 kunnen worden ingeschreven in de openbare registers, bedoeld in afdeling 2 van titel 1 van Boek 3. Artikel 24 lid 1 van Boek 3 is niet van toepassing.

Ontstaan en verhaalbaarheid bijzondere voorrechten

Art. 216. De vorderingen genoemd in artikel 211, doen een voorrecht op het schip ontstaan en zijn alsdan daarop verhaalbaar, zelfs wanneer zij zijn ontstaan tijdens de terbeschikkingstelling van het schip aan een bevrachter, dan wel tijdens de exploitatie van het schip door een ander dan de reder, tenzij aan deze de feitelijke macht over het schip door een ongeoorloofde handeling was ontnomen en bovendien de schuldeiscr niet te goeder trouw was.

Overige bijzondere voorrechten

Art. 217. 1. Boven alle andere vorderingen, waaraan bij deze of enige andere wet een voorrecht is toegekend, doch na de bevoorrechte vorderingen genoemd in artikel 211, na de hypothecaire vorderingen, na de vorderingen genoemd in de artikelen 222 en 832 en na de vordering van de pandhouder, zijn op een zeeschip, waaronder voor de toepassing van dit artikel niet is te verstaan een zeeschip in aanbouw, bij voorrang verhaalbaar:
a. de vorderingen, die voortvloeien uit rechtshandelingen, die de reder of een rompbevrachter binden en die rechtstreeks strekken tot het in bedrijf brengen of houden van het schip, alsmede de vorderingen die tegen een uit hoofde van artikel 461 gelezen met artikel 462 of artikel 943 gelezen met artikel 944 als vervoerder aangemerkte persoon kunnen worden geldend gemaakt. Onder rechtshandeling is hier het in ontvangst nemen van een verklaring begrepen;
b. de vorderingen, die uit hoofde van afdeling 1 van titel 6 op de reder rusten;
c. de vorderingen genoemd in de elfde titel A van het tweede boek van het Wetboek van Koophandel voor zover zij op de reder rusten.

Gelijke rang

2. De in het eerste lid genoemde vorderingen staan in rang gelijk en worden ponds-pondsgewijs betaald.

3. De artikelen 212, 214 onder a en 216 zijn op de in het eerste lid genoemde vorderingen van toepassing. Op de vorderingen die in het eerste lid onder b worden genoemd, is ook artikel 215 van toepassing.

4. Artikel 283 van Boek 3 is niet van toepassing.

Art. 218. Na de vorderingen genoemd in artikel 217 zijn de vorderingen genoemd in de artikelen 284 en 285 van Boek 3 van het derde Boek, voor zover zij dit niet zijn op grond van enig ander artikel van deze titel, op een zeeschip bij voorrang verhaalbaar.

Art. 219. 1. De krachtens deze afdeling verleende voorrechten gaan teniet door verloop van een jaar, tenzij de schuldeiser zijn vordering in rechte geldend heeft gemaakt. Deze termijn begint met de aanvang van de dag volgend op die, waarop de vordering opeisbaar wordt. Met betrekking tot de vordering voor hulploon begint deze termijn echter met de aanvang van de dag volgend op die, waarop de hulpverlening is beëindigd.

Tenietgaan voorrechten

2. Het voorrecht gaat teniet met de vordering.
3. In geval van executoriale verkoop gaan de voorrechten mede teniet op het tijdstip waarop het proces-verbaal van verdeling wordt gesloten.

AFDELING 4
Voorrechten op zaken aàn boòrd van zeeschepen

Art. 220. Deze afdeling geldt onder voorbehoud van de Wet teboekgestelde Luchtvaartuigen.

Wet teboekgestelde luchtvaartuigen

Art. 221. 1. In geval van uitwinning van zaken aan boord van een zeeschip worden de kosten van uitwinning, de kosten van bewaking daarvan tijdens deze uitwinning, alsmede de kosten van gerechtelijke rangregeling en verdeling van de opbrengst onder de schuldeisers, uit de opbrengst van de verkoop voldaan boven alle andere vorderingen, waaraan bij deze of enige andere wet een voorrecht is toegekend.

Voorrecht wegens kosten uitwinning, bewaking; voorrang

2. De in het eerste lid bedoelde vorderingen staan in rang gelijk en worden ponds-pondsgewijs betaald.

Gelijke rang

Art. 222. 1. Op zaken aan boord van een zeeschip zijn de vorderingen ter zake van hulpverlening en van een bijdrage van die zaken in avarij-grosse bevoorrecht. Deze vorderingen nemen daartoe rang na die welke zijn genoemd in de artikelen 210, 211, 221, 820, 821 en 831, doch vóór alle andere vorderingen, waaraan bij deze of enige andere wet een voorrecht is toegekend.

Bijzondere voorrechten; voorrang

2. Op ten vervoer ontvangen zaken zijn bevoorrecht de vorderingen uit een met betrekking tot die zaken gesloten vervoerovereenkomst, dan wel uit artikel 488 of artikel 951 voortvloeiend, doch slechts voor zover aan de vervoerder door artikel 489 of artikel 954 een recht op de zaken wordt toegekend. Deze vorderingen nemen daartoe rang na die welke zijn genoemd in het eerste lid en in de artikelen 204 en 794, doch vóór alle andere vorderingen, waaraan bij deze of enige andere wet een voorrecht is toegekend.

Art. 223. Wanneer een vordering uit hoofde van artikel 222 bevoorrecht is, zijn de renten hierop en de kosten teneinde een voor tenuitvoerlegging vatbare titel te verkrijgen gelijkelijk bevoorrecht.

Art. 224. 1. De vorderingen ter zake van hulpverlening of bijdrage in avarij-grosse, die bevoorrecht zijn op grond van artikel 211, artikel 222 eerste lid, artikel 821 of artikel 832 eerste lid, nemen onderling rang naar de omgekeerde volgorde van de tijdstippen, waarop zij ontstonden.
2. De bevoorrechte vorderingen in het tweede lid van artikel 222 vermeld staan in rang gelijk.
3. De in artikel 284 van Boek 3 genoemde vordering neemt rang na de in de vorige leden genoemde vorderingen, ongeacht wanneer die vorderingen zijn ontstaan.
4. In rang gelijkstaande vorderingen worden ponds-pondsgewijs betaald.

Art. 225. De voorrechten, genoemd in artikel 222, strekken zich uit tot de schadevergoedingen, verschuldigd voor verlies of niet herstelde beschadiging, daarbij inbegrepen dat deel van een beloning voor hulpverlening, van een beloning voor vlotbrengen of van een vergoeding in avarij-grosse, dat tegenover een zodanig verlies of beschadiging staat. Dit geldt eveneens wanneer deze schadevergoedingen of vorderingen tot beloning zijn overgedragen of met pandrecht zijn bezwaard. Deze schadevergoedingen omvatten echter niet vergoedingen, welke zijn verschuldigd krachtens een overeenkomst van verzekering die dekking geeft tegen het risico van verlies of avarij. Artikel 283 van Boek 3 is niet van toepassing.

Object van voorrecht

Ontstaan en verhaalbaarheid voorrecht

Art. 226. De in artikel 222 genoemde vorderingen doen een voorrecht op de daar vermelde zaken ontstaan en zijn alsdan daarop bij voorrang verhaalbaar, ook al is hun eigenaar op het tijdstip, dat het voorrecht is ontstaan, niet de schuldenaar van deze vorderingen.

Tenietgaan voorrechten

Art. 227. 1. Met de aflevering van de zaken aan de daartoe gerechtigde gaan, behalve in het geval van artikel 556, de in artikel 222 genoemde voorrechten teniet. Zij gaan mede teniet met de vordering en door, in geval van executoriale verkoop, niet tijdig verzet te doen tegen de verdeling van de koopprijs alsmede door gerechtelijke rangregeling.

2. Zij blijven in stand, zolang de zaken op grond van de artikelen 490, 955 of 569 zijn opgeslagen of daarop op grond van artikel 626 of artikel 636 van het Wetboek van Burgerlijke Rechtsvordering beslag is gelegd.

Recht van reclame

Art. 228. De verkoper van brandstof voor de machines, van ketelwater, levensmiddelen of scheepsbenodigdheden kan het hem in afdeling 8 van titel 1 van Boek 7 toegekende recht slechts gedurende 48 uur na het einde van de levering uitoefenen, doch zulks ook indien deze zaken zich bevinden in handen van de reder, een rompbevrachter of een tijdbevrachter van het schip.

AFDELING 5
Slotbepalingen

Uitschakelbepaling

Art. 230. 1. De afdelingen 2 tot en met 4 van titel 3 zijn niet van toepassing op zeeschepen, welke toebehoren aan het Rijk of enig openbaar lichaam en uitsluitend bestemd zijn voor de uitoefening van
a. de openbare macht of
b. niet-commerciële overheidsdienst.

2. De beschikking waarbij de in het eerste lid bedoelde bestemming is vastgesteld, kan worden ingeschreven in de openbare registers, bedoeld in afdeling 2 van titel 1 van Boek 3. Artikel 24 lid 1 van Boek 3 is niet van toepassing;

3. De inschrijving machtigt de bewaarder tot doorhaling van de teboekstelling van het schip in het in artikel 193 bedoelde register.

A.m.v.b.

Art. 231. Behoeven de in de afdelingen 2 tot en met 5 van titel 3 geregelde onderwerpen in het belang van een goede uitvoering van de wet nadere regeling, dan geschiedt dit bij of krachtens algemene maatregel van bestuur, onverminderd de bevoegdheid tot regeling krachtens de Kadasterwet.

TITEL 4
Bemanning van een zeeschip

AFDELING 1
Algemene bepalingen

(Gereserveerd)

AFDELING 2
Kapitein

Bevoegdheden kapitein

Art. 260. 1. De kapitein is bevoegd die rechtshandelingen te verrichten, welke rechtstreeks strekken om het schip in bedrijf te brengen of te houden. Onder rechtshandeling is hier het in ontvangst nemen van een verklaring begrepen.

2. De kapitein is bevoegd cognossementen af te geven voor zaken, die ten vervoer zijn ontvangen en aangenomen en passagebiljetten af te geven voor met het schip te vervoeren reizigers. Tevens is hij bevoegd in het buitenland namens de reder omtrent het hulploon overeen te komen en dit te innen.

Verplichtingen kapitein

Art. 261. 1. De kapitein is verplicht voor de belangen van de bevrachters en van de rechthebbenden op de aan boord zijnde zaken, zo mogelijk ook na lossing daarvan, te waken en de maatregelen, die daartoe nodig zijn, te nemen.

2. Indien het noodzakelijk is onverwijld ter behartiging van deze belangen rechtshandelingen te verrichten, is de kapitein daartoe bevoegd. Onder rechtshandeling is hier het in ontvangst nemen van een verklaring begrepen.

3. Voor zover mogelijk geeft hij van bijzondere voorvallen terstond kennis aan de belanghebbenden bij de betrokken goederen en handelt hij in overleg met hen en volgens hun orders.

Art. 262. 1. Beperkingen van de wettelijke bevoegdheid van de kapitein gelden tegen derden slechts wanneer die hun bekend zijn gemaakt.

Beperking wettelijke bevoegdheid tegen derden

2. De kapitein verbindt zichzelf slechts dan, wanneer hij de grenzen zijner bevoegdheid overschrijdt.

AFDELING 3
Schepelingen

(Gereserveerd)

TITEL 5
Exploitatie

AFDELING 1
Algemene bepalingen

Art. 360. 1. De reder is naast een rompbevrachter met deze hoofdelijk aansprakelijk uit een deze laatste bindende rechtshandeling, die rechtstreeks strekt tot het in bedrijf brengen of houden van het schip. Onder rechtshandeling is hier het in ontvangst nemen van een verklaring begrepen.

Hoofdelijke aansprakelijkheid reder naast rompbevrachter

2. Het eerste lid is niet van toepassing indien aan degeen, met wie de daar genoemde rechtshandeling wordt verricht, kenbaar is gemaakt, dat de rompbevrachter de reder niet vermag te binden dan wel deze derde wist, of zonder eigen onderzoek moest weten, dat het in het eerste lid bedoelde werd overschreden.
3. Het eerste lid is niet van toepassing ten aanzien van vervoerovereenkomsten, overeenkomsten tot het verrichten van arbeid met de bemanning aangegaan en overeenkomsten als genoemd in afdeling 4 van titel 5 of afdeling 4 van titel 10.
4. Het eerste lid is niet van toepassing, wanneer aan de reder de feitelijke macht over het schip door een ongeoorloofde handeling was ontnomen en bovendien de schuldeiser niet te goeder trouw was.
5. Hij, die loodsgelden, kanaal- of havengelden dan wel andere scheepvaartrechten voldoet ten behoeve van de reder, een rompbevrachter, een tijdbevrachter of de kapitein dan wel enige andere schuldenaar daarvan, wordt van rechtswege gesubrogeerd in de rechten van de schuldeiser van deze vorderingen.

Subrogatie

Art. 361. 1. Onder „exploitatie-overeenkomsten” worden verstaan: de bevrachtingen van het schip en de overeenkomsten tot vervoer van zaken of personen met het schip.

Exploitatie-overeenkomst

2. Onder „keten der exploitatie-overeenkomsten” worden verstaan: de exploitatie-overeenkomsten gerangschikt:

Keten der exploitatie-overeenkomsten

a. wat betreft bevrachtingen: te beginnen met een mogelijkerwijs aangegane rompbevrachting en vervolgens in de volgorde, waarin de bevrachters hun bevoegdheid over het schip te beschikken van elkaar afleiden
b. wat betreft vervoerovereenkomsten, die geen bevrachting zijn: te beginnen met de vervoerovereenkomst aangegaan door een vervoerder, die de beschikking heeft over het schip of een gedeelte daarvan, en te eindigen met de vervoerovereenkomst aangegeven tussen een vervoerder met het schip en zijn wederpartij, die niet wederom op haar beurt vervoerder met het schip is.
3. Voor de toepassing van de artikelen 361 tot en met 366 wordt een reiziger aangemerkt als partij bij de te zijnen aanzien gesloten vervoerovereenkomst.
4. In de artikelen 361 tot en met 366 worden onder beschadiging mede begrepen niet-aflevering, geheel of gedeeltelijk verlies, waardevermindering en vertraagde aflevering en wordt onder letsel mede begrepen vertraagde ontscheping.

Art. 362. Indien een partij bij een exploitatie-overeenkomst door haar wederpartij daarbij terzake van een bij de exploitaite van het schip ontstane schade buiten overeenkomst wordt aangesproken, dan is zij jegens die wederpartij niet verder aansprakelijk dan zij dit zou zijn op grond van de door hen gesloten overeenkomst.

Aansprakelijkheid buiten overeenkomst; wederpartij

Art. 363. Indien een partij bij een exploitatie-overeenkomst terzake van een bij de

Aansprakelijkheid buiten overeenkomst; andere partij

exploitatie van het schip ontstane schade buiten overeenkomst wordt aangesproken door een andere partij bij een dusdanige overeenkomst, dan is zij tegenover deze niet verder aansprakelijk dan zij dit zou zijn als ware zij wederpartij bij de exploitatie-overeenkomst, die is aangegeven door degeen die haar aanspreekt en die in de keten der exploitatie-overeenkomsten tussen haar en deze laatste ligt.

Aansprakelijkheid buiten overeenkomst; geen partij

Art. 364. 1. Wordt een reder of een bevrachter van een schip, dan wel een vervoerder met een schip terzake van dood of letsel van een persoon of terzake van beschadiging van een zaak, buiten overeenkomst aangesproken door iemand die geen partij is bij een exploitatie-overeenkomst, dan is hij tegenover deze niet verder aansprakelijk dan hij uit overeenkomst zou zijn.

2. Was met betrekking tot de persoon of zaak een vervoerovereenkomst afgesloten en is de schade ontstaan in het tijdvak waarin een vervoerder met het schip als zodanig daarvoor aansprakelijk is, dan geldt als overeenkomst, bedoeld in lid 1, de laatste in de keten der exploitatie-overeenkomsten met betrekking tot die persoon of zaak aangegaan.

3. Was de persoon of zaak aan boord van het schip op grond van een overeenkomst met een partij bij een exploitatie-overeenkomst, doch is het vorige lid niet van toepassing, dan geldt de eerst bedoelde overeenkomst als overeenkomst bedoeld in lid 1.

4. Was de persoon of zaak buiten overeenkomst aan boord, dan geldt een vervoerovereenkomst als overeenkomst bedoeld in lid 1.

5. De aansprakelijkheid bedoeld in lid 1, is voor de toepassing van de leden 2 en 4 die van een vervoerder, en voor de toepassing van lid 3 die van de aldaar genoemde partij.

Aansprakelijkheid buiten overeenkomst; ondergeschikte

Art. 365. Wordt een vordering als genoemd in de artikelen 362 tot en met 364 buiten overeenkomst ingesteld tegen een ondergeschikte van een partij bij een exploitatieovereenkomst en kan die partij ter afwering van haar aansprakelijkheid voor de gedraging van de ondergeschikte een verweermiddel jegens de eiser ontlenen aan de overeenkomst waardoor haar aansprakelijkheid in gevolge die artikelen wordt beheerst, dan kan ook de ondergeschikte dit verweermiddel inroepen, als ware hijzelf bij de overeenkomst partij.

Maximering totaal verhaalbaar bedrag

Art. 366. Het totaal van de bedragen verhaalbaar op een derde, die partij is bij een exploitatie-overeenkomst, en zijn ondergeschikten, al dan niet gezamenlijk met het bedrag verhaalbaar op de wederpartij van degeen, die de in de artikelen 363 of 364 genoemde vordering instelde en haar ondergeschikten, mag, behoudens in geval van schade ontstaan uit eigen handeling of nalaten van de aangesprokene, geschied hetzij met het opzet die schade te veroorzaken, hetzij roekeloos en met de wetenschap dat die schade er waarschijnlijk uit zou voortvloeien, niet overtreffen het totaal, dat op grond van de door hen ingeroepen overeenkomst is verschuldigd.

AFDELING 2
Overeenkomst van goederenvervoer over zee

Overeenkomst van goederenvervoer

Art. 370. 1. De overeenkomst van goederenvervoer in de zin van deze titel is de overeenkomst van goederenvervoer, al dan niet tijd- of reisbevrachting zijnde, waarbij de ene partij (de vervoerder) zich tegenover de andere partij (de afzender) verbindt aan boord van een schip zaken uitsluitend over zee te vervoeren.

Vervoer over zee

2. Vervoer over zee en binnenwateren aan boord van een en eenzelfde schip, dat deze beide wateren bevaart, wordt als vervoer over zee beschouwd, tenzij het varen van dit schip over zee kennelijk ondergeschikt is aan het varen over binnenwateren, in welk geval dit varen als varen over binnenwateren wordt beschouwd.

3. Vervoer over zee en binnenwateren aan boord van een en eenzelfde schip, dat zonder eigen beweegkracht deze beide wateren bevaart, wordt beschouwd als vervoer over zee voor zover, met inachtneming tevens van het tweede lid van dit artikel, het varen van het beweegkracht overbrengende schip als varen over zee wordt beschouwd. Voor zover dit niet het geval is, wordt het als vervoer over binnenwateren beschouwd.

4. Deze afdeling is niet van toepassing op overeenkomsten tot het vervoer van postzendingen door of in opdracht van de houder van de concessie bedoeld in de Postwet of onder een internationale postovereenkomst. Onder voorbehoud van artikel 510 is deze afdeling niet van toepassing op overeenkomsten tot het vervoeren van bagage.

Art. 371. 1. Onder gewijzigd Verdrag wordt in dit artikel verstaan het Verdrag van 25 augustus 1924 ter vaststelling van enige eenvormige regelen betreffende het cognossement (Trb. 1953, 109) met inbegrip van de bepaling voorkomend in onderdeel 1 van het daarbij behorende Protocol van ondertekening, zoals dat Verdrag is gewijzigd bij het te Brussel op 23 februari 1968 ondertekende Protocol (Trb. 1979, 26) en als verder gewijzigd bij het te Brussel op 21 december 1979 ondertekende Protocol (Trb. 1985, 122).

Gewijzigd Verdrag; Hague-Visby-rules

2. Voor de toepassing van dit artikel wordt onder verdragsstaat verstaan een staat, welke partij is bij het gewijzigd Verdrag.

3. De artikelen 1 tot en met 9 van het gewijzigd Verdrag worden toegepast op elk cognossement, dat betrekking heeft op vervoer van zaken tussen havens in twee verschillende staten, indien:
a. het cognossement is uitgegeven in een verdragsstaat, of
b. het vervoer plaats vindt vanuit een haven in een verdragsstaat, of
c. de overeenkomst, die in het cognossement is vervat of daaruit blijkt, bepaalt, dat op die overeenkomst toepasselijk zijn de bepalingen van het gewijzigd Verdrag of van enigerlei wetgeving, welke die verdragsbepalingen van kracht verklaart of in andere vorm of bewoordingen heeft overgenomen, ongeacht de nationalitiet van het schip, de vervoerder, de afzender, de geadresseerde of van iedere andere betrokken persoon.

Art. 372. Deze afdeling laat de Elfde Titel A en Afdeling 10A van de Dertiende Titel van het Tweede Boek van het Wetboek van Koophandel onverlet.

Maximering van aansprakelijkheid

Art. 373. 1. Tijd- of reisbevrachting in de zin van deze afdeling is de overeenkomst van goederenvervoer, waarbij de vervoerder zich verbindt tot vervoer aan boord van een schip, dat hij daartoe, anders dan bij wijze van rompbevrachting, geheel of gedeeltelijk en al dan niet op tijdbasis (tijdbevrachting of reisbevrachting) ter beschikking stelt van de afzender.

Tijd- of reisbevrachting

2. Onder „vervrachter" is in deze afdeling de in het eerste lid genoemde vervoerder, onder „bevrachter" de aldaar genoemde afzender te verstaan.

Vervrachter; bevrachter

Art. 374. De wetsbepalingen omtrent huur, bewaarneming en bruikleen zijn op terbeschikkingstelling van een schip, anders dan bij wijze van rompbevrachting, niet van toepassing.

Uitschakelbepaling

Art. 375. 1. Bij eigendomsovergang van een tevoren vervracht, al dan niet teboekstaand, schip of een derde volgt deze in alle rechten en verplichtingen van de vervrachter op, die nochtans naast de nieuwe eigenaar aan de overeenkomst gebonden blijft.

Rechtsovergang bij eigendomsovergang

2. Rechten en verplichtingen, welke vóór de eigendomsovergang opeisbaar zijn geworden, gaan op de derde niet over.

Art. 376. (Vervallen bij de wet van 2 december 1991, Stb. 664).

Art. 377. In deze titel wordt onder vervoerovereenkomst onder cognossement verstaan de vervoerovereenkomst neergelegd in een cognossement dan wel enig soortgelijk document dat een titel vormt voor het vervoer van zaken over zee; eveneens wordt er onder verstaan de vervoerovereenkomst neergelegd in een cognossement of soortgelijk document als genoemd, dat is uitgegeven uit hoofde van een charterpartij, van het ogenblik af waarop dit cognossement of soortgelijk document de verhouding tussen de vervoerder en de houder van het cognossement beheerst.

Cognossement of soortgelijk document

Art. 378. De vervoerder is verplicht ten vervoer ontvangen zaken ter bestemming af te leveren en wel in de staat, waarin hij hen heeft ontvangen.

Afleveringsplicht: ter destinatie; gaaf

Art. 379. Onverminderd artikel 378 is de vervoerder verplicht ten vervoer ontvangen zaken zonder vertraging te vervoeren.

Zonder vertraging

Art. 380. 1. In geval van tijdbevrachting is de vervrachter verplicht de kapitein opdracht te geven binnen de grenzen door de overeenkomst gestelde orders van de bevrachter op te volgen. De vervrachter staat ervoor in, dat de kapitein de hem gegeven opdracht nakomt.

Verhouding vervrachter-kapitein

Verplichting bevrachter

2. De bevrachter staat er voor in, dat het schip de plekken of plaatsen, waarheen hij het ter inlading, lossing of anderszins op grond van het eerste lid beveelt te gaan, veilig kan bereiken, innemen en verlaten. Indien deze plekken of plaatsen blijken niet aan deze vereisten te voldoen, is de bevrachter slechts in zoverre niet aansprakelijk als de kapitein, door de hem gegeven orders op te volgen, onredelijk handelde.

3. Onverminderd artikel 461 wordt de bevrachter mede verbonden door en kan hij rechten ontlenen aan een rechtshandeling, die de kapitein ingevolge het eerste lid van dit artikel verricht. Onder rechtshandeling is hier het in ontvangst nemen van een verklaring begrepen.

Zorgplicht vervoerder

Art. 381. 1. Onder een vervoerovereenkomst onder cognossement is de vervoerder verplicht vóór en bij de aanvang van de reis redelijke zorg aan te wenden voor:
a. het zeewaardig maken van het schip;
b. het behoorlijk bemannen, uitrusten en bevoorraden van het schip;
c. het geschikt maken en in goede staat brengen van de ruimen, koel- en vrieskamers en alle andere delen van het schip, waarin zaken worden geladen, om deze daarin te bergen, te vervoeren en goed te houden.

2. Onder een vervoerovereenkomst onder cognossement is de vervoerder, behoudens de artikelen 383, 388, 414 vierde lid en 423, verplicht de zaken behoorlijk en zorgvuldig te laden, te behandelen, te stuwen, te vervoeren, te bewaren, te verzorgen en te lossen.

Nietigheid afwijkend beding (verbod tot vrijtekening)

Art. 382. 1. Nietig is ieder beding in een vervoerovereenkomst onder cognossement, waardoor de vervoerder of het schip wordt ontheven van aansprakelijkheid voor verlies of beschadiging van of met betrekking tot zaken voortvloeiende uit nalatigheid, schuld of tekortkoming in het voldoen aan de verplichtingen in de artikelen 381, 399, 411, 414 eerste lid, 492, 493 of in artikel 1712 voorzien of waardoor deze aansprakelijkheid mocht worden verminderd op andere wijze dan in deze afdeling of in de artikelen 361 tot en met 366 is voorzien. Een beding, krachtens hetwelk de uitkering op grond van een gesloten verzekering aan de vervoerder komt of elk ander beding van dergelijke strekking, wordt aangemerkt als te zijn gemaakt teneinde de vervoerder van zijn aansprakelijkhied te ontheffen.

2. Niettegenstaande het eerste lid is een beding, als daar genoemd, geldig mits het betreft:
a. een geoorloofd beding omtrent avarij-grosse;
b. levende dieren;
c. zaken, die feitelijk op het dek worden vervoerd mits deze in het cognossement als deklading zijn opgegeven.

Aansprakelijkheid bij onzeewaardigheid

Art. 383. 1. Onder een vervoerovereenkomst onder cognossement is noch de vervoerder noch het schip aansprakelijk voor verliezen of schaden, voortgevloeid of ontstaan uit onzeewaardigheid, tenzij deze is te wijten aan gebrek aan redelijke zorg aan de zijde van de vervoerder om het schip zeewaardig te maken, het behoorlijk te bemannen, uit te rusten of te bevoorraden, of om de ruimen, koel- en vrieskamers en alle andere delen van het schip, waarin de zaken worden geladen, geschikt te maken en in goede staat te brengen, zodat zij kunnen dienen tot het bergen, het vervoeren en het bewaren van de zaken, alles overeenkomstig het eerste lid van artikel 381. Telkens als verlies of schade is ontstaan uit onzeewaardigheid, rust de bewijslast ten aanzien van het aangewend zijn van de redelijke zorg op de vervoerder of op iedere andere persoon, die mocht beweren krachtens dit artikel van aansprakelijkheid te zijn ontheven.

Geen aansprakelijkheid vervoerder of schip

2. Onder een vervoerovereenkomst al dan niet onder cognossement is noch de vervoerder noch het schip aansprakelijk voor verlies of schade ontstaan of voortgevloeid uit:
a. een handeling, onachtzaamheid of nalatigheid van de kapitein, een ander lid van de bemanning, de loods of ondergeschikten van de vervoerder, gepleegd bij de navigatie of de behandeling van het schip;
b. brand, tenzij veroorzaakt door de persoonlijke schuld van de vervoerder;
c. gevaren, onheilen en ongevallen van de zee of andere bevaarbare wateren;
d. een natuurgebeuren;
e. oorlogshandelingen;
f. een daad van vijanden van de staat;
g. aanhouding of maatregelen van hogerhand of gerechtelijk beslag;

h. maatregelen van quarantaine;
i. een handeling of een nalaten van de afzender of eigenaar der zaken of van hun agent of vertegenwoordiger;
j. werkstakingen of uitsluitingen of stilstand of belemmering van de arbeid, tengevolge van welke oorzaak dan ook, hetzij gedeeltelijk hetzij geheel;
k. oproer of onlusten;
l. redding of poging tot redding van mensenlevens of goederen op zee;
m. verlies aan volume of gewicht of enig ander verlies, of enige andere schade, ontstaan uit een verborgen gebrek, de bijzondere aard of een eigen gebrek van de zaak;
n. onvoldoende verpakking;
o. onvoldoende of gebrekkige merken;
p. verborgen gebreken, die ondanks een redelijke zorg niet te ontdekken waren;
q. enige andere oorzaak, niet voortgevloeid uit de persoonlijke schuld van de vervoerder, noch uit schuld of nalatigheid van zijn agenten of ondergeschikten; doch de bewijslast rust op degeen, die zich op deze ontheffing beroept, en het staat aan hem aan te tonen, dat noch zijn persoonlijke schuld, noch de nalatigheid of schuld van zijn agenten of ondergeschikten heeft bijgedragen tot het verlies of de schade.

3. Onder een vervoerovereenkomst onder cognossement is de afzender niet aansprakelijk voor door de vervoerder of het schip gelden verliezen of schaden, voortgevloeid of ontstaan uit welke oorzaak dan ook, zonder dat er is een handeling, schuld of nalatigheid van hem, van zijn agenten of van zijn ondergeschikten.

4. Generlei afwijking van de koers tot redding of poging tot redding van mensenlevens of goederen op zee en generlei redelijke afwijking van de koers wordt beschouwd als een schending van enige vervoerovereenkomst en de vervoerder is niet aansprakelijk voor enig verlies of enige schade daardoor ontstaan.

5. Het staat de afzender vrij aansprakelijkheid aan te tonen voor verlies of schade ontstaan of voortgevloeid uit de schuld van de vervoerder zelf of de schuld van zijn ondergeschikten, niet bestaande uit een handeling, onachtzaamheid of nalatigheid als in het tweede lid onder a bedoeld.

Afstand van rechten door vervoerder

Art. 384. Het staat de vervoerder vrij geheel of gedeeltelijk afstand te doen van zijn uit de in het eerste lid van artikel 382 genoemde artikelen of uit de artikelen 383, 388, 414 vierde lid of 423 voortvloeiende rechten en ontheffingen van aansprakelijkheid of zijn uit deze artikelen voortvloeiende aansprakelijkheden en verplichtingen te vermeerderen, mits in geval van een vervoerovereenkomst onder cognossement deze afstand of deze vermeerdering blijkt uit het aan de afzender afgegeven cognossement.

Geldigheid bijzonder beding bij bijzonder vervoer

Art. 385. Niettegenstaande het eerste lid van artikel 382 is een beding als daar bedoeld geldig, wanneer het betreft zaken, die door hun karakter of gesteldheid een bijzondere overeenkomst rechtvaardigen en welker vervoer moet geschieden onder omstandigheden of op voorwaarden, die een bijzondere overeenkomst rechtvaardigen. Het hier bepaalde geldt echter slechts, wanneer voor het vervoer van deze zaken geen cognossement, doch een blijkens zijn bewoordingen onverhandelbaar document is afgegeven en het niet betreft een gewone handelslading, verscheept bij gelegenheid van een gewone handelsverrichting.

Geldigheid bijzonder beding

Art. 386. Niettegenstaande het eerste lid van artikel 382 staat het de vervoerder en de afzender vrij in een vervoerovereenkomst enig beding, enige voorwaarde, enig voorbehoud of enige ontheffing op te nemen met betrekking tot de verplichtingen en aansprakelijkheden van de vervoerder of het schip voor het verlies of de schaden opgekomen aan de zaken of betreffende hun bewaring, verzorging of behandeling vóór het laden in en na het lossen uit het over zee vervoerende schip.

Rechten van afzender

Art. 387. Voor zover de vervoerder aansprakelijk is wegens niet nakomen van de op hem uit hoofde van de artikelen 378 en 379 rustende verplichtingen, heeft de afzender geen ander recht dan betaling van de in artikel 388 genoemde of de met toepassing van artikel 384 overeengekomen bedragen te vorderen.

Maximering aansprakelijkheid vervoerder of schip

Art. 388. 1. Tenzij de aard en de waarde van zaken zijn opgegeven door de afzender vóór hun inlading en deze opgave in het cognossement, indien dit is afgegeven, is opgenomen, is noch de vervoerder noch het schip in enig geval aansprakelijk voor enig verlies van of enige schade aan de zaken of met betrekking tot deze voor een bedrag hoger dan de tegenwaarde van 666,67 rekeneenheden per collo of eenheid, dan wel twee rekeneenheden per kilogram brutogewicht der verloren gegane of beschadigde zaken, waarbij het hoogste dezer bedragen in aanmerking moet worden genomen.

2. Het totale verschuldigde bedrag wordt berekend met inachtneming van de waarde welke zaken als de ten vervoer ontvangene zouden hebben gehad zoals, ten tijde waarop en ter plaatse waar, zij zijn afgeleverd of zij hadden moeten zijn afgeleverd. De in dit lid genoemde waarde wordt berekend naar de koers op de goederenbeurs of, wanneer er geen dergelijke koers is, naar de gangbare marktwaarde of, wanneer ook deze ontbreekt, naar de normale waarde van zaken van dezelfde aard en hoedanigheid.

3. Wanneer een laadkist, een laadbord of dergelijk vervoergerei is gebezigd om zaken bijeen te brengen, wordt iedere collo of eenheid, die volgens vermelding in het cognossement in dat vervoergerei is verpakt, beschouwd als een collo of eenheid als in het eerste lid bedoeld. Behalve in het geval hiervoor omschreven wordt dit vervoergerei als een collo of eenheid beschouwd.

4. De rekeneenheid genoemd in dit artikel is het bijzondere trekkingsrecht zoals dat is omschreven door het Internationale Monetaire Fonds. De bedragen genoemd in het eerste lid worden omgerekend in Nederlands geld naar de koers van de dag, waarop de betaling wordt verricht. De waarde van het Nederlandse geld, uitgedrukt in bijzondere trekkingsrechten, wordt berekend volgens de waarderingsmethode die door het Internationale Monetaire Fonds op de dag van omrekening wordt toegepast voor zijn eigen verrichtingen en transacties.

5. Noch de vervoerder noch het schip kan zijn aansprakelijkheid met een beroep op dit artikel of het vierde lid van artikel 414 beperken, wanneer bewezen is, dat de schade is ontstaan uit een handeling of nalaten van de vervoerder, geschied hetzij met het opzet schade te veroorzaken, hetzij roekeloos en met de wetenschap dat schade er waarschijnlijk uit zou voortvloeien.

6. Bij overeenkomst tussen de vervoerder, de kapitein of de agent van de vervoerder enerzijds en de afzender anderzijds, mogen andere maximumbedragen dan die, genoemd in het eerste lid, worden bepaald, mits deze bedragen in geval van een vervoerovereenkomst onder cognossement niet lager zijn dan die in het eerste lid genoemd.

7. Noch de vervoerder noch het schip is in enig geval aansprakelijk voor verlies of schade van of aan zaken of met betrekking tot deze, indien aard of waarde daarvan door de afzender opzettelijk verkeerdelijk is opgegeven en, indien een cognossement is afgegeven, daarin verkeerdelijk is opgenomen.

Waardervermindering van de zaak

Art. 389. Indien met betrekking tot een zaak hulploon, een bijdrage in avarijgrosse of een schadevergoeding uit hoofde van artikel 488 is verschuldigd, wordt deze aangemerkt als een waardevermindering van die zaak.

Opzegging door tijd- of reisbevrachter

Art. 390. 1. De tijd- of reisbevrachter is bevoegd de overeenkomst op te zeggen, wanneer hem door de vervrachter is medegedeeld dat het schip niet op de overeengekomen plaats of tijd te zijner beschikking is of zal kunnen zijn.

2. Hij kan deze bevoegdheid slechts uitoefenen door binnen een redelijke, niet meer dan 48 uur durende, termijn na ontvangst van een mededeling, als bedoeld in het eerste lid, het in het vijfde lid genoemde bericht te verzenden.

3. Indien bij gebreke van de ontvangst van een mededeling, als bedoeld in het eerste lid, het de bevrachter uit anderen hoofde bekend is, dat het schip niet op de overeengekomen plaats of tijd te zijner beschikking is of kan zijn, is hij, zonder dat enige ingebrekestelling is vereist, bevoegd de overeenkomst op te zeggen, doch slechts binnen een redelijke, niet meer dan 48 uur durende, termijn nadat hem dit bekend is geworden; gelijke bevoegdheid komt hem toe, indien hem na ontvangst van een mededeling, als bedoeld in het eerste lid, uit anderen hoofde bekend wordt, dat het schip op grond van andere omstandigheden dan welke de vervrachter tot zijn mededeling brachten, niet op de overeengekomen plaats of tijd te zijner beschikking is of kan zijn.

4. De in dit artikel genoemde termijn wordt geschorst op die zaterdagen, zondagen en plaatselijke feestdagen, waarop ten kantore van de bevrachter in het geheel niet wordt gewerkt.

5. De opzegging geschiedt door telegram of bericht per telex of door enig ander spoedbericht, waarvan de ontvangst duidelijk aantoonbaar is en de overeenkomst eindigt op het ogenblik van ontvangst daarvan.

Verplichting afzender jegens vervoerder

Art. 391. De afzender is verplicht de vervoerder de schade te vergoeden die deze lijdt doordat de overeengekomen zaken, door welke oorzaak dan ook, niet op de overeengekomen plaats en tijd te zijner beschikking zijn.

Art. 392. 1. Alvorens zaken ter beschikking van de vervoerder zijn gesteld, is de afzender bevoegd de overeenkomst op te zeggen.

Opzegging der afzender

2. Zijn bij het verstrijken van de tijd, waarbinnen de zaken ter beschikking van de vervoerder moeten zijn gesteld, verlengd met de overligtijd, door welke oorzaak dan ook, in het geheel geen zaken ter beschikking van de vervoerder, dan is deze, zonder dat enige ingebrekestelling is vereist, bevoegd de overeenkomst op te zeggen.

3. Zijn bij het verstrijken van de in het tweede lid bedoelde tijd, door welke oorzaak dan ook, de overeengekomen zaken slechts gedeeltelijk ter beschikking van de vervoerder, dan is deze, zonder dat enige ingebrekestelling is vereist, bevoegd de overeenkomst op te zeggen dan wel de reis te aanvaarden.

4. De opzegging geschiedt door telegram of bericht per telex of door enig ander spoedbericht, waarvan de ontvangst duidelijk aantoonbaar is en de overeenkomst eindigt op het ogenblik van ontvangst daarvan, doch niet vóór lossing van de zaken.

5. Onder voorbehoud van het derde lid van artikel 383 is de afzender verplicht de vervoerder de schade te vergoeden die deze lijdt tengevolge van de opzegging of van de aanvaarding van de reis.

6. Dit artikel is niet van toepassing in geval van tijdbevrachting.

Art. 393. 1. In geval van reisbevrachting is de vervrachter tegen zekerheidstelling voor wat hij van de bevrachter heeft te vorderen, op diens verlangen verplicht de reis te aanvaarden met een gedeelte der overeengekomen zaken. De bevrachter is verplicht de vervrachter de dientengevolge geleden schade te vergoeden.

Stellen zekerheid

2. De vervrachter is bevoegd in plaats van de ontbrekende zaken andere aan te nemen. Hij is niet gehouden de vracht, die hij voor het vervoer van deze zaken ontvangt, met de bevrachter te verrekenen, behalve voor zover hij zijnerzijds van de bevrachter vergoeding van door hem geleden schade heeft geïnd of gevorderd.

Art. 394. 1. De afzender is verplicht de vervoerder omtrent de zaken alsmede omtrent de behandeling daarvan tijdig al die opgaven te doen, waartoe hij in staat is of behoort te zijn, en waarvan hij weet of behoort te weten, dat zij voor de vervoerder van belang zijn, tenzij hij mag aannemen dat de vervoerder deze gegevens kent.

Informatieplicht

2. De vervoerder is niet gehouden, doch wel gerechtigd, te onderzoeken of de hem gedane opgaven juist en volledig zijn.

3. Is bij het verstrijken van de tijd, waarbinnen de zaken ter beschikking van de vervoerder moeten zijn gesteld, door welke oorzaak dan ook, niet of slechts gedeeltelijk voldaan aan de in het eerste lid van dit artikel genoemde verplichting van de afzender, dan zijn, behalve in het geval van tijdbevrachting, het tweede, derde, vierde en vijfde lid van artikel 392 van overeenkomstige toepassing.

Art. 395. 1. De afzender is verplicht de vervoerder de schade te vergoeden die deze lijdt doordat, door welke oorzaak dan ook, niet naar behoren aanwezig zijn de documenten en inlichtingen die van de zijde van de afzender vereist zijn voor het vervoer dan wel ter voldoening aan vóór de aflevering van de zaken te vervullen douane- en andere formaliteiten.

Documentatie

2. De vervoerder is verplicht redelijke zorg aan te wenden dat de documenten, die in zijn handen zijn gesteld, niet verloren gaan of onjuist worden behandeld. Een door hem ter zake verschuldigde schadevergoeding zal die, verschuldigd uit hoofde van de artikelen 387, 388 en 389 in geval van verlies van de zaken, niet overschrijden.

3. De vervoerder is niet gehouden, doch wel gerechtigd, te onderzoeken of de hem gedane opgaven juist en volledig zijn.

4. Zijn bij het verstrijken van de tijd waarbinnen de in het eerste lid genoemde documenten en inlichtingen aanwezig moeten zijn, deze, door welke oorzaak dan ook, niet naar behoren aanwezig, dan zijn, behalve in het geval van tijdbevrachting, het tweede, derde, vierde en vijfde lid van artikel 392 van overeenkomstige toepassing.

Art. 396. 1. Wanneer vóór of bij de aanbieding van de zaken aan de vervoerder omstandigheden aan de zijde van een der partijen zich opdoen of naar voren komen, die haar wederpartij bij het sluiten van de overeenkomst niet behoefde te kennen, doch die, indien zij haar wel bekend waren geweest, redelijkerwijs voor haar grond

Wederzijdse opzegging bij bijzondere omstandigheden

hadden opgeleverd de vervoerovereenkomst niet of op andere voorwaarden aan te gaan, is deze wederpartij bevoegd de overeenkomst op te zeggen.

2. De opzegging geschiedt door telegram, bericht per telex of door enig ander spoedbericht, waarvan de ontvangst duidelijk aantoonbaar is en de overeenkomst eindigt op het ogenblik van ontvangst daarvan.

3. Naar maatstaven van redelijkheid en billijkheid zijn partijen na opzegging der overeenkomst verplicht elkaar de daardoor geleden schade te vergoeden.

Verplichting tot vergoeding schade

Art. 397. 1. De afzender is verplicht de vervoerder de schade te vergoeden, die materiaal, dat hij deze ter beschikking stelde of zaken die deze ten vervoer ontving dan wel de behandeling daarvan, de vervoerder berokkenden, behalve voor zover deze schade is veroorzaakt door een omstandigheid die een zorgvuldig afzender van de ten vervoer ontvangen zaken niet heeft kunnen vermijden en waarvan zulk een afzender de gevolgen niet heeft kunnen verhinderen.

2. Dit artikel laat de artikelen 383 derde lid, 398 en 423, alsmede de bepalingen nopens avarij-grosse onverlet.

Gevaarlijke zaken

Art. 398. 1. Ten vervoer ontvangen zaken, die een zorgvuldig vervoerder, indien hij geweten zou hebben dat zij na hun inontvangstneming gevaar zouden kunnen opleveren, met het oog daarop niet ten vervoer zou hebben willen ontvangen, mogen door hem op ieder ogenblik en op iedere plaats worden gelost, vernietigd dan wel op andere wijze onschadelijk gemaakt. Ten aanzien van ten vervoer ontvangen zaken, waarvan de vervoerder de gevaarlijkheid heeft gekend, geldt hetzelfde doch slechts dan wanneer zij onmiddellijk dreigend gevaar opleveren. De vervoerder is terzake geen enkele schadevergoeding verschuldigd en de afzender is aansprakelijk voor alle kosten en schaden voor de vervoerder voortvloeiende uit de aanbieding ten vervoer, uit het vervoer of uit de maatregelen zelf.

Einde overeenkomst

2. Door het treffen van de in het eerste lid bedoelde maatregel eindigt de overeenkomst met betrekking tot de daar genoemde zaken, doch, indien deze alsnog worden gelost, eerst na deze lossing. De vervoerder verwittigt zo mogelijk de afzender, degeen aan wie de zaken moeten worden afgeleverd en degeen, aan wie hij volgens de bepalingen van een mogelijkerwijs afgegeven cognossement bericht van aankomst van het schip moet zenden. Dit lid is niet van toepassing met betrekking tot zaken die de vervoerder na het treffen van de in het eerste lid bedoelde maatregel alsnog naar hun bestemming vervoert.

3. Indien zaken na beëindiging van de overeenkomst alsnog in feite worden afgeleverd, wordt vermoed, dat zij zich op het ogenblik van beëindiging van de overeenkomst bevonden in de staat, waarin zij feitelijk zijn afgeleverd; worden zij niet afgeleverd, dan wordt vermoed, dat zij op het ogenblik van beëindiging van de overeenkomst verloren zijn gegaan.

4. Indien de afzender na feitelijke aflevering een zaak niet naar haar bestemming vervoert, wordt het verschil tussen de waarden ter bestemming en ter plaatse van de aflevering, als bedoeld in de tweede volzin van het tweede lid van artikel 388, aangemerkt als waardevermindering van die zaak. Vervoert de afzender een zaak na de feitelijke aflevering alsnog naar haar bestemming, dan worden de kosten, die hij te dien einde maakt, aangemerkt als waardevermindering van die zaak.

5. Op de feitelijke aflevering is het tussen partijen overeengekomene alsmede het in deze afdeling nopens de aflevering van zaken bepaalde van toepassing, met dien verstande, dat deze feitelijke aflevering niet op grond van de eerste zin van het eerste lid of op grond van het tweede lid van artikel 484 de vracht verschuldigd doet zijn. De artikelen 490 en 491 zijn van overeenkomstige toepassing.

6. Dit artikel laat artikel 423, alsmede de bepalingen nopens avarij-grosse onverlet.

7. Nietig is ieder beding, waarbij van het eerste lid van dit artikel wordt afgeweken.

Cognossement: gegevens

Art. 399. 1. Na de zaken ontvangen en aangenomen te hebben, moet de vervoerder, de kapitein of de agent van de vervoerder op verlangen van de afzender aan deze een cognossement afgeven, dat onder meer vermeldt:
a. de voornaamste voor identificatie van de zaken nodige merken, zoals deze, voor de inlading van deze zaken is begonnen, door de afzender schriftelijk zijn opgegeven, mits deze merken zijn gestempeld of anderszins duidelijk zijn aangebracht op de onverpakte zaken of op de kisten of verpakkingen, die de zaken inhouden en wel zodanig, dat zij in normale omstandigheden tot het einde van de reis leesbaar zullen blijven;

b. òf het aantal der colli of het stuktal, òf de hoeveelheid òf het gewicht, al naar gelang der omstandigheden, zoals zulks door de afzender schriftelijk is opgegeven;
c. de uiterlijk zichtbare staat en gesteldheid der zaken;
met dien verstande, dat geen vervoerder, kapitein of agent van de vervoerder verplicht zal zijn in het cognossement merken, aantal, hoeveelheid of gewicht op te geven of te noemen waarvan hij redelijke gronden heeft te vermoeden, dat zij niet nauwkeurig de in werkelijkheid door hem ontvangen zaken weergeven of tot het toetsen waarvan hij geen redelijke gelegenheid heeft gehad. De vervoerder wordt vermoed geen redelijke gelegenheid te hebben gehad de hoeveelheid en het gewicht van gestorte of gepompte zaken te toetsen.

2. Als de zaken ingeladen zijn, zal het cognossement, dat de vervoerder, kapitein of agent van de vervoerder aan de afzender afgeeft, indien deze dit verlangt, de vermelding „geladen" bevatten, mits de afzender, indien hij vooraf enig op die zaken rechtgevend document heeft ontvangen, dit tegen afgifte van het „geladen"-cognossement teruggeeft. De vervoerder, kapitein of agent van de vervoerder heeft eveneens het recht in de laadhaven op het oorspronkelijk afgegeven document de naam van het schip of van de schepen, aan boord waarvan de zaken werden geladen, en de datum of de data van inlading aan te tekenen, in welk geval het aldus aangevulde document, mits inhoudende de in dit artikel vermelde bijzonderheden, als een „geladen"-cognossement in de zin van dit artikel wordt beschouwd.

Rechtsverhouding vervoerder-afzender

Art. 410. Indien een vervoerovereenkomst is gesloten en bovendien een cognossement is afgegeven, wordt, behoudens artikel 441 tweede lid tweede volzin, de rechtsverhouding tussen de vervoerder en de afzender door de bedingen van de vervoerovereenkomst en niet door die van dit cognossement beheerst. Behoudens het in artikel 441 eerste lid gestelde vereiste van houderschap van het cognossement, strekt dit hun dan slechts tot bewijs van de ontvangst der zaken door de vervoerder.

Instaan ten behoeve van vervoerder

Art. 411. De afzender wordt geacht ten behoeve van de vervoerder in te staan voor de juistheid op het ogenblik van de in ontvangstneming van de door hem opgegeven merken, getal, hoeveelheid en gewicht, en de afzender zal de vervoerder schadeloos stellen voor alle verliezen, schaden en kosten, ontstaan ten gevolge van onjuistheden in de opgave van deze bijzonderheden. Het recht van de vervoerder op dergelijke schadeloosstelling beperkt in genen dele zijn aansprakelijkheid en zijn verbintenissen, zoals zij uit de vervoerovereenkomst voortvloeien, tegenover elke andere persoon dan de afzender.

Cognossement

Art. 412. 1. Het cognossement wordt gedateerd en door de vervoerder ondertekend en vermeldt de voorwaarden waarop het vervoer plaatsvindt, alsmede de plaats waar en de persoon aan wie de zaken moeten worden afgeleverd. Deze wordt, ter keuze van de afzender, aangegeven hetzij bij name of andere aanduiding, hetzij als order van de afzender of van een ander, hetzij als toonder.

2. De enkele woorden „aan order" worden geacht de order van de afzender aan te geven.

Verhandelbaarheid

Art. 413. Het cognossement wordt, tenzij het op naam is gesteld, afgegeven in één of meer exemplaren. De verhandelbare exemplaren, waarin is vermeld hoeveel van deze exemplaren in het geheel zijn afgegeven, gelden alle voor één en één voor alle. Niet verhandelbare exemplaren moeten als zodanig worden aangeduid.

Bewijskracht

Art. 414. 1. Tegenbewijs tegen het cognossement wordt niet toegelaten, wanneer het is overgedragen aan een derde te goeder trouw.

2. Indien in het cognossement de clausule: „inhoud, hoedanigheid, aantal, gewicht of maat onbekend", of enige andere clausule van dergelijke strekking is opgenomen, binden zodanige in het cognossement voorkomende vermeldingen omtrent de zaken de vervoerder niet, tenzij bewezen wordt, dat hij de inhoud of de hoedanigheid der zaken heeft gekend of had behoren te kennen of dat de zaken hem toegeteld, toegewogen of toegemeten zijn.

3. Een cognossement, dat de uiterlijk zichtbare staat of gesteldheid van de zaak niet vermeldt, levert, behoudens tegenbewijs dat ook jegens een derde mogelijk is, een vermoeden op de de vervoerder die zaak voor zover uiterlijk zichtbaar in goede staat of gesteldheid heeft ontvangen.

4. De in het cognossement opgenomen opgave, bedoeld in artikel 388 eerste lid, schept behoudens tegenbewijs een vermoeden, doch bindt niet de vervoerder die haar kan betwisten.

Verwijzingen in cognossement

Art. 415. 1. Verwijzingen in het cognossement worden geacht slechts die bedingen daarin in te voegen, die voor degeen, jegens wie daarop een beroep wordt gedaan, duidelijk kenbaar zijn.
2. Een dergelijk beroep is slechts mogelijk voor hem, die op schriftelijk verlangen van degeen jegens wie dit beroep kan worden gedaan of wordt gedaan, aan deze onverwijld die bedingen heeft doen toekomen.
3. Nietig is ieder beding, waarbij van het tweede lid van dit artikel wordt afgeweken.

Levering cognossement aan order

Art. 416. Een cognossement aan order wordt geleverd op de wijze als aangegeven in afdeling 2 van titel 4 van Boek 3.

Levering voor aflevering

Art. 417. Levering van het cognossement vóór de aflevering van de daarin vermelde zaken door de vervoerder geldt als levering van die zaken.

Verplichting vervoerder

Art. 418. De vervoerder is verplicht de plek van inlading en lossing tijdig aan te wijzen; in geval van tijdbevrachting is echter artikel 380 van toepassing en in geval van reisbevrachting artikel 419.

Reisbevrachting

Art. 419. 1. In geval van reisbevrachting is de bevrachter verplicht de plek van inlading en lossing tijdig aan te wijzen.
2. Hij moet daartoe aanwijzen een gebruikelijke plek, die terstond of binnen redelijke tijd beschikbaar is, waar het schip veilig kan komen, liggen, laden of lossen en waarvandaan het veilig kan vertrekken.
3. Wanneer de bevrachter niet aan deze verplichting voldoet of de bevrachters, als er meer zijn, niet eenstemmig zijn in de aanwijzing, is de vervrachter zonder dat enige aanmaning is vereist verplicht zelf de plek van inlading of lossing aan te wijzen.
4. Indien de bevrachter meer dan één plek aanwijst, geldt de tijd nodig voor het verhalen als gebruikte laad- of lostijd. De kosten van verhalen zijn voor zijn rekening.
5. De bevrachter staat er voor in, dat het schip op de plek, die hij op grond van het eerste lid ter inlading of lossing aanwijst, veilig kan komen, liggen, laden of lossen en daarvandaan veilig kan vertrekken. Indien deze plek blijkt niet aan deze vereisten te voldoen, is de bevrachter slechts in zoverre niet aansprakelijk als de kapitein, door de hem gegeven aanwijzing op te volgen, onredelijk handelde.

Aanwijzing laad- of loshaven

Art. 420. Wanneer in geval van reisbevrachting de bevrachter de bevoegdheid heeft laad- of loshaven nader aan te wijzen, is artikel 419 van overeenkomstige toepassing.

Laad- en stuwverplichting

Art. 421. Behalve in geval van bevrachting is de vervoerder verplicht de zaken aan boord van het schip de laden en te stuwen.

Laadtijd; overliggeld

Art. 422. 1. Voor zover de vervoerder verplicht is tot laden, is hij gehouden zulks in de overeengekomen laadtijd te doen.
2. Voor zover de afzender verplicht is tot laden of stuwen, staat hij er voor in dat zulks in de overeengekomen laadtijd geschiedt.
3. Werd geen laadtijd vastgesteld, dan behoort de inlading te geschieden zo snel als ter plekke voor een schip als het betrokken schip gebruikelijk of redelijk is.
4. Bepaalt de vervoerovereenkomst overliggeld, doch niet de overligtijd, dan wordt deze tijd vastgesteld op acht opeenvolgende etmalen of, als op de ligplek een ander aantal redelijk of gebruikelijk is, op dit aantal.
5. De wettelijke bepalingen omtrent boetebedingen zijn niet van toepassing op bedingen met betrekking tot overliggeld.
6. Schuldenaren van overliggeld en een mogelijkerwijs uit hoofde van het tweede lid verschuldigde schadevergoeding zijn tot betaling daarvan hoofdelijk verbonden.

Gevaarlijke zaken

Art. 423. 1. Onder een vervoerovereenkomst onder cognossement mogen zaken van ontvlambare, explosieve of gevaarlijke aard, tot de inlading waarvan de vervoerder, de kapitein of de agent van de vervoerder geen toestemming zou hebben gegeven, wanneer hij de aard of de gesteldheid daarvan had gekend, te allen tijde vóór de lossing door de vervoerder op iedere plaats worden gelost of vernietigd of onschadelijk gemaakt zonder schadevergoeding, en de afzender van deze zaken is aansprakelijk voor alle schade en onkosten, middellijk of onmiddellijk voortgevloeid of ontstaan uit het inladen daarvan.

2. Indien onder een vervoerovereenkomst onder cognossement enige zaak, als bedoeld in het eerste lid, ingeladen met voorkennis en toestemming van de vervoerder, een gevaar wordt voor het schip of de lading, mag zij evenzo door de vervoerder worden gelost of vernietigd of onschadelijk gemaakt zonder enige aansprakelijkheid van de vervoerder, tenzij voor avarij-grosse, indien daartoe gronden bestaan.

Einde overeenkomst

Art. 424. 1. Behalve in geval van tijd- of reisbevrachting is de vervoerder wanneer, nadat de inlading een aanvang heeft genomen, het schip vergaat of zodanig beschadigd blijkt te zijn, dat het schip het herstel, nodig voor de uitvoering van de overeenkomst, niet waard is of dat dit herstel binnen redelijke tijd niet mogelijk is, na lossing van de zaken bevoegd de overeenkomst te beëindigen, mits hij dit zo spoedig mogelijk doet.

2. Vermoed wordt dat het vergaan of de beschadiging van het schip is te wijten aan een omstandigheid, die voor rekening van de vervoerder komt; voor rekening van de vervoerder komen die omstandigheden, die in geval van beschadiging van door hem vervoerde zaken voor zijn rekening komen.

3. De vervoerder verwittigt, zo mogelijk, de afzender, degeen aan wie de zaken moeten worden afgeleverd en degeen aan wie hij volgens de bepalingen van een mogelijkerwijs afgegeven cognossement bericht van aankomst van het schip moet zenden.

4. Het derde, het vierde en het vijfde lid van artikel 398 zijn van toepassing.

Opzegging bij tijd- en reisbevrachting

Art. 425. 1. In geval van tijd- of reisbevrachting is ieder der partijen, mits zij dit zo spoedig mogelijk doet, bevoegd de overeenkomst geheel of met betrekking tot een gedeelte der zaken op te zeggen, wanneer het schip, zonder dat het vergaan is, zodanig beschadigd blijkt te zijn, dat het schip het herstel, nodig voor de uitvoering van de overeenkomst, niet waard is of dat dit herstel binnen redelijke tijd niet mogelijk is.

2. De reisbevrachter komt de hem in het eerste lid van dit artikel toegekende bevoegdheid ten aanzien van reeds aan boord ontvangen zaken niet toe, indien de vervrachter, zodra hem dit redelijkerwijs mogelijk was, heeft verklaard dat hij deze zaken, zij het niet in het bevrachte schip, ondanks de beëindiging van de overeenkomst naar hun bestemming zal vervoeren; zulk vervoer wordt vermoed op grond van de oorspronkelijke overeenkomst plaats te vinden.

3. De opzegging geschiedt door telegram of bericht per telex of door enig ander spoedbericht, waarvan de ontvangst duidelijk aantoonbaar is en de overeenkomst eindigt op het ogenblik van ontvangst daarvan, doch ten aanzien van reeds aan boord ontvangen zaken, eerst na lossing van die zaken. Een in een dergelijk telegram of bericht vervatte mededeling, dat de vervrachter zaken alsnog, doch niet in het bevrachte schip, naar hun bestemming zal vervoeren, houdt met betrekking tot die zaken opzegging van de overeenkomst in.

4. Ten aanzien van reeds ten vervoer ontvangen zaken wordt vermoed, dat de beschadiging van het schip is te wijten aan een omstandigheid, die voor rekening van de vervrachter komt; voor rekening van de vervrachter komen die omstandigheden, die in geval van beschadiging van door hem vervoerde zaken voor zijn rekening komen.

5. Het derde, het vierde en het vijfde lid van artikel 398 zijn van toepassing met dien verstande, dat ingeval van tijdbevrachting vracht verschuldigd blijft tot op het tijdstip van de lossing der zaken.

Einde overeenkomst met vergaan schip

Art. 426. 1. In geval van tijd- of reisbevrachting eindigt de overeenkomst met het vergaan van het schip. In geval van langdurige tijdingloosheid wordt vermoed, dat het schip is vergaan de 2400 uur Universele Tijd van de dag, waarop het laatste bericht is ontvangen.

2. Ten aanzien van reeds ten vervoer ontvangen zaken wordt vermoed, dat het vergaan van het schip is te wijten aan een omstandigheid, die voor rekening van de vervrachter komt; voor rekening van de vervrachter komen die omstandigheden, die in geval van beschadiging van door hem vervoerde zaken voor zijn rekening komen.

3. Vervoert de vervrachter ondanks het vergaan van het schip zaken die reeds aan boord waren ontvangen alsnog naar hun bestemming, dan wordt in geval van reisbevrachting dit vervoer vermoed op grond van de oorspronkelijke overeenkomst plaats te vinden.

4. De vervrachter verwittigt de bevrachter zo spoedig als dit mogelijk is.
5. Het derde, het vierde en het vijfde lid van artikel 398 zijn van toepassing.

Bevoegdheid afzender aflevering vóór aankomst ter destinatie te verlangen

Art. 440. 1. De afzender — of, indien een cognossement is afgegeven, uitsluitend de in artikel 441 bedoelde houder daarvan en dan alleen tegen afgifte van alle verhandelbare exemplaren van dit cognossement — is bevoegd, voor zover de vervoerder hieraan redelijkerwijs kan voldoen, aflevering van ten vervoer ontvangen zaken of, indien daarvoor een cognossement is afgegeven, van alle daarop vermelde zaken gezamenlijk, vóór de aankomst ter bestemmingsplaats te verlangen, mits hij de vervoerder en de belanghebbenden bij de overige lading ter zake schadeloos stelt. Hij is verplicht tot bijdragen in een avarij-grosse, wanneer de avarij-grosse handeling plaatshad met het oog op een omstandigheid, waarvan reeds vóór de aflevering is gebleken.
2. Hij kan dit recht niet uitoefenen, wanneer door de voortijdige aflevering de reis zou worden vertraagd.
3. Zaken, die ingevolge het eerste lid zijn afgeleverd, worden aangemerkt als ter bestemming afgeleverde zaken en de bepalingen van deze afdeling nopens de aflevering van zaken, alsmede de artikelen 490 en 491 zijn van toepassing.

Recht regelmatige cognossementshouder aflevering te vorderen

Art. 441. 1. Indien een cognossement is afgegeven, heeft uitsluitend de regelmatige houder daarvan, tenzij hij niet op rechtmatige wijze houder is geworden, jegens de vervoerder onder het cognossement het recht aflevering van de zaken overeenkomstig de op de vervoerder rustende verplichtingen te vorderen; daarbij is artikel 387 van toepassing.
2. Jegens de houder van het cognossement, die niet de afzender was, is de vervoerder onder cognossement gehouden aan en kan hij een beroep doen op de bedingen van dit cognossement. Jegens iedere houder van het cognossement, kan hij de uit het cognossement duidelijk kenbare rechten tot betaling geldend maken. Jegens de houder van het cognossement, die ook de afzender was, kan de vervoerder zich bovendien op de bedingen van de vervoerovereenkomst en op zijn persoonlijke verhouding tot de afzender beroepen.

Hoofdelijke verbondenheid

Art. 442. 1. Indien bij toepassing van artikel 461 verscheidene personen als vervoerder onder het cognossement moeten worden aangemerkt zijn dezen jegens de in artikel 441 eerste lid bedoelde cognossementhouder hoofdelijk verbonden.
2. In het in het eerste lid genoemde geval is ieder der vervoerders gerechtigd de uit het cognossement blijkende rechten jegens de cognossementhouder uit te oefenen en is deze jegens iedere vervoerder gekweten tot op het opeisbare bedrag dat hij op grond van het cognossement aan één hunner heeft voldaan. Titel 7 van Boek 3 is niet van toepassing.

Het beste recht

Art. 460. Van de houder van verschillende exemplaren van hetzelfde cognossement heeft hij het beste recht, die houder is van het exemplaar, waarvan ná de gemeenschappelijke voorman, die houder was van al die exemplaren, het eerst een ander houder is geworden te goeder trouw en onder bezwarende titel.

Vervoerder onder het cognossement

Art. 461. 1. Onverminderd de overige leden van dit artikel worden als vervoerder onder het cognossement aangemerkt hij die het cognossement ondertekende of voor wie een ander dit ondertekende alsmede hij wiens formulier voor het cognossement is gebezigd.
2. Indien de kapitein of een ander voor hem het cognossement ondertekende, wordt naast degene genoemd in het eerste lid, die tijd- of reisbevrachter, die vervoerder is bij de laatste overeenkomst in de keten der exploitatie-overeenkomsten als bedoeld in artikel 1 van titel 5, als vervoerder onder het cognossement aangemerkt. Indien het schip in rompbevrachting is uitgegeven wordt naast deze eventuele tijd- of reisbevrachter ook de laatste rompbevrachter als vervoerder onder het cognossement aangemerkt. Is het schip niet in rompbevrachting uitgegeven dan wordt naast de hier genoemde eventuele tijd- of reisbevrachter ook de reder als vervoerder onder het cognossement aangemerkt.
3. In afwijking van de vorige leden wordt uitsluitend de laatste rompbevrachter, onderscheidenlijk de reder, als vervoerder onder het cognossement aangemerkt indien het cognossement uitsluitend deze rompbevrachter, onderscheidenlijk de reder, uitdrukkelijk als zodanig aanwijst en, in geval van aanwijzing van de rompbevrachter, bovendien diens identiteit uit het cognossement duidelijk kenbaar is.
4. Dit artikel laat het tweede lid van artikel 262 onverlet.

5. Nietig is ieder beding, waarbij van dit artikel wordt afgeweken.

Art. 462. 1. Het eerste van artikel 461 vindt geen toepassing indien een daar als vervoerder onder het cognossement aangemerkte persoon bewijst dat hij die het cognossement voor hem ondertekende daarbij de grenzen zijner bevoegdheid overschreed of dat het formulier zonder zijn toestemming is gebezigd. Desalniettemin wordt een in het eerste lid van artikel 461 bedoelde persoon als vervoerder onder het cognossement aangemerkt, indien de houder van het cognossement bewijst dat op het ogenblik van uitgifte van het cognossement, op grond van een verklaring of gedraging van hem voor wie is ondertekend of wiens formulier is gebezigd, redelijkerwijze mocht worden aangenomen, dat hij die ondertekende daartoe bevoegd was of dat het formulier met toestemming was gebezigd.

Tegenbewijs

2. In afwijking van het eerste lid wordt de rederij als vervoerder onder het cognossement aangemerkt indien haar boekhouder door ondertekening van het cognossement de grenzen zijner bevoegdheid overschreed, doch zij wordt niet gebonden jegens de eerste houder van het cognossement die op het ogenblik van uitgifte daarvan wist dat de boekhouder de grenzen zijner bevoegdheid overschreed.

Rederij als vervoerder onder het cognossement

3. Een beroep op het tweede lid van artikel 461 is mogelijk ook indien de kapitein door ondertekening van het cognossement of door een ander de bevoegdheid te geven dit namens hem te ondertekenen, de grenzen zijner bevoegdheid overschreed, doch dergelijk beroep staat niet open aan de eerste houder van het cognossement die op het ogenblik van uitgifte daarvan wist dat de kapitein de grenzen zijner bevoegdheid overschreed.

4. Het derde lid vindt eveneens toepassing indien hij die namens de kapitein het cognossement ondertekende daarbij de grenzen zijner bevoegdheid overschreed.

Art. 480. 1. Is een vervrachter ingevolge artikel 461 tot meer gehouden dan waartoe hij uit hoofde van zijn bevrachting is verplicht of ontving hij minder dan waartoe hij uit dien hoofde is gerechtigd, dan heeft hij — mits de ondertekening van het cognossement of de afgifte van het formulier plaatsvond krachtens het in de bevrachting bepaalde, dan wel op verzoek van de bevrachter — deswege op deze laatste verhaal.

Verhaal door vervrachter

2. Hetzelfde geldt voor een ingevolge het eerste lid aangesproken bevrachter, die op zijn beurt vervrachter is.

Art. 481. 1. De houder van het cognossement, die zich tot ontvangst van de zaken heeft aangemeld, is verplicht, voordat hij deze heeft ontvangen, het cognossement van kwijting te voorzien en aan de vervoerder af te geven.

Kwijting

2. Hij is gerechtigd het cognossement tot zekerheid der afgifte daarvan bij een, in geval van geschil op verzoek van de meest gerede partij door de rechter aan te wijzen, derde in bewaring te geven totdat de zaken afgeleverd zijn.

Art. 482. 1. Een door de vervoerder na intrekking van het cognossement afgegeven document dat de houder daarvan recht geeft op aflevering van in dat cognossement genoemde zaken, wordt met betrekking tot deze zaken met het cognossement gelijk gesteld. Het cognossement wordt vermoed van het hier bedoelde document deel uit te maken. Hij die dit document ondertekende of voor wie een ander dit ondertekende, noch hij wiens formulier werd gebruikt, wordt door het blote feit van deze ondertekening of dit gebruik als vervoerder onder het cognossement aangemerkt.

Afgifte document na intrekking cognossement

2. Tenzij in documenten als bedoeld in het eerste lid anders is bepaald, zijn de houders daarvan hoofdelijk verbonden voor de verbintenissen die uit het vervoer van de onder het cognossement vervoerde zaken voor de houder van dat cognossement voortvloeien.

Art. 483. 1. Behalve in geval van bevrachting is de vervoerder verplicht de zaken uit het schip te lossen.

Lossingsplicht

2. Op de lossing van de zaken vindt artikel 422 overeenkomstige toepassing.

Art. 484. 1. De vracht is verschuldigd na aflevering van de zaken ter bestemming of ter plaatse, waar de vervoerder hen met inachtneming van artikel 440 afleverde. Is de vracht bepaald naar gewicht of omvang der zaken, dan wordt hij berekend naar deze gegevens bij aflevering.

Verschuldigdheid vracht

2. Vracht die in één som voor alle zaken ter bestemming is bepaald, is, ook wanneer slechts een gedeelte van die zaken is afgeleverd, in zijn geheel verschuldigd.

3. Onder voorbehoud van het vijfde lid van dit artikel is voor zaken, die onderweg zijn verkocht omdat hun beschadigdheid verder vervoer redelijkerwijs niet toeliet, de vracht verschuldigd, doch ten hoogste tot het bedrag van hun opbrengst.

4. Vracht, die vooruit te voldoen is of voldaan is, is en blijft — behalve in geval van tijdbevrachting — in zijn geheel verschuldigd, ook wanneer de zaken niet ter bestemming worden afgeleverd.

5. In waardeloze toestand afgeleverde zaken worden aangemerkt als niet te zijn afgeleverd. Zaken, die niet zijn afgeleverd, of die in waardeloze toestand zijn afgeleverd, worden desalniettemin aangemerkt als afgeleverde zaken, voor zover het niet of in waardeloze toestand afleveren het gevolg is van de aard of een gebrek van de zaken, dan wel van een handeling of nalaten van een rechthebbende op of de afzender of ontvanger van de zaken.

Zaken voor eigen rekening

Art. 485. Voor zaken die door een opvarende voor eigen rekening in strijd met enig wettelijk verbod worden vervoerd is de hoogste vracht verschuldigd die ten tijde van de inlading voor soortgelijke zaken kon worden bedongen. Deze vracht is verschuldigd ook wanneer de zaken niet of in waardeloze toestand ter bestemming worden afgeleverd en de ontvanger is met de verscheper hoofdelijk voor deze vracht verbonden.

Geen verschuldigdheid vracht

Art. 486. Onder voorbehoud van de laatste zinsnede van het vijfde lid van artikel 425 is in geval van tijdbevrachting vracht niet verschuldigd over de tijd, dat de bevrachter het schip niet overeenkomstig de bedingen van de bevrachting te zijner beschikking heeft

a. ten gevolge van beschadiging daarvan, dan wel

b. doordat de vervrachter in de nakoming van zijn verplichtingen te kort schiet,

mits het schip meer dan 24 aaneengesloten uren niet ter beschikking van de bevrachter staat.

Lasten van exploitatie schip

Art. 487. 1. Bij tijdbevrachting komen de brandstof voor de machines, het ketelwater, de havenrechten en sootgelijke rechten en uitgaven, die verschuldigd worden ten gevolge van uitgevoerde reizen en het vervoeren van zaken, ten laste van de bevrachter. De overige lasten der exploitatie van het schip komen ten laste van de vervrachter.

2. De vervrachter is gerechtigd en verplicht de zich bij het einde van de bevrachting nog aan boord bevindende brandstof van de bevrachter over te nemen tegen de marktprijs ten tijde en ter plaatse van de oplevering van het schip.

Hoofdelijk verbondenheid jegens vervoerder

Art. 488. Onverminderd het omtrent avarij-grosse bepaalde en onverminderd afdeling 1 van titel 4 van Boek 6 van het vierde Boek zijn de afzender, de ontvanger en, indien een cognossement is afgegeven, de in artikel 441 bedoelde houder daarvan, hoofdelijk verbonden de vervoerder de schade te vergoeden, geleden doordat deze zich als zaakwaarnemer inliet met de behartiging van de belangen van een rechthebbende op ten vervoer ontvangen zaken dan wel doordat de kapitein of de schipper zijn in artikel 261 of artikel 860 genoemde verplichtingen is nagekomen.

Bevoegdheid afgifte zaken te weigeren

Art. 489. 1. De vervoerder is gerechtigd afgifte van zaken, die hij in verband met de vervoerovereenkomst onder zich heeft, te weigeren aan ieder, die uit anderen hoofde dan de vervoerovereenkomst recht heeft op aflevering van die zaken, tenzij op de zaken beslag is gelegd en uit de vervolging van dit beslag een verplichting tot afgifte aan de beslaglegger voortvloeit.

Recht van retentie

2. De vervoerder kan het recht van retentie uitoefenen op zaken, die hij in verband met de vervoerovereenkomst onder zich heeft, voor hetgeen hem door de ontvanger verschuldigd is of zal worden terzake van het vervoer van die zaken alsmede voor hetgeen als bijdrage in avarij-grosse op die zaken verschuldigd is of zal worden. Dit retentierecht vervalt zodra aan de vervoerder is betaald het bedrag waarover geen geschil bestaat en voldoende zekerheid is gesteld voor de betaling van die bedragen, waaromtrent wel geschil bestaat of welker hoogte nog niet kan worden vastgesteld.

3. De in dit artikel aan de vervoerder toegekende rechten komen hem niet toe jegens een derde, indien hij op het tijdstip dat hij de zaak ten vervoer ontving, reden had te twijfelen aan de bevoegdheid van de afzender jegens die derde hem de zaak ten vervoer ter beschikking te stellen.

Art. 490. 1. Voor zover hij die jegens de vervoerder recht heeft op aflevering van vervoerde zaken niet opkomt, weigert deze te ontvangen of deze niet met de vereiste spoed in ontvangst neemt, voor zover op zaken beslag is gelegd, alsmede indien de vervoerder gegronde redenen heeft aan te nemen, dat een houder van een cognossement die als ontvanger opkomt, desalniettemin niet tot de aflevering gerechtigd is, is de vervoerder gerechtigd deze zaken voor rekening en gevaar van de rechthebbende bij een derde op te slaan in een daarvoor geschikte bewaarplaats of lichter. Op zijn verzoek kan de rechter bepalen dat hij deze zaken, desgewenst ook in het schip, onder zichzelf kan houden of andere maatregelen daarvoor kan treffen.

Doen opslaan van vervoerde zaken

2. De derde-bewaarnemer en de ontvanger zijn jegens elkaar verbonden, als ware de omtrent de bewaring gesloten overeenkomst mede tussen hen aangegaan. De bewaarnemer is echter niet gerechtigd tot afgifte dan na schriftelijke toestemming daartoe van hem, die de zaken in bewaring gaf.

Art. 491. 1. In geval van toepassing van artikel 490 kan de vervoerder, de bewaarnemer dan wel hij, die jegens de vervoerder recht heeft op de aflevering op zijn verzoek, door de rechter worden gemachtigd de zaken geheel of gedeeltelijk op de door deze te bepalen wijze te verkopen.

Machtiging tot verkoop

2. De bewaarnemer is verplicht de vervoerder zo spoedig mogelijk van de voorgenomen verkoop op de hoogte te stellen; de vervoerder heeft deze verplichting jegens degeen, die jegens hem recht heeft op de aflevering van de zaken, en jegens degeen, aan wie hij volgens de bepalingen van een mogelijkerwijs afgegeven cognossement bericht van aankomst van het schip moet zenden.

3. De opbrengst van het verkochte wordt in de consignatiekas gestort voor zover zij niet strekt tot voldoening van de kosten van opslag en verkoop alsmede, binnen de grenzen der redelijkheid, van de gemaakte kosten. Tenzij op de zaken beslag is gelegd voor een geldvordering, moet aan de vervoerder uit het in bewaring te stellen bedrag worden voldaan hetgeen hem verschuldigd is ter zake van het vervoer, alsmede een bijdrage in avarij-grosse; voor zover deze vorderingen nog niet vast staan, zal de opbrengst of een gedeelte daarvan op door de rechter te bepalen wijze tot zekerheid voor deze vorderingen strekken.

Storting opbrengst in consignatiekas

4. De in de consignatiekas gestorte opbrengst treedt in de plaats van de zaken.

Art. 492. 1. Tenzij aan de vervoerder of zijn agent in de loshaven vóór of op het ogenblik van het weghalen van de zaken en van hun overgifte aan de krachtens de vervoerovereenkomst op de aflevering rechthebbende persoon schriftelijk kennis is gegeven van verliezen of schaden en van de algemene aard van deze verliezen of schaden, schept dit weghalen, tot op bewijs van het tegendeel, het vermoeden dat de zaken door de vervoerder zijn afgeleverd in de staat als in de vervoerovereenkomst omschreven.

Bewijsvermoeden bij weghalen zaken

2. Zijn de verliezen of schaden niet uiterlijk zichtbaar, dan moet de kennisgeving binnen drie dagen na de aflevering geschieden.

3. Schriftelijk voorbehoud is overbodig als de staat van de zaak op het ogenblik van de inontvangstneming door beide partijen gezamenlijk werd vastgesteld.

Art. 493. Indien er zekerheid of vermoeden bestaat, dat er verlies of schade is, moeten de vervoerder en de ontvanger elkaar over een weer in redelijkheid alle middelen verschaffen om het onderzoek van de zaak en het natellen van de colli mogelijk te maken.

Wederzijdse verplichtingen bij verlies of schade

Art. 494. 1. Zowel de vervoerder als hij die jegens de vervoerder recht heeft op de aflevering, is bevoegd bij de aflevering van zaken de rechter te verzoeken een gerechtelijk onderzoek te doen plaatshebben naar de toestand waarin deze worden afgeleverd; tevens zijn zij bevoegd de rechter te verzoeken de daarbij bevonden verliezen of schaden gerechtelijk te doen begroten.

Gerechtelijk onderzoek naar toestand van afgeleverde zaken

2. Indien dit onderzoek in tegenwoordigheid of na behoorlijke oproeping van de wederpartij heeft plaatsgehad, wordt het uitgebrachte rapport vermoed juist te zijn.

Art. 495. 1. Zowel de vervoerder als hij die jegens de vervoerder recht heeft op de aflevering is, wanneer hij verliezen of schaden van zaken vermoedt, bevoegd de rechter te verzoeken vóór, bij of terstond na de aflevering daarvan en desgewenst aan boord van het schip een gerechtelijk onderzoek te doen plaatshebben naar de oorzaak daarvan.

Gerechtelijk onderzoek naar oorzaak van verlies of schade

2. Indien dit onderzoek in tegenwoordigheid of na behoorlijke oproeping van de wederpartij heeft plaatsgehad, wordt het uitgebrachte rapport vermoed juist te zijn.

Vermoeden van juistheid

Kosten gerechtelijk onderzoek

Art. 496. 1. De kosten van gerechtelijk onderzoek, als bedoeld in de artikelen 494 en 495, moeten worden voldaan door de aanvrager.

2. De rechter kan deze kosten en door het onderzoek geleden schade geheel of gedeeltelijk ten laste van de wederpartij van de aanvrager brengen, ook al zou daardoor het bedrag genoemd in het eerste lid van artikel 388 worden overschreden.

AFDELING 3
Overeenkomst van personenvervoer over zee

Overeenkomst van personenvervoer

Art. 500. 1. De overeenkomst van personenvervoer in de zin van deze titel is de overeenkomst van personenvervoer, al dan niet tijd- of reisbevrachting zijnde, waarbij de ene partij (de vervoerder) zich tegenover de andere partij verbindt aan boord van een schip een of meer personen (reizigers) en al dan niet hun bagage uitsluitend over zee te vervoeren. De overeenkomst van personenvervoer aan boord van een luchtkussenvoertuig noch de overeenkomst van personenvervoer als omschreven in artikel 100 is een overeenkomst van personenvervoer in de zin van deze afdeling.

2. Vervoer over zee en binnenwateren aan boord van een en eenzelfde schip, dat deze beide wateren bevaart, wordt als vervoer over zee beschouwd.

Hutbagage

3. Hutbagage in de zin van deze afdeling is de bagage, met uitzondering van levende dieren die de reiziger in zijn hut heeft, die hij in zijn bezit, onder zijn toezicht of in zijn macht heeft, alsmede de bagage die hij aan boord heeft van een met hem als bagage ten vervoer aangenomen voertuig of schip, doch niet dit voertuig of schip zelf.

A.m.v.b.

4. Bij algemene maatregel van bestuur kunnen zaken die geen hutbagage zijn voor de toepassing van bepalingen van deze afdeling als hutbagage worden aangewezen, dan wel bepalingen van deze afdeling niet van toepassing worden verklaard op zaken, die hutbagage zijn.

Vervoer over zee

Art. 501. Vervoer over zee omvat:
a. met betrekking tot personen of hun hutbagage de tijd dat de reiziger of zijn hutbagage aan boord van het schip verblijft, de tijd van inscheping of ontscheping, alsmede de tijd dat de reiziger of zijn hutbagage te water wordt vervoerd tussen wal en schip of tussen schip en wal, indien de prijs hiervan in de vracht is inbegrepen of het voor dit hulpvervoer gebezigde schip door de vervoerder ter beschikking van de reiziger is gesteld. Vervoer over zee van personen omvat echter niet de tijd dat de reiziger verblijft in een stationsgebouw, op een kade of enige andere haveninstallatie;
b. met betrekking tot hutbagage bovendien de tijd dat de reiziger verblijft in een stationsgebouw, op een kade of enige andere haveninstallatie, indien die bagage is overgenomen door de vervoerder en niet weer aan de reiziger is afgeleverd;
c. met betrekking tot bagage die geen hutbagage is de tijd tussen het overnemen door de vervoer hetzij te land, hetzij aan boord en de aflevering door de vervoerder;
d. met betrekking tot een levend dier de tijd dat het aan boord van het schip verblijft dan wel onder de hoede van de vervoerder is.

Tijd- of reisbevrachting

Art. 502. 1. Tijd- of reisbevrachting in de zin van deze afdeling is de overeenkomst van personenvervoer, waarbij de vervoerder (de vervrachter) zich verbindt tot vervoer aan boord van een schip dat hij daartoe, anders dan bij wijze van rompbevrachting, in zijn geheel en al dan niet op tijdbasis (tijdbevrachting of reisbevrachting) ter beschikking stelt van zijn wederpartij (de bevrachter).

2. De in afdeling 2 van titel 5 in het bijzonder voor het geval van bevrachting gegeven bepalingen, alsmede artikel 375 zijn op deze bevrachting van overeenkomstige toepassing.

Uitschakelbepaling

Art. 503. De wetsbepalingen omtrent huur, bewaarneming en bruikleen zijn op ter beschikkingstelling van een schip ten vervoer, anders dan bij wijze van rompbevrachting, niet van toepassing.

Aansprakelijkheid vervoerder bij dood of letsel

Art. 504. 1. De vervoerder is aansprakelijk voor schade veroorzaakt door dood of letsel van de reiziger, indien een voorval dat hiertoe leidde zich voordeed tijdens het vervoer en voor zover dit voorval is veroorzaakt door een omstandigheid die een zorgvuldig vervoerder heeft kunnen vermijden of door een omstandigheid waarvan zulk een vervoerder de gevolgen heeft kunnen verhinderen.

2. Vermoed wordt dat een zorgvuldig vervoerder de omstandigheid die leidde tot schipbreuk, aanvaring, stranding, ontploffing of brand heeft kunnen vermijden, alsmede dat zulk een vervoerder heeft kunnen verhinderen dat deze omstandigheid tot een dergelijk voorval leidde.
3. Gebrekkigheid of slecht functioneren van het schip of van het materiaal, waarvan hij zich voor het vervoer bedient wordt aangemerkt als een omstandigheid die een zorgvuldig vervoerder heeft kunnen vermijden en waarvan hij de gevolgen heeft kunnen verhinderen.
4. Bij de toepassing van dit artikel wordt slechts dan rekening gehouden met een gedraging van een derde, indien geen andere omstandigheid, die mede tot het voorval leidde, voor rekening van de vervoerder is.

Aansprakelijkheid vervoerder bij bagage

Art. 505. 1. De vervoerder is aansprakelijk voor schade veroorzaakt door geheel of gedeeltelijk verlies dan wel beschadiging van hutbagage of van een als bagage ten vervoer aangenomen levend dier, indien een voorval dat hiertoe leidde zich voordeed tijdens het vervoer en voor zover dit voorval is veroorzaakt door een omstandigheid die een zorgvuldig vervoerder heeft kunnen vermijden of waarvan zulk een vervoerder de gevolgen heeft kunnen verhinderen.
2. Behalve met betrekking tot een levend dier zijn het tweede en derde lid van artikel 504 van toepassing.
3. Bij de toepassing van dit artikel wordt slechts dan rekening gehouden met een gedraging van een derde, indien geen andere omstandigheid, die mede tot het voorval leidde, voor rekening van de vervoerder is.
4. Dit artikel laat de artikelen 545 en 1006 onverlet.

Aansprakelijkheid voor schade tijdens vervoer

Art. 506. Onder voorbehoud van artikel 505 is de vervoerder aansprakelijk voor schade veroorzaakt door geheel of gedeeltelijk verlies dan wel beschadiging van bagage, indien een voorval dat hiertoe leidde zich voordeed tijdens het vervoer, tenzij en voorzover dit voorval is veroorzaakt door een omstandigheid die een zorgvuldig vervoerder niet heeft kunnen vermijden en waarvan zulk een vervoerder de gevolgen niet heeft kunnen verhinderen.

Geen aansprakelijkheid

Art. 507. De vervoerder is niet aansprakelijk in geval van verlies of beschadiging overkomen aan geldstukken, verhandelbare documenten, goud, zilver, juwelen, sieraden, kunstvoorwerpen of andere zaken van waarde, tenzij deze zaken van waarde aan de vervoerder in bewaring zijn gegeven en hij overeengekomen is hen in zekerheid te zullen bewaren.

Geen schadevergoeding

Art. 508. De vervoerder is terzake van door de reiziger aan boord gebrachte zaken die hij, indien hij hun aard of gesteldheid had gekend, niet aan boord zou hebben toegelaten en waarvoor hij geen bewijs van ontvangst heeft afgegeven, geen enkele schadevergoeding verschuldigd indien de reiziger wist of behoorde te weten, dat de vervoerder de zaken niet ten vervoer zou hebben toegelaten; de reiziger is alsdan aansprakelijk voor alle kosten en schaden voor de vervoerder voortvloeiend uit de aanbieding ten vervoer of uit het vervoer zelf.

Schadevergoedingsplicht

Art. 509. Onverminderd artikel 508 en onverminderd artikel 179 van Boek 6 is de reiziger verplicht de vervoerder de schade te vergoeden die hij of zijn bagage deze berokkende, behalve voor zover deze schade is veroorzaakt door een omstandigheid die een zorgvuldig reiziger niet heeft kunnen vermijden en voor zover zulk een reiziger de gevolgen daarvan niet heeft kunnen verhinderen. De reiziger kan niet om zich van zijn aansprakelijkheid te ontheffen beroep doen op de hoedanigheid of een gebrek van zijn bagage.

Toepasselijke artikelen

Art. 510. 1. Onverminderd de bepalingen van deze afdeling zijn op het vervoer van bagage de artikel 378, 387, 388 tweede lid, 389, 394 eerste en tweede lid, 395, 396, 398, 488 tot en met 491 en 493 tot en met 496 van toepassing. De in artikel 396 bedoelde opzegging kan ook mondeling geschieden. De in artikel 489 toegekende rechten en het in artikel 491 toegekende recht tot het zich laten voldoen uit het in bewaring te stellen bedrag van kosten terzake van het vervoer, kunnen worden uitgeoefend voor alles wat de wederpartij van de vervoerder of de reiziger aan de vervoerder verschuldigd is.
2. Partijen hebben de vrijheid af te wijken van in het eerste lid op hun onderlinge verhouding toepassing verklaarde bepalingen.

Meldingsplicht reiziger

Art. 511. 1. De reiziger is gehouden de vervoerder schriftelijk kennis te geven:
a. in geval van uiterlijk zichtbare schade aan bagage:
(i) wat betreft hutbagage: voor of ten tijde van de ontscheping van de reiziger;
(ii) wat betreft alle andere bagage: voor of ten tijde van de aflevering;
b. in geval van niet uiterlijk zichtbare schade aan of verlies van bagage: binnen vijftien dagen na de aanvang van de dag, volgende op de dag van ontscheping of aflevering of die waarop de bagage had moeten worden afgeleverd.

2. Indien de reiziger niet aan zijn in het eerste lid van dit artikel omschreven verplichting voldoet, wordt, behoudens tegenbewijs, vermoed dat hij de bagage onbeschadigd heeft ontvangen.

3. Schriftelijke kennisgeving is overbodig indien de staat van de bagage op het ogenblik van in ontvangstneming gezamenlijk is vastgesteld of geïnspecteerd.

Onderzoek naar aard of gesteldheid bagage

Art. 512. De vervoerder is niet gehouden, doch wel gerechtigd zich te overtuigen van de aard of gesteldheid van de bagage, indien hij vermoedt dat hij, de aard of gesteldheid van door de reiziger aan boord gebrachte bagage kennende, deze niet aan boord zou hebben toegelaten. De vervoerder is gehouden dit onderzoek te doen geschieden in tegenwoordigheid van de reiziger of, zo dit niet mogelijk is, in tegenwoordigheid van twee personen van wier hulp hij overigens bij de uitvoering van zijn verbintenis geen gebruik maakt.

Schuld of nalatigheid van reiziger

Art. 513. Indien de vervoerder bewijst dat schuld of nalatigheid van de reiziger schade heeft veroorzaakt of daartoe heeft bijgedragen, kan de aansprakelijkheid van de vervoerder daarvoor geheel of gedeeltelijk worden opgeheven.

Dienstverlening door hulppersonen

Art. 514. Indien personen van wier hulp de vervoerder bij de uitvoering van zijn verbintenis gebuik maakt, op verzoek van de reiziger diensten bewijzen, waartoe de vervoerder niet is verplicht, worden zij aangemerkt als te handelen in opdracht van de reiziger aan wie zij deze diensten bewijzen.

Vervoer volgens dienstregeling

Art. 515. Behoudens artikel 516 is de vervoerder die zich, anders dan bij wijze van bevrachting, verbond tot vervoer volgens een dienstregeling, niet aansprakelijk voor schade die is veroorzaakt door vertraging, door welke oorzaak dan ook, vóór, tijdens of na het vervoer opgetreden.

Vermogensschade bij vertraagde aflevering bagage

Art. 516. Onder verlies of beschadiging van bagage wordt mede verstaan vermogensschade geleden doordat de bagage niet binnen een redelijke tijd te rekenen van het ogenblik van aankomst van het schip, waarop deze bagage werd vervoerd of zou worden vervoerd, aan de reiziger werd afgeleverd, doch niet wordt daaronder verstaan vertraging door een arbeidsconflict veroorzaakt.

Geen aansprakelijkheid voor handelingen bij navigatie

Art. 517. 1. Behoudens de artikelen 504 tot en met 507 is de vervoerder niet aansprakelijk voor schade ontstaan door een handeling, onachtzaamheid of nalatigheid van de kapitein of de schipper, een ander lid van de bemanning, de loods of de ondergeschikten van de vervoerder, gepleegd bij de navigatie van het schip.

Redelijke afwijking koers

2. Behoudens de artikelen 504 tot en met 507 wordt generlei afwijking van de koers tot redding of poging tot redding van mensenlevens of goederen en generlei redelijke afwijking van de koers beschouwd als een schending van enige vervoerovereenkomst en de vervoerder is niet aansprakelijk voor enig verlies of enige schade daardoor ontstaan.

A.m.v.b.

Art. 518. 1. De aansprakelijkheid van de vervoerder is in geval van dood, letsel of vertraging van de reiziger en in geval van verlies, beschadiging of vertraging van diens bagage beperkt tot een bij of krachtens algemene maatregel van bestuur te bepalen bedrag of bedragen.

2. Dit artikel laat de Elfde Titel A en Afdeling 10A van de Dertiende Titel van het Tweede Boek van het Wetboek van Koophandel onverlet.

Geen beroep op aansprakelijkheidsbeperking

Art. 519. 1. De vervoerder kan zich niet beroepen op enige beperking van zijn aansprakelijkheid voor zover de schade is ontstaan uit zijn eigen handeling of nalaten, geschied hetzij met het opzet die schade te veroorzaken, hetzij roekeloos en met de wetenschap dat die schade er waarschijnlijk uit zou voortvloeien.

2. Nietig is ieder beding, waarbij van dit artikel wordt afgeweken.

Art. 520. Nietig is ieder vóór het aan de reiziger overkomen voorval of vóór het verlies of de beschadiging van bagage gemaakt beding, waarbij de ingevolge de artikelen 504 tot en met 507 en 516 op de vervoerder drukkende aansprakelijkheid of bewijslast wordt verminderd op andere wijze dan in deze afdeling is voorzien.

Nietigheid afwijkend beding

Art. 521. 1. In geval van verlies of beschadiging van bagage wordt de vordering tot schadevergoeding gewaardeerd naar de omstandigheden.
2. In geval van aan de reiziger overkomen letsel en van de dood van de reiziger zijn de artikelen 107 en 108 van Boek 6 niet van toepassing op de vorderingen die de vervoerder als wederpartij van een andere vervoerder tegen deze laatste instelt.

Kenmerken vordering tot schadevergoeding

Art. 522. De wederpartij van de vervoerder is verplicht deze de schade te vergoeden die hij lijdt doordat de reiziger, door welke oorzaak dan ook, niet tijdig ten vervoer aanwezig is.

Schadevergoedingsplicht wederpartij vervoerder

Art. 523. De wederpartij van de vervoerder is verplicht deze de schade te vergoeden die hij lijdt doordat de documenten met betrekking tot de reiziger, die van haar zijde voor het vervoer vereist zijn, door welke oorzaak dan ook, niet naar behoren aanwezig zijn.

Art. 524. 1. Wanneer vóór of tijdens het vervoer omstandigheden aan de zijde van de wederpartij van de vervoerder of de reiziger zich opdoen of naar voren komen, die de vervoerder bij het sluiten van de overeenkomst niet behoefde te kennen, doch die, indien zij hem wel bekend waren geweest, redelijkerwijs voor hem grond hadden opgeleverd de vervoerovereenkomst niet of op andere voorwaarden aan te gaan, is de vervoerder bevoegd de overeenkomst op te zeggen en de reiziger uit het schip te verwijderen.
2. De opzegging geschiedt door een mondelinge of schriftelijke kennisgeving aan de wederpartij van de vervoerder of aan de reiziger en de overeenkomst eindigt op het ogenblik van ontvangst van de eerst ontvangen kennisgeving.
3. Naar maatstaven van redelijkheid en billijkheid zijn partijen na opzegging der overeenkomst verplicht elkaar de daardoor geleden schade te vergoeden.

Opzegging door vervoerder bij bijzondere omstandigheden

Art. 525. 1. Wanneer vóór of tijdens het vervoer omstandigheden aan de zijde van de vervoerder zich opdoen of naar voren komen, die diens wederpartij bij het sluiten van de overeenkomst niet behoefde te kennen, doch die, indien zij haar wel bekend waren geweest, redelijkerwijs voor haar grond hadden opgeleverd de vervoerovereenkomst niet of op andere voorwaarden aan te gaan, is deze wederpartij van de vervoerder bevoegd de overeenkomst op te zeggen.
2. De opzegging geschiedt door een mondelinge of schriftelijke kennisgeving en de overeenkomst eindigt op het ogenblik van ontvangst daarvan.
3. Naar maatstaven van redelijkheid en billijkheid zijn partijen na opzegging der overeenkomst verplicht elkaar de daardoor geleden schade te vergoeden.

Opzegging door wederpartij bij bijzondere omstandigheden

Art. 526. Wanneer de reiziger na verlaten van het schip niet tijdig terugkeert kan de vervoerder de overeenkomst beschouwen als op dat tijdstip te zijn geëindigd.

Art. 527. 1. De wederpartij van de vervoerder is steeds bevoegd de overeenkomst op te zeggen. Zij is verplicht de vervoerder de schade te vergoeden, die deze tengevolge van de opzegging lijdt.
2. Zij kan dit recht niet uitoefenen, wanneer daardoor de reis van het schip zou worden vertraagd.
3. De opzegging geschiedt door een mondelinge of schriftelijke kennisgeving en de overeenkomst eindigt op het ogenblik van ontvangst daarvan.

Opzegging

Art. 528. 1. Wordt terzake van het vervoer een passagebiljet, een ontvangstbewijs voor bagage of enig soortgelijk document afgegeven, dan is de vervoerder verplicht daarin op duidelijke wijze zijn naam en woonplaats te vermelden.
2. Nietig is ieder beding, waarbij van het eerste lid van dit artikel wordt afgeweken.
3. De artikelen 56 tweede lid, 75 eerste lid en 186 eerste lid van Boek 2 zijn niet van toepassing.

Passagebiljet e.d.

AFDELING 4
Enige bijzondere overeenkomsten

Rompbevrachting

Art. 530. 1. Onder de overeenkomst (rompbevrachting), waarbij de ene partij (de rompvervrachter) zich verbindt een schip uitsluitend ter zee terbeschikking te stellen van haar wederpartij (de rompbevrachter) zonder daarover nog enige zeggenschap te houden, ligt de exploitatie van het schip in handen van de rompbevrachter en geschiedt zij voor diens rekening.

2. Artikel 375 is van overeenkomstige toepassing.

Overeenkomstige toepassing

Art. 531. 1. Op de overeenkomst, waarbij de ene partij zich verbindt een schip, anders dan bij wijze van rompbevrachting, uitsluitend ter zee terbeschikking te stellen van de andere partij voor andere doeleinden dan het daarmee vervoeren van zaken of personen zijn de bepalingen nopens avarij-grosse alsmede de bepalingen van deze titel en, indien het een binnenschip betreft, artikel 880 van overeenkomstige toepassing.

2. Partijen hebben de vrijheid af te wijken van in het eerste lid op hun onderlinge verhouding toepasselijk verklaarde bepalingen.

Art. 532. Voor de toepassing van de bepalingen van deze afdeling wordt terbeschikkingstelling van een en eenzelfde schip ter zee en op binnenwateren beschouwd als terbeschikkingstelling ter zee, tenzij deze terbeschikkingstelling ter zee kennelijk ondergeschikt is aan die op binnenwateren, in welk geval zij als terbeschikkingstelling op binnenwateren wordt beschouwd.

TITEL 6
Ongevallen

AFDELING 1
Aanvaring

Aanvaring

Art. 540. Aanvaring is de aanraking van schepen met elkaar.

Art. 541. Onder voorbehoud van de Wet aansprakelijkheid olietankschepen vindt het in deze afdeling omtrent aanvaring bepaalde eveneens toepassing indien schade door een zeeschip is veroorzaakt zonder dat een aanvaring plaats had.

Aansprakelijkheid voor schade

Art. 542. Indien een zeeschip door een aanvaring schade heeft veroorzaakt, dan wel aan een zeeschip, deszelfs opvarenden of de zaken aan boord daarvan door een schip schade is veroorzaakt, wordt de aansprakelijkheid voor deze schade geregeld door deze afdeling.

Overmacht

Art. 543. Indien de aanvaring is veroorzaakt door toeval, indien zij is toe te schrijven aan overmacht of indien twijfel bestaat omtrent de oorzaken der aanvaring, wordt de schade gedragen door hen, die haar hebben geleden.

Schuld van één schip

Art. 544. Indien de aanvaring is veroorzaakt door de schuld van één schip, is de eigenaar van het schip, dat de schuld had, verplicht de schade te vergoeden.

Schuld van twee of meer schepen

Art. 545. 1. Indien twee of meer schepen gezamenlijk door hun schuld een aanvaring hebben veroorzaakt, zijn de eigenaren daarvan zonder hoofdelijkheid aansprakelijk voor de schade, toegebracht aan medeschuldige schepen en aan goederen, die zich aan boord daarvan bevinden, en hoofdelijk voor alle overige schade.

2. Is de aansprakelijkheid niet hoofdelijk, dan zijn de eigenaren van de schepen, die gezamenlijk door hun schuld de aanvaring hebben veroorzaakt, tegenover de benadeelden aansprakelijk in verhouding tot het gewicht van de schuld van hun schepen; indien echter de omstandigheden meebrengen, dat die verhouding niet kan worden vastgesteld of indien blijkt dat de schuld van deze schepen gelijkwaardig is wordt de aansprakelijkheid in gelijke delen verdeeld.

3. Is de aansprakelijkheid hoofdelijk, dan moet elk der aansprakelijke eigenaren zijn door het tweede lid van dit artikel vastgestelde aandeel in de betaling aan de schuldeiser voor zijn rekening nemen. Onder voorbehoud van artikel 364 en artikel 880 heeft hij, die meer dan zijn aandeel heeft betaald, voor het overschot verhaal op zijn medeschuldenaren, die minder dan hun aandeel hebben betaald.

Art. 546. Er bestaan geen wettelijke vermoedens van schuld met betrekking tot de aansprakelijkheid voor aanvaring; het schip, dat in aanraking komt met een andere, zo nodig behoorlijk verlichte, vaste of te bekwamer plaatse vastgemaakte zaak, geen schip zijnde, is aansprakelijk voor de schade, tenzij blijkt dat de aanraking niet is veroorzaakt door schuld van het schip.

Aansprakelijkheid van het schip

Art. 547. De krachtens deze afdeling bestaande aansprakelijkheid wordt niet opgeheven ingeval de aanvaring is veroorzaakt door de schuld van een loods, zelfs niet als het gebruik van deze verplicht is.

Schuld van een loods

AFDELING 2
Hulpverlening

Art. 550. Deze afdeling geldt slechts onder voorbehoud van de Astronautenovereenkomst (Trb. 1968, 134).

Art. 551. 1. De bepalingen omtrent hulp aan een schip zijn van overeenkomstige toepassing op hulp aan andere in zee dan wel in bevaarbaar binnenwater drijvende of daarin gezonken zaken, dan wel aan andere aan of op het vaste zeestrand of de oevers dezer binnenwateren gezonken of aangespoelde zaken.

Overeenkomstige toepassing

2. De bepalingen omtrent hulp aan een schip zijn van overeenkomstige toepassing op hulp door een schip aan een luchtvaartuig verleend.

Art. 552. Voor de toepassing van deze afdeling worden de wateren genoemd in artikel 21 van de Wet op de strandvonderij beschouwd tot de zee, en de stranden en oevers daarvan tot het zeestrand te behoren.

Art. 553. Deze afdeling is mede van toepassing, wanneer hulp is verleend door of aan een oorlogsschip of enig ander schip, dat toebehoort aan, dan wel gebruikt of bevracht wordt door enige Staat of openbaar lichaam.

Mede van toepassing

Art. 554. 1. Hulp aan in gevaar verkerende schepen, aan zich aan boord daarvan bevindende zaken of aan van een schip afkomstige driftige, aangespoelde of gezonken zaken mag niet worden verleend tegen een uitdrukkelijk en redelijk verbod vanwege het schip in. Kan een dergelijk verbod niet worden uitgevaardigd, dan mag geen hulp worden verleend tegen een uitdrukkelijk en redelijk verbod in van de rechthebbende op het schip of de daarvan afkomstige driftige, aangespoelde of gezonken zaak.

Hulpverlening tegen verbod in

2. Een verbod tot hulpverlening kan steeds worden uitgevaardigd.

Art. 555. 1. Het verlenen van hulp aan een schip, aan zich aan boord daarvan bevindende zaken of aan van een schip afkomstige driftige, aangespoelde of gezonken zaken staat onder leiding van de kapitein en, wanneer er geen kapitein is of deze niet optreedt, onder leiding van de rechthebbende op het schip of de zaak.

Leiding bij hulpverlening

2. Bij stranding of aanspoeling aan of op het vaste zeestrand berust de leiding, wanneer kapitein noch rechthebbende optreedt, bij de strandvonder.

3. Indien het noodzakelijk is onverwijld maatregelen te treffen, geldt het in dit artikel bepaalde niet, totdat de kapitein, de rechthebbende of de strandvonder de leiding op zich heeft genomen.

Art. 556. 1. Wanneer een schip door de bemanning is verlaten en door hulpverleners of de strandvonder is overgenomen, staat het de kapitein steeds vrij naar zijn schip terug te keren en het gezag daarover te hernemen, in welk geval de hulpverleners of de strandvonder terstond het gezag aan de kapitein moeten overdragen.

Terugkeer kapitein; herneming gezag

2. Indien de kapitein of de rechthebbende bij de hulpverlening of ter plaatse, waar de geredde zaken worden aangebracht, tegenwoordig is en dit de hulpverleners of de strandvonder bekend is, moeten de hulpverleners of de standvonder, onverminderd artikel 568, die zaken terstond te zijner beschikking stellen.

3. In de gevallen, waarin de geredde zaken niet op grond van het vorige lid terstond ter beschikking van de kapitein of van de rechthebbende moeten worden gesteld, moeten zij, voor zover zij tijdens de hulpverlening zich aan of op de buitengronden of het vaste zeestrand bevinden, terstond ter beschikking worden gesteld van de strandvonder.

Recht op billijk hulploon

Art. 557. 1. Iedere hulp aan in gevaar verkerende schepen, alsmede iedere hulp aan zich aan boord daarvan bevindende zaken geeft, indien de hulp met gunstig gevolg is verleend, recht op een billijk hulploon.
2. Geen hulploon is verschuldigd, wanneer de verleende hulp zonder gunstig gevolg blijft.
3. Hulp als omschreven in het eerste lid van dit artikel geeft recht op hulploon, ook al is de tot hulploon gerechtigde of hij, die gerechtigd is de vaststelling van het hulploon te vorderen, dezelfde persoon als hij die hulploon verschuldigd is.

Vernietiging of wijziging hulpverleningsovereenkomst

Art. 558. 1. Iedere overeenkomst omtrent hulpverlening aangegaan tijdens en onder de invloed van het gevaar, kan op verzoek van een der partijen door de rechter worden vernietigd of gewijzigd, waneer deze van oordeel is, dat de overeengekomen voorwaarden niet billijk zijn.
2. In ieder geval kan de overeenkomst op verzoek van een der partijen door de rechter worden vernietigd of gewijzigd, als bewezen is dat de toestemming van een der partijen is gegeven onder de invloed van bedrog of van verzwijging of dat tussen het loon en de bewezen diensten een ernstige wanverhouding bestaat.
3. Nietig is ieder beding, waarbij van dit artikel wordt afgeweken.

Aansprakelijkheid buiten overeenkomst

Art. 559. Indien een partij bij een overeenkomst omtrent hulpverlening door haar wederpartij daarbij terzake van een bij de hulpverlening veroorzaakte schade buiten overeenkomst wordt aangesproken, is zij jegens die wederpartij niet verder aansprakelijk dan zij dit zou zijn op grond van de door hen gesloten overeenkomst. De artikelen 365 en 366 zijn van overeenkomstige toepassing.

Hulploon

Art. 560. 1. Het bedrag van het hulploon wordt vastgesteld bij overeenkomst tussen partijen en bij gebreke daarvan door de rechter.
2. De rechter stelt het hulploon vast naar omstandigheden, tot grondslag nemende:
a. in de eerste plaats de verkregen uitslag, de moeiten en de verdienste van hen, die de hulp hebben verleend, het gevaar, waarin hebben verkeerd het geholpen schip, zijn reizigers, zijn bemanning, zijn lading, de hulpverleners en het hulpverlenende schip, de gebruikte tijd, de gemaakte kosten en geleden schaden, alsmede het risico van aansprakelijkheid en andere risico's door de hulpverleners gelopen en de waarde van het door hen aan gevaar blootgestelde materiaal, daarbij in voorkomend geval rekening houdend met de bijzondere uitrusting van het hulpverlenende schip;
b. in de tweede plaats de waarde der geredde goederen.
3. Het te betalen bedrag mag in geen geval de waarde der geredde goederen overtreffen.
4. Wanneer het hulploon mede strekt tot vergoeding van gemaakte kosten en geleden schade geeft de rechter aan welke gemaakte kosten en geleden schade dit betreft.

Recht op hulploon

Art. 561. 1. Gerechtigd tot hulploon zijn die personen of groepen van personen, die hulp hebben verleend.
2. Indien de hulp is verleend door personen of groepen, die afhankelijk van elkaar handelen, is aan deze groepen of personen gezamenlijk slechts één bedrag als hulploon verschuldigd.
3. Indien de hulp door een schip is verleend kunnen ook de leden der bemanning, die geen hulp verleenden, tot hulploon gerechtigd zijn.

Afstand

Art. 562. Afstand, jegens wie dan ook, door een lid der bemanning van zijn recht op een aandeel in het door een schip te verdienen of verdiende hulploon is nietig, tenzij het schip blijkens zijn constructie uitsluitend of in hoofdzaak voor hulpverlening of sleepdienst is bestemd of de afstand één bepaalde hulpverlening betreft.

(Geen) recht op hulploon

Art. 563. 1. Geen recht op enig hulploon hebben zij, die hulp verleenden niettegenstaande een uitdrukkelijk en redelijk verbod als bedoeld in artikel 554.
2. Opvarenden kunnen wegens hulp door hen verleend aan het schip, zich aan boord daarvan bevindende zaken of daarvan afkomstige driftige, aangespoelde of gezonken zaken, slechts recht op hulploon hebben, wanneer door hen diensten zijn bewezen, waartoe zij redelijkerwijs niet zijn gehouden.

3. Voor hulp, verleend door een slepend schip aan het daardoor gesleepte schip of de lading daarvan, kan slechts hulploon verschuldigd zijn, wanneer het slepende schip buitengewone diensten heeft verleend, die niet kunnen worden beschouwd als uitvoering van de sleepovereenkomst.
4. Wanneer blijkt, dat de hulpverleners door hun schuld de hulpverlening hebben nodig gemaakt of zich hebben schuldig gemaakt aan diefstal, verberging of andere bedriegelijke handelingen, kan de rechter een geringer hulploon toekennen of alle aanspraak op hulploon ontzeggen.

Hulp door meerderen verleend

Art. 564. 1. Indien de hulp is verleend door onafhankelijk van elkaar handelende personen of groepen van personen is ieder dezer personen bevoegd vaststelling te vorderen van hun hulploon dat hem of de groep, waarvan hij deel uitmaakte, toekomt.
2. Indien de hulp is verleend door afhankelijk van elkaar handelende personen of groepen van personen is ieder dezer personen bevoegd vaststelling te vorderen van het hulploon, dat aan deze personen of groepen gezamenlijk toekomt.
3. Indien door een schip hulp is verleend, is uitsluitend de reder of de kapitein bevoegd omtrent het hulploon overeen te komen. De door hem gesloten overeenkomst bindt alle tot het hulploon gerechtigden. Hij is verplicht ieder van hen vóór de uitbetaling desverlangd het bedrag van het hulploon schriftelijk mede te delen. Bij gebreke van een overeenkomst is uitsluitend hij, niet alleen gerechtigd, doch ook verplicht gerechtelijke vaststelling van het hulploon te vorderen en dit te innen.
4. In het in artikel 557 derde lid bedoelde geval is iedere tot hulploon gerechtigde bevoegd de vaststelling daarvan door de rechter te vorderen, ook al mocht over het hulploon een overeenkomst zijn gesloten.

Geschillen omtrent verdeling hulploon

Art. 565. 1. Bij geschillen omtrent de verdeling van het hulploon tussen de daartoe gerechtigden wordt deze op vordering van de meest gerede partij door de rechter vastgesteld.
2. Behalve bij de verdeling van het hulploon tussen leden van een bemanning — in welk geval hij geheel vrij is in zijn verdeling — stelt de rechter de verdeling van het hulploon vast naar de in artikel 560 genoemde omstandigheden.

Hulp aan schip of aan zaken aan boord

Art. 566. Voor hulp verleend aan een schip al dan niet met zaken aan boord, alsmede voor hulp verleend aan de zaken aan boord van een schip, is het hulploon, uitsluitend verschuldigd door de reder van het schip.

Art. 567. Voor het redden van driftige, aangespoelde of gezonken zaken, die geen schepen zijn in de zin van artikel 1, is hulploon verschuldigd door de rechthebbende daarop.

Recht van retentie

Art. 568. 1. Hij, die gerechtigd is vaststelling van het hulploon te vorderen, heeft — behoudens artikel 556 eerste en derde lid — jegens ieder, die daarvan afgifte verlangt, een retentierecht op de schepen of zaken, waaraan hulp is verleend, alsmede op de schepen aan welker zich aan boord bevindende zaken hulp is verleend, voor hetgeen terzake van hulploon is verschuldigd.
2. Dit retentierecht vervalt zodra is betaald het bedrag, waarover geen geschil tussen partijen bestaat, en voldoende zekerheid is gesteld voor de betaling van die bedragen, waaromtrent wel geschil bestaat of welker hoogte nog niet kan worden vastgesteld.

Onder zich houden; opslaan

Art. 569. 1. Indien de rechthebbende op de schepen of andere zaken, waaraan hulp is verleend, niet opkomt, is hij, die vaststelling van het hulploon kan vorderen, gerechtigd deze voor rekening en gevaar van de rechthebbende onder zich te houden dan wel bij een derde op te slaan in een daarvoor geschikte bewaarplaats.
2. De derde-bewaarnemer en de rechthebbende zijn jegens elkaar verbonden, als ware de omtrent de bewaring gesloten overeenkomst mede tussen hen aangegaan. De bewaarnemer is echter niet gerechtigd tot afgifte dan na schriftelijke toestemming daartoe van hem, die de zaken in bewaring gaf.

Machtiging tot verkoop

Art. 570. 1. In geval van toepassing van artikel 569 kan hij, die gerechtigd is vaststelling van het hulploon te vorderen, de bewaarnemer dan wel de rechthebbende op de schepen of zaken, op zijn verzoek door de rechter worden gemachtigd hen geheel of gedeeltelijk op de door deze te bepalen wijze te verkopen.

2. De bewaarnemer is verplicht degeen, die de zaken in bewaring gaf, zo spoedig mogelijk van de voorgenomen verkoop op de hoogte te stellen; degeen die de zaken in bewaring gaf of onder zich hield, heeft deze verplichting jegens de hem bekende rechthebbenden op de zaken.

Storting opbrengst in consignatiekas

3. De opbrengst van het verkochte wordt in de consignatiekas gestort, voor zover zij niet strekt tot voldoening van de kosten van opslag en verkoop alsmede, binnen de grenzen der redelijkheid, van de gemaakte kosten. Tenzij op de zaken beslag is gelegd voor een geldvordering, moet aan degeen, die de zaken in bewaring gaf, uit het in bewaring te stellen bedrag worden voldaan hetgeen hem terzake van hulploon is verschuldigd; voor zover het hulploon nog niet vaststaat, zal de opbrengst of een gedeelte daarvan op door de rechter te bepalen wijze tot zekerheid voor deze vordering strekken.

4. De in de consignatiekas gestorte opbrengst treedt in de plaats van de zaken.

Eigendomsverkrijging

Art. 571. 1. Hij, die gerechtigd is tot hulploon, verkrijgt de eigendom van de zaak, waaraan hulp is verleend en waarvoor geen rechthebbende is opgekomen, twee jaren na de beëindiging van de hulpverlening, mits de zaak zich op dat tijdstip nog in zijn macht bevindt en hij datgene heeft gedaan wat redelijkerwijs van hem kan worden gevergd om de rechthebbende te ontdekken en van het gevolg van de hulpverlening op de hoogte te stellen.

2. Het vorige lid vindt geen toepassing, wanneer de rechthebbende zich binnen de in dat lid genoemde termijn bij hem, die vaststelling van het hulploon kan vorderen, heeft aangemeld en aan deze de kosten van bewaring en onderhoud en tot opsporing van de rechthebbende heeft vergoed. Degeen die vaststelling van het hulploon kan vorderen is bevoegd de afgifte op te schorten totdat deze verplichting is nagekomen. Indien de rechthebbende die de zaak opeist, de verschuldigde kosten niet binnen een maand nadat ze hem zijn opgegeven, heeft voldaan, wordt hij aangemerkt zijn recht op de zaak te hebben prijsgegeven.

Wetsbepalingen zaakwaarneming n.v.t.

Art. 572. De wetsbepalingen omtrent zaakwaarneming vinden op het verlenen van hulp geen toepassing.

AFDELING 3
Avarij-grosse

Avarij-grosse handeling

Art. 610. Er is een avarij-grosse handeling, wanneer — en alleen wanneer — enige buitengewone opoffering of uitgave opzettelijk en rederlijkerwijs wordt verricht of gedaan voor de gemeenschappelijke veiligheid met het doel de goederen, betrokken bij een gemeenschappelijke met een zeeschip uitgevoerde onderneming, voor gevaar — hoe of door wiens toedoen dit ook zij ontstaan — te behoeden.

Avarij-grosse

Art. 611. Alleen zodanige verliezen, schade of onkosten, die het onmiddellijke gevolg zijn van een avarij-grosse handeling, worden als avarij-grosse toegelaten.

Vergoeding

Art. 612. 1. Avarij-grosse wordt aan hem, die haar leed, vergoed door de reder, de belanghebbende bij verschuldigde vracht of passagegeld, de ontvanger van de lading en de eigenaren van de overige zich aan boord bevindende zaken, met uitzondering van brieven, andere poststukken of postpakketten, van bagage en van persoonlijke zaken van opvarenden die geen bagage zijn.

2. In afwijking van het eerste lid draagt een motorrijtuig of schip, dat door een vervoerder in verband met een overeenkomst van personenvervoer aan boord van het schip wordt vervoerd, bij in de avarij-grosse.

A.m.v.b.

Art. 613. De vergoedingen in avarij-grosse en de dragende waarden der in de avarij-grosse bijdragende belangen worden bovendien bepaald met inachtneming van de York-Antwerp Rules, nader omschreven bij algemene maatregel van bestuur.

AFDELING 4
Gevaarlijke stoffen aan boord van een zeeschip

Begripsbepalingen

Art. 620. In deze afdeling wordt verstaan onder:

a. „gevaarlijke stof”: een stof die als zodanig bij algemene maatregel van bestuur is aangewezen; de aanwijzing kan worden beperkt tot bepaalde concentraties van de stof, tot bepaalde in de algemene maatregel van bestuur te omschrijven gevaren die aan de stof verbonden zijn, en tot bepaalde daarin te omschrijven situaties waarin

de stof zich bevindt;
b. „schip": zeeschip, niet zijnde een luchtkussenvoertuig;
c. „schade":
1°. schade veroorzaakt door dood of letsel van enige persoon veroorzaakt door een gevaarlijke stof;
2°. andere schade buiten het schip aan boord waarvan de gevaarlijke stof zich bevindt, veroorzaakt door die gevaarlijke stof, met uitzondering van verlies van of schade met betrekking tot andere schepen of binnenschepen en zaken aan boord daarvan, indien die schepen of binnenschepen deel uitmaken van een sleep, waarvan ook dit schip deel uitmaakt, of hecht met dit schip in een eenheid zijn gekoppeld;
3°. de kosten van preventieve maatregelen en verlies of schade veroorzaakt door zulke maatregelen;
d. „preventieve maatregel": iedere redelijke maatregel ter voorkoming of beperking van schade door wie dan ook genomen met uitzondering van de overeenkomstig deze afdeling aansprakelijke persoon nadat een gebeurtenis heeft plaatsgevonden;
e. „gebeurtenis": elk feit of elke opeenvolging van feiten met dezelfde oorzaak, waardoor schade ontstaat of waardoor een ernstige en onmiddellijke dreiging van schade ontstaat;
f. „reder": de persoon die in een register waarin het schip te boek staat, als eigenaar van het schip is ingeschreven, of, bij gebreke van enige teboekstelling, de persoon die het schip in eigendom heeft.

Toepasselijkheid afdeling

Art. 621. 1. Deze afdeling is niet van toepassing, indien de reder jegens degene die de vordering instelt, aansprakelijk is uit hoofde van een exploitatie-overeenkomst of jegens deze persoon een beroep op een exploitatie-overeenkomst heeft.

2. Deze afdeling is van toepassing op de periode waarin een gevaarlijke stof zich aan boord van een schip bevindt, daaronder begrepen de periode vanaf het begin van de inlading van de gevaarlijke stof in het schip tot het einde van de lossing van die stof uit het schip.

3. Deze afdeling is niet van toepassing op schade veroorzaakt wanneer het schip uitsluitend wordt gebruikt in een niet voor publiek toegankelijk gebied en zulk gebruik een onderdeel vormt van een in dat gebied plaatsvindende bedrijfsuitoefening.

4. Op zich overeenkomstig het tweede lid aan boord bevindende stoffen als bedoeld in artikel 175 van Boek 6 is dat artikel niet van toepassing, tenzij zich het geval van het derde lid voordoet.

Gevaarlijke stof aan boord van gestapeld vervoermiddel

Art. 622. 1. Indien een gevaarlijke stof zich bevindt in een vervoermiddel dat zich aan boord van een schip bevindt zonder dat de gevaarlijke stof uit dit gestapelde vervoermiddel wordt gelost, zal de gevaarlijke stof voor die periode geacht worden zich alleen aan boord van het gestapelde vervoermiddel te bevinden. In afwijking van het in de vorige zin bepaalde zal, gedurende de handelingen bedoeld in artikel 623, vijfde lid, onderdelen c, d en e, de gevaarlijke stof geacht worden zich alleen aan boord van het gestapelde vervoermiddel te bevinden.

2. Indien een gevaarlijke stof zich bevindt in een schip dat wordt gesleept door een ander schip of door een binnenschip of wordt voortbewogen door een ander schip of door een binnenschip, dat hecht met dit schip in een eenheid gekoppeld is, zal de gevaarlijke stof geacht worden zich alleen aan boord van eerstgenoemd schip te bevinden.

Aansprakelijkheid reder

Art. 623. 1. Hij die ten tijde van een gebeurtenis reder is van een schip aan boord waarvan zich een gevaarlijke stof bevindt, is aansprakelijk voor de schade door die stof veroorzaakt ten gevolge van die gebeurtenis. Bestaat de gebeurtenis uit een opeenvolging van feiten met dezelfde oorzaak, dan rust de aansprakelijkheid op degene die ten tijde van het eerste feit reder was.

Reder niet aansprakelijk

2. De reder is niet aansprakelijk indien:
a. de schade is veroorzaakt door een oorlogshandeling, vijandelijkheden, burgeroorlog, opstand of natuurgebeuren van uitzonderlijke, onvermijdelijke en onweerstaanbare aard;
b. de schade uitsluitend is veroorzaakt door een handelen of nalaten van een derde, niet zijnde een persoon genoemd in het vijfde lid, onderdeel a, geschied met het opzet de schade te veroorzaken;

c. de afzender of enig andere persoon niet heeft voldaan aan zijn verplichting hem in te lichten over de gevaarlijke aard van de stof, en noch de reder noch de in het vijfde lid, onderdeel a, genoemde personen wisten of hadden behoren te weten dat deze gevaarlijk was.

3. Indien de reder bewijst dat de schade geheel of gedeeltelijk het gevolg is van een handelen of nalaten van de persoon die de schade heeft geleden, met het opzet de schade te veroorzaken, of van de schuld van die persoon, kan hij geheel of gedeeltelijk worden ontheven van zijn aansprakelijkheid tegenover die persoon.

4. De reder kan voor schade slechts uit anderen hoofde dan deze afdeling worden aangesproken in het geval van het tweede lid, onderdeel c, alsmede in het geval dat hij uit hoofde van arbeidsovereenkomst kan worden aangesproken.

5. Behoudens de artikelen 624 en 625 zijn voor schade niet aansprakelijk:
a. de ondergeschikten, de vertegenwoordigers of lasthebbers van de reder of de leden van de bemanning,
b. de loods en ieder ander die, zonder bemanningslid te zijn, ten behoeve van het schip werkzaamheden verricht,
c. zij die anders dan tegen een uitdrukkelijk en redelijk verbod vanwege het schip in hulp verlenen aan het schip, de zich aan boord daarvan bevindende zaken of de opvarenden,
d. zij die op aanwijzing van een bevoegde overheidsinstantie hulp verlenen aan het schip, de zich aan boord daarvan bevindende zaken of opvarenden,
e. zij die preventieve maatregelen nemen met uitzondering van de reder,
f. de ondergeschikten, vertegenwoordigers of lasthebbers van de in dit lid, onderdelen b,c,d en e, van aansprakelijkheid vrijgestelde personen, tenzij de schade is ontstaan uit hun eigen handelen of nalaten, geschied hetzij met het opzet die schade te veroorzaken, hetzij roekeloos en met de wetenschap dat die schade er waarschijnlijk uit zou voortvloeien.

6. De reder heeft, voor zover niet anders is overeengekomen, verhaal op de in het vijfde lid bedoelde personen, doch uitsluitend indien dezen ingevolge het slot van dit lid voor de schade kunnen worden aangesproken.

Aansprakelijkheid van ander dan reder

Art. 624. 1. Indien de reder bewijst dat de gevaarlijke stof tijdens de periode bedoeld in artikel 621, tweede lid, is geladen of gelost onder de uitsluitende verantwoordelijkheid van een door hem bij name genoemde ander dan de reder of zijn ondergeschikte, vertegenwoordiger of lasthebber, zoals de afzender of ontvanger, is de reder niet aansprakelijk voor de schade als gevolg van een gebeurtenis tijdens het laden of lossen van de gevaarlijke stof en is die ander voor deze schade aansprakelijk overeenkomstig deze afdeling.

2. Indien echter de gevaarlijke stof tijdens de periode bedoeld in artikel 621, tweede lid, is geladen of gelost onder de gezamenlijke verantwoordelijkheid van de reder en een door de reder bij name genoemde ander, zijn de reder en die ander hoofdelijk aansprakelijk overeenkomstig deze afdeling voor de schade als gevolg van een gebeurtenis tijdens het laden of lossen van de gevaarlijke stof.

3. Indien is geladen of gelost door een persoon in opdracht of ten behoeve van de vervoerder of een ander, zoals de afzender of de ontvanger, is niet deze persoon, maar de vervoerder of die ander aansprakelijk.

4. Indien een ander dan de reder op grond van het eerste of het tweede lid aansprakelijk is, kan die ander geen beroep doen op artikel 623, vierde lid en vijfde lid, onderdeel b.

5. Indien een ander dan de reder op grond van het eerste of het tweede lid aansprakelijk is, zijn ten aanzien van die ander de Elfde Titel A van het Tweede Boek van het Wetboek van Koophandel, alsmede de artikelen 320a tot en met 320z van het Wetboek van Burgerlijke Rechtsvordering van overeenkomstige toepassing, met dien verstande dat in geval van hoofdelijke aansprakelijkheid:
a. de beperking van aansprakelijkheid krachtens de Elfde Titel A van het Tweede Boek van het Wetboek van Koophandel geldt voor het geheel der naar aanleiding van eenzelfde gebeurtenis ontstane vorderingen gericht tegen beiden;
b. een fonds gevormd door een van hen overeenkomstig artikel 320c van het Wetboek van Burgerlijke Rechtsvordering wordt aangemerkt als door beiden te zijn gevormd en zulks ten aanzien van de vorderingen waarvoor het fonds werd gesteld.

6. In de onderlinge verhouding tussen de reder en de in het tweede lid van dit artikel genoemde ander is de reder niet tot vergoeding verplicht dan in geval van schuld van hemzelf of van zijn ondergeschikten, vertegenwoordigers of lasthebbers.

7. Dit artikel is niet van toepassing als tijdens de periode, bedoeld in artikel 621, tweede lid, is geladen of gelost onder de uitsluitende of gezamenlijke verantwoordelijkheid van een persoon, genoemd in artikel 623, vijfde lid, onderdeel c, d of e.

Art. 625. Indien ingevolge artikel 623, tweede lid, onderdeel c, de reder niet aansprakelijk is, is de afzender of andere persoon aansprakelijk overeenkomstig deze afdeling en zijn te diens aanzien de Elfde Titel A van het Tweede Boek van het Wetboek van Koophandel, alsmede de artikelen 320a tot en met 320z van het Wetboek van Burgerlijke Rechtsvordering van overeenkomstige toepassing. De afzender of andere persoon kan geen beroep doen op artikel 623, vierde lid.

Aansprakelijkheid afzender of andere persoon

Art. 626. Indien schade veroorzaakt door de gevaarlijke stof redelijkerwijs niet kan worden gescheiden van schade anderszins veroorzaakt, zal de gehele schade worden aangemerkt als schade in de zin van deze afdeling.

Schade

Art. 627. 1. Wanneer door een gebeurtenis schade is veroorzaakt door gevaarlijke stoffen aan boord van meer dan een schip, dan wel aan boord van een schip en een binnenschip of een luchtkussenvoertuig, zijn de reders en de eigenaar of exploitant van de daarbij betrokken schepen, het binnenschip of het luchtkussenvoertuig, onverminderd het in artikel 623, tweede en derde lid, en artikel 624, afdeling 4 van titel 11 en afdeling 1 van titel 14 bepaalde, hoofdelijk aansprakelijk voor alle schade waarvan redelijkerwijs niet kan worden aangenomen dat zij veroorzaakt is door gevaarlijke stoffen aan boord van een of meer bepaalde schepen, binnenschip of luchtkussenvoertuig.

Hoofdelijke aansprakelijkheid reders en eigenaar of exploitant

2. Het bepaalde in het eerste lid laat onverlet het beroep op beperking van aansprakelijkheid van de reder, eigenaar of exploitant krachtens de Elfde Titel A of de Dertiende Titel, Afdeling 10A, telkens van het Tweede Boek van het Wetboek van Koophandel, dan wel de artikelen 1218 tot en met 1220, ieder tot het voor hem geldende bedrag.

Beroep op beperking aansprakelijkheid

TITEL 7
Beperking van aansprakelijkheid

Gereserveerd

III. BINNENVAARTRECHT

TITEL 8
Het binnenschip en de zaken aan boord daarvan

AFDELING 1
Rederij van het binnenschip

Art. 770. 1. Indien een binnenschip blijkens de openbare registers, bedoeld in afdeling 2 van titel 1 van Boek 3 aan twee of meer personen gezamenlijk toebehoort, bestaat tussen hen een rederij. Wanneer de eigenaren van het schip onder een gemeenschappelijke naam optreden bestaat slechts een rederij, indien zulks uitdrukkelijk bij akte is overeengekomen en deze akte in die registers is ingeschreven.

Rederij

2. De rederij is geen rechtspersoon.

Art. 771. Afdeling 1 van titel 3 is op de rederij van een binnenschip van overeenkomstige toepassing.

Overeenkomstige toepassing

AFDELING 2
Rechten op binnenschepen

Art. 780. 1. In de afdelingen 2 tot en met 6 van titel 8 worden onder schepen mede verstaan schepen in aanbouw.

Schip in aanbouw

2. Onder binnenschepen worden in de afdelingen 2 tot en met 6 van titel 8 mede verstaan draagvleugelboten, veerponten, alsmede baggermolens, drijvende kranen, elevatoren en alle drijvende werktuigen, pontons of materiaal van soortgelijke aard, die voldoen aan de in de artikelen 1 en 3 ten aanzien van binnenschepen vermelde vereisten.

Binnenschip

3. Indien een schip in aanbouw een schip in de zin van artikel 1 is geworden, ontstaat daardoor niet een nieuw schip.

Verdrag van Genève

Art. 781. In deze afdeling wordt verstaan onder:
a. het Verdrag van Genève: de op 25 januari 1965 te Genève gesloten overeenkomst inzake inschrijving van binnenschepen, met Protocollen (Trb. 1966, 228);
b. verdragsstaat: een staat, waarvoor het Verdrag van Genève van kracht is;
c. het register: het in artikel 783 genoemde register;
d. verdragsregister: een buiten Nederland in een verdragsstaat gehouden register, als bedoeld in artikel 2 van het Verdrag van Genève;
e. de openbare registers: de openbare registers, bedoeld in afdeling 2 van titel 1 van Boek 3.

Hoofdelijke verbondenheid

Art. 782. De in deze afdeling aan de eigenaar opgelegde verplichtingen rusten, indien het schip toebehoort aan meer personen, aan een vennootschap onder firma, aan een commanditaire vennootschap of aan een rechtspersoon, mede op iedere mede-eigenaar, beherende vennoot of bestuurder.

Openbaar register

Art. 783. Er wordt een afzonderlijk openbaar register gehouden voor de teboekstelling van binnenschepen, dat deel uitmaakt van de openbare registers.

Teboekstelling

Art. 784. 1. Teboekstelling is slechts mogelijk
— van een in aanbouw zijnd binnenschip: indien het in Nederland in aanbouw is;
— van een afgebouwd binnenschip: indien aan ten minste één der volgende voorwaarden is voldaan:
a. dat de plaats, van waaruit de exploitatie van het schip gewoonlijk wordt geleid, in Nederland is gelegen;
b. dat, wanneer de eigenaar van het schip een natuurlijke persoon is, deze Nederlander is of zijn woonplaats in Nederland heeft;
c. dat, wanneer de eigenaar van het schip een rechtspersoon of een vennootschap is, zijn zetel of de plaats van waaruit hij zijn bedrijf voornamelijk uitoefent, in Nederland is gelegen,

met dien verstande, dat in geval van mede-eigendom van het binnenschip de onder b en c genoemde voorwaarden niet als vervuld worden beschouwd, wanneer niet het schip tenminste voor de helft in eigendom toebehoort aan natuurlijke personen, rechtspersonen of vennootschappen, die aan deze voorwaarden voldoen.

2. Teboekstelling is niet mogelijk van een binnenschip dat reeds teboek staat in het register, in het in artikel 193 genoemde register of in een verdragsregister.

3. In afwijking van het tweede lid is teboekstelling van een binnenschip dat in een verdragsregister teboekstaat mogelijk, wanneer dit schip, nadat de teboekstelling ervan in dat verdragsregister is doorgehaald, volgens het eerste lid kan worden teboekgesteld. Deze teboekstelling heeft evenwel slechts rechtsgevolg, wanneer zij is gevolgd door aantekening in het register, dat de teboekstelling in het verdragsregister is doorgehaald.

4. In afwijking van het tweede lid is teboekstelling van een binnenschip dat in een verdragsregister teboekstaat mogelijk, wanneer de bewaarder van dat register uit hoofde van het tweede lid van artikel 22 van Protocol no. 2 bij het Verdrag van Genève weigert het eigendomsrecht van de koper na gedwongen verkoop in te schrijven.

5. De teboekstelling wordt verzocht door de eigenaar van het binnenschip. Hij moet daarbij ter inschrijving overleggen een door hem ondertekende verklaring, dat naar zijn beste weten het schip voor teboekstelling als binnenschip vatbaar is.

6. De teboekstelling in het register heeft geen rechtsgevolg, wanneer aan de vereisten van de voorgaande leden van dit artikel niet is voldaan.

7. Bij de aanvraag tot teboekstelling wordt woonplaats gekozen in Nederland. Deze woonplaats wordt in de aanvraag tot teboekstelling vermeld en kan door een andere in Nederland gelegen woonplaats worden vervangen.

Verplichting verzoek teboekstelling

Art. 785. 1. De eigenaar van een binnenschip is verplicht de teboekstelling daarvan te verzoeken. Aan deze verplichting moet worden voldaan binnen drie maanden, nadat volgens artikel 784 teboekstelling mogelijk is.

Uitzonderingen

2. Geen verplichting tot teboekstelling bestaat
a. ten aanzien van vrachtschepen met minder dan 20 tonnen van 1000 kilogram laadvermogen of andere binnenschepen met minder dan 10 kubieke meters verplaatsing, zijnde de in kubieke meters uitgedrukte waterverplaatsing tussen het

vlak van inzinking van het ledige binnenschip in zoet water en het vlak van de grootste toegelaten diepgang;
b. ten aanzien van afgebouwde binnenschepen, die teboekstaan in het register van een niet-verdragsstaat en in die staat voldoen aan tenminste één der in het eerste lid van artikel 3 van het Verdrag van Genève genoemde voorwaarden;
c. ten aanzien van binnenschepen, die komen van een niet-verdragsstaat en op weg zijn naar het land waar zij zullen moeten worden teboekgesteld.

Doorhaling teboekstelling

Art. 786. 1. De teboekstelling wordt slechts doorgehaald
a. op verzoek van degeen, die in het register als eigenaar vermeld staat
1° als de teboekstelling niet of niet meer verplicht is;
2° als het schip in een verdragsregister teboekstaat onder voorwaarde van doorhaling van de teboekstelling in het Nederlandse register;
3° als het schip in het register van een niet-verdragsstaat zal worden te boekgesteld en in die staat zal voldoen aan tenminste één der in het eerste lid van artikel 3 van het Verdrag van Genève genoemde voorwaarden. In dit geval heeft de doorhaling slechts rechtsgevolg, wanneer binnen 30 dagen daarna door de eigenaar wordt overgelegd een door hem ondertekende verklaring, dat het schip in het register van de genoemde staat teboekstaat en aldaar voldoet aan tenminste één der in het eerste lid van artikel 3 van het Verdrag van Genève genoemde voorwaarden.
b. op aangifte van de eigenaar of ambtshalve
1° als het schip vergaan is, gesloopt is of blijvend ongeschikt voor drijven is geworden;
2° als het schip door rovers of vijanden is genomen;
3° als het schip, indien het niet in het register teboek zou staan, een zeeschip zou zijn in de zin van artikel 2 of een dergelijk zeeschip in aanbouw;
4° als het schip niet of niet meer voldoet aan tenminste één der in het eerste lid van artikel 784 voor teboekstelling genoemde voorwaarden;
5° als het schip in een verdragsregister teboekstaat zonder dat daarbij de voorwaarde van doorhaling van de teboekstelling in het Nederlandse register is gesteld.

2. In de in het eerste lid onder b genoemde gevallen is de eigenaar tot het doen van aangifte verplicht binnen drie maanden nadat de reden tot doorhaling zich heeft voorgedaan.

3. Wanneer ten aanzien van het schip inschrijvingen of voorlopige aantekeningen ten gunste van derden bestaan, geschiedt doorhaling slechts, wanneer geen dezer derden zich daartegen verzet.

4. Doorhaling geschiedt slechts na op verzoek van de meest gerede partij verleende machtiging van de rechter.

Rechtsgevolg niet-doorhaling

Art. 787. 1. Zolang de teboekstelling in het register niet is doorgehaald heeft teboekstelling van een binnenschip in een register van een niet-verdragsstaat of vestiging in een niet-verdragsstaat van rechten daarop, voor vestiging waarvan in Nederland inschrijving in de openbare registers vereist zou zijn geweest, geen rechtsgevolg.

2. In afwijking van het eerste lid wordt een teboekstelling of vestiging van rechten als daar bedoeld erkend, wanneer deze geschiedde onder voorwaarde van doorhaling van de teboekstelling in het Nederlandse register binnen 30 dagen na de teboekstelling van het schip in het buitenlandse register.

Zakelijke rechten

Art. 788. De enige zakelijke rechten, waarvan een in het register teboekstaand binnenschip het voorwerp kan zijn, zijn de eigendom, de hypotheek, het vruchtgebruik en de in artikel 821 en artikel 827 eerste lid onder b genoemde voorrechten.

Art. 789. (Vervallen bij de wet van 2 december 1991, Stb. 664).

Teboekstaand binnenschip is registergoed

Art. 790. 1. Een in het register teboekstaand binnenschip is een registergoed.

Inschrijving uitspraak Nederlandse rechter

2. Bij toepassing van artikel 301 van Boek 3 ter zake van akten die op de voet van artikel 89 leden 1 en 4 van Boek 3 zijn bestemd voor de levering van een zodanig binnenschip, kan de in het eerste genoemde artikel bedoelde uitspraak van de Nederlandse rechter niet worden ingeschreven, zolang zij niet in kracht van gewijsde is gegaan.

Verkrijgende verjaring

Art. 791. Eigendom, hypotheek en vruchtgebruik op een teboekstaand binnenschip worden door een bezitter te goeder trouw verkregen door een onafgebroken bezit van vijf jaren.

Vestiging hypotheek

Art. 792. Onverminderd het bepaalde in artikel 260 eerste lid van Boek 3 wordt in de notariële akte waarbij hypotheek wordt verleend op een teboekstaand binnenschip of een recht waaraan een zodanig schip is onderworpen, duidelijk vermeld:
a. het aan de hypotheek onderworpen schip;
b. de voorwaarden voor opeisbaarheid of een verwijzing naar een op het kantoor van inschrijving ingeschreven document waarin de voorwaarden voor opeisbaarheid zijn vastgelegd;
c. de bedongen rente en het tijdstip of de tijdstippen waarop deze vervalt.

Object hypotheekrecht

Art. 793. Behoudens afwijkende, uit de openbare registers blijkende, bedingen omvat de hypotheek de zaken die uit hoofde van hun bestemming blijvend met het schip zijn verbonden en die toebehoren aan de eigenaar van het schip. Artikel 266 van Boek 3 is niet van toepassing.

Rangorde

Art. 794. De door hypotheek gedekte vordering neemt rang na de vorderingen, genoemd in de artikelen 820, 821, 221, 222 eerste lid, 831 en 832 eerste lid, doch vóór alle andere vorderingen, waaraan bij deze of enige andere wet een voorrecht is toegekend.

Hypotheek mede voor renten

Art. 795. Indien de vordering rente draagt, strekt de hypotheek mede tot zekerheid voor de renten der hoofdsom, vervallen gedurende de laatste drie jaren voorafgaande aan het begin van de uitwinning en gedurende de loop hiervan. Artikel 263 van Boek 3 is niet van toepassing.

Hypotheek op aandeel

Art. 796. Op hypotheek op een aandeel in een teboekstaand binnenschip is artikel 177 van Boek 3 niet van toepassing; de hypotheek blijft na vervreemding of toedeling van het aandeel in stand.

Overeenkomstige toepassing

Art. 797. 1. De eerste twee leden van artikel 264 van Boek 3 zijn in geval van een hypotheek waaraan een teboekstaand binnenschip is onderworpen, mede van toepassing op bevrachtingen.

2. De artikelen 234 en 261 van Boek 3 zijn op een zodanige hypotheek niet van toepassing.

Vruchtgebruik

Art. 798. In geval van vruchtgebruik op een teboekstaand binnenschip zijn de bepalingen van artikel 217 van Boek 3 mede van toepassing op bevrachting voor zover die bepalingen niet naar hun aard uitsluitend op pacht, huur van bedrijfsruimte of huur van woonruimte van toepassing zijn.

AFDELING 3
Huurkoop van teboekstaande binnenschepen

Totstandkoming scheepshuurkoop

Art. 800. 1. Scheepshuurkoop van een in het in artikel 783 genoemde register teboekstaand binnenschip komt tot stand bij een notariële akte, waarbij de koper zich verbindt tot betaling van een prijs in termijnen, waarvan twee of meer termijnen verschijnen nadat de verkoper aan de koper het schip ter beschikking heeft gesteld en de verkoper zich verbindt tot eigendomsoverdracht van het binnenschip na algehele betaling van hetgeen door de koper krachtens de overeenkomst is verschuldigd.

Schriftelijke toestemming

2. De overeenkomst is slechts van kracht indien daartoe schriftelijk toestemming is verkregen van degenen wier beperkt recht of beslag blijkt uit een inschrijving in de openbare registers, die reeds bestond op de dag van de inschrijving van de in artikel 805 bedoelde hypotheek.

Bedingen omtrent terbeschikkingstelling

3. Voor de bedingen omtrent de terbeschikkingstelling van het schip kan worden verwezen naar een aan de akte te hechten en door partijen te ondertekenen geschrift.

Authentieke volmacht

4. De volmacht tot het aangaan van een scheepshuurkoop moet bij authentieke akte worden verleend.

Inschrijving in register

Art. 801. 1. De overeenkomst kan worden ingeschreven in de openbare registers, bedoeld in afdeling 2 van titel 1 van Boek 3.

2. Bij eigendomsovergang op een derde van een schip, ten aanzien waarvan reeds een scheepshuurkoopovereenkomst was ingeschreven in de openbare registers, bedoeld in afdeling 2 van titel 1 van Boek 3, volgt deze derde in alle rechten en verplichtingen van de scheepshuurverkoper op, die nochtans naast de nieuwe eigenaar aan de overeenkomst gebonden blijft.
3. Rechten en verplichtingen welke vóór de eigendomsovergang opeisbaar zijn geworden, gaan op de derde niet over.

Scheepshuurkoper en scheepshuurverkoper

Art. 802. In de artikelen 803 tot en met 812 wordt onder koper de scheepshuurkoper en onder verkoper de scheepshuurverkoper verstaan.

Te vermelden gegevens

Art. 803. 1. Partijen zijn verplicht in de akte te vermelden welk deel van elk der te betalen termijnen strekt tot aflossing van de prijs voor de koop van het schip („de koopsom"), welk deel strekt tot betaling van mogelijkerwijs verschuldigde rente en welk deel mogelijkerwijs betrekking heeft op de terbeschikkingstelling van het schip.

Nietigheid afwijkend beding

2. Nietig is ieder beding, waarbij van het eerste lid van dit artikel wordt afgeweken met dien verstande dat, bij gebreke of onduidelijkheid van de vermelding van de daar bedoelde verdeling, deze op verzoek van de meest gerede partij alsnog door de rechter wordt vastgesteld.

Nietig beding

Art. 804. Nietig is ieder beding volgens hetwelk gedurende de contractsperiode een hogere koopsom kan worden vastgesteld.

Verplichtingen verkoper

Art. 805. 1. De verkoper is verplicht
a. het schip ter beschikking van de koper te stellen en te laten;
b. de koper te vrijwaren voor de gevolgen van
1° een staat of eigenschap van het schip
2° een op het schip gelegd beslag
3° zijn faillissement
4° enige hem persoonlijk betreffende omstandigheid
mits deze gevolgen ertoe leiden dat het schip aan de koper niet die mate van beschikking kan verschaffen die deze bij het aangaan van de overeenkomst er van mocht verwachten. De verkoper is niet verplicht de koper te vrijwaren voor de gevolgen van een feitelijke stoornis door derden zonder bewering van recht op het schip of van een bewering van recht op het schip zonder feitelijke stoornis;
c. zorg te dragen dat ten behoeve van de koper op de dag der overeenkomst hypotheek op de eigendom van het schip wordt gevestigd ten belope van een bedrag, gelijk aan driemaal de koopsom, terzake van hetgeen de verkoper aan de koper in verband met de scheepshuurkoop of de ontbinding daarvan verschuldigd is of zal worden;
d. zich te onthouden van iedere eigendomsoverdracht van het schip en zodra de koper zal hebben voldaan aan zijn in de overeenkomst neergelegde verplichtingen tot betaling, het schip aan dezen in eigendom over te dragen vrij van na het tot stand komen van de scheepshuurkoop gevestigde hypotheken ten gunste van derden en vrij van boven hypotheek rangnemende voorrechten en beslagen terzake van vorderingen waarvan de verkoper de schuldenaar is.

Nietigheid afwijkend beding

2. Nietig is ieder beding, waarbij ten nadele van de koper van het in het eerste lid onder a, c of d bepaalde wordt afgeweken, met dien verstande dat de hypotheek als daar onder c wordt bedoeld, wordt verleend op de door partijen nader overeen te komen voorwaarden of bij gebreke van overeenstemming daaromtrent op de voorwaarden door de rechter alsnog op verzoek van de meest gerede partij zo mogelijk in overeenstemming met het gebruik vast te stellen.
3. Nietig is ieder beding, waarbij ten nadele van de koper van het in het eerste lid onder b bepaalde wordt afgeweken ten aanzien van een feit dat de verkoper bij het aangaan van de overeenkomst kende.
4. Nietig is ieder beding, waarbij het bedrag van een door de verkoper mogelijkerwijs te betalen schadevergoeding wegens niet nakoming van zijn uit dit artikel voortvloeiende verplichtingen bij voorbaat wordt vastgesteld.

Verplichtingen koper

Art. 806. De koper die aan zijn in de overeenkomst neergelegde verplichtingen tot betaling heeft voldaan, is verplicht het schip in eigendom te aanvaarden, mits dit vrij zij van hypotheken ten gunste van derden en vrij van boven hypotheek rangnemende voorrechten en beslagen terzake van vorderingen, waarvan de verkoper de schuldenaar is.

Aanwending verschuldigde gedeelten van de termijnen tot rechtstreekse betaling

Art. 807. 1. Onder voorbehoud van artikel 808 is de koper gerechtigd door hem verschuldigde gedeelten van de termijnen die betrekking hebben op de koopsom en de rente aan te wenden tot rechtstreekse betaling van opeisbare rente en aflossingen aan schuldeisers te wier behoeve hypotheek op het schip is gevestigd.

2. Indien en voor zover het door de koper aan de verkoper verschuldigde per termijn minder bedraagt dan het bedrag dat periodiek aan rente en aflossing aan de in het eerste lid bedoelde hypothecaire schuldeiser is verschuldigd, is deze, in afwijking van artikel 29 van Boek 6 gehouden de overeenkomstig het eerste lid betaalde huurkooptermijnen te ontvangen, onverminderd de verplichting van de hypothecaire schuldenaar tot betaling van het restant verschuldigde. De hypothecaire schuldeiser is verplicht de hypothecaire schuldenaar mede te delen welke opeisbare rente en aflossingen door de koper zijn betaald.

3. Indien de koper aan de in het eerste lid bedoelde hypothecaire schuldeiser heeft doen weten, dat hij van het hem in dit artikel toegekende recht gebruik wenst te maken, is deze laatste verplicht de koper in te lichten omtrent de grootte van de nog resterende hypothecaire schuld.

4. De betalingen overeenkomstig dit artikel aan een hypothecaire schuldeiser gedaan, strekken in mindering op hetgeen de koper aan de verkoper verschuldigd is. De koper stelt de verkoper onverwijld in kennis van deze betalingen.

5. Overdracht of inpandgeving van de vordering, die de verkoper op de koper heeft of een onder de koper ten laste van de verkoper gelegd beslag, kan aan de rechten, die de koper aan de bepalingen van dit artikel ontleent, geen afbreuk doen.

6. Bij openbare, eigenmachtige of executoriale verkoop van het schip ten behoeve van een hypothecaire schuldeiser of van een beslaglegger op het schip, heeft de koper de in artikel 269 van Boek 3 bedoelde bevoegdheid. Maakt hij van dit recht gebruik, dan is het derde lid van overeenkomstige toepassing.

Gehele of gedeeltelijke voldoening vóór verschijnen van de termijnen

Art. 808. 1. Na verloop van één jaar na het sluiten van de overeenkomst is de koper gerechtigd het restant van de verschuldigde koopsom geheel of ten dele vóór het verschijnen van de bij de overeenkomst vastgestelde termijnen te voldoen met herberekening van het rentebestanddeel in de termijnen die alsnog verschuldigd waren, zulks op de voorwaarden door partijen overeengekomen danwel overeen te komen of bij gebreke van overeenstemming daaromtrent door de rechter op verzoek van de meest gerede partij vast te stellen.

Nietigheid afwijkend beding

2. Nietig is ieder beding, waarbij ten nadele van de koper van dit artikel wordt afgeweken.

Ingebrekestelling ingeval koper niet aan verplichtingen voldoet

Art. 809. 1. In geval de koper niet aan zijn verplichting tot betaling van de koopsom of de rente, dan wel een termijn daarvan voldoet, kan de verkoper hierop eerst een beroep doen om krachtens een daartoe mogelijkerwijs gemaakt beding teruggave van het schip te vorderen, nadat hij de koper terzake in gebreke heeft gesteld en deze, nadat hem bij die ingebrekestelling een redelijke termijn is gesteld alsnog aan zijn verplichtingen te voldoen, hiermee in gebreke blijft.

Nietigheid afwijkend beding

2. Nietig is ieder beding, waarbij van dit artikel wordt afgeweken.

Verplichting tot verrekening

Art. 810. 1. Indien de overeenkomst is ontbonden tengevolge van het in gebreke blijven van de koper te voldoen aan zijn verplichting tot betaling van de koopsom of de rente, dan wel een termijn daarvan en de verkoper of de koper dientengevolge in een betere vermogenstoestand zou geraken dan bij in stand blijven van de overeenkomst, zijn partijen verplicht onverwijld tot volledige verrekening over te gaan.

2. Ieder beding, waarbij de verkoper zich de bevoegdheid voorbehoudt de waarde van het schip te bepalen, laat de bevoegdheid van de koper deze waarde op zijn verzoek nader door de rechter te doen vaststellen, onverlet.

Nietigheid afwijkend beding

3. Nietig is ieder beding, waarbij van dit artikel wordt afgeweken.

Art. 811. (Vervallen bij de wet van 2 december 1991, Stb. 664).

Nietigheid beding

Art. 812. Nietig is ieder beding, krachtens hetwelk de overeenkomst van rechtswege eindigt.

AFDELING 4
Voorrechten op binnenschepen

Voorrecht wegens kosten uitwinning, bewaking; voorrang

Art. 820. 1. In geval van uitwinning van een binnenschip worden de kosten van uitwinning, de kosten van bewaking tijdens deze uitwinning of verkoop, alsmede de kosten van gerechtelijke rangregeling en verdeling van de opbrengst onder de schuldeisers uit de opbrengst van de verkoop voldaan boven alle andere vorderingen, waaraan bij deze of enige andere wet een voorrecht is toegekend.

Voorrecht kosten wrakopruiming

2. In geval van verkoop van een gestrand, onttakeld of gezonken binnenschip, dat de overheid in het openbaar belang heeft doen opruimen, worden de kosten der wrakopruiming uit de opbrengst van de verkoop voldaan boven alle andere vorderingen, waaraan bij deze of enige andere wet een voorrecht is toegekend.

Gelijke rang

3. De in de vorige leden bedoelde vorderingen staan in rang gelijk en worden ponds-pondsgewijs betaald.

Art. 820a. Artikel 292 van Boek 3 en artikel 60 tweede lid eerste zin, derde lid en vierde lid, van de Faillissementswet zijn op binnenschepen niet van toepassing.

Bijzondere voorrechten

Art. 821. Boven alle andere vorderingen waaraan bij deze of enige andere wet een voorrecht is toegekend zijn, behoudens artikel 820, op een binnenschip bevoorrecht:
a. in geval van beslag: de vorderingen ter zake van kosten na het beslag gemaakt tot behoud van het schip, daaronder begrepen de kosten van herstellingen, die onontbeerlijk waren voor het behoud van het schip;
b. de vorderingen ontstaan uit de arbeidsovereenkomsten van de schipper of de andere leden der bemanning, met dien verstande dat de vorderingen met betrekking tot loon, salaris of beloningen slechts bevoorrecht zijn tot op een bedrag over een tijdvak van zes maanden verschuldigd;
c. de vorderingen ter zake van hulpverlening alsmede ter zake van de bijdrage van het schip in avarij-grosse.

Art. 822. Wanneer een vordering uit hoofde van artikel 821 bevoorrecht is, zijn de renten hierop en de kosten teneinde een voor tenuitvoerlegging vatbare titel te verkrijgen gelijkelijk bevoorrecht.

Rangorde voorrechten

Art. 823. 1. De bevoorrechte vorderingen, genoemd in artikel 821, nemen rang in de volgorde, waarin zij daar zijn gerangschikt.
2. Bevoorrechte vorderingen onder dezelfde letter vermeld, staan in rang gelijk, doch de vorderingen genoemd in artikel 821 onder c nemen onderling rang naar de omgekeerde volgorde van de tijdstippen, waarop zij ontstonden.
3. In rang gelijkstaande vorderingen worden ponds-pondsgewijs betaald.

Object van voorrecht

Art. 824. De voorrechten, genoemd in artikel 821, strekken zich uit tot
a. alle zaken, die uit hoofde van hun bestemming blijvend met het schip zijn verbonden en die toebehoren aan de eigenaar van het schip;
b. de schadevergoedingen, verschuldigd voor het verlies van het schip of voor niet herstelde beschadiging daarvan, daarbij inbegrepen dat deel van een beloning voor hulpverlening, van een beloning voor vlotbrengen of van een vergoeding in avarij-grosse, dat tegenover een zodanig verlies of beschadiging staat. Dit geldt eveneens wanneer deze schadevergoedingen of vorderingen tot beloning zijn overgedragen of met pandrecht zijn bezwaard. Deze schadevergoedingen omvatten echter niet vergoedingen welke zijn verschuldigd krachtens een overeenkomst van verzekering van het schip, die dekking geeft tegen het risico van verlies of avarij. Artikel 283 van Boek 3 is niet van toepassing.

Zaaksgevolg

Art. 825. 1. De schuldeiser, die een voorrecht heeft op grond van artikel 821, vervolgt zijn recht op het schip, in wiens handen dit zich ook bevinde.
2. Voorrechten als bedoeld in artikel 821 kunnen worden ingeschreven in de openbare registers bedoeld in afdeling 2 van titel 1 van Boek 3. Artikel 24 lid 1 van Boek 3 is niet van toepassing.

Ontstaan en verhaalbaarheid bijzondere voorrechten

Art. 826. De vorderingen genoemd in artikel 821, doen een voorrecht op het schip ontstaan en zijn alsdan daarop verhaalbaar, zelfs wanneer zij zijn ontstaan tijdens de exploitatie van het schip door een ander dan de eigenaar, tenzij aan deze de feitelijke macht over het schip door een ongeoorloofde handeling was ontnomen en bovendien de schuldeiser niet te goeder trouw was.

Overige bijzondere voorrechten

Art. 827. 1. Boven alle andere vorderingen, waaraan bij deze of enige andere wet een voorrecht is toegekend, doch na de bevoorrechte vorderingen genoemd in artikel 821, na de hypothecaire vorderingen, na de vorderingen genoemd in de artikelen 222 en 832 en na de vordering van de pandhouder, zijn op een binnenschip, waaronder voor de toepassing van dit artikel niet is te verstaan een binnenschip in aanbouw, bij voorrang verhaalbaar:
a. de vorderingen, die voortvloeien uit rechtshandelingen die de eigenaar, de scheepshuurkoper of een bevrachter binden en die rechtstreeks strekken tot het in bedrijf brengen of houden van het schip, alsmede de vorderingen die tegen een uit hoofde van artikel 461 gelezen met artikel 462 of artikel 943 gelezen met artikel 944 als vervoerder aangemerkte persoon kunnen worden geldend gemaakt. Onder rechtshandeling is hier het in ontvangst nemen van een verklaring begrepen;
b. de vorderingen, die uit hoofde van afdeling 1 van titel 6 of afdeling 1 van titel 11 op de eigenaar rusten;
c. de vorderingen, genoemd in Afdeling 10A van de Dertiende Titel van het Tweede Boek van het Wetboek van Koophandel voor zover zij op de eigenaar rusten.

Gelijke rang

2. De in het eerste lid genoemde vorderingen staan in rang gelijk en worden ponds-pondsgewijs betaald.
3. De artikelen 822, 824 onder a en 826 zijn op de in het eerste lid genoemde vorderingen van toepassing. Op de vorderingen die in het eerste lid onder b worden genoemd, is ook artikel 825 van toepassing.
4. Artikel 283 van Boek 3 is niet van toepassing.

Overige bijzondere voorrechten

Art. 828. Na de vorderingen genoemd in artikel 827 zijn de vorderingen genoemd in de artikelen 284 en 285 van Boek 3, voor zover zij dit niet zijn op grond van enig ander artikel van deze titel, op een binnenschip bij voorrang verhaalbaar.

Tenietgaan voorrechten

Art. 829. 1. De krachtens deze afdeling verleende voorrechten gaan te niet door verloop van een jaar, tenzij de schuldeiser zijn vordering in rechte geldend heeft gemaakt. Deze termijn begint met de aanvang van de dag volgend op die, waarop de vordering opeisbaar wordt. Met betrekking tot de vordering voor hulploon begint deze termijn echter met de aanvang van de dag volgend op die, waarop de hulpverlening is beëindigd.
2. Het voorrecht gaat teniet met de vordering.
3. In geval van executoriale verkoop gaan de voorrechten mede teniet op het tijdstip waarop het procesverbaal van verdeling wordt gesloten.

AFDELING 5
Voorrechten op zaken aan boord van binnenschepen

Wet teboekgestelde Luchtvaartuigen

Art. 830. Deze afdeling geldt onder voorbehoud van de Wet teboekgestelde Luchtvaartuigen.

Voorrecht wegens kosten uitwinning, bewaking; voorrang

Art. 831. 1. In geval van uitwinning van zaken aan boord van een binnenschip worden de kosten van uitwinning, de kosten van bewaking daarvan tijdens deze uitwinning, alsmede de kosten van gerechtelijke rangregeling en verdeling van de opbrengst onder de schuldeisers, uit de opbrengst van de verkoop voldaan boven alle andere vorderingen, waaraan bij deze of enige andere wet een voorrecht is toegekend.

Gelijke rang

2. De in het vorige lid bedoelde vorderingen staan in rang gelijk en worden ponds-pondsgewijs betaald.

Bijzondere voorrechten; voorrang

Art. 832. 1. Op zaken aan boord van een binnenschip zijn de vorderingen ter zake van hulpverlening en van een bijdrage van die zaken in avarij-grosse bevoorrecht. Deze vorderingen nemen daartoe rang na die welke zijn genoemd in de artikelen 210, 211, 221, 820, 821 en 831, doch vóór alle andere vorderingen, waaraan bij deze of enige andere wet een voorrecht is toegekend.
2. Op ten vervoer ontvangen zaken zijn bevoorrecht de vorderingen uit een met betrekking tot die zaken gesloten vervoerovereenkomst, dan wel uit artikel 488 of

artikel 951 voortvloeiend, doch slechts voor zover aan de vervoerder door artikel 489 of artikel 954 een recht op de zaken wordt toegekend. Deze vorderingen nemen daartoe rang na die welke zijn genoemd in het eerste lid en in de artikelen 204 en 794, doch vóór alle andere vorderingen, waaraan bij deze of enige andere wet een voorrecht is toegekend.

Art. 833. Wanneer een vordering uit hoofde van artikel 832 bevoorrecht is, zijn de renten hierop en de kosten teneinde een voor tenuitvoerlegging vatbare titel te verkrijgen gelijkelijk bevoorrecht.

Art. 834. 1. De vorderingen ter zake van hulpverlening of bijdrage in avarij-grosse, die bevoorrecht zijn op grond van artikel 211, artikel 222 eerste lid, artikel 821 of artikel 832 eerste lid, nemen onderling rang naar de omgekeerde volgorde van de tijdstippen, waarop zij ontstonden.

2. De bevoorrechte vorderingen in het tweede lid van artikel 832 vermeld staan in rang gelijk.

3. De in artikel 284 van Boek 3 genoemde vordering neemt rang na de in de vorige leden genoemde vorderingen, ongeacht wanneer die vorderingen zijn ontstaan.

4. In rang gelijkstaande vorderingen worden ponds-pondsgewijs betaald.

Object van voorrecht

Art. 835. De voorrechten, genoemd in artikel 832, strekken zich uit tot de schadevergoedingen, verschuldigd voor verlies of niet herstelde beschadiging, daarbij inbegrepen dat deel van een beloning voor hulpverlening, van een beloning voor vlotbrengen of van een vergoeding in avarij-grosse, dat tegenover een zodanig verlies of beschadiging staat. Dit geldt eveneens wanneer deze schadevergoedingen of vorderingen tot beloning zijn overgedragen of met pandrecht zijn bezwaard. Deze schadevergoedingen omvatten echter niet vergoedingen, welke zijn verschuldigd krachtens een overeenkomst van verzekering die dekking geeft tegen het risico van verlies of avarij. Artikel 283 van Boek 3 is niet van toepassing.

Ontstaan en verhaalbaarheid voorrecht

Art. 836. De in artikel 832 genoemde vorderingen doen een voorrecht op de daar vermelde zaken ontstaan en zijn alsdan daarop bij voorrang verhaalbaar, ook al is hun eigenaar op het tijdstip, dat het voorrecht is ontstaan, niet de schuldenaar van deze vorderingen.

Tenietgaan voorrechten

Art. 837. 1. Met de aflevering van de zaken aan de daartoe gerechtigde gaan, behalve in het geval van artikel 556, de in artikel 832 genoemde voorrechten teniet. Zij gaan mede teniet met de vordering en door, in geval van executoriale verkoop, niet tijdig verzet te doen tegen de verdeling van de koopprijs alsmede door gerechtelijke rangregeling.

2. Zij blijven in stand, zolang de zaken op grond van artikel 490, 955 of 569 zijn opgeslagen of daarop op grond van artikel 626 of artikel 636 van het Wetboek van Burgerlijke Rechtsvordering beslag is gelegd.

Recht van reclame

Art. 838. De verkoper van brandstof voor de machines, van ketelwater, levensmiddelen of scheepsbenodigdheden kan het hem in afdeling 8 van titel 1 van Boek 7 toegekende recht slechts gedurende 48 uur na het einde van de levering uitoefenen, doch zulks ook indien deze zaken zich bevinden in handen van de eigenaar, de scheepshuurkoper, een rompbevrachter of een tijdbevrachter van het schip.

AFDELING 6
Slotbepalingen

Uitschakelbepaling

Art. 840. 1. De afdelingen 2 tot en met 5 van titel 8 zijn niet van toepassing op binnenschepen, welke toebehoren aan het Rijk of enig openbaar lichaam en uitsluitend bestemd zijn voor de uitoefening van
a. de openbare macht of
b. niet-commerciële overheidsdienst.

2. De beschikking waarbij de in het eerste lid bedoelde bestemming is vastgesteld, kan worden ingeschreven in de openbare registers, bedoeld in afdeling 2 van titel 1 van Boek 3. Artikel 24 lid 1 van Boek 3 is niet van toepassing.

3. De inschrijving machtigt de bewaarder tot doorhaling van de teboekstelling van het schip in het in artikel 783 bedoelde register.

A.m.v.b.

Art. 841. 1. Behoeven de in de afdelingen 2 tot en met 6 van titel 8 geregelde onderwerpen in het belang van een goede uitvoering van de wet nadere regeling, dan geschiedt dit bij of krachtens algemene maatregel van bestuur, onverminderd de bevoegdheid tot regeling krachtens de Kadasterwet.

2. In de in het eerste lid bedoelde algemene maatregel van bestuur kan, in afwijking van artikel 786 tweede lid, een nadere regeling worden gegeven met betrekking tot de termijn waarbinnen de eigenaar van een binnenschip, waarop het eerste lid onder b ten vijfde van dat artikel van toepassing is en waarvan de teboekstelling in het buitenlandse register heeft plaatsgevonden, voordat het Verdrag van Genève voor de staat van dat register van kracht is geworden, verplicht is tot het doen van aangifte tot doorhaling van de teboekstelling.

TITEL 9
Bemanning van een binnenschip

AFDELING 1
Algemene bepalingen

(Gereserveerd)

AFDELING 2
Schipper

Verplichtingen schipper

Art. 860. 1. De schipper is verplicht voor de belangen van de bevrachters en van de rechthebbenden op de aan boord zijnde zaken, zo mogelijk ook na lossing daarvan, te waken en de maatregelen die daartoe nodig zijn, te nemen.

2. Indien het noodzakelijk is onverwijld ter behartiging van deze belangen rechtshandelingen te verrichten, is de schipper daartoe bevoegd. Onder rechtshandeling is hier het in ontvangst nemen van een verklaring begrepen.

3. Voor zover mogelijk geeft hij van bijzondere voorvallen terstond kennis aan de belanghebbenden bij de betrokken goederen en handelt hij in overleg met hen en volgens hun orders.

Beperkingen wettelijke bevoegdheid tegen derden

Art. 861. 1. Beperkingen van de wettelijke bevoegdheid van de schipper gelden tegen derden slechts wanneer die hun bekend zijn gemaakt.

2. De schipper verbindt zichzelf slechts dan, wanneer hij de grenzen zijner bevoegdheid overschrijdt.

AFDELING 3
Schepelingen

(Gereserveerd)

TITEL 10
Exploitatie

AFDELING 1
Algemene bepaling

Vordering buiten overeenkomst

Art. 880. Op de exploitatie van een binnenschip zijn de artikelen 361 tot en met 366 van overeenkomstige toepassing.

AFDELING 2
Overeenkomst van goederenvervoer over binnenwateren

Overeenkomst van goederenvervoer

Art. 890. 1. De overeenkomst van goederenvervoer in de zin van deze titel is de overeenkomst van goederenvervoer, al dan niet tijd- of reisbevrachting zijnde, waarbij de ene partij (de vervoerder) zich tegenover de andere partij (de afzender) verbindt aan boord van een schip zaken uitsluitend over binnenwateren te vervoeren.

Vervoer over binnenwateren

2. Vervoer over zee en binnenwateren aan boord van een en eenzelfde schip, dat deze beide wateren bevaart, wordt als vervoer over binnenwateren beschouwd, mits het varen van dit schip over zee kennelijk ondergeschikt is aan het varen over binnenwateren.

3. Vervoer over zee en binnenwateren aan boord van een en eenzelfde schip, dat zonder eigen beweegkracht deze beide wateren bevaart, wordt beschouwd als vervoer over binnenwateren voor zover, met inachtneming tevens van het tweede lid van dit artikel, het varen van het beweegkracht overbrengende schip als varen over binnenwateren wordt beschouwd. Voor zover dit niet het geval is, wordt het als vervoer over zee beschouwd.

4. Deze afdeling is niet van toepassing op overeenkomsten tot het vervoeren van postzendingen door of in opdracht van de houder van de concessie, bedoeld in de Postwet of onder een internationale postovereenkomst. Onder voorbehoud van artikel 980 is deze afdeling niet van toepassing op overeenkomsten tot het vervoeren van bagage.

Maximering van aansprakelijkheid

Art. 891. Deze afdeling laat de Elfde titel A en de Afdeling 10A van de Dertiende Titel van het Tweede Boek van het Wetboek van Koophandel onverlet.

Tijd- of reisbevrachting

Art. 892. 1. Tijd- of reisbevrachting in de zin van deze afdeling is de overeenkomst van goederenvervoer, waarbij de vervoerder zich verbindt tot vervoer aan boord van een schip, dat hij daartoe, anders dan bij wijze van rompbevrachting, geheel of gedeeltelijk en al dan niet op tijdbasis (tijdbevrachting of reisbevrachting) ter beschikking stelt van de afzender.

2. De overeenkomst van vletten is de tijdbevrachting strekkende tot vervoer van zaken binnen een havencomplex.

3. Ruimtebevrachting is de reisbevrachting tegen een naar inhoud van het schip bepaalde vracht.

Vervrachter; bevrachter

4. Onder „vervrachter" is in deze afdeling de in het eerste lid genoemde vervoerder, onder „bevrachter" de aldaar genoemde afzender te verstaan.

Uitschakelbepaling

Art. 893. De wetsbepalingen omtrent huur, bewaarneming en bruikleen zijn op terbeschikkingstelling van een schip, anders dan bij wijze van rompbevrachting, niet van toepassing.

Rechtsovergang bij eigendomsovergang

Art. 894. 1. Bij eigendomsovergang van een tevoren vervracht, al dan niet teboekstaand, schip op een derde volgt deze in alle rechten en verplichtingen van de vervrachter op, die nochtans naast de nieuwe eigenaar aan de overeenkomst gebonden blijft.

2. Rechten en verplichtingen, welke vóór de eigendomsovergang opeisbaar zijn geworden, gaan op de derde niet over.

Verplichtingen vervoerder

Art. 895. De vervoerder is verplicht ten vervoer ontvangen zaken ter bestemming af te leveren en wel in de staat waarin hij hen heeft ontvangen.

Art. 896. Onverminderd artikel 895 is de vervoerder verplicht ten vervoer ontvangen zaken zonder vertraging te vervoeren.

Verplichtingen vervrachter

Art. 897. 1. In geval van tijdbevrachting is de vervrachter verplicht de schipper opdracht te geven binnen de grenzen door de overeenkomst gesteld de orders van de bevrachter op te volgen. De vervrachter staat er voor in, dat de schipper de hem gegeven opdracht nakomt.

Verplichting bevrachter

2. De bevrachter staat er voor in, dat het schip de plekken of plaatsen, waarheen hij het ter inlading, lossing of anderszins op grond van het eerste lid beveelt te gaan, veilig kan bereiken, innemen en verlaten. Indien deze plekken of plaatsen blijken niet aan deze vereisten te voldoen, is de bevrachter slechts in zoverre niet aansprakelijk als de schipper, door de hem gegeven orders op te volgen, onredelijk handelde.

Gebondenheid aan rechtshandelingen schipper

3. Onverminderd artikel 943 wordt de bevrachter mede verbonden door en kan hij rechten ontlenen aan een rechtshandeling, die de schipper ingevolge het eerste lid van dit artikel verricht. Onder rechtshandeling is hier het in ontvangst nemen van een verklaring begrepen.

Overmacht

Art. 898. 1. De vervoerder is niet aansprakelijk voor schade ontstaan door een beschadiging, voor zover deze is veroorzaakt door een omstandigheid die een zorgvuldig vervoerder niet heeft kunnen vermijden en voor zover zulk een vervoerder de gevolgen daarvan niet heeft kunnen verhinderen.

2. Ten aanzien van deugdelijkheid en geschiktheid van het schip en van het materiaal, waarvan hij zich bedient of die hij ter beschikking stelt, is van de vervoerder de zorg vereist van een zorgvuldig vervoerder, die aan boord van eigen schip vervoert en gebruik maakt van eigen materiaal. Voor ondeugdelijkheid of ongeschiktheid van materiaal, dat door afzender of ontvanger ter beschikking van de vervoerder is gesteld, is de vervoerder niet aansprakelijk, voor zover een zorgvuldig vervoerder zich van zulk materiaal zou hebben bediend.

3. Onder beschadiging worden mede verstaan geheel of gedeeltelijk verlies van zaken, vertraging, alsmede ieder ander schade veroorzakend feit.

Bewijsvermoedens

Art. 899. Vermoed wordt dat een zorgvuldig vervoerder de volgende omstandigheden niet heeft kunnen vermijden:
a. brand;
b. ontploffing;
c. hitte;
d. koude;
e. optreden van knaagdieren of ongedierte;
f. bederf;
g. lekkage;
h. smelting;
i. ontvlamming;
j. corrosie.

Art. 900. Wanneer vervoerde zaken een beschadiging of een verlies lijden, waaraan zij door hun aard licht onderhevig zijn, wanneer levende dieren doodgaan of beschadigd worden, of wanneer door de afzender in een laadkist gestuwde zaken bij onbeschadigde laadkist een beschadiging of een verlies lijden, wordt vermoed dat de vervoerder noch de omstandigheid die deze beschadiging of dit verlies veroorzaakte heeft kunnen vermijden, noch heeft kunnen verhinderen, dat deze omstandigheid tot deze beschadiging of dit verlies leidde.

(Geen) aansprakelijkheid voor handelingen bij navigatie

Art. 901. 1. De vervoerder is niet aansprakelijk voor schade ontstaan door een beschadiging voor zover deze, hoe dan ook, is veroorzaakt door een handeling, onachtzaamheid of nalatigheid van één of meer opvarenden van het schip, de sleepboot of de duwboot, gepleegd bij de navigatie daarvan, tenzij de navigatiefout niet zou zijn gemaakt indien de vervoerder bij de keuze van deze personen gehandeld zou hebben als van een zorgvuldig vervoerder mag worden verwacht. Het in de vorige zin bepaalde geldt ook voor zover de beschadiging mede werd veroorzaakt door een na de navigatiefout opgekomen omstandigheid, die een zorgvuldig vervoerder heeft kunnen vermijden of waarvan zulk een vervoerder de gevolgen heeft kunnen verhinderen. Fouten gepleegd bij het samenstellen van een sleep of van een duweenheid zijn navigatiefouten als hier bedoeld.

2. Voor schade ontstaan door eigen navigatiefouten is de vervoerder slechts aansprakelijk, wanneer hij deze beging hetzij met het opzet die schade te veroorzaken, hetzij roekeloos en met de wetenschap dat die schade er waarschijnlijk uit zou voortvloeien.

3. Onder beschadiging worden mede verstaan geheel of gedeeltelijk verlies van zaken, vertraging, alsmede ieder ander schade veroorzakend feit.

Nietigheid afwijkend beding

Art. 902. 1. Nietig is ieder beding, waarbij de ingevolge artikel 895 op de vervoerder drukkende aansprakelijkheid of bewijslast op andere wijze wordt verminderd dan in deze afdeling is voorzien, tenzij het betreft:

Uitzonderingen

a. beschadiging opgekomen vóór of voortvloeiend uit een omstandigheid liggend vóór het laden in of na het lossen uit het schip;
b. het vervoer van zaken, die door hun karakter of gesteldheid een bijzondere overeenkomst rechtvaardigen of welker vervoer moet geschieden onder omstandigheden of op voorwaarden, die een bijzondere overeenkomst rechtvaardigen. Het hier bepaalde geldt echter slechts, wanneer voor het vervoer van deze zaken geen cognossement aan order of toonder, doch een blijkens zijn bewoordingen onverhandelbaar document is afgegeven en het niet betreft een gewone handelslading, verscheept bij gelegenheid van een gewone handelsverrichting.

2. In afwijking van het eerste lid staat het partijen vrij bij een in het bijzonder ten aanzien van het voorgenomen vervoer aangegane en in een afzonderlijk, niet naar in een ander geschrift voorkomende bedingen verwijzend, geschrift neergelegde

overeenkomst te bedingen dat de vervoerder niet aansprakelijk is voor schade ontstaan door een beschadiging, voor zover deze is veroorzaakt door een in die overeenkomst ondubbelzinnig omschreven wijze van behandeling der zaken dan wel ondeugdelijkheid of ongeschiktheid van schip of materiaal. Ondanks zulk een beding blijft de vervoerder aansprakelijk voor door de omschreven wijze van behandeling dan wel ondeugdelijkheid of ongeschiktheid veroorzaakte beschadiging, voor zover een zorgvuldig vervoerder deze had kunnen verhinderen.

Cognossement of ander document

3. Wordt voor het vervoer een cognossement of ander document afgegeven, dan moet, op straffe van nietigheid van een beding als bedoeld in het tweede lid, daarin uitdrukkelijk worden verwezen naar dit afzonderlijke geschrift.

4. Onder beschadiging worden mede verstaan niet-aflevering en geheel of gedeeltelijk verlies van zaken.

Maximering aansprakelijkheid vervoerder

Art. 903. 1. Voor zover de vervoerder aansprakelijk is wegens niet nakomen van de op hem uit hoofde van de artikelen 895 en 896 rustende verplichtingen, heeft de afzender geen ander recht dan betaling te vorderen van een bedrag, dat wordt berekend met inachtneming van de waarde welke zaken als de ten vervoer ontvangene zouden hebben gehad zoals, ten tijde waarop en ter plaatse waar, zij zijn afgeleverd of zij hadden moeten zijn afgeleverd.

2. De in het eerste lid genoemde waarde wordt berekend naar de koers op de goederenbeurs of, wanneer er geen dergelijke koers is, naar de gangbare marktwaarde of, wanneer ook deze ontbreekt, naar de normale waarde van zaken van dezelfde aard en hoedanigheid.

Opzettelijk verkeerde opgave

3. De vervoerder is in geen geval aansprakelijk voor verlies of schade van of aan zaken of met betrekking tot deze, indien aard of waarde daarvan door de afzender opzettelijk verkeerdelijk is opgegeven en, indien een cognossement is afgegeven, daarin verkeerdelijk is opgenomen.

Nietigheid afwijkend beding

4. Nietig is ieder beding, waarbij van dit artikel ten nadele van de vervoerder wordt afgeweken.

Waardevermindering

Art. 904. 1. Indien met betrekking tot een zaak hulploon, een bijdrage in avarij-grosse of een schadevergoeding uit hoofde van artikel 951 is verschuldigd, wordt deze aangemerkt als een waardevermindering van die zaak.

Nietigheid afwijkend beding

2. Nietig is ieder beding, waarbij van dit artikel ten nadele van de vervoerder wordt afgeweken.

A.m.v.b.

Art. 905. 1. Voor zover de vervoerder aansprakelijk is wegens niet nakomen van de op hem uit hoofde van de artikelen 895 en 896 rustende verplichtingen, is hij niet aansprakelijk boven bij of krachtens algemene maatregel van bestuur te bepalen bedragen.

Nietigheid afwijkend beding

2. Nietig is ieder beding, waarbij van dit artikel ten nadele van de vervoerder wordt afgeweken.

Geen beroep op beperking aansprakelijkheid

Art. 906. 1. De vervoerder kan zich niet beroepen op enige beperkingen van zijn aansprakelijkheid, voor zover de schade is ontstaan uit zijn eigen handeling of nalaten, geschied hetzij met het opzet die schade te veroorzaken, hetzij roekeloos en met de wetenschap dat die schade er waarschijnlijk uit zou voortvloeien.

Nietigheid afwijkend beding

2. Nietig is ieder beding, waarbij van dit artikel wordt afgeweken.

Schadevergoedingsplicht afzender

Art. 907. De afzender is verplicht de vervoerder de schade te vergoeden die deze lijdt doordat de overeengekomen zaken, door welke oorzaak dan ook, niet op de overeengekomen plaats en tijd te zijner beschikking zijn.

Opzegging door afzender en vervoerder

Art. 908. 1. Alvorens zaken ter beschikking van de vervoerder zijn gesteld, is de afzender bevoegd de overeenkomst op te zeggen.

2. Zijn bij het verstrijken van de tijd, waarbinnen de zaken ter beschikking van de vervoerder moeten zijn gesteld, door welke oorzaak dan ook, in het geheel geen zaken ter beschikking van de vervoerder, dan is deze, zonder dat enige ingebrekestelling is vereist, bevoegd de overeenkomst op te zeggen.

3. Zijn bij het verstrijken van de in het tweede lid bedoelde tijd, door welke oorzaak dan ook, de overeengekomen zaken slechts gedeeltelijk ter beschikking van de vervoerder dan is deze, zonder dat enige ingebrekestelling is vereist, bevoegd de overeenkomst op te zeggen dan wel de reis te aanvaarden. De afzender is op verlangen van de vervoerder in geval van opzegging van de overeenkomst verplicht

tot lossing van de reeds gestuwde zaken of, in geval de vervoerder de reis aanvaardt en het vertrek van het schip zonder herstuwing van de reeds gestuwde zaken niet mogelijk is, tot deze herstuwing.

4. De opzegging geschiedt door een mondelinge of schriftelijke kennisgeving of enig ander bericht, waarvan de ontvangst duidelijk aantoonbaar is en de overeenkomst eindigt op het ogenblik van ontvangst, doch niet vóór lossing van de zaken.

Schadevergoedingsplicht afzender

5. De afzender is verplicht de vervoerder de schade te vergoeden die deze lijdt tengevolge van de opzegging, van de aanvaarding van de reis, dan wel van lossing of herstuwing van reeds ingenomen zaken.

6. Dit artikel is niet van toepassing in geval van tijdbevrachting.

Verplichtingen be- en vervrachter

Art. 909. 1. In geval van reisbevrachting is de vervrachter na ontvangst van wat hij van de bevrachter heeft te vorderen, op diens verlangen verplicht de reis te aanvaarden met een gedeelte der overeengekomen zaken. De bevrachter is verplicht de vervrachter de vracht over de niet ter beschikking gestelde zaken vóór het begin van het vervoer te voldoen.

Geen verrekeningsverplichting voor vervrachter

2. De vervrachter is bevoegd in plaats van de ontbrekende zaken andere aan te nemen. Hij is niet gehouden de vracht, die hij voor het vervoer van deze zaken ontvangt, met de bevrachter te verrekenen, behalve voor zover hij zijnerzijds van de bevrachter vracht over niet ter beschikking gestelde zaken heeft geïnd of gevorderd.

Herstuwing

3. Is vertrek niet mogelijk zonder herstuwing van de reeds gestuwde zaken, dan is de bevrachter op verlangen van de vervrachter tot deze herstuwing verplicht. Hij is bovendien verplicht de vervrachter de schade te vergoeden die deze door herstuwing van reeds ingenomen zaken lijdt.

Informatieplicht

Art. 910. 1. De afzender is verplicht de vervoerder omtrent de zaken alsmede omtrent de behandeling daarvan tijdig al die opgaven te doen, waartoe hij in staat is of behoort te zijn, en waarvan hij weet of behoort te weten, dat zij voor de vervoerder van belang zijn, tenzij hij mag aannemen dat de vervoerder deze gegevens kent.

2. De vervoerder is niet gehouden, doch wel gerechtigd, te onderzoeken of de hem gedane opgaven juist en volledig zijn.

3. Is bij het verstrijken van de tijd, waarbinnen de zaken ter beschikking van de vervoerder moeten zijn gesteld, door welke oorzaak dan ook, niet of slechts gedeeltelijk voldaan aan de in het eerste lid van dit artikel genoemde verplichting van de afzender, dan zijn, behalve in het geval van tijdbevrachting, het tweede, derde, vierde en vijfde lid van artikel 908 en het vijfde lid van artikel 911 van overeenkomstige toepassing.

Documentatie

Art. 911. 1. De afzender is verplicht de vervoerder de schade te vergoeden die deze lijdt doordat, door welke oorzaak dan ook, niet naar behoren aanwezig zijn de documenten en inlichtingen, die van de zijde van de afzender vereist zijn voor het vervoer dan wel ter voldoening aan vóór de aflevering van de zaken te vervullen douane- en andere formaliteiten.

2. De vervoerder is verplicht redelijke zorg aan te wenden dat de documenten, die in zijn handen zijn gesteld, niet verloren gaan of onjuist worden behandeld. Een door hem terzake verschuldigde schadevergoeding zal die, verschuldigd uit hoofde van de artikelen 903 tot en met 906 in geval van verlies van de zaken, niet overschrijden.

3. De vervoerder is niet gehouden, doch wel gerechtigd, te onderzoeken of de hem gedane opgaven juist en volledig zijn.

4. Zij bij het verstrijken van de tijd waarbinnen de in het eerste lid genoemde documenten en inlichtingen aanwezig moeten zijn, deze, door welke oorzaak dan ook, niet naar behoren aanwezig, dan zijn, behalve in het geval van tijdbevrachting, het tweede, derde, vierde en vijfde lid van artikel 908 van overeenkomstige toepassing.

5. Indien door het niet naar behoren aanwezig zijn van de in dit artikel bedoelde documenten of inlichtingen vervoer van zaken van de betrokken of van een andere afzender op de onderhavige reis wordt verlengd ten gevolge van vertraging in de aanvang of het verloop daarvan, zal de schadevergoeding niet minder bedragen dan het overliggeld over het aantal uren, waarmee het vervoer is verlengd.

Art. 912. 1. Wanneer vóór of bij de aanbieding van de zaken aan de vervoerder omstandigheden aan de zijde van een der partijen zich opdoen of naar voren komen, die haar wederpartij bij het sluiten van de overeenkomst niet behoefde te kennen, doch die, indien zij haar wel bekend waren geweest, redelijkerwijs voor haar grond hadden opgeleverd de vervoerovereenkomst niet of op andere voorwaarden aan te gaan, is deze wederpartij bevoegd de overeenkomst op te zeggen.

Opzegging door wederpartij bij bijzondere omstandigheden

2. De opzegging geschiedt door een mondelinge of schriftelijke kennisgeving of enig ander bericht, waarvan de ontvangst duidelijk aantoonbaar is en de overeenkomst eindigt op het ogenblik van ontvangst daarvan.

3. Naar maatstaven van redelijkheid en billijkheid zijn partijen na opzegging der overeenkomst verplicht elkaar de daardoor geleden schade te vergoeden.

Art. 913. 1. De afzender is verplicht de vervoerder de schade te vergoeden, die materiaal, dat hij deze ter beschikking stelde of zaken die deze ten vervoer ontving dan wel de behandeling daarvan, de vervoerder berokkenden, behalve voor zover deze schade is veroorzaakt door een omstandigheid die een zorgvuldig afzender van de ten vervoer ontvangen zaken niet heeft kunnen vermijden en waarvan zulk een afzender de gevolgen niet heeft kunnen verhinderen.

Schadevergoedingsplicht afzender

2. Dit artikel laat artikel 914 en de bepalingen nopens avarij-grosse onverlet.

Art. 914. 1. Ten vervoer ontvangen zaken, die een zorgvuldig vervoerder, indien hij geweten zou hebben dat zij na hun inontvangstneming gevaar zouden kunnen opleveren, met het oog daarop niet ten vervoer zou hebben willen ontvangen, mogen door hem op ieder ogenblik en op iedere plaats worden gelost, vernietigd dan wel op andere wijze onschadelijk gemaakt. Ten aanzien van ten vervoer ontvangen zaken, waarvan de vervoerder de gevaarlijkheid heeft gekend, geldt hetzelfde doch slechts dan wanneer zij onmiddellijk dreigend gevaar opleveren.

Gevaarlijke zaken

2. Indien de vervoerder op grond van het eerste lid gerechtigd is tot lossen, vernietigen of op andere wijze onschadelijk maken van zaken, is de afzender op verlangen van de vervoerder en wanneer hem dit redelijkerwijs mogelijk is, verplicht deze maatregel te nen.en.

3. Door het treffen van de in het eerste of tweede lid bedoelde maatregel eindigt de overeenkomst met betrekking tot de daar genoemde zaken, doch, indien deze alsnog worden gelost, eerst na deze lossing. De vervoerder verwittigt zo mogelijk de afzender, degeen aan wie de zaken moeten worden afgeleverd en degeen, aan wie hij volgens de bepalingen van een mogelijkerwijs afgegeven vrachtbrief of cognossement bericht van aankomst van het schip moet zenden. Dit lid is niet van toepassing met betrekking tot zaken die de vervoerder na het treffen van de in het eerste of tweede lid bedoelde maatregel alsnog naar hun bestemming vervoert.

Einde overeenkomst

4. Naar maatstaven van redelijkheid en billijkheid zijn partijen na beëindiging van de overeenkomst verplicht elkaar de daardoor geleden schade te vergoeden.

5. Indien zaken na beëindiging van de overeenkomst alsnog in feite worden afgeleverd, wordt vermoed, dat zij zich op het ogenblik van beëindiging van de overeenkomst bevonden in de staat, waarin zij feitelijk zijn afgeleverd; worden zij niet afgeleverd, dan wordt vermoed, dat zij op het ogenblik van beëindiging van de overeenkomst verloren zijn gegaan.

6. Indien de afzender na feitelijke aflevering een zaak niet naar haar bestemming vervoert, wordt het verschil tussen de waarden ter bestemming en ter plaatse van de aflevering, beide als bedoeld in het tweede lid van artikel 903, aangemerkt als waardevermindering van die zaak. Vervoert de afzender een zaak na de feitelijke aflevering alsnog naar haar bestemming, dan worden de kosten die hij te dien einde maakt aangemerkt als waardevermindering van die zaak.

7. Op de feitelijke aflevering is het tussen partijen overeengekomene alsmede het in deze afdeling nopens de aflevering van zaken bepaalde van toepassing, met dien verstande, dat deze feitelijke aflevering niet op grond van de tweede zin van het eerste lid of op grond van het derde lid van artikel 947 de vracht verschuldigd doet zijn. De artikelen 955, 956 en 957 zijn van overeenkomstige toepassing.

8. Dit artikel laat de bepalingen nopens avarij-grosse onverlet.

9. Nietig is ieder beding, waarbij van het eerste of het tweede lid van dit artikel wordt afgeweken.

Art. 915. 1. Zowel de afzender als de vervoerder kunnen terzake van het vervoer een document (vrachtbrief) opmaken en verlangen dat dit of een mogelijkerwijs door hun wederpartij opgemaakt document, door hun wederpartij wordt getekend en aan hen wordt afgegeven. Dit document kan noch aan order noch aan toonder

Vrachtbrief

worden gesteld. De ondertekening kan worden gedrukt of door een stempel dan wel enig ander kenmerk van oorsprong worden vervangen.

Gegevens

2. In de vrachtbrief worden aan de hand van door de afzender te verstrekken gegevens vermeld:
a. de ten vervoer ontvangen zaken;
b. de plaats waar de vervoerder de zaken ten vervoer heeft ontvangen;
c. de plaats waarheen de vervoerder op zich neemt de zaken te vervoeren;
d. de geadresseerde;
e. de vracht;
f. al hetgeen overigens aan afzender en vervoerder gezamenlijk goeddunkt.

De afzender staat in voor de juistheid, op het ogenblik van inontvangstneming van de zaken, van de door hem verstrekte gegevens.

3. Ondertekening door de afzender houdt op zichzelf niet in, dat hij de juistheid erkent van de aantekeningen die de vervoerder op de vrachtbrief ten aanzien van de zaken plaatste.

Cognossement

Art. 916. 1. Op verlangen van de afzender, geuit voor de inlading een aanvang neemt, is de vervoerder verplicht voor zaken, die hij ten vervoer ontving, een cognossement op te maken, te dateren, te ondertekenen en tegen intrekking van een ontvangstbewijs of ligcognossement, dat door hem mocht zijn afgegeven, aan de afzender af te geven. De afzender is verplicht de gegevens, die nodig zijn voor het opmaken van het cognossement te verstrekken en staat in voor de juistheid daarvan op het ogenblik van de inontvangstneming van de zaken. Op verlangen van de vervoerder is de afzender verplicht het cognossement mede te ondertekenen of hem een ondertekend afschrift daarvan ter hand te stellen.

Ontvangstbewijs

2. Wanneer de zaken voor zij ten vervoer zijn ingeladen door de vervoerder worden ontvangen, is deze op verlangen van de afzender verplicht een ontvangstbewijs of een voorlopig cognossement op te maken, te dateren, te ondertekenen en af te geven. De afzender is verplicht de gegevens, die nodig zijn voor het opmaken van dit document, te verstrekken en hij staat in voor de juistheid daarvan op het ogenblik van de inontvangstneming van de zaken.

3. Nadat de inlading is voltooid, is de vervoerder op verlangen van de afzender verplicht een dergelijk voorlopig cognossement hetzij om te ruilen tegen een cognossement, als in het eerste lid bedoeld, hetzij op het voorlopige cognossement de naam van het schip of de schepen, aan boord waarvan de zaken werden geladen, en de datum of de data van de inlading aan te tekenen en vervolgens deze gegevens te ondertekenen.

4. De ondertekening kan worden gedrukt of door een stempel dan wel enig ander kenmerk van oorsprong worden vervangen.

Rechtsverhouding vervoerder en afzender

Art. 917. Indien een vervoerovereenkomst is gesloten en bovendien een cognossement is afgegeven, wordt, behoudens artikel 940 tweede lid, tweede volzin, de rechtsverhouding tussen de vervoerder en de afzender door de bedingen van de vervoerovereenkomst en niet door die van dit cognossement beheerst. Behoudens het in artikel 940 eerste lid gestelde vereiste van houderschap van het cognossement, strekt dit hun dan slechts tot bewijs van de ontvangst der zaken door de vervoerder.

Cognossement; gegevens

Art. 918. Het cognossement, voor zover het geen ligcognossement is, vermeldt de ten vervoer ontvangen zaken, de plaats waar de vervoerder hen ten vervoer heeft ontvangen, de plaats waarheen de vervoerder op zich neemt hen te vervoeren, het schip aan boord waarvan de zaken worden geladen, en de geadresseerde.

Aanduiding geadresseerde

Art. 919. 1. In het cognossement wordt de geadresseerde, ter keuze van de afzender, aangegeven hetzij bij name of andere aanduiding, hetzij als order van de afzender of van een ander, hetzij als toonder. Op verlangen van de vervoerder wordt vermeld aan wie deze kennis kan geven dat hij gereed is te lossen.

Aan order

2. De enkele woorden „aan order” worden geacht de order van de afzender aan te geven.

Verhandelbaarheid

Art. 920. De verhandelbare exemplaren van een cognossement, waarin is vermeld hoeveel van deze exemplaren in het geheel zijn afgegeven, gelden alle voor één en één voor alle.

Art. 921. 1. Het cognossement bewijst, behoudens tegenbewijs, dat de vervoerder de zaken heeft ontvangen en wel wat hun aard betreft, zoals deze daarin in het algemeen zijn omschreven en overigens zoals deze daarin naar aantal, gewicht of maat zijn vermeld. Tegenbewijs tegen het cognossement wordt niet toegelaten, wanneer het is overgedragen aan een derde te goeder trouw.

Bewijskracht cognossement

2. Indien in het cognossement de clausule: „aard, aantal, maat of gewicht onbekend" of enige andere clausule van dergelijke strekking is opgenomen, binden zodanige in het cognossement voorkomende vermeldingen omtrent de zaken de vervoerder niet, tenzij bewezen wordt, dat hij de aard, het aantal, de maat of het gewicht der zaken heeft gekend of had behoren te kennen.

3. Een cognossement, dat de uiterlijk zichtbare staat of gesteldheid van de zaak niet vermeldt, levert, behoudens tegenbewijs dat ook jegens een derde mogelijk is, een vermoeden op dat de vervoerder die zaak voor zover uiterlijk zichtbaar in goede staat of gesteldheid heeft ontvangen.

4. Ondertekening door de afzender van het cognossement of van een afschrift daarvan houdt op zichzelf niet in, dat hij de juistheid erkent van de aantekeningen die de vervoerder daarop ten aanzien van de zaken plaatste.

Art. 922. Verwijzingen in het cognossement worden geacht slechts die bedingen daarin in te voegen, die voor degeen, jegens wie daarop een beroep wordt gedaan, duidelijk kenbaar zijn.

Verwijzingen in cognossement

2. Een dergelijk beroep is slechts mogelijk voor hem, die op schriftelijk verlangen van degeen jegens wie dit beroep kan worden gedaan of wordt gedaan, aan deze onverwijld die bedingen heeft doen toekomen.

3. Nietig is ieder beding, waarbij van het tweede lid van dit artikel wordt afgeweken.

Nietigheid afwijkend beding

Art. 923. Een cognossement aan order wordt geleverd op de wijze als aangegeven in afdeling 2 van titel 4 van Boek 3.

Levering cognossement aan order

Art. 924. Levering van het cognossement vóór de aflevering van de daarin vermelde zaken door de vervoerder geldt als levering van die zaken.

Betekenis levering cognossement

Art. 925. De vervoerder is verplicht de plek van inlading en lossing tijdig aan te wijzen; in geval van tijdbevrachting is echter artikel 897 van toepassing en in geval van reisbevrachting artikel 926.

Verplichting vervoerder

Art. 926. 1. In geval van reisbevrachting is de bevrachter verplicht de plek van inlading en lossing tijdig aan te wijzen.

Reisbevrachting

2. Hij moet daartoe aanwijzen een plek, waar het schip veilig kan komen, liggen, laden of lossen en waarvandaan het veilig kan vertrekken.

3. Indien de aangewezen plek niet beschikbaar is, lopen laad- en lostijd zoals zij gelopen zouden hebben wanneer deze plek wel beschikbaar zou zijn geweest.

4. Wanneer de bevrachter niet aan deze verplichting voldoet, is de vervrachter zonder dat enige aanmaning is vereist bevoegd zelf de plek van inlading of lossing aan te wijzen.

5. Indien de bevrachter meer dan één plek aanwijst, geldt de tijd nodig voor het verhalen als gebruikte laad- of lostijd. De kosten van verhalen zijn voor zijn rekening.

6. De bevrachter staat er voor in, dat het schip op de plek, die hij op grond van het eerste lid ter inlading of lossing aanwijst, veilig kan komen, liggen, laden of lossen en daarvandaan veilig kan vertrekken. Indien deze plek blijkt niet aan deze vereisten te voldoen, is de bevrachter slechts in zoverre niet aansprakelijk als de schipper, door de hem gegeven aanwijzing op te volgen, onredelijk handelde.

Art. 927. Wanneer in geval van reisbevrachting de bevrachter de bevoegdheid heeft laad- of loshaven nader aan te wijzen, is artikel 926 van overeenkomstige toepassing.

Aanwijzing laad- of loshaven

Art. 928. In geval van ruimtebevrachting zijn alle kosten en tijdverlet, veroorzaakt om het schip de plek waar het ter beschikking moet worden gesteld te doen bereiken, ten laste van de bevrachter. De vergoeding voor tijdverlet zal niet minder bedragen dan het overliggeld voor de gebezigde uren.

Kosten en tijdverlet bij ruimtebevrachting

Verplichtingen vervoerder en afzender

Art. 929. 1. De vervoerder is verplicht het schip ter inlading en ter lossing beschikbaar te stellen.

2. De afzender is verplicht de zaken aan boord van het schip te laden en te stuwen en de ontvanger is verplicht hen uit het schip te lossen. Wanneer de vervoerder daarbij aanwijzingen geeft voor de veiligheid van de vaart of ter voorkoming van schade zijn zij verplicht deze op te volgen.

Aanvang laadtijd

Art. 930. 1. De laadtijd gaat in op de dag volgende op die waarop de vervoerder aan de afzender of aan een door deze aangewezen persoon het schip heeft gemeld.

2. Indien het de afzender bekend is, dat het schip zich op de dag van het sluiten van de overeenkomst in de laadplaats bevindt, wordt de vervoerder beschouwd als op die dag de in het eerste lid bedoelde melding te hebben verricht.

Laadtijd; overliggeld

Art. 931. 1. Voor zover de vervoerder verplicht is tot laden, is hij gehouden zulks in de overeengekomen laadtijd te doen.

2. Voor zover de afzender verplicht is tot laden of stuwen, staat hij er voor in dat zulks in de overeengekomen laadtijd geschiedt.

3. Wanneer overligtijd is bedongen, is de afzender gerechtigd deze tijd na afloop van de laadtijd voor inlading en stuwing te bezigen.

4. Bepaalt de vervoerovereenkomst overliggeld, doch niet de overligtijd, dan wordt deze tijd vastgesteld op vier opeenvolgende dagen of, als op de ligplek een ander aantal redelijk of gebruikelijk is, op dit aantal.

5. De laadtijd wordt verkort met het aantal uren, dat de belading eerder is aangevangen of de vervoerder het schip op verlangen van de afzender eerder voor belading beschikbaar hield dan het tijdstip, waarop ingevolge het eerste lid van artikel 930 de laadtijd inging. Hij wordt verlengd met het aantal uren, dat het schip na aanvang van de werktijd op de dag, waarop de laadtijd inging, nog niet voor belading beschikbaar was.

6. Laadtijd, bedongen overligtijd en de in het vierde lid bedoelde overligdagen worden, voor zover de afzender tot laden of stuwen verplicht is, verlengd met de uren, dat niet kan worden geladen of gestuwd door schuld van de vervoerder of door omstandigheden gelegen in het schip of in het materiaal van het schip waarvan de vervoerder of de afzender zich bedient. Zij nemen een einde, wanneer belading en stuwing zijn beëindigd.

Betalingsplicht afzender van overliggeld en schadevergoeding

Art. 932. 1. De afzender is gehouden tot betaling van overliggeld voor de overligtijd met uitzondering van de uren vermeld in de eerste zin van het zesde lid van artikel 931. Hij is bovendien verplicht de vervoerder de schade te vergoeden wanneer, door welke oorzaak dan ook, vervoer van zaken van de betrokken of van een andere afzender op de onderhavige reis wordt verlengd ten gevolge van vertraging in de aanvang of het verloop van dit vervoer, ontstaan doordat de afzender belading en stuwing niet had voltooid in de laadtijd en de bedongen of wettelijke overligtijd. Deze schadevergoeding zal niet minder bedragen dan het overliggeld over het aantal uren, waarmee het vervoer is verlengd.

2. De wettelijke bepalingen omtrent boetebedingen zijn niet van toepassing op bedingen met betrekking tot overliggeld.

3. Schuldenaren van overliggeld en een mogelijkerwijs uit hoofde van het tweede lid van artikel 931 verschuldigde schadevergoeding zijn tot betaling daarvan hoofdelijk verbonden.

4. Voorts gelden de regels, zo nodig vastgesteld bij algemene maatregel van bestuur, ten aanzien van het aantal der laad- en losdagen, de berekening van de laad-, los- en overligtijd, het bedrag van het overliggeld, de wijze, waarop het gewicht der te vervoeren of vervoerde zaken wordt bepaald, de duur van de werktijd en de uren, waarop deze begint en eindigt, voor zover niet bij plaatselijke verordening andere uren van aanvang en einde zijn bepaald, en de vergoeding voor of het meetellen van nachten, zaterdagen, zondagen en daarmede geheel of gedeeltelijk gelijkgestelde dagen, indien des nachts of op genoemde dagen geladen, gestuwd of gelost wordt, alsmede het begin van laad- en lostijd en de dagen en uren, waarop kennisgevingen van laad- of losgereedheid kunnen worden gedaan.

Overeenkomstige toepassing

Art. 933. De artikelen 930, 931 en 932 vinden overeenkomstige toepassing op lossen.

Art. 934. 1. Behalve in geval van tijd- of reisbevrachting is de vervoerder wanneer, nadat de inlading een aanvang heeft genomen, het schip vergaat of zodanig beschadigd blijkt te zijn, dat het herstel, nodig voor de uitvoering van de overeenkomst, niet zonder ingrijpende maatregel mogelijk is, na lossing van de zaken bevoegd de overeenkomst te beëindigen, mits hij dit zo spoedig mogelijk doet; een maatregel tot herstel, die lossing van de gehele lading noodzakelijk maakt, wordt daarbij vermoed een ingrijpende maatregel te zijn.

Einde overeenkomst

2. Vermoed wordt dat het vergaan of de beschadiging van het schip is te wijten aan een omstandigheid, die voor rekening van de vervoerder komt; voor rekening van de vervoerder komen die omstandigheden, die in geval van beschadiging van door hem vervoerde zaken voor zijn rekening komen.

3. De vervoerder verwittigt, zo mogelijk, de afzender, de geadresseerde en degeen aan wie hij volgens de bepalingen van een mogelijkerwijs afgegeven cognossement bericht van gereedheid tot lossen moet zenden.

4. Het vijfde, het zesde en het zevende lid van artikel 914 zijn van toepassing.

Art. 935. 1. In geval van tijd- of reisbevrachting is de vervrachter, mits hij dit zo spoedig mogelijk doet, bevoegd de overeenkomst geheel of met betrekking tot een gedeelte der zaken al dan niet uitdrukkelijk op te zeggen, wanneer het schip, zonder dat het vergaan is, zodanig beschadigd blijkt te zijn, dat het, naar het oordeel van de vervrachter, het herstel, nodig voor de uitvoering van de overeenkomst, niet waard is of dit herstel binnen redelijke tijd niet mogelijk is.

Opzegging bij tijd- en reisbevrachting

2. Wanneer in geval van reisbevrachting de vervrachter reeds aan boord ontvangen zaken, zij het niet in het bevrachte schip, ondanks de beëindiging van de overeenkomst, naar hun bestemming vervoert, wordt dit vervoer vermoed op grond van de oorspronkelijke overeenkomst plaats te vinden.

3. Door de opzegging eindigt de overeenkomst, doch ten aanzien van reeds aan boord ontvangen zaken, eerst na lossing van die zaken.

4. Ten aanzien van reeds ten vervoer ontvangen zaken wordt vermoed, dat de beschadiging van het schip is te wijten aan een omstandigheid, die voor rekening van de vervrachter komt; voor rekening van de vervrachter komen die omstandigheden, die in geval van beschadiging van door hem vervoerde zaken, voor zijn rekening komen.

5. De vervrachter verwittigt, zo spoedig als dit mogelijk is, de bevrachter, de geadresseerde en degeen aan wie hij bericht van gereedheid tot lossen moet zenden.

6. Het vijfde, het zesde en het zevende lid van artikel 914 zijn van toepassing met dien verstande, dat in geval van tijdbevrachting vracht verschuldigd blijft tot op het tijdstip van de lossing der zaken.

Art. 936. 1. In geval van tijd- of reisbevrachting eindigt de overeenkomst met het vergaan van het schip.

Einde overeenkomst met vergaan schip

2. Ten aanzien van reeds ten vervoer ontvangen zaken wordt vermoed, dat het vergaan van het schip is te wijten aan een omstandigheid, die voor rekening van de vervrachter komt; voor rekening van de vervrachter komen die omstandigheden, die in geval van beschadiging van door hem vervoerde zaken voor zijn rekening komen.

3. Vervoert de vervrachter ondanks het vergaan van het schip zaken die reeds aan boord waren ontvangen alsnog naar hun bestemming, dan wordt in geval van reisbevrachting dit vervoer vermoed op grond van de oorspronkelijke overeenkomst plaats te vinden.

4. De vervrachter verwittigt, zo spoedig als dit mogelijk is, de bevrachter, de geadresseerde en degeen aan wie hij bericht van gereedheid tot lossen moet zenden.

5. Het vijfde, het zesde en het zevende lid van artikel 914 zijn van toepassing.

Art. 937. 1. De afzender is, tenzij een cognossement is afgegeven, bevoegd zichzelf of een ander als geadresseerde aan te wijzen, een gegeven aanduiding van de geadresseerde te wijzigen, orders omtrent de aflevering te geven of te wijzigen dan wel aflevering van ten vervoer ontvangen zaken vóór de aankomst ter bestemming te verlangen, voor zover de vervoerder aan deze aanwijzingen redelijkerwijs kan voldoen en mits hij de vervoerder en de belanghebbenden bij de overige lading ter zake schadeloos stelt. Hij is verplicht tot bijdragen in een avarij-grosse, wanneer de avarij-grosse handeling plaatshad met het oog op een omstandigheid, waarvan reeds vóór de aflevering is gebleken. Wanneer het schip naar een niet eerder overeengekomen plaats of plek is gevaren, is hij verplicht de vervoerder terzake bovendien een redelijke vergoeding te geven.

Bevoegdheid afzender tot geven van aanwijzingen

2. Hij kan deze rechten niet uitoefenen, wanneer door het opvolgen van zijn aanwijzingen de reis zou worden vertraagd.

3. Deze rechten van de afzender vervallen al naarmate de geadresseerde op de losplek zaken ter lossing aanneemt of de geadresseerde van de vervoerder schadevergoeding verlangt omdat deze zaken niet aflevert.

4. Zaken, die ingevolge het eerste lid zijn afgeleverd, worden aangemerkt als ter bestemming afgeleverde zaken en de bepalingen van deze afdeling nopens de aflevering van zaken, alsmede de artikelen 955, 956 en 957 zijn van toepassing.

Bevoegdheid cognossementshouder aflevering vóór aankomst ter destinatie te verlangen

Art. 938. 1. Indien een cognossement is afgegeven, is uitsluitend de in artikel 940 bedoelde houder daarvan en dan alleen tegen afgifte van alle verhandelbare exemplaren van dit cognossement, bevoegd, voor zover de vervoerder hieraan redelijkerwijs kan voldoen, aflevering van alle daarop vermelde zaken gezamenlijk vóór de aankomst ter bestemming te verlangen, mits hij de vervoerder en de belanghebbenden bij de overige lading terzake schadeloos stelt. Hij is verplicht tot bijdragen in een avarij-grosse, wanneer de avarij-grosse handeling plaats had met het oog op een omstandigheid, waarvan reeds vóór de aflevering is gebleken. Wanneer het schip naar een niet eerder overeengekomen plaats of plek is gevaren, is hij verplicht de vervoerder ter zake bovendien een redelijke vergoeding te geven.

2. Hij kan dit recht niet uitoefenen, wanneer door de voortijdige aflevering de reis zou worden vertraagd.

3. Zaken, die ingevolge het eerste lid zijn afgeleverd, worden aangemerkt als ter bestemming afgeleverde zaken en de bepalingen van deze afdeling nopens de aflevering van zaken, alsmede de artikelen 955, 956 en 957 zijn van toepassing.

Recht geadresseerde aflevering te vorderen

Art. 939. Indien geen cognossement doch aan de afzender een vrachtbrief die een geadresseerde vermeldt is afgegeven, heeft ook deze geadresseerde jegens de vervoerder het recht aflevering van de zaken overeenkomstig de op de vervoerder rustende verplichtingen te vorderen; daarbij zijn de artikelen 903, 905 en 906 van overeenkomstige toepassing.

Recht regelmatige cognossementshouder aflevering te vorderen

Art. 940. 1. Indien een cognossement is afgegeven, heeft uitsluitend de regelmatige houder daarvan, tenzij hij niet op rechtmatige wijze houder is geworden, jegens de vervoerder onder het cognossement het recht aflevering van de zaken overeenkomstig de op de vervoerder rustende verplichtingen te vorderen; daarbij zijn de artikelen 903, 905 en 906 van toepassing.

2. Jegens de houder van het cognossement, die niet de afzender was, is de vervoerder onder cognossement gehouden aan en kan hij een beroep doen op de bedingen van dit cognossement. Jegens iedere houder van het cognossement kan hij de uit het cognossement duidelijk kenbare rechten tot betaling geldend maken. Jegens de houder van het cognossement, die ook de afzender was, kan de vervoerder zich bovendien op de bedingen van de vervoerovereenkomst en op zijn persoonlijke verhouding tot de afzender beroepen.

Hoofdelijke verbondenheid

Art. 941. 1. Indien bij toepassing van artikel 943 verscheidene personen als vervoerder onder het cognossement moeten worden aangemerkt zijn dezen jegens de in artikel 940 eerste lid bedoelde cognossementhouder hoofdelijk verbonden.

2. In het in het eerste lid genoemde geval is ieder der vervoerders gerechtigd de uit het cognossement blijkende rechten jegens de cognossementhouder uit te oefenen en is deze jegens iedere vervoerder gekweten tot op het opeisbare bedrag dat hij op grond van het cognossement aan één hunner heeft voldaan. Titel 7 van Boek 3 is niet van toepassing.

Het beste recht

Art. 942. Van de houders van verschillende exemplaren van hetzelfde cognossement heeft hij het beste recht, die houder is van het exemplaar, waarvan nà de gemeenschappelijke voorman, die houder was van al die exemplaren, het eerst een ander houder is geworden te goeder trouw en onder bezwarende titel.

Vervoerder onder het cognossement

Art. 943. 1. Onverminderd de overige leden van dit artikel worden als vervoerder onder het cognossement aangemerkt hij die het cognossement ondertekende of voor wie een ander dit ondertekende alsmede hij wiens formulier voor het cognossement is gebezigd. Is het cognossement niet of op onleesbare wijze ondertekend, dan wordt de wederpartij van de afzender als vervoerder onder het cognossement aangemerkt.

2. Indien de schipper of een ander voor hem het cognossement ondertekende, wordt naast degenen genoemd in het eerste lid, die tijd- of reisbevrachter, die vervoerder is bij de laatste overeenkomst in de keten der exploitatie-overeenkomsten als bedoeld in afdeling 1 van titel 5, als vervoerder onder het cognossement aangemerkt.
Indien het schip in rompbevrachting is uitgegeven wordt naast deze eventuele tijd- of reisbevrachter ook de laatste rompbevrachter als vervoer onder het cognossement aangemerkt. Is het schip niet in rompbevrachting uitgegeven, dan wordt naast de hiergenoemde eventuele tijd- of reisbevrachter ook de eigenaar als vervoerder onder het cognossement aangemerkt.

3. In afwijking van de vorige leden wordt uitsluitend de laatste rompbevrachter, onderscheidenlijk de eigenaar, als vervoerder onder het cognossement aangemerkt indien het cognossement uitsluitend deze rompbevrachter, onderscheidenlijk de eigenaar, uitdrukkelijk als zodanig aanwijst en, in geval van aanwijzing van de rompbevrachter, bovendien diens identiteit uit het cognossement duidelijk kenbaar is.

4. Dit artikel laat het tweede lid van artikel 861 onverlet.

5. Nietig is ieder beding, waarbij van dit artikel wordt afgeweken.

Tegenbewijs

Art. 944. 1. Het eerste lid, eerste volzin van artikel 943 vindt geen toepassing indien een daar als vervoerder onder het cognossement aangemerkte persoon bewijst dat hij die het cognossement voor hem ondertekende daarbij de grenzen zijner bevoegdheid overschreed of dat het formulier zonder zijn toestemming is gebezigd. Desalniettemin wordt een in het eerste lid, eerste volzin van artikel 943 bedoelde persoon als vervoerder onder het cognossement aangemerkt, indien de houder van het cognossement bewijst dat op het ogenblijk van uitgifte van het cognossement, op grond van een verklaring of gedraging van hem voor wie is ondertekend of wiens formulier is gebezigd, redelijkerwijze mocht worden aangenomen, dat hij die ondertekende daartoe bevoegd was of dat het formulier met toestemming was gebezigd.

Rederij als vervoerder onder het cognossement

2. In afwijking van het eerste lid wordt de rederij als vervoerder onder het cognossement aangemerkt indien haar boekhouder door ondertekening van het cognossement de grenzen zijner bevoegdheid overschreed, doch zij wordt niet gebonden jegens de eerste houder van het cognossement die op het ogenblik van uitgifte daarvan wist dat de boekhouder de grenzen zijner bevoegdheid overschreed.

3. Een beroep op het tweede lid van artikel 943 is mogelijk ook indien de schipper door ondertekening van het cognossement of door een ander de bevoegdheid te geven dit namens hem te ondertekenen, de grenzen zijner bevoegheid overschreed, doch dergelijk beroep staat niet open aan de eerste houder van het cognossement die op het ogenblik van uitgifte daarvan wist dat de schipper de grenzen zijner bevoegdheid overschreed.

4. Het derde lid vindt eveneens toepassing indien hij die namens de schipper het cognossement ondertekende daarbij de grenzen zijner bevoegdheid overschreed.

Verhaal door vervrachter

Art. 945. 1. Is een vervrachter ingevolge artikel 943 tot meer gehouden dan waartoe hij uit hoofde van zijn bevrachting is verplicht of ontving hij minder dan waartoe hij uit dien hoofde is gerechtigd, dan heeft hij — mits de ondertekening van het cognossement of de afgifte van het formulier plaatsvond krachtens het in de bevrachting bepaalde, dan wel op verzoek van de bevrachter — deswege op deze laatste verhaal.

2. Hetzelfde geldt voor een ingevolge het eerste lid aangesproken bevrachter, die op zijn beurt vervrachter is.

Kwijting

Art. 946. 1. De houder van het cognossement, die zich tot ontvangst van de zaken heeft aangemeld, is verplicht, voordat hij deze heeft ontvangen, het cognossement van kwijting te voorzien en aan de vervoerder af te geven.

2. Hij is gerechtigd het cognossement tot zekerheid der afgifte daarvan bij een, in geval van geschil op verzoek van de meest gerede partij door de rechter aan te wijzen, derde in bewaring te geven totdat de zaken afgeleverd zijn.

3. Tenzij het cognossement in overeenstemming met het eerste lid van kwijting is voorzien en aan de vervoerder is afgegeven, is de ontvanger verplicht naarmate van de aflevering van de zaken ontvangstbewijzen daarvoor af te geven, voor zover althans dit de aflevering niet op onredelijke wijze vertraagt.

Verschuldigdheid vracht

Art. 947. 1. Een derde gedeelte van de vracht, berekend over de ten vervoer ontvangen zaken, — of, wanneer een beding als „franco vracht tegen ontvangstbewijs" is gemaakt, twee derde gedeelte daarvan — is verschuldigd op het ogenblik, dat de vervoerder de zaken ten vervoer ontvangt of, wanneer door hem een vrachtbrief of cognossement wordt afgegeven, bij het afgeven hiervan. De overige vracht is verschuldigd na aflevering van de zaken ter bestemming of ter plaatse, waar de vervoerder hen met inachtneming van artikel 937 of artikel 938 aflevert. Is de vracht bepaald naar gewicht of omvang der zaken, dan wordt hij berekend naar deze gegevens bij aflevering.

2. Wanneer zaken weliswaar worden afgeleverd, doch niet ter bestemming, is distantievracht verschuldigd. Deze wordt berekend aan de hand van het door de zaken afgelegde gedeelte van het vervoer en de door de vervoerder gemaakte kosten. Hierbij wordt rekening gehouden met de gehele duur en lengte van het vervoer en het totaal van de daarvoor door de vervoerder te maken kosten.

3. Vracht, die in één som voor alle zaken is bepaald, is, ook wanneer slechts een gedeelte van die zaken ter bestemming is afgeleverd, in zijn geheel verschuldigd.

4. Vracht, die vooruit te voldoen is of voldaan is, is en blijft — behalve in geval van tijdbevrachting — in zijn geheel verschuldigd, ook wanneer de zaken niet ter bestemming worden afgeleverd.

5. Zaken, die niet zijn afgeleverd, worden desalniettemin aangemerkt als afgeleverde zaken voor zover het niet afleveren het gevolg is van de aard of een gebrek van de zaken, dan wel van een handeling of nalaten van een rechthebbende op of de afzender, geadresseerde of ontvanger van de zaken.

6. Wanneer de vracht in het cognossement op een lager bedrag is vastgesteld dan in de vervoerovereenkomst, is het verschil aan de vervoerder vooruit te voldoen.

7. Wanneer de afzender niet de vóór het begin van het vervoer verschuldigde vracht heeft voldaan, is de vervoerder bevoegd het vertrek van het schip op te schorten. Met toestemming van de rechter is hij gerechtigd tot het nemen van de in de artikelen 955 en 957 genoemde maatregelen. Gaat hij hiertoe over, dan zijn deze artikelen alsmede artikel 956 van toepassing. De afzender is verplicht de vervoerder de schade te vergoeden, wanneer, door welke oorzaak dan ook, vervoer van zaken van de betrokken of van een andere afzender op de onderhavige reis wordt verlengd ten gevolge van deze opschorting. Deze schadevergoeding zal niet minder bedragen dan het overliggeld over het aantal uren, waarmee het vervoer is verlengd.

Zaken voor eigen rekening

Art. 948. Voor zaken die door een opvarende voor eigen rekening in strijd met enig wettelijk verbod worden vervoerd is de hoogste vracht verschuldigd die ten tijde van de inlading voor soortgelijke zaken kon worden bedongen. Deze vracht is verschuldigd ook wanneer de zaken niet ter bestemming worden afgeleverd en de ontvanger is met de verscheper hoofdelijk voor deze vracht verbonden.

Geen verschuldigdheid vracht

Art. 949. Onder voorbehoud van de laatste zinsnede van het zesde lid van artikel 935 is in geval van tijdbevrachting vracht niet verschuldigd over de tijd, dat de bevrachter het schip niet overeenkomstig de bedingen van de bevrachting te zijner beschikking heeft

a. ten gevolge van beschadiging daarvan, dan wel

b. doordat de vervrachter in de nakoming van zijn verplichtingen tekort schiet,

mits het schip meer dan 24 aaneengesloten uren niet ter beschikking van de bevrachter staat.

Lasten der exploitatie schip

Art. 950. 1. Bij tijdbevrachting komen de brandstof voor de voortstuwingsinstallaties en de smeerolie, de havenrechten en soortgelijke rechten en uitgaven, die verschuldigd worden ten gevolge van uitgevoerde reizen en het vervoeren van zaken, ten laste van de bevrachter. De overige lasten der exploitatie van het schip komen ten laste van de vervrachter.

2. Bij vletten komen de havengelden ten laste van de vervrachter, tenzij het schip zich begeeft naar een andere gemeente. In dat geval komen de havengelden, verschuldigd in die andere gemeente, alsmede de havengelden, verschuldigd na terugkeer in de oorspronkelijke gemeente, ten laste van de bevrachter.

Art. 951. Onverminderd het omtrent avarij-grosse bepaalde en onverminderd afdeling 1 van titel 4 van Boek 6 zijn de afzender en de ontvanger en, indien een cognossement is afgegeven, de in artikel 940 bedoelde houder daarvan, hoofdelijk verbonden de vervoerder de schade te vergoeden, geleden doordat deze zich als zaakwaarnemer inliet met de behartiging van de belangen van een rechthebbende op ten vervoer ontvangen zaken dan wel doordat de kapitein of de schipper zijn in de artikelen 261 of 860 genoemde verplichtingen is nagekomen.

Hoofdelijke verbondenheid jegens vervoerder

Art. 952. Slechts een schriftelijk en ondubbelzinnig daartoe strekkend beding ontheft de afzender van zijn verplichtingen terzake van het vervoer.

Beding tot ontheffing verplichtingen afzender

Art. 953. 1. De vervoerder is verplicht de bedragen, die als rembours op de zaak drukken, bij aflevering van de zaak van de ontvanger te innen en vervolgens aan de afzender af te dragen. Wanneer hij aan deze verplichting, door welke oorzaak dan ook, niet voldoet, is hij verplicht het bedrag van het rembours aan de afzender te vergoeden, doch indien deze geen of minder schade leed, ten hoogste tot op het bedrag van de geleden schade.

Rembours

2. De ontvanger, die ten tijde van de aflevering weet dat een bedrag als rembours op de zaak drukt, is verplicht aan de vervoerder het door deze aan de afzender verschuldigde bedrag te voldoen.

Art. 954. 1. De vervoerder is gerechtigd afgifte van zaken, die hij in verband met de vervoerovereenkomst onder zich heeft, te weigeren aan ieder, die uit anderen hoofde dan de vervoerovereenkomst recht heeft op aflevering van die zaken, tenzij op de zaken beslag is gelegd en uit de vervolging van dit beslag een verplichting tot afgifte aan de beslaglegger voortvloeit.

Recht afgifte van zaken te weigeren

2. De vervoerder kan het recht van retentie uitoefenen op zaken, die hij in verband met de vervoerovereenkomst onder zich heeft, voor hetgeen hem verschuldigd is of zal worden ter zake van het vervoer van die zaken alsmede voor hetgeen als bijdrage in avarij-grosse op die zaken verschuldigd is of zal worden. Hij kan dit recht tevens uitoefenen voor hetgeen bij wijze van rembours op de zaak drukt. Indien een cognossement is afgegeven, kan hij dit recht slechts uitoefenen voor wat hem door de ontvanger verschuldigd is of zal worden, tenzij het cognossement bepaalt, dat de vracht of andere vorderingen terzake van het vervoer door de afzender moeten worden voldaan; in dat geval kan hij de zaken terughouden, totdat de afzender aan zijn verplichtingen voldoet. Dit retentierecht vervalt zodra aan de vervoerder is betaald het bedrag waarover geen geschil bestaat en voldoende zekerheid is gesteld voor de betaling van die bedragen, waaromtrent wel geschil bestaat of welker hoogte nog niet kan worden vastgesteld. De vervoerder behoeft echter geen zekerheid te aanvaarden voor hetgeen bij wijze van rembours op de zaak drukt.

Recht van retentie

3. De in dit artikel aan de vervoerder toegekende rechten komen hem niet toe jegens een derde, indien hij op het tijdstip dat hij de zaak ten vervoer ontving, reden had te twijfelen aan de bevoegdheid van de afzender jegens die derde hem de zaak ten vervoer ter beschikking te stellen.

Art. 955. 1. Voor zover, nadat zo nodig de in artikel 933 bedoelde melding is geschied, hij die jegens de vervoerder recht heeft op aflevering van vervoerde zaken, niet opkomt, weigert deze te ontvangen of deze niet met de vereiste spoed in ontvangst neemt, voor zover op zaken beslag is gelegd, alsmede indien de vervoerder gegronde redenen heeft aan te nemen, dat een houder van een cognossement die als ontvanger opkomt, desalniettemin niet tot de aflevering gerechtigd is, is de vervoerder gerechtigd deze zaken voor rekening en gevaar van de rechthebbende bij een derde op te slaan in een daarvoor geschikte bewaarplaats of lichter. Op zijn verzoek kan de rechter bepalen, dat hij deze zaken, desgewenst ook in het schip, onder zichzelf kan houden of andere maatregelen daarvoor kan treffen. Hij is verplicht de afzender zo spoedig mogelijk op de hoogte te stellen.

Doen opslaan van vervoerde zaken

2. De derde-bewaarnemer en de ontvanger zijn jegens elkaar verbonden, als ware de omtrent de bewaring gesloten overeenkomst mede tussen hen aangegaan. De bewaarnemer is echter niet gerechtigd tot afgifte dan na schriftelijke toestemming daartoe van hem, die de zaken in bewaring gaf.

Art. 956. De vervoerder blijft in het geval van de artikelen 954 of 955, zolang hij de zaken niet heeft opgeslagen, voor ieder uur oponthoud gerechtigd tot overliggeld of, indien hij meer schade lijdt, tot volledige schadevergoeding.

Recht op overliggeld of schadevergoeding

Machtiging tot verkoop

Art. 957. 1. In geval van toepassing van artikel 955 kan de vervoerder, de bewaarnemer dan wel hij, die jegens de vervoerder recht heeft op de aflevering, op zijn verzoek door de rechter worden gemachtigd de zaken geheel of gedeeltelijk op de door deze te bepalen wijze te verkopen.

2. De bewaarnemer is verplicht de vervoerder zo spoedig mogelijk van de voorgenomen verkoop op de hoogte te stellen; de vervoerder heeft deze verplichting jegens degeen, die jegens hem recht heeft op de aflevering van de zaken, en jegens degeen aan wie hij volgens artikel 933 melding moet doen.

Storting opbrengst in consignatiekas

3. De opbrengst van het verkochte wordt in de consignatiekas gestort voor zover zij niet strekt tot voldoening van de kosten van opslag en verkoop alsmede, binnen de grenzen der redelijkheid, van de gemaakte kosten. Tenzij op de zaken beslag is gelegd voor een geldvordering moet aan de vervoerder uit het in bewaring te stellen bedrag worden voldaan hetgeen hem verschuldigd is terzake van het vervoer, op grond van een remboursbeding, alsmede een bijdrage in avarij-grosse; voor zover deze vorderingen nog niet vaststaan, zal de opbrengst of een gedeelte daarvan op door de rechter te bepalen wijze tot zekerheid voor deze vorderingen strekken.

4. De in de consignatiekas gestorte opbrengst treedt in de plaats van de zaken.

Verplichtingen over en weer bij verlies of schade

Art. 958. Indien er zekerheid of vermoeden bestaat, dat er verlies of schade is, moeten de vervoerder en hij, die jegens de vervoerder recht heeft op de aflevering, elkaar over en weer in redelijkheid alle middelen verschaffen om het onderzoek van de zaak en het natellen van de colli mogelijk te maken.

Gerechtelijk onderzoek naar toestand afgeleverde zaken

Art. 959. 1. Zowel de vervoerder als hij die jegens de vervoerder recht heeft op de aflevering is bevoegd bij de aflevering van zaken de rechter te verzoeken een gerechtelijk onderzoek te doen plaatshebben naar het gewicht, de maat of enige andere omstandigheid, die van belang is bij de vaststelling van de vracht, alsmede naar de toestand waarin de zaken worden afgeleverd; tevens zijn zij bevoegd de rechter te verzoeken de daarbij bevonden verliezen of schaden gerechtelijk te doen begroten.

2. Indien dit onderzoek in tegenwoordigheid of na behoorlijke oproeping van de wederpartij heeft plaatsgehad, wordt het uitgebrachte rapport vermoed juist te zijn.

Gerechtelijk onderzoek naar oorzaak verlies of schade

Art. 960. 1. Zowel de vervoerder als hij die jegens de vervoerder recht heeft op de aflevering is, wanneer hij verliezen of schaden van zaken vermoedt, bevoegd de rechter te verzoeken bij of terstond na de aflevering daarvan en desgewenst aan boord van het schip, een gerechtelijk onderzoek te doen plaatshebben naar de oorzaak daarvan.

Vermoeden van juistheid

2. Indien dit onderzoek in tegenwoordigheid of na behoorlijke oproeping van de wederpartij heeft plaatsgehad, wordt het uitgebrachte rapport vermoed juist te zijn.

Kosten gerechtelijk onderzoek

Art. 961. 1. De kosten van gerechtelijk onderzoek, als bedoeld in de artikelen 959 en 960, moeten worden voldaan door de aanvrager.

2. De rechter kan deze kosten en door het onderzoek geleden schade geheel of gedeeltelijk ten laste van de wederpartij van de aanvrager brengen, ook al zouden daardoor de bedragen genoemd in de in artikel 905 bedoelde algemene maatregel van bestuur worden overschreden.

AFDELING 3
Overeenkomst van personenvervoer over binnenwateren

Overeenkomst van personenvervoer

Art. 970. 1. De overeenkomst van personenvervoer in de zin van deze titel is de overeenkomst van personenvervoer, al dan niet tijd- of reisbevrachting zijnde, waarbij de ene partij (de vervoerder) zich tegenover de andere partij verbindt aan boord van een schip een of meer personen (reizigers) en al dan niet hun bagage uitsluitend over binnenwateren te vervoeren. Vervoer tussen wal en schip als bedoeld in artikel 501 onder a wordt niet als vervoer over binnenwateren aangemerkt. De overeenkomst van personenvervoer aan boord van een luchtkussenvoertuig noch de overeenkomst van personenvervoer als omschreven in artikel 100 is een overeenkomst van personenvervoer in de zin van deze afdeling.

Hutbagage

2. Hutbagage in de zin van deze afdeling is de bagage, met uitzondering van levende dieren die de reiziger in zijn hut heeft, die hij in zijn bezit, onder zijn toezicht of in zijn macht heeft, alsmede de bagage die hij aan boord heeft van een met hem als bagage ten vervoer aangenomen voertuig of schip, doch niet dit voertuig of schip zelf.

3. Handbagage in de zin van deze afdeling is de bagage, met uitzondering van levende dieren, die de reiziger als gemakkelijk mee te voeren, draagbare dan wel met de hand verrijdbare zaken op of bij zich heeft. **Handbagage**

4. Bij algemene maatregel van bestuur kunnen zaken die geen hut- of handbagage zijn voor de toepassing van bepalingen van deze afdeling als hut- of handbagage worden aangewezen, dan wel bepalingen van deze afdeling niet van toepassing worden verklaard op zaken, die hut- of handbagage zijn. **A.m.v.b.**

Art. 971. Vervoer over binnenwateren omvat **Vervoer over binnenwateren**

a. met betrekking tot personen of hun hut- of handbagage de tijd dat de reiziger of zijn hut- of handbagage aan boord van het schip verblijft, de tijd van inscheping of ontscheping, alsmede, onder voorbehoud van artikel 501, de tijd dat de reiziger of zijn hut- of handbagage te water wordt vervoerd tussen wal en schip of tussen schip en wal, indien de prijs hiervan in de vracht is inbegrepen of het voor dit hulpvervoer gebezigde schip door de vervoerder ter beschikking van de reiziger is gesteld. Vervoer over binnenwateren van personen omvat echter niet de tijd dat de reiziger verblijft op een ponton, een steiger, een veerstoep of enig schip dat ligt tussen de wal en het schip aan boord waarvan hij vervoerd zal worden of werd, in een stationsgebouw, op een kade of enige andere haveninstallatie;

b. met betrekking tot hut- of handbagage bovendien de tijd dat de reiziger verblijft op een ponton, een steiger, een veerstoep of enig schip dat ligt tussen de wal en het schip aan boord waarvan hij vervoerd zal worden of werd, in een stationsgebouw, op een kade of enige andere haveninstallatie, indien die bagage is overgenomen door de vervoerder en niet weer aan de reiziger is afgeleverd;

c. met betrekking tot bagage die noch hut- noch handbagage is, de tijd tussen het overnemen daarvan door de vervoerder hetzij te land, hetzij aan boord en de aflevering door de vervoerder.

Art. 972. 1. Tijd- of reisbevrachting in de zin van deze afdeling is de overeenkomst van personenvervoer, waarbij de vervoerder (de vervrachter) zich verbindt tot vervoer aan boord van een schip dat hij daartoe, anders dan bij wijze van rompbevrachting, in zijn geheel en al dan niet op tijdbasis (tijdbevrachting of reisbevrachting) ter beschikking stelt van zijn wederpartij (de bevrachter). **Tijd- of reisbevrachting**

2. De in afdeling 2 van titel 10 in het bijzonder voor het geval van bevrachting gegeven bepalingen, alsmede artikel 894 zijn op deze bevrachting van overeenkomstige toepassing. **Overeenkomstige toepassing**

Art. 973. De wetsbepalingen omtrent huur, bewaarneming en bruikleen zijn op terbeschikkingstelling van een schip ten vervoer, anders dan bij wijze van rompbevrachting, niet van toepassing. **Uitschakelbepaling**

Art. 974. 1. De vervoerder is aansprakelijk voor schade veroorzaakt door dood of letsel van de reiziger, indien een voorval dat hiertoe leidde zich voordeed tijdens het vervoer en voor zover dit voorval is veroorzaakt door een omstandigheid die een zorgvuldig vervoerder heeft kunnen vermijden of door een omstandigheid waarvan zulk een vervoerder de gevolgen heeft kunnen verhinderen. **Aansprakelijkheid vervoerder bij dood of letsel**

2. Vermoed wordt dat een zorgvuldig vervoerder de omstandigheid die leidde tot schipbreuk, aanvaring, stranding, ontploffing of brand heeft kunnen vermijden, alsmede dat zulk een vervoerder heeft kunnen verhinderen dat deze omstandigheid tot een dergelijk voorval leidde.

3. Gebrekkigheid of slecht functioneren van het schip of van het materiaal waarvan hij zich voor het vervoer bedient, wordt aangemerkt als een omstandigheid die een zorgvuldig vervoerder heeft kunnen vermijden en waarvan hij de gevolgen heeft kunnen verhinderen.

4. Bij de toepassing van dit artikel wordt slechts dan rekening gehouden met een gedraging van een derde, indien geen andere omstandigheid, die mede tot het voorval leidde, voor rekening van de vervoerder is.

Art. 975. 1. De vervoerder is aansprakelijk voor schade veroorzaakt door geheel of gedeeltelijk verlies dan wel beschadiging van hut- of handbagage met uitzondering van een zaak, die zich aan boord van een als bagage ten vervoer aangenomen voertuig of schip bevindt, indien een voorval dat hiertoe leidde zich voordeed tijdens het vervoer en voor zover dit voorval is veroorzaakt door een omstandigheid die een zorgvuldig vervoerder heeft kunnen vermijden of waarvan zulk een vervoerder de gevolgen heeft kunnen verhinderen. **Aansprakelijkheid vervoerder bij bagage**

2. Het tweede en derde lid van artikel 974 zijn van toepassing.

3. Bij de toepassing van dit artikel wordt slechts dan rekening gehouden met een gedraging van een derde, indien geen andere omstandigheid, die mede tot het voorval leidde, voor rekening van de vervoerder is.

4. Dit artikel laat de artikelen 545 en 1006 onverlet.

Aansprakelijkheid voor schade tijdens vervoer

Art. 976. Onder voorbehoud van artikel 975 is de vervoerder aansprakelijk voor schade veroorzaakt door geheel of gedeeltelijk verlies dan wel beschadiging van bagage, indien een voorval dat hiertoe leidde zich voordeed tijdens het vervoer en voor zover dit voorval is veroorzaakt door een omstandigheid die een zorgvuldig vervoerder heeft kunnen vermijden of waarvan zulk een vervoerder de gevolgen heeft kunnen verhinderen.

Geen aansprakelijkheid

Art. 977. De vervoerder is niet aansprakelijk in geval van verlies of beschadiging overkomen aan geldstukken, verhandelbare documenten, goud, zilver, juwelen, sieraden, kunstvoorwerpen of andere zaken van waarde, tenzij deze zaken van waarde aan de vervoerder in bewaring zijn gegeven en hij overeengekomen is hen in zekerheid te zullen bewaren.

Geen schadevergoeding

Art. 978. De vervoerder is terzake van door de reiziger aan boord gebrachte zaken die hij, indien hij hun aard of gesteldheid had gekend, niet aan boord zou hebben toegelaten en waarvoor hij geen bewijs van ontvangst heeft afgegeven, geen enkele schadevergoeding verschuldigd indien de reiziger wist of behoorde te weten, dat de vervoerder de zaken niet ten vervoer zou hebben toegelaten; de reiziger is alsdan aansprakelijk voor alle kosten en schaden voor de vervoerder voortvloeiend uit de aanbieding ten vervoer of uit het vervoer zelf.

Verplichting tot schadevergoeding door reiziger

Art. 979. Onverminderd artikel 978 en onverminderd artikel 179 van Boek 6 van het vierde Boek is de reiziger verplicht de vervoerder de schade te vergoeden die hij of zijn bagage deze berokkende, behalve voor zover deze schade is veroorzaakt door een omstandigheid die een zorgvuldig reiziger niet heeft kunnen vermijden en voor zover zulk een reiziger de gevolgen daarvan niet heeft kunnen verhinderen. De reiziger kan niet om zich van zijn aansprakelijkheid te ontheffen beroep doen op de hoedanigheid of een gebrek van zijn bagage.

Toepasselijke artikelen

Art. 980. 1. Onverminderd de bepalingen van deze afdeling zijn op het vervoer van bagage de artikelen 895, 903 eerste en tweede lid, 904 eerste lid, 910 eerste en tweede lid, 911, 912, 914, 951 en 954 tot en met 961 van toepassing. De in artikel 954 toegekende rechten en het in artikel 957 toegekende recht tot het zich laten voldoen uit het in bewaring te stellen bedrag van kosten terzake van het vervoer, kunnen worden uitgeoefend voor alles wat de wederpartij van de vervoerder of de reiziger aan de vervoerder verschuldigd is.

2. Partijen hebben de vrijheid af te wijken van in het eerste lid op hun onderlinge verhouding toepasselijk verklaarde bepalingen.

Overeenkomstige toepassing

Art. 981. Op de overeenkomst van personenvervoer zijn de artikelen 511 tot en met 516 van overeenkomstige toepassing.

Geen aansprakelijkheid voor handelingen bij navigatie

Art. 982. 1. Behoudens de artikelen 974 tot en met 977 is de vervoerder niet aansprakelijk voor schade ontstaan door een handeling, onachtzaamheid of nalatigheid van de kapitein of de schipper, een ander lid van de bemanning, de loods of de ondergeschikten van de vervoerder, gepleegd bij de navigatie van het schip.

Redelijke afwijking koers

2. Behoudens de artikelen 974 tot en met 977 wordt generlei afwijking van de koers tot redding of poging tot redding van mensenlevens of goederen en generlei redelijke afwijking van de koers beschouwd als een schending van enige vervoerovereenkomst en de vervoerder is niet aansprakelijk voor enig verlies of enige schade daardoor ontstaan.

A.m.v.b.

Art. 983. 1. De aansprakelijkheid van de vervoerder is in geval van dood, letsel of vertraging van de reiziger en in geval van verlies, beschadiging of vertraing van diens bagage beperkt tot een bij of krachtens algemene maatregel van bestuur te bepalen bedrag of bedragen.

2. Dit artikel laat de Elfde Titel A en Afdeling 10A van de Dertiende Titel van het Tweede Boek van het Wetboek van Koophandel onverlet.

Art. 984. 1. De vervoerder kan zich niet beroepen op enige beperking van zijn aansprakelijkheid voor zover de schade is ontstaan uit zijn eigen handeling of nalaten, geschied hetzij met het opzet die schade te veroorzaken, hetzij roekeloos en met de wetenschap dat die schade er waarschijnlijk uit zou voortvloeien.

Geen beroep op aansprakelijkheidsbeperking

2. Nietig is ieder beding, waarbij van dit artikel wordt afgeweken.

Art. 985. Nietig is ieder vóór het aan de reiziger overkomen voorval of vóór het verlies of beschadiging van bagage gemaakt beding, waarbij de ingevolge de artikelen 974 tot en met 977 op de vervoerder drukkende aansprakelijkheid of bewijslast wordt verminderd op andere wijze dan in deze afdeling is voorzien.

Nietigheid afwijkend beding

Art. 986. Op de overeenkomst van personenvervoer over binnenwateren zijn de artikelen 521 tot en met 528 van overeenkomstige toepassing.

Overeenkomstige toepassing

AFDELING 4
Enige bijzondere overeenkomsten

Art. 990. 1. Onder de overeenkomst (rompbevrachting), waarbij de ene partij (de rompvervrachter) zich bevindt een schip uitsluitend op binnenwateren terbeschikking te stellen van haar wederpartij (de rompbevrachter) zonder daarover nog enige zeggenschap te houden, ligt de exploitatie van het schip in handen van de rompbevrachter en geschiedt zij voor diens rekening.

Rompbevrachting

2. Artikel 894 is van overeenkomstige toepassing

Art. 991. 1. Op de overeenkomst, waarbij de ene partij zich verbindt een schip, anders dan bij wijze van rompbevrachting, uitsluitend op binnenwateren terbeschikking te stellen van de andere partij voor andere doeleinden dan het aan boord daarvan opslaan of het daarmee vervoeren van zaken of personen zijn de bepalingen nopens avarij-grosse alsmede de bepalingen van deze titel en, indien het een zeeschip betreft, de artikelen 361 tot en met 366 van overeenkomstige toepassing.

Overeenkomstige toepassing

2. Partijen hebben de vrijheid af te wijken van in het eerste lid op hun onderlinge verhouding toepasselijk verklaarde bepalingen.

Art. 992. 1. De ligovereenkomst is de overeenkomst, waarbij de ene partij (de vervrachter) zich verbindt een schip anders dan bij wijze van rompbevrachting uitsluitend op binnenwateren terbeschikking te stellen van de andere partij (de bevrachter), teneinde een boord daarvan zaken te laden, op te slaan en daaruit te lossen.

Ligovereenkomst

2. De ligovereenkomst kan voor bepaalde of voor onbepaalde tijd worden aangegaan. Indien zij voor bepaalde tijd is aangegaan en na afloop van die tijd stilzwijgend wordt verlengd, wordt zij vermoed een voor onbepaalde tijd aangegane overeenkomst te zijn.

3. Op de ligovereenkomst zijn de bepalingen nopens avarij-grosse alsmede de bepalingen van deze titel en, indien het een zeeschip betreft, de artikelen 361 tot en met 366 van overeenkomstige toepassing, met dien verstande, dat partijen de vrijheid hebben in hun onderlinge verhouding van deze bepalingen af te wijken.

Overeenkomstige toepassing

Art. 993. 1. Indien de ligovereenkomst voor onbepaalde tijd is aangegaan, kan zij door de bevrachter zonder termijn en door de vervrachter met een termijn van tenminste zeven dagen worden opgezegd.

Opzegging

2. Bij opzegging door de vervrachter moet het schip na afloop van de door deze gestelde termijn door de bevrachter zijn gelost.

3. De ligprijs is verschuldigd tot en met de dag, waarop de lossing is voltooid, doch in elk geval tot en met de tweede dag volgend op de dag van de opzegging door de bevrachter.

Ligprijs

4. De opzegging geschiedt door een mondelinge of schriftelijke kennisgeving of enig ander bericht, waarvan de ontvangst duidelijk aantoonbaar is.

Wijze van opzegging

Art. 994. 1. De overeenkomst voor liggen en/of varen is de overeenkomst, waarbij de ene partij (de vervrachter) zich verbindt een schip, anders dan bij wijze van rompbevrachting, uitsluitend op binnenwateren ter beschikking te stellen van de andere partij (de bevrachter) en waarbij de bevrachter de keuze heeft het schip slechts te laten liggen of het, na een tijd van liggen, te laten varen.

Overeenkomst van liggen en/of varen

Overeenkomstige toepassing

2. Het liggen wordt beheerst door het omtrent de ligovereenkomst bepaalde; op het varen zijn de bepalingen nopens avarij-grosse, alsmede de bepalingen van deze titel en, indien het een zeeschip betreft, de artikelen 361 tot en met 366 van overeenkomstige toepassing.

Recht tot gedeeltelijk lossen

Art. 995. De bevrachter heeft het recht het schip gedeeltelijk te lossen en daarna te laten varen. In dat geval is hij de vracht verschuldigd, die bij varen met de volle lading verschuldigd zou zijn geweest.

Geen overeengekomen ligtijd

Art. 996. 1. De bevrachter kan, wanneer geen bepaalde ligtijd is overeengekomen, met een termijn van ten minste zeven dagen de ligtijd beëindigen door een mondelinge of schriftelijke kennisgeving aan de bevrachter, dan wel door enig ander bericht, waarvan de ontvangst duidelijk aantoonbaar is. Deelt de bevrachter aan de vervrachter niet binnen 48 uur na ontvangst van deze kennisgeving mede, dat hij het schip wenst te laten varen, dan gaat na afloop van deze termijn van 48 uur de lostijd in.

2. De ligprijs is verschuldigd tot en met de dag, waarop de lossing is voltooid, doch in elk geval tot en met de tweede dag volgend op de dag, waarop de vervrachter de in het eerste lid bedoelde mededeling deed.

Aanvaarding van de reis

Art. 997. 1. Indien de bevrachter het schip wenst te laten varen is de vervrachter verplicht uiterlijk op de eerste werkdag volgende op die, waarop hij daarvan kennisgeving heeft ontvangen, de reis aan te vangen. Wordt hij in de aanvaarding van de reis door de bevrachter opgehouden, dan is deze verplicht hem op de voet van artikel 932 schade te vergoeden.

2. Kan de reis door omstandigheden, die de vervrachter niet toe te rekenen zijn en die reeds bestonden ten tijde van de opdracht tot varen, niet worden aangevangen of vervolgd, dan blijft, zolang de verhindering duurt, de ligprijs verschuldigd.

Ter beschikkingstelling één schip ter zee en op de binnenwateren

Art. 998. Voor de toepassing van de bepalingen van deze afdeling wordt ter beschikkingstelling van een en eenzelfde schip ter zee en op binnenwateren beschouwd als terbeschikkingstelling op binnenwateren, mits de terbeschikkingstelling ter zee kennelijk ondergeschikt is aan die op binnenwateren.

TITEL 11
Ongevallen

AFDELING 1
Aanvaring

Binnenschip

Art. 1000. Onder binnenschepen worden in deze afdeling mede verstaan draagvleugelboten, vlotten, veerponten, beweegbare delen van schipbruggen, baggermolens, drijvende kranen, elevatoren en alle drijvende werktuigen, pontons of materiaal van soortgelijke aard, die voldoen aan de in de artikelen 1 en 3 ten aanzien van binnenschepen vermelde vereisten.

Aanvaring

Art. 1001. Aanvaring is de aanraking van schepen met elkaar.

Overeenkomstige toepassing

Art. 1002. Het is deze afdeling omtrent aanvaring bepaalde vindt — voor zover niet afdeling 1 van titel 6 van toepassing is — eveneens toepassing indien schade door een binnenschip is veroorzaakt zonder dat een aanvaring plaatshad.

Aansprakelijkheid voor schade

Art. 1003. Indien een binnenschip door een aanvaring schade heeft veroorzaakt, wordt de aansprakelijkheid voor deze schade geregeld door deze afdeling, voor zover althans niet afdeling 1 van titel 6 van toepassing is.

Schadevergoedingsplicht slechts bij schuld

Art. 1004. 1. Verplichting tot schadevergoeding op grond van deze afdeling bestaat slechts indien de schade is veroorzaakt door schuld. Er bestaat geen wettelijk vermoeden van schuld terzake van een aanvaring, doch het schip, dat in aanraking komt met een andere, zo nodig behoorlijk verlichte, vaste of te bekwamer plaats vastgemaakte zaak, geen schip zijnde, is aansprakelijk voor de schade, tenzij blijkt dat de schade niet is veroorzaakt door schuld van het schip.

Overmacht

2. Indien de schade is veroorzaakt door toeval, indien zij is toe te schrijven aan overmacht of indien haar oorzaken niet kunnen worden vastgesteld, wordt zij gedragen door hen, die haar hebben geleden.

3. In geval van slepen is ieder binnenschip, dat deel uitmaakt van een sleep, slechts aansprakelijk indien er schuld aan zijn zijde is.

Slepen

Art. 1005. Indien de schade is veroorzaakt door de schuld van één binnenschip, is de eigenaar van dit schip verplicht de schade te vergoeden.

Schuld van één binnenschip

Art. 1006. 1. Indien twee of meer binnenschepen gezamenlijk door hun schuld schade hebben veroorzaakt, zijn de eigenaren daarvan zonder hoofdelijkheid aansprakelijk voor de schade, toegebracht aan medeschuldige schepen en aan goederen, die zich aan boord daarvan bevinden, en hoofdelijk voor alle overige schade.

Schuld van twee of meer binnenschepen

2. Is de aansprakelijkheid niet hoofdelijk, dan zijn de eigenaren van de schepen, die gezamenlijk door hun schuld de schade hebben veroorzaakt, tegenover de benadeelden aansprakelijk in verhouding tot het gewicht van de schuld van hun schepen; indien echter de omstandigheden meebrengen, dat die verhouding niet kan worden vastgesteld of indien blijkt dat de schuld van deze schepen gelijkwaardig is, wordt de aansprakelijkheid in gelijke delen verdeeld.

3. Is de aansprakelijkheid hoofdelijk, dan moet elk der aansprakelijke eigenaren zijn door het tweede lid van dit artikel vastgestelde aandeel in de betaling aan de schuldeiser voor zijn rekening nemen. Onder voorbehoud van de artikelen 880 en 364 heeft hij, die meer dan zijn aandeel heeft betaald, voor het overschot verhaal op zijn medeschuldenaren die minder dan hun aandeel hebben betaald. Verlies, veroorzaakt door het onvermogen van een der eigenaren van de medeschuldige schepen om te betalen, wordt over de andere eigenaren omgeslagen in de door het tweede lid van dit artikel vastgestelde verhouding.

Art. 1007. De krachtens deze afdeling bestaande aansprakelijkheid wordt niet opgeheven ingeval de schade is veroorzaakt door de schuld van een loods, zelfs niet als het gebruik van deze verplicht is.

Schuld van loods

AFDELING 2
Hulpverlening

Art. 1010. De hulpverlening door binnenschepen en de hulp verleend aan binnenschepen, aan zich aan boord daarvan bevindende zaken of aan van een binnenschip afkomstige in zee dan wel in bevaarbaar binnenwater drijvende, dan wel daarin gezonken of aangespoelde zaken worden geregeld door afdeling 2 van titel 6, met dien verstande dat hetgeen in die afdeling voor de reder is bepaald, wanneer het een binnenschip betreft, geldt voor de eigenaar daarvan en hetgeen voor de kapitein is bepaald, wanneer het een binnenschip betreft, geldt voor de schipper daarvan.

Hulpverlening

AFDELING 3
Avarij-grosse

Art. 1020. 1. Avarij-grosse zijn de opofferingen en uitgaven redelijkerwijs verricht of gedaan bij aanwezigheid van bijzondere omstandigheden met het doel een binnenschip en de goederen aan boord daarvan uit een gemeenschappelijk gevaar, hoe of door wiens toedoen dit ook zij ontstaan, te redden.

Avarij-grosse

2. Verlies van passagegeld is geen avarij-grosse.

Art. 1021. 1. Avarij-grosse wordt aan hem, die haar leed, vergoed door de eigenaar van het binnenschip, de belanghebbende bij de vracht, de ontvanger van de lading en de eigenaren van de overige zich aan boord bevindende zaken met uitzondering van postzendingen, mondvoorraden, passagiersbagage, zelfs wanneer geregistreerd, en van persoonlijke bezittingen.

Vergoeding

2. In afwijking van het eerste lid draagt een motorrijtuig of schip, dat door een vervoerder in verband met een overeenkomst van personenvervoer aan boord van het binnenschip wordt vervoerd, bij in de avarij-grosse.

Art. 1022. De vergoedingen in avarij-grosse en de dragende waarden der in de avarij-grosse bijdragende belangen worden bovendien bepaald met inachtneming van de Rijnregels I.V.R., nader omschreven bij algemene maatregel van bestuur.

Rijnregels I.V.R.

AFDELING 4
Gevaarlijke stoffen aan boord van een binnenschip

Begripsbepalingen

Art. 1030. In deze afdeling wordt verstaan onder:
a. „gevaarlijke stof": een stof die als zodanig bij algemene maatregel van bestuur is aangewezen; de aanwijzing kan worden beperkt tot bepaalde concentraties van de stof, tot bepaalde in de algemene maatregel van bestuur te omschrijven gevaren die aan de stof verbonden zijn, en tot bepaalde daarin te omschrijven situaties waarin de stof zich bevindt;
b. „schip": zeeschip, niet zijnde een luchtkussenvoertuig;
c. „schade":
1°. schade veroorzaakt door dood of letsel van enige persoon veroorzaakt door een gevaarlijke stof;
2°. andere schade buiten het schip aan boord waarvan de gevaarlijke stof zich bevindt, veroorzaakt door die gevaarlijke stof, met uitzondering van verlies van of schade met betrekking tot andere schepen of zeeschepen en zaken aan boord daarvan, indien die schepen of zeeschepen deel uitmaken van een sleep, waarvan ook dit schip deel uitmaakt, of hecht met dit schip in een eenheid zijn gekoppeld;
3°. de kosten van preventieve maatregelen en verlies of schade veroorzaakt door zulke maatregelen;
d. „preventieve maatregel": iedere redelijke maatregel ter voorkoming of beperking van schade door wie dan ook genomen met uitzondering van de overeenkomstig deze afdeling aansprakelijke persoon nadat een gebeurtenis heeft plaatsgevonden;
e. „gebeurtenis": elk feit of elke opeenvolging van feiten met dezelfde oorzaak, waardoor schade ontstaat of waardoor een ernstige en onmiddellijke dreiging van schade ontstaat;
f. „eigenaar": hij die de zeggenschap heeft over het gebruik van het schip aan boord waarvan de gevaarlijke stof zich bevindt. De persoon die in een register waarin het schip te boek staat, als eigenaar van het schip is ingeschreven, of, bij gebreke van enige teboekstelling, de persoon die het schip in eigendom heeft, wordt aangemerkt als eigenaar, tenzij hij bewijst dat ten tijde van de gebeurtenis een door hem bij name genoemde ander de zeggenschap over het gebruik van het schip had of dat op dat tijdstip een ander zonder zijn toestemming en zonder dat hij zulks redelijkerwijs kon voorkomen de zeggenschap over het gebruik van het schip had.

Toepassing afdeling

Art. 1031. 1. Deze afdeling is niet van toepassing, indien de eigenaar jegens degene die de vordering instelt, aansprakelijk is uit hoofde van een exploitatie-overeenkomst of jegens deze persoon een beroep op een exploitatie-overeenkomst heeft.

2. Deze afdeling is van toepassing op de periode waarin een gevaarlijke stof zich aan boord van een schip bevindt, daaronder begrepen de periode vanaf het begin van de inlading van de gevaarlijke stof in het schip tot het einde van de lossing van die stof uit het schip.

3. Deze afdeling is niet van toepassing op schade veroorzaakt wanneer het schip uitsluitend wordt gebruikt in een niet voor publiek toegankelijk gebied en zulk gebruik een onderdeel vormt van een in dat gebied plaatsvindende bedrijfsuitoefening.

4. Op zich overeenkomstig het tweede lid aan boord bevindende stoffen als bedoeld in artikel 175 van Boek 6 is dat artikel niet van toepassing, tenzij zich het geval van het derde lid voordoet.

Gevaarlijke stof aan boord van gestapeld vervoermiddel

Art. 1032. 1. Indien een gevaarlijke stof zich bevindt in een vervoermiddel dat zich aan boord van een schip bevindt zonder dat de gevaarlijke stof uit dit gestapelde vervoermiddel wordt gelost, zal de gevaarlijke stof voor die periode geacht worden zich alleen aan boord van het gestapelde vervoermiddel te bevinden.

2. Indien een gevaarlijke stof zich bevindt in een schip dat wordt gesleept door een ander schip of door een zeeschip of wordt voortbewogen door een ander schip of door een zeeschip, dat hecht met dit schip in een eenheid gekoppeld is, zal de gevaarlijke stof geacht worden zich alleen aan boord van laatstgenoemd schip of zeeschip te bevinden.

3. Gedurende de handelingen bedoeld in artikel 1033, vijfde lid, onderdelen c, d en e, zal de gevaarlijke stof geacht worden:

a. in afwijking van het eerste lid, zich alleen aan boord van het gestapelde vervoermiddel te bevinden;
b. in afwijking van het tweede lid, zich alleen aan boord van eerstgenoemd schip te bevinden.

Aansprakelijkheid eigenaar

Art. 1033. 1. Hij die ten tijde van een gebeurtenis eigenaar is van een schip aan boord waarvan zich een gevaarlijke stof bevindt, is aansprakelijk voor de schade door die stof veroorzaakt ten gevolge van die gebeurtenis. Bestaat de gebeurtenis uit een opeenvolging van feiten met dezelfde oorzaak, dan rust de aansprakelijkheid op degene die ten tijde van het eerste feit eigenaar was.

Eigenaar niet aansprakelijk

2. De eigenaar is niet aansprakelijk indien:
a. de schade is veroorzaakt door een oorlogshandeling, vijandelijkheden, burgeroorlog, opstand of natuurgebeuren van uitzonderlijke, onvermijdelijke en onweerstaanbare aard;
b. de schade uitsluitend is veroorzaakt door een handelen of nalaten van een derde, niet zijnde een persoon genoemd in het vijfde lid, onderdeel a, geschied met het opzet de schade te veroorzaken;
c. de afzender of enig andere persoon niet heeft voldaan aan zijn verplichting hem in te lichten over de gevaarlijke aard van de stof, en noch de eigenaar, noch de in het vijfde lid, onderdeel a, genoemde personen wisten of hadden behoren te weten dat deze gevaarlijk was.

3. Indien de eigenaar bewijst dat de schade geheel of gedeeltelijk het gevolg is van een handelen of nalaten van de persoon die de schade heeft geleden, met het opzet de schade te veroorzaken, of van de schuld van die persoon, kan hij geheel of gedeeltelijk worden ontheven van zijn aansprakelijkheid tegenover die persoon.

4. De eigenaar kan voor schade slechts uit anderen hoofde dan deze afdeling worden aangesproken in het geval van het tweede lid, onderdeel c, alsmede in het geval dat hij uit hoofde van arbeidsovereenkomst kan worden aangesproken.

5. Behoudens de artikelen 1034 en 1035 zijn voor schade niet aansprakelijk:
a. de ondergeschikten, vertegenwoordigers of lasthebbers van de eigenaar of de leden van de bemanning,
b. de loods en ieder ander die, zonder bemanningslid te zijn, ten behoeve van het schip werkzaamheden verricht,
c. zij die anders dan tegen een uitdrukkelijk en redelijk verbod vanwege het schip in hulp verlenen aan het schip, de zich aan boord daarvan bevindende zaken of de opvarenden,
d. zij die op aanwijzing van een bevoegde overheidsinstantie hulp verlenen aan het schip, de zich aan boord daarvan bevindende zaken of de opvarenden,
e. zij die preventieve maatregelen nemen met uitzondering van de eigenaar,
f. de ondergeschikten, vertegenwoordigers of lasthebbers van de in dit lid, onderdelen b, c, d en e, van aansprakelijkheid vrijgestelde personen, tenzij de schade is ontstaan uit hun eigen handelen of nalaten, geschied hetzij met het opzet die schade te veroorzaken, hetzij roekeloos en met de wetenschap dat die schade er waarschijnlijk uit zou voortvloeien.

6. De eigenaar heeft, voor zover niet anders is overeengekomen, verhaal op de in het vijfde lid bedoelde personen, doch uitsluitend indien dezen ingevolge het slot van dit lid voor de schade kunnen worden aangesproken.

Aansprakelijkheid van ander dan eigenaar

Art. 1034. 1. Indien de eigenaar bewijst dat de gevaarlijke stof tijdens de periode bedoeld in artikel 1031, tweede lid, is geladen of gelost onder de uitsluitende verantwoordelijkheid van een door hem bij name genoemde ander dan de eigenaar of zijn ondergeschikte, vertegenwoordiger of lasthebber, zoals de afzender of ontvanger, is de eigenaar niet aansprakelijk voor de schade als gevolg van een gebeurtenis tijdens het laden of lossen van de gevaarlijke stof en is die ander voor deze schade aansprakelijk overeenkomstig deze afdeling.

2. Indien echter de gevaarlijke stof tijdens de periode bedoeld in artikel 1031, tweede lid, is geladen of gelost onder de gezamenlijke verantwoordelijkheid van de eigenaar en een door de eigenaar bij name genoemde ander, zijn de eigenaar en die ander hoofdelijk aansprakelijk overeenkomstig deze afdeling voor de schade als gevolg van een gebeurtenis tijdens het laden of lossen van de gevaarlijke stof.

3. Indien is geladen of gelost door een persoon in opdracht of ten behoeve van de vervoerder of een ander, zoals de afzender of de ontvanger, is niet deze persoon, maar de vervoerder of die ander aansprakelijk.

4. Indien een ander dan de eigenaar op grond van het eerste of het tweede lid aansprakelijk is, kan die ander geen beroep doen op artikel 1033, vierde lid en vijfde lid, onderdeel b.

5. Indien een ander dan de eigenaar op grond van het eerste of het tweede lid aansprakelijk is, zijn ten aanzien van die ander de Dertiende Titel, Afdeling 10A, van het Tweede Boek van het Wetboek van Koophandel, alsmede de artikelen 320a tot en met 320z van het Wetboek van Burgerlijke Rechtsvordering van overeenkomstige toepassing, met dien verstande dat in geval van hoofdelijke aansprakelijkheid:
a. de beperking van aansprakelijkheid krachtens de Dertiende Titel, Afdeling 10A van het Tweede Boek van het Wetboek van Koophandel geldt voor het geheel der naar aanleiding van eenzelfde gebeurtenis ontstane vorderingen gericht tegen beiden;
b. een fonds gevormd door een van hen overeenkomstig artikel 320c van het Wetboek van Burgerlijke Rechtsvordering wordt aangemerkt als door beiden te zijn gevormd en zulks ten aanzien van de vorderingen waarvoor het fonds werd gesteld.

6. In de onderlinge verhouding tussen de eigenaar en de in het tweede lid van dit artikel genoemde ander is de eigenaar niet tot vergoeding verplicht dan in geval van schuld van hemzelf of van zijn ondergeschikten, vertegenwoordigers of lasthebbers.

7. Dit artikel is niet van toepassing als tijdens de periode, bedoeld in artikel 1031, tweede lid, is geladen of gelost onder de uitsluitende of gezamenlijke verantwoordelijkheid van een persoon, genoemd in artikel 1033, vijfde lid, onderdeel c, d of e.

Aansprakelijkheid afzender of andere persoon

Art. 1035. Indien ingevolge artikel 1033, tweede lid, onderdeel c, de eigenaar niet aansprakelijk is, is de afzender of andere persoon aansprakelijk overeenkomstig deze afdeling en zijn te diens aanzien de Dertiende Titel, Afdeling 10A, van het Tweede Boek van het Wetboek van Koophandel, alsmede de artikelen 320a tot en met 320z van het Wetboek van Burgerlijke Rechtsvordering van overeenkomstige toepassing. De afzender of andere persoon kan geen beroep doen op artikel 1033, vierde lid.

Schade

Art. 1036. Indien schade veroorzaakt door de gevaarlijke stof redelijkerwijs niet kan worden gescheiden van schade anderszins veroorzaakt, zal de gehele schade worden aangemerkt als schade in de zin van deze afdeling.

Hoofdelijke aansprakelijkheid eigenaren en reders of exploitant

Art. 1037. 1. Wanneer door een gebeurtenis schade is veroorzaakt door gevaarlijke stoffen aan boord van meer dan een schip, dan wel aan boord van een schip en een zeeschip of een luchtkussenvoertuig, zijn de eigenaren en de reder of exploitant van de daarbij betrokken schepen, het zeeschip of het luchtkussenvoertuig, onverminderd het in artikel 1033, tweede en derde lid, en artikel 1034, afdeling 4 van titel 6 en afdeling 1 van titel 14 bepaalde, hoofdelijk aansprakelijk voor alle schade waarvan redelijkerwijs niet kan worden aangenomen dat zij veroorzaakt is door gevaarlijke stoffen aan boord van een of meer bepaalde schepen, zeeschip of luchtkussenvoertuig.

Beroep op beperking aansprakelijkheid

2. Het bepaalde in het eerste lid laat onverlet het beroep op beperking van aansprakelijkheid van de reder, eigenaar of exploitant krachtens de Elfde Titel A of de Dertiende Titel, Afdeling 10A, telkens van het Tweede Boek van het Wetboek van Koophandel, dan wel de artikelen 1218 tot en met 1220, ieder tot het voor hem geldende bedrag.

TITEL 12
Beperking van aansprakelijkheid van eigenaren van binnenschepen

(Gereserveerd)

IV. WEGVERVOERSRECHT

TITEL 13
Wegvervoer

AFDELING 1
Algemene bepalingen

Art. 1080. 1. Bij algemene maatregel van bestuur kunnen zaken, die geen voertuigen zijn, voor de toepassing van bepalingen van deze titel als voertuig worden aangewezen, dan wel bepalingen van deze titel niet van toepassing worden verklaard op zaken, die voertuigen zijn. **A.m.v.b.**

2. Een takelwagen is niet een voertuig in de zin van deze titel. **Takelwagen**

3. Een overeenkomst, waarbij de ene partij zich tegenover de andere partij verbindt een voertuig te besturen, dat hem daartoe door die andere partij ter beschikking is gesteld, is niet een overeenkomst van vervoer in de zin van deze titel. **Geen overeenkomst van wegvervoer**

Art. 1081. Op de exploitatie van een voertuig zijn de artikelen 361 tot en met 366 van overeenkomstige toepassing, met dien verstande dat deze artikelen eveneens van overeenkomstige toepassing zijn wanneer degene op wie krachtens artikel 2 eerste en tweede lid van de Wet Aansprakelijkheidsverzekering Motorrijtuigen de verplichting tot verzekering rust, de in artikel 6 dier wet bedoelde verzekeraar of een ondergeschikte van een dezer buiten overeenkomst wordt aangesproken. De artikelen 361 tot en met 366 zijn bovendien van overeenkomstige toepassing, indien het Waarborgfonds Motorverkeer, genoemd in artikel 23 van eerdervermelde wet, dan wel het bureau, genoemd in het zesde lid van artikel 2 van die wet, of een ondergeschikte van een dezer buiten overeenkomst wordt aangesproken. **Vorderingen buiten overeenkomst**

AFDELING 2
Overeenkomst van goederenvervoer over de weg

Art. 1090. De overeenkomst van goederenvervoer in de zin van deze titel is de overeenkomst van goederenvervoer, al dan niet tijd- of reisbevrachting zijnde, waarbij de ene partij (de vervoerder) zich tegenover de andere partij (de afzender) verbindt door middel van een voertuig zaken uitsluitend over de weg en anders dan langs spoorstaven te vervoeren. **Overeenkomst van goederenvervoer**

Art. 1091. Vervoer over de weg van zaken omvat voor de toepassing van artikel 1098 tweede lid, in afwijking van het elders bepaalde, het tijdvak dat het voertuig zich aan boord van een ander vervoermiddel en niet op de weg bevindt, doch dit slechts ten aanzien van zaken die daarbij niet uit dat voertuig werden uitgeladen. **Tijdvak vervoer over de weg**

Art. 1092. Deze afdeling is niet van toepassing op overeenkomsten tot lijkbezorging, overeenkomsten tot het vervoeren van verhuisgoederen of overeenkomsten tot het vervoeren van postzendingen door of in opdracht van de houder van de consessie, bedoeld in de Postwet of onder een internationale postovereenkomst. Onder voorbehoud van artikel 1154 is deze afdeling niet van toepassing op overeenkomsten tot het vervoeren van bagage. **Uitschakelbepaling**

Art. 1093. 1. Tijd- of reisbevrachting in de zin van deze afdeling is de overeenkomst van goederenvervoer, waarbij de vervoerder zich verbindt tot vervoer door middel van een voertuig, dat hij daartoe in zijn geheel met bestuurder en al dan niet op tijdbasis (tijdbevrachting of reisbevrachting) ter beschikking stelt van de afzender. **Tijd- of reisbevrachting**

2. Onder „vervrachter" is in deze afdeling de in het eerste lid genoemde vervoerder, onder „bevrachter" de aldaar genoemde afzender te verstaan. **Vervrachter en bevrachter**

Art. 1094. De wetsbepalingen omtrent huur, bewaarneming en bruikleen zijn op terbeschikkingstelling van een voertuig met bestuurder, ten einde door middel daarvan zaken te vervoeren, niet van toepassing. **Uitschakelbepaling**

Verplichtingen vervoerder

Art. 1095. De vervoerder is verplicht ten vervoer ontvangen zaken ter bestemming af te leveren en wel in de staat waarin hij hen heeft ontvangen.

Zonder vertraging

Art. 1096. Onverminderd artikel 1095 is de vervoerder verplicht ten vervoer ontvangen zaken zonder vertraging te vervoeren.

Verplichtingen vervrachter

Art. 1097. 1. In geval van bevrachting is de vervrachter verplicht de bestuurder opdracht te geven binnen de grenzen door de overeenkomst gesteld de orders van de bevrachter op te volgen. De vervrachter staat ervoor in, dat de bestuurder de hem gegeven opdracht nakomt.

Aansprakelijkheid voor schade i.v.m. voorgeschreven route

2. De bevrachter staat in voor schade die de vervrachter lijdt door de plaatselijke gesteldheid van de plekken, waarheen hij de bestuurder van het voertuig op grond van het eerste lid ter inlading of lossing beveelt te gaan en hij is slechts in zoverre voor die schade niet aansprakelijk, als de bestuurder, door de hem gegeven orders op te volgen, onredelijk handelde.

Overmacht

Art. 1098. 1. De vervoerder is niet aansprakelijk voor schade ontstaan door een beschadiging, voor zover deze is veroorzaakt door een omstandigheid die een zorgvuldig vervoerder niet heeft kunnen vermijden en voor zover zulk een vervoerder de gevolgen daarvan niet heeft kunnen verhinderen.

Gebrekkigheid voertuig of materiaal

2. De vervoerder kan niet om zich van zijn aansprakelijkheid te ontheffen beroep doen op de gebrekkigheid van het voertuig of van het materiaal waarvan hij zich bedient, tenzij dit laatste door de afzender, de geadresseerde of de ontvanger te zijner beschikking is gesteld. Onder materiaal wordt niet begrepen een schip, luchtvaartuig of spoorwagon, waarop het voertuig zich bevindt.

3. Onder beschadiging worden mede verstaan geheel of gedeeltelijk verlies van zaken, vertraging, alsmede ieder ander schade veroorzakend feit.

Bijzondere risico's

Art. 1099. Onverminderd de artikelen 1100 en 1101 is de vervoerder, die de op hem uit hoofde van de artikelen 1095 en 1096 rustende verplichtingen niet nakwam, desalniettemin voor de daardoor ontstane schade niet aansprakelijk, voor zover dit niet nakomen het gevolg is van de bijzondere risico's verbonden aan een of meer van de volgende omstandigheden.

a. het vervoer van de zaken in een onoverdekt voertuig, wanneer dit uitdrukkelijk is overeengekomen en op de vrachtbrief is vermeld;

b. behandeling, lading, stuwing of lossing van de zaken door de afzender, de geadresseerde of personen, die voor rekening van de afzender of de geadresseerde handelen;

c. de aard van bepaalde zaken zelf, die door met deze aard zelf samenhangende oorzaken zijn blootgesteld aan geheel of gedeeltelijk verlies of aan beschadiging, in het bijzonder door ontvlamming, ontploffing, smelting, breuk, corrosie, bederf, uitdroging, lekkage, normaal kwaliteitsverlies, of optreden van ongedierte of knaagdieren;

d. hitte, koude, temperatuurverschillen of vochtigheid van de lucht, doch slechts indien niet is overeengekomen dat het vervoer zal plaatsvinden met een voertuig speciaal ingericht om de zaken aan invloed daarvan te onttrekken;

e. onvolledigheid of gebrekkigheid van de adressering, cijfers, letters of merken der colli;

f. het feit dat het vervoer een levend dier betreft.

Bewijsvermoeden

Art. 1100. 1. Wanneer de vervoerder bewijst dat, gelet op de omstandigheden van het geval, het niet nakomen van de op hem uit hoofde van de artikelen 1095 en 1096 rustende verplichtingen een gevolg heeft kunnen zijn van een of meer der in artikel 1099 genoemde bijzondere risico's, wordt vermoed, dat het niet nakomen daaruit voortvloeit. Degeen, die jegens de vervoerder recht heeft op de zaken, kan evenwel bewijzen, dat dit niet nakomen geheel of gedeeltelijk niet door een van deze risico's is veroorzaakt.

Uitzonderingen

2. Het hierboven genoemde vermoeden bestaat niet in het in artikel 1099 onder a genoemde geval, indien zich een ongewoon groot tekort voordoet dan wel een ongewoon groot verlies van colli.

3. Indien in overeenstemming met het door partijen overeengekomene het vervoer plaatsvindt door middel van een voertuig, speciaal ingericht om de zaken te onttrekken aan de invloed van hitte, koude, temperatuurverschillen of vochtigheid van de lucht, kan de vervoerder ter ontheffing van zijn aansprakelijkheid ten gevolge van deze invloed slechts een beroep doen op artikel 1099 onder c, indien hij bewijst,

dat alle maatregelen waartoe hij, rekening houdende met de omstandigheden, verplicht was, zijn genomen met betrekking tot de keuze, het onderhoud en het gebruik van deze inrichtingen en dat hij zich heeft gericht naar de bijzondere instructies bedoeld in het vijfde lid.

4. De vervoerder kan slechts beroep doen op artikel 1099 onder f, indien hij bewijst dat alle maatregelen, waartoe hij normaliter, rekening houdende met de omstandigheden, verplicht was, zijn genomen en dat hij zich heeft gericht naar de bijzondere instructies bedoeld in het vijfde lid.

5. De bijzondere instructies, bedoeld in het derde en het vierde lid van dit artikel, moeten aan de vervoerder vóór de aanvang van het vervoer zijn gegeven, hij moet deze uitdrukkelijk hebben aanvaard en zij moeten, indien voor dit vervoer een vrachtbrief is afgegeven, daarop zijn vermeld. De enkele vermelding op de vrachtbrief levert te dezer zake geen bewijs op.

Niet voldoende, niet doelmatig of onverpakte zaken

Art. 1101. Wanneer de vervoerder de op hem uit hoofde van de artikelen 1095 en 1096 rustende verplichtingen niet nakwam, wordt ten aanzien van
a. zaken, die onverpakt zijn, terwijl zij gelet op hun aard of de wijze van vervoer, verpakt hadden behoren te zijn, dan wel zaken die, gelet op hun aard of de wijze van vervoer, niet voldoende of niet doelmatig zijn verpakt.
b. onverpakte zaken, die niet vallen onder de omschrijving onder a gegeven, indien de vervoerder bewijst, dat gelet op de omstandigheden van het geval het niet nakomen een gevolg heeft kunnen zijn van het bijzondere risico verbonden aan het onverpakt zijn,
vermoed dat de vervoerder noch de omstandigheid, die het niet nakomen veroorzaakte, heeft kunnen vermijden, noch de gevolgen daarvan heeft kunnen verhinde-ren en dat het niet nakomen niet is ontstaan door een of meer der in het tweede lid van artikel 1098 voor rekening van de vervoerder gebrachte omstandigheden.

Nietigheid afwijkend beding

Art. 1102. 1. Nietig is ieder beding, waarbij de ingevolge artikel 1095 op de vervoerder drukkende aansprakelijkheid of bewijslast op andere wijze wordt vermeerderd of verminderd dan in deze afdeling is voorzien, tenzij dit beding uitdrukkelijk en anders dan door een verwijzing naar in een ander geschrift voorkomende bedingen, is aangegaan bij een in het bijzonder ten aanzien van het voorgenomen vervoer aangegane en in een afzonderlijk geschrift neergelegde overeenkomst.

2. Bovendien is nietig ieder beding, waarbij de ingevolge artikel 1095 op de vervoerder drukkende aansprakelijkheid of bewijslast op andere wijze wordt vermeerderd of verminderd dan in deze afdeling is voorzien, wanneer dit beding
a. voorkomt in enig document, dat door een vermelding daarop is aangeduid als transportbrief of
b. tussen de vervoerder en de ontvanger is aangegaan bij de aflevering van de zaak.

Maximering aansprakelijkheid vervoerder

Art. 1103. 1. Voor zover de vervoerder aansprakelijk is wegens niet nakomen van de op hem uit hoofde van de artikelen 1095 en 1096 rustende verplichtingen, heeft de afzender geen ander recht dan betaling te vorderen van een bedrag, dat wordt berekend met inachtneming van de waarde welke zaken als de ten vervoer ontvangene zouden hebben gehad zoals, ten tijde waarop en ter plaatse waar zij zijn afgeleverd of zij hadden moeten zijn afgeleverd.

2. De in het eerste lid genoemde waarde wordt berekend naar de koers op de goederenbeurs of, wanneer er geen dergelijke koers is, naar de gangbare marktwaarde of, wanneer ook deze ontbreekt, naar de normale waarde van zaken van dezelfde aard en hoedanigheid.

Waardevermindering

Art. 1104. Indien met betrekking tot een zaak een schadevergoeding uit hoofde van artikel 1129 is verschuldigd, wordt deze aangemerkt als een waardevermindering van die zaak.

A.m.v.b.

Art. 1105. Voor zover de vervoerder aansprakelijk is wegens niet nakomen van de op hem uit hoofde van de artikelen 1095 en 1096 rustende verplichtingen, is hij niet aansprakelijk boven bij of krachtens algemene maatregel van bestuur te bepalen bedragen.

Overschrijding maximale bedrag

Art. 1106. 1. De afzender kan, mits de vervoerder hierin toestemt en tegen betaling van een overeen te komen bedrag, op de vrachtbrief een waarde van de zaken aangeven, die het maximum, vermeld in de in artikel 1105 genoemde algemene maatregel van bestuur, overschrijdt. In dat geval treedt het aangegeven bedrag in de plaats van dit maximum.

Nietigheid afwijkend beding

2. Nietig is ieder beding, ook indien het wordt aangegaan op de wijze als voorzien in het eerste lid van artikel 1102, waarbij het aldus aangegeven bedrag hoger wordt gesteld dan de in het eerste lid van artikel 1103 genoemde waarde.

Vaststelling bedrag bijzonder belang bij aflevering

Art. 1107. 1. De afzender kan, mits de vervoerder hierin toestemt en tegen betaling van een overeen te komen bedrag, door vermelding op de vrachtbrief het bedrag van een bijzonder belang bij de aflevering voor het geval van verlies of beschadiging van vervoerde zaken en voor dat van overschrijding van een overeengekomen termijn van aflevering daarvan, vaststellen.

2. Indien een bijzonder belang bij de aflevering is aangegeven, kan, indien de vervoerder aansprakelijk is wegens niet nakomen van de op hem uit hoofde van de artikelen 1095 en 1096 rustende verplichtingen, onafhankelijk van de schadevergoedingen genoemd in de artikelen 1103 tot en met 1106 en tot ten hoogste eenmaal het bedrag van het aangegeven belang, een schadevergoeding worden gevorderd gelijk aan de bewezen bijkomende schade.

Geen beroep op beperking van aansprakelijkheid

Art. 1108. 1. De vervoerder kan zich niet beroepen op enige beperking van zijn aansprakelijkheid, voor zover de schade is ontstaan uit zijn eigen handeling of nalaten, geschied hetzij met het opzet die schade te veroorzaken, hetzij roekeloos en met de wetenschap dat die schade er waarschijnlijk uit zou voortvloeien.

Nietigheid afwijkend beding

2. Nietig is ieder beding, waarbij van dit artikel wordt afgeweken.

Opzegging door afzender

Art. 1109. 1. De afzender is bevoegd de overeenkomst op te zeggen, wanneer hem door de vervoerder is medegedeeld dat geen voertuig op de overeengekomen plaats of tijd voor het vervoer aanwezig is of zal kunnen zijn.

2. Hij kan deze bevoegdheid slechts uitoefenen terstond na ontvangst van deze mededeling.

3. Indien bij gebreke van de ontvangst van een mededeling, als bedoeld in het eerste lid, het de afzender uit anderen hoofde bekend is, dat het voertuig niet op de overeengekomen plaats of tijd voor het vervoer aanwezig is of kan zijn, is hij, zonder dat enige ingebrekestelling is vereist, bevoegd de overeenkomst op te zeggen, doch slechts binnen een redelijke termijn nadat hem dit bekend was; gelijke bevoegdheid komt hem toe, indien hem na ontvangst van een mededeling, als bedoeld in het eerste lid, uit anderen hoofde bekend wordt, dat het voertuig op grond van andere omstandigheden dan welke de vervoerder tot zijn mededeling brachten, niet op de overeengekomen plaats of tijd voor het vervoer aanwezig is of kan zijn.

4. De opzegging geschiedt door een mondelinge of schriftelijke kennisgeving of enig ander bericht, waarvan de ontvangst duidelijk aantoonbaar is, en de overeenkomst eindigt op het ogenblik van ontvangst daarvan.

Maximering aansprakelijkheid vervoerder

5. Indien de vervoerder gehouden is de schade, die de afzender door de opzegging lijdt, te vergoeden, zal deze vergoeding niet meer bedragen dan de vracht voor het overeengekomen vervoer, of, in geval van tijdbevrachting, voor terbeschikkingstelling van het voertuig gedurende 24 uur.

Schadevergoedingsplicht afzender

Art. 1110. De afzender is verplicht de vervoerder de schade te vergoeden die deze lijdt doordat de overeengekomen zaken, door welke oorzaak dan ook, niet op de overeengekomen plaats en tijd te zijner beschikking zijn.

Opzegging door afzender

Art. 1111. 1. Alvorens zaken ter beschikking van de vervoerder zijn gesteld is de afzender bevoegd de overeenkomst op te zeggen. Hij is verplicht aan de vervoerder de vracht, die voor het vervoer van de zaken was overeengekomen, te voldoen.

2. De opzegging geschiedt door een mondelinge of schriftelijke kennisgeving of enig ander bericht, waarvan de ontvangst duidelijk aantoonbaar is, en de overeenkomst eindigt op het ogenblik van ontvangst daarvan.

3. Dit artikel is niet van toepassing ingeval van tijdbevrachting.

Opzegging door vervoerder

Art. 1112. 1. Zijn bij het verstrijken van de tijd, waarbinnen de zaken ter beschikking van de vervoerder moeten zijn gesteld, door welke oorzaak dan ook, in het geheel geen zaken ter beschikking, dan is de vervoerder, zonder dat enige ingebrekestelling is vereist, bevoegd de overeenkomst op te zeggen. De afzender is

verplicht hem de vracht, die voor het vervoer van de zaken was overeengekomen, te voldoen.
2. De opzegging geschiedt door een mondelinge of schriftelijke kennisgeving of enig ander bericht, waarvan de ontvangst duidelijk aantoonbaar is, en de overeenkomst eindigt op het ogenblik van ontvangst daarvan.
3. Dit artikel is niet van toepassing in geval van tijdbevrachting.

Art. 1113. 1. Zijn bij het verstrijken van de tijd, waarbinnen de zaken ter beschikking van de vervoerder moeten zijn gesteld, door welke oorzaak dan ook, de overeengekomen zaken slechts gedeeltelijk ter beschikking van de vervoerder, dan is deze, zonder dat enige ingebrekestelling is vereist, bevoegd de overeenkomst op te zeggen, dan wel de reis te aanvaarden.
2. De afzender is op verlangen van de vervoerder in geval van opzegging van de overeenkomst verplicht tot lossing van de reeds gestuwde zaken of, in geval de vervoerder de reis aanvaardt en het vertrek van het voertuig zonder herstuwing van de reeds gestuwde zaken niet mogelijk is, tot deze herstuwing. Hij is verplicht de vervoerder de vracht, die voor het vervoer van de niet ter beschikking zijnde of ten gevolge van de opzegging niet vervoerde zaken was overeengekomen, te voldoen en deze bovendien de schade te vergoeden, die hij lijdt ten gevolge van de opzegging, van de aanvaarding van de reis, dan wel van lossing of herstuwing van reeds ingenomen zaken.
3. De opzegging geschiedt door een mondelinge of schriftelijke kennisgeving of enig ander bericht, waarvan de ontvangst duidelijk aantoonbaar is, en de overeenkomst eindigt op het ogenblik van ontvangst daarvan.
4. Dit artikel is niet van toepassing in geval van tijdbevrachting.

Informatieplicht

Art. 1114. 1. De afzender is verplicht de vervoerder omtrent de zaken alsmede omtrent de behandeling daarvan tijdig al die opgaven te doen, waartoe hij in staat is of behoort te zijn, en waarvan hij weet of behoort te weten, dat zij voor de vervoerder van belang zijn, tenzij hij mag aannemen dat de vervoerder deze gegevens kent.
2. De afzender is verplicht de gegevens, die hij volgens het eerste lid aan de vervoerder moet verstrekken, zo mogelijk op of aan de te vervoeren zaken of derzelver verpakking duidelijk aan te brengen en wel zodanig, dat zij in normale omstandigheden tot het einde van het vervoer leesbaar zullen blijven.
3. De vervoerder is niet gehouden, doch wel gerechtigd, te onderzoeken of de hem gedane opgaven juist en volledig zijn.
4. Is bij het verstrijken van de tijd waarbinnen de zaken ter beschikking van de vervoerder moeten zijn gesteld, door welke oorzaak dan ook, niet of slechts gedeeltelijk voldaan aan de in het eerste of tweede lid van dit artikel genoemde verplichtingen van de afzender, dan zijn, behalve in het geval van tijdbevrachting, de artikelen 1112 en 1113 van overeenkomstige toepassing.

Documentatie

Art. 1115. 1. De afzender is verplicht de vervoerder de schade te vergoeden die deze lijdt doordat, door welke oorzaak dan ook, niet naar behoren aanwezig zijn de documenten en inlichtingen, die van de zijde van de afzender vereist zijn voor het vervoer dan wel ter voldoening aan vóór de aflevering van de zaken te vervullen douane- en andere formaliteiten.
2. De vervoerder is verplicht redelijke zorg aan te wenden, dat de documenten, die in zijn handen zijn gesteld niet verloren gaan of onjuist worden behandeld. Een door hem ter zake verschuldigde schadevergoeding zal die, verschuldigd uit hoofde van de artikelen 1103 tot en met 1108 in geval van verlies van de zaken, niet overschrijden.
3. De vervoerder is niet gehouden, doch wel gerechtigd, te onderzoeken of de hem gedane opgaven juist en volledig zijn.
4. Zijn bij het verstrijken van de tijd, waarbinnen de in het eerste lid genoemde documenten en inlichtingen aanwezig moeten zijn, deze, door welke oorzaak dan ook, niet naar behoren aanwezig, dan zijn, behalve in het geval van tijdbevrachting, de artikelen 1112 en 1113 van overeenkomstige toepassing.

Opzegging door wederpartij bij bijzondere omstandigheden

Art. 1116. 1. Wanneer vóór of bij de aanbieding van de zaken aan de vervoerder omstandigheden aan de zijde van een der partijen zich opdoen of naar voren komen, die haar wederpartij bij het sluiten van de overeenkomst niet behoefde te kennen, doch die, indien zij haar wel bekend waren geweest, redelijkerwijs voor haar grond hadden opgeleverd de vervoerovereenkomst niet of op andere voorwaarden aan te gaan, is deze wederpartij bevoegd de overeenkomst op te zeggen.

2. De opzegging geschiedt door een mondelinge of schriftelijke kennisgeving of enig ander bericht, waarvan de ontvangst duidelijk aantoonbaar is, en de overeenkomst eindigt op het ogenblik van ontvangst daarvan.

3. Naar maatstaven van redelijkheid en billijkheid zijn partijen na opzegging der overeenkomst verplicht elkaar de daardoor geleden schade te vergoeden.

Buitengewone schade door ter beschikking gesteld materiaal of ontvangen zaken

Art. 1117. 1. De afzender is verplicht de vervoerder de buitengewone schade te vergoeden, die materiaal dat hij deze ter beschikking stelde of zaken die deze ten vervoer ontving, dan wel de behandeling daarvan, de vervoerder berokkenden, behalve voor zover deze schade is veroorzaakt door een omstandigheid die voor rekening van de vervoerder komt; voor rekening van de vervoerder komen die omstandigheden, die in geval van beschadiging van door hem vervoerde zaken voor zijn rekening komen.

2. Dit artikel laat artikel 1118 onverlet.

Gevaarlijke zaken

Art. 1118. 1. Zaken ten aanzien waarvan de afzender, door welke oorzaak dan ook, niet aan zijn verplichtingen uit hoofde van het eerste en tweede lid van artikel 1114 voldeed, mogen door de vervoerder op ieder ogenblik en op iedere plaats worden gelost, vernietigd of op andere wijze onschadelijk gemaakt, doch dit slechts dan wanneer zij onmiddellijk dreigend gevaar opleveren. De vervoerder is terzake geen enkele schadevergoeding verschuldigd en de afzender is aansprakelijk voor alle kosten en schaden voor de vervoerder voortvloeiende uit de aanbieding ten vervoer, uit het vervoer of uit deze maatregelen zelf.

2. Indien de vervoerder op grond van het eerste lid gerechtigd is tot lossen, vernietigen of op andere wijze onschadelijk maken van zaken, is de afzender op verlangen van de vervoerder en wanneer hem dit redelijkerwijs mogelijk is, verplicht deze maatregel te nemen.

3. Door het treffen van de in het eerste of tweede lid bedoelde maatregel eindigt de overeenkomst met betrekking tot de daar genoemde zaken, doch, indien deze alsnog worden gelost, eerst na deze lossing. De vervoerder verwittigt de afzender en zo mogelijk degeen aan wie de zaken moeten worden afgeleverd. Dit lid is niet van toepassing met betrekking tot zaken, die de vervoerder na het treffen van de in het eerste lid bedoelde maatregel alsnog naar hun bestemming vervoert.

4. Op de feitelijke aflevering is het tussen partijen overeengekomene als mede het in deze afdeling nopens de aflevering van zaken bepaalde van toepassing. De artikelen 1132, 1133, 1137 en 1138 zijn van overeenkomstige toepassing.

5. Nietig is ieder beding, waarbij van het eerste of het tweede lid van dit artikel wordt afgeweken.

Vrachtbrief

Art. 1119. 1. Zowel de afzender als de vervoerder kunnen ter zake van het vervoer een vrachtbrief opmaken en verlangen dat deze of een mogelijkerwijs door hun wederpartij opgemaakte vrachtbrief door hun wederpartij wordt getekend en aan hen wordt afgegeven. De ondertekening kan worden gedrukt of door een stempel dan wel enig ander kenmerk van oorsprong worden vervangen.

Gegevens

2. Op de vrachtbrief worden volgens de daarop mogelijkerwijs voorkomende aanwijzingen de volgende aanduidingen vermeld:
a. de afzender, als hoedanig slechts één persoon kan worden genoemd;
b. de ten vervoer ontvangen zaken;
c. de plaats waar de vervoerder de zaken ten vervoer heeft ontvangen;
d. de plaats waarheen de vervoerder op zich neemt de zaken te vervoeren;
e. de geadresseerde, als hoedanig slechts één persoon kan worden genoemd;
f. de vervoerder;
g. al hetgeen overigens aan afzender en vervoerder gezamenlijk goeddunkt.

3. De aanduidingen vermeld in het tweede lid onder a tot en met e worden in de vrachtbrief opgenomen aan de hand van door de afzender ter verstrekken gegevens. De afzender staat in voor de juistheid, op het ogenblik van inontvangstneming van de zaken, van deze gegevens. De aanduiding van de vervoerder wordt in de vrachtbrief opgenomen aan de hand van door deze te verstrekken gegevens en de vervoerder staat in voor de juistheid hiervan.

4. Partijen zijn verplicht elkaar de schade te vergoeden, die zij lijden door het ontbreken van in het tweede lid genoemde gegevens.

Art. 1120. De vervoerder is niet gehouden, doch vóór de afgifte van de vrachtbrief aan de afzender wel gerechtigd, te onderzoeken of de daarop omtrent de zaken vermelde gegevens juist, nauwkeurig en volledig zijn. Hij is bevoegd zijn bevindingen ten aanzien van de zaken op de vrachtbrief aan te tekenen.

Onderzoek naar juistheid gegevens

Art. 1121. Wanneer de te vervoeren zaken moeten worden geladen in verschillende voertuigen of wanneer het verschillende soorten zaken of afzonderlijke partijen betreft, hebben afzender zowel als vervoerder het recht te eisen, dat er evenveel vrachtbrieven worden opgemaakt als er voertuigen moeten worden gebruikt of als er soorten of partijen zaken zijn.

Evenveel vrachtbrieven als voertuigen

Art. 1122. 1. Tenzij tussen hen een bevrachting is aangegaan, wordt op verlangen van afzender of vervoerder, mits dit te kennen is gegeven alvorens zaken ter beschikking van de vervoerder worden gesteld, de vrachtbrief voor deze zaken opgesteld in de vorm van een transportbrief. Aan de bovenvoorzijde van de vrachtbrief wordt alsdan met duidelijk leesbare letters het woord „transportbrief" geplaatst.

Transportbrief

2. De transportbrief wordt opgemaakt in overeenstemming met de vereisten genoemd in artikel 1119 en artikel 1121.

3. Verwijzingen in de transportbrief worden geacht slechts die bedingen daarin in te voegen, die voor degeen, jegens wie daarop een beroep wordt gedaan, duidelijk kenbaar zijn. Een dergelijk beroep is slechts mogelijk voor hem, die op schriftelijk verlangen van degeen jegens wie dit beroep kan worden gedaan of wordt gedaan, aan deze onverwijld die bedingen heeft doen toekomen.

4. Indien beide partijen zulks verlangen, kan ook in geval van bevrachting een transportbrief worden opgemaakt. Deze moet dan voldoen aan de in dit artikel gestelde eisen.

5. Nietig is ieder beding, waarbij van dit artikel wordt afgeweken.

Art. 1123. 1. Indien een transportbrief is afgegeven, wordt, onder voorbehoud van het tweede lid van dit artikel, de rechtsverhouding tussen de vervoerder enerzijds en de afzender of de geadresseerde anderzijds beheerst door de bedingen van deze transportbrief.

Rechtsverhouding vervoerder en afzender of geadresseerde

2. Indien een vervoerovereenkomst is gesloten en bovendien een transportbrief is afgegeven, wordt de rechtsverhouding tussen de vervoerder en de afzender door de bedingen van de vervoerovereenkomst en niet door die van deze transportbrief beheerst. De transportbrief strekt hun dan slechts, en dit onder voorbehoud van artikel 1124, tot bewijs van de ontvangst der zaken door de vervoerder.

Art. 1124. 1. In de vrachtbrief vervatte gegevens omtrent de ten vervoer ontvangen zaken leveren geen bewijs op jegens de vervoerder, tenzij het gegevens betreft waarvan een zorgvuldig vervoerder de juistheid kan beoordelen.

Bewijskracht vrachtbrief

2. Bevat de vrachtbrief een door de vervoerder afzonderlijk ondertekende verklaring dat hij de juistheid erkent van in die verklaring genoemde gegevens omtrent de ten vervoer ontvangen zaken, dan wordt tegenbewijs daartegen niet toegelaten.

3. Een vrachtbrief, die de uiterlijk zichtbare staat of gesteldheid van de zaak niet vermeldt, levert geen vermoeden op, dat de vervoerder die zaak, voor zover uiterlijk zichtbaar, in goede staat of gesteldheid heeft ontvangen.

4. Door de vervoerder op de vrachtbrief geplaatste aantekeningen, genoemd in artikel 1120, binden de afzender niet. Bevat echter de vrachtbrief een door de afzender afzonderlijk ondertekende verklaring, dat hij de juistheid van die aantekeningen erkent, dan wordt tegenbewijs daartegen niet toegelaten.

Art. 1125. 1. De afzender is bevoegd zichzelf of een ander als geadresseerde aan te wijzen, een gegeven aanduiding van de geadresseerde te wijzigen, orders omtrent de aflevering te geven of te wijzigen dan wel aflevering vóór de aankomst ter bestemming van zonder transportbrief ten vervoer ontvangen zaken of, wanneer een transportbrief is afgegeven, van alle daarop vermelde zaken, te verlangen.

Bevoegdheid afzender tot geven van instructies

2. De uitvoering van deze instructies moet mogelijk zijn op het ogenblik, dat de instructies de persoon, die deze moet uitvoeren, bereiken en zij mag noch de normale bedrijfsuitvoering van de vervoerder beletten, noch schade toebrengen aan de vervoerder of belanghebbenden bij de overige lading. Doet zij dit laatste desalniettemin, dan is de afzender verplicht de geleden schade te vergoeden. Wanneer het voertuig naar een niet eerder overeengekomen plaats is gereden, is hij verplicht de vervoerder terzake bovendien een redelijke vergoeding te geven.

3. Deze rechten van de afzender vervallen al naarmate de geadresseerde op de losplaats zaken aanneemt of de geadresseerde van de vervoerder schadevergoeding verlangt omdat deze zaken niet aflevert.

4. Zaken, die ingevolge het eerste lid zijn afgeleverd, worden aangemerkt als ter bestemming afgeleverde zaken en de bepalingen van deze afdeling nopens de aflevering van zaken, alsmede de artikelen 1132, 1133, 1137 en 1138 zijn van toepassing.

Recht geadresseerde aflevering te vorderen

Art. 1126. Indien aan de afzender een vrachtbrief is afgegeven, die een geadresseerde vermeldt, heeft ook deze geadresseerde jegens de vervoerder het recht aflevering van zaken overeenkomstig de op de vervoerder rustende verplichtingen te vorderen; daarbij zijn de artikelen 1103-1108 van overeenkomstige toepassing.

Ontvangstbewijs

Art. 1127. De ontvanger is verplicht terstond na de aflevering van de zaken een ontvangstbewijs daarvoor af te geven.

Verschuldigdheid vracht

Art. 1128. 1. Vracht is — behalve in geval van tijdbevrachting — verschuldigd op het ogenblik dat de vervoerder de zaken ten vervoer ontvangt of, wanneer een vrachtbrief wordt afgegeven, bij het afgeven hiervan.

2. Vracht, die vooruit te voldoen is of voldaan is, is en blijft — behalve in geval van tijdbevrachting — in zijn geheel verschuldigd, ook wanneer de zaken niet ter bestemming worden afgeleverd.

3. Wanneer de afzender niet aan zijn uit dit artikel voortvloeiende verplichtingen heeft voldaan, is de vervoerder bevoegd het vervoer van de betrokken zaak op te schorten. Met toestemming van de rechter is hij gerechtigd tot het nemen van de in de artikelen 1132 en 1133 genoemde maatregelen. Gaat hij hiertoe over, dan zijn deze artikelen van toepassing.

Hoofdelijke verbondenheid jegens vervoerder

Art. 1129. Onverminderd afdeling 1 van titel 4 van Boek 6 zijn de afzender en de ontvanger hoofdelijk verbonden de vervoerder de schade te vergoeden, geleden doordat deze zich als zaakwaarnemer inliet met de behartiging van de belangen van een rechthebbende op ten vervoer ontvangen zaken.

Rembours

Art. 1130. 1. De vervoerder is verplicht de bedragen, die als rembours op de zaak drukken, bij aflevering van de zaak van de ontvanger te innen en vervolgens aan de afzender af te dragen. Wanneer hij aan deze verplichting, door welke oorzaak dan ook, niet voldoet, is hij verplicht het bedrag van het rembours aan de afzender te vergoeden, doch indien deze geen of minder schade leed, ten hoogste tot op het bedrag van de geleden schade.

2. De ontvanger, die ten tijde van de aflevering weet dat een bedrag als rembours op de zaak drukt, is verplicht aan de vervoerder het door deze aan de afzender verschuldigde bedrag te voldoen.

Recht afgifte van zaken of documenten te weigeren

Art. 1131. 1. De vervoerder is gerechtigd afgifte van zaken of documenten, die hij in verband met de vervoerovereenkomst onder zich heeft, te weigeren aan ieder, die uit anderen hoofde dan de vervoerovereenkomst recht heeft op aflevering daarvan, tenzij daarop beslag is gelegd en uit de vervolging van dit beslag een verplichting tot afgifte aan de beslaglegger voortvloeit.

Recht van retentie

2. De vervoerder kan het recht van retentie uitoefenen op zaken of documenten, die hij in verband met de vervoerovereenkomst onder zich heeft, voor hetgeen hem verschuldigd is of zal worden terzake van het vervoer van die zaken. Hij kan dit recht tevens uitoefenen voor hetgeen bij wijze van rembours op de zaak drukt. Dit retentierecht vervalt zodra aan de vervoerder is betaald het bedrag waarover geen geschil bestaat en voldoende zekerheid is gesteld voor de betaling van die bedragen, waaromtrent wel geschil bestaat of welker hoogte nog niet kan worden vastgesteld. De vervoerder behoeft echter geen zekerheid te aanvaarden voor hetgeen bij wijze van rembours op de zaak drukt.

3. De in dit artikel aan de vervoerder toegekende rechten komen hem niet toe jegens een derde, indien hij op het tijdstip dat hij de zaak of het document ten vervoer ontving, reden had te twijfelen aan de bevoegdheid van de afzender jegens die derde hem die zaak of dat document ten vervoer ter beschikking te stellen.

Doen opslaan van vervoerde zaken

Art. 1132. 1. Voor zover hij die jegens de vervoerder recht heeft op aflevering van vervoerde zaken niet opkomt, weigert deze te ontvangen of deze niet met de vereiste spoed in ontvangst neemt, of voor zover op zaken beslag is gelegd, is de vervoerder gerechtigd deze zaken voor rekening en gevaar van de rechthebbende bij een derde op te slaan in een daarvoor geschikte bewaarplaats. Op zijn verzoek kan de rechter bepalen dat hij deze zaken, desgewenst ook in het voertuig, onder zichzelf kan houden of andere maatregelen daarvoor kan treffen. Hij is verplicht de afzender zo spoedig mogelijk op de hoogte te stellen.

2. De derde-bewaarnemer en de ontvanger zijn jegens elkaar verbonden, als ware de omtrent de bewaring gesloten overeenkomst mede tussen hen aangegaan. De bewaarnemer is echter niet gerechtigd tot afgifte dan na schriftelijke toestemming daartoe van hem, die de zaken in bewaring gaf.

Machtiging tot verkoop

Art. 1133. 1. In geval van toepassing van artikel 1132, kan de vervoerder, de bewaarnemer dan wel hij die jegens de vervoerder recht heeft op de aflevering, op zijn verzoek door de rechter worden gemachtigd de zaken geheel of gedeeltelijk op de door deze te bepalen wijze te verkopen.

2. De bewaarnemer is verplicht de vervoerder zo spoedig mogelijk van de voorgenomen verkoop op de hoogte te stellen; de vervoerder heeft deze verplichting jegens degeen, die jegens hem recht heeft op de aflevering van de zaken.

Storting opbrengst in consignatiekas

3. De opbrengst van het verkochte wordt in de consignatiekas gestort voor zover zij niet strekt tot voldoening van de kosten van opslag en verkoop alsmede, binnen de grenzen der redelijkheid, van de gemaakte kosten. Tenzij op de zaken beslag is gelegd voor een geldvordering, moet aan de vervoerder uit het in bewaring te stellen bedrag worden voldaan hetgeen hem verschuldigd is ter zake van het vervoer of op grond van een remboursbeding; voor zover deze vorderingen nog niet vast staan, zal de opbrengst of een gedeelte daarvan op door de rechter te bepalen wijze tot zekerheid voor deze vorderingen strekken.

4. De in de consignatiekas gestorte opbrengst treedt in de plaats van de zaken.

Verplichtingen over en weer bij verlies of schade

Art. 1134. Indien er zekerheid of vermoeden bestaat, dat er verlies of schade is, moeten de vervoerder en hij, die jegens de vervoerder recht heeft op de aflevering, elkaar over en weer in redelijkheid alle middelen verschaffen om het onderzoek van de zaak en het natellen van de colli mogelijk te maken.

Gerechtelijk onderzoek naar toestand afgeleverde zaken

Art. 1135. 1. Zowel de vervoerder als hij die jegens de vervoerder recht heeft op de aflevering is bevoegd bij de aflevering van zaken de rechter te verzoeken een gerechtelijk onderzoek te doen plaatshebben naar de toestand waarin deze worden afgeleverd; tevens zijn zij bevoegd de rechter te verzoeken de daarbij bevonden verliezen of schaden gerechtelijk te doen begroten.

2. Indien dit onderzoek in tegenwoordigheid of na behoorlijke oproeping van de wederpartij heeft plaatsgehad, wordt het uitgebrachte rapport vermoed juist te zijn.

Kosten gerechtelijk onderzoek

Art. 1136. 1. De kosten van gerechtelijk onderzoek, als bedoeld in artikel 1135, moeten worden voldaan door de aanvrager.

2. De rechter kan deze kosten en door het onderzoek geleden schade geheel of gedeeltelijk ten laste van de wederpartij van de aanvrager brengen, ook al zouden daardoor de bedragen genoemd in de in artikel 1105 bedoelde algemene maatregel van bestuur worden overschreden.

Recht tegen verrekening van ontvangen schadevergoeding opnieuw aflevering te verlangen

Art. 1137. Indien binnen één jaar nadat de vervoerder aan degeen, die jegens hem recht op aflevering van zaken heeft, schadevergoeding heeft uitgekeerd ter zake van het niet afleveren van deze zaken, deze zaken of enige daarvan alsnog onder de vervoerder blijken te zijn of te zijn gekomen, is de vervoerder verplicht die afzender of die geadresseerde, die daartoe bij aangetekende brief het verlangen uitte, van deze omstandigheid bij aangetekende brief op de hoogte te brengen en heeft de afzender respectievelijk de geadresseerde gedurende dertig dagen na ontvangst van deze mededeling het recht tegen verrekening van de door hem ontvangen schadevergoeding opnieuw afleveren van deze zaken te verlangen. Hetzelfde geldt, indien de vervoerder terzake van het niet afleveren geen schadevergoeding heeft uitgekeerd, met dien verstande dat de termijn van één jaar begint met de aanvang van de dag volgende op die waarop de zaken hadden moeten zijn afgeleverd.

Overeenkomstige toepassing van art. 1133

Art. 1138. Met betrekking tot ten vervoer ontvangen zaken, die de vervoerder onder zich heeft doch ten aanzien waarvan hij niet meer uit hoofde van de vervoerovereenkomst tot aflevering is verplicht, is artikel 1133 van overeenkomstige toepassing met dien verstande, dat uit de opbrengst van het verkochte bovendien aan de vervoerder moet worden voldaan het bedrag, dat deze mogelijkerwijs voldeed ter zake van zijn aansprakelijkheid wegens het niet nakomen van de op hem uit hoofde van de artikelen 1095 en 1096 rustende verplichtingen.

AFDELING 3
Overeenkomst van personenvervoer over de weg

Overeenkomst van personenvervoer

Art. 1140. 1. De overeenkomst van personenvervoer in de zin van deze titel is de overeenkomst van personenvervoer, al dan niet tijd- of reisbevrachting zijnde, waarbij de ene partij (de vervoerder) zich tegenover de andere partij verbindt aan boord van een voertuig een of meer personen (reizigers) en al dan niet hun bagage uitsluitend over de weg en anders dan langs spoorstaven te vervoeren.

Uitzondering

2. De overeenkomst van personenvervoer als omschreven in artikel 100 is niet een overeenkomst van personenvervoer in de zin van deze afdeling.

Handbagage

Art. 1141. 1. Handbagage in de zin van deze afdeling is de bagage met inbegrip van levende dieren, die de reiziger als gemakkelijk mee te voeren, draagbare dan wel met de hand verrijdbare zaken op of bij zich heeft.

A.m.v.b.

2. Bij algemene maatregel van bestuur kunnen zaken, die geen handbagage zijn, voor de toepassing van bepalingen van deze afdeling als handbagage worden aangewezen, dan wel bepalingen van deze afdeling niet van toepassing worden verklaard op zaken, die handbagage zijn.

Tijdvak vervoer over de weg

Art. 1142. 1. Vervoer over de weg van personen omvat uitsluitend de tijd dat de reiziger aan boord van het voertuig is, terwijl dit zich op de weg bevindt. Bovendien omvat het de tijd van zijn instappen daarin of uitstappen daaruit.

2. Vervoer over de weg van personen omvat voor de toepassing van artikel 1148 tweede lid, in afwijking van het elders bepaalde, het tijdvak dat het voertuig zich aan boord van een ander vervoermiddel en niet op de weg bevindt, doch dit slechts ten aanzien van de reiziger die zich aan boord van dat voertuig bevindt of die daarin in- of uitstapt.

Art. 1143. 1. Vervoer over de weg van handbagage omvat uitsluitend de tijd dat deze aan boord van het voertuig is terwijl dit zich op de weg bevindt. Bovendien omvat het de tijd van inlading daarin en uitlading daaruit.

2. Voor bagage, die geen handbagage is, omvat het vervoer over de weg de tijd tussen het overnemen daarvan door de vervoerder en de aflevering door de vervoerder.

3. Vervoer over de weg van bagage omvat voor de toepassing van artikel 1150 tweede lid, in afwijking van het elders bepaalde, het tijdvak dat het voertuig, aan boord waarvan de bagage zich bevindt, doch dit slechts ten aanzien van bagage, die zich aan boord van dat voertuig bevindt of die daarin wordt ingeladen dan wel daaruit wordt uitgeladen.

Tijd- of reisbevrachting

Art. 1144. 1. Tijd- of reisbevrachting in de zin van deze afdeling is de overeenkomst van personenvervoer, waarbij de vervoerder (vervrachter) zich verbindt tot vervoer aan boord van een voertuig, dat hij daartoe in zijn geheel met bestuurder en al dan niet op tijdbasis (tijdbevrachting of reisbevrachting) ter beschikking stelt van zijn wederpartij (bevrachter).

2. De artikelen 1093, 1097, 1109, 1112 en 1113 zijn op deze bevrachting van overeenkomstige toepassing.

Uitschakelbepaling

Art. 1145. De wetsbepalingen omtrent huur, bewaarneming en bruikleen zijn op terbeschikkingstelling van een voertuig met bestuurder, ten einde aan boord daarvan personen te vervoeren, niet van toepassing.

Art. 1146. (Vervallen bij de wet van 2 december 1991, Stb. 664)

Aansprakelijkheid vervoerder bij dood of letsel reiziger

Art. 1147. De vervoerder is aansprakelijk voor schade veroorzaakt door dood of letsel van de reiziger ten gevolge van een ongeval dat in verband met en tijdens het vervoer aan de reiziger is overkomen.

Art. 1148. 1. De vervoerder is niet aansprakelijk voor schade door dood of letsel van de reiziger veroorzaakt, voor zover het ongeval dat hiertoe leidde, is veroorzaakt door een omstandigheid die een zorgvuldig vervoerder niet heeft kunnen vermijden en voor zover zulk een vervoerder de gevolgen daarvan niet heeft kunnen verhinderen.

Overmacht

2. Lichamelijke of geestelijke tekortkomingen van de bestuurder van het voertuig alsmede gebrekkigheid of slecht functioneren van het voertuig of van het materiaal, waarvan hij zich voor het vervoer bedient, worden aangemerkt als een omstandigheid die een zorgvuldig vervoerder heeft kunnen vermijden en waarvan zulk een vervoerder de gevolgen heeft kunnen verhinderen. Onder materiaal wordt niet begrepen een schip, luchtvaartuig of spoorwagon, aan boord waarvan het voertuig zich bevindt.

3. Bij de toepassing van dit artikel wordt slechts dan rekening gehouden met een gedraging van een derde, indien geen andere omstandigheid, die mede tot het ongeval leidde, voor rekening van de vervoerder is.

Art. 1149. Nietig is ieder vóór het aan de reiziger overkomen ongeval gemaakt beding waarbij de ingevolge artikel 1147 op de vervoerder drukkende aansprakelijkheid of bewijslast wordt verminderd op andere wijze dan in deze afdeling is voorzien.

Nietigheid afwijkend beding

Art. 1150. 1. De vervoerder is aansprakelijk voor schade veroorzaakt door geheel of gedeeltelijk verlies dan wel beschadiging van bagage voor zover dit verlies of deze beschadiging is ontstaan tijdens het vervoer en is veroorzaakt door een omstandigheid die een zorgvuldig vervoerder heeft kunnen vermijden of waarvan zulk een vervoerder de gevolgen heeft kunnen verhinderen. Voor schade veroorzaakt door geheel of gedeeltelijk verlies dan wel beschadiging van handbagage is hij bovendien aansprakelijk voor zover dit verlies of deze beschadiging is veroorzaakt door een aan de reiziger overkomen ongeval, dat voor rekening van de vervoerder komt.

Aansprakelijkheid vervoerder bij verlies of beschadiging van bagage

2. Lichamelijke of geestelijke tekortkomingen van de bestuurder van het voertuig alsmede gebrekkigheid of slecht functioneren van het voertuig of van het materiaal waarvan hij zich voor het vervoer bedient, worden aangemerkt als een omstandigheid die een zorgvuldig vervoerder heeft kunnen vermijden en waarvan zulk een vervoerder de gevolgen heeft kunnen verhinderen. Onder materiaal wordt niet begrepen een schip, luchtvaartuig of spoorwagon, aan boord waarvan het voertuig zich bevindt.

3. Bij de toepassing van het eerste lid wordt ten aanzien van handbagage slechts dan rekening gehouden met een gedraging van een derde, indien geen andere omstandigheid, die mede tot het voorval leidde, voor rekening van de vervoerder is.

4. Nietig is ieder vóór het verlies of de beschadiging van bagage gemaakt beding, waarbij de ingevolge dit artikel op de vervoerder drukkende aansprakelijkheid of bewijslast op andere wijze wordt verminderd dan in deze afdeling is voorzien.

Art. 1151. De vervoerder is niet aansprakelijk in geval van verlies of beschadiging overkomen aan geldstukken, verhandelbare documenten, goud, zilver, juwelen, sieraden, kunstvoorwerpen of andere zaken van waarde, tenzij deze zaken van waarde aan de vervoerder in bewaring zijn gegeven en hij overeengekomen is hen in zekerheid te zullen bewaren.

Geen aansprakelijkheid voor schade aan zaken van waarde

Art. 1152. De vervoerder is terzake van door de reiziger aan boord van het voertuig gebrachte zaken die hij, indien hij hun aard of gesteldheid had gekend, niet aan boord van het voertuig zou hebben toegelaten en waarvoor hij geen bewijs van ontvangst heeft afgegeven, geen enkele schadevergoeding verschuldigd indien de reiziger wist of behoorde te weten, dat de vervoerder de zaken niet ten vervoer zou hebben toegelaten; de reiziger is alsdan aansprakelijk voor alle kosten en schaden voor de vervoerder voortvloeiend uit de aanbieding ten vervoer of uit het vervoer zelf.

Geen schadevergoeding

Art. 1153. Onverminderd artikel 1152 en onverminderd artikel 179 van Boek 6 is de reiziger verplicht de vervoerder de schade te vergoeden die hij of zijn bagage deze berokkende, behalve voor zover deze schade is veroorzaakt door een omstandigheid die een zorgvuldig reiziger niet heeft kunnen vermijden en voor zover zulk een reiziger de gevolgen daarvan niet heeft kunnen verhinderen. De reiziger kan niet om zich van zijn aansprakelijkheid te ontheffen beroep doen op de hoedanigheid of een gebrek van zijn bagage.

Verplichting tot schadevergoeding door reiziger

Toepasselijke artikelen

Art. 1154. 1. Onverminderd de bepalingen van deze afdeling zijn op het vervoer van bagage de artikelen 1095, 1096, 1103, 1104, 1114 eerste, tweede en derde lid, 1115 eerste, tweede en derde lid, 1116 tot en met 1118, 1129 en 1131 tot en met 1138 van toepassing. De in artikel 1131 toegekende rechten en het in artikel 1133 en artikel 1138 toegekende recht tot het zich laten voldoen uit het in bewaring stellen bedrag van kosten terzake van het vervoer, kunnen worden uitgeoefend voor alles wat de wederpartij van de vervoerder of de reiziger aan de vervoerder verschuldigd is.

2. Partijen hebben de vrijheid af te wijken van in het eerste lid op hun onderlinge verhouding toepasselijk verklaarde bepalingen.

Schuld of nalatigheid reiziger

Art. 1155. Indien de vervoerder bewijst dat schuld of nalatigheid van de reiziger schade heeft veroorzaakt of daartoe heeft bijgedragen, kan de aansprakelijkheid van de vervoerder daarvoor geheel of gedeeltelijk worden opgeheven.

Personen die op verzoek reiziger diensten bewijzen

Art. 1156. Indien personen van wier hulp de vervoerder bij de uitvoering van zijn verbintenis gebruik maakt, op verzoek van de reiziger diensten bewijzen, waartoe de vervoerder niet is verplicht, worden zij aangemerkt als te handelen in opdracht van de reiziger aan wie zij deze diensten bewijzen.

A.m.v.b.

Art. 1157. De aansprakelijkheid van de vervoerder is in geval van dood, letsel of vertraging van de reiziger en in geval van verlies, beschadiging of vertraging van diens bagage beperkt tot een bij of krachtens algemene maatregel van bestuur te bepalen bedrag of bedragen.

Geen beroep op beperking van aansprakelijkheid

Art. 1158. 1. De vervoerder kan zich niet beroepen op enige beperking van zijn aansprakelijkheid, voor zover de schade is ontstaan uit zijn eigen handeling of nalaten, geschied hetzij met het opzet die schade te veroorzaken, hetzij roekeloos en met de wetenschap, dat die schade er waarschijnlijk uit zou voortvloeien.

2. Nietig is ieder beding, waarbij van dit artikel wordt afgeweken.

Schadevergoeding in geval van verlies of beschadiging bagage

Art. 1159. 1. In geval van verlies of beschadiging van bagage wordt de vordering tot schadevergoeding gewaardeerd naar de omstandigheden.

2. In geval van aan de reiziger overkomen letsel of van de dood van de reiziger zijn de artikelen 107 en 108 van Boek 6 niet van toepassing op de vorderingen die de vervoerder als wederpartij van een andere vervoerder tegen deze instelt.

Schadevergoedingsplicht wederpartij vervoerder

Art. 1160. De wederpartij van de vervoerder is verplicht deze de schade te vergoeden die hij lijdt doordat de reiziger, door welke oorzaak dan ook, niet tijdig ten vervoer aanwezig is.

Art. 1161. De wederpartij van de vervoerder is verplicht deze de schade te vergoeden die hij lijdt doordat de documenten met betrekking tot de reiziger, die van haar zijde voor het vervoer vereist zijn, door welke oorzaak dan ook, niet naar behoren aanwezig zijn.

Opzegging door vervoerder bij bijzondere omstandigheden

Art. 1162. 1. Wanneer vóór of tijdens het vervoer omstandigheden aan de zijde van de wederpartij van de vervoerder of de reiziger zich opdoen of naar voren komen, die de vervoerder bij het sluiten van de overeenkomst niet behoefde te kennen, doch die, indien zij hem wel bekend waren geweest, redelijkerwijs voor hem grond hadden opgeleverd de vervoerovereenkomst niet of op andere voorwaarden aan te gaan, is de vervoerder bevoegd de overeenkomst op te zeggen en de reiziger uit het voertuig te verwijderen.

2. De opzegging geschiedt door een mondelinge of schriftelijke kennisgeving aan de wederpartij van de vervoerder of aan de reiziger en de overeenkomst eindigt op het ogenblik van ontvangst van de eerst ontvangen kennisgeving.

3. Naar maatstaven van redelijkheid en billijkheid zijn partijen na opzegging der overeenkomst verplicht elkaar de daardoor geleden schade te vergoeden.

Opzegging door wederpartij bij bijzondere omstandigheden

Art. 1163. 1. Wanneer vóór of tijdens het vervoer omstandigheden aan de zijde van de vervoerder zich opdoen of naar voren komen, die diens wederpartij bij het sluiten van de overeenkomst niet behoefde te kennen, doch die, indien zij haar wel bekend waren geweest, redelijkerwijs voor haar grond hadden opgeleverd de vervoerovereenkomst niet of op andere voorwaarden aan te gaan, is deze wederpartij van de vervoerder bevoegd de overeenkomst op te zeggen.

2. De opzegging geschiedt door een mondelinge of schriftelijke kennisgeving en de overeenkomst eindigt op het ogenblik van ontvangst daarvan.

3. Naar maatstaven van redelijkheid en billijkheid zijn partijen na opzegging der overeenkomst verplicht elkaar de daardoor geleden schade te vergoeden.

Art. 1164. Wanneer de reiziger na verlaten van het voertuig niet tijdig terugkeert, kan de vervoerder de overeenkomst beschouwen als op dat tijdstip te zijn geëindigd.

Reiziger niet tijdig terug

Art. 1165. 1. De wederpartij van de vervoerder is steeds bevoegd de overeenkomst op te zeggen. Zij is verplicht de vervoerder de schade te vergoeden die deze ten gevolge van de opzegging lijdt.

Opzegging

2. Zij kan dit recht niet uitoefenen, wanneer daardoor de reis van het voertuig zou worden vertraagd.

3. De opzegging geschiedt door een mondelinge of schriftelijke kennisgeving en de overeenkomst eindigt op het ogenblik van ontvangst daarvan.

Art. 1166. 1. Wordt ter zake van het vervoer een plaatsbewijs, een ontvangstbewijs voor bagage of enig soortgelijk document afgegeven, dan is de vervoerder verplicht daarin op duidelijke wijze zijn naam en woonplaats te vermelden.

Plaatsbewijs of ontvangstbewijs bagage

2. Nietig is ieder beding, waarbij van het eerste lid van dit artikel wordt afgeweken.

Nietigheid afwijkend beding

3. De artikelen 56 tweede lid, 75 eerste lid en 186 eerste lid van Boek 2 zijn niet van toepassing.

Uitschakelbepaling

AFDELING 4
Verhuisovereenkomst

Art. 1170. 1. De verhuisovereenkomst in de zin van deze titel is de overeenkomst van goederenvervoer, waarbij de vervoerder (de verhuizer) zich tegenover de afzender (de opdrachtgever) verbindt verhuisgoederen te vervoeren, hetzij uitsluitend in een gebouw of woning, hetzij uitsluitend ten dele in een gebouw of woning en ten dele over de weg, hetzij uitsluitend over de weg. Vervoer langs spoorstaven wordt niet als vervoer over de weg beschouwd.

Verhuisovereenkomst

2. Verhuisgoederen in de zin van deze titel zijn zaken die zich in een overdekte ruimte bevinden en die tot de stoffering, meubilering of inrichting van die ruimte bestemd zijn en als zodanig reeds zijn gebruikt met uitzondering van die zaken die volgens verkeersopvatting niet tot de gebruikelijke inhoud van die ruimte behoren.

Verhuisgoederen

3. Indien partijen overeenkomen, dat het geheel van het vervoer over de weg zal worden beheerst door het geheel van de rechtsregelen, die het zouden beheersen, wanneer het andere zaken dan verhuisgoederen zou betreffen, wordt deze overeenkomst niet als verhuisovereenkomst aangemerkt.

Uitzondering

Art. 1171. Vervoer over de weg van verhuisgoederen omvat voor de toepassing van artikel 1175 tweede lid, in afwijking van het elders bepaalde, het tijdvak dat het voertuig aan boord waarvan de verhuisgoederen zich bevinden, zich aan boord van een ander vervoermiddel en niet op de weg bevindt, doch dit slechts ten aanzien van verhuisgoederen, die daarbij niet uit dat voertuig werden uitgeladen.

Tijdvak vervoer over de weg

Art. 1172. De verhuizer is verplicht verhuisgoederen, die gelet op hun aard of de wijze van vervoer, ingepakt behoren te worden of uit elkaar genomen behoren te worden, in te pakken dan wel uit elkaar te nemen en ter bestemming uit te pakken, dan wel in elkaar te zetten.

Verplichtingen verhuizer

Art. 1173. 1. De verhuizer is verplicht de verhuisgoederen ter bestemming af te leveren en wel in de staat, waarin zij hem uit hoofde van artikel 1172 ter verpakking of demontage, dan wel in de staat, waarin zij hem ten vervoer ter beschikking zijn gesteld.

2. Onder afleveren wordt in deze afdeling verstaan het plaatsen van de verhuisgoederen ter bestemming op de daartoe mogelijkerwijs aangeduide plek en zulks, bij toepassing van artikel 1172, na hen te hebben uitgepakt of in elkaar gezet.

Art. 1174. Onverminderd artikel 1173 is de verhuizer verplicht een aangevangen verhuizing zonder vertraging te voltooien.

Overmacht

Art. 1175. 1. Bij niet nakomen van de op hem uit hoofde van de artikelen 1173 en 1174 rustende verplichtingen is de verhuizer desalniettemin voor de daardoor ontstane schade niet aansprakelijk, voor zover dit niet nakomen is veroorzaakt door een omstandigheid die een zorgvuldig verhuizer niet heeft kunnen vermijden en voor zover zulk een verhuizer de gevolgen daarvan niet heeft kunnen verhinderen.

Gebrekkigheid voertuig, materiaal of steunpunten danwel ongeval door toedoen derden

2. De verhuizer kan niet om zich van zijn aansprakelijkheid uit hoofde van de artikelen 1173 of 1174 te ontheffen beroep doen op:
a. de gebrekkigheid van het voertuig dat voor de verhuizing wordt gebezigd;
b. de gebrekkigheid van het materiaal, waarvan hij zich bedient, tenzij dit door de opdrachtgever te zijner beschikking is gesteld; onder materiaal wordt niet begrepen een schip, luchtvaartuig of spoorwagon, waarop het voertuig, dat voor de verhuizing wordt gebezigd, zich bevindt;
c. de gebrekkigheid van steunpunten benut voor de bevestiging van hijswerktuigen;
d. enig door toedoen van derden, wier handelingen niet voor rekening van de opdrachtgever komen, aan de verhuisgoederen overkomen ongeval.

Overeenkomstige toepassing

3. Het eerste lid van dit artikel is eveneens van toepassing ten aanzien van aansprakelijkheid van de verhuizer uit anderen hoofde dan van de artikelen 1173 of 1174.

Bijzondere risico's

Art. 1176. Onverminderd de artikelen 1177 en 1178 is de verhuizer, die de op hem uit hoofde van de artikelen 1173 en 1174 rustende verplichtingen niet nakwam, desalniettemin voor de daardoor ontstane schade niet aansprakelijk, voor zover dit niet nakomen het gevolg is van de bijzondere risico's verbonden aan een of meer van de volgende omstandigheden:
a. het inpakken of uit elkaar nemen, dan wel het uitpakken of in elkaar zetten van verhuisgoederen door de opdrachtgever of met behulp van enige persoon of enig middel door de opdrachtgever daartoe eigener beweging ter beschikking gesteld;
b. de keuze door de opdrachtgever — hoewel de verhuizer hem een andere mogelijkheid aan de hand deed — van een wijze van verpakking of uitvoering van de verhuisovereenkomst, die verschilt van wat voor de overeengekomen verhuizing gebruikelijk is;
c. de aanwezigheid onder de verhuisgoederen van zaken waarvoor de verhuizer, indien hij op de hoogte was geweest van hun aanwezigheid en hun aard, bijzondere maatregelen zou hebben getroffen;
d. de aard of de staat van de verhuisgoederen zelf, die door met deze aard of staat zelf samenhangende oorzaken zijn blootgesteld aan geheel of gedeeltelijk verlies of aan beschadiging.

Bewijsvermoeden

Art. 1177. Wanneer de verhuizer bewijst dat, gelet op de omstandigheden van het geval, het niet nakomen van de op hem uit hoofde van de artikelen 1173 en 1174 rustende verplichtingen een gevolg heeft kunnen zijn van een of meer der in artikel 1176 genoemde bijzondere risico's, wordt vermoed, dat het niet nakomen daaruit voortvloeit.

Bewijsvermoeden t.a.v. levende dieren en kostbare kleinodiën

Art. 1178. 1. Wanneer de verhuizer de op hem uit hoofde van de artikelen 1173 en 1174 rustende verplichtingen niet nakwam, wordt ten aanzien van:
a. levende dieren;
b. geld, geldswaardige papieren, juwelen, uit edelmetaal vervaardigde of andere kostbare kleinodiën

vermoed dat de verhuizer noch de omstandigheid, die het niet nakomen veroorzaakte, heeft kunnen vermijden, noch de gevolgen daarvan heeft kunnen verhinderen en dat het niet nakomen niet is ontstaan door een of meer der in het tweede lid van artikel 1175 voor rekening van de verhuizer gebrachte omstandigheden.

2. De verhuizer kan geen beroep doen op het eerste lid onder b, indien de opdrachtgever hem de daar genoemde zaken afzonderlijk en onder opgave van hoeveelheid en waarde vóór het begin der verhuizing overhandigde.

Nietigheid afwijkend beding

Art. 1179. 1. Nietig is ieder beding, waarbij de ingevolge artikel 1173 op de verhuizer drukkende aansprakelijkheid of bewijslast op andere wijze wordt verminderd dan in deze afdeling is voorzien.

Uitzondering

2. Wanneer het verhuisgoederen betreft, die door hun karakter of gesteldheid een bijzondere overeenkomst rechtvaardigen, staat het partijen in afwijking van het eerste lid vrij de op de verhuizer drukkende aansprakelijkheid of bewijslast te verminderen, doch slechts wanneer dit beding uitdrukkelijk en anders dan door een

verwijzing naar in een ander geschrift voorkomende bedingen is aangegaan bij een in het bijzonder ten aanzien van de voorgenomen verhuizing aangegane en in een afzonderlijk geschrift neergelegde overeenkomst.

Art. 1180. Voor zover de verhuizer aansprakelijk is wegens niet nakomen van de op hem uit hoofde van de artikelen 1173 en 1174 rustende verplichtingen heeft de opdrachtgever geen ander recht dan te zijner keuze te vorderen betaling van een redelijk bedrag voor herstel van beschadigd verhuisgoed, dan wel betaling van een bedrag, dat wordt berekend met inachtneming van de waarde welke verhuisgoederen als die, waarop de verhuisovereenkomst betrekking heeft, zouden hebben gehad, zoals, ten tijde waarop en ter plaatse waar, zij zijn afgeleverd of zij hadden moeten zijn afgeleverd.

Recht opdrachtgever uit slechts twee mogelijkheden te kiezen

Art. 1181. Indien met betrekking tot een verhuisgoed een schadevergoeding uit hoofde van artikel 1195 is verschuldigd, wordt deze aangemerkt als een waardevermindering van dat verhuisgoed.

Waardevermindering

Art. 1182. Voor zover de verhuizer aansprakelijk is wegens niet nakomen van de op hem uit hoofde van de artikelen 1173 en 1174 rustende verplichtingen, is hij niet aansprakelijk boven bij of krachtens algemene maatregel van bestuur te bepalen bedragen. Bij of krachtens deze maatregel kan worden vastgesteld welk bedrag van de geleden schade voor risico van de opdrachtgever blijft.

A.m.v.b.

Art. 1183. 1. De opdrachtgever kan, mits de verhuizer hierin toestemt en tegen betaling van een overeen te komen bedrag, schriftelijk een waarde van de verhuisgoederen aangeven, die het maximum, vermeld in de in artikel 1182 genoemde algemene maatregel van bestuur, overschrijdt. In dat geval treedt het aangegeven bedrag in de plaats van dit maximum.

Overschrijding maximale bedrag

2. Nietig is ieder beding waarbij het aldus aangegeven bedrag hoger wordt gesteld dan het hoogste der in artikel 1180 genoemde bedragen.

Nietigheid afwijkend beding

Art. 1184. 1. De opdrachtgever kan, mits de verhuizer hierin toestemt en tegen betaling van een overeen te komen bedrag, schriftelijk het bedrag van een bijzonder belang bij de aflevering voor het geval van verlies of beschadiging van vervoerd verhuisgoed en voor dat van overschrijding van een overeengekomen termijn van aanvang of einde der verhuizing vaststellen.

Vaststelling bedrag bijzonder belang bij aflevering

2. Indien een bijzonder belang bij de aflevering is aangegeven, kan, indien de verhuizer aansprakelijk is wegens niet nakomen van de op hem uit hoofde van artikel 1173 rustende verplichting dan wel op grond van overschrijding van een overeengekomen termijn van aanvang of einde der verhuizing, onafhankelijk van de schadevergoedingen genoemd in de artikelen 1180 tot en met 1183 en tot ten hoogste eenmaal het bedrag van het aangegeven belang, een schadevergoeding worden gevorderd gelijk aan de bewezen bijkomende schade.

Art. 1185. 1. De verhuizer kan zich niet beroepen op enige beperking van zijn aansprakelijkheid, voor zover de schade is ontstaan uit zijn eigen handeling of nalaten, geschied hetzij met het opzet die schade te veroorzaken, hetzij roekeloos en met de wetenschap dat die schade er waarschijnlijk uit zou voortvloeien.

Geen beroep op beperking van aansprakelijkheid

2. Nietig is ieder beding, waarbij van dit artikel wordt afgeweken.

Nietigheid afwijkend beding

Art. 1186. 1. De opdrachtgever is bevoegd de overeenkomst op te zeggen, wanneer hem door de verhuizer is medegedeeld, dat hij niet op de overeengekomen plaats en tijd met de verhuizing een aanvang kan of zal kunnen maken.

Opzegging door opdrachtgever

2. Hij kan deze bevoegdheid slechts uitoefenen terstond na ontvangst van deze mededeling.

3. Indien bij gebreke van de ontvangst van een mededeling, als bedoeld in het eerste lid, het de opdrachtgever uit anderen hoofde bekend is, dat de verhuizer niet op de overeengekomen plaats of tijd met de verhuizing een aanvang maakt of kan maken, is hij, zonder dat enige ingebrekestelling is vereist, bevoegd de overeenkomst op te zeggen, doch slechts binnen een redelijke termijn, nadat hem dit bekend is geworden; gelijke bevoegdheid komt hem toe, indien hem na ontvangst van een mededeling, als bedoeld in het eerste lid, uit anderen hoofde bekend wordt, dat de verhuizer op grond van andere omstandigheden dan welke hem tot zijn mededeling brachten niet met de verhuizing op de overeengekomen plaats of tijd een aanvang maakt of kan maken.

4. De opzegging geschiedt door een mondelinge of schriftelijke kennisgeving en de overeenkomst eindigt op het ogenblik van ontvangst daarvan.

Maximering aansprakelijkheid verhuizer

5. Indien de verhuizer gehouden is de schade, die de opdrachtgever door de opzegging lijdt, te vergoeden, zal deze vergoeding, behoudens artikel 1184, niet meer bedragen dan de overeengekomen verhuisprijs.

Schadevergoedingsplicht opdrachtgever

Art. 1187. De opdrachtgever is verplicht de verhuizer de schade te vergoeden, die deze lijdt doordat de overeengekomen verhuisgoederen, door welke oorzaak dan ook, niet op de overeengekomen plaats en tijd te zijner beschikking zijn.

Opzegging door opdrachtgever

Art. 1188. 1. Alvorens verhuisgoederen ter beschikking van de verhuizer zijn gesteld, is de opdrachtgever bevoegd de overeenkomst op te zeggen. Hij is verplicht aan de verhuizer de daardoor geleden schade te vergoeden.

2. De opzegging geschiedt door een mondelinge of schriftelijke kennisgeving en de overeenkomst eindigt op het ogenblik van ontvangst daarvan.

Opzegging door verhuizer

Art. 1189. 1. Zijn bij het verstrijken van de tijd, waarbinnen de verhuisgoederen ter beschikking van de verhuizer moeten zijn gesteld, door welke oorzaak dan ook, in het geheel geen verhuisgoederen ter beschikking, dan is de verhuizer, zonder dat enige ingebrekestelling is vereist, bevoegd de overeenkomst op te zeggen. De opdrachtgever is verplicht hem de daardoor geleden schade te vergoeden.

Wijze van opzegging

2. De opzegging geschiedt door een mondelinge of schriftelijke kennisgeving en de overeenkomst eindigt op het ogenblik van ontvangst daarvan.

Verplichting verhuizer goederen toch te verhuizen

Art. 1190. 1. Zijn bij het verstrijken van de tijd, waarbinnen de verhuisgoederen ter beschikking van de verhuizer moeten zijn gesteld, door welke oorzaak dan ook, de overeengekomen verhuisgoederen slechts gedeeltelijk ter beschikking, dan is de verhuizer op verlangen van de opdrachtgever desalniettemin verplicht de wel ter beschikkinggestelde goederen te verhuizen.

Schadevergoedingsplicht opdrachtgever

2. De opdrachtgever is verplicht de verhuizer de daardoor geleden schade te vergoeden.

Informatieplicht

Art. 1191. 1. De opdrachtgever is verplicht de verhuizer omtrent de verhuisgoederen alsmede omtrent de behandeling daarvan tijdig al die opgaven te doen, waartoe hij in staat is of behoort te zijn, en waarvan hij weet of behoort te weten, dat zij voor de verhuizer van belang zijn, tenzij hij mag aannemen dat de verhuizer deze gegevens kent.

2. De verhuizer is niet gehouden, doch wel gerechtigd, te onderzoeken of de hem gedane opgaven juist en volledig zijn.

Documentatie

Art. 1192. 1. De opdrachtgever is verplicht de verhuizer de schade te vergoeden die deze lijdt doordat, door welke oorzaak dan ook, niet naar behoren aanwezig zijn de documenten en inlichtingen, die blijkens mededeling door de verhuizer van de zijde van de opdrachtgever vereist zijn voor de verhuizing dan wel ter voldoening aan vóór de aflevering van de verhuisgoederen te vervullen douane- en andere formaliteiten.

2. De verhuizer is verplicht redelijke zorg aan te wenden, dat de documenten, die in zijn handen zijn gesteld, niet verloren gaan of onjuist worden behandeld. Een terzake door hem verschuldigde schadevergoeding zal die, verschuldigd uit hoofde van de artikelen 1180 tot en met 1185 in geval van verlies van de verhuisgoederen, niet overschrijden.

3. De verhuizer is niet gehouden, doch wel gerechtigd, te onderzoeken of de hem gedane opgaven juist en volledig zijn.

4. Zijn bij het verstrijken van de tijd, waarbinnen de in het eerste lid genoemde documenten en inlichtingen aanwezig moeten zijn, deze, door welke oorzaak dan ook, niet naar behoren aanwezig, dan zijn de artikelen 1189 en 1190 van overeenkomstige toepassing.

Opzegging door wederpartij bij bijzondere omstandigheden

Art. 1193. 1. Wanneer vóór of bij de aanbieding van de verhuisgoederen aan de verhuizer omstandigheden aan de zijde van één der partijen zich opdoen of naar voren komen, die haar wederpartij bij het sluiten van de overeenkomst niet behoefde te kennen, doch die, indien zij haar wel bekend waren geweest, redelijkerwijs voor haar grond hadden opgeleverd de verhuisovereenkomst niet of op andere voorwaarden aan te gaan, is deze wederpartij bevoegd de overeenkomst op te zeggen.

2. De opzegging geschiedt door een mondelinge of schriftelijke kennisgeving en de overeenkomst eindigt op het ogenblik van ontvangst daarvan.
3. Naar maatstaven van redelijkheid en billijkheid zijn partijen na opzegging der overeenkomst verplicht elkaar de daardoor geleden schade te vergoeden.

Art. 1194. 1. De verhuisprijs is verschuldigd op het ogenblik, dat de verhuizer de verhuisgoederen ter bestemming aflevert.
2. Indien partijen overeenkwamen, dat de verhuisprijs vóór het vertrek van het voertuig, waarin de verhuisgoederen zijn geladen, zal worden betaald en de opdrachtgever niet aan deze verplichting heeft voldaan, is de verhuizer bevoegd het vervoer van de betrokken verhuisgoederen op te schorten en is hij met toestemming van de rechter gerechtigd tot het nemen van de in de artikelen 1197 en 1198 genoemde maatregelen. Gaat hij hiertoe over, dan zijn deze artikelen van toepassing.

Verschuldigdheid verhuisprijs

Art. 1195. Onverminderd afdeling 1 van titel 4 van Boek 6 is de opdrachtgever verplicht de verhuizer de schade te vergoeden, geleden doordat deze zich als zaakwaarnemer inliet met de behartiging van de belangen van een rechthebbende op verhuisgoederen.

Schadevergoedingsplicht opdrachtgever

Art. 1196. De verhuizer heeft geen retentierecht op verhuisgoederen en documenten, die hij in verband met de verhuisovereenkomst onder zich heeft.

Geen recht van retentie

Art. 1197. 1. Voor zover de opdrachtgever niet opkomt, weigert verhuisgoederen te ontvangen of deze niet met de vereiste spoed in ontvangst neemt, of voor zover op verhuisgoederen beslag is gelegd, is de verhuizer gerechtigd deze verhuisgoederen voor rekening en gevaar van de rechthebbende bij een derde op te slaan in een daarvoor geschikte bewaarplaats. Op zijn verzoek kan de rechter bepalen dat hij deze verhuisgoederen, desgewenst ook in het voor de verhuizing gebezigde voertuig, onder zichzelf kan houden of andere maatregelen daarvoor kan treffen. Hij is verplicht de opdrachtgever zo spoedig mogelijk op de hoogte te stellen.
2. De derde-bewaarnemer en de opdrachtgever zijn jegens elkaar verbonden, als ware de omtrent de bewaring gesloten overeenkomst mede tussen hen aangegaan. De bewaarnemer is echter niet gerechtigd tot afgifte dan na schriftelijke toestemming daartoe van hem, die de verhuisgoederen in bewaring gaf.

Doen opslaan van verhuisgoederen

Art. 1198. 1. In geval van toepassing van artikel 1197 kan de verhuizer, de bewaarnemer dan wel de opdrachtgever door de rechter op zijn verzoek worden gemachtigd de verhuisgoederen geheel of gedeeltelijk op de door deze te bepalen wijze te verkopen.
2. De bewaarnemer is verplicht de verhuizer zo spoedig mogelijk van de voorgenomen verkoop op de hoogte te stellen; de verhuizer heeft deze verplichting jegens de opdrachtgever.

Machtiging tot verkoop

3. De opbrengst van het verkochte wordt in de consignatiekas gestort, voor zover zij niet strekt tot voldoening van de kosten van opslag en verkoop, alsmede, binnen de grenzen der redelijkheid, van de gemaakte kosten. Tenzij op de zaken beslag is gelegd voor een geldvordering, moet aan de verhuizer uit het in bewaring te stellen bedrag worden voldaan hetgeen hem verschuldigd is terzake van de verhuizing; voor zover deze vordering nog niet vaststaat, zal de opbrengst of een gedeelte daarvan op door de rechter te bepalen wijze tot zekerheid voor deze vordering strekken.
4. De in de consignatiekas gestorte opbrengst treedt in de plaats van de verhuisgoederen.

Storting opbrengst in consignatiekas

Art. 1199. Indien er zekerheid of vermoeden bestaat, dat er verlies of schade is, moeten de verhuizer en de opdrachtgever elkaar over en weer in redelijkheid alle middelen verschaffen om het onderzoek van de verhuisgoederen mogelijk te maken.

Verplichtingen over en weer bij verlies of schade

Art. 1200. Indien binnen drie jaren nadat de verhuizer aan de opdrachtgever schadevergoeding heeft uitgekeerd terzake van het niet afleveren van verhuisgoederen, deze verhuisgoederen of enige daarvan alsnog onder de verhuizer blijken te zijn of te zijn gekomen, is de verhuizer verplicht de opdrachtgever van deze omstandigheid bij aangetekende brief op de hoogte te brengen en heeft de opdrachtgever gedurende dertig dagen na ontvangst van deze mededeling het recht tegen verrekening van de door hem ontvangen schadevergoeding opnieuw aflevering

Recht tegen verrekening van ontvangen schadevergoeding opnieuw aflevering te verlangen

van deze verhuisgoederen te verlangen. Hetzelfde geldt, indien de verhuizer terzake van het niet afleveren geen schadevergoeding heeft uitgekeerd, met dien verstande dat de termijn van drie jaren begint met de aanvang van de dag volgende op die, waarop de verhuisgoederen hadden moeten zijn afgeleverd.

Overeenkomstige toepassing van art. 1198

Art. 1201. Met betrekking tot verhuisgoederen, die de verhuizer onder zich heeft, doch ten aanzien waarvan hij niet meer uit hoofde van de verhuisovereenkomst tot aflevering is verplicht, is artikel 1198 van overeenkomstige toepassing met dien verstande, dat uit de opbrengst van het verkochte bovendien aan de verhuizer moet worden voldaan het bedrag, dat deze mogelijkerwijs voldeed terzake van zijn aansprakelijkheid wegens het niet nakomen van de op hem uit hoofde van de artikelen 1173 en 1174 rustende verplichtingen.

TITEL 14
Ongevallen

AFDELING 1
Gevaarlijke stoffen aan boord van een voertuig

Begripsbepalingen

Art. 1210. In deze afdeling wordt verstaan onder:
a. „gevaarlijke stof" : een stof die als zodanig bij algemene maatregel van bestuur is aangewezen; de aanwijzing kan worden beperkt tot bepaalde concentraties van de stof, tot bepaalde in de algemene maatregel van bestuur te omschrijven gevaren die aan de stof verbonden zijn, en tot bepaalde daarin te omschrijven situaties waarin de stof zich bevindt;
b. „schade" :
1°. schade veroorzaakt door dood of letsel van enige persoon veroorzaakt door een gevaarlijke stof;
2°. andere schade buiten het voertuig aan boord waarvan de gevaarlijke stof zich bevindt, veroorzaakt door die gevaarlijke stof, met uitzondering van verlies van of schade met betrekking tot andere voertuigen en zaken aan boord daarvan, indien die voertuigen deel uitmaken van een sleep, waarvan ook dit voertuig deel uitmaakt;
3°. de kosten van preventieve maatregelen en verlies of schade veroorzaakt door zulke maatregelen;
c. „preventieve maatregel" : iedere redelijke maatregel ter voorkoming of beperking van schade door wie dan ook genomen met uitzondering van de overeenkomstig deze afdeling aansprakelijke persoon nadat een gebeurtenis heeft plaatsgevonden;
d. „gebeurtenis" : elk feit of elke opeenvolging van feiten met dezelfde oorzaak, waardoor schade ontstaat of waardoor een ernstige en onmiddellijke dreiging van schade ontstaat;
e. „exploitant" : hij die de zeggenschap heeft over het gebruik van het voertuig aan boord waarvan de gevaarlijke stof zich bevindt. Hij aan wie een kenteken als bedoeld in artikel 9, eerste lid, onder 1, van de Wegenverkeerswet is opgegeven, of, bij gebreke daarvan, de eigenaar van het voertuig, wordt aangemerkt als exploitant, tenzij hij bewijst dat ten tijde van de gebeurtenis een door hem bij name genoemde ander de zeggenschap over het gebruik van het voertuig had of dat op dat tijdstip een ander zonder zijn toestemming en zonder dat hij zulks redelijkerwijs kon voorkomen de zeggenschap over het gebruik van het voertuig had.

Toepassing afdeling

Art. 1211. 1. Deze afdeling is niet van toepassing, indien de exploitant jegens degene die de vordering instelt, aansprakelijk is uit hoofde van een exploitatieovereenkomst of jegens deze persoon een beroep op een exploitatie-overeenkomst heeft.

2. Deze afdeling is van toepassing op de periode waarin een gevaarlijke stof zich in een voertuig bevindt, daaronder begrepen de periode vanaf het begin van de inlading van de gevaarlijke stof in het voertuig tot het einde van de lossing van die stof uit het voertuig

3. Deze afdeling is niet van toepassing op schade veroorzaakt wanneer het voertuig uitsluitend wordt gebruikt op een niet voor publiek toegankelijk terrein en zulk gebruik een onderdeel vormt van een op dat terrein plaatsvindende bedrijfsuitoefening.

4. Op zich overeenkomstig het tweede lid aan boord bevindende stoffen als bedoeld in artikel 175 van Boek 6 is dat artikel niet van toepassing, tenzij zich het geval van het derde lid voordoet.

Art. 1212. 1. Indien een gevaarlijke stof zich bevindt in een vervoermiddel dat zich aan boord van een voertuig bevindt zonder dat de gevaarlijke stof uit dit gestapelde vervoermiddel wordt gelost, zal de gevaarlijke stof voor die periode geacht worden zich alleen aan boord van het genoemd voertuig te bevinden.

Gevaarlijke stof aan boord van gestapeld vervoermiddel

2. Indien een gevaarlijke stof zich bevindt in een voertuig dat wordt voortbewogen door een ander voertuig, zal de gevaarlijke stof geacht worden zich alleen aan boord van laatstgenoemde voertuig te bevinden.

3. Gedurende de handelingen bedoeld in artikel 1213, vijfde lid, onderdelen c, d en e, zal de gevaarlijke stof geacht worden:

a. in afwijking van het eerste lid, zich alleen aan boord van het gestapelde vervoermiddel te bevinden;
b. in afwijking van het tweede lid, zich alleen aan boord van eerstgenoemd voertuig te bevinden.

Art. 1213. 1. Hij die ten tijde van een gebeurtenis exploitant is van een voertuig aan boord waarvan zich een gevaarlijke stof bevindt, is aansprakelijk voor de schade door die stof veroorzaakt ten gevolge van die gebeurtenis. Bestaat de gebeurtenis uit een opeenvolging van feiten met dezelfde oorzaak, dan rust de aansprakelijkheid op degene die ten tijde van het eerste feit exploitant was.

Aansprakelijkheid exploitant

2. De exploitant is niet aansprakelijk indien:

Exploitant niet aansprakelijk

a. de schade is veroorzaakt door een oorlogshandeling, vijandelijkheden, burgeroorlog, opstand of natuurgebeuren van uitzonderlijke, onvermijdelijke en onweerstaanbare aard;
b. de schade uitsluitend is veroorzaakt door een handelen of nalaten van een derde, niet zijnde een persoon genoemd in het vijfde lid, onderdeel a, geschied met het opzet de schade te veroorzaken;
c. de afzender of enig andere persoon niet heeft voldaan aan zijn verplichting hem in te lichten over de gevaarlijke aard van de stof, en noch de exploitant noch de in het vijfde lid, onderdeel a, genoemde personen wisten of hadden behoren te weten dat deze gevaarlijk was.

3. Indien de exploitant bewijst dat de schade geheel of gedeeltelijk het gevolg is van een handelen of nalaten van de persoon die de schade heeft geleden, met het opzet de schade te veroorzaken, of van de schuld van die persoon, kan hij geheel of gedeeltelijk worden ontheven van zijn aansprakelijkheid tegenover die persoon.

4. De exploitant kan voor schade slechts uit anderen hoofde dan deze afdeling worden aangesproken in het geval van het tweede lid, onderdeel c, alsmede in het geval dat hij uit hoofde van arbeidsovereenkomst kan worden aangesproken. In het geval van het tweede lid, onderdeel c, kan de exploitant deze aansprakelijkheid beperken als ware hij op grond van deze afdeling aansprakelijk.

5. Behoudens de artikelen 1214 en 1215 zijn voor schade niet aansprakelijk:

a. de ondergeschikten, vertegenwoordigers of lasthebbers van de exploitant,
b. ieder die ten behoeve van het voertuig werkzaamheden verricht,
c. zij die anders dan tegen een uitdrukkelijk en redelijk verbod vanwege het voertuig in hulp verlenen aan het voertuig, de zich aan boord daarvan bevindende zaken of personen,
d. zij die op aanwijzing van een bevoegde overheidsinstantie hulp verlenen aan het voertuig, de zich aan boord daarvan bevindende zaken of personen,
e. zij die preventieve maatregelen nemen met uitzondering van de exploitant,
f. de ondergeschikten, vertegenwoordigers of lasthebbers van de in dit lid, onderdelen b, c, d en e, van aansprakelijkheid vrijgestelde personen, tenzij de schade is ontstaan uit hun eigen handelen of nalaten, geschied hetzij met het opzet die schade te veroorzaken, hetzij roekeloos en met de wetenschap dat die schade er waarschijnlijk uit zou voortvloeien.

6. De exploitant heeft, voor zover niet anders is overeengekomen, verhaal op de in het vijfde lid bedoelde personen, doch uitsluitend indien dezen ingevolge het slot van dit lid voor de schade kunnen worden aangesproken.

Art. 1214. 1. Indien de exploitant bewijst dat de gevaarlijke stof tijdens de periode bedoeld in artikel 1211, tweede lid, is geladen of gelost onder de uitsluitende verantwoordelijkheid van een door hem bij name genoemde ander dan de exploitant of zijn ondergeschikte, vertegenwoordiger of lasthebber, zoals de afzender of ontvanger, is de exploitant niet aansprakelijk voor de schade als gevolg van een gebeurtenis tijdens het laden of lossen van de gevaarlijke stof en is die ander voor deze schade aansprakelijk overeenkomstig deze afdeling.

Aansprakelijkheid van ander dan exploitant

2. Indien echter de gevaarlijke stof tijdens de periode bedoeld in artikel 1211, tweede lid, is geladen of gelost onder de gezamenlijke verantwoordelijkheid van de exploitant en een door de exploitant bij name genoemde ander, zijn de exploitant en die ander hoofdelijk aansprakelijk overeenkomstig deze afdeling voor de schade als gevolg van een gebeurtenis tijdens het laden of lossen van de gevaarlijke stof.

3. Indien geladen of gelost door een persoon in opdracht of ten behoeve van de vervoerder of een ander, zoals de afzender of de ontvanger, is niet deze persoon, maar de vervoerder of die ander aansprakelijk.

4. Indien een ander dan de exploitant op grond van het eerste of het tweede lid aansprakelijk is, kan die ander geen beroep doen op artikel 1213, vierde lid en vijfde lid, onderdeel b.

5. Indien een ander dan de exploitant op grond van het eerste of het tweede lid aansprakelijk is, zijn ten aanzien van die ander de artikelen 1218 tot en met 1220 van overeenkomstige toepassing, met dien verstande dat in geval van hoofdelijke aansprakelijkheid:

a. de beperking van aansprakelijkheid krachtens artikel 1218, eerste lid, geldt voor het geheel der naar aanleiding van eenzelfde gebeurtenis ontstane vorderingen gericht tegen beiden;

b. een fonds gevormd door een van hen overeenkomstig artikel 1219 wordt aangemerkt als door beiden te zijn gevormd en zulks ten aanzien van de vorderingen waarvoor het fonds werd gesteld.

6. In de onderlinge verhouding tussen de exploitant en de in het tweede lid van dit artikel genoemde ander is de exploitant niet tot vergoeding verplicht dan in geval van schuld van hemzelf of van zijn ondergeschikten, vertegenwoordigers of lasthebbers.

7. Dit artikel is niet van toepassing als tijdens de periode, bedoeld in artikel 1211, tweede lid, is geladen of gelost onder de uitsluitende of gezamenlijke verantwoordelijkheid van een persoon, genoemd in artikel 1213, vijfde lid, onderdeel c, d of e.

Aansprakelijkheid afzender of andere persoon

Art. 1215. Indien ingevolge artikel 1213, tweede lid, onderdeel c, de exploitant niet aansprakelijk is, is de afzender of andere persoon aansprakelijk overeenkomstig deze afdeling en zijn te diens aanzien de artikelen 1218 tot en met 1220 van overeenkomstige toepassing. De afzender of andere persoon kan geen beroep doen op artikel 1213, vierde lid.

Schade

Art. 1216. Indien schade veroorzaakt door de gevaarlijke stof redelijkerwijs niet kan worden gescheiden van schade anderszins veroorzaakt, zal de gehele schade worden aangemerkt als schade in de zin van deze afdeling.

Hoofdelijke aansprakelijkheid exploitanten en reder of eigenaar

Art. 1217. 1. Wanneer door een gebeurtenis schade is veroorzaakt door gevaarlijke stoffen aan boord van meer dan een voertuig, dan wel aan boord van een voertuig of luchtkussenvoertuig en een zeeschip, een binnenschip of een spoorrijtuig, zijn de exploitanten van de daarbij betrokken voertuigen, de reder of eigenaar van het daarbij betrokken zeeschip, of het binnenschip en de exploitant van de spoorweg waarop de gebeurtenis met het daarbij betrokken spoorrijtuig plaatsvond, onverminderd het in artikel 1213, tweede en derde lid, en artikel 1214, afdeling 4 van titel 11 en afdeling 4 van titel 19 bepaalde, hoofdelijk aansprakelijk voor alle schade waarvan redelijkerwijs niet kan worden aangenomen dat zij veroorzaakt is door gevaarlijke stoffen aan boord van een of meer bepaalde voertuigen, luchtkussenvoertuig, zeeschip of binnenschip, of spoorrijtuig dat gebruikt werd op een bepaalde spoorweg.

Beroep op beperking aansprakelijkheid

2. Het bepaalde in het eerste lid laat onverlet het beroep op beperking van aansprakelijkheid van de exploitant, reder, of eigenaar krachtens deze afdeling de Elfde Titel A of de Dertiende Titel, Afdeling 10A, telkens van het Tweede Boek van het Wetboek van Koophandel, dan wel de artikelen 1678 tot en met 1680, ieder tot het voor hem geldende bedrag.

Beperking aansprakelijkheid exploitant tot bedrag per gebeurtenis

Art. 1218. 1. De exploitant kan zijn aansprakelijkheid per gebeurtenis beperken tot een bij of krachtens algemene maatregel van bestuur te bepalen bedrag of bedragen die verschillend kunnen zijn voor vorderingen ter zake van dood of letsel en andere vorderingen.

2. De exploitant is niet gerechtigd zijn aansprakelijkheid te beperken indien de schade is ontstaan uit zijn eigen handelen of nalaten, geschied hetzij met het opzet die schade te veroorzaken, hetzij roekeloos en met de wetenschap dat die schade er waarschijnlijk uit zou voortvloeien.

Voorwaarde van fondsvorming

Art. 1219. Ten einde zich te kunnen beroepen op de in artikel 1218 bedoelde beperking van aansprakelijkheid moet de exploitant een fonds of fondsen vormen overeenkomstig artikel 1220.

Verzoek aan rechtbank bedrag vast te stellen

Art. 1220. 1. Hij die gebruik wenst te maken van de hem in artikel 1218 gegeven bevoegdheid tot beperking van zijn aansprakelijkheid, verzoekt een arrondissementsrechtbank die bevoegd is kennis te nemen van de vorderingen tot vergoeding van schade, het bedrag waartoe zijn aansprakelijkheid is beperkt, vast te stellen en te bevelen dat tot een procedure ter verdeling van dit bedrag zal worden overgegaan.

2. Op het verzoek en de procedure ter verdeling zijn de artikelen 320a, tweede tot en met vierde lid, 320b en 320c, 320e, eerste lid, 320f tot en met 320t, eerste lid, en 320u tot en met 320z van het Wetboek van Burgerlijke Rechtsvordering van overeenkomstige toepassing.

3. Indien het krachtens artikel 1218, eerste lid, bepaalde bedrag voor vorderingen ter zake van dood of letsel onvoldoende is voor volledige vergoeding van deze vorderingen, worden deze vorderingen in evenredigheid gekort en zal het krachtens artikel 1218, eerste lid, bepaalde bedrag voor andere vorderingen naar evenredigheid worden verdeeld onder die vorderingen en de vorderingen ter zake van dood of letsel, voor zover deze onvoldaan zouden zijn.

4. De vorderingen van de exploitant ter zake van door hem vrijwillig en binnen de grenzen der redelijkheid gedane uitgaven en gebrachte offers ter voorkoming of beperking van schade staan in rang gelijk met andere vorderingen op het krachtens artikel 1218, eerste lid, bepaalde bedrag voor andere vorderingen dan die ter zake van dood of letsel.

VI VERVOER LANGS SPOORSTAVEN

TITEL 19
Ongevallen

AFDELING 4
Gevaarlijke stoffen aan boord van een spoorrijtuig

Begripsbepalingen

Art. 1670. In deze afdeling wordt verstaan onder:
a. „gevaarlijke stof" : een stof die als zodanig bij algemene maatregel van bestuur is aangewezen; de aanwijzing kan worden beperkt tot bepaalde concentraties van de stof, tot bepaalde in de algemene maatregel van bestuur te omschrijven gevaren die aan de stof verbonden zijn, en tot bepaalde daarin te omschrijven situaties waarin de stof zich bevindt;
b. spoorrijtuig: elk voertuig, ingericht om op spoorstaven te rijden;
c. „schade" :
1°. schade veroorzaakt door dood of letsel van enige persoon veroorzaakt door een gevaarlijke stof;
2°. andere schade buiten het schip aan boord waarvan de gevaarlijke stof zich bevindt, veroorzaakt door die gevaarlijke stof, met uitzondering van verlies van of schade met betrekking tot andere schepen of binnenschepen en zaken aan boord daarvan, indien die schepen of binnenschepen deel uitmaken van een sleep, waarvan ook dit schip deel uitmaakt, of hecht met dit schip in een eenheid zijn gekoppeld;
3°. de kosten van preventieve maatregelen en verlies of schade veroorzaakt door zulke maatregelen;
d. „preventieve maatregel" : iedere redelijke maatregel ter voorkoming of beperking van schade door wie dan ook genomen met uitzondering van de overeenkomstig deze afdeling aansprakelijke persoon nadat een gebeurtenis heeft plaatsgevonden;
e. „gebeurtenis" : elk feit of elke opeenvolging van feiten met dezelfde oorzaak, waardoor schade ontstaat of waardoor een ernstige en onmiddellijke dreiging van schade ontstaat;
f. „exploitant" : hij die een spoorweg exploiteert. In geval van gezamenlijke exploitatie wordt ieder der exploitanten als exploitant beschouwd.

Toepassing afdeling

Art. 1671. 1. Deze afdeling is niet van toepassing, indien de exploitant jegens degene die de vordering instelt, aansprakelijk is uit hoofde van een exploitatie-overeenkomst of jegens deze persoon een beroep op een exploitatie-overeenkomst heeft.

2. Deze afdeling is van toepassing op de periode waarin een gevaarlijke stof zich in een spoorrijtuig bevindt, daaronder begrepen de periode vanaf het begin van de inlading van de gevaarlijke stof in het spoorrijtuig tot het einde van de lossing van die stof uit het spoorrijtuig.

3. Deze afdeling is niet van toepassing op schade veroorzaakt wanneer het spoorrijtuig uitsluitend wordt gebruikt in een niet voor publiek toegankelijk terrein en zulk gebruik een onderdeel vormt van een in dat terrein plaatsvindende bedrijfsuitoefening.

4. Op zich overeenkomstig het tweede lid aan boord bevindende stoffen als bedoeld in artikel 175 van Boek 6 is dat artikel niet van toepassing, tenzij zich het geval van het derde lid voordoet.

Gevaarlijke stof

Art. 1672. Indien een gevaarlijke stof zich bevindt in een vervoermiddel dat zich aan boord van een spoorrijtuig bevindt zonder dat de gevaarlijke stof uit dit gestapelde vervoermiddel wordt gelost, zal de gevaarlijke stof voor die periode geacht worden zich alleen aan boord van het genoemd spoorrijtuig te bevinden. Gedurende de handelingen bedoeld in artikel 1673, zesde lid, onderdelen c, d en e, echter zal de gevaarlijke stof geacht worden zich alleen aan boord van het gestapelde vervoermiddel te bevinden.

Aansprakelijkheid exploitant spoorweg

Art. 1673. 1. Hij die ten tijde van een gebeurtenis met een spoorrijtuig aan boord waarvan zich een gevaarlijke stof bevindt, exploitant is van de spoorweg waarop de gebeurtenis plaatsvond, is aansprakelijk voor de schade door die stof veroorzaakt ten gevolge van die gebeurtenis. Bestaat de gebeurtenis uit een opeenvolging van feiten met dezelfde oorzaak, dan rust de aansprakelijkheid op degene die ten tijde van het eerste feit exploitant was.

2. Indien gedurende de handelingen bedoeld in het zesde lid, onderdelen c, d en e, het spoorrijtuig waarin de gevaarlijke stof zich bevindt, wordt voortbewogen over een andere spoorweg dan de spoorweg waarop het spoorrijtuig zich bevond bij de aanvang van de handelingen, is uitsluitend de exploitant van de laatstbedoelde spoorweg aansprakelijk voor schade door die stof veroorzaakt tijdens deze handelingen.

Exploitant niet aansprakelijk

3. De exploitant is niet aansprakelijk indien:
a. de schade is veroorzaakt door een oorlogshandeling, vijandelijkheden, burgeroorlog, opstand of natuurgebeuren van uitzonderlijke, onvermijdelijke en onweerstaanbare aard;
b. de schade uitsluitend is veroorzaakt door een handelen of nalaten van een derde, niet zijnde een persoon genoemd in het zesde lid, onderdeel a, geschied met het opzet de schade te veroorzaken;
c. de afzender of enig andere persoon niet heeft voldaan aan zijn verplichting hem in te lichten over de gevaarlijke aard van de stof, en noch de exploitant noch de in het zesde lid, onderdeel a, genoemde personen wisten of hadden behoren te weten dat deze gevaarlijk was.

4. Indien de exploitant bewijst dat de schade geheel of gedeeltelijk het gevolg is van een handelen of nalaten van de persoon die de schade heeft geleden, met het opzet de schade te veroorzaken, of van de schuld van die persoon, kan hij geheel of gedeeltelijk worden ontheven van zijn aansprakelijkheid tegenover die persoon.

5. De exploitant kan voor schade slechts uit anderen hoofde dan deze afdeling worden aangesproken in het geval van het derde lid, onderdeel c, alsmede in het geval dat hij uit hoofde van arbeidsovereenkomst kan worden aangesproken.

6. Behoudens de artikelen 1674 en 1675 zijn voor schade niet aansprakelijk:
a. de ondergeschikten, de vertegenwoordiger of lasthebbers van de exploitant,
b. ieder die ten behoeve van het spoorrijtuig werkzaamheden verricht,
c. zij die anders dan tegen een uitdrukkelijk en redelijk verbod vanwege de exploitant in hulp verlenen aan het spoorrijtuig, de zich aan boord daarvan bevindende zaken of de personen,
d. zij die op aanwijzing van een bevoegde overheidsinstantie hulp verlenen aan het spoorrijtuig, de zich aan boord daarvan bevindende zaken of personen,
e. zij die preventieve maatregelen nemen met uitzondering van de exploitant,
f. de ondergeschikten, vertegenwoordigers of lasthebbers van de in dit lid, onderdelen b, c, d en e, van aansprakelijkheid vrijgestelde personen, tenzij de schade

is ontstaan uit hun eigen handelen of nalaten, geschied hetzij met het opzet die schade te veroorzaken, hetzij roekeloos en met de wetenschap dat die schade er waarschijnlijk uit zou voortvloeien.

7. De exploitant heeft, voor zover niet anders is overeengekomen, verhaal op de in het zesde lid bedoelde personen, doch uitsluitend indien dezen ingevolge het slot van dit lid voor de schade kunnen worden aangesproken.

Aansprakelijkheid exploitant en ander

Art. 1674. 1. Indien de exploitant bewijst dat de gevaarlijke stof tijdens de periode bedoeld in artikel 1671, tweede lid, is geladen of gelost onder de uitsluitende verantwoordelijkheid van een door hem bij name genoemde ander dan de exploitant of zijn ondergeschikte, vertegenwoordiger of lasthebber, zoals de afzender of ontvanger, is de exploitant aansprakelijk voor de schade als gevolg van een gebeurtenis tijdens het laden of lossen van de gevaarlijke stof en is die ander voor deze schade aansprakelijk overeenkomstig deze afdeling.

2. Indien echter de gevaarlijke stof tijdens de periode bedoeld in artikel 1671, tweede lid, is geladen of gelost onder de gezamenlijke verantwoordelijkheid van de exploitant en een door de exploitant bij name genoemde ander, zijn de exploitant en die ander hoofdelijk aansprakelijk overeenkomstig deze afdeling voor de schade als gevolg van een gebeurtenis tijdens het laden of lossen van de gevaarlijke stof.

3. Indien geladen of gelost door een persoon in opdracht of ten behoeve van de vervoerder of een ander, zoals de afzender of de ontvanger, is niet deze persoon, maar de vervoerder of die ander aansprakelijk.

4. Indien een ander dan de exploitant op grond van het eerste of het tweede lid aansprakelijk is, kan die ander geen beroep doen op artikel 1673, vijfde lid en zesde lid, onderdeel b.

5. Indien een ander dan de exploitant op grond van het eerste of het tweede lid aansprakelijk is, zijn ten aanzien van die ander de artikelen 1678 tot en met 1680 van overeenkomstige toepassing, met dien verstande dat in geval van hoofdelijke aansprakelijkheid:

a. de beperking van aansprakelijkheid krachtens artikel 1678, eerste lid, geldt voor het geheel der naar aanleiding van eenzelfde gebeurtenis ontstane vorderingen gericht tegen beiden;

b. een fonds gevormd door een van hen overeenkomstig artikel 1679 wordt aangemerkt als door beiden te zijn gevormd en zulks ten aanzien van de vorderingen waarvoor het fonds werd gesteld.

6. In de onderlinge verhouding tussen de exploitant en de in het tweede lid van dit artikel genoemde ander is de exploitant niet tot vergoeding verplicht dan in geval van schuld van hemzelf of van zijn ondergeschikten, vertegenwoordigers of lasthebbers.

7. Dit artikel is niet van toepassing als tijdens de periode, bedoeld in artikel 1671, tweede lid, is geladen of gelost onder de uitsluitende of gezamenlijke verantwoordelijkheid van een persoon, genoemd in artikel 1673, vijfde lid, onderdeel c, d of e.

Aansprakelijkheid afzender of andere persoon

Art. 1675. Indien ingevolge artikel 1673, tweede lid, onderdeel c, de exploitant niet aansprakelijk is, is de afzender of andere persoon aansprakelijk overeenkomstig deze afdeling en zijn te diens aanzien de artikelen 1678 tot en met 1680 van overeenkomstige toepassing. De afzender of andere persoon kan geen beroep doen op artikel 1673, vijfde lid.

Schade

Art. 1676. Indien schade veroorzaakt door de gevaarlijke stof redelijkerwijs niet kan worden gescheiden van schade anderszins veroorzaakt, zal de gehele schade worden aangemerkt als schade in de zin van deze afdeling.

Hoofdelijke aansprakeheid exploitanten

Art. 1677. 1. Wanneer door een gebeurtenis schade is veroorzaakt door gevaarlijke stoffen aan boord van een spoorrijtuig dat gebruikt werd op meer dan een door verschillende exploitanten geëxploiteerde spoorweg, dan wel aan een spoorrijtuig dat gebruikt werd op een of meer spoorwegen en een voertuig of luchtkussenvoertuig, zijn de exploitanten van de daarbij betrokken spoorwegen, het voertuig of het luchtkussenvoertuig, onverminderd het in artikel 1673, derde en vierde lid, en artikel 1674, afdeling 1 van titel 14 bepaalde, hoofdelijk aansprakelijk voor alle schade waarvan redelijkerwijs niet kan worden aangenomen dat zij veroorzaakt is door gevaarlijke stoffen aan boord van een spoorrijtuig dat gebruikt werd op een of meer bepaalde spoorwegen of aan boord van een bepaald voertuig of luchtkussenvoertuig.

Beroep op beperking aansprakelijkheid

2. Het bepaalde in het eerste lid laat onverlet het beroep op beperking van aansprakelijkheid van de exploitant krachtens deze afdeling of de artikelen 1218 tot en met 1220, ieder tot het voor hem geldende bedrag.

Beperking aansprakelijkheid exploitant tot bedrag per gebeurtenis

Art. 1678. 1. De exploitant kan zijn aansprakelijkheid per gebeurtenis beperken tot een bij of krachtens algemene maatregel van bestuur te bepalen bedrag of bedragen die verschillend kunnen zijn voor vorderingen ter zake van dood of letsel en andere vorderingen.

2. De exploitant is niet gerechtigd zijn aansprakelijkheid te beperken indien de schade is ontstaan uit zijn eigen handelen of nalaten, geschied hetzij met het opzet die schade te veroorzaken, hetzij roekeloos en met de wetenschap dat die schade er waarschijnlijk uit zou voortvloeien.

Voorwaarde van fondsvorming

Art. 1679. Ten einde zich te kunnen beroepen op de in artikel 1678 bedoelde beperking van aansprakelijkheid moet de exploitant een fonds of fondsen vormen overeenkomstig artikel 1680.

Verzoek aan rechtbank bedrag vast te stellen

Art. 1680. 1. Hij die gebruik wenst te maken van de hem in artikel 1678 gegeven bevoegdheid tot beperking van zijn aansprakelijkheid, verzoekt een arrondissementsrechtbank die bevoegd is kennis te nemen van de vorderingen tot vergoeding van schade, het bedrag waartoe zijn aansprakelijkheid is beperkt, vast te stellen en ten bevelen dat tot een procedure ter verdeling van dit bedrag zal worden overgegaan.

2. Op het verzoek en de procedure ter verdeling zijn de artikelen 320a, tweede tot en met vierde lid, 320b en 320c, 320e, eerste lid, 320f tot en met 320t, eerste lid, en 320u tot en met 320z van het Wetboek van Burgerlijke Rechtsvordering van overeenkomstige toepassing.

3. Indien het krachtens artikel 1678, eerste lid, bepaalde bedrag voor vorderingen ter zake van dood of letsel onvoldoende is voor volledige vergoeding van deze vorderingen, worden deze vorderingen in evenredigheid gekort en zal het krachtens artikel 1678, eerste lid, bepaalde bedrag voor andere vorderingen naar evenredigheid worden verdeeld onder die vorderingen en de vorderingen ter zake van dood of letsel, voor zover deze onvoldaan zouden zijn.

4. De vorderingen van de exploitant ter zake van door hem vrijwillig en binnen de grenzen der redelijkheid gedane uitgaven en gebrachte offers ter voorkoming of beperking van schade staan in rang gelijk met andere vorderingen op het krachtens artikel 1678, eerste lid, bepaalde bedrag voor andere vorderingen dan die ter zake van dood of letsel.

VII SLOTBEPALINGEN

TITEL 20
Verjaring en verval

AFDELING 1
Algemene bepalingen

Beding tot wijziging van verjarings- of vervaltermijn

Art. 1700. 1. Een beding, waarbij een wettelijke termijn van verjaring of verval wordt gewijzigd, wordt aangemerkt als een beding ter wijziging van de aansprakelijkheid van hem, aan wie een beroep op deze termijn toekomt.

Nietigheid afwijkend beding

2. Behoudens artikel 1701 is ieder beding nietig, waarbij van het vorige lid wordt afgeweken.

Overeenkomst tot verlenging termijn

Art. 1701. Een termijn, bij afloop waarvan een rechtsvordering verjaart of vervalt, kan worden verlengd bij overeenkomst tussen partijen, gesloten nadat het feit, dat de rechtsvordering heeft doen ontstaan, heeft plaatsgehad. In afwijking van het eerste lid van artikel 1700 wordt een dergelijke verlenging niet aangemerkt als een wijziging van aansprakelijkheid van hem aan wie een beroep op een dergelijke termijn toekomt.

Opzettelijk verborgen houden van schuld

Art. 1702. Het feit, dat een schuldenaar opzettelijk het bestaan van de schuld voor de schuldeiser verborgen houdt, is niet van invloed op een termijn van verjaring of verval.

AFDELING 2
Goederenvervoer

Begrippen

Art. 1710. In artikel 1711 en in de artikelen 1713 tot en met 1720 wordt verstaan onder:
a. vervoerovereenkomst: een overeenkomst van goederenvervoer als genoemd in de afdelingen 1 van titel 2, 2 van titel 5, 2 van titel 10, 2 van titel 13 dan wel 4 van titel 13.
b. vervoerder: een vervoerder bij een vervoerovereenkomst.
c. afzender: een afzender, cognossementhouder, geadresseerde of ontvanger bij een vervoerovereenkomst.
d. dag van aflevering: dag waarop de onder de vervoerovereenkomst te vervoeren of vervoerde zaken uit het vervoermiddel zijn afgeleverd, dan wel, indien zij niet zijn afgeleverd, onder de al dan niet tot uitvoering gekomen vervoerovereenkomst hadden moeten zijn afgeleverd. Worden zaken na voortijdige beëindiging van de vervoerovereenkomst alsnog door de vervoerder in feite afgeleverd, dan geldt de dag dezer feitelijke aflevering als dag van aflevering. Worden zaken op grond van de artikelen 491, 957, 1133 of 1198 dan wel enig beding van dusdanige strekking verkocht, dan geldt de dag van de verkoop als dag van aflevering.

Op vervoerovereenkomst gegronde rechtsvordering

Art. 1711. Behoudens de artikelen 1712 en 1720 verjaart een op een vervoerovereenkomst gegronde rechtsvordering door verloop van één jaar.

Op vervoerovereenkomst onder cognossement gegronde rechtsvordering

Art. 1712. 1. De vervoerder bij een vervoerovereenkomst onder cognossement, als bedoeld in artikel 377, is in ieder geval van alle aansprakelijkheid, welke dan ook, met betrekking tot de vervoerde zaken ontheven, tenzij een rechtsvordering wordt ingesteld binnen één jaar, welke termijn begint met de aanvang van de dag volgende op de dag van aflevering of de dag waarop de zaken hadden moeten zijn afgeleverd.

Langere termijn bij verhaalsactie op een derde

2. In afwijking van het eerste lid kunnen rechtsvorderingen tot verhaal op een derde zelfs na afloop van de in dat lid genoemde termijn worden ingesteld gedurende een termijn van drie maanden, te rekenen van de dag waar op degene die een zodanige rechtsvordering tot verhaal instelt ten aanzien van het hemzelf gevorderde de zaak heeft geregeld of waarop hij te dien aanzien in rechte is aangesproken.

Overeenkomst tot verlenging termijn

3. De in het eerste lid bedoelde termijn kan worden verlengd bij overeenkomst tussen partijen, gesloten nadat de gebeurtenis die de rechtsvordering heeft doen ontstaan, heeft plaats gehad.

Aanvang verjaringstermijn

Art. 1713. 1. Behoudens artikel 1716 en in afwijking van artikel 1717 begint in geval van een door een afzender tegen een vervoerder ingestelde rechtsvordering terzake van niet terbeschikkingstelling van het vervoermiddel of niet aanwezig zijn daarvan, de in artikel 1711 genoemde termijn met de aanvang van de dag, volgende op de dag dat het vervoermiddel ter beschikking gesteld had moeten zijn.

Overeenkomstige toepassing

2. Het eerste lid is van overeenkomstige toepassing in geval van een door een afzender tegen een vervoerder ingestelde rechtsvordering terzake van het niet aanvangen van een verhuizing.

Aanvang verjaringstermijn

Art. 1714. In afwijking van artikel 1717 en behoudens artikel 1719 begint de in artikel 1711 genoemde termijn met de aanvang van de dag, volgende op de dag van aflevering, indien het een rechtsvordering betreft terzake van het
a. ten vervoer ter beschikking stellen of ontvangen van bepaalde zaken, verschaffen van opgaven, inlichtingen of documenten betreffende deze zaken, betrachten van zorg ten aanzien van deze documenten, adresseren van bepaalde zaken of aanbrengen van gegevens op die zaken op of hun verpakking;
b. laden, behandelen, stuwen, herstuwen, vervoeren, lossen, opslaan, vernietigen of onschadelijk maken van bepaalde zaken dan wel berokkenen van schade door die zaken of door in- of uitladen daarvan;
c. afleveren van bepaalde zaken, verschaffen van middelen tot onderzoek en natellen daarvan, betalen van vracht daarover of van onkosten of extra-vergoedingen in verband met deze zaken, vergoeden van de in de artikelen 488, 951, 1129 of 1195 bedoelde schade en innen en afdragen van remboursgelden;
d. invullen, aanvullen, dateren, ondertekenen of afgeven van een cognossement, vrachtbrief, ontvangstbewijs of een soortgelijk document.

Overeenkomstige toepassing

Art. 1715. In afwijking van artikel 1717 en behoudens artikel 1719 is op een rechtsvordering door de vervoerder of de afzender ingesteld met betrekking tot materiaal, dat van de zijde van de afzender ter beschikking moet worden gesteld of is gesteld, artikel 1714 van overeenkomstige toepassing met dien verstande, dat in geval de vervoerder volgens de overeenkomst niet tot teruggave van het materiaal verplicht is onder de dag van aflevering daarvan mede wordt verstaan de dag waarop dit materiaal te zijner beschikking werd gesteld.

Aanvang verjaringstermijn

Art. 1716. In afwijking van de artikelen 1713 en 1717 begint de in artikel 1711 genoemde termijn in geval van een rechtsvordering terzake van schade geleden door opzegging of door voortijdige beëindiging van de vervoerovereenkomst zonder opzegging, met de aanvang van de dag volgende op de dag dat de overeenkomst eindigt.

Art. 1717. Behoudens de artikelen 1713 tot en met 1716, 1718, 1719 en 1822 begint in geval van een rechtsvordering gegrond op een tijdbevrachting de in artikel 1711 genoemde termijn met de aanvang van de dag, volgende op die waarop de uitvoering van de overeenkomst is geëindigd; in geval van een rechtsvordering gegrond op een reisbevrachting begint deze termijn met de aanvang van de dag volgende op die waarop de reis, naar aanleiding waarvan de vordering is ontstaan, is geëindigd.

Art. 1718. In afwijking van artikel 1717 begint de in artikel 1711 genoemde termijn in geval van een rechtsvordering tot schadevergoeding, verschuldigd doordat aan een verplichting tot verwittigen of op de hoogte stellen niet werd voldaan, met de aanvang van de dag volgende op de dag waarop deze verplichting ontstond.

Art. 1719. In afwijking van de artikelen 1714, 1715 en 1717 begint in geval van een door een vervoerder ingestelde rechtsvordering tot vergoeding van schade geleden door verlies of beschadiging van een vervoermiddel de in artikel 1711 genoemde termijn met de aanvang van de dag, volgende op die waarop het verlies of de beschadiging plaatsvond.

Nieuwe termijn t.b.v. vervoerder of afzender die verhaal zoekt

Art. 1720. 1. Behoudens artikel 1712 begint ten behoeve van een vervoerder of een afzender, voor zover deze verhaal zoekt op een partij bij een exploitatie-overeenkomst, als bedoeld in artikel 361, voor hetgeen door hem aan een derde is verschuldigd, een nieuwe termijn van verjaring of verval, welke drie maanden beloopt; deze termijn begint met de aanvang van de dag, volgende op de eerste der volgende dagen:

a. de dag waarop hij, die verhaal zoekt, aan de tot hem gerichte vordering heeft voldaan of

b. de dag waarop hij, die verhaal zoekt, terzake in rechte is aangesproken of

c. de dag waarop de verjaring, waarop hij, die verhaal zoekt, beroep zou kunnen doen, is gestuit of

d. de dag waarop de termijn van de verjaring of het verval van de rechtsvordering waarvoor verhaal wordt gezocht, is verlopen, waarbij geen rekening wordt gehouden met een mogelijkerwijs door partijen overeengekomen verlenging.

2. Het eerste lid kan er niet toe leiden, dat de voor rechtsvorderingen, gegrond op de desbetreffende exploitatie-overeenkomst, geldende termijn van verjaring of verval eerder verstrijkt ten aanzien van de rechtsvordering tot verhaal die op die exploitatie-overeenkomst is gegrond.

3. Voor de toepassing van dit artikel wordt een overeenkomst, waarbij door de ene partij een vervoermiddel anders dan bij wijze van bevrachting en anders dan bij wijze van een overeenkomst als bedoeld in artikel 1080 derde lid, ter beschikking wordt gesteld van haar wederpartij, als exploitatie-overeenkomst aangemerkt en worden de partijen bij die overeenkomst aangemerkt als vervoerder en afzender.

Verschillende termijnen of verschillende beginpunten van termijnen

Art. 1721. 1. Indien uit hoofde van de artikelen 1710 tot en met 1720 enige rechtsvordering in verschillende termijnen verjaart of vervalt dan wel te haren aanzien het begin van de termijn, waarbinnen de rechtsvordering verjaart of vervalt, verschilt, geldt die bepaling die de termijn van verjaring of verval het laatst doet eindigen.

2. Het vorige lid laat artikel 1712 onverlet.

Art. 1722. 1. De artikelen 1710 tot en met 1721 zijn van toepassing op overeenkomsten van gecombineerd goederenvervoer, met dien verstande, dat onder afzender mede de houder van een CT-document wordt verstaan en onder dag van aflevering, de dag van aflevering onder de overeenkomst van gecombineerd goederenvervoer.

Toepasselijke artikelen bij gecombineerd vervoer

2. Indien bij een overeenkomst van gecombineerd goederenvervoer aan hem die de rechtsvordering instelt niet bekend is waar de omstandigheid, die tot de rechtsvordering aanleiding gaf, is opgekomen, wordt die der in aanmerking komende bepalingen van verjaring of verval toegepast die voor hem de gunstigste is.

Toepassing gunstigste bepaling

3. Nietig is ieder beding, waarbij van het tweede lid van dit artikel wordt afgeweken.

Nietigheid afwijkend beding

AFDELING 3
Bijzondere exploitatie-overeenkomsten

Art. 1730. 1. Een rechtsvordering gegrond op een overeenkomst, als bedoeld in afdeling 4 van titel 5 of afdeling 4 van titel 10, verjaart door verloop van één jaar.

Op bijzondere exploitatie-overeenkomst gegronde rechtsvordering

2. De artikelen 1710, 1713 tot en met 1722 en 1750 tot en met 1754 zijn van overeenkomstige toepassing.

Overeenkomstige toepassing

AFDELING 4
Overeenkomst tot het doen vervoeren van goederen

Art. 1740. 1. Behoudens artikel 1741 verjaart een op een overeenkomst tot het doen vervoeren van goederen gegronde rechtsvordering door verloop van negen maanden.

Op expeditie-overeenkomst gegronde rechtsvordering

2. De in het eerste lid bedoelde termijn begint te lopen met de aanvang van de dag, volgende op de dag van aflevering. Voor de vaststelling van deze dag vindt artikel 1710 onder d overeenkomstige toepassing. Is de rechtsvordering echter gegrond op artikel 62 of op artikel 63, dan wel op enig beding van gelijke strekking, dan begint deze termijn met de aanvang van de dag, volgende op die waarop de opdrachtgever wist, dat de expediteur niet aan zijn verplichting tot het doen van mededelingen voldeed.

3. Is de rechtsvordering gegrond op artikel 65 of artikel 68, dan begint de termijn met de aanvang van de dag, volgende op de dag dat de overeenkomst tot het doen vervoeren van goederen eindigt.

Art. 1741. 1. Ten behoeve van een partij bij een overeenkomst tot het doen vervoeren van goederen, voor zover deze verhaal zoekt op haar wederpartij voor hetgeen door haar aan een derde is verschuldigd, begint een nieuwe termijn van verjaring of verval, welke drie maanden beloopt; deze termijn begint met de aanvang van de dag, volgende op de eerste der volgende dagen:

Nieuwe termijn t.b.v. een partij die verhaal zoekt

a. de dag waarop hij, die verhaal zoekt, aan de tot hem gerichte vordering heeft voldaan of
b. de dag waarop hij, die verhaal zoekt, terzake in rechte is aangesproken of
c. de dag waarop de verjaring, waar op hij, die verhaal zoekt, beroep zou kunnen doen, is gestuit of
d. de dag waarop de termijn van de verjaring of het verval van de rechtsvordering waarvoor verhaal wordt gezocht, is verlopen, waarbij geen rekening wordt gehouden met een mogelijkerwijs door partijen overeengekomen verlenging.

2. Het eerste lid kan er niet toe leiden, dat de voor rechtsvorderingen, gegrond op de desbetreffende overeenkomst tot het doen vervoeren van goederen, geldende termijn van verjaring of verval eerder verstrijkt ten aanzien van de rechtsvordering tot verhaal die op die overeenkomst tot het doen vervoeren van goederen is gegrond.

AFDELING 5
Vervoer van personen

Art. 1750. 1. Behoudens de artikelen 1751 tot en met 1754 verjaart een op een overeenkomst van personenvervoer, als genoemd in de afdelingen 4 van titel 2, 5 van titel 2, 3 van titel 5, 3 van titel 10 en 3 van titel 13, gegronde rechtsvordering door verloop van één jaar, welke termijn begint met de aanvang van de dag, volgende op die waarop de reiziger het vervoermiddel heeft verlaten of had moeten verlaten.

Op overeenkomst van personenvervoer gegronde rechtsvordering

Uitzonderingen

2. In afwijking van het eerste lid zijn op de verjaring van een rechtsvordering terzake van het vervoer van bagage, geen hut- of handbagage in de zin van de artikelen 100, 500, 970 of 1141, noch een als bagage ten vervoer aangenomen voertuig of schip of levend dier zijnde, de artikelen 1710 tot en met 1722 van overeenkomstige toepassing.

Rechtsvordering terzake van letsel of dood reiziger

Art. 1751. 1. Een rechtsvordering jegens de vervoerder terzake van aan een reiziger overkomen letsel verjaart door verloop van drie jaren, welke termijn begint met de aanvang van de dag, volgende op de dag van het de reiziger overkomen voorval of ongeval.

2. Een rechtsvordering jegens de vervoerder terzake van dood van een reiziger verjaart door verloop van drie jaren, welke termijn begint met de aanvang van de dag, volgende op de dag van overlijden van de reiziger, doch welke niet langer loopt dan vijf jaren beginnend met de aanvang van de dag, volgende op de dag van het de reiziger overkomen voorval of ongeval.

Overeenkomstige toepassing

Art. 1752. In geval van bevrachting strekkende tot het vervoer van personen zijn de artikelen 1713 eerste lid, 1716 tot en met 1719 en 1721 van overeenkomstige toepassing.

Vervaltermijn van drie maanden

Art. 1753. 1. Een rechtsvordering jegens een vervoerder terzake van dood of letsel van de reiziger of terzake van hut- of handbagage in de zin van artikel 100, 500, 970 of artikel 1141, dan wel terzake van een als bagage ten vervoer aangenomen voertuig, schip of levend dier vervalt indien de rechthebbende niet binnen een termijn van drie maanden aan de vervoerder kennis heeft gegeven van het aan de reiziger overkomen voorval of ongeval.

Aanvang termijn

2. De in het eerste lid genoemde termijn begint met de aanvang van de dag, volgende op de dag van het voorval of ongeval.

Uitzonderingen

3. Het eerste lid van dit artikel blijft buiten toepassing indien
a. de rechthebbende binnen de in het eerste lid genoemde termijn schriftelijk bij de vervoerder een vordering heeft ingediend;
b. het voorval of ongeval te wijten is aan schuld van de vervoerder;
c. van het voorval of ongeval geen kennis is gegeven of niet binnen de in het eerste lid genoemde termijn kennis is gegeven, het één of het ander door omstandigheden, die niet voor rekening van de rechthebbende komen;
d. de vervoerder binnen de in het eerste lid genoemde termijn uit anderen hoofde kennis had van het voorval of ongeval.

4. Voor de toepassing van dit artikel wordt een omstandigheid als bedoeld in de artikelen 106 eerste lid onder b, 505, 975 en 1150 aangemerkt als een aan de reiziger overkomen voorval of ongeval.

Nieuwe termijn t.b.v. vervoerder, wederpartij van vervoerder of reiziger, die verhaal zoekt

Art. 1754. 1. Ten behoeve van een vervoerder van personen, een wederpartij van een zodanige vervoerder of een reiziger, voor zover deze verhaal zoekt op een partij bij een exploitatie-overeenkomst, als bedoeld in artikel 361, dan wel op een reiziger voor hetgeen door hem aan een derde is verschuldigd, begint een nieuwe termijn van verjaring of verval, welke drie maanden beloopt; deze termijn begint met de aanvang van de dag, volgende op de eerste der volgende dagen:
a. de dag waarop hij, die verhaal zoekt, aan de tot hem gerichte vordering heeft voldaan of
b. de dag waarop hij, die verhaal zoekt, terzake in rechte is aangesproken of
c. de dag waarop de verjaring, waarop hij, die verhaal zoekt, beroep zou kunnen doen, is gestuit of
d. de dag waarop de termijn van de verjaring of het verval van de rechtsvordering waarvoor verhaal wordt gezocht, is verlopen, waarbij geen rekening wordt gehouden met een mogelijkerwijs door partijen overeengekomen verlenging.

2. Het eerste lid kan er niet toe leiden, dat de voor rechtsvorderingen, gegrond op de desbetreffende exploitatie-overeenkomst, geldende termijn van verjaring of verval eerder verstrijkt ten aanzien van de rechtsvordering tot verhaal die op die exploitatie-overeenkomst is gegrond.

3. Voor de toepassing van dit artikel wordt een overeenkomst, waarbij door de ene partij een vervoermiddel anders dan bij wijze van bevrachting en anders dan bij wijze van een overeenkomst als bedoeld in artikel 1080 derde lid, ter beschikking wordt gesteld van haar wederpartij, als exploitatie-overeenkomst aangemerkt en worden de partijen bij die overeenkomst aangemerkt als vervoerder en diens wederpartij of reiziger.

AFDELING 7
Rederij

Art. 1770. Een rechtsvordering tussen de leden ener rederij als zodanig en tussen deze leden en de boekhouder als zodanig verjaart door verloop van vijf jaren.

Rechtsvordering tussen leden rederij en tussen deze leden en boekhouder

AFDELING 8
Rechtsvorderingen jegens kapitein of schipper

Art. 1780. 1. Een rechtsvordering tegen een kapitein of schipper terzake van schade door hem toegebracht in de uitoefening van zijn werkzaamheden verjaart door verloop van twee jaren, welke termijn begint met de aanvang van de dag, volgende op de dag waarop het schadeveroorzakende voorval plaatsvond.

Rechtsvordering tegen kapitein of schipper

2. Het eerste lid is niet van toepassing op rechtsvorderingen van de werkgever van de kapitein of de schipper.

Uitzondering

AFDELING 9
Aanvaring

Art. 1790. Een rechtsvordering tot vergoeding van schade veroorzaakt door een voorval, als bedoeld in afdeling 1 van titel 6, verjaart, indien zij niet op een overeenkomst is gegrond, door verloop van twee jaren, welke termijn begint met de aanvang van de dag, volgende op de dag van dit voorval.

Rechtsvordering n.a.v. aanvaring (zeevaart)

Art. 1791. Een rechtsvordering tot verhaal van een overschot, als bedoeld in het derde lid van artikel 545, verjaart door verloop van één jaar, welke termijn begint met de aanvang van de dag, volgende op die waarop de betaling van het overschot heeft plaatsgehad.

Rechtsvordering tot verhaal overschot

Art. 1792. 1. De verjaringstermijn, genoemd in artikel 1790, wordt verlengd met de dagen, gedurende welke het aansprakelijk geachte schip niet in beslag kon worden genomen binnen de staat, waarin de schuldeiser woont of de hoofdzetel van zijn bedrijf is gevestigd, met dien verstande echter dat
a. indien het schip binnen de termijn, gesteld in artikel 1790, aldus in beslag kon worden genomen, deze termijn met niet meer dan drie maanden wordt verlengd;
b. indien het schip niet binnen de termijn, gesteld in artikel 1790 aldus in beslag kon worden genomen, deze termijn eindigt met de aanvang van de dag, volgende op die waarop drie maanden zijn verlopen sinds het eerste tijdstip, waarop dit beslag mogelijk was en in ieder geval met de aanvang van de dag, volgende op die waarop vijf jaren zijn verlopen sinds het tijdstip van het voorval, bedoeld in afdeling 1 van titel 6.

Verlenging verjaringstermijn

2. Indien een rechtsvordering als bedoeld in artikel 1790 wordt ingesteld vóór de aanvang van de dag, volgende op die waarop vijf jaren zijn verlopen sinds het tijdstip van het voorval, bedoeld in afdeling 1 van titel 6, wordt vermoed dat het aansprakelijk geachte schip voordien niet in beslag kon worden genomen binnen de staat, waarin de schuldeiser woont of de hoofdzetel van zijn bedrijf is gevestigd.
3. Bij de toepassing van dit artikel wordt geen rekening gehouden met een mogelijkerwijs door partijen overeengekomen verlenging van de in artikel 1790 gestelde termijn.

Art. 1793. Een rechtsvordering tot vergoeding van schade veroorzaakt door een voorval, als bedoeld in afdeling 1 van titel 11, verjaart, indien zij niet op een overeenkomst is gegrond, door verloop van twee jaren, welke termijn begint met de aanvang van de dag, volgende op de dag van dit voorval.

Rechtsvordering n.a.v. aanvaring (binnenvaart)

Art. 1794. 1. Een rechtsvordering tot verhaal van een overschot, als bedoeld in het derde lid van artikel 1006, verjaart door verloop van één jaar.
2. De termijn van deze verjaring begint met de aanvang van de dag, volgende op die waarop het bedrag van de hoofdelijke aansprakelijkheid is vastgesteld bij een in kracht van gewijsde gegaan vonnis. Indien zulk een vaststelling niet is geschied, begint de termijn van deze verjaring met de aanvang van de dag, volgende op die waarop de tot het verhaal aanleiding gevende betaling heeft plaatsgevonden. Indien de rechtsvordering betrekking heeft op de verdeling van het aandeel van een onvermogende medeschuldenaar, begint de termijn van deze verjaring echter te

Rechtsvordering tot verhaal overschot

lopen met de aanvang van de dag, volgende op die waarop de rechthebbende kennis heeft gekregen van het onvermogen van zijn medeschuldenaar.

AFDELING 10
Hulpverlening

Rechtsvordering terzake van hulpverlening

Art. 1820. Behoudens de artikelen 1821 en 1822 verjaart een rechtsvordering terzake van hulpverlening door verloop van twee jaren, welke termijn begint met de aanvang van de dag volgende op die waarop de hulpverlening is beëindigd.

Rechtsvordering tot vaststelling verdeling van hulploon

Art. 1821. 1. Een rechtsvordering tot vaststelling van de verdeling van het hulploon verjaart door verloop van drie maanden.

2. De termijn van deze verjaring begint met de aanvang van de dag volgende op die, waarop het bedrag van het hulploon is vastgesteld, doch niet eerder dan met de aanvang van de dag, volgende op die waarop de vordering tot betaling van het hulploon, rekening gehouden met een mogelijkerwijs door partijen overeengekomen verlenging, is verjaard.

Rechtsvordering tot uitkering van vastgesteld hulploon

Art. 1822. Niettegenstaande artikel 1717 verjaart een rechtsvordering tot uitkering van een door de rechter of door de tot een deel van het hulploon gerechtigden onderling vastgesteld deel van een hulploon door verloop van vijf jaren, welke termijn begint met de aanvang van de dag, volgende op de dag van de vaststelling van de verdeling.

Verlenging verjaringstermijn

Art. 1823. 1. De verjaringstermijn, genoemd in artikel 1820, wordt verlengd met de dagen gedurende welke het geholpen schip niet in beslag kon worden genomen binnen de staat, waarin de schuldeiser woont of de hoofdzetel van zijn bedrijf is gevestigd, met dien verstande echter dat

a. indien het schip binnen de termijn, gesteld in artikel 1820, aldus in beslag kon worden genomen, deze termijn met niet meer dan drie maanden wordt verlengd;

b. indien het schip niet binnen de termijn, gesteld in artikel 1820, aldus in beslag kon worden genomen, deze termijn eindigt met de aanvang van de dag, volgende op die waarop drie maanden zijn verlopen sinds het eerste tijdstip, waarop dit beslag mogelijk was en in ieder geval met de aanvang van de dag, volgende op die waarop vijf jaren zijn verlopen sinds het tijdstip, waarop de hulpverlening is beëindigd.

2. Indien een rechtsvordering als bedoeld in artikel 1820 wordt ingesteld vóór de aanvang van de dag, volgende op die waarop vijf jaren zijn verlopen sinds het tijdstip, waarop de hulpverlening is beëindigd, wordt vermoed dat het aansprakelijk geachte schip voordien niet in beslag kon worden genomen binnen de staat, waarin de schuldeiser woont of de hoofdzetel van zijn bedrijf is gevestigd.

3. Bij de toepassing van dit artikel wordt geen rekening gehouden met een mogelijkerwijs door partijen overeengekomen verlenging van de in artikel 1820 gestelde termijn.

AFDELING 11
Avarij-grosse

Rechtsvordering tot berekening en omslag avarij-grosse

Art. 1830. 1. Een rechtsvordering tot berekening en omslag van een avarij-grosse, en die tot benoeming van een dispacheur hiertoe, verjaart door verloop van één jaar.

Aanvang termijn

2. De termijn van deze verjaring begint met de aanvang van de dag, volgende op de dag van het einde van de onderneming.

3. Indien de avarij-grosse geheel of gedeeltelijk uit hulploon bestaat en de vordering tot betaling van dit hulploon is ingesteld binnen de daarvoor in de artikelen 1820 en 1823 gestelde termijn, doch na verloop van een termijn van negen maanden, beginnende met de aanvang van de dag, volgende op die waarop de in het eerste lid genoemde termijn aanvangt, verjaren de in het eerste lid genoemde rechtsvorderingen door verloop van een termijn van drie maanden, welke termijn begint met de aanvang van de dag, volgende op die waarop de vordering tot betaling van hulploon is ingesteld.

Art. 1831. Het recht homologatie dan wel herziening van een berekening en omslag van een avarij-grosse (dispache) te verzoeken vervalt door verloop van zes jaren, welke termijn begint met de aanvang van de dag, volgende op die waarop de dispache of een uittreksel daarvan aan belanghebbenden is medegedeeld.

Vervaltermijn inzake recht homologatie of herziening van berekening en omslag van avarij-grosse te verzoeken

Art. 1832. 1. Een rechtsvordering tot betaling van een bijdrage in avarij-grosse verjaart door verloop van één jaar.

Rechtsvordering tot betaling van bijdrage in avarij-grosse

2. De termijn van deze verjaring begint met de aanvang van de dag, volgende op die waarop de dispache of een uittreksel daarvan dan wel, indien een verzoek tot herziening der dispache is gedaan, de naar aanleiding daarvan opgestelde dispache of een uittreksel daarvan aan partijen is medegedeeld, dat deze dispache ter griffie van de rechtbank is gedeponeerd, doch in geval van homologatie eerst op de dag dat de dispache bij in kracht van gewijsde gegane beschikking is gehomologeerd.

Aanvang termijn

AFDELING 12

Gevaarlijke stoffen aan boord van een zeeschip, een binnenschip, een voertuig en een spoorrijtuig

Art. 1833. Een rechtsvordering tot vergoeding van schade uit hoofde van de afdelingen 4 van titel 6, 4 van titel 11, 1 van titel 14 en 4 van titel 19 verjaart door verloop van drie jaren na de aanvang van de dag, volgende op die waarop de benadeelde bekend was of redelijkerwijze bekend had behoren te zijn met de schade en de daarvoor aansprakelijke persoon en in ieder geval door verloop van tien jaren na de gebeurtenis waardoor de schade is ontstaan. Indien de gebeurtenis bestond uit een opeenvolging van feiten met dezelfde oorzaak, loopt de termijn van tien jaren vanaf de dag waarop het laatste van die feiten plaatsvond.

Verjaringstermijn rechtsvordering

ALGEMENE SLOTBEPALING

1. De Algemene termijnenwet is niet van toepassing op de termijnen gesteld in de afdelingen 2 van titel 5, 4 van titel 5, 2 van titel 10 en 4 van titel 10.

Algemene termijnenwet

2. In de in het eerste lid genoemde afdelingen worden onder dag verstaan alle kalenderdagen met uitzondering van de Zondag, de Nieuwjaarsdag, de Christelijke tweede Paas- en Pinksterdagen, de beide Kerstdagen, de Hemelvaartsdag en de dag waarop de verjaardag van de Koning wordt gevierd.

Betekenis van begrip dag

OVERGANGSWET NIEUW BURGERLIJK WETBOEK

TEKST VAN DE OVERGANGSWET voor het nieuwe Burgerlijk Wetboek (Stb. 1969, 258), zoals laatstelijk is gewijzigd bij de wet van 27 mei 1993, Stb. 309, voorzien van nieuwe nummering Boek 2 en zelf doorlopend genummerd

Inleidende bepaling

De in deze wet zonder nadere aanduiding aangehaalde bepalingen zijn bepalingen van de nieuwe boeken van het Burgerlijk Wetboek.

TITEL 1

Overgangsbepalingen in verband met Boek 1

Art. 1. 1. Artikel 4 lid 4 van Boek 1 is ook van toepassing op aanhangige of nog in te dienen verzoeken tot wijziging van voornamen, verkregen vóór het tijdstip van in werking treden van Boek 1, met dien verstande dat de bevoegdheid van de rechter wordt beoordeeld naar de wet, geldende op het tijdstip van indiening van het verzoek.

2. Artikel 4, lid 2 van Boek 1 is ook van toepassing, indien wijziging wordt verzocht van voornamen, verkregen vóór het tijdstip van in werking treden van Boek 1.

3. Vervallen.

Art. 2. Artikel 6 van Boek 1 is ook van toepassing op akten van geboorte die vóór het tijdstip van in werking treden van Boek 1 zijn opgemaakt.

Art. 3. 1. Artikel 7 leden 1-4 van Boek 1 is ook van toepassing op aanhangige of nog in te dienen verzoeken tot wijziging of vaststelling van namen van personen, geboren vóór het tijdstip van in werking treden van Boek 1.

2. Artikel 7 leden 3 en 4 van Boek 1 is bovendien van toepassing ingeval de wijziging of vaststelling van de geslachtsnaam heeft plaatsgevonden vóór het tijdstip van in werking treden van Boek 1.

3. Artikel 7 lid 5 van Boek 1 en de daarin bedoelde algemene maatregel van bestuur zijn niet van toepassing op verzoeken, ingediend vóór het tijdstip van in werking treden van Boek 1.

Art. 4. Artikel 9 van Boek 1 is ook van toepassing, indien het huwelijk is ontbonden vóór het tijdstip van in werking treden van Boek 1.

Art. 5. 1. De artikelen 10-12 en 14 van Boek 1 zijn van het tijdstip van in werking treden van Boek 1 af ook van toepassing, indien de feiten die volgens deze regelen de verkrijging of het verlies van een woonplaats bepalen, zijn voorgevallen vóór dat tijdstip.

2. Op een vóór dat tijdstip gekozen woonplaats blijft het tot dat tijdstip geldende artikel 81 van het Burgerlijk Wetboek van toepassing.

Art. 6. 1. De artikelen 16-20 en 22-25 van Boek 1 zijn uitsluitend van toepassing op akten van de burgerlijke stand, op te maken na het tijdstip van in werking treden van Boek 1.

2. Artikel 21 van Boek 1 is uitsluitend van toepassing op brieven van wettiging, besluiten houdende wijziging of vaststelling van namen, buiten de burgerlijke stand opgemaakte authentieke akten van erkenning van een onwettig kind en rechterlijke uitspraken, die gedagtekend zijn na het tijdstip van in werking treden van Boek 1.

3. Artikel 23 van Boek 1 is echter mede van toepassing op het opmaken van kantmeldingen, te plaatsen op akten van de burgerlijke stand die vóór het tijdstip van in werking treden van Boek 1 zijn opgemaakt.

4. Kantmeldingen ter zake van akten, opgemaakt vóór het tijdstip van in werking treden van Boek 1, die vóór dat tijdstip voorgeschreven of gebruikelijk waren, zullen op akten van de burgerlijke stand worden geplaatst, ongeacht of deze laatste voor of na dat tijdstip zijn opgemaakt.

5. De artikelen 26-28 van Boek 1 zijn ook van toepassing op akten van de burgerlijke stand die vóór het tijdstip van in werking treden van Boek 1 zijn opgemaakt.

6. Artikel 29 van Boek 1 is niet van toepassing op verzoeken en vorderingen, ingediend of gedaan vóór het tijdstip van in werking treden van Boek 1.

Art. 7. De artikelen 50-57 van Boek 1 zijn ook van toepassing op voorgenomen huwelijken, waarvan de afkondiging is geschied vóór het tijdstip van in werking treden van Boek 1.

Art. 8. 1. Na het tijdstip van in werking treden van Boek 1 kan de nietigverklaring van een dat tijdstip aangegaan huwelijk niet langer worden gevorderd op een grond die de wet niet meer kent, of door personen die de wet tot het instellen van zulk een vordering niet langer bevoegd acht.

2. De nietigverklaring van een het tijdstip van in werking treden van Boek 1 aangegaan huwelijk kan wegens het niet bereikt hebben van de vereiste ouderdom slechts worden gevorderd door de echtgenoot die de vereiste leeftijd miste, en door het openbaar ministerie.

3. Het in het in de vorige leden bepaalde is ook van toepassing, indien de rechtsvordering is ingesteld vóór het in het eerste lid genoemde tijdstip en de nietigverklaring niet vóór dat tijdstip is uitgesproken.

4. Indien het vonnis waarbij een huwelijk wordt nietig verklaard, na het in het eerste lid genoemde tijdstip in kracht van gewijsde gaat, is artikel 77 van Boek 1 van toepassing, ook al was de rechtsvordering ingesteld vóór dat tijdstip.

Art. 9. De artikelen 84, 86, 88, 89 en 90 van Boek 1 zijn alleen van toepassing op feiten, voorgevallen na het tijdstip van in werking treden van Boek 1.

Art. 10. 1. Ten aanzien van een gemeenschap van goederen, ontstaan vóór het tijdstip van in werking treden van Boek 1 zijn de artikelen 94-98, 100, 102 lid 2, 103 leden 4-6, 104, 106, 108, 109 en 112 van Boek 1 alleen van toepassing op feiten, voorgevallen na dat tijdstip.

2. Het tot het tijdstip van in werking treden van Boek 1 geldende artikel 179, tweede lid, van het Burgerlijk Wetboek blijft van toepassing ten aanzien van goederen die vóór dat tijdstip zijn verkregen.

Art. 11. 1. Met betrekking tot inschrijvingen in het huwelijksgoederenregister, vóór het tijdstip van in werking treden van Boek 1 gedaan, als bedoeld in de tot dat tijdstip geldende artikelen 163, 165, 180, 185, 186, 300 en 304 van het Burgerlijk Wetboek, blijven die artikelen van toepassing.

2. Met betrekking tot inschrijvingen in het huwelijksgoederenregister als bedoeld in de artikelen 86, 90, 104, 105, 110, 112, 189 en 196 van Boek 1, die pas na het tijdstip van in werking treden van Boek 1 geschieden, zijn die artikelen van toepassing, ook wanneer de rechterlijke uitspraak vóór dat tijdstip is gedaan, de akte van afstand een vóór dat tijdstip ontbonden gemeenschap van goederen betreft, de eis tot opheffing van de gemeenschap van goederen vóór dat tijdstip is ingesteld, of de verzoening vóór dat tijdstip heeft plaatsgehad.

3. Ingeval een vóór het tijdstip van in werking treden van Boek 1 aangevangen wettelijke termijn voor de inschrijving van een akte van afstand van een gemeenschap van goederen op dat tijdstip nog lopende is, is artikel 106 van Boek 1 mede van toepassing.

Art. 12. 1. Met betrekking tot inschrijvingen in het huwelijksgoederenregister, vóór het tijdstip van in werking treden van Boek 1 gedaan, van bepalingen in huwelijkse voorwaarden blijft het tot dat tijdstip geldende artikel 207 lid 1 van het Burgerlijk Wetboek van toepassing. Wordt evenwel na dat tijdstip een wijziging van die bepalingen ingeschreven, dan is na deze inschrijving artikel 116 van Boek 1 op alle bepalingen in de huwelijkse voorwaarden van de betrokken echtgenoten van toepassing.

2. Artikel 116 van Boek 1 is van toepassing op het tijdstip van in werking treden van gemaakte bepalingen in huwelijkse voorwaarden, die niet vóór dat tijdstip overeenkomstig het tot dat tijdstip geldende artikel 207 lid 1 van het Burgerlijk Wetboek in het huwelijksgoederenregister zijn ingeschreven.

3. Artikel 120 lid 2 van Boek 1 is ook van toepassing op bepalingen in vóór het tijdstip van in werking treden van Boek 1 tijdens het huwelijk gemaakte of gewijzigde huwelijkse voorwaarden, die niet vóór dat tijdstip overeenkomstig het tot dat tijdstip geldende artikel 207 lid 1 van Boek 1 van het Burgerlijk Wetboek in het huwelijksgoederenregister zijn ingeschreven.

4. De artikelen 118 en 120 lid 1 van Boek 1 zijn van toepassing op het maken of wijzigen van huwelijkse voorwaarden, plaatsvindend na het tijdstip van in werking treden van Boek 1, ook indien het huwelijk vóór dat tijdstip was voltrokken.

Art. 13. 1. Artikel 130 van Boek 1 is ook van toepassing ten aanzien van huwelijkse voorwaarden die vóór het tijdstip van in werking treden van Boek 1 zijn tot stand gekomen.

2. Op gemeenschappen van winst en verlies van vruchten en inkomsten, overeengekomen vóór het tijdstip van in werking treden van Boek 1, blijven ook na dat tijdstip de tevoren geldende artikelen 210-222 van het Burgerlijk Wetboek van toepassing, voor zover die voorschriften niet bij huwelijkse voorwaarden uitdrukkelijk of door de aard der bedingen is afgeweken.

3. Op deelgenootschappen, bestaande op het tijdstip van in werking treden van Boek 1, zijn van dat tijdstip af de voorschriften van afdeling 2 van titel 8 van Boek 1 van toepassing, voor zover niet bij huwelijkse voorwaarden uitdrukkelijk of door de aard der bedingen een van die voorschriften afwijkende regeling is getroffen, met dien verstande dat het bewijs van de in artikel 143 onder a van Boek 1 bedoelde waarde van een bij het aangaan van een deelgenootschap aanwezig goed dat in de akte van huwelijkse voorwaarden of een daaraan vastgehechte staat was vermeld zonder opgave van de waarden, door alle middelen rechtens kan worden geleverd.

Art. 14. Na het tijdstip van in werking treden van Boek 1 zijn de tevoren geldende artikelen 236-240a, 899a en 949-949b van het Burgerlijk Wetboek slechts van toepassing, indien hetzij de hertrouwde echtgenoot, hetzij de nieuwe echtgenoot vóór dat tijdstip is overleden.

Art. 15. 1. Artikel 197 van Boek 1 is alleen van toepassing ten aanzien van kinderen die zijn geboren na het tijdstip van in werking treden van Boek 1.

2. Artikel 198 van Boek 1 is ook van toepassing ten aanzien van kinderen die zijn geboren vóór het tijdstip van in werking treden van Boek 1.

3. De artikelen 199-204 van Boek 1 zijn alleen van toepassing ten aanzien van kinderen die zijn geboren na het tijdstip van in werking treden van Boek 1.

Art. 16. Een natuurlijk kind dat vóór het tijdstip van in werking treden van Boek 1 door de echtgenoot van de moeder is erkend, hetzij staande het huwelijk met de moeder hetzij na ontbinding van het huwelijk door de dood van de moeder, wordt van rechtswege gewettigd; de wettiging werkt van het tijdstip van in werking treden van Boek 1 af.

Art. 17. 1. Artikel 224 van Boek 1 is niet van toepassing op erkenningen, vóór het tijdstip van in werking treden van Boek 1 gedaan.

2. De artikelen 225 en 226 van Boek 1 zijn mede van toepassing op erkenningen, vóór het in het eerste lid genoemde tijdstip gedaan.

Art. 18. 1. Een kind dat, naar de vóór het tijdstip van in werking treden van Boek 1 geldende voorschriften, met zijn moeder niet in burgerlijke betrekkingen stond, staat van dat tijdstip af van rechtswege onder voogdij van de moeder, mits deze daartoe op dat tijdstip bevoegd is en tenzij voordien een ander tot voogd benoemd was.

2. De moeder van een kind, als in het eerste lid bedoeld, die op het aldaar genoemde tijdstip onbevoegd was tot de voogdij over het kind, verkrijgt deze voogdij van rechtswege, indien deze openstaat op het tijdstip, waarop zij daartoe bevoegd wordt.

3. Indien op het in het eerste lid genoemde tijdstip de voogdij niet openstaat, kan de tot de voogdij bevoegde moeder de kantonrechter verzoeken haar tot voogdes te benoemen; op een zodanig verzoek is artikel 287 leden 4 en 5 van Boek 1 van toepassing.

Art. 19. Het in de artikelen 307 lid 1, 319, 322 lid 3, 324 lid 1, 327 lid 1 onder b aan het slot, 336 lid 3 en 355 van Boek 1 bepaalde is van het tijdstip van in werking treden van Boek 1 af mede van toepassing op voogdijen of toeziende voogdijen die vóór dat tijdstip zijn aangevangen.

Art. 20. 1. De bepalingen van het Burgerlijk Wetboek omtrent de handelingsonbekwaamheid van onder curatele gestelden, zoals deze bepalingen op het tijdstip van in werking treden van Boek 1 komen te luiden, zijn op de rechtshandelingen die onder curatele gestelden na dat tijdstip verrichten van toepassing, ook al is hun ondercuratelestelling uitgesproken met toepassing van het vóór dat tijdstip geldende recht.

2. Op rechtshandelingen verricht vóór het in het vorige lid benoemde tijdstip, is ook na dat tijdstip van toepassing het bepaalde in de voordien geldende artikelen 501 en 502 van het Burgerlijk Wetboek.

Art. 21. 1. Na het tijdstip van in werking treden van Boek 1 kan ondercuratelestelling slechts worden uitgesproken op grond van een der in artikel 378 van Boek 1 genoemde omstandigheden, ook al is het verzoek of de vordering vóór dat tijdstip gedaan.
2. Artikel 390 van Boek 1 is van toepassing wanneer de uitspraak na het tijdstip van in werking treden van Boek 1 is gedaan, ook al was zij reeds vóór dat tijdstip verzocht of gevorderd.
3. Ingeval vóór het tijdstip van in werking treden van Boek 1 krachtens het toen geldende artikel 495 van het Burgerlijk Wetboek een provisionele bewindvoerder is benoemd, is het in artikel 380 leden 2 en 3 van Boek 1 bepaalde slechts van toepassing na wijziging van deze uitspraak met overeenkomstige toepassing van artikel 380 lid 4 van Boek 1.

Art. 22. 1. Titel 17 van Boek 1 is, voor zover bij de wet niet anders is bepaald, van het tijdstip van het in werking treden van Boek 1 af mede van toepassing op verplichtingen tot en rechten op levensonderhoud, die vóór dat tijdstip bij overeenkomst waren geregeld of waren vastgesteld door een uitspraak van de rechter, die hetzij vóór dat tijdstip, hetzij, bij gebreke van verzet, hoger beroep of beroep in cassatie na dat tijdstip in kracht van gewijsde is gegaan.
2. Op vorderingen tot het verstrekken van levensonderhoud ten aanzien waarvan op het tijdstip van in werking treden van Boek 1 nog niet is beslist bij een uitspraak van de rechter, die in kracht van gewijsde is gegaan, is titel 17 van Boek 1 van dat tijdstip af van toepassing, met dien verstande dat over een tijdvak gelegen vóór het tijdstip, niet een hoger bedrag kan worden toegewezen dan naar het gedurende dat tijdvak geldende recht geoorloofd was.

Art. 23. 1. Indien verplichtingen tot en rechten op levensonderhoud van grootouders jegens kleinkinderen of van kleinkinderen jegens grootouders vóór het tijdstip in werking treden van Boek 1 bij overeenkomst waren geregeld of door een uitspraak van de rechter, die in kracht van gewijsde is gegaan, waren vastgesteld, blijven zij ook na dat tijdstip in stand, met dien verstande dat op verzoeken tot wijziging van deze rechten en verplichtingen van toepassing blijft het recht, geldende ten tijde van hun regeling of vaststelling.
2. Het vorige lid is van overeenkomstige toepassing op verplichtingen tot en rechten op levensonderhoud van schoonouders jegens behuwdkinderen of van behuwdkinderen jegens schoonouders, die niet in overeenstemming zijn met het artikel 396 van Boek 1 bepaalde.
3. Uitspraken van de rechter, gedaan vóór het tijdstip van in werking treden van Boek 1, die, bij gebreke van hoger beroep of beroep in cassatie, na dat tijdstip in kracht van gewijsde gaan, blijven in stand.
4. Onverminderd het in artikel 401 van Boek 1 bepaalde, kunnen de tot levensonderhoud verplichten, in de vorige leden bedoeld, de rechter verzoeken de verplichting tot het verstrekken van levensonderhoud op te heffen met ingang van een door de rechter te bepalen tijdstip. Dit tijdstip kan niet vroeger worden gesteld dan zes maanden na dat van in werking treden van Boek 1.

Art. 24. Het tevoren geldende artikel 344c van het Burgerlijk Wetboek en de desbetreffende tevoren geldende bepalingen der artikelen 344d-344f en van het Wetboek van Burgerlijke Rechtsvordering zijn ook na het tijdstip van in werking treden van Boek 1 van toepassing, indien de bevalling vóór dat tijdstip heeft plaatsgevonden.

Art. 25. Ingeval vóór het tijdstip van in werking treden van Boek 1 een bewindvoerder over de goederen van een afwezige is benoemd, blijft ook na dat tijdstip op de rechtsgevolgen daarvan het ten tijde van de benoeming geldende recht van toepassing.

Art. 26. 1. Ingeval vóór het tijdstip van in werking treden van Boek 1 een verklaring van vermoedelijk overlijden is uitgesproken, blijft ook na dat tijdstip op de rechtsgevolgen daarvan het voordien geldende recht van toepassing.

2. Indien in een geding tot het verkrijgen van een verklaring van vermoedelijk overlijden het inleidende verzoekschrift is ingediend doch nog geen einduitspraak is gedaan vóór het tijdstip van in werking treden van Boek 1, zijn de artikelen 413-425 van Boek 1, alsmede de desbetreffende bepalingen van het Wetboek van Burgerlijke Rechtsvordering van toepassing, te beginnen met de eerste na dat tijdstip volgende uitspraak.

Art. 27. 1. Gedingen, waarin de inleidende dagvaarding is betekend dan wel het inleidende verzoekschrift of het eerste, door de president van de rechtbank te behandelen, verzoekschrift is ingediend vóór het tijdstip van in werking treden van Boek 1, worden geheel afgedaan met toepassing van de voorschriften van procesrechtelijke aard, die vóór dat tijdstip golden, zulks behoudens het in het vorige artikel bepaalde.

2. Het in het vorige lid bepaalde geldt ook voor de afdoening van een eis of verzoek, in het geding bij wege van reconventie gedaan.

Art. 28. 1. De vrouw die met een niet-Nederlander gehuwd is, welk huwelijk is gesloten vóór 1 maart 1964, en die het Nederlanderschap bij het sluiten van hun huwelijk bezat doch door of ten gevolge van het huwelijk heeft verloren, wordt voor toepassing van artikel 814, eerste lid, onder c, van het Wetboek van Burgerlijke Rechtsvordering met een Nederlander gelijkgesteld.

2. Het vorige lid is niet van toepassing op de vrouw die staande het huwelijk de Nederlandse nationaliteit door haar wil heeft verloren.

TITEL 2
Overgangsbepalingen in verband met Boek 2

Art. 29. 1. Ten aanzien van rechtspersonen die op het tijdstip van in werking treden van Boek 2 (Rechtspersonen) van het Burgerlijk Wetboek bestaan, zijn, voor zover niet anders is bepaald, dit boek en de bij de hoofdstukken 2-4 van de Invoeringswet Boek 2 nieuw B.W. vastgestelde bepalingen van toepassing op feiten die na dat tijdstip voorvallen.

2. Onder bestaande rechtspersonen zijn lichamen die door het in werking treden van Boek 2 rechtspersoonlijkheid verkrijgen, begrepen.

Art. 30. Vanaf het tijdstip van in werking treden van Boek 2 zijn de bepalingen van dit boek die de gevolgen regelen van gebreken in de oprichtingshandeling van een rechtsperoon, mede van toepassing op een lichaam dat ten tijde van het in werking treden van Boek 2 als rechtspersoon optreedt.

Art. 31. Artikel 5 leden 2 en 4 van Boek 2 is gedurende drie jaren na het tijdstip van in werking treden van Boek 2 niet van toepassing ten aanzien van een niet overeenkomstig de bepalingen van Boek 2 ingeschreven:
a. vereniging die op dat tijdstip bestaat en niet een coöperatieve vereniging of onderlinge waarborgmaatschappij is;
b. rechtspersoon die vanaf dat tijdstip ingevolge artikel 48 of 49 een onderlinge waarborgmaatschappij is;
c. stichting die op dat tijdstip bestaat en is ingeschreven in het openbaar centraal register bedoeld in artikel 7 lid 1 van de Wet op stichtingen;
d. rechtspersoon die vanaf dat tijdstip ingevolge de artikelen 53-56 of 58 een stichting is.

Art. 32. 1. Ontbinding van een op het tijdstip van in werking treden van Boek 2 bestaande rechtspersoon op grond van artikel 19 van Boek 2 kan niet worden gevorderd voordat drie jaren na dat tijdstip zijn verstreken.

2. Het vorige lid geldt niet voor stichtingen waarop de Wet op stichtingen van toepassing was.

Art. 33. Artikel 21 van Boek 2 is mede van toepassing indien de ontbinding van de rechtspersoon is verzocht of gevorderd voor het tijdstip van in werking treden van Boek 2.

Art. 34. Het verzoek of de vordering, bedoeld in artikel 22 van Boek 2, kan ook worden gedaan indien de rechtspersoon is ontbonden vóór het tijdstip van in werking treden van Boek 2.

Art. 35. 1. Artikel 23 lid 3 van Boek 2 is mede van toepassing, indien de vereffening van een voor het tijdstip van in werking treden van Boek 2 ontbonden rechtspersoon geschiedt door niet bij een rechterlijke uitspraak genoemde vereffenaars.
2. Artikel 23, laatste lid, van Boek 2 is mede van toepassing indien de vereffening voor het tijdstip van in werking treden van Boek 2 is voltooid.

Art. 36. Artikel 25 van Boek 2 is mede van toepassing indien de duur is verstreken voor het tijdstip van in werking treden van Boek 2.

Art. 37. 1. Een op het tijdstip van in werking treden van Boek 2 bestaande vereniging die geen rechtspersoon was, bezit van dat tijdstip af rechtspersoonlijkheid.
2. Goederen die op dat tijdstip aan de vereniging zouden toebehoren, indien zij, toen het goed te haren behoeve werd verkregen, reeds rechtspersoon was geweest, gaan bij het in werking treden van Boek 2 van rechtswege op haar over.
3. Rechtshandelingen die voor het tijdstip van in werking treden van Boek 2 door of jegens de bestuurders van de vereniging in hun hoedanigheid binnen de grenzen van hun bevoegdheid jegens, onderscheidenlijk door derden zijn verricht, worden vanaf dat tijdstip aangemerkt als rechtshandelingen van, onderscheidenlijk jegens de vereniging, onverminderd de aansprakelijkheid voor de uit die rechtshandelingen voortspruitende verbintenissen van hen die daarvoor reeds aansprakelijk waren.

Art. 38. Vanaf het tijdstip van in werking treden van Boek 2 staat een vereniging die krachtens de wet van 22 april 1855, Stb. 32, tot regeling en beperking der uitoefening van het regt van vereeniging en vergadering is erkend of waarvan de statuten voor dat tijdstip zijn opgenomen in een of meer notariële akten, gelijk met een vereniging die is opgericht bij een notariële akte.

Art. 39. 1. Op een ten tijde van het in werking treden van Boek 2 reeds rechtspersoonlijkheid bezittende vereniging waarvoor het vorige artikel niet geldt, is artikel 30 van Boek 2 eerst van toepassing nadat drie jaren sedert het tijdstip van in werking treden van Boek 2 zijn verstreken.
2. Ook is gedurende die tijd artikel 43 lid 5 van Boek 2 op een zodanige vereniging niet van toepassing, zolang de vereniging haar statuten niet overeenkomstig artikel 28 van Boek 2 heeft doen opnemen in een notariële akte.

Art. 40. 1. Voor een vereniging die is erkend krachtens de Wet van 22 april 1855, Stb. 32, tot regeling en beperking der uitoefening van het regt van vereeniging en vergadering en die geen coöperatieve vereniging of onderlinge waarborgmaatschappij is, gelden de volgende bepalingen.
2. Artikel 29 lid 4 van Boek 2 vindt geen toepassing ten aanzien van rechtshandelingen, verricht voordat drie jaren sedert het in werking treden van Boek 2 zijn verstreken.
3. Artikel 27 lid 6 van Boek 2 is op de vereniging van toepassing nadat de statuten der vereniging na het tijdstip van in werking treden van Boek 2 zijn gewijzigd, doch niet eerder dan drie jaren na dat tijdstip.

Art. 41. 1. Voor een vereniging waarvan de statuten voor het tijdstip van in werking treden van Boek 2 zijn opgenomen in een of meer notariële akten en die volgens artikel 53 van Boek 2 geen coöperatieve vereniging of onderlinge waarborgmaatschappij is en ook niet is erkend krachtens de Wet van 22 april 1855, Stb. 32, tot regeling en beperking der uitoefening van het regt van vereeniging en vergadering gelden de volgende bepalingen.
2. Artikel 29 lid 4 van Boek 2 vindt geen toepassing ten aanzien van rechtshandelingen, verricht voordat drie jaren sedert het in werking treden van Boek 2 zijn verstreken.
3. Artikel 27 lid 6 van Boek 2 is eerst van toepassing nadat drie jaren sedert het in werking treden van Boek 2 zijn verstreken.

Art. 42. 1. Ontbreekt een notariële akte van oprichting van een op het tijdstip van in werking treden van Boek 2 bestaande vereniging die op grond van artikel 53 van Boek 2 een coöperatieve vereniging of onderlinge waarborgmaatschappij is, of voldoet die akte niet aan de vereisten van artikel 27 lid 2, eerste zin, en de leden 3 en 4, en van artikel 54 lid 2 van Boek 2, dan is de vereniging verplicht alsnog een notariële akte te doen verlijden die aan deze vereisten voldoet.

2. Deze notariële akte moet worden bekendgemaakt op de wijze, door Titel 2 van Boek 2 voorgeschreven voor een akte van oprichting.

3. Iedere bestuurder is voor een rechtshandeling, waardoor hij een in het eerste lid bedoelde vereniging verbindt, naast de vereniging hoofdelijk aansprakelijk, indien de rechtshandeling wordt verricht nadat drie jaren sedert het tijdstip van in werking treden van Boek 2 zijn verstreken en voordat aan het eerste en tweede lid is voldaan.

4. Indien aan het eerste lid niet is voldaan en drie jaren na het tijdstip van in werking treden van Boek 2 zijn verstreken, kan de vereniging op een daartoe in te stellen vordering van het openbaar ministerie door een beschikking van de rechtbank worden ontbonden.

Art. 43. Op de coöperatieve vereniging die op het tijdstip van in werking treden van Boek 2 de letters W.A. in haar naam voert is het voor dat tijdstip geldende recht betreffende de aansprakelijkheid van de leden voor het tekort van de vereniging van toepassing indien zij voor dat tijdstip is ontbonden, of, indien zij wordt ontbonden door haar insolventie ingevolge een voor dat tijdstip uitgesproken faillissement.

Art. 44. 1. Op de coöperatieve vereniging of onderlinge waarborgmaatschappij die op het tijdstip van in werking treden van Boek 2 niet de letters W.A. of U.A. in haar naam voert blijft, totdat zij haar naam overeenkomstig artikel 42 lid 1 heeft gewijzigd, het voor dat tijdstip geldende recht betreffende de aansprakelijkheid van de leden en de oud-leden van toepassing.

2. Wordt de vereniging ontbonden of failliet verklaard nadat drie jaren sedert het in werking treden van deze wet zijn verlopen en voordat zij haar naam overeenkomstig artikel 42 lid 1 heeft gewijzigd, dan is artikel 55 van Boek 2 van toepassing op de aansprakelijkheid van de leden en de oud-leden tegenover de vereffenaars.

Art. 45. Ten aanzien van op het tijdstip van in werking treden van Boek 2 bestaande verenigingen zijn, tenzij de statuten anders bepalen, de artikelen 33, 34, 35, 36 lid 1, eerste zin en lid 3, 37, 38, 39, 43 lid 1, 44, 45 leden 1-3, 46, 47 leden 1, 2 en 5, 49 en 62 onder b van Boek 2, niet van toepassing op feiten die zijn voorgevallen voordat drie jaren na dat tijdstip zijn verstreken.

Art. 46. De artikelen 48 en 58 van Boek 2 zijn niet van toepassing op het jaarverslag en de rekening en verantwoording over een boekjaar dat voor het tijdstip van in werking treden van Boek 2 is verstreken.

Art. 47. 1. Artikel 59 lid 1 van Boek 2 is niet van toepassing op overeenkomsten die zijn gesloten voor het tijdstip van in werking treden van Boek 2.

2. Artikel 62 onder a van Boek 2 is niet van toepassing op overeenkomsten van verzekering die zijn gesloten voor het tijdstip van in werking treden van Boek 2.

Art. 48. 1. Een ziekenfonds in de zin van artikel 1 van de Ziekenfondswet dat op het tijdstip van in werking treden van Boek 2 geen stichting is, is van dat tijdstip af een onderlinge waarborgmaatschappij.

2. Met betrekking tot het in het vorige lid bedoelde ziekenfonds vindt artikel 29 lid 4 van Boek 2 geen toepassing ten aanzien van rechtshandelingen, verricht voordat drie jaren sedert het in werking treden van Boek 2 zijn verstreken.

Art. 49. 1. Een ziektekostenverzekeraar in de zin van artikel 1 van de Algemene Wet Bijzondere Ziektekosten is vanaf het tijdstip van in werking treden van Boek 2 een onderlinge waarborgmaatschappij indien hij op dat tijdstip niet een coöperatieve vereniging of een andere vereniging, een naamloze vennootschap, een besloten vennootschap met beperkte aansprakelijkheid of een stichting is.

2. Met betrekking tot de in het vorige lid bedoelde ziektekostenverzekeraar vindt artikel 29 lid 4 van Boek 2 geen toepassing ten aanzien van rechtshandelingen verricht voordat drie jaren sedert het in werking treden van Boek 2 zijn verstreken.

Art. 50. Zolang de statutaire naam van een naamloze vennootschap, opgericht voor het in werking treden van de Wet van 2 juli 1928 (Stb. 216), niet in overeenstemming is met artikel 66 lid 2 van Boek 2 worden de letters N.V. aan de naam toegevoegd.

Art. 51. De artikelen 85, 86 lid 5, 88, 89, 183 lid 3, 194, 196 lid 2, 197 en 198 van Boek 2 zijn vanaf het tijdstip van inwerkingtreding van Boek 2 mede van toepassing op een vruchtgebruik van en een pandrecht op aandelen, gevestigd voor dat tijdstip.

Art. 52. 1. Ten aanzien van een op het tijdstip van in werking treden van Boek 2 bestaande naamloze vennootschap of besloten vennootschap met beperkte aansprakelijkheid zijn, tenzij de statuten anders bepalen, de artikelen 105 lid 4, 119, 120 leden 1 en 3, 216 lid 4, 229 en 230 leden 1 en 3 van Boek 2 niet van toepassing op feiten die zijn voorgevallen voordat hetzij drie jaren na dat tijdstip zijn verstreken hetzij de statuten zijn gewijzigd in verband met een omzetting als bedoeld in de artikelen 72 of 180 van Boek 2.

2. Een opgaaf, voor het tijdstip van inwerkingtreding der wet gedaan ter nakoming van artikel 52c, eerste lid, van het Wetboek van Koophandel, geldt voor de toepassing van artikelen 154 en 264 van Boek 2 als een opgaaf gedaan krachtens artikel 153, lid 1, onderscheidenlijk artikel 263 lid 1 van Boek 2.

3. Ten aanzien van een naamloze vennootschap of besloten vennootschap met beperkte aansprakelijkheid waarop ingevolge artikel XVIII van de Wet van 2 juli 1928 (Stb. 216) of artikel VI van de Wet van 3 mei 1971 (Stb. 286) voor het tijdstip van in werking treden van Boek 2 artikel 48a, tweede lid, van het Wetboek van Koophandel niet van toepassing of van overeenkomstige toepassing was, is na dat tijdstip artikel 133 lid 2, onderscheidenlijk artikel 243 lid 2 van Boek 2 niet van toepassing noch van overeenkomstige toepassing.

Art. 53. 1. Een pensioen- of spaarfonds waarop de Pensioen- en spaarfondsenwet van toepassing is en dat op het tijdstip van in werking treden van Boek 2 reeds rechtspersoon was en niet een vereniging, een onderlinge waarborgmaatschappij, een naamloze vennootschap of een besloten vennootschap met beperkte aansprakelijkheid is, is van dat tijdstip af een stichting.

2. Indien de statuten en reglementen van een pensioen- en spaarfonds op een daartoe aan Onze Minister van Sociale Zaken en Volksgezondheid voor het tijdstip van in werking treden van Boek 2 gedaan verzoek na dat tijdstip worden goedgekeurd, wordt het fonds, indien het ten tijde van de goedkeuring niet reeds rechtspersoon was, daardoor een stichting.

Art. 54. 1. Een op het tijdstip van in werking treden van Boek 2 bestaande instelling van weldadigheid als bedoeld in de Rompwet Instellingen van weldadigheid is vanaf dat tijdstip een stichting, tenzij de instelling op dat tijdstip een vereniging, een zelfstandig onderdeel van een kerkgenootschap, of een ziekenfonds in de zin van artikel 1 van de Ziekenfondswet was.

2. De rechtbank kan in afwijking van artikel 294 lid 2 van Boek 2 ook wijziging brengen in het doel of de doelomschrijving van een in het vorige lid genoemde stichting, indien de statuten die wijziging hebben uitgesloten.

Art. 55. 1. Een instelling, waarvan het vermogen bestaat uit goederen, als bedoeld zijn in artikel 1 van de Wet van 29 oktober 1892 (Stb. 240), is vanaf het tijdstip van in werking treden van Boek 2 een stichting.

2. De rechtbank kan in afwijking van artikel 294 lid 2 van Boek 2 ook wijziging brengen in het doel of de doelomschrijving van een in het vorige lid genoemde stichting, indien de statuten die wijziging hebben uitgesloten.

Art. 56. Het fonds waarop van toepassing is de Wet tot invoering van een leeftijdsgrens voor het notarisambt en oprichting van een notarieel pensioenfonds (Wet van 16 september 1954, Stb. 407), is vanaf het tijdstip van in werking treden van Boek 2 een stichting.

Art. 57. 1. Ontbreekt een notariële akte van oprichting van een in de artikelen 53-56 genoemde stichting dan wel van een kerkelijke stichting of voldoet die akte niet aan de vereisten van artikel 286 lid 2, eerste en derde zin, en de leden 3 en 4 van Boek 2, dan is het bestuur verplicht alsnog een notariële akte te doen verlijden die aan deze vereisten voldoet. Een authentiek afschrift van deze akte moet door het bestuur worden neergelegd ten kantore van het register bedoeld in artikel 289 lid 1 van Boek 2.

2. Iedere bestuurder is voor een rechtshandeling, waardoor hij een zodanige stichting verbindt, naast de stichting hoofdelijk aansprakelijk, indien de rechtshandeling wordt verricht nadat drie jaren sedert het tijdstip van in werking treden van Boek 2 zijn verstreken en voordat aan het eerste lid is voldaan.

3. Indien aan de eerste zin van het eerste lid niet is voldaan en drie jaren na het tijdstip van in werking treden van Boek 2 zijn verstreken, kan de stichting op een daartoe in te stellen vordering van het openbaar ministerie door een beschikking van de rechtbank worden ontbonden.

Art. 58. 1. De instellingen bedoeld in de Koninklijke besluiten van 26 december 1818, Stb. 48, 2 december 1823, Stb. 49, en 12 februari 1829, Stb. 3, zijn stichtingen vanaf het tijdstip van in werking treden van Boek 2.

2. Het bestuur van een in het eerste lid genoemde stichting is verplicht een notariële akte te laten verlijden waarin de statuten zijn opgenomen.

3. De notaris verlijdt deze akte niet voordat Onze Minister van Onderwijs en Wetenschappen heeft verklaard geen bezwaar te hebben tegen de in de akte op te nemen statuten.

4. De akte moet voldoen aan de vereisten van artikel 286 lid 2, eerste en derde zin, en de leden 3 en 4 van boek 2. De tweede zin van artikel 57 lid 1, en de leden 2 en 3 van dat artikel zijn van overeenkomstige toepassing.

5. Totdat aan de verplichting van het tweede lid is voldaan blijven op de stichting van toepassing de in het eerste lid genoemde Koninklijke besluiten, met uitzondering, voor zover op bestuurders betrekking hebbend, van artikel 1,tweede zin, artikel 15, tweede lid, en artikel 26 van het Koninklijk besluit van 2 december 1823.

Art. 59. Bij de inschrijving in het register bedoeld in artikel 289 lid I van Boek 2 van een op het tijdstip van in werking treden van Boek 2 bestaande stichting die is ingeschreven in het openbaar centraal register bedoeld in artikel 7 lid I van de Wet op stichtingen, leggen de bestuurders een authentiek afschrift van de akte van oprichting dan wel een gewaarmerkt exemplaar van de statuten ten kantore van het register neer.

Art. 60. Artikel 289 lid 4 van Boek 2 vindt op de bestuurders van een stichting, als bedoeld in artikel 57, 58 en 59 geen toepassing ten aanzien van rechtshandelingen, verricht voordat drie jaren sedert het in werking treden van Boek 2 zijn verstreken.

Art. 61. Op een stichting ten aanzien waarvan artikel 25 van de Wet op stichtingen van toepassing was doch niet is nageleefd, is artikel 57 van overeenkomstige toepassing, met dien verstande dat de hoofdelijke aansprakelijkheid als bedoeld in het tweede lid ook bestaat voor rechtshandelingen, verricht binnen drie jaren na het tijdstip van in werking treden van Boek 2, en dat de omtbinding als bedoeld in het derde lid ook binnen die termijn kan worden bevorderd.

Art. 62. Een op het tijdstip van in werking treden van Boek 2 als rechtspersoon optredend lichaam dat na 1 januari 1957 is opgericht en waarop de Wet op stichtingen van toepassimg was, doch waarvan de akte van oprichting niet voldoet aan de vereisten van artikel 3 leden 2 en 3 van die wet, is van af dat tijdstip een stichting.

Art. 63. Ten aanzien van op het tijdstip van in werking treden van Boek 2 bestaande stichtingen zijn, tenzij de statuten anders bepalen, de artikelen 291 lid 2 en 292 leden 1-3 van Boek 2 niet van toepassing op feiten die zijn voorgevallen voordat drie jaren na dat tijdstip zijn verstreken.

Art. 64. Ten aanzien van een coöperatieve vereniging en een onderlinge waarborgmaatschappij, waarop de Wet op de jaarrekening van ondernemingen niet van toepassing was, is titel 6 van Boek 2 niet van toepassing op de jaarrekening die betrekking heeft op een boekjaar dat voor het tijdstip van in werking treden van Boek 2 is verstreken.

Art. 65. 1. Ten aanzien van een op het tijdstip van in werking treden van Boek 2 bestaande naamloze vennootschap, besloten vennootschap met beperkte aansprakelijkheid, coöperatieve vereniging of onderlinge waarborgmaatschappij, waarvan geen onderneming in het handelsregister is ingeschreven bij de Kamer van Koophandel in welker rechtsgebied de statutaire zetel gevestigd is, blijft gedurende drie jaren na dat tijdstip de omstandigheid dat de rechtspersoon niet is ingeschreven, buiten beschouwing bij de toepassing van artikel 5 lede 2 en 4 van Boek 2 en de artikelen 31 en 34 van de Handelsregisterwet.

2. Wegens het ontbreken van de in artikel 57 van Boek 2 in verband met artikel 29 lid 4 van Boek 2 of de in artikel 69 lid 2 of artikel 180 lid 2 van Boek 2 bedoelde inschrijving in het handelsregister van een in het eerste lid bedoelde rechtspersoon onstaat geen aansprakelijkheid van een bestuurder als in die bepalingen bedoeld, indien de onderneming van die rechtspersoon op het tijdstip van in werking treden van Boek 2 in het handelsregister was ingeschreven.

3. Ten aanzien van een in het eerste lid bedoelde naamloze vennootschap of besloten vennootschap met beperkte aansprakelijkheid wordt in afwijking van deartikelen 77 en 188 van Boek 2 in de titels 3 en 4 van dat boek onder het kantoor van het handelsregister verstaan het kantoor waar de onderneming van de vennootschap volgens het handelsregister gevestigd is totdat hetzij de inschrijving van de rechtspersoon is geschied hetzij drie jaren na het in werking treden van Boek 2 zijn verstreken.

Art. 66. 1. Gedingen waarin de inleidende dagvaarding is betekend dan wel het inleidende verzoekschrift is ingediend voor het tijdstip van in werking treden van Boek 2, worden geheel afgedaan met toepassing van de voorschriften van procesrechtelijke aard, die voor dat tijdstip golden.

2. Het in het vorige lid bepaalde geldt ook voor de afdoening van een eis of verzoek, in het geding bij wege van reconventie gedaan.

Art. 67. In zaken waarin het openbaar ministerie een vordering doet op grond van het in deze titel bepaalde zijn de twaalfde titel van het eerste boek en de tiende titel van het derde boek van het Wetboek van Burgerlijke Rechtsvordering van toepassing.

OINBW elfde gedeelte:
In de Overgangswet nieuw Burgerlijk Wetboek worden na artikel 67 de volgende titels en artikelen opgenomen:

TITEL 3
Algemene overgangsbepalingen in verband met de Boeken 3-8

Wet: Boeken 3-8

Art. 68. *In de volgende artikelen worden onder* de wet *verstaan de in werking getreden bepalingen van de Boeken 3-8.*

Onmiddellijke werking

Art. 68a. *1. Van het tijdstip van haar in werking treden af is de wet van toepassing, indien op dat tijdstip is voldaan aan de door de wet voor het intreden van een rechtsgevolg gestelde vereisten, tenzij uit de volgende artikelen iets anders voortvloeit.*

Voortbestaan oud recht

2. Voor zover en zolang op grond van de volgende artikelen de wet niet van toepassing is, blijft het vóór haar in werking treden geldende recht van toepassing.

Eerbiediging van bestaan en niet bestaan van absolute en relatieve vermogensrechten

Art. 69. *Wanneer de wet van toepassing wordt, heeft dat niet tot gevolg dat alsdan:*
a. iemand het vermogensrecht verliest dat hij onder het tevoren geldende recht had verkregen;
b. een schuld op een ander overgaat;
c. het bedrag van een vordering wordt gewijzigd;
d. een vorderingsrecht ontstaat, indien alle feiten die de wet daarvoor vereist, reeds voordien waren voltooid;
e. een goed met een beperkt recht wordt belast.

Contractuele verwijzing naar oude wet

Art. 71. *Een beding dat naar een vóór het in werking treden van de wet geldend wetsartikel verwijst of de zakelijke inhoud van zo'n artikel weergeeft wordt geacht een verwijzing naar of een weergave van de wet in te houden, tenzij zulks niet in overeenstemming zou zijn met de strekking van het beding.*

Aanvang en duur van termijnen (korter dan een jaar)

Art. 72. 1. Indien de wet een verjarings- of vervaltermijn op korter dan een jaar stelt, en die termijn overeenkomstig het in de wet bepaalde vóór het tijdstip van haar in werking treden zou aanvangen, dan wordt deze aanvang verschoven naar het tijdstip van het in werking treden van de wet.

2. Strekt de termijn tot vervanging van een termijn die door het tevoren geldende recht werd gesteld, dan eindigt de nieuwe termijn uiterlijk op het tijdstip waarop de vervangen termijn zou zijn voltooid.

Aanvang en duur van termijnen (langer dan een jaar)

Art. 73. 1. Indien de wet een verjarings- of vervaltermijn op een jaar of langer stelt, en die termijn overeenkomstig het in de wet bepaalde vóór het tijdstip van haar in werking treden aanvangt, dan is het in de wet bepaalde omtrent aanvang, duur en aard van die termijn tot een jaar na dat tijdstip niet van toepassing.

2. De nieuwe termijn wordt geacht niet vóór afloop van dat jaar te zijn voltooid.

Termijn bij inwerkingtreding reeds verstreken

Art. 73a. 1. In afwijking van de artikelen 72 en 73 kan een bevoegdheid die de wet toekent, niet meer worden uitgeoefend, indien de daarvoor bij de wet gestelde termijn reeds op het tijdstip van haar in werking treden is verstreken en een bevoegdheid van gelijke aard onder het tevoren geldende recht niet bestond.

2. Was de termijn waarbinnen volgens het tevoren geldende recht een recht of bevoegdheid moest zijn uitgeoefend, reeds verstreken op het in lid 1 bedoelde tijdstip, dan brengt de wet die een recht of bevoegdheid van gelijke aard toekent, in het rechtsgevolg van de verjaring of het verval geen verandering.

Lopende procedures

Art. 74. 1. Het van toepassing worden van de wet heeft geen gevolg voor de bevoegdheid van de rechter voor wie voordien een geding is aangevangen, noch voor de aard van dat geding en voor de rechtsmiddelen tegen de uitspraak.

2. In gedingen als bedoeld in lid 1 bepaalt de rechter op verzoek van een der partijen of ambtshalve een termijn waarbinnen partijen de gelegenheid wordt geboden hun stellingen en conclusies voor zover nodig aan te passen aan de wet of aan deze of een der volgende titels. Stelt de rechter partijen tot een zodanige aanpassing in de gelegenheid, dan staat tegen die beslissing geen rechtsmiddel open; wijst de rechter een daartoe strekkend verzoek af, dan staat een rechtsmiddel daartegen slechts gelijktijdig met de einduitspraak open.

3. Het tevoren geldende recht blijft van toepassing, indien een geding als bedoeld in lid 1, in hoogste feitelijke instantie in staat van wijzen verkeert op het tijdstip waarop de wet van toepassing wordt, tenzij de rechter tot voortzetting van het geding beslist.

4. In een geding ter zake van een cassatieberoep tegen een, vóór het van toepassing worden van de wet tot stand gekomen, uitspraak blijft het voordien geldende recht van toepassing. Dit geldt mede voor de verdere behandeling van de zaak door het gerecht waarnaar na cassatie is verwezen, tenzij de zaak als gevolg van de cassatie door dat gerecht in haar geheel opnieuw moet worden behandeld.

Open norm

Art. 75. 1. De wet blijft, ook buiten de in deze en de volgende titels geregelde gevallen, buiten toepassing in zaken van overgangsrecht, indien de gelijkenis met zulke gevallen daartoe noopt of indien die toepassing onder de gegeven omstandigheden naar maatstaven van redelijkheid en billijkheid onaanvaardbaar zou zijn.

2. Van de artikelen 69—73a wordt, behalve in de volgende titels, afgeweken op dezelfde gronden als in het vorige lid aangegeven.

TITEL 4
Overgangsbepalingen in verband met Boek 3

Hulpzaken: beslag en executie

Art. 76. Zaken die tot aan het tijdstip van het in werking treden van de wet onroerend door bestemming waren en als zodanig waren begrepen in een beslag of executie, blijven, indien de wet hen als roerend aanmerkt, ook nadien daaronder begrepen en gelden als onroerend zolang het beslag of de executie duurt, doch slechts tot aan de levering aan de koper.

Hulpzaken: conversie recht van hypotheek in pandrecht

Art. 77. Op roerende zaken die tot aan het tijdstip van het in werking treden van de wet onroerend door bestemming waren en als zodanig aan hypotheek waren onderworpen, rust van dat tijdstip af een pandrecht. Het pandrecht komt na dat tijdstip mede te rusten op roerende zaken die als onroerend door bestemming onder het tevoren geldende recht aan die hypotheek zouden zijn onderworpen. Met betrekking tot de zaken, in de eerste en tweede zin genoemd, wordt geacht het in artikel 254 lid 1 van Boek 3 bedoelde beding te zijn gemaakt. Het pandrecht op de in de eerste zin bedoelde zaken werkt tegen de, vóór het in werking treden van de wet ontstane, rechten en vorderingen, waartegen de hypotheek kon worden ingeroepen; met betrekking tot de rangorde geldt het als gevestigd op het tijdstip waarop de zaak met hypotheek werd belast.

Ingeschreven feiten (fictie)

***Art. 78.** 1. Feiten die op het tijdstip van het in werking treden van de wet kenbaar zijn uit de openbare registers voor registergoederen uit een in- of overschrijving voordien of uit een voordien door de bewaarder geplaatste aantekening, gelden voor de toepassing van de wet als feiten die overeenkomstig afdeling 2 van titel 1 van Boek 3 zijn ingeschreven, tenzij die feiten nadien niet meer hadden kunnen worden ingeschreven.*

2. Artikel 21 van Boek 3 heeft geen invloed op de rangorde van rechten die reeds vóór het in werking treden der wet bestonden.

3. De artikelen 24 lid 1, 25 en 26 van Boek 3 worden eerst drie jaren na het tijdstip van het in werking treden van de wet van toepassing met betrekking tot een voor inschrijving vatbaar feit dat vóór dat tijdstip is geschied.

Geldige rechtshandeling

***Art. 79.** Tenzij anders is bepaald, wordt een rechtshandeling die is verricht voordat de wet daarop van toepassing wordt, niet nietig of vernietigbaar ten gevolge van een omstandigheid die de wet, in tegenstelling tot het tevoren geldende recht, aanmerkt als een grond van nietigheid of vernietigbaarheid.*

Vernietigbare rechtshandeling

***Art. 80.** 1. Een rechtshandeling die vernietigbaar was tot aan het tijdstip waarop de wet op haar van toepassing wordt, kan van dat tijdstip af niet langer worden vernietigd op grond van het gebrek dat haar tevoren aankleefde, indien de wet een zodanig gebrek niet aanmerkt als een grond van vernietigbaarheid.*

2. Een rechtshandeling als bedoeld in lid 1, wordt op het daar genoemde tijdstip met terugwerkende kracht nietig, indien de wet een rechtshandeling met hetzelfde gebrek als nietig aanmerkt.

Nietige rechtshandeling

***Art. 81.** 1. Een nietige rechtshandeling wordt op het tijdstip waarop de wet op haar van toepassing wordt, met terugwerkende kracht tot een onaantastbare bekrachtigd, indien zij heeft voldaan aan de vereisten die de wet voor een zodanige rechtshandeling stelt.*

2. Een tevoren nietige rechtshandeling geldt van dat tijdstip af als vernietigbaar, indien de wet het gebrek dat haar aankleeft, als grond van vernietigbaarheid aanmerkt. Artikel 73a lid 1 is alsdan niet van toepassing, indien het tevoren geldende recht een beroep op de nietigheid niet aan een bepaalde termijn bond.

3. De vorige leden gelden slechts, indien alle onmiddellijk belanghebbenden die zich op de nietigheid hadden kunnen beroepen, de handeling voordien als geldig hebben aangemerkt. Inmiddels verkregen rechten van derden behoeven aan bekrachtiging niet in de weg te staan, mits zij worden geëerbiedigd.

Bevoegdheid tot inroepen vernietigingsgrond

***Art. 82.** Voor de toepassing van artikel 52 lid 1 onder d van Boek 3 wordt onder een bevoegdheid tot inroeping van een vernietigingsgrond begrepen de bevoegdheid tot het inroepen van een soortgelijke vernietigingsgrond, welke iemand reeds toekwam volgens het recht dat vóór het toepasselijk worden der wet gold.*

Bijzonder volmacht

***Art. 83.** Artikel 62 lid 2 van Boek 3 wordt één jaar na het tijdstip van het in werking treden van de wet van toepassing op een volmacht die op dat tijdstip bestaat.*

Tenietgaan beperkt recht; afstand, vermenging

***Art. 85.** Artikel 81 lid 3 van Boek 3 geldt mede ten aanzien van beperkte rechten die vóór het in werking treden van de wet reeds door afstand en vermenging waren tenietgegaan.*

Conversie eigendom tot zekerheid in pandrecht

***Art. 86.** 1. Op het tijdstip van het in werking treden van de wet gaat een goed dat voor verpanding vatbaar is en aan een ander tot zekerheid is overgedragen, over op degene te wiens laste de zekerheid is gesteld, en wordt het belast met pandrecht ten behoeve van de voormalige eigenaar tot zekerheid.*

2. Van het in lid 1 genoemde tijdstip af heeft het pandrecht de gevolgen van een pandrecht dat naar zijn strekking overeenkomt met de eigendom tot zekerheid zoals die totdien bestond.

3. Het pandrecht werkt tegen de, vóór het in werking treden van de wet ontstane, rechten op het goed en vorderingen, waartegen de eigendom tot zekerheid kon worden ingeroepen. Het geldt met betrekking tot de rangorde als gevestigd op het tijdstip waarop het goed in eigendom tot zekerheid is overgegaan.

4. De schuldeiser aan wie de rechten uit een levensverzekering met afkoopwaarde tot zekerheid waren overgedragen, kan van het tijdstip van het in werking treden van de wet af als pandhouder die verzekering belenen ter hoogte van zijn opeisbare vordering tot aan die waarde op de bij de verzekeraar gebruikelijke voorwaarden.

5. De leden 1—4 zijn niet van toepassing, indien aan de schuldenaar de uitwinning van het tot zekerheid overgedragen goed was aangezegd. Is de schuldeiser zes maanden na dat tijdstip nog niet tot de uitwinning overgegaan, dan worden die leden alsdan van toepassing. Verkeert de schuldenaar op het genoemde tijdstip in staat van faillissement, dan worden die leden eerst na afloop daarvan toepasselijk, indien de eigendom tot zekerheid is blijven bestaan.

6. Overeengekomen bedingen worden op het pandrecht van overeenkomstige toepassing, ongeacht of zij aan een na het in werking treden van de wet gevestigd pandrecht kunnen worden verbonden, met uitzondering van bedingen die worden uitgesloten door de artikelen 249—253 van Boek 3.

7. Van het in werking treden van de wet af wordt een alsdan bestaande verbintenis strekkende tot overdracht van een voor verpanding vatbaar goed tot zekerheid, aangemerkt als een verbintenis tot vestiging van een pandrecht. Levering bij voorbaat tot de overdracht van een zodanig goed tot zekerheid, die vóór dat tijdstip is geschied, geldt nadien als levering bij voorbaat tot vestiging van pandrecht daarop.

8. De partijen bij een overeenkomst die tot overdracht van goederen tot zekerheid verplicht, zijn desverlangd jegens elkaar gehouden tot medewerking aan aanpassing van die overeenkomst aan de bepalingen van titel 9 van Boek 3.

Voorwaardelijke verbintenis

Art. 86a. *Is vóór het tijdstip van het in werking treden van de wet een goed ter uitvoering van een voorwaardelijke verbintenis geleverd, dan geldt het als onder dezelfde voorwaarde verkregen.*

Vruchtgebruikregels van overeenkomstige toepassing bij tijdelijk recht

Art. 87. *Op de rechtsverhouding tussen degene die op het tijdstip van het in werking treden van de wet nog voor een bepaalde tijd rechthebbende op een goed is, en hem die na hem verkrijgt, zijn de bepalingen omtrent verbintenissen en bevoegdheden welke uit vruchtgebruik voortvloeien, van overeenkomstige toepassing, voor zover de aard of inhoud van die rechtsverhouding zich daartegen niet verzet.*

Bescherming tegen beschikkingsonbevoegdheid bij gestolen en verloren zaken

Art. 88. *1. Artikel 86 van Boek 3 geldt gedurende een jaar na het tijdstip van het in werking treden van de wet niet voor zaken als bedoeld in het tevoren geldende artikel 2014 eerste lid van het Burgerlijk Wetboek welke vóór dat tijdstip waren ontvreemd. Na afloop van dat jaar wordt artikel 86 lid 3 van dat boek op die zaken van toepassing; alsdan vervalt de in artikel 2014 tweede lid bedoelde bevoegdheid tot terugvordering van de zaken, genoemd onder a en b van die bepaling. Vóór de ontvreemding op een zaak gevestigde beperkte rechten vervallen door haar overgang op de verkrijger.*

2. Artikel 637 van het Burgerlijk Wetboek, zoals dat tot aan het tijdstip van het in werking treden der wet gold, blijft van toepassing met betrekking tot een ontvreemde of verloren zaak die vóór dat tijdstip door een koper te goeder trouw op een jaar- of een andere markt of op een openbare veiling is verkregen.

Conversie eigendomsvoorbehoud in pandrecht

Art. 89. *1. Indien vóór het in werking treden van de wet een eigendomsvoorbehoud is bedongen met betrekking tot een zaak die voor verpanding vatbaar is, wordt de eigendom omgezet in een pandrecht overeenkomstig artikel 237 van Boek 3, voor zover het eigendomsvoorbehoud strekt tot zekerheid van voldoening van andere vorderingen dan die genoemd in artikel 92 lid 2, eerste zin, van dat boek.*

2. Van het in werking treden van de wet af geldt een alsdan bestaande verbintenis tot levering betreffende goederen onder eigendomsvoorbehoud als een zodanige verbintenis onder voorbehoud van een pandrecht overeenkomstig artikel 237 van Boek 3, voor zover het eigendomsvoorbehoud strekt tot zekerheid van voldoening van andere vorderingen dan die genoemd in artikel 92 lid 2, eerste zin, van dat boek.

3. De leden 2, 3, 5, 6 en 8 van artikel 86 zijn van overeenkomstige toepassing.

Cessie (levering)

Art. 90. *Levering van een recht als bedoeld in artikel 668 eerste lid van het Burgerlijk Wetboek zoals dit vóór het tijdstip van het in werking treden van de wet gold, en voltooid vóór dat tijdstip, werkt jegens een persoon tegen wie het moet worden* *uitgeoefend en ten aanzien van wie vóór dat tijdstip volgens artikel 668 tweede lid de overdracht nog geen gevolg had, slechts nadat zij hem overeenkomstig artikel 94 van Boek 3 is medegedeeld.*

Levering registergoed

Art. 91. *1. Voor de levering van een registergoed kan in plaats van een notariële akte een onderhandse akte worden gebezigd, indien die akte is opgesteld en medeondertekend door een persoon, bedoeld in lid 3, en deze persoon dit in het slot der akte heeft verklaard of dit in een door hem ondertekende verklaring aan de voet van de akte heeft bevestigd.*

2. Lid 1 is van overeenkomstige toepassing op de akten, bedoeld in de artikelen 195 lid 1 van Boek 3, 31 lid 1 en 93 lid 2 van Boek 5 en 250 en 252 lid 2 van Boek 6 en 800 van Boek 8.

3. Als een persoon, bedoeld in lid 1, geldt degene op wie artikel II van de Wet van 28 juni 1956, Stb. 376, tot aan het in werking treden van de wet van toepassing was.

4. Onze Minister van Justitie kan uit hoofde van het belang van het rechtsverkeer de bevoegdheid van zulk een persoon schorsen en intrekken; schorsing en intrekking worden in de Nederlandse Staatscourant bekendgemaakt.

5. De voorwaarden en beperkingen, krachtens artikel II tweede lid van de Wet van 28 juni 1956, Stb. 376, destijds bij de ministeriële aanwijzing van een persoon gesteld, blijven van kracht.

Verkrijgende verjaring

Art. 92. *De termijnen genoemd in artikel 99 van Boek 3, lopen bij het toepasselijk worden van dat artikel op goederen die tevoren krachtens artikel 2000 van het Burgerlijk Wetboek niet door verjaring konden worden verkregen, vanaf de stuiting van de verjaring van een rechtsvordering tot beëindiging van het bezit, indien zulk een stuiting voordien had plaats gevonden.*

Overgang van een goed bij bevrijdende verjaring

Art. 93. *Artikel 105 van Boek 3 wordt één jaar na het tijdstip van het in werking treden van de wet van toepassing met betrekking tot degene die alsdan een goed bezit, indien de verjaring van de rechtsvordering tot beëindiging van dat bezit is voltooid; hij wordt geacht dat goed niet vóórdien te hebben verkregen.*

Verlies beperkt recht bij non-uses

Art. 94. *Indien een rechthebbende op het tijdstip van het in werking treden van de wet van zijn beperkte recht geen gebruik maakte en de termijn na afloop waarvan het dientengevolge geheel of ten dele teniet kon gaan, nog liep, wordt artikel 106 van Boek 3 een jaar na dat tijdstip van toepassing.*

Bezit en houderschap

Art. 95. *Bezit en houderschap worden verkregen en verloren op het tijdstip van het in werking treden van de wet, indien de vereisten die de bepalingen van titel 5 van Boek 3 daarvoor stellen, reeds vóór dat tijdstip waren vervuld, doch het toen geldende recht aan de vervulling niet die gevolgen verbond. Op de verplichtingen die uit bezit en houderschap voortvloeien, is van dat tijdstip af, doch alleen voor het vervolg, de wet van toepassing.*

Overdracht goed aan bezitter

Art. 96. *Artikel 121 van Boek 3 vindt mede toepassing met betrekking tot het bezit en het houderschap in het tijdvak dat aan het in werking treden van de wet is voorafgegaan.*

Pand of hypotheek t.b.v. deelgenoten

Art. 100. *Artikel 177 lid 3 van Boek 3 geldt niet voor een recht van pand of hypotheek dat vóór het in werking treden van de wet is gevestigd.*

Verdeling gemeenschap

Art. 101. *Van het tijdstip van haar in werking treden af is de wet van toepassing op de handelingen met betrekking tot verdeling van een gemeenschap, voor zover die nog niet is voltooid en uitsluitend voor het vervolg, behalve indien dit zou nopen tot het ongedaan maken van alsdan reeds in overeenstemming met het voordien geldend recht getroffen maatregelen. De wet wordt niet van toepassing ten aanzien van de onderwerpen waaromtrent vóór het in werking treden van de wet een rechterlijke uitspraak is gevraagd.*

Benoemde onzijdig persoon

Art. 102. *Van het tijdstip van het in werking treden der wet af is artikel 181 van Boek 3 van toepassing op een onzijdig persoon die is benoemd krachtens artikel 1117 van het Burgerlijk Wetboek zoals dat voordien gold, evenwel met handhaving van de voor hem geldende beloning.*

Bijzondere vormen van gemeenschap

Art. 103. *Artikel 194 lid 2 van Boek 3 is niet van toepassing op een in artikel 189 lid 2 van dat boek bedoelde gemeenschap die op het tijdstip van het in werking treden van de wet reeds bestaat.*

Oneigenlijk vruchtgebruik

Art. 104. *1. Artikel 804 van het Burgerlijk Wetboek, zoals dat tot aan het in werking treden van de wet gold, blijft van toepassing met betrekking tot de verbruikbare zaken, die waren begrepen onder een voordien aangevangen vruchtgebruik.*

Bestemd over vruchtgebruik

Art. 105. *Artikel 204 lid 2 van Boek 3 is van toepassing op een bewind dat ten tijde van het in werking treden van de wet bestaat.*

Ernstig tekortschieten vruchtgebruiker

Art. 106. *Artikel 221 van Boek 3 is van toepassing op een vruchtgebruik dat op het tijdstip van het in werking treden van de wet bestaat, ook indien op dat tijdstip de vruchtgebruiker reeds in ernstige mate in de nakoming van zijn verplichtingen is tekortgeschoten.*

Pandrecht ook voor drie jaar rente

Art. 108. *Artikel 244 van Boek 3 geldt voor een pandrecht dat vóór het tijdstip van het in werking treden der wet is gevestigd zonder beperking tot de daar vermelde termijn van drie jaren. De vorige zin is mede van toepassing op een pandrecht dat overeenkomstig artikel 86 of artikel 89 door omzetting van eigendom is ontstaan.*

Pandrecht: bevoegdheid tot parate executie

Art. 109. *Artikel 248 leden 1 en 3 van Boek 3 is van overeenkomstige toepassing op verzuim van een pandgever die niet tevens de schuldenaar is, in de nakoming van de verplichtingen die hij vóór het in werking treden van de wet op zich heeft genomen, voor zover niet artikel 233 van Boek 3 van toepassing is.*

Uitwinning pand

Art. 110. *De artikelen 24952 van Boek 3 zijn niet van toepassing op de uitwinning van een pand, indien vóór het tijdstip van het in werking treden van de wet aan de pandgever de uitwinning van het pand reeds was aangezegd. Artikel 253 van Boek 3 is van toepassing, indien eerst na dit tijdstip het pand wordt verkocht of aan de pandhouder verblijft.*

Gordiaans retentierecht pandhouder

Art. 111. *Artikel 1205, tweede lid, van het Burgerlijk Wetboek, zoals dat tot aan het tijdstip van het in werking treden van de wet gold, blijft van toepassing ten aanzien van schulden die op dat tijdstip bestaan.*

Certificaten

Art. 112. *De houders van certificaten als bedoeld in artikel 259 van Boek 3, welke op het tijdstip van het in werking treden van de wet reeds bestaan, verkrijgen op dat tijdstip een pandrecht overeenkomstig de leden 2 en 3 van dat artikel.*

Overschrijving leveringsakte wegens koop of akte van scheiding

Art. 113. *Indien op het tijdstip van het in werking treden van de wet sinds de overschrijving in de openbare registers van een leveringsakte wegens koop of een akte van scheiding nog geen acht vrije dagen zijn verstreken, blijven de artikelen 1227 en 1228 van het Burgerlijk Wetboek, zoals die voordien golden, van toepassing.*

Rente over vordering tot zekerheid

Art. 114. *Artikel 1229 van het Burgerlijk Wetboek, zoals dat vóór het tijdstip van het in werking treden van de wet gold, blijft van toepassing op bedongen rente over een vordering tot zekerheid waarvan vóór dat tijdstip hypotheek was gevestigd.*

Huurbeding

Art. 115. *1. Op een beding als bedoeld in het tevoren geldende artikel 1230 van het Burgerlijk Wetboek dat vóór 4het tijdstip van het in werking treden van de wet is gemaakt, zijn de leden 4-8 van artikel 264 van Boek 3 gedurende een termijn van drie jaren niet van toepassing.*

2. Artikel 266 van Boek 3 is gedurende een termijn van drie jaren van het tijdstip van het in werking treden van de wet af niet van toepassing op een hypotheek die vóór dat tijdstip is gevestigd.

Lopende openbare verkoop door hypotheekhouder

Art. 116. *Indien een hypotheekhouder vóór het tijdstip van het in werking treden van de wet aan een notaris opdracht heeft gegeven tot de voorbereiding van een openbare verkoop overeenkomstig artikel 1223 tweede lid van het Burgerlijk Wetboek zoals dat voordien luidde, blijft het toen geldende recht op die verkoop van toepassing; zo alsdan de toewijzing ingevolge verkoop na dit tijdstip geschiedt, zijn de artikelen 270-273 van Boek 3 echter wel van toepassing.*

Rangorde bij verdeling opbrengst

Art. 117. *1. De bepalingen van de wet omtrent de rangorde waarin vorderingen uit de opbrengst van een goed moeten worden voldaan, gelden, behoudens het elders bepaalde, mede met betrekking tot vorderingen die op het tijdstip van het in werking treden van de wet bestaan.*

2. De wet is niet van toepassing op de rangorde bij de verdeling van de opbrengst van een goed dat op het tijdstip van haar in werking treden reeds ten behoeve van het verhaal is verkocht, noch op die bij de verdeling van hetgeen op een vordering op dat tijdstip reeds is gèOnd.

3. Het in werking treden van de wet heeft voor de dan bestaande vorderingen geen gevolg ten aanzien van de werking van een surséance van betaling, die voordien aan de schuldenaar voorlopig is verleend.

4. De wet is niet van toepassing op de rang van vorderingen op een in staat van faillissement verklaarde schuldenaar, indien zij in werking treedt nadat de rechter-commissaris overeenkomstig artikel 108 der Faillissementswet de dag heeft bepaald waarop die vorderingen uiterlijk ter verificatie moeten zijn ingediend.

Zaaksvervanging

Art. 118. *Artikel 283 van Boek 3 is niet van toepassing met betrekking tot een vordering tot vergoeding die op het tijdstip van het in werking treden van de wet bestaat.*

Afschaffing voorrechten op bepaalde goederen

Art. 119. *Afschaffing van voorrechten op bepaalde goederen door het in werking treden van de wet heeft geen gevolg voor een voorrecht dat voordien reeds krachtens artikel 1185 onder 3° van het Burgerlijk Wetboek, zoals dat tevoren gold, aan een vordering was verbonden. De voordien geldende artikelen 1190 en 1192a van het Burgerlijk Wetboek blijven van toepassing. Het voorrecht heeft voorrang boven een pandrecht dat is gevestigd overeenkomstig artikel 237 van Boek 3, of dat, ingevolge artikel 86 lid 2 of 89 lid 1, de gevolgen van een zodanig pandrecht heeft.*

Art. 119a. *1. Ter zake van de rechtsvordering tot vergoeding van schade die een gevolg is van verontreiniging van lucht, water of bodem, eindigt de termijn van vijf jaren bedoeld in artikel 310 lid 1 van Boek 3 niet vóór 1 januari 1997.*

2. In afwijking van artikel 73 is artikel 310 lid 2 van Boek 3 van toepassing vanaf het tijdstip waarop het in werking treedt.

3. Wat voor de gebeurtenissen bedoeld in artikel 310 lid 3 van Boek 3 is bepaald, geldt ook indien de gebeurtenis is aangevangen of voorgevallen vóór het tijdstip waarop dat lid in werking treedt.

Stuiting verjaring

Art. 120. *Over het tijdvak vóór het in werking treden van de wet wordt een verjaring waarop de wet van toepassing is, geacht te zijn gestuit door een oorzaak die volgens het tevoren geldende recht stuiting tot gevolg had.*

Aanvang en duur van verjaringstermijn bij verlenging

Art. 121. *1. In afwijking van artikel 73 worden aanvang en duur van een verjaringstermijn door de wet bepaald in de gevallen waarin de verjaring overeenkomstig artikel 320 van Boek 3 bij of een jaar na het in werking treden van de wet wordt verlengd.*

2. De artikelen 2023-2029 van het Burgerlijk Wetboek, zoals die tot aan het in werking treden van de wet golden, blijven gedurende een jaar nadien van toepassing op de gevallen waarin zij totdien toepasselijk waren, tenzij er een grond tot verlenging der verjaring overeenkomstig artikel 321 van Boek 3 bestaat. Na afloop van dat jaar wordt de verjaring geacht nimmer geschorst te zijn geweest.

Tenietgaan pand- en hypotheekrecht

Art. 122. *Van het tijdstip van het in werking treden der wet af geldt artikel 323 leden 1 en 2 van Boek 3, voor zover een pand- of hypotheekrecht niet reeds eerder teniet was gegaan.*

Tenuitvoerlegging uitspraak

Art. 123. *Vanaf een jaar na het verstrijken van het tijdstip van het in werking treden der wet gelden de artikelen 324 en 325 van Boek 3 mede, indien de in artikel 324 bedoelde rechterlijke of arbitrale uitspraak vóór dat tijdstip is gevallen.*

Verjaring

Art. 124. *Artikel 2010 van het Burgerlijk Wetboek, zoals dat tevoren gold, blijft van toepassing indien na het in werking treden van de wet een beroep wordt gedaan op verjaring ingevolge een van de tevoren geldende artikelen 2005 tot en met 2008 van het Burgerlijk Wetboek.*

TITEL 6
Overgangsbepalingen in verband met Boek 5

Oude zakelijke rechten: registergoederen

Art. 150. *1. Op het tijdstip van het in werking treden van de wet nog bestaande zakelijke rechten, die niet waren geregeld in het Burgerlijk Wetboek zoals dat voordien gold en die krachtens artikel 1 van de Wet van 16 mei 1829, Stb. 29, zijn gehandhaafd, worden registergoederen.*

2. Het bestaan van een recht als bedoeld in lid 1 kan worden ingeschreven in de openbare registers, bedoeld in afdeling 2 van titel 1 van Boek 3. Op het ontbreken van de inschrijving en op inschrijfbare feiten die vóór het in werking treden van de wet zijn voorgevallen, en die betreffen rechten die niet uit de openbare registers kenbaar zijn, is artikel 24 lid 1 van Boek 3 niet van toepassing.

Grondrente; beklemming

3. Op deze rechten, alsmede op grondrenten en rechten van beklemming en van altijddurende beklemming blijven de regels van toepassing die voor hen golden vóór het in werking treden van de wet, voor zover uit de bepalingen omtrent registergoederen niet anders voortvloeit.

4. Een recht van aanwas geldt als eigendom van de bodem waarop het rust; degene die tot aan het in werking treden van de wet eigenaar van de stroom boven die bodem was, verkrijgt een beperkt recht op de bodem, dat de hem voordien toekomende bevoegdheden met betrekking tot de stroom inhoudt.

5. De overige in dit artikel bedoelde rechten gelden met inachtneming van hun bijzondere aard als beperkte rechten op de zaak waarop zij rusten.

6. De rechter kan op vordering van de eigenaar van de zaak waarop een in dit artikel bedoeld beperkt recht rust, de inhoud van dat recht wijzigen, indien het ongewijzigd voortbestaan in strijd is met het algemeen belang, alsook op grond van omstandigheden welke van dien aard zijn dat naar maatstaven van redelijkheid en billijkheid ongewijzigde instandhouding niet van de eigenaar kan worden gevergd. De rechter kan de vordering toewijzen onder door hem te stellen voorwaarden; hij houdt geen rekening met omstandigheden die zich vóór het in werking treden van de wet hebben voorgedaan.

7. De leden 1-5 gelden niet voor grafrechten, zoals geregeld in de Wet op de lijkbezorging.

Gevonden zaken

Art. 151. *1. De artikelen 5-12 van Boek 5 gelden van het tijdstip van het in werking treden der wet af met betrekking tot roerende zaken die iemand vóór dat tijdstip als onbeheerd heeft gevonden en tot zich genomen.*

2. De verplichtingen van de vinder bedoeld in artikel 5 lid 1 van Boek 5 gelden evenwel niet met betrekking tot niet kostbare zaken die de vinder langer dan een jaar vóór dat tijdstip heeft gevonden en tot zich genomen.

3. Een jaar na het tijdstip van het in werking treden van de wet verkrijgt de vinder die de zaak alsdan in zijn macht heeft, de eigendom daarvan, indien hij vóór het genoemde tijdstip de in artikel 5 lid 1 van Boek 5 omschreven aangifte of mededeling heeft gedaan of deze ingevolge het vorige lid achterwege mocht laten; ten aanzien van de vinder geldt hetzelfde, indien een gemeente de zaak in haar macht heeft.

4. Artikel 86 van Boek 3 geldt gedurende een jaar na het in werking treden van de wet niet voor zaken als bedoeld in het tevoren geldende artikel 2014 eerste lid van het Burgerlijk Wetboek welke vóór dat tijdstip waren verloren, behalve indien zij tijdens dat jaar overeenkomstig titel 2 van Boek 5 door de burgemeester van een gemeente zijn verkocht of aan een derde zijn overgedragen. Na afloop van dat jaar vervalt de in artikel 2014 tweede lid bedoelde bevoegdheid tot terugvordering van verloren zaken. Vóór het verlies op een zaak gevestigde beperkte rechten vervallen door haar overgang op de verkrijger.

5. De rechtspositie van de vinder die vóór het tijdstip van het in werking treden van de wet overeenkomstig artikel 7 van Boek 5 heeft gehandeld, gaat op dat tijdstip met de daaraan verbonden verplichtingen over op degene aan wie hij de zaak heeft afgegeven; een recht op beloning ontstaat niet.

6. De leden 1-5 zijn niet van toepassing op gevonden voorwerpen waarmee reeds vóór het in werking treden van de wet is gehandeld overeenkomstig de Wet op de strandvonderij, het Algemeen Reglement voor het vervoer op de spoorwegen of het Postbesluit.

Schatvinding

Art. 152. *De verplichting genoemd in artikel 13 van Boek 5 geldt niet, indien de schat langer dan een jaar vóór het in werking treden van de wet is ontdekt.*

Art. 153. Op het tijdstip van het in werking treden van de wet verliest degene die totdien eigenaar van een zaak was, de eigendom daarvan, indien de in artikel 19 van Boek 5 genoemde feiten op dat tijdstip waren voltooid.

Verlies van dieren

Art. 154. Van het tijdstip van het in werking treden van de wet af is degene die totdien eigenaar van een water was, eigenaar van de bodem onder dat water. Een beperkt recht op zulk een water komt alsdan op die bodem te rusten.

Eigendom (bodem onder) water

Art. 156. Uitbreiding van de territoriale zee na het in werking treden van de wet zal niet tot gevolg hebben dat de eigendom van haar bodem de alsdan daarmede duurzaam verenigde gebouwen en werken zal gaan omvatten.

Territoriale zee

Art. 157. Van drie jaren na het tijdstip van het in werking treden van de wet af bepalen de artikelen 29 en 34 van Boek 5 wie alsdan eigenaar is van de stroken grond langs de oeverlijn van een water, tenzij vóór dat tijdstip de grens bij delimitatieovereenkomst is vastgelegd of nadien artikel 31 van dat boek toepassing heeft gevonden, dan wel een vordering tot vastlegging als bedoeld in artikel 32 van dat boek is ingesteld. Artikel 30 van Boek 5 is van overeenkomstige toepassing op de vastlegging van een grens door een delimitatieovereenkomst die vóór het in werking treden van de wet is gesloten.

Oeverlijn

Art. 158. Artikel 35 van Boek 5 is niet van toepassing op uitbreiding van een duin ten gevolge van overstuiving door de wind vóór het in werking treden van de wet.

Duinvorming

Art. 159. Van haar in werking treden af, doch alleen voor het vervolg, gelden de bepalingen der wet voor de verplichtingen uit het burenrecht.

Burenrecht

Art. 160. Het in werking treden van de wet brengt geen wijziging in de rechten, bevoegdheden en verplichtingen met betrekking tot een buurweg welke voordien is ontstaan; artikel 24 lid 1 van Boek 3 is niet van toepassing op de bestemming tot zulk een buurweg.

Buurweg

Art. 161. De eigenaar van een erf is, tenzij een beperkt recht iets anders meebrengt, verplicht op vordering van een nabuur de ten tijde van het in werking treden van de wet bestaande toestand in overeenstemming te brengen met hetgeen waarop die nabuur nadien op grond van titel 4 van Boek 5 aanspraak kan maken. Is die toestand echter in overeenstemming met het voordien geldende recht, dan kan de eigenaar van het erf verlangen dat de wijziging niet wordt aangebracht dan op kosten van de nabuur en tegen vooraf door deze te betalen of te verzekeren schadevergoeding.

Verplichtingen eigenaar erf

Art. 162. Bij het in werking treden van de wet bestaat mandeligheid, indien alsdan reeds is voldaan aan de vereisten die artikel 60 van Boek 5 aan het ontstaan daarvan stelt. Op dat tijdstip is een scheidsmuur, een hek of een heg gemeenschappelijk eigendom en mandelig, indien alsdan aan de vereisten daarvoor volgens artikel 62 van Boek 5 is voldaan.

Mandeligheid

Art. 163. Indien vóór het in werking treden van de wet een erfdienstbaarheid door bestemming of herleving is ontstaan, kan dit ontstaan worden ingeschreven in de openbare registers, bedoeld in afdeling 2 van titel 1 van Boek 3. Op het ontbreken van de inschrijving en op inschrijfbare feiten die vóór het in werking treden van de wet zijn voorgevallen, en die betreffen rechten die niet uit de openbare registers kenbaar zijn, is artikel 24 lid 1 van Boek 3 niet van toepassing.

Erfdienstbaarheid

Art. 164. Indien een erf vóór het in werking treden van de wet aan twee of meer personen, hetzij als deelgenoten, hetzij als eigenaars van verschillende gedeelten daarvan, toebehoort, wordt artikel 77 lid 1 van Boek 5 op hen van toepassing met betrekking tot geldelijke verplichtingen die na het in werking treden van de wet ontstaan.

Geldelijke verplichtingen mede-eigenaren erf

Art. 165. Een erfdienstbaarheid die op het tijdstip van het in werking treden van de wet reeds bestond, kan niet uit hoofde van artikel 78 van Boek 5 worden opgeheven. In geval van een vordering tot wijziging houdt de rechter geen rekening met omstandigheden die zich vóór dat tijdstip hebben voorgedaan.

Wijziging, opheffing erfdienstbaarheid

Erfpacht

Art. 166. Op een erfpacht, aangevangen vóór het tijdstip van het in werking treden van de wet, blijft artikel 766 van het vóór dat tijdstip geldende Burgerlijk Wetboek van overeenkomstige toepassing; de opzegging moet echter bij exploit geschieden.

Opzegging, afstand erfpacht

Art. 167. Een erfpachter kan een erfpacht die op het tijdstip van het in werking treden van de wet bestaat, slechts opzeggen voor zover hij naar het voordien geldende recht tot opzegging of eenzijdige afstand zou zijn bevoegd geweest. Artikel 88 van Boek 5 is van toepassing, behalve voor zover een andere termijn voor de opzegging of afstand was bedongen.

Meer erfpachters

Art. 168. Indien een erfpacht vóór het in werking treden van de wet aan twee of meer personen, hetzij als deelgenoten, hetzij als eigenaars van verschillende gedeelten van de zaak, toebehoort, wordt artikel 92 lid 1 van Boek 5 voor het eerst van toepassing met betrekking tot de eerste canon die na het in werking treden van de wet wordt verschuldigd.

Wijziging, opheffing erfpacht

Art. 169. Een erfpacht die op het tijdstip van het in werking treden van de wet reeds bestond, kan niet uit hoofde van artikel 97 lid 1 van Boek 5 worden opgeheven. In geval van een vordering tot wijziging houdt de rechter geen rekening met omstandigheden die zich vóór dit tijdstip hebben voorgedaan.

Art. 170. Artikel 99 van Boek 5 is niet van toepassing op een erfpacht die ten tijde van het in werking treden van de wet bestaat.

Recht van opstal

Art. 171. De artikelen 166-169 zijn van overeenkomstige toepassing op een recht van opstal in dezelfde gevallen waarin die artikelen op een recht van erfpacht van toepassing zijn en voor zover het opstalrecht aan de daar bedoelde regels voor erfpacht is onderworpen.

Appartementsrechten; splitsing

Art. 172. 1. Artikel 110 van Boek 5 is, te rekenen vanaf het in werking treden van de wet, mede van toepassing op een splitsing die voordien heeft plaatsgevonden.

2. Voor zover de bepalingen van de akte van splitsing in appartementsrechten, het reglement bedoeld in artikel 111 onder d van Boek 5 daaronder begrepen, van een vereniging van eigenaars op het tijdstip van in werking treden van de wet afwijken van het bepaalde in afdeling 2 van titel 9 van dat boek, is dat laatste gedurende drie jaren na dat tijdstip niet van toepassing op die vereniging van eigenaars.

Nog niet voltooide vereffening

3. Op de vereffening van het vermogen van een vereniging van eigenaars, die nog niet is voltooid op het tijdstip van het in werking treden van de wet, zijn de artikelen 23-24 van Boek 2 van het Burgerlijk Wetboek met inachtneming van artikel 147 leden 2-4 van Boek 5 van toepassing, behalve voor zover dat zou nopen tot het ongedaan maken van alsdan reeds in overeenstemming met het voordien geldend recht getroffen maatregelen. De wet wordt niet van toepassing ten aanzien van onderwerpen waaromtrent vóór haar in werking treden een rechterlijke uitspraak is gevraagd.

TITEL 7
Overgangsbepalingen in verband met Boek 6

Aansprakelijkheid en schadevergoeding

Art. 173. 1. Is voor de al dan niet toepasselijkheid van de bepalingen der wet omtrent aansprakelijkheid en schadevergoeding beslissend, of een schade vóór of na het in werking treden van de wet is ontstaan, en blijkt dit niet, dan is beslissend, of de schade voor of na het in werking treden van de wet is bekend geworden.

2. De aansprakelijkheid voor schade die is ontstaan of bekend geworden na het in werking treden van de wet, wordt, ook met betrekking tot haar omvang, naar het tevoren geldende recht beoordeeld, indien die schade voortspruit uit dezelfde gebeurtenis als een eerdere door de benadeelde geleden schade waarop dat recht van toepassing was. Hetzelfde geldt voor de aansprakelijkheid wegens iemands overlijden na het tijdstip van het in werking treden van de wet als gevolg van letsel dat vóór dat tijdstip is ontstaan.

Versterking natuurlijke verbintenis

Art. 174. De omzetting van een natuurlijke verbintenis in een rechtens afdwingbare bij een uiterste wilsbeschikking is niet aan de vereisten van artikel 5 van Boek 6 onderworpen, indien deze beschikking vóór het in werking treden van de wet is gemaakt, doch nadien tot uitvoering komt.

Art. 175. 1. De artikelen 10-13 van Boek 6 blijven buiten toepassing, indien vóór het in werking treden van de wet een schuld, al dan niet met de kosten, ten laste van een hoofdelijke schuldenaar of een derde geheel of ten dele is gedelgd voor meer dan het gedeelte dat hem aangaat.

Hoofdelijke gebondenheid

2. De artikelen 6-9 en 14 van Boek 6 zijn niet van toepassing op een vóór het in werking treden van de wet tot stand gekomen borgtocht of bedongen gebondenheid als hoofdelijk medeschuldenaar wie de schuld in zijn verhouding tot de hoofdschuldenaar niet aangaat.

3. Degene die door het tevoren geldende recht naast een ander aansprakelijk werd gesteld en aan wie deswege op die ander een verhaalsrecht toekwam, kan dat verhaalsrecht ook uitoefenen, indien zijn schuld pas na het in werking treden van de wet te zijnen laste wordt voldaan en de wet hem geen verhaalsrecht toekent.

Art. 176. Is een prestatie die aan twee of meer schuldeisers is verschuldigd, vóór het tijdstip van het in werking treden van de wet nog niet geheel of ten dele betaald, dan is afdeling 3 van titel 1 van Boek 6 daarop van toepassing, tenzij vóór het tijdstip betaling is gevorderd.

Pluraliteit van schuldeisers

Art. 177. Het in werking treden van de wet doet de vorderingen bedoeld in de artikelen 33, 36 en 42 van Boek 6 ontstaan, indien alsdan aan de in die artikelen gestelde vereisten is voldaan en het tevoren geldende recht niet een zodanige vordering toekende. De termijn van verjaring van die vorderingen wordt gerekend te zijn begonnen op het tijdstip waarop de in die artikelen bedoelde vereisten waren vervuld, doch hij wordt niet voltooid voordat een jaar na het in werking treden is verstreken.

Nakoming

Art. 178. Artikel 41, aanhef en onderdeel b, van Boek 6 geldt niet voor verbintenissen tot aflevering van een naar de soort bepaalde zaak, die voortvloeien uit een rechtshandeling welke vóór het in werking treden van de wet is ontstaan.

Plaats van aflevering soortzaken

Art. 179. Artikel 50 lid 1 van Boek 6 geldt niet, indien vóór het in werking treden van de wet niet meer dan twee achtereenvolgende kwitanties zijn afgegeven.

Kwitanties

Art. 180. De wet bepaalt van haar in werking treden af of een bevoegdheid tot opschorting van de nakoming van een verbintenis, een retentierecht daaronder begrepen, bestaat.

Opschortingsrecht

Art. 181. Op een aanbod van gerede betaling of een bewaargeving, verricht vóór het in werking treden van de wet en met inachtneming van de toen geldende artikelen 1440-1448 van het Burgerlijk Wetboek, zijn de artikelen 66-71 van Boek 6 niet van toepassing.

Aanbod van gerede betaling; bewaargeving

Art. 182. Indien een schuldenaar vóór het in werking treden van de wet in de nakoming van zijn verbintenis is tekortgeschoten, is op de gevolgen van de tekortkoming de wet niet van toepassing, ook niet indien de tekortkoming nadien wordt voortgezet.

Wanprestatie

Art. 183. Artikel 83 van Boek 6 is niet van toepassing op het verstrijken van een termijn als bedoeld onder a van dat artikel, die voortvloeit uit een rechtsverhouding welke vóór het tijdstip van in werking treden van de wet is ontstaan, noch op het niet nakomen van een op dat tijdstip bestaande verbintenis als bedoeld in onderdeel b van dat artikel.

Verzuim van rechtswege

Art. 184. Artikel 130 van Boek 6 geldt niet met betrekking tot een vordering die vóór het tijdstip van in werking treden van de wet op een ander was overgegaan, of waarop vóór dat tijdstip beslag was gelegd dan wel een beperkt recht gevestigd.

Verrekening

Art. 185. Tenzij uit de tussen partijen bestaande rechtsverhouding anders voortvloeit, worden de geldvorderingen en geldschulden die vóór het tijdstip van in werking treden van de wet zijn opgenomen in een rekening als bedoeld in artikel 140 van Boek 6, aangemerkt als op dat tijdstip verrekend voor zover dat nog niet eerder was geschied, in de volgorde waarin zij voor schuldvergelijking krachtens het voordien geldende recht waren vatbaar geworden; van dat tijdstip af is alleen het saldo verschuldigd.

Rekening-courant

Tenuitvoerlegging executoriale titel

Art. 186. De bevoegdheid tot tenuitvoerlegging van een executoriale titel terzake van een vordering en haar nevenrechten komt vanaf het tijdstip van het in werking treden van de wet toe aan degene op wie de vordering vóór dat tijdstip is overgegaan, tenzij de vorige rechthebbende reeds maatregelen tot uitoefening van zijn bevoegdheid heeft genomen.

Subrogatie

Art. 187. Het tevoren geldende artikel 1438, aanhef en onder 2°, van het Burgerlijk Wetboek is ook na het in werking treden van de wet van toepassing, indien de koop voordien is gesloten. De hypotheken van schuldeisers in wier rechten de koper is gesubrogeerd, blijven in stand, voor zover dit voor de uitoefening van die rechten door de koper nodig is.

Beperkingen subrogatie, omslag

Art. 188. De artikelen 151 en 152 van Boek 6 zijn niet van toepassing op een subrogatie na het in werking treden van de wet, indien tevoren eveneens reeds subrogatie terzake van dezelfde vordering heeft plaatsgevonden.

Rechtshandeling onder ontbindende voorwaarde; vermenging

Art. 189. Indien vóór het tijdstip van het in werking treden van de wet een rechtshandeling onder ontbindende voorwaarde is verricht, die naar het toen geldende recht het tenietgaan van een verbintenis door vermenging tot gevolg heeft gehad, doet de vervulling van de voorwaarde na dat tijdstip de verbintenis herleven.

Onverschuldigde betaling; ongerechtvaardigde verrijking

Art. 190. Wordt bij het ontstaan van een vordering uit onverschuldigde betaling of ongerechtvaardigde verrijking de rechtsverhouding tussen partijen beheerst door het recht dat vóór het in werking treden van de wet gold, dan worden de afdelingen 2 en 3 van titel 4 van Boek 6 daarop niet van toepassing.

Algemene voorwaarden

Art. 191. 1. Afdeling 3 van titel 5 van Boek 6 is op algemene voorwaarden die op het tijdstip van het in werking treden van de wet reeds door een partij in haar overeenkomsten worden gebruikt, van toepassing nadat een jaar na dit tijdstip is verstreken. Gedurende die termijn is de wet evenmin van toepassing op wijzigingen in die voorwaarden na het in werking treden van de wet.

2. In afwijking van artikel 79 kan een beding in algemene voorwaarden die deel uitmaken van een overeenkomst, na het verstrijken van het in lid 1 bedoelde tijdvak overeenkomstig afdeling 3 van titel 5 van Boek 6 worden vernietigd; deze vernietiging heeft evenwel geen werking over het tijdvak voordat die afdeling van toepassing is geworden, tenzij het beding toen reeds vernietigbaar of nietig was.

Kwantitatieve verplichting

Art. 192. Artikel 78 geldt niet voor een beding als bedoeld in artikel 252 van Boek 6 dat op het tijdstip van het in werking treden van de wet uit de openbare registers kenbaar is; de rechtsgevolgen die artikel 252 en afdeling 2 van titel 1 van Boek 3 aan inschrijving in de openbare registers verbinden, komen slechts toe aan inschrijving na dit tijdstip.

Derdenbeding

Art. 193. De artikelen 253 lid 2 en 254-256 van Boek 6 gelden niet voor een beding ten behoeve van een derde, dat op het tijdstip van het in werking treden van de wet reeds bestaat.

Verweermiddel ondergeschikte;

Art. 194. Van het tijdstip van het in werking treden van de wet af is artikel 257 van Boek 6 van toepassing op een ondergeschikte wiens gedraging vóór dat tijdstip tot aansprakelijkheid heeft geleid.

Wijziging, ontbinding overeenkomst

Art. 195. In geval van een vordering tot wijziging of ontbinding van een overeenkomst als bedoeld in de artikelen 258 en 259 van Boek 6 houdt de rechter bij de toepassing van die artikelen geen rekening met een wijziging in de omstandigheden die zich vóór het in werking treden van de wet heeft voorgedaan.

TITEL 8
Overgangsbepalingen in verband met Boek 7

Koop en ruil

Art. 196. 1. Op overeenkomsten van koop en ruil die vóór het tijdstip van het in werking treden van de wet zijn gesloten, wordt titel 1 van Boek 7 een jaar na dat tijdstip van toepassing.

2. In afwijking van lid 1 worden de bepalingen van titel 1 van Boek 7 omtrent consumentenkoop niet van toepassing op een consumentenkoop die vóór dat tijdstip is gesloten.

3. In afwijking van de leden 1 en 2 is titel 1 van Boek 7 van toepassing op de gevolgen van niet nakoming in het geval dat een der partijen na het in werking treden van de wet in de nakoming van een van haar verbintenissen tekortschiet, tenzij dat tekortschieten een voortzetting van een eerdere tekortkoming is. Afdeling 8 van titel 1 van Boek 7 is van toepassing op het recht van reclame dat na het in werking treden van de wet wordt uitgeoefend; is het voordien uitgeoefend, dan blijft het tevoren geldende recht daarop van toepassing.

4. Artikel 7 van Boek 7 is slechts van toepassing op de gevolgen van toezending van een zaak die na het in werking treden van de wet geschiedt.

Lastgeving

Art. 210. *Artikel 407 van Boek 7 is niet van toepassing op een overeenkomst van lastgeving die vóór 1 januari 1992 is gesloten.*

Art. 211. *1. Op agentuurovereenkomsten die zijn tot stand gekomen vóór 1 november 1989, blijft het totdien geldende recht tot 1 januari 1994 van toepassing.*

2. Bij de bepaling van de vergoeding bedoeld in artikel 442 van Boek 7 wordt de hogere waarde die de handelsagent aan de principaal heeft verschaft in de periode vóór 1 januari 1971, buiten beschouwing gelaten, indien de agentuurovereenkomst vóór 1 januari 1994 eindigt.

3. De artikelen III van de wet van 23 maart 1977, Stb. 153, en II van de wet van 5 juli 1989, Stb. 312, vervallen.

Borgtocht

Art. 220. *1. De afdelingen 1 en 2 van titel 14 van Boek 7 zijn niet van toepassing op een borgtocht die ten tijde van het in werking treden van de wet reeds bestaat.*

2. Afdeling 3 van titel 14 van Boek 7 blijft buiten toepassing op de gevolgen van de borgtocht tussen de hoofdschuldenaar en de borg en tussen borgen en andere voor de verbintenis aansprakelijke niet-schuldenaren onderling, indien vóór het in werking treden van de wet aan de schuldeiser is betaald.

TITEL 9
Overgangsbepalingen in verband met Boek 8

Eerbiedigende werking

Art. 251. De overeenkomsten van vervoer en die tot het doen vervoeren van goederen, alsmede andere overeenkomsten tot het ter beschikking stellen van een schip worden beheerst door het vroegere recht, indien zij zijn gesloten vóór het tijdstip van het in werking treden van Boek 8. Hetzelfde geldt voor de wettelijke rechten en bevoegdheden die een derde aan een vervoerdocument kan ontlenen en de wettelijke verplichtingen die met betrekking daartoe op hem rusten, indien dat document vóór dat tijdstip is uitgegeven.

Rangorde van vorderingen

Art. 252. 1. De bepalingen van Boek 8 omtrent de rangorde waarin vorderingen uit de opbrengst van een goed moeten worden voldaan, gelden mede met betrekking tot vorderingen die bestaan op het tijdstip waarop dat Boek in werking treedt.

2. Het vroegere recht is echter van toepassing op de rangorde bij de verdeling van een goed dat op het tijdstip van in werking treden van Boek 8 reeds ten behoeve van het verhaal is verkocht, en op de verdeling van hetgeen op een vordering op dat tijdstip reeds is geïnd.

3. Het vroegere recht is eveneens van toepassing op de rang van vorderingen op een in staat van faillissement verklaarde schuldenaar, indien Boek 8 in werking treedt nadat de rechter-commissaris overeenkomstig artikel 108 der Faillissementswet de dag heeft bepaald waarop die vorderingen uiterlijk ter verificatie moeten zijn ingediend.

4. Het in werking treden van Boek 8 heeft voor de dan bestaande vorderingen geen gevolg ten aanzien van de werking van een surséance van betaling, die voordien aan de schuldenaar voorlopig is verleend.

Bestanddelen van een schip

Art. 253. 1. Op voortbewegingswerktuigen en andere machinerieën die tot aan het tijdstip van het in werking treden van Boek 8 nog geen bestanddeel van een schip waren en aan een ander dan de eigenaar van het schip toebehoorden, wordt artikel 1 lid 3 van Boek 8 niet van toepassing.

2. Zaken die tot aan het in werking treden van Boek 8 als scheepstoebehoren met hypotheek waren bezwaard, blijven nadien daarmede belast, indien zij geen scheepstoebehoren in de zin van artikel 1 lid 4 van Boek 8 worden, zolang zij voldoen aan de omschrijving van het tevoren geldende artikel 309 derde lid van het Wetboek van Koophandel.

3. Zaken die tot aan het tijdstip van het in werking treden van Boek 8 scheepstoebehoren waren en als zodanig waren begrepen in een beslag of executie, blijven, ook nadat zij zelfstandig zijn geworden, daaronder begrepen en gelden, zolang beslag en executie duren, tot aan de levering aan de koper als scheepstoebehoren.

4. Het bepaalde in artikel 1 lid 5 van Boek 8 wordt drie maanden na het in werking treden van Boek 8 van toepassing op bedingen die voordien reeds tussen partijen bestonden, alsook ten aanzien van zaken die door het in werking treden van Boek 8 scheepstoebehoren worden.

Art. 254. 1. Voor de levering van een in het register teboekstaand binnenschip of een beperkt recht daarop kan in de plaats van een notariële akte een onderhandse akte worden gebezigd, indien die akte is opgesteld en mede-ondertekend door een door Onze Minister van Justitie aangewezen persoon als bedoeld in lid 3 en deze persoon dit in het slot der akte heeft verklaard of dit in een door hem ondertekende verklaring aan de voet van de akte heeft bevestigd.

2. Lid 1 is van overeenkomstige toepassing op akten bedoeld in artikel 800 van Boek 8.

3. Personen die voor 1 april 1991 door de arrondissementsrechtbank beëdigd zijn als makelaar in binnenschepen, worden op hun daartoe binnen een jaar na inwerkingtreding van deze wet gedaan verzoek aangewezen.

Art. 255. Artikel 160 lid 1 van Boek 8 wordt drie maanden na het tijdstip van het in werking treden van dat Boek van toepassing op een, op dat tijdstip bestaande, rederij als omschreven in het tevoren geldende artikel 323 van het Wetboek van Koophandel.

Aanvaring

Art. 256. De aanvaring welke heeft plaats gehad vóór het in werking treden van Boek 8 wordt beheerst door het vroegere recht. Hetzelfde geldt voor schade die door een schip is veroorzaakt, indien het ongeval vóór het in werking treden van Boek 8 heeft plaatsgevonden.

Hulpverlening

Art. 257. Op een hulpverlening die vóór het in werking treden van Boek 8 is aangevangen, is het vroegere recht van toepassing.

Verjaring en verval van een rechtsvordering

Art. 258. 1. De verjaring en het verval van een rechtsvordering waarvan de termijn werd bepaald door het Wetboek van Koophandel, de Wet Overeenkomst Wegvervoer of de Wet Overeenkomst Binnenlands Openbaar personenvervoer, blijft door het vroegere recht beheerst, indien de termijn vóór het in werking treden van Boek 8 is aangevangen.

2. De artikelen 201 en 791 van Boek 8, zoals deze artikelen zijn gewijzigd bij de Aanpassingswet Boek 8, worden, indien de daar genoemde termijnen vóór 1 januari 1992 zijn aangevangen, met ingang van 1 april 1992 van toepassing op de termijnen van verjaring van de eigendom van in de openbare registers teboekstaande zee- en binnenschepen, alsmede op die van verjaring der in die artikelen genoemde beperkte rechten daarop. Deze termijnen worden geacht niet vóór 1 april 1992 te zijn voltooid.

Slotartikel

Citeertitel

Deze wet kan worden aangehaald als: Overgangswet nieuw Burgerlijk Wetboek.

TWEEDE STUK

TITEL 1
Algemene bepalingen

Art. 1. 1. In de volgende bepalingen wordt onder „de wet" verstaan de Invoeringswet Boeken 3, 5 en 6 nieuw B.W., doch met uitzondering van het tweede, vierde en vijfde gedeelte van die wet.

2. De artikelen 68a tot en met 75, 78 lid 1, 79 tot en met 81, 117, 120, 173 en 182 Overgangswet nieuw Burgerlijk Wetboek gelden mede ter regeling van het overgangsrecht in verband met de wijziging door de wet in de wetgeving buiten de Boeken 3, 5, 6 en 7 van het nieuwe Burgerlijk Wetboek.

Art. 2. Ter zake van een dwangbevel, een bevelschrift of rechterlijk verlof tot verkoop, vóór het in werking treden der wet uitgevaardigd, blijft het voordien geldende recht van toepassing. Onverminderd het bepaalde in artikel 19 geschiedt de tenuitvoerlegging nadien met toepassing van de voorschriften der wet

TITEL 2
Overgangsbepalingen in verband met de wijziging van het burgerlijk wetboek

AFDELING 1
Overgangsbepalingen in verband met de wijziging van boek 1

Art. 3. Op rechtshandelingen die een echtgenoot vóór het in werking treden van de wet heeft verricht, blijven de artikelen 87 tot en met 89 van Boek 1, zoals die toen golden, van toepassing.

Art. 4. Op rechtshandelingen die een echtgenoot vóór het in werking treden van de wet in strijd met het toen geldende artikel 97 van Boek 1 heeft verricht, blijft het toen geldende artikel 98 van Boek 1 van toepassing.

Art. 5. De tweede en de derde zin van artikel 97 lid 1 van Boek 1 zijn van hun in werking treden af mede van toepassing op de goederen die reeds voordien in de gemeenschap waren gevallen.

Art. 6. Artikel 376 van Boek 1, zoals dat gold tot aan het tijdstip van het in werking treden van de wet, blijft van toepassing op hetgeen de minderjarige op dat tijdstip aan de voogd na het einde van diens bewind nog schuldig was gebleven. De vorige zin is van overeenkomstige toepassing na het einde van een curatele.

AFDELING 2
Overgangsbepalingen in verband met de wijziging van boek 2

Art. 7. Artikel 4 lid 1 van Boek 2 bepaalt mede de gevolgen van de daar genoemde gebreken in de oprichting van een rechtspersoon, welke vóór het in werking treden van de wet is geschied.

Art. 8. Op een besluit van een orgaan van een rechtspersoon dat vóór het in werking treden van de wet is genomen, blijven de artikelen 11 tot en met 13 van Boek 2, zoals die toen golden, van toepassing.

Art. 9. Op de vereffening van het vermogen van een rechtspersoon, die nog niet is voltooid op het tijdstip van het in werking treden van de wet, zijn de artikelen 23 tot en met 23c van Boek 2 van toepassing, behalve voor zover dit zou nopen tot het ongedaan maken van alsdan reeds in overeenstemming met het voordien geldend recht getroffen maatregelen. De wet wordt niet van toepassing ten aanzien van onderwerpen waaromtrent vóór haar in werking treden een rechterlijke uitspraak is gevraagd.

Art. 10. Op een vereniging die op het tijdstip van het in werking treden van de wet bestaat, worden de wijzigingen van de artikelen 37, 38, 39 en 41a van Boek 2 van toepassing nadat drie jaren na dat tijdstip zijn verstreken.

Art. 11. Op het tijdstip van het in werking treden van de wet wordt een aandeel in een naamloze vennootschap of een beperkt recht daarop verkregen, indien alsdan is voldaan aan het voorschrift van artikel 86 of artikel 196, en dat aandeel niet reeds voordien op grond van de toen geldende tekst van dat artikel was geleverd.

Art. 12. Artikel 21 lid 1, aanhef en onderdeel b van Boek 2, is gedurende drie jaren van het tijdstip van het in werking treden van deze wet af niet van toepassing op een stichting, waarvan de statuten niet voldoen aan de wijzigingen welke in artikel 286 van Boek 2 bij deze wet worden aangebracht.

WET van 28 april 1994, Stb. 342, tot vaststelling van regels met betrekking tot de verevening van pensioenrechten bij echtscheiding of scheiding van tafel en bed (Wet verevening pensioenrechten bij scheiding) en daarmee verband houdende wijzigingen in andere wetten

Art. 1. 1. Voor de toepassing van het bij of krachtens deze wet bepaalde wordt verstaan onder:
a. scheiding: echtscheiding of scheiding van tafel en bed;
b. tijdstip van scheiding: ingeval van echtscheiding: de datum van inschrijving van de beschikking in de registers van de burgerlijke stand;
ingeval van scheiding van tafel en bed: de datum waarop de beschikking in kracht van gewijsde gaat;
c. uitvoeringsorgaan: de natuurlijke of rechtspersoon, die tot uitbetaling van pensioen gehouden is;
d. pensioen: ouderdomspensioen;
e. werkgever: de werkgever van de tot verevening verplichte echtgenoot;
f. nabestaandenpensioen: weduwen- en weduwnaarspensioen waaronder begrepen bijzonder weduwen- en weduwnaarspensioen.
2. Voor de toepassing van het bij of krachtens deze wet bepaalde wordt mede verstaan onder:
a. echtgenoot: gewezen echtgenoot;
b. aanspraak op pensioen: uitzicht op pensioen;
c. pensioen: een herberekend invaliditeitspensioen of een uit hoofde van ziekte of gebreken ingevolge de in het vierde lid, onder d, genoemde wetten toegekend pensioen dat naar diensttijd is berekend, een en ander met ingang van de eerste dag van de maand waarin de leeftijd van 65 jaar is bereikt.
3. Voor de toepassing van het bij of krachtens deze wet bepaalde wordt onder pensioen niet verstaan een ingegaan tijdelijk pensioen of een aanspraak op tijdelijk pensioen op grond van regelingen ingevolge welke alleen een recht op uitkering van pensioen bestaat indien aan betrokkenen aansluitend aan hun dienstverband dat tijdelijk pensioen wordt dan wel zal worden uitgekeerd.
4. Deze wet is van toepassing op pensioen ingevolge:
a. een pensioenregeling op grond van een pensioentoezegging in de zin van artikel 2, eerste lid, van de Pensioen- en spaarfondsenwet (Stb. 1981, 18);
b. een pensioenregeling welke van toepassing is op degenen, voor wie met toepassing van de Wet betreffende verplichte deelneming in een bedrijfspensioenfonds (1949, J 121) de deelneming aan die regeling verplicht is gesteld, voor zover die regeling niet onder onderdeel a valt;
c. de Algemene burgerlijke pensioenwet (Stb. 1986, 540);
d. de Algemene militaire pensioenwet (Stb. 1988, 284) of een vroegere militaire pensioenwet in de zin van die wet;
e. de Spoorwegpensioenwet (Stb. 1986, 541);
f. de Algemene pensioenwet politieke ambtsdragers (Stb. 1979, 519);
g. de Wet van 27 juli 1960 (Stb. 314), houdende maatregelen met betrekking tot de pensioenen van het personeel van de Koninklijke Hofhouding;
h. de pensioenregeling bedoeld in de Wet tot invoering van een leeftijdsgrens voor het notarisambt en oprichting van een notarieel pensioenfonds (Stb. 1954, 407);
i. de pensioenregeling van de Stichting Pensioenfonds van Collecteurs en Collectrices van de Nederlandse Staatsloterij, bedoeld in artikel 41 van de Wet op de kansspelen (Stb. 1964, 483);
j. een beroepspensioenregeling in de zin van de Wet betreffende verplichte deelneming in een beroepspensioenregeling (Stb. 1972, 400);
k. een pensioenregeling op grond van een pensioentoezegging van een natuurlijk persoon aan degene, die met hem een overeenkomst heeft tot het verrichten van huiselijke of andere persoonlijke diensten.
5. Deze wet is voorts van toepassing op pensioen als bedoeld in:
a. de Samenloopregeling Indonesische pensioenen 1960 (Stb. 1963, 212);
b. de Wet aanpassing pensioenvoorzieningen Bijstandskorps (Stb. 1965, 550).
6. De wet is voorts mede van toepassing op pensioen dat is opgebouwd uit middelen welke ten laste komen van het Fonds Voorheffing Pensioenverzekering, bedoeld in artikel 3 van de Wet tot bevriezing van het kinderbijslagbedrag voor het eerste kind, alsmede oprichting van het Fonds Voorheffing Pensioenverzekering (Stb. 1972, 702).
7. De wet is voorts van toepassing op pensioenen ingevolge een buitenlandse pensioenregeling die niet is een pensioenregeling als bedoeld in de leden 4 tot en met 6 met dien verstande dat een recht op uitbetaling als bedoeld in artikel 2 slechts bestaat jegens de andere echtgenoot.
8. Bij algemene maatregel van bestuur kunnen uitkeringen ingevolge enigerlei regeling worden aangemerkt als pensioen in de zin van deze wet.

Art. 2. 1. In geval van scheiding en voor zover de ene echtgenoot na de huwelijkssluiting en voor de scheiding pensioenaanspraken heeft opgebouwd, heeft de andere echtgenoot overeenkomstig het bepaalde bij of krachtens deze wet recht op pensioenverevening, tenzij de echtgenoten de toepasselijkheid van deze wet hebben uitgesloten bij huwelijkse voorwaarden of bij een bij geschrift gesloten overeenkomst met het oog op de scheiding.

2. Ingevolge het in het eerste lid bedoelde recht op verevening ontstaat jegens het uitvoeringsorgaan een recht op uitbetaling van een deel van elk van de uit te betalen termijnen van het pensioen, mits binnen twee jaar na het tijdstip van scheiding van die scheiding en van het tijdstip van scheiding door een van beide echtgenoten mededeling is gedaan aan het uitvoeringsorgaan door middel van een formulier waarvan het model wordt vastgesteld door Onze Minister van Sociale Zaken en Werkgelegenheid en bekend gemaakt in de Staatscourant. Een recht op uitbetaling jegens het uitvoeringsorgaan sluit een recht op uitbetaling jegens de tot verevening verplichte echtgenoot uit. Ingeval partijen de toepasselijkheid van deze wet hebben uitgesloten moeten zij een gewaarmerkt afschrift of uittreksel van de in het eerste lid bedoelde overeenkomst aan het uitvoeringsorgaan overleggen. Indien de echtgenoten zulks nalaten kan deze overeenkomst niet aan het uitvoeringsorgaan worden tegengeworpen, zelfs indien de overeenkomst ingeschreven was in het openbaar huwelijksgoederenregister bedoeld in artikel 116, Boek 1 van het Burgerlijk Wetboek.

3. De uitbetaling geschiedt onder de voorwaarden vermeld in de toepasselijke regeling. Indien het tijdstip van scheiding voor pensioeningang ligt of daarmee samenvalt, gaat de uitbetaling in op het tijdstip van pensioeningang, met dien verstande dat deze uitbetaling niet eerder ingaat dan een maand na de datum waarop het uitvoeringsorgaan het in het tweede lid bedoelde formulier heeft ontvangen. Indien het tijdstip van scheiding na pensioeningang ligt, gaat de uitbetaling in een maand na de datum waarop het uitvoeringsorgaan het in het tweede lid bedoelde formulier heeft ontvangen.

4. Het recht op uitbetaling eindigt op het tijdstip waarop het recht op pensioen eindigt of met het einde van de maand waarin de tot verevening gerechtigde echtgenoot is overleden. Het recht op uitbetaling eindigt eveneens met het einde van de maand waarin de echtgenoten een schriftelijke mededeling aan het uitvoeringsorgaan hebben gedaan, dat zij met elkaar zijn hertrouwd dan wel, in geval van scheiding van tafel en bed, zich hebben verzoend.

5. Na ontvangst van het in het tweede lid bedoelde formulier verstrekt het uitvoeringsorgaan aan de tot verevening gerechtigde echtgenoot een bewijsstuk waaruit de tijdens het huwelijk opgebouwde aanspraak waarop de verevening zal worden gebaseerd blijkt alsmede de in het derde lid bedoelde ingangsdatum van de uitbetaling. De andere echtgenoot ontvangt daarvan een afschrift.

6. De tot verevening gerechtigde echtgenoot heeft een recht op uitbetaling jegens de andere echtgenoot indien niet ingevolge het tweede lid een recht op uitbetaling jegens het uitvoeringsorgaan is ontstaan, alsmede indien de uitbetaling ingevolge het derde lid ingaat na pensioeningang. In dit laatste geval houdt het recht op uitbetaling jegens de andere echtgenoot op zodra de uitbetaling door het uitvoeringsorgaan ingaat. Op het recht op uitbetaling jegens de andere echtgenoot is het bepaalde bij of krachtens deze wet van overeenkomstige toepassing.

Art. 3. 1. Het deel bedoeld in artikel 2, tweede lid, bedraagt de helft van het pensioen dat zou moeten worden uitbetaald indien:
a. de tot verevening verplichte echtgenoot uitsluitend gedurende de deelnemingsjaren tussen de huwelijkssluiting en het tijdstip van scheiding zou hebben deelgenomen;
b. hij op het tijdstip van scheiding de deelneming beëindigd zou hebben; en
c. hij tijdens de periode dat hij recht op pensioen heeft gehuwd zou zijn.

2. Indien het pensioen na ingang daarvan wordt verhoogd of verlaagd, wordt het bedrag dat voortvloeit uit het eerste lid verhoogd of verlaagd met een evenredig deel van de verhoging of verlaging van het pensioen.

3. Een pensioen wordt niet verevend, indien op het tijdstip van scheiding het deel van dat pensioen, waarop recht op uitbetaling ontstaat, het in artikel 32, vierde lid, van de Pensioen- en spaarfondsenwet genoemde bedrag niet te boven gaat.

Art. 4. 1. Bij huwelijkse voorwaarden of bij een bij geschrift gesloten overeenkomst met het oog op de scheiding kunnen de echtgenoten in afwijking van artikel 3, aanhef en onderdeel a van het eerste lid, overeenkomen het deel bedoeld in artikel 2, tweede lid, te bepalen op een door hen te kiezen vast percentage dan wel de in artikel 3, eerste lid, onder a, nader bepaalde periode te wijzigen. Het bij geschrift met het oog op de scheiding door de echtgenoten overeen te komen deel kan niet worden bepaald op een percentage dat op het tijdstip van scheiding resulteert in een pensioenaanspraak gelijk aan of lager dan het in artikel 3, derde lid, bedoelde bedrag.

2. Mits de echtgenoten binnen twee jaar na het tijdstip van scheiding een gewaarmerkt afschrift of uittreksel van de in het eerste lid bedoelde overeenkomst aan het uitvoeringsorgaan hebben overgelegd, is het uitvoeringsorgaan gebonden aan hetgeen door de echtgenoten is over-

eengekomen doch slechts voor wat betreft de periode gelegen na ontvangst van het afschrift of uittreksel van de overeenkomst. Indien de echtgenoten zulks nalaten kan deze overeenkomst niet aan het uitvoeringsorgaan worden tegengeworpen, zelfs indien de overeenkomst ingeschreven was in het openbaar huwelijksgoederenregister bedoeld in artikel 116, Boek 1 van het Burgerlijk Wetboek.

3. Na ontvangst van het afschrift of uittreksel van de in het eerste lid bedoelde overeenkomst verstrekt het uitvoeringsorgaan aan de tot verevening gerechtigde echtgenoot een bewijsstuk als bedoeld in het vijfde lid van artikel 2. De andere echtgenoot ontvangt daarvan een afschrift.

Art. 5. 1. Bij huwelijkse voorwaarden of bij een bij geschrift gesloten overeenkomst met het oog op de scheiding kunnen de echtgenoten in geval van echtscheiding overeenkomen, dat artikel 2, tweede tot en met zesde lid, buiten toepassing blijft en dat de echtgenoot die anders een recht op uitbetaling van pensioen zou hebben verkregen in de plaats van dat recht en zijn aanspraak op nabestaandenpensioen jegens het uitvoeringsorgaan een eigen recht op pensioen verkrijgt. De overeenkomst is slechts geldig indien aan de overeenkomst een verklaring van het betrokken uitvoeringsorgaan is gehecht dat het instemt met bedoelde omzetting.

2. Mits de echtgenoten binnen twee jaar na het tijdstip van scheiding een gewaarmerkt afschrift of uittreksel van de in het eerste lid bedoelde overeenkomst aan het uitvoeringsorgaan hebben overgelegd, is het uitvoeringsorgaan gebonden aan hetgeen door de echtgenoten is overeengekomen doch slechts voor wat betreft de periode gelegen na ontvangst van het afschrift of uittreksel van de overeenkomst. Indien de echtgenoten zulks nalaten kan deze overeenkomst niet aan het uitvoeringsorgaan worden tegengeworpen, zelfs indien de overeenkomst ingeschreven was in het openbaar huwelijksgoederenregister bedoeld in artikel 116, Boek 1 van het Burgerlijk Wetboek.

3. Na ontvangst van het afschrift of uittreksel van de in het eerste lid bedoelde overeenkomst verstrekt het uitvoeringsorgaan aan de tot verevening gerechtigde echtgenoot een bewijsstuk van zijn eigen recht op pensioen. De andere echtgenoot ontvangt daarvan een afschrift; hij ontvangt voorts een opgave van zijn verminderd pensioen.

Art. 6. 1. Het uitvoeringsorgaan is bevoegd om de kosten van een verevening voor de helft aan ieder der echtgenoten in rekening te brengen dan wel in mindering te brengen op de aan hen uit te betalen bedragen.

2. Met betrekking tot de in het eerste lid bedoelde kosten kunnen door onze Minister van Sociale Zaken en Werkgelegenheid in overeenstemming met onze Ministers wie dat aangaat gehoord de Verzekeringskamer nadere regels worden gesteld.

Art. 7. 1. Voor de toepassing van wettelijke en andere bepalingen met betrekking tot beslag, inhouding en korting wordt het deel van het pensioen dat niet aan de tot verevening verplichte echtgenoot wordt uitbetaald geacht niet tot diens pensioen te behoren.

2. Voor de toepassing van wettelijke en andere bepalingen met betrekking tot de mogelijkheid om te beschikken over pensioen of een aanspraak op pensioen wordt het deel van het pensioen of de aanspraak op een deel van het pensioen, welk deel niet aan de tot verevening verplichte echtgenoot wordt uitbetaald, geacht niet tot diens pensioen onderscheidenlijk aanspraak op pensioen te behoren.

3. Afkoop in de zin van de toepasselijke regeling is slechts toegestaan indien met de pensioenbelangen van de tot verevening gerechtigde echtgenoot op redelijke wijze rekening is gehouden.

4. Met betrekking tot de berekening en het recht op uitbetaling van het pensioen van de tot verevening gerechtigde echtgenoot in geval van afkoop in de zin van artikel 32a, eerste lid, van de Pensioen- en spaarfondsenwet, alsmede in geval van overdracht en overname van wiskundige reserves in de zin van de Algemene burgerlijke pensioenwet of hetgeen daarmee overeenkomt in andere overheidspensioenwetten kunnen door onze Minister van Sociale Zaken en Werkgelegenheid in overeenstemming met onze Ministers wie dat aangaat gehoord de Verzekeringskamer nadere regels worden gesteld.

5. Voor de toepassing van wettelijke bepalingen met betrekking tot een volmacht tot invordering van pensioen wordt het deel van het pensioen dat niet aan de tot verevening verplichte echtgenoot wordt uitbetaald geacht niet tot diens pensioen te behoren.

Art. 8. 1. Indien een pensioen wordt verlaagd of verhoogd, uitsluitend wegens ingang op een vroeger of later tijdstip dan het op grond van de desbetreffende regeling normale tijdstip, wordt het deel, bedoeld in artikel 2, tweede lid, op overeenkomstige wijze verlaagd of verhoogd.

2. Indien een pensioen wordt verminderd wegens samenloop met één of meer andere te verevenen pensioenen wordt het deel, bedoeld in artikel 2, tweede lid, op overeenkomstige wijze verminderd.

Art. 9. De echtgenoten, het uitvoeringsorgaan en de werkgever zijn gehouden desgevraagd elkaar over en weer die gegevens te verstrekken die noodzakelijk zijn voor de vaststelling van de rechten en verplichtingen die uit deze wet voortvloeien.

Art. 10. Bij ministeriële regeling worden door onze Minister van Sociale Zaken en Werkgelegenheid in overeenstemming met onze Ministers wie dat aangaat, gehoord de Verzekeringskamer, nadere regels gesteld voor de berekening van pensioen dat betrekking heeft op de deelnemingsjaren gelegen voor de datum van inwerkingtreding van deze wet.

Art. 11. Indien de echtgenoten bij huwelijkse voorwaarden gemaakt voor de inwerkingtreding van deze wet algehele gemeenschap van goederen tussen hen hebben uitgesloten of beperkt, vindt verevening van pensioenrechten als bedoeld in deze wet plaats, tenzij de echtgenoten bij huwelijkse voorwaarden of bij een bij geschrift gesloten overeenkomst met het oog op de scheiding uitdrukkelijk anders hebben bepaald.

Art. 12. 1. Deze wet is niet van toepassing op een scheiding die heeft plaatsgevonden voor de datum van inwerkingtreding van deze wet.

2. Niettemin is deze wet van overeenkomstige toepassing op een scheiding die heeft plaatsgevonden vóór 27 november 1981, mits het huwelijk ten minste 18 jaren heeft geduurd en er tijdens het huwelijk minderjarige kinderen waren van de echtgenoten te zamen of van één van hen, en met dien verstande dat het deel bedoeld in artikel 2, tweede lid, slechts één vierde bedraagt van het pensioen dat ingevolge artikel 3, eerste en tweede lid, zou moeten worden uitbetaald, en dat er geen recht op pensioenverevening is voor zover reeds aantoonbaar rekening is gehouden met de omstandigheid dat de tot verevening gerechtigde echtgenoot geen of onvoldoende pensioen had opgebouwd. Ook in geval van een geschil hieromtrent tussen de echtgenoten is het uitvoeringsorgaan gehouden tot uitbetaling ingevolge artikel 2, derde lid, zolang de rechter niet op verzoek van een der echtgenoten anders beslist.

3. Een recht op verevening ingevolge het tweede lid ontstaat slechts indien de mededeling, bedoeld in artikel 2, tweede lid, plaatsvindt binnen twee jaar na de inwerkingtreding van deze wet. Artikel 2, zesde lid, is niet van toepassing.

WET van 3 juli 1989, Stb. 288, tot regeling van het conflictenrecht inzake de geslachtsnaam en de voornaam, mede in verband met de bekrachtiging van de Overeenkomst van München van 5 september 1980 inzake het recht dat van toepassing is op geslachtsnamen en voornamen (Trb. 1981, 72) (Wet conflictenrecht namen) zoals laatstelijk gewijzigd bij de wet van 23 december 1993, Stb. 775

Wij BEATRIX bij de gratie Gods, Koningin der Nederlanden, Prinses van Oranje-Nassau, enz. enz. enz.

Allen, die deze zullen zien of horen lezen, saluut! doen te weten:

Alzo Wij in overweging genomen hebben, dat het mede in verband met de bekrachtiging van de op 5 september 1980 te München tot stand gekomen Overeenkomst inzake het recht dat van toepassing is op geslachtsnamen en voornamen, wenselijk is regelen te geven met betrekking tot het conflictenrecht inzake de geslachtsnaam en de voornaam;

Zo is het, dat Wij, de Raad van State gehoord, en met gemeen overleg der Staten-Generaal, hebben goedgevonden en verstaan, gelijk Wij goedvinden en verstaan bij deze:

Toepasselijk Recht

Art. 1. 1. De geslachtsnaam en de voornamen van een vreemdeling worden bepaald door het recht van de Staat waarvan hij de nationaliteit heeft. Onder recht zijn mede begrepen de regels van internationaal privaatrecht. Uitsluitend voor de vaststelling van de geslachtsnaam en de voornaam worden de omstandigheden waarvan deze afhangen beoordeeld naar dat recht.

Bipatride

2. Bezit de betrokkene de nationaliteit van meer dan één Staat, dan geldt het recht van dat land waarvan hij de nationaliteit heeft, waarmee hij alle omstandigheden in aanmerking genomen de sterkste band heeft.

Art. 2. De geslachtsnaam en de voornaam van een persoon die de Nederlandse nationaliteit heeft worden, ongeacht de vraag of hij nog een andere nationaliteit heeft, bepaald door het Nederlandse interne recht. Dit geldt ook indien vreemd recht van toepassing is op de familierechtelijke betrekkingen waarvan het ontstaan of het tenietgaan gevolg kan hebben voor de geslachtsnaam.

Bipatride

Art. 3. Personen die de nationaliteit van meer dan één Staat bezitten, kunnen de ambtenaar van de burgerlijke stand verzoeken op hun geboorteakte een kantmelding te plaatsen van de naam die zij voeren in overeenstemming met het recht van een van die Staten, dat niet is toegepast ingevolge artikel 1, tweede lid, of artikel 2 van deze wet.

Art. 4. 1. Ingeval van verandering van nationaliteit is het recht van de Staat van de nieuwe nationaliteit van toepassing, daaronder begrepen de regels van dat recht nopens de gevolgen van de nationaliteitsverandering voor de naam.

2. De verkrijging van de Nederlandse nationaliteit door een vreemdeling brengt geen wijziging in diens geslachtsnaam en voornaam, behoudens het bepaalde in artikel 12 van de Rijkswet op het Nederlanderschap, Stb. 1984, 628.

Art. 5. 1. De ambtenaar van de burgerlijke stand die bij het opstellen van een akte waarin de geslachtsnaam en de voornaam van een vreemdeling moeten worden opgenomen, in de onmogelijkheid verkeert om het recht te kennen dat op de vaststelling van die namen toepasselijk is, past het Nederlandse recht toe. Hij deelt zijn beslissing onverwijld mede aan de officier van justitie bij de arrondissementsrechtbank binnen welker rechtsgebied de akte in de registers van de burgerlijke stand is opgenomen.

2. De aldus opgemaakte akte kan met overeenkomstige toepassing van artikel 29 van Boek 1 van het Burgerlijk Wetboek op verzoek van iedere belanghebbende of op vordering van het openbaar ministerie worden verbeterd. Het verzoek van een belanghebbende wordt met toepassing van de Wet op de rechtsbijstand, van rechtswege kosteloos behandeld.

Geen terugwerkende kracht

Art. 6. 1. De bepalingen van deze wet zijn niet van rechtswege van toepassing op de geslachtsnamen en voornamen die voorkomen in akten van de burgerlijke stand, die in de registers zijn opgenomen vóór de dag van haar inwerkingtreding.

2. De vermelding van de geslachtsnamen en de voornamen in akten van de burgerlijke stand als bedoeld in het eerste lid wordt op verzoek van een belanghebbende

in overeenstemming met de bepalingen van deze wet gewijzigd. Heeft het verzoek betrekking op een vreemdeling, dan moet de wijziging blijken uit een door een bevoegde autoriteit van het land waarvan hij de nationaliteit bezit opgemaakt stuk.

3. De in het tweede lid bedoelde wijzigingen worden in de daarvoor in aanmerking komende akten van de burgerlijke stand aangebracht door de plaatsing van een kantmelding.

Art. 7. Deze wet kan worden aangehaald als Wet conflictenrecht namen.

Art. 8. Deze wet treedt in werking op een bij koninklijk besluit te bepalen tijdstip.

WET van 7 september 1989, Stb. 392, houdende regeling van het conflictenrecht inzake het huwelijk, in verband met de bekrachtiging van het Verdrag van 's-Gravenhage van 14 maart 1978 inzake de voltrekking en de erkenning van de geldigheid van huwelijken (Trb. 1987, 137) (Wet conflictenrecht huwelijk)

Wij BEATRIX, bij de gratie Gods, Koningin der Nederlanden, Prinses van Oranje-Nassau, enz. enz. enz.

Allen, die deze zullen zien of horen lezen, saluut! doen te weten:

Alzo Wij in overweging genomen hebben, dat het mede in verband met de bekrachtiging van het op 14 maart 1978 te 's-Gravenhage tot stand gekomen Verdrag inzake de voltrekking en de erkenning van de geldigheid van huwelijken, wenselijk is regelen te geven met betrekking tot het conflictenrecht inzake het huwelijk;

Zo is het, dat Wij, de Raad van State gehoord, en met gemeen overleg der Staten-Generaal, hebben goedgevonden en verstaan, gelijk Wij goedvinden en verstaan bij deze:

Toepassingsgebied

Art. 1. Deze wet is van toepassing op de huwelijksvoltrekking in Nederland indien, in verband met de nationaliteit of de woonplaats van de aanstaande echtgenoten, met betrekking tot de vraag welk recht de vereisten tot het aangaan van het huwelijk beheerst een keuze moet worden gedaan, alsmede op de erkenning in Nederland van in het buitenland voltrokken huwelijken. Deze wet is niet van toepassing op de bevoegdheid van de ambtenaar van de burgerlijke stand.

Vereisten

Art. 2. Het huwelijk wordt voltrokken
a. indien ieder der aanstaande echtgenoten voldoet aan de vereisten tot het aangaan van een huwelijk van het Nederlandse recht en een van hen de Nederlandse nationaliteit bezit of in Nederland zijn gewone verblijfplaats heeft; of
b. indien ieder der aanstaande echtgenoten voldoet aan de vereisten tot het aangaan van een huwelijk van de Staat waarvan hij de nationaliteit bezit. Bij het bezit van meer dan een nationaliteit geldt het recht van de Staat waarvan de betrokkene de nationaliteit bezit, waarmee hij alle omstandigheden in aanmerking genomen, de sterkste band heeft.

Geen huwelijksvoltrekking

Art. 3. 1. Ongeacht artikel 2 kan geen huwelijk worden voltrokken indien die voltrekking onverenigbaar zou zijn met de openbare orde en in ieder geval indien:
a. de aanstaande echtgenoten de leeftijd van vijftien jaren niet hebben bereikt;
b. de aanstaande echtgenoten elkaar van nature of door adoptie bestaan in de rechte lijn of, van nature, als broeder en zuster;
c. de vrije toestemming van een der aanstaande echtgenoten ontbreekt of de geestvermogens van een van hen zodanig is gestoord, dat hij niet in staat is zijn wil te bepalen of de betekenis van zijn verklaring te begrijpen;
d. in strijd zou worden gehandeld met het voorschrift dat de man tegelijkertijd slechts met een vrouw, de vrouw slechts met een man door het huwelijk verbonden kan zijn.

2. De voltrekking van een huwelijk kan niet worden geweigerd op de grond dat volgens het recht van een Staat waarvan een van de aanstaande echtgenoten de nationaliteit bezit aan die voltrekking een beletsel in de weg staat dat in strijd is met de Nederlandse openbare orde.

Vormvereisten

Art. 4. Wat de vorm betreft kan een huwelijk in Nederland slechts rechtsgeldig worden voltrokken door de ambtenaar van de burgerlijke stand met inachtneming van de voorschriften van het Nederlandse recht, behoudens de bevoegdheid van buitenlandse diplomatieke en consulaire ambtenaren.

Buiten Nederland gesloten huwelijk

Art. 5. 1. Een buiten Nederland gesloten huwelijk dat ingevolge het recht van de Staat waar van de huwelijksvoltrekking plaatsvond rechtsgeldig is of nadien rechtsgeldig is geworden, wordt als zodanig erkend.

2. Een buiten Nederland ten overstaan van een diplomatieke of consulaire ambtenaar voltrokken huwelijk dat voldoet aan de vereisten van het recht van de Staat die die ambtenaar vertegenwoordigt, wordt als rechtsgeldig erkend tenzij die voltrekking in de Staat waar zij plaatsvond niet was toegestaan.

3. Voor de toepassing van het eerste en tweede lid wordt onder recht mede begrepen de regels van internationaal privaatrecht.

4. Een huwelijk wordt vermoed rechtsgeldig te zijn, indien een huwelijksverklaring is afgegeven door een bevoegde autoriteit.

Art. 6. Ongeacht artikel 5 wordt aan een buiten Nederland gesloten huwelijk erkenning onthouden, indien deze erkenning onverenigbaar zou zijn met de openbare orde.

Art. 7. De artikelen 5 en 6 zijn van toepassing, ongeacht of over de erkenning van de rechtsgeldigheid van een huwelijk als hoofdvraag, dan wel als voorvraag in verband met een andere vraag wordt beslist.

Geen terugwerkende kracht

Art. 8. Deze wet is niet van toepassing op de erkenning van de geldigheid van huwelijken die zijn voltrokken voor de dag van haar inwerkingtreding.

Art. 9. Deze wet treedt in werking op een bij koninklijk besluit te bepalen tijdstip.

Art. 10. Deze wet kan worden aangehaald als Wet conflictenrecht huwelijk.

Wet conflictenrecht inzake ontbinding huwelijk en scheiding van tafel en bed

WET van 25 maart 1981, Stb. 166, houdende regeling van het conflictenrecht inzake ontbinding van het huwelijk en scheiding van tafel en bed en de erkenning daarvan, in verband met de bekrachtiging van de Verdragen van Luxemburg en 's-Gravenhage inzake erkenning van beslissingen betreffende de huwelijksband, onderscheidenlijk de erkenning van echtscheidingen en scheidingen van tafel en bed

Alzo Wij in overweging genomen hebben, dat het mede in verband met de bekrachtiging van het op 8 september 1967 te Luxemburg tot stand gekomen Verdrag inzake de erkenning van beslissingen betreffende de huwelijksband (Trb. 1979, 130) en het op 1 juni 1970 te 's-Gravenhage tot stand gekomen Verdrag inzake de erkenning van echtscheidingen en scheidingen van tafel en bed (Trb. 1979, 131), wenselijk is regelen te geven met betrekking tot het conflictenrecht inzake de ontbinding van het huwelijk en scheiding van tafel en bed en de erkenning van buiten het Koninkrijk verkregen ontbinding van het huwelijk of scheiding van tafel en bed;

Art. 1. 1. Of ontbinding van het huwelijk of scheiding van tafel en bed kan worden gevorderd of verzocht en op welke gronden wordt bepaald
a. indien partijen een gemeenschappelijk nationaal recht hebben: door dat recht;
b. indien een gemeenschappelijk nationaal recht ontbreekt: door het recht van het land waarin partijen hun gewone verblijfplaats hebben;
c. indien partijen geen gemeenschappelijk nationaal recht hebben en niet in hetzelfde land hun gewone verblijfplaats hebben: door Nederlands recht.

2. Voor de toepassing van het voorgaande lid wordt met het ontbreken van een gemeenschappelijk nationaal recht gelijk gesteld het geval dat voor één van de partijen een werkelijke maatschappelijke band met het land der gemeenschappelijk nationaliteit kennelijk ontbreekt. In dat geval wordt het gemeenschappelijke nationale recht nochtans toegepast, indien door partijen gezamenlijk een keuze voor dit recht is gedaan of een dergelijke keuze van één van de partijen onweersproken is gebleven.

3. Bezit een partij de nationaliteit van meer dan één land dan geldt als zijn nationale recht het recht van dat land waarvan hij de nationaliteit bezit, waarmede hij alle omstandigheden in aanmerking genomen de sterkste band heeft.

4. Ongeacht de voorgaande leden wordt Nederlands recht toegepast, indien door partijen gezamenlijk een keuze voor dit recht is gedaan of een dergelijke keuze van één van de partijen onweersproken is gebleven.

Art. 2. 1. Een buiten het Koninkrijk na een behoorlijke rechtpleging verkregen ontbinding van het huwelijk of scheiding van tafel en bed wordt in Nederland erkend, indien zij is tot stand gekomen door de beslissing van een rechter of andere autoriteit aan wie daartoe rechtsmacht toekwam.

2. Een buiten het Koninkrijk verkregen ontbinding van het huwelijk of scheiding van tafel en bed, die niet voldoet aan één of meer van de voorwaarden in het vorige lid gesteld, wordt toch in Nederland erkend, indien duidelijk blijkt dat de wederpartij in de buitenlandse procedure uitdrukkelijk of stilzwijgend hetzij tijdens die procedure heeft ingestemd met, hetzij zich na die procedure heeft neergelegd bij de ontbinding van het huwelijk of de scheiding van tafel en bed.

Art. 3. Een ontbinding van het huwelijk buiten het Koninkrijk uitsluitend door een eenzijdige verklaring van de man tot stand gekomen, wordt niet erkend, tenzij
a. de ontbinding van het huwelijk in deze vorm overeenstemt met de personele wet van de man;
b. de ontbinding ter plaatse waar zij geschiedde rechtsgevolg heeft; en
c. duidelijk blijkt dat de vrouw uitdrukkelijk of stilzwijgend met de ontbinding van het huwelijk heeft ingestemd of zich daarbij heeft neergelegd.

Art. 4. 1. Deze wet treedt in werking met ingang van de dag na uitgifte van het Staatsblad, waarin zij is geplaatst.

2. Deze wet is van toepassing op de erkenning van buitenlandse beslissingen inzake ontbinding van het huwelijk of scheiding van tafel en bed welke zijn tot stand gekomen na de dag van inwerkingtreding.

WET van 20 november 1991, Stb. 628, houdende regeling van het conflictenrecht inzake het huwelijksvermogensregime en de vermogensrechtelijke betrekkingen van de echtgenoten ten opzichte van derden, mede in verband met de bekrachtiging van het op 14 maart 1978 te 's-Gravenhage tot stand gekomen Verdrag inzake het recht dat van toepassing is op het huwelijksvermogensregime (Trb. 1988, 130) (Wet conflictenrecht huwelijksvermogensregime)

Wij BEATRIX, bij de gratie Gods, Koningin der Nederlanden, Prinses van Oranje-Nassau, enz. enz. enz.

Allen, die deze zullen zien of horen lezen, saluut! doen te weten:

Alzo Wij in overweging genomen hebben, dat het mede in verband met de bekrachtiging van het op 14 maart 1978 te 's-Gravenhage tot stand gekomen Verdrag inzake het recht dat van toepassing is op het huwelijksvermogensregime, wenselijk is regelen te geven met betrekking tot het conflictenrecht inzake het huwelijksvermogensregime en de vermogensrechtelijke betrekkingen van de echtgenoten ten opzichte van derden;

Zo is het, dat Wij, de Raad van State gehoord, en met gemeen overleg der Staten-Generaal, hebben goedgevonden en verstaan, gelijk Wij goedvinden en verstaan bij deze:

Art. 1. Het recht dat van toepassing is op het huwelijksvermogensregime wordt aangewezen door de bepalingen van het op 14 maart 1978 te 's-Gravenhage tot stand gekomen Verdrag inzake het recht dat van toepassing is op het huwelijksvermogensregime, waarvan de Franse en Engelse tekst en de vertaling in het Nederlands zijn gepubliceerd in het Tractatenblad 1988, nr. 130.

Bepalen toepasselijk recht

Art. 2. Overeenkomstig artikel 4, tweede lid, onder 1 van het in artikel 1 genoemde Verdrag wordt bij het ontbreken van een rechtskeuze het huwelijksvermogensregime van echtgenoten die beiden de Nederlandse nationaliteit bezitten beheerst door het Nederlands recht, ongeacht of zij tevens een andere nationaliteit bezitten.

Ontbreken van rechtskeuze

Art. 3. De gevolgen van het huwelijksvermogensregime ten aanzien van een rechtsbetrekking tussen een echtgenoot en een derde worden beheerst door het recht dat op het huwelijksvermogensregime toepasselijk is.

Rechtsbetrekking echtgenoot/derde

Art. 4. Een echtgenoot wiens huwelijksvermogensregime wordt beheerst door vreemd recht kan in het in artikel 116 Boek 1 van het Burgerlijk Wetboek bedoelde register een notariële akte doen inschrijven, inhoudende een verklaring dat het huwelijksvermogensregime niet wordt beheerst door het Nederlands recht.

Inschrijving beheersing huwelijksvermogensregime door vreemd recht

Art. 5. 1. Een derde die tijdens het huwelijk een rechtshandeling heeft verricht met een echtgenoot wiens huwelijksvermogensregime wordt beheerst door vreemd recht kan, indien zowel hij als de beide echtgenoten ten tijde van die rechtshandeling hun gewone verblijfplaats in Nederland hadden, voor de uit die rechtshandeling voortvloeiende schuld ook na de ontbinding van het huwelijk verhaal nemen alsof tussen de echtgenoten naar Nederlands recht algehele gemeenschap van goederen bestond.

Rechtshandeling echtgenoot/derde

2. Het bepaalde in het eerste lid geldt niet indien de derde ten tijde van de rechtshandeling wist of behoorde te weten dat het huwelijksvermogensregime van de echtgenoten werd beheerst door vreemd recht. Zulks wordt geacht het geval te zijn indien de rechtshandeling werd verricht na verloop van veertien dagen nadat een akte als bedoeld in artikel 4 was ingeschreven in het aldaar bedoelde register.

Art. 6. Heeft een der echtgenoten, door de toepassing op een buitenlands gelegen vermogensbestanddeel van een krachtens het internationaal privaatrecht van het land van ligging aangewezen recht, ten opzichte van de andere echtgenoot een voordeel genoten dat hem niet zou zijn toegekomen indien het op grond van de bepalingen van het in artikel 1 van deze wet vermelde Verdrag aangewezen recht zou zijn toegepast, dan kan die andere echtgenoot daarvan verrekening of vergoeding vorderen bij de in verband met de beëindiging of wijziging van het huwelijksvermogensregime tussen de echtgenoten plaats vindende afrekening.

Verrekening/vergoeding genoten voordeel

Art. 7. Artikel 92, derde lid, Boek 1 van het Burgerlijk Wetboek is uitsluitend

Verhaal

van toepassing terzake van verhaal dat in Nederland wordt uitgeoefend op
a) een echtgenoot wiens huwelijksvermogensregime wordt beheerst door Nederlands recht, of
b) een echtgenoot op wie ingevolge het bepaalde in artikel 5 van deze wet verhaal mogelijk is.

Art. 8. Het bepaalde in artikel 119 Boek I van het Burgerlijk Wetboek is niet van toepassing, indien de echtgenoten een ander recht op hun huwelijksvermogensregime aanwijzen dan het recht dat tevoren daarop toepasselijk was.

Art. 9. Artikel 121, vierde lid, Boek 1 van het Burgerlijk Wetboek vervalt.

Art. 10. Het bepaalde in artikel 131 Boek 1 van het Burgerlijk Wetboek is ook van toepassing wanneer het huwelijksvermogensregime van de echtgenoten door een vreemd recht wordt beheerst.

Citeertitel

Art. 11. Deze wet kan worden aangehaald als: Wet conflictenrecht huwelijksvermogensregime.

Inwerkingtreding

Art. 12. 1. Deze wet treedt in werking op een bij Koninklijk besluit te bepalen tijdstip.
2. Deze wet is van toepassing op het huwelijksvermogensregime van echtgenoten die na het tijdstip van inwerkingtreding in het huwelijk treden.
3. De bepalingen van deze wet betreffende de aanwijzing van het toepasselijke recht zijn van toepassing op het huwelijksvermogensregime van echtgenoten die vóór het tijdstip van inwerkingtreding in het huwelijk zijn getreden en die na dat tijdstip het daarop toepasselijke recht aanwijzen.

Overgangsbepaling

Art. 13. Een aanwijzing door de echtgenoten van het op hun huwelijksvermogensregime toepasselijke recht, of de wijziging van een zodanige aanwijzing, welke is geschied vóór de inwerkingtreding van deze wet, kan niet als ongeldig worden beschouwd op de enkele grond dat de wet een zodanige aanwijzing toen niet regelde. Dit geldt niet voor de gevallen dat op het huwelijksvermogensregime de bepalingen van het op 17 juli 1905 tot stand gekomen Verdrag betreffende de wetsconflicten met betrekking tot de gevolgen van het huwelijk ten opzichte van de rechten en verplichtingen der echtgenoten in hun persoonlijke betrekkingen en ten opzichte van hun goederen (Stb. 1912, 285) toepasselijk waren en de aanwijzing geschiedde vóór 23 augustus 1977, op welke dag dat Verdrag ophield te gelden voor Nederland.

Wet van 16 september 1993, houdende regeling van het conflictenrecht inzake de persoonlijke rechtsbetrekkingen tussen de echtgenoten en de tussen hen bestaande vermogensrechtelijke betrekkingen die niet vallen onder het huwelijksvermogensregime (Wet conflictenrecht huwelijksbetrekkingen)

Wij Beatrix, bij de gratie Gods, Koningin der Nederlanden, Prinses van Oranje-Nassau, enz. enz. enz.

Allen, die deze zullen zien of horen lezen, saluut! doen te weten:

Alzo Wij in overweging genomen hebben, dat het wenselijk is regelen te geven met betrekking tot het conflictenrecht inzake persoonlijke rechtsbetrekkingen tussen de echtgenoten en de tussen hen bestaande vermogensrechtelijke betrekkingen die niet vallen onder het huwelijksregime;

Zo is het, dat Wij, de Raad van State gehoord, en met gemeen overleg der Staten-Generaal, hebben goedgevonden en verstaan, gelijk Wij goedvinden en verstaan bij deze:

Recht dat van toepassing is

Art. 1. 1. De persoonlijke rechtsbetrekkingen tussen de echtgenoten onderling worden beheerst:
a. door het recht van de Staat van de gemeenschappelijke nationaliteit van de echtgenoten, of bij gebreke daarvan
b. door het recht van de Staat waar zij beiden hun gewone verblijfplaats hebben, of bij gebreke daarvan
c. door het recht van de Staat daarmee zij, alle omstandigheden in aanmerking genomen, het nauwst zijn verbonden.

2. Het bepaalde in het eerste lid, onder a, vindt geen toepassing indien de echtgenoten meer dan één gemeenschappelijke nationaliteit bezitten.

3. Wanneer als gevolg van een wijziging in de in het eerste lid genoemde omstandigheden de toepassing van het daar bepaalde leidt tot een ander recht dan het voorheen toepasselijke, is dat andere recht toepasselijk vanaf het tijdstip van die wijziging.

Aansprakelijkheid echtgenoten

Art. 2. De vraag of en in hoeverre de ene echtgenoot aansprakelijk is voor verbintenissen ten behoeve van de gewone gang van het huishouden, welke door de andere echtgenoot zijn aangegaan, wordt, indien die andere echtgenoot en de wederpartij ten tijde van het aangaan van de verbintenis hun gewone verblijfplaats hadden in dezelfde Staat, beheerst door het recht van die Staat.

Toestemming van andere echtgenoot voor rechtshandelingen

Art. 3. De vraag of de ene echtgenoot voor een rechtshandeling de toestemming van de andere echtgenoot behoeft, en zo ja, in welke vorm deze toestemming moet worden verleend, of zij kan worden vervangen door een beslissing van de rechter of een andere autoriteit, alsmede welke de gevolgen zijn van het ontbreken van deze toestemming, wordt beheerst door het recht van de Staat waar de andere echtgenoot ten tijde van het verrichten van die rechthandeling zijn gewone verblijfplaats heeft.

Art. 4. Het in de artikelen 2 en 3 bepaalde geldt ongeacht het recht dat het huwelijksvermogensregime van de echtgenoten beheerst, en ongeacht het recht dat van toepassing is op de persoonlijke rechtsbetrekkingen tussen de echtgenoten.

Inwerkingtreding

Art. 5. Deze wet treedt in werking op een bij Koninklijk besluit te bepalen tijdstip.

Citeertitel

Art. 6. Deze wet kan worden aangehaald als: Wet conflictenrecht huwelijksbetrekkingen.

WET van 8 december 1988, Stb. 566, houdende regelen inzake de opneming in Nederland van buitenlandse pleegkinderen met het oog op adoptie (Wet opneming buitenlandse pleegkinderen) zoals laatstelijk gewijzigd bij de wet van 26 april 1995, Stb. 250

Alzo Wij in overweging genomen hebben, dat het wenselijk is de voorwaarden waaraan moet zijn voldaan bij de opneming in Nederland van een buitenlands pleegkind met het oog op adoptie in de wet neer te leggen en tevens bij de wet te bepalen dat bemiddelende werkzaamheden inzake een zodanige opneming slechts kunnen worden verricht door organisaties aan welke daartoe een vergunning is verleend en op de bij of krachtens de wet bepaalde wijze, zulks ter bevordering van een verantwoorde gang van zaken rond de opneming in Nederland van buitenlandse pleegkinderen met het oog op adoptie;

HOOFDSTUK 1
Begripsbepalingen

Begripsbepalingen

Art. 1. In deze wet en de daarop berustende bepalingen wordt verstaan onder:
Onze Minister: Onze Minister van Justitie;
buitenlands pleegkind: een buiten Nederland geboren, de Nederlandse nationaliteit niet bezittende minderjarige in de zin van de Nederlandse wet, die in Nederland met het oog op adoptie in een ander gezin dan het ouderlijke wordt of zal worden verzorgd en opgevoed in zodanige omstandigheden dat de verzorgers in feite de plaats van de ouders innemen;
aspirant-pleegouders: echtgenoten die een buitenlands pleegkind wensen op te nemen;
pleegouders: echtgenoten die een buitenlands pleegkind hebben opgenomen;
beginseltoestemming: de schriftelijke mededeling van Onze Minister omschreven in artikel 2;
vergunninghouder: de rechtspersoon die houder is van een vergunning als bedoeld in de artikelen 15 en 16;
raad voor de kinderbescherming: de raad voor de kinderbescherming in wiens gebied het buitenlandse pleegkind wordt of zal worden verzorgd en opgevoed;
bemiddeling: elke activiteit van een vergunninghouder gericht op totstandbrenging van, of ondersteuning bij, de plaatsing van een buitenlands pleegkind met het oog op adoptie bij aspirant-pleegouders.

HOOFDSTUK 2
De beginseltoestemming

Beginseltoestemming

Art. 2. De opneming in Nederland van een buitenlands pleegkind is uitsluitend toegestaan, indien van Onze Minister een voorafgaande schriftelijke mededeling is verkregen, dat deze in beginsel voor zodanige opneming toestemming verleent.

Termijn

Art. 3. 1. De beginseltoestemming geldt voor een periode van drie jaren en kan telkens voor een periode van drie jaren worden verlengd. De periode waarvoor zij wordt verleend of verlengd, overschrijdt evenwel niet het tijdstip waarop een van de aspirant-pleegouders de leeftijd van zesenveertig jaren zal hebben bereikt.

2. Een beginseltoestemming betreft slechts de opneming van één buitenlands pleegkind, tenzij Onze Minister in verband met bijzondere omstandigheden toestemming verleent tot opneming van meer dan één kind.

Het verzoek

Art. 4. Een verzoek tot verlening van een beginseltoestemming of tot verlenging van de geldigheidsduur ervan wordt slechts in behandeling genomen, indien:
a. het verzoek door de aspirant-pleegouders te zamen schriftelijk bij Onze Minister is ingediend;
b. de aspirant-pleegouders daarbij hebben overgelegd:
1°. de door Onze Minister vastgestelde gegevens die noodzakelijk zijn voor de beoordeling van het verzoek;
2°. de verklaring dat zij bereid zijn het buitenlandse pleegkind de gangbare preventieve en curatieve behandelingen te doen ondergaan die van levensbelang zijn voor het kind;
c. de aspirant-pleegouders, ingeval in hun gezin reeds één of meer eigen kinderen of met het oog op adoptie opgenomen pleegkinderen verblijven, deze kinderen gedurende ten minste een jaar hebben verzorgd en opgevoed;

d. de aspirant-pleegouders vóór de aanvang van het ingevolge artikel 5, eerste lid, in te stellen onderzoek het bij algemene maatregel van bestuur vastgestelde bedrag ter bestrijding van de kosten van de in artikel 5, derde lid, bedoelde voorlichting hebben voldaan.

Verlening beginseltoestemming

Art. 5. 1. Behoudens het geval bedoeld in het vijfde lid, onder b, tweede volzin, beslist Onze Minister op het verzoek tot verlening van een beginseltoestemming of tot verlenging van de geldigheidsduur ervan eerst nadat de raad voor de kinderbescherming dan wel een door Onze Minister aangewezen raad voor de kinderbescherming een onderzoek heeft ingesteld naar de geschiktheid van de aspirant-pleegouders voor de verzorging en opvoeding van een buitenlands pleegkind.

Algemene voorlichting

2. Ter voorbereiding van het in het eerste lid bedoelde onderzoek ontvangen de aspirant-pleegouders, indien het de opneming van een eerste buitenlands pleegkind betreft, algemene voorlichting omtrent de opneming en de adoptie van buitenlandse pleegkinderen, welke voorlichting onder toezicht van Onze Minister zal worden verstrekt.

3. Bij algemene maatregel van bestuur kunnen nadere regels worden gesteld ten aanzien van de organisatie, de inhoud en de bekostiging van de aan de aspirant-pleegouders te verstrekken algemene voorlichting.

Rapport van onderzoek

4. Het rapport van het onderzoek wordt met de aspirant-pleegouders besproken voordat het door de raad voor de kinderbescherming wordt uitgebracht. De raad voor de kinderbescherming verschaft de aspirant-pleegouders inzage in het uit te brengen rapport. In de gevallen waarin een beginseltoestemming wordt verleend of de geldigheidsduur ervan wordt verlengd, wordt het oorspronkelijke exemplaar van het rapport na daartoe strekkend schriftelijk verzoek van de aspirant-pleegouders uitsluitend verstrekt aan de vergunninghouder wiens bemiddeling door de aspirant-pleegouders is ingeroepen. In geval van afwijzing van een verzoek tot verlening van een beginseltoestemming of tot verlenging van de geldigheidsduur ervan wordt aan de aspirant-pleegouders op hun schriftelijk verzoek een afschrift van het rapport verstrekt.

Afwijzing van het verzoek

5. Onze Minister beslist afwijzend op een verzoek tot verlening van een beginseltoestemming:
a. indien hij een aspirant-pleegouder niet geschikt acht voor de verzorging en opvoeding van een buitenlands pleegkind;
b. indien een der aspirant-pleegouders op het tijdstip van de indiening van het verzoek de leeftijd van tweeënveertig jaren heeft bereikt, tenzij bijzondere omstandigheden inwilliging van het verzoek naar zijn oordeel wenselijk maken. Op bijzondere omstandigheden kan geen beroep worden gedaan indien een van de aspirant-pleegouders op het tijdstip van de indiening van het verzoek de leeftijd van vierenveertig jaren heeft bereikt.

6. Onze Minister beslist afwijzend op een verzoek tot verlening of verlenging van de geldigheidsduur van een beginseltoestemming indien te verwachten is dat op het tijdstip waarop een buitenlands pleegkind zou kunnen worden opgenomen, het verschil in leeftijd tussen een der aspirant-pleegouders en het buitenlandse pleegkind meer dan veertig jaren bedraagt, tenzij bijzondere omstandigheden inwilliging van het verzoek naar zijn oordeel wenselijk maken.

7. Onze Minister kan met het oog op het vereiste dat het leeftijdsverschil tussen aspirant-pleegouders en buitenlands pleegkind de veertig jaren niet te boven gaat, een voorwaarde stellen met betrekking tot de leeftijd van het buitenlandse pleegkind.

Mededeling en motivering afwijzing

8. De afwijzing van een verzoek tot verlening van een beginseltoestemming of tot verlenging van de geldigheidsduur ervan wordt met redenen omkleed schriftelijk ter kennis gebracht van de aspirant-pleegouders.

Intrekking beginseltoestemming

Art. 6. 1. Indien blijkt dat aspirant-pleegouders aan wie een beginseltoestemming is verleend, niet langer geschikt zijn voor de verzorging en opvoeding van een buitenlands pleegkind, besluit Onze Minister tot intrekking van de beginseltoestemming.

Nieuw onderzoek

2. Een besluit tot intrekking van een beginseltoestemming wordt eerst genomen nadat de raad voor de kinderbescherming opnieuw een onderzoek heeft ingesteld.

Mededeling en motivering intrekking

3. De intrekking van een beginseltoestemming wordt met redenen omkleed schriftelijk ter kennis gebracht van de aspirant-pleegouders.

Advies van College van Advies voor de Kinderbescherming

Art. 7. 1. Ten behoeve van de beslissing op bezwaar tegen een besluit, inhoudende de afwijzing van een verzoek tot verlening van een beginseltoestemming of tot verlenging van de geldigheidsduur ervan alsmede de intrekking van een beginseltoestemming wint Onze Minister, onder overlegging van de op de zaak betrekking hebbende bescheiden, schriftelijk advies in van het College van advies voor de justitiële kinderbescherming. Het College kan het voor zijn advies benodigde onderzoek opdragen aan een uit zijn midden benoemde commissie. Artikel 7:13, tweede tot en met zevende lid, van de Algemene wet bestuursrecht is van overeenkomstige toepassing.

2. Door het College van Advies of de in het eerste lid bedoelde commissie opgeroepen getuigen en deskundigen ontvangen desverkiezend een vergoeding uit de openbare kas, door de voorzitter van het College van Advies te begroten overeenkomstig het bij of krachtens de Wet tarieven in burgerlijke zaken (Stb. 1960, 541) bepaalde.

3. Het eerste en het tweede lid zijn niet van toepassing:
a. indien bezwaar wordt gemaakt tegen een besluit tot afwijzing van het verzoek tot verlening van een beginseltoestemming op grond van artikel 5, vijfde lid, onder b, eerste volzin, en een van de aspirant-pleegouders op het tijdstip van indiening van het verzoek de leeftijd van vierenveertig jaren heeft bereikt; of
b. indien bezwaar wordt gemaakt tegen een besluit tot verlenging van de geldigheidsduur van de beginseltoestemming voor een duur korter dan drie jaren en artikel 3, eerste lid, tweede volzin, van toepassing is.

Art. 7a. 1. Indien de aspirant-pleegouders gebruik wensen te maken van activiteiten van autoriteiten, instellingen of personen in het buitenland, doen zij hiervan onder overlegging van alle voor deze procedure relevante bescheiden opgave aan de vergunninghouder aan wie het rapport is verstrekt. De vergunninghouder onderzoekt deze autoriteiten, instellingen of personen op zuiverheid en zorgvuldigheid van handelen.

2. Naar aanleiding van het in het eerste lid bedoelde onderzoek brengt de vergunninghouder schriftelijk, met redenen omkleed, advies uit aan Onze Minister. Van de toezending van het advies doet hij schriftelijk mededeling aan de aspirant-pleegouders.

3. Na ontvangst van het advies besluit Onze Minister of de doorzending van het rapport en de bemiddeling zullen plaatsvinden. Aan dat besluit kan hij voorwaarden verbinden. De doorzending en de bemiddeling zullen niet plaatsvinden indien aannemelijk is dat de aspirant-pleegouders bij de opneming van een buitenlands pleegkind niet zullen handelen in overeenstemming met het bepaalde in artikel 8, onder d en e, of door hun handelen schade zullen toebrengen aan de door de vergunninghouder opgebouwde relaties met instellingen, autoriteiten of personen in het buitenland, dan wel indien er gegronde redenen zijn om te twijfelen aan de zuiverheid en de zorgvuldigheid van hun handelen. Tot die redenen behoort in ieder geval de omstandigheid dat aan de bemiddeling voor aspirant-pleegouders onevenredig hoge kosten zijn verbonden.

4. Indien het in het tweede lid bedoelde advies niet aan Onze Minister is toegezonden binnen twee maanden nadat opgave is gedaan van de in het buitenland gelegde contacten, kunnen aspirant-pleegouders zich tot Onze Minister wenden met het verzoek over de doorzending te beslissen. Het besluit omtrent de doorzending wordt binnen twee maanden na de ontvangst van dat verzoek genomen.

5. Bij algemene maatregel van bestuur worden nadere regels gesteld ten aanzien van de maatstaven die bij het in het eerste lid bedoelde onderzoek dienen te worden gehanteerd.

HOOFDSTUK 3
Het buitenlandse pleegkind en zijn opneming

Voorwaarden voor pleegkind

Art. 8. Onverminderd het bepaalde bij en krachtens de Vreemdelingenwet (Stb. 1965, 40) inzake toelating en verblijf, dient bij de binnenkomst in Nederland van een buitenlands pleegkind aan de volgende voorwaarden te worden voldaan:
a. het buitenlandse pleegkind mag op het tijdstip van binnenkomst in Nederland de leeftijd van zes jaren niet bereikt hebben, behoudens de bevoegdheid van Onze Minister om in bijzondere gevallen, op schriftelijk verzoek van de aspirant-pleegouders, een afwijking van deze leeftijdsgrens toe te staan;
b. door de aspirant-pleegouders dient een medische verklaring met betrekking tot het buitenlandse pleegkind te worden overgelegd;
c. door de aspirant-pleegouders dient te worden aangegeven, op welke wijze bij de opneming van het buitenlands pleegkind is gebruik gemaakt van de bemiddeling van een vergunninghouder;

d. door de aspirant-pleegouders dient op bevredigende wijze door middel van bescheiden te worden aangetoond dat de afstand door de ouder of de ouders van het buitenlandse pleegkind naar behoren is geregeld;
e. door de aspirant-pleegouders dient op bevredigende wijze door middel van bescheiden te worden aangetoond dat de autoriteiten in het land van herkomst instemmen met de opneming, door hen, van het buitenlandse pleegkind.

Art. 9. 1. De pleegouders zijn vanaf het tijdstip van het vertrek van het buitenlandse pleegkind naar Nederland verplicht te voorzien in de kosten van verzorging en opvoeding van dat kind als ware het hun eigen kind. De kosten van terugkeer naar het land van herkomst komen eveneens te hunnen laste.
2. De in het eerste lid omschreven verplichtingen rusten eveneens op degene die in strijd met artikel 2 heeft gehandeld.
3. De bepalingen van titel 17 van boek 1 van het Burgerlijk Wetboek zijn zoveel mogelijk van overeenkomstige toepassing.

Opneming zonder beginseltoestemming

Art. 10. 1. Indien is gehandeld in strijd met artikel 2 kan de officier van justitie de minderjarige voorlopig aan de raad voor de kinderbescherming toevertrouwen, tenzij dit niet verenigbaar is met het belang van de minderjarige. In geval van voorlopige toevertrouwing wendt de raad zich binnen zes weken tot de rechter ten einde een voorziening in het gezag over de minderjarige te verkrijgen. Artikel 813, tweede lid van het Wetboek van Burgerlijke Rechtsvordering is van overeenkomstige toepassing bij de tenuitvoerlegging van het bevel dat de officier van justitie ingevolge dit lid geeft.
2. De toevertrouwing eindigt, behoudens eerdere opheffing, op het tijdstip waarop hetzij de voogdij over de minderjarige, dan wel diens verblijf bij aspirant-pleegouders aan wie een beginseltoestemming is verleend, een aanvang neemt, hetzij de minderjarige in het land van herkomst wordt teruggeplaatst.
3. De kosten die de raad voor de kinderbescherming ten behoeve van een hem toevertrouwde minderjarige moet maken, komen ten laste van degene die de minderjarige in strijd met artikel 2 heeft opgenomen. De raad vordert deze kosten zoveel doenlijk van hem terug. Op deze kosten is artikel 402a van boek 1 van het Burgerlijk Wetboek van overeenkomstige toepassing.
4. Indien tot verhaal van de kosten bedoeld in het derde lid beslag wordt gelegd op loon of andere periodieke uitkeringen welke de geëxecuteerde van een derde te vorderen mocht hebben, zijn de artikelen 479b tot en met 479g van het Wetboek van Burgerlijke Rechtsvordering van overeenkomstige toepassing.

HOOFDSTUK 4
Het gezinsonderzoek na binnenkomst in Nederland van een tijdens gewoon verblijf in het buitenland opgenomen buitenlands pleegkind

Opneming tijdens buitenlands verblijf

Art. 11. Wanneer het buitenlandse pleegkind, na opneming door pleegouders in een periode waarin zij hun gewone verblijfplaats in het buitenland hadden, te zamen met de pleegouders in Nederland is binnengekomen, wordt ambtshalve het onderzoek bedoeld in artikel 5, eerste lid, ingesteld.

Art. 12. 1. Op grond van het in artikel 11 bedoelde onderzoek beslist Onze Minister of hij de pleegouders geschikt acht voor de verzorging en opvoeding van het buitenlandse pleegkind. Hij brengt zijn beslissing schriftelijk ter kennis van de pleegouders.
2. Indien Onze Minister de pleegouders niet geschikt acht voor de verzorging en opvoeding van het buitenlandse pleegkind, omkleedt hij zijn beslissing met redenen en brengt haar tevens ter kennis van de officier van justitie. Artikel 10 is van overeenkomstige toepassing.

Art. 13. In geval van bezwaar bij Onze Minister tegen het in artikel 12 bedoelde besluit is artikel 7 van overeenkomstige toepassing. Een zodanig bezwaar schorst niet een maatregel die met overeenkomstige toepassing van artikel 10 is genomen.

Art. 14. De bepalingen van deze wet blijven buiten toepassing indien het buitenlandse pleegkind, na opneming door pleegouders in een periode waarin zij hun gewone verblijfplaats in het buitenland hebben, door hen gedurende ten minste een jaar aldaar is verzorgd en opgevoed en de verzorging en opvoeding van dat kind na binnenkomst in Nederland door hen zal worden voortgezet.

HOOFDSTUK 5
De vergunning en de werkzaamheden van vergunninghouders

Bemiddelingsverbod

Art. 15. Het is verboden zonder vergunning van Onze Minister te bemiddelen inzake de opneming van een buitenlands pleegkind.

Vergunning

Art. 16. 1. De vergunning wordt door Onze Minister op verzoek verleend aan een rechtspersoon met volledige rechtsbevoegdheid wiens zetel zich in Nederland bevindt en die voldoet aan het bij en krachtens de volgende leden bepaalde.

2. Het verzoek dient door de aanvrager schriftelijk bij Onze Minister te worden ingediend en de door Onze Minister vastgestelde gegevens te bevatten, welke benodigd zijn voor de beoordeling van de aanvraag. Deze gegevens worden in de Nederlandse Staatscourant bekend gemaakt.

3. De aanvrager dient krachtens zijn doelstellingen te bemiddelen inzake de opneming hier te lande van buitenlandse pleegkinderen, in de gevallen dat deze opneming in het belang van de betrokken kinderen kan worden geacht.

4. De werkzaamheden van de aanvrager mogen niet zijn gericht op het maken van winst.

5. Het bestuur van de aanvrager moet uit ten minste drie leden bestaan en zodanig zijn samengesteld dat de behartiging van de belangen van de buitenlandse pleegkinderen en de aspirant-pleegouders is gewaarborgd.

6. De aanvrager moet zodanig zijn toegerust dat een zorgvuldige en doeltreffende uitvoering van zijn werkzaamheden is gewaarborgd.

7. De aanvrager moet bereid zijn tot samenwerking met andere vergunninghouders, in het bijzonder op het terrein van de algemene voorlichting van de aspirant-pleegouders.

8. Bij algemene maatregel van bestuur worden nadere regels gesteld inzake de eisen bedoeld in het vijfde, zesde en zevende lid. Daarin worden in ieder geval regels gesteld betreffende de verzameling van gegevens over het pleegkind voor zijn komst naar Nederland.

Afwijzing verzoek

Art. 17. In afwijking van het bepaalde in artikel 16 beslist Onze Minister afwijzend op een verzoek tot verlening van een vergunning indien hetzij gegronde vrees bestaat dat de aanvrager het bij of krachtens deze wet bepaalde niet zal naleven, hetzij de aanvrager naar verwachting te weinig toekomstmogelijkheden met betrekking tot bemiddeling inzake de opneming van buitenlandse pleegkinderen heeft.

Intrekking vergunning

Art. 18. 1. Onze Minister trekt een vergunning in:
a. indien de gegevens die met het oog op de verkrijging van de vergunning zijn verstrekt, zodanig onjuist of onvolledig blijken dat op het verzoek een andere beslissing zou zijn genomen als bij de beoordeling daarvan de juiste of volledige gegevens bekend zouden zijn geweest;
b. indien niet langer wordt voldaan aan een der eisen gesteld bij of krachtens artikel 16.

2. Onze Minister kan een vergunning intrekken:
a. indien de vergunninghouder het bepaalde bij of krachtens de artikelen 20 tot en met 23, dan wel het bepaalde bij de artikelen 8 of 32 niet heeft nageleefd;
b. indien de vergunninghouder gedurende ten minste twee jaren geen bemiddeling inzake de opneming van een buitenlands pleegkind heeft voltooid.

3. Van een besluit tot verlening van een vergunning, tot afwijzing van een verzoek tot verlening van een vergunning of tot intrekking van een vergunning doet Onze Minister schriftelijk mededeling aan de aanvrager, onderscheidenlijk de vergunninghouder.

4. Besluiten tot afwijzing van een verzoek tot verlening van een vergunning of tot intrekking van een vergunning worden met redenen omkleed.

Art. 19. Indien artikel 18 wordt toegepast, beslist Onze Minister desgewenst door welke vergunninghouder of vergunninghouders de werkzaamheden van de rechtspersoon wiens vergunning is ingetrokken, voortgezet en zo nodig beëindigd zullen worden.

Werkzaamheden vergunninghouder

Art. 20. 1. De vergunninghouder bemiddelt inzake de opneming van een buitenlands pleegkind uitsluitend ten behoeve van de aspirant-pleegouders die beschikken over een geldige beginseltoestemming overeenkomstig het in die beginseltoestemming bepaalde.

2. De vergunninghouder bemiddelt niet inzake de opneming van een buitenlands pleegkind buiten Nederland.

3. De vergunninghouder betaalt geen onevenredig hoge vergoedingen voor in verband met zijn bemiddeling verrichte diensten.

4. De vergunninghouder knoopt geen betrekkingen aan met instellingen of organisaties in het buitenland die reeds met andere vergunninghouders betrekkingen onderhouden met het oog op bemiddeling inzake de opneming van buitenlandse pleegkinderen.

5. Onze Minister stelt regels met betrekking tot de gegevens die door de vergunninghouder in verband met het toezicht op de naleving van het bepaalde in het derde en vierde lid van dit artikel moeten worden verstrekt betreffende zijn betrekkingen met instanties in buitenland. Deze regels worden in de Nederlandse Staats--courant bekend gemaakt.

Art. 21. 1. De vergunninghouder schrijft uitsluitend aspirant-pleegouders in die beschikken over een beginseltoestemming, tenzij dezelfde vergunninghouder reeds eerder heeft bemiddeld voor de aspirant-pleegouders.

2. De vergunninghouder schrijft geen aspirant-pleegouders in die reeds bij een andere vergunninghouder zijn ingeschreven.

3. De vergunninghouder houdt bij zijn bemiddeling zo veel mogelijk de volgorde aan waarin de bij hem ingeschreven aspirant-pleegouders een verzoek tot verlening van een beginseltoestemming hebben ingediend.

4. De vergunninghouder draagt de gegevens van de bij hem ingeschreven aspirant-pleegouders die zich bij een andere vergunninghouder willen laten inschrijven, over aan die andere vergunninghouder onder gelijktijdige uitschrijving van die aspirant-pleegouders.

5. De vergunninghouder verstrekt de gegevens van de bij hem ingeschreven aspirant-pleegouders slechts aan autoriteiten of instellingen in het buitenland voor zover de noodzaak daartoe uit zijn werkzaamheden met het oog op zijn bemiddeling inzake de opneming van een buitenlands pleegkind voortvloeit.

6. De vergunninghouder stelt Onze Minister in kennis van elke opneming van een buitenlands pleegkind door pleegouders die ten tijde van de opneming bij hem waren ingeschreven.

Art. 22. Ingeval aspirant-pleegouders hun inschrijving bij een vergunninghouder beëindigen en zich bij een andere vergunninghouder laten inschrijven, geeft deze laatste hiervan kennis aan Onze Minister.

Administratieverplichting

Art. 23. 1. De vergunninghouder voert een deugdelijke administratie en houdt van zijn vermogenstoestand en van alles wat zijn werkzaamheden betreft een zodanige boekhouding bij, dat daaruit te allen tijde zijn rechten en verplichtingen kunnen worden gekend.

2. De vergunninghouder doet jaarlijks verslag van zijn werkzaamheden zowel in als buiten Nederland aan Onze Minister en zendt hem tevens binnen zes maanden na afloop van het boekjaar zijn balans en staat van baten en lasten met toelichting zoals deze na vaststelling van het bedrag der inkomsten en uitgaven en, indien vereist, goedkeuring luiden.

3. Bij algemene maatregel van bestuur kunnen eisen worden gesteld waaraan de stukken welke ingevolge het tweede lid aan Onze Minister moeten worden toegezonden, moeten voldoen; tevens kunnen daarbij regelen worden gesteld ten aanzien van de overdracht van de administratie van de vergunninghouder na intrekking van diens vergunning dan wel beëindiging van diens werkzaamheden op andere wijze.

Art. 24. 1. Onze Minister wijst ambtenaren aan die tot taak hebben het beheer van een centrale lijst van aspirant-pleegouders die over een geldige beginseltoestemming beschikken.

2. De centrale lijst van aspirant-pleegouders kan te allen tijde door belanghebbenden worden ingezien.

HOOFDSTUK 6
Toezicht en strafbepalingen

Toezicht

Art. 25. 1. Met het toezicht op de naleving van het bepaalde bij of krachtens de artikelen 16 en 20 tot en met 23 zijn belast de door Onze Minister aangewezen ambtenaren van het Ministerie van Justitie.

2. Met het toezicht op de naleving van het bepaalde bij de artikelen 2 en 8, zijn belast:
1.° de secretarissen van de raden voor de kinderbescherming alsmede de door hen aangewezen ambtenaren;
2°. de ambtenaren belast met het toezicht op vreemdelingen en de grensbewaking.
3. Een krachtens het eerste lid vastgesteld besluit wordt in de Nederlandse Staatscourant bekend gemaakt.

Art. 26. 1. De in artikel 25 bedoelde ambtenaren zijn bevoegd van een ieder de inlichtingen te verlangen die redelijkerwijs voor de vervulling van hun taak uit hoofde van deze wet nodig zijn.
2. Zij zijn bevoegd inzage te vorderen en afschrift te nemen van de boeken en andere zakelijke bescheiden waarvan de inzage redelijkerwijs voor de vervulling van hun taak uit hoofde van deze wet nodig is.

Strafmaxima

Art. 27. 1. Hij die uit winstbejag handelt in strijd met artikel 15 of artikel 20, eerste lid, wordt gestraft met gevangenisstraf van ten hoogste zes maanden of geldboete van de derde categorie.
2. De in het eerste lid strafbaar gestelde feiten zijn misdrijven.

Art. 28. 1. Hij die handelt in strijd met artikel 2, artikel 8, artikel 15 of artikel 20, wordt gestraft met geldboete van de derde categorie.
2. De in het eerste lid strafbaar gestelde feiten zijn overtredingen.

HOOFDSTUK 7
Slotbepalingen

Art. 29. (Bevat wijzigingen in de Pleegkinderenwet)

Art. 30. (Bevat wijzigingen in het Burgerlijk Wetboek)

Art. 31. (Bevat wijzigingen in de Beginselenwet voor de kinderbescherming)

Art. 32. Een ieder die betrokken is bij de uitvoering van deze wet en daarbij de beschikking krijgt over gegevens, waarvan hij het vertrouwelijke karakter kent of redelijkerwijs moet vermoeden, en voor wie niet reeds uit hoofde van ambt, beroep of wettelijk voorschrift ter zake van die gegevens een geheimhoudingsplicht geldt, is verplicht tot geheimhouding daarvan behoudens voor zover enig wettelijk voorschrift hem tot bekendmaking verplicht, of uit zijn taak bij de uitvoering van deze wet de noodzaak tot bekendmaking voortvloeit.

Art. 33. 1. Deze wet treedt in werking op een bij koninklijk besluit te bepalen tijdstip.
2. Deze wet is niet van toepassing op verzoeken tot verlening van een beginseltoestemming welke voorafgaande aan de dag van haar inwerkingtreding zijn ingediend.
3. Voor verenigingen en stichtingen die gedurende tenminste drie jaren onmiddellijk voorafgaande aan de inwerkingtreding van deze wet bemiddeling hebben verleend bij de opneming in Nederland van buitenlandse pleegkinderen geldt het bepaalde in artikel 15 niet gedurende een maand na de inwerkingtreding van deze wet, en, indien zij binnen die maand een vergunning tot bemiddeling hebben aangevraagd, evenmin zolang op die aanvrage niet onherroepelijk is beslist.

Art. 34. Deze wet kan worden aangehaald als Wet opneming buitenlandse pleegkinderen.

WETBOEK VAN KOOPHANDEL 1838

Inhoudsopgave

DERDE BOEK VAN VOORZIENINGEN IN GEVAL VAN ONVERMOGEN VAN KOOPLIEDEN

(vervallen bij de wet van 20 jan. 1896, Stb. 9: Faillissementswet)

WETBOEK VAN KOOPHANDEL
ALGEMEENE BEPALING

Toepasselijkheid BW

Art. 1. Het Burgerlijk Wetboek is, voor zoo verre daarvan bij dit Wetboek niet bijzonderlijk is afgeweken, ook op de in dit Wetboek behandelde onderwerpen toepasselijk.

EERSTE BOEK
Van den Koophandel in het algemeen

EERSTE TITEL
Van kooplieden en van daden van koophandel

Artt. 2-5. Vervallen.

TWEEDE TITEL
Van boekhouding

Art. 6. (Vervallen bij de wet van 8 november 1993, Stb. 598).

Bewijskracht boekhouding

Art. 7. Het staat den regter vrij ten voordeele van ieder aan diens boekhouding zoodanige bewijskracht toe te kennen, als hij in ieder bijzonder geval zal vermeenen te behooren.

Bevel openlegging boeken enz.

Art. 8. 1. De regter kan, in den loop van een regtsgeding, op verzoek of ambtshalve, aan ieder der partijen of aan een van haar de openlegging bevelen van de boeken, bescheiden en andere gegevensdragers, welke zij ingevolge de wet moeten houden, maken of bewaren, teneinde deze te raadplegen of daarvan een uittreksel te doen nemen, voorzooveel hij dit noodig acht in verband met het punt in geschil.

2. Het staat hem vrij, uit de niet-voldoening aan zijn bevel de gevolgtrekking te maken, die hem geraden zal voorkomen.

3. In een geding, betrekkelijk tot een jaarrekening, kan de rechter de openlegging bevelen onder verbeurte van een dwangsom, te betalen aan de wederpartij.

Inzage in ander kanton

Art. 9. Wanneer de boeken, bescheiden of andere gegevensdragers zich bevinden in een ander kanton dan dat, waarbinnen de zetel is van den regter voor wien de zaak dient, kan deze den plaatselijken regter opdragen daarvan de verlangde raadpleging te verrichten en van zijne bevinding een proces-verbaal op te maken en over te zenden.

Art. 10. Vervallen.

Gevallen van verplichte overlegging

Art. 11. Men kan niemand noodzaken zijn boekhouding over te leggen, dan alleen ten behoeve van hem die als erfgenaam, als belanghebbende ineene gemeenschap, als vennoot, als aansteller van factoors of bewindvoerders, daarbij een regelregt belang heeft, en eindelijk in geval van faillissement.

Artt. 12 en 13. Vervallen.

DERDE TITEL
Van de vennootschap onder eene firma en van die bij wijze van geldschieting of „en commandite" genaamd

Art. 14. Vervallen.

Van toepassing zijnde regelen

Art. 15. De in dezen titel genoemde vennootschappen worden geregeerd door de overeenkomsten van partijen, door dit Wetboek en door het Burgerlijk Regt.

Vennootschap onder firma

Art. 16. De vennootschap onder eene firma is de maatschap, tot de uitoefening van een bedrijf onder eenen gemeenschappelijken naam aangegaan.

Handelingsbevoegdheid vennoten

Art. 17. 1. Elk der vennooten, die daarvan niet is uitgesloten, is bevoegd ten name der vennootschap te handelen, gelden uit te geven en te ontvangen, en de vennootschap aan derden, en derden aan de vennootschap te verbinden.

2. Handelingen welke niet tot de vennootschap betrekkelijk zijn, of tot welke de vennooten volgens de overeenkomst onbevoegd zijn, worden onder deze bepaling niet begrepen.

Hoofdelijke aansprakelijkheid

Art. 18. In vennootschappen onder eene firma is elk der vennooten, wegens de verbindtenissen der vennootschap, hoofdelijk verbonden.

Commanditaire vennootschap

Art. 19. 1. De vennootschap bij wijze van geldschieting, anders en commandite genaamd, wordt aangegaan tusschen eenen persoon, of tusschen meerdere hoofdelijk verbonden vennooten, en eenen of meer andere personen als geldschieters.

Tegelijk vennootschap of en cv

2. Eene vennootschap kan alzoo te gelijker tijd zijn eene vennootschap onder eene firma, ten aanzien van de vennooten onder de firma, en eene vennootschap bij wijze van geldschieting, ten aanzien van den geldschieter.

Geen aandelenkapitaal

3. De vennootschap bij wijze van geldschieting heeft geen in aandelen verdeeld kapitaal.

Stille vennoot

Art. 20. 1. Behoudens de uitzondering, in het tweede lid van art. 30 voorkomende, mag de naam van den vennoot bij wijze van geldschieting in de firma niet worden gebezigd.

2. Deze vennoot mag geene daad van beheer verrigten of in de zaken van de vennootschap werkzaam zijn, zelfs niet uit kracht eener volmagt.

3. Hij draagt niet verder in de schade dan ten beloope der gelden, welke hij in de vennootschap heeft ingebragt of heeft moeten inbrengen, zonder dat hij immer tot teruggave van genotene winsten verpligt zij.

Aansprakelijkheid stille vennoot

Art. 21. De vennoot bij wijze van geldschieting, die de bepalingen van het eerste of van het tweede lid van het vorige artikel overtreedt, is wegens alle de schulden en verbindtenissen van de vennootschap hoofdelijk verbonden.

Authentieke of onderhandse akte

Art. 22. De vennootschappen onder eene firma moeten worden aangegaan bij authentieke of bij onderhandsche akte, zonder dat het gemis eener akte aan derden kan worden tegengeworpen.

Inschrijving handelsregister

Art. 23. De De vennooten onder eene firma zijn verpligt de vennootschap te doen inschrijven in het handelsregister, overeenkomstig de daarvoor geldende wettelijke bepalingen.

Artt. 24 t/m 28. Vervallen.

Omvang werking vóór inschrijving

Art. 29. Zoolang de inschrijving in het handelsregister niet is geschied, zal de vennootschap onder eene firma, ten aanzien van derden, worden aangemerkt als algemeen voor alle zaken, als aangegaan voor eenen onbepaalden tijd, en als geenen der vennooten uitsluitende van het regt om voor de firma te handelen en te teekenen.

Voortzetting ontbonden vennootschap

Art. 30. 1. De firma van eene ontbondene vennootschap kan, het zij uit kracht der overeenkomst, het zij indien de gewezen vennoot, wiens naam in de firma voorkwam, daarin uitdrukkelijk toestemt, of, bij overlijden, deszelfs erfgenamen zich niet daartegen verzetten, door eenen of meer personen worden aangehouden, welke, ten blijke daarvan, eenen akte moeten uitbrengen, en dezelve doen inschrijven in het handelsregister, overeenkomstig de daarvoor geldende wettelijke bepalingen.

2. De bepaling van het eerste lid van artikel 20 is niet toepasselijk, indien de afgetredene, van vennoot onder eene firma, vennoot bij wijze van geldschieting is geworden.

Inschrijving van veranderingen

Art. 31. De ontbinding eener vennootschap onder eene firma vóór dien tijd bij de overeenkomst bepaald, of door afstand of opzegging tot stand gebragt, derzelver verlenging na verloop van het bepaalde tijdstip, mitsgaders alle veranderingen in de oorspronkelijke overeenkomst gemaakt, welke derden aangaan, zijn aan de voormelde inschrijving onderworpen.

Vereffening bij ontbinding

Art. 32. 1. Bij de ontbinding der vennootschap zullen de vennooten, die het regt van beheer hebben gehad, de zaken der gewezen vennootschap moeten vereffenen in naam van dezelfde firma, ten zij bij de overeenkomst anders ware bepaald, of de gezamenlijke vennooten (die bij wijze van geldschieting niet daaronder begrepen), hoofdelijk en bij meerderheid van stemmen, eenen anderen vereffenaar hadden benoemd.

2. Indien de stemmen staken beschikt de arrondissements-regtbank, zoodanig als zij in het belang der ontbondene vennootschap meest geraden zal achten.

Art. 33. Indien de staat der kas van de ontbondene vennootschap niet toereikt om de opeischbare schulden te betalen, zullen zij, die met de vereffening belast zijn, de benoodigde penningen kunnen vorderen, welke door elk der vennooten, voor zijn aandeel in de vennootschap, zullen moeten worden ingebragt.

Art. 34. De gelden die gedurende de vereffening uit de kas der vennootschap kunnen gemist worden, zullen voorloopig worden verdeeld.

Art. 35. (Vervallen bij de Wet van 28 december 1989, Stb. 616.)

DERDE AFDEELING
Van de naamloze vennootschap

Artt. 36 t/m 56h. Vervallen.

VIERDE AFDEELING
De besloten vennootschap met beperkte aansprakelijkheid

Artt. 57 t/m 58g. Vervallen.

VIERDE TITEL
Van beurzen van koophandel, makelaars, de agentuurovereenkomst en de handelsreizigersovereenkomst

EERSTE AFDEELING
Van beurzen van koophandel

Beurs van koophandel

Art. 59. De beurs van koophandel is de samenkomst van kooplieden, schippers, makelaars, kassiers en andere personen tot den koophandel in betrekking staande. Zij heeft plaats op gezag van het plaatselijk bestuur.

Bepaling koersen en prijzen

Art. 60. 1. Uit de handelingen en afspraken, ter beurze gesloten, worden opgemaakt de bepaling van den wisselkoers, de prijs der koopmanschappen, der assurantiën, der zeevrachten, der kosten van vervoer te water en te lande, der binnen- en buitenlandsche obligatiën, fondsen en andere papieren, die voor bepaling van koers vatbaar zijn.

2. Deze onderscheidene koersen of prijzen worden volgens plaatselijke reglementen of gebruiken opgemaakt.

Beurstijden

Art. 61. Het uur van het aangaan en afloopen der beurs, en alles wat de goede orde aldaar betreft, wordt door plaatselijke reglementen bepaald.

TWEEDE AFDEELING
Van makelaars

Definitie makelaar

Art. 62. 1. Makelaar is hij die, als zodanig beëdigd door de arrondissements-rechtbank,

hetzij zijn bedrijf maakt van het verlenen van bemiddeling bij het totstandbrengen en het sluiten van overeenkomsten in opdracht en op naam van personen tot wie hij niet in vaste betrekking staat,

hetzij beherend vennoot van een vennootschap of bestuurder van een rechtspersoon is, die haar bedrijf maakt van het verrichten van deze handelingen,

hetzij in dienstbetrekking staande tot een persoon, vennootschap of rechtspersoon als in dit artikel bedoeld, namens zijn werkgever de in dit artikel vermelde handelingen verricht. Is de werkgever een natuurlijke persoon dan moet de werknemer zijn beëdigd in hetzelfde vak waarin zijn werkgever is beëdigd. Is de werkgever een vennootschap of rechtspersoon dan moet de werknemer zijn beëdigd in het vak waarin een of meer der beherende vennoten of bestuurders is beëdigd.

2. Het bedrijf, bedoeld in het eerste lid, kan mede omvatten het bemonsteren en waarderen van goederen en het uitbrengen van deskundigenberichten.

Art. 63. 1. Hij die wenst te worden beëdigd als makelaar, dient daartoe een met redenen omkleed verzoekschrift in bij de rechtbank van het arrondissement, binnen hetwelk hij voornemens is zich als makelaar te vestigen dan wel van het arrondissement waar de vestiging of de nevenvestiging waarbij hij als zodanig in dienstbetrekking werkzaam zal zijn, is gelegen.

Verzoek tot beëdiging

2. In het verzoekschrift wordt het vak vermeld waarin de verzoeker werkzaam wenst te zijn.

Art. 63a. De rechtbank hoort het openbaar ministerie en wint het advies in van de Kamer van Koophandel en Fabrieken, binnen welker gebied de verzoeker voornemens is zich als makelaar te vestigen of binnen welker gebied de vestiging of de nevenvestiging waarbij hij als zodanig in dienstbetrekking werkzaam zal zijn, is gelegen.

Advies K.v.K. en F.

Art. 63b. 1. De Kamer van Koophandel en Fabrieken brengt binnen drie maanden advies uit omtrent de vraag of de verzoeker voldoet aan de bij of krachtens artikel 63c gestelde eisen, en of de vrees bestaat, dat hij als makelaar de eer van de stand der makelaars zal schaden.

2. Indien de Kamer ter voorbereiding van haar advies schriftelijke inlichtingen heeft ingewonnen, voegt zij deze bij haar advies.

Art. 63c. 1. De verzoeker wordt tot de beëdiging als makelaar in het door hem vermelde vak toegelaten, indien hij bekwaam is om als zodanig in het vak werkzaam te zijn, indien hij te goeder naam en faam bekend staat en indien ook overigens te zijnen aanzien geen omstandigheden bekend zijn die een juiste en onafhankelijke uitoefening van de makelaardij bedreigen.

Toelatingseisen

2. Bij of krachtens algemene maatregel van bestuur kunnen nadere regelen worden gesteld omtrent het bepaalde in het vorige lid.

3. Indien ingevolge een wettelijke regeling de uitoefening van het bedrijf van tussenpersoon in enig vak aan eisen is gebonden, wordt de verzoeker slechts tot de beëdiging als makelaar toegelaten, indien hij aantoont dat hij bevoegd is tot uitoefening van dat bedrijf.

4. Voor toelating tot de beëdiging als makelaar in assurantiën is vereist dat de belanghebbende is ingeschreven in het register bedoeld in artikel 3 van de Wet assurantiebemiddelingsbedrijf (Stb. 1991, 78), op grond van het voldoen aan de in artikel 4, eerste lid, onderdeel a, van genoemde wet, bedoelde vakbekwaamheidseisen en bij die inschrijving niet de aantekening, bedoeld in artikel 5, derde lid, van genoemde wet, is gesteld.

5. Indien de belanghebbende in het register, genoemd in het vierde lid, is ingeschreven op grond van in een der andere Lid-Staten van de Europese Economische Gemeenschap of in een andere Staat die partij is bij de Overeenkomst betreffende de Europese Economische Ruimte uitgeoefende werkzaamheden, wordt deze tot de beëdiging als makelaar in assurantiën toegelaten indien bedoelde werkzaamheden zijn uitgeoefend in een onderneming waar de belanghebbende aan ten minste tien werknemers leiding heeft gegeven.

Art. 63cc.. 1. De verzoeker is aan de Kamer van Koophandel en Fabrieken een vergoeding verschuldigd voor de werkzaamheden, verricht ter uitvoering van het bepaalde bij en krachtens de twee voorafgaande artikelen. De hoogte van de vergoeding wordt vastgesteld door Onze Minister van Economische Zaken.

2. Het besluit wordt in de Nederlandse Staatscourant bekend gemaakt.

Art. 63d. De rechtbank beslist omtrent de toelating tot beëdiging bij gedagtekende beschikking, die bij weigering met redenen is omkleed.

Beslissing Rb.

Art. 63e. Weigering van de toelating tot de beëdiging vindt niet plaats dan nadat verzoeker is gehoord, althans bij aangetekende brief is opgeroepen.

Art. 64. De verzoeker legt de eed af, dat hij de in artikel 62 genoemde werkzaamheden als een goed makelaar en naar zijn beste kennis en wetenschap zal verrichten en dat hij ook overigens de hem als makelaar bij of krachtens de wet opgelegde verplichtingen getrouwelijk zal nakomen, en hij niets zal doen of nalaten,

Inhoud eed

waardoor de eer van de stand der makelaars zou kunnen worden geschaad.

Vervallenverklaring van hoedanigheid

Art. 65. 1. Een makelaar kan door de rechtbank van het arrondissement, waarbinnen hij als zodanig is gevestigd of waarbinnen de vestiging of de nevenvestiging waarbij hij als zodanig in dienstbetrekking werkzaam is, is gelegen hetzij ambtshalve, hetzij op vordering van de officier van justitie, hetzij op verzoek van een belanghebbende, van zijn hoedanigheid als makelaar vervallen worden verklaard, indien de voor zijn toelating tot de beëdiging verstrekte gegevens zo onjuist of onvolledig blijken te zijn, dat een andere beslissing op het verzoekschrift zou zijn genomen, indien bij het vaststellen van de beschikking de juiste en volledige gegevens bekend waren geweest.

2. Vervallenverklaring kan eveneens worden uitgesproken, indien de omstandigheden, bedoeld in artikel 63c, eerste lid, zich zo hebben gewijzigd, dat, hadden zij aldus bestaan ten tijde van het vaststellen van de beschikking, op het verzoekschrift een andere beslissing zou zijn genomen.

3. Voorts wordt een makelaar in assurantiën door de rechtbank, hetzij ambtshalve, hetzij op vordering van de officier van justitie, hetzij op verzoek van een belanghebbende, van zijn hoedanigheid van makelaar vervallen verklaard, indien hij niet meer voldoet aan het vereiste van artikel 63c, vierde lid.

4. Tenzij het bepaalde in het vorige lid van toepassing is, beschikt de rechtbank niet dan nadat de makelaar is gehoord, althans bij aangetekende brief is opgeroepen. De artikelen 63a en 63b zijn alsdan van overeenkomstige toepassing.

5. De beschikking is met redenen omkleed.

Straffen voor makelaars

Art. 65a. 1. Indien een makelaar zich schuldig maakt aan overtreding van de verplichtingen die hij door het afleggen van de eed heeft aanvaard, kan de rechtbank van het arrondissement, waarbinnen hij als zodanig is gevestigd of waarbinnen de vestiging of de nevenvestiging waarbij hij als zodanig in dienstbetrekking werkzaam is, is gelegen hetzij ambtshalve, hetzij op vordering van de officier van justitie, hetzij op verzoek van een belanghebbende:
a. hem een berisping toedienen;
b. hem voor een tijd van ten hoogste een jaar als zodanig schorsen;
c. hem vervallen verklaren van zijn hoedanigheid van makelaar.

2. De rechtbank beschikt niet dan nadat de makelaar is gehoord, althans bij aangetekende brief is opgeroepen.

3. De artikelen 63a en 63b zijn van overeenkomstige toepassing.

4. De beschikking is met redenen omkleed.

Schorsing

Art. 65b. 1. Een makelaar die in staat van faillissement is verklaard, wegens schulden is gegijzeld of onder curatele is gesteld, is gedurende het faillissement, de gijzeling of de curatele van rechtswege geschorst.

2. Zodra en zolang op grond van de bepalingen van de Faillissementswet het bedrijf van de makelaar door de curator in het faillissement wordt voortgezet, is de schorsing opgeheven.

Inschrijving in handelsregister

Art. 65c. De griffier van de arrondissementsrechtbank doet opgave van de schorsing, de opheffing daarvan en de vervallenverklaring aan de Kamer van Koophandel en Fabrieken binnen welker gebied de makelaar als zodanig was gevestigd of binnen welker gebied de vestiging of de nevenvestiging waarbij hij als zodanig in dienstbetrekking werkzaam was, is gelegen ter inschrijving in het handelsregister.

Uitoefenen bevoegdheid als makelaar

Art. 66. Slechts een makelaar is bevoegd te kennen te geven dat hij makelaar is, tenzij hij als zodanig is geschorst. Wanneer hij deze bevoegdheid uitoefent moet hij in geschriften waarin hij partij is of die van hem uitgaan met uitzondering van telegrammen en telexen, zomede in advertenties en andere openbare aankondigingen, tevens het vak vermelden waarin hij werd beëdigd.

Rechtspersoon als makelaar

Art. 66a. 1. Een vennootschap en een rechtspersoon, die een bedrijf als bedoeld in artikel 62 uitoefenen, zijn slechts bevoegd te vermelden dat zij zich op het gebied der makelaardij bewegen indien ten minste de helft van haar beherende vennoten of bestuurders bestaat uit makelaars die niet als zodanig zijn geschorst. De vennootschap en rechtspersoon moeten alsdan in geschriften, waarin zij partij zijn of die van hen uitgaan met uitzondering van telegrammen en telexen, zomede in advertenties en andere openbare aankondigingen, vermelden wie van hen beherende vennoten of bestuurders zijn en wie van hen makelaar is en in welk vak. De vennootschap of rechtspersoon ten aanzien waarvan uit het Handelsregister blijkt dat tenminste de helft van haar beherende vennoten of bestuurders in hetzelfde vak is beëdigd, kan in advertenties en andere openbare aankondigingen volstaan met de vermelding van dat vak. De vennootschap of rechtspersoon, ten aanzien waarvan uit het Handelsregister blijkt dat alle vennoten of bestuurders beëdigd zijn als makelaar in hetzelfde vak, kan volstaan met de vermelding van dat vak in alle geschriften, zomede in advertenties en andere openbare aankondigingen. Ditzelfde geldt ingeval uit het Handelsregister blijkt dat de vennootschap of rechtspersoon slechts één beherende vennoot of bestuurder heeft die tevens als makelaar beëdigd is.

2. In afwijking van het bepaalde in de eerste zin van het vorige lid behoeft een rechtspersoon waarvan het bestuur niet langer voor tenminste de helft uit makelaars bestaat, haar naam niet te wijzigen, indien zij niet langer dan een jaar in deze toestand verkeert. Wanneer een zodanige rechtspersoon haar naam vermeldt, vermeldt zij daarbij tevens dat slechts de minderheid of geen van haar bestuurders makelaar is.

3. In bijzondere gevallen kan de rechter op verzoek van de rechtspersoon de in de eerste zin van het vorige lid genoemde termijn verlengen.

Art. 66b. 1. Het is de persoon, dan wel de vennootschap of rechtspersoon die een bedrijf als bedoeld in artikel 62 uitoefent, niet geoorloofd, nevenvestigingen te hebben tenzij over elke nevenvestiging de dagelijkse leiding wordt uitgeoefend door een makelaar. Deze dient makelaar te zijn in hetzelfde vak als dat van zijn werkgever; is de werkgever een vennootschap of rechtspersoon, in het vak van een of meer der beherende vennoten of bestuurders.

2. Het is niet toegestaan dat een en dezelfde makelaar de dagelijkse leiding uitoefent over meer dan een nevenvestiging noch tezamen over vestiging en nevenvestiging.

Recht op loon

Art. 67. Vervallen bij de wet van 27 mei 1993, Stb. 309

Art. 67a. (Vervallen bij de Wet van 28 december 1989, Stb. 616.)

Aantekening overeenkomst

Art. 68. De makelaar is verplicht van iedere door hem gesloten overeenkomst aantekening te houden; hij doet van de aantekening aan ieder der partijen terstond een door hem gewaarmerkt afschrift toekomen.

Bevel overlegging aantekeningen

Art. 68a. Vervallen bij de wet van 27 mei 1993, Stb. 309

Monsters

Art. 68b. 1. Tenzij hij daarvan door partijen is ontslagen, is de makelaar verplicht van elke door hem op monster verkochte partij goederen het monster, voorzien van een duidelijk herkenningsteken, te bewaren gedurende een redelijke termijn overeenkomstig de gebruiken in de handel.

2. De rechter kan aan een makelaar de overlegging van het door hem bewaarde monster in rechte bevelen teneinde dit te bezichtigen en hij kan daaromtrent zijn toelichting vorderen.

Instaan voor echtheid

Art. 69. De makelaar die een door hem verhandelde wisselbrief of ander handelspapier aan de koper ter hand stelt, staat in voor de echtheid van de zich daarop bevindende handtekening van de verkoper.

Toepasselijkheid artikelen

Art. 70. Het bepaalde in de artikelen 68-69 alsmede in de artikelen 260, 261 en 681 t/m 685 is van overeenkomstige toepassing op de vennootschap en de rechtspersoon, bedoeld in artikel 66a.

Artt. 71 t/m 73. Vervallen.

DERDE AFDELING

Artt. 74-74s. Vervallen bij de wet van 27 mei 1993, Stb. 309.

VIERDE AFDELING
Van de handelsreizigersovereenkomst

Handelsreizigers-overeenkomst

Art. 75. De handelsreizigersovereenkomst is de overeenkomst krachtens welke de ene partij, de handelsreiziger, zich verbindt in dienst van de andere partij, de patroon, personen te bezoeken, ten einde hetzij ten behoeve van de patroon bij de totstandkoming van overeenkomsten bemiddeling te verlenen, hetzij deze op naam van de patroon te sluiten.

Toepasselijkheid bepalingen handelsagenten

Art. 75a. 1. Op de handelsreizigersovereenkomst vinden de artikelen 405 lid 2, 426, 429, 431 en 432 van Boek 7 van het Burgerlijk Wetboek overeenkomstige toepassing.

2. Van de artikelen 426 lid 2, 429 en 431 lid 2 van Boek 7 van het Burgerlijk Wetboek kunnen partijen niet afwijken.

3. Slechts bij schriftelijk aangegane overeenkomst mag van de bepalingen van de artikelen 405 lid 2, 426 lid 1 en 431 lid 1 van Boek 7 van het Burgerlijk Wetboek worden afgeweken ten nadele van de handelsreiziger.

Beëindiging door opzegging

Art. 75b. 1. In afwijking in zoverre van het bepaalde in artikel 1639h, eerste lid, en artikel 1639i van het Burgerlijk Wetboek heeft ieder der partijen het recht, indien de dienstbetrekking tussen patroon en handelsreiziger voor onbepaalde tijd is aangegaan, dezelve te doen eindigen door opzegging met inachtneming van de termijn, bij schriftelijk aangegane overeenkomst of bij reglement bepaald, en bij gebreke van dien, met inachtneming van een termijn van zes weken.

2. De termijn van opzegging kan niet korter zijn dan een maand en niet langer dan zes maanden; hij kan voor de patroon niet korter worden gesteld dan voor de handelsreiziger. Opzegging mag alleen geschieden tegen de laatste dag van een kalendermaand. Van deze bepalingen kan niet worden afgeweken.

Bepaling loon bij beëindiging

Art. 75c. Voor de toepassing van het bepaalde in het eerste lid van artikel 1639r van het Burgerlijk Wetboek wordt — in afwijking van het bepaalde in het tweede lid van genoemd artikel — ter berekening van het loon van den handelsreiziger, dat hetzij geheel, hetzij gedeeltelijk niet naar tijdruimte is vastgesteld, aangenomen het gemiddeld loon van den handelsreiziger over de laatstvoorafgaande twaalf maanden, of, indien de overeenkomst tusschen patroon en handelsreiziger korteren tijd heeft bestaan, over dien tijd. Bij gebreke van dezen maatstaf wordt het loon met inachtneming der omstandigheden naar billijkheid bepaald.

VIJFDE TITEL
Van commissionairs

EERSTE AFDELING

Artt. 76-85a. (Vervallen bij de Wet van 28 december 1989, Stb. 616.)

TWEEDE AFDELING

Artt. 86-90. Vervallen.

DERDE AFDELING

Artt. 91-99a. Vervallen.

ZESDE TITEL
Van wisselbrieven en orderbriefjes

EERSTE AFDELING
Van de uitgifte en den vorm van den wisselbief

Inhoud wisselbrief

Art. 100. De wisselbrief behelst:

1°. de benaming „wisselbrief”, opgenomen in den tekst zelf en uitgedrukt in de taal, waarin de titel is gesteld;

2°. de onvoorwaardelijke opdracht tot betaling van een bepaalde som;

3°. den naam van dengene, die betalen moet (betrokkene);

4°. de aanwijzing van den vervaldag;

5°. die van de plaats, waar de betaling moet geschieden;
6°. den naam van dengene, aan wien of aan wiens order de betaling moet worden gedaan;
7°. de vermelding van de dagteekening, alsmede van de plaats, waar de wisselbrief is getrokken;
8°. de handteekening van dengene, die den wisselbrief uitgeeft (trekker).

Art. 101. 1. De titel, waarin één der vermeldingen, in het voorgaande artikel aangegeven, ontbreekt, geldt niet als wisselbrief, behoudens in de hieronder genoemde gevallen: **Ontbreken vereiste**
2. De wisselbrief, waarvan de vervaldag niet is aangewezen, wordt beschouwd als betaalbaar op zicht. **Zichtwissel**
3. Bij gebreke van een bijzondere aanwijzing wordt de plaats, aangegeven naast den naam van den betrokkene, geacht te zijn de plaats van betaling en tevens de plaats van het domicilie der betrokkenen. **Domicilie betrokkene**
4. De wisselbrief, welke niet de plaats aanwijst, waar hij is getrokken, wordt geacht te zijn onderteekend in de plaats, aangegeven naast den naam des trekkers. **Plaats ondertekening**

Art. 102. 1. De wisselbrief kan aan de order van den trekker luiden. **Diverse wissels**
2. Hij kan worden getrokken op den trekker zelf.
3. Hij kan worden getrokken voor rekening van eenen derde. De trekker wordt geacht voor zijne eigene rekening te hebben getrokken, indien uit den wisselbrief of uit den adviesbrief niet blijkt, voor wiens rekening zulks is geschied.

Art. 102a. 1. Wanneer de trekker op den wisselbrief de vermelding „waarde ter incasseering", „ter incasso", „in lastgeving", of eenige andere vermelding met zich brengend een bloote opdracht tot inning, heeft geplaatst, kan de nemer alle uit den wisselbrief voortvloeiende rechten uitoefenen, maar hij kan dezen niet anders endosseeren dan bijwege van lastgeving. **Incassowissel**
2. Bij een zoodanigen wisselbrief kunnen de wisselschuldenaren aan den houder slechts de verweermiddelen tegenwerpen, welke aan den trekker zouden kunnen worden tegengeworpen.
3. De opdracht, vervat in een incassowisselbrief, eindigt niet door den dood of de latere onbekwaamheid van den lastgever.

Art. 103. Een wisselbrief kan betaalbaar zijn aan de woonplaats van eenen derde, hetzij in de plaats, waar de betrokkene zijn domicilie heeft, hetzij in een andere plaats. **Plaats van betaling**

Art. 104. 1. In eenen wisselbrief, betaalbaar op zicht of een zekeren tijd na zicht, kan de trekker bepalen, dat de som rente draagt. In elken anderen wisselbrief wordt deze clausule voor niet geschreven gehouden. **Renteclausule**
2. De rentevoet moet in den wisselbrief worden aangegeven. Bij gebreke hiervan wordt de renteclausule voor niet geschreven gehouden.
3. De rente loopt te rekenen van de dagteekening van den wisselbrief, tenzij een andere dag is aangegeven.

Art. 105. 1. De wisselbrief, waarvan het bedrag voluit in letters en tevens in cijfers is geschreven, geldt, in geval van verschil, ten beloope van de som, voluit in letters geschreven. **Verschillen in bedrag aanduiding**
2. De wisselbrief, waarvan het bedrag meermalen is geschreven, hetzij voluit in letters, hetzij in cijfers, geldt, in geval van verschil, slechts ten beloope van de kleinste som.

Art. 106. Indien de wisselbrief handteekeningen bevat van personen, die onbekwaam zijn zich door middel van eenen wisselbrief te verbinden, valsche handteekeningen, of handteekeningen van verdichte personen, of handteekeningen, welke, onverschillig om welke andere reden, de personen, die die handteekeningen hebben geplaatst of in wier naam zulks is geschied, niet kunnen verbinden, zijn de verbintenissen der andere personen, wier handteekeningen op den wisselbrief voorkomen, desniettemin geldig. **Geldige en ongeldige handtekeningen**

Art. 107. Ieder, die zijne handteekening op eenen wisselbrief plaatst als vertegenwoordiger van eenen persoon, voor wien hij niet de bevoegdheid had te handelen, is zelf krachtens den wisselbrief verbonden, en heeft, betaald hebbende, **Handtekeningen als vertegenwoordiger**

dezelfde rechten, als de beweerde vertegenwoordigde zou hebben gehad. Hetzelfde geldt ten aanzien van den vertegenwoordiger, die zijne bevoegdheid heeft overschreden.

Garantie van trekker

Art. 108. 1. De trekker staat in voor de acceptatie en voor de betaling.

2. Hij kan zijne verplichting, voor de acceptatie in te staan, uitsluiten; elke clausule, waarbij hij de verplichting, voor de betaling in te staan, uitsluit, wordt voor niet-geschreven gehouden.

Volledig gemaakte wissel

Art. 109. Indien een wisselbrief, onvolledig ten tijde der uitgifte, is volledig gemaakt in strijd met de aangegane overeenkomsten, kan de niet-naleving van die overeenkomsten niet worden tegengeworpen aan den houder, die de wissel te goeder trouw heeft verkregen.

Betaalbaarstelling

Art. 109a. De trekker is verplicht, ter keuze van den nemer, den wisselbrief te stellen betaalbaar aan den nemer zelven, of aan eenigen anderen persoon, in beide gevallen aan order of zonder bijvoeging van order dan wel met bijvoeging van een uitdrukking, als bedoeld in artikel 110, tweede lid.

Fondsbezorging

Art. 109b. De trekker, of degene voor wiens rekening de wisselbrief is getrokken, is verplicht zorg te dragen, dat de betrokkene, ten vervaldage, in handen hebbe het noodige fonds tot betaling, zelfs indien de wisselbrief bij eenen derde is betaalbaar gesteld, met dien verstande echter, dat de trekker zelf in alle gevallen aan den houder en de vroegere endossanten persoonlijk verantwoordelijk blijft.

Art. 109c. De betrokkene wordt geacht, het noodige fonds in handen te hebben, indien hij bij het vervallen van den wisselbrief of op het tijdstip, waarop ingevolge het derde lid van artikel 142 de houder regres kan nemen, aan den trekker of aan dengene voor wiens rekening is getrokken, eene opeischbare som schuldig is, ten minste gelijkstaande met het beloop van den wisselbrief.

TWEEDE AFDEELING
Van het endossement

Endossement

Art. 110. 1. Elke wisselbrief, ook die welke niet uitdrukkelijk aan order luidt, kan door middel van endossement worden overgedragen.

2. Indien de trekker in den wisselbrief de woorden: „niet aan order" of een soortgelijke uitdrukking heeft opgenomen, kan het stuk slechts worden overgedragen in den vorm en met de gevolgen van een gewone cessie. Een op zulk een wisselbrief geplaatst endossement geldt als een gewone cessie.

3. Het endossement kan worden gesteld zelfs ten voordele van den betrokkene, al of niet acceptant, van den trekker, of van elken anderen wisselschuldenaar. Deze personen kunnen den wisselbrief opnieuw endosseeren.

Art. 111. 1. Het endossement moet onvoorwaardelijk zijn. Elke daarin opgenomen voorwaarde wordt voor niet-geschreven gehouden.

2. Het gedeeltelijke endossement is nietig.

3. Het endossement aan toonder geldt als endossement in blanco.

Plaats endossement

Art. 112. 1. Het endossement moet worden gesteld op den wisselbrief of op een daaraan vastgehecht blad (verlengstuk). Het moet worden onderteekend door den endossant.

2. Het endossement kan den geëndosseerde onvermeld laten of bestaan uit de enkele handteekening van den endossant (endossement in blanco). In het laatste geval moet het endossement, om geldig te zijn, op de rugzijde van den wisselbrief of op het verlengstuk worden gesteld.

Overdracht rechten

Art. 113. 1. Door het endossement worden alle uit den wisselbrief voortvloeiende rechten overgedragen.

Blanco endossement

2. Indien het endossement in blanco is, kan de houder:

1°. het blanco invullen, hetzij met zijn eigen naam, hetzij met den naam van een anderen persoon;

2°. den wisselbrief wederom in blanco of aan een anderen persoon endosseeren;

3°. den wisselbrief aan eenen derde overgeven, zonder het blanco in te vullen en zonder hem te endosseeren.

Art. 114. 1. Tenzij het tegendeel bedongen is, staat de endossant in voor de acceptatie en voor de betaling.

Verplichting endossant

2. Hij kan een nieuw endossement verbieden; in dat geval staat hij tegenover de personen, aan wie de wisselbrief later is geëndosseerd, niet in voor de acceptatie en voor de betaling.

Verbod endossement

Art. 115. 1. Hij, die eenen wisselbrief onder zich heeft, wordt beschouwd als de rechtmatige houder, indien hij van zijn recht doet blijken door een ononderbroken reeks van endossementen, zelfs indien het laatste endossement in blanco is gesteld. De doorgehaalde endossementen worden te dien aanzien voor niet geschreven gehouden. Wanneer een endossement in blanco door een ander endossement is gevolgd, wordt de onderteekenaar van dit laatste geacht den wisselbrief door een endossement in blanco verkregen te hebben.

Rechtmatig houder

2. Indien iemand, op welke wijze dan ook, het bezit van den wisselbrief heeft verloren, is de houder, die van zijn recht doet blijken op de wijze, bij het voorgaande lid aangegeven, niet verplicht den wisselbrief af te geven, indien hij deze te goeder trouw heeft verkregen.

Verloren wisselbrief

Art. 116. Zij, die uit hoofde van den wisselbrief worden aangesproken, kunnen de verweermiddelen, gegrond op hun persoonlijke verhouding tot den trekker of tot vroegere houders, niet aan den houder tegenwerpen, tenzij deze bij de verkrijging van den wisselbrief desbewust ten nadeele van den schuldenaar heeft gehandeld.

Bescherming houder

Art. 117. 1. Wanneer het endossement de vermelding bevat: „waarde ter incasseering", „ter incasso", „in lastgeving", of eenige andere vermelding, met zich brengend een bloote opdracht tot inning, kan de houder alle uit den wisselbrief voortvloeiende rechten uitoefenen, maar hij kan dezen niet anders endosseeren dan bij wege van lastgeving.

Incasso endossement

2. De wisselschuldenaren kunnen in dat geval aan den houder slechts de verweermiddelen tegenwerpen, welke aan den endossant zouden kunnen worden tegengeworpen.

3. De opdracht, vervat in een incasso-endossement, eindigt niet door den dood of door de latere onbekwaamheid van den lastgever.

Art. 118. 1. Wanneer een endossement de vermelding bevat: „waarde tot zekerheid", „waarde tot pand", of eenige andere vermelding, welke inpandgeving met zich brengt, kan de houder alle uit den wisselbrief voortvloeiende rechten uitoefenen, maar een door hem gesteld endossement geldt slecht als endossement bij wege van lastgeving.

Pand endossement

2. De wisselschuldenaren kunnen den houder de verweermiddelen, gegrond op hun persoonlijke verhouding tot den endossant, niet tegenwerpen, tenzij de houder bij de ontvangst van den wisselbrief desbewust ten nadeele van den schuldenaar heeft gehandeld.

Art. 119. 1. Een endossement, gesteld na den vervaldag, heeft dezelfde gevolgen als een endossement, gesteld vóór den vervaldag. Echter heeft het endossement, gesteld na het protest van non-betaling of na het verstrijken van den termijn, voor het opmaken van het protest bepaald, slechts de gevolgen eener gewone cessie.

Endossement na vervaldag

2. Behoudens tegenbewijs wordt het endossement zonder dagteekening geacht te zijn gesteld vóór het verstrijken van den termijn, voor het opmaken van het protest bepaald.

Ongedateerd endossement

DERDE AFDEELING
Van de acceptatie

Art. 120. De wisselbrief kan tot den vervaldag door den houder of door iemand, die hem enkel onder zich heeft, aan den betrokkene te zijner woonplaats ter acceptatie worden aangeboden.

Aanbod ter acceptatie

Art. 121. 1. In elken wisselbrief kan de trekker, al dan niet met vaststelling van een termijn, bepalen, dat deze ter acceptatie moet worden aangeboden.

2. Hij kan in den wisselbrief de aanbieding ter acceptatie verbieden, behoudens in wisselbrieven, betaalbaar bij eenen derde, of betaalbaar in een andere plaats dan die van het domicilie des betrokkenen of betaalbaar een zekeren tijd na zicht.

3. Hij kan ook bepalen, dat de aanbieding ter acceptatie niet kan plaats hebben vóór een bepaalden dag.
4. Tenzij de trekker heeft verklaard, dat de wisselbrief niet vatbaar is voor acceptatie, kan elke endossant, al dan niet met vaststelling van eenen termijn, bepalen, dat hij ter acceptatie moet worden aangeboden.

Art. 122. 1. Wisselbrieven, betaalbaar een zekeren tijd na zicht, moeten ter acceptatie worden aangeboden binnen een jaar na hunne dagteekening.
2. De trekker kan deze termijn verkorten of verlengen.
3. De endossanten kunnen deze termijnen verkorten.

Verzoek tot tweede aanbieding

Art. 123. 1. De betrokkene kan verzoeken, dat hem een tweede aanbieding wordt gedaan den dag, volgende op de eerste. Belanghebbenden zullen zich er niet op mogen beroepen, dat aan dit verzoek geen gevolg is gegeven, tenzij het verzoek in het protest is vermeld.
2. De houder is niet verplicht, den ter acceptatie aangeboden wisselbrief aan den betrokkene af te geven.

Wijze van acceptatie

Art. 124. 1. De acceptatie wordt op den wisselbrief gesteld. Zij wordt uitgedrukt door het woord: „geaccepteerd", of door een soortgelijk woord; zij wordt door den betrokkene onderteekend. De enkele handteekening van den betrokkene, op de voorzijde van den wisselbrief gesteld, geldt als acceptatie.

2. Wanneer de wisselbrief betaalbaar is een zekeren tijd na zicht, of wanneer hij krachtens een uitdrukkelijk beding ter acceptatie moet worden aangeboden binnen een bepaalden termijn, moet de acceptatie als dagteekening inhouden den dag, waarop zij is geschied, tenzij de houder dien van de aanbieding eischt. Bij gebreke van dagteekening moet de houder dit verzuim door een tijdig protest doen vaststellen, op straffe van verlies van zijn recht van regres op de endossanten en op den trekker, die fonds heeft bezorgd.

Onvolledige acceptatie

Art. 125. 1. De acceptatie is onvoorwaardelijk, maar de betrokkene kan haar beperken tot een gedeelte van de som.

2. Elke andere wijziging, door den acceptant met betrekking tot het in den wisselbrief vermelde aangebracht, geldt als weigering van acceptatie. De acceptant is echter gehouden overeenkomstig den inhoud zijner acceptatie.

In blanco gedomiliceerde wissel

Art. 126. 1. Wanneer de trekker den wisselbrief op een andere plaats dan die van het domicilie des betrokkenen heeft betaalbaar gesteld, zonder eenen derde aan te wijzen, bij wien de betaling moet worden gedaan, kan de betrokkene deze bij de acceptatie aanwijzen. Bij gebreke van zoodanige aanwijzing wordt de acceptant geacht zich verbonden te hebben zelf te betalen op de plaats van betaling.

2. Indien de wisselbrief betaalbaar is aan het domicilie des betrokkenen, kan deze, in de acceptatie, een adres aanwijzen, in dezelfde plaats, waar de betaling moet worden gedaan.

Gevolg acceptatie

Art. 127. 1. Door de acceptatie verbindt de betrokkene zich, den wisselbrief op den vervaldag te betalen.

2. Bij gebreke van betaling heeft de houder, al ware hij de trekker, tegen den acceptant een rechtstreeksche vordering, uit den wisselbrief voortspruitend, voor al hetgeen kan worden gevorderd krachtens de artikelen 147 en 148.

Verplichte acceptatie

Art. 127a. Hij, die het noodige fonds in handen heeft, bijzonderlijk bestemd tot de betaling van eene getrokken wisselbrief, is, op straffe van schadevergoeding jegens den trekker, tot de acceptatie verplicht.

Belofte tot acceptatie

Art. 127b. 1. Belofte om eenen wisselbrief te zullen accepteeren geldt niet als acceptatie, maar geeft aan den trekker eene rechtsvordering tot schadevergoeding tegen den belover, die weigert zijne belofte gestand te doen.

2. Deze schade bestaat in de kosten van protest en herwissel, wanneer de wisselbrief voor des trekkers eigene rekening was getrokken.

3. Wanneer de trekking voor rekening van eenen derde was gedaan, bestaat de schade in de kosten van protest en herwissel, en in het beloop van hetgeen de trekker, uit hoofde van de bekomene toezegging van den belover, aan dien derde, op het crediet van den wisselbrief, heeft voorgeschoten.

Art. 127c. De trekker is verplicht aan den betrokkene tijdig kennis of advies te geven van den door hem getrokken wisselbrief, en, bij nalatigheid daarvan, gehouden tot vergoeding van de kosten, door weigering van acceptatie of betaling uit dien hoofde gevallen.

Kennisgeving getrokken wissel

Art. 127d. Indien de wisselbrief voor rekening van eenen derde is getrokken, is deze alleen daarvoor aan den acceptant verbonden.

Voor derde getrokken wissel

Art. 128. 1. Indien de betrokkene zijn op den wisselbrief gestelde acceptatie heeft doorgehaald vóór de teruggave van den wisselbrief, wordt de acceptatie geacht te zijn geweigerd. Behoudens tegenbewijs wordt de doorhaling geacht te zijn geschied vóór de teruggave van den wisselbrief.

Doorhaling acceptatie

2. Indien echter de betrokkene van zijne acceptatie schriftelijk heeft doen blijken aan den houder of aan iemand, wiens handteekening op den wisselbrief voorkomt, is hij tegenover dezen gehouden overeenkomstig den inhoud van zijne acceptatie.

VIERDE AFDEELING
Van het aval

Art. 129. 1. De betaling van eenen wisselbrief kan voor het geheel of een gedeelte van de wisselsom door eenen borgtocht (aval) worden verzekerd.

Wisselborgtocht

2. Deze borgtocht kan door eenen derde, of zelfs door iemand, wiens handteekening op den wisselbrief voorkomt, worden gegeven.

Art. 130. 1. Het aval wordt op den wisselbrief of op een verlengstuk gesteld.

Vorm van aval

2. Het wordt uitgedrukt door de woorden: „goed voor aval" of door een soortgelijke uitdrukking; het wordt door den avalgever onderteekend.

3. De enkele handteekening van den avalgever, gesteld op de voorzijde van den wisselbrief, geldt als aval, behalve wanneer de handteekening die is van den betrokkene of van den trekker.

4. Het kan ook geschieden bij een afzonderlijk geschrift of bij een brief, vermeldende de plaats, waar het is gegeven.

5. In het aval moet worden vermeld, voor wien het is gegeven. Bij gebreke hiervan wordt het geacht voor den trekker te zijn gegeven.

Art. 131. 1. De avalgever is op dezelfde wijze verbonden als degenen, voor wien het aval is gegeven.

Gevolgen van aval

2. Zijne verbintenis is geldig, zelfs indien, wegens een andere oorzaak dan een vormgebrek, de door hem gewaarborgde verbintenis nietig is.

3. Door te betalen verkrijgt de avalgever de rechten, welke krachtens den wisselbrief kunnen worden uitgeoefend tegen dengenen, voor wien het aval is gegeven en tegen degenen, die tegenover dezen krachtens den wisselbrief verbonden zijn.

VIJFDE AFDEELING
Van den vervaldag

Art. 132. 1. Een wisselbrief kan worden getrokken:

Vervaldag

op zicht;
op een zekeren tijd na zicht;
op een zekeren tijd na dagteekening;
op een bepaalden dag.

2. Wisselbrieven met anders bepaalde vervaldagen of in termijnen betaalbaar zijn nietig.

Art. 133. 1. De wisselbrief, getrokken op zicht, is betaalbaar bij de aanbieding. Hij moet ter betaling worden aangeboden binnen een jaar na zijne dagteekening. De trekker kan dezen termijn verkorten of verlengen. De endossanten kunnen deze termijnen verkorten.

Zichtwissels

2. De trekker kan voorschrijven, dat een wisselbrief niet ter betaling mag worden aangeboden vóór een bepaalden dag. In dat geval loopt de termijn van aanbieding van dien dag af.

Art. 134. 1. De vervaldag van eenen wisselbrief, getrokken op een zekeren tijd na zicht, wordt bepaald, hetzij door de dagteekening der acceptatie, hetzij door die van het protest.

Nazichtwissels

2. Bij gebreke van protest wordt de niet-gedagteekende acceptatie ten aanzien van den acceptant geacht te zijn gedaan op den laatsten dag van den termijn, voor de aanbieding ter acceptatie voorgeschreven.

Bepaling vervaldag

Art. 135. 1. De wisselbrief, getrokken op een of meer maanden na dagteekening of na zicht, vervalt op den overeenkomstigen dag van de maand, waarin de betaling moet worden gedaan. Bij gebreke van een overeenkomstigen dag vervalt een zoodanige wisselbrief op den laatsten dag van die maand.
2. Bij eenen wisselbrief, getrokken op een of meer maanden en op een halve maand na dagteekening of na zicht, worden eerst de geheele maanden gerekend.
3. Is de vervaldag bepaald op het begin, het midden (half Januari, half Februari enz.) of op het einde van eene maand, dan wordt onder die uitdrukkingen verstaan: de eerste, de vijftiende, de laatste van die maand.
4. Onder de uitdrukkingen: „acht dagen", „vijftien dagen", moet worden verstaan niet ééne of twee weken, maar een termijn van acht of van vijftien dagen.
5. De uitdrukking „halve maand" duidt eenen termijn van vijftien dagen aan.

Art. 136. 1. De vervaldag van eenen wisselbrief, betaalbaar op een bepaalde dag, in eene plaats, waar de tijdrekening een andere is dan die van de plaats van uitgifte, wordt geacht te zijn vastgesteld volgens de tijdrekening van de plaats van betaling.
2. De dag van uitgifte van eenen wisselbrief, getrokken tusschen twee plaatsen met verschillende tijdrekening en betaalbaar een zekeren tijd na de dagteekening, wordt herleid tot den overeenkomstigen dag van de tijdrekening van de plaats van betaling en de vervaldag wordt dienovereenkomstig vastgesteld.
3. De termijnen van aanbieding der wisselbrieven worden berekend overeenkomstig de bepalingen van het voorgaande lid.
4. Dit artikel is niet van toepassing, indien uit eene in den wisselbrief opgenomen clausule of uit zijne bewoordingen een afwijkende bedoeling kan worden afgeleid.

ZESDE AFDEELING
Van de betaling

Aanbod ter betaling

Art. 137. 1. De houder van eenen wisselbrief, betaalbaar op een bepaalden dag of een zekeren tijd na dagteekening of na zicht, moet dezen ter betaling aanbieden, hetzij den dag, waarop hij betaalbaar is, hetzij eenen der twee daaropvolgende werkdagen.
2. De aanbieding van eenen wisselbrief aan eene verrekeningskamer geldt als aanbieding ter betaling. Bij algemeenen maatregel van bestuur zullen de instellingen worden aangewezen, die in den zin van dezen Titel als verrekeningskamers worden beschouwd.

Uitlevering

Art. 138. 1. Buiten het geval, in artikel 167b vermeld, kan de betrokkene, den wisselbrief betalende, vorderen, dat hem deze, van behoorlijke kwijting van den houder voorzien, wordt uitgeleverd.

Gedeeltelijke betaling

2. De houder mag niet weigeren een gedeeltelijke betaling aan te nemen.
3. In geval van gedeeltelijke betaling kan de betrokkene vorderen, dat van die betaling op den wisselbrief melding wordt gemaakt en dat hem daarvoor kwijting wordt gegeven.

Betaling vóór vervaldag

Art. 139. 1. De houder van eenen wisselbrief kan niet genoodzaakt worden, vóór den vervaldag betaling te ontvangen.
2. De betrokkene, die vóór den vervaldag betaalt, doet zulks op eigen verantwoordelijkheid.

Betaling op vervaldag

3. Hij, die op den vervaldag betaalt, is deugdelijk gekweten, mits er zijnerzijds geen bedrog plaats heeft of grove schuld aanwezig is. Hij is gehouden, de regelmatigheid van de reeks van endossementen, maar niet de handteekening der endossanten te onderzoeken.

Verhaalrecht

4. Indien hij, niet bevrijdend betaald hebbende, verplicht wordt, ten tweeden male te betalen, heeft hij verhaal op allen die de wissel niet te goeder trouw hebben verkregen.

Wissels in vreemd geld

Art. 140. 1. Een wisselbrief, waarvan de betaling is bedongen in ander geld dan dat van de plaats van betaling, kan worden betaald in het geld van het land volgens zijne waarde op den vervaldag. Indien de schuldenaar in gebreke is, kan de houder te zijner keuze vorderen, dat de wisselsom betaald wordt in het geld van het land volgens den koers, hetzij van den vervaldag, hetzij van den dag van betaling.

2. De waarde van het vreemde geld wordt bepaald volgens de gebruiken van de plaats van betaling. De trekker kan echter voorschrijven, dat het te betalen bedrag moet worden berekend volgens een in den wisselbrief voorgeschreven koers.

3. Het bovenstaande is niet van toepassing, indien de trekker heeft voorgeschreven, dat de betaling moet geschieden in een bepaald aangeduid geld (clausule van werkelijke betaling in vreemd geld).

4. Indien het bedrag van den wisselbrief is aangegeven in geld, hetwelk dezelfde benaming, maar eene verschillende waarde heeft in het land van uitgifte en in dat van betaling, wordt men vermoed het geld van de plaats van betaling te hebben bedoeld.

Art. 141. Bij gebreke van aanbieding ter betaling van den wisselbrief binnen den termijn, bij artikel 137 vastgesteld, heeft elke schuldenaar de bevoegdheid, het bedrag ter bevoegder plaatse in consignatie te geven, op kosten en onder verantwoordelijkheid van den houder.

Consignatie wisselbedrag

ZEVENDE AFDEELING
Van het recht van regres in geval van non-acceptatie of non-betaling

Art. 142. 1. De houder kan zijn recht van regres op de endossanten, den trekker en de andere wisselschuldenaren uitoefenen:

Regresrecht

2. Op den vervaldag:

indien de betaling niet heeft plaats gehad;

Zelfs vóór den vervaldag:

1°. indien de acceptatie geheel of gedeeltelijk is geweigerd;

2°. in geval van faillissement van den betrokkene, al of niet acceptant, en van het oogenblik af, waarop eene hem verleende surséance van betaling is ingegaan;

3°. in geval van faillissement van den trekker van een niet door acceptatie vatbaren wisselbrief.

Art. 143. 1. De weigering van acceptatie of van betaling moet worden vastgesteld bij authentieke acte (protest van non-acceptatie of van non-betaling).

Protesten

2. Het protest van non-acceptatie moet worden opgemaakt binnen de termijnen, voor de aanbieding ter acceptatie vastgesteld. Indien, in het geval bij artikel 123, lid 1, voorzien, de eerste aanbieding heeft plaats gehad op den laatsten dag van den termijn, kan het protest nog op den volgenden dag worden gedaan.

Protesten van non acceptatie

3. Het protest van non-betaling van eenen wisselbrief, betaalbaar op een bepaalden dag of zekeren tijd na dagteekening of na zicht, moet worden gedaan op éénen der twee werkdagen, volgende op den dag, waarop de wisselbrief betaalbaar is. Indien het eenen wisselbrief, betaalbaar op zicht, betreft, moet het protest worden gedaan, overeenkomstig de bepalingen bij het voorgaande lid vastgesteld voor het opmaken van het protest van non-acceptatie.

Protest van non betaling

4. Het protest van non-acceptatie maakt de aanbieding ter betaling en het protest van non-betaling overbodig.

5. In geval van benoeming van bewindvoerders op verzoek van den betrokkene, al of niet acceptant, tot surséance van betaling kan de houder zijn recht van regres niet uitoefenen, dan nadat de wisselbrief ter betaling aan den betrokkene is aangeboden en protest is opgemaakt.

6. Indien de betrokkene, al of niet acceptant, is failliet verklaard, of indien de trekker van eenen wisselbrief, welke niet vatbaar is voor acceptatie, is failliet verklaard, kan de houder, voor de uitoefening van zijn recht van regres, volstaan met overlegging van het vonnis, waarbij het faillissement is uitgesproken.

Art. 143a. 1. De betaling van eenen wisselbrief moet gevraagd en het daarop volgende protest gedaan worden ter woonplaats van den betrokkene.

Plaats van betaling en protest

2. Indien de wisselbrief getrokken is om in eene andere aangewezene woonplaats of door eenen anderen aangewezen persoon, hetzij in dezelfde, hetzij in eene andere gemeente te worden betaald, moet de betaling gevraagd en het protest opgemaakt worden ter aangewezene woonplaats of aan den aangewezen persoon.

3. Het zevende onderdeel van artikel 4 van het Wetboek van Burgerlijke Rechtsvordering is van overeenkomstige toepassing.

Art. 143b. 1. De protesten, zowel van non-acceptatie als van non-betaling,

Wijze doen van protest

worden gedaan door een deurwaarder. Deze kan zich desverkiezende doen vergezellen door een of twee getuigen.

Inhoud protest

2. De protesten behelzen:
1°. een letterlijk afschrift van den wisselbrief, van de acceptatie, van de endossementen, van het aval en van de adressen daarop gesteld;
2°. de vermelding dat zij de acceptatie of betaling aan de personen, of ter plaatse in het voorgaand artikel gemeld, afgevraagd en niet bekomen hebben;
3°. de vermelding van de opgegevene reden van non-acceptatie of non-betaling;
4°. de aanmaning om het protest te teekenen, en de redenen van weigering;
5°. de vermelding, dat hij, deurwaarder, wegens die non-acceptatie of non-betaling heeft geprotesteerd.

3. Indien het protest een vermisten wisselbrief betreft, volstaat, in plaats van het bepaalde onder 1°, van het voorgaande lid, eene zoo nauwkeurig mogelijke omschrijving van den inhoud des wisselbriefs.

Afschrift protest

Art. 143c. De deurwaarders zijn verplicht, op straffe van schadevergoeding afschrift van het protest te laten, en hiervan melding in het afschrift te maken, en hetzelve, naar orde des tijds, in te schrijven in een bijzonder register, genommerd en gewaarmerkt door den kantonrechter van hunne woonplaats, en om wijders, zulks begeerd wordende, een of meer afschriften van het protest aan de belanghebbenden te leveren.

Andere wijze van protest

Art. 143d. Als protest van non-acceptatie, onderscheidenlijk van non-betaling geldt de door dengene, aan wien de acceptatie of de betaling wordt afgevraagd, met toestemming van den houder op den wisselbrief gestelde, gedagteekende en onderteekende verklaring, dat hij dezelve weigert, tenzij de trekker heeft aangeteekend, dat hij een authentiek protest verlangt.

Kennisgeving van protest

Art. 144. 1. De houder moet van de non-acceptatie of van de non-betaling kennis geven aan zijnen endossant en aan den trekker binnen de vier werkdagen, volgende op den dag van het protest of, indien de wisselbrief getrokken is met de clausule zonder kosten, volgende op dien der aanbieding. Elke endossant moet binnen de twee werkdagen, volgende op den dag van ontvangst der kennisgeving, de door hem ontvangen kennisgeving aan zijnen endossant mededeelen, met aanwijzing van de namen en adressen van degenen, die de voorafgaande kennisgevingen hebben gedaan, en zoo vervolgens, teruggaande tot den trekker. Deze termijnen loopen van de ontvangst der voorafgaande kennisgeving af.

2. Indien overeenkomstig het voorgaande lid eene kennisgeving is gedaan aan iemand, wiens handteekening op den wisselbrief voorkomt, moet gelijke kennisgeving binnen denzelfden termijn aan diens avalgever worden gedaan.

3. Indien een endossant zijn adres niet of op onleesbare wijze heeft aangeduid, kan worden volstaan met kennisgeving aan den voorafgaanden endossant.

4. Hij, die eene kennisgeving heeft te doen, kan zulks doen in iederen vorm, zelfs door enkele terugzending van den wisselbrief.

5. Hij moet bewijzen, dat hij de kennisgeving binnen den vastgestelden termijn heeft gedaan. Deze termijn wordt gehouden te zijn in acht genomen, wanneer een brief, die de kennisgeving behelst, binnen den genoemden termijn ter post is bezorgd.

6. Hij, die de kennisgeving niet binnen den bovenvermelden termijn doet, stelt zich niet bloot aan verval van zijn recht; hij is, indien daartoe aanleiding bestaat, verantwoordelijk voor de schade, door zijne nalatigheid veroorzaakt, zonder dat echter de schadevergoeding de wisselsom kan te boven gaan.

„Clausule zonder protest"

Art. 145. 1. De trekker, een endossant of een avalgever kan, door de clausule „zonder kosten", „zonder protest", of een andere soortgelijke op den wisselbrief gestelde en onderteekende clausule, den houder van het opmaken van een protest van non-acceptatie of van non-betaling, ter uitoefening van zijn recht van regres, ontslaan.

2. Deze clausule ontslaat den houder niet van de aanbieding van den wisselbrief binnen de voorgeschreven termijnen, noch van het doen van de kennisgevingen. Het bewijs van de niet-in-achtneming der termijnen moet worden geleverd door dengene, die zich daarop tegenover den houder beroept.

3. Is de clausule door den trekker gesteld, dan heeft zij gevolgen ten aanzien van allen, wier handteekeningen op den wisselbrief voorkomen; is zij door eenen endossant of door eenen avalgever gesteld, dan heeft zij gevolgen alleen voor dezen endos-

sant of avalgever. Indien de houder, ondanks de door den trekker gestelde clausule, toch protest doet opmaken, zijn de kosten daarvan voor zijne rekening. Indien de clausule van eenen endossant of eenen avalgever afkomstig is, kunnen de kosten van het protest, indien dit is opgemaakt, op allen, wier handteekeningen op den wisselbrief voorkomen, worden verhaald.

Art. 146. 1. Allen, die eenen wisselbrief hebben getrokken, geaccepteerd, geëndosseerd, of voor aval geteekend, zijn hoofdelijk tegenover den houder verbonden. Bovendien is ook de derde, voor wiens rekening de wisselbrief is getrokken en die de waarde daarvoor heeft genoten, jegens den houder aansprakelijk.

Hoofdelijke aansprakelijkheid

2. De houder kan deze personen, zoowel ieder afzonderlijk, als gezamenlijk, aanspreken, zonder verplicht te zijn de volgorde, waarin zij zich hebben verbonden, in acht te nemen.

3. Hetzelfde recht komt toe aan ieder, wiens handteekening op den wisselbrief voorkomt en die dezen, ter voldoening aan zijnen regresplicht, heeft betaald.

4. De vordering, ingesteld tegen éénen der wisselschuldenaren, belet niet de anderen aan te spreken, al hadden dezen zich later verbonden dan de eerst aangesprokene.

Art. 146a. 1. De houder van eenen geprotesteerden wisselbrief heeft in geen geval eenig recht op het fonds, dat de betrokkene van den trekker in handen heeft.

Rechten op Fonds

2. Indien de wisselbrief niet is geaccepteerd, behooren die penningen, bij faillissement van den trekker, aan diens boedel.

3. In geval van acceptatie, blijft het fonds, tot het beloop van den wisselbrief, aan den betrokkene, behoudens de verplichting van dezen om jegens den houder aan zijne acceptatie te voldoen.

Art. 147. 1. De houder kan van dengene, tegen wien hij zijn recht van regres uitoefent, vorderen:

Vorderingen uit hoofde van regres

1°. de som van den niet-geaccepteerden of niet betaalden wisselbrief met de rente, zoo deze bedongen is;

2°. de wettelijke rente, te rekenen van de vervaldag, voor wissels die in Nederland uitgegeven en betaalbaar zijn, en een rente van zes ten honderd, te rekenen van de vervaldag, voor alle overige wissels;

3°. de kosten van protest, die van de gedane kennisgevingen alsmede de andere kosten.

2. Zoo de uitoefening van het recht van regres vóór den vervaldag plaats heeft, wordt op de wisselsom eene korting toegepast. Deze korting wordt berekend volgens het officiëele disconto (bankdisconto), geldende ter woonplaats van den houder, op den dag van de uitoefening van het recht van regres.

Art. 148. Hij, die ter voldoening aan zijnen regresplicht den wisselbrief heeft betaald, kan van degenen, die tegenover hem regresplichtig zijn, vorderen:

1°. het geheele bedrag, dat hij betaald heeft;

2°. de wettelijke rente, te rekenen van de dag der betaling, voor wissels die in Nederland uitgegeven en betaalbaar zijn, en een rente van zes ten honderd, te rekenen van de dag der betaling, voor alle overige wissels;

3°. de door hem gemaakte kosten.

Art. 149. 1. Elke wisselschuldenaar, tegen wien het recht van regres wordt of kan worden uitgeoefend, kan, tegen betaling ter voldoening aan zijnen regresplicht, de afgifte vorderen van den wisselbrief met het protest, alsmede een voor voldaan geteekende rekening.

Vorderen afgifte wisselbrief

2. Elke endossant, die ter voldoening aan zijnen regresplicht den wisselbrief heeft betaald, kan zijn endossement en dat van de volgende endossanten doorhalen.

Doorhaling endossementen

Art. 150. Bij gedeeltelijke acceptatie kan degene, die ter voldoening aan zijnen regresplicht het niet geaccepteerde gedeelte van de wisselsom heeft betaald, vorderen, dat die betaling op den wisselbrief wordt vermeld en dat hem daarvan kwijting wordt gegeven. De houder moet hem daarenboven uitleveren een voor eensluidend geteekend afschrift van den wisselbrief, alsmede het protest, om hem de uitoefening van zijn verdere regresrechten mogelijk te maken.

Regres bij gedeeltelijke acceptatie

Art. 151. 1. Ieder, die een recht van regres kan uitoefenen, kan, tenzij het tegendeel bedongen is, zich de vergoeding bezorgen door middel van een nieuwen

Herwissel

wisselbrief (herwissel), getrokken op zicht op éénen van degenen, die tegenover hem regresplichtig zijn en betaalbaar te diens woonplaats.

2. De herwissel omvat, behalve de bedragen in de artikelen 147 en 148 aangegeven, de bedragen van provisie en het zegel van den herwissel.

3. Indien de herwissel door den houder is getrokken, wordt het bedrag bepaald volgens den koers van eenen zichtwissel, getrokken van de plaats, waar de oorspronkelijke wisselbrief betaalbaar was, op de woonplaats van den regresplichtige. Indien de herwissel is getrokken door eenen endossant, wordt het bedrag bepaald volgens den koers van eenen zichtwissel, getrokken van de woonplaats van den trekker van den herwissel op de woonplaats van den regresplichtige.

Verval regresrecht

Art. 152. 1. Na afloop van de termijnen vastgesteld:

voor de aanbieding van eenen wisselbrief getrokken op zicht of zekeren tijd na zicht;

voor het opmaken van het protest van non-acceptatie of van non-betaling;

voor de aanbieding ter betaling in geval van beding zonder kosten,

vervalt het recht van den houder tegen de endossanten, tegen den trekker, en tegen de andere wisselschuldenaren, met uitzondering van den acceptant.

2. Bij gebreke van aanbieding ter acceptatie binnen den door den trekker voorgeschreven termijn, vervalt het recht van regres van den houder, zoowel wegens non-betaling als wegens non-acceptatie, tenzij uit de bewoordingen van den wisselbrief blijkt, dat de trekker zich slechts heeft willen bevrijden van zijne verplichting, voor de acceptatie in te staan.

3. Indien de bepaling van eenen termijn voor de aanbieding in een endossement is vervat, kan alleen de endossant daarop een beroep doen.

Gehoudenheid trekker tot vrijwaring

Art. 152a. 1. De wisselbrief van non-acceptatie of van non-betaling zijnde geprotesteerd, is niettemin de trekker, al ware het protest niet intijds gedaan, tot vrijwaring gehouden, tenzij hij bewees, dat de betrokkene op den vervaldag het noodige fonds tot betaling des wisselbriefs in handen had. Indien het vereischte fonds slechts gedeeltelijk aanwezig was, is de trekker voor het ontbrekende gehouden.

2. Was de wisselbrief niet geaccepteerd, dan is, ingeval van niet tijdig protest, de trekker, op straffe van tot vrijwaring te zijn gehouden, verplicht, den houder af te staan en over te dragen de vordering op het fonds, dat de betrokkene van hem ten vervaldage heeft in handen gehad, en zulks tot het beloop van den wisselbrief; en hij moet aan den houder, te diens koste, de noodige bewijzen verschaffen om die vordering te doen gelden. Indien de trekker in staat van faillissement is verklaard, zijn de curatoren in zijnen boedel tot dezelfde verplichtingen gehouden, ten ware deze mochten verkiezen, den houder als schuldeischer, voor het beloop van den wisselbrief, toe te laten.

Invloed overmacht op termijnen

Art. 153. 1. Wanneer de aanbieding van den wisselbrief of het opmaken van het protest binnen de voorgeschreven termijnen wordt verhinderd door een onoverkomelijk beletsel (wettelijk voorschrift van eenigen Staat of ander geval van overmacht), worden deze termijnen verlengd.

2. De houder is verplicht, van de overmacht onverwijld aan zijnen endossant kennis te geven, en deze kennisgeving gedagteekend en onderteekend op den wisselbrief of op een verlengstuk te vermelden; voor het overige zijn de bepalingen van artikel 144 toepasselijk.

3. Na het ophouden van de overmacht moet de houder onverwijld den wisselbrief ter acceptatie of ter betaling aanbieden en, indien daartoe aanleiding bestaat, protest doen opmaken.

4. Indien de overmacht meer dan dertig dagen, te rekenen van den vervaldag, aanhoudt, kan het recht van regres worden uitgeoefend, zonder dat de aanbieding of het opmaken van protest noodig is.

5. Voor wisselbrieven, getrokken op zicht of op zekeren tijd na zicht, loopt de termijn van dertig dagen van den dag, waarop de houder, al ware het vóór het einde van den aanbiedingstermijn, van de overmacht aan zijnen endossant heeft kennis gegeven; voor wisselbrieven, getrokken op zekeren tijd na zicht, wordt de termijn van dertig dagen verlengd met den zichttermijn, in den wisselbrief aangegeven.

6. Feiten, welke voor den houder, of voor dengene, dien hij met de aanbieding van den wisselbrief of met het opmaken van het protest belastte, van zuiver persoonlijken aard zijn, worden niet beschouwd als gevallen van overmacht.

ACHTSTE AFDEELING
Van de tusschenkomst

1. Algemeene bepalingen

Tussenkomst in het algemeen

Art. 154. 1. De trekker, een endossant, of een avalgever, kan iemand aanwijzen om, in geval van nood, te accepteeren of te betalen.

2. Onder de hierna vastgestelde voorwaarden kan de wisselbrief worden geaccepteerd of betaald door iemand, die tusschenkomst voor eenen schuldenaar, op wien recht van regres kan worden uitgeoefend.

3. De interveniënt kan een derde zijn, zelfs de betrokkene, of een reeds krachtens den wisselbrief verbonden persoon, behalve de acceptant.

4. De interveniënt geeft binnen den termijn van twee werkdagen van zijne tusschenkomst kennis aan dengene, voor wien hij tusschenkwam. In geval van nietinachtneming van dien termijn is hij, indien daartoe aanleiding bestaat, verantwoordelijk voor de schade, door zijnen nalatigheid veroorzaakt, zonder dat echter de schadevergoeding de wisselsom kan te boven gaan.

2. Acceptatie bij tusschenkomst

Acceptatie bij tussenkomst

Art. 155. 1. De acceptatie bij tusschenkomst kan plaats hebben in alle gevallen, waarin de houder van eenen voor acceptatie vatbaren wisselbrief vóór den vervaldag recht van regres kan uitoefenen.

2. Wanneer op den wisselbrief iemand is aangewezen om dezen, in geval van nood, ter plaatse van betaling te accepteeren of te betalen, kan de houder zijn recht tegen dengene, die de aanwijzing heeft gedaan en tegen hen, die daarna hunne handteekeningen op den wisselbrief hebben geplaatst, niet vóór den vervaldag uitoefenen, tenzij hij den wisselbrief aan den aangewezen persoon heeft aangeboden, en van diens weigering tot acceptatie protest is opgemaakt.

3. In de andere gevallen van tusschenkomst kan de houder de acceptatie bij tusschenkomst weigeren. Indien hij haar echter aanneemt, verliest hij zijn recht van regres, hetwelk hem vóór den vervaldag toekomt tegen dengene, voor wien de acceptatie is gedaan, en tegen hen, die daarna hunne handteekeningen op den wisselbrief hebben geplaatst.

Art. 156. De acceptatie bij tusschenkomst wordt op den wisselbrief vermeld; zij wordt door den interveniënt onderteekend. Zij wijst aan, voor wien zij is geschied; bij gebreke van die aanwijzing wordt zij geacht voor den trekker te zijn geschied.

Art. 157. 1. De acceptant bij tusschenkomst is tegenover den houder en tegenover de endossanten, die den wisselbrief hebben geëndosseerd na dengene, voor wien de tusschenkomst is geschied, op dezelfde wijze als deze laatste verbonden.

2. Niettegenstaande de acceptatie bij tusschenkomst kunnen degene, voor wien zij werd gedaan en degenen, die tegenover dezen regresplichtig zijn, van den houder, indien daartoe aanleiding bestaat, tegen terugbetaling van de bij artikel 147 aangewezen som, de afgifte van den wisselbrief, van het protest en van een voor voldaan geteekende rekening vorderen.

3. Betaling bij tusschenkomst

Betaling bij tussenkomst

Art. 158. 1. De betaling bij tusschenkomst kan plaats hebben in alle gevallen, waarin, hetzij op den vervaldag, hetzij vóór den vervaldag, de houder recht van regres heeft.

2. De betaling moet de geheele som beloopen, welke degene, voor wien zij heeft plaats gehad, moest voldoen.

3. Zij moet plaats hebben uiterlijk op den dag volgende op den laatsten dag, waarop het protest van non-betaling kan worden opgemaakt.

Art. 159. 1. Indien de wisselbrief is geaccepteerd door interveniënten, wier domicilie ter plaatse van betaling is gevestigd, of indien personen, wier domicilie in dezelfde plaats is gevestigd, zijn aangeduid om in geval van nood te betalen, moet de houder den wisselbrief aan al die personen aanbieden, en, indien daartoe aanleiding bestaat, protest van non-betaling doen opmaken uiterlijk op den dag volgende op den laatsten dag, waarop dit kan geschieden.

2. Bij gebreke van protest binnen dien termijn zijn degene, die het nood-adres heeft gesteld of voor wien de wisselbrief is geaccepteerd, en de latere endossanten van hunne verbintenis bevrijd.

Art. 160. De houder, die weigert de betaling bij tusschenkomst aan te nemen, verliest zijn recht van regres op hen, die daardoor zouden zijn bevrijd.

Art. 161. 1. De betaling bij tusschenkomst moet worden vastgesteld door eene kwijting, geplaatst op den wisselbrief met aanwijzing van dengene, voor wien zij is gedaan. Bij gebreke van die aanwijzing wordt de betaling geacht voor den trekker te zijn gedaan.

2. De wisselbrief en het protest, indien dit is opgemaakt, moeten worden uitgeleverd aan hem, die bij tusschenkomst betaalt.

Art. 162. 1. Hij, die bij tusschenkomst betaalt, verkrijgt de rechten, uit den wisselbrief voortvloeiende, tegen dengene, voor wien hij heeft betaald, en tegen dengenen, die tegenover dezen laatste krachtens den wisselbrief verbonden zijn. Hij mag echter den wisselbrief niet opnieuw endosseeren.

2. De endossanten, volgende op dengene, voor wien de betaling heeft plaats gehad, zijn bevrijd.

3. Indien zich meer personen tot de betaling bij tusschenkomst aanbieden, heeft de voorkeur de betaling, welke het grootste aantal bevrijdingen teweegbrengt. De interveniënt, die desbewust in strijd hiermede handelt, verliest zijn recht van regres tegen hen, die anders zouden zijn bevrijd.

NEGENDE AFDEELING

Van wisselexemplaren, wisselafschriften en vermiste wisselbrieven

1. Wisselexemplaren

Wisselexemplaren

Art. 163. 1. De wisselbrief kan in meer gelijkluidende exemplaren worden getrokken.

2. Die exemplaren moeten in den tekst zelf van den titel worden genummerd, bij gebreke waarvan elk exemplaar wordt beschouwd als een afzonderlijk wisselbrief.

3. Iedere houder van eenen wisselbrief, waarin niet is vermeld, dat deze in een enkel exemplaar getrokken is, kan op zijne kosten de levering van meer exemplaren vorderen. Te dien einde moet hij zich tot zijn onmiddellijken endossant wenden, die verplicht is zijne medewerking te verleenen om zijn eigen endossant aan te spreken, en zoo vervolgens, teruggaande tot den trekker. De endossanten zijn verplicht, de endossementen ook op de nieuwe exemplaren aan te brengen.

Art. 164. 1. De betaling, op één der exemplaren gedaan, bevrijdt, ook al ware niet bedongen, dat die betaling de kracht der andere exemplaren te niet doet. Echter blijft de betrokkene verbonden wegens elk geaccepteerd exemplaar, dat hem niet is uitgeleverd.

2. De endossant, die de exemplaren aan verschillende personen heeft overgedragen, alsook de latere endossanten, zijn verbonden wegens alle exemplaren, die hunne handteekening dragen en die niet zijn uitgeleverd.

Art. 165. 1. Hij, die één der exemplaren ter acceptatie heeft gezonden, moet op de andere exemplaren den naam van den persoon aanwijzen, in wiens handen dat exemplaar zich bevindt. Deze is verplicht, dit aan den rechtmatigen houder van een ander exemplaar uit te leveren.

2. Weigert hij dit, dan kan de houder slechts zijn recht van regres uitoefenen, nadat hij door een protest heeft doen vaststellen:
1°. dat het ter acceptatie gezonden exemplaar hem desgevraagd niet is uitgeleverd;
2°. dat hij de acceptatie of de betaling op een ander exemplaar niet heeft kunnen verkrijgen.

2. Wisselafschriften

Wisselafschriften

Art. 166. 1. Elke houder van een wisselbrief heeft het recht, daarvan afschriften te vervaardigen.

2. Het afschrift moet het oorspronkelijke nauwkeurig weergeven met de endossementen en alle andere vermeldingen, die er op voorkomen. Het moet aangeven, waar het afschrift ophoudt.
3. Het kan worden geëndosseerd en voor aval geteekend op dezelfde wijze en met dezelfde gevolgen, als het oorspronkelijke.

Art. 167. 1. Het afschrift moet dengene, in wiens handen het oorspronkelijke stuk zich bevindt, vermelden. Deze is verplicht het oorspronkelijke stuk aan den rechtmatigen houder van het afschrift uit te leveren.
2. Weigert hij dit, dan kan de houder zijn recht van regres tegen hen, die het afschrift hebben geëndosseerd of voor aval geteekend, slechts uitoefenen, nadat hij door een protest heeft doen vaststellen, dat het oorspronkelijke stuk hem desgevraagd niet is uitgeleverd.
3. Indien na het laatste daarop geplaatste endossement, alvorens het afschrift is vervaardigd, het oorspronkelijke stuk de clausule draagt: „van hier af geldt het endossement slechts op de copie", of eenige andere soortgelijke clausule, is een nadien op het oorspronkelijke stuk geplaatst endossement nietig.

3. Vermiste wisselbrieven

Vermiste wissels

Art. 167a. Degene die een wisselbrief, waarvan hij houder was, vermist, kan met inachtneming van artikel 49, derde lid, van Boek 6 van het Burgerlijk Wetboek van de betrokkene betaling vragen.

Art. 167b. Degene die een wisselbrief waarvan hij houder was, en welke is vervallen, en, zoveel nodig, geprotesteerd, vermist, kan met inachtneming van artikel 49, derde lid, van Boek 6 van het Burgerlijk Wetboek, zijn rechten alleen tegen de acceptant en tegen de trekker uitoefenen.

TIENDE AFDEELING
Van veranderingen

Verandering in tekst

Art. 168. In geval van verandering van den tekst van eenen wisselbrief, zijn zij, die daarna hunne handteekeningen op den wisselbrief geplaatst hebben, volgens den veranderden tekst verbonden; zij, die daarvoor hunne handteekeningen op den wisselbrief geplaatst hebben, zijn verbonden volgens den oorspronkelijken tekst.

ELFDE AFDEELING
Van verjaring

Tenietgaan wisselschuld

Art. 168a. Behoudens de bepaling van het volgende artikel gaat wisselschuld te niet door alle middelen van schuldbevrijding, bij het Burgerlijk Wetboek aangewezen.

Verjaringstermijn

Art. 169. 1. Alle rechtsvorderingen, welke uit den wisselbrief tegen den acceptant voortspruiten, verjaren door een tijdsverloop van drie jaren, te rekenen van den vervaldag.
2. De rechtsvorderingen van den houder tegen de endossanten en tegen den trekker verjaren door een tijdsverloop van een jaar, te rekenen van de dagteekening van het tijdig opgemaakte protest of, ingeval van de clausule zonder kosten, van den vervaldag.
3. De rechtsvorderingen van de endossanten tegen elkander en tegen den trekker verjaren door tijdsverloop van zes maanden, te rekenen van den dag, waarop de endossant ter voldoening aan zijnen regresplicht den wisselbrief heeft betaald, of van den dag, waarop hij zelf in rechte is aangesproken.
4. De in het eerste lid bedoelde verjaring kan niet worden ingeroepen door den acceptant, indien of voor zoover hij fonds heeft ontvangen of zich ongerechtvaardigd zou hebben verrijkt; evenmin kan de in het tweede en derde lid bedoelde verjaring worden ingeroepen door den trekker, indien of voor zoover hij geen fonds heeft bezorgd noch door den trekker of de endossanten, die zich ongerechtvaardigd zouden hebben verrijkt; alles onverminderd het bepaalde in artikel 306 van Boek 3 van het Burgerlijk Wetboek.

Stuiting van verjaring

Art. 170. 1. De stuiting der verjaring is slechts van kracht tegen dengene, ten aanzien van wien de stuitingshandeling heeft plaats gehad.

Afwijking van BW

2. Op de in het vorige artikel bedoelde verjaringen is artikel 321 van Boek 3, eerste lid, onder a-d, niet van toepassing; in de gevallen bedoeld in artikel 321 van Boek 3, eerste lid, onder b en c, heeft de onbekwame of rechthebbende wiens rechtsvordering is verjaard, verhaal op de wettelijke vertegenwoordiger of bewindvoerder.

TWAALFDE AFDEELING
Algemeene bepalingen

Verval op wettelijke feestdag

Art. 171. 1. De betaling van een wisselbrief, waarvan de vervaldag een wettelijke feestdag is, kan eerst worden gevorderd op den eerstvolgenden werkdag. Evenzoo kunnen alle andere handelingen met betrekking tot wisselbrieven, met name de aanbieding ter acceptatie en het protest, niet plaats hebben dan op eenen werkdag.

2. Wanneer ééne van die handelingen moet worden verricht binnen een zekeren termijn, waarvan de laatste dag een wettelijke feestdag is, wordt deze termijn verlengd tot den eersten werkdag, volgende op het einde van dien termijn. De tusschenliggende feestdagen zijn begrepen in de berekening van den termijn.

Art. 171a. Als wettelijke feestdag in den zin van deze Afdeeling worden beschouwd de Zondag, de Nieuwjaarsdag, de Christelijke tweede Paasch- en Pinksterdagen, de beide Kerstdagen, de Hemelvaartsdag en de verjaardag des Konings.

Art. 172. In de wettelijke of bij overeenkomst vastgestelde termijnen is niet begrepen de dag, waarop deze termijnen beginnen te loopen.

Art. 173. Geen enkele respijtdag, noch wettelijke, noch rechterlijke, is toegestaan.

DERTIENDE AFDEELING
Van orderbriefjes

Inhoud orderbriefje

Art. 174. Het orderbriefje behelst:
1°. hetzij de orderclausule, hetzij de benaming „orderbriefje" of „promesse aan order", opgenomen in den tekst zelf, en uitgedrukt in de taal, waarin de titel is gesteld;
2°. de onvoorwaardelijke belofte een bepaalde som te betalen;
3°. de aanwijzing van den vervaldag;
4°. die van de plaats, waar de betaling moet geschieden;
5°. den naam van dengene, aan wien of aan wiens order de betaling moet worden gedaan;
6°. de vermelding van de dagteekening, alsmede van de plaats, waar het orderbiljet is onderteekend;
7°. de handteekening van hem, die den titel uitgeeft (onderteekenaar).

Geen orderbriefje

Art. 175. 1. De titel, waarin ééne der vermeldingen, in het voorgaande artikel aangegeven, ontbreekt, geldt niet als orderbriefje, behoudens in de hieronder genoemde gevallen.

Betaalbaar op zicht

2. Het orderbriefje, waarvan de vervaldag niet is aangewezen, wordt beschouwd als betaalbaar op zicht.

Plaatsbepaling

3. Bij gebreke van een bijzondere aanwijzing wordt de plaats van de onderteekening van den titel geacht te zijn de plaats van betaling en tevens de plaats van het domicilie van den onderteekenaar.

4. Het orderbriefje, dat de plaats van zijne onderteekening niet vermeldt, wordt geacht te zijn onderteekend in de plaats, aangegeven naast den naam van den onderteekenaar.

Toepasselijkheid wisselrecht

Art. 176. 1. Voor zooverre zij niet onvereenigbaar zijn met den aard van het orderbriefje, zijn daarop toepasselijk de bepalingen over wisselbrieven betreffende:
het endossement (artikelen 110 t/m 119);
den vervaldag (artikelen 132 t/m 136);
de betaling (artikelen 137 t/m 141);
het recht van regres in geval van non-betaling (artikelen 142 t/m 149, 151 t/m 153);
de betaling bij tusschenkomst (artikelen 154, 158 t/m 162);

de wisselafschriften (artikelen 166 en 167);
de vermiste wisselbrieven (artikel 167a);
de veranderingen (artikel 168);
de verjaring (artikelen 168a en 169 t/m 170);
de feestdagen, de berekening der termijnen en het verbod van respijtdagen (artikelen 171, 171a, 172 en 173).

2. Eveneens zijn op het orderbriefje toepasselijk de bepalingen betreffende den wisselbrief, betaalbaar bij eenen derde of in een andere plaats dan die van het domicilie van den betrokkene (artikelen 103 en 126), de renteclausule (artikel 104), de verschillen in de vermelding met betrekking tot de som, welke moet worden betaald (artikel 105), de gevolgen van het plaatsen eener handteekening onder de omstandigheden bedoeld in artikel 106, die van de handteekening van eenen persoon, die handelt zonder bevoegdheid of die zijne bevoegdheid overschrijdt (artikel 107), en den wisselbrief in blanco (artikel 109).

3. Eveneens zijn op het orderbriefje toepasselijk de bepalingen betreffende het aval (artikelen 129 t/m 131); indien overeenkomstig hetgeen is bepaald bij artikel 130, laatste lid, het aval niet vermeldt, voor wien het is gegeven, wordt het geacht voor rekening van den onderteekenaar van het orderbriefje te zijn gegeven.

Art. 177. 1. De onderteekenaar van een orderbriefje is op dezelfde wijze verbonden als de acceptant van eenen wisselbrief.

2. De orderbriefjes, betaalbaar zekeren tijd na zicht, moeten ter teekening voor „gezien" aan den onderteekenaar worden aangeboden binnen den bij artikel 122 vastgestelden termijn. De zichttermijn loopt van de dagteekening van het visum, hetwelk door den onderteekenaar op het orderbriefje moet worden geplaatst. De weigering van dezen zijn visum te plaatsen, moet worden vastgesteld door een protest (artikel 124), van welks dagteekening de zichttermijn begint te loopen.

ZEVENDE TITEL
Van chèques, en van promessen en quitantiën aan toonder

EERSTE AFDEELING
Van de uitgifte en den vorm van den chèque

Inhoud chèque

Art. 178. De chèque behelst:
1°. de benaming „chèque", opgenomen in den tekst zelf en uitgedrukt in de taal, waarin de titel is gesteld;
2°. de onvoorwaardelijke opdracht tot betaling van een bepaalde som;
3°. den naam van dengene, die betalen moet (betrokkene);
4°. de aanwijzing van de plaats, waar de betaling moet geschieden;
5°. de vermelding van de dagteekening, alsmede van de plaats, waar de chèque is getrokken;
6°. de handteekening van dengene, die de chèque uitgeeft (trekker).

Geen chèque

Art. 179. 1. De titel, waarin ééne der vermeldingen, in het voorgaande artikel aangegeven, ontbreekt, geldt niet als chèque, behoudens in de hieronder genoemde gevallen.

Plaatsbepaling

2. Bij gebreke van een bijzondere aanwijzing, wordt de plaats, aangegeven naast den naam van den betrokkene, geacht te zijn de plaats van betaling. Indien meerdere plaatsen zijn aangegeven naast den naam van den betrokkene, is de chèque betaalbaar op de eerstaangegeven plaats.

3. Bij gebreke van die aanwijzingen of van iedere andere aanwijzing, is de chèque betaalbaar in de plaats, waar het hoofdkantoor van den betrokkene is gevestigd.

4. De chèque, welke niet de plaats aanwijst, waar zij is getrokken, wordt geacht te zijn onderteekend in de plaats, aangegeven naast den naam des trekkers.

Chèque op bankier

Art. 180. De chèque moet worden getrokken op eenen bankier, die fonds onder zich heeft ter beschikking van den trekker, en krachtens een uitdrukkelijke of stilzwijgende overeenkomst, volgens welke de trekker het recht heeft per chèque over dat fonds te beschikken. In geval van niet-inachtneming van die voorschriften blijft de titel echter als chèque geldig.

Geen acceptatie

Art. 181. De chèque kan niet worden geaccepteerd. Eene vermelding van acceptatie, op de chèque gesteld, wordt voor niet geschreven gehouden.

Betaalbaarstelling

Art. 182. 1. De chèque kan betaalbaar worden gesteld:
aan een met name genoemden persoon, met of zonder uitdrukkelijke clausule: „aan order";
aan een met name genoemden persoon, met de clausule: „niet aan order", of een soortgelijke clausule;
aan toonder.

2. De chèque, betaalbaar gesteld aan een met name genoemden persoon, met de vermelding: „of aan toonder", of een soortgelijke uitdrukking, geldt als chèque aan toonder.

3. De chèque zonder vermelding van den nemer geldt als chèque aan toonder.

Chèque aan: order trekker, voor rekening derde

Art. 183. 1. De chèque kan aan de order van den trekker luiden.

2. De chèque kan worden getrokken voor rekening van eenen derde. De trekker wordt geacht voor zijn eigene rekening te hebben getrokken, indien uit de chèque of uit den adviesbrief niet blijkt, voor wiens rekening zulks is geschied.

Op trekker

3. De chèque kan op den trekker zelf getrokken worden.

Incassochèque

Art. 183a. 1. Wanneer de trekker op de chèque de vermelding „waarde ter incasseering", „ter incasso", „in lastgeving" of eenige andere vermelding, met zich brengend een bloote opdracht tot inning, heeft geplaatst, kan de nemer alle uit de chèque voortvloeiende rechten uitoefenen, maar hij kan deze niet anders overdragen dan bijwege van lastgeving.

2. Bij een zoodanige chèque kunnen de chèque-schuldenaren aan den houder slechts de verweermiddelen tegenwerpen, welke aan den trekker zouden kunnen worden tegengeworpen.

3. De opdracht, vervat in een incassochèque, eindigt niet door dood of latere onbekwaamheid van den lastgever.

Geen renteclausule

Art. 184. Eene in de chèque opgenomen renteclausule wordt voor niet geschreven gehouden.

Gedomiciliëerde chèque

Art. 185. De chèque kan betaalbaar zijn aan de woonplaats van eenen derde, hetzij in de plaats, waar de betrokkene zijn domicilie heeft, hetzij in een andere plaats.

Verschil in bedragaanduiding

Art. 186. 1. De chèque, waarvan het bedrag voluit in letters en tevens in cijfers is geschreven, geldt, in geval van verschil, ten beloope van de som, voluit in letters geschreven.

2. De chèque, waarvan het bedrag meermalen is geschreven, hetzij voluit in letters, hetzij in cijfers, geldt, in geval van verschil, slechts ten beloope van de kleinste som.

Geldige en ongeldige handtekeningen

Art. 187. Indien de chèque handteekeningen bevat van personen, die onbekwaam zijn zich door middel van een chèque te verbinden, valsche handteekeningen of handteekeningen van verdichte personen, of handteekeningen, welke, onverschillig om welke andere reden, de personen, die die handteekeningen hebben geplaatst of in wier naam zulks is geschied, niet kunnen verbinden, zijn de verbintenissen der andere personen, wier handteekeningen op de chèque voorkomen, desniettemin geldig.

Handtekening als vertegenwoordiger

Art. 188. Ieder, die zijne handteekening op eene chèque plaatst als vertegenwoordiger van eenen persoon, voor wien hij niet de bevoegdheid had te handelen, is zelf krachtens de chèque verbonden, en heeft, betaald hebbende, dezelfde rechten, als de beweerde vertegenwoordigde zou hebben gehad. Hetzelfde geldt ten aanzien van den vertegenwoordiger, die zijne bevoegdheid heeft overschreden.

Garantie van trekker

Art. 189. De trekker staat in voor de betaling. Elke clausule, waarbij hij deze verplichting uitsluit, wordt voor niet geschreven gehouden.

Volledig gemaakte chèque

Art. 190. Indien eene chèque, onvolledig ten tijde der uitgifte, is volledig gemaakt in strijd met de aangegane overeenkomsten, kan de niet-naleving van die overeenkomsten niet worden tegengeworpen aan den houder, die de cheque te goeder trouw heeft verkregen.

Fondsbezorging

Art. 190a. De trekker, of degene voor wiens rekening de chèque is getrokken, is verplicht zorg te dragen dat het noodige fonds tot betaling op den dag der aanbieding in handen van den betrokkene zij, zelfs indien de chèque bij eenen derde is betaalbaar gesteld, onverminderd de verplichting van den trekker overeenkomstig artikel 189.

Art. 190b. De betrokkene wordt geacht, het noodige fonds in handen te hebben, indien hij bij de aanbieding van de chèque aan den trekker of aan dengene voor wiens rekening is getrokken, een opeischbare som schuldig is, ten minste gelijkstaande met het beloop van de chèque.

TWEEDE AFDEELING
Van de overdracht

Wijze van overdracht

Art. 191. 1. De chèque, die betaalbaar is gesteld aan een met name genoemden persoon met of zonder uitdrukkelijke clausule: „aan order", kan door middel van endossement worden overgedragen.

2. De chèque, die betaalbaar is gesteld aan een met name genoemden persoon met de clausule: „niet aan order", of een soortgelijke clausule, kan slechts worden overgedragen in den vorm en met de gevolgen van een gewone cessie. Een op zulk een chèque geplaatst endossement geldt als een gewone cessie.

3. Het endossement kan worden gesteld zelfs ten voordeele van den trekker of van iederen anderen chèqueschuldenaar. Deze personen kunnen de chèque opnieuw endosseeren.

Endossement

Art. 192. 1. Het endossement moet onvoorwaardelijk zijn. Elke daarin opgenomen voorwaarde wordt voor niet geschreven gehouden.

2. Het gedeeltelijke endossement is nietig.

3. Eveneens is nietig het endossement van den betrokkene.

4. Het endossement aan toonder geldt als endossement in blanco.

5. Het endossement aan den betrokkene geldt slechts als kwijting, behoudens wanneer de betrokkene meer kantoren heeft en wanneer het endossement is gesteld ten voordeele van een ander kantoor dan dat, waarop de chèque is getrokken.

Plaats endossement

Art. 193. 1. Het endossement moet gesteld worden op de chèque of op een vastgehecht blad (verlengstuk). Het moet worden onderteekend door den endossant.

2. Het endossement kan den geëndosseerde onvermeld laten, of bestaan uit de enkele handteekening van den endossant (endossement in blanco). In het laatste geval moet het endossement om geldig te zijn, op de rugzijde van de chèque of op het verlengstuk worden gesteld.

Overdracht rechten

Art. 194. 1. Door het endossement worden alle uit de chèque voortvloeiende rechten overgedragen.

Endossement in blanco

2. Indien het endossement in blanco is, kan de houder:

1°. het blanco invullen, hetzij met zijn eigen naam hetzij met den naam van een anderen persoon;

2°. de chèque wederom in blanco of aan een anderen persoon endosseeren;

3°. de chèque aan eenen derde overgeven, zonder het blanco in te vullen, en zonder haar te endosseeren.

Instaan voor betaling

Art. 195. 1. Tenzij het tegendeel bedongen is, staat de endossant in voor de betaling.

Verbod endossement

2. Hij kan een nieuw endossement verbieden; in dat geval staat hij tegenover de personen, aan wie de chèque later is geëndosseerd, niet in voor de betaling.

Rechtmatige houder

Art. 196. Hij, die een door endossement overdraagbare chèque onder zich heeft, wordt beschouwd als de rechtmatige houder, indien hij van zijn recht doet blijken door een ononderbroken reeks van endossementen, zelfs indien het laatste endossement in blanco is gesteld. De doorgehaalde endossementen worden te dien aanzien voor niet geschreven gehouden. Wanneer een endossement in blanco door een ander endossement is gevolgd, wordt de onderteekenaar van dit laatste geacht, de chèque door het endossement in blanco verkregen te hebben.

Endossement op toonderchèque

Art. 197. Een op eene chèque aan toonder voorkomend endossement maakt den endossant verantwoordelijk overeenkomstig de bepalingen betreffende het recht van regres; het maakt overigens den titel niet tot eene chèque aan order.

Verloren chèque

Art. 198. Indien iemand, op welke wijze dan ook, het bezit van de chèque heeft verloren, is de houder, in wiens handen de chèque zich bevindt, niet verplicht de chèque af te geven, indien hij deze te goeder trouw heeft verkregen en zulks onverschillig of het betreft eene chèque aan toonder, dan wel een voor endossement vatbare chèque, ten aanzien van welke de houder op de wijze in artikel 196 voorzien van zijn recht doet blijken.

Bescherming houder

Art. 199. Zij, die uit hoofde van de chèque worden aangesproken, kunnen de verweermiddelen, gegrond op hun persoonlijke verhouding tot den trekker of tot vroegere houders, niet aan den houder tegenwerpen, tenzij deze bij de verkrijging van de chèque desbewust ten nadeele van den schuldenaar heeft gehandeld.

Incasso endossement

Art. 200. 1. Wanneer het endossement de vermelding bevat: „waarde ter incasseering", „ter incasso", „in lastgeving" of eenige andere vermelding, met zich brengend een blote opdracht tot inning, kan de houder alle uit de chèque voortvloeiende rechten uitoefenen, maar hij kan deze niet anders endosseeren dan bijwege van lastgeving.

2. De chèqueschuldenaren kunnen in dat geval aan den houder slechts de verweermiddelen tegenwerpen, welke aan den endossant zouden kunnen worden tegengeworpen.

3. De opdracht, vervat in een incasso-endossement, eindigt niet door den dood of door de latere onbekwaamheid van den lastgever.

Endossement na aanbiedingstermijn

Art. 201. 1. Het endossement, na het protest of de daarmede gelijkstaande verklaring, of na het einde van den aanbiedingstermijn op de chèque gesteld, heeft slechts de gevolgen eener gewone cessie.

Endossement zonder datum

2. Behoudens tegenbewijs, wordt het endossement zonder dagteekening geacht te zijn gesteld vóór het protest of de daarmede gelijkstaande verklaringen, of vóór het verstrijken van den in het voorgaande lid bedoelden termijn.

DERDE AFDEELING
Van het aval

Borgtocht

Art. 202. 1. De betaling van de chèque kan zoowel voor haar geheele bedrag als voor een gedeelte daarvan door eenen borgtocht (aval) worden verzekerd.

2. Deze borgtocht kan door eenen derde, behalve door den betrokkene, of zelfs door iemand, wiens handteekening op de chèque voorkomt, worden gegeven.

Vorm van aval

Art. 203. 1. Het aval wordt op de chèque of op een verlengstuk gesteld.

2. Het wordt uitgedrukt door de woorden: „goed voor aval", of door een soortgelijke uitdrukking; het wordt door den avalgever onderteekend.

3. De enkele handteekening van den avalgever, gesteld op de voorzijde van de chèque, geldt als aval, behalve wanneer de handteekening die is van den trekker.

4. Het kan ook geschieden bij een afzonderlijk geschrift of bij een brief, vermeldende de plaats, waar het is gegeven.

5. In het aval moet worden vermeld, voor wien het is gegeven. Bij gebreke hiervan wordt het geacht voor den trekker te zijn gegeven.

Gevolgen van aval

Art. 204. 1. De avalgever is op dezelfde wijze verbonden als degene, voor wien het aval is gegeven.

2. Zijne verbintenis is geldig, zelfs indien, wegens een andere oorzaak dan een vormgebrek de door hem gewaarborgde verbintenis nietig is.

3. Door te betalen verkrijgt de avalgever de rechten, welke krachtens de chèque kunnen worden uitgeoefend tegen dengene, voor wien het aval is gegeven en tegen degenen, die tegenover dezen krachtens de chèque verbonden zijn.

VIERDE AFDEELING
Van de aanbieding en van de betaling

Betaalbaar op zicht

Art. 205. 1. De chèque is betaalbaar op zicht. Elke vermelding van het tegendeel wordt voor niet geschreven gehouden.

2. De chèque, die ter betaling wordt aangeboden vóór den dag, vermeld als datum van uitgifte, is betaalbaar op den dag van de aanbieding.

Termijnen aanbieding ter betaling

Art. 206. 1. De chèque, die in hetzelfde land uitgegeven en betaalbaar is, moet binnen den termijn van acht dagen ter betaling worden aangeboden. Indien echter uit de chèque zelve blijkt, dat zij bestemd is om in een ander land te circuleeren, wordt deze termijn verlengd, hetzij tot twintig, hetzij tot zeventig dagen, al naar gelang zij bestemd was in hetzelfde of in een ander werelddeel te circuleeren. Te dien aanzien worden de chèques, uitgegeven en betaalbaar in een land in Europa en bestemd om te circuleeren in een kustland van de Middellandsche Zee of omgekeerd, beschouwd als bestemd om te circuleeren in hetzelfde werelddeel.

2. De chèque, uitgegeven in het Rijk in Europa of betaalbaar in Nederlandsch-Indië, Suriname of Curaçao, of omgekeerd, moet ter betaling aangeboden worden binnen den tijd van zeventig dagen.

3. De chèque, die uitgegeven is in een ander land dan dat, waar zij betaalbaar is, moet worden aangeboden binnen een termijn, hetzij van twintig dagen, hetzij van zeventig dagen, naar gelang de plaats van uitgifte en de plaats van betaling gelegen zijn in hetzelfde of in een ander werelddeel.

4. Te dien aanzien worden de chèques, uitgegeven in een land in Europa en betaalbaar in een kustland van de Middellandsche Zee of omgekeerd, beschouwd als uitgegeven en betaalbaar in hetzelfde werelddeel.

5. De bovengenoemde termijnen beginnen te loopen van den dag, op de chèque als datum van uitgifte vermeld.

Tijdrekening plaats van betaling

Art. 207. De dag van uitgifte van een chèque, getrokken tusschen twee plaatsen met verschillende tijdrekening, wordt herleid tot den overeenkomstigen dag van de tijdrekening van de plaats van betaling.

Aanbieding aan verrekeningskamer

Art. 208. 1. De aanbieding aan eene verrekeningskamer geldt als aanbieding ter betaling.

2. Bij algemeenen maatregel van bestuur zullen de instellingen worden aangewezen, die in den zin van dezen Titel als verrekeningskamers worden beschouwd.

Herroeping

Art. 209. 1. De herroeping van de chèque is slechts van kracht na het einde van den termijn van aanbieding.

2. Indien geene herroeping plaats heeft, kan de betrokkene zelfs na het einde van die termijn betalen.

Geen invloed op gevolgen chèque

Art. 210. Noch de dood van den trekker, noch zijn na de uitgifte opkomende onbekwaamheid zijn van invloed op de gevolgen van de chèque.

Vorderen afgifte chèque

Art. 211. 1. Buiten het geval, in artikel 227a vermeld, kan de betrokkene de chèque betalende, vorderen, dat hem deze, van behoorlijke kwijting van den houder voorzien, wordt uitgeleverd.

Gedeeltelijke betaling

2. De houder mag niet weigeren een gedeeltelijke betaling aan te nemen.

3. In geval van gedeeltelijke betaling kan de betrokkene vorderen, dat van die betaling op de chèque melding wordt gemaakt en dat hem daarvoor kwijting wordt gegeven.

Onderzoek door betrokkene

Art. 212. 1. De betrokkene, die een door endossement overdraagbare chèque betaalt, is gehouden de regelmatigheid van de reeks van endossementen, maar niet de handteekening der endossanten te onderzoeken.

Verhaalsrecht

2. Indien hij, niet bevrijdend betaald hebbende, verplicht wordt, ten tweede male te betalen, heeft hij verhaal op allen die de cheque niet te goeder trouw hebben verkregen.

Chèque in vreemd geld

Art. 213. 1. Eene chèque, waarvan de betaling is bedongen in ander geld dan dat van de plaats van betaling, kan binnen den termijn van aanbieding worden betaald in het geld van het land volgens zijne waarde op den dag van betaling. Indien de betaling niet heeft plaats gehad bij de aanbieding, kan de houder te zijner keuze vorderen, dat de chèquesom voldaan wordt in het geld van het land volgens den koers, hetzij van den dag van aanbieding, hetzij van den dag van betaling.

2. De waarde van het vreemde geld wordt bepaald volgens de gebruiken van de plaats van betaling. De trekker kan echter voorschrijven, dat het te betalen bedrag moet worden berekend volgens een in de chèque voorgeschreven koers.

3. Het bovenstaande is niet van toepassing, indien de trekker heeft voorgeschreven, dat de betaling moet geschieden in een bepaald aangeduid geld (clausule van werkelijke betaling in vreemd geld).

4. Indien het bedrag van de chèque is aangegeven in geld, hetwelk dezelfde benaming maar een verschillende waarde heeft in het land van uitgifte en in dat van betaling, wordt men vermoed het geld van de plaats van betaling te hebben bedoeld.

VIJFDE AFDEELING

Van de gekruiste chèque en van de verrekeningschèque

Gekruiste chèque

Art. 214. 1. De trekker of de houder van eene chèque kan deze kruisen met de in het volgende artikel genoemde gevolgen.

2. De kruising geschiedt door het plaatsen van twee evenwijdige lijnen op de voorzijde van de chèque. Zij kan algemeen zijn of bijzonder.

3. De kruising is algemeen, indien zij tusschen de twee lijnen geen enkele aanwijzing bevat, of wel de vermelding: „bankier", of een soortgelijk woord; zij is bijzonder, indien de naam van eenen bankier voorkomt tusschen de twee lijnen.

4. De algemeene kruising kan worden veranderd in een bijzondere, maar de bijzondere kruising kan niet worden veranderd in een algemeene.

5. De doorhaling van de kruising of van den naam van den aangewezen bankier wordt geacht niet te zijn geschied.

Art. 215. 1. Eene chèque met algemeene kruising kan door den betrokkene slechts worden betaald aan eene bankier of aan eenen cliënt van den betrokkene.

2. Eene chèque met bijzondere kruising kan door den betrokkene slechts worden betaald aan den aangewezen bankier of, indien deze de betrokkene is, slechts aan een zijner cliënten. Echter kan de aangegeven bankier de chèque ter incasseering aan een anderen bankier overdragen.

3. Een bankier mag een gekruiste chèque slechts in ontvangst nemen van een van zijne cliënten of van een anderen bankier. Hij mag haar niet innen voor rekening van andere personen dan deze.

4. Een chèque, welke meer dan één bijzondere kruising draagt, mag door den betrokkene slechts worden betaald, indien er niet meer dan twee kruisingen zijn, waarvan de ééne strekt tot inning door eene verrekeningskamer.

5. De betrokkene of de bankier, die de bovenstaande bepalingen niet naleeft, is verantwoordelijk voor de schade tot beloop van het bedrag van de chèque.

Verrekeningschèque

Art. 216. 1. De trekker, alsmede de houder van eene chèque, kan verbieden, dat deze in baar geld betaald wordt door op de voorzijde in schuinsche richting te vermelden: „in rekening te brengen", of een soortgelijke uitdrukking op te nemen.

2. In dat geval mag de chèque den betrokkene slechts aanleiding geven tot eene boeking (rekening-courant, giro of schuldvergelijking). De boeking geldt als betaling.

3. De doorhaling van de vermelding: „in rekening te brengen" wordt geacht niet te zijn geschied.

4. De betrokkene, die de bovenstaande bepalingen niet naleeft, is verantwoordelijk voor de schade tot beloop van het bedrag van de chèque.

ZESDE AFDEELING

Van het recht van regres in geval van non-betaling

Regresrecht

Art. 217. De houder kan zijn recht van regres uitoefenen op de endossanten, den trekker en de andere chèqueschuldenaren, indien de chèque, tijdig aangeboden, niet wordt betaald en indien de weigering van betaling wordt vastgesteld:

1°. hetzij door een authentieke akte (protest);

2°. hetzij door eene verklaring van den betrokkene, gedagteekend en geschreven op de chèque onder vermelding van den dag van aanbieding;

3°. hetzij door een gedagteekende verklaring van eene verrekeningskamer, waarbij vastgesteld wordt, dat de chèque tijdig aangeboden en niet betaald is.

Gehoudenheid trekker tot vrijwaring

Art. 217a. 1. Indien de non-betaling van de chèque door protest of een daarmede gelijkstaande verklaring is vastgesteld, is niettemin de trekker, al ware het protest niet in tijds gedaan of de met protest gelijkstaande verklaring niet in tijds afgegeven, tot vrijwaring gehouden, tenzij hij bewees, dat de betrokkene op den dag der aanbieding het noodige fonds tot betaling van de chèque in handen had. Indien het vereischte fonds slechts gedeeltelijk aanwezig was, is de trekker voor het ontbrekende gehouden.

2. In geval van niet tijdig protest of niet tijdige met protest gelijkstaande verklaring is de trekker, op straffe van tot vrijwaring te zijn gehouden, verplicht, den houder af te staan en over te dragen de vordering op het fonds, dat de betrokkene van hem op den dag der aanbieding heeft in handen gehad, en zulks tot het beloop van de chèque; en hij moet aan den houder, te diens koste, de noodige bewijzen verschaffen om die vordering te doen gelden. Indien de trekker in staat van faillissement is verklaard, zijn de curatoren in zijnen boedel tot dezelfde verplichtingen gehouden, ten ware deze mochten verkiezen, den houder als schuldeischer, voor het beloop van de chèque, toe te laten.

Tijd voor protest

Art. 218. 1. Het protest of de daarmede gelijkstaande verklaring moet worden gedaan vóór het einde van den termijn van aanbieding.

2. Indien de aanbieding plaats heeft op den laatsten dag van den termijn, kan het protest of de daarmede gelijkstaande verklaring op den eerstvolgenden werkdag worden gedaan.

Plaats van betaling

Art. 218a. 1. De betaling van eene chèque moet gevraagd en het daarop volgend protest gedaan worden ter woonplaatse van den betrokkene.

2. Indien de chèque getrokken is om in een andere aangewezen woonplaats of door een anderen aangewezen persoon, hetzij in dezelfde, hetzij in een andere gemeente te worden betaald, moet de betaling gevraagd en het protest opgemaakt worden ter aangewezene woonplaats of aan den aangewezen persoon.

3. Het zevende onderdeel van artikel 4 van het Wetboek van Burgerlijke Rechtsvordering is van overeenkomstige toepassing.

Wijze van protest

Art. 218b. 1. Het protest van non-betaling wordt gedaan door een deurwaarder. Deze kan zich desverkiezende doen vergezellen door een of twee getuigen.

Inhoud protest

2. Het protest behelst:

1°. een letterlijk afschrift van de chèque, van de endossementen, van het aval en van de adressen daarop gesteld;

2°. de vermelding dat zij de betaling aan de personen, of ter plaatse in het voorgaand artikel gemeld, afgevraagd en niet bekomen hebben;

3°. de vermelding van de opgegeven reden van non-betaling;

4°. de aanmaning om het protest te teekenen, en de redenen van weigering;

5°. de vermelding, dat hij, deurwaarder, wegens die non-betaling heeft geprotesteerd.

3. Indien het protest een vermiste chèque betreft, volstaat, in plaats van het bepaalde onder 1°, van het voorgaande lid, een zo nauwkeurig mogelijke omschrijving van den inhoud der chèque.

Afschrift protest

Art. 218c. De deurwaarders zijn verplicht, op straffe van schadevergoeding, afschrift van het protest te laten, en hiervan melding in het afschrift te maken, en hetzelve, naar orde des tijds, in te schrijven in een bijzonder register, genommerd en gewaarmerkt door den kantonrechter van hunne woonplaats, en om wijders, zulks begeerd wordende, een of meer afschriften van het protest aan de belanghebbenden te leveren.

Kennisgeving van non betaling

Art. 219. 1. De houder moet van de non-betaling kennisgeven aan zijnen endossant en aan den trekker binnen de vier werkdagen, volgende op den dag van het protest of de daarmede gelijkstaande verklaring en, indien de chèque getrokken is met de clausule zonder kosten, volgende op dien der aanbieding. Elke endossant moet binnen de twee werkdagen, volgende op den dag van ontvangst der kennisgeving, de door hem ontvangen kennisgeving aan zijnen endossant mededeelen, met aanwijzing van de namen en adressen van degenen, die de voorafgaande kennisgevingen hebben gedaan, en zoo vervolgens, teruggaande tot den trekker. Deze termijnen loopen van de ontvangst der voorafgaande kennisgeving af.

2. Indien overeenkomstig het voorgaande lid eene kennisgeving is gedaan aan iemand, wiens handteekening op de chèque voorkomt, moet gelijke kennisgeving binnen denzelfden termijn aan diens avalgever worden gedaan.

3. Indien een endossant zijn adres niet of op onleesbare wijze heeft aangeduid, kan worden volstaan met kennisgeving aan den voorafgaanden endossant.

4. Hij, die eene kennisgeving heeft te doen, kan zulks doen in iederen vorm, zelfs door enkele terugzending van de chèque.

5. Hij moet bewijzen, dat hij de kennisgeving binnen den vastgestelden termijn heeft gedaan. Deze termijn wordt gehouden te zijn in acht genomen, wanneer een brief, die de kennisgeving behelst, binnen den genoemden termijn ter post is bezorgd.

6. Hij, die de kennisgeving niet binnen den bovenvermelden termijn doet, stelt zich niet bloot aan verval van zijn recht, hij is, indien daartoe aanleiding bestaat, verantwoordelijk voor de schade, door zijne nalatigheid veroorzaakt, zonder dat echter de schadevergoeding de chèquesom kan te boven gaan.

Clausule zonder protest

Art. 220. 1. De trekker, een endossant of een avalgever kan door de clausule „zonder kosten", „zonder protest", of een andere soortgelijke op de chèque gestelde en onderteekende clausule, den houder van het opmaken van een protest of een daarmede gelijkstaande verklaring ter uitoefening van zijn recht van regres ontslaan.

2. Deze clausule ontslaat den houder niet van de aanbieding van de chèque binnen de voorgeschreven termijnen, noch van het doen van de kennisgevingen. Het bewijs van de niet-inachtneming der termijnen moet worden geleverd door dengene, die zich daarop tegenover den houder beroept.

3. Is de clausule door den trekker gesteld, dan heeft zij gevolgen ten aanzien van allen, wier handteekeningen op de chèque voorkomen; is zij door eenen endossant of door eenen avalgever gesteld, dan heeft zij gevolgen alleen voor dezen endossant of avalgever. Indien de houder, ondanks de door den trekker gestelde clausule, toch de weigering van betaling doet vaststellen door protest of een daarmede gelijkstaande verklaring, zijn de kosten daarvan voor zijne rekening. Indien de clausule van eenen endossant of eenen avalgever afkomstig is, kunnen de kosten van het protest of van de daarmede gelijkstaande verklaring, indien een akte van dien aard is opgesteld, op allen, wier handteekeningen op de chèque voorkomen, worden verhaald.

Hoofdelijke aansprakelijkheid

Art. 221. 1. Allen, die uit hoofde van eene chèque verbonden zijn, zijn hoofdelijk jegens den houder verbonden. Bovendien is ook de derde, voor wiens rekening de chèque is getrokken en die de waarde daarvoor heeft genoten, jegens den houder aansprakelijk.

2. De houder kan deze personen, zoowel ieder afzonderlijk, als gezamenlijk, aanspreken, zonder verplicht te zijn de volgorde, waarin zij zich hebben verbonden, in acht te nemen.

3. Hetzelfde recht komt toe aan ieder, wiens handteekening op de chèque voorkomt en die deze, ter voldoening aan zijnen regresplicht, heeft betaald.

4. De vordering, ingesteld tegen éénen der chèqueschuldenaren, belet niet de anderen aan te spreken, al hadden dezen zich later verbonden dan de eerst aangesprokene.

Houder geen recht op fonds

Art. 221a. 1. De houder van eene chèque, waarvan de non-betaling door protest of een daarmede gelijk staande verklaring is vastgesteld, heeft in geen geval eenig recht op het fonds, dat de betrokkene van den trekker in handen heeft.

2. Bij faillissement van den trekker behooren die penningen aan diens boedel.

Vordering uit hoofde van regres

Art. 222. De houder kan van dengene, tegen wien hij zijn recht van regres uitoefent, vorderen:
1°. de som van de niet betaalde chèque;
2°. de wettelijke rente, te rekenen van de dag der aanbieding, voor chèques die in Nederland uitgegeven en betaalbaar zijn, en een rente van zes ten honderd, te rekenen van de dag der aanbieding, voor alle overige chèques;
3°. de kosten van protest of van de daarmede gelijkstaande verklaring, die van de gedane kennisgevingen, alsmede de andere kosten.

Art. 223. Hij, die ter voldoening aan zijnen regresplicht de chèque heeft betaald, kan van degenen, die tegenover hem regresplichtig zijn, vorderen:
1°. het geheele bedrag, dat hij betaald heeft;
2°. de wettelijke rente, te rekenen van de dag der betaling, voor chèques die in Nederland uitgegeven en betaalbaar zijn, en een rente van zes ten honderd, te rekenen van de dag der betaling, voor alle overige chèques;
3°. de door hem gemaakte kosten.

Vorderen afgifte chèque

Art. 224. 1. Elke chèqueschuldenaar, tegen wien het recht van regres wordt of kan worden uitgeoefend, kan, tegen betaling ter voldoening aan zijnen regresplicht, de afgifte vorderen van de chèque met het protest, of de daarmede gelijkstaande verklaring, alsmede een voor voldaan geteekende rekening.

2. Elke endossant, die ter voldoening aan zijnen regresplicht, de chèque heeft betaald, kan zijn endossement en dat van de volgende endossanten doorhalen.

Doorhaling endossementen

Art. 225. 1. Wanneer de aanbieding van de chèque, het opmaken van het protest, of de daarmede gelijkstaande verklaring, binnen de voorgeschreven termijnen wordt verhinderd door een onoverkomelijk beletsel (wettelijk voorschrift van eenigen Staat of ander geval van overmacht), worden deze termijnen verlengd.

Invloed overmacht op termijnen

2. De houder is verplicht van de overmacht onverwijld aan zijnen endossant kennis te geven, en deze kennisgeving, gedagteekend en onderteekend op de chèque of op een verlengstuk te vermelden; voor het overige zijn de bepalingen van artikel 219 toepasselijk.

3. Na ophouden van de overmacht moet de houder onverwijld de chèque ter betaling aanbieden, en, indien daartoe aanleiding bestaat, de weigering van betaling doen vaststellen door protest of een daarmede gelijkstaande verklaring.

4. Indien de overmacht meer dan vijftien dagen aanhoudt, te rekenen van den dag, waarop de houder, al ware het vóór het einde van den aanbiedingstermijn, van de overmacht aan zijnen endossant heeft kennis gegeven, kan het recht van regres worden uitgeoefend, zonder dat de aanbieding of het opmaken van protest of de daarmede gelijkstaande verklaring noodig zijn.

5. Feiten, welke voor den houder of voor dengene, dien hij met de aanbieding van de chèque of met het opmaken van het protest of de daarmede gelijkstaande verklaring belastte, van zuiver persoonlijken aard zijn, worden niet beschouwd als gevallen van overmacht.

ZEVENDE AFDEELING
Van chèque-exemplaren en vermiste chèques

Art. 226. Behoudens de chèques aan toonder, kan elke chèque, uitgegeven in een land en betaalbaar in een ander land of in een overzeesch gebied van hetzelfde land en omgekeerd, of wel uitgegeven en betaalbaar in een zelfde overzeesch gebied of in verschillende overzeesche gebieden van hetzelfde land, in meer gelijkluidende exemplaren worden getrokken. Wanneer eene chèque in meer exemplaren is getrokken, moeten die exemplaren in den tekst zelf van den titel worden genummerd bij gebreke waarvan elk exemplaar wordt beschouwd als een afzonderlijke chèque.

Chèque exemplaren

Art. 227. 1. De betaling op één der exemplaren gedaan, bevrijdt, ook al ware niet bedongen, dat die betaling de kracht der andere exemplaren te niet doet.

2. De endossant, die de exemplaren aan verschillende personen heeft overgedragen, alsook de latere endossanten, zijn verbonden wegens alle exemplaren, die hunne handteekening dragen en die niet zijn uitgeleverd.

Art. 227a. Degene die de cheque waarvan hij houder was, vermist, kan met inachtneming van artikel 49, derde lid, van Boek 6 van het Burgerlijk Wetboek van de betrokkene betaling vragen.

Vermiste chèque

Art. 227b. Degene die een cheque waarvan hij houder was, en welke is vervallen en, zoveel nodig, geprotesteerd, vermist, kan met inachtneming van artikel 49, derde lid, van Boek 6 van het Burgerlijk Wetboek zijn rechten alleen tegen de trekker uitoefenen.

ACHTSTE AFDEELING
Van veranderingen

Art. 228. In geval van verandering van den tekst van eene chèque zijn zij, die daarna hunne handteekeningen op de chèque geplaatst hebben, volgens den veranderden tekst verbonden; zij, die daarvoor hunne handteekeningen op de chèque geplaatst hebben, zijn verbonden volgens den oorspronkelijken tekst.

Veranderingen in tekst

NEGENDE AFDEELING
Van verjaring

Tenietgaan chèqueschuld

Art. 228a. Behoudens de bepalingen van het volgende artikel gaat schuld uit eene chèque te niet door alle middelen van schuldbevrijding, bij het Burgerlijk Wetboek aangewezen.

Verjaringstermijnen

Art. 229. 1. De regresvorderingen van den houder tegen de endossanten, den trekker en de andere chèqueschuldenaren, verjaren door een tijdsverloop van zes maanden, te rekenen van het einde van den termijn van aanbieding.

2. De regresvorderingen van de verschillende chèqueschuldenaren tegen elkander, die gehouden zijn tot de betaling van eene chèque, verjaren door een tijdsverloop van zes maanden, te rekenen van de dag, waarop de chèqueschuldenaar ter voldoening aan zijnen regresplicht de chèque heeft betaald, of van den dag, waarop hij zelf in rechte is aangesproken.

3. De in het eerste en tweede lid bedoelde verjaring kan niet worden ingeroepen door den trekker, indien of voor zoover hij geen fonds heeft bezorgd noch door den trekker of de endossanten, die zich ongerechtvaardigd zouden hebben verrijkt; alles onverminderd het bepaalde in artikel 306 van Boek 3 van het Burgerlijk Wetboek.

Stuiting verjaring

Art. 229a. 1. De stuiting der verjaring is slechts van kracht tegen dengene, ten aanzien van wien de stuitingshandeling heeft plaats gehad.

Afwijking van B.W.

2. Op de in het vorige artikel bedoelde verjaringen is artikel 321, eerste lid, onder a-d van Boek 3 van het Burgerlijk Wetboek niet van toepassing; in de gevallen bedoeld in artikel 321 eerste lid, onder b en c, van boek 3 van het Burgerlijk Wetboek heeft de onbekwame of rechthebbende, wiens rechtsvordering is verjaard, verhaal op de wettelijke vertegenwoordiger of bewindvoerder.

TIENDE AFDEELING
Algemeene bepalingen

Gelijkstelling met bankiers

Art. 229a bis. Met bankiers, genoemd in de voorafgaande Afdeelingen van dezen Titel worden gelijkgesteld alle personen of instellingen, die in hun werkzaamheid regelmatig gelden ter onmiddellijke beschikking van anderen houden.

Art. 229b. 1. De aanbieding en het protest van eene chèque kunnen niet plaats hebben dan op eenen werkdag.

Einde termijn op werkdag

2. Wanneer de laatste dag van den termijn, door de wet gesteld voor het verrichten van handelingen nopens de chèque, met name voor de aanbieding en voor het opmaken van het protest of een daarmede gelijkstaande verklaring, een wettelijke feestdag is, wordt deze termijn verlengd tot den eersten werkdag, volgende op het einde van dien termijn. De tusschenliggende feestdagen zijn begrepen in de berekening van den termijn.

Wettelijke feestdag

Art. 229b bis. Als wettelijke feestdag in den zin van deze Afdeeling worden beschouwd de Zondag, de Nieuwjaarsdag, de Christelijke tweede Paasch- en Pinksterdagen, de beide Kerstdagen, de Hemelvaartsdag en de verjaardag des Konings.

Aanvangsdatum termijnen

Art. 229c. In de termijnen, bij de voorafgaande Afdeelingen van dezen Titel voorzien, is niet begrepen de dag, waarop deze termijnen beginnen te loopen.

Geen respijtdag

Art. 229d. Geen enkele respijtdag, noch wettelijke, noch rechterlijke, is toegestaan.

Art. 229d. bis Vervallen.

ELFDE AFDEELING
Van quitantiën en promessen aan toonder

Juiste dagtekening

Art. 229e. Quitantiën en promessen aan toonder moeten de juiste dagteekening der oorspronkelijke uitgifte bevatten.

Quitantie aan toonder

Art. 229f. De oorspronkelijke uitgever van quitantiën aan toonder, door eenen derde betaalbaar, is jegens iederen houder voor de voldoening aansprakelijk gedurende tien dagen na de dagteekening, die dag niet daaronder begrepen.

Art. 229g. 1. De verantwoordelijkheid van den oorspronkelijken uitgever blijft echter voortduren, tenzij hij bewees, dat hij, gedurende den bij het vorige artikel bepaalden tijd, fonds ten beloope van het uitgegeven papier bij den persoon, op wien hetzelve is afgegeven, heeft gehad.

2. De oorspronkelijke uitgever is, op straffe van voortduring van zijne verantwoordelijkheid, verpligt den houder af te staan en over te dragen de vordering op het fonds, dat de persoon, op wien het papier is afgegeven van hem ten vervaldage heeft in handen gehad, en zulks ten beloope van het uitgegeven papier; en hij moet aan den houder, te diens koste, de noodige bewijzen verschaffen om die vordering te doen gelden. Indien de oorspronkelijke uitgever in staat van faillissement is verklaard, zijn de curatoren in zijnen boedel tot dezelfde verpligtingen gehouden, ten ware deze mogten verkiezen, den houder als schuldeischer, ten beloope van het uitgegeven papier, toe te laten.

Art. 229h. Buiten den oorspronkelijken uitgever, blijft een ieder die het voormeld papier in betaling heeft gegeven, gedurende den tijd van drie dagen daarna, de dag der uitgifte niet daaronder begrepen, aansprakelijk jegens dengenen die het van hem heeft ontvangen.

Art. 229i. 1. De houder eener promesse aan toonder is verpligt voldoening te vorderen binnen den tijd van drie dagen na den dag, op welken hij dat papier heeft in betaling genomen, die dag niet daaronder gerekend, en hij moet, bij wanbetaling, binnen een gelijken termijn daarna, de promesse ter intrekking aanbieden aan dengenen die hem dezelve heeft in betaling gegeven, alles op verbeurte van zijn verhaal tegen denzelven, doch onverminderd zijn regt tegen dengenen die de promesse heeft geteekend.

Promesse aan toonder

2. Indien bij de promesse de dag is uitgedrukt op welken dezelve betaalbaar is, begint de termijn van drie dagen eerst te loopen daags na den uitgedrukten betaaldag.

Art. 229j. Indien de laatste dag van eenigen termijn, waaromtrent in deze Afdeeling eenige bepaling voorkomt, valt op eenen wettelijken feestdag in den zin van art. 229b bis, blijft de verpligting en verantwoordelijkheid voortduren tot en met den eersten daaropvolgenden dag, welke geen wettelijke feestdag is.

Laatste dag van termijn

Art. 229k. 1. Alle regtsvordering tegen de in deze Afdeeling vermelde uitgevers van papier, of tegen hen, die buiten den oorsponkelijken uitgever het papier in betaling hebben gegeven, verjaart door tijdsverloop van zes maanden, te rekenen van den dag der oorspronkelijke uitgifte.

Verjaring rechtsvorderingen

2. De in het vorig lid bedoelde verjaring kan niet worden ingeroepen door den uitgever, indien of voor zoover hij geen fonds heeft bezorgd noch door den uitgever of door hen, die buiten den oorspronkelijken uitgever het papier in betaling hebben gegeven, voor zoover ze zich ongeregtvaardigd zouden hebben verrijkt; alles onverminderd het bepaalde in artikel 306 van Boek 3 van het Burgerlijk Wetboek.

3. Op de in dit artikel genoemde verjaringen is het tweede lid van artikel 229a van toepassing.

ACHTSTE TITEL
Van reclame of terugvordering in geval van faillissement

Art. 230—243. (Vervallen bij de Wet van 28 december 1989, Stb. 616.)

Art. 244 en 245. Vervallen.

NEGENDE TITEL
Van assurantie of verzekering in het algemeen

Art. 246. Assurantie of verzekering in eene overenkomst bij welke de verzekeraar zich aan den verzekerde, tegen genot eener premie, verbindt om denzelve schadeloos te stellen wegens een verlies, schade of gemis van verwacht voordeel, welke dezelve door een onzeker voorval zoude kunnen lijden.

Definitie verzekering

Art. 247. 1. De verzekeringen kunnen, onder anderen, ten onderwerp hebben:

Onderwerpen van verzekering

de gevaren van brand;
de gevaren waaraan de voortbrengselen van den landbouw te velde onderhevig zijn;
het leven van één of meer personen;
de gevaren der zee, en die der slavernij;
de gevaren van vervoer te lande en op rivieren en binnenwateren.

2. Van de twee laatsten wordt in het volgende boek gehandeld.

Toepasselijkheid bepalingen

Art. 248. Op alle verzekeringen, waarover zoo in dit als in het tweede boek van dit Wetboek, wordt gehandeld, zijn toepasselijk de bepalingen bij de volgende artikelen vervat.

Gehoudenheid van verzekeraar

Art. 249. Voor schade of verlies uit eenig gebrek, eigen bederf, of uit den aard en de natuur van de verzekerde zaak zelve onmiddellijk voortspruitende, is de verzekeraar nimmer gehouden, ten ware ook daarvoor uitdrukkelijk zij verzekerd.

Art. 250. Indien hij, die voor zich zelven heeft laten verzekeren, of hij, voor wiens rekening door een ander is verzekerd, ten tijde der verzekering geen belang in het verzekerde voorwerp heeft, is de verzekeraar niet tot schadeloosstelling gehouden.

Vernietigbare verzekering

Art. 251. Alle verkeerde of onwaarachtige opgave, of alle verzwijging van aan den verzekerde bekende omstandigheden, hoezeer te goeder trouw aan diens zijde hebbende plaats gehad, welke van dien aard zijn, dat de overeenkomst niet, of niet onder dezelfde voorwaarden zoude zijn gesloten, indien de verzekeraar van den waren staat der zaak had kennis gedragen, maakt de verzekering vernietigbaar.

Tweede verzekering

Art. 252. Uitgezonderd de gevallen bij de wet bepaald, mag geene tweede verzekering gedaan worden, voor denzelfden tijd en voor hetzelfde gevaar, op voorwerpen, welke reeds voor derzelver volle waarde verzekerd zijn, en zulks op straffe van nietigheid der tweede verzekering.

Geen oververzekering

Art. 253. 1. Verzekering, welke het beloop van de waarde of het wezenlijk belang te boven gaat, is alleen geldig tot het beloop van hetzelve.

Verzekering onder de waarde

2. Indien de volle waarde van het voorwerp niet is verzekerd, is de verzekeraar, in geval van schade, slechts verbonden, in evenredigheid van het verzekerd tot het niet verzekerd gedeelte.

Premier-risque-verzekering

3. Het staat echter aan partijen vrij uitdrukkelijk te bedingen, dat, onaangezien de meerdere waarde van het verzekerd voorwerp, de aan hetzelve overkomene schade, tot het vol beloop der verzekerde som, zal worden vergoed.

Afstand nietig

Art. 254. Afstand, bij het aangaan der verzekering, of gedurende derzelver loop, gedaan van hetgeen bij de wet tot het wezen der overeenkomst wordt vereischt, of van hetgeen uitdrukkelijk is verboden, is nietig.

Polis

Art. 255. De verzekering moet schriftelijk worden aangegaan bij eene akte, welke den naam van polis draagt.

Inhoud polis

Art. 256. 1. Alle polissen, met uitzondering van die der levensverzekeringen, moeten uitdrukken:

1°. Den dag waarop de verzekering is gesloten;
2°. Den naam van dengenen die de verzekering voor eigen rekening of voor die van eenen derde sluit;
3°. Eene genoegzaam duidelijke omschrijving van het verzekerde voorwerp;
4°. Het bedrag der som, waarvoor verzekerd wordt;
5°. De gevaren welke de verzekeraar voor zijne rekening neemt;
6°. Den tijd, op welken het gevaar voor rekening van den verzekeraar begint te loopen en eindigt;
7°. De premie van verzekering, en
8°. In het algemeen, alle omstandigheden, welker kennis van wezenlijk belang voor den verzekeraar kan zijn, en alle andere tusschen de partijen gemaakte bedingen.

2. De polis moet door elken verzekeraar worden onderteekend.

Aanvang overeenkomst

Art. 257. 1. De overeenkomst van verzekering bestaat, zoodra dezelve is gesloten; de wederzijdsche regten en verpligtingen van den verzekeraar en van den verzekerde nemen van dat oogenblik hunnen aanvang, zelfs vóór dat de polis is onderteekend.

2. Het sluiten der overeenkomst brengt de verpligting van den verzekeraar mede, om de polis binnen den bepaalden tijd te teekenen en aan den verzekerde uit te leveren.

Uitlevering polis

Art. 258. 1. De overeenkomst wordt tegenover de verzekeraar slechts door geschrift bewezen. Indien het geschrift de overeenkomst niet volledig omschrijft kan, zolang de polis niet door de verzekeringnemer als bewijs is aanvaard, bewijs van het niet omschreven deel van de overeenkomst en van de wijzigingen daarin met alle middelen worden bijgebracht.

2. Op wijzigingen in de overeenkomst, tot stand gekomen nadat de polis als bewijs is aanvaard, is het vorige lid van overeenkomstige toepassing.

Bewijs overeenkomst

Art. 259. Indien de verzekering onmiddellijk wordt gesloten tusschen den verzekerde, of die daartoe last of bevoegdheid heeft, en den verzekeraar, moet de polis binnen 24 uren na de aanbieding door laatstgemelden worden onderteekend en uitgeleverd, ten ware bij de wet, in eenig bijzonder geval, een langer termijn bepaald zij.

Termijn uitlevering polis

Art. 260. Indien de verzekering door tusschenkomst van eenen makelaar in assurantie gesloten is, moet de geteekende polis, binnen acht dagen na het sluiten van de overeenkomst, worden uitgeleverd.

Art. 261. Bij nalatigheid, in de gevallen bij de beide voorgaande artikelen bepaald, is de verzekeraar, of de makelaar ten behoeve van den verzekerde, gehouden tot vergoeding van de schade, welke uit dat verzuim zoude kunnen ontstaan.

Schadevergoeding

Art. 262. Hij die, van eenen ander onder ontvangende tot het laten doen van verzekering, dezelve voor zijne eigene rekening houdt, wordt verstaan verzekeraar te zijn op de aan hem opgegevene voorwaarden, en, bij gebreke van die opgaven op zoodanige voorwaarden als waarop de verzekering had kunnen worden gesloten ter plaatse, alwaar hij den last had moeten uitvoeren en, indien deze plaats niet is aangeduid, te zijner woonplaats of op de naast gelegen beurs.

Nalatige lasthebber

Art. 263. Bij overgang van een zaak of een beperkt recht waaraan een zaak is onderworpen, loopt de verzekering van rechtswege ten voordele van de nieuwe rechthebbende.

Verzekering volgt voorwerp

Art. 264. Verzekering kan niet alleen voor eigen rekening, maar ook voor die van eenen derde worden gesloten, het zij uit krachte van eenen algemeenen of van eenen bijzonderen last, het zij zelfs buiten weten van den belanghebbende, en zulks met inachtneming der volgende bepalingen.

Verzekering voor rekening derde

Art. 265. Bij verzekering ten behoeve van eenen derde, moet uitdrukkelijk in de polis worden melding gemaakt, of zulks uit krachte eener lastgeving, of buiten weten van den belanghebbende plaats heeft.

Art. 266. De verzekering zonder lastgeving, en buiten weten van den belanghebbende gedaan, is nietig, indien en voor zoo verre hetzelfde voorwerp door den belanghebbende, of door eenen derde, op zijnen last, was verzekerd vóór het tijdstip waarop hij kennis droeg der buiten zijn weten, geslotene verzekering.

Art. 267. Indien bij de polis geene melding is gemaakt dat de verzekering voor rekening van eenen derde is geschied, wordt de verzekerde geacht die voor zich zelven te hebben gesloten.

Art. 268. De verzekering kan tot voorwerp hebben alle belang, hetwelk op geld waardeerbaar, aan gevaar onderhevig en bij de wet niet is uitgezonderd.

Verzekerd belang

Art. 269. Alle verzekering gedaan op eenig belang hoegenaamd, waarvan de schade, tegen welke verzekerd is, reeds op het tijdstip van het sluiten der overeenkomst bestond, is nietig, indien de verzekerde, of hij die met of zonder last heeft doen verzekeren, van het aanwezen der schade heeft kennis gedragen.

Reeds bestaande schade

Art. 270. 1. Er bestaat vermoeden, dat men van het aanwezen dier schade heeft kennis gedragen, indien de regter, met in achtneming der omstandigheden, oordeelt dat er sedert het aanwezen der schade zoo veel tijd is verloopen, dat de verzekerde daarvan had kunnen kennis dragen.

2. In geval van twijfel, staat het den regter vrij om aan verzekerden en derzelve lasthebbers dan eed op te leggen, dat zij, ten tijde van het sluiten der overeenkomst, van het aanwezen der schade geene kennis hebben gedragen. Indien die eed door de partij aan hare wederpartij wordt opgedragen, moet dezelve in allen gevalle door den regter worden opgelegd.

Herverzekering

Art. 271. De verzekeraar kan altijd hetgeen hij verzekerd heeft wederom laten verzekeren.

Nieuwe verzekering na opzegging

Art. 272. 1. Indien de verzekerde den verzekeraar, bij eene geregtelijke opzegging, van zijne verpligtingen voor het toekomende ontslaat, kan hij zijn belang voor denzelfden tijd en hetzelfde gevaar andermaal doen verzekeren.

2. In dat geval moet, op straffe van nietigheid, in de nieuwe polis worden melding gemaakt, zoo wel van de vroegere verzekering als van de geregtelijke opzegging.

Waarde niet in polis vermeld

Art. 273. Indien de waarde der verzekerde voorwerpen niet door partijen in de polis is uitgedrukt, kan dezelve door alle bewijsmiddelen worden gestaafd.

Bewijs uitgedrukte waarde

Art. 274. 1. Indien die waarde in de polis is uitgedrukt, heeft de regter niettemin de bevoegdheid om aan den verzekerde de nadere regtvaardiging der uitgedrukte waarde op te leggen, voor zoo verre door den verzekeraar redenen worden aangevoerd, waaruit gegrond vermoeden wegens het bovenmatige der opgave geboren wordt.

2. De verzekeraar heeft in allen gevallen het vermogen om de bovenmatigheid der uitgedrukte waarde in regten te bewijzen.

Taxatie door deskundigen

Art. 275. Indien echter het verzekerd voorwerp vooraf is gewaardeerd door deskundigen, bij partijen daartoe bestemd en, des gevorderd, door den regter beëedigd, kan de verzekeraar niet daartegen opkomen, ten zij in geval van bedrog; alles behoudens de bijzondere uitzonderingen bij de wet gemaakt.

Eigen schuld van verzekerde

Art. 276. Geene verliezen of schade, door eigen schuld van eenen verzekerde veroorzaakt, komen ten laste van den verzekeraar. Hij vermag zelfs de premie te behouden of te vorderen, indien hij reeds begonnen had eenig gevaar te loopen.

Dubbele verzekering te goeder trouw

Art. 277. 1. Indien verscheidene verzekeringen te goeder trouw ten aanzien van hetzelfde voorwerp zijn aangegaan, en bij de eerste de volle waarde is verzekerd, houdt dezelve alléén stand, en de volgende verzekeraars zijn ontslagen.

2. Indien bij de eerste verzekering de volle waarde niet is verzekerd, zijn de volgende verzekeraars aansprakelijk voor de meerdere waarde, volgens de orde des tijds, waarop de volgende verzekeringen zijn gesloten.

Verdeling over meer verzekeraars

Art. 278. 1. Bijaldien op eene en dezelfde polis, door onderscheidene verzekeraars, al ware het op onderscheidene dagen, meer dan de waarde verzekerd is, dragen zij allen te zamen naar evenredigheid van de som voor welke zij geteekend hebben, alleen de juiste verzekerde waarde.

2. Dezelfde bepaling geldt, wanneer ten zelfde dage, ten opzigte van hetzelfde voorwerp, onderscheidene verzekeringen gesloten zijn.

Art. 279. 1. De verzekerde mag, in de gevallen bij de twee voorgaande artikelen vermeld, de oudste verzekeringen niet vernietigen om daardoor de latere verzekeraars te verbinden.

2. Indien de verzekerde de eerste verzekeraars ontslaat, wordt hij geacht zich, voor dezelfde som en in dezelfde orde, in hunne plaats als verzekeraar gesteld te hebben.

3. Indien hij zich laat herverzekeren, treden de herverzekeraars in dezelfde orde in zijn plaats op.

Tweede verzekering i.g.v. insolventie verzekeraar

Art. 280. 1. Het wordt als geene ongeoorloofde overeenkomst beschouwd, indien, na de verzekering van een voorwerp voor deszelfs volle waarde, de belanghebbende hetzelve vervolgens geheel of gedeeltelijk laat verzekeren, onder de

uitdrukkelijke bepaling, dat hij zijn regt tegen de verzekeraars alleen zal kunnen doen gelden, indien en voor zoo verre hij de schade op de vroegere niet zal kunnen verhalen.
2. In het geval van zoodanige overeenkomst moeten, op straffe van nietigheid, de vroeger geslotene overeenkomsten duidelijk worden omschreven, en zullen de bepalingen van artikelen 277 en 278 insgelijks daarop toepasselijk zijn.

Premie restorno

Art. 281. In alle gevallen in welke de overeenkomst van verzekering voor het geheel of ten deele vervalt, of nietig wordt, en mits de verzekerde te goeder trouw hebbe gehandeld, moet de verzekeraar de premie terug geven, het zij voor het geheel, het zij voor zoodanig gedeelte waarvoor hij geen gevaar heeft geloopen.

Geen teruggave premie

Art. 282. Bijaldien de nietigheid van de overeenkomst, uit hoofde van list, bedrog of schelmerij van den verzekerde ontstaat, geniet de verzekeraar de premie, onverminderd de openbare regtsvordering, zoo daartoe gronden zijn.

Verplichtingen verzekerde

Art. 283. 1. Behoudens de bijzondere bepalingen ten aanzien van deze of gene soort van verzekering gemaakt, is de verzekerde verpligt om alle vlijt en naarstigheid in het werk te stellen, ten einde schade te voorkomen of te verminderen, en hij moet, dadelijk na derzelver ontstaan, daarvan aan den verzekeraar kennis geven; alles op straffe van schadevergoeding, zoo daartoe gronden zijn.

Vergoeding gemaakte onkosten

2. De onkosten door den verzekerde gemaakt, ten einde de schade te voorkomen of te verminderen, zijn ten laste van den verzekeraar, al ware het dat dezelve, gevoegd bij de geledene schade, het beloop der verzekerde som te boven gingen, of de aangewende pogingen vruchteloos zijn geweest.

Subrogatie

Art. 284. Indien de verzekerde ter zake van door hem geleden schade vorderingen tot schadevergoeding op derden heeft, anders dan uit verzekering, gaan die vorderingen bij wijze van subrogatie over op de verzekeraar voor zover deze die schade vergoedt.

Artt. 285 en 286. Vervallen.

TIENDE TITEL
Van verzekering tegen de gevaren van brand, tegen die waaraan de voortbrengselen van den landbouw te velde onderhevig zijn, en van levensverzekering

EERSTE AFDEELING
Van verzekering tegen gevaren van brand

Inhoud brandpolis

Art. 287. De brandpolis moet, behalve de vereischten bij artikel 256 vermeld, uitdrukken:
1°. De ligging en belending der verzekerde onroerende zaken;
2° Derzelver gebruik;
3°. Den aard en het gebruik der belendende gebouwen, voor zoo verre zulks invloed op de verzekering kan hebben;
4°. De waarde der verzekerde zaken;
5°. De ligging en belending der gebouwen en plaatsen, waar verzekerde roerende zaken zich bevinden, zijn geborgen of opgeslagen.

Artt. 288 en 289. (Vervallen bij de Wet van 28 december 1989, Stb. 616.)

Aansprakelijkheid bij alle brandoorzaken

Art. 290. Voor rekening van den verzekeraar zijn alle verliezen en schaden, die aan de verzekerde voorwerpen overkomen door brand, veroorzaakt door onweder of eenig ander toeval, eigen vuur, onachtzaamheid, schuld of schelmerij van eigene bedienden, buren, vijanden, roovers en alle anderen hoe ook genaamd, op welke wijze de brand ook zoude mogen ontstaan, bedacht of onbedacht, gewoon of ongewoon, geene uitgezonderd.

Art. 291. Met schade, door brand veroorzaakt, wordt gelijkgesteld die, welke als gevolg van ontstanen brand wordt aangemerkt, ook wanneer die voortkomt uit brand in de naburige gebouwen, als daar zijn, bederf of vermindering van het verzekerde voorwerp door het water, en andere middelen tot stuiting of tot blussching van den brand gebruikt, of het vermissen van iets van hetzelve door dieverij of op eenige andere wijze gedurende de brandblussching of beredding, alsmede de schade welke veroorzaakt wordt door de geheele of gedeeltelijke vernieling van het verzekerde, op last van hooger hand geschied, teneinde den voortgang van den ontstanen brand te stuiten.

Art. 292. Met schade door brand veroorzaakt, zal insgelijks worden gelijkgesteld die welke ontstaat door ontploffing van buskruit, door het springen van eenen stoomketel, door het inslaan van den bliksem, of dergelijke, al had dan ook die ontploffing, dat springen, of dat inslaan, geen brand ten gevolge gehad.

Verandering bestemming verzekerd gebouw

Art. 293. Indien een verzekerd gebouw eene andere bestemming verkrijgt en daardoor aan meerder brandgevaar wordt blootgesteld, zoo dat de verzekeraar, indien zulks vóór de verzekering had bestaan, hetzelve of in het geheel niet, of niet op dezelfde voorwaarden, zoude hebben verzekerd, houdt deszelfs verpligting op.

Schuld van verzekerde

Art. 294. De verzekeraar is ontslagen van de verpligting tot voldoening der schade, indien hij bewijst dat de brand door merkelijke schuld of nalatigheid van den verzekerde zelven veroorzaakt is.

Bewijs door eed van verzekerde

Art. 295. 1. Bij verzekering op roerende goederen en koopmanschappen in een huis, pakhuis of andere bergplaats, kan de regter, bij gebreke of onvolledigheid van de bewijsmiddelen bij artikel 273, 274 en 275 uitgedrukt, den eed aan den verzekerde opleggen.

2. De schade wordt berekend naar de waarde welke de zaken, ten tijde van den brand hebben gehad.

Artt. 296-298. (Vervallen bij de Wet van 28 december 1989, Stb. 616.)

TWEEDE AFDEELING
Van verzekering tegen de gevaren waaraan de voortbrengselen van den landbouw te velde onderhevig zijn

Inhoud polis

Art. 299. Behalve de vereischten bij artikel 256 vermeld, moet de polis uitdrukken:

1°. De ligging en belending der landerijen welker voortbrengselen zijn verzekerd;
2°. Derzelver gebruik.

Duur der verzekering

Art. 300. 1. De verzekering kan voor één of meerdere jaren worden gesloten.

2. Bij gebreke van tijdsbepaling wordt de verzekering vooronderstel voor één jaar te zijn gesloten.

Berekening schade aan vruchten

Art. 301. Bij het opmaken der schade wordt berekend hoeveel de vruchten, zonder het ontstaan van de ramp, ten tijde van derzelver inoogsting of genot, zouden zijn waard geweest, en derzelver waarde na de ramp. De verzekeraar betaalt als schadevergoeding het verschil.

DERDE AFDEELING
Van levensverzekering

Levensverzekering

Art. 302. Het leven van iemand kan ten behoeve van eenen daarbij belanghebbende verzekerd worden, hetzij voor den ganschen duur van dat leven, hetzij voor een tijd bij de overeenkomst te bepalen.

Ook zonder toestemming betrokkene

Art. 303. De belanghebbende kan de verzekering sluiten, zelfs buiten kennis tot toestemming van dengenen, wiens leven wordt verzekerd.

Inhoud polis

Art. 304. De polis bevat:

1°. Den dag waarop de verzekering is gesloten;
2°. Den naam van den verzekerde;
3°. Den naam van den persoon wiens leven is verzekerd;
4°. Den tijd waarop het gevaar voor den verzekeraar begint te loopen en eindigt;
5°. De som waarvoor is verzekerd;
6°. De premie der verzekering.

Art. 305. De begrooting van de som en de bepaling der voorwaarden van de verzekering staan geheel aan het goedvinden der partijen.

Begroting som en voorwaarden

Art. 306. Indien de persoon wiens leven verzekerd is, op het oogenblik van het sluiten der verzekering reeds was overleden, vervalt de overeenkomst, al had de verzekerde van het overlijden geene kennis kunnen dragen, tenzij anders ware bedongen.

Verzekering reeds overledene

Art. 307. Indien hij, die zijn leven heeft laten verzekeren zich van het leven berooft, of met den dood wordt gestraft, vervalt de verzekering.

Zelfmoord

Art. 308. Onder deze afdeeling zijn niet begrepen weduwen-fondsen, tontines, maatschappijen van onderlinge levens-verzekering en andere dergelijke overeenkomsten op levens- en sterfte-kansen gegrond, waartoe eene inlage of eene bepaalde bijdrage, of beide, gevorderd wordt.

Geen weduwenfondsen e.d.

TWEEDE BOEK
VAN DE REGTEN EN VERPLIGTINGEN UIT SCHEEPVAART VOORTSPRUITENDE

ALGEMEENE BEPALING

Art. 309. 1. De betekenis van begrippen voorkomende in Boek 8 van het Burgerlijk Wetboek, met uitzondering van die voorkomende in de artikelen 5, 6, 7 en 10, geldt evenzeer voor dit wetboek.

2. Onder zeewerkgever is te verstaan de eigenaar of, in geval van rompbevrachting, de rompbevrachter.

EERSTE TITEL
Van zeeschepen

Art. 310. In den eersten tot en met den vierden titel van dit boek worden onder schepen uitsluitend verstaan zeeschepen.

Nederlands schip; vereisten

Art. 311. 1. Een schip is een Nederlands schip indien wordt voldaan aan de volgende vereisten:
a. het schip behoort voor ten minste twee derde deel toe aan een of meer natuurlijke personen of rechtspersonen die de nationaliteit van een van de lid-staten van de Europese Gemeenschappen of van een van de overige Staten die partij zijn bij de Overeenkomst betreffende de Europese Economische Ruimte bezitten;
b. de persoon of personen, bedoeld onder a, oefenen het zeescheepvaartbedrijf in Nederland uit door middel van een vestiging in de zin van artikel 1, eerste lid, onder a of b, van de Handelsregisterwet en voeren het beheer over het schip in overwegende mate vanuit Nederland;
c. de dagelijkse leiding van de onder b bedoelde vestiging berust bij een of meer natuurlijke personen die de nationaliteit bezitten van een van de lid-staten van de Europese Gemeenschappen of van een van de overige Staten die partij zijn bij de Overeenkomst betreffende de Europese Economische Ruimte;
d. de natuurlijke persoon op personen, bedoeld onder c, beschikken over vertegenwoordigingsbevoegdheid inzake alle met het beheer over het schip verband houdende aangelegenheden betreffende het schip, de kapitein en de overige leden van de bemanning.

2. Een schip dat uitsluitend anders dan in de uitoefening van een beroep of bedrijf wordt gebruikt, is een Nederlands schip, indien wordt voldaan aan het in het eerste lid, onder a, bepaalde en een in Nederland wonende of gevestigde natuurlijke of rechtspersoon beschikt over vertegenwoordigingsbevoegdheid inzake alle met het beheer over het schip verband houdende aangelegenheden.

EG-rechtspersoon

3. Onder rechtspersoon met de nationaliteit van een van de lid-staten van de Europese Gemeenschappen of van een van de overige Staten die partij zijn bij de Overeenkomst betreffende de Europese Economische Ruimte wordt in dit artikel verstaan: een rechtspersoon die in overeenstemming met de wetgeving van een van de lid-staten van de Europese Gemeenschappen of van een van de overige Staten die partij zijn bij de Overeenkomst betreffende de Europese Economische Ruimte, de Nederlandse Antillen of Aruba is opgericht en die zijn statutaire zetel, zijn hoofdbestuur of zijn hoofdvestiging binnen een van de lid-staten van de Europese Gemeenschappen of een van de overige Staten die partij zijn bij de Overeenkomst betreffende de Europese Economische Ruimte, de Nederlandse Antillen of Aruba heeft, mits,
a. hetzij aandelen, die ten minste twee derde deel van het geplaatste kapitaal vertegenwoordigen, op naam zijn gesteld van natuurlijke personen met de nationaliteit van een van de lid-staten van de Europese Gemeenschappen of van een van de overige Staten die partij zijn bij de Overeenkomst betreffende de Europese Economische Ruimte of van rechtspersonen als bedoeld in de aanhef van dit lid, en tevens de meerderheid van de bestuurders de nationaliteit van een van de lid-staten van de Europese Gemeenschappen of van een van de overige Staten die partij zijn bij de Overeenkomst betreffende de Europese Economische Ruimte bezit;
b. hetzij alle bestuurders de nationaliteit bezitten van een van de lid-staten van de Europese Gemeenschappen of van een van de overige Staten die partij zijn bij de Overeenkomst betreffende de Europese Economische Ruimte.

Verklaring t.b.v. de teboekstelling

Art. 311a. 1. Door of namens Onze Minister van Verkeer en Waterstaat wordt ten behoeve van de teboekstelling, bedoeld in artikel 194 van Boek 8 van het Burgerlijk Wetboek, op verzoek van de reder aan deze een verklaring afgegeven, dat met betrekking tot zijn schip wordt voldaan aan de in artikel 311 genoemde vereisten. Indien met betrekking tot een schip niet langer wordt voldaan aan de in artikel 311 genoemde vereisten wordt deze verklaring door Onze Minister van Verkeer en Waterstaat ingetrokken. Van deze intrekking wordt, nadat de beroepstermijn is verstreken of, indien beroep is ingesteld, op het beroep is beslist, onverwijld mededeling gedaan aan de bewaarder van het register, bedoeld in artikel 193 van Boek 8 van het Burgerlijk Wetboek.

2. Bij algemene maatregel van bestuur kunnen regels worden gesteld betreffende de schriftelijke bewijsstukken en andere gegevens die de reder bij de aanvraag van de verklaring, bedoeld in het eerste lid, dient te verstrekken, alsmede betreffende het toezicht op het voldoen aan de in artikel 311 genoemde vereisten.

3. Tegen een besluit op grond van het eerste lid kan een belanghebbende beroep instellen bij het College van Beroep voor het bedrijfsleven.

4. De kosten van aanvraag en afgifte van een verklaring als bedoeld in de eerste volzin van het eerste lid, komen ten laste van de aanvrager. Het tarief voor deze kosten wordt vastgesteld bij regeling van Onze Minister van Verkeer en Waterstaat.

Toezicht

Art. 311b. 1. Met het toezicht op de naleving van het bij of krachtens de artikelen 311 en 311a bepaalde, zijn belast de bij besluit van Onze Minister van Verkeer en Waterstaat aangewezen ambtenaren.

Publicatie

2. Van een besluit als bedoeld in het eerste lid wordt mededeling gedaan door plaatsing in de Staatscourant.

Inlichtingen

3. De toezichthoudende ambtenaren zijn bevoegd inlichtingen te verlangen, voor zover dat voor de vervulling van hun taak redelijkerwijs nodig is.

In Nederland gebouwd schip

Art. 312. Een schip, dat hier te lande is of wordt gebouwd, wordt als Nederlandsch schip beschouwd, totdat de bouwer het heeft opgeleverd aan hem, voor wiens rekening het is of wordt gebouwd, of wel het voor eigen rekening in de vaart heeft gebracht.

Art. 313. In geval van verkoop uit hoofde van artikel 175 van Boek 8 van het Burgerlijk Wetboek wordt het schip geacht de hoedanigheid van Nederlands schip niet te hebben verloren.

Artt. 314 t/m 318u. Vervallen bij de wet van 23 mei 1990, Stb. 379.

Art. 318v. Vervallen bij de wet van 18 maart 1993, Stb. 168.

Art. 319. Op zeevissersschepen zijn de artikelen 311, 312 en 313 niet van toepassing.

Art. 319a. Vervallen bij de wet van 23 mei 1990, Stb. 379.

Tot openbare dienst bestemde schepen

Art. 319b. De bepalingen van de artikelen 311 tot en met 313 zijn niet van toepassing op schepen, aan het Rijk of eenig openbaar lichaam toebehoorende, welke tot den openbaren dienst zijn bestemd.

TWEEDE TITEL
Van reeders en reederijen

Artt. 320 t/m 340g. Vervallen bij de wet van 23 mei 1990, Stb. 379.

DERDE TITEL
Van den kapitein

Art. 340. In deze titel wordt verstaan onder Nederlands schip: een schip dat Nederlands is op grond van artikel 311 van dit boek, dan wel op grond van artikel 5 van de wet nationaliteit zeeschepen in rompbevrachting (Stb. 1992, 541).

Bevoegdheden kapitein

Art. 341. 1. De kapitein voert het schip. Hij oefent aan boord over alle opvarenden gezag. Dezen zijn gehouden de bevelen na te komen, welke door den kapitein worden gegeven in het belang der veiligheid of tot handhaving van de orde en tucht.

Opvarenden

2. Onder opvarenden worden in dezen titel verstaan allen, die zich aan boord bevinden, buiten den kapitein.

Kapitein Nederlander

Art. 341a. Op Nederlandsche schepen mogen alleen Nederlanders als kapitein in dienst worden gesteld.

Vervanging kapitein

Art. 341b. 1. In geval van ontstentenis van den kapitein treedt als zoodanig op de eerste stuurman; ingeval ook van diens ontstentenis, wanneer aan boord aanwezig zijn één of meer stuurlieden bevoegd als kapitein op te treden, de oudste in rang, vervolgens van de overige stuurlieden de oudste in rang, en bij ontstentenis ook van dezen de door een scheepsraad aan te wijzen persoon.

Verplichtingen kapitein

Art. 342. De kapitein is verplicht met zoodanige bekwaamheid en nauwgezetheid en met zoodanig beleid te handelen als voor eene behoorlijke vervulling zijner taak noodig is.

Art. 343. 1. De kapitein is verplicht de gebruikelijke regels en de bestaande voorschriften ter verzekering van de zeewaardigheid en de veiligheid van het schip, van de veiligheid der opvarenden en der zaken aan boord, met nauwkeurigheid op te volgen.

2. Hij onderneemt de reis niet, tenzij het schip tot het volvoeren daarvan geschikt, naar behooren uitgerust en voldoende bemand is.

Art. 344. De kapitein is verplicht overal waar de wet, de gewoonte of de voorzichtigheid dit gebiedt, zich van een loods te bedienen.

Art. 345. De kapitein mag gedurende de vaart of bij dreigend gevaar het schip niet verlaten, tenzij zijne afwezigheid volstrekt noodzakelijk is of de zorg voor lijfsbehoud hem daartoe dwingt.

Art. 346. De kapitein is verplicht voor de aan boord zijnde goederen van een gedurende de reis overleden opvarende te zorgen en ten overstaan van twee der opvarenden daarvan een behoorlijke beschrijving te maken of te doen maken, welke door hem en door deze opvarenden wordt onderteekend.

Scheepspapieren enz.

Art. 347. 1. De kapitein moet aan boord voorzien zijn van:

den zeebrief, den meetbrief en een uittreksel uit de registratie voor schepen als bedoeld in artikel 106, eerste lid, van de Kadasterwet (Stb. 1989, 186) vermeldende tenminste de gegevens, bedoeld in artikel 85, tweede lid, onder a, c, d, e, f, g en j, van die wet, alsmede de gegevens omtrent niet doorgehaalde voorlopige aantekeningen, met dien verstande dat, ingeval dat uittreksel meer dan één dag vóór die van het laatste vertrek van het schip uit een Nederlandse haven is afgegeven, op dat uittreksel een verklaring van de bewaarder van het kadaster en de openbare registers moet voorkomen dat sedert de afgifte de op dat uittreksel vermelde gegevens blijkens de stukken, ingeschreven in de desbetreffende openbare registers tot op de dag vóór die van het vertrek, geen wijziging hebben ondergaan.

het manifest der lading, de charter-partij en de cognossementen, dan wel afschriften van die stukken;

de Nederlandsche wetten en reglementen op de reis van toepassing, en alle verdere noodige papieren.

2. Ten aanzien van de charter-partij en de cognossementen geldt deze verplichting niet in de door Ons te omschrijven omstandigheden.

Scheepsdagboek

Art. 348. 1. De kapitein zorgt, dat aan boord een scheepsdagboek (dagregister of journaal) wordt gehouden, waarin alles van eenig belang, dat op de reis voorvalt, nauwkeurig wordt opgeteekend.

Machine dagboek

2. De kapitein van een schip, dat door mechanische kracht wordt voortbewogen, zorgt bovendien, dat door een lid van het machinekamer-personeel een machinedagboek wordt gehouden.

Vereisten dagboeken

Art. 349. 1. Op Nederlandse schepen mogen alleen dagboeken in gebruik worden genomen, welke blad voor blad zijn genummerd.

2. De dagboeken worden, zo mogelijk, dagelijks bijgehouden, gedagtekend en door de kapitein en de schepeling, die hij met het houden van het boek heeft belast, ondertekend.

3. Bij of krachtens algemene maatregel van bestuur worden regels gesteld met betrekking tot het inrichten van de dagboeken.

Inzage dagboeken

Art. 350. De kapitein, de eigenaar en de rompbevrachter zijn verplicht aan belanghebbenden op hunne aanvrage inzage en, tegen betaling van de kosten, afschrift van de dagboeken te geven.

Melding adviezen in dagboek

Art. 351. Wanneer de kapitein zich in zaken van aanbelang met leden van de bemanning heeft beraden, wordt van de hem gegeven adviezen in het scheepsdagboek melding gemaakt.

Art. 352. Vervallen bij de wet van 19 april 1989, Stb. 112.

Scheepsverklaring

Art. 353. 1. Na aankomst in een haven kan de kapitein door een notaris eene scheepsverklaring doen opmaken omtrent de voorvallen der reis.

2. Indien het schip of de zaken aan boord schade hebben geleden of eenig buitengewoon voorval heeft plaats gehad, is de kapitein verplicht binnen 48 uren na aankomst, in de plaats van aankomst of in een nabijgelegen plaats althans eene voorloopige verklaring te doen opmaken. Eene voorloopige verklaring moet binnen acht dagen door eene volledige verklaring worden gevolgd.

3. De kapitein heeft zich te wenden in het Koninkrijk buiten Europa tot het bevoegde gezag en buiten het Koninkrijk tot den Nederlandschen consulairen ambtenaar of, bij ontstentenis van zoodanige ambtenaar, tot het bevoegde gezag.

4. De notaris is verplicht van scheepsverklaringen tegen betaling der kosten afschrift uit te reiken aan ieder die het verlangt.

Berekening wettelijke termijn

Art. 354. 1. Bij het berekenen van de in artikel 353 genoemde wettelijke termijn, tellen de Zondag en de daarmede gelijkgestelde dagen en, in het buitenland, de aldaar algemeen erkende wettelijke feestdagen niet mede.

2. Met den Zondag worden gelijkgesteld de Nieuwjaarsdag, de Christelijke tweede Paasch- en Pinksterdagen, de beide Kerstdagen en de Hemelvaartsdag.

Medewerking aan scheepsverklaring

Art. 355. De door den kapitein aan te wijzen schepelingen zijn verplicht bij het opmaken van de scheepsverklaring hunne medewerking te verleenen door van hunne bevinding verklaring af te leggen.

Bewijskracht

Art. 356. De beoordeling van de bewijskracht van scheepsdagboeken en scheepsverklaringen, ten aanzien van de daarin vermelde voorvallen der reis, is voor ieder geval aan den rechter overgelaten.

Overboord werpen of verbruiken

Art. 357. De kapitein is bevoegd, indien dit tot behoud van schip of lading noodzakelijk is, scheepstoebehooren en bestanddelen van de lading zoowel over boord te werpen als te verbruiken.

Bevoegdheid t.a.v. levensmiddelen

Art. 358. De kapitein is in geval van nood gedurende de reis bevoegd, levensmiddelen, welke in het bezit zijn van opvarenden of tot de lading behooren, tegen schadevergoeding tot zich te nemen, teneinde die te verbruiken in het belang van allen die zich aan boord bevinden.

Verplichting hulpverlening

Art. 358a. 1. De kapitein is verplicht aan personen, die in gevaar verkeeren, en in het bijzonder als zijn schip bij eene aanvaring betrokken is geweest, aan de andere daarbij betrokken schepen en de personen, die zich aan boord dier schepen bevinden, de hulp te verleenen, waartoe hij bij machte is, zonder zijn eigen schip en de opvarenden daarvan aan ernstig gevaar bloot te stellen.

Opgeven naam, enz. van schip

2. Hij is bovendien verplicht, voor zooverre hem dit mogelijk is, aan de andere bij de aanvaring betrokken schepen op te geven den naam van zijn schip, van de haven waar het thuis behoort en van de havens van waar het komt en waarheen het bestemd is.

3. Niet-nakoming van deze verplichtingen door den kapitein geeft geen aanspraak tegen hem, die uit welken hoofde dan ook verantwoordelijk is voor het optreden van de kapitein.

Hulpbehoevende Ned. zeelieden

Art. 358b. 1. De kapitein van een Nederlandsch, naar Nederland bestemd schip, in eene buitenlandsche haven vertoevend, is verplicht, zich daar bevindende, hulpbehoevende Nederlandsche zeelieden, voorzoover aan boord voor hen plaats is, op verlangen van den Nederlandschen consulairen ambtenaar of, waar deze ontbreekt, van de plaatselijke overheid, naar Nederland over te brengen.

De kosten hiervan zijn voor rekening van den Staat. De vaststelling dier kosten geschiedt op den grondslag door Ons te bepalen.

Samenstelling benaming, enz.

Art. 359. De kapitein heeft de zorg voor de samenstelling van de bemanning en voor alles wat met het beladen en het lossen van het schip in verband staat, voor zoverre niet andere personen daarmee zijn belast.

Artt. 360 t/m 363. Vervallen bij de wet van 23 mei 1990, Stb. 379.

Wijze van handelen t.o.v. zee-werkgever

Art. 364. 1. Tegenover de zee-werkgever is de kapitein steeds verplicht te handelen overeenkomstig de bepalingen, waaronder hij is aangesteld, en de hem krachtens die aanstelling gegeven orders, mits deze bepalingen of deze orders niet in strijd zijn met de verplichtingen, hem als gezagvoerder door de wet opgelegd.

2. Hij geeft de zee-werkgever doorloopend kennis van alles wat het schip en zaken aan boord betreft, en vraagt diens orders, alvorens tot eenigen maatregel van geldelijk aanbelang over te gaan.

3. Overigens is het bepaalde bij de artikelen 359 ook op zijne verhouding tot de zee-werkgever van toepassing.

Artt. 365, 366. Vervallen bij de wet van 23 mei 1990, Stb. 379.

Binnenlopen onzijdige haven

Art. 367. De kapitein, vernemende dat de vlag, waaronder hij vaart, onvrij is geworden, is verplicht in de meest in de nabijheid gelegen onzijdige haven binnen te loopen en aldaar te blijven liggen, totdat hij op veilige wijze kan vertrekken of van hem die daartoe bevoegd is stellige orders om te vertrekken heeft ontvangen.

Geblokkeerde haven

Art. 368. Indien den kapitein blijkt, dat de haven, waarheen het schip is bestemd, wordt geblokkeerd, is hij verplicht in de meest geschikte in de nabijheid gelegen haven binnen te loopen.

Reclameren bij opbrengen

Art. 369. (Vervallen bij de wet van 23 mei 1990, Stb. 379).

Afwijken van koers

Art. 370. De kapitein mag van den koers, welken hij moet volgen, afwijken ter redding van menschenlevens.

Art. 371. (Vervallen bij de wet van 23 mei 1990, Stb. 379).

Verstekeling

Art. 371a. Indien gedurende de reis iemand aan boord wordt ontdekt, die niet in het bezit is van een geldig reisbiljet en niet bereid of niet in staat is op eerste aanmaning van den kapitein vracht te betalen, heeft deze het recht hem aan boord werk te laten verrichten, waartoe hij in staat is, en hem bij de eerste gelegenheid die zich voordoet van boord te verwijderen.

Geen goederenvervoer voor eigen rekening

Art. 372. Noch de kapitein, noch een opvarende mag voor eigen rekening goederen in het schip vervoeren, tenzij krachtens overeenkomst met of verlof van de eigenaar en, indien het schip is vervracht, ook van den bevrachter.

Art. 373. (Vervallen bij de wet van 23 mei 1990, Stb. 379).

Zeevissersschepen

Art. 374. 1. Het in artikel 341a gestelde gebod geldt niet met betrekking tot de door Ons of van Onzentwege aangewezen zeevissersschepen.

2. Artikel 347, het tweede lid van artikel 348 en artikel 349, eerste lid, zijn niet van toepassing op zeevissersschepen.

Aan boord noodzakelijke papieren

3. Aan boord moeten aanwezig zijn een uittreksel uit de registratie voor schepen als bedoeld in artikel 106, eerste lid, van de Kadasterwet vermeldende tenminste de gegevens, bedoeld in artikel 85, tweede lid, onder a, c, d, e, f, g en j, van die wet, alsmede de gegevens omtrent niet doorgehaalde voorlopige aantekeningen, welk uittreksel op een zodanig tijdstip moet zijn afgegeven door de bewaarder van het kadaster en de openbare registers dat de daarin vermelde gegevens overeenstemmen met die welke in de registratie voor schepen ten aanzien van het betrokken schip staan vermeld ten tijde van het uitvaren van dat schip.

Art. 375. Op de arbeidsovereenkomst tusschen de zee-werkgever en de kapitein zijn de bepalingen van het Burgerlijk Wetboek van toepassing, voor zoover daarvan in dit wetboek niet is afgeweken.

Arbeidsovereenkomst tussen de zeewerkgever en kapitein

Art. 376. 1. De arbeidsovereenkomst tusschen de zeewerkgever en de kapitein moet, op straffe van nietigheid, schriftelijk worden aangegaan.

2. Kosten der akte en andere bijkomende kosten zijn ten laste van de zeewerkgever.

Art. 377. Een door de zeewerkgever vastgesteld reglement betreffende den dienst aan boord is voor den kapitein verbindend, mits hem een exemplaar daarvan is verstrekt, en voor zooverre de inhoud niet in strijd is met de door hem aangegane arbeidsovereenkomst.

Dienstreglement

Art. 378. Boete kan den kapitein slechts worden opgelegd krachtens beding in de arbeidsovereenkomst wegens overtreding van daarin te omschrijven bepalingen en tot het daarin vast te stellen maximum. De bestemming der boete moet in de overeenkomst worden aangegeven. De boete mag niet de zeewerkgever ten goede komen.

Boetebeding in arbeidsovereenkomst

Art. 379. 1. Van het oogenblik waarop volgens de arbeidsovereenkomst de dienstbetrekking zal aanvangen heeft de kapitein zich te houden ter beschikking van den zeewerkgever tot het voeren van het in de overeenkomst aangewezen schip, of, bij stilzwijgen van deze, van een door den zeewerkgever aan te wijzen schip, mits dit behoort tot de schepen welke de zeewerkgever voor de vaart ter zee gebruikt. Is omtrent den aanvang van de dienstbetrekking niets bepaald, dan wordt die voor de toepassing van dit voorschrift geacht samen te vallen met het sluiten der overeenkomst.

Aanvang dienstbetrekking

2. De kapitein wordt geacht in dienst te zijn aan boord van een schip van den dag, waarop hij zijne taak aan boord op zich neemt, tot den dag waarop hij daarvan wordt ontheven.

Duur van dienst aan boord

Art. 380. De kapitein heeft gedurende den tijd dat hij in dienst is aan boord van een schip, recht op voeding en logies.

Recht op voeding en logies

Art. 381. 1. De kapitein heeft aanspraak op vakantie overeenkomstig het bepaalde in artikel 414 van het Wetboek van Koophandel.

2. Het bepaalde in het vorige lid geldt niet voor de kapitein ter visserij.

Vakantie en verlof zonder loon

Art. 382. Behalve in de gevallen, genoemd in het tweede lid van artikel 1639p van het Burgerlijk Wetboek, zullen voor de zeewerkgever dringende redenen onder andere aanwezig geacht kunnen worden:

1°. wanneer de kapitein een opvarende van het door hem gevoerde schip mishandelt, grovelijk beleedigt of op ernstige wijze bedreigt of verleidt of tracht te verleiden tot handelingen strijdig met de wetten of de goede zeden;

2°. wanneer de kapitein weigert te voldoen aan eene opdracht hem gegeven overeenkomstig het bepaalde in artikel 379;

3°. wanneer den kapitein, hetzij tijdelijk, hetzij voor goed, de bevoegdheid wordt ontnomen, als zoodanig op een schip dienst te doen;

4°. wanneer de kapitein, buiten weten van de zeewerkgever, smokkelwaren aan boord heeft gebracht of daar toegelaten.

Dringende redenen voor ontslag

Art. 383. 1. Ieder der partijen is te allen tijde, ook vóórdat de dienstbetrekking is aangevangen, bevoegd zich wegens gewichtige redenen te wenden tot den kantonrechter binnen wiens gebied de plaats van haar werkelijk verblijf gelegen is, of het schip zich bevindt, of in het Koninkrijk buiten Europa tot het bevoegde gezag, of buiten het Koninkrijk tot den het eerst te bereiken Nederlandschen diplomatieken of bezoldigden consulairen ambtenaar, met het verzoek de arbeidsovereenkomst ontbonden te verklaren. Artikel 450d, eerste lid, vindt overeenkomstige toepassing.

Ontbinding wegens gewichtige redenen

2. Als gewichtige redenen worden, behalve die genoemd in het tweede lid van artikel 1639w van het Burgerlijk Wetboek, ook beschouwd omstandigheden, na den aanvang van den dienst aan boord aan den verzoeker gebleken of na dien opgekomen, waardoor de voortzetting van de reis, waarop het schip zich bevindt, den kapitein of de opvarenden aan onvoorzien, groot levensgevaar zou blootstellen.

3. Indien het betreft eene arbeidsovereenkomst tusschen zeewerkgever en kapitein ter zeevisscherij, kan ieder der partijen zich alleen wenden tot den in het eerste lid bedoelden kantonrechter.

Recht op vrij vervoer

Art. 384. 1. Eindigt de dienstbetrekking in het buitenland dan heeft de kapitein recht op vrij vervoer tot een haven in Nederland, tenzij hij wegens de wijze, waarop de dienstbetrekking is beëindigd, schadeplichtig is geworden.

Indien de arbeidsovereenkomst is ontbonden op verzoek van de kapitein, op grond van gewichtige redenen, heeft hij dit recht slechts, indien de zeewerkgever schadeplichtig is geworden.

Onder het vrij vervoer zijn begrepen de kosten van onderhoud en nachtverblijf van het eindigen der dienstbetrekking tot de aankomst van den kapitein in de plaats zijner bestemming.

Beëindiging dienstbetrekking tijdens reis

Art. 385. De kapitein die de dienstbetrekking doet eindigen, terwijl het door hem gevoerde schip zich op reis bevindt, is verplicht de maatregelen te nemen, welke in verband daarmede noodig zijn voor de veiligheid van het schip, de opvarenden en de zaken aan boord, op straffe van schadevergoeding.

Ontnemen gezag

Art. 386. De bepalingen van de vorige artikelen laten onaangetast de bevoegdheid van de zeewerkgever, te allen tijde den kapitein het gezag over het schip te ontnemen.

Bevoorrechte schulden op loon

Art. 387. 1. De boeten en de schadeloosstelling bedoeld in de artikelen 378, 385 en 438 in verband met artikel 390, zijn bevoorrecht op het in geld vastgestelde deel van het loon van den kapitein, hetwelk tot het bedrag daarvan kan worden ingehouden.

2. Boete en schadeloosstelling komen in de eerste plaats ten laste van het deel van het loon, dat aan den kapitein persoonlijk moet worden uitbetaald.

3. Het laatste lid van artikel 429 vindt toepassing.

Afgeven scheepspapieren

***Art. 388.** Na afloop van eene reis is de kapitein verplicht de scheepspapieren aan de zeewerkgever af te geven tegen ontvangstbewijs.

Nalatigheid t.a.v. loonbetaling

Art. 389. De zeewerkgever verbeurt ten behoeve van den kapitein voor iederen dag, dat hij dezen, gedurende of bij het einde van zijn dienst aan boord van een schip, zonder wettige reden ophoudt in het verkrijgen van het in geld vastgestelde deel van zijn loon, drie gulden.

Toepasselijkheid bepalingen schepelingen

Art. 390. 1. De artikelen 399, 403, 408, 413, 415, 416, 425, 426, 428, 431 t/m 437, 438, 440 t/m 442, 450a, 450aa en 450c zijn van overeenkomstige toepassing op de arbeidsovereenkomst van den kapitein.

2. Wanneer het betreft de arbeidsovereenkomst van een kapitein ter zeevisscherij, vinden bovendien de artikelen 452f, 452h en 452l overeenkomstige toepassing.

Niet toepasselijkheid bepalingen B.W.

Art. 391. De artikelen 1637j t/m 1637m, 1637p, 1637r, 1638b, 1638c, lid 3 t/m 7, 1638h, 1638p, 1638q, 1638t t/m 1638x, 1639n, 1639u en 1639v van het Burgerlijk Wetboek vinden geen toepassing ten aanzien van den dienst van den kapitein aan boord van een schip.

Dwingend recht

Art. 392. Bij overeenkomst kunnen partijen niet afwijken van het bepaalde in de artikelen 376 t/m 378, 380 en 383, noch ook ten nadeele van den kapitein van het bepaalde in de artikelen 381, 384 en 389.

VIERDE TITEL
Van de schepelingen

§ 1. *Algemeene bepalingen*

Art. 392a. In deze titel wordt verstaan onder Nederlands schip: een schip dat Nederlands is op grond van artikel 311 van dit boek, dan wel op grond van artikel 5 van de Wet nationaliteit zeeschepen in rompbevrachting (Stb. 1992, 541).

Scheepsofficieren

Art. 393. 1. Scheepsofficieren zijn de schepelingen, aan wie de monsterrol den rang van officier toekent.

2. Scheepsgezellen zijn alle overige schepelingen. **Scheepsgezellen**

Regeling verhouding schepelingen

Art. 394. Voor zoover de zeewerkgever de verhouding tusschen de scheepsofficieren onderling, tusschen de scheepsgezellen onderling en tusschen de scheepsofficieren en de scheepsgezellen niet heeft geregeld, beslist de kapitein daaromtrent.

Commissie van schepelingen

Art. 395. Wanneer de monsterrol bepaalt, dat er aan boord eene commissie van schepelingen zal zijn, stelt zij daarvan tevens de samenstelling en de bevoegdheid vast.

§ 2. *Van de arbeidsovereenkomst tot de vaart der zee*

Schepelingen

Art. 396. 1. Als schepelingen worden alleen aangemerkt personen, die eene arbeidsovereenkomst met de zeewerkgever hebben aangegaan.

Kapitein vertegenwoordiger zeewerkgever

2. De kapitein vertegenwoordigt de zeewerkgever in de uitvoering van de arbeidsovereenkomsten met de schepelingen, die in dienst zijn aan boord van het door hem gevoerde schip.

Toepasselijkheid bepalingen B.W.

Art. 397. Op de arbeidsovereenkomst tusschen de zeewerkgever en den schepeling zijn de bepalingen van het Burgerlijk Wetboek van toepassing, voor zoover daarvan in dit wetboek niet is afgeweken.

Vereisten arbeidsovereenkomst

Art. 398. 1. De arbeidsovereenkomst tusschen de zeewerkgever en den schepeling moet, op straffe van nietigheid, schriftelijk worden aangegaan en door den laatste persoonlijk worden onderteekend.

Kosten

2. Kosten der akte en andere bijkomstige kosten zijn ten laste van de zeewerkgever.

Wijze van aangaan

Art. 399. De arbeidsovereenkomst kan worden aangegaan hetzij voor een bepaalden tijd, hetzij voor één of meer reizen (bij de reis), hetzij voor onbepaalden tijd of tot wederopzegging.

Inhoud overeenkomst

Art. 400. De overeenkomst moet behelzen, behalve hetgeen elders in de wet is voorgeschreven:
1°. den naam en de voornamen van den schepeling, den dag van zijne geboorte of zijn leeftijd, en zijne geboorteplaats;
2°. de plaats en den dag van het sluiten van de overeenkomst;
3°. de aanduiding van het schip of de schepen, waarop de schepeling zich verbindt dienst te doen;
4°. de te ondernemen reis of reizen, indien deze reeds vaststaan;
5°. de hoedanigheid, waarin de schepeling in dienst zal treden;
6°. indien mogelijk, de plaats waar en den dag waarop de dienst aan boord zal aanvangen;
7°. het bepaalde bij artikel 414 nopens het recht op vrije dagen;
8°. de beëindiging van de dienstbetrekking, namelijk:
a. indien de overeenkomst voor een bepaalden tijd wordt aangegaan. den dag waarop de dienstbetrekking eindigt, met vermelding van den inhoud van artikel 431,
b. indien de overeenkomst bij de reis wordt aangegaan, de haven overeengekomen voor de beëindiging der dienstbetrekking, met vermelding van den inhoud van artikel 432, tweede lid, alsmede, indien de haven eene Nederlandsche haven is, van het eerste of van het tweede lid van artikel 433, naar gelang de haven al of niet met name is genoemd,
c. indien de overeenkomst voor onbepaalden tijd wordt aangegaan, den inhoud van artikel 434, eerste lid.

Art. 401. 1. Voor zoover de namen, de plaats of dag van geboorte van den schepeling niet bekend zijn, wordt dit in de overeenkomst vermeld.

2. De aanduiding in de overeenkomst van het schip of de schepen, waarop de schepeling zich verbindt dienst te doen, kan ook geschieden door te bepalen, dat hij dienst zal doen op een of meer door de zeewerkgever aan te wijzen schepen, behoorende tot die, welke de zeewerkgever voor de vaart ter zee gebruikt.

3. Indien partijen van het bepaalde bij de artikelen 414, 431, 432, tweede lid, 433, eerste of tweede lid, of 434, eerste lid, wenschen af te wijken, voor zoover wettelijk geoorloofd, wordt in plaats daarvan die afwijkende regeling in de overeenkomst opgenomen.

Verbindend reglement

Art. 402. Een door de zeewerkgever vastgesteld reglement betreffende den dienst aan boord is voor den schepeling verbindend, mits een in de Nederlandsche taal gesteld exemplaar daarvan in een mede voor hem bestemd dagverblijf der schepelingen is en blijft opgehangen en behoorlijk leesbaar is, en voor zooverre de inhoud niet in strijd is met de door hem aangegane arbeidsovereenkomst.

Arbeid na einde dienstbetrekking

Art. 403. Nietig is een beding waarbij de schepeling wordt beperkt in zijne vrijheid, na het einde der dienstbetrekking arbeid te verrichten.

Verplichting na aanvang dienstbetrekking

Art. 404. Van het oogenblik waarop volgens de overeenkomst de dienstbetrekking zal aanvangen is de schepeling verplicht zich te houden ter beschikking van de zeewerkgever om gemonsterd te worden op een door de overeenkomst aangeduid schip. Is omtrent den aanvang van de dienstbetrekking niets bepaald, dan wordt die voor de toepassing van dit voorschrift geacht samen te vallen met het sluiten der overeenkomst.

Begin en einde dienstverband aan boord

Art. 405. De schepeling wordt geacht in dienst te zijn aan boord van een schip van den dag, in de monsterrol daarvoor aangewezen, of, bij gebreke daarvan, van den dag, waarop de monsterrol is opgemaakt, tot en met den dag waarop hij van zijne werkzaamheden aan boord wordt ontheven of hij deze neerlegt.

Schepelingen dienst niet toegestaan

Art. 406. Schepelingen-dienst mag niet worden verricht:
1°. door hen, die niet met de zeewerkgever eene arbeidsovereenkomst hebben aangegaan,
2°. door hen, die, hoewel zij met de zeewerkgever eene arbeidsovereenkomst hebben aangegaan, niet in de monsterrol zijn genoemd.

Voeding en verblijven schepelingen

Art. 407. 1. De zeewerkgever is verplicht te zorgen voor voeding en verblijven van de schepeling aan boord, alsmede voor een kombuis en andere ruimten voor de voeding, een en ander op zoodanige wijze dat een behoorlijke voorziening verzekerd is.

2. Voor een schip, waarvan de verblijven, de kombuis en andere ruimten voor de voeding voldoen aan de in het zesde lid bedoelde voorschriften, wordt door het hoofd van de Scheepvaartinspectie een certificaat voor de verblijven uitgereikt.

3. Wanneer de inrichting van de verblijven, van de kombuis en van de andere ruimten voor de voeding niet meer voldoet aan de in het zesde lid bedoelde voorschriften, wordt het certificaat door het hoofd van de Scheepvaartinspectie ingetrokken.

4. Zowel van de weigering als van de intrekking van een certificaat door het hoofd van de Scheepvaartinspectie kunnen zowel de eigenaar als de kapitein beroep instellen bij de voorzitter van de Raad van de Scheepvaart. Het bepaalde bij of krachtens de artikelen 18, derde lid, 19 t/m 22 van de Schepenwet vindt overeenkomstige toepassing.

5. De kapitein mag met zijn schip geen reis ondernemen, zonder dat voor het schip een geldig certificaat voor de verblijven bestaat.

6. Nadere voorschriften tot uitvoering van het bepaalde in de vorige leden worden bij algemene maatregel van bestuur gegeven.

7. In geen geval mag de zeewerkgever de voeding of de levering van de daarvoor benoodigde eet- en drinkwaren bij wijze van aanbesteding opdragen aan den kapitein of aan een schepeling.

Recht op vergoeding voor voeding

Art. 408. De schepeling heeft voor iederen dag, dat hem de verschuldigde voeding niet of niet ten volle wordt verstrekt, recht op eene vergoeding, waarvan het bedrag bij de arbeidsovereenkomst of, bij stilzwijgen van deze, door het gebruik of de billijkheid wordt bepaald.

Onderzoek naar kwaliteit en kwantiteit

Art. 409. 1. Ten verzoeke van een derde van de schepelingen heeft buitenslands een onderzoek plaats naar de deugdelijkheid en voldoende hoeveelheid der eet- en drinkwaren. Het onderzoek wordt door den Nederlandschen consulairen ambtenaar of, bij gebreke van dezen, en in het Koninkrijk buiten Europa, door het bevoegde gezag ingesteld.

Verwisselen onbruikbare waren

2. De kapitein is verplicht de onbruikbare eet- en drinkwaren, op last dezer autoriteiten, tegen bruikbare te verwisselen en het noodige zich aan te schaffen.

Klacht over ligging of ruimte

Art. 410. 1. Door een gelijk deel van de schepelingen kan bij dezelfde autoriteiten buitenslands over onvoldoende ligging of ruimte, na de afreis ontstaan, worden geklaagd; een onderzoek wordt daarnaar ingesteld.

2. De kapitein is op last der autoriteiten verplicht in het gebrekkige te voorzien.

3. De kapitein, die aan de hem, overeenkomstig dit en het vorig artikel, gegeven bevelen niet heeft voldaan, wordt geacht zich jegens de schepelingen te hebben misdragen.

Sterke drank, wapens

Art. 411. 1. De schepeling mag geen sterken drank of wapens aan boord brengen of hebben zonder toestemming van den kapitein.

2. De kapitein kan hetgeen hij in strijd met deze bepaling aan boord aantreft, in beslag nemen en vernietigen of verkoopen ten bate van de instelling ten behoeve van zeelieden, aangewezen door den voorzitter van den Raad voor de scheepvaart.

Smokkelwaar opium, enz.

3. Dezelfde bevoegdheid heeft de kapitein ten aanzien van smokkelwaren, contrabande en opium of andere verdoovende middelen, welke de schepeling aan boord brengt of heeft.

Sterke drank voor bemanning

Art. 412. 1. Voor verbruik door de bemanning mag geen sterke drank aan boord zijn boven de hoeveelheid, door Ons bij algemeenen maatregel van bestuur te bepalen.

2. Sterke drank, in strijd met deze bepaling aan boord aangetroffen door de ambtenaren, aangesteld voor de uitvoering van de politietaak, of de invoerrechten en accijnzen, wordt door hen in beslag genomen.

3. Deze sterke drank wordt verkocht ten bate van de in het tweede lid van artikel 411 bedoelde instelling.

Loonbepaling in geld

Art. 413. 1. De arbeidsovereenkomst moet, op straffe van nietigheid, het bedrag van het in geld uit te betalen loon bepalen of aangeven hoe het zal worden bepaald. De bepaling kan niet aan het goedvinden van een der partijen worden overgelaten.

2. Bij de toepassing van het bepaalde in de artikelen 415, tweede lid, 415a, eerste lid, 415g, 423, eerste lid, 425, derde lid, 433, derde lid, 438 en 440 wordt loon, vastgesteld bij de reis, geacht te zijn vastgesteld voor eene tijdruimte gelijk aan den gemiddelden duur van de reis.

Vakantie en verlof zonder loon

Art. 414. 1. De schepeling heeft, ongeacht zijn leeftijd, over elk jaar dat de dienstbetrekking heeft geduurd aanspraak op vakantie van tenminste dertig kalenderdagen, onverminderd het bepaalde in artikel 1638cc van het Burgerlijk Wetboek.

2. Onverminderd het bepaalde in artikel 1638dd van het Burgerlijk Wetboek, behoudt de schepeling zijn aanspraak op vakantie over het tijdvak gedurende hetwelk hij studieverlof geniet en van zijn werkgever een studieuitkering ontvangt.

3. Onverminderd het bepaalde in artikel 1638ee van het Burgerlijk Wetboek wordt niet tot vakantie gerekend:

a. officieel of algemeen erkende feestdagen;
b. tijdelijk verlof om aan wal te gaan;
c. compensatieverlof;
d. de tijd van het vervoer, bedoeld in het zevende lid van dit artikel.

4. De werkgever van de schepeling is verplicht om vijftien kalenderdagen van de vakantie, bedoeld in het eerste lid, aaneengesloten te geven. Van deze verplichting kan worden afgeweken bij collectieve arbeidsovereenkomst of bij regeling door of namens een bevoegd publiekrechtelijk lichaam.

5. De vakantie moet zo worden verleend dat de schepeling telkens na verloop van twee jaren, alle dagen heeft genoten waarop hij aanspraak heeft.
De verjaringstermijn, bedoeld in artikel 1638ll, eerste lid, van het Burgerlijk Wetboek, beloopt voor de schepeling drie jaren.

6. De vakantie, bedoeld in het eerste lid, of het verlof, bedoeld in artikel 1638jj van het Burgerlijk Wetboek, wordt desverlangd aan de schepeling gegeven in de plaats alwaar hij is gemonsterd, of de plaats alwaar hij is aangeworven, al naar gelang die plaats het dichtst is gelegen bij de woonplaats van de schepeling. Van deze regeling kan worden afgeweken bij collectieve arbeidsovereenkomst of bij regeling door of namens een bevoegd publiekrechtelijk.

7. Indien de schepeling genoodzaakt is, zijn vakantie bedoeld in het eerste lid, of het verlof, bedoeld in artikel 1638jj van het Burgerlijk Wetboek, aan te vangen op een andere plaats dan die bedoeld in het vorige lid, is de werkgever gehouden zorg te dragen voor kosteloos vervoer naar de plaats bedoeld in het vorige lid zomede voor de betaling van de kosten van levensonderhoud gedurende dat vervoer.

8. Een schepeling die zijn in het eerste lid bedoelde vakantie of het verlof, bedoeld in artikel 1638jj van het Burgerlijk Wetboek, geniet, wordt slechts in gevallen van uiterste noodzaak teruggeroepen en wel na tijdige kennisgeving.
9. De aanspraak op verlof zonder behoud van loon, als bedoeld in artikel 1638jj van het Burgerlijk Wetboek, wordt verminderd met de tijd, gedurende welke de schepeling, nadat hij de aanspraak heeft verworven, niet in dienstbetrekking was.

Regeling bij ziekte

Art. 415. 1. De schepeling, die ziek wordt, blijft in het genot van het volle loon zolang hij aan boord is.
2. Na zijn herstel heeft de schepeling, ongeacht het voortduren van de dienstbetrekking, recht op een uitkering, gelijk aan het naar tijdruimte in geld vastgestelde loon, dat hij genoot toen hij ziek werd, indien hij ter verpleging is achtergelaten buiten het land waar hij thuisbehoort en elders dan ter plaatse waar hij zich bevond toen zijn rechtsverhouding met de zeewerkgever aanving. Hij heeft voorts aanspraak op huisvesting en voeding en recht op vrij vervoer tot een haven in het land waar hij thuisbehoort of tot de plaats waar hij zich bevond toen zijn rechtsverhouding met de zeewerkgever aanving, zulks ter keuze van de zeewerkgever. Onder vrij vervoer zijn begrepen de kosten van onderhoud en nachtverblijf gedurende de reis. De geldelijke uitkering na zijn herstel en het recht op huisvesting en voeding, waarop hij ingevolge dit lid aanspraak kan maken, nemen in ieder geval een einde zodra hij passende arbeid kan verkrijgen en verrichten dan wel is teruggekeerd in of had kunnen terugkeren naar een haven in het land waar hij thuisbehoort of de plaats waar hij zich bevond toen zijn rechtsverhouding met de zeewerkgever aanving.
3. Indien de ziekte een gevolg is van opzet, wordt de geldelijke uitkering verbeurd of verminderd, ter beoordeling van de kantonrechter binnen wiens gebied de zetel van het scheepsbedrijf is gevestigd.
4. Bij algemene maatregel van bestuur kunnen regelen worden gesteld ter voorkoming of beperking van samenloop van loon als bedoeld in het eerste lid met arbeidsongeschiktheidsuitkering ingevolge de Algemene Arbeidsongeschiktheidswet, de Wet op de arbeidsongeschiktheidsverzekering dan wel met arbeidsongeschiktheidsuitkering ingevolge zowel de Algemene Arbeidsongeschiktheidswet als de Wet op de arbeidsongeschiktheidsverzekering.
5. De schepeling, die ziek wordt, heeft tot zijn herstel recht op behoorlijke verpleging en geneeskundige behandeling. Dit recht komt evenwel niet toe aan de schepeling, die verplicht verzekerd is ingevolge de Ziekenfondswet, zolang hij verblijft in Nederland en evenmin aan de schepeling, die verblijft in het land waar hij thuisbehoort. Het recht eindigt, indien de schepeling is teruggekeerd in of heeft kunnen terugkeren naar het land waar hij thuisbehoort. Op de aanspraken, welke de schepeling heeft ingevolge het bepaalde in dit lid, komen de aanspraken ingevolge de Algemene Wet Bijzondere Ziektekosten in mindering.

Art. 415a. 1. De schepeling, die op het tijdstip, waarop hij ziek wordt, anders dan in verband met het bepaalde in artikel 6, eerste lid, onder a of b, van de Ziektewet, niet verzekerd is ingevolge die wet, noch op grond van het bepaalde in artikel 46, eerste lid, van die wet aanspraak heeft op ziekengeld, alsof hij verzekerd was gebleven, heeft, zolang hij niet hersteld is, gedurende ten hoogste 52 weken, ongeacht het voortduren van de dienstbetrekking, recht op 80% van het naar tijdruimte in geld vastgestelde loon, dat hij genoot toen hij ziek werd, verhoogd met de bij algemene maatregel van bestuur vast te stellen geldswaarde van andere loonbestanddelen. Deze termijn van 52 weken gaat in:
1°. als de schepeling ziek wordt, terwijl hij niet aan boord van een schip in dienst is, op de dag, waarop hij ziek wordt;
2°. als hij ziek wordt, terwijl hij aan boord van een schip in dienst is, op de dag, waarop hij aan de wal ter verpleging wordt achtergelaten of waarop hij nog niet hersteld, met het schip terugkomt.
Wordt hij ter verpleging achtergelaten buiten het land waarhij thuisbehoort, dan wordt de uitkering van 80% gedurende de eerste twaalf weken verhoogd tot 100%.
2. De geldelijke uitkering, waarop de schepeling recht heeft ingevolge het bepaalde in de laatste volzin van het vorige lid neemt in ieder geval een einde zodra hij passende arbeid kan verkrijgen en verrichten dan wel is teruggekeerd in of had kunnen terugkeren naar een haven in het land waar hij thuisbehoort.
3. Artikel 415, derde lid, is van toepassing.

Art. 415b. 1. De schepeling, die op het tijdstip, waarop hem een ongeval in verband met zijn dienstbetrekking overkomt, anders dan in verband met het bepaalde in artikel 6, eerste lid, onder a of b, van de Ziektewet, niet verzekerd is ingevolge die wet, noch op grond van het bepaalde in artikel 46, eerste lid, van die wet aanspraak heeft op ziekengeld alsof hij verzekerd was gebleven, heeft, ongeacht het voortduren van de dienstbetrekking, of zijn nagelaten betrekkingen hebben, indien hij ten gevolge van een zodanig ongeval overlijdt, recht op uitkeringen en voorzieningen overeenkomstig het bepaalde in de artikelen 415c t/m 415h.

Regeling bij ongeval

2. Voor de toepassing van het bepaalde in het vorige lid en in de artikelen 415c t/m 415g worden met een ongeval, in verband met de dienstbetrekking overkomen, gelijkgesteld de ziekten, voorkomende op een bij algemene maatregel van bestuur vast te stellen lijst van ziekten, indien de schepeling die ziekte heeft gekregen in verband met de dienstbetrekking. De ziekte wordt, tenzij het tegendeel blijkt, geacht verband te houden met de dienstbetrekking, indien zij zich gedurende de dienstbetrekking of binnen een bij algemeene maatregel van bestuur vast te stellen termijn na het beëindigen van de dienstbetrekking openbaart.

3. De in het vorige lid bedoelde gelijkstelling is niet van toepassing indien de schepeling zonder deugdelijke grond ter zake van de in dat lid bedoelde ziekte geweigerd heeft een profylactische behandeling te ondergaan dan wel heeft nagelaten zich aan een zodanige behandeling te onderwerpen, ofschoon hem daartoe kosteloos gelegenheid werd geboden.

Art. 415c. 1. De schepeling, bedoeld in artikel 415b, heeft na afloop van de termijn van 52 weken, bedoeld in artikel 415a, eerste lid, in geval van tijdelijke gehele ongeschiktheid tot werken, recht op een uitkering van 70% van zijn loon en, in geval van tijdelijke gedeeltelijke ongeschiktheid tot werken, op een uitkering ter hoogte van een in verhouding tot de verloren geschiktheid tot werken staand deel van 70% van zijn loon.

2. De in het vorige lid bedoelde uitkering eindigt met ingang van de dag, waarop blijvende gehele of gedeeltelijke ongeschiktheid tot werken intreedt, dan wel, indien de tijdelijke gehele of gedeeltelijke ongeschiktheid tot werken voortduurt, uiterlijk met ingang van de dag, gelegen drie jaren na afloop van de termijn van 52 weken, bedoeld in artikel 415a, eerste lid.

3. De schepeling, bedoeld in artikel 415b, die op de dag, gelegen na afloop van de termijn van 52 weken, bedoeld in artikel 415a, eerste lid, blijvend geheel of gedeeltelijk ongeschikt is tot werken of binnen drie jaren na die dag blijvend geheel of gedeeltelijk ongeschikt wordt tot werken, dan wel op de dag, gelegen drie jaren na vorenbedoelde dag, nog tijdelijk geheel of gedeeltelijk ongeschikt is tot werken, heeft recht op een uitkering ineens van driemaal de uitkering over een jaar, berekend naar de uitkering, waarop hij laatstelijk aanspraak had vóór de dag, waarop dat recht ontstaat. Met ingang van de dag, waarop recht ontstaat op een uitkering ineens als bedoeld in de vorige volzin, kunnen ter zake van het betreffende ongeval overigens geen rechten meer worden ontleend aan de artikelen 415b t/m 415h.

4. Voor de toepassing van het bepaalde in de vorige leden wordt een schepeling geheel of gedeeltelijk ongeschikt geacht tot werken, indien hij ten gevolge van een ongeval als bedoeld in artikel 415b geheel of gedeeltelijk ongeschikt is geworden tot arbeid, die voor zijn krachten en bekwaamheden is berekend en die met het oog op zijn opleiding en vroeger beroep hem in billijkheid kan worden opgedragen.

5. Indien de schepeling, bedoeld in artikel 415b, niet de medewerking verleent, die redelijkerwijs van hem verlangd kan worden tot het herkrijgen van zijn gezondheid of zijn arbeidsvermogen, voorzover deze door een ongeval als bedoeld in dat artikel zijn geschaad, zal bij de schatting van de mate van ongeschiktheid tot werken, bedoeld in de vorige leden, de toestand in aanmerking genomen kunnen worden, die waarschijnlijk zou zijn ontstaan, indien die medewerking ten volle zou zijn verleend.

Art. 415d. 1. De schepeling, bedoeld in artikel 415b, heeft ter zake van een ongeval als bedoeld in dat artikel van de dag van het ongeval af recht op geneeskundige behandeling of vergoeding daarvoor, indien hij verblijft in of heeft kunnen terugkeren naar het land, waar hij thuisbehoort, doch uiterlijk tot de dag, gelegen drie jaren na afloop van de termijn van 52 weken, bedoeld in artikel 415a, eerste lid en onverminderd het bepaalde in de laatste volzin van het derde lid van artikel 415c. Onder geneeskundige behandeling is begrepen het verstrekken van kunstmiddelen, voor zover deze zijn geschiktheid tot werken kunnen bevorderen of tot verbetering van zijn levensomstandigheden kunnen bijdragen, alsmede het onderricht in het gebruik van die kunstmiddelen.

2. Bij algemene maatregel van bestuur kunnen regelen worden gesteld met betrekking tot het bepaalde in dit artikel.

Uitkering aan nagelaten betrekkingen

Art. 415e. 1. Onverminderd het bepaalde in artikel 1639l van het Burgerlijk Wetboek hebben de nagelaten betrekkingen, bedoeld in artikel 415b, eerste lid, recht op een uitkering ineens, welke bedraagt:
1°. voor de vrouw, met wie de overledene ten tijde van het ongeval gehuwd was: driemaal de uitkering over een jaar, berekend naar 30% van het loon van de overledene;
2°. voor de man, met wie de overledene ten tijde van het ongeval gehuwd was, indien deze zijn kostwinster was: driemaal de uitkering over een jaar, berekend naar 30% van het loon van de overledene;
3°. voor elk wettig kind of stiefkind beneden de leeftijd van zestien jaar van de overledene: driemaal de uitkering over een jaar, berekend naar 15% en, indien dit kind ouderloos is, berekend naar 20% van het loon van de overledene;
4°. voor elk natuurlijk kind beneden de leeftijd van zestien jaar, dat door de overleden vader was erkend en voor elk natuurlijk kind beneden de leeftijd van zestien jaar van de overleden moeder: driemaal de uitkering over een jaar, berekend naar 15% en, indien dit kind ouderloos is, berekend naar 20% van het loon van de overledene;
5°. voor degene, voor wie de overledene ten tijde van het ongeval kostwinner was, niet vallende onder 1°, 2°, 3° of 4°: driemaal hetgeen hij in de regel over een jaar tot diens levensonderhoud bijdroeg doch niet meer dan driemaal de uitkering over een jaar, berekend naar 30% van het loon van de overledene, met dien verstande, dat, indien de betrokkene jonger is dan zestien jaar, niet meer wordt uitgekeerd dan hij als wettig kind van de overledene zou hebben ontvangen.

2. De in het vorige lid bedoelde uitkeringen zullen tezamen niet meer bedragen dan driemaal de uitkering over een jaar, berekend naar 60% van het loon van de overledene. De personen, bedoeld in het vorige lid, onder 5°, hebben alleen recht op een uitkering, indien de personen, bedoeld onder 1°, 2°, 3° of 4°, van dat lid allen hun volle uitkering hebben ontvangen. Indien de personen, bedoeld in het vorige lid, onder 1°, 2°, 3° en 4°, tezamen een uitkering zouden ontvangen van meer dan driemaal de uitkering over een jaar, berekend naar 60% van het loon van de overledene, ondergaat elk van deze uitkeringen een evenredige vermindering.

3. Voor de toepassing van dit artikel en van artikel 415b is het bepaalde bij of krachtens artikel 4 van de Algemene Weduwen- en Wezenwet van overeenkomstige toepassing.

Regelen m.b.t. samenloop

Art. 415f. Bij algemene maatregel van bestuur kunnen regelen worden gesteld ter voorkoming of beperking van samenloop van uitkeringen of voorzieningen, bedoeld in de artikelen 415a t/m 415e, met uitkeringen of voorzieningen uit anderen hoofde.

Loon schepeling

Art. 415g. Onder loon van de schepeling wordt voor de toepassing van de artikelen 415c en 415e verstaan het naar tijdruimte in geld vastgestelde loon, dat hij genoot toen het ongeval als bedoeld in artikel 415b plaatsvond, verhoogd met de bij algemene maatregel van bestuur vast te stellen geldswaarde van andere loonbestanddelen. Hetgeen het naar tijdruimte in geld vastgestelde loon meer bedraagt dan een bij algemene maatregel van bestuur te bepalen bedrag, wordt daarbij niet in aanmerking genomen.

Zeewerkgever van rechtswege aangesloten

Art. 415h. 1. Indien een daartoe door Ons erkende vereniging met volledige rechtsbevoegdheid is opgericht, is de zeewerkgever, die een of meer schepelingen in dienst heeft, die, anders dan in verband met het bepaalde in artikel 6, eerste lid, onder a of b, van de Ziektewet, niet verzekerd zijn ingevolge die wet, noch op grond van het bepaalde in artikel 46, eerste lid, van die wet aanspraak hebben op ziekengeld alsof zij verzekerd waren gebleven, ter waarborging van zijn tegenover die schepelingen en hun nagelaten betrekkingen uit de artikelen 415a t/m 415g voortvloeiende verplichtingen van rechtswege aangesloten bij die vereniging.

Hoofdelijke aansprakelijkheid

2. In dat geval, bedoeld in het vorige lid, zijn de zeewerkgever en de vereniging hoofdelijk verbonden tegenover die schepelingen en hun nagelaten betrekkingen.

Vereisten voor erkenning

3. Op haar verzoek kan een vereniging worden erkend als vereniging, bedoeld in het eerste lid, indien zij voldoet aan de volgende vereisten:
1°. dat zij opgericht is door een of meer naar Ons oordeel representatieve

organisaties van zeewerkgevers en een of meer naar Ons oordeel representatieve organisaties van schepelingen, al dan niet tezamen met een of meer zeewerkgevers;
2°. dat zij niet beoogt winst te maken.

4. Voor de in het vorige lid bedoelde erkenning komt niet meer dan één vereniging in aanmerking.

5. De statuten van de in het eerste lid bedoelde vereniging moeten zodanige bepalingen inhouden, dat:
1°. het bestuur voor de helft wordt samengesteld uit vertegenwoordigers van de zeewerkgevers en voor de helft uit vertegenwoordigers van de schepelingen;
2°. de gezamenlijke vertegenwoordigers van de zeewerkgevers ter vergadering evenveel stemmen uitbrengen als de gezamenlijke vertegenwoordigers van de schepelingen;
3°. de kosten van de uit de artikelen 415a t/m 415h voortvloeiende verplichtingen met betrekking tot de in het eerste lid bedoelde schepelingen en hun nagelaten betrekkingen, alsmede de kosten verbonden aan de vorming en instandhouding van een reserve, per jaar worden omgeslagen over de zeewerkgevers naar rato van het loon, dat door hen in dat jaar aan die schepelingen is uitbetaald, waarbij onder loon wordt verstaan loon in de zin van de Coördinatiewet Sociale Verzekering.

Toepasselijkheid bepalingen Wet R.O.

Art. 415i. 1. Artikel 39, aanhef en onder 3°, van de Wet op de rechterlijke organisatie en het beleid der justitie is van toepassing op alle vorderingen krachtens de artikelen 415a t/m 415h door of tegen de in het eerste lid van artikel 415h bedoelde schepelingen of hun nagelaten betrekkingen ingesteld tegen onderscheidenlijk door de in dat lid bedoelde vereniging.

Nietig beding

2. Elk beding strijdig met enige bepaling van dit of het vorige artikel is nietig, behoudens dat partijen kunnen overeenkomen om een geschil omtrent een vordering als bedoeld in het vorige lid aan de uitspraak van scheidslieden te onderwerpen.

Overlijden schepeling buitenslands

Art. 416. 1. Indien de schepeling, in dienst van de zeewerkgever, overlijdt buiten het land waar hij thuis behoort, komen voor rekening van de de zeewerkgever;
1°. indien de lijkbezorging plaats vindt buiten het land waar hij thuis behoort, de daartoe gemaakte kosten;
2°. indien de lijkbezorging plaats vindt in het land waar hij thuis behoort, de gemaakte kosten van en in verband met het vervoer van het stoffelijk overschot naar de woonplaats in dat land, alsmede de gemaakte kosten van en in verband met de daartoe noodzakelijke opgraving van het stoffelijk overschot, zulks met inachtneming van bij algemene maatregel van bestuur te bepalen maximum bedragen.

2. De in het vorige lid onder 2° bedoelde kosten komen niet voor rekening van de zeewerkgever, indien het vervoer van het stoffelijk overschot niet binnen redelijke korte tijd na het overlijden plaats vindt.

Opvolgen bevelen

Art. 417. 1. Gedurende den tijd, dat de schepeling in dienst is aan boord van een schip, is hij verplicht de bevelen van den kapitein met stiptheid op te volgen.

Onrechtmatig geachte bevelen

2. Indien hij meent, dat deze bevelen onrechtmatig zijn, kan hij in de eerste haven, die het schip aandoet, de tusschenkomst inroepen van de scheepvaartinspectie of in het Koninkrijk buiten Europa van het bevoegde gezag of buiten het Koninkrijk, indien dit redelijkerwijze zonder oponthoud van het schip kan geschieden, van den Nederlandschen diplomatieken of bezoldigden consulairen ambtenaar, die het eerste te bereiken is.

Regeling arbeid

Art. 418. 1. De kapitein is verplicht den arbeid van den schepeling te regelen in overeenstemming met de daaromtrent bij de wet en, binnen de grenzen der wet, bij de arbeidsovereenkomst gestelde bepalingen.

Zondagsarbeid

2. Op Zondag behoort de arbeid in ieder geval beperkt te blijven tot het noodzakelijke.

Bijslag op loon bij overwerk

Art. 419. 1. De schepeling is verplicht het hem door den kapitein opgedragen werk te verrichten, doch heeft recht op een bijslag op het loon voor den tijd, gedurende welken hij langer dan den door de wet of de arbeidsovereenkomst bepaalden normalen arbeidsduur werk verricht, tenzij de kapitein het werk noodzakelijk acht tot behoud van het schip, de opvarenden of de zaken aan boord. Het bedrag van dien bijslag wordt bepaald door de arbeidsovereenkomst of, bij haar stilzwijgen, door het gebruik of de billijkheid.

2. De kapitein doet van ieder geval van overwerk aanteekening houden in een daartoe bestemd register. Elke aanteekening wordt door den daarbij betrokken schepeling mede-onderteekend.

3. Het recht, betaling van den bijslag te vorderen, vervalt door verloop van één maand na het eindigen van den dienst aan boord in eene Nederlandsche haven en van zes maanden na het eindigen van den dienst aan boord in het buitenland.

4. Op den scheepsofficier, tevens hoofd van dienst, den geneeskundige en den marconist zijn de bepalingen van dit artikel niet van toepassing.

Aanspraak op hooger loon

Art. 420. Indien aan den schepeling andere werkzaamheden worden opgedragen dan hij heeft te verrichten overeenkomstig de hoedanigheid, waarin hij volgens de arbeidsovereenkomst aan boord dienst doet, en deze werkzaamheden volgens overeenkomst of gebruik hooger worden beloond, heeft hij aanspraak op daarmede overeenkomend loon.

Toestemming voor verlaten schip

Art. 421. 1. Zonder toestemming van den kapitein mag de schepeling het schip niet verlaten.

2. Weigert de kapitein toestemming, dan is hij verplicht de reden voor zijne weigering in het dagboek te vermelden en aan den schepeling, op diens verlangen, deze weigering binnen twaalf uur schriftelijk te bevestigen.

Disciplinair gezag van kapitein

Art. 422. De kapitein heeft disciplinair gezag over den schepeling. Hij kan tot handhaving van dit gezag de redelijkerwijze noodige maatregelen nemen.

Opleggen boete

Art. 423. 1. De kapitein kan den schepeling in geval van verwijdering van boord zonder zijne toestemming, van niet tijdig terugkeeren aan boord, van dienstweigering, van gebrekkige dienstvervulling, van onbehoorlijk optreden tegen een lid der bemanning of een der andere opvarenden en van ordeverstoring, eene boete opleggen ten bedrage van het naar tijdruimte in geld vastgestelde loon over ten hoogste tien dagen; echter mag de boete nooit meer bedragen dan een derde van dat loon voor den geheelen duur der reis. In een tijdsverloop van tien dagen mag geen hooger bedrag aan gezamenlijke boeten worden opgelegd dan de genoemde hoogste bedragen.

2. De oplegging der boete kan voorwaardelijk geschieden.

3. Indien de kapitein wegens eenig feit de dienstbetrekking doet eindigen, overeenkomstig het bepaalde in artikel 1639o, eerste lid, van het Burgerlijk Wetboek, kan hij te dier zake niet tevens disciplinaire straf opleggen.

4. De bestemming der boeten moet in de arbeidsovereenkomst worden aangegeven. De boete mag noch de zeewerkgever noch de kapitein ten goede komen.

Art. 424. 1. Alvorens boete op te leggen is de kapitein verplicht den betrokkene en de getuigen te hooren in het bijzijn, zoo mogelijk, van ten minste twee schepelingen van gelijken of hoogeren rang, overeenkomstig de monsterrol daartoe aangewezen. Het proces-verbaal van dit verhoor moet door allen, die daarbij tegenwoordig zijn geweest, worden onderteekend. Van weigering om te onderteekenen wordt daarin melding gemaakt.

2. Boete kan niet vroeger worden opgelegd dan twaalf uren en niet later dan eene week, nadat het feit heeft plaats gehad, tenzij bijzondere omstandigheden afwijking noodzakelijk maken.

3. Elke boete moet onverwijld worden ingeschreven in een daartoe bestemd register, met vermelding van het feit, dat tot de oplegging aanleiding heeft gegeven en van den dag waarop het heeft plaats gehad, alsmede van den dag waarop de boete is opgelegd. Iedere inschrijving moet worden onderteekend door den kapitein en de in het eerste lid genoemde schepelingen.

4. Eene boete, niet ingeschreven in het register, wordt geacht ten onrechte te zijn opgelegd.

5. De schepeling kan van de oplegging van boete in beroep komen bij den kantonrechter, binnen wiens gebied de zetel van het scheepsbedrijf is gelegen. Het derde lid van artikel 419 vindt overeenkomstige toepassing.

Uitbetaling loon aan echtgenote

Art. 425. 1. Gedurende den tijd, dat de schepeling in dienst van de zeewerkgever aan boord van een schip of in het buitenland verblijft, heeft zijne niet van tafel en bed gescheiden echtgenoote recht op uitbetaling, op den voet als in de volgende leden bepaald, van ten hoogste het twee derde gedeelte van het in geld vastgestelde loon, tot onderhoud van haar en hare wettige kinderen, die niet in staat zijn in hun onderhoud te voorzien.

2. De uitbetaling door de zeewerkgever geschiedt aan de echtgenoote tegen overlegging van eene met het oog op de laatste monstering afgegeven verklaring van haren man of beschikking van den kantonrechter harer woonplaats en wel voor het gedeelte van het aan den schepeling verschuldigde loon, in die verklaring of die beschikking genoemd. Wanneer eene onmiddellijke voorziening wordt vereischt, zal de kantonrechter aanstonds bepalen het gedeelte van het loon van den schepeling, op welks uitbetaling de echtgenoote voorloopig recht heeft tot onderhoud van haar en de kinderen in het eerste lid bedoeld.

Deze beschikking behoudt tegenover de zeewerkgever hare kracht gedurende eene maand na den dag harer dagteekening, voor zooveel hem niet voor den afloop vandien termijn de eindbeschikking van de kantonrechter is overgelegd.

3. Het gedeelte van het loon, op welks uitbetaling de echtgenoote recht heeft, wordt haar uitgekeerd op de tijdstippen voor de uitbetaling bepaald door de arbeidsovereenkomst of, bij stilzwijgen van deze, door het gebruik of de billijkheid, met dien verstande, dat, indien het loon naar tijdruimte is vastgesteld, de hierbedoelde uitbetaling uiterlijk telkens na eene maand geschiedt.

Voor uitbetaling aangewezen munteenheid

Art. 426. 1. De uitbetaling van het in geld vastgestelde deel van het in dienst aan boord van een schip verdiende loon moet geschieden in de munt, waarin het bij de arbeidsovereenkomst is uitgedrukt, of in de munt, gangbaar ter plaatse van de uitbetaling. De koers waartegen in het laatste geval de herleiding geschiedt, moet den schepeling schriftelijk worden medegedeeld.

2. Onverminderd het bepaalde in artikel 445, kan de schepeling, indien hij meent, dat de hem medegedeelde koers niet juist is, zich na afloop van de reis deswege wenden tot de voorzitter van de Kamer van Koophandel en Fabrieken te Rotterdam.

Tijdstippen van uitbetaling

Art. 427. 1. Behoudens het bepaalde in artikel 425 heeft de schepeling recht op uitbetaling van het in dienst aan boord van een schip verdiend loon:
1°. indien het naar tijdsruimte is vastgesteld, in iedere haven, welke het schip gedurende de reis aandoet, mits zeven dagen zijn verloopen sedert de laatste uitbetaling,
2°. indien het niet naar tijdruimte is vastgesteld, op de tijdstippen voor de uitbetaling bepaald door de arbeidsovereenkomst of, bij haar stilzwijgen, door het gebruik of de billijkheid.

2. Zoolang de reis niet is geëindigd, is de zeewerkgever niet verplicht in het geheel meer dan 5/6 deel van het loon uit te betalen.

3. De uitbetaling van het in het eerste lid onder 1°. bedoelde loon geschiedt uiterlijk op den dag volgende op dien van de aankomst, de in artikel 354 bedoelde dagen niet medegerekend, doch in ieder geval voor het vertrek uit de haven.

Afstand van loon

Art. 428. De schepeling kan zijn recht op het in geld vastgestelde deel van zijn in dienst aan boord van een schip verdiend loon, voor zoover dit te zijner beschikking is, alleen afstaan, in pand geven daaronder begrepen, ten behoeve van zijne echtgenoote voor ten hoogste één derde, van zijne kinderen, de verzorgers zijner kinderen en zijne ouders voor ten hoogste de helft, en van andere bloedverwanten tot den vierden graad en van aanverwanten tot denzelfden graad voor ten hoogste één derde; alles met dien verstande, dat het bedrag van hetgeen hij afstaat, gevoegd bij het ingevolge artikel 425 aan de echtgenoote uit te betalen bedrag, twee derde gedeelte van het geheel in geld vastgestelde loon niet mag overtreffen.

Boeten en schadeloosstelling

Art. 429. 1. De boeten en de schadeloosstelling bedoeld in de artikelen 423 en 438 zijn bevoorrecht op het in geld vastgestelde deel van het loon van den schepeling, hetwelk tot het bedrag daarvan kan worden ingehouden.

2. Boete en schadeloosstelling komen in de eerste plaats ten laste van het deel van het loon, dat aan den schepeling persoonlijk moet worden uitbetaald.

3. Op het gedeelte van het loon, ten aanzien waarvan volgens artikel 1638r van het Burgerlijk Wetboek schuldvergelijking door de zeewerkgever voor het einde der dienstbetrekking is toegelaten, wordt hetgeen aan boeten, als hier bedoeld, is ingehouden in mindering gebracht.

Art. 430. Vervallen.

Einde dienstbetrekking

Art. 431. De dienstbetrekking, voor bepaalde tijd aangegaan of voortgezet, eindigt in de eerste haven, welke het schip aandoet nadat die tijd is verstreken en, voorzoveel nodig, opzegging heeft plaats gevonden.

Art. 432. 1. De dienstbetrekking, aangegaan bij de reis, eindigt als de reis of de reizen, waarvoor zij is aangegaan, is of zijn afgeloopen.
2. Evenwel kan de schepeling, na verloop van anderhalf jaar, de dienstbetrekking door opzegging doen eindigen in iedere haven, welke het schip daarna aandoet. Bij de opzegging moet hij den termijn in acht nemen, welke redelijkerwijze noodig is voor zijne vervanging in die haven.

Art. 433. 1. Indien is overeengekomen, dat de dienstbetrekking zal eindigen bij terugkomst van het schip in eene met name genoemde Nederlandsche haven, is de zeewerkgever bevoegd haar te doen eindigen in eene haven, van waaruit de genoemde Nederlandsche haven, anders dan met een luchtvaartuig, binnen vier en twintig uur kan worden bereikt.
2. Is de Nederlandsche haven, waarop het schip zal terugkomen, niet met name genoemd, dan is de zeewerkgever bevoegd de dienstbetrekking te doen eindigen in eene haven in het buitenland van waaruit Amsterdam of Rotterdam op de in het eerste lid bedoelde wijze kan worden bereikt.
3. Behalve de reiskosten heeft de zeewerkgever den schepeling voor de dagen nà de beëindiging van de dienstbetrekking tot den dag, volgende op dien, waarop deze ter plaatse had kunnen aankomen, loon te betalen op den voet van het in de arbeidsovereenkomst naar tijdruimte in geld vastgesteld deel van het loon, alsmede de kosten van onderhoud en zoo noodig van nachtverblijf.

Art. 434. 1. De dienstbetrekking, aangegaan voor onbepaalden tijd, kan ieder der partijen gedurende den tijd, dat de schepeling in dienst is aan boord van een schip, door opzegging, met inachtneming van den daarvoor gestelden termijn, doen eindigen in iedere haven, waar het schip laadt of lost. Tenzij een langere termijn van opzegging is overeengekomen of uit de wet voortvloeit, bedraagt deze vier en twintig uren. De opzegging geschiedt schriftelijk.
2. De opzeggingstermijn mag voor de zeewerkgever niet korter worden gesteld dan voor den schepeling.
3. Dit artikel is mede van toepassing als de zeewerkgever overlijdt gedurende den tijd, dat de schepeling in dienst is aan boord van een schip, en hetzij de erfgenamen van de zeewerkgever hetzij de schepeling gebruik willen maken van de bevoegdheid hun gegeven in artikel 1639m van het Burgerlijk Wetboek.

Art. 435. Gedurende eene reis van het schip, waarop de schepeling in dienst is, kan een der partijen de dienstbetrekking overeenkomstig het bepaalde in artikel 1639o, eerste lid van het Burgerlijk Wetboek alleen doen eindigen tegen het tijdstip, op hetwelk het schip zich in eene haven bevindt.

Dringende redenen voor zeewerkgever

Art. 436. Behalve in de gevallen, genoemd in het tweede lid van artikel 1639p van het Burgerlijk Wetboek, zullen voor de zeewerkgever dringende redenen onder andere aanwezig geacht kunnen worden:
1°. wanneer de schepeling den kapitein of een opvarende van het schip mishandelt, grovelijk beleedigt of op ernstige wijze bedreigt of hem verleidt of tracht te verleiden tot handelingen strijdig met de wetten of de goede zeden;
2°. wanneer, na den aanvang der dienstbetrekking, de schepeling zich niet op den door de zeewerkgever aangegeven tijd doet monsteren of, na de monstering, aan boord van het schip aanmeldt;
3°. wanneer den schepeling hetzij tijdelijk, hetzij voor goed de bevoegdheid wordt ontnomen, op een schip dienst te doen in de hoedanigheid, waarin hij zich heeft verbonden dienst te doen;
4°. wanneer de schepeling, buiten weten van de zeewerkgever of den kapitein, smokkelwaren aan boord heeft gebracht of daar onder zijne berusting heeft.

Dringende redenen voor schepeling

Art. 437. Behalve in de gevallen, genoemd in het tweede lid van artikel 1639q van het Burgerlijk Wetboek, zullen voor den schepeling dringende redenen onder andere aanwezig geacht kunnen worden:
1°. wanneer de zeewerkgever hem orders geeft, welke in strijd zijn met de arbeidsovereenkomst of met verplichtingen, welke de wet den schepeling oplegt;
2°. wanneer de zeewerkgever het schip bestemt naar eene haven van een land, dat in

een zee-oorlog is gewikkeld, of naar eene haven welke is geblokkeerd, tenzij de arbeidsovereenkomst dit uitdrukkelijk voorziet en is gesloten nà het uitbreken van den oorlog of nà het afkondigen van de blokkade;
3°. wanneer in het geval van artikel 367 de zeewerkgever orders geeft te vertrekken naar eene vijandelijke haven;
4°. wanneer de zeewerkgever het schip gebruikt of laat gebruiken voor slavenhandel, zeeroof, strafbare kaapvaart of het vervoer van goederen waarvan de invoer verboden is in het land van bestemming;
5°. wanneer de zeewerkgever het schip bestemt voor vervoer van contrabande, tenzij de arbeidsovereenkomst dit uitdrukkelijk voorziet en is gesloten nà het uitbreken van den oorlog;
6°. wanneer voor hem aan boord gevaar voor mishandeling van de zijde van den kapitein of van een opvarende dreigt;
7°. wanneer het logies aan boord in een toestand verkeert, welke schadelijk is voor de gezondheid der bemanning;
8°. wanneer hem de voeding, waarop hij recht heeft, niet of niet in deugdelijken toestand wordt verstrekt, of wanneer de zeewerkgever handelt in strijd met het bepaalde bij het tweede lid van artikel 407;
9°. wanneer het schip het recht verliest de Nederlandsche vlag te voeren;
10°. wanneer de arbeidsovereenkomst is aangegaan voor een of meer bepaalde reizen en de zeewerkgever het schip andere reizen laat maken.

Bedrag schadeloosstelling

Art. 438. 1. Indien de dienstbetrekking wordt beëindigd gedurende eene reis van het schip, is de schadeloosstelling, bedoeld in het eerste lid van artikel 1639r van het Burgerlijk Wetboek, bij eene dienstbetrekking voor een bepaalden tijd aangegaan, gelijk aan het bedrag van het voor den dienst aan boord van een schip in geld vastgestelde loon voor den tijd, dat de dienstbetrekking volgens de overeenkomst of de wet had behooren voort te duren, doch niet langer dan drie maanden. Hetzelfde geldt wanneer de dienstbetrekking bij de reis is aangegaan.
2. Bij eene dienstbetrekking, voor een onbepaalden tijd aangegaan, is de schadeloosstelling ten minste gelijk aan het bedrag van het voor den dienst aan boord van een schip in geld vastgestelde loon voor één maand.

Ontbinding wegens gewichtige redenen

Art. 439. 1. Ieder der partijen is te allen tijde, ook vóórdat de dienstbetrekking is aangevangen, bevoegd zich wegens gewichtige redenen te wenden tot den kantonrechter, binnen wiens gebied de plaats van haar werkelijk verblijf gelegen is, of het schip zich bevindt, of in het Koninkrijk buiten Europa tot het bevoegde gezag of buiten het Koninkrijk tot den het eerst te bereiken Nederlandschen diplomatieken of bezoldigden consulairen ambtenaar, met het verzoek de arbeidsovereenkomst ontbonden te verklaren.
2. Als gewichtige redenen worden, behalve die genoemd in het tweede lid van artikel 1639w van het Burgerlijk Wetboek, ook beschouwd omstandigheden, na den aanvang van den dienst aan boord aan den verzoeker gebleken of na dien opgekomen, waardoor de voortzetting van de reis, waarop het schip zich bevindt, hem aan onvoorzien, groot levensgevaar zou blootstellen.
3. Indien het den schepeling mogelijk is eene hoogere betrekking te verkrijgen, is hij steeds bevoegd het in het eerste lid bedoelde verzoek te doen, mits hij zorgt voor zijn vervanging zonder nieuwe kosten voor de zeewerkgever en te diens genoegen.

Einde dienstbetrekking door overmacht

Art. 440. 1. Indien de dienstbetrekking is aangegaan bij de reis en tengevolge van een maatregel van hooger hand of van andere overmacht de reis niet wordt aangevangen of, nadat zij is aangevangen, wordt gestaakt, neemt de dienstbetrekking een einde. De schepeling heeft in het laatstbedoelde geval recht op het naar tijdruimte in geld vastgestelde loon, totdat hij in Nederland kan zijn teruggekomen of totdat hij eerder werk heeft gevonden. In geval van geschil wordt het bedrag van het loon vastgesteld door de kantonrechter binnen wiens gebied de zetel van het scheepsbedrijf is gelegen.
2. Indien de schepeling zich heeft verbonden uitsluitend aan boord van een bepaald schip dienst te doen en dit schip vergaat, geldt het in het eerste lid bepaalde ook al is de dienstbetrekking niet bij de reis aangegaan.

Hoger loon bij verlenging reis

Art. 441. Voor zoover het in geld uitgedrukte deel van het loon is vastgesteld bij de reis, heeft de schepeling recht op eene evenredige verhooging van het loon, wanneer de reis door toedoen van de zeewerkgever, door molest of door verblijf in eene noodhaven of eene andere soortgelijke reden in het belang van het schip de zaken aan boord daarvan wordt verlengd.

Einde dienstbetrekking door toedoen zeewerkgever

Art. 442. Indien de dienstbetrekking is aangegaan bij de reis en de reis door toedoen van de zeewerkgever niet wordt aangevangen of, nadat zij is aangevangen, wordt gestaakt, neemt de dienstbetrekking een einde. De schepeling heeft alsdan het recht op de schadeloosstelling, bepaald in artikel 1639r van het Burgerlijk Wetboek in verband met artikel 438, eerste lid.

Recht op vrij vervoer

Art. 443. 1. Eindigt de dienstbetrekking in het buitenland, dan heeft de schepeling recht op vrij vervoer, indien hij Nederlander is, tot een haven in Nederland, indien hij niet Nederlander is, ter keuze van de zeewerkgever, tot de plaats waar de dienst aan boord van het schip is begonnen of tot een haven van het land waar hij thuis behoort, mits de schepeling zijn verlangen daartoe te kennen geeft uiterlijk op de dag volgende op die, waarop de dienstbetrekking eindigt, de in artikel 354 bedoelde dagen niet medegerekend, doch in ieder geval voor het vertrek van het schip. Echter heeft de schepeling dit recht niet, indien hij wegens de wijze, waarop de dienstbetrekking is beëindigd, schadeplichtig is geworden. Indien de arbeidsovereenkomst is ontbonden op verzoek van de schepeling op grond van gewichtige redenen, heeft hij dit recht slechts, indien de zeewerkgever schadeplichtig is geworden.

2. Onder het vrij vervoer zijn begrepen de kosten van onderhoud en nachtverblijf van het eindigen der dienstbetrekking tot de aankomst van den schepeling in de plaats zijner bestemming.

Aantekening beëindiging op monsterrol

Art. 444. Iedere beëindiging van den dienst aan boord van het schip wordt door den kapitein aangeteekend op de monsterrol.

Schriftelijke afrekening

Art. 445. 1. De zeewerkgever is verplicht bij het einde van den dienst aan boord aan den schepeling eene schriftelijke afrekening ter hand te stellen. Indien geschil ontstaat over de afrekening, kan de meest gerede partij zich wenden tot de kantonrechter binnen wiens gebied het schip is aangekomen of binnen wiens gebied de zetel van het scheepsbedrijf is gelegen, met het verzoek de afrekening te onderzoeken en vast te stellen.

2. Eindigt de dienst buiten Nederland, dan kan ieder der partijen, ter verkrijging van eene voorloopige beslissing, zich wenden, in het Koninkrijk buiten Europa, tot het bevoegde gezag, en buiten het Koninkrijk, tot den Nederlandschen diplomatieken of bezoldigden consulairen ambtenaar, die het eerst te bereiken is.

Medewerken aan scheepsverklaring

Art. 446. Na het eindigen der reis is de schepeling, wiens dienstbetrekking is afgeloopen, niettemin gedurende drie werkdagen gehouden op verlangen van den kapitein mede te werken tot het opmaken van eene scheepsverklaring.

Ophouden loonbetaling

Art. 447. De zeewerkgever verbeurt voor iederen dag, dat hij een officier of een scheepsgezel, gedurende of bij het einde van den dienst aan boord van een schip, zonder wettige reden, ophoudt in het verkrijgen van het in geld vastgestelde deel van zijn loon, ten behoeve van den officier drie gulden en ten behoeve van den scheepsgezel een gulden vijftig cent.

Meewerken aan berging schip en lading

Art. 448. 1. De schepelingen zijn verplicht aan het behoud van het schip en de zaken aan boord mede te werken. Zij hebben recht op buitengewone belooning voor de dagen, gedurende welke zij werkzaam zijn geweest.

2. In geval van geschil wordt de belooning vastgesteld door den kantonrechter, binnen wiens gebied de werkzaamheden tot behoud hebben plaats gehad. In het Koninkrijk buiten Europa geschiedt de vaststelling door het bevoegde gezag en buiten het Koninkrijk door den Nederlandschen diplomatieken of bezoldigden consulairen ambtenaar, die het eerst te bereiken is.

Aandeel in sleeploon

Art. 449. 1. Indien een schip, dat tot het verrichten van sleepdienst niet is bestemd, aan een ander in open zee aangetroffen schip sleepdienst bewijst onder omstandigheden welke niet aanspraak geven op hulploon, hebben niettemin de schepelingen recht op een aandeel in het sleeploon. De zeewerkgever is verplicht iederen schepeling vóór de uitbetaling desverlangd het bedrag van het sleeploon en de verdeeling daarvan schriftelijk mede te deelen.

2. Het aandeel van de schepelingen in het sleeploon wordt, in geval van geschil, door de kantonrechter binnen wiens gebied het schip is aangekomen of binnen wiens gebied de zetel van het scheepsbedrijf is gelegen, naar billijkheid vastgesteld.

Schadeloosstelling schepeling bij schipbreuk

Art. 450. 1. In geval van verlies van het schip door schipbreuk, is de zeewerkgever verplicht aan den schepeling, zoolang hij dientengevolge werkloos is, doch ten hoogste gedurende twee maanden, eene schadeloosstelling te betalen tot een bedrag gelijk aan het bij de arbeidsovereenkomst in geld vastgestelde deel van het loon. Is het loon geheel of voor een deel niet naar tijdruimte vastgesteld, dan is een bedrag verschuldigd gelijk aan het loon, dat volgens het gebruik wegens eene reis als die waarop het schip is verloren gegaan, bij vaststelling van het geheele loon naar tijdruimte, wordt betaald.

In geval van geschil beslist de kantonrechter binnen wiens gebied de zetel van het scheepsbedrijf is gelegen.

2. Voor zoover de schepeling krachtens het bepaalde in artikel 440 recht heeft op loon, komt dit loon in mindering van de hierbedoelde schadeloosstelling.

3. De vordering tot schadeloosstelling is bevoorrecht op alle de roerende en onroerende goederen van den zeewerkgever; het voorrecht staat in rang gelijk met dat bedoeld in artikel 288 onder e van Boek 3 van het Burgerlijk Wetboek.

4. De zeewerkgever, die vermeent, dat een of meer van de schepelingen ten aanzien van de schipbreuk grove schuld treft, kan zich wenden tot den kantonrechter met verzoek zijne in het eerste lid bedoelde verplichting tegenover bepaalde schepelingen op te schorten, totdat de Raad voor de scheepvaart omtrent de oorzaak van de ramp uitspraak heeft gedaan. De kantonrechter kan naar aanleiding van de uitspraak van den Raad voor de scheepvaart de zeewerkgever voor goed van zijne verplichting ontheffen.

Verschaffen betrekking i.p.v. vrij vervoer

Art. 450a. 1. De zeewerkgever, die verplicht is tot vrij vervoer van den schepeling naar eene haven, heeft het recht zich van die verplichting te kwijten, door hem, mits hij tot werken in staat is, aan boord van een naar die haven bestemd schip eene betrekking te verschaffen, overeenkomstig die, welke hij in dienst van de zeewerkgever bekleedde.

2. Een Nederlandsch schepeling kan verlangen, dat de betrekking hem aan boord van een Nederlandsch schip wordt verschaft.

3. Geschillen over de uitvoering dezer bepaling beslist in het Koninkrijk buiten Europa het bevoegde gezag en buiten het Koninkrijk de Nederlandsche diplomatieke of bezoldigde consulaire ambtenaar.

Uitkering bij verlies uitrusting door ramp

Art. 450aa. 1. Bij verlies van de gehele uitrusting van de schepeling door een ramp aan het schip overkomen, heeft de schepeling, die niet bij die gebeurtenis het leven verliest, aanspraak op een uitkering ineens en heeft, indien de schepeling bij die gebeurtenis het leven verliest, de overlevende echtgenoot of hebben, bij ontstentenis van deze, de gezamenlijke kinderen, of, bij ontstentenis van dezen, de ouders recht op een uitkering ineens. Onder verlies van de gehele uitrusting wordt verstaan, dat niets is gered dan hetgeen de schepeling op of bij zich draagt.

2. Bij algemene maatregel van bestuur wordt voor de verschillende groepen van schepelingen het bedrag van de in het vorige lid bedoelde uitkering bepaald.

3. Bij verlies van een gedeelte van de uitrusting van de schepeling door een ramp aan het schip overkomen, bestaat een gelijke aanspraak als bedoeld in het eerste lid, met dien verstande, dat het bedrag van de uitkering wordt gesteld op de geldswaarde van het verloren gegane deel van de uitrusting tot ten hoogste het krachtens het tweede lid bepaalde bedrag.

Niet-toepasselijkheid artt. B.W.

Art. 450b. De artikelen 1637j t/m 1637m, 1637p, 1637r, 1637u, 1638b, 1638c, lid 3 t/m 7, 1638h, 1638l t/m 1638q, 1638t t/m 1638x, 1639n, 1639u en 1639v van het Burgerlijk Wetboek vinden geen toepassing ten aanzien van den dienst van den schepeling aan boord van een schip.

Dwingend recht

Art. 450c. 1. Bij overeenkomst kunnen partijen niet afwijken van het bepaalde in de artikelen 398 t/m 401, 407, 408, 413, 416 t/m 419, 421 t/m 426, 428, 439, eerste en tweede lid, 445, 448 en 449, noch ook ten nadeele van den schepeling van het bepaalde in de artikelen 402, 414, 415 t/m 415h, 420, 427, 432 t/m 434, 438, 439, laatste lid, 440 t/m 443, 447, 450, 450a en 450aa.

2. Zij mogen in de arbeidsovereenkomst geen bepalingen opnemen, welke afwijken van de wettelijke regels betreffende de bevoegdheid des rechters kennis te

nemen van geschillen betrekkelijk deze overeenkomst, onverminderd de mogelijkheid zich te verbinden om geschillen aan de uitspraak van scheidslieden te onderwerpen.

Beschikkingen van kantonrechter

Art. 450d. 1. Eene beschikking ingevolge de artikelen 415, derde lid, 424, laatste lid, 439, 445, 448, 449 en 450 geeft de kantonrechter niet dan na verhoor of behoorlijke oproeping van partijen. De oproeping geschiedt door den griffier op de wijze, bij algemeenen maatregel van bestuur te bepalen. Bij de oproeping van de wederpartij wordt een afschrift van het verzoekschrift gevoegd.

2. In de gevallen van de artikelen 415, derde lid, 424, laatste lid, 445, 448, 449 en 450 kan de beschikking worden gegeven in den vorm bij artikel 430 van het Wetboek van Burgerlijke Rechtsvordering bepaald.

§ 3. *Van de monsterrol en het monsterboekje*

Opmaken monsterrol

Art. 451. 1. Alvorens te vertrekken, is de kapitein verplicht tot het opmaken van de monsterrol. De monsterrol is een staat, houdende de namen van de kapitein en van de schepelingen en de hoedanigheid waarin iedere schepeling aan boord dienst doet. De monsterrol vermeldt bovendien de naam van het schip, de met het schip te maken zeereis of zeereizen, de naam van de zeewerkgever, en wie van de schepelingen de rang van officier zullen hebben. Nadat de monsterrol voor de eerste maal is opgemaakt, wordt zij vervolgens ten minste eenmaal per twaalf maanden opnieuw opgemaakt. Na een tussentijdse wijziging van de gegevens, bedoeld in de tweede en derde volzin, wordt de monsterrol binnen 24 uur bijgesteld.

2. De monsterrol wordt, na te zijn opgemaakt of bijgesteld, ondertekend door of namens de zeewerkgever, door de kapitein en door de desbetreffende schepelingen. De kapitein dient de monsterrol aan boord te houden. Een afschrift van de monsterrol zendt de kapitein binnen 24 uur aan het Hoofd van de Scheepvaartinspectie.

3. Nietig zijn bepalingen in de monsterrol, welke afwijken van de met een schepeling gesloten arbeidsovereenkomst op welke deze aanvullen.

Overleggen arbeidsovereenkomsten

Art. 451a. 1. Bij het opmaken van de monsterrol is de zeewerkgever verplicht de met de schepelingen gesloten arbeidsovereenkomsten aan de kapitein over te leggen.

2. Deze vergewist zich ervan dat de inhoud van de arbeidsovereenkomsten door de schepelingen is begrepen en dat de overeenkomsten door partijen zijn ondertekend. Hij neemt daaromtrent een verklaring in de monsterrol op.

3. Door de kapitein gewaarmerkte afschriften van de arbeidsovereenkomsten welke daartoe door de zeewerkgever ter beschikking van de kapitein worden gesteld, worden als bijlagen gevoegd bij het exemplaar van de monsterrol dat aan boord blijft. Iedere schepeling moet aan boord in de gelegenheid worden gesteld van de hem betreffende arbeidsovereenkomst inzage te nemen.

4. Het in het eerste en het derde lid bepaalde geldt mede voor de collectieve arbeidsovereenkomsten op de grondslag waarvan een of meer arbeidsovereenkomsten met de in de monsterrol genoemde schepelingen zijn gesloten.

Monsterboekje

Art. 451b. 1. Ten behoeve van de monstering geeft het Hoofd van de Scheepvaartinspectie op verzoek aan een ieder die voldoet aan bij algemene maatregel van bestuur te stellen regels, een monsterboekje af.

2. Het boekje bevat gegevens over de persoon van de houder.
Het monsterboekje heeft een geldigheidsduur van 10 jaar.

Opmaken van de monsterrol

Art. 451c. 1. Bij het opmaken van de monsterrol dient de een geldig monsterboekje over te leggen, een geldige geneeskundige verklaring van geschiktheid voor de zeevaart als bedoeld in artikel 451d alsmede, indien van toepassing, een door het Hoofd van de Scheepvaartinspectie afgegeven geldige verklaring, betreffende geschiktheid en bekwaamheid als bedoeld in het Internationaal Verdrag betreffende de normen voor zeevarenden inzake opleiding, diplomering en wachtdienst, 1978, met Bijlage (Trb. 1981, 144), dan wel indien het een monstering ter zeevisserij betreft, de diploma's die hij bezit.

2. De kapitein moet, alvorens hij de monsterrol ondertekent, in het bezit zijn van een geldig monsterboekje en een geldige geneeskundige verklaring van geschiktheid voor de zeevaart, welke op dezelfde wijze wordt afgegeven en aan dezelfde eisen moet voldoen als de verklaring, bedoeld in artikel 451d, alsmede een door het Hoofd

van de Scheepvaartinspectie afgegeven geldige verklaring, betreffende geschiktheid en bekwaamheid als bedoeld in het eerste lid, dan wel indien het een monstering ter zeevisserij betreft, de diploma's die hij bezit.

Art. 451d. 1. Geneeskundige verklaringen van geschiktheid voor de zeevaart worden afgegeven door geneeskundigen, door het Hoofd van de Scheepvaartinspectie daartoe aangewezen en vaststellende, dat de schepeling uit geneeskundig oogpunt geschikt is tot het verrichten van de werkzaamheden aan boord waartoe hij zich wenst te verbinden en dat zijn tegenwoordigheid aan boord geen gevaar voor de gezondheid van de overige opvarenden zal opleveren.

Geneeskundige verklaring

2. De zeewerkgever draagt de kosten van het geneeskundig onderzoek volgens een bij of krachtens de in artikel 451i bedoelde algemene maatregel van bestuur vast te stellen tarief.

Art. 451e. 1. Na de monstering blijft het monsterboekje in handen van de kapitein; deze geeft het de schepeling terug bij het einde van de dienst aan boord van het schip.

Monsterboekje blijft bij kapitein

2. De kapitein vermeldt in het boekje den datum waarop en de plaats waar de dienst aan boord van het schip is geëindigd.

3. Indien de kapitein het monsterboekje niet kan teruggeven aan de schepeling, doet hij het toekomen aan de zeewerkgever die het, onder vermelding van de reden waarom het niet aan de schepeling is teruggegeven, zendt aan het Hoofd van de Scheepvaartinspectie.

4. De Raad voor de scheepvaart kan, op verzoek van de zeewerkgever, het Hoofd van de Scheepvaartinspectie gehoord, het monsterboekje gedurende de tijd van ten hoogste een jaar inhouden, ingeval de schepeling de arbeidsovereenkomst heeft doen eindigen en deswege schadeplichtig is geworden. De schepeling wordt vooraf opgeroepen om te worden gehoord; hij kan ook verschijnen bij een bijzonder gemachtigde of vergezeld van een raadsman.

5. De bevoegdheid van de zeewerkgever tot het doen van het verzoek vervalt door verloop van één maand na het eindigen van de arbeidsovereenkomst in eene Nederlandsche haven en van zes maanden na het eindigen dier overeenkomst in het buitenland.

Art. 451f. Het monsterboekje mag het loon niet noemen en gedragsbeoordeelingen niet bevatten.

Verboden vermeldingen

Art. 451g. 1. Indien de schepeling van meening is, dat de kapitein in zijn monsterboekje onjuiste feiten heeft vermeld, kan hij zich daarover beklagen bij den Raad voor de scheepvaart. Deze beslist, het Hoofd van de Scheepvaartinspectie gehoord hebbend, na verhoor of behoorlijke oproeping van de kapitein en brengt de door hem nodig geachte verbetering in het boekje aan.

Beklag door schepeling

2. Het laatste lid van artikel 451e vindt overeenkomstige toepassing.

Art. 451h. Er is een Centraal Register Bemanningsgegevens, waarin door het Hoofd van de Scheepvaartinspectie de hem toegezonden monsterrollen worden geregistreerd, alsmede de afgegeven monsterboekjes.

Aan te houden registers

Art. 451i. Bij of krachtens algemene maatregel van bestuur worden nadere regels gesteld met betrekking tot de monsterrol en het monsterboekje, daaronder begrepen het inrichten en het bijhouden van het in artikel 451h bedoelde register, met betrekking tot de in artikel 451d genoemde geneeskundige verklaring van geschiktheid voor de zeevaart en met betrekking tot de vergoeding van kosten in verband met de afgifte van monsterrollen en de afgifte van monsterboekjes.

Regeling bij AMvB

Art. 451j. Onze Minister van Verkeer en Waterstaat kan van de verplichting, bedoeld in artikel 451, ten behoeve van bepaalde categorieën van schepen vrijstelling verlenen. Deze vrijstelling wordt gepubliceerd in de Nederlandse Staatscourant.

Aan een vrijstelling als bedoeld in het eerste lid kunnen voorschriften worden verbonden.

§ 4. Van de schepelingen ter visscherij

Art. 452. 1. Zeevisserij is de vaart ter bedrijfsmatige uitoefening der visserij buitengaats.

Niet toepasselijkheid bij kustvisserij

2. Schepeling ter zeevisserij is de persoon die een schriftelijke arbeidsovereenkomst met de zeewerkgever of een schriftelijke maatschapsovereenkomst heeft aangegaan in het kader van de zeevisserij, uitgezonderd de kapitein.
3. De bepalingen van de tweede en de derde paragraaf van dezen titel vinden geen toepassing ten aanzien van de schepelingen ter kustvisscherij.
De arbeidsovereenkomsten van deze schepelingen worden uitsluitend geregeld door de bepalingen van het Burgerlijk Wetboek.

§ 5. Van de schepelingen ter zeevisserij die een arbeidsovereenkomst met de zeewerkgever hebben gesloten

Toepasselijkheid bij zeevisserij

Art. 452a. Ten aanzien van de schepelingen ter zeevisserij die een arbeidsovereenkomst met de zeewerkgever hebben gesloten vinden de bepalingen van dezen titel toepassing, voorzoover daarvan in de volgende artikelen niet is afgeweken.

Art. 452b. Op de arbeidsovereenkomst tusschen zeewerkgever en een schepeling ter zeevisscherij blijft het bepaalde bij artikel 400 onder 7°, buiten toepassing.

Art. 452c. Op de in het vorige artikel bedoelde overeenkomst is artikel 402 van toepassing, behoudens dat het dagverblijf kan worden vervangen door het volkslogies.

Art. 452d. Het bij artikel 407 omtrent de voeding bepaalde geldt ten aanzien van schepelingen ter zeevisscherij alleen, wanneer de zeewerkgever de zorg voor de voeding bij de arbeidsovereenkomst uitdrukkelijk op zich heeft genomen.

Art. 452e. De artikelen 409 en 410 gelden niet ten aanzien van schepelingen ter zeevisscherij.

Art. 452f. 1. Artikel 413 geldt ten aanzien van schepelingen ter zeevisscherij met deze aanvulling, dat het in geld vastgesteld loon voorzoover het afhankelijk is van de opbrengst der vangst in de arbeidsovereenkomst moet worden begroot op zijn vermoedelijk bedrag naar tijdruimte; bij de toepassing van de artikelen 425, 428, 438 en 450 wordt dergelijk loon berekend naar deze begrooting.
2. De schepeling heeft geen aanspraak tegen de zeewerkgever op grond dat krachtens artikel 425 of 428 ingevolge de begrooting aan een derde meer is uitbetaald dan strookt met het loon, dat tenslotte aan den schepeling verschuldigd blijkt te zijn.

Art. 452g. Artikel 414 geldt niet ten aanzien van schepelingen ter zeevisscherij.

Art. 452h. Voor de toepassing van de artikelen 415, 415a en 415g geldt als loon van de schepelingen ter zeevisserij het voor hen bij algemene maatregel van bestuur vast gestelde bedrag, indien het werkelijke loon afhankelijk is van de vangst of de opbrengst daarvan.

Art. 452i. Artikel 417 geldt ten aanzien van schepelingen ter zeevisscherij, behoudens dat deze alleen in de eerste Nederlandsche haven, welke het schip aandoet, de tusschenkomst van den kantonrechter kunnen inroepen.

Art. 452j. Artikel 421 geldt ten aanzien van schepelingen ter zeevisscherij, behoudens, dat de kapitein kan volstaan met vermelding van de reden van weigering van een gevraagd verlof in het dagboek.

Art. 452k. De artikelen 423 en 424 gelden niet ten aanzien van schepelingen ter zeevisscherij.

Art. 452l. Artikel 425 geldt ten aanzien van schepelingen ter zeevisscherij, behoudens dat de uitbetaling aan de echtgenoote steeds wekelijks moet geschieden.

Art. 452m. Artikel 427 geldt niet ten aanzien van schepelingen ter zeevisscherij.

Art. 452n. Artikel 439 vindt toepassing op de arbeidsovereenkomsten tusschen zeewerkgever en schepelingen ter zeevisscherij, behoudens dat ieder der partijen zich uitsluitend kan wenden tot den daar bedoelden kantonrechter.

Art. 452o. 1. Artikel 450 geldt voor den zeewerkgever en de schepelingen ter zeevisscherij, behoudens dat de schadeloosstelling is beperkt tot twee derde van het bij de overeenkomst in geld vastgestelde deel van het loon.

2. Ten aanzien van schepen, welke uitsluitend de seizoenvisscherij uitoefenen, bepalen Wij telken jare op welken dag het seizoen geacht wordt te eindigen. De zeewerkgever van zoodanig schip is in geen geval verplicht de uitbetaling langer te doen dan tot het einde van het seizoen.

Art. 452p. Ten aanzien van den dienst aan boord van den schepeling ter zeevisscherij vinden de artikelen 1637j t/m 1637m, 1637p, 1637r, 1638b, 1638c, lid 3 t/m 7, 1638h, 1638p, 1638q, 1638t t/m 1638x, 1639n, 1639u en 1639v van het Burgerlijk Wetboek geen toepassing.

§ 6. Van de kapitein en de schepelingen ter zeevisserij die een maatschapsovereenkomst hebben gesloten

Maatschapsovereenkomst schriftelijk aangaan anders nietig

Art. 452q. 1. De maatschapsovereenkomst moet, op straffe van nietigheid, schriftelijk worden aangegaan. In de maatschapsovereenkomst wordt bepaald, wie van de maten de kapitein zal zijn.

2. Artikel 400, onder 1°-4°, onder 5°, met dien verstande dat in plaats van „waarin de schepeling in dienst zal treden" wordt gelezen: waarin de maat op het schip werkzaam zal zijn en onder 6°, zomede artikel 401, eerste lid, zijn van overeenkomstige toepassing.

3. De overeenkomst moet een regeling bevatten omtrent de wijze waarop ieders aandeel in de opbrengst van de maatschap (besomming) zal worden bepaald.

Wijzen van beëindiging

4. Tevens moet de maatschapsovereenkomst behelzen de wijze van haar beëindiging, namelijk:
a. indien de overeenkomst voor bepaalde tijd wordt aangegaan, de inhoud van artikel 434, eerste lid, met dien verstande dat daarin in plaats van „dienstbetrekking" wordt gelezen: maatschapsverhouding;
b. indien de overeenkomst voor bepaalde tijd wordt aangegaan, de dag waarop de overeenkomst eindigt met vermelding van de inhoud van artikel 431 met dien verstande dat in plaats van „dienstbetrekking" wordt gelezen: maatschapsverhouding;
c. indien de overeenkomst bij de reis wordt aangegaan, de haven overeengekomen voor de beëindiging van de maatschapsverhouding met vermelding van de inhoud van artikel 432, tweede lid, met dien verstande dat daarin in plaats van „dienstbetrekking" gelezen wordt: maatschapsverhouding en, indien de haven een Nederlandse haven is, met vermelding van de inhoud van het eerste of tweede lid van artikel 433, naar gelang de haven al of niet met name is genoemd, met dien verstande dat in dat artikel in plaats van „dienstbetrekking" gelezen wordt: maatschapsverhouding en in plaats van „zeewerkgever" elke vennoot.

5. Nietig is een beding waarbij een maat wordt beperkt in zijn vrijheid, na het einde van de maatschapsovereenkomst, arbeid te verrichten.

Kapitein vertegenwoordigt maatschap buitengaats

Art. 452r. 1. Vanaf het ogenblik dat de kapitein het schip buitengaats brengt tot aan het ogenblik dat het schip in Nederland weer binnengaats wordt gebracht, is de kapitein bevoegd om als vertegenwoordiger van een maatschap op te treden.

2. Ten aanzien van de maatschapskapitein zijn de artikelen 364 en 375 tot en met 392 niet van toepassing.

Schepelingendienst

Art. 452s. Schepelingendienst mag uitsluitend worden verricht door hen die in de monsterrol zijn genoemd.

Art. 452t. Van overeenkomstige toepassing zijn de artikelen 405, 407, eerste-zesde lid, voorzover het de verblijven, de kombuis en andere ruimten voor de voeding betreft, met dien verstande dat in artikel 407, eerste lid, voor „zeewerkgever" wordt gelezen: eigenaar, de artikelen 411, 412 en 416, met dien verstande dat in het laatstgenoemd artikel voor „in dienst van de zeewerkgever" moet worden gelezen: deel uitmakend van de maatschap, en voor „zeewerkgever": maatschap.

Art. 452u. De artiken 444 en 451-451i zijn van overeenkomstige toepassing met dien verstande dat in de artikelen 451, 451a en 451e in plaats van „zeewerkgever" wordt gelezen: eigenaar, of ingeval van rompbevrachting: rompbevrachter, en in artikel 451d: maatschap, dat in plaats van „arbeidsovereenkomst" wordt gelezen:

maatschapsovereenkomst en dat in plaats van „loon” wordt gelezen: aandeel in de besomming.

Medewerking schepeling scheepsverklaring

Art. 452v. Na het eindigen van een reis is de schepeling gedurende drie werkdagen gehouden op verlangen van de kapitein mede te werken tot het opmaken van een scheepsverklaring.

Artikelen 452q, 407, eerste-zesde lid, 411, 412 en 416 dwingend recht

Art. 452w. Bij overeenkomst kunnen partijen niet afwijken van het bepaalde in artikel 452q en de in artikel 452t genoemde artikelen 407, eerste-zesde lid, 411, 412 en 416.

VIJFDE TITEL
Van vervrachting en bevrachting van schepen

Artt. 453 t/m 465. Vervallen bij de wet van 29 mei 1990, Stb. 379.

VIJFDE TITEL A
Van het vervoer der goederen

Artt. 466 t/m 517x. Vervallen bij de wet van 29 mei 1990, Stb. 379.

Art. 517ij. Vervallen.

Artt. 517z t/m 518f. Vervallen bij de wet van 29 mei 1990, Stb. 379.

Art. 518g. Vervallen bij de wet van 18 maart 1993, Stb. 168.

Artt. 518h. t/m 520e. Vervallen bij de wet van 29 mei 1990, Stb. 379.

Art. 520f. Vervallen bij de wet van 18 maart 1993, Stb. 168.

Artt. 520g t/m 520t. Vervallen bij de wet van 29 mei 1990, Stb. 379.

VIJFDE TITEL B
Van het vervoer van personen

Artt. 521 tm 533b. Vervallen bij de wet van 29 mei 1990, Stb. 379.

Art. 533c. Vervallen bij de wet van 18 maart 1993, Stb. 168.

Artt. 533d t/m 533m. bis. Vervallen bij de wet van 29 mei 1990, Stb. 379.

Artt. 533n, 533o. Vervallen bij de wet van 29 mei 1990, Stb. 379.

Art. 533p. Vervallen bij de wet van 18 maart 1993. Stb. 168.

Artt. 533q t/m 533u. Vervallen bij de wet van 29 mei 1990, Stb. 379.

Artt. 533v t/m 533z. Vervallen bij de wet van 29 mei 1990, Stb. 379.

ZESDE TITEL
Van aanvaring

Artt. 534 t/m 544a. Vervallen bij de wet van 29 mei 1990, Stb. 379.

ZEVENDE TITEL
Van hulp en berging

Artt. 545 t/m 576. Vervallen bij de wet van 29 mei 1990, Stb. 379.

ACHTSTE TITEL
Van bodemerij

Art. 577 t/m 591. Vervallen.

NEGENDE TITEL
Van verzekering tegen de gevaren der zee en die der slavernij

EERSTE AFDELING
Van den vorm en den inhoud der verzekering

Art. 592. 1. Behalve de vereischten bij artikel 256 vermeld, moet de polis uitdrukken:

Inhoud polis

1°. Den naam van den gezagvoerder, dien van het schip, met vermelding van deszelfs soort, en, bij verzekering van het schip, de opgave of hetzelve van vuren hout is, of de verklaring dat de verzekerde van die omstandigheid onkundig is;
2°. De plaats, waar de goederen zijn ingeladen of moeten ingeladen worden;
3°. De haven, van waar het schip heeft moeten vertrekken, of moet vertrekken;
4°. De havens of de reeden, waar het moet laden of ontladen;
5°. Die waar het moet inloopen;
6°. De plaats van waar het gevaar voor rekening van den verzekeraar begint te loopen;
7°. De waarde van het verzekerde schip.
2. Alles behoudens de uitzonderingen in dezen titel voorkomende.

Art. 593. 1. De zee-assurantie heeft bijzonderlijk tot onderwerp:

Onderwerp zee-assurantie

Het casco en de kiel van het schip, ledig of geladen, gewapend of niet; alleen of te zamen met anderen varende;
Het tuig en de takelaadje;
Het oorlogstuig;
Mondbehoeften en in het algemeen alles wat het schip, tot het in zee brengen toe, gekost heeft;
De ingeladene goederen;
Verwacht wordende winst;
De te verdienen vrachtpenningen;
Het gevaar der slavernij.
2. Bij eene verzekering op het schip, zonder verdere aanduiding, wordt daaronder verstaan het casco en de kiel, het tuig, de takelaadje en het oorlogstuig.

Art. 594. Verzekering kan gedaan worden op het geheel of op een gedeelte der voorwerpen, gezamenlijk of afzonderlijk:

Wijze van verzekering

In tijd van vrede of in tijd van oorlog, vóór of gedurende de reis van het schip;
Voor de heen- en terugreis; voor een van beiden; voor de geheele reis of voor eenen bepaalden tijd;
Voor alle zeegevaren;
Op goede en kwade tijdingen.

Art. 595. 1. Indien de verzekerde onkundig is, in welk schip van buiten 's lands verwacht wordende goederen zullen worden geladen, zal de vermelding van den gezagvoerder of van het schip niet worden vereischt, mits bij de polis verklaring worde gedaan van des verzekerden onkunde daaromtrent, alsmede opgave van de dagteekening en den onderteekenaar van den laatsten advijs- of orderbrief.

Verzekering belang van onkundige verzekerde

2. Het belang van den verzekerde, kan op deze wijze slechts voor eenen bepaalden tijd verzekerd worden.

Art. 596. Indien de verzekerde onkundig is waarin de goederen, welke aan hem worden toegezonden of geconsigneerd zijn, bestaan, mag hij verzekering op dezelve laten doen onder de algemeen benaming van goederen.
2. Onder zoodanige verzekering zijn niet begrepen gemunt goud en zilver, gouden en zilveren staven, juweelen, paarlen of kleinooden en krijgsbehoeften.

Art. 597. Indien de verzekering is gedaan op schepen of goederen, welke, ten tijde van het sluiten der overeenkomst, reeds behouden ter plaatse hunner bestemming waren aangekomen, of op eenig belang, waarvan de schade, tegen welke verzekerd is, reeds op voorschreven tijdstip bestond, zijn op die gevallen toepasselijk de bepalingen van artikel 269 en 270, indien namelijk bewezen wordt of er vermoeden bestaat dat de verzekeraar van de behoudene aankomst, of de verzekerde of diens lasthebber van het aanwezen der schade, bij het sluiten der overeenkomst, heeft kennis gedragen.

Behouden aankomst of reeds bestaande schade

Art. 598. 1. Het vermoeden bij artikel 270 vermeld, heeft ten aanzien van den verzekerde geene plaats, indien de verzekering is gedaan op goede of kwade tijding, mits in dat geval in de polis worde vermeld het laatste berigt, hetwelk de verzekerde ten aanzien van het verzekerde voorwerp heeft bekomen, en de verzekering voor rekening van eenen derde zijnde gesloten, ingeval van schade, deugdelijk blijke van de dagteekening van den last, dien de lasthebber, tot het doen der verzekering, bekomen heeft.

2. Met dat beding kan de verzekering alleen dan worden vernietigd, indien er bewezen wordt, dat de verzekerde of diens lasthebber, ten tijde van het sluiten der overeenkomst, van de geledene schade heeft kennis gedragen.

Nietige verzekering

Art. 599. Verzekeringen zijn nietig, wanneer zij gedaan zijn:
1°. Vervallen.
2°. Vervallen.
3°. Vervallen.
4°. Op voorwerpen, waarin, volgens de wetten en verordeningen, geen handel mag worden gedreven, en
5°. Op de schepen, het zij Nederlandsche, het zij vreemde, welke tot vervoer der voorwerpen, in 4°, vermeld, zijn gebruikt.

Art. 600 en 601. Vervallen.

Verzekering casco en kiel

Art. 602. Verzekering op het casco en de kiel van het schip kan gedaan worden voor de volle waarde van het schip, nevens al deszelfs toebehooren, en alle onkosten, tot in zee toe.

Verzekering reeds vertrokken schip

Art. 603. 1. Verzekering mag gedaan worden op schepen en goederen, welke reeds vertrokken of vervoerd waren van de plaats, van waar het gevaar voor rekening van den verzekeraar zoude beginnen te loopen; mits in de polis worde uitgedrukt, het zij het juiste tijdstip van het vertrek des schips of der vervoering der goederen, het zij de onwetendheid van den verzekerde te dien opzigte.

2. In allen gevalle moet, op straffe van nietigheid, in de polis worden uitgedrukt de laatste tijding, die de verzekerde van het schip, of van de goederen bekomen heeft, en indien de verzekering voor rekening van eenen derde geschiedt, de dagteekening van den order- of advijs-brief, of de uitdrukkelijke vermelding, dat de verzekering, zonder lastgeving van den belanghebbende, plaats heeft.

Art. 604. Indien de verzekerde, bij de polis, de bij het voorgaande artikel bepaalde verklaring van onwetendheid doet, en het naderhand blijkt dat de verzekering gedaan is, nadat de schepen vertrokken waren van de plaats, van waar het gevaar voor rekening van den verzekeraar zoude beginnen te loopen, moet, in geval van schade, de verzekerde, op de vordering van den verzekeraar, zijne verklaring van onwetendheid met eede bevestigen.

Art. 605. Indien in de polis, noch van het vertrek van het schip, noch van de onwetendheid deswege melding is gemaakt, wordt zulks gehouden voor eene erkenning dat hetzelve, bij het afgaan van den laatsten post, die vóór het sluiten der polis is aangekomen, of alwaar geene geregelde posten zijn, bij de laatste bekwame gelegenheid om tijding over te brengen, nog was liggende ter plaatse, van waar hetzelve moest vertrekken.

Nietige verzekering

Art. 606. 1. Indien verzekering is gedaan op schepen, welke nog niet op de plaats zijn van waar het gevaar moet beginnen, of die tot het aannemen der reis of tot het innemen der lading nog niet gereed zijn, — of op goederen, die niet terstond kunnen geladen worden, is de verzekering nietig, ten ware die omstandigheid in de polis vermeld zij, of daarbij zij opgegeven dat de verzekerde daarvan geene kennis draagt, met vermelding van de advijs- of orderbrief, of de verklaring dat die niet bestaat; mitsgaders in allen gevalle van de laatste tijding, die hij van het schip of van het goed bekomen heeft.

2. De verzekerde en diens lasthebber, zijn, in geval van schade, verpligt om, op de vordering van den verzekeraar, hunne onwetendheid met eede te bevestigen.

Art. 607 t/m 611. Vervallen.

Verzekering goederen volle waarde

Art. 612. Goederen mogen verzekerd worden voor de volle waarde, welke dezelve hebben ten tijde en ter plaatse der verzending, met alle onkosten tot aan boord, de premie van verzekering daaronder begrepen, zonder dat eene afzonderlijke begrooting van ieder voorwerp kan gevorderd worden.

Art. 613. De werkelijke waarde der verzekerde goederen mag verhoogd worden met de vracht, inkomende regten en andere onkosten, welke bij de behoudene aankomst noodzakelijk moeten worden betaald, mits daarvan melding in de polis worde gemaakt.

Verhoging werkelijke waarde

Art. 614. 1. De verhooging bij het voorgaande artikel omschreven, is niet verbindende, indien het verzekerde ter bestemder plaats niet aankomt, voor zoo verre daardoor de betaling van de vracht, inkomende regten en andere onkosten, geheel of ten deele vervalt.

2. Maar indien de vracht, volgens overeenkomst met den gezagvoerder vóór zijn vertrek gemaakt, heeft moeten vooruit betaald worden, blijft de verzekering te dien aanzien stand grijpen; in geval van ramp of schade, moet de daadzaak der vooruitbetaling bewezen worden.

Art. 615. 1. Verzekering op verwacht wordende winst moet afzonderlijk bij de polis begroot worden, met bijzondere opgave, op welke goederen dezelve wordt gedaan; bij gebreke hiervan, is de verzekering nietig.

Verzekering verwachte winst

2. Indien de waarde van het verzekerde in het algemeen is uitgedrukt, met stellige bepaling dat al hetgeen de waarde der goederen te boven gaat, voor verwacht wordende winst zal worden gehouden, is de verzekering geldig voor de waarde der verzekerde voorwerpen; doch zal het overschietende worden herleid tot de bewijsbare hoegrootheid der verwacht wordende winst, berekend naar den maatstaf bij artikel 621 en 622 vermeld.

Art. 616. Vrachtpenningen kunnen voor hun vol beloop worden verzekerd.

Verzekering vrachtpenningen

Art. 617. Het schip vergaande of strandende, wordt de verzekering ingekort, voor zoo veel het beloop betreft van hetgeen de gezagvoerder of de eigenaar van het schip, door dat ongeval voor onkosten van de reis minder heeft te betalen dan bij behouden aankomst het geval zou zijn geweest.

Inkorting verzekering bij vergaan schip

Art. 618. 1. Verzekering tegen slavernij wordt gedaan tot eene bepaalde som, voor welke de persoon, die in slavernij gebragt, en wiens vrijheid verzekerd is, mag vrijgekocht worden.

Verzekering tegen slavernij

2. Het onderscheid tusschen den rantsoenprijs en de verzekerde som komt ten voordeele van den verzekeraar; en in geval eene grootere som, dan die bij de overeenkomst bepaald, tot het vrijkoopen vereischt wordt, volstaat hij met de voldoening der in de polis uitgedrukte som.

TWEEDE AFDEELING
Van de begrooting der verzekerde voorwerpen

Art. 619. De volle waarde op de kiel of het casco van een schip verzekerd zijnde, kan, hoezeer bevorens getaxeerd, door geregtelijke uitspraak, des noods na berigt van deskundigen, nader bepaald of verminderd worden:

Nadere bepaling waarde kiel of casco

1°. Indien het schip bij de polis is getaxeerd naar den inkoopsprijs, of naar hetgeen hetzelve van bouwen gekost heeft, en hetzelve, het zij door ouderdom, het zij door het afleggen van vele reizen, reeds minder waarde had;

2°. Indien het schip, voor onderscheidene reizen zijnde verzekerd, na eene of meer reizen te hebben afgelegd en uit dien hoofde vracht te hebben verdiend, vervolgens opeene der verzekerde reizen vergaat.

Art. 620. Indien de verzekering gedaan is voor de terugreis uit een land, waar handel alleen bij wijze van ruiling plaats heeft, wordt de begrooting van de waarde der verzekerde goederen berekend, op den voet van hetgeen de in ruiling gegevene goederen gekost hebben, met bijvoeging van de transportkosten.

Verzekering ruilwaren

Art. 621. Verwacht wordende winst wordt bewezen door erkende prijscouranten, of, bij gebreke daarvan, door eene begrooting van deskundigen, waaruit blijkt van de winst welke de verzekerde goederen, bij behoudene aankomst, na het afleggen

Bewijs verwachte winst

eener gewone reis, redelijkerwijze, op de plaats der bestemming, zouden hebben opgeleverd.

Minder winst dan begroot

Art. 622. Indien uit de prijscouranten of uit de begrooting van deskundigen blijkt, dat, bij behoudene aankomst, de winst minder zoude hebben bedragen, dan de som, die de verzekerde bij de polis had opgegeven, volstaat de verzekeraar met de betaling van dat mindere. Hij is niets verschuldigd, indien de verzekerde voorwerpen geene winst hoegenaamd zouden hebben opgebragt.

Bewijs bedrag vrachtpenningen

Art. 623. 1. Het bedrag der vrachtpenningen wordt bewezen door de cherte-partij of de cognoscementen.

2. Bij gebreke van cherte-partij en cognoscementen, of indien het goederen geldt aan de scheepseigenaars zelve toebehoorende, wordt het bedrag der vracht door deskundigen begroot.

DERDE AFDEELING
Van het begin en het einde van het gevaar

Begin van gevaar

Art. 624. Bij verzekering op het schip, begint het gevaar voor den verzekeraar te loopen, van het oogenblik dat de gezagvoerder een begin heeft gemaakt met het laden van koopmanschappen; of, zoo hij alleen in ballast moet vertrekken, zoodra hij een begin heeft gemaakt met den ballast te laden.

Einde van gevaar

Art. 625. In de bij het voorgaande artikel gemelde verzekering eindigt het gevaar voor den verzekeraar één en twintig dagen nadat het verzekerde schip ter bestemde plaats is aangekomen, of zoo veel eerder als de laatste koopmanschappen of goederen gelost zijn.

Duur van gevaar

Art. 626. Bij verzekering van een schip voor eene uit- en te huis reis, of voor meer dan ééne reis, loopt de verzekeraar, zonder tusschenpoozing, het gevaar, tot en met den één en twintigsten dag nadat de laatste reis is volbragt, of tot zoo vele dagen minder als de laatste koopmanschappen of goederen gelost zijn.

Begin en einde gevaar bij goederen

Art. 627. Goederen of koopmanschappen verzekerd zijnde, begint het gevaar, voor rekening van den verzekeraar, te loopen, zoo dra de goederen zijn gebragt op de kade of den wal, om van daar ingeladen of vervoerd te worden naar de schepen waarin dezelve geladen worden, en eindigt vijftien dagen nadat het schip ter bestemde plaatse zal zijn aangekomen, of zoo veel eerder, als de verzekerde goederen aldaar zullen zijn gelost en op de kade of den wal geplaatst.

Duur gevaar bij goederen

Art. 628. Bij verzekering op goederen of koopmanschappen loopt het gevaar onafgebroken voort, hoezeer de gezagvoerder genoodzaakt zij geweest in eene noodhaven in te loopen, aldaar te lossen en te repareren, tot dat of de reis wettig gestaakt, of door den verzekerde bevel tot het niet weder inschepen van de goederen gegeven, of de reis geheel volbragt zij.

Doorlopen gevaar bij vertraging

Art. 629. Indien de gezagvoerder of de verzekerde op goederen, door wettige redenen verhinderd wordt, binnen den bij artikel 627 bepaalden tijd te lossen, zonder zich aan vertraging schuldig te maken, blijft het gevaar van den verzekeraar doorloopen, tot dat de goederen gelost zijn.

Begin en einde gevaar t.a.v. vrachtpenningen

Art. 630. 1. In eene verzekering op te verdienen vrachtpenningen, begint de verzekeraar het gevaar te loopen, van het oogenblik en naar mate dat de vracht betalende goederen en koopmanschappen in het schip geladen zijn, en eindigt vijftien dagen nadat het schip ter bestemde losplaats zal zijn aangekomen, of zoo veel eerder als de vracht betalende goederen en koopmanschappen zullen zijn gelost.

2. De bepaling van artikel 629 is ook te dezen toepasselijk.

Art. 631. Vervallen.

Gevolgen staking reis

Art. 632. Wanneer de reis gestaakt wordt nadat een verzekeraar heeft begonnen gevaar te loopen, blijft het gevaar in eene verzekering op goederen loopen vijftien dagen, en in eene verzekering op het schip één en twintig dagen, nadat de staking der reis heeft plaats gehad, of zooveel korter als de laatste goederen of koopmanschappen gelost zijn.

Art. 633. De tijd van den aanvang en het eindigen van het gevaar op verwacht wordende winst, staat gelijk met den daartoe voor de goederen bepaalden tijd.

Begin en einde gevaar t.a.v. verwachte winst

Art. 634. Het staat, in alle verzekeringen, aan de wederzijdsche partijen vrij, om bij de polis andere bedingen, nopens het beginnen en het eindigen van den juisten tijd van het gevaar, te maken.

Andere bedingen in polis

VIERDE AFDEELING
Van de regten en pligten van den verzekeraar en den verzekerde

Art. 635. 1. Bij staking der reis, vóór dat de verzekeraar heeft begonnen eenig gevaar te loopen, vervalt de verzekering.

Verval der verzekering

2. De premie wordt door de verzekerde ingehouden of door den verzekeraar teruggegeven, in beide gevallen tegen genot van een half ten honderd van de verzekerde som, of wel van de halve premie, indien dezelve minder dan één ten honderd mogt beloopen.

Verschuldigdheid premie

Art. 636. 1. Indien de reis gestaakt wordt, nadat de verzekeraar heeft begonnen gevaar te loopen, doch vóór dat het schip op de laatste uitklaringsplaats het anker of de touwen heeft losgemaakt, geniet de verzekeraar één ten honderd van de verzekerde som, indien de premie één ten honderd of meerder bedraagt; doch, minder bedragende, wordt dezelve, in haar geheel, door den verzekeraar genoten.

2. De volle premie is altijd verdiend, wanneer de verzekerde eenige schadevergoeding, hoe ook genaamd, vordert.

Art. 637. Voor rekening van den verzekeraar zijn alle verliezen en schaden, die aan de verzekerde voorwerpen overkomen door storm, onweder, schipbreuk, stranding, het overzeilen, aanzeilen, aanvaren, of aandrijven, gedwongene verandering van koers, van de reis of van het schip, door het werpen van goederen, door brand, geweld, overstrooming, neming, kapers, roovers, aanhouding op last van hooger hand, verklaring van oorlog, represailles; alle schade veroorzaakt door nalatigheid, verzuim of schelmerij van den gezagvoerder of de scheepsgezellen, en, in het algemeen, door alle van buiten aankomende onheilen, hoe ook genaamd ten zij door de bepaling der wet, of door beding bij de polis, de verzekeraar van het loopen van eenige dezer gevaren ware vrijgesteld.

Schaden voor rekening verzekeraar

Art. 638. 1. Bij verzekering van het schip, houdt de verpligting van den verzekeraar op door alle willekeurige verandering van koers, of van de reis, en bij verzekering op vrachtpenningen, door alle willekeurige verandering van koers, van de reis of verwisseling van het schip, in beide gevallen door den gezagvoerder uit zich zelven of op last der eigenaars van het schip gedaan; tenzij, ten aanzien van den gezagvoerder, die zulks uit zich zelven heeft gedaan, het tegendeel uitdrukkelijk bij de polis ware bedongen.

Willekeurige verandering van koers

2. Bij eene verzekering op goederen geldt hetzelfde, indien de willekeurige verandering van koers, reis of schip heeft plaats gehad op last, of met uitdrukkelijke of met stilzwijgende toestemming van den verzekerde.

3. De reis wordt gerekend veranderd te zijn, zoodra de gezagvoerder dezelve naar eene andere bestemming, dan waarvoor verzekerd is, heeft aangevangen.

Art. 639. 1. De willekeurige verandering van koers bestaat niet in eene geringe afwijking, maar alleen indien de gezagvoerder, buiten erkende noodzakelijkheid of nuttigheid, en zonder voldoende aanleiding in het belang van het schip en de lading, eene haven, buiten den koers gelegen, aandoet; of eene andere streek volgt, dan waartoe hij verpligt was.

2. In geval van verschil hieromtrent beslist de regter, na verhoor van deskundigen.

Art. 640. 1. In eene verzekering op het schip en de vrachtpenningen, is de verzekeraar ongehouden de schade te betalen, door de schelmerij van den gezagvoerder veroorzaakt, ten zij anders bij de polis ware bedongen.

Geen aansprakelijkheid bij schelmerij gezagvoerder

2. Dat beding is ongeoorloofd, indien de gezagvoerder de eenige eigenaar van het schip is, of voor zoo verre hij daarin aandeel heeft.

Art. 641. In eene verzekering op goederen, toebehoorende aan de eigenaars van het schip, waarin dezelve geladen zijn, zijn de verzekeraars mede niet aansprakelijk voor de schelmerij van den gezagvoerder, of voor de verliezen of schaden, welke door zijne willekeurige verandering van koers, van de reis of van het schip veroorzaakt worden, al ware zulks buiten schuld of voorkennis van den verzekerde gedaan, ten zij anders bij de polis ware bedongen.

Verzuim reis te vervorderen

Art. 642. Bij eene verzekering op de vrachtpenningen is de verzekeraar niet verantwoordelijk voor de schade, opgekomen sedert het oogenblik dat de gezagvoerder, van al het noodige tot de reis voorzien zijnde, zonder wettige redenen in het belang van het schip en de lading, de gelegenheid heeft verzuimd om de reis te vervorderen; ten ware de verzekeraar daartegen uitdrukkelijk mogt hebben verzekerd.

Schade veroorzaakt door lekkage

Art. 643. 1. De verzekeraar is, in geval van verzekering van vloeibare waren, als: wijn, brandewijn, olie, honig, pek, teer, stroop of dergelijke, en van zout of suiker, niet gehouden tot vergoeding van eenige schade veroorzaakt door lekkage of smelting, ten zij uit stooten, schipbreuk, of stranden van het schip ontstaan, of doordien de verzekerde goederen in eene noodhaven zijn gelost en herladen.

2. Indien de oorzaken, of eene derzelve, bestaan, uit hoofde van welke de verzekeraar verpligt is de schade, door lekkaadje of smelting veroorzaakt, te betalen, moet daarvan zoo veel worden afgetrokken, als soortgelijke goederen, volgens oordeel van deskundigen, gewoonlijk verliezen.

Lichtelijk aan bederf onderhevige voorwerpen

Art. 644. 1. Indien, in de gevallen waarin de wet dit toelaat, verzekering is gedaan onder de algemeene benaming van goederen of koopmanschappen, of in welke zaken ook het belang van den verzekerde mogen bestaan, en het gevaar is geloopen op voorwerpen, welke ligtelijk aan bederf of vermindering onderhevig zijn, is de verzekeraar niet gehouden tot zoodanig beloop in de schade daaruit ontstaande, als hetwelk, volgens de bestaande gebruiken, op de plaats der verzekering, niet door de verzekeraars gedragen wordt. Bij verschil, zal zulks door den regter, na verhoor van deskundigen, worden bepaald.

2. Wanneer er onder de voorschrevene goederen zoodanige waren, die, ter plaatse alwaar de verzekering is gedaan, gewoonlijk niet anders verzekerd worden, dan vrij van beschadiging, lekkaadje of smelting, is de verzekeraar van die schade geheel bevrijd.

Art. 645. Indien de goederen van de soort, in het voorgaande artikel gemeld, in de polis met derzelver namen zijn uitgedrukt, zonder eenig bijzonder beding, is de verzekeraar niet aansprakelijk voor de avarij onder de drie ten honderd.

Beding „vrij van beschadigdheid"

Art. 646. 1. Indien eene verzekering is gesloten met het beding vrij van beschadigdheid, om het even of daarbij al of niet is gevoegd bij behoudene aankomst, is de verzekeraar niet verantwoordelijk voor eenige schade, wanneer de verzekerde voorwerpen bedorven of beschadigd ter plaatse hunner bestemming zijn aangekomen.

2. Dezelfde bepaling is toepasselijk op het geval, wanneer de voorwerpen onder weg of in eene noodhaven, uit hoofde van beschadigheid, of uit vrees dat zij zouden bederven, of andere goederen aansteken, zijn verkocht geworden.

3. Avarij-grosse, mitsgaders schade door werping, neming, roof of dergelijke, of door het vergaan van het schip veroorzaakt, worden niettemin, bij dat beding, door den verzekeraar gedragen.

Beding „vrij van molest"

Art. 647. 1. In eene verzekering onder het beding vrij van molest, is de verzekeraar bevrijd, zoodra het verzekerd voorwerp vergaat of bederft, door geweld, neming, kaperij, zeerooverij, aanhouding op last van hooger hand, verklaring van oorlog en represailles.

2. De verzekering vervalt, zoodra het verzekerde door het molest wordt opgehouden of van den koers gebragt.

3. Alles behoudens de verpligting van den verzekeraar, om de schade te voldoen, welke vóór het molest heeft plaats gehad.

Art. 648. 1. Indien bij het beding van vrij van molest door den verzekerde bedongen is, dat de verzekeraar, niettegenstaande de opbrenging, het gewone gevaar zoude blijven loopen, draagt de verzekeraar, zelfs na dit molest, alle gewone schaden, die aan het verzekerde overkomen tot dat het schip is opgebragt en het anker heeft laten vallen, met uitzondering echter van de zoodanige, welke ongetwijfeld uit het molest dadelijk voortspruiten.
2. Bijaldien de oorzaak van het vergaan twijfelachtig is, wordt vermoed dat het verzekerde door eene gewone ramp is vergaan, waarvoor de verzekeraar aansprakelijk is.

Art. 649. Indien een vrij van molest verzekerd schip of goed in eene haven ligt, en vóór deszelfs vertrek vijandig wordt bezet, of, indien hetzelve wordt aangehouden, wordt zulks met opbrengen gelijk gesteld, en het gevaar houdt voor den verzekeraar op.

Door verzekerde te leveren bewijs

Art. 650. Verzekering gedaan zijnde voor eenen bepaalden tijd, in dier voege als zulks bij artikel 595 gemeld is, moet de verzekerde het bewijs leveren, dat het verzekerde goed in het schip, dat eenige ramp geleden heeft of vergaan is, binnen den bepaalden tijd, geladen is geweest.

Bewijs van inkoop en cognossement

Art. 651. Bij schadevergoeding wegens goederen door den gezagvoerder ingekocht of ingeladen, het zij voor zijne eigene rekening, het zij voor die van het schip, moet het bewijs van den inkoop, en een cognossement van dezelve, door twee van de voornaamsten van het scheepsvolk onderteekend, worden overgelegd.

Beperking aansprakelijkheid verzekeraar

Art. 652. Indien de verzekering bij verdeeling plaats heeft, ten aanzien van koopmanschappen, die geladen moeten worden in verscheidene aangeduide schepen, met uitdrukking van de som die op elk schip verzekerd wordt, en indien de geheele lading wordt geladen in één schip of in een minder getal schepen dan in de overeenkomst bepaald was, is de verzekeraar niet verder aansprakelijk dan voor de som, welke hij verzekerd heeft op het schip of de schepen, die de lading hebben ingenomen, niettegenstaande alle de genoemde schepen verongelukt zijn; — en zal hij desniettemin een half ten honderd of minder volgens de onderscheiding van artikel 635 ontvangen van de som waarvan de verzekering bevonden wordt krachteloos te zijn.

Gevolg zenden schip naar andere plaats

Art. 653. 1. De verzekeraar is ontslagen van het verder gevaar, en is geregtigd tot de premie, indien de verzekerde het schip zendt naar eene meer afgelegene plaats, dan bij de polis genoemd was.
2. De verzekering heeft volkomen gevolg indien de reis verkort is.

Mededeling ramp door verzekerde

Art. 654. 1. De verzekerde is verpligt aan den verzekeraar, of, indien er meerdere op eene en dezelfde polis geteekend hebben, aan den eersten onderteekenaar, onverwijld mede te deelen alle tijdingen die hij opzigtelijk eene ramp, aan schip of goed overgekomen, bekomt, en moet kopijen, of uittreksels van de brieven waarin de tijdingen vervat zijn, mededeelen aan diegenen der verzekeraars, die zulks mogten verlangen.
2. Bij verzuim daarvan, is de verzekerde gehouden de schade te vergoeden.

Poging tot redden of vrijgeven van schip

Art. 655. 1. Zoo lang de verzekerde niet geregtigd is, om het verzekerde aan zijnen verzekeraar te abandonneeren, en dien tengevolge hetzelve niet werkelijk abandonneert, is hij verpligt, bij schipbreuk, stranding, opbrenging of aanhouding, alle mogelijke vlijt en gepaste pogingen aan te wenden om hetzelve te redden of te doen vrijgeven.
2. Hij heeft hiertoe geene bijzondere volmagt van den verzekeraar noodig, en is zelfs geregtigd, om van denzelven te vorderen eene toereikende som ter bestrijding der onkosten, die tot redding of reclame moeten worden uitgegeven.

Art. 656. De verzekerde, die buiten 's lands poging tot redding of reclame moet laten doen, den last daartoe opgedragen hebbende aan zijnen gewonen correspondent, of aan een ander huis of persoon, ter goeder naam en faam staande, is voor den lasthebber niet verantwoordelijk, doch is gehouden zijne regtsvorderingen tegen denzelven aan den verzekeraar af te staan.

Verplicht tot doen van reclame

Art. 657. In eene verzekering voor onbepaalde rekening, dat is, wanneer in de polis niet is uitgedrukt tot welke natie de eigenaar van het verzekerde behoort, is de verzekerde mede tot het doen der reclame verpligt, bijaldien de opbrenging of aanhouding is wederregtelijk, ten ware hij bij de polis daarvan zij ontslagen.

Verzekering als onzijdig eigendom

Art. 658. Een vonnis van eenen buitenlandsche regter, waarbij schepen of goederen, welke als bepaald onzijdig eigendom zijn verzekerd, verklaard worden geen onzijdig eigendom te zijn, en daarom zijn prijs verklaard, is niet voldoende om den verzekeraar van het betalen der schade vrij te spreken, bijaldien de verzekerde bewijst, dat het verzekerde waarlijk onzijdig eigendom is geweest en dat hij, bij den regter, die het vonnis heeft uitgesproken, alle middelen aangewend en alle bewijsstukken ingediend heeft om zoodanige prijsverklaring af te weren.

Artt. 659 en 660. Vervallen.

Bedongen verhoging premie t.g.v. oorlog

Art. 661. Indien verhooging van premie, voor het geval van opkomenden oorlog of andere te ontstane gebeurtenissen, bedongen is, wordt dezelve, voor zoo verre de hoegrootheid der verhooging niet bij de polis is uitgedrukt, des noods door den regter, na verhoor van deskundigen, geregeld, met inachtneming van het gevaar, de omstandigheden en de bij de polis gemaakte bedingen.

Verschuldigde premie bij niet-verzending, enz.

Art. 662. 1. In alle gevallen in welke, of de verzekerde goederen niet zijn verzonden, of in mindere hoeveelheid verzonden worden, of bij mistasting te veel is verzekerd, en voorts in het algemeen in de gevallen bij artikel 281 voorzien, geniet de verzekeraar een half ten honderd van de verzekerde som of de halve premie, en zulks op dezelfde wijze als bij artikel 635 is bepaald, behoudens wanneer in een bijzonder geval, hem bij de wet of bij de overeenkomst meerder is toegekend.

2. Degene die eene verzekering voor een ander heeft gesloten, zonder deszelfs naam bij de polis uit te drukken, kan de premie niet terug vorderen, op grond dat de belanghebbende de verzekerde goederen, niet, of in mindere hoeveelheid, heeft afgezonden.

VIJFDE AFDEELING
Van abandonnement

Artt. 663-680. (Vervallen bij de Wet van 28 december 1989, Stb. 616).

ZESDE AFDEELING
Van de pligten en regten der makelaars in zee-assurantie

Verplichtingen makelaars in zee-assurantiën

Art. 681. De makelaars in zee-assurantiën zijn verpligt:
1°. Aan den verzekeraar, of, indien meerdere dezelfde verzekering hebben gesloten, aan den eersten hunner, uitdrukkelijk binnen 24 uren na het sluiten derzelve, indien alsdan de polis nog niet is opgemaakt en afgegeven, uit te reiken eene onderteekende nota, houdende vermelding van het verzekerd voorwerp, de som waarvoor is verzekerd, de premie en de voorwaarden;
2°. De voorwaarden, verklaringen en opgaven duidelijk in de polis te vermelden, met inlassching van al hetgeen bij de wet als noodzakelijke vereischten eener polis is voorgeschreven;
3°. Naauwkeurig, in een daartoe aan te leggen register, afschrift te houden van de polissen, door hunne tusschenkomst gesloten;
4°. In hetzelfde register op te nemen en beknoptelijk te vermelden de aanteekeningen, papieren en bescheiden, die zij aan de verzekeraars bij de invordering van schade hebben overgegeven en de berigten en brieven welke door hunne tusschenkomst aan de verzekeraars, uit naam der verzekerden, gedurende den loop der overeenkomst of daarna, mogten zijn medegedeeld;
5°. Bij de schadevordering, aan den eerstgeteekend hebbende verzekeraar, benevens de schade-rekening, over te geven eenen door hen geteekende staat van alle papieren en bescheiden tot regtvaardiging dier schaderekening dienende;
6°. Aan de verzekerden of aan de verzekeraars, zoo dikwijls deze dit ten hunnen koste vorderen, te geven voor waar geteekende afschriften der polissen, berigten, brieven en aanteekeningen, hierboven vermeld.

Alles op straffe van vergoeding van kosten, schaden en interessen.

Aansprakelijkheid makelaar voor premie

Art. 682. 1. Indien de premie bij de teekening der polis eener zee-assurantie niet is uitbetaald, is de makelaar, door wiens tusschenkomst de verzekering is gesloten, tot de voldoening daarvan, als eigen schuld, gehouden, behoudens nogtans het verhaal van den verzekeraar op den verzekerde zelven, voor zoo verre deze niet bewijst dat de premie door hem aan den makelaar is voldaan; blijvende in allen gevalle de verpligtingen van den verzekeraar jegens den verzekerde stand houden.

2. De makelaar is voor de premie niet aansprakelijk, indien bij de polis is bedongen, dat dezelve niet dadelijk zal worden betaald.

Art. 683. Vervallen bij de Wet van 28 december 1989, Stb. 616.)

Retentierecht t.a.v. polis

Art. 684. 1. De makelaar de premie aan den verzekeraar hebbende voldaan, behoeft de polis, welke hij mogt in handen hebben, aan den verzekerde niet uit te leveren, zoo lang deze hem de uitgeschotene penningen niet terug geeft.

Bevoegdheden makelaar bij faillissement verzekerde

2. Bij faillissement van den verzekerde is de makelaar die de polis nog in handen heeft, bevoegd om de door den verzekeraar nog verschuldigde schade te innen, ten einde daaruit aan zich zelven het beloop der premie te voldoen, behoudens zijne verpligting om het overschietende aan den boedel van den failliet te verantwoorden.

Art. 685. In geval de polis aan den verzekerde is uitgereikt, doch de door den verzekeraar verschuldigde schade nog niet geheel aan eerstgemelden, vóór zijn faillissement, is uitbetaald, heeft de makelaar, die de premie heeft voorgeschoten, regt van voorrang op de uit dien hoofde, nog te ontvangen gelden, zonder aanzien of de schade vóór of na het faillissement zij voorgevallen. Dit voorrecht neemt rang na het voorrecht van artikel 287 van Boek 3 van het Burgerlijk Wetboek.

TIENDE TITEL
Van verzekering tegen de gevaren van den vervoer te lande en op binnenwateren

Inhoud polis

Art. 686. De polis moet, behalve de vereischten bij artikel 256 vermeld, uitdrukken:

1°. Den tijd binnen welken de reis moet zijn afgeloopen, indien dezelve bij de vervoerovereenkomst is bepaald;

2°. Of dezelve al of niet onafgebroken moet worden voortgezet;

3°. Den naam van den gezagvoerder, den vervoerder, of den expediteur, welke de vervoering heeft aangenomen.

Verzekering m.b.t. vervoer te land en op binnenwateren

Art. 687. De verzekeringen, welke tot voorwerp hebben de gevaren van vervoer te lande, of langs binnenwateren, worden in het algemeen en naar de omstandigheden geregeld door de voorschriften der wet omtrent de verzekeringen ter zee, behoudens de bepalingen, in de volgende artikelen voorkomende.

Art. 688. Bij verzekering van goederen, begint het gevaar voor rekening van den verzekeraar te loopen, zoodra de goederen gebragt of besteld zijn aan het rij- of vaartuig, het kantoor of op zoodanige andere plaats alwaar men gewoon is het goed ter verzending te ontvangen, en eindigt wanneer dezelve ter plaatse hunner bestemming zijn aangekomen, en aldaar aan hun adres zijn afgegeven, of in de magt van den verzekerde, of van zijne gemagtigden, gesteld zijn.

Art. 689. Indien goederen verzekerd zijn, welke te lande, of langs binnenwateren, of bij afwisseling te lande en te water, moeten vervoerd worden, is de verzekeraar in zoo verre ongehouden, als de reis, buiten nood, langs andere dan de gewone wegen, en anders dan op de gewone wijze wordt afgelegd.

Art. 690. Indien de tijd van vervoer bij de vervoerovereenkomst is bepaald, en daarvan bij de polis is melding gemaakt, is de verzekeraar ongehouden tot voldoening der schade, voorgevallen na den tijd, binnen welken de goederen hadden behooren te zijn overgevoerd.

Art. 691. Bij verzekering van goederen die te land, of wel bij afwisseling te land of te water, moeten vervoerd worden, blijft het gevaar voor rekening van den verzekeraar voortloopen, al ware het ook, dat de goederen, op reis, in andere rij- of vaartuigen worden overgeladen.

Art. 692. 1. Hetzelfde heeft plaats bij verzekering van goederen, welke langs binnenwateren moeten vervoerd worden, wanneer de goederen in andere vaartuigen worden overgeladen, ten ware de verzekering op goederen, in een bepaald vaartuig te laden, mogt gesloten zijn.

2. Zelfs in dit laatste geval blijft het gevaar, bij overlading in andere vaartuigen, voor rekening van den verzekeraar doorloopen, wanneer dezelve, ten einde het vaartuig bij laag water te ligten, of uit hoofde van andere noodzakelijke redenen, is geschied.

Art. 693. Bij verzekering van goederen, die te land verzonden worden, is de verzekeraar ook voor de schaden en verliezen aansprakelijk, veroorzaakt door schuld of schelmerij van de met de aanneming, den vervoer en bezorging belaste personen.

Art. 694. De bepalingen van de vijfde afdeeling van den negenden titel zijn insgelijks op de verzekeringen, in deze titel vermeld, toepasselijk.

Art. 695. Het staat aan partijen vrij om, bij beding, van de bepalingen, hier boven bij artikel 688 en volgende vermeld, af te wijken.

ELFDE TITEL
Van avarijen

Averij

Art. 696. Alle buitengewone onkosten ten dienste van het schip en de goederen gezamenlijk of afzonderlijk gemaakt; alle schade, die aan het schip en de goederen overkomt, gedurende den tijd, bij de derde afdeeling van den negenden titel ten aanzien van het beginnen en eindigen des gevaars bepaald, worden als avarij gerekend.

Art. 697. Indien tusschen partijen niet anders is bedongen, worden de avarijen geregeld overeenkomstig de navolgende bepalingen.

Gemene en bijzondere averij

Art. 698. 1. Er zijn twee soorten van avarijen:
Avarij-grosse of gemeene avarij, en eenvoudige of bijzondere avarij.

2. De eerste wordt geregeld volgens afdeling 3 van titel 6 van Boek 8 van het Burgerlijk Wetboek; de laatste komt ten laste van het schip of van het goed afzonderlijk hetwelk de schade geleden of de kosten veroorzaakt heeft.

Artt. 699, 700. Vervallen bij de wet van 29 mei 1990, Stb. 379.

Opsomming bijzondere avarijen

Art. 701. Bijzondere avarijen zijn:
1°. Alle schade en verliezen aan het schip of aan de lading overgekomen door storm, neming, schipbreuk of toevallige stranding;
2°. Loonen en kosten van berging;
3°. Het verlies van, en de schade geleden aan kabels, ankers, touwen, zeilen, boegspriet, strengen, ra's, booten en scheepsgereedschappen, veroorzaakt door storm of ander onheil op zee;
4°. Reclame-kosten en het onderhoud en de gagien van het scheepsvolk gedurende de reclame, indien slechts het schip of de lading zijn aangehouden;
5°. De bijzondere reparatiën der fustage en de kosten van bereddering der beschadigde koopmanschappen, voor zoo verre dit een en ander niet het onmiddellijk gevolg is van eene ramp die tot avarij-grosse aanleiding geeft;
6°. De onkosten, vallende op het verder vervoer der goederen, wanneer, in het geval van artikel 425 van Boek 8 van het Burgerlijk Wetboek, de bevrachtingsovereenkomst is vervallen; en
7°. In het algemeen alle schade, verliezen en de gemaakte kosten, die niet zijn avarij-grosse maar die zijn geleden door of gemaakt ten behoeve van het schip alleen of voor de lading alleen.

Geen averij

Art. 702. Wanneer een schip, uit hoofde van steeds bestaande droogten, ondiepten of banken, met zijn volle lading, noch van de plaats van waar het vertrekken moet, noch naar de plaats van deszelfs bestemming kan gevoerd worden, en alzoo een gedeelte der lading met ligters aangevoerd of in ligters moet gelost worden, worden zoodanige ligterloonen niet als avarij beschouwd.

Artt. 703 t/m 707. vervallen bij de wet van 29 mei 1990, Stb. 379.

Art. 708. 1. De loods-, sleep- en andere gelden om de havens of rivieren in- of uit te loopen, alle tollen en uitgaven bij het afvaren en voorbij zeilen, alle tonne-, anker-, vuur- en baak-gelden, en alle andere regten, die tot de scheepvaart betrekkelijk zijn, zijn geene avarijen, maar gewone kosten voor rekening van het schip; ten zij bij het cognoscement of de cherte-partij anders bedongen zij.

Loodsgelden, en gewone kosten

2. Deze kosten komen nimmer ten laste van de verzekeraars, ten zij in het bijzonder geval, dat dezelve zijn het gevolg van eenige onvoorziene en buitengewone omstandigheden gedurende de reis opgekomen.

Art. 709. 1. Om de bijzondere avarij te vinden, welke een verzekeraar moet betalen, die de goederen voor alle gevaar verzekerd heeft, gelden de volgende bepalingen:

Bepaling schadebedrag

2. Hetgeen onder weg is geroofd, vermist, of uit hoofde van beschadiging door zeeramp of uit eene andere oorzaak, waartegen verzekerd is, verkocht, wordt begroot volgens de factuurs-waarde, of, deze ontbrekende, naar de waarde, waarvoor de goederen, overeenkomstig de voorschriften van de wet, verzekerd zijn; en de verzekeraar betaalt dit bedrag.

3. Bij behoudende aankomst van het verzekerde goed, wanneer hetzelve geheel of gedeeltelijk beschadigd is, wordt door deskundigen bepaald, hoeveel de goederen, indien dezelve gezond waren aangebragt, zouden zijn waard geweest, en voorts hoe veel zij nu waard zijn; en de verzekeraar betaalt zoodanig aandeel van de geteekende som, als in evenredigheid staat met het verschil tusschen de beide waarden, benevens de kosten op het doen van de begrooting der schade gevallen.

4. Alles onverminderd de begrooting der verwacht wordende winst, indien dezelve verzekerd is.

Art. 710. In geen geval kan de verzekeraar den verzekerde noodzaken, om, ter bepaling van de waarde, de verzekerde voorwerpen te verkoopen, ten zij anders bij de polis ware bedongen.

Art. 711. Indien de schade buiten 's lands moet worden opgemaakt, worden daarin gevolgd de aldaar bestaande wetten of plaats hebbende gebruiken.

Art. 712. 1. Wanneer de verzekerde goederen beschadigd of verminderd alhier aangebragt worden, en de schade uiterlijk zigtbaar is, moet de bezigtiging der goederen en begrooting der schade door deskundigen gedaan worden, alvorens de goederen onder het beheer van den verzekerde zijn gekomen.

Bezichtiging schade door deskundigen

2. De schade of de vermindering bij de lossing uiterlijk niet zigtbaar zijnde, mag de bezigtiging gedaan worden, nadat de goederen onder het beheer der verzekerden zullen zijn gekomen, mits geschiedende binnen driemaal vier en twintig uren na de lossing; onverminderd hetgeen verder van de eene of andere zijde tot bewijs noodig zal bevonden worden.

Art. 713. In geval van schade aan een verzekerd schip, door zeeramp, geleden, draagt de verzekeraar slechts twee derden der kosten, tot de reparatie vereischt, om het even of dezelve al of niet hebbe plaats gehad, en zulks in evenredigheid van het verzekerde tot het onverzekerde gedeelte. Een derde blijft voor rekening van den verzekerde wegens vooronderstelde verbetering van oud tot nieuw.

Reparatiekosten na zeeramp

Art. 714. 1. Indien de reparatie heeft plaats gehad, wordt het bedrag der kosten bewezen door rekeningen en alle andere middelen van bewijs, en, des noods, door begrooting van deskundigen.

2. In geval de reparatie niet gedaan is, wordt het bedrag derzelve door deskundigen begroot.

Art. 715. Indien het, des noods na verhoor van deskundigen, blijkt, dat door de gedane reparatie, de waarde van het schip meer dan een derde is vermeerderd, betaalt de verzekeraar, in evenredigheid als bij artikel 713 is vermeld, het volle beloop der gemaakte kosten, onder aftrek der door verbetering vermeerderde waarde.

Art. 716. Indien daarentegen de verzekerde, des noods na begrooting als voren, bewijst, dat de reparatie geene verbetering of vermeerdering der waarde van het schip, hoegenaamd, heeft te weeg gebragt, en wel bepaaldelijk doordien het schip nieuw en op deszelfs eerste reize de schade heeft geleden, of doordien de schade is aangekomen aan nieuwe zeilen of nieuw scheepsgereedschap, of wel aan ankers, ijzeren ketting-kabels of aan eene nieuwe koperen huid, heeft de aftrek van een derde geen plaats, en is de verzekeraar verpligt het geheele beloop der reparatiekosten, in evenredigheid als bij artikel 713 is vermeld, te vergoeden.

Art. 717. Indien de reparatie-kosten meer dan drie vierden der waarde van het schip zouden beloopen, moet het schip, ten aanzien van den verzekeraar, gehouden worden als afgekeurd; en de verzekeraar is alsdan, voor zoo verre er geen abandonnement heeft plaats gehad, verpligt de som waarvoor hij verzekerd heeft, aan den verzekerde te betalen, onder korting van de waarde van het beschadigde schip of wrak.

Verloren gaan in noodhaven

Art. 718. 1. In geval een schip in eene noodhaven is aangekomen en vervolgens op eenige wijze verloren gaat, is de verzekeraar niet verder gehouden, dan tot de betaling van de som, die hij verzekerd heeft.

2. Hetzelfde heeft plaats, wanneer een schip, door onderscheidene reparatien, meer dan de verzekerde som voor reparatie heeft uitgegeven.

Relatief geringe averij

Art. 719. Onverminderd de bepalingen van artikel 643, 644 en 645, is de verzekeraar ongehouden eenige bijzondere avarij te dragen, indien de zelve, behalve de kosten van bezigtiging, begrooting en opmaking, geen één ten honderd van de waarde van het beschadigde voorwerp beloopt; behoudens het vermogen der partijen, om te dezen andere bedingen te maken.

Verdeling schadebetaling

Art. 720. De verzekeraars, zoo op het schip als op de vracht en op de lading, betalen ieder zoo veel wegens avarij-grosse, als die voorwerpen, voor zoo verre als daarop verzekering is gedaan, respectievelijk in de avarij-grosse moeten dragen, en zulks in evenredigheid van het verzekerde tot het niet verzekerde gedeelte.

Uitbetaling schadebedrag

Art. 721. De gemeene en de bijzondere avarij zijnde geregeld, moet de schaderekening, benevens de daartoe betrekkelijke bescheiden, aan de verzekeraars overgegeven worden. Deze zijn verpligt het door hen verschuldigde binnen zes weken daarna te voldoen, en zijn na dat tijdsverloop wettelijke interessen verschuldigd.

TWEEDE AFDEELING
Van het omslaan en dragen der avarij-grosse of gemeene avarij

Artt. 722 t/m 740. Vervallen bij de wet van 29 mei 1990, Stb. 379.

ELFDE TITEL A
Van de beperking der aansprakelijkheid

Beperking aansprakelijkheid

Art. 740a. 1. De reder van een schip en de hulpverlener kunnen door het stellen van één of meer fondsen als bedoeld in artikel 320c van het Wetboek van Burgerlijke Rechtsvordering hun aansprakelijkheid beperken voor de in artikel 740c genoemde vorderingen.

Begripsbepaling

2. Onder reder worden in deze titel verstaan de eigenaar, de reder, de bevrachter, de huurder of andere gebruiker van een schip met inbegrip van degene in wiens handen de exploitatie van een schip is gelegd.

3. Onder hulpverlener wordt in deze titel een ieder verstaan die werkzaamheden verricht in onmiddellijk verband met hulpverlening, waaronder in deze titel mede worden verstaan de in artikel 740c, eerste lid onder d, e en f, genoemde werkzaamheden of maatregelen.

4. Onder schip wordt in deze titel zeeschip verstaan. Een schip in aanbouw wordt voor de toepassing van deze titel niet als schip aangemerkt; een schip wordt aangemerkt als in aanbouw te zijn tot op het ogenblik dat de stapelloop aanvangt of het schip voor het eerst drijft. Een luchtkussenvoertuig wordt voor de toepassing van deze titel niet als schip aangemerkt. Een platform dat is gebouwd ter exploratie of exploitatie van de natuurlijke rijkdommen van de zeebodem of van de ondergrond daarvan en dat kan drijven, wordt voor de toepassing van deze titel niet als schip aangemerkt gedurende de tijd dat het op de zeebodem rust.

5. In deze titel worden onder letsel verstaan iedere lichamelijke verwonding van de mens en iedere andere aantasting in zijn persoon.

Art. 740b. 1. Indien een vordering als genoemd in artikel 740c wordt gericht tegen enige persoon voor wiens handeling, onachtzaamheid of nalatigheid de reder of de hulpverlener in beginsel aansprakelijk is, heeft deze persoon de in deze titel verleende bevoegdheid tot beperking van zijn aansprakelijkheid.

2. De verzekeraar van de aansprakelijkheid voor vorderingen, waarvoor op grond van deze titel beperking van aansprakelijkheid mogelijk is, kan zich in dezelfde mate als zijn verzekerde op die beperking beroepen.

Bevoegdheid beperking aansprakelijkheid

Art. 740c. 1. Onder voorbehoud van de artikelen 740d en 740e bestaat de bevoegdheid tot beperking van aansprakelijkheid voor de hierna genoemde vorderingen ingesteld hetzij op grond van overeenkomst, hetzij buiten overeenkomst en zelfs wanneer de aansprakelijkheid uitsluitend voortvloeit uit eigendom of bezit van of een voorrecht op het schip of uit het feit, dat dit onder hoede of toezicht is van hem die zich op de beperking van aansprakelijkheid beroept:
a. vorderingen terzake van dood of letsel, dan wel terzake van verlies van of schade aan zaken (met inbegrip van schade aan kunstwerken van havens, aan dokken, waterwegen of hulpmiddelen voor de scheepvaart), opgekomen aan boord van het schip of in rechtstreeks verband met de exploitatie van het schip of met werkzaamheden ter hulpverlening, alsmede voor vorderingen terzake van schade tengevolge van een of ander;
b. vorderingen terzake van schade ontstaan door vertraging bij het vervoer over zee van lading, reizigers of hun bagage;
c. vorderingen terzake van andere schade ontstaan door inbreuk op enig niet op overeenkomst gegrond vermogensrecht en opgekomen in rechtstreeks verband met de exploitatie van het schip of met werkzaamheden ter hulpverlening;
d. vorderingen terzake van het vlotbrengen, verwijderen, vernietigen of onschadelijk maken van een zee- of binnenschip dat is gezonken, schipbreuk heeft geleden, gestrand of verlaten is, met inbegrip van alles wat aan boord van zulk een schip is of is geweest.
e. vorderingen terzake van het verwijderen, vernietigen of onschadelijk maken van de lading van het schip;
f. vorderingen van een persoon terzake van maatregelen genomen om schade te voorkomen of te verminderen voor welke schade de daarvoor aansprakelijke persoon zijn aansprakelijkheid op grond van deze titel zou kunnen beperken, alsmede voor vorderingen terzake van verdere schade door zulke maatregelen geleden, één en ander echter met uitzondering van dusdanige vorderingen van deze aansprakelijke persoon zelf.

2. Aansprakelijkheid voor de in het eerste lid genoemde vorderingen kan worden beperkt, ook indien deze, al dan niet op grond van een overeenkomst, zijn ingesteld bij wijze van verhaal of vrijwaring. De aansprakelijkheid voor de vorderingen in het eerste lid genoemd onder d, e of f kan echter niet worden beperkt voor zover deze vorderingen betrekking hebben op een vergoeding verschuldigd op grond van een overeenkomst met de aansprakelijke persoon.

Vorderingen waarop deze titel niet van toepassing is

Art. 740d. 1. Deze titel is niet van toepassing op:
a. vorderingen uit hoofde van hulpverlening of bijdrage in avarij-grosse;
b. vorderingen voor schade door verontreiniging door olie, zoals deze zijn bedoeld in het op 29 november 1969 tot stand gekomen Internationaal Verdrag inzake de wettelijke aansprakelijkheid voor schade door verontreiniging door olie of in enige kracht van wet hebbende wijziging van dat Verdrag of Protocol daarbij;
c. vorderingen gebaseerd op enig internationaal verdrag of enige wet, die de beperking van aansprakelijkheid voor kernschade regelt of verbiedt;
d. vorderingen tegen de reder van een nucleair schip terzake van kernschade;
e. vorderingen uit hoofde van arbeidsovereenkomst tegen de reder of de hulpverlener ingesteld door zijn ondergeschikten of hun rechtverkrijgenden voor zover deze vorderingen werkzaamheden betreffen in verband met het schip of de hulpverlening, al naar gelang de aansprakelijkheid van de reder of de hulpverlener voor deze vorderingen uit hoofde van de op de arbeidsovereenkomst toepasselijke wet niet of slechts tot een hoger bedrag dan op grond van deze titel het geval ware, kan worden beperkt.

2. Wanneer iemand die op grond van deze titel bevoegd is zijn aansprakelijkheid te beperken, gerechtigd is tegen een schuldeiser een vordering geldend te maken, die voortkomt uit hetzelfde voorval, zullen de respectieve vorderingen met elkaar worden verrekend en wordt de beperking van aansprakelijkheid slechts toegepast op het daarna mogelijkerwijs overblijvende saldo.

Geen beperking bij persoonlijke schuld

Art. 740e. Niemand is gerechtigd zijn aansprakelijkheid te beperken, indien bewezen is dat de schade is ontstaan door zijn eigen handeling of nalaten, geschied hetzij met het opzet die schade te veroorzaken, hetzij roekeloos en met de wetenschap, dat die schade er waarschijnlijk uit zou voortvloeien.

Bedragen van beperkte aansprakelijkheid

Art. 740f. 1. Het bedrag waartoe uit hoofde van deze titel de aansprakelijkheid voor niet in artikel 740g genoemde vorderingen, naar aanleiding van éénzelfde voorval ontstaan, kan worden beperkt (het bedrag van het fonds) beloopt:
a. wanneer het vorderingen betreft ter zake van dood of letsel, die niet zijn vorderingen als bedoeld in artikel 740c, eerste lid onder d of e (personenfonds)
1. 333 000 rekeneenheden voor een schip, waarvan de tonnage niet meer dan 500 bedraagt;
2. voor een schip, waarvan de tonnage groter is dan 500, wordt het onder 1 genoemde bedrag vermeerderd met
— 500 rekeneenheden voor elke toename van de tonnage met één van 501 tot en met 3000;
— 333 rekeneenheden voor elke toename van de tonnage met één van 3001 tot en met 30 000;
— 250 rekeneenheden voor elke toename van de tonnage met één van 30 001 tot en met 70 000;
— 167 rekeneenheden voor elke toename van de tonnage met één boven de 70 000.
b. wanneer het enige andere vordering betreft die niet is een vordering als bedoeld in artikel 740c, eerste lid onder d of e (zakenfonds)
1. 167 000 rekeneenheden voor een schip, waarvan de tonnage niet meer dan 500 bedraagt;
2. voor een schip, waarvan de tonnage groter is dan 500, wordt het onder 1 genoemde bedrag vermeerderd met
— 167 rekeneenheden voor elke toename van de tonnage met één van 501 tot en met 30 000;
— 125 rekeneenheden voor elke toename van de tonnage met één van 30 001 tot en met 70 000;
— 83 rekeneenheden voor elke toename van de tonnage met één boven de 70 000.
c. wanneer het vorderingen betreft als bedoeld in artikel 740c, eerste lid onder d of e (wrakkenfonds)
1. 262 000 rekeneenheden voor een schip, waarvan de tonnage niet meer dan 500 bedraagt;
2. voor een schip, waarvan de tonnage groter is dan 500, wordt het onder 1 genoemde bedrag vermeerderd met
— 333 rekeneenheden voor elke toename van de tonnage met één van 501 tot en met 6000;
— 125 rekeneenheden voor elke toename van de tonnage met één van 6001 tot en met 70 000;
— 83 rekeneenheden voor elke toename van de tonnage met één boven de 70 000.

2. Voor schepen, die blijkens hun constructie uitsluitend of in hoofdzaak zijn bestemd tot het vervoer van personen en waarvan de tonnage niet groter is dan 300, kan bij algemene maatregel van bestuur het bedrag waartoe uit hoofde aan deze titel de aansprakelijkheid voor de in het eerste lid, aanhef en onder b, bedoelde vorderingen kan worden beperkt, op een lager aantal rekeneenheden worden gesteld dan genoemd in het eerste lid, onder b, onder 1.

3. Het bedrag waartoe de aansprakelijkheid van een hulpverlener aan een schip die niet van een zee- of binnenschip uit werkzaamheden verricht of die werkzaamheden uitsluitend verricht op het schip waaraan of met betrekking waartoe hij hulp verleent, kan worden beperkt, wordt berekend naar een tonnage van 1500 ton.

4. Voor de toepassing van deze titel wordt onder tonnage van het schip verstaan de bruto-tonnage van het schip berekend overeenkomstig de voorschriften voor meting vervat in Bijlage I van het op 23 juni 1969 te Londen tot stand gekomen Internationaal Verdrag betreffende de meting van schepen, 1969.

5. Op verzoek van de eigenaar kan door het hoofd van de scheepsmetingsdienst een verklaring worden afgegeven betreffende de bruto-tonnage van een schip, berekend overeenkomstig de voorschriften voor meting vervat in Bijlage I van het op 23 juni 1969 te Londen tot stand gekomen Internationaal Verdrag betreffende de meting van schepen, 1969.

6. Deze verklaring wordt afgegeven tegen betaling van de kosten berekend volgens een door Onze Minister van Verkeer en Waterstaat vast te stellen tarief.

Art. 740g. 1. Wat betreft vorderingen ontstaan naar aanleiding van éénzelfde voorval terzake van dood of letsel van reizigers van een schip beloopt het bedrag waartoe de reder daarvan zijn aansprakelijkheid kan beperken (passagiersfonds), even vele malen 46 666 rekeneenheden als het schip volgens zijn veiligheidscertificiaat gerechtigd is reizigers te vervoeren, doch niet meer dan 25 000 000 rekeneenheden.

Maximum van de schadevordering

2. Onder vorderingen terzake van dood of letsel van reizigers worden voor de toepassing van dit artikel verstaan dergelijke vorderingen ingediend naar aanleiding van een voorval overkomen aan enige persoon vervoerd aan boord van het schip
a. op grond van een overeenkomst tot het vervoer van reizigers;
b. die met toestemming van de vervoerder een voertuig of levende dieren vergezelt, die worden vervoerd op grond van een overeenkomst tot goederenvervoer.

Art. 740h. Aan de bedragen vermeld in de artikelen 740f en 740g worden toegevoegd de wettelijke interessen berekend van de aanvang van de dag volgende op de dag van het voorval, dat aanleiding gaf tot de vordering, tot de aanvang van de dag volgende op de dag waarop hij, die een verzoek tot beperking van zijn aansprakelijkheid indiende, voldeed aan een hem krachtens artikel 320c van het Wetboek van Burgerlijke Rechtsvordering opgelegd bevel.

Wettelijke interessen

Art. 740i. 1. De beperking van aansprakelijkheid als vastgesteld in artikel 740f geldt voor het geheel der naar aanleiding van éénzelfde voorval ontstane vorderingen gericht tegen
a. de persoon of personen genoemd in het tweede lid van artikel 740a en enige persoon voor wiens handeling, onachtzaamheid of nalatigheid dezen in beginsel aansprakelijk zijn, of
b. de reder van een schip die van dat schip uit hulp verleent, en de hulpverlener of hulpverleners die van dat schip uit hun werkzaamheden verricht of verrichten en enige persoon voor wiens handeling, onachtzaamheid of nalatigheid deze personen in beginsel aansprakelijk zijn, of
c. de hulpverlener of hulpverleners aan een schip die niet van een zee- of binnenschip uit werkzaamheden verricht of verrichten of die werkzaamheden verricht of verrichten uitsluitend op het schip waaraan of met betrekking waartoe hulp wordt verleend, en enige persoon voor wiens handeling, onachtzaamheid of nalatigheid deze personen in beginsel aansprakelijk zijn.

2. De beperking van aansprakelijkheid als vastgesteld in artikel 740g geldt voor het geheel der naar aanleiding van éénzelfde voorval ontstane vorderingen gericht tegen de persoon of de personen die in de in artikel 740a, tweede lid, genoemde betrekking staan tot het in artikel 740g bedoelde schip, en enige persoon voor wiens handeling, onachtzaamheid of nalatigheid dezen in beginsel aansprakelijk zijn.

Art. 740j. De rekeneenheid, genoemd in de artikelen 740f en 740g, is het bijzondere trekkingsrecht, zoals dat is omschreven door het Internationale Monetaire Fonds. De bedragen genoemd in de artikelen 740f en 740g worden omgerekend in Nederlands geld naar de koers van de dag waarop de schuldenaar voldoet aan een ingevolge artikel 320c van het Wetboek van Burgerlijke Rechtsvordering gegeven bevel tot storting of andere zekerheidsstelling. De waarde van het Nederlandse geld, uitgedrukt in bijzondere trekkingsrechten, wordt berekend volgens de waarderingsmethode die door het Internationale Monetaire Fonds op de dag van omrekening wordt toegepast voor zijn eigen verrichtingen en transacties.

Omrekening

TWAALFDE TITEL

Van het te niet gaan der verbindtenissen in den zeehandel

Artt. 741 t/m 743. Vervallen bij de wet van 29 mei 1990, Stb. 379.

Art. 744. 1. Door verloop van vijf jaren verjaart alle rechtsvordering voortspruitende uit eene polis van verzekering.
2. Deze verjaring begint te loopen van den dag, waarop de vordering opeischbaar is geworden.

Art. 745. Vervallen bij de wet van 29 mei 1990, Stb. 379.

Art. 746. Alle aanspraak tegen de verzekeraars wegens schade, aan de ingeladene goederen overgekomen, vervalt, indien zij zonder bezigtiging en begrooting der

Vervallen van aanspraak tegen verzekeraars

schade, op de wijze bij de wet voorgeschreven, zijn aangenomen, of, in geval niet uiterlijk van de schade bleek, de bezigtiging en de begrooting niet heeft plaats gehad binnen den tijd bij de wet bepaald.

Art. 747. (Vervallen bij de wet van 2 december 1991, Stb. 664)

DERTIENDE TITEL
Van de binnenvaart

EERSTE AFDELING
Binnenschepen en voorwerpen aan boord daarvan

Artt. 748 t/m 765. Vervallen bij de wet van 29 mei 1990, Stb. 379.

Artt. 765a t/m 765n. Vervallen bij de wet van 29 mei 1990, Stb. 379.

Artt. 766 t/m 774. Vervallen bij de wet van 29 mei 1990, Stb. 379.

Artt. 775 t/m 775f. Vervallen bij de wet van 29 mei 1990, Stb. 379.

Art. 776. Vervallen bij de wet van 29 mei 1990, Stb. 379.

Art. 777. Vervallen bij de wet van 18 maart 1993, Stb. 168.

Art. 778. Vervallen bij de wet van 29 mei 1990, Stb. 379.

Art. 779. Vervallen.

TWEEDE AFDELING
Van den eigenaar en den gebruiker van een binnenschip

Artt. 780, 781. Vervallen bij de wet van 29 mei 1990, Stb. 379.

DERDE AFDELING
Van den schipper en de schepelingen.

Verplichtingen schipper

Art. 782. 1. De schipper is verplicht de gebruikelijke regels en de bestaande voorschriften ter verzekering van de deugdelijkheid en de veiligheid van het schip voor de vaart op binnenwateren, van de veiligheid der opvarenden en der zaken aan boord met nauwgezetheid op te volgen.

2. Hij onderneemt de reis niet, tenzij het schip tot het volvoeren daarvan geschikt, naar behooren uitgerust en voldoende bemand is.

3. Vervallen.

4. Hij moet aan boord voorzien zijn van de documenten bij algemene maatregel van bestuur genoemd.

5. Bij of krachtens algemene maatregel van bestuur kunnen de schippers van bepaalde soorten schepen in het binnenland worden vrijgesteld van de in het vorige lid omschreven veprlichtingen.

Doen opmaken van scheepsverklaring

Art. 783. 1. De schipper kan na aankomst in eene haven door een notaris eene scheepsverklaring doen opmaken omtrent de voorvallen der reis. Buiten Nederland wendt hij zich tot den Nederlandschen consulairen ambtenaar of, bij ontstentenis van zoodanigen ambtenaar, tot het bevoegde gezag.

2. De notaris en de consulaire ambtenaar zijn verplicht van scheepsverklaringen tegen betaling van kosten afschrift uit te reiken aan ieder, die het verlangt.

Art. 784. Vervallen bij de wet van 29 mei 1990, Stb. 379.

Verplichting hulpverlening

Art. 785. 1. De schipper is verplicht aan personen, die in gevaar verkeeren, en in het bijzonder, als zijn schip bij eene aanvaring betrokken is geweest, aan de andere daarbij betrokken schepen en de personen, die zich aan boord dier schepen bevinden, de hulp te verleenen, waartoe hij bij machte is zonder zijn eigen schip en de opvarenden daarvan aan ernstig gevaar bloot te stellen.

Verplichte opgaven bij aanvaring

2. Hij is bovendien verplicht, voor zooverre hem dit mogelijk is, aan de andere bij de aanvaring betrokken schepen op te geven den naam van zijn schip, van de

plaats, waar het thuis behoort, van de plaats, vanwaar het komt en waarheen het bestemd is, alsmede inzage te verstrekken van het bewijs van inschrijving in het register.

3. Niet-nakoming van deze verplichtingen door den schipper geeft geen aanspraak jegens hem, die uit welken hoofde dan ook verantwoordelijk is voor het optreden van de schipper.

Artt. 786, 787. Vervallen bij de wet van 29 mei 1990, Stb. 379.

VIERDE AFDELING
Van vervrachting en bevrachting van binnenschepen in het algemeen

Artt. 788 t/m 808. Vervallen bij de wet van 29 mei 1990, Stb. 379.

VIJFDE AFDELING
Van het vervoer van goederen

Artt. 809 t/m 853. Vervallen bij de wet van 29 mei 1990, Stb. 379.

Art. 854. Vervallen bij de wet van 18 maart 1993, Stb. 168.

§ 2. Beurtvaart

Artt. 855 t/m 873. Vervallen bij de wet van 29 mei 1990, Stb. 379.

§ 3. Reisbevrachting

Artt. 874 t/m 906. Vervallen bij de wet van 29 mei 1990, Stb. 379.

§ 4. Bevrachting voor liggen en/of varen

Artt. 907 t/m 918. Vervallen bij de wet van 29 mei 1990, Stb. 379.

ZESDE AFDEELING
Van het vervoer van personen

Artt. 919 t/m 922. Vervallen bij de wet van 29 mei 1990, Stb. 379.

Art. 923. Vervallen bij de wet van 14 juni 1989, Stb. 239.

Art. 924. Vervallen bij de wet van 29 mei 1990, Stb. 379.

ZEVENDE AFDEELING
Van het sleepen van binnenschepen

Artt. 925 t/m 931a. Vervallen bij de wet van 29 mei 1990, Stb. 379.

Artt. 932. Vervallen bij de wet van 14 juni 1989, Stb. 239.

Artt. 933, 934. Vervallen bij de wet van 29 mei 1990, Stb. 379.

Art. 935. Vervallen bij de wet van 14 juni 1989, Stb. 239.

ACHTSTE AFDEELING
Van aanvaring

Artt. 936 t/m 943. Vervallen bij de wet van 29 mei 1990, Stb. 379.

Art. 944. Vervallen bij de wet van 14 juni 1989, Stb. 239.

Artt. 945 t/m 949. Vervallen bij de wet van 29 mei 1990, Stb. 379.

NEGENDE AFDEELING
Van hulp en berging

Art. 950. Vervallen bij de wet van 29 mei 1990, Stb. 379.

TIENDE AFDEELING
Van avarijen

Art. 951. Vervallen bij de wet van 29 mei 1990, Stb. 379.

TIENDE AFDEELING A
Van de beperking der aansprakelijkheid

Beperking aansprakelijkheid

Art. 951a. 1. De eigenaar van een binnenschip en de hulpverlener kunnen door het stellen van één of meer fondsen als bedoeld in artikel 320c van het Wetboek van Burgerlijke Rechtsvordering hun aansprakelijkheid beperken voor de in artikel 951c genoemde vorderingen.

2. Onder eigenaar worden in deze afdeling verstaan de eigenaar, de bevrachter, de huurder of andere gebruiker van een binnenschip met inbegrip van degene in wiens handen de exploitatie van een binnenschip is gelegd.

3. Onder hulpverlener wordt in deze afdeling een ieder verstaan die werkzaamheden verricht in onmiddellijk verband met hulpverlening, waaronder in deze afdeling mede worden verstaan de in artikel 951c, eerste lid onder d, e en f, genoemde werkzaamheden of maatregelen.

4. Onder binnenschepen worden in deze afdeling mede verstaan draagvleugelboten, baggermolens, drijvende kranen, elevatoren en alle drijvende werktuigen, pontons of materiaal van soortgelijke aard, die voldoen aan de in de artikelen 1 en 3 van Boek 8 van het Burgerlijk Wetboek ten aanzien van binnenschepen vermelde eisen.

5. Voor de toepassing van deze afdeling wordt een binnenschip in aanbouw niet als binnenschip aangemerkt en wordt een binnenschip aangemerkt als in aanbouw te zijn tot op het ogenblik dat de stapelloop aanvangt of het schip voor het eerst drijft. Een luchtkussenvoertuig wordt voor de toepassing van deze afdeling niet als binnenschip aangemerkt.

6. In deze afdeling worden onder letsel verstaan iedere lichamelijke verwonding van de mens en iedere andere aantasting in zijn persoon.

Art. 951b. 1. Indien een vordering als genoemd in artikel 951c wordt gericht tegen enige persoon voor wiens handeling, onachtzaamheid of nalatigheid de eigenaar of de hulpverlener in beginsel aansprakelijk is, heeft deze persoon de in deze afdeling verleende bevoegdheid tot beperking van zijn aansprakelijkheid.

2. De verzekeraar van de aansprakelijkheid voor vorderingen, waarvoor op grond van deze afdeling beperking van aansprakelijkheid mogelijk is, kan zich in dezelfde mate als zijn verzekerde op die beperking beroepen.

Vorderingen die beperkt kunnen worden

Art. 951c. 1. Onder voorbehoud van de artikelen 951d en 951e bestaat de bevoegdheid tot beperking van aansprakelijkheid voor de hierna genoemde vorderingen ingesteld hetzij op grond van overeenkomst, hetzij buiten overeenkomst en zelfs wanneer de aansprakelijkheid uitsluitend voortvloeit uit eigendom of bezit van of een voorrecht op het schip of uit het feit, dat dit onder hoede of toezicht is van hem die zich op de beperking van aansprakelijkheid beroept:
a. vorderingen terzake van dood of letsel, dan wel terzake van verlies van of schade aan zaken (met inbegrip van schade aan kunstwerken van havens, aan dokken, waterwegen of hulpmiddelen voor de scheepvaart), opgekomen aan boord van het binnenschip of in rechtstreeks verband met de exploitatie van het binnenschip of met werkzaamheden ter hulpverlening, alsmede voor vorderingen terzake van schade tengevolge van een of ander;
b. vorderingen terzake van schade ontstaan door vertraging bij het vervoer van lading, reizigers of hun bagage;
c. vorderingen terzake van andere schade ontstaan door inbreuk op enig niet op overeenkomst gegrond vermogensrecht en opgekomen in rechtstreeks verband met de exploitatie van het binnenschip of met werkzaamheden ter hulpverlening;
d. vorderingen terzake van het vlotbrengen, verwijderen, vernietigen of onschadelijk maken van een zee- of binnenschip dat is gezonken, schipbreuk heeft geleden, gestrand of verlaten is, met inbegrip van alles wat aan boord van zulk een schip is of

is geweest;
e. vorderingen terzake van het verwijderen, vernietigen of onschadelijk maken van de lading van het binnenschip;
f. vorderingen van een persoon terzake van maatregelen genomen om schade te voorkomen of te verminderen voor welke schade de daarvoor aansprakelijke persoon zijn aansprakelijkheid op grond van deze afdeling zou kunnen beperken, alsmede voor vorderingen terzake van verdere schade door zulke maatregelen geleden, één en ander echter met uitzondering van dusdanige vorderingen van deze aansprakelijke persoon zelf.

2. Aansprakelijkheid voor de in het eerste lid genoemde vorderingen kan worden beperkt, ook indien deze, al dan niet op grond van een overeenkomst, zijn ingesteld bij wijze van verhaal of vrijwaring. De aansprakelijkheid voor de vorderingen in het eerste lid genoemd onder d, e of f kan echter niet worden beperkt voor zover deze vorderingen betrekking hebben op een vergoeding verschuldigd op grond van een overeenkomst met de aansprakelijke persoon.

Art. 951d. 1. Deze afdeling is niet van toepassing op:
a. vorderingen uit hoofde van hulpverlening of bijdrage in avarij-grosse;
b. vorderingen gebaseerd op enig internationaal verdrag of enige wet, die de beperking van aansprakelijkheid voor kernschade regelt of verbiedt;
c. vorderingen tegen de eigenaar van een nucleair binnenschip terzake van kernschade;
d. vorderingen uit hoofde van arbeidsovereenkomst tegen de eigenaar of de hulpverlener ingesteld door zijn ondergeschikten of hun rechtverkrijgenden voor zover deze vorderingen werkzaamheden betreffen in verband met het binnenschip of de hulpverlening, al naar gelang de aansprakelijkheid van de eigenaar of de hulpverlener voor deze vorderingen uit hoofde van de op de arbeidsovereenkomst toepasselijke wet niet of slechts tot een hoger bedrag dan op grond van deze afdeling het geval ware, kan worden beperkt.

2. Wanneer iemand die op grond van deze afdeling bevoegd is zijn aansprakelijkheid te beperken, gerechtigd is tegen een schuldeiser een vordering geldend te maken, die voortkomt uit hetzelfde voorval, zullen de respectieve vorderingen met elkaar worden verrekend en wordt de beperking van aansprakelijkheid slechts toegepast op het daarna mogelijkerwijs overblijvende saldo.

Bij opzet en grove schuld geen beperking

Art. 951e. Niemand is gerechtigd zijn aansprakelijkheid te beperken, indien bewezen is dat de schade is ontstaan door zijn eigen handeling of nalaten, geschied hetzij met het opzet die schade te veroorzaken, hetzij roekeloos en met de wetenschap, dat die schade er waarschijnlijk uit zou voortvloeien.

Het bedrag

Art. 951f. Het bedrag waartoe de aansprakelijkheid uit hoofde van deze afdeling kan worden beperkt (het bedrag van het fonds), wordt berekend naar bij algemene maatregel van bestuur vast te stellen maatstaven welke verschillend kunnen zijn voor verschillende soorten van schepen en voor een hulpverlener. Daarbij kunnen met betrekking tot de in artikel 951c, eerste lid, bedoelde vorderingen verschillende fondsen worden voorzien.

Art. 951g. 1. De beperking van aansprakelijkheid als vastgesteld krachtens de in artikel 951f bedoelde algemene maatregel van bestuur geldt voor het geheel der naar aanleiding van éénzelfde voorval ontstane vorderingen, die niet zijn vorderingen als bedoeld in het tweede lid, gericht tegen
a. de persoon of personen genoemd in het tweede lid van artikel 951a en enige persoon voor wiens handeling, onachtzaamheid of nalatigheid dezen in beginsel aansprakelijk zijn, of
b. de eigenaar van een binnenschip die van dat schip uit hulp verleent, en de hulpverlener of hulpverleners die van dat schip uit hun werkzaamheden verricht of verrichten en enige persoon voor wiens handeling, onachtzaamheid of nalatigheid deze personen in beginsel aansprakelijk zijn, of
c. de hulpverlener of hulpverleners aan een binnenschip die niet van een zee- of binnenschip uit werkzaamheden verricht of verrichten of die werkzaamheden verricht of verrichten uitsluitend op het binnenschip waaraan of met betrekking waartoe hulp wordt verleend, en enige persoon voor wiens handeling, onachtzaamheid of nalatigheid deze personen in beginsel aansprakelijk zijn.

2. De beperking van aansprakelijkheid als vastgesteld krachtens de in artikel 951f bedoelde algemene maatregel van bestuur voor vorderingen terzake van dood

of letsel van reizigers van een binnenschip geldt voor het geheel der naar aanleiding van éénzelfde voorval ontstane vorderingen gericht tegen de persoon of de personen die in de in artikel 951a, tweede lid, genoemde betrekking staan tot dat schip, en enige persoon voor wiens handeling, onachtzaamheid of nalatigheid dezen in beginsel aansprakelijk zijn.

ELFDE AFDEELING
Van verjaring en verval.

Artt. 952 t/m 954. Vervallen bij de wet van 29 mei 1990, Stb. 379.

Art. 955. 1. Door verloop van vijf jaren verjaart alle rechtsvordering voortspruitende uit eene polis van verzekering.
2. Deze verjaring begint te loopen van den dag, waaorp de vordering opeischbaar is geworden.

Art. 956. Vervallen bij de wet van 29 mei 1990, Stb. 379.

Verval aanspraken tegen verzekeraars

Art. 957. Alle aanspraak tegen de verzekeraars wegens schade, aan de ingeladene goederen overkomen, vervalt, indien zij zijn aangenomen zonder gerechtelijk onderzoek of voorbehoud van recht overeenkomstig het bij de wet bepaalde.

ALGEMENE SLOTBEPALING

Art. 958. De Algemene termijnenwet is niet van toepassing op de termijnen, gesteld in de hierna genoemde onderdelen van dit wetboek:
van het eerste boek:
Artikel 82 tweede lid, Titel IV derde en vierde afdeling en de Titels VI en VII;
van het tweede boek:
de Titels III, IV en Titel IX derde afdeling.
Zij is echter wel van toepassing op de termijnen, gesteld in de artikelen 419 en 451e.

DERDE BOEK
VAN DE VOORZIENINGEN IN GEVAL VAN ONVERMOGEN VAN KOOPLIEDEN

Artt. 764 t/m 923. Vervallen.

WET van den 30sten September 1893, Stb. 140, op het faillissement en de surséance van betaling, zoals laatstelijk gewijzigd bij de wet van 22 juni 1994, Stb. 573

Alzo Wij in overweging genomen hebben dat de wettelijke bepalingen omtrent het faillissement en de surséance van betaling herziening vereischen;

TITEL I
Van faillissement

EERSTE AFDELING
Van de faillietverklaring

Art. 1. 1. De schuldenaar, die in den toestand verkeert dat hij heeft opgehouden te betalen, wordt, hetzij op eigen aangifte, hetzij op verzoek van een of meer zijner schuldeischers, bij rechterlijk vonnis in staat van faillissement verklaard. **Eigen aangifte verzoek schuldeisers**

2. De faillietverklaring kan ook worden uitgesproken, om redenen van openbaar belang, op de vordering van het Openbaar Ministerie. **Vordering O.M.**

Art. 2. 1. De faillietverklaring geschiedt door de rechtbank van de woonplaats des schuldenaars. **Relatieve competentie**

2. Indien de schuldenaar zich buiten het Rijk in Europa heeft begeven, is de rechtbank zijner laatste woonplaats bevoegd.

3. Ten aanzien van vennooten onder eene firma is de rechtbank, binnen welker gebied het kantoor der vennootschap is gevestigd, mede bevoegd.

4. Indien de schuldenaar binnen het Rijk in Europa geene woonplaats heeft, doch aldaar een beroep of bedrijf uitoefent, is de rechtbank, binnen welker gebied hij een kantoor heeft, bevoegd.

5. Wordt in het geval van het derde of vierde lid door meer dan ééne daartoe bevoegde rechtbank op verschillende dagen de faillietverklaring uitgesproken, dan heeft alleen de eerst gedane uitspraak rechtsgevolgen. Heeft de uitspraak van verschillende rechtbanken op denzelfden dag plaats, dan heeft alleen de uitspraak van de rechtbank, die in de Wet van 10 augustus 1951, Stb. 347, het eerst genoemd wordt, rechtsgevolgen.

Art. 3. (Vervallen bij de wet van 14 juni 1956, Stb. 343).

Art. 4. 1. De aangifte tot faillietverklaring wordt gedaan en het verzoek daartoe ingediend ter griffie en met den meesten spoed in raadkamer behandeld. Het Openbaar Ministerie wordt daarop gehoord. **Aangifte tot faillietverklaring**

2. Een gehuwde schuldenaar kan slechts aangifte doen met medewerking van zijn echtgenoot, tenzij iedere gemeenschap tussen de echtgenoten is uitgesloten. **Gehuwde schuldenaar**

3. Ten aanzien eener vennootschap onder eene firma, moet de aangifte inhouden den naam en de woonplaats van elk der hoofdelijk voor het geheel verbondene vennooten.

4. Het vonnis van faillietverklaring wordt ter openbare terechtzitting uitgesproken en is bij voorraad, op de minute uitvoerbaar, niettegenstaande eenige daartegen gerichte voorziening. **Vonnis van faillietverklaring**

Art. 5. De verzoekschriften, bedoeld in het vorige artikel en in de artikelen 8, 9, 10, 11, 67, 155, 166, 198 en 206, worden ingediend door een procureur. **Indienen door procureur**

Art. 6. 1. De rechtbank kan bevelen, dat de schuldenaar worde opgeroepen, om in persoon of bij gemachtigde gehoord te worden. De griffier doet de oproeping op de wijze, bij algemeenen maatregel van bestuur te bepalen. **Oproeping schuldenaar**

2. Indien de schuldenaar, die is opgeroepen om gehoord te worden, gehuwd is, is zijn echtgenoot mede bevoegd om in persoon of bij gemachtigde te verschijnen.

3. De faillietverklaring wordt uitgesproken, indien summierlijk blijkt van het bestaan van feiten of omstandigheden, welke aantoonen, dat de schuldenaar in den toestand verkeert dat hij heeft opgehouden te betalen, en, zoo een schuldeischer het verzoek doet, ook van het vorderingsrecht van dezen. **Voorwaarden voor faillietverklaring**

Art. 7. 1. Hangende het onderzoek kan de rechtbank de verzoeker desverlangd verlof verlenen de boedel te doen verzegelen. Zij kan daaraan de voorwaarde van zekerheidstelling tot een door haar te bepalen bedrag verbinden. **Verzegeling boedel**

2. De verzegeling geschiedt door een bij dit verlof aan te wijzen notaris. Buiten de verzegeling blijven zaken die onder artikel 21 vallen; in het proces-verbaal wordt een korte beschrijving daarvan opgenomen.

Verzet en hoger beroep door schuldenaar

Art. 8. 1. De schuldenaar, die in staat van faillissement is verklaard, nadat hij op de aanvraag tot faillietverklaring is gehoord, heeft gedurende acht dagen, na den dag der uitspraak, recht van hooger beroep.

2. Zoo hij niet is gehoord, heeft hij gedurende veertien dagen, na den dag der uitspraak, recht van verzet. Indien hij tijdens de uitspraak zich niet binnen het Rijk in Europa bevindt, wordt die termijn verlengd tot eene maand.

3. Van het vonnis, op het verzet gewezen, kan hij gedurende acht dagen, na den dag der uitspraak, in hooger beroep komen.

4. Het verzet of hooger beroep geschiedt bij een verzoekschrift in te dienen ter griffie van het rechtscollege, dat van de zaak kennis moet nemen. De voorzitter bepaalt terstond dag en uur voor de behandeling. Uiterlijk op den vierden dag, volgende op dien waarop hij zijn verzoek heeft ingediend, wordt door den schuldenaar van het gedane verzet of ingestelde hooger beroep, alsmede van den tijd voor de behandeling bepaald, bij deurwaarders-exploot aan den procureur, die het verzoek tot faillietverklaring heeft ingediend, kennis gegeven.

5. Deze kennisgeving geldt voor oproeping van den schuldeischer, die de faillietverklaring heeft uitgelokt.

6. De behandeling geschiedt op de wijze bij artikel 4 voorgeschreven.

Hoger beroep bij afwijzing of vernietiging

Art. 9. 1. Bij afwijzing van de aangifte of aanvraag tot faillietverklaring bestaat recht van hooger beroep, gedurende acht dagen na den dag der afwijzing.

2. Hetzelfde geldt bij vernietiging der faillietverklaring ten gevolge van verzet, in welk geval van het hooger beroep door den griffier van het gerechtshof, waarbij het is aangebracht, onverwijld wordt kennis gegeven aan den griffier van de rechtbank die de vernietiging heeft uitgesproken.

3. De instelling en behandeling van het hooger beroep geschiedt op de wijze in de artikelen 4 en 6 voorgeschreven.

Verzet door schuldeisers en belanghebbenden

Art. 10. 1. Elk schuldeischer, met uitzondering van hem die de faillietverklaring heeft verzocht, en elk belanghebbende heeft tegen de faillietverklaring recht van verzet gedurende acht dagen na den dag der uitspraak.

2. Het verzet geschiedt bij een verzoekschrift in te dienen ter griffie van het rechtscollege, dat de faillietverklaring heeft uitgesproken.

3. De voorzitter bepaalt terstond dag en uur voor de behandeling. Uiterlijk op den vierden dag, volgende op dien waarop hij zijn verzoek heeft ingediend, wordt door den verzoeker van het gedane verzet, alsmede van den tijd voor de behandeling bepaald, bij deurwaardersexploot kennis gegeven aan den schuldenaar en, indien de faillietverklaring door een schuldeischer is verzocht, ook aan den procureur, die namens dezen het verzoek tot faillietverklaring heeft ingediend.

4. Deze kennisgeving geldt voor oproeping van den schuldenaar en van dien schuldeischer.

5. De behandeling geschiedt op de wijze bij artikel 4 voorgeschreven.

Hoger beroep na afwijzing verzet

Art. 11. 1. De schuldeischer of de belanghebbende, wiens in het vorige artikel bedoeld verzet door de rechtbank is afgewezen, heeft recht van hooger beroep, gedurende acht dagen na den dag der afwijzing.

Hoger beroep na vernietiging

2. Hetzelfde geldt, bij vernietiging der faillietverklaring door de rechtbank ten gevolge van dat verzet, voor den schuldenaar, den schuldeischer, die de faillietverklaring verzocht heeft, en het Openbaar Ministerie, in welk geval tevens het tweede lid van artikel 9 van toepassing is.

3. De instelling en behandeling van het hooger beroep geschiedt op de wijze in de artikelen 4 en 6 voorgeschreven.

4. Is het verzet bij het gerechtshof gedaan, dan is hooger beroep uitgesloten.

Beroep in cassatie

Art. 12. 1. Van het arrest, door het gerechtshof gewezen, kunnen de schuldenaar, de schuldeischer die de faillietverklaring verzocht, de in artikel 10 bedoelde schuldeischer of belanghebbende en het Openbaar Ministerie, gedurende acht dagen na den dag der uitspraak, in cassatie komen.

2. Het beroep in cassatie wordt aangebracht en behandeld op de wijze bij de artikelen 4, 6 en 8 bepaald.

3. Indien de cassatie is gericht tegen een arrest, houdende vernietiging van het vonnis van faillietverklaring, geeft de griffier van den Hoogen Raad van het verzoek tot cassatie onverwijld kennis aan den griffier van het gerechtshof dat de vernietiging heeft uitgesproken.

Art. 13. 1. Indien ten gevolge van verzet, hooger beroep of cassatie de faillietverklaring wordt vernietigd, blijven niettemin geldig en verbindend voor den schuldenaar de handelingen, door den curator verricht vóór of op den dag, waarop aan het voorschrift tot aankondiging overeenkomstig artikel 15 is voldaan.

Gevolgen van vernietiging

2. Hangende het verzet, het hooger beroep of de cassatie kan geene raadpleging over een akkoord plaats hebben, noch tot de vereffening van den boedel buiten toestemming van de schuldenaar worden overgegaan.

Gevolgen aanwending rechtsmiddel

Art. 14. 1. Het vonnis van faillietverklaring houdt in de benoeming van een der leden van de rechtbank tot rechter-commissaris in het faillissement, en de aanstelling van een of meer curators. De rechter die de faillietverklaring uitspreekt, geeft in de uitspraak tevens last aan de curator tot het openen van aan de gefailleerde gerichte brieven en telegrammen.

Inhoud vonnis faillietverklaring

2. Van de faillietverklaring wordt door den griffier onverwijld kennis gegeven aan de administratie der posterijen en der telegrafie. In de kennisgeving wordt melding gemaakt van de in het vorige lid bedoelde last.

Kennisgeving aan PTT

3. Een uittreksel uit het vonnis van faillietverklaring, houdende vermelding van den naam, de woonplaats of het kantoor en het beroep van den gefailleerde, van den naam van den rechter-commissaris, van den naam en de woonplaats of het kantoor des curators, van den dag der uitspraak, alsmede van den naam, het beroep en de woonplaats of het kantoor van ieder lid der voorlopige commissie uit de schuldeischers, zoo er eene benoemd is, wordt door den curator onverwijld geplaatst in de Nederlandsche Staatscourant en in een of meer door den rechter-commissaris aan te wijzen nieuwsbladen.

Publikatie uittreksel vonnis

Art. 15. 1. Zoodra een vonnis van faillietverklaring ten gevolge van verzet, hooger beroep of cassatie is vernietigd, en in de twee eerste gevallen de termijn, om in hooger beroep of in cassatie te komen, verstreken is zonder dat daarvan gebruik is gemaakt, wordt door den griffier van het rechtscollege, dat de vernietiging heeft uitgesproken, van die uitspraak kennis gegeven aan den curator en aan de administratie der posterijen en der telegrafie. De curator doet daarvan aankondiging in de bladen in artikel 14 genoemd.

Kennisgeving in aankondiging van vernietiging

2. Gelijke kennisgeving geschiedt, in geval van vernietiging van een vonnis van faillietverklaring in hooger beroep of cassatie, aan den griffier van de rechtbank, die het vonnis heeft gewezen.

3. De rechter, die de vernietiging van een vonnis van faillietverklaring uitspreekt, stelt tevens het bedrag vast van de faillissementskosten en van het salaris des curators. Hij brengt dit bedrag ten laste van dengene, die de faillietverklaring heeft aangevraagd, van den schuldenaar, of van beide in de door den rechter te bepalen verhouding. Tegen deze beslissing staat geen rechtsmiddel open. Een bevelschrift van tenuitvoerlegging zal daarvan worden uitgegeven ten behoeve van den curator.

Kosten

Art. 15a. Wordt faillietverklaring in hooger beroep of in cassatie uitgesproken met vernietiging van een vonnis of arrest, waarbij de aangifte of aanvrage tot faillietverklaring werd afgewezen, dan geeft de griffier van het rechtscollege, dat de faillietverklaring uitspreekt, van die uitspraak kennis aan den griffier van de rechtbank, waarbij de aangifte of aanvrage is ingediend.

Faillietverklaring in hoger beroep of cassatie

Art. 16. 1. Indien de toestand des boedels daartoe aanleiding geeft, kan de rechtbank, op voordracht van den rechter-commissaris en na de commissie uit de schuldeischers, zoo die er is, gehoord te hebben, bevelen, hetzij de kostelooze behandeling, hetzij, na verhoor of behoorlijke oproeping van den gefailleerde, en in dit geval bij beschikking in het openbaar uit te spreken, de opheffing van het faillissement.

Kosteloze behandeling of opheffing

2. De rechter, die de opheffing van het faillissement beveelt, stelt tevens het bedrag van de faillissementskosten vast en — zo daartoe gronden aanwezig zijn — van het salaris van de curator. Hij brengt deze bedragen ten laste van de schuldenaar. Zij worden bij voorrang boven alle andere schulden voldaan.

Kosten

3. Tegen deze vaststelling staat geen rechtsmiddel open. Een bevelschrift van tenuitvoerlegging zal daarvan worden uitgegeven ten behoeve van den curator.

4. In afwijking van hetgeen in het tweede lid is bepaald, komen de kosten van de in deze titel bevolen publicaties, voorzover deze niet uit de boedel kunnen worden voldaan, ten laste van de Staat. De griffier van het rechtscollege dat de opheffing heeft bevolen, draagt zorg voor de voldoening van het door de rechtbank vast te stellen bedrag dat ten laste van de Staat komt.

Vrijstelling griffiekosten

Art. 17. Het bevel tot kostelooze behandeling van het faillissement heeft ten gevolge vrijstelling van griffiekosten.

Wijze publicatie opheffing; rechtsmiddelen Nieuw verzoek

Art. 18. De beschikking, bevelende de opheffing van het faillissement, wordt op dezelfde wijze openbaar gemaakt als het vonnis van faillietverklaring en daartegen kunnen de schuldenaar en de schuldeischers op dezelfde wijze en binnen dezelfde termijnen opkomen, als bepaald is ten aanzien van het vonnis, waarbij eene faillietverklaring wordt geweigerd. Indien na een dergelijke opheffing opnieuw aangifte of — binnen drie jaar — aanvraag tot faillietverklaring wordt gedaan, is de schuldenaar of de aanvrager verplicht aan te toonen, dat er voldoende baten aanwezig zijn om de kosten van het faillissement te bestrijden.

Openbaar register

Art. 19. 1. Bij elke rechtbank wordt door den griffier een openbaar register gehouden, waarin hij, voor ieder faillissement afzonderlijk, achtereenvolgens met vermelding der dagteekening, inschrijft:
1°. een uittreksel van de rechterlijke beslissingen, waarbij de faillietverklaring uitgesproken of de uitgesprokene weder opgeheven is;
2°. den summieren inhoud en de homologatie van het akkoord;
3°. de ontbinding van het akkoord;
4°. het bedrag van de uitdeelingen bij vereffening;
5°. de opheffing van het faillissement ingevolge artikel 16;
6°. de rehabilitatie.

2. Omtrent vorm en inhoud van het register worden door Ons bij algemeenen maatregel van bestuur nadere regels gegeven.

3. De griffier is verplicht aan ieder kostelooze inzage van het register en tegen betaling een uittreksel daaruit te verstrekken.

4. Vervallen.

TWEEDE AFDEELING
Van de gevolgen der faillietverklaring

Algeheel beslag

Art. 20. Het faillissement omvat het geheele vermogen van den schuldenaar ten tijde van de faillietverklaring, alsmede hetgeen hij gedurende het faillissement verwerft.

Buiten faillissement vallende goederen

Art. 21. Niettemin blijven buiten het faillissement:
1°. de zaken vermeld in artikel 447, nrs. 1-3, van het Wetboek van Burgerlijke Rechtsvordering de toerusting van de leden van de krijgsmacht volgens hun dienst en rang en het auteursrecht in de gevallen, waarin het niet vatbaar is voor beslag; alsmede hetgeen in het eerste lid van artikel 448 van genoemd Wetboek omschreven is, tenzij in het faillissement schuldeischers opkomen wegens vorderingen vermeld in het tweede lid van dat artikel;
2°. hetgeen de gefailleerde door persoonlijke werkzaamheid, of als bezoldiging wegens een ambt of bediening, of als soldij, gagement, pensioen of onderstand, gedurende het faillissement verkrijgt, indien en voor zoover de rechter-commissaris zulks bepaalt;
3°. de gelden, die aan den gefailleerde verstrekt worden ter voldoening aan eenen wettelijke onderhoudsplicht;
4°. een door de rechter-commissaris te bepalen bedrag uit de opbrengst van het in artikel 251 van Boek 1 van het Burgerlijk Wetboek bedoelde vruchtgenot, ter bestrijding van de in artikel 252 van Boek 1 van dat wetboek vermelde lasten en van de kosten van verzorging en opvoeding van het kind;
5°. het ingevolge artikel 320c van het Wetboek van Burgerlijke Rechtsvordering in de kas der gerechtelijke consignaties gestorte bedrag;
6°. de goederen bedoeld in artikel 60a, derde lid.

Uitbreiding begrip gefailleerde

Art. 22. In het vorige artikel wordt onder „gefailleerde" mede begrepen de echtgenoot van den in eenige gemeenschap gehuwden gefailleerde.

Art. 23. Door de faillietverklaring verliest de schuldenaar van rechtswege de beschikking en het beheer over zijn tot het faillissement behoorend vermogen, te rekenen van den dag waarop de faillietverklaring wordt uitgesproken, die dag daaronder begrepen.

Verlies beschikking en beheer

Art. 24. Voor verbintenissen van den schuldenaar, na de faillietverklaring ontstaan, is de boedel niet aansprakelijk dan voor zooverre deze ten gevolge daarvan is gebaat.

Na faillietverklaring ontstane verbintenissen

Art. 25. 1. Rechtsvorderingen, welke rechten of verplichtingen tot den faillieten boedel behoorende ten onderwerp hebben, worden zoowel tegen als door den curator ingesteld.

2. Indien zij, door of tegen den gefailleerde ingesteld of voortgezet, eene veroordeling van den gefailleerde ten gevolge hebben, heeft die veroordeling tegenover den faillieten boedel geene rechtskracht.

Vorderingen tegen en door curator ingesteld

Art. 26. Rechtsvorderingen, die voldoening eener verbintenis uit den boedel ten doel hebben, kunnen gedurende het faillissement ook tegen den gefailleerde op geene andere wijze ingesteld worden, dan door aanmelding ter verificatie.

Vordering tot voldoening verbintenis uit de boedel

Art. 27. 1. Indien de rechtsvordering tijdens de faillietverklaring aanhangig en door den schuldenaar ingesteld is, wordt het geding ten verzoeke van den gedaagde geschorst, ten einde dezen gelegenheid te geven, binnen een door den rechter te bepalen termijn, den curator tot overneming van het geding op te roepen.

2. Zoo deze aan die oproeping geen gevolg geeft, heeft de gedaagde het recht ontslag van de instantie te vragen; bij gebreke daarvan kan het geding tusschen den gefailleerde en den gedaagde worden voortgezet, buiten bezwaar van den boedel.

3. Ook zonder opgeroepen te zijn, is de curator bevoegd het proces te allen tijde over te nemen en den gefailleerde buiten het geding te doen stellen.

Door schuldenaar reeds ingestelde vordering

Art. 28. 1. Indien de rechtsvordering tijdens de faillietverklaring aanhangig en tegen den schuldenaar ingesteld is, is de eischer bevoegd schorsing te verzoeken, ten einde, binnen een door den rechter te bepalen termijn, den curator in het geding te roepen.

2. Door zijne verschijning neemt deze het proces over en is de gefailleerde van rechtswege buiten het geding.

3. Indien de curator verschijnende dadelijk in den eisch toestemt, zijn de proceskosten van de tegenpartij geen boedelschuld.

4. Zoo de curator niet verschijnt, is op het tegen den gefailleerde te verkrijgen vonnis de bepaling van het tweede lid van artikel 25 niet toepasselijk.

Tegen schuldenaar reeds ingestelde vordering

Art. 29. Voor zooverre tijdens de faillietverklaring aanhangige rechtsvorderingen voldoening eener verbintenis uit den boedel ten doel hebben, wordt het geding na de faillietverklaring geschorst, om alleen dan voortgezet te worden, indien de verificatie der vordering betwist wordt. In dit geval wordt hij, die de betwisting doet, in de plaats van den gefailleerde, partij in het geding.

Aanhangige vordering tot voldoening verbintenis uit de boedel

Art. 30. 1. Indien vóór de faillietverklaring de stukken van het geding tot het geven van eene beslissing aan den rechter zijn overgelegd, zijn het tweede lid van artikel 25 en de artikelen 27-29 niet toepasselijk.

2. De artikelen 27-29 worden weder toepasselijk, indien het geding voor den rechter, bij wien het aanhangig is, ten gevolge van zijne beslissing wordt voortgezet.

Stukken voor beslissing overgelegd

Art. 31. Indien een geding door of tegen den curator, of ook in het geval van artikel 29 tegen een schuldeischer wordt voortgezet, kan door den curator of door diens schuldeischer de nietigheid worden ingeroepen van handelingen, door den schuldenaar vóór zijn faillietverklaring in het geding verricht, zoo bewezen wordt dat deze door die handelingen de schuldeischer desbewust heeft benadeeld en dat dit aan zijne tegenpartij bekend was.

Nietigheid handelingen van schuldenaar

Art. 32. (Vervallen bij de wet van 3 december 1987, Stb. 591).

Art. 33. 1. Het vonnis van faillietverklaring heeft ten gevolge, dat alle gerechtelijke tenuitvoerlegging op eenig deel van het vermogen van den schuldenaar vóór het faillissement aangevangen, dadelijk een einde neemt, en dat, ook van hetzelfde oo-

Verval gerechtelijke tenuitvoerlegging

genblik af, geen vonnis bij lijfsdwang kan worden ten uitvoer gelegd.

2. Gelegde beslagen vervallen; de inschrijving van een desbetreffende verklaring van de rechtercommissaris machtigt de bewaarder van de openbare registers tot doorhaling. Het beslag herleeft, zodra het faillissement een einde neemt ten gevolge van vernietiging of opheffing van het faillissement, mits het goed dan nog tot de boedel behoort. Indien de inschrijving van het beslag in de openbare registers is doorgehaald, vervalt de herleving, indien niet binnen veertien dagen na de herleving een exploit is ingeschreven, waarbij van de herleving mededeling aan de schuldenaar is gedaan.

Ontslag uit gijzeling

3. Indien de schuldenaar zich in gijzeling bevindt, wordt hij ontslagen, zoodra het vonnis van faillietverklaring in kracht van gewijsde is gegaan, behoudens toepassing van artikel 87.

Lijfsdwang in zaken levensonderhoud

4. Het bepaalde bij dit artikel geldt niet voor lijfsdwang in zaken als bedoeld bij artikel 598a van het Wetboek van Burgerlijke Rechtsvordering.

Art. 33a. (Vervallen bij de wet van 23 maart 1977, Stb. 184.)

Reeds vastgestelde goederen

Art. 34. Indien vóór het faillissement van den schuldenaar de uitwinning zijner goederen zoo ver was gevorderd, dat de dag van den verkoop reeds was bepaald, kan de curator, op machtiging van den rechter-commissaris, den verkoop voor rekening van den boedel laten voortgaan.

Schuldenaar kan niet meer leveren

Art. 35. 1. Indien op de dag van faillietverklaring nog niet alle handelingen die voor een levering door de schuldenaar nodig zijn, hebben plaatsgevonden, kan de levering niet geldig meer geschieden.

2. Heeft de schuldenaar voor de dag van de faillietverklaring een toekomstig goed bij voorbaat geleverd, dan valt dit goed, indien het eerst na de aanvang van die dag door hem is verkregen, in de boedel, tenzij het gaat om nog te velde staande vruchten of beplantingen die reeds voor de faillietverklaring uit hoofde van een zakelijk recht of een huur- of pachtovereenkomst aan de schuldenaar toekwamen.

Vermoeden bekendheid faillietverklaring

3. Voor de toepassing van de artikelen 86 en 238 van Boek 3 van het Burgerlijk Wetboek wordt degene die van de schuldenaar heeft verkregen, geacht na de bekendmaking van de faillietverklaring, bedoeld in artikel 14, derde lid, diens onbevoegdheid te hebben gekend.

Verkoop registergoed zonder kwalitatief beding

Art. 35a. Indien een beding als bedoeld in artikel 252 van Boek 6 van het Burgerlijk Wetboek op de dag van de faillietverklaring nog niet in de openbare regiters was ingeschreven, kan de curator het registergoed ten aanzien waarvan het is gemaakt, vrij van het beding overeenkomstig de artikelen 101 of 176 verkopen.

Gift van schuldenaar

Art. 35b. Aan een gift, door de schuldenaar gedaan onder een opschortende voorwaarde of een opschortende tijdsbepaling, die op de dag van de faillietverklaring nog niet was vervuld of verschenen, kan de begiftigde generlei recht tegen de boedel ontlenen.

Verlenging verjarings- en vervaltermijn

Art. 36. 1. Wanneer een verjaringstermijn betreffende een rechtsvordering, als bedoeld in artikel 26, zou aflopen gedurende het faillissement of binnen zes maanden na het einde daarvan, loopt de termijn voort totdat zes maanden na het einde van het faillissement zijn verstreken.

2. Het eerste lid is van overeenkomstige toepassing op van rechtswege aanvangende vervaltermijnen.

Termijnverlenging i.v.m. standpuntbepaling curator

Art. 36a. Wanneer een termijn die vóór de faillietverklaring uit hoofde van artikel 55, tweede lid, van Boek 3 of artikel 88 van Boek 6 van het Burgerlijk Wetboek aan de schuldenaar was gesteld, ten tijde van de faillietverklaring nog niet was verstreken, loopt de termijn voort voor zover dit redelijkerwijze noodzakelijk is om de curator in staat te stellen zijn standpunt te bepalen. De wederpartij kan de curator daartoe een nieuwe redelijke termijn stellen.

Wederkerige overeenkomsten

Art. 37. 1. Indien een wederkerige overeenkomst ten tijde van de faillietverklaring zowel door de schuldenaar als door zijn wederpartij in het geheel niet of slechts gedeeltelijk is nagekomen en de curator zich niet binnen een hem daartoe schriftelijk door de wederpartij gestelde redelijke termijn bereid verklaart de overeenkomst gestand te doen, verliest de curator het recht zijnerzijds nakoming van de overeenkomst te vorderen.

2. Indien de curator zich wel tot nakoming van de overeenkomst bereid verklaart, is hij verplicht bij die verklaring voor deze nakoming zekerheid te stellen.

3. De vorige leden zijn niet van toepassing op overeenkomsten waarbij de gefailleerde slechts verbintenissen op zich heeft genomen tot door hem persoonlijk te verrichten handelingen.

Concurrente vorderingen

Art. 37a. Voor vorderingen die de wederpartij uit hoofde van ontbinding of vernietiging van een vóór de faillietverklaring met de schuldenaar gesloten overeenkomst op deze heeft verkregen, of die strekken tot schadevergoeding ter zake van tekortschieten in de nakoming van een vóór de faillietverklaring op deze verkregen vordering, kan zij als concurrent schuldeiser in het faillissement opkomen.

Termijnhandel

Art. 38. Indien in het geval van artikel 37, de levering van waren, die ter beurze op termijn worden verhandeld, bedongen is tegen een vastgesteld tijdstip of binnen een bepaalden termijn, en dit tijdstip invalt of die termijn verstrijkt na de faillietverklaring, wordt de overeenkomst door de faillietverklaring ontbonden en kan de wederpartij van den gefailleerde zonder meer voor schadevergoeding als concurrent schuldeischer opkomen. Lijdt de boedel door de ontbinding schade, dan is de wederpartij verplicht deze te vergoeden.

Huurkoop

Art. 38a. 1. Indien de gefailleerde huurkoper is, kan zoowel de curator als de verkooper den huurkoop dan wel scheepshuurkoop ontbonden verklaren.

2. Deze ontbinding heeft dezelfde gevolgen als ontbinding der overeenkomst wegens het niet nakomen door den kooper van zijne verplichtingen.

3. De verkooper kan voor het hem verschuldigde bedrag als concurrent schuldeischer opkomen.

Beëindiging huurovereenkomst

Art. 39. 1. Indien de gefailleerde huurder is, kan zoowel de curator als de verhuurder de huur tusschentijds doen eindigen, mits de opzegging geschiedde tegen een tijdstip, waarop dergelijke overeenkomsten naar plaatselijk gebruik eindigen. Bovendien moet bij de opzegging de daarvoor overeengekomen of gebruikelijke termijn in acht genomen worden, met dien verstande echter, dat een termijn van drie maanden in elk geval voldoende zal zijn. Zijn er huurpenningen vooruitbetaald, dan kan de huur niet eerder opgezegd worden, dan tegen den dag, waarop de termijn, waarvoor vooruitbetaling heeft plaats gehad, eindigt. Van den dag der faillietverklaring af is de huurprijs boedelschuld.

Beëindiging pachtovereenkomst

2. Indien de gefailleerde pachter is, vindt het bovenstaande overeenkomstige toepassing.

Beëindiging arbeidsovereenkomst

Art. 40. 1. Arbeiders in dienst van de gefailleerde kunnen de dienstbetrekking opzeggen en hun kan wederkerig door de curator de dienstbetrekking worden opgezegd, en wel met inachtneming van de overeengekomen of wettelijke termijnen.

2. Niettemin behoeft de arbeider de termijn, omschreven in artikel 1639 j, eerste lid, van het Burgerlijk Wetboek niet in acht te nemen en kan hij de dienstbetrekking en elk geval beëindigen door opzegging met een termijn van zes weken.

3. De curator kan de dienstbetrekking in elk geval beëindigen door opzegging op een termijn van zes weken, welke termijn overeenkomstig artikel 1639j, tweede lid, van het Burgerlijk Wetboek wordt verlengd met betrekking tot arbeiders die de leeftijd van 45 jaren, doch nog niet die van 65 jaren hebben bereikt.

4. Van de dag der faillietverklaring af zijn het loon en de met de arbeidsovereenkomst samenhangende premieschulden boedelschuld.

Beëindiging agentuurovereenkomst

5. Dit artikel is van overeenkomstige toepassing op agentuurovereenkomsten.

Aanvaarden of verwerpen erfenis

Art. 41. 1. Erfenissen, gedurende het faillissement aan den gefailleerde opkomende, worden door den curator niet anders aanvaard dan onder voorrecht van boedelbeschrijving.

2. Tot het verwerpen eener nalatenschap behoeft de curator machtiging van den rechter-commissaris.

Door schuldenaar onverplicht verrichte Rechtshandeling (Faillissementspauliana)

Art. 42. 1. De curator kan ten behoeve van de boedel elke rechtshandeling die de schuldenaar vóór de faillietverklaring onverplicht heeft verricht en waarvan deze bij dit verrichten wist of behoorde te weten dat daarvan benadeling van de schuldeisers het gevolg zou zijn, door een buitengerechtelijke verklaring vernietigen. Artikel 50, tweede lid, van Boek 3 van het Burgerlijk Wetboek is niet van toepassing.

2. Een rechtshandeling anders dan om niet, die hetzij meerzijdig is, hetzij eenzijdig en tot een of meer bepaalde personen gericht, kan wegens benadeling slechts worden vernietigd, indien ook degenen met of jegens wie de schuldenaar de rechtshandeling verrichtte, wisten of behoorden te weten dat daarvan benadeling van de schuldeisers het gevolg zou zijn.

3. Wordt een rechtshandeling om niet wegens benadeling vernietigd, dan heeft de vernietiging ten aanzien van de bevoordeelde, die wist noch behoorde te weten dat van de rechtshandeling benadeling van de schuldeisers het gevolg zou zijn, geen werking, voor zover hij aantoont dat hij ten tijde van de faillietverklaring niet ten gevolge van de rechtshandeling gebaat was.

Vermoeden wetenschap benadeling schuldeisers

Art. 43. Indien de rechtshandeling waardoor de schuldeisers zijn benadeeld, is verricht binnen een jaar voor de faillietverklaring en de schuldenaar zich niet reeds voor de aanvang van die termijn daartoe had verplicht, wordt de aan het slot van artikel 42, eerste lid, eerste zin, bedoelde wetenschap, behoudens tegenbewijs, vermoed aan beide zijden te bestaan:
1°. bij overeenkomsten, waarbij de waarde der verbintenis aan de zijde van de schuldenaar aanmerkelijk die der verbintenis aan de andere zijde overtreft;
2°. bij rechtshandelingen ter voldoening van of zekerheidstelling voor een niet opeisbare schuld;
3°. bij rechtshandelingen, door de schuldenaar die een natuurlijk persoon is, verricht met of jegens:
a. zijn echtgenoot, zijn pleegkind of een bloed- of aanverwant tot in de derde graad;
b. een rechtspersoon waarin hij, zijn echtgenoot, zijn pleegkind of een bloed- of aanverwant tot in de derde graad bestuurder of commissaris is, dan wel waarin deze personen, afzonderlijk of tezamen, als aandeelhouder rechtstreeks of middellijk voor ten minste de helft van het geplaatste kapitaal deelnemen;
4°. bij rechtshandelingen, door de schuldenaar die rechtspersoon is, verricht met of jegens een natuurlijk persoon,
a. die bestuurder of commissaris van de rechtspersoon is, dan wel met of jegens diens echtgenoot, pleegkind of bloed- of aanverwant tot in de derde graad;
b. die al dan niet tezamen met zijn echtgenoot, zijn pleegkinderen en zijn bloed- of aanverwanten tot in de derde graad, als aandeelhouder rechtstreeks of middellijk voor ten minste de helft van het geplaatste kapitaal deelneemt;
c. wiens echtgenoot, pleegkinderen of bloed- of aanverwanten tot in de derde graad, afzonderlijk of tezamen, als aandeelhouder rechtstreeks of middellijk voor tenminste de helft van het geplaatste kapitaal deelnemen;
5°. bij rechtshandelingen, door de schuldenaar die rechtspersoon is, verricht met of jegens een andere rechtspersoon, indien
a. een van deze rechtspersonen bestuurder is van de andere;
b. een bestuurder, natuurlijk persoon, van een van deze rechtspersonen, of diens echtgenoot, pleegkind of bloed- of aanverwant tot in de derde graad, bestuurder is van de andere;
c. een bestuurder, natuurlijk persoon, of een commissaris van een van deze rechtspersonen, of diens echtgenoot, pleegkind of bloed- of aanverwant tot in de derde graad, afzonderlijk of tezamen, als aandeelhouder rechtstreeks of middellijk voor ten minste de helft van het geplaatste kapitaal deelneemt in de andere;
d. in beide rechtspersonen voor ten minste de helft van het geplaatste kapitaal rechtstreeks of middellijk wordt deelgenomen door dezelfde rechtspersoon, dan wel dezelfde natuurlijke persoon, al dan niet tezamen met zijn echtgenoot, zijn pleegkinderen of zijn bloed- of aanverwanten tot in de derde graad;
6°. bij rechtshandelingen, door de schuldenaar die rechtspersoon is, verricht met of jegens een groepsmaatschappij.

Met een echtgenoot wordt een andere levensgezel gelijkgesteld.

Onder pleegkind wordt verstaan hij die duurzaam als eigen kind is verzorgd en opgevoed.

Onder bestuurder, commissaris of aandeelhouder wordt mede verstaan hij die minder dan een jaar vóór de rechtshandeling bestuurder, commissaris of aandeelhouder is geweest.

Indien de bestuurder van een rechtspersoon-bestuurder zelf een rechtspersoon is, wordt deze rechtspersoon met de rechtspersoon-bestuurder gelijkgesteld.

Toepasselijkheid Burgerlijk Wetboek

Artikel 138, tiende lid, van boek 2 van het Burgerlijk Wetboek is van toepassing ingeval de schuldenaar een rechtspersoon is.

Art. 44. Vervallen.

Art. 45. In geval van benadeling door een rechtshandeling om niet, die de schuldenaar heeft verricht binnen één jaar vóór de faillietverklaring, wordt vermoed dat hij wist of behoorde te weten dat benadeling van de schuldeisers het gevolg van de rechtshandeling zou zijn.

Vermoeden wetenschap benadeling schuldeisers (omkering bewijslast)

Art. 46. Vervallen.

Art. 47. De voldoening door de schuldenaar aan een opeisbare schuld kan alleen dan worden vernietigd, wanneer wordt aangetoond, hetzij dat hij die de betaling ontving, wist dat het faillissement van de schuldenaar reeds aangevraagd was, hetzij dat de betaling het gevolg was van overleg tussen de schuldenaar en de schuldeiser, dat ten doel had laatstgenoemde door die betaling boven andere schuldeisers te begunstigen.

Vernietiging voldoening opeisbare schuld

Art. 48. 1. Krachtens het vorige artikel kan geene terugvordering geschieden van hem, die als houder van een papier aan order of toonder, uit hoofde zijner rechtsverhouding tot vroegere houders, tot aanneming der betaling verplicht was.

2. In dit geval is hij, te wiens bate het papier is uitgegeven, verplicht de door den schuldenaar betaalde som aan den boedel terug te geven, wanneer wordt aangetoond, hetzij dat hij bij de uitgifte van het papier de in het vorige artikel genoemde wetenschap bezat, hetzij dat de uitgifte het gevolg was van een overleg als in dat artikel bedoeld.

Order- en toonderpapieren

Art. 49. 1. Rechtsvorderingen, gegrond op de bepalingen der artikelen 42-48, worden ingesteld door den curator.

Inroepen nietigheid door curator

2. Niettemin kunnen de schuldeischers op gronden, aan die bepalingen ontleend, de toelating eener vordering bestrijden.

Bestrijding toelating door schuldeisers

Art. 50. Beëindiging van het faillissement door de homologatie van een akkoord doet de rechtsvorderingen in het vorige artikel bedoeld vervallen, tenzij het akkoord boedelafstand inhoudt, in welk geval zij ten behoeve van de schuldeisers vervolgd of ingesteld kunnen worden door de vereffenaars.

Gevolg einde faillissement door homologatie akkoord

Art. 51. 1. Hetgeen door de vernietigde rechtshandeling uit het vermogen van de schuldenaar gegaan is, moet door hen jegens wie de vernietiging werkt, aan de curator worden teruggegeven met inachtneming van afdeling 2 van titel 4 van Boek 6 van het Burgerlijk Wetboek.

Gevolgen vernietiging rechtshandeling

2. Rechten, door derden te goeder trouw anders dan om niet op de terug te geven goederen verkregen, worden geëerbiedigd. Tegen een derde te goeder trouw die om niet heeft verkregen, heeft geen terugvordering plaats voor zover hij aantoont dat hij ten tijde van faillietverklaring niet ten gevolge van de rechtshandeling gebaat was.

Bescherming derde te goeder trouw

3. Het door de schuldenaar uit hoofde van de vernietigde rechtshandeling ontvangende of de waarde daarvan, wordt door de curator teruggegeven, voor zover de boedel erdoor is gebaat. Voor het tekortkomende kunnen zij jegens wie de vernietiging werkt, als concurrent schuldeiser opkomen.

Art. 52. 1. Voldoening na de faillietverklaring doch vóór de bekendmaking daarvan, aan den gefailleerde gedaan, tot nakoming van verbintenissen jegens dezen vóór de faillietverklaring ontstaan, bevrijdt hem, die haar deed, tegenover den boedel, zoolang zijne bekendheid met de faillietverklaring niet bewezen wordt.

Voldoening aan gefailleerde

2. Voldoening, als in het vorig lid bedoeld, na de bekendmaking der faillietverklaring aan den gefailleerde gedaan, bevrijdt tegenover den boedel alleen dan, wanneer hij, die haar deed, bewijst dat de faillietverklaring te zijner woonplaatse langs den weg der wettelijke aankondiging nog niet bekend kon zijn, behoudens het recht van den curator om aan te toonen, dat zij hem toch bekend was.

3. In elk geval bevrijdt voldoening aan den gefailleerde den schuldenaar tegenover den boedel, voor zooverre hetgeen door hem voldaan werd ten bate van den boedel is gekomen.

Art. 53. 1. Hij die zowel schuldenaar als schuldeiser van de gefailleerde is, kan zijn schuld met zijn vordering op de gefailleerde verrekenen, indien beide zijn ontstaan vóór de faillietverklaring of voortvloeien uit handelingen, vóór de faillietverklaring met de gefailleerde verricht.

Beroep op verrekening

2. De vordering op de gefailleerde wordt zonodig berekend naar de regels in de artikelen 130 en 131 gesteld.
3. De curator kan geen beroep doen op artikel 136 van Boek 6 van het Burgerlijk Wetboek.

Schuldoverneming

Art. 54. 1. Niettemin is degene die een schuld aan de gefailleerde of een vordering op de gefailleerde vóór de faillietverklaring van een derde heeft overgenomen, niet bevoegd tot verrekening, indien hij bij de overneming niet te goeder trouw heeft gehandeld.
2. Na de faillietverklaring overgenomen vorderingen of schulden kunnen niet worden verrekend.

Verrekening met order- of toonderpapier

Art. 55. De schuldenaar van de gefailleerde die zijn schuld wil verrekenen met een vordering aan order of toonder, is gehouden te bewijzen dat hij het papier reeds op het ogenblik der faillietverklaring te goeder trouw had verkregen.

Verdeling gemeenschap

Art. 56. Hij die met de gefailleerde deelgenoot is in een gemeenschap waarvan tijdens het faillissement een verdeling plaatsvindt, kan toepassing van artikel 184, eerste lid, van Boek 3 van het Burgerlijk Wetboek verlangen, ook als de schuld van de gefailleerde aan de gemeenschap er een is onder een nog niet vervulde opschortende voorwaarde. De artikelen 130 en 131 zijn van toepassing.

Hypotheek- en pandhouder

Art. 57. 1. Pand- en hypotheekhouders kunnen hun recht uitoefenen, alsof er geen faillissement was.
2. Bij de verdeling kunnen uit eigen hoofde mede de beperkt gerechtigden opkomen, wier recht vóór de faillietverklaring was gevestigd, maar door de executie door een pand- of hypotheekhouder is vervallen, voor hun recht op schadevergoeding, bedoeld in artikel 282 van Boek 3 van het Burgerlijk Wetboek.
3. Bij de verdeling van de opbrengst oefent de curator ten behoeve van de boedel mede de rechten uit, die de wet aan beslagleggers op het goed toekent. Hij is gehouden mede de belangen te behartigen van de bevoorrechte schuldeisers die in rang boven de voormelde pand- en hypotheekhouders en beperkt gerechtigden gaan.
4. Zo een rangregeling nodig is, wordt deze verzocht aan de president van de rechtbank waarvan de rechter-commissaris in het faillissement lid is. De verdeling geschiedt ten overstaan van deze rechter-commissaris op de wijze voorgeschreven in het Wetboek van Burgerlijke Rechtsvordering.

Termijn voor uitoefening recht

Art. 58. 1. De curator kan de pand- en hypotheekhouders een redelijke termijn stellen om tot uitoefening van hun rechten overeenkomstig het vorige artikel over te gaan. Heeft de pand- of hypotheekhouder het onderpand niet binnen deze termijn verkocht, dan kan de curator de goederen opeisen en met toepassing van de artikelen 101 of 176 verkopen, onverminderd het recht van de pand- en hypotheekhouders op de opbrengst. De rechter-commissaris is bevoegd de termijn op verzoek van de pand- of hypotheekhouder een of meer malen te verlengen.
2. De curator kan een met pand of hypotheek bezwaard goed tot op het tijdstip van de verkoop lossen tegen voldoening van hetgeen waarvoor het pand- of hypotheekrecht tot zekerheid strekt, alsmede van de reeds gemaakte kosten van executie.

Ontoereikende opbrengst

Art. 59. Indien de opbrengst niet toereikend is om een pand- of hypotheekhouder of een dergenen wier beperkt recht door de executie is vervallen, te voldoen, kan hij voor het ontbrekende als concurrent schuldeiser in de boedel opkomen.

Retentierecht blijft bestaan

Art. 60. 1. De schuleiser die retentierecht heeft op een aan de schuldenaar toebehorende zaak, verliest dit recht niet door de faillietverklaring.

Bevoegdheid curator

2. De zaak kan door de curator worden opgeëist en met toepassing van artikel 101 of 176 worden verkocht, onverminderd de voorrang, aan de schuldeiser in artikel 292 van Boek 3 van het Burgerlijk Wetboek toegekend. De curator kan ook, voor zover dit in het belang is van de boedel, de zaak in de boedel terugbrengen door voldoening van de vordering waarvoor het retentierecht kan worden uitgeoefend.

Termijnstelling: parate executie

3. De schuldeiser kan de curator een redelijke termijn stellen om tot toepassing van het vorige lid over te gaan. Heeft de curator de zaak niet binnen deze termijn verkocht, dan kan de schuldeiser haar verkopen met overeenkomstige toepassing van de bepalingen betreffende parate executie door een pandhouder of, als het een

registergoed betreft, die betreffende parate executie door een hypotheekhouder. De rechter-commissaris is bevoegd de termijn op verzoek van de curator een of meer malen te verlengen.

4. Betreft het een registergoed, dan dient de schuldeiser, op straffe van verval van het recht van parate executie, binnen veertien dagen na het verstrijken van de in het vorige lid bedoelde termijn, aan de curator bij exploit aan te zeggen dat hij tot executie overgaat, en dit exploit in de openbare registers te doen inschrijven.

Registergoed

Goederen onder bewind

Art. 60a. 1. Indien tot het vermogen van de gefailleerde onder bewind staande goederen behoren en zich schuldeisers ter verificatie hebben aangemeld, die deze goederen onbelast met het bewind kunnen uitwinnen, zal de curator deze goederen van de bewindvoerder opeisen, onder zijn beheer nemen en te gelde maken, voor zover dit voor de voldoening van deze schuldeisers uit de opbrengst nodig is. Door de opeising eindigt het bewind over het goed. De opbrengst wordt overeenkomstig deze wet onder deze schuldeisers verdeeld, voor zover zij zijn geverifieerd. De curator draagt hetgeen na deze verdeling van de opbrengst over is, aan de bewindvoerder af, tenzij de andere schuldeisers de onder bewind staande goederen onder de last van het bewind kunnen uitwinnen in welk geval het restant overeenkomstig deze wet onder deze laatste schuldeisers verdeeld wordt.

2. Indien zich slechts schuldeisers ter verificatie hebben aangemeld die de goederen onder de last van het bewind kunnen uitwinnen, worden deze goederen door de curator overeenkomstig de artikelen 101 of 176 onder die last verkocht.

3. Buiten de gevallen, bedoeld in de vorige leden, blijven de onder bewind staande goederen buiten het faillissement en wordt slechts aan de curator uitgekeerd wat de goederen netto aan vruchten hebben opgebracht.

4. De bewindvoerder is te allen tijde, zodra de curator dit verlangt, verplicht aan deze rekening en verantwoording af te leggen.

Beheer en vereffening goederen

Art. 60b. 1. Zijn krachtens het vorige artikel goederen buiten het faillissement gebleven en heeft de bewindvoerder opgehouden de schuldeisers te betalen die deze goederen onbelast met bewind kunnen uitwinnen, dan kan de rechtbank die de faillietverklaring heeft uitgesproken op verzoek van ieder van deze schuldeisers die niet in het faillissement kan opkomen, de curator opdragen ook het beheer van deze goederen op zich te nemen en voor de vereffening te hunnen behoeve zorg te dragen.

2. De bepalingen betreffende faillietverklaring en faillissement zijn van overeenkomstige toepassing.

Rechten echtgenoot van gefailleerde

Art. 61. 1. De echtgenoot van de gefailleerde neemt alle goederen die hem toebehoren en niet in de huwelijksgemeenschap vallen, terug.

2. De aanbrengst van de bij huwelijkse voorwaarden buiten de gemeenschap gehouden rechten aan toonder en zaken die geen registergoederen zijn, kan slechts worden bewezen zoals bij artikel 130 van Boek 1 van het Burgerlijk Wetboek ten opzichte van derden is voorgeschreven.

3. Van de aan de echtgenoot van de gefailleerde opgekomen rechten aan toonder en zaken die geen registergoederen zijn, ten aanzien waarvan bij uiterste wilsbeschikking van de erflater of bij de gift is bepaald dat zij buiten de gemeenschap vallen, moet, in geval van geschil, door beschrijving of bescheiden blijken. Hetzelfde geldt voor zodanige rechten en zaken, hem staande huwelijk bij erfenis, legaat of schenking opgekomen, die ingevolge de huwelijkse voorwaarden buiten de gemeenschap vallen.

4. De goederen, voortgesproten uit de belegging of wederbelegging van gelden aan de echtgenoot van de gefailleerde buiten de gemeenschap toebehorende worden insgelijks door die echtgenoot teruggenomen, mits de belegging of wederbelegging, in geval van geschil, door voldoende bescheiden, ten genoege van de rechter, zij bewezen.

5. Indien de goederen aan de echtgenoot van de gefailleerde toebehorende, door de gefailleerde zijn vervreemd, doch de koopprijs nog niet is betaald, ofwel de kooppenningen nog onvermengd met de failliete boedel aanwezig zijn, kan de echtgenoot zijn recht van terugneming op die koopprijs of op de voorhanden kooppenningen uitoefenen.

6. Voor zijn persoonlijke schuldvorderingen treedt de echtgenoot van de gefailleerde als schuldeiser op.

Voordelen, bij huwelijkse voorwaarden toegezegd

Art. 62. De echtgenoot van de gefailleerde heeft geen aanspraak op de boedel terzake van voordelen bij huwelijkse voorwaarden besproken. Wederkerig kunnen de schuldeisers geen genot hebben van de voordelen, die aan de gefailleerde bij huwelijkse voorwaarden door zijn echtgenoot zijn toegezegd.

Faillissement bij gemeenschap van goederen

Art. 63. 1. Het faillissement van den in eenige gemeenschap van goederen gehuwden echtgenoot wordt als faillissement van die gemeenschap behandeld. Het omvat, behoudens de uitzonderingen van artikel 21, alle goederen, die in de gemeenschap vallen, en strekt ten behoeve van alle schuldeischers, die op de goederen der gemeenschap verhaal hebben. Goederen die de gefailleerde buiten de gemeenschap heeft, strekken slechts tot verhaal van schulden die daarop verhaald zouden kunnen worden, indien er generlei gemeenschap was.

2. De bepalingen in deze wet vervat omtrent handelingen door den schuldenaar verricht, zijn, bij faillissement van een in gemeenschap gehuwden echtgenoot, toepasselijk op de handelingen waardoor de gemeenschap wettig verbonden is, onverschillig wie der echtgenooten deze verrichtte.

Wachtperiode voor derden tot verhaal

Art. 63a. 1. De rechter-commissaris kan op verzoek van elke belanghebbende of ambtshalve bij schriftelijke beschikking bepalen dat elke bevoegdheid van derden tot verhaal op tot de boedel behorende goederen of tot opeising van goederen die zich in de macht van de gefailleerde of de curator bevinden, voor een periode van ten hoogste één maand niet dan met zijn machtiging kan worden uitgeoefend. De rechter-commissaris kan deze periode éénmaal voor ten hoogste één maand verlengen.

2. De rechter-commissaris kan zijn beschikking beperken tot bepaalde derden en voorwaarden verbinden zowel aan zijn beschikking als aan de machtiging van een derde tot uitoefening van een aan deze toekomende bevoegdheid.

3. Gedurende de in het eerste lid bedoelde perioden lopen aan of door de derden ter zake van hun bevoegdheid gestelde termijnen voort, voor zover dit redelijkerwijze noodzakelijk is om de derde dan wel de curator in staat te stellen na afloop van de periode zijn standpunt te bepalen. Degene die de termijn heeft gesteld kan opnieuw een redelijke termijn stellen.

4. De in de eerste zin van het eerste lid bedoelde beslissing kan ook op verlangen van de aanvrager van het faillissement of van de schuldenaar worden gegeven door de rechter die de faillietverklaring uitspreekt.

DERDE AFDEELING

Van het bestuur over den faillieten boedel

§ 1. Van den rechter-commissaris

Taak r.-c.

Art. 64. De rechter-commissaris houdt toezicht op het beheer en de vereffening van den faillieten boedel.

Horen van r.-c.

Art. 65. Alvorens in eenige zaak, het beheer of de vereffening des faillieten boedels betreffende, eene beslissing te geven, is de rechtbank verplicht den rechter-commissaris te hooren.

Horen van getuigen

Art. 66. 1. De rechter-commissaris is bevoegd ter opheldering van alle omstandigheden, het faillissement betreffende, getuigen te hooren of een onderzoek van deskundigen te bevelen.

2. De getuigen worden gedagvaard namens den rechter-commissaris. Artikel 203 van het Wetboek van Burgerlijke Rechtsvordering is van overeenkomstige toepassing.

Weigerachtige getuigen

3. Bij niet-verschijning of weigering om de eed of getuigenis af te leggen, zijn de artikelen 197-201 van het Wetboek van Burgerlijke Rechtsvordering toepasselijk.

Verschoningsrecht

4. De echtgenoot of gewezen echtgenoot, de kinderen en verdere afkomelingen en de ouders en grootouders des gefailleerden kunnen zich van het geven van getuigenis verschoonen.

Hoger beroep

Art. 67. 1. Van alle beschikkingen van den rechter-commissaris is gedurende vijf dagen hooger beroep op de rechtbank. De rechtbank beslist na verhoor of behoorlijke oproeping van de belanghebbenden.

2. Niettemin valt geen hooger beroep van de beschikkingen vermeld in de artikelen 21, 2°. en 4°., 34, 58, eerste lid, 60, derde lid, 73a, tweede lid, 79, 93a, 94, 98, 100, 102, 125, 127, vierde lid, 174, 175, tweede lid, 176, eerste en tweede lid, 177, 179 en 180.

Geen hoger beroep

§ 2. Van den curator

Art. 68. 1. De curator is belast met het beheer en de vereffening van den faillieten boedel.

Taak curator

2. Alvorens in rechte op te treden, behalve waar het verificatiegeschillen betreft, alsmede in de gevallen van de artikelen 37, 39, 40, 58, tweede lid, 60, tweede en derde lid en 60a, eerste lid, behoeft de curator machtiging van den rechter-commissaris.

Machtiging van r.-c.

Art. 69. 1. Ieder der schuldeischers, de commissie uit hun midden benoemd en ook de gefailleerde kunnen bij verzoekschrift tegen elke handeling van den curator bij den rechter-commissaris opkomen, of van dezen een bevel uitlokken, dat de curator eene bepaalde handeling verrichte of eene voorgenomen handeling nalate.

Beroep op r.-c.

2. De rechter-commissaris beslist, na den curator gehoord te hebben binnen drie dagen.

Art. 70. 1. Indien meer dan één curator benoemd is, wordt voor de geldigheid hunner handelingen toestemming der meerderheid of bij staking van stemmen eene beslissing van den rechter-commissaris vereischt.

Regeling bij meer curatoren

2. De curator, aan wien bij het vonnis van faillietverklaring een bepaalde werkkring is aangewezen, is binnen de grenzen daarvan zelfstandig tot handelen bevoegd.

Art. 71. 1. Onverminderd het bepaalde in artikel 15, derde lid, wordt het salaris van den curator in elk faillissement door de rechtbank vastgesteld.

Salaris curator

2. In geval van akkoord wordt het salaris bij het vonnis van homologatie bepaald.

Art. 72. Het ontbreken van de machtiging van den rechter-commissaris, waar die vereischt is, of de niet inachtneming van de bepalingen vervat in de artikelen 78 en 79, heeft, voor zooveel derden betreft, geen invloed op de geldigheid van de door den curator verrichte handeling. De curator is deswege alleen jegens den gefailleerde en de schuldeischers aansprakelijk.

Aansprakelijkheid bij ontbreken machtiging

Art. 73. 1. De rechtbank heeft de bevoegdheid den curator te allen tijde, na hem gehoord of behoorlijk opgeroepen te hebben, te ontslaan en door een ander te vervangen, of hem een of meer medecurators toe te voegen, een en ander hetzij op voordracht van den rechter-commissaris, hetzij op een met redenen omkleed verzoek van een of meer schuldeischers, de commissie uit hun midden, of den gefailleerde.

Ontslag curator; benoeming mede curator

2. De ontslagen curator legt rekening en verantwoording van zijn beheer af aan den in zijne plaats benoemde curator.

Verantwoording beheer

Art. 73a. 1. De curator brengt, telkens na verloop van drie maanden, een verslag uit over de toestand van de boedel. De curator legt zijn verslag neder ter griffie van de rechtbank, ter kosteloze inzage van een ieder. De nederlegging geschiedt kosteloos.

Periodiek verslag curator

2. De termijn, bedoeld in het vorige lid, kan door de rechter-commissaris worden verlengd.

§ 3. Van de commissie uit de schuldeischers

Art. 74. 1. Bij het vonnis van faillietverklaring of bij eene latere beschikking kan de rechtbank, zoo de belangrijkheid of de aard des boedels daartoe aanleiding geeft, uit de haar bekende schuldeischers eene voorlopige commissie van een tot drie leden benoemen, ten einde den curator van advies te dienen, zoolang over de benoeming van de in het volgende artikel genoemde commissie geen beslissing is genomen.

Voorlopige commissie

2. Indien een lid van de voorlopige commissie zijne benoeming niet aanneemt, bedankt of overlijdt, voorziet de rechtbank, uit eene voordracht van een dubbeltal door den rechter-commissaris, in de daardoor ontstane vacature.

Art. 75. 1. Hetzij al of niet eene voorloopige commissie uit de schuldeischers is

Definitieve commissie

benoemd, raadpleegt de rechter-commissaris op de verificatievergadering de schuldeischers, na afloop der verificatie, over de benoeming van eene definitieve commissie uit hun midden. Zoo de vergadering deze wenschelijk acht, gaat hij dadelijk tot de benoeming over. Ook deze commissie bestaat uit een tot drie leden.

2. Een verslag van het hieromtrent verhandelde wordt in het proces-verbaal der vergadering opgenomen.

3. Indien een lid van de definitieve commissie zijne benoeming niet aanneemt, bedankt of overlijdt, voorziet de rechter-commissaris in de daardoor ontstane vacature.

Bevoegdheden commissie

Art. 76. De commissie kan te allen tijde raadpleging van de boeken, bescheiden en andere gegevensdragers, op het faillissement betrekking hebbende, vorderen. De curator is verplicht aan de commissie alle van hem verlangde inlichtingen te verstrekken.

Inwinnen advies commissie

Art. 77. Tot het inwinnen van het advies der commissie vergadert de curator met haar, zoo dikwijls hij het noodig acht. In deze vergaderingen zit hij voor en voert hij de pen.

Art. 78. 1. De curator is verplicht het advies der commissie in te winnen, alvorens eene rechtsvordering in te stellen of eene aanhangige voort te zetten of zich tegen eene ingestelde of aanhangige rechtsvordering te verdedigen, behalve waar het geldt verificatie-geschillen; omtrent het al of niet voortzetten van het bedrijf des gefailleerden; alsmede in de gevallen van de artikelen 37, 39, 40, 58, tweede lid, 73, tweede lid, 100, 101, 175, laatste lid en 177, en in het algemeen omtrent de wijze van vereffening en tegeldemaking van den boedel en het tijdstip en het bedrag der te houden uitdeelingen.

2. Dit advies wordt niet vereischt, wanneer de curator de commissie tot het uitbrengen daarvan, met inachtneming van een bekwamen termijn, ter vergadering heeft opgeroepen en er geen advies wordt uitgebracht.

Art. 79. De curator is niet gebonden aan het advies der commissie. Zoo hij zich daarmede niet vereenigt, geeft hij hiervan onmiddellijk kennis aan de commissie, die de beslissing van den rechter-commissaris kan inroepen. Zoo zij verklaart dit te doen, is de curator verplicht de uitvoering van de voorgenomen, met het advies der commissie strijdige, handeling gedurende drie dagen op te schorten.

§ 4. Van de vergaderingen der schuldeischers

R.-c. voorzitter

Art. 80. 1. In de vergaderingen der schuldeischers is de rechter-commissaris voorzitter.

Verplichte tegenwoordigheid curator

2. De tegenwoordigheid van den curator of van iemand die hem met goedvinden van den rechter-commissaris vervangt, is verplicht.

Stemrecht

Art. 81. 1. Op de vergaderingen van schuldeischers worden de besluiten genomen met volstrekte meerderheid van stemmen der aanwezige schuldeischers. Voor elke honderd gulden brengt ieder schuldeischer éene stem uit. Voor vorderingen of overschietende gedeelten van vorderingen, beneden honderd gulden, wordt mede éene stem uitgebracht.

2. Splitsing van vorderingen, na de faillietverklaring gedaan, doet geen stemrecht verwerven.

Art. 82. Stemgerechtigd zijn de erkende en voorwaardelijk toegelaten schuldeischers, alsmede de toonder eener ten name van „toonder" geverifieerde schuldvordering.

Vertegenwoordiging van schuldeiser

Art. 83. 1. De schuldeischers kunnen ter vergadering verschijnen in persoon, bij schriftelijk gevolmachtigde of bij procureur.

2. Ten behoeve van de schuldeischers, die zich op eene vergadering hebben doen vertegenwoordigen, worden alle oproepingen voor latere vergaderingen en alle kennisgevingen aan den gevolmachtigde gedaan, ten ware zij den curator schriftelijk verzoeken, dat die oproepingen en kennisgevingen aan hen zelve of aan een anderen gevolmachtigde geschieden.

Art. 84. 1. Behalve de door deze wet voorgeschreven vergaderingen, wordt er eene vergadering van schuldeischers gehouden, zoo dikwijls de rechter-commissaris dit noodig oordeelt of hem daartoe door de commissie uit de schuldeischers of door ten minste vijf schuldeischers, vertegenwoordigende één vijfde deel der erkende en der voorwaardelijk toegelaten schuldvorderingen, een met redenen omkleed verzoek wordt gedaan.

Niet door wet voorgeschreven vergaderingen

2. In elk geval bepaalt de rechter-commissaris dag, uur en plaats der vergadering, waartoe de stemgerechtigde schuldeischers ten minste tien dagen van te voren door den curator worden opgeroepen, bij advertentie in het nieuwsblad of de nieuwsbladen vermeld in artikel 14 en bij brieven, beide vermeldende het in de vergadering te behandelen onderwerp.

§ 5. Van de rechterlijke beschikkingen

Art. 85. Alle beschikkingen in zaken, het beheer of de vereffening des faillieten boedels betreffende, worden door de rechtbank in het hoogste ressort gewezen, behalve in de gevallen waarin het tegendeel is bepaald.

Beschikkingen in hoogste ressort

Art. 86. Alle beschikkingen in zaken, het beheer of de vereffening des faillieten boedels betreffende, ook die welke niet uitgaan van de rechtbank, zijn uitvoerbaar bij voorraad en op de minuut, tenzij het tegendeel is bepaald.

Uitvoerbaar bij voorraad

VIERDE AFDEELING

Van de voorzieningen na de faillietverklaring en van het beheer des curators

Art. 87. 1. De rechtbank kan bij het vonnis van faillietverklaring of te allen tijde daarna, doch in het laatste geval niet dan op voordracht van den rechter-commissaris, of op verzoek van den curator of van een of meer der schuldeischers en na den rechter-commissaris gehoord te hebben, bevelen, dat de gefailleerde in verzekerde bewaring worde gesteld, hetzij in een huis van bewaring, hetzij in zijne eigene woning onder het opzicht van een ambtenaar, aangesteld voor de uitvoering van de politietaak, of een andere ambtenaar, voor zover die ambtenaar behoort tot een categorie die daartoe door Onze Minister van Justitie is aangewezen.

In verzekerde bewaringstelling

2. Het bevel hiertoe wordt door het Openbaar Ministerie ten uitvoer gelegd.

3. Dit bevel is voor niet langer dan dertig dagen geldig, te rekenen van den dag waarop het ten uitvoer is gelegd. Aan het einde van dien termijn kan de rechtbank, op voordracht van den rechter-commissaris of op een verzoek en na verhoor als in het eerste lid bedoeld, het bevel voor ten hoogste dertig dagen verlengen. Daarna kan hetzelfde telkens op dezelfde wijze voor ten hoogste dertig dagen geschieden.

4. De dienaar der openbare macht die door het Openbaar Ministerie is aangewezen om zijn medewerking te verlenen aan de tenuitvoerlegging van het bevel, is bevoegd elke plaats te betreden, voor zover dat redelijkerwijs voor de vervulling van zijn taak nodig is.

Art. 88. 1. De rechtbank heeft de bevoegdheid, op voordracht van den rechter-commissaris, of op verzoek van den gefailleerde, dezen uit de verzekerde bewaring te ontslaan, met of zonder zekerheidstelling, dat hij te allen tijde op de eerste oproeping zal verschijnen.

Ontslag uit bewaring

2. Het bedrag der zekerheidstelling wordt door de rechtbank bepaald en komt bij niet-verschijning des gefailleerden ten voordeele des boedels.

Zekerheidstelling

Art. 89. Het verzoek tot inbewaringstelling van den gefailleerde moet toegestaan worden, indien het gegrond is op het zonder geldige reden opzettelijk niet nakomen van de verplichtingen hem opgelegd in de artikelen 91, 105 en 116.

Toestaan inbewaringstelling verplicht

Art. 90. 1. In alle gevallen, waarin de tegenwoordigheid van den gefailleerde bij deze of gene bepaalde werkzaamheid, den boedel betreffende, vereischt wordt, zal hij, zoo hij zich in verzekerde bewaring bevindt, op last van den rechter-commissaris uit de bewaarplaats kunnen worden overgebracht.

Overbrenging gefailleerde

2. De last hiertoe wordt door het Openbaar Ministerie ten uitvoer gelegd.

Art. 91. Gedurende het faillissement mag de gefailleerde zonder toestemming van den rechter-commissaris zijne woonplaats niet verlaten.

Toestemming tot verlaten woonplaats

Art. 92. De curator zorgt, dadelijk na de aanvaarding zijner betrekking, door alle

Bewaring van boedel

noodige en gepaste middelen voor de bewaring des boedels. Hij neemt onmiddellijk de bescheiden en andere gegevensdragers, gelden, kleinoodiën, effecten en andere papieren van waarde tegen ontvangbewijs onder zich. Hij is bevoegd de gelden aan den ontvanger voor de gerechtelijke consignatiën in bewaring te geven.

Verzegeling boedel

Art. 93. 1. De curator doet, zoo hij of de rechter-commissaris dit noodig acht, dadelijk den boedel verzegelen door een notaris.

Buiten verzegeling vallende goederen

2. Buiten de verzegeling blijven, doch worden in het proces-verbaal kortelijk beschreven, de goederen vermeld in de artikelen 21, nr. 1 en 92, alsmede de voorwerpen tot het bedrijf van den gefailleerde vereischt, indien dit wordt voortgezet.

Toegang curator

Art. 93a. De curator heeft toegang tot elke plaats, voor zover dat redelijkerwijs voor de vervulling van zijn taak nodig is. De rechter-commissaris is bevoegd tot het geven van een machtiging als bedoeld in artikel 2 van de Algemene wet op het binnentreden.

Boedelbeschrijving

Art. 94. 1. De curator gaat zoo spoedig mogelijk over tot het opmaken van eene beschrijving des faillieten boedels.

2. De boedelbeschrijving kan ondershands worden opgemaakt en de waardeering door den curator geschieden, een en ander onder goedkeuring van den rechter-commissaris.

3. De leden der voorloopige commissie uit de schuldeischers zijn bevoegd bij de beschrijving tegenwoordig te zijn.

Art. 95. Van de goederen, vermeld in artikel 21, nr. 1, wordt een staat aan de beschrijving gehecht; die, vermeld in artikel 92, worden in de beschrijving opgenomen.

Opmaken staat baten en schulden

Art. 96. De curator gaat dadelijk na de beschrijving van den boedel over tot het opmaken van eenen staat, waaruit de aard en het bedrag van de baten en schulden des boedels, de namen en woonplaatsen der schuldeischers, alsmede het bedrag der vorderingen van ieder hunner blijken.

Nederlegging beschrijving en staat ter griffie

Art. 97. 1. Door den curator gewaarmerkte afschriften van de boedelbeschrijving en van den staat, vermeld in het voorgaande artikel, worden ter kostelooze inzage van een ieder nedergelegd ter griffie van de rechtbank en van het kantongerecht, binnen welks ressort zich de woonplaats, het kantoor of het verblijf van den gefailleerde bevindt, naar gelang de faillietverklaring is uitgesproken door het rechterlijk college van de woonplaats, het kantoor of het verblijf van den gefailleerde. Indien de zetel van het kantongerecht is gevestigd in eene gemeente, waar tevens de zetel is van de rechtbank, waarbij het faillissement aanhangig is, geschiedt de nederlegging uitsluitend ter griffie van dit college.

2. De nederlegging geschiedt kosteloos.

Voortzetting bedrijf van gefailleerde

Art. 98. De curator is bevoegd het bedrijf van den gefailleerde voort te zetten. Indien er geene commissie uit de schuldeischers is benoemd, heeft hij daartoe de machtiging van den rechter-commissaris noodig.

Opening poststukken van gefailleerde

Art. 99. 1. De curator opent krachtens de last bedoeld in artikel 14, de brieven en telegrammen aan de gefailleerde gericht. Die, welke niet op den boedel betrekking hebben, stelt hij terstond aan den gefailleerde ter hand. De administratie der posterijen en der telegrafie is, na van den griffier ontvangen kennisgeving, verplicht den curator de brieven en telegrammen voor den gefailleerde bestemd, af te geven, totdat de curator of de rechter-commissaris haar van die verplichting ontslaat of zij de kennisgeving ontvangt, bedoeld in artikel 15. De rechterlijke last tot het openen van brieven en telegrammen verliest zijn kracht op het in de vorige zin bedoelde tijdstip waarop de verplichting van de administratie tot afgifte van brieven en telegrammen eindigt.

2. Protesten, exploiten, verklaringen en termijnstellingen betreffende de boedel geschieden door en aan de curator.

Uitkering tot levensonderhoud

Art. 100. De curator is bevoegd naar omstandigheden eene door den rechter-commissaris vast te stellen som ter voorziening in het levensonderhoud van den gefailleerde en zijn huisgezin uit te keeren.

Bevoegdheid tot vervreemding

Art. 101. 1. De curator is bevoegd goederen te vervreemden, indien en voor zoo

ver de vervreemding noodzakelijk is ter bestrijding der kosten van het faillissement, of de goederen niet dan met nadeel voor den boedel bewaard kunnen blijven
2. De bepaling van artikel 176 is toepasselijk.

Art. 102. 1. De curator houdt alle gelden, kleinoodiën, effecten en andere papieren van waarde onder zijne onmiddellijke bewaring, tenzij door den rechter-commissaris eene andere wijze van bewaring wordt bepaald.
2. Gereede gelden, die voor het beheer niet noodig zijn, worden door den curator belegd ten name van den boedel op de wijze door den rechter-commissaris goed te keuren.

Bewaring gelden, enz.

Belegging gelden

Art. 103. Over gelden, kleinoodiën, effecten en andere papieren van waarde, die, volgens bepaling van den rechter-commissaris, door een derde worden bewaard, en over belegde gelden mag de curator niet anders beschikken dan door middel van door den rechter-commissaris voor gezien geteekende stukken.

Beschikking over gelden

Art. 104. De curator is, na ingewonnen advies van de commissie uit de schuldeischers, zoo die er is, en onder goedkeuring van den rechter-commissaris, bevoegd vaststellingsovereenkomsten of schikkingen aan te gaan.

Vaststellingsovereenkomsten of schikkingen

Art. 105. 1. De gefailleerde is verplicht voor den rechter-commissaris, den curator of de commissie uit de schuldeischers te verschijnen en dezen alle inlichtingen te verschaffen, zoo dikwijls hij daartoe wordt opgeroepen.
2. Bij faillissement van een in gemeenschap van goederen gehuwden echtgenoot rust de verplichting om inlichtingen te geven op ieder der echtgenooten voor zoover hij gehandeld heeft.

Verschaffen van inlichtingen

Art. 106. Bij het faillissement van een rechtspersoon zijn de bepalingen van de artikelen 87-91 op de bestuurders, die van artikel 105, eerste lid, op bestuurders en commissarissen toepasselijk.

Toepasselijkheid t.a.v. bestuurders en commissarissen

Art. 107. 1. De griffier is verplicht aan elken schuldeischer op diens verzoek en op diens kosten afschrift te geven van de stukken, die ingevolge eenige bepaling dezer wet ter griffie worden nedergelegd of zich aldaar bevinden.
2. Evenzo is de griffier verplicht aan een ieder op diens verzoek en op diens kosten afschrift af te geven van de stukken waarvan een ieder ingevolge enige bepaling van deze wet ter griffie inzake kan verkrijgen.

Afschrift van stukken

VIJFDE AFDEELING
Van de verificatie der schuldvorderingen

Art. 108. 1. De rechter-commissaris bepaalt uiterlijk binnen veertien dagen nadat het vonnis van faillietverklaring in kracht van gewijsde is gegaan:
1. den dag, waarop uiterlijk de schuldvorderingen ingediend moeten worden;
2. dag, uur en plaats, waarop de verificatievergadering zal gehouden worden.
2. Tusschen de dagen, onder 1. en 2. vermeld, moeten ten minste veertien dagen verloopen.

Indiening vorderingen; bepaling verificatie vergadering

Art. 109. De curator geeft van deze beschikkingen onmiddellijk aan alle bekende schuldeischers bij brieven kennis, en doet daarvan aankondiging in het nieuwsblad of de nieuwsbladen, bedoeld in artikel 14.

Kennisgeving en publicatie

Art. 110. 1. De indiening der schuldvorderingen geschiedt bij den curator door de overlegging eener rekening of andere schriftelijke verklaring, aangevende den aard en het bedrag der vordering, vergezeld van de bewijsstukken of een afschrift daarvan, en van eene opgave, of op voorrecht, pand, hypotheek of retentierecht aanspraak wordt gemaakt.
2. De schuldeischers zijn bevoegd van den curator een ontvangbewijs te vorderen.

Wijze van indienen vorderingen

Art. 111. De curator toetst de ingezonden rekeningen aan de administratie en opgaven van den gefailleerde, treedt, als hij tegen de toelating eener vordering bezwaar heeft, met den schuldeischer in overleg, en is bevoegd van deze overlegging van ontbrekende stukken alsook inzage van zijn administratie en van de oorspronkelijke bewijsstukken te vorderen.

Onderzoek door curator

Voorlopig erkende en betwiste vorderingen

Art. 112. De curator brengt de vorderingen, die hij goedkeurt, op een lijst van voorloopig erkende schuldvorderingen, en de vorderingen, die hij betwist, op eene afzonderlijke lijst, vermeldende de gronden der betwisting.

Voorrecht, pand, hypotheek, retentierecht

Art. 113. In de lijsten, bedoeld in het vorige artikel, wordt elke vordering omschreven, en aangegeven of zij naar de meening van den curator bevoorrecht of door pand of hypotheek gedekt is, of wel ter zake der vordering retentierecht kan worden uitgeoefend. Betwist de curator alleen den voorrang, of het retentierecht, zoo wordt de vordering op de lijst der voorloopig erkende schuldvorderingen gebracht met aanteekening van deze betwisting en de gronden daarvan.

Nederlegging afschriftlijsten

Art. 114. 1. Van ieder der lijsten, in artikel 112 bedoeld, wordt een afschrift door den curator ter griffie van de rechtbank en van het in artikel 97 aangewezen kantongerecht nedergelegd, om aldaar gedurende de zeven aan de verificatievergadering voorafgaande dagen kosteloos ter inzage te liggen van een ieder.

2. De nederlegging geschiedt kosteloos.

Kennisgeving nederlegging; oproeping ter vergadering

Art. 115. Van de krachtens artikel 114 gedane nederlegging der lijsten geeft de curator aan alle bekende schuldeischers schriftelijk bericht, waarbij hij eene nadere oproeping tot de verificatie-vergadering voegt en tevens vermeldt of een ontwerp-akkoord door den gefailleerde ter griffie is nedergelegd.

Inlichtingen gefailleerde op vergadering

Art. 116. De gefailleerde woont de verificatie-vergadering in persoon bij, ten einde aldaar alle inlichtingen over de oorzaken van het faillissement en den staat van den boedel te geven, die hem door den rechter-commissaris gevraagd worden. De schuldeischers kunnen den rechter-commissaris verzoeken omtrent bepaalde door hen op te geven punten inlichtingen aan den gefailleerde te vragen. De vragen aan den gefailleerde gesteld en de door hem gegeven antwoorden worden in het proces-verbaal opgeteekend.

Verplichting bestuurders

Art. 117. Bij het faillissement van een rechtspersoon rust op de bestuurders de verplichting in het vorig artikel de gefailleerde opgelegd.

Art. 118. Vervallen.

Behandeling vorderingen ter vergadering

Art. 119. 1. Op de vergadering leest de rechter-commissaris de lijst der voorloopig erkende en die der door den curator betwiste schuldvorderingen voor. Ieder der op die lijsten voorkomende schuldeischers is bevoegd den curator omtrent elke vordering en hare plaatsing op een der lijsten inlichtingen te vragen, of wel hare juistheid, den beweerden voorrang of in het beweerde retentierecht te betwisten, of te verklaren, dat hij zich bij de betwisting van den curator aansluit.

2. De curator is bevoegd op de door hem gedane voorloopige erkenning of betwisting terug te komen, of wel te vorderen, dat de schuldeischer de deugdelijkheid zijner noch door den curator, noch door een der schuldeischers betwiste schuldvordering onder eede bevestige; indien de oorspronkelijke schuldeischer overleden is, zullen de rechthebbenden onder eede moeten verklaren, dat zij te goeder trouw gelooven dat de schuld bestaat en onvoldaan is.

Verdaging vergadering

3. Bestaat er behoefte aan verdaging der vergadering, dan wordt deze binnen acht dagen, op het door den rechter-commissaris aan te wijzen tijdstip, zonder nadere oproeping, voortgezet.

Eedsaflegging

Art. 120. 1. De eed, bedoeld in het tweede lid van het vorige artikel, wordt in persoon of door een daartoe bijzonder gevolmachtigde afgelegd in handen van den rechter-commissaris, hetzij onmiddellijk op de vergadering, hetzij op een lateren door den rechter-commissaris te bepalen dag. De volmacht kan ondershands worden verleend.

2. Indien de schuldeischer, aan wien de eed is opgedragen, niet ter vergadering aanwezig is, geeft de griffier hem onmiddellijk kennis van de eedsopdracht en van den voor de eedsaflegging bepaalden dag.

3. De rechter-commissaris geeft den schuldeischer eene verklaring van de eedsaflegging, tenzij de eed wordt afgelegd in eene vergadering van schuldeischers, in welk geval van de aflegging aanteekening wordt gehouden in het proces-verbaal dier vergadering.

Lijst van erkende schuldeisers

Art. 121. 1. De vorderingen, welke niet betwist worden, worden overgebracht op eene in het proces-verbaal op te nemen lijst van erkende schuldeischers. Op het papier aan order en aan toonder wordt door den curator de erkenning aangeteekend.

Voorwaardelijk toegelaten vorderingen

2. De schuldvorderingen, van welke de curator de beëediging heeft gevorderd, worden voorwaardelijk toegelaten, totdat door het al of niet afleggen van den eed, op den bij het eerste lid van artikel 120 bedoelden tijd, over hare toelating definitief zal zijn beslist.

P.v.b. der vergadering

3. Het proces-verbaal der vergadering wordt onderteekend door den rechter-commissaris en den griffier.

Gevolg erkenning vordering

4. De in het proces-verbaal der vergadering opgeteekende erkenning eener vordering heeft in het faillissement kracht van gewijsde zaak. Alleen op grond van bedrog kan de curator vernietiging daarvan vorderen.

Bij betwisting verwijzing naar rb.

Art. 122. 1. De rechter-commissaris verwijst, in geval van betwisting, de partijen, zoo hij ze niet kan vereenigen, en voor zoover het geschil niet reeds aanhangig is, naar eene door hem te bepalen terechtzitting van de rechtbank, zonder dat daartoe eene dagvaarding wordt vereischt.

Renvooi-procedure

2. De procureurs, die voor partijen optreden, verklaren dit bij de oproeping der zaak ter terechtzitting.

3. Verschijnt de schuldeischer, die de verificatie vraagt, op de bepaalde terechtzitting niet, dan wordt hij geacht zijne aanvrage te hebben ingetrokken; verschijnt hij, die de betwisting doet, niet, dan wordt hij geacht de betwisting te laten varen en erkent de rechter de vordering.

4. Schuldeischers, die ter verificatie-vergadering geene betwisting hebben gedaan, kunnen in het geding zich niet voegen noch tusschenkomen.

Schorsing bij homologatie van akkoord

Art. 122a. 1. Wanneer de betwisting door den curator is gedaan, wordt de loop van het rechtsgeding van rechtswege geschorst door het in kracht van gewijsde gaan van de homologatie van een akkoord in het faillissement, tenzij de stukken van het geding reeds tot het geven van eene beslissing aan den rechter zijn overgelegd, in welk geval de vordering, indien zij wordt erkend, geacht wordt in het faillissement erkend te zijn, terwijl ten aanzien van de beslissing omtrent de kosten van het geding de schuldenaar in de plaats treedt van den curator.

2. De schuldenaar kan bij een exploot houdende een nieuwe procureurstelling verklaren, dat hij het rechtsgeding overneemt achtervolgens de laatste gedingstukken in plaats van den curator.

3. Zoolang dit niet is geschied, heeft de wederpartij het recht den schuldenaar tot de overneming te dagvaarden.

4. Verschijnt de schuldenaar niet, dan is het eerste lid van artikel 261 van het Wetboek van Burgerlijke Rechtsvordering van toepassing.

5. Wanneer de betwisting is gedaan door een mede-schuldeischer, kan het geding, nadat de homologatie van een akkoord in het faillissement in kracht van gewijsde is gegaan, door partijen worden voortgezet uitsluitend ten einde den rechter te doen beslissen over de proceskosten.

Bewijs betwiste vordering

Art. 123. De schuldeischer, wiens vordering betwist wordt, is tot staving daarvan tot geen nader of meerder bewijs gehouden, dan hij tegen den gefailleerde zelf zoude moeten leveren.

Kennisgeving betwisting en verwijzing

Art. 124. 1. Indien de schuldeischer, wiens vordering betwist wordt, niet ter vergadering aanwezig is, geeft de griffier hem onmiddellijk kennis van de gedane betwisting en verwijzing.

2. De schuldeischer kan zich in het geding op het ontbreken dier kennisgeving niet beroepen.

Voorwaardelijke toelating/ erkenning

Art. 125. Vorderingen, die betwist worden, kunnen door den rechter-commissaris voorwaardelijk worden toegelaten tot een bedrag door hem te bepalen. Wanneer de voorrang betwist wordt, kan deze door den rechter-commissaris voorwaardelijk worden erkend.

Betwisting door gefailleerde

Art. 126. 1. Ook de gefailleerde is bevoegd, onder summiere opgaaf zijner gronden, tegen de toelating eener vordering, hetzij voor het geheel, hetzij voor een gedeelte, of tegen de erkenning van den beweerden voorrang, zich te verzetten. In dit geval geschiedt in het proces-verbaal aanteekening van de betwisting en van hare gronden, zonder verwijzing van partijen naar de rechtbank, en zonder dat daardoor de erkenning der vordering in het faillissement wordt verhinderd.

Geen betwisting

2. Betwisting, waarvoor geene gronden worden opgegeven, of welke niet de geheele vordering omvat en toch niet uitdrukkelijk aanwijst, welk deel wordt erkend, en welk betwist, wordt niet als betwisting aangemerkt.

Later ingediende vorderingen

Art. 127. 1. Vorderingen, na afloop van den in artikel 108, 1° genoemden termijn, doch uiterlijk twee dagen vóór den dag, waarop de verificatie-vergadering zal worden gehouden, bij den curator ingediend, worden op daartoe ter vergadering gedaan verzoek geverifieerd, indien noch de curator noch een der aanwezige schuldeischers daartegen bezwaar maakt.

2. Vorderingen, daarna ingediend, worden niet geverifieerd.

3. De bepalingen,van het eerste en tweede lid zijn niet toepasselijk, indien de schuldeischer buiten het Rijk in Europa woont en daardoor verhinderd was zich eerder aan te melden.

4. Ingeval van bezwaar, als in het eerste lid bedoeld, of van geschil over het al dan niet aanwezig zijn der verhindering, in het derde lid bedoeld, beslist de rechter-commissaris, na de vergadering te hebben geraadpleegd.

Interesten

Art. 128. Interesten, na de faillietverklaring loopende, kunnen niet geverifieerd worden, tenzij door pand of hypotheek gedekt. In dit geval worden zij pro memorie geverifieerd. Voor zooverre de interesten op de opbrengst van het onderpand niet batig gerangschikt worden, kan de schuldeischer uit deze verificatie geene rechten ontleenen.

Vordering onder ontbindende voorwaarde

Art. 129. Eene vordering onder eene ontbindende voorwaarde wordt voor het geheele bedrag geverifieerd, onverminderd de werking der voorwaarde, wanneer zij vervuld wordt.

Vordering onder opschortende voorwaarde

Art. 130. 1. Eene vordering onder eene opschortende voorwaarde kan geverifieerd worden voor hare waarde op het oogenblik der faillietverklaring.

2. Indien de curator en de schuldeischers het niet eens kunnen worden over deze wijze van verificatie, wordt zoodanige vordering voor het volle bedrag voorwaardelijk toegelaten.

Waardebepaling nog niet opeisbare vorderingen

Art. 131. 1. Eene vordering, waarvan het tijdstip der opeischbaarheid onzeker is, of welke recht geeft op periodieke uitkeeringen, wordt geverifieerd voor hare waarde op den dag der faillietverklaring.

2. Alle schuldvorderingen, vervallende binnen één jaar na den dag, waarop het faillissement is aangevangen, worden behandeld, alsof zij op dat tijdstip opeischbaar waren. Alle later dan één jaar daarna vervallende schuldvorderingen worden geverifieerd voor de waarde, die zij hebben na verloop van een jaar sedert den aanvang van het faillissement.

3. Bij de berekening wordt uitsluitend gelet op het tijdstip en de wijze van aflossing, het kansgenot, waar dit bestaat, en, indien de vordering rentedragend is, op den bedongen rentevoet.

Vermoedelijk niet batig gerangschikt gedeelte

Art. 132. 1. Schuldeischers, wier vorderingen door pand, hypotheek of retentierecht gedekt of op een bepaald voorwerp bevoorrecht zijn, maar die kunnen aantoonen dat een deel hunner vordering vermoedelijk niet batig gerangschikt zal kunnen worden op de opbrengst der verbonden goederen, kunnen verlangen dat hun voor dat deel de rechten van concurrente schuldeischers worden toegekend met behoud van hun recht van voorrang.

2. Het bedrag waarvoor pand- en hypotheekhouders batig gerangschikt kunnen worden, wordt bepaald met inachtneming van artikel 483e van het Wetboek van Burgerlijke Rechtsvordering met dien verstande dat voor het tijdstip van het opmaken van de staat in de plaats treedt de aanvang van de dag waarop de faillietverklaring werd uitgesproken.

Verificatie geschatte waarde

Art. 133. Vorderingen, waarvan de waarde onbepaald, onzeker, niet in Nederlandsch geld of in het geheel niet in geld is uitgedrukt, worden geverifieerd voor hunne geschatte waarde in Nederlandsch geld.

Verificatie t.n.v. toonder

Art. 134. Schuldvorderingen aan toonder kunnen ten name van „toonder" geverifieerd worden. Iedere ten name van „toonder" geverifieerde vordering wordt als de vordering van een afzonderlijk schuldeischer beschouwd.

Art. 135. Vervallen.

Hoofdelijke schuldenaren

Art. 136. 1. Indien van hoofdelijke schuldenaren een of meer in staat van faillissement verkeeren, kan de schuldeischer in het faillissement van dien schuldenaar, onderscheidenlijk in het faillissement van ieder dier schuldenaren opkomen voor en betaling ontvangen over het geheele bedrag, hem ten tijde der faillietverklaring nog verschuldigd, totdat zijne vordering ten volle zal zijn gekweten.

2. Een hoofdelijke schuldenaar kan, zo nodig voorwaardelijk, worden toegelaten voor de bedragen waarvoor hij op de gefailleerde, krachtens hun onderlinge rechtsverhouding als hoofdelijke medeschuldenaren, een vordering heeft verkregen of zal verkrijgen. De toelating geschiedt echter slechts:
a. voor zover de schuldeiser daarvoor zelf niet kan opkomen of, hoewel hij het kan, niet opkomt;
b. voor het geval de schuldeiser gedurende het faillissement voor het gehele bedrag waarvoor hij is opgekomen, wordt voldaan;
c. voor zover om een andere reden de toelating geen voor de concurrente schuldeisers nadelige invloed heeft op de aan hen uit te keren percenten.

Verslag curator; p.v.b. verificatievergadering

Art. 137. 1. Na afloop der verificatie brengt de curator verslag uit over den stand van den boedel, en geeft hij daaromtrent alle door de schuldeischers verlangde inlichtingen. Het verslag wordt, met het proces-verbaal der verificatievergadering, na afloop dier vergadering ter griffie nedergelegd ter kosteloze inzage van een ieder. De nederlegging geschiedt kosteloos.

Verzoek verbetering p.v.b.

2. Zoowel de curator, als de schuldeischers en de gefailleerde kunnen na de nederlegging van het proces-verbaal, aan de rechtbank verbetering daarvan verzoeken, indien uit de stukken zelve blijkt dat in het proces-verbaal een vergissing is geslopen.

ZESDE AFDEELING
Van het akkoord

Recht aanbieding akkoord

Art. 138. De gefailleerde is bevoegd aan zijne gezamenlijke schuldeischers een akkoord aan te bieden.

Behandeling ontwerp akkoord

Art. 139. 1. Indien de gefailleerde een ontwerp van akkoord, ten minste acht dagen vóór de vergadering tot verificatie der schuldvorderingen, ter griffie van de rechtbank en van het in artikel 97 aangewezen kantongerecht heeft nedergelegd, ter kostelooze inzage van een ieder, wordt daarover in die vergadering na afloop der verificatie dadelijk geraadpleegd en beslist, behoudens de bepaling van artikel 141.

Toezending afschrift

2. Een afschrift van het ontwerp van akkoord moet, gelijktijdig met de nederlegging ter griffie, worden toegezonden aan den curatoren en aan ieder der leden van de voorloopige commissie uit de schuldeischers.

Advies over akkoord

Art. 140. De curator en de commissie uit de schuldeischers zijn verplicht ieder afzonderlijk ter vergadering een schriftelijk advies over het aangeboden akkoord te geven.

Uitstel behandeling akkoord

Art. 141. De raadpleging en beslissing worden tot eene volgende door den rechter-commissaris op ten hoogste drie weken later te bepalen vergadering uitgesteld:
1°. Indien staande de vergadering eene definitieve commissie uit de schuldeischers is benoemd, niet bestaande uit dezelfde personen als de voorloopige, en de meerderheid der verschenen schuldeischers van haar een schriftelijk advies over het aangeboden akkoord verlangt;
2°. Indien het ontwerp van akkoord niet tijdig ter griffie is neergelegd en de meerderheid der verschenen schuldeischers zich voor uitstel verklaart.

Kennisgeving van uitstel

Art. 142. Wanneer de raadpleging en stemming over het akkoord, ingevolge de bepalingen van het voorgaande artikel, worden uitgesteld tot eene nadere vergadering wordt daarvan door den curator onverwijld aan de niet op de verificatievergadering verschenen, erkende of voorwaardelijk toegelaten schuldeischers kennis gegeven, bij brieven vermeldende den summieren inhoud van het akkoord.

Van stemming uitgesloten

Art. 143. 1. Van de stemming over het akkoord zijn uitgesloten de schuldeisers aan wier vordering voorrang verbonden is, daaronder begrepen diegenen, wier voorrang betwist wordt, tenzij zij, vóór den aanvang der stemming, van hun voorrang ten behoeve van den boedel afstand mochten doen.

Gevolgen van afstand

2. Deze afstand maakt hen tot concurrente schuldeischers, ook voor het geval het akkoord niet mocht worden aangenomen.

Toelichting, verdediging, wijziging

Art. 144. De gefailleerde is bevoegd tot toelichting en verdediging van het akkoord op te treden en het, staande de raadpleging, te wijzigen.

Vereiste meerderheid

Art. 145. Tot het aannemen van het akkoord wordt vereischt de toestemming van twee derde der erkende en der voorwaardelijk toegelaten concurrente schuldeischers, welke drie vierde van het bedrag door geen voorrang gedekte erkende en voorwaardelijk toegelaten schuldvorderingen vertegenwoordigen.

Tweede stemming

Art. 146. Indien twee derde der ter vergadering verschenen schuldeischers, meer dan de helft van het gezamenlijk bedrag der schuldvorderingen, waarvoor stemrecht kan worden uitgeoefend, vertegenwoordigende, in het akkoord bewilligen, zal ten hoogste acht dagen later eene tweede stemming gehouden worden, zonder dat daartoe eene nadere oproeping vereischt wordt. Bij deze stemming is niemand gebonden aan zijne de eerste maal uitgebrachte stem.

Geen invloed latere veranderingen

Art. 147. Latere veranderingen, in het getal der schuldeischers of in het bedrag der vorderingen, hebben geen invloed op de geldigheid van de aanneming of verwerping van het akkoord.

Inhoud p.v.b. vergadering

Art. 148. Het proces-verbaal der vergadering vermeldt den inhoud van het akkoord, de namen der verschenen stemgerechtigde schuldeischers, de door ieder hunner uitgebrachte stem, den uitslag der stemming en al wat verder op de vergadering is voorgevallen. Het wordt onderteekend door den rechter-commissaris en den griffier.

Inzage ter griffie

2. Gedurende acht dagen kan een ieder ter griffie kosteloos inzage van het proces-verbaal verkrijgen.

Verzoek verbetering p.v.b.

Art. 149. Zoowel de schuldeischers, die vóór gestemd hebben, als de gefailleerde, kunnen gedurende acht dagen na afloop der vergadering aan de rechtbank verbetering van het proces-verbaal verzoeken, indien uit de stukken zelve blijkt dat het akkoord door den rechter-commissaris ten onrechte als verworpen is beschouwd.

Bepaling terechtzitting voor homologatie

Art. 150. 1. Indien het akkoord is aangenomen, bepaalt de rechter-commissaris vóór het sluiten der vergadering de terechtzitting, waarop de rechtbank de homologatie zal behandelen.

2. Bij toepassing van artikel 149 geschiedt de bepaling der terechtzitting door de rechtbank in hare beschikking. Van deze beschikking geeft de curator aan de schuldeischers schriftelijk kennis.

3. De terechtzitting zal gehouden worden tenminste acht en ten hoogste veertien dagen na de stemming over het akkoord of, bij toepassing van artikel 149, na de beschikking van de rechtbank.

Indiening bezwaren

Art. 151. Gedurende dien tijd kunnen de schuldeischers aan den rechter-commissaris schriftelijk de redenen opgeven, waarom zij weigering der homologatie wenselijk achten.

Art. 152. 1. Op den bepaalden dag wordt ter openbare terechtzitting door den rechter-commissaris een schriftelijk rapport uitgebracht, en kan ieder der schuldeischers in persoon, bij schriftelijk gemachtigde of bij procureur de gronden uiteenzetten, waarop hij de homologatie wenscht of haar bestrijdt.

2. De gefailleerde is mede bevoegd, tot verdediging zijner belangen op te treden.

Spoed bij beslissingen

Art. 153. 1. Op denzelfden dag, of anders zoo spoedig mogelijk, geeft de rechtbank hare met redenen omkleede beschikking.

2. Zij zal de homologatie weigeren:

Redenen weigering homologatie

1°. indien de baten des boedels de som bij het akkoord bedongen, aanmerkelijk te boven gaan:

2°. indien de nakoming van het akkoord niet voldoende is gewaarborgd;

3°. indien het akkoord door bedrog, door begunstiging van een of meer schuldeischers of met behulp van andere oneerlijke middelen is tot stand gekomen, onverschillig of de gefailleerde dan wel een en ander daartoe heeft medegewerkt.

3. Zij kan ook op andere gronden en ook ambtshalve de homologatie weigeren.

Art. 154. Binnen acht dagen na de beschikking van de rechtbank kunnen, zoo de homologatie is geweigerd, zoowel de schuldeischers, die vóór het akkoord stemden, als de gefailleerde; zoo de homologatie is toegestaan, de schuldeischers, die tegenstemden of bij de stemming afwezig waren, tegen die beschikking in hooger beroep komen. In het laatste geval hebben ook de schuldeischers, die vóór stemden ditzelfde recht, doch alleen op grond van het ontdekken na de homologatie van handelingen als in artikel 153 onder 3°, genoemd.

Hoger beroep

Art. 155. 1. Het hooger beroep geschiedt bij een verzoekschrift, in te dienen ter griffie van het gerechtshof, dat van de zaak moet kennis nemen. De voorzitter bepaalt terstond dag en uur voor de behandeling, welke zal moeten plaats hebben binnen twintig dagen. Van het hooger beroep wordt door den griffier van het rechtscollege, waarbij het is aangebracht, onverwijld kennis gegeven aan den griffier van de rechtbank, die de beschikking omtrent de homologatie heeft gegeven.

2. Op de behandeling van het hooger beroep zijn, met uitzondering van het bepaalde omtrent den rechter-commissaris, artikel 152 en artikel 153, eerste lid, toepasselijk.

Art. 156. Cassatie wordt binnen dezelfde termijnen en op dezelfde wijze aangeteekend en behandeld.

Cassatie

Art. 157. Het gehomologeerde akkoord is verbindend voor alle geen voorrang hebbende schuldeischers, zonder uitzondering, onverschillig of zij al dan niet in het faillissement opgekomen zijn.

Verbindendheid akkoord

Art. 158. Na verwerping of weigering van de homologatie van het akkoord kan de gefailleerde in hetzelfde faillissement geen akkoord meer aanbieden.

Geen tweede aanbieding

Art. 159. Het in kracht van gewijsde gegane vonnis van homologatie levert, in verband met het proces-verbaal der verificatie, ten behoeve der erkende vorderingen, voor zoover zij niet door den gefailleerde overeenkomstig artikel 126 betwist zijn, een voor tenuitvoerlegging vatbaren titel op tegen den schuldenaar en de tot het akkoord als borgen toegetreden personen.

Voor executie vatbare titel

Art. 160. Niettegenstaande het akkoord behouden de schuldeischers al hunne rechten tegen de borgen en andere medeschuldenaren van den schuldenaar. De rechten, welke zij op goederen van derden kunnen uitoefenen, blijven bestaan als ware geen akkoord tot stand gekomen.

Akkoord alleen t.b.v. gefailleerde

Art. 161. Zoodra de homologatie van het akkoord in kracht van gewijsde is gegaan, eindigt het faillissement. De curator draagt zorg voor de bekendmaking daarvan in de in het derde lid van artikel 14 bedoelde bladen.

Einde faillissement
Bekendmaking

Art. 162. 1. Nadat de homologatie in kracht van gewijsde is gegaan, is de curator verplicht, ten overstaan van den rechter-commissaris rekening en verantwoording aan den schuldenaar te doen.

Rekening en verantwoording

2. Indien bij het akkoord geene andere bepalingen deswege zijn gemaakt, geeft de curator aan den schuldenaar tegen behoorlijke kwijting af alle goederen, gelden, boeken en papieren tot den boedel behoorende.

Afdracht goederen enz.

Art. 163. 1. Het bedrag, waarop geverifieerde schuldeischers, krachtens een erkend voorrecht, aanspraak kunnen maken, alsmede de kosten van het faillissement, moeten in handen van den curator worden gestort, tenzij deswege door den schuldenaar zekerheid wordt gesteld. Zoolang hieraan niet is voldaan, is de curator verplicht alle goederen en gelden tot den boedel behoorende onder zich te houden, totdat dit bedrag en de bedoelde kosten aan de daarop rechthebbenden zijn voldaan.

Zekerheid voor preferente vorderingen

2. Wanneer ééne maand na het in kracht van gewijsde gaan van het vonnis van homologatie is verloopen, zonder dat vanwege den schuldenaar de voldoening van een en ander is geschied, zal de curator daartoe overgaan uit de voorhanden baten des boedels.

3. Het bedrag in het eerste lid bedoeld, en het deel daarvan, aan ieder schuldeischer krachtens zijn recht van voorrang toe te kennen, wordt desnoodig door den rechter-commissaris begroot.

Voorwaardelijk erkend voorrecht

Art. 164. Voor zooveel betreft vorderingen, waarvan het voorrecht voorwaardelijk erkend is, bepaalt de in het vorige artikel bedoelde verplichting van den schuldenaar zich tot het stellen van zekerheid en is de curator bij gebreke daarvan slechts gehouden tot het reserveeren uit de baten des boedels van het bedrag waarop het voorrecht aanspraak heeft.

Vordering tot ontbinding

Art. 165. 1. Ontbinding van het gehomologeerde akkoord kan door elken schuldeischer gevorderd worden, jegens wien de schuldenaar in gebreke blijft aan den inhoud daarvan te voldoen.

Bewijslast

2. Op den schuldenaar rust het bewijs, dat aan het akkoord is voldaan.

Uitstel

3. De rechter kan, ook ambtshalve, den schuldenaar uitstel van ten hoogste ééne maand verleenen, om alsnog aan zijne verplichtingen te voldoen.

Wijze van behandeling

Art. 166. De vordering tot ontbinding van het akkoord wordt op dezelfde wijze aangebracht en beslist, als ten aanzien van het verzoek tot faillietverklaring in de artikelen 4, 6-9 en 12 is voorgeschreven.

Heropening faillissement

Art. 167. 1. In het vonnis, waarbij de ontbinding van het akkoord wordt uitgesproken, wordt tevens heropening van het faillissement bevolen met benoeming van eenen rechter-commissaris en curator, alsmede van eene commissie uit de schuldeischers, indien er in het faillissement reeds eene geweest is.

2. Bij voorkeur zullen daartoe de personen gekozen worden, die vroeger in het faillissement die betrekkingen hebben waargenomen.

Bekendmaking

3. De curator draagt zorg voor de bekendmaking van het vonnis op de wijze in artikel 14, derde lid, voorgeschreven.

Toepasselijkheid bepalingen

Art. 168. 1. De artikelen 13, eerste lid, 15-18 en die, welke vervat zijn in de tweede, derde en vierde afdeeling van dezen titel, zijn bij heropening van het faillissement toepasselijk.

2. Evenzoo zijn toepasselijk de bepalingen van de afdeeling over de verificatie der schuldvorderingen, behoudens deze wijziging, dat de verificatie beperkt blijft tot de schuldvorderingen, die niet reeds vroeger geverifieerd werden.

Oproep reeds geverifieerde schuldeisers

3. Niettemin worden ook de reeds geverifieerde schuldeischers tot bijwoning der verificatie-vergadering opgeroepen en hebben zij het recht de vorderingen, waarvoor toelating verzocht wordt, te betwisten.

Tussentijdse handelingen van schuldenaar

Art. 169. De handelingen, door den schuldenaar in den tijd tusschen de homologatie van het akkoord en de heropening van het faillissement verricht, zijn voor den boedel verbindend, behoudens de toepassing van artikel 42 en volgende zoo daartoe gronden zijn.

Geen tweede aanbieding akkoord

Art. 170. 1. Na de heropening van het faillissement kan niet opnieuw een akkoord aangeboden worden.

2. De curator gaat zonder verwijl tot de vereffening over.

Voldoening akkoord-percentage

Art. 171. 1. Indien tijdens de heropening jegens eenige schuldeischers reeds geheel of gedeeltelijk aan het akkoord is voldaan, worden bij de verdeeling aan de nieuwe schuldeischers en diegene onder de oude, die nog geene voldoening ontvingen, de bij het akkoord toegezegde percenten, en wordt aan hen, die gedeeltelijke betaling ontvingen, hetgeen aan het toegezegde bedrag nog ontbreekt, vooruitbetaald.

2. In hetgeen alsdan nog overschiet, wordt door alle schuldeischers zoo oude als nieuwe gelijkelijk gedeeld.

Art. 172. Het vorige artikel is eveneens toepasselijk, indien de boedel van den schuldenaar, terwijl door hem aan het akkoord nog niet volledig is voldaan, opnieuw in staat van faillissement wordt verklaard.

ZEVENDE AFDEELING
Van de vereffening des boedels

Art. 173. 1. Indien op de verificatie-vergadering geen akkoord aangeboden of indien het aangeboden akkoord verworpen of de homologatie definitief geweigerd is, verkeert de boedel van rechtswege in staat van insolventie.

Staat van insolventie

2. De artikelen 98 en 100 houden op van toepassing te zijn, wanneer vaststaat, dat het bedrijf van den gefailleerde niet overeenkomstig de volgende artikelen zal worden voortgezet of wanneer de voortzetting wordt gestaakt.

Art. 173a. 1. Indien ter verificatie-vergadering geen akkoord is aangeboden of indien het aangeboden akkoord is verworpen, kan de curator of een ter vergadering aanwezige schuldeischer voorstellen, dat het bedrijf van den gefailleerde worde voortgezet.

Voorstel voortzetting bedrijf

2. De commissie uit de schuldeischers, indien deze er is, en, zoo het voorstel is gedaan door een schuldeischer, de curator geven hun advies over dit voorstel.

3. Op verlangen van den curator of van een der aanwezige schuldeischers, stelt de rechter-commissaris de beraadslaging en beslissing over het voorstel uit, tot eene op ten hoogste veertien dagen later te bepalen vergadering.

Uitstel

4. De curator geeft onverwijld aan de schuldeischers, die niet ter vergadering aanwezig waren, kennis van deze nadere vergadering bij brieven, waarin het ingediend voorstel wordt vermeld en hun tevens de bepaling van artikel 114 wordt herinnerd.

Kennisgeving door curator

5. Op deze vergadering zal, zoo noodig, tevens de verificatie plaats hebben van de schuldvorderingen, die na afloop van den in artikel 108, no. 1, bepaalden termijn zijn ingediend en niet reeds ingevolge artikel 127 geverifieerd zijn. De curator handelt ten opzichte van deze vorderingen overeenkomstig de bepalingen van de artikelen 111-114.

Later ingediende vorderingen

Art. 173b. 1. Het voorstel is aangenomen, indien schuldeischers, vertegenwoordigende meer dan de helft der erkende en voorwaardelijk toegelaten schuldvorderingen, welke niet door pand, hypotheek of retentierecht zijn gedekt, zich daarvóór verklaren.

Meerderheid vereist voor voorstel

2. In dit geval vindt, indien eene commissie uit de schuldeischers niet bestaat, artikel 75 overeenkomstige toepassing.

3.Het proces-verbaal der vergadering vermeldt de namen der verschenen schuldeischers, de door ieder hunner uitgebrachte stem, den uitslag der stemming en al wat verder ter vergadering is voorgevallen.

Inhoud p.v.b.

4. Gedurende acht dagen kan een ieder ter griffie kosteloos inzage van het proces-verbaal vragen.

Inzage p.v.b.

Art. 173c. 1. Indien binnen acht dagen, nadat de homologatie van een akkoord definitief is geweigerd, de curator of een schuldeischer bij den rechter-commissaris een voorstel indient tot voortzetting van het bedrijf van den gefailleerde, zal de rechter-commissaris op door hem terstond te bepalen dag, uur en plaats eene vergadering van schuldeischers beleggen ten einde over het voorstel te doen beraadslagen en beslissen.

Vergadering over voortzetting bedrijf

2. De curator roept de schuldeischers, ten minste tien dagen vóór de vergadering, op bij brieven, waarin het ingediend voorstel wordt vermeld en hun tevens de bepaling van artikel 114 wordt herinnerd. Bovendien plaatst hij gelijke oproeping in het nieuwsblad of de nieuwsbladen, bedoeld in artikel 14.

3. Artikel 173a, lid 2 en 5, alsmede artikel 173b zijn van toepassing.

Art. 173d. De curator en de schuldeischers kunnen gedurende acht dagen na afloop der vergadering aan de rechtbank vragen, alsnog te verklaren, dat het voorstel is aangenomen of verworpen, indien uit de stukken zelve blijkt, dat de rechter-commissaris dit ten onrechte als verworpen of aangenomen heeft beschouwd.

Ten onrechte als verworpen of aangenomen beschouwd

Art. 174. 1. De rechter-commissaris kan op verzoek van een schuldeischer of van den curator gelasten, dat de voortzetting van het bedrijf worde gestaakt.

Staking voortzetting bedrijf

2. Op dit verzoek worden gehoord de commissie uit de schuldeischers, indien deze er is, alsmede de curator, als het verzoek niet door hem is gedaan.

3. Bovendien kan de rechter-commissaris ieder schuldeischer en den schuldenaar hooren.

Vereffening en verkoop

Art. 175. 1. Indien een voorstel tot voortzetting van het bedrijf niet of niet tijdig wordt gedaan of indien het wordt verworpen, of de voortzetting wordt gestaakt, gaat de curator onmiddellijk over tot vereffening en tegeldemaking van alle baten des boedels, zonder dat daartoe de toestemming of medewerking des gefailleerden noodig is.

Enig huisraad

2. Niettemin kan den gefailleerde eenig huisraad, door den rechter-commissaris aan te wijzen, worden gelaten.

Verkoop bij voortzetting bedrijf

3. Ook in geval van voortzetting van het bedrijf kunnen baten van den boedel, welke voor de voortzetting niet noodig zijn, worden te gelde gemaakt.

Wijze van verkoop

Art. 176. 1. De goederen worden in het openbaar of met toestemming van den rechter-commissaris ondershands verkocht.

Beschikking over andere baten

2. Over alle niet spoedig of in het geheel niet voor vereffening vatbare baten beschikt de curator op de wijze door den rechter-commissaris goed te keuren.

Vergoeding voor diensten gefailleerde

Art. 177. De curator kan ten behoeve der vereffening van de diensten des gefailleerden gebruik maken, tegen eene door den rechter-commissaris vast te stellen vergoeding.

Vergadering over wijze van vereffening

Art. 178. Nadat de boedel insolvent is geworden, kan de rechter-commissaris, op door hem te bepalen dag, uur en plaats, eene vergadering van schuldeischers beleggen, ten einde hen zoo noodig te raadplegen over de wijze van vereffening des boedels, en zoo noodig de verificatie te doen plaats hebben der schuldvorderingen, die na afloop van den in artikel 108, nr. 1 bepaalden termijn nog niet zijn ingediend en niet reeds ingevolge artikel 127 geverifieerd zijn. De curator handelt ten opzichte van deze vorderingen overeenkomstig de bepalingen van de artikelen 111-114. Hij roept de schuldeischers, ten minste tien dagen vóór de vergadering, bij brieven op, waarin het onderwerp der vergadering wordt vermeld en hun tevens de bepaling van artikel 114 wordt herinnerd. Bovendien plaatst hij gelijke oproeping in het nieuwsblad bedoeld in artikel 14.

Uitdeling aan schuldeisers

Art. 179. Zoo dikwijls er, naar het oordeel van den rechter-commissaris, voldoende gereede penningen aanwezig zijn, beveelt deze eene uitdeeling aan de geverifieerde schuldeischers.

Uitdelingslijst

Art. 180 1. De curator maakt telkens de uitdeelingslijst op en onderwerpt die aan de goedkeuring van den rechter-commissaris. De lijst houdt in een staat der ontvangsten en uitgaven (daaronder begrepen het salaris van den curator), de namen der schuldeischers, het geverifieerde bedrag van ieders vordering, benevens de daarop te ontvangen uitkeering.

2. Voor de concurrente schuldeisers worden de door de rechter-commissaris te bepalen percenten uitgetrokken. Voor de schuldeisers die voorrang hebben, ongeacht of deze betwist wordt, en die niet reeds overeenkomstig artikel 57 of 60 lid 3 voldaan zijn wordt het bedrag uitgetrokken waarvoor zij batig gerangschikt kunnen worden op de opbrengst der goederen waarop hun voorrang betrekking heeft. Zo dit minder is dan het gehele bedrag van hun vorderingen, worden voor het ontbrekende — zo de goederen waarop hun vordering betrekking heeft nog niet verkocht zijn, voor hun hele vordering — gelijke percenten als voor de concurrente schuldeisers uitgetrokken.

Voorwaardelijk toegelaten vorderingen

Art. 181. Voor de voorwaardelijk toegelaten schuldvorderingen worden op de uitdeelingslijst de percenten over het volle bedrag uitgetrokken.

Omslag faillissementskosten

Art. 182. 1. De algemene faillissementskosten worden omgeslagen over ieder deel van de boedel, met uitzondering van hetgeen na een executie overeenkomstig artikel 57 of artikel 60, derde lid, tweede zin, toekomt aan de pand- of hypotheekhouders, aan de schuldeisers met retentierecht en aan de beperkt gerechtigden, huurders en pachters wier recht door de executie is vervallen of verloren gegaan, maar met inbegrip van hetgeen krachtens een zodanige executie aan de curator is uitgekeerd ten behoeve van een schuldeiser die boven een of meer van voormelde personen bevoorrecht was.

uitzonderingen

2. De in het vorige lid genoemde uitzondering geldt eveneens ten aanzien van luchtvaartuigen, welke overeenkomstig de bepaling van artikel 38 van de Wet teboekgestelde Luchtvaartuigen door een schuldeiser zelf zijn verkocht.

Art. 183. 1. De door den rechter-commissaris goedgekeurde uitdeelingslijst ligt gedurende tien dagen ter griffie van de rechtbank ter kostelooze inzage van de schuldeischers.

Nederlegging lijst ter inzage

2. Een afschrift wordt door den curator met hetzelfde doel nedergelegd ter griffie van het in artikel 97 aangewezen kantongerecht. De nederlegging geschiedt kosteloos.

3. Van de nederlegging wordt door de zorg van den curator aankondiging gedaan in het nieuwsblad of de nieuwsbladen bedoeld in artikel 14, terwijl daarvan bovendien aan ieder der erkende en voorwaardelijk toegelaten schuldeischers schriftelijk kennis wordt gegeven, met vermelding van het voor hem uitgetrokken bedrag.

Art. 184. 1. Gedurende den in het vorige artikel genoemden termijn kan ieder schuldeischer in verzet komen tegen de uitdeelingslijst, door inlevering van een met redenen omkleed bezwaarschrift ter griffie; hem wordt door den griffier een bewijs van ontvangst afgegeven.

Bezwaarschrift tegen uitdelingslijst

2. Het bezwaarschrift wordt als bijlage bij de lijst gevoegd.

Art. 185. 1. Zoo er verzet gedaan is, bepaalt de rechter-commissaris, onmiddellijk na afloop van den termijn van inzage, den dag, waarop het ter openbare terechtzitting behandeld zal worden. Deze beschikking ligt ter griffie ter kostelooze inzage van een ieder. Bovendien doet de griffier daarvan aan de opposanten en den curator schriftelijk mededeeling. De dag van behandeling mag niet later gesteld worden dan veertien dagen na afloop van den termijn van artikel 183.

Behandeling bezwaarschrift

2. Op den bepaalden dag wordt ter openbare terechtzitting door den rechter-commissaris een schriftelijk rapport uitgebracht, en kan de curator en ieder der schuldeischers in persoon of bij schriftelijk gemachtigde of bij procureur de gronden uiteenzetten ter verdediging of bestrijding van de uitdeelingslijst.

3. Op denzelfden dag, of anders zoo spoedig mogelijk, geeft de rechtbank hare met redenen omkleede beschikking.

Art. 186. 1. Ook een nietgeverifieerde schuldeischer, zoomede een schuldeischer, wiens vordering voor een te laag bedrag is geverifieerd, doch overeenkomstig zijn opgave, kan verzet doen, mits hij uiterlijk twee dagen vóór dien waarop het verzet ter openbare terechtzitting zal behandeld worden, de vordering of het nietgeverifieerde deel der vordering bij den curator indiene, een afschrift daarvan bij het bezwaarschrift voege, en in dit bezwaarschrift tevens verzoek doe om geverifieerd te worden.

Verzet o.a. door niet geverifiëerde schuldeiser

2. De verificatie geschiedt alsdan op de wijze, bij artikel 119 en volgende voorgeschreven, ter openbare terechtzitting, bestemd voor de behandeling van het verzet en voordat daarmede een aanvang wordt gemaakt.

3. Indien dit verzet alleen ten doel heeft als schuldeischer geverifieerd te worden, en niet tevens door anderen verzet is gedaan, komen de kosten van het verzet ten laste van den nalatigen schuldeischer.

Art. 187. 1. Van de beschikking der rechtbank kan binnen acht dagen, nadat zij is gegeven, beroep in cassatie worden ingesteld door den curator en door iederen schuldeischer.

Beroep in cassatie

2. Het beroep geschiedt bij een verzoekschrift, in te dienen ter griffie van de Hoogen Raad. De Voorzitter bepaalt terstond dag en uur voor de behandeling, welke zal moeten plaats hebben binnen twintig dagen. De griffier geeft van het beroep onverwijld kennis aan den griffier van de rechtbank, welke de beschikking op het verzet heeft gegeven.

3. Het beroep wordt ter openbare terechtstelling behandeld. De curator en alle schuldeischers kunnen aan de behandeling deelnemen.

4. Door verloop van den termijn van artikel 183, of, zoo verzet is gedaan, doordat de beschikking op het verzet in kracht van gewijsde is gegaan, wordt de uitdeelingslijst verbindend.

Verbindend worden uitdelingslijst

Art. 188. 1. Door levering ingevolge verkoop door de curator en de voldoening van de koopprijs gaan alle op het verkochte goed rustende hypotheken teniet en vervallen de beperkte rechten die niet tegen alle geverifieerde schuldeisers ingeroepen kunnen worden.

Tenietgaan rechten

Verklaring 2. De rechter-commissaris geeft desverlangd aan de koper een verklaring af van dit tenietgaan en vervallen. De verklaring kan bij of na de levering in de registers worden ingeschreven. Zij machtigt dan de bewaarder der registers tot doorhaling van de betrokken inschrijvingen.

Verkoop van schepen 3. Op verkoop, door den curator, van tot den boedel behoorende schepen, is artikel 575 van het Wetboek van Burgerlijke Rechtsvordering toepasselijk.

Voorwaardelijk toegelaten schuldeisers **Art. 189.** 1. De uitdeeling, uitgetrokken voor een voorwaardelijk toegelaten schuldeischer, wordt niet uitgekeerd, zoolang niet omtrent zijne vordering beslist zal zijn. Blijkt het tenslotte dat hij niets of minder te vorderen heeft, dan komen de voor hem bestemde gelden geheel of ten deele ten bate van de andere schuldeischers.

Vorderingen met betwiste voorrang 2. Uitdeelingen bestemd voor vorderingen welker voorrang betwist wordt, worden, voor zooverre zij meer bedragen dan de percenten over de concurrente vorderingen uit te keeren, gereserveerd tot na de uitspraak overden voorrang.

Uitkering onder aftrek van reeds ontvangene **Art. 190.** Indien enig goed met betrekking waartoe een schuldeiser voorrang heeft, wordt verkocht nadat hem ingevolge artikel 179 in verband met het slot van artikel 180, reeds een uitkering is gedaan, wordt hem bij een volgende uitdeling het bedrag waarvoor hij op de opbrengst van goed batig gerangschikt is, niet anders uitgekeerd dan onder aftrek van de percenten die hij reeds tevoren over dit bedrag ontving.

Uitkering op nagekomen vorderingen **Art. 191.** 1. Aan schuldeischers, die, ten gevolge van hun verzuim om op te komen, eerst geverifieerd worden nadat er reeds uitdeelingen hebben plaatsgehad, wordt uit de nog voorhanden baten een bedrag, evenredig aan het door de overige erkende schuldeischers reeds genotene, vooruitbetaald.

2. Indien zij voorrang hebben, verliezen zij dien, voor zooverre de opbrengst van de zaak, waarop die voorrang kleefde, bij eene vroegere uitdee-lingslijst aan andere schuldeischers bij voorrang is toegekend.

Onverwijlde uitkering; storting in consignatiekas **Art. 192.** Na afloop van den termijn van inzage, bedoeld bij artikel 183, of na uitspraak van het vonnis op het verzet, is de curator verplicht de vastgestelde uitkeering onverwijld te doen. De uitkeeringen, waarover niet binnen ééne maand daarna is beschikt of welke ingevolge artikel 189 gereserveerd zijn, worden door hem in de kas der gerechtelijke consignatiën gestort.

Einde faillissement **Art. 193.** Zoodra aan de geverifieerde schuldeischers het volle bedrag hunner vorderingen is uitgekeerd, of zoodra de slotuitdeelingslijst verbindend is geworden, neemt het faillissement een einde, behoudens de bepaling van artikel 194. Door den curator geschiedt daarvan aankondiging op de wijze bij artikel 14 bepaald.

Rekening en verantwoording 2. Na verloop van eene maand doet de curator rekening en verantwoording van zijn beheer aan den rechter-commissaris.

Afgifte bescheiden 3. De boeken en papieren, door den curator in den boedel gevonden, worden door hem tegen behoorlijk bewijs aan den schuldenaar afgegeven.

Verdeling nakomende baten **Art. 194.** Indien na de slotuitdeeling ingevolge artikel 189 gereserveerde uitdeelingen aan den boedel terugvallen, of mocht blijken dat er nog baten van den boedel aanwezig zijn, welke ten tijde der vereffening niet bekend waren, gaat de curator, op bevel van de rechtbank, tot vereffening en verdeeling daarvan over op den grondslag van de vroegere uitdeelingslijsten.

ACHTSTE AFDEELING

Van den rechtstoestand des schuldenaars na afloop van de vereffening

Rechten schuldeisers na vereffening **Art. 195.** Door het verbindend worden der slotuitdeelingslijst herkrijgen de schuldeischers voor hunne vorderingen, in zoverre deze onvoldaan zijn gebleven, hunne rechten van executie op de goederen van den schuldenaar.

Kracht van gewijsde; executoriale titel **Art. 196.** De in het vierde lid van artikel 121 bedoelde erkenning eener vordering heeft kracht van gewijsde zaak tegen den schuldenaar; het proces-verbaal der verificatie-vergadering levert voor de daarin als erkend vermelde vorderingen den voor tenuitvoerlegging vatbaren titel op tegen den schuldenaar.

Door gefailleerde betwiste vordering **Art. 197.** De bepaling van het vorige artikel geldt niet voor zoover de vordering door den gefailleerde overeenkomstig artikel 126 betwist is.

NEGENDE AFDEELING
Van het faillissement eener nalatenschap

Art. 198. De boedel eens overledenen wordt in staat van faillissement verklaard, indien een of meer der schuldeischers daartoe verzoek doen, en summier aantoonen, dat de overledene in den toestand verkeerde, dat hij had opgehouden te betalen of dat de nalatenschap ten dage van het overlijden niet toereikend was ter betaling van de schulden des overledenen.

Faillietverklaring nalatenschap

Art. 199. 1. Het verzoek wordt gericht tot de rechtbank, welke tijdens het overlijden des schuldenaars bevoegd was de faillietverklaring uit te spreken.

Bevoegde rechter

2. De erfgenamen worden op het verzoek gehoord of daartoe opgeroepen bij een exploot, aan het sterfhuis te beteekenen, zonder dat het nodig is hen bij name aan te duiden, alsmede, voor zooverre zij bekend zijn, bij brieven van den griffier.

Oproeping erfgenamen

Art. 200. De faillietverklaring heeft van rechtswege ten gevolge de afscheiding van den boedel des overledenen van dien zijner erfgenamen, in dier voege als bij artikel 1153 van het Burgerlijk Wetboek is omschreven.

Afscheiding boedel overledene

Art. 201. De faillietverklaring kan aangevraagd worden zoolang niet drie maanden na de aanvaarding van de nalatenschap en tevens zes maanden na het overlijden van den schuldenaar zijn verstreken.

Vervaltermijn

Art. 202. De zesde afdeeling van dezen titel is op het faillissement eener nalatenschap niet toepasselijk; evenmin de achtste afdeeling, tenzij de erfenis zuiver is aanvaard.

Niet toepasselijkheid bepalingen

TIENDE AFDEELING
Bepalingen van internationaal recht

Art. 203. Schuldeischers, die na de faillietverklaring hunne vordering geheel of gedeeltelijk afzonderlijk verhaald hebben op in het buitenland zich bevindende, aan hen niet bij voorrang verbonden, goederen van den in Nederland gefailleerden schuldenaar, zijn verplicht het aldus verhaalde aan den boedel te vergoeden.

Verhaal op goederen in buitenland

Art. 204. 1. De schuldeischer, die zijne vordering tegen den gefailleerde, geheel of gedeeltelijk, aan een derde overdraagt, ten einde dezen in de gelegenheid te stellen die vordering, geheel of gedeeltelijk, afzonderlijk of bij voorrang te verhalen op in het buitenland zich bevindende goederen van den gefailleerde, is verplicht het aldus verhaalde aan den boedel te vergoeden.

2. De overdracht wordt, behoudens tegenbewijs, vermoed met dit doel te zijn geschied, als zij is gedaan met de wetenschap, dat de faillietverklaring reeds was aangevraagd of aangevraagd zou worden.

Art. 205. 1. Gelijke verplichting tot vergoeding jegens de boedel rust op hem die zijn vordering of zijn schuld geheel of gedeeltelijk aan een derde overdraagt, die daardoor in staat wordt gesteld in het buitenland een door deze wet niet toegelaten verrekening in te roepen.

Schuldvergelijking vergoedingsplicht

2. Het tweede lid van het vorige artikel is hier toepasselijk.

ELFDE AFDEELING
Van rehabilitatie

Art. 206. Nadat het faillissement overeenkomstig de artikelen 161 of 193 geëindigd is, is de schuldenaar of zijn zijne erfgenamen, ook in geval van artikel 198, bevoegd een verzoek van rehabilitatie in te leveren bij de rechtbank, die het faillissement heeft berecht.

Verzoek om rehabilitatie

Art. 207. De schuldenaar of zijne erfgenamen zijn tot dit verzoek niet ontvankelijk, tenzij bij het verzoekschrift zij overgelegd het bewijs, waaruit blijkt, dat alle erkende schuldeischers, ten genoegen van elk hunner, zijn voldaan.

Niet ontvankelijkheid verzoek

Art. 208. Van het verzoek wordt aankondiging gedaan in de Nederlandsche Staatscourant en in een of meer door de rechtbank aan te wijzen nieuwsbladen.

Aankondiging verzoek

Verzet tegen verzoek

Art. 209. 1. Ieder erkend schuldeischer is bevoegd om binnen den tijd van twee maanden na voorschrever. aankondiging verzet tegen het verzoek te doen, door inlevering van een met redenen omkleed bezwaarschrift ter griffie; hem wordt door den griffier een bewijs van ontvangst afgegeven.

2. Dit verzet zal alleen daarop kunnen gegrond zijn, dat door den verzoeker niet behoorlijk aan het voorschrift van het artikel 207 is voldaan.

Beslissing op verzoek

Art. 210. Na verloop van de voormelde twee maanden zal de rechtbank, om het even of er verzet of geen verzet is gedaan, op de conclusie van het Openbaar Ministerie het verzoek toestaan of weigeren.

Geen hoger beroep of cassatie

Art. 211. Van de beslissing der rechtbank wordt noch hooger beroep noch cassatie toegelaten.

Uitspraak; aantekening in openbaar register

Art. 212. Het vonnis, waarbij de rehabilitatie wordt toegestaan, wordt ter openbare terechtzitting uitgesproken, terwijl mede daarvan aanteekening geschiedt in het in artikel 19 bedoelde register.

TITEL II
Van surséance van betaling

EERSTE AFDELING
Van de verleening van surséance van betaling en hare gevolgen

Verzoeke tot surséance van betaling

Art. 213. De schuldenaar die voorziet, dat hij met betalen van zijne opeischbare schulden niet zal kunnen voortgaan, kan surséance van betaling aanvragen.

Eventueel met ontwerp-akkoord

Art. 214. 1. Hij zal zich daartoe, onder overlegging van een door behoorlijke bescheiden gestaafden staat, als bedoeld in artikel 96, bij verzoekschrift, door hem zelf en zijn procureur onderteekend, wenden tot de rechtbank, aangewezen in artikel 2 of artikel 3.

2. Bij het verzoekschrift kan een ontwerp van akkoord worden gevoegd.

Ter inzage legging

Art. 215. 1. Het verzoekschrift met bijbehoorende stukken wordt ter griffie van de rechtbank neergelegd, ter kostelooze inzage van een ieder.

Voorlopige verlening; oproeping schuldeisers

2. De rechtbank zal dadelijk de gevraagde surséance voorlopig verleenen en een of meer bewindvoerders benoemen, ten einde met den schuldenaar het beheer over diens zaken te voeren. Bovendien beveelt zij, dat de bekende schuldeischers, benevens de schuldenaar, tegen een door haar op korten termijn bepaalden dag, door den griffier bij brieven worden opgeroepen, ten einde, alvorens beslist wordt omtrent het definitief verleenen van de gevraagde surséance, op het verzoekschrift te worden gehoord. Behalve de dag worden uur en plaats der bijeenkomst daarbij vermeld, alsmede of een ontwerp van akkoord bij het verzoekschrift is gevoegd.

Aankondiging van verzoek

Art. 216. De griffier doet van de indiening van het verzoek, van de voorlopige verleening van surséance, van de naam van de rechter-commissaris zo die is benoemd, van de namen en woonplaatsen der benoemde bewindvoerders en van den overeenkomstig het tweede lid van het voorgaande artikel bepaalden dag onmiddellijk aankondiging in de Nederlandsche Staatscourant en in een of meer door de rechtbank aan te wijzen nieuwsbladen. Indien bij het verzoekschrift een ontwerp van akkoord is gevoegd, wordt daarvan in de aankondiging melding gemaakt.

Aanvang surséance

Art. 217. De surséance wordt geacht te zijn ingegaan bij den aanvang van den dag, waarop zij voorloopig is verleend.

Behandeling in raadkamer

Art. 218. 1. Ten bepaalden dage hoort de rechtbank in raadkamer de schuldenaar, de rechter-commissaris zo die is benoemd, de bewindvoerders en de in persoon of bij schriftelijk gemachtigde of bij procureur opgekomen schuldeischers. Iedere schuldeiser is bevoegd om, zelfs zonder opgeroepen te zijn, op te komen.

Benodigde stemmen voor afwijzing

2. De rechtbank kan den schuldenaar definitief surséance verleenen, tenzij zich daartegen verklaren hetzij houders van meer dan één vierde van het bedrag der ter vergadering vertegenwoordigde, in artikel 233 bedoelde, schuldvorderingen, hetzij meer dan één derde der houders van zoodanige vorderingen.

3. Over de toelating tot de stemming beslist, bij verschil, de rechtbank.

4. Surséance kan nimmer definitief worden verleend, indien er gegronde vrees bestaat, dat de schuldenaar zal trachten de schuldeischers tijdens de surséance te benadeelen of het vooruitzicht niet bestaat, dat hij na verloop van tijd zijne schuldeischers zal kunnen bevredigen. **Gronden voor niet-verlening**

5. De rechtbank, het verzoek afwijzende, kan bij dezelfde beschikking den schuldenaar in staat van faillissement verklaren. Wordt het faillissement niet uitgesproken, dan blijft de voorloopig verleende surséance gehandhaafd tot de beschikking der rechtbank in kracht van gewijsde is gegaan. **Faillietverklaring**

6. Indien eene aanvrage tot failletverklaring en een verzoek tot surséance gelijktijdig aanhangig zijn, komt eerst het laatste in behandeling. **Eerst behandeling surséance**

7. De beschikking op het verzoek is met redenen omkleed en wordt uitgesproken ter openbare terechtzitting. **Beschikking in het openbaar**

Art. 219. 1. Gedurende acht dagen na den dag der uitspraak heeft, in geval van afwijzing van het verzoek, de schuldenaar, of, ingeval de surséance verleend is, iedere schuldeischer, die zich niet vóór het verleenen daarvan heeft verklaard, recht van hooger beroep. **Hoger beroep**

2. Het hooger beroep wordt ingesteld bij een verzoekschrift, in te dienen ter griffie van het gerechtshof, dat van de zaak kennis moet nemen. De voorzitter bepaalt terstond dag en uur voor de behandeling. **Verzoekschrift**

3. Indien het hooger beroep door een schuldeischer is ingesteld, geeft deze uiterlijk op den vierden dag volgende op dien, waarop hij zijn verzoek heeft gedaan, aan den procureur, die het verzoek tot surséance heeft ingediend, bij deurwaardersexploot kennis van het hooger beroep en van den tijd voor de behandeling bepaald. Deze kennisgeving geldt voor oproeping van den schuldenaar. **Kennisgeving**

4. De griffier van het gerechtshof doet van het hooger beroep en van den tijd, voor de behandeling bepaald, aankondiging in de nieuwsbladen, waarin het verzoek tot surséance volgens artikel 216 is aangekondigd. Tevens geeft hij van het ingestelde hooger beroep aan den griffier der rechtbank kennis, neemt van dezen de in artikel 214 bedoelde stukken over en legt die op zijne griffie voor een ieder ter kostelooze inzage.

Art. 220. 1. Bij de behandeling van het hooger beroep wordt het verzoek niet opnieuw in stemming gebracht, maar ieder schuldeischer is bevoegd in persoon, bij schriftelijk gemachtigde of bij procureur aan de bestrijding of verdediging van de uitspraak, waartegen het beroep gericht is, deel te nemen. **Wijze van behandeling**

2. De behandeling heeft plaats in raadkamer; het arrest wordt uitgesproken ter openbare terechtzitting.

Art. 221. 1. Van het arrest, door het gerechtshof gewezen, kan, ingeval van afwijzing van het verzoek, de schuldenaar, of, ingeval de surséance is verleend, iedere schuldeischer, die zich niet vóór het verleenen daarvan heeft verklaard, gedurende acht dagen na den dag der uitspraak, in cassatie komen. **Beroep in cassatie**

2. Het beroep in cassatie wordt ingesteld bij een verzoekschrift, in te dienen ter griffie van den Hoogen Raad. De voorzitter bepaalt terstond dag en uur voor de behandeling.

3. De griffier van de Hoogen Raad doet van het beroep in cassatie en van den tijd, voor de behandeling bepaald, aankondiging in de nieuwsbladen, waarin het verzoek tot surséance volgens artikel 216 is aangekondigd. Tevens geeft hij van het ingestelde beroep kennis aan den griffier van het gerechtshof, neemt van dezen de in artikel 214 bedoelde stukken over en legt die op zijne griffie voor een ieder ter kostelooze inzage.

4. De bepalingen van het derde lid van artikel 219 en van het tweede lid van artikel 220 vinden overeenkomstige toepassing.

Art. 222. 1. De beschikking, waarbij de surséance definitief wordt toegestaan, is bij voorraad uitvoerbaar, niettegenstaande eenige daartegen gerichte voorziening. **Uitvoerbaar bij voorraad**

2. Zij wordt aangekondigd op de wijze, in artikel 216 voorgeschreven. **Aankondiging**

Art. 222a. 1. Bij elke rechtbank wordt door de griffier een openbaar register aangehouden, waarin hij voor iedere surséance van betaling afzonderlijk, achtereenvolgens, met vermelding van de dagtekening, inschrijft: **Openbaar register surséance**

1°. een uittreksel van de rechterlijke beslissingen, waarbij voorlopig of definitief surséance van betaling is verleend, waarbij deze is verlengd of waarbij de surséance van betaling is ingetrokken;

2°. de benoeming van een rechter-commissaris;
3°. de summiere inhoud en de homologatie van het akkoord;
4°. de ontbinding van het akkoord.

2. Omtrent vorm en inhoud van het register worden bij algemene maatregel van bestuur nadere regels gegeven.

3. De griffier is verplicht aan ieder kosteloze inzage van het register en tegen betaling een uittreksel daaruit te verstrekken.

Duur der surséance

Art. 223. 1. Bij het definitief verleenen der surséance bepaalt de rechtbank haar duur ten hoogste op anderhalf jaar. Indien de surcéance is geëindigd door het verloop van de termijn waarvoor zij is verleend, doen de bewindvoerders daarvan aankondiging in de in artikel 216 bedoelde bladen.

Verlenging

2. Vóór het einde der surséance kan door de schuldenaar eenmaal of meermalen haar verlenging voor ten hoogste anderhalf jaar worden gevraagd. Het verzoek wordt behandeld op dezelfde wijze als een verzoek tot verleening van surséance. Zoolang bij afloop der surséance op een verzoek tot verlenging nog niet is beschikt, blijft de surséance gehandhaafd. De door de rechtbank gewezen beschikking wordt bekendgemaakt op de wijze als in het eerste lid bepaald.

Benoeming r.-c.

Art. 223a. Bij het voorlopig verlenen der surséance of bij een latere beschikking kan de rechtbank een harer leden tot rechter-commissaris benoemen, teneinde de bewindvoerders op hun verzoek van advies te dienen.

Getuigenverhoor; deskundigen-onderzoek

Art. 223b. 1. Op verzoek van de bewindvoerders is de rechter-commissaris bevoegd ter opheldering van alle omstandigheden, de surséance betreffende, getuigen te horen of een onderzoek van deskundigen te bevelen.
De getuigen worden gedagvaard namens de rechter-commmissaris. Artikel 203 van het Wetboek van Burgerlijke Rechtsvordering is van overeenkomstige toepassing.

Weigerachtige getuigen

2. Bij niet-verschijning of weigering om de eed of getuigenis af te leggen, zijn de artikelen 197-201 van het Wetboek van Burgerlijke Rechtsvordering toepasselijk.

Verschoningsrecht

3. De echtgenoot of gewezen echtgenoot, de kinderen en verdere nakomelingen en de ouders en grootouders van de schuldenaar kunnen zich van het geven van getuigenis verschonen.

Meerdere bewindvoerders

Art. 224. 1. Indien meer dan één bewindvoerder is benoemd, wordt voor de geldigheid hunner handelingen toestemming der meerderheid of bij staking van stemmen eene beslissing van de rechter-commissaris zo die is benoemd of, bij gebreke van dien, van de president der rechtbank vereischt. Het tweede lid van artikel 70 vindt overeenkomstige toepassing.

Ontslag of toevoeging bewindvoerder

2. De rechtbank kan te allen tijde een bewindvoerder, na hem gehoord of behoorlijk opgeroepen te hebben, ontslaan en door een ander vervangen of hem één of meer bewindvoerders toevoegen, een en ander op verzoek van hem zelven, van de andere bewindvoerders of van één of meer schuldeischers op voordracht van de rechter-commissaris zo die is benoemd, dan wel ambtshalve.

Beveiliging belangen schuldeisers

Art. 225. 1. Bij het voorloopig verleenen der surséance kan de rechtbank zoodanige bepalingen maken, als zij ter beveiliging van de belangen der schuldeischers noodig oordeelt.

2. Zij kan dit ook gedurende de surséance doen op voordracht van de rechter-commissaris zo die is benoemd, op verzoek van de bewindvoerders of van één of meer schuldeisers dan wel ambtshalve.

Deskundigen verslag

Art. 226. 1. Bij het voorloopig verleenen der surséance kan de rechtbank één of meer deskundigen benoemen teneinde binnen een door haar te bepalen termijn, die zoo noodig kan worden verlengd, een onderzoek naar den staat van den boedel in te stellen en een beredeneerd verslag van hunne bevinding uit te brengen. Het laatste lid van artikel 225 vindt overeenkomstige toepassing.

2. Het verslag van de deskundigen bevat een met redenen omkleed oordeel over de betrouwbaarheid van de door den schuldenaar overgelegde staat en bescheiden, en over de vraag of er vooruitzicht bestaat, dat de schuldenaar na verloop van tijd zijne schuldeischers zal kunnen bevredigen. Het verslag geeft zoo mogelijk de maatregelen aan, welke tot die bevrediging kunnen leiden.

3. De deskundigen leggen hun verslag neder ter griffie van de rechtbank, ter kostelooze inzage van een ieder. De nederlegging geschiedt kosteloos.

4. Het laatste lid van artikel 224 vindt ten aanzien van de deskundigen overeenkomstige toepassing.

Art. 227. 1. De bewindvoerders brengen, telkens na verloop van drie maanden, een verslag uit over den toestand van den boedel. Met dit verslag wordt gehandeld, gelijk in het derde lid van artikel 226 is voorgeschreven.
2. De termijn, bedoeld in het vorige lid, kan door de rechter-commissaris zo die is benoemd of bij gebreke van dien, de rechtbank worden verlengd.

Periodiek verslag van bewindvoerders

Art. 228. 1. Gedurende de surséance is de schuldenaar onbevoegd eenige daad van beheer of beschikking betreffende den boedel te verrichten zonder medewerking, machtiging of bijstand van de bewindvoeders. Indien de schuldenaar in strijd daarmede gehandeld heeft, zijn de bewindvoerders bevoegd alles te doen, wat vereischt wordt, om den boedel te dier zake schadeloos te houden.
2. Voor verbintenissen van den schuldenaar, zonder medewerking, machtiging of bijstand van de bewindvoeders na den aanvang der surséance ontstaan, is de boedel niet aansprakelijk, dan voorzooverre deze tengevolge daarvan is gebaat.

Medewerking bewindvoerders vereist

Art. 229. 1. Indien de schuldenaar in eenige gemeenschap gehuwd is, worden onder den boedel de baten en lasten van die gemeenschap begrepen.
2. De artikelen 61 en 62 vinden overeenkomstige toepassing.

Baten en lasten huwelijksgemeenschap

Art. 230. 1. Gedurende de surséance kan de schuldenaar niet tot betaling zijner in artikel 233 bedoelde schulden worden genoodzaakt en blijven alle tot verhaal van die schulden aangevangen executiën geschorst.

Opschorting betaling

2. De gelegde beslagen vervallen en de schuldenaar, die zich in gijzeling bevindt, wordt daaruit ontslagen, zoodra de uitspraak, houdende definitieve verleening der surséance of homologatie van het akkoord, in kracht van gewijsde is gegaan, beide tenzij de rechtbank op verzoek van de bewindvoerders reeds een vroeger tijdstip daarvoor heeft bepaald. De inschrijving van een desbetreffende, op verzoek van de bewindvoerder af te geven verklaring van de rechtercommissaris of, zo geen rechtercommissaris is benoemd, van de president van de rechtbank, machtigt de bewaarder van de openbare registers tot doorhaling.

Verval beslagen en gijzeling

3. Het in de voorgaande leden bepaalde vindt geen toepassing ten aanzien van executies en beslagen ten behoeve van vorderingen waaraan voorrang is verbonden, voor zover het de goederen betreft, waarop de voorrang rust.

Uitzondering preferente vorderingen

4. Ter zake van schulden waarvoor het eerste lid geldt, is artikel 36 van overeenkomstige toepassing.

Art. 231. 1. De surséance stuit den loop niet van reeds aanhangige rechtsvorderingen, noch belet het aanleggen van nieuwe.
2. Indien niettemin de rechtsgedingen blootelijk betreffen de vordering van betaling eener schuld, door den schuldenaar erkend, en de aanlegger geen belang heeft om vonnis te verkrijgen, teneinde rechten tegen derden te doen gelden, kan de rechter, na van de erkenning der schuld akte te hebben verleend, het uitspreken van het vonnis opschorten tot na het einde der surséance.

Aanhangige rechtsvorderingen

3. De schuldenaar kan, voor zooveel betreft rechtsvorderingen, welke rechten of verplichtingen tot den boedel behoorende ten onderwerp hebben, noch eischende, noch verwerende in rechte optreden, zonder medewerking der bewindvoerders.

Medewerking bewindvoerders vereist

Art. 232. De surséance werkt niet ten aanzien van:
1° vorderingen waaraan voorrang is verbonden, behoudens voor zover zij niet verhaald kunnen worden op de goederen waarop de voorrang rust;
2° vorderingen wegens kosten van levensonderhoud of van verzorging of opvoeding, verschuldigd krachtens de wet en vastgesteld bij overeenkomst of rechterlijke uitspraak, behoudens voor zover het gaat om vóór de aanvang der surséance vervallen termijnen, waarvan de rechtbank het bedrag heeft vastgesteld, waarvoor de surséance werkt;
3° termijnen van huurkoop en van scheepshuurkoop.

Vorderingen buiten surséance vallende

Art. 233. De betaling van alle andere schulden, bestaande vóór den aanvang der surséance, kan, zoolang de surséance duurt, niet anders plaats hebben dan aan alle schuldeischers gezamenlijk, in evenredigheid hunner vorderingen.

Gelijke behandeling schuldeisers

Art. 234. 1. Hij die zowel schuldenaar als schuldeiser van de boedel is, kan zijn

Beroep op schuldvergelijking

schuld met zijn vordering op de boedel verrekenen, indien beide zijn ontstaan vóór de aanvang van de surséance of voortvloeien uit een handeling vóór de aanvang van de surséance met de schuldenaar verricht.

2. De vordering op de schuldenaar wordt zo nodig berekend naar de regels in de artikelen 261 en 262 gesteld.

3. Van de zijde van de boedel kan geen beroep worden gedaan op artikel 136 van Boek 6 van het Burgerlijk Wetboek.

Geen beroep op schuldvergelijking

Art. 235. 1. Niettemin is degene die een schuld aan de boedel of een vordering op de boedel vóór de aanvang van de surséance van een derde heeft overgenomen, niet bevoegd tot verrekening, indien hij bij de overneming niet te goeder trouw heeft gehandeld.

2. Na de aanvang van de surséance overgenomen vorderingen of schulden kunnen niet worden verrekend.

3. De artikelen 55 en 56 zijn van overeenkomstige toepassing.

Wederkerige overeenkomsten

Art. 236. 1. Indien een wederkerige overeenkomst bij de aanvang van de surséance zowel door de schuldenaar als door zijn wederpartij in het geheel niet of slechts gedeeltelijk is nagekomen en de schuldenaar en de bewindvoerder zich niet binnen een hun daartoe schriftelijk door de wederpartij gestelde redelijke termijn bereid verklaren de overeenkomst gestand te doen, verliezen zij het recht hunnerzijds nakoming van de overeenkomst te vorderen.

2. Indien de schuldenaar en de bewindvoerder zich wel tot nakoming van de overeenkomst bereid verklaren, zijn zij verplicht desverlangd voor deze nakoming zekerheid te stellen.

3. De vorige leden zijn niet van toepassing op overeenkomsten waarbij de schuldenaar slechts verbintenissen op zich heeft genomen tot door hem persoonlijk te verrichten handelingen.

Ontbindings- of vernietigingsvordering

Art. 236a. Voor vorderingen die de wederpartij uit hoofde van ontbinding of vernietiging van een vóór de aanvang van de surséance met de schuldenaar gesloten overeenkomst op deze heeft verkregen, of die strekken tot schadevergoeding ter zake van tekortschieten in de nakoming van een vóór de aanvang van de surséance op deze verkregen vordering, kan zij opkomen op de voet, in artikel 233 bepaald.

Invloed surséance op termijnhandel

Art. 237. Indien in geval van artikel 236, de levering van waren, die ter beurze op termijn worden verhandeld, bedongen is tegen een vastgesteld tijdstip of binnen een bepaalden termijn, en dit tijdstip invalt of die termijn verstrijkt na den aanvang der surséance, wordt de overeenkomst door de voorloopige verleening van surséance ontbonden en kan de wederpartij van den schuldenaar zonder meer voor schadevergoeding opkomen op den voet, in artikel 233 bepaald. Lijdt de boedel door de ontbinding schade dan is de wederpartij verplicht deze te vergoeden.

Art. 237a. 1. Zoodra de surséance een aanvang heeft genomen, kan zoowel de schuldenaar die huurkooper is, als de verkooper den huurkoop dan wel scheepshuurkoop ontbonden verklaren.

2. Deze ontbinding heeft dezelfde gevolgen als ontbinding der overeenkomst wegens het niet nakomen door den kooper van zijne verplichtingen.

3. De verkooper kan voor het hem verschuldigde bedrag opkomen op den voet als in artikel 233 bepaald.

Beëindiging huur

Art. 238. 1. Zoodra de surséance een aanvang heeft genomen, kan de schuldenaar, die huurder is, met inachtneming van het bij artikel 228 bepaalde, de huur tusschentijds doen eindigen, mits de opzegging geschiede tegen een tijdstip, waarop dergelijke overeenkomsten naar plaatselijk gebruik eindigen. Bovendien moet bij de opzegging de daarvoor overeengekomen of gebruikelijke termijn in acht genomen worden, met dien verstande echter, dat een termijn van drie maanden in elk geval voldoende zal zijn. Zijn de huurpenningen vooruit betaald, dan kan de huur niet eerder worden opgezegd dan tegen den dag, waarop de termijn, waarvoor vooruitbetaling heeft plaats gehad, eindigt.

Boedelschuld

2. Van den aanvang der surséance af is de huurprijs boedelschuld.

Pacht

3. Indien de schuldenaar pachter is, vindt het bovenstaande overeenkomstige toepassing.

Opzegging arbeidsovereenkomst

Art. 239. 1. Zodra de surséance een aanvang heeft genomen, kan de schuldenaar, met inachtneming van het bij artikel 228 bepaalde, aan arbeiders in zijn dienst, de dienstbetrekking opzeggen, met inachtneming van de overeengekomen of wettelijke termijnen, met dien verstande echter, dat in elk geval de dienstbetrekking kan worden geëindigd door opzegging met een termijn van zes weken of, indien de termijn, omschreven in artikel 1639j, eerste en tweede lid, van het Burgerlijk Wetboek langer is dan zes weken, met inachtneming van die termijn.

2. Zodra de surséance een aanvang heeft genomen, behoeft bij opzegging der dienstbetrekking door arbeiders in dienst van de schuldenaar het bepaalde in artikel 1639j, eerste lid, van het Burgerlijk Wetboek niet in acht te worden genomen.

Boedelschuld

3. Van de aanvang der surséance af zijn het loon en de met de arbeidsovereenkomst samenhangende premieschulden boedelschuld.

Opzegging agentuur-overeenkomsten

4. Dit artikel is van overeenkomstige toepassing op agentuur-overeenkomsten.

Betaling aan de schuldenaar

Art. 240. 1. Voldoening nadat de surséance voorloopig is verleend doch vóór de bekendmaking daarvan, aan den schuldenaar gedaan, ter vervulling van verbintenissen jegens dezen vóórdien ontstaan, bevrijdt hem, die haar deed, tegenover den boedel, zoolang zijne bekendheid met de voorlopige verleening van de surséance niet bewezen wordt.

2. Voldoening, als in het vorig lid bedoeld, nà de bekendmaking aan den schuldenaar gedaan, bevrijdt tegenover den boedel alleen dan, wanneer hij, die haar deed, bewijst, dat de voorloopige verleening van de surséance te zijner woonplaats langs den weg der wettelijke aankondiging nog niet bekend kon zijn, behoudens het recht van bewindvoerders om aan te toonen, dat zij hem toch bekend was.

3. In elk geval bevrijdt voldoening aan den schuldenaar hem, die haar deed, tegenover den boedel, voor zooverre hetgeen door hem voldaan werd ten bate van den boedel is gekomen.

Medeschuldenaar; borg

Art. 241. De surséance werkt niet ten voordeele van de borgen en andere medeschuldenaren.

Wachtperiode voor derden tot verhaal

Art. 241a. 1. De rechtbank kan op verzoek van de schuldenaar of de bewindvoerder bepalen dat elke bevoegdheid van derden tot verhaal op tot de boedel behorende goederen of tot opeising van goederen die zich in de macht van de schuldenaar bevinden, voor een periode van ten hoogste één maand niet kan worden uitgeoefend dan met machtiging van de rechtbank of, zo een rechter-commissaris is benoemd, van deze. De rechtbank kan deze periode éénmaal voor ten hoogste één maand verlengen.

2. De rechtbank kan haar beschikking beperken tot bepaalde derden en daaraan voorwaarden verbinden. De rechtbank en rechter-commissaris kunnen voorwaarden verbinden aan een door hen gegeven machtiging van een derde tot uitoefening van een aan deze toekomende bevoegdheid.

3. Gedurende de in het eerste lid bedoelde perioden lopen aan of door de derden ter zake van hun bevoegdheid gestelde termijn voort, voor zover dit redelijkerwijze noodzakelijk is om de derde dan wel de schuldenaar en de bewindvoerder in staat te stellen na afloop van de periode hun standpunt te bepalen. De wederpartij kan hun daartoe opnieuw een redelijke termijn stellen.

Intrekking surséance

Art. 242. 1. Nadat de surséance is verleend, kan zij, op voordracht van de rechter-commissaris zo die is benoemd, op verzoek van de bewindvoerders, van één of meer der schuldeisers of ook ambtshalve door de rechtbank worden ingetrokken:

1°. indien de schuldenaar zich, gedurende den loop der surséance, aan kwade trouw in het beheer van den boedel schuldig maakt;

2°. indien hij zijne schuldeischers tracht te benadeelen;

3°. indien hij handelt in strijd met artikel 228, eerste lid;

4°. indien hij nalaat te doen, wat in de bepalingen, door de rechtbank bij het verleenen der surséance of later gesteld, aan hem is opgelegd of wat naar het oordeel der bewindvoerders door hem in het belang des boedels moet worden gedaan;

5°. indien, hangende de surséance, de staat des boedels zoodanig blijkt te zijn, dat handhaving der surséance niet langer wenschelijk is of het vooruitzicht, dat de schuldenaar na verloop van tijd zijne schuldeischers zal kunnen bevredigen, blijkt niet te bestaan.

2. In de gevallen, vermeld onder 1° en 5°, zijn de bewindvoerders verplicht de intrekking te vragen.

3. De verzoeker, de schuldenaar en de bewindvoerders worden gehoord of behoorlijk opgeroepen. De oproeping geschiedt door den griffier tegen een door de rechtbank te bepalen dag. De beschikking is met redenen omkleed.

Faillietverklaring

4. Indien op grond van dit artikel de surséance wordt ingetrokken, kan bij dezelfde beschikking de faillietverklaring van den schuldenaar worden uitgesproken. Wordt het faillissement niet uitgesproken, dan blijft de surséance gehandhaafd tot de beschikking der rechtbank in kracht van gewijsde is gegaan.

Hoger beroep

Art. 243. 1. Gedurende acht dagen na den dag der beschikking heeft, in geval van intrekking der surséance, de schuldenaar, en, ingeval de intrekking der surséance geweigerd is, hij, die het verzoek tot intrekking heeft gedaan, recht van hooger beroep tegen de beschikking der rechtbank.

2. Het hooger beroep wordt ingesteld bij een verzoekschrift, in te dienen ter griffie van het gerechtshof, dat van de zaak moet kennis nemen. De griffier van het gerechtshof geeft van die indiening terstond kennis aan dien van de rechtbank.

3. De voorzitter van het gerechtshof bepaalt terstond dag en uur voor de behandeling van het verzoekschrift. De griffier roept ten spoedigste hen, die het verzoek tot intrekking hebben gedaan, den schuldenaar en de bewindvoerders bij brieven tegen den bepaalden dag op.

4. De beschikking van het gerechtshof wordt door den griffier terstond medegedeeld aan dien van de rechtbank.

Beroep in cassatie

Art. 244. 1. Gedurende acht dagen na de beschikking van het gerechtshof kan de daarbij in het ongelijk gestelde partij in cassatie komen.

2. Het beroep in cassatie wordt ingesteld bij een verzoekschrift, in te dienen ter griffie van den Hoogen Raad. De griffier van den Hoogen Raad geeft van die indiening terstond kennis aan dien van de rechtbank.

3. De voorzitter van den Hoogen Raad bepaalt terstond dag en uur voor de behandeling van het verzoekschrift. De griffier roept ten spoedigste de partijen bij brieven tegen den bepaalden dag op. De beschikking van den Hoogen Raad wordt door den griffier terstond medegedeeld aan dien van de rechtbank.

Aankondiging intrekking

Art. 245. Zoodra eene beschikking, waarbij de surséance is ingetrokken, in kracht van gewijsde is gegaan, wordt zij aangekondigd, gelijk is voorgeschreven in artikel 216.

Uitstel verhoor schuldeisers

Art. 246. 1. Indien de rechtbank van oordeel is, dat de behandeling van het verzoek tot intrekking van de surséance niet zal zijn beëindigd vóór den dag, waarop de schuldeischers krachtens artikel 215, tweede lid, worden gehoord, gelast zij, dat de griffier den schuldeischers bij brieven zal mededeelen, dat dit verhoor op dien dag niet zal worden gehouden.

2. Zoo nodig bepaalt zij later den dag waarop dit verhoor alsnog zal plaats vinden; de schuldeischers worden door den griffier bij brieven opgeroepen.

Intrekkingsverzoek schuldenaar

Art. 247. 1. De schuldenaar is steeds bevoegd aan de rechtbank de intrekking van de surséance te verzoeken, op grond dat de toestand des boedels hem weder in staat stelt zijne betalingen te hervatten. De bewindvoerders en, indien het eene definitief verleende surséance betreft, de schuldeischers worden gehoord of behoorlijk opgeroepen.

2. Deze oproeping geschiedt bij brieven door den griffier tegen een door de rechtbank te bepalen dag.

Faillietverklaring

Art. 248. 1. Gedurende eene surséance kan faillietverklaring niet rauwelijks worden gevorderd.

2. Indien ingevolge eene der bepalingen van dezen titel eene faillietverklaring uitgesproken wordt, vindt artikel 14 overeenkomstige toepassing; wordt ingevolge die bepalingen een faillissement vernietigd, dan vinden de artikelen 13 en 15 overeenkomstige toepassing.

Opvolgend faillissement

Art. 249. 1. Indien de faillietverklaring wordt uitgesproken ingevolge eene der bepalingen van dezen titel of wel binnen ééne maand na het einde der surséance, gelden de volgende regelen:

1°. het tijdstip, waarop de termijnen vermeld in de artikelen 43 en 45 van deze wet en in de artikelen 138, zesde lid, en 248, zesde lid, van boek 2 van het Burgerlijk Wetboek aanvangen, wordt berekend van de aanvang der surséance af;

2°. de curator oefent de bevoegdheid uit, in het eerste lid van artikel 228 aan de bewindvoerders toegekend;
3°. handelingen, door den schuldenaar met medewerking, machtiging of bijstand van de bewindvoerders verricht, worden beschouwd als handelingen van den curator en boedelschulden, gedurende de surséance ontstaan, zullen ook in het faillissement als boedelschulden gelden;
4°. de boedel is niet aansprakelijk voor verbintenissen van den schuldenaar, zonder medewerking, machtiging of bijstand van de bewindvoerders gedurende de surséance ontstaan, dan voor zooverre deze ten gevolge daarvan gebaat is.

Hernieuwd surséance verzoek

2. Is opnieuw surséance verzocht, binnen eene maand na afloop van eene vroeger verleende, dan geldt hetgeen in het eerste lid is bepaald mede voor het tijdvak der eerstvolgende surséance.

Betaling loon en voorschotten

Art. 250. 1. Het loon van de deskundigen, benoemd ingevolge de bepaling van artikel 226, en van de bewindvoerders, wordt bepaald door de rechtbank en bij voorrang voldaan.
2. Dit laatste is ook van toepassing op hunne verschotten en op die, door den griffier ten gevolge van de bepalingen van dezen titel gedaan.

Surséance geregistreerde kredietinstelling

Art. 250a. 1. Ingeval een niet ingevolge artikel 52, tweede lid, onder *a, b* of *c*, van de Wet toezicht kredietwezen 1992 (Stb. 1992, 722) geregistreerde onderneming of instelling, waarbij De Nederlandsche Bank N.V. op grond van die wet inlichtingen heeft ingewonnen, naar het oordeel van De Nederlandsche Bank N.V. niet zal kunnen voortgaan met het betalen van haar opeisbare schulden, kan De Nederlandsche Bank N.V. met machtiging van de president van de bevoegde rechtbank voor zodanige onderneming of instelling surséance van betaling aanvragen op de wijze, voorzien in artikel 214, eerste lid.
2. De president van de rechtbank beslist over een verzoek tot machtiging als bedoeld in het eerste lid, zo spoedig mogelijk, doch niet dan nadat de onderneming of instelling in de gelegenheid is gesteld haar zienswijze terzake aan hem kenbaar te maken.
3. In het geval, bedoeld in het eerste lid, zal surséance nimmer definitief worden verleend, indien de onderneming of instelling zich daartegen verzet.
4. De artikelen 215-250 en 251 zijn van overeenkomstige toepassing.
5. Indien het verzoek wordt afgewezen anders dan op grond van het derde lid, heeft De Nederlandsche Bank N.V. recht van hoger beroep en kan zij in cassatie komen overeenkomstig het bepaalde in de artikelen 219 en 221. De Nederlandsche Bank N.V. is bevoegd zowel in hoger beroep als in cassatie aan de behandeling van het beroep deel te nemen.

Toepasselijkheid internationaal recht

Art. 251. De bepalingen van internationaal recht van de artikelen 203-205 vinden bij surséance overeenkomstige toepassing.

TWEEDE AFDEELING
Van het akkoord

Recht aanbieding akkoord

Art. 252. De schuldenaar is bevoegd bij of na het verzoek tot surséance aan hen, die vorderingen hebben, ten aanzien waarvan de surséance werkt, een akkoord aan te bieden.

Nederlegging ontwerp akkoord

Art. 253. 1. Het ontwerp van akkoord wordt, indien het niet ingevolge artikel 215 ter griffie van de rechtbank berust, aldaar nedergelegd ter kostelooze inzage van een ieder.

Toezending afschrift

2. Een afschrift moet zoodra mogelijk aan de bewindvoerders en de deskundigen worden toegezonden.

Verval ontwerp-akkoord

Art. 254. Het ontwerp van akkoord vervalt, indien, voordat het vonnis van homologatie van het akkoord in kracht van gewijsde is gegaan, eene rechterlijke beslissing houdende beëindiging der surséance in kracht van gewijsde gaat.

Behandeling ontwerp-akkoord

Art. 255. 1. Indien het ontwerp van akkoord tegelijk met het verzoekschrift tot verleening van surséance ter griffie is nedergelegd, kan de rechtbank, de rechter-commissaris zo die is benoemd en bewindvoerders gehoord, gelasten, dat de in artikel 218 bedoelde behandeling van het verzoek niet zal plaats hebben, in welk geval zij tevens zal vaststellen:

1°. den dag, waarop uiterlijk de schuldvorderingen, ten aanzien waarvan de surséance werkt, bij de bewindvoerders moeten worden ingediend;
2°. dag en uur, waarop over het aangeboden akkoord ten overstaan van de rechter-commissaris of, bij gebreke van dien, in raadkamer zal worden geraadpleegd en beslist.

2. Tusschen de dagen, onder 1°. en 2°, vermeld, moeten ten minste veertien dagen verloopen.

3. Indien de rechtbank van deze bevoegdheid geen gebruik maakt of het ontwerp van akkoord niet tegelijk met het verzoekschrift tot het verleenen van surséance ter griffie is nedergelegd, zal de rechtbank, de rechter-commissaris zo die is benoemd en bewindvoerders gehoord, de dagen en uren, in het eerste lid bedoeld, vaststellen, zoodra de beschikking, waarbij de surséance definitief is verleend, kracht van gewijsde heeft verkregen of, indien het ontwerp van akkoord eerst daarna ter griffie is nedergelegd, dadelijk na die nederlegging.

Aankondiging nederlegging

Art. 256. 1. De bewindvoerders doen dadelijk zoowel van de in het vorige artikel bedoelde beschikking als van de nederlegging ter griffie van het ontwerp van akkoord — tenzij deze reeds ingevolge artikel 216 is bekend gemaakt — aankondiging in de Nederlandsche Staatscourant en in de door de rechtbank ingevolge artikel 216 aangewezen nieuwsbladen.

Kennisgeving

2. Zij geven tevens van een en ander bij brieven kennis aan alle bekende schuldeischers. Daarbij wordt op het bepaalde bij artikel 257, tweede lid, gewezen.

Verschijning schuldeisers

3. De schuldeischers kunnen verschijnen in persoon, bij schriftelijk gemachtigde of bij procureur.

Kosten

4. De bewindvoerders kunnen vorderen, dat de schuldenaar hun een door hen te bepalen bedrag ter bestrijding van de kosten dezer aankondigingen en kennisgevingen vooraf ter hand stelt.

Wijze indiening vorderingen

Art. 257. 1. De indiening der schuldvorderingen geschiedt bij de bewindvoerders door de overlegging eener rekening of andere schriftelijke verklaring, aangevende den aard en het bedrag der vordering, vergezeld van de bewijsstukken of een afschrift daarvan.

Preferente vorderingen

2. Vorderingen, ten aanzien waarvan de surséance niet werkt, komen voor indiening niet in aanmerking. Heeft nochtans indiening plaats gehad, dan werkt de surséance ook ten aanzien van die vorderingen en gaat een aan de vordering verbonden voorrecht, retentierecht, pandrecht of hypotheek verloren. Een en ander geldt niet voor zoover de vordering vóór den aanvang der stemming wordt teruggenomen.

Ontvangbewijs

3. De schuldeischers zijn bevoegd van de bewindvoerders een ontvangbewijs te vorderen.

Onderzoek der vorderingen

Art. 258. De bewindvoerders toetsen de ingezonden rekeningen aan de administratie en opgaven van den schuldenaar, treden, als zij tegen de toelating eener vordering bezwaar hebben, met den schuldeischer in overleg, en zijn bevoegd van dezen overlegging van ontbrekende stukken alsook raadpleging van zijn administratie en van de oorspronkelijke bewijsstukken te vorderen.

Lijst van vorderingen

Art. 259. De bewindvoerders brengen de bij hen ingediende vorderingen op eene lijst, vermeldende de namen en woonplaatsen der schuldeischers, het bedrag en de omschrijving der vorderingen, alsmede of en in hoever de bewindvoerders die vorderingen erkennen of betwisten.

Bijrekening rente

Art. 260. 1. Eene rentedragende vordering wordt op de lijst gebracht met bijrekening der rente tot den aanvang der surséance.

Toepasselijke bepalingen

2. De artikelen 129, 133-135 en 136, eerste en tweede lid, vinden overeenkomstige toepassing.

Vordering onder opschortende voorwaarde

Art. 261. 1. Eene vordering onder eene opschortende voorwaarde kan op de lijst gebracht worden voor hare waarde bij den aanvang der surséance.

Voorwaardelijke toelating

2. Indien de bewindvoerders en de schuldeischers het niet eens kunnen worden over deze waardebepaling, wordt zoodanige vordering voor het volle bedrag voorwaardelijk toegelaten.

Waardebepaling nog niet opeisbare vorderingen

Art. 262. 1. Eene vordering, waarvan het tijdstip der opeischbaarheid onzeker is, of welke recht geeft op periodieke uitkeeringen, wordt op de lijst gebracht voor hare waarde bij en aanvang der surséance.

2. Alle schuldvorderingen, vervallende binnen één jaar na den aanvang der surséance, worden behandeld, alsof zij op dat tijdstip opeischbaar waren. Alle later dan één jaar daarna vervallende schuldvorderingen worden op de lijst gebracht voor de waarde, die zij hebben na verloop van een jaar na dat tijdstip.

3. Bij de berekening wordt uitsluitend gelet op het tijdstip en de wijze van aflossing, het kansgenot, waar dit bestaat, en, indien de vordering rentedragend is, op den bedongen rentevoet.

Nederlegging lijst

Art. 263. 1. Van de in artikel 259 bedoelde lijst wordt een afschrift door de bewindvoerders ter griffie van de rechtbank nedergelegd, om aldaar gedurende de zeven dagen voorafgaande aan de vergadering, in artikel 255 bedoeld, kosteloos ter inzage te liggen voor een ieder.

2. De nederlegging geschiedt kosteloos.

Uitstel behandeling akkoord

Art. 264. 1. De rechter-commissaris zo die is benoemd of, bij gebreke van dien, de rechtbank kan, op verzoek van de bewindvoerders of ambtshalve, de raadpleging en stemming over het akkoord tot een lateren dag uitstellen.

2. Artikel 256 vindt alsdan overeenkomstige toepassing.

Verslag bewindvoerders en deskundigen

Art. 265. 1. Ter vergadering brengen zoowel de bewindvoerders als de deskundigen, zoo die er zijn, schriftelijk verslag uit over het aangeboden akkoord. Artikel 144 vindt overeenkomstige toepassing.

Later ingediende vorderingen

2. Vorderingen, na afloop van den in artikel 255, 1°, genoemden termijn, doch uiterlijk twee dagen vóór den dag, waarop de vergadering zal worden gehouden, bij de bewindvoerders ingediend, worden op daartoe ter vergadering gedaan verzoek op de lijst geplaatst, indien noch de bewindvoerders, noch een der aanwezige schuldeischers daartegen bezwaar maken.

3. Vorderingen, daarna ingediend, worden niet op de lijst geplaatst.

4. De bepalingen van de twee voorgaande leden zijn niet toepasselijk indien de schuldeischer buiten het Rijk in Europa woont en daardoor verhinderd was zich eerder aan te melden.

5. In geval van bezwaar, als in het tweede lid bedoeld, of van geschil over het al of niet aanwezig zijn der verhindering, in het vierde lid bedoeld, beslist de rechter-commissaris zo die is benoemd of bij gebreke van dien de rechtbank, na de vergadering te hebben geraadpleegd.

Betwisting of erkenning

Art. 266. 1. De bewindvoerders zijn bevoegd ter vergadering op elke door hen gedane erkenning of betwisting terug te komen.

2. Zoowel de schuldenaar als ieder verschenen schuldeischer kan eene door de bewindvoerders geheel of gedeeltelijk erkende vordering betwisten.

3. Betwistingen of erkenningen, op de vergadering gedaan, worden op de lijst aangeteekend.

Toelating tot stemming

Art. 267. De rechter-commissaris zo die is benoemd of bij gebreke van dien, de rechtbank bepaalt of en tot welk bedrag de schuldeischers, wier vorderingen betwist zijn, tot de stemming zullen worden toegelaten.

Vereiste meerderheid

Art. 268. 1. Tot het aannemen van het akkoord wordt vereischt de toestemming van twee derde der erkende en der toegelaten schuldeischers, welke drie vierde van het bedrag der erkende en der toegelaten schuldvorderingen vertegenwoordigen. Geen toestemming is vereist van een erkende of toegelaten schuldeiser, voor zover zijn schuldvordering is gegrond op een verbeurde dwangsom.

2. De artikelen 146 en 147 vinden overeenkomstige toepassing.

Inhoud en bijlage p.v.b.

Art. 269. 1. Het proces-verbaal van het verhandelde vermeldt den inhoud van het akkoord, de namen der verschenen stemgerechtigde schuldeischers, de door ieder hunner uitgebrachte stem, den uitslag der stemming en al wat verder is voorgevallen. De door de bewindvoerders opgemaakte lijst van schuldeisers, zoals zij tijdens de raadpleging is aangevuld of gewijzigd, wordt, door de rechter-commissaris zo die is benoemd en bij gebreke van dien, door de president en de griffier gewaarmerkt, aan het proces-verbaal gehecht.

2. Gedurende acht dagen kan een ieder ter griffie kosteloos inzage van het proces-verbaal verkrijgen.

Kennisgeving verwerping; Verzoek verbetering p.v.b.

Art. 269a. Indien ten overstaan van een rechter-commissaris is geraadpleegd en beslist en het akkoord verworpen is verklaard, stelt de rechter-commissaris de rechtbank onverwijld in kennis van deze verwerping door toezending van het ontwerp van akkoord en het in artikel 269 bedoelde proces-verbaal. Zowel de schuldeisers, die vóór gestemd hebben, als de schuldenaar kunnen gedurende acht dagen na afloop der vergadering aan de rechtbank verbetering van het proces-verbaal verzoeken, indien uit de stukken zelve blijkt dat het akkoord door de rechter-commissaris ten onrechte als verworpen is beschouwd.

Bepaling terechtzitting ter homologatie

Art. 269b. 1. Indien het akkoord is aangenomen, bepaalt de rechter-commissaris vóór het sluiten der vergadering de terechtzitting, waarop de rechtbank de homologatie zal behandelen.

2. Bij toepassing van artikel 269a geschiedt de bepaling der terechtzitting door de rechtbank in haar beschikking. Van deze beschikking geven de bewindvoerders schriftelijk kennis aan de schuldeisers.

3. De terechtzitting zal gehouden worden ten minste acht en ten hoogste veertien dagen na de stemming over het akkoord of, bij toepassing van artikel 269a, na de beschikking der rechtbank.

4. Gedurende die tijd kunnen de schuldeisers aan de rechter-commissaris schriftelijk de redenen opgeven, waarom zij weigering der homologatie wenselijk achten.

Verzoek verbetering p.v.b.

Art. 270. 1. Indien de raadpleging en beslissing over het akkoord in raadkamer der rechtbank heeft plaats gehad, kunnen zowel de schuldeisers, die vóór gestemd hebben, als de schuldenaar gedurende acht dagen na afloop der stemming aan het gerechtshof verbetering van het procesverbaal verzoeken, indien uit de stukken zelve blijkt, dat het akkoord door de rechtbank ten onrechte als verworpen is beschouwd.

Vaststelling dag behandeling homologatie

2. Indien het gerechtshof het proces-verbaal verbetert, bepaalt het bij zijne beschikking den dag, waarop de rechtbank de homologatie zal behandelen, welke dag gesteld wordt op niet vroeger dan acht en niet later dan veertien dagen na de beschikking. Van deze beschikking geven de bewindvoerders schriftelijk kennis aan de schuldeischers. Deze beschikking brengt van rechtswege vernietiging mede van een ingevolge artikel 277 uitgesproken faillissement.

Behandeling homologie

Art. 271. 1. Indien het akkoord is aangenomen, wordt op de bepaalde dag ter openbare terechtzitting door de rechter-commissaris zo die is benoemd een schriftelijk rapport uitgebracht, en kunnen zoowel de bewindvoerders als elke schuldeischer de gronden uiteenzetten, waarop zij de homologatie wenschen of haar bestrijden. Artikel 152, tweede lid, vindt overeenkomstige toepassing.

2. De rechtbank kan bepalen, dat de behandeling der homologatie op een lateren, terstond door haar vast te stellen, dag zal plaatsvinden.

Beslissing rechtbank weigering homologatie

Art. 272. 1. De rechtbank geeft zoo spoedig mogelijk hare met redenen omkleede beschikking.

2. Zij zal de homologatie weigeren:

1°. indien de baten van de boedel de bij het akkoord bedongen som te boven gaan;

2°. indien de nakoming van het akkoord niet voldoende is gewaarborgd;

3°. indien het akkoord door bedrog, door begunstiging van één of meer schuldeischers of met behulp van andere oneerlijke middelen is tot stand gekomen, onverschillig of de schuldenaar dan wel een andere daartoe heeft medegewerkt;

4°. indien het loon en de verschotten van de deskundigen en de bewindvoerders niet in handen van de bewindvoerders zijn gestort of daarvoor zekerheid is gesteld.

3. Zij kan ook op andere gronden en ook ambtshalve de homologatie weigeren.

Faillietverklaring

4. De rechtbank, de homologatie weigerende, kan bij dezelfde beschikking den schuldenaar in staat van faillissement verklaren. Wordt het faillissement niet uitgesproken, dan eindigt de surséance zoodra de beschikking, waarbij de homologatie geweigerd is, in kracht van gewijsde is gegaan. Van deze beëindiging doen de bewindvoerders aankondiging in de in artikel 216 bedoelde bladen.

5. De artikelen 154-156 en 160 vinden overeenkomstige toepassing.

Verbindendheid akkoord

Art. 273. Het gehomologeerde akkoord is verbindend voor alle schuldeischers te wier aanzien de surséance werkt.

Voor tenuitvoerlegging vatbare titel

Art. 274. Het in kracht van gewijsde gegane vonnis van homologatie levert, in verband met het in artikel 269 bedoelde proces-verbaal, ten behoeve der door den schuldenaar niet betwiste vorderingen en voor tenuitvoerlegging vatbaren titel op tegen den schuldenaar en de tot het akkoord als borgen toegetreden personen.

Art. 275. Zoolang niet over het aangeboden akkoord uiteindelijk is beslist, eindigt de surséance niet door verloop van den termijn, waarvoor zij is verleend.

Verlenging surséancetermijn

Art. 276. De surséance neemt een einde zoodra de homologatie in kracht van gewijsde is gegaan. Van deze beëindiging doen de bewindvoerders aankondiging in de in artikel 216 bedoelde bladen.

Einde surséance

Art. 277. De rechtbank kan, wanneer het akkoord niet wordt aangenomen, den schuldenaar bij vonnis in staat van faillissement verklaren. Wordt het faillissement niet uitgesproken, dan eindigt de surséance zodra de termijn, in artikel 269a dan wel in artikel 270 bedoeld, ongebruikt verstreken is of het gerechtshof verbetering van het proces-verbaal heeft geweigerd.

Faillietverklaring

Art. 278. 1. Indien de rechtbank de schuldenaar in staat van faillissement heeft verklaard, heeft deze recht van hoger beroep tegen de faillietverklaring gedurende acht dagen na de dag waarop de termijn van artikel 269a dan wel van artikel 270 ongebruikt verstreken is of verbetering van het proces-verbaal geweigerd is.

Hoger beroep tegen faillietverklaring

2. Het hooger beroep wordt ingesteld bij een verzoekschrift, in te dienen ter griffie van het gerechtshof, dat van de zaak kennis moet nemen. De voorzitter bepaalt terstond dag en uur van de behandeling.

3. De griffier doet van het hooger beroep en van dag en uur, voor de behandeling bepaald, aankondiging in de nieuwsbladen, waarin het verzoek tot surséance volgens artikel 216 is aangekondigd. Elke schuldeischer is bevoegd bij de behandeling op te komen.

Art. 279. 1. Tot het instellen van het beroep in cassatie is, indien het gerechtshof de faillietverklaring handhaaft, de schuldenaar en, indien het gerechtshof de faillietverklaring vernietigt, elke in hooger beroep opgekomen schuldeischer bevoegd.

Beroep in cassatie

2. Het beroep in cassatie wordt binnen denzelfden termijn en op dezelfde wijze als het hooger beroep ingesteld en behandeld, met dien verstande, dat de aankondiging in de dagbladen wordt vervangen door een exploot, binnen vier dagen na de aanteekening van het beroep uit te brengen aan de wederpartij.

Art. 280. 1. Ten aanzien van de ontbinding van het akkoord vinden de artikelen 165 en 166 overeenkomstige toepassing.

Ontbinding akkoord

2. Bij het vonnis, waarbij de ontbinding van het akkoord wordt uitgesproken, wordt de schuldenaar tevens in staat van faillissement verklaard.

Art. 281. In een faillissement, uitgesproken krachtens de artikelen 272, 277 of 280 kan een akkoord niet worden aangeboden.

Geen tweede akkoord

TWEEDE AFDELING A
Bijzondere bepalingen

Art. 281a. 1. Indien er meer dan 10 000 schuldeischers zijn, behoeven op de staat, welke de schuldenaar krachtens artikel 214 bij zijn verzoek moet overleggen, de namen en woonplaatsen der schuldeischers, alsmede het bedrag der vorderingen van ieder hunner, niet te worden vermeld, doch kan worden volstaan met vermelding van de verschillende groepen van crediteuren, al naar gelang van de aard hunner vorderingen, en van het globale aantal en het globale bedrag van de gezamenlijke vorderingen van iedere groep.

Staat met vermelding groepen schuldeisers

2. Indien het aantal schuldeisers niet meer dan 10 000, doch wel meer dan 5000 bedraagt, kan de rechtbank toestaan dat de schuldenaar een staat overeenkomstig het vorige lid overlegt.

Art. 281b. 1. Indien blijkt dat het aantal schuldeisers meer dan 5000 bedraagt, kan de rechtbank op verzoek van de bewindvoerders de voorzieningen treffen, omschreven in de artikelen 281c-281f.

Treffen van voorzieningen

2. De voorzieningen krachtens de artikelen 281d en e kunnen slechts gezamenlijk worden getroffen.

Art. 281c. De rechtbank kan bepalen dat de oproepingen van de schuldeisers, bedoeld in de artikelen 215, tweede lid, 256, tweede lid, en 264, tweede lid, niet bij

Oproeping schuldeisers door aankondiging

brieven, doch door aankondigingen in de door de rechtbank aan te wijzen nieuwsbladen zullen plaatsvinden. In dat geval bepaalt de rechtbank tevens op welke datum uiterlijk deze aankondigingen moeten geschieden en welke punten in de aankondigingen moeten worden opgenomen.

Kleine vorderingen niet op lijst

Art. 281d. De rechtbank kan bepalen, dat bepaalde soorten van vorderingen of vorderingen beneden een bepaald bedrag — dat echter niet hoger zal mogen zijn dan *f* 1000 — niet op de lijst bedoeld in artikel 259, zullen behoeven te worden geplaatst.

Commissie van vertegenwoordiging

Art. 281e. 1. De rechtbank kan een commissie van vertegenwoordiging benoemen, bestaande uit ten minste 9 leden. Bij de samenstelling van de commissie wordt er op gelet, dat daarin personen zitting hebben die geacht kunnen worden de belangrijkste groepen van de schuldeisers te vertegenwoordigen.

Stemrecht

2. Bij de stemmingen, bedoeld in de artikelen 218 en 268, hebben alleen de leden van de commissie stemrecht.

3. Surséance kan niet definitief worden verleend, indien zich daartegen verklaren meer dan een vierde van de ter vergadering, waarin daarover moet worden beslist, verschenen leden der commissie.

Vereiste meerderheid

4. Tot het aannemen van een akkoord wordt vereist de toestemming van drie vierde van de ter vergadering, waarin daarover moet worden beslist, verschenen leden der commissie. Indien ter vergadering niet ten minste twee derde van de leden verschenen is, wordt de stemming over het akkoord tot een latere dag uitgesteld. Een nadere oproeping van de schuldeisers is niet vereist, doch de leden der commissie zullen door de bewindvoerders bij brieven tot de volgende vergadering worden opgeroepen. In deze vergadering wordt de stemming gehouden onafhankelijk van het aantal verschenen leden der commissie.

Toepasselijkheid op commissieleden

5. Voor de toepassing van de artikelen 269, eerste lid, eerste zin, 270 en 272 en voor de overeenkomstige toepassing van artikel 154 wordt telkens in de plaats van „schuldeisers" gelezen „leden der commissie" en voor de toepassing van artikel 217 in plaats van „elke schuldeiser": elke schuldeiser en elk lid der commissie.

Tweede uitkering op papier aan toonder

Art. 281f. Indien te voorzien is dat er meer dan één uitkering aan de schuldeisers zal moeten geschieden, kan de rechtbank bij de homologatie van het akkoord bepalen, dat bij de eerste uitkering aan de schuldeisers een of meer papieren aan toonder zullen worden ter hand gesteld en dat betaling van de volgende uitkeringen uitsluitend door middel van aanbieding van zodanig papier zal kunnen worden gevorderd.

DERDE AFDEELING
Slotbepalingen

Openstaande rechtsmiddelen

Art. 282. Tegen de beslissingen van den rechter, ingevolge de bepalingen van dezen titel gegeven, staat geen hoogere voorziening open, behalve in de gevallen, waarin het tegendeel is bepaald, en behoudens de mogelijkheid van cassatie in het belang der wet.

Verzoeken door procureur

Art. 283. 1. De verzoeken, te doen ingevolge de artikelen 219, 223, 225, 242, 243, 247, 270, 272, laatste lid, 278 en 280, eerste lid, moeten door een procureur zijn onderteekend, behalve wanneer een verzoek wordt gedaan door de bewindvoerders.

Beroep in cassatie door advocaat

2. Voor het instellen van beroep in cassatie is steeds de medewerking noodig van een advocaat bij den Hoogen Raad.

Algemene Slotbepalingen

Toepasselijkheid Algemene termijnenwet

Art. 284. De Algemene termijnenwet is niet van toepassing op de termijnen, gesteld in de artikelen 39, 40, 238 en 239.

WET van 30 mei 1963, Stb. 228, betreffende verplichte verzekering tegen wettelijke aansprakelijkheid inzake motorrijtuigen (Wet aansprakelijkheidsverzekering motorrijtuigen), zoals laatstelijk gewijzigd bij de wet van 17 november 1994, Stb. 858

Alzo Wij in overweging genomen hebben, dat het in verband met het op 7 januari 1965 te Brussel tussen Nederland, België en Luxemburg gesloten verdrag betreffende de verplichte aansprakelijkheidsverzekering inzake motorrijtuigen (Trb. 1955, nr. 16), en de aanvullende overeenkomst hierop van 3 juli 1956 (Trb. 1956, nr. 75) noodzakelijk, en ook overigens wenselijk is, een regeling te treffen omtrent de verplichte verzekering tegen burgerrechtelijke aansprakelijkheid waartoe motorrijtuigen aanleiding kunnen geven.

HOOFDSTUK I
Algemene bepalingen

Begripsbepalingen motorrijtuigen

Art. 1. Voor de toepassing van deze wet worden verstaan onder:
motorrijtuigen: alle rij- of voertuigen, bestemd om anders dan langs spoorstaven over de grond te worden voortbewogen uitsluitend of mede door een mechanische kracht, op of aan het rij- of voertuig zelf aanwezig dan wel door elektrische tractie met stroomtoevoer van elders; als een deel daarvan wordt aangemerkt al hetgeen aan het rij- of voertuig is gekoppeld of na koppeling daarvan is losgemaakt of losgeraakt, zolang het nog niet buiten het verkeer tot stilstand is gekomen;
verzekerden: zij wier aansprakelijkheid overeenkomstig de bepalingen van deze wet is gedekt;

benadeelden

benadeelden: zij die schade hebben geleden welke grond oplevert voor toepassing van deze wet, alsmede hun rechtverkrijgenden;

vergunning

vergunning: een vergunning, die een verzekeringsonderneming ingevolge artikel 24, eerste lid, van de Wet toezicht verzekeringsbedrijf 1993 behoeft voor de uitoefening van de branche Aansprakelijkheid motorrijtuigen;

verzekeraar

verzekeraar: de verzekeringsonderneming, die in bezit is van een vergunning, of heeft voldaan aan de ingevolge de artikelen 37 of 38 van de Wet toezicht verzekeringsbedrijf 1993 vereiste procedure met betrekking tot een bijkantoor in Nederland dan wel, indien het de in die wet bedoelde dienstverrichting naar Nederland betreft, heeft voldaan aan het bepaalde in de artikelen 111, eerste of tweede lid, 113, eerste, tweede of vierde lid, 116, eerste of derde lid, of 118, tweede, derde of vijfde lid, van die wet, en het bureau, bedoeld in artikel 2 zesde lid, dat is belast met de afwikkeling van de schade, welke in Nederland is veroorzaakt door motorrijtuigen die gewoonlijk in het buitenland zijn gestald en van de schade, welke in een van de krachtens artikel 3, derde lid, aangewezen landen is veroorzaakt door motorrijtuigen die gewoonlijk in Nederland zijn gestald;

weg

weg: een weg waarop de omschrijving van het begrip „wegen" in artikel 1, eerste lid, onderdeel b, van de Wegenverkeerswet 1994 van toepassing is; onder „weg" wordt mede verstaan een vaartuig dat wordt gebruikt bij de uitoefening van een veerdienst;

terrein

terrein: een terrein dat toegankelijk is voor het publiek of voor een zeker aantal personen die het recht hebben daar te komen;

kenteken

kenteken: een kenteken als bedoeld in artikel 36 van de Wegenverkeerswet 1994;

kentekenbewijs

kentekenbewijs: een kentekenbewijs als bedoeld in artikel 36 van de Wegenverkeerswet 1994;
Waarborgfonds Motorverkeer en fonds: de krachtens artikel 23, eerste lid, aangewezen rechtspersoon.

Verplichting tot verzekering

Art. 2. 1. De bezitter van een motorrijtuig en degene aan wie het kenteken voor een motorrijtuig is opgegeven, zijn verplicht voor het motorrijtuig een verzekering te sluiten en in stand te houden welke aan de bij en krachtens deze wet gestelde bepalingen voldoet, indien dat motorrijtuig op een weg wordt geplaatst of daarmee op een weg wordt gereden, indien buiten een weg met dat motorrijtuig op een terrein aan het verkeer wordt deelgenomen of indien voor dat motorrijtuig een kentekenbewijs is afgegeven.

2. In afwijking van het vorige lid rust de verplichting tot verzekering niet op de bezitter, maar op de houder die:
a. het mototrijtuig op grond van een overeenkomst van huurkoop onder zich heeft, of

b. het motorrijtuig in vruchtgebruik heeft, of
c. anderszins het motorrijtuig, anders dan als bezitter, tot duurzaam gebruik onder zich heeft.

3. De verplichting tot verzekering met betrekking tot een motorrijtuig waarvoor een kentekenbewijs is afgegeven, wordt opgeheven, indien het motorrijtuig buiten gebruik wordt gesteld en gehouden door plaatsing daarvan buiten een weg, gevolgd door een door de verzekeraar overeenkomstig artikel 13 aan het in dat artikel genoem de overheidsorgaan gedane kennisgeving van schorsing van de verzekering wegens buitengebruikstelling van het motorrijtuig. De in de vorige zin bedoelde opheffing van de verzekeringsplicht eindigt, zodra de verzekeraar overeenkomstig artikel 13 aan het overheidsorgaan kennis heeft gegeven van de beëindiging van de schorsing, zodra het motorrijtuig zich op een weg bevindt of zodra het deelneemt aan het verkeer op een terrein. Bij of krachtens algemene maatregel van bestuur kunnen omtrent het in dit lid bepaalde nadere regels en voorwaarden worden gesteld. De in dit lid bedoelde opheffing van de verzekeringsplicht vindt slechts plaats, indien de geldigheid van het voor het desbetreffende motorrijtuig afgegeven kentekenbewijs is geschorst overeenkomstig artikel 67 van de Wegenverkeerswet 1994.

4. De verplichting tot verzekering is geschorst, zolang een door een ander gesloten verzekering overeenkomstig de bepalingen van deze wet met betrekking tot het motorrijtuig van kracht is. De verplichting tot verzekering is echter niet geschorst gedurende de in artikel 13, vierde lid, bedoelde periode.

5. De verzekering moet zijn gesloten bij een verzekeraar die in het bezit is van een vergunning of heeft voldaan aan de ingevolge de artikelen 37 of 38 van de Wet toezicht verzekeringsbedrijf 1993 vereiste procedure met betrekking tot een bijkantoor in Nederland dan wel, indien het de in die wet bedoelde dienstverrichting naar Nederland betreft, heeft voldaan aan het bepaalde in de artikelen 111, eerste of tweede lid, 113, eerste, tweede of vierde lid, 116, eerste of derde lid, of 118, tweede, derde of vijfde lid, van die wet.

6. Het eerste lid is niet van toepassing op motorrijtuigen die gewoonlijk in het buitenland zijn gestald, mits een voor dat doel door Onze Minister van Financiën erkend bureau, dat rechtspersoon met volledige rechtsbevoegdheid is, of groep van verzekeraars, dan wel een, bij algemene maatregel van bestuur daartoe erkende, in Nederland gevestigde buitenlandse instantie tegenover de benadeelden de verplichting op zich heeft genomen de schade, door die motorrijtuigen veroorzaakt, overeenkomstig de bepalingen van deze wet te vergoeden.

7. Voor de toepassing van deze wet wordt een motorrijtuig dat is voorzien van een kenteken geacht gewoonlijk in Nederland te zijn gestald. Als gewoonlijk in het buitenland te zijn gestald worden beschouwd de motorrijtuigen, waarvoor een bijzonder kenteken met beperkte geldigheidsduur overeenkomstig een door Onze Minister van Verkeer en Waterstaat vastgesteld model is opgegeven, of die van de toepassing van artikel 36, eerste lid, van de Wegenverkeerswet 1994 zijn uitgezonderd en waarvoor een militair registratienummer is opgegeven. De motorrijtuigen die in een ander land krachtens de aldaar geldende wettelijke regeling zijn geregistreerd of van een verzekeringsplaat of ander onderscheidingsteken zijn voorzien, worden eveneens geacht gewoonlijk in het buitenland te zijn gestald.

8. Tot de motorrijtuigen met betrekking waartoe het bureau de in het zesde lid bedoelde verplichting op zich neemt, behoren in ieder geval de motorrijtuigen, welke gewoonlijk zijn gestald in een land dat ter uitvoering van deze bepaling bij algemene maatregel van bestuur is aangewezen, voor zover bij die maatregel daarvoor geen uitzondering is gemaakt.

9. De verzekeraars, die in het bezit zijn van een vergunning of hebben voldaan aan de ingevolge de artikelen 37 of 38 van de Wet toezicht verzekeringsbedrijf 1993 vereiste procedure met betrekking tot een bijkantoor in Nederland dan wel, indien het de in die wet bedoelde dienstverrichting naar Nederland betreft, hebben voldaan aan het bepaalde in de artikelen 111, eerste of tweede lid, 113, eerste, tweede of vierde lid, 116, eerste of derde lid, of 118, tweede, derde of vijfde lid, van die wet, betalen jaarlijks aan het bureau, bedoeld in het zesde lid, de door het bureau te bepalen bijdragen, berekend op basis van de in Nederland geboekte premie of het aantal en de aard van de door ieder van hen in Nederland verzekerde motorrijtuigen.

Wiens aansprakelijkheid en welke schade de verzekering moet dekken

Art. 3. 1. De verzekering moet dekken de burgerrechtelijke aansprakelijkheid, waartoe het motorrijtuig in het verkeer aanleiding kan geven, van iedere bezitter, houder en bestuurder van het verzekerde motorrijtuig, alsmede van degenen die daarmede worden vervoerd, zulks met uitzondering van de burgerrechtelijke aansprakelijkheid van hen die zich na het sluiten van de verzekering door diefstal of geweldpleging de macht over het motorrijtuig hebben verschaft en van hen die, dit wetende, dat motorrijtuig zonder geldige reden gebruiken.

2. De verzekering moet de schade omvatten, welke aan personen en aan goederen wordt toegebracht door feiten die zijn voorgevallen op het grondgebied waar het Verdrag tot oprichting van de Europese Gemeenschap van toepassing is. Hierin is begrepen de schade, toegebracht aan personen die onder welke titel ook, worden vervoerd door het motorrijtuig, dat de schade veroorzaakt; de zaken, door dat motorrijtuig vervoerd, kunnen van de verzekering worden uitgesloten, behoudens wanneer het betreft zaken, toebehorende aan personen, vervoerd krachtens een vergunning als bedoeld in artikel 5 van de Wet personenvervoer (Stb. 1987, 175).

3. De verzekering moet voorts de schade omvatten welke aan personen en zaken wordt toegebracht door feiten, voorgevallen in bij algemene maatregel van bestuur aangewezen landen. De hoogte van de dekking van de schade, die bedoeld in het tweede lid daaronder begrepen, wordt bepaald door de wetgeving van het land waar het feit is voorgevallen dan wel door de wetgeving van het land waar het motorrijtuig gewoonlijk is gestald, indien in laatstbedoeld land de dekking hoger is.

4. In afwijking van het bepaalde in het derde lid moet ten aanzien van motorrijtuigen, als bedoeld in artikel 6 van de Richtlijn van de Raad van de Europese Gemeenschappen van 24 april 1972 inzake de onderlinge aanpassing van de wetgevingen der Lid-Staten betreffende de verzekering tegen de wettelijke aansprakelijkheid waartoe deelneming aan het verkeer van motorrijtuigen aanleiding kan geven en de controle op de verzekering tegen deze aansprakelijkheid (Pb. E.G., 2 mei 1972, L 103), gewijzigd bij de Richtlijn van de Raad van 19 december 1972 (Pb. E.G., 28 december 1972, L 291, rectificatie in Pb. E.G., 23 maart 1973, L 75), de verzekering de schade omvatten welke aan personen en goederen wordt toegebracht door feiten, voorgevallen op het grondgebied waar de Overeenkomst betreffende de Europese Economische Ruimte van toepassing is.

5. De verzekering moet de burgerrechtelijke aansprakelijkheid voor de door het motorrijtuig veroorzaakte schade dekken zoals die aansprakelijkheid voortvloeit uit de toepasselijke wet.

Gevallen welke van de verzekering kunnen worden uitgesloten

Art. 4. 1. De verzekering behoeft niet te dekken de aansprakelijkheid voor schade toegebracht aan de bestuurder van het motorrijtuig dat het ongeval veroorzaakt.

2. Van de verzekering kan worden uitgesloten de schade die voortvloeit uit het deelnemen van het motorrijtuig aan snelheids-, regelmatigheids- of behendigheidsritten en -wedstrijden, waarvoor de in artikel 148 van de Wegenverkeerswet 1994 bedoelde ontheffing is verleend.

Eigen risico

Art. 5. Indien de overeenkomst een beding inhoudt dat de verzekerde persoonlijk voor een deel in de vergoeding van de schade zal bijdragen, blijft de verzekeraar niettemin jegens de benadeelde gehouden tot betaling van de schadeloosstelling die krachtens de overeenkomst ten laste van de verzekerde blijft.

Eigen recht van benadeelden tegenover verzekeraar

Art. 6. 1. De benadeelde heeft jegens de verzekeraar door wie de aansprakelijkheid volgens deze wet is gedekt, een eigen recht op schadevergoeding. Het tenietgaan van zijn schuld aan de verzekerde bevrijdt de verzekeraar niet jegens de benadeelde, tenzij deze is schadeloos gesteld.

2. Indien er bij een ongeval meer dan een benadeelde is en het totaalbedrag van de verschuldigde schadeloosstellingen de verzekerde som overschrijdt, worden de rechten van de benadeelden tegen de verzekeraar naar evenredigheid teruggebracht tot het beloop van die som. Niettemin blijft de verzekeraar die, onbekend met het bestaan van vorderingen van andere benadeelden, te goeder trouw aan een benadeelde een groter bedrag dan het aan deze toekomende deel heeft uitgekeerd, jegens die anderen slechts gehouden tot het beloop van het overblijvende gedeelte van de verzekerde som.

Bevoegde rechter in Nederland

Art. 7. 1. Voor de uitvoering van de bepalingen van deze wet kan de verzekeraar door de benadeelde worden gedagvaard, hetzij voor de rechter van de plaats van het feit, waaruit de schade is ontstaan, hetzij voor de rechter van de woonplaats van de benadeelde, hetzij voor de rechter van de zetel van de verzekeraar.

2. De aansprakelijke persoon kan door de benadeelde worden gedagvaard, hetzij voor de rechter van de plaats van het feit, waaruit de schade is ontstaan, hetzij voor de rechter van de woonplaats van de benadeelde, hetzij voor de rechter van de woonplaats van de aansprakelijke persoon.

Mededelingsplicht verzekerden jegens verzekeraar

Art. 8. De verzekerden moeten van ieder ongeval waarvan zij kennis dragen, mededeling doen aan de verzekeraar, indien bij dat ongeval het verzekerde motorrijtuig is betrokken en er schade is ontstaan tot welker dekking door verzekering dezewetverplicht.Deverzekeringnemermoetaandeverzekeraaralledoordeverzekeringsovereenkomst voorgeschreven inlichtingen en bescheiden verschaffen. De overige verzekerden moeten aan de verzekeraar op zijn verzoek alle nodige inlichtingen en bescheiden verschaffen.

Processuele positie van benadeelde, verzekeraar en verzekerde

Art. 9. 1. Aan een vonnis gewezen in een geschil ter zake van door een motorrijtuig veroorzaakte schade, komt tegenover de verzekeraar, de verzekerde of de benadeelde gezag van gewijsde toe, indien zij in het geding de positie van een procespartij hebben gehad.

2. Voorts kan het vonnis dat is gewezen in een geschil tussen de benadeelde en de verzekerde, worden tegengeworpen aan de verzekeraar, indien is komen vast te staan dat de laatste in feite de leiding van het geding op zich heeft genomen; aan de verzekeraar staat alsdan geen tegenbewijs open tegen de bij gewijsde als bewezen aangenomen feiten.

3. De verzekeraar kan de verzekerde in het geding roepen, dat door de benadeelde tegenover hem wordt ingesteld. De oproeping dient te geschieden door middel van dagvaarding voor het nemen van de conclusie van antwoord. De in het geding geroepene heeft de positie van een procespartij.

Verjaring rechtsvordering van benadeelde tegen verzekerde

Art. 10. 1. Iedere uit deze wet voortvloeiende rechtsvordering van de benadeelde tegen de verzekeraar verjaart door verloop van drie jaar te rekenen van het feit waaruit de schade is ontstaan.

2. Handelingen die de verjaring van de rechtsvordering van een benadeelde tegen een verzekerde stuiten, stuiten tevens de verjaring van de rechtsvordering van die benadeelde tegen de verzekeraar. Handelingen die de verjaring van de rechtsvordering van een benadeelde tegen de verzekeraar stuiten, stuiten tevens de verjaring van de rechtsvordering van de benadeelde tegen de verzekerden.

3. De verjaring wordt ten opzichte van een verzekeraar gestuit door iedere onderhandeling tussen de verzekeraar en de benadeelde. Een nieuwe termijn van drie jaar begint te lopen te rekenen van het ogenblik waarop een van de partijen bij deurwaardersexploot of aangetekende brief aan de andere partij heeft kennisgegeven dat zij de onderhandelingen afbreekt.

Geen beroep op verweer of verval van verzekeraar

Art. 11. Geen uit de wettelijke bepalingen omtrent de verzekeringsovereenkomst of uit deze overeenkomst zelf voortvloeiende nietigheid, verweer of verval kan door een verzekeraar aan een benadeelde worden tegengeworpen. Het bepaalde in de vorige zin geldt niet met betrekking tot het bedrag, waarmede het van de verzekeraar gevorderde de krachtens artikel 22 vastgestelde som of sommen overschrijdt.

Gevolgen overgang verzekeringsplicht

Art. 12. 1. De verzekering met betrekking tot een motorrijtuig dat een kenteken behoeft, eindigt, wanneer de verplichting tot verzekering op een ander overgaat. De verzekeringnemer moet binnen acht dagen na de overgang daarvan mededeling doen aan de verzekeraar. Indien de overgang het gevolg is van het overlijden van de verzekeringnemer, rust de verplichting tot mededeling op diens erfgenamen en is de termijn, binnen welke de mededeling moet zijn verricht, dertig dagen.

2. De verzekering met betrekking tot een motorrijtuig dat geen kenteken behoeft, eindigt niet, wanneer de verplichting tot verzekering op een ander overgaat.

3. Van het bepaalde in dit artikel kan bij overeenkomst worden afgeweken.

Kennisgeving aan overheid van verzekerings overeenkomst

Art. 13. 1. De verzekeraar is verplicht ten aanzien van de verzekering tot het dekken van de burgerrechtelijke aansprakelijkheid waartoe een motorrijtuig dat een kenteken behoeft in het verkeer aanleiding kan geven aan het door Onze Minister van Verkeer en Waterstaat aangewezen overheidsorgaan kennis te geven van:
a. het sluiten van de verzekering;
b. de beëindiging, de vernietiging en de ontbinding van de verzekering;
c. de in artikel 2, derde lid, bedoelde schorsing van de verzekering en de beëindiging

van die schorsing;
d. iedere andere schorsing van de verzekerde of van de dekking, alsmede van het einde van die schorsing.

2. Het in het eerste lid bedoelde overheidsorgaan houdt een register aan waarin de in dat lid genoemde kennisgevingen worden aangetekend.

3. Geen kennisgeving behoeft te geschieden, indien ten gevolge van het sluiten van een nieuwe verzekering tussen dezelfde partijen en ten aanzien van hetzelfde motorrijtuig het in artikel 3 bedoelde risico zonder onderbreking blijft gedekt.

Gevolgen eindigen verzekering

4. De verplichtingen van de verzekeraar jegens de benadeelde blijven bestaan voor ongevallen welke plaatsvinden binnen 16 dagen na de aanvang van de dag, volgende op die waarop volgens de kennisgeving van de verzekeraar de verzekering is beëindigd, vernietigd, ontbonden of geschorst of de dekking is geschorst, mits de kennisgeving binnen 30 dagen na de aanvang van die dag bij het in het eerste lid bedoelde overheidsorgaan is gedaan. Indien de verzekeraar de kennisgeving niet binnen de in de vorige zin bedoelde termijn van 30 dagen heeft gedaan, blijven zijn verplichtingen jegens de benadeelde bestaan voor ongevallen welke plaats vinden binnen 16 dagen na de aanvang van de dag, volgende op die waarop de kennisgeving bij het overheidsorgaan is ingediend. De Algemene termijnenwet is op de in dit lid genoemde termijnen niet van toepassing.

Van lid 4 afwijkende regeling

5. Deze verplichtingen eindigen echter van rechtswege door het van kracht worden van een nieuwe verzekering welke ten aanzien van hetzelfde motorrijtuig het in artikel 3 bedoelde risico dekt.

6. Een kennisgeving overeenkomstig het eerste lid wordt mede gedaan ten aanzien van verzekeringen tot het dekken van de burgerrechtelijke aansprakelijkheid waartoe in het verkeer aanleiding wordt gegeven door motorrijtuigen die behoren tot de bedrijfsvoorraad van een overeenkomstig artikel 62 van de Wegenverkeerswet 1994 erkend bedrijf of die voor herstel of bewerking ter beschikking zijn gesteld van een natuurlijke persoon of een rechtspersoon en die zijn voorzien van een kenteken dat niet voor een bepaald voertuig is opgegeven, overeenkomstig het bepaalde bij of krachtens artikel 37, derde lid, van de Wegenverkeerswet 1994.

7. De verzekeraar die als zodanig in het register wordt aangewezen, kan de benadeelde niet tegenwerpen dat hij niet de in de eerste zin van het eerste lid van artikel 6 bedoelde verzekeraar is, tenzij hij aantoont dat de registratie ten onrechte is geschied of dat zijn verplichtingen op grond van een kennisgeving overeenkomstig het eerste lid, onder *b, c* of *d,* niettemin jegens de benadeelde zijn geëindigd.

8. Voor de uitvoering van dit artikel worden bij of krachtens algemene maatregel van bestuur nadere regels gesteld.

Binnenlandse niet-kenteken plichtige en buitenlandse motorrijtuigen

Art. 14. 1. De bestuurder van een motorrijtuig datgeen kenteken behoeft, alsmede de bestuurder van een motorrijtuig als bedoeld in artikel 2, zevende lid, tweede zin, moet, tenzij bij of krachtens algemene maatregel van bestuur anders is bepaald, bij zich hebben een bij of krachtens die maatregel voorgeschreven bewijs van verzekering. De bestuurder van een motorrijtuig die bij een ongeval is betrokken, is verplicht, wanneer hij ingevolge het bepaalde in dit lid een document bij zich moet hebben, dit behoorlijk ter inzage te verstrekken aan degenen die eveneens bij dat ongeval zijn betrokken.

2. De verplichtingen van de verzekeraar die een bewijs van verzekering heeft uitgereikt, eindigen slechts door verloop van een termijn van 16 dagen na afloop van de periode waarvoor het bewijs is afgegeven. De algemene termijnenwet is op deze termijn niet van toepassing.

3. Deze verplichtingen eindigen echter van rechtswege na het van kracht worden van een nieuwe verzekering welke ten aanzien van hetzelfde motorrijtuig het in artikel 3 bedoelde risico dekt.

4. In afwijking van het tweede lid eindigen de verplichtingen van het bureau bedoeld in artikel 2, zesde lid, door verloop van de geldigheidsduur van het, voor het motorrijtuig afgegeven, internationale verzekeringsbewijs, indien die verplichtingen uit de afgifte van dat bewijs voortvloeien.

Verhaal op aansprakelijke personen

Art. 15. 1. De verzekeraar die ingevolge deze wet de schade van een benadeelde geheel of ten dele vergoedt, ofschoon de aansprakelijkheid voor die schade niet door een met hem gesloten verzekering was gedekt, heeft voor het bedrag der schadevergoeding verhaal op de aansprakelijke persoon. Het bepaalde in de vorige zin geldt niet ten aanzien van de aansprakelijke persoon, die niet is de verzekeringnemer, tenzij hij niet te goeder trouw mocht aannemen dat zijn aansprakelijkheid door een verzekering was gedekt.

2. De verzekeraar kan zich bovendien voor de gevallen waarin hij volgens de wet of de verzekeringsovereenkomst gerechtigd mocht zijn de uitkering te weigeren of te verminderen, een recht van verhaal voorbehouden tegen de verzekeringnemer, en indien daartoe grond bestaat, tegen de verzekerde die niet is de verzekeringnemer.

Dwingend recht

Art. 16. Van een bepaling van deze wet kan slechts worden afgeweken, indien de bevoegdheid daartoe uit de bepaling zelve blijkt.

HOOFDSTUK 2
Vrijstellingen

Aan de Staat toebehorende motorrijtuigen

Art. 17. 1. De Staat is vrijgesteld van de verplichting tot het sluiten van een verzekering. Indien een motorrijtuig waarvoor de vrijstelling geldt, aanleiding geeft tot burgerrechtelijke aansprakelijkheid, heeft de benadeelde jegens de Staat de rechten welke hij overeenkomstig deze wet anders tegenover de verzekeraar zou hebben, terwijl de bepaling van artikel 7 van overeenkomstige toepassing is. In de gevallen genoemd in artikel 4, eerste lid, komt de benadeelde echter niet op grond van het bepaalde in de vorige zin voor een uitkering in aanmerking.

Bewijs van vrijstelling

2. De bestuurder van een motorrijtuig, waarvan de Staat de bezitter of de houder, als bedoeld in artikel 2, tweede lid, is, moet een bewijs bij zich hebben, waaruit van de vrijstelling blijkt. Het model van dit bewijs wordt vastgesteld door Onze Minister van Financiën, na overleg met Onze Minister van Verkeer en Waterstaat.

Motorrijtuigen welke nauwelijks gevaar opleveren

3. Wij behouden Ons voor bij algemene maatregel van bestuur vrijstelling van de verplichting tot het sluiten van een verzekering te verlenen met betrekking tot bepaalde soorten van motorrijtuigen welke nauwelijks gevaar opleveren.

Gemoedsbezwaren tegen sluiten van verzekering

Art. 18. 1. Van de verplichting tot het sluiten van een verzekering kunnen, op een daartoe aan Onze Minister van Financiën gedaan verzoek, worden vrijgesteld de in artikel 2, eerste en tweede lid, bedoelde personen die gemoedsbezwaren hebben tegen het sluiten van een verzekering. Rechtspersonen kunnen van de in de vorige zin bedoelde verplichting worden vrijgesteld, indien natuurlijke personen die bij die rechtspersonen betrokken zijn gemoedsbezwaren hebben tegen het sluiten van een verzekering. Bij algemene maatregel van bestuur kunnen omtrent het in de vorige zin bepaalde nadere regels worden gesteld. Het bepaalde in de tweede en derde zin van het eerste lid van hetvorige artikel is, ingeval een vrijstelling is verleen, van overeenkomstige toepassing.

2. Het verzoek geschiedt door indiening bij Onze Minister van Financiën van een door de verzoeker ondertekende verklaring, waarvan het model door Onze genoemde Minister wordt vastgesteld. Uit de verklaring moet blijken dat de verzoeker overwegende gemoedsbezwaren heeft tegen elke verzekering, welke ook, en dat hij mitsdien noch zichzelf noch iemand anders noch hem toebehorende goederen heeft verzekerd.

Bewijs van vrijstelling wegens gemoedsbezwaren

Art. 19. 1. Indien de in artikel 18 tweede lid bedoelde verklaring naar het oordeel van Onze Minister van Financiën overeenkomstig de waarheid is, verleent hij de verzoeker de gevraagde vrijstelling. Ten bewijze van de vrijstelling reikt hij voor elk van de motorrijtuigen waarvan de vrijgestelde de bezitter, degene, aan wie het kenteken voor het motorrijtuig is opgegeven, dan wel de in artikel 2, tweede lid, bedoelde houder is, tegen betaling een bewijs uit, dat ten hoogste een jaar geldig is.

De bestuurders van deze motorrijtuigen moeten een geldig bewijs van vrijstelling bij zich hebben. Zolang de vrijstelling geldt, wordt het bewijs op verzoek van de vrijgestelde tegen betaling van jaar tot jaar vernieuwd. Het model van dit bewijs wordt vastgesteld door Onze voornoemde Minister.

2. Onze Minister van Financiën kan de verleende vrijstelling intrekken:
a. op verzoek van de vrijgestelde;
b. indien de gemoedsbezwaren, op grond waarvan vrijstelling is verleend, naar zijn oordeel niet langer geacht kunnen worden te bestaan;
c. indien gedurende een termijn van tenminste één jaar geen bewijs van vrijstelling is uitgereikt;
d. indien de vrijgestelde in gebreke blijft binnen twee maanden het bedrag, verschuldigd voor het verkrijgen van een in het eerste lid bedoeld bewijs, te betalen.

3. Bij of krachtens de algemene maatregel van bestuur kunnen nadere regelen omtrent het in de vorige leden bepaalde worden gesteld.

Art. 20. Onze Minister van Financiën stelt jaarlijks het bedrag vast dat de verzoekers zijn verschuldigd voor het verkrijgen van het in het vorig artikel bedoelde bewijs.

Kosten bewijs van vrijstelling

Art. 21. Onze Minister van Financiën betaalt jaarlijks de uit hoofde van het vorige artikel ontvangen bedragen aan het fonds.

HOOFDSTUK 3
Verzekerde sommen

Art. 22. De som of sommen, waarvoor de in deze wet bedoelde verzekering tenminste moet zijn gesloten, worden door Ons bij algemene maatregel van bestuur bepaald.

Bepaling bij A.M.v.B.

HOOFDSTUK 4
Het Waarborgfonds Motorverkeer

Art. 23. 1. Onze Minister van Justitie en Onze Minister van Financiën wijzen een rechtspersoon met volledige rechtsbevoegdheid aan, die onder de naam Waarborgfonds Motorverkeer tot taak heeft in de gevallen, in artikel 25 genoemd, aan de benadeelden hun schade te vergoeden overeenkomstig het bepaalde in artikel 26.

Waarborgfonds Motorverkeer

2. Een aanwijzing als bedoeld in het eerste lid vindt slechts plaats, indien de rechtspersoon aan de volgende eisen voldoet:
a. hij dient in staat te zijn de in het eerste lid bedoelde taak naar behoren te vervullen;
b. de voorwaarden dienen aanwezig te zijn voor een zodanige besluitvorming binnen de rechtspersoon dat een onafhankelijke vervulling van de in het eerste lid bedoelde taak is gewaarborgd.

3. Onze Minister van Justitie en Onze Minister van Financiën kunnen een aanwijzing als bedoeld in het eerste lid intrekken indien de rechtspersoon naar hun oordeel niet meer aan de in het tweede lid vermelde eisen voldoet.

4. Intrekking van een in het eerste lid bedoelde aanwijzing geschiedt onder gelijktijdige voorziening door Onze Minister van Justitie en Onze Minister van Financiën in de in het eerste lid bedoelde taak, waaromtrent zij nadere regels kunnen stellen. De intrekking heeft de ontbinding van de rechtspersoon ten gevolge en doet de vermogensbestanddelen daarvan onder algemene titel op de Staat overgaan.

5. Een aanwijzing en een intrekking van een aanwijzing als bedoeld in dit artikel worden in de Staatscourant bekend gemaakt.

6. Er is een Commissie van Toezicht op het fonds, waarin zitting hebben:
als lid en voorzitter:
een vertegenwoordiger van de Minister van Financiën,
als leden:
twee vertegenwoordigers van de Minister van Justitie,
een vertegenwoordiger van de Minister van Verkeer en Waterstaat,
twee vertegenwoordigers van de verzekeraars, en
twee vertegenwoordigers van de gebruikers van motorrijtuigen.

7. De vertegenwoordigers van de Minister worden benoemd en ontslagen door de Minister die zij vertegenwoordigen. De vertegenwoordigers van de verzekeraars en van de gebruikers van motorrijtuigen worden voor de tijd van ten hoogste drie jaren benoemd door Onze Minister van Financiën uit voordrachten van drie personen voor elke vacature, welke hem worden gedaan door de gezamenlijke door hem aan te wijzen representatieve organisaties, onderscheidenlijk van verzekeraars en van gebruikers van motorrijtuigen; zij worden ontslagen door Onze Minister van Financiën, doch niet dan nadat de organisaties die het betrokken lid hebben voorgedragen, zijn gehoord.

8. De Commissie van Toezicht geeft de directeur advies, wanneer hij zulks vraagt, en kan de directeur ook ongevraagd advies geven. De directeur woont de vergaderingen van de Commissie van Toezicht bij voor zover de Commissie dit verlangt. De directeur is verplicht aan de Commissie alle gevraagde inlichtingen omtrent de uitvoering van de taak van het fonds te verstrekken. Indien de Commissie bezwaar heeft tegen het beleid of bepaalde handelingen van de directeur, kan zij zich wenden tot Onze Minister van Financiën.

9. Jaarlijks voor 1 september legt de directeur verantwoording af van het door hem in het vorige kalenderjaar gevoerde financiële beheer door middel van een jaar-

rekening en een financieel verslag. De jaarrekening en het verslag worden vastgesteld door de Minister van Financiën. Deze wijst in overeenstemming met de Algemene Rekenkamer een accountant aan, die met de controle van de jaarrekening wordt belast. Aan de accountant en aan de Algemene Rekenkamer wordt inzage gegeven van de boeken en bescheiden en worden alle inlichtingen verstrekt welke zij nodig achten om een juist inzicht te krijgen in het financiële beheer van het fonds.

10. Verdere regelen omtrent de inrichting en de werkwijze van het fonds en de Commissie van Toezicht kunnen worden gegeven door Onze Minister van Financiën.

Wijziging statuten

Art. 23a. Het fonds kan zijn statuten niet wijzigen, tenzij de wijziging door Onze Minister van Justitie en Onze Minister van Financiën is goedgekeurd.

Inlichtingen aan minister

Art. 23b. 1. Het fonds verstrekt aan Onze Minister van Justitie en Onze Minister van Financiën alle gevraagde inlichtingen omtrent de uitvoering van zijn taak.

2. Het fonds zendt jaarlijks binnen zes maanden na afloop van het boekjaar aan Onze Minister van Justitie en Onze Minister van Financiën de balans en de staat van baten en lasten alsmede het jaarverslag over het betrokken boekjaar. Deze stukken worden met inachtneming van artikel 24, derde en vierde lid, opgesteld en gaan vergezeld van een verklaring omtrent de getrouwheid, afgelegd door een accountant als bedoeld in artikel 393, eerste lid, van Boek 2 van het Burgerlijk Wetboek.

Betalingen aan het fonds

Art. 24. 1. De verzekeraars, die in het bezit zijn van een vergunning of hebben voldaan aan de ingevolge de artikelen 37 of 38 van de Wet toezicht verzekeringsbedrijf 1993 vereiste procedure met betrekking tot een bijkantoor in Nederland dan wel, indien het de in die wet bedoelde dienstverrichting naar Nederland betreft, hebben voldaan aan het bepaalde in de artikelen 111, eerste of tweede lid, 113, eerste, tweede of vierde lid, 116, eerste of derde lid, of 118, tweede, derde of vijfde lid, van die wet. betalen jaarlijks aan het fonds een door het fonds te bepalen bedrag, berekend op basis van het aantal en de aard van de door ieder van hen in Nederland verzekerde motorrijtuigen. Het fonds bepaalt op overeenkomstige wijze jaarlijks tevens het door de Staat aan het fonds te betalen bedrag. De bepaling bedoeld in de vorige volzinnen geschiedt uiterlijk op 30 juni van ieder jaar. De storting moet geschieden binnen een maand na het besluit tot bepaling van het verschuldigde bedrag.

2. Bij de bepaling van dit bedrag worden in aanmerking genomen de over het verleden door het fonds verkregen overschotten of geleden tekorten. Tevens wordt rekening gehouden met de in het komende jaar te verwachten schadelast.

3. De bedragen bedoeld in artikel 21 worden door het fonds afzonderlijk geadministreerd en worden uitsluitend aangewend tot betaling van schade en kosten, waartoe aanleiding wordt gegeven door motorrijtuigen met betrekking waartoe krachtens artikel 19, eerste lid, een geldig bewijs van vrijstelling is uitgereikt, en ter dekking van de kosten verbonden aan de behandeling van de verzoeken om vrijstelling en aan de uitreiking van de in artikel 19, eerste lid, bedoelde bewijzen.

4. Echter brengt het fonds van de krachtens artikel 21 ontvangen bedragen jaarlijks een bedrag over naar zijn algemene middelen; voor de vaststelling hiervan gelden dezelfde maatstaven als die welke krachtens het eerste lid worden gebezigd.

Waarborgen verplichtingen aan het fonds

Art. 24a. 1. De verzekeraars, die in het bezit zijn van een vergunning of hebben voldaan aan de ingevolge de artikelen 37 of 38 van de Wet toezicht verzekeringsbedrijf 1993 vereiste procedure met betrekking tot een bijkantoor in Nederland dan wel, indien het de in die wet bedoelde dienstverrichting naar Nederland betreft, hebben voldaan aan het bepaalde in de artikelen 111, eerste of tweede lid, 113, eerste, tweede of vierde lid, 116, eerste of derde lid, of 118, tweede, derde of vijfde lid, van die wet, alsmede de Staat waarborgen, ieder overeenkomstig het aantal en de aard van de door hen in Nederland verzekerde motorrijtuigen, onderscheidenlijk overeenkomstig het aantal en de aard van de motorrijtuigen waarvan de Staat de bezitter of de houder als bedoeld in artikel 2, tweede lid, is, de verplichtingen van het fonds.

2.De Staat waarborgt voorts de verplichtingen van het fonds, voor zover de bedragen in het derde lid van artikel 24 bedoeld, niet toereikend zijn tot vergoeding van schade, waartoe door de in genoemd artikellid bedoelde motorrijtuigen aanleiding is gegeven.

Recht van benadeelde tegen fonds

Art. 25. 1. Een benadeelde kan, wanneer er een burgerrechtelijke aansprakelijkheid voor de door een motorrijtuig veroorzaakte schade bestaat, een recht op schadevergoeding tegen het fonds geldend maken:
a. wanneer niet kan worden vastgesteld wie de aansprakelijke persoon is, tenzij aannemelijk is, dat de benadeelde niet tot die vaststelling heeft gedaan, wat redelijkerwijs van hem kon worden verwacht;
b. wanneer de verplichting tot verzekering niet is nagekomen;
c. wanneer de schade voortvloeit uit een handelen of nalaten van degene die zich door diefstal of geweldpleging de macht over het motorrijtuig heeft verschaft of van hem die, dit wetende, dat motorrijtuig zonder geldige reden gebruikt, en de verzekeraar, de Staat, of degene, die krachtens artikel 18 is vrijgesteld van de verzekeringsplicht deswege niet aansprakelijk is;
d. in geval van onvermogen van de verzekeraar;
e. wanneer op grond van een vrijstelling krachtens artikel 18 een verzekering niet is afgesloten.
2. Het fonds is jegens het bureau, bedoeld in artikel 2 zesde lid, voorts aansprakelijk voor hetgeen dit bureau heeft betaald ter zake van de schade, in een van de krachtens artikel 3, derde lid, aangewezen landen veroorzaakt door een motorrijtuig dat gewoonlijk in Nederland is gestald en met betrekking waartoe krachtens artikel 19, eerste lid, een geldig bewijs van vrijstelling is uitgereikt. Op de aansprakelijkheid van het fonds ingevolge de vorige zin is het bepaalde in de eerste vijf leden van artikel 26 niet van toepassing.
3. Het fonds geeft in de gevallen bedoeld in het eerste lid aan degenen die zich tot hem wenden voor vergoeding van de rechtstreeks door hen geleden schade, aan de hand van de inlichtingen die het op zijn verzoek van hen heeft verkregen, een met redenen omkleed antwoord met betrekking tot zijn tussenkomst.
4. Indien het fonds en een verzekeraar het niet eens zijn over de vraag wie van hen de schade moet vergoeden, dient degene die als eerste werd aangesproken, tot vergoeding van de schade over te gaan. Indien mocht blijken dat de ander geheel of gedeeltelijk tot vergoeding van de schade gehouden is, zal deze tot verrekening overgaan.

Waarborgfonds in principe slechts subsidiair aansprakelijk

Art. 26. 1. Het fonds is niet aansprakelijk voor schade, voorzover deze de som of sommen, vastgesteld krachtens artikel 22, overtreft.
2. Het fonds is niet aansprakelijk tegenover de benadeelde die ingevolge artikel 4 eerste en tweede lid van het recht op een uitkering kan worden uitgesloten.
3. Het fonds is niet aansprakelijk voor de schade, bedoeld in artikel 4, tweede lid, noch voor schade aan zaken, door het motorrijtuig vervoerd.
4. Het fonds is jegens een benadeelde voor de schade aan diens zaken slechts aansprakelijk voor zover deze schade meer bedraagt dan een bedrag dat bij algemene maatregel van bestuur wordt vastgesteld; met betrekking tot het deel van de schade dat geringer is dan dit bedrag, ontstaat voor het fonds geen aansprakelijkheid; doordat een andere benadeelde de vordering tot vergoeding daarvan verkrijgt.
5. Het fonds is slechts aansprakelijk, indien de benadeelde aantoont dat hij alle bekende als zodanig aansprakelijke personen en, voor zover de aansprakelijkheid van deze personen volgens deze wet verzekerd behoort te zijn, hun verzekeraars tot betaling heeft aangemaand.
6. In afwijking van het vijfde lid kan ingeval van onvermogen van de verzekeraar de aanmaning achterwege blijven jegens de verzekerde aansprakelijke persoon; in dat geval is het fonds evenwel slechts aansprakelijk, voor zover de verplichting tot schadevergoeding van de verzekeraar door erkenning of bij gewijsde is komen vast te staan. Voor zover het fonds de vordering van de benadeelde jegens de verzekeraar heeft voldaan, treedt het fonds in alle rechten, welke de benadeelde terzake van de vordering heeft.
7. De derde zin van het eerste lid en het tweede lid van artikel 6, alsmede de artikelen 7 en 9 zijn van overeenkomstige toepassing ten opzichte van het fonds.
8. Artikel 10 is van overeenkomstige toepassing op de rechtsvordering van de benadeelde tegenover het fonds.

Recht van verhaal van fonds

Art. 27. 1. Het fonds heeft een recht van verhaal tegen alle aansprakelijke personen, alsmede tegen degene die zijn verplichting tot verzekering met betrekking tot het motorrijtuig, waarmede de schade is veroorzaakt, niet is nagekomen. Het bepaalde in de vorige zin geldt in het geval van artikel 25, eerste lid onder d, slechts voor zover aan de verzekeraar een recht van verhaal zou zijn toegekomen. Het fonds heeft voorts tegenover de verzekeraars van de aansprakelijke personen de rechten van een benadeelde.

Zelfde rechten als verzekeraar

2. Het fonds heeft overigens tegenover de aansprakelijke personen dezelfde rechten als een verzekeraar tegenover de verzekerden.

HOOFDSTUK 5
Gevolgen van het intrekken van de vergunning

Artt. 5-15 van toepassing

Art. 28. 1. De artikelen 5-15 blijven van toepassing op een verzekeringsonderneming met betrekking tot de schade ten gevolge van een ongeval dat heeft plaatsgehad voor of binnen 30 dagen na de intrekking van de vergunning dan wel de intrekking van een overeenkomstige vergunning indien het een verzekeringsonderneming met zetel in een andere lid-staat betreft, of het opleggen van een verbod ter zake van acquisitie als bedoeld in artikel 115, tweede lid, of artikel 120, tweede lid, van de Wet toezicht verzekeringsbedrijf 1993. De Algemene Termijnenwet is op deze termijn niet van toepassing.

Teruggave premie

2. Degene die met een verzekeringsonderneming die niet of niet meer in het bezit is van een vergunning dan wel een overeenkomstige vergunning indien het een verzekeringsonderneming met zetel in een andere lid-staat betreft, of aan wie een verbod is opgelegd ter zake van acquisitie als bedoeld in artikel 115, tweede lid, of artikel 120, tweede lid, van de Wet toezicht verzekeringsbedrijf 1993, een verzekering heeft gesloten ter dekking van de burgerrechtelijke aansprakelijkheid waartoe een motorrijtuig in het verkeer aanleiding kan geven, is bevoegd deze verzekering door opzegging te beëindigen; de verzekeringsonderneming geeft alsdan de vooruitbetaalde premie terug voor het gedeelte dat evenredig is aan het op de datum van de ontvangst der opzegging nog niet verstreken gedeelte van de termijn, waarvoor de premie werd betaald, onder aftrek van een door de Verzekeringskamer te bepalen percentage van het terug te betalen bedrag aan onkosten.

Art. 29. (Vervallen bij wet van 16 december 1993, Stb. 650).

HOOFDSTUK 6
Verbods- en strafbepalingen

Straffen

Art. 30. 1. Hij, die als bezitter, dan wel als degene aan wie het kenteken is opgegeven, dan wel als houder in de zin van artikel 2, tweede lid, een motorrijtuig op een weg doet rijden of laat staan of toelaat dat daarmede op een weg wordt gereden of gestaan, of buiten een weg met een motorrijtuig deelneemt of toelaat dat daarmede wordt deelgenomen aan het verkeer op een terrein zonder dat hij voor dat motorrijtuig een verzekering overeenkomstig deze wet heeft gesloten en in stand gehouden, wordt gestraft met hechtenis van ten hoogste drie maanden of geldboete van de tweede categorie.

Niet-verzekerden

2. De in het vorige lid genoemde personen worden met gelijke straf gestraft, indien zij voor een motorrijtuig waarvoor een kentekenbewijs is afgegeven niet een verzekering overeenkomstig deze wet hebben gesloten en in stand gehouden.

Vrijstellingen strafbepalingen

3. De in het eerste lid genoemde personen zijn niet strafbaar, indien op hen de verplichting tot verzekering niet rust.

4. De bestuurder van een motorrijtuig die daarmede op een weg rijdt of staat of buiten een weg met een motorrijtuig deelneemt aan het verkeer op een terrein zonder dat er voor dat motorrijtuig een verzekering overeenkomstig deze wet is gesloten en in stand gehouden, wordt gestraft met hechtenis van ten hoogste drie maanden of geldboete van de tweede categorie.

Geen strafbaarheid

5. De in het vorige lid bedoelde bestuurder is niet strafbaar indien:
a. met betrekking tot het motorrijtuig vrijstelling van de verplichting tot verzekering is verleend en een geldig bewijs van die vrijstelling is uitgereikt;
b. een in artikel 2, zesde lid, bedoeld bureau, groep van verzekeraars of buitenlandse instantie de verplichting op zich heeft genomen de door het motorrijtuig veroorzaakte schade overeenkomstig de bepalingen van deze wet te vergoeden.

6. Bij veroordeling wegens een strafbaar feit, omschreven in het eerste, tweede of vierde lid, kan de rechter tevens de schuldige de bevoegdheid ontzeggen motorrijtuigen te besturen voor de tijd van ten hoogste één jaar en, ingeval tijdens het plegen van het strafbare feit nog geen vijf jaar zijn verlopen na het einde van de tijdsduur, waarvoor bij een vroegere onherroepelijke veroordeling de schuldige de bevoegdheid motorrijtuigen te besturen is ontzegd, voor de tijd van ten hoogste vijf

jaren. Overigens zijn de bepalingen van de Wegenverkeerswet 1994, betreffende de bijkomende straf van ontzegging van de rijbevoegdheid motorrijtuigen te besturen van overeenkomstige toepassing.

7. Bij veroordeling wegens een strafbaar feit, omschreven in het eerste, tweede of vierde lid, kan de rechter tevens de schuldige de bijkomende straf van betaling van een bedrag van ten hoogste *f* 6000,- aan het Waarborgfonds Motorverkeer opleggen. De artikelen 24a-24c van het Wetboek van Strafrecht zijn van overeenkomstige toepassing.

8. De in het vorige lid bedoelde bijkomende straf wordt ten uitvoer gelegd met overeenkomstige toepassing van de artikelen 561, eerste, tweede en derde lid, 572, 573, 575 en 576 van het Wetboek van Strafvordering. Het openbaar ministerie draagt er zorg voor, dat de gè0nde bedragen tegen kwijting aan het Waarborgfonds Motorverkeer worden uitgekeerd.

Stilhouden en inzage geven bewijs van verzekering of vrijstelling

Art. 31. Op de eerste vordering van personen, belast met de opsporing van de in deze wet strafbaar gestelde feiten is de bestuurder van een motorrijtuig verplicht het rijtuig te doen stilhouden en indien hij ingevolge artikel 14 eerste lid, artikel 17 tweede lid of artikel 19 eerste lid een document bij zich moet hebben, dit behoorlijk ter inzage af te geven.

Inlevering ongeldig bewijs van vrijstelling

Art. 32. De houder van een bewijs als bedoeld in artikel 19 eerste lid is verplicht dit, wanneer het ongeldig is geworden, op eerste aanmaning bij het bevoegde gezag in te leveren.

Art. 33. Handelen in strijd met de artikelen 31 en 32 wordt gestraft met hechtenis van ten hoogste dertig dagen of geldboete van de tweede categorie.

Register Rijksdienst voor het wegverkeer

Art. 34. Indien uit het door het overheidsorgaan, bedoeld in artikel 13, eerste lid, aangehouden register niet blijkt dat ten aanzien van een motorrijtuig met betrekking waartoe gedurende een bepaald tijdvak een verplichting tot verzekering bestaat of heeft bestaan, gedurende dat tijdvak is voldaan aan de verzekeringsplicht uit hoofde van deze wet, kan een ambtenaar als bedoeld in artikel 37 van degene, aan wie het kenteken voor dat motorrijtuig is opgegeven, vorderen dat hij aantoont dat niettemin aan de verzekeringsplicht gedurende dat tijdvak voldaan is.

2. Degene tot wie de vordering is gericht, kan daaraan voldoen door binnen een nader door de in het eerste lid bedoelde ambtenaar te bepalen termijn, welke echter niet korter mag zijn dan veertien dagen, een van een verzekeraar afkomstig geschrift op een hem opgegeven plaats ter inzage te verstrekken. Uit het geschrift moet blijken dat gedurende het tijdvak de aansprakelijkheid waartoe het motorrijtuig aanleiding kan geven, was gedekt door een verzekering overeenkomstig deze wet. De verzekeraar is gehouden een zodanig geschrift af te geven zo spoedig mogelijk, doch in ieder geval binnen tien dagen, nadat hem een daartoe strekkend verzoek heeft bereikt.

3. Degene die niet aan de in het eerste lid bedoelde vordering voldoet, wordt gestraft met een hechtenis van ten hoogste drie maanden of geldboete van de tweede categorie. Het zesde tot en met het achtste lid van artikel 30 zijn van overeenkomstige toepassing.

Art. 35. Overtreding van het bepaalde bij of krachtens algemene maatregel van bestuur, voor zover die overtreding uitdrukkelijk als strafbaar feit is aangemerkt, wordt gestraft met hechtenis van ten hoogste dertig dagen of geldboete van de tweede categorie.

Overtredingen

Art. 36. De bij of krachtens deze wet strafbaar gestelde feiten zijn overtredingen.

Opsporingsambtenaren

Art. 37. Met de opsporing van de strafbare feiten, bedoeld in dit hoofdstuk, zijn, behalve de ambtenaren bedoeld in artikel 141 van het Wetboek van Strafvordering, belast de ambtenaren, die krachtens artikel 159 van de Wegenverkeerswet 1994 zijn aangewezen tot opsporing van strafbare feiten.

HOOFDSTUK 7
Slotbepalingen

Nadere regelen bij A.M.v.B.

Art. 38. 1. Voor de uitvoering van deze wet kunnen bij of krachtens algemene maatregel van bestuur nadere regelen worden gesteld.

2. Bij algemene maatregel van bestuur kan tevens worden bepaald dat kosten in rekening worden gebracht voor het verstrekken van inlichtingen door het overheidsorgaan bedoeld in artikel 13 eerste lid omtrent de nakoming van de verplichting tot verzekering.

Wijziging wegenverkeerswet

Art. 39. De Wegenverkeerswet wordt als volgt gewijzigd:
A. Aan artikel 24 wordt een vijfde lid toegevoegd, luidende:
5. De ontheffing bedoeld in het vorige lid kan slechts worden verleend, indien wordt aangetoond, dat maatregelen zijn getroffen ter voorkoming van deelneming aan de wedstrijd zonder dat de burgerrechtelijke aansprakelijkheid voor de schade waartoe het gebruik van een motorrijtuig tijdens de wedstrijd aanleiding kan geven, is gedekt door een verzekering overeenkomstig de Wet aansprakelijkheidsverzekering motorrijtuigen; de verzekering dient mede te dekken de aansprakelijkheid van degenen die de wedstrijd organiseren. Deze voorwaarde geldt niet ten aanzien van degene wiens aansprakelijkheid terzake ten laste van de Staat komt.
B. Het negende lid van artikel 31 wordt als volgt gewijzigd:
9. De rechtsvordering tot schadevergoeding vervalt door tijdsverloop van een jaar, te rekenen van de dag waarop het ongeval heeft plaatsgehad, of, ingeval van overtreding van artikel 30 eerste lid, vanaf de vaststelling van de identiteit van het motorrijtuig en van degene die ten tijde van het ongeval het motorrijtuig bestuurde.

Art. 40. (Vervallen bij de wet van 4 juni 1992, Stb. 422).

Inwerkingtreding

Art. 41. De bepalingen van deze wet treden in werking op door Ons te bepalen tijdstippen.

Citeertitel

Art. 42. Deze wet kan worden aangehaald als Wet aansprakelijkheidsverzekering motorrijtuigen.

WET van 21 juni 1973, Stb. 289, houdende tijdelijke regeling betreffende huurkoop van onroerend goed (Tijdelijke wet huurkoop onroerende zaken), zoals laatstelijk gewijzigd bij de Wet van 31 januari 1991, Stb. 50

Alzo Wij in overweging genomen hebben, dat het wenselijk is een tijdelijke regeling te treffen omtrent de huurkoop van onroerend goed bestemd of gebruikt tot bewoning;

Begrip huurkoop

Art. 1. 1. Huurkoop in de zin van deze wet is de koop en verkoop van een onroerende zaak of een recht waaraan deze is onderworpen, waarbij partijen overeenkomen dat de koopprijs wordt betaald in termijnen, en dat de overdracht eerst zal plaatsvinden na voldoening van twee of meer termijnen die verschijnen nadat de koper in het genot van het goed is gesteld.

2. Alle overeenkomsten, welke dezelfde strekking hebben, onder welke benaming ook aangegaan, zijn aan de voorschriften van deze wet onderworpen.

Authentieke akte vereist

Art. 2. 1. Huurkoop wordt aangegaan bij notariële akte.

2. De notaris is verplicht in de akte te vermelden dat op de gesloten overeenkomst onder meer van toepassing is de Tijdelijke wet huurkoop onroerende zaken. De notaris is voorts verplicht in de akte te vermelden dat op de voet van die wet:
a. de huurkoopovereenkomst kan worden ingeschreven in de openbare registers, bedoeld in afdeling 2 van Titel 1 van Boek 3 van het Burgerlijk Wetboek;
b. de huurkoper een beroep op de rechter kan doen tot wijziging van de overeenkomst, indien een wanverhouding bestaat tussen de verplichtingen en de rechten, welke voor de huurkoper uit de overeenkomst voortvloeien.

3. De notaris is bovendien verplicht in de akte ten minste te vermelden:
a. welk deel van de te betalen termijnen tot aflossing van de huurkoopsom strekt en welk deel strekt tot betaling van de verschuldigde rente;
b. de data, waarop de huurkoper de verschuldigde bedragen dient te betalen.

4. Indien ter zake van de huurkoop niet een akte als bedoeld in het eerste lid is opgemaakt, kan de huurkoper schriftelijk vastlegging van de overeenkomst door de rechter vorderen. Bij deze vastlegging worden nietige bedingen in overeenstemming gebracht met de wet. Op de schriftelijk vastgelegde overeenkomst past de rechter artikel 9 ambtshalve toe. Indien bij de overeenkomst niet is bepaald welk deel van de te betalen termijnen strekt tot aflossing van de huurkoopsom en welk deel strekt tot betaling van de verschuldigde rente, stelt de rechter deze verhouding naar billijkheid vast. Het bepaalde in de tweede zin, aanhef en onder b, van het tweede lid is niet van toepassing.

5. Van de akte als bedoeld in het eerste lid maakt een taxatierapport betreffende het goed, opgemaakt door een beëdigde makelaar, deel uit. Dit rapport bevat in elk geval mede een beschrijving en een beoordeling van de onderhoudstoestand van de onroerende zaak. Partijen wijzen in onderlinge overeenstemming een makelaar aan. Worden zij het niet eens, dan wijst de kantonrechter op verzoek van de meest gerede partij de makelaar aan. De kosten van de taxatie komen ten laste van de verkoper.

6. De notaris gaat tot het verlijden van de akte als bedoeld in het eerste lid niet over dan nadat partijen ten minste een week de tijd hebben gehad om van het in het vorige lid bedoelde rapport kennis te nemen.

7. Op de schriftelijke vastlegging als bedoeld in het vierde lid is het bepaalde in het vijfde lid van overeenkomstige toepassing, met dien verstande dat de rechter de makelaar aanwijst. In de op deze vastlegging gerichte procedure geeft de rechter partijen de gelegenheid zich in een conclusie over het rapport uit te laten. Daartoe wordt het rapport gedurende veertien dagen op de griffie ter inzage gelegd.

8. De notaris dient zich, alvorens de akte te verlijden, er van te vergewissen dat de huurkoper geacht kan worden met de strekking van de overeenkomst voldoende op de hoogte te zijn.

Nietigverklaring huurkoop-overeenkomst

Art. 3. 1. Indien terzake van de huurkoop niet een akte als bedoeld in het eerste lid van artikel 2 is opgemaakt, noch ook een overeenkomstig artikel 2 gewezen toewijzend vonnis of arrest in kracht van gewijsde is gegaan, is de huurkoper bevoegd vernietiging van de overeenkomst te vorderen. De huurverkoper is alsdan gehouden tot volledige terugbetaling van de door de huurkoper reeds voldane afbetalingstermijnen, zonder enige vergoeding voor het gebruik van de onroerende zaak sedert het aangaan van de overeenkomst te kunnen vorderen. De rechter kan evenwel voor het gebruik een vergoeding aan de huurverkoper toekennen, indien de billijkheid zulks vergt. De huurkoper is voor de door hem gedane betalingen bevoorrecht op het in huurkoop gekochte goed.

Ontbinding huurkoop-overeenkomst

2. Indien niet een akte als bedoeld in het eerste lid van artikel 2 van de huurkoopovereenkomst is opgemaakt en de huurkoper evenmin een vordering tot vastlegging dan wel vernietiging van de overeenkomst heeft ingesteld, is de huurverkoper bevoegd ontbinding van de huurkoop overeenkomst te vorderen, zonder dat hem vergoeding toekomt voor de daaruit voortvloeiende schade, onverminderd het bepaalde in de tweede, derde en vierde zin van het voorgaande lid. De huurkoper blijft evenwel bevoegd alsnog vastlegging van de huurkoopovereenkomst overeenkomstig artikel 2 te vorderen zolang het door de huurverkoper aanhangig gemaakte geding strekkend tot ontbondenverklaring van de huurkoopovereenkomst nog niet in staat van wijzen is.

Schorsing geding tot ontbondenverklaring; indien alsnog vastlegging wordt gevorderd

3. Indien de huurkoper in de in het voorgaande lid genoemde omstandigheden alsnog een vordering tot vastlegging van de huurkoopovereenkomst heeft ingesteld, wordt op incidentele vordering van de huurkoper het door de huurverkoper aanhangig gemaakte geding tot ontbondenverklaring van de huurkoopovereenkomst geschorst totdat bij in kracht van gewijsde gegaan vonnis of arrest op de vordering tot vastlegging zal zijn beslist dan wel daarin ontslag of verval van instantie is verleend. Is de vordering tot vastlegging bij in kracht van gewijsde gegane beslissing toegewezen, dan wordt op de door de rechter te bepalen terechtzitting, op vordering van de meeste gerede partij, in het geding tot ontbondenverklaring het vervallen van de instantie uitgesproken. Is de huurkoper in zijn vordering tot vastlegging bij in kracht van gewijsde gegane beslissing niet-ontvankelijk verklaard dan wel heeft in dat geding ontslag of verval van instantie plaats gehad, dan wordt het geding tot ontbondenverklaring op vordering van de huurverkoper op de door de rechter te bepalen terechtzitting voortgezet. De kosten van het geding tot ontbondenverklaring worden gecompenseerd.

4. Zodra de vordering tot vastlegging van de huurkoopovereenkomst bij in kracht van gewijsde gegaan vonnis of arrest is toegewezen, dan wel de huurkoopovereenkomst alsnog bij notariële akte is opgemaakt, is ook de huurverkoper gerechtigd nakoming van de overeenkomst te vorderen.

Art. 4. 1. In de openbare registers, bedoeld in afdeling 2 van titel 1 van Boek 3 van het Burgerlijk Wetboek, kunnen worden ingeschreven:
a. de akte van huurkoop, bedoeld in artikel 2, eerste lid;
b. een rechterlijke uitspraak als bedoeld in artikel 2, vierde lid, houdende schriftelijke vastlegging van de huurkoopovereenkomst, mits zij in kracht van gewijsde is gegaan;
c. een rechterlijke uitspraak waarbij de huurkoopovereenkomst die overeenkomstig het onder *a* en *b* bepaalde in de openbare registers is ingeschreven, vernietigd, geheel of gedeeltelijk ontbonden of gewijzigd is, mits de uitspraak in kracht van gewijsde is gegaan of uitvoerbaar bij voorraad is;
d. de instelling van een rechtsvordering overeenkomstig artikel 2, vierde lid, of artikel 3, derde lid, tot schriftelijke vastlegging van de huurkoopovereenkomst.

2. Indien de instelling van een rechtsvordering als bedoeld in het eerste lid onder *d* in de openbare registers is ingeschreven, wordt de inschrijving van een uitspraak als bedoeld in het eerste lid onder *b* geacht te zijn geschied op het tijdstip waarop de voormelde rechtsvordering is ingeschreven, mits de inschrijving van de uitspraak geschiedt binnen zes maanden nadat zij in kracht van gewijsde is gegaan.

Art. 5. 1. Overdracht van het in huurkoop verkochte goed, voor zover deze niet voortvloeit uit een reeds eerder ingeschreven akte van huurkoop, of bezwaring daarvan na een inschrijving als bedoeld in artikel 4, eerste lid, onder a, b of d, werkt niet ten nadele van de huurkoper, tenzij de overdracht plaatsvindt ten gevolge van een executoriale verkoop door een hypotheekhouder of beslaglegger die hun recht daartoe ontlenen aan een hypotheekakte of proces-verbaal van inbeslagneming, ingeschreven in de openbare registers vóór de in artikel 4, eerste lid, onder a, b of d, genoemde inschrijving plaatsvindt na de in het tweede gedeelte van de vorige zin genoemde inschrijving, is de huurkoper verplicht de betreffende schuldeisers en eventuele anders beslagleggers bij aangetekend schrijven onverwijld daarvan kennis te geven. Is daartegen verzet gedaan, dan moet eveneens kennisgeving worden gedaan aan de opposant. Artikel 505, derde lid, van het Wetboek van Burgerlijke Rechtsvordering is van overeenkomstige toepassing.

Bij openbare eigenmachtige of executoriale verkoop huurkoper bevoorrecht

2. Ingeval van een executoriale verkoop als bedoeld in het vorige lid, is de huurkoper voor de door hem in mindering op de huurkoopsom betaalde bedragen be-

voorrecht op hetgeen het verbonden of in beslag genomen goed bij uitwinning meer opbrengt dan verschuldigd is aan voornoemde schuldeisers of, indien niet het gehele goed in huurkoop is verkocht, op een zodanig percentage van deze meeropbrengst als waarin de waarde van het in huurkoop verkochte onderdeel zich verhoudt tot die van het geheel. Dit voorrecht komt dezelfde rang toe als een hypotheek en wordt geacht te zijn ontstaan op de dag van de in artikel 4, eerste lid, onder a, b of d, genoemde inschrijving. Indien uit de huurkoopakte niet duidelijk blijkt welk gedeelte van de periodiek door de huurkoper verschuldigde bedragen voor aflossing van de huurkoopsom is bestemd en artikel 2, vierde lid geen toepassing heeft gevonden, wordt het bedrag waarvoor de huurkoper voormeld voorrecht kan doen gelden door de rechter vastgesteld door het totaal bedrag van de door de huurkoper verrichte betalingen te verminderen met een naar billijkheid vast te stellen vergoeding voor het gedurende de contractsperiode door de huurkoper gemaakte gebruik van het pand.

3. Faillissement van de huurkoper, uitgesproken na de in artikel 4, eerste lid, onder a, b of d, genoemde inschrijving werkt niet ten nadele van de huurkoper, onverminderd de toepasselijkheid van de artikelen 42 en 43 van de Faillissementswet op de huurovereenkomst.

Ontruimingsvonnis niet binnen negen maanden ten uitvoer brengen

Art. 6. Indien de in artikel 5, eerste lid, genoemde hypotheekhouders of beslagleggers jegens wie de huurkoop niet kan worden ingeroepen, tot executoriale verkoop wensen over te gaan en gebruik maken van hun bevoegdheid ontruiming van de zaak door de huurkoper te vorderen, zal, indien de in artikel 4, eerste lid, onder a, b of d genoemde inschrijving en tevens de kennisgeving genoemd in artikel 5, eerste lid, heeft plaats gevonden voordat een aanvang is gemaakt met de executoriale verkoop, het ontruimingsvonnis niet eerder dan na verloop van negen maanden door de hypotheekhouder, de beslaglegger, degene die in geval van vorenbedoelde verkoop door koop en inschrijving van het proces-verbaal van toewijzing rechthebbende is geworden of diens rechtsverkrijgenden kunnen worden tenuitvoergelegd. Bij dit vonnis wordt, met overeenkomstige toepassing van de Huurwet, indien de desbetreffende bepalingen dier wet nog van kracht zijn voor het betrokken pand, vastgesteld welke vergoeding maandelijks verschuldigd is wegens het gebruik van het pand gedurende genoemde periode.

Huurkooptermijnen aanwenden voor aflossing bestaande hypotheek

Art. 7. 1. Indien de inschrijving bedoeld in artikel 4, eerste lid, onder a, b of d, heeft plaats gehad nadat reeds een hypotheekakte betreffende het in huurkoop verkochte goed in de openbare registers was ingeschreven, heeft de huurkoper het recht de nog te betalen huurkooptermijnen aan te wenden tot rechtstreekse betaling van opeisbare rente en aflossingen aan de hypotheekhouder.

2. Voor zover het door de huurkoper aan de huurverkoper verschuldigde per termijn minder bedraagt dan het bedrag dat periodiek aan rente en aflossingen aan de hypotheekhouder is verschuldigd, is de huurkoper in afwijking van artikel 29 van Boek 6 van het Burgerlijk Wetboek tot de in het eerste lid bedoelde betaling bevoegd, onverminderd de verplichting van de hypothecaire schuldenaar tot betaling van het restant verschuldigde.

3. Indien de huurkoper van dit recht gebruik wenst te maken, is de hypotheekhouder verplicht de huurkoper in te lichten omtrent de grootte van de nog resterende hypothecaire schuld.

4. De betalingen overeenkomstig dit artikel aan de hypotheekhouder gedaan, strekken in mindering op hetgeen de huurkoper aan de huurverkoper verschuldigd is. De huurkoper stelt de huurverkoper onverwijld in kennis van deze betalingen.

5. Bij executoriale verkoop door een hypotheekhouder of een beslaglegger genoemd in artikel 5, eerste lid, heeft de huurkoper het recht, bedoeld in artikel 269 van Boek 3 van het Burgerlijk Wetboek. Maakt de huurkoper van dit recht gebruik, dan is het derde lid van toepassing.

6. Indien reeds vóór de inschrijving bedoeld in artikel 4 een hypotheekakte betreffende het in huurkoop verkochte goed was ingeschreven, kan de overdracht van het recht op verschenen of nog niet verschenen huurkooptermijnen aan een derde niet zijnde de hypotheekhouder bedoeld in het eerste lid van dit artikel, niet worden ingeroepen tegen de huurkoper, tenzij deze uitdrukkelijk toestemming heeft gegeven tot deze overdracht. De eerste zin is niet van toepassing indien ten tijde van het in werking treden van deze wet de overdracht reeds heeft plaats gehad.

Art. 8. (Vervallen bij de wet van 25 oktober 1989, Stb. 490)

Wijziging overeenkomst bij wanverhouding verplichtingen en rechten

Art. 9. Indien een wanverhouding bestaat tussen de verplichtingen en de rechten, welke voor de huurkoper uit de huurkoopovereenkomst voortvloeien, kan de rechter op vordering van de huurkoper deze overeenkomst zodanig wijzigen dat de op de huurkoper rustende verplichtingen in redelijke verhouding staan tot de hem verleende rechten. Bij deze wijziging worden de redelijke belangen van de huurverkoper mede in acht genomen. De wijziging kan mede betrekking hebben op de aan de vordering voorafgegane contractsperiode.

Geen hogere koopsom tijdens contractsduur

Art. 10. Elk beding in een huurkoopovereenkomst, volgens hetwelk gedurende de contractsperiode een hogere koopprijs kan worden vastgesteld, is nietig.

Overeenkomst niet van rechtswege nietig bij niet-nakoming

Art. 11. 1. Ontbinding van de overeenkomst van huurkoop op grond dat de huurkoper tekortschiet in de voldoening van zijn verplichtingen, kan slechts door de rechter geschieden.

2. Ontbinding van de huurkoop kan wegens niet tijdige nakoming door de huurkoper van zijn verplichtingen niet worden gevorderd, tenzij de huurkoper, na in gebreke te zijn gesteld, in de nakomingvan zijn plichten blijft tekortschieten.

3. Wordt de huurkoop ontbonden, dan heeft de huurkoper recht op terugbetaling van de door hem in mindering op de koopsom betaalde aflossingen, onverminderd zijn gehoudenheid tot vergoeding van de door de huurverkoper geleden schade.

Vervroegde betaling koopprijs

Art. 12. 1. Onverminderd het vierde lid van artikel 7, is de huurkoper steeds bevoegd tot vervroegde betaling van één of meer eerstvolgende termijnen van de koopprijs. Eveneens is de huurkoper gerechtigd het resterende gedeelte van de koopsom ineens af te betalen.

2. In geval van vervroegde betaling ineens van het gehele nog verschuldigde bedrag heeft de huurkoper recht op een aftrek berekend naar de wettelijk verschuldigde rente of, indien deze lager is dan de bedongen rentevoet, berekend naar laatstgenoemde rentevoet over elke daarbij vervroegd betaalde termijn.

3. Zodra de gehele koopsom met de daarover verschuldigde rente aan de huurverkoper is betaald of op de wijze bij afdeling 8, titel 1 van Boek 6 van het Burgerlijk Wetboek bepaald in bewaring is gesteld, of wanneer de verplichting tot betaling door verrekening of afstand is te niet gegaan, is de huurverkoper, indien nog geen zodanige akte werd opgemaakt, gehouden zijn medewerking te verlenen aan het tot stand komen van een notariële akte van levering aan de huurkoper.

Onteigening in huurkoop verkocht goed

Art. 13. Bij onteigening van een goed, dat in huurkoop is verkocht, worden zowel de rechthebbende als de huurkoper wiens recht vóór de terinzagelegging bedoeld in de artikelen 12, 80, 127 en 143 van de onteigeningswet alsmede de terinzagelegging van het besluit van de gemeenteraad bedoeld in artikel 85, mede in verband met artikel 84 van de onteigeningswet in de openbare registers is ingeschreven, gedagvaard en wordt de aan elk hunner verschuldigde schadeloosstelling afzonderlijk begroot.

2. Uit het bedrag van de werkelijke waarde van het goed wordt aan de huurverkoper een schadeloosstelling toegekend wegens de aanspraken uit de huurkoopovereenkomst, welke hij verliest; hetgeen vervolgens overblijft, komt aan de huurkoper toe.

3. Indien er ten nadele van de huurkoper een wanverhouding blijkt te bestaan tussen de bij de huurkoopovereenkomst bedongen wederzijdse rechten en verplichtingen, past de rechter ambtshalve artikel 9 toe, alvorens hij overeenkomstig het eerste en tweede lid van dit artikel de aan de rechthebbende en de huurkoper toekomende schadeloosstelling vaststelt.

Uitsluiting bepalingen andere wetten

Art. 14. Artikel 39, 4° van de Wet op de rechterlijke organisatie en het beleid der justitie is niet van toepassing op vorderingen voortvloeiende uit deze wet.

Afwijking van wet bij overeenkomst verboden

Art. 15. Elk beding waarbij wordt afgeweken van de bepalingen van deze wet is nietig.

Wet van toepassing op eerder gesloten overeenkomsten

Art. 16. 1. Voorzover in dit artikel niet anders is bepaald, is deze wet mede van toepassing op overeenkomsten van huurkoop, welke vóór het in werking treden van deze wet zijn gesloten, indien deze voldoen aan de voorwaarden genoemd in artikel 1 en tevens bij akte zijn aangegaan, of wel na de inwerkingtreding van deze wet alsnog bij akte dan wel overeenkomstig het vierde lid van dit artikel zijn vastgelegd.

2. Voorzover deze overeenkomst niet in dubbel is opgemaakt of indien wel een dubbel is opgemaakt, maar de huurverkoper de huurkoper niet een ondertekend afschrift dan wel dubbel heeft verstrekt, is hij verplicht de huurkoper dit afschrift of dubbel onverwijld te verstrekken.

3. Verder afschrift kan de huurkoper te allen tijde tegen betaling van de kosten vorderen.

4. Voorzover deze overeenkomst noch bij notariële noch bij onderhandse akte is aangegaan, kan de meest gerede partij schriftelijke vastlegging van de overeenkomst door de rechter vorderen. Het bepaalde in de tweede, derde en vierde zin van het vierde lid en in het zevende lid van artikel 2 is van overeenkomstige toepassing.

5. Artikel 3 is niet van toepassing.

6. Voor de toepassing van dit artikel geldt in plaats van de in artikel 6, eerste lid, genoemde termijn een termijn van twaalf maanden.

Art. 17. In de plaats van een notariële of authentieke akte volgens deze wet kan worden gebezigd een onderhandse akte, als bedoeld in artikel 91, eerste lid, van de Overgangswet nieuw Burgerlijk Wetboek, in welke gevallen het woord „notaris" in artikel 2, tweede, derde, zesde en achtste lid, telkens wordt vervangen door: persoon, als bedoeld in artikel 91, derde lid, van de Overgangswet nieuw Burgerlijk Wetboek en het woord „verlijden" in artikel 2, zesde en achtste lid, telkens wordt vervangen door: ondertekenen.

Art. 18. Deze wet kan worden aangehaald als: Tijdelijke wet huurkoop onroerende zaken.

Inwerkingtreding

Art. 19. Deze wet treedt in werking met ingang van de dag na datum van uitgifte van het Staatsblad, waarin zij wordt geplaatst.

WET van 18 januari 1979, Stb. 15, houdende regelen met betrekking tot de prijzen bij huur en verhuur van woonruimte (Huurprijzenwet woonruimte), zoals laatstelijk gewijzigd bij de wet van 17 november 1994, Stb. 858

Alzo Wij in overweging genomen hebben, dat het wenselijk is nieuwe regelen te stellen met betrekking tot de prijzen bij huur en verhuur van woonruimte;

HOOFDSTUK I
Algemeen

Begripsbepalingen

Art. 1. In deze wet wordt verstaan onder:
a. woonruimte: een gebouwde onroerende zaak die een zelfstandige woning vormt, of een tot bewoning bestemd gedeelte van een gebouwde onroerende zaak, dan wel een woonwagen of een standplaats, een en ander met de onroerende aanhorigheden.
b. woonwagen: voor bewoning bestemd gebouw dat is geplaatst op een standplaats en dat in zijn geheel of in delen kan worden verplaatst, met uitzondering van wagens die een eigen aandrijving hebben en wagens waarvoor voor het voortbewegen ervan over een weg geen ontheffing ingevolge de Wegenverkeerswet 1994 van bij of krachtens die wet gegeven voorschriften met betrekking tot verkeersregels en verkeerstekens is vereist;
c. standplaats:
1°. een standplaats als bedoeld in artikel 1, eerste lid, onder h, van de Woningwet, voor het bouwen waarvan een vergunning is verleend als bedoeld in artikel 40, eerste lid, van die wet of
2°. een kavel die ingevolge een bestemmingsplan als bedoeld in de Wet op de Ruimtelijke Ordening bestemd is voor het plaatsen van een woonwagen of
3°. een kavel waarop zich één of meer gebouwen bevinden, die met het oog op het plaatsen van een woonwagen op die kavel zijn gebouwd en voor het bouwen waarvan een vergunning is verleend als bedoeld in artikel 47, eerste lid, van de Woningwet 1962;
d. prijs: het geheel van de verplichtingen, welke de huurder tegenover de verhuurder bij of ter zake van huur en verhuur van woonruimte op zich neemt;
e. huurprijs: de prijs welke bij huur en verhuur is verschuldigd voor het enkele gebruik van woonruimte;
f. huurcommissie: de commissie bedoeld in artikel 2 van de Wet op de huurcommissies;
g. Onze Minister: Onze Minister belast met de zorg voor de volkshuisvesting.

Art. 2. 1. Deze wet is niet van toepassing op overeenkomsten van huur en verhuur van woonruimte die een gebruik betreffen, dat naar zijn aard slechts van korte duur is.

2. Deze wet is voorts niet van toepassing op overeenkomsten van huur en verhuur van woonruimte die een zelfstandige woning vormt, indien partijen bij de aanvang van de bewoning een huurprijs zijn overeengekomen die, indien nodig herleid tot een bedrag per jaar, hoger is dan het op dat tijdstip in artikel 16, eerste volzin, van de Wet individuele huursubsidie genoemde bedrag. In afwijking van de eerste volzin zijn op de in de eerste volzin bedoelde overeenkomsten de artikelen 5, 6, eerste en tweede lid, 12 en 14, eerste lid, voor zover het betrekking heeft op de in artikel 12, eerste lid, bedoelde kosten, en vierde lid, van toepassing.

3. In afwijking van het tweede lid is deze wet op de in dat lid bedoelde overeenkomsten van toepassing, voor zover het betreft de in artikel 17 bedoelde beoordeling door de huurcommissie van de redelijkheid van de bij de aanvang van de bewoning overeengekomen huurprijs en de daarop volgende mogelijkheid tot vaststelling van de huurprijs door de kantonrechter. Daarbij wordt, indien de hierbedoelde beoordeling dan wel vaststelling zou leiden tot een huurprijs boven de in het tweede lid bedoelde grens, de door partijen overeengekomen huurprijs als huurprijs aangenomen, en is, bij een onherroepelijke uitkomst niet boven die grens, het tweede lid niet langer van toepassing.

HOOFDSTUK II
Huurprijzen en overige betalingsverplichtingen

AFDELING 1
Algemeen

Art. 3. Ter zake van huur en verhuur van woonruimte gelden de huurprijzen bij of krachtens deze wet bepaald. Voor zover bij of krachtens deze wet geen huurprijzen zijn bepaald, gelden de huurprijzen welke partijen zijn overeengekomen of zullen overeenkomen.

Huurprijzen

Art. 4. 1. De huurprijs van woonruimte kan op verzoek van een der partijen worden gewijzigd met toepassing van het in hoofdstuk III, afdeling 3, van deze wet bepaalde:
a. gedurende het eerste tijdvak van twaalf maanden na de datum van ingang van de overeenkomst van huur en verhuur van woonruimte, ten hoogste eenmaal, en
b. telkens tegen het einde van elkaar opvolgende tijdvakken van twaalf maanden na, hetzij het ingaan van de onder *a* bedoelde wijziging, hetzij, indien een zodanige wijziging niet plaatsvond, de datum van ingang van de overeenkomst, dan wel, indien het gaat om woonruimte, als bedoeld in artikel 9, de datum van de laatste verhoging, bedoeld in artikel 18, vijfde lid.

Wijziging van de huurprijs

2. In afwijking van het in het eerste lid bepaalde kan de huurprijs worden gewijzigd tegen het einde van een tijdvak dat evenzoveel korter dan twaalf maanden is, als het daaraan voorafgaande tijdvak langer dan twaalf maanden is geweest.

Art. 5. Bepalingen in overeenkomsten van huur en verhuur van woonruimte welke tot gevolg hebben, dat de huurprijs van woonruimte in enig tijdvak van twaalf maanden meer dan éénmaal wordt verhoogd, zijn, tenzij sprake is van de gevallen, bedoeld in de artikelen 9 en 10, nietig.

Slechts een huurverhoging per jaar

Art. 6. 1. Elk in verband met het tot stand komen van huur en verhuur van woonruimte gemaakt beding, niet de huurprijs betreffende, waarbij ten behoeve van een der partijen enig niet redelijk voordeel wordt overeengekomen, is nietig.
2. Elk in verband met het tot stand komen van huur en verhuur van woonruimte gemaakt beding, waarbij door of tegenover een derde enig niet redelijk voordeel wordt overeengekomen, is nietig.
3. De huurcommissie brengt op verzoek van de huurder of de verhuurder of van beiden met redenen omkleed schriftelijk advies uit over de vraag of met een beding als in het eerste of tweede lid bedoeld enig niet redelijk voordeel is overeengekomen. Indien zij het overeengekomen voordeel niet redelijk acht, vermeldt zij in haar advies hetgeen zij met betrekking tot het onderwerp van het beding redelijk acht. De verzoeker en diens wederpartij ontvangen een afschrift van het advies.
4. Artikel 10, derde tot en met vijfde lid, is van overeenkomstige toepassing.

Art. 7. (Vervallen bij de wet van 14 februari 1994, Stb. 132).

AFDELING 2
Huurprijzen en prijzen

Art. 8. (Vervallen bij de wet van 14 februari 1994, Stb. 132).

Art. 9. 1. De huurprijs van woonruimte die wordt verbeterd zodanig dat het naar het oordeel van Onze Minister een ingrijpende verbetering betreft en daarvoor geldelijke steun op voet van de Woningwet wordt verstrekt, is de door Onze Minister, overeenkomstig bij of krachtens algemene maatregel van bestuur te stellen regelen, vast te stellen of nader vast te stellen huurprijs.

Huurprijs bij woningverbetering

2. De in het eerste lid bedoelde huurprijs mag in rekening worden gebracht met ingang van de dag, volgende op het einde van de betalingstermijn, waarin de verbetering is tot stand gekomen.
3. De algemene maatregel van bestuur als bedoeld in dit artikel en de krachtens deze maatregel gegeven voorschriften treden niet eerder in werking dan twee maanden na de dagtekening van het Staatsblad waarin Ons besluit is geplaatst. Van de plaatsing wordt onverwijld aan de Staten-Generaal mededeling gedaan.

Art. 10. 1. De huurprijs van woonruimte, waarin of waaraan gedurende de huur-

tijd door of vanwege de verhuurder:
a. ingrepen als bedoeld in artikel 5, derde lid, van de Wet voorzieningen gehandicapten zijn verricht, in de kosten waarvan door de gemeente een financiële tegemoetkoming is verleend, of
b. voorzieningen zijn aangebracht, waardoor het woongerief geacht kan worden te zijn gestegen, die niet zijn ingrepen als bedoeld onder a, en waarop voorts artikel 9 niet van toepassing is,
is de huurprijs, vermeerderd met een door de huurder en de verhuurder, voordat de ingrepen of de voorzieningen tot stand zijn gekomen, overeen te komen bedrag, dat in redelijke verhouding staat tot de door de verhuurder bestede kosten van de ingrepen onderscheidenlijk de voorzieningen, met dien verstande, dat de nieuwe huurprijs niet hoger mag zijn dan die, welke bij toepassing van de regelen, bedoeld in artikel 15, eerste lid, als redelijk is aan te merken.

2. De huurcommissie brengt desverzocht aan de huurder of aan de verhuurder of aan beiden een met redenen omkleed schriftelijk advies uit over de vraag welke de betalingsverplichting van de huurder is met betrekking tot de in het eerste lid bedoelde huurprijs. De wederpartij van de verzoeker ontvangt afschrift van het advies.

3. Onze Minister bepaalt aan welke voorwaarden een verzoek, als bedoeld in het tweede lid, moet voldoen en welke gegevens daarbij moeten worden verstrekt of overgelegd.

4. Voor een door de huurcommissie ingevolge het tweede lid uit te brengen advies is door de verzoeker een vergoeding aan de Staat verschuldigd, waarvan het bedrag en de wijze van betaling bij algemene maatregel van bestuur worden vastgesteld.

5. Indien de in het vierde lid bedoelde vergoeding niet is voldaan ten tijde van de indiening van het in het tweede lid bedoelde verzoek, stelt de huurcommissie de indiener bij schriftelijk bericht in de gelegenheid deze vergoeding alsnog binnen een maand na de datum van verzending van dit bericht te voldoen; ingeval de indiener van deze gelegenheid geen gebruik heeft gemaakt, wordt hij in zijn verzoek niet-ontvankelijk verklaard.

Art. 10a. 1. In afwijking van artikel 10, eerste lid, kan indien de in dat lid bedoelde ingrepen of voorzieningen, al dan niet met toepassing van bestuursdwang, zijn getroffen ter uitvoering van een aanschrijving als bedoeld in artikel 15, 15a of 16 van de Woningwet, de in artikel 10, eerste lid, bedoelde verhoging van de huurprijs ook na de totstandkoming van bedoelde ingrepen of voorzieningen door de huurder en de verhuurder worden overeengekomen.

2. Indien partijen binnen drie maanden na de totstandkoming van de ingrepen of voorzieningen geen overeenstemming hebben kunnen bereiken over het bedrag van verhoging, kan de verhuurder tot uiterlijk zes maanden na die totstandkoming de huurcommissie, in welker ressort de woonruimte is gelegen, schriftelijk verzoeken uitspraak te doen over het bedrag van de verhoging na bedoelde totstandkoming. Artikel 10, derde tot en met vijfde lid, is van overeenkomstige toepassing.

3. De huurcommissie doet binnen vier maanden na ontvangst van het verzoek met redenen omkleed schriftelijk uitspraak omtrent het bedrag van de verhoging met inachtneming van de bij of krachtens de algemene maatregel van bestuur, bedoeld in artikel 15, gegeven regelen.

4. De huurcommissie kan de in het derde lid bedoelde termijn met ten hoogste twee maanden verlengen. Zij stelt partijen van de duur van de verlenging in kennis.

5. De artikelen 25, vierde tot en met zesde lid, 27 en 28, eerste tot en met derde lid, zijn van overeenkomstige toepassing.

6. Ingevolge artikel 16 van de Woningwet gelijktijdig verzonden aanschrijvingen als bedoeld in de artikelen 14, eerste lid, 15 en 15a van die wet, worden voor de toepassing van dit artikel gelijkgesteld met een aanschrijving als bedoeld in artikel 15 van de Woningwet.

Huurprijs onbewoonbaar verklaarde woning

Art. 11. 1. De huurprijs van een woning, die ingevolge artikel 29 van de Woningwet onbewoonbaar wordt verklaard is de huurprijs geldend op het tijdstip waarop de onbewoonbaarverklaring onherroepelijk is geworden, doch niet meer dan *f* 20,— per maand.

2. De krachtens het eerste lid geldende huurprijs is verschuldigd van de eerste dag af volgende op het einde van de betalingstermijn, waarin de onbewoonbaarverklaring onherroepelijk is geworden.

Art. 11a. 1. Indien een overeenkomst van huur en verhuur meer omvat dan het enkele gebruik van woonruimte en partijen bij die overeenkomst slechts de hoogte van de prijs en niet die van de huurprijs zijn overeengekomen, kan de huurder de huurcommissie, in welker ressort de woonruimte is gelegen, schriftelijk en met redenen omkleed verzoeken uitspraak te doen over de vraag of partijen slechts de hoogte van de prijs en niet die van de huurprijs zijn overeengekomen. Indien het verzoek niet met redenen is omkleed, stelt de huurcommissie de verzoeker in de gelegenheid het verzuim binnen een door haar te bepalen termijn te herstellen.

2. De huurcommissie doet binnen vier maanden na ontvangst van het verzoek met redenen omkleed schriftelijk uitspraak. Indien de huurcommissie van oordeel is dat partijen bij een in het eerste lid bedoelde overeenkomst niet slechts de hoogte van de prijs maar die van de huurprijs zijn overeengekomen, spreekt zij uit dat partijen geen prijs maar een huurprijs zijn overeengekomen. Indien de huurcommissie van oordeel is dat partijen slechts de hoogte van de prijs zijn overeengekomen, spreekt zij als huurprijs uit de bij of krachtens algemene maatregel van bestuur aangegeven ten minste redelijke huurprijs behorende bij de kwaliteit van de woonruimte, en spreekt zij als voorschotbedrag ter zake van de vergoedingen voor het meerdere uit een bedrag van 25 procent van die huurprijs. De huurcommissie wijst in haar uitspraak partijen op de in artikel 14, tweede lid, bedoelde mogelijkheid de kantonrechter te verzoeken te verklaren of partijen slechts de hoogte van de prijs en niet die van de huurprijs zijn overeengekomen, alsook op de vorm en de termijn die daarbij in acht moeten worden genomen. De huurcommissie zendt bij aangetekend schrijven een afschrift van haar uitspraak aan partijen.

3. De huurcommissie kan de in de eerste volzin van het tweede lid bedoelde termijn met ten hoogste twee maanden verlengen. Zij stelt partijen van de duur van de verlenging in kennis.

4. Bij de beoordeling van de kwaliteit van de woonruimte neemt de huurcommissie de bij of krachtens algemene maatregel van bestuur, bedoeld in artikel 15, gegeven regelen in acht.

5. In een geval als bedoeld in het tweede lid, derde volzin, treden de door de huurcommissie uitgesproken huurprijs en het door de huurcommissie uitgesproken voorschotbedrag in de plaats van de overeengekomen prijs met ingang van de eerste van de maand, volgende op die waarin het verzoekschrift van de huurder door de huurcommissie is ontvangen.

6. Artikel 10, derde tot en met vijfde lid, is van overeenkomstige toepassing.

7. Indien geen der partijen binnen twee maanden na verzending van het in de eerste volzin van het tweede lid bedoelde afschrift tot de kantonrechter, in wiens kanton de woonruimte is gelegen, een met redenen omkleed schriftelijk verzoek om te verklaren of partijen bij een overeenkomst als bedoeld in het eerste lid, slechts de hoogte van de prijs en niet die van de huurprijs zijn overeengekomen, worden partijen geacht te zijn overeengekomen als door de huurcommissie in haar uitspraak is vermeld.

AFDELING 3
Overige betalingsverplichtingen

Betalingsverplichting boven kale huur

Art. 12. 1. Indien een overeenkomst van huur en verhuur meer omvat dan het enkele gebruik van woonruimte, is de prijs die voor het enkele gebruik daarvan, vermeerderd met ten hoogste de vergoedingen welke voor dit meerdere ingevolge wettelijke voorschriften mogen worden berekend of, voor zover deze voorschriften ontbreken of een lager bedrag dan met die voorschriften in overeenstemming zou zijn billijk is, de vergoedingen welke hiervoor als redelijk zijn aan te merken.

Jaarlijkse specificatie

2. De verhuurder verstrekt de huurder elk jaar een naar de soort uitgesplitst overzicht van de in rekening gebrachte kosten als bedoeld in het eerste lid, met vermelding van de wijze van berekening daarvan. Het heeft betrekking op een tijdvak van ten hoogste twaalf maanden verstreken sedert het einde van het tijdvak, waarover het laatste overzicht werd verstrekt.

3. Bij beëindiging van een overeenkomst van huur en verhuur als in het eerste lid bedoeld, verstrekt de verhuurder de huurder een overzicht als in het tweede lid bedoeld, over het tijdvak dat op het tijdstip van die beëindiging is verstreken sedert het einde van het tijdvak waarover laatstelijk een overzicht is verstrekt.

4. Het in het tweede en derde lid bedoelde overzicht wordt verstrekt vóór het einde van het kalenderjaar, volgend op het kalenderjaar waarin het tijdvak waarop het overzicht betrekking heeft, is geëindigd, dan wel zou zijn geëindigd indien de overeenkomst van huur en verhuur niet binnen dat tijdvak zou zijn beëindigd.

Verhoging voorschot

5. Een tussen huurder en verhuurder geldend voorschotbedrag dat de huurder krachtens overeenkomst of ingevolge vaststelling door de kantonrechter op grond van artikel 14, tweede lid, aan de verhuurder is verschuldigd ter zake van de in het eerste lid bedoelde vergoedingen, mag, behoudens een na het ingaan van de huur aangegane overeenkomst, slechts worden verhoogd:
a. met ingang van de dag, volgende op het einde van de betalingstermijn waarin een overeengekomen uitbreiding heeft plaatsgevonden van hetgeen de overeenkomst van huur en verhuur meer omvat dan het enkele gebruik van de woonruimte dan wel met ingang van de betalingstermijn, met ingang waarvan een zodanige uitbreiding heeft plaatsgevonden;
b. met ingang van de dag, volgende op de betalingstermijn, waarin het laatste overzicht, bedoeld in het tweede lid, aan de huurder is verstrekt, zulks met dien verstande dat elk overzicht slechts eenmaal tot een verhoging mag leiden.

6. De verhuurder biedt de huurder desverzocht de gelegenheid, na verstrekking van een overzicht, als bedoeld in het tweede of derde lid, tot inzage van de aan het overzicht ten grondslag liggende boeken en andere zakelijke bescheiden of van afschriften daarvan.

Huurcommissie over betalingsverplichting boven kale huur

Art. 13. 1. Indien huurder en verhuurder geen overeenstemming hebben kunnen bereiken over de vraag, welke de betalingsverplichting van de huurder is met betrekking tot de in artikel 12, eerste lid, bedoelde kosten, doet de huurcommissie op verzoek van de huurder of de verhuurder met redenen omkleed schriftelijk uitspraak over de hierbedoelde betalingsverplichting. De verzoeker en diens wederpartij ontvangen een afschrift van deze uitspraak.

2. Het in het eerste lid bedoelde verzoek heeft betrekking op niet meer dan één tijdvak van ten hoogste twaalf maanden voor elke kostensoort waarop het verzoek betrekking heeft. Het verzoek kan worden gedaan tot uiterlijk twee jaar nadat de in artikel 12, vierde lid, genoemde termijn ten aanzien van het verstrekken van het overzicht is verstreken.

3. Artikel 10, derde tot en met vijfde lid, is van overeenkomstige toepassing.

4. Indien geen der partijen binnen twee maanden na verzending van het in het eerste lid bedoelde afschrift tot de kantonrechter een met redenen omkleed schriftelijk verzoek richt om de betalingsverplichting met betrekking tot de kosten, bedoeld in artikel 12, eerste lid, vast te stellen, worden partijen geacht ten aanzien van deze kosten te zijn overeengekomen als door de huurcommissie in haar uitspraak is vermeld.

5. Bij of krachtens algemene maatregel van bestuur kunnen regels worden gegeven voor de beoordeling door de huurcommissie van de betalingsverplichting, bedoeld in het eerste lid.

Verklaring kantonrechter

Art. 14. 1. De huurder en de verhuurder kunnen zich ieder schriftelijk wenden tot de kantonrechter, in wiens kanton de woonruimte is gelegen, met het verzoek te verklaren, welke de betalingsverplichting van de huurder is met betrekking tot de in artikel 10, eerste lid, bedoelde huurprijs of de in artikel 12, eerste lid, bedoelde kosten.

2. Voorts kunnen de huurder en de verhuurder zich ieder schriftelijk wenden tot de kantonrechter, in wiens kanton de woonruimte is gelegen, met het verzoek te verklaren of partijen bij een overeenkomst als bedoeld in artikel 11a, eerste lid, slechts de hoogte van de prijs en niet die van de huurprijs zijn overeengekomen. Indien de kantonrechter van oordeel is dat partijen slechts de hoogte van de prijs en niet die van de huurprijs zijn overeengekomen, stelt hij de huurprijs vast op de bij of krachtens algemene maatregel van bestuur aangegeven ten minste redelijke huurprijs behorende bij de kwaliteit van de woonruimte, en stelt hij het voorschotbedrag ter zake van de vergoedingen voor het meerdere vast op een bedrag van 25 procent van die huurprijs. In een geval als bedoeld in de vorige volzin treden de door de kantonrechter vastgestelde huurprijs en het door de kantonrechter vastgestelde voorschotbedrag in de plaats van de overeengekomen prijs met ingang van de eerste van de maand, volgende op die waarin het verzoekschrift, bedoeld in artikel 11a, eerste lid, van de huurder door de huurcommissie is ontvangen. Indien de kantonrechter van oordeel is dat partijen niet slechts de hoogte van de prijs maar die van de huurprijs zijn overeengekomen, verklaart hij dat partijen geen prijs maar een huurprijs zijn overeengekomen.

3. Een afschrift van een advies, als bedoeld in artikel 10, tweede lid, of van een uitspraak, als bedoeld in artikel 11a, tweede lid, dan wel artikel 13, eerste lid, wordt bij het verzoek gevoegd.

4. Artikel 28, tweede en derde lid, is van toepassing.

HOOFDSTUK III
Wijziging van de huurprijs

AFDELING 1
Algemeen

Criteria inzake huurprijs voor huurcommissie

Art. 15. 1. Bij of krachtens algemene maatregel van bestuur worden regelen gegeven voor de beoordeling door de huurcommissie van de kwaliteit van woonruimte en van de redelijkheid van wijzigingen van de huurprijs alsmede van de redelijkheid van huurprijzen als bedoeld in artikel 17.

2. Daarbij kunnen tevens ter vermijding van een te grote stijging van de huurprijs regelen worden gegeven inzake de hoogste toelaatbare stijging van de huurprijs ingevolge een uitspraak van de huurcommissie als bedoeld in artikel 25, derde lid.

3. Bij de beoordeling door de huurcommissie van de kwaliteit van woonruimte worden voorzieningen welke de huurder onverplicht voor eigen rekening heeft aangebracht en waardoor het woongerief geacht kan worden te zijn gestegen, buiten beschouwing gelaten, tenzij verrekening der gemaakte kosten naar billijkheid heeft plaatsgevonden.

4. De algemene maatregel van bestuur als bedoeld in dit artikel en de krachtens deze maatregel gegeven voorschriften treden niet eerder in werking dan twee maanden na de dagtekening van het Staatsblad waarin Ons besluit is geplaatst. Van de plaatsing wordt onverwijld aan de Staten-Generaal mededeling gedaan.

Minister kan huurprijs wijzigen

Art. 16. Onze Minister kan in bijzondere gevallen, op een door hem verzocht of uit eigen beweging uitgebracht advies van de huurcommissie, de overeengekomen huurprijs van woonruimte, indien deze aanzienlijk afwijkt van die welke, in verhouding tot de kwaliteit van de woonruimte, redelijk is.

Huurder kan uitspraak huurcommissie vragen

Art. 17. 1. Behoudens in het geval, bedoeld in artikel 9 kan de huurder van woonruimte tot uiterlijk drie maanden na het tijdstip waarop een door hem met betrekking tot die woonruimte voor de eerste maal aangegane overeenkomst van huur en verhuur is ingegaan, de huurcommissie, in welker ressort de woonruimte is gelegen, schriftelijk verzoeken uitspraak te doen over de redelijkheid van de overeengekomen huurprijs.

Termijn

2. De huurcommissie doet binnen vier maanden na ontvangst van het verzoek met redenen omkleed schriftelijk uitspraak omtrent de redelijkheid van de overeengekomen huurprijs. Indien zij de overeengekomen huurprijs in verhouding tot de kwaliteit van de woonruimte niet redelijk acht, vermeldt zij in haar uitspraak de huurprijs die zij redelijk acht.

3. De huurcommissie kan de in het vorige lid bedoelde termijn met ten hoogste twee maanden verlengen. Zij stelt partijen van de duur van de verlenging in kennis.

4. De huurcommissie beoordeelt de redelijkheid van de overeengekomen huurprijs met inachtneming van de bij of krachtens algemene maatregel van bestuur bedoeld in artikel 15, gegeven regelen.

5. Indien de huurcommissie van oordeel is dat de overeengekomen huurprijs of de door haar vermelde redelijke huurprijs, gelet op tekortkomingen in de onderhoudstoestand van de woonruimte niet in rekening dient te worden gebracht, geeft zij deze tekortkomingen in haar uitspraak aan en vermeldt zij daarbij een in verhouding tot die tekortkomingen lagere huurprijs als de huurprijs. De huurcommissie kan daarbij bepalen dat, nadat de genoemde tekortkomingen, blijkens een door haar op verzoek van de verhuurder gedane uitspraak, zijn opgeheven, de overeengekomen huurprijs of de door haar vermelde redelijke huurprijs in rekening mag worden gebracht met ingang van de eerste van de maand volgende op die waarin de verhuurder de in de uitspraak aangeven tekortkomingen heeft opgeheven.

Uitspraak

6. De huurcommissie wijst in haar uitspraak partijen op de in artikel 27, eerste lid bedoelde mogelijkheid de kantonrechter te verzoeken de huurprijs vast te stellen, alsook op de vorm en de termijn die daarbij in acht moeten worden genomen.

7. De huurcommissie zendt bij aangetekend schrijven een afschrift van haar uitspraak aan partijen.

8. Indien geen der partijen binnen twee maanden na verzending van het in het zevende lid bedoelde afschrift tot de kantonrechter een met redenen omkleed

schriftelijk verzoek richt om de huurprijs vast te stellen, worden partijen geacht ten aanzien van de huurprijs te zijn overeengekomen als door de huurcommissie in haar uitspraak is vermeld.

Vergoeding aan de Staat

9. Voor het doen van een uitspraak door de huurcommissie ingevolge het tweede lid is door de verzoeker een vergoeding aan de Staat verschuldigd, waarvan het bedrag en de wijze van betaling bij algemene maatregel van bestuur worden vastgesteld.

10. Op de in het negende lid bedoelde vergoeding is artikel 10, vijfde lid, van overeenkomstige toepassing.

AFDELING 2
Verplichte verhoging van de huurprijs

Verplichte huurverhoging

Art. 18. 1. De huurprijs van woonruimte als bedoeld in artikel 9 wordt gedurende vijf achtereenvolgende jaren elk jaar met ingang van 1 juli verhoogd. De verhoogde huurprijs is gelijk aan de huurprijs op 30 juni van het jaar waarin de verhoging plaatsvindt, vermeerderd met 5,5 procent.

2. De verhoging van de huurprijs, bedoeld in het eerste lid, vindt voor de eerste maal plaats met ingang van de eerste datum van 1 juli, volgende op een tijdvak van twaalf maanden na het tijdstip waarop de ingevolge artikel 9 verhoogde huurprijs in rekening mocht worden gebracht.

3. Voor verbeterde woonruimte, welke deel uitmaakt van een complex verbeterde woonruimten, geldt voor de toepassing van het tweede lid als tijdstip waarop de ingevolge artikel 9 verhoogde huurprijs in rekening mocht worden gebracht, de gemiddelde datum waarop dat voor de woonruimten in dat complex het geval was.

4. Indien woonruimte als in het eerste lid bedoeld gedurende de in het eerste lid bedoelde vijf jaren bij of krachtens algemene maatregel van bestuur aan te geven ernstige gebreken of tekortkomingen in het onderhoud vertoont die het woongenot ernstig schaden, kan Onze Minister besluiten, dat de in dat lid bedoelde verhogingen van de huurprijs niet plaatsvinden voordat de genoemde gebreken of tekortkomingen zijn opgeheven. Alvorens zodanig besluit te nemen, hoort Onze Minister de huurcommissie in welker ressort de woonruimte is gelegen.

5. Nadat de laatste ingevolge het eerste lid plaatsvindende verhoging van de huurprijs geldend is geworden, zijn de andere, op wijziging van de huurprijs betrekking hebbende, artikelen van deze wet op de in dit artikel bedoelde woonruimte van toepassing.

AFDELING 3
Verhogingen of verlagingen van de huurprijs bij overeenkomst

Voorstel tot huurverhoging

Art. 19. 1. Een voorstel tot wijziging van de huurprijs moet tenminste een maand vóór de voorgestelde datum van ingang van de wijziging schriftelijk worden gedaan en dient te vermelden:
a. de geldende huurprijs;
b. het percentage of het bedrag van de wijziging van de huurprijs;
c. de voorgestelde huurprijs;
d. de voorgestelde datum van ingang van de voorgestelde huurprijs;
e. de wijze waarop en het tijdvak waarbinnen de huurder, indien hij bezwaren heeft tegen het voorstel, daarvan kan doen blijken alsmede de gevolgen welke deze wet verbindt aan het niet doen blijken van bezwaren;

Meer dan 5,5%

f. indien het een voorstel tot verhoging van de huurprijs met meer dan 5,5 procent betreft: de wijze waarop de voorgestelde huurprijs is berekend.

Minder dan 5,5%

2. Voor het doen van een voorstel tot verhoging van de huurprijs met 5,5 procent of minder stelt Onze Minister voor zover het woonruimte betreft, welke een zelfstandige woning vormt, een model vast waarvan de verhuurder gebruik kan maken.

3. Voor het doen van een voorstel tot verhoging van de huurprijs met meer dan 5,5 procent, alsmede voor het doen van een voorstel tot verlaging van de huurprijs dient voor zover het woonruimte betreft, welke een zelfstandige woning vormt, gebruik te worden gemaakt van een door Onze Minister vast te stellen formulier.

4. Indien een overeenkomst tot wijziging van de huurprijs tot stand komt naar aanleiding van een voorstel daartoe, dat niet voldoet aan het in het eerste lid in de

aanhef en onder e, of aan het in het derde lid bepaalde, blijft de voordien geldende huurprijs verschuldigd, tenzij blijkt dat degene tot wie het voorstel was gericht door het verzuim niet is benadeeld.

Huurder oneens met voorstel huurverhoging

Art. 20. 1. Indien de huurder binnen zes weken na het tijdstip waarop de verhoging van de huurprijs blijkens het voorstel had moeten ingaan schriftelijk verklaart met een voorstel van de verhuurder tot verhoging van de huurprijs niet in te stemmen, kan de verhuurder tot uiterlijk twaalf weken na het tijdstip waarop de verhoging blijkens het voorstel had moeten ingaan, de huurcommissie, in welker ressort de woonruimte is gelegen, onder overlegging van een afschrift van zijn voorstel en van de verklaring van de huurder, schriftelijk verzoeken uitspraak te doen over de redelijkheid van het voorstel.

Huurder beantwoordt voorstel niet

2. Indien de huurder niet binnen zes weken na het tijdstip waarop de verhoging van de huurprijs blijkens het voorstel had moeten ingaan, aan de verhuurder schriftelijk antwoordt, kan de verhuurder tot uiterlijk twaalf weken na het tijdstip waarop de verhoging blijkens het voorstel had moeten ingaan, onder overlegging van een afschrift van zijn voorstel aan de huurder, de huurcommissie schriftelijk verzoeken de huurder nogmaals van zijn voorstel kennis te geven.
3. De huurcommissie voldoet zo spoedig mogelijk aan het verzoek, bedoeld in het vorige lid. Zij zendt een afschrift van de kennisgeving aan de verhuurder.
4. Indien de huurder na de kennisgeving bedoeld in het vorige lid met het voorstel tot verhoging van de huurprijs niet instemt, kan hij binnen zes weken na verzending van de kennisgeving, bedoeld in het derde lid, de huurcommissie schriftelijk met opgave van redenen verzoeken uitspraak te doen over de redelijkheid van het voorstel.
5. Onze Minister bepaalt aan welke voorwaarden de in het eerste lid bedoelde verklaring van de huurder dat hij met het voorstel van de verhuurder niet instemt, moet voldoen en welke gegevens daarbij moeten worden verstrekt of overgelegd.

Art. 21. 1. De huurder wordt geacht de voorgestelde verhoging van de huurprijs met ingang van de in het voorstel genoemde datum van ingang met de verhuurder te zijn overeengekomen indien hij niet binnen zes weken na verzending van de in artikel 20, derde lid, bedoelde kennisgeving van de huurcommissie het in het vierde lid van dat artikel bedoelde verzoek tot de huurcommissie heeft gericht.
2. Indien de huurder het in artikel 20, vierde lid, bedoelde verzoek doet, stelt de huurcommissie de verhuurder daarvan onverwijld in kennis.

Art. 22. Vervallen.

Verhuurder stemt niet in met voorstel huurverlaging

Art. 23. Indien de verhuurder met een voorstel van de huurder tot verlaging van de huurprijs niet instemt, kan de huurder tot uiterlijk twaalf weken na het tijdstip waarop de verlaging blijkens het voorstel had moeten ingaan, de huurcommissie, in welker ressort de woonruimte is gelegen, schriftelijk verzoeken uitspraak te doen over de redelijkheid van het voorstel.

Art. 24. Onze Minister bepaalt aan welke voorwaarden een verzoek, als bedoeld in de artikelen 17, eerste lid, 20, eerste, tweede of vierde lid, of 23 moet voldoen en welke gegevens daarbij moeten worden verstrekt of overgelegd.

AFDELING 4
Uitspraak van de huurcommissie

De uitspraak van de huurcommissie

Art. 25. 1. De huurcommissie doet binnen vier maanden na ontvangst van het verzoek, bedoeld in de artikelen 20, eerste of vierde lid, of 23, met redenen omkleed schriftelijk uitspraak omtrent de redelijkheid van het voorstel tot wijziging van de huurprijs. Zij vermeldt de wijziging van de huurprijs die zij redelijk acht of spreekt uit, dat het ongewijzigd blijven van de huurprijs redelijk is.
De huurcommissie vermeldt in haar uitspraak de datum van ingang die in het voorstel tot wijziging van de huurprijs is vermeld of een latere datum indien de wet zulks vergt. Indien de huurcommissie van oordeel is dat de gewijzigde huurprijs, gelet op tekortkomingen in de onderhoudstoestand van de woonruimte, niet in rekening dient te worden gebracht, geeft zij deze tekortkomingen in haar uitspraak aan. De huurcommissie kan daarbij bepalen dat, nadat genoemde tekortkomingen, blijkens een door haar op verzoek van de verhuurder gedane uitspraak, zijn opgeheven, de gewijzigde huurprijs in rekening mag worden gebracht met ingang van de eerste van

de maand volgende op die waarin de verhuurder de in de uitspraak aangegeven tekortkomingen heeft opgeheven.

2. De huurcommissie kan de in het eerste lid bedoelde termijn met ten hoogste twee maanden verlengen. Zij stelt partijen van de duur van de verlenging in kennis.

Beoordeling redelijkheid voorstel

3. De huurcommissie beoordeelt de redelijkheid van het voorstel en vermeldt in haar uitspraak de wijziging van de huurprijs die zij redelijk acht met inachtneming van de bij of krachtens algemene maatregel van bestuur bedoeld in artikel 15, gegeven regelen.
Daarbij vormt de huurcommissie slechts een eigen oordeel over de kwaliteit van de woonruimte, indien die kwaliteit al dan niet op onderdelen voorwerp van geschil is tussen partijen, terwijl geen andere tekortkomingen in de onderhoudstoestand van de woonruimte in aanmerking worden genomen, dan die welke de huurder inzake het voorstel tot verhoging van de huurprijs aan de huurcommissie heeft kenbaar gemaakt.

4. De huurcommissie wijst in haar uitspraak partijen op de in artikel 27, eerste lid, bedoelde mogelijkheid om de kantonrechter te verzoeken de huurprijs vast te stellen, alsook op de vorm en de termijn die daarbij in acht moeten worden genomen.

5. De huurcommissie zendt bij aangetekend schrijven een afschrift van haar uitspraak aan partijen.

6. Indien geen der partijen binnen twee maanden na verzending van het in het vijfde lid bedoelde afschrift tot de kantonrechter een met redenen omkleed schriftelijk verzoek richt om de huurprijs vast te stellen, worden partijen geacht een wijziging van de huurprijs of een ongewijzigd blijven daarvan te zijn overeengekomen als door de huurcommissie in haar uitspraak is vermeld.

Voorzitter kan verzoeken kennelijk niet-ontvankelijk/ongegrond verklaren

Art. 25a. 1. In afwijking van artikel 25, eerste tot en met vierde lid, kan de voorzitter van de huurcommissie onmiddellijk nadat het verzoek bedoeld in de artikelen 20, eerste of vierde lid, of 23 is ontvangen met redenen omkleed schriftelijk uitspraak doen, indien het verzoek kennelijk niet-ontvankelijk is dan wel de met betrekking tot het aan het verzoek ten grondslag liggende voorstel tot wijziging van de huurprijs bestaande bezwaren kennelijk ongegrond zijn of dat voorstel kennelijk niet redelijk is. De voorzitter van de huurcommissie kan voorts onmiddellijk met redenen omkleed schriftelijk uitspraak doen, indien het verzoek, het daaraan ten grondslag liggende voorstel tot wijziging van de huurprijs en de desbetreffende woonruimte, naar zijn oordeel, nauwe samenhang vertonen met een ander verzoek, het aan dat verzoek ten grondslag liggende voorstel tot wijziging van de huurprijs en de desbetreffende andere woonruimte, omtrent welk verzoek door de huurcommissie reeds een uitspraak is gedaan als bedoeld in artikel 25, eerste lid, welke uitspraak tevens onherroepelijk is geworden ingevolge artikel 25, zesde lid.

2. De in het eerste lid, eerste volzin, bedoelde uitspraak van de voorzitter van de huurcommissie houdt in dat het ongewijzigd blijven van de huurprijs redelijk is of dat de wijziging van de huurprijs als in het voorstel vermeld redelijk is, alsmede in laatstbedoeld geval de datum van ingang die in dat voorstel is vermeld. De in het eerste lid, tweede volzin, bedoelde uitspraak van de voorzitter van de huurcommissie houdt in dat het ongewijzigd blijven van de huurprijs redelijk is of dat de wijziging van de huurprijs als in het voorstel vermeld redelijk is, of vermeldt de wijziging van de huurprijs die de voorzitter redelijk acht, alsmede in beide laatstbedoelde gevallen de datum van ingang van die wijziging, een en ander overeenkomstig de in het eerste lid, tweede volzin, bedoelde uitspraak van de huurcommissie. Artikel 25, vijfde lid, is van overeenkomstige toepassing.

Verzet tegen uitspraak voorzitter

3. Tegen de uitspraak van de voorzitter van de huurcommissie, bedoeld in het eerste lid, kunnen huurder of verhuurder binnen veertien dagen na verzending van het afschrift van die uitspraak schriftelijk en gemotiveerd verzet doen bij de huurcommissie. De indiener van het verzetschrift kan daarbij vragen dat hij over zijn verzet wordt gehoord.

4. Alvorens een uitspraak te doen op het verzet, bedoeld in het derde lid, kan de huurcommissie hem die het verzet deed in de gelegenheid stellen te worden gehoord. Is de huurcommissie van oordeel dat het verzet ongegrond is, dan gaat zij niet tot ongegrondverklaring over dan na de indiener van het verzetschrift die daarom vroeg in de gelegenheid te hebben gesteld te worden gehoord.

5. Is de huurcommissie van oordeel dat het verzet, bedoeld in het derde lid gegrond is, dan vervalt de uitspraak van de voorzitter van de huurcommissie,

bedoeld in het eerste lid en wordt het aan de in het eerste lid bedoelde uitspraak ten grondslag liggende verzoek overeenkomstig artikel 25 door de huurcommissie in behandeling genomen.

6. Op de uitspraak op het verzet, bedoeld in het vierde lid, is artikel 25, vijfde lid, van overeenkomstige toepassing.

7. Indien de huurder of verhuurder niet binnen veertien dagen na verzending van het afschrift van de uitspraak van de voorzitter van de huurcommissie, bedoeld in het eerste lid, verzet hebben gedaan als bedoeld in het derde lid, worden huurder en verhuurder geacht een wijziging van de huurprijs of een ongewijzigd blijven daarvan te zijn overeengekomen als door de voorzitter van de huurcommissie in zijn uitspraak is vermeld. Het in de vorige volzin bepaalde is van overeenkomstige toepassing, indien de huurcommissie het verzet niet-ontvankelijk dan wel ongegrond heeft verklaard en de huurder of verhuurder niet binnen twee maanden na verzending van het afschrift van de daartoe strekkende uitspraak van de huurcommissie, de kantonrechter in wiens kanton de woonruimte is gelegen schriftelijk en met redenen omkleed heeft verzocht de huurprijs daarvan vast te stellen. Op het hier bedoelde verzoek aan de kantonrechter zijn de artikelen 27 en 28 van overeenkomstige toepassing.

Art. 25b. 1. De bevoegdheid als bedoeld in artikel 25a, eerste lid, komt de voorzitter mede toe ten aanzien van een verzoek, waarvan hij vaststelt, dat de bezwaren die bestaan tegen het voorstel tot wijziging van de huurprijs dat aan het verzoek ten grondslag ligt, gelijkluidend dan wel nagenoeg gelijkluidend zijn aan de bezwaren, die ten aanzien van dezelfde woonruimte bij de behandeling van een verzoek, als bedoeld in artikel 17, eerste lid, dan wel een verzoek, als bedoeld in artikel 20, eerste of vierde lid, of 23 aan de huurcommissie zijn kenbaar gemaakt in de laatste drie jaren voorafgaande aan de datum van indiening van het verzoek en op die bezwaren onherroepelijk afwijzend is beslist.

2. Artikel 25a, tweede tot en met zevende lid, is van overeenkomstige toepassing.

Art. 26. 1. Een ingevolge artikel 25, zesde lid, gewijzigde huurprijs mag in rekening worden gebracht met ingang van de in het voorstel tot wijziging van de huurprijs vermelde datum of, indien de huurcommissie in haar uitspraak over dat voorstel een latere datum heeft vermeld, met ingang van die latere datum, of, indien de huurcommissie in haar uitspraak over dat voorstel zulks heeft bepaald, met ingang van de eerste van de maand, volgende op die waarin de verhuurder in die uitspraak aangegeven tekortkomingen blijkens een nadere uitspraak heeft opgeheven.

2. Een ingevolge artikel 25a, zevende lid, gewijzigde huurprijs mag in rekening worden gebracht met ingang van de in het voorstel tot wijziging van de huurprijs vermelde datum of, indien de voorzitter in zijn uitspraak over dat voorstel een andere datum heeft bepaald, met ingang van die andere datum.

HOOFDSTUK IV
Verzoeken aan de kantonrechter tot vaststelling van de huurprijs

Verzoek aan kantonrechter vaststelling huurprijs

Art. 27. 1. De huurder en de verhuurder kunnen ieder gedurende twee maanden na verzending van een uitspraak van de huurcommissie als bedoeld in artikel 25, eerste lid, de kantonrechter in wiens kanton de woonruimte is gelegen schriftelijk en met redenen omkleed verzoeken de huurprijs daarvan vast te stellen. Gelijke bevoegdheid bestaat gedurende twee maanden na een uitspraak van de huurcommissie als bedoeld in artikel 17, tweede en vijfde lid. Indien het verzoek niet met redenen is omkleed stelt de kantonrechter de verzoeker in de gelegenheid het verzuim binnen een door hem te bepalen termijn te herstellen.

2. Een afschrift van de uitspraak van de huurcommissie, bedoeld in het eerste lid, wordt bij het verzoek gevoegd.

Art. 28. 1. De kantonrechter beschikt op het verzoek met inachtneming van het bepaalde bij of krachtens de artikelen 4, 5 en 15.

2. De beschikking wordt in het openbaar uitgesproken. De griffier zendt een afschrift van de beschikking aan de huurcommissie.

3. Tegen deze beschikking staat hoger beroep noch beroep in cassatie open, met uitzondering van cassatie in het belang van de wet.

4. Hetgeen in artikel 26 met betrekking tot de gewijzigde huurprijs is bepaald, is van overeenkomstige toepassing op de door de kantonrechter vastgestelde huurprijs.

HOOFDSTUK V
Overgangsbepalingen

Overgangsbepalingen

Art. 29. De rechtsvordering ter zake van hetgeen wegens huur en verhuur van woonruimte onverschuldigd mocht zijn betaald vóór het tijdstip van inwerkingtreding van deze wet wordt behandeld met toepassing van het vóór dat tijdstip geldende recht.

Art. 30. 1. De op het tijdstip van inwerkingtreding van deze wet geldende huurprijzen kunnen voor de eerste maal ingevolge het in artikel 4 bepaalde worden gewijzigd nadat twaalf maanden zijn verlopen sedert het tijdstip waarop deze huurprijzen voor de eerste maal verschuldigd zijn geworden. Het tweede lid van artikel 4 is van toepassing.

2. In afwijking van het in het vorige lid en het in artikel 4 bepaalde blijven vóór 21 oktober 1976 tot stand gekomen overeenkomsten van huur en verhuur van woonruimte met een looptijd voor wat de huurprijs betreft van meer dan twaalf maanden, voor zover het de huurprijs betreft, van kracht tot de datum waarop deze overeenkomsten zullen eindigen, doch tot uiterlijk drie jaar na het tijdstip van inwerkingtreding van deze wet.

3. Het in de voorgaande leden bepaalde is van overeenkomstige toepassing op door de rechter vastgestelde huurprijzen.

Art. 31. De op het tijdstip van inwerkingtreding van deze wet krachtens de artikelen 12, 14, 15 en 16 van het Besluit bijzondere huurprijzen 1954 (Stb. 1953, 581) verschuldigde tijdelijke verhogingen van de huurprijs blijven verschuldigd tot het einde van de in die artikelen genoemde termijn.

Art. 32. 1. De op het tijdstip van inwerkingtreding van deze wet bij een huuradviescommissie als bedoeld in artikel 10, eerste lid, van de Huurwet aanhangige

a. verzoeken als bedoeld in artikel 11 van de Huurwet;
b. aan de rechter uit te brengen rapporten als bedoeld in de artikelen 13, 20 en 23a van de Huurwet;
c. aan de kantonrechter uit te brengen adviezen als bedoeld in artikel 28e, tweede lid, van de Huurwet;

worden met toepassing van het vóór het tijdstip van inwerkingtreding van deze wet geldende recht behandeld door de huurcommissie.

2. Over door Onze Minister voor het tijdstip van inwerkingtreding van deze wet aan een huuradviescommissie, als bedoeld in artikel 10, eerste lid, van de Huurwet, of na dat tijdstip aan een huurcommissie voor het uitbrengen van advies toegezonden verzoeken, als bedoeld in de artikelen 3, tweede en derde lid, van de Huurwet of 3 en 4 van de Wet jaarlijkse huurverhogingen, of over voorstellen tot vaststelling of nadere vaststelling van huurprijzen als bedoeld in artikel 68a van de Woningwet, brengt de huurcommissie die in de plaats is getreden van de desbetreffende huuradviescommissie, geen advies uit aan Onze Minister, doch doet daarover met toepassing van het voor het tijdstip van inwerkingtreding van deze wet geldende recht een uitspraak waarvan de bij het verzoek betrokken partijen afschrift ontvangen. De artikelen 25, vijfde en zesde lid, 27 en 28 zijn van toepassing met dien verstande dat de kantonrechter beslist met toepassing van het voor het tijdstip van inwerkingtreding van deze wet geldende recht.

3. De op het tijdstip van inwerkingtreding van deze wet bij een huuradviescommissie als bedoeld in artikel 10, eerste lid, van de Huurwet aanhangige verzoeken om een verklaring als bedoeld in artikel 12, tweede lid, van de Huurwet te verstrekken, behandelt de huurcommissie, die in de plaats is getreden van de desbetreffende huuradviescommissie, zodanig dat zij de gevraagde verklaring niet verstrekt doch, met toepassing van het voor dat tijdstip geldende recht, een uitspraak doet over de redelijkheid van de door de verhuurder aangeboden nieuwe huurovereenkomst, van welke uitspraak de bij het verzoek betrokken partijen afschrift ontvangen. De artikelen 25, vijfde en zesde lid, 27 en 28 zijn van toepassing met dien verstande dat de kantonrechter beslist met toepassing van het voor het tijdstip van inwerkingtreding van deze wet geldende recht.

4. Een verklaring door een huuradviescommissie ingevolge artikel 12, tweede lid, van de Huurwet voor het tijdstip van inwerkingtreding van deze wet verstrekt, heeft, voor zover zij niet voor dat tijdstip is gevolgd door de instelling van een vordering tot ontruiming als bedoeld in artikel 18, tweede lid, onder c, van de Huurwet, de

kracht van een uitspraak als bedoeld in artikel 25. De in artikel 25, zesde lid, bedoelde termijn vangt in dit geval aan op het tijdstip waarop de huurcommissie op verzoek van de verhuurder aan de huurder bij aangetekend schrijven afschrift van de verklaring heeft gezonden. De huurcommissie wijst daarbij op de in artikel 27, eerste lid, bedoelde mogelijkheid om de kantonrechter te verzoeken de huurprijs vast te stellen alsook op de vorm en de termijn die daarbij in acht moet worden genomen. De artikelen 27 en 28 zijn van toepassing, met dien verstande, dat de kantonrechter beslist met toepassing van het voor het tijdstip van inwerkingtreding van deze wet geldende recht.

5. De door de rechter na het tijdstip van inwerkingtreding van deze wet aan een huurcommissie gevraagde adviezen worden, voor zover deze betrekking hebben op in artikel 34 bedoelde verzoeken, eveneens met toepassing van het voor het tijdstip van inwerkingtreding van deze wet geldende recht behandeld.

Art. 33. Op de op het tijdstip van inwerkingtreding van deze wet bij Onze Minister aanhangige verzoeken als bedoeld in de artikelen 3, tweede en derde lid, van de Huurwet of 3 en 4 van de Wet jaarlijkse huurverhogingen wordt beslist met toepassing van het vóór het tijdstip van inwerkingtreding van deze wet geldende recht.

Art. 34. Op de op het tijdstip van inwerkingtreding van deze wet bij de rechter aanhangige verzoeken tot vaststelling van de betalingsverplichting als bedoeld in artikel 15, eerste lid, van de Huurwet, waaromtrent op dat tijdstip nog niet onherroepelijk is beslist, blijft het voordien geldende recht van toepassing.

Art. 35. 1. Indien op het tijdstip van inwerkingtreding van deze wet de huurprijs van voordien met geldelijke steun op voet van de Woningwet tot stand gekomen woonruimte nog moet worden vastgesteld, of nader vastgesteld, kan Onze Minister deze huurprijs vaststellen of nader vaststellen. De door Onze Minister vastgestelde of nader vastgestelde huurprijs treedt in de plaats van de huurprijs welke ten tijde van de vaststelling of nadere vaststelling gold.

2. Op de huurprijs van vóór het tijdstip van inwerkingtreding van deze wet met geldelijke steun op voet van de Woningwet tot stand gekomen woonruimte, is het in artikel 18 bepaalde in zoverre van toepassing, dat de in dat artikel bedoelde verhoging van de huurprijs plaatsvindt gedurende een tijdvak van vijf jaren gerekend van de eerste datum van 1 juli, volgende op een tijdvak van twaalf maanden, na het tijdstip van de totstandkoming van die woonruimte.

Art. 36. De huurprijs van een vóór het tijdstip van inwerkingtreding van deze wet ingevolge artikel 33 van de Woningwet onbewoonbaar verklaarde woning of van woonruimte welke ingevolge het in artikel 5, tweede lid, van de Huurwet bepaalde, voor wat de huurprijs betreft, daarmede is gelijkgesteld, is de huurprijs geldend op het tijdstip van inwerkingtreding van deze wet, doch niet meer dan *f* 20,— per maand.

HOOFDSTUK VI
Slotbepalingen

Dwingend recht

Art. 37. De toepasselijkheid van de bepalingen van deze wet kan niet bij overeenkomst worden uitgesloten of beperkt.

Onverschuldigde betaling

Art. 38. 1. Na verloop van één jaar, te rekenen van de dag, waarop voor de eerste maal bij onherroepelijke beslissing de betalingsverplichting van de huurder is vastgesteld, doch niet later dan drie jaar, te rekenen van de dag waarop het genot van de woonruimte is geëindigd, vervalt de rechtsvordering ter zake van hetgeen onverschuldigd mocht zijn betaald.

2. De rechter kan de in het eerste lid bedoelde vordering tot een verminderd bedrag toewijzen, indien de billijkheid zulks vergt.

Art. 38a. In elke na het verstrijken van de termijn, bedoeld in artikel 13, tweede lid, ingestelde rechtsvordering ter zake van de vergoedingen, bedoeld in artikel 12, eerste lid, wordt een uitspraak van de huurcommissie dan wel beschikking van de kantonrechter omtrent de betalingsverplichting van de huurder met betrekking tot deze vergoedingen overgelegd.

Art. 38b. In elke rechtsvordering ter zake van hetgeen onverschuldigd mocht zijn betaald in verband met een overeenkomst als bedoeld in artikel 11a, eerste lid, waarbij partijen slechts de hoogte van de prijs en niet die van de huurprijs zijn overeengekomen, wordt een uitspraak van de huurcommissie, als bedoeld in artikel 11a, tweede lid, dan wel beschikking van de kantonrechter, als bedoeld in artikel 14, tweede lid, overgelegd.

Art. 39. Onze Minister doet jaarlijks vóór 31 december aan de Tweede Kamer der Staten-Generaal een nota toekomen inzake het in het navolgende jaar door de Regering te voeren beleid ten aanzien van de huurprijzen van woonruimte.

Art. 40. Bevat wijzigingen in de Huurwet.

Art. 41. 1. De Wet jaarlijkse huurverhogingen, de Wet huurprijsontwikkeling woonruimte (Stb. 1975, 61) en de Wet huurprijzen verbeterde woningen(Stb. 1978, 144) worden ingetrokken.

2. Artikel III van de Wet van 2 augustus 1962, Stb. 304, vervalt.

Art. 42. Bevat wijziging van de Woningwet.

Art. 43. De artikelen 429a-429r van het Wetboek van Burgerlijke Rechtsvordering treden voor de behandeling van verzoeken als bedoeld in de artikelen 14 en 27 gelijktijdig met deze wet in werking.

Citeertitel

Art. 44. Deze wet kan worden aangehaald als 'Huurprijzenwet woonruimte'. Zij treedt in werking op een door ons te bepalen tijdstip.

WET van 7 september 1973, Stb. 483, houdende het tegengaan van misbruiken bij colportage (Colportagewet) zoals laatstelijk gewijzigd bij de wet van 8 oktober 1992, Stb. 593

Alzo Wij in overweging genomen hebben, dat het wenselijk is regelen te stellen tot het tegengaan van misbruiken bij colportage en mede in verband met die regelen een aantal wijzigingen aan te brengen in de Wet op het afbetalingsstelsel 1961 (Stb. 218);

Begripsbepaling

Art. 1. 1. Voor de toepassing van het bij of krachtens deze wet bepaalde wordt verstaan onder:
a. geldkrediet, goederenkrediet, kredietgever, kredietnemer en leverancier: hetgeen voor de toepassing van de Wet op het consumentenkrediet (Stb. 1990, 395) en de daarop berustende bepalingen daaronder wordt verstaan;
b. goed: een roerende zaak of een vermogensrecht dat geen registergoed is;
c. colporteur: degene die in de uitoefening van een beroep of bedrijf door persoonlijk bezoek dan wel door of in samenhang met de aanprijzing van een goed of een dienst in een groep van ter plaatse van de aanprijzing aanwezige personen, tracht een particulier te bewegen tot het sluiten van een overeenkomst, strekkende tot het aan deze verschaffen van het genot, het aan deze verlenen van een dienst of het door deze als kredietnemer deelnemen aan een goederenkrediet;
d. Onze Minister: Onze Minister van Economische Zaken.

2. Voor de toepassing van het bij of krachtens deze wet bepaalde wordt onder een onderneming mede verstaan een bedrijf, waarmede niet wordt beoogd het maken van winst.

3. Voor de toepassing van het eerste lid, onder c, wordt als persoonlijk bezoek niet aangemerkt het persoonlijk bezoek, dat in overwegende mate voortvloeit uit een initiatief van degene, die wordt bezocht, tenzij de bezoeker degene, die hij bezoekt, tracht te bewegen tot het sluiten van een overeenkomst betreffende een ander goed of een andere dienst dan het goed of de dienst in verband waarmee om het bezoek is verzocht en degene, die wordt bezocht, toen hij het initiatief tot dat bezoek nam niet wist en redelijkerwijs niet kon weten, dat het sluiten van overeenkomsten betreffende dat andere goed of die andere dienst tot de bedrijfs- of beroepsuitoefening van de bezoeker behoorde.

4. Voor de toepassing van het eerste lid, onder c, wordt als een groep van personen niet aangemerkt een groep, welke kennelijk niet met of mede met het oog op de aanprijzing van een goed of een dienst in die groep is bijeengebracht.

5. Voor de toepassing van het bij of krachtens deze wet bepaalde worden niet als goed aangemerkt effecten als bedoeld in artikel 1, aanhef en onderdeel a, van de Wet toezicht effectenverkeer (Stb. 1991, 141) welke ter beurze zijn genoteerd dan wel niet ter beurze zijn genoteerd voor zover de waarde daarvan door middel van een openbare prijsaanduiding voor een ieder kenbaar is.

Artt. 2-5. (Vervallen bij de wet van 22 januari 1992, Stb. 70).

Kredietcolportage verboden

Art. 6. Het is verboden in de uitoefening van een beroep of bedrijf door persoonlijk bezoek dan wel door of in samenhang met de aanprijzing van een geldkrediet of van een goed of een dienst in een groep van ter plaatse van de aanprijzing aanwezige personen te trachten een ander te bewegen tot het als kredietnemer deelnemen aan een geldkrediet, dan wel een ander die handelingen te doen verrichten.

Plicht tot mededeling oogmerk

Art. 7. 1. Een colporteur is verplicht bij de aanvang van handelingen als bedoeld in artikel 1, eerste lid, onder c, aan degene die hij tot het sluiten van een overeenkomst tracht te bewegen, duidelijk mee te delen dat zulks zijn oogmerk is.

2. Een onderneming waarin of voor rekening waarvan een colporteur werkzaam is, is verplicht deze te doen handelen in overeenstemming met het eerste lid.

Verboden handelingen

Art. 8. Het is een colporteur of een onderneming waarin of voor rekening waarvan een colporteur werkzaam is, verboden
a. handelingen te verrichten of te doen verrichten als bedoeld in artikel 1, eerste lid, onder c, indien de colporteur weet of redelijkerwijs moet vermoeden dat de verplichtingen die daaruit voor de desbetreffende particulier kunnen voortvloeien, niet in overeenstemming zijn met diens draagkracht;
b. een mededeling te doen of te laten doen die misleidend is ten aanzien van een of

meer van de onderwerpen, genoemd in artikel 194 van Boek 6 van het Burgerlijk Wetboek;
c. meer dan één overeenkomst als bedoeld in artikel 1, eerste lid, onder c, te sluiten of te doen sluiten indien redelijkerwijs moet worden aangenomen dat daarmee wordt beoogd een of meer van de betalingen die de desbetreffende particulier per overeenkomst moet verrichten, te doen blijven beneden het in artikel 26, eerste lid, bedoelde bedrag;
d. handelingen te verrichten of te doen verrichten die bij algemene maatregel van bestuur als onbehoorlijke gedraging zijn aangemerkt.

Artt. 9-22. (Vervallen bij de wet van 22 januari 1992, Stb. 70).

Vernietigbaarheid overeenkomst.

Art. 23. 1. Een overeenkomst, welke het onmiddellijk gevolg is van een werkzaamheid als bedoeld in artikel 6, is vernietigbaar.
2. Een beroep op de vernietigbaarheid kan slechts worden gedaan door de kredietnemer.
3. Indien de kredietnemer een beroep op de vernietigbaarheid heeft gedaan, kan de rechter bepalen, in welke termijnen de kredietnemer aan zijn verplichting tot terugbetaling van hetgeen de kredietgever in verband met de nietigheid van hem heeft terug te vorderen zal hebben te voldoen
4. De rechtsvordering tot vernietiging verjaart door verloop van een jaar na de aanvang van de dag waarop de overeenkomst is gesloten.
5. Enige overeenkomst, volgens welke de kredietnemer verplicht is een bedrag te betalen of een andere prestatie te verrichten dan wel niet gerechtigd is reeds betaalde bedragen terug te vorderen ingeval hij een beroep op de vernietigbaarheid van de overeenkomst heeft gedaan, is nietig.

Verplichte akte

Art. 24. 1. Voor een overeenkomst, welke het onmiddellijk gevolg is van de werkzaamheid van een colporteur, is op straffe van nietigheid vereist, dat door of namens de bij de overeenkomst betrokken partijen in twee gelijkluidende exemplaren een akte wordt ondertekend, en dat onmiddellijk na de ondertekening door de partij, die door de colporteur tot het aangaan van de overeenkomst is bewogen, een exemplaar van die akte is ontvangen door ieder van beide partijen.
2. Door de bij de overeenkomst partij zijnde eigenaar of eigenaren van de onderneming, waarin, onderscheidenlijk voor rekening waarvan, de colporteur werkzaam is, wordt zorggedragen, dat:
a. in de akte, bedoeld in het eerste lid, de in artikel 25, eerste lid, bedoelde mogelijkheid om de overeenkomst te ontbinden wordt vermeld alsmede zijn of hun naam en zijn of hun adres, waarnaar de in artikel 25, eerste lid, bedoelde mededeling kan worden gezonden, een en ander op straffe van nietigheid van de overeenkomst;
b. de akte is opgemaakt met inachtneming van de overigens bij algemene maatregelen van bestuur te stellen regelen betreffende de inhoud van dergelijke akten, alsmede betreffende de wijze, waarop deze moeten zijn opgemaakt.

Ontbinding

Art. 25. 1. Een overeenkomst als in artikel 24, eerste lid, bedoeld is ontbonden, zodra de partij, die door de colporteur tot het deelnemen aan het goederenkrediet of het sluiten van de overeenkomst is bewogen, met inachtneming van het in het tweede lid bepaalde aan de wederpartij dan wel aan de betrokken leverancier of kredietgever heeft medegedeeld, dat hij ontbinding van de overeenkomst of van een tot het goederenkrediet behorende overeenkomst verlangt.
2. De in het eerste lid bedoelde mededeling dient uiterlijk te worden gedaan op de achtste dag na die, waarop voor de eerste maal een exemplaar van de desbetreffende akte door de in het derde lid bedoelde Kamer van Koophandel en Fabrieken van een gewaarmerkte dagtekening is voorzien.
3. De dagtekening geschiedt door de Kamer van Koophandel en Fabrieken, binnen welker gebied de betrokken onderneming gevestigd is, of door de Kamer van Koophandel en Fabrieken, binnen welker gebied de betrokken onderneming gevestigd is, of door de Kamer van Koophandel en Fabrieken voor Rotterdam, indien de betrokken onderneming buiten Nederland gevestigd is. Dagtekening heeft niet plaats alvorens degene, die deze verlangt, een bij algemene maatregel van bestuur vast te stellen bedrag heeft betaald. Bij of krachtens die maatregel kunnen tevens nadere regelen betreffende de dagtekening en de waarmerking daarvan worden gesteld.
4. Een brief of briefkaart, die blijkens een bewijs van terpostbezorging uiterlijk op de in het tweede lid bedoelde achtste dag aangetekend aan het in artikel 24,

tweede lid, onder a, bedoelde adres is verzonden, wordt, behoudens tegenbewijs, geacht een mededeling te bevatten als in het eerste lid bedoeld. Zodanige brief of briefkaart wordt geacht de geadresseerde te hebben bereikt op het tijdstip, waarop die brief of briefkaart voor de eerste maal aan bedoeld adres ter uitreiking is aangeboden.

5. Artikel 23, vijfde lid, is in geval van ontbinding als bedoeld in het eerste lid van overeenkomstige toepassing. Deze ontbinding heeft terugwerkende kracht.

Vordering tot nakoming

6. Nakoming van een uit de overeenkomst voortvloeiende verbintenis kan door ieder der partijen eerst worden gevorderd op de negende dag na die van de in het tweede lid bedoelde dagtekening van een exemplaar van de akte.

Art. 26. 1. De artikelen 24 en 25 gelden niet voor overeenkomsten, waarbij het totaal van de betalingen, ingevolge de overeenkomst of het goederenkrediet door de in artikel 25, eerste lid, bedoelde partij te verrichten, minder bedraagt dan een bij algemene maatregel van bestuur vast te stellen bedrag.

2. De artikelen 24 en 25 gelden voorts niet voor overeenkomsten, welke het onmiddellijk gevolg zijn van colportage door middel van persoonlijk bezoek, die plaatsvindt in de uitoefening van een bedrijf, waarin aan vaste afnemers door middel van colportage hoofdzakelijk levensmiddelen plegen te worden verkocht.

Art. 27. 1. Alvorens een voordracht tot vaststelling, wijziging of intrekking van een maatregel als bedoeld in artikel 8, onder d, 24, tweede lid, of 26, eerste lid, te doen hoort Onze Minister een commissie als bedoeld in artikel 43 van de Wet op de Bedrijfsorganisatie (Stb. 1950, K 22).

2. De commissie stelt de naar haar oordeel bij de aangelegenheid in belangrijke mate betrokken hoofdbedrijfschappen en bedrijfschappen of, bij ontstentenis hiervan, representatieve organisaties van ondernemers en werknemers, alsmede de naar haar oordeel representatieve consumentenorganisaties in de gelegenheid zich te doen horen. Zij kan ook anderen horen.

Artt. 28-33. (Vervallen bij de wet van 22 januari 1992, Stb. 70).

Art. 34. Deze kan worden aangehaald als: Colportagewet.

Inwerkingtreding

Art. 35. 1. Behoudens het in het tweede lid bepaalde treedt deze wet in werking op een door Ons te bepalen tijdstip.

2. Artikel 5, eerste lid, treedt in werking drie maanden na het in het eerste lid bedoelde tijdstip.

3. Een krachtens artikel 5, tweede lid, vastgestelde algemene maatregel van bestuur treedt niet eerder in werking dan drie maanden na de datum van uitgifte van het Staatsblad, waarin zij is geplaatst.

WET van 4 juli 1990, Stb. 395, houdende regels met betrekking tot het consumentenkrediet (Wet op het consumentenkrediet), zoals laatstelijk gewijzigd bij de wet van 23 december 1993, Stb. 690

Allen, die deze zullen zien of horen lezen, saluut! doen te weten:

Alzo Wij in overweging genomen hebben, dat het wenselijk is nieuwe regels te geven met betrekking tot het consumentenkrediet, mede ter vervanging van de bepalingen van de Wet op het consumptief geldkrediet (Stb. 1972, 399) en de Wet op het afbetalingsstelsel 1961 (Stb. 1976, 515) en, in verband daarmee, de Colportagewet (Stb. 1973, 438) te wijzigen en voorts, dat de richtlijn (EEG) nr. 87/102 van de Raad van de Europese Gemeenschappen, van 22 december 1986, betreffende de harmonisatie van de wettelijke en bestuursrechtelijke bepalingen der Lid-Staten inzake het consumentenkrediet (PbEG L 42), noodzaakt tot het vaststellen van een aantal wettelijke bepalingen met betrekking tot het consumentenkrediet;

Zo is het, dat Wij, de Raad van State gehoord, en met gemeen overleg der Staten-Generaal, hebben goedgevonden en verstaan, gelijk Wij goedvinden en verstaan bij deze:

HOOFDSTUK I
Algemene bepalingen

AFDELING 1
Definities

Begripsbepalingen

Art. 1. In deze wet en de daarop berustende bepalingen wordt verstaan onder:
a. kredietransactie: iedere overeenkomst en ieder samenstel van overeenkomsten met de strekking dat:

1°. door of vanwege de eerste partij (de kredietgever) aan de tweede partij (de kredietnemer) een geldsom ter beschikking wordt gesteld en de tweede partij aan de eerste partij een of meer betalingen doet,

2°. door of vanwege de eerste partij (de kredietgever) aan de tweede partij (de kredietnemer) het genot van een roerende zaak wordt verschaft of een bij algemene maatregel van bestuur aangewezen dienst wordt verleend en de tweede partij aan de eerste partij een of meer betalingen doet, of

3°. door of vanwege de eerste partij (de kredietgever) aan de tweede partij (de kredietnemer), dan wel ten behoeve van deze aan een derde partij (de leverancier) een geldsom ter beschikking wordt gesteld ter zake van het verschaffen van het genot van een roerende zaak of het verlenen van een bij algemene maatregel van bestuur aangewezen dienst aan de tweede partij, en de tweede partij aan de eerste partij of aan de derde partij een of meer betalingen doet,

en dat ten minste een van de betalingen van de kredietnemer later plaatsvindt dan drie maanden nadat de geldsom ter beschikking is gesteld, onderscheidenlijk nadat met het verschaffen van het genot van de zaak of het verlenen van de dienst een aanvang is gemaakt;
b. krediet verlenen: het als kredietgever deelnemen aan een kredietransactie;
c. kredietbemiddeling: alle bedrijfs- of beroepsmatige verrichtingen en bemoeiingen, gericht op het tot stand brengen van een kredietransactie, van iemand (de kredietbemiddelaar) die geen partij is bij die transactie;
d. geldkrediet: een kredietransactie als bedoeld onder a, 1°;
e. goederenkrediet: een kredietransactie als bedoeld onder a, 2° of 3°;
f. doorlopend geldkrediet: een geldkrediet, waarbij de kredietnemer op verschillende tijdstippen geldsommen bij de kredietgever kan opnemen, voor zover het uitstaand saldo een bepaald bedrag (de kredietlimiet) niet overschrijdt:
g. doorlopend goederenkrediet: een goederenkrediet, waarbij de kredietgever dan wel de leverancier ervoor heeft te zorgen, dat aan de kredietnemer op verschillende tijdstippen het genot van zaken wordt verschaft of diensten worden verleend, voor zover het uitstaand saldo een bepaald bedrag (de kredietlimiet) niet overschrijdt;
h. uitstaand saldo bij geldkrediet: het op enig tijdstip bestaande totaal van de tot en met dat tijdstip door de kredietnemer opgenomen geldsommen, vermeerderd met de tot en met dat tijdstip aan deze in rekening gebrachte kredietvergoeding en verminderd met de door deze tot en met dat tijdstip gedane betalingen;
i. uitstaand saldo bij goederenkrediet: het op enig tijdstip bestaande totaal van de contantprijzen van de zaken onderscheidenlijk diensten, waarvan aan de kredietnemer tot en met dat tijdstip het genot is verschaft, onderscheidenlijk welke aan de

kredietnemer zijn verleend, vermeerderd met het totaalbedrag van de in dat kader tot en met dat tijdstip aan de kredietnemer in rekening gebrachte kredietvergoeding en verminderd met het totaalbedrag van de in dat kader tot en met dat tijdstip door de kredietnemer gedane betalingen;
j. kredietvergoeding: alle beloningen en vergoedingen, in welke vorm ook, die de kredietgever of de leverancier ter zake van een kredietransactie bedingt, in rekening brengt of aanvaardt, bij goederenkrediet verminderd met het totaal van de contantprijzen van de zaken onderscheidenlijk diensten, waarvan de kredietnemer het genot wordt verschaft onderscheidenlijk welke aan de kredietnemer worden verleend;
k. effectief kredietvergoedingspercentage op jaarbasis: de bij afwikkeling van een kredietransactie overeenkomstig de betalingsregeling aan de kredietnemer in rekening te brengen kredietvergoeding, uitgedrukt in een percentage op jaarbasis van het uitstaand saldo;
l. kredietsom bij geldkrediet: de geldsom die de kredietnemer in het kader van een geldkrediet ter beschikking wordt gesteld, met dien verstande, dat bij doorlopend geldkrediet de kredietlimiet als die geldsom wordt aangemerkt;
m. kredietsom bij goederenkrediet: het verschil tussen het totaal van de contantprijzen van de zaken onderscheidenlijk diensten, waarvan de kredietnemer het genot wordt verschaft, onderscheidenlijk welke aan de kredietnemer worden verleend, en de door deze in dat kader gedane contante betalingen, met dien verstande, dat bij doorlopend goederenkrediet de kredietlimiet als dat verschil wordt aangemerkt;
n. gemeentelijke kredietbank: een instelling voor kredietverlening, opgericht door een of meer gemeenten;
o. Onze Minister: Onze Minister van Economische Zaken;
p. richtlijn: richtlijn (EEG) nr. 87/102 van de Raad van de Europese Gemeenschappen, van 22 december 1986, betreffende de harmonisatie van de wettelijke en bestuursrechtelijke bepalingen der Lid-Staten inzake het consumentenkrediet (PbEG L 42).

AFDELING 2

Beperking van de reikwijdte van de wet

Reikwijdte

Art. 2. Deze wet geldt slechts voor kredietransacties, waaraan de kredietgever en, in voorkomend geval, de leverancier, deelnemen in de uitoefening van een bedrijf of beroep en waarbij de kredietnemer een natuurlijke persoon is.

Uitzonderingen

Art. 3. 1. Deze wet geldt niet voor kredietransacties, waarbij de kredietsom meer dan vijftigduizend guldens bedraagt.

2. In afwijking van het eerste lid gelden de ingevolge artikel 26 te regelen verplichtingen met betrekking tot het vermelden van het effectieve kredietvergoedingspercentage op jaarbasis, mede voor kredietransacties waarbij de kredietsom meer dan vijftigduizend gulden bedraagt.

3. Het in het eerste en tweede lid genoemde bedrag kan bij algemene maatregel van bestuur in verband met geldontwaarding, dan wel in verband met een herziening van de in de richtlijn genoemde bedragen ingevolge artikel 13, tweede lid, van de richtlijn, worden gewijzigd. Een zodanige maatregel kan niet eerder dan twee jaar na het tijdstip van in werking treden van deze wet worden vastgesteld en vervolgens niet eerder dan twee jaar na het vaststellen van de vorige maatregel. Het nieuw vast te stellen bedrag kan slechts vijfduizend gulden of een veelvoud daarvan afwijken van het voordien geldende bedrag, tenzij de wijziging verband houdt met een herziening als bedoeld in artikel 13, tweede lid, van de richtlijn. Een aldus bij algemene maatregel van bestuur vastgesteld bedrag treedt in de plaats van het in het eerste en tweede lid genoemde bedrag.

Uitzonderingen

Art. 4. 1. Deze wet geldt voorts niet voor kredietransacties:
a. waarbij het effectieve kredietvergoedingspercentage op jaarbasis, berekend op door Onze Minister aan te geven wijze, op het tijdstip van aangaan van de transactie niet meer bedraagt dan de wettelijke rente, zoals vastgesteld bij de algemene maatregel van bestuur, bedoeld in artikel 120 van Boek 6 van het Burgerlijk Wetboek, mits geen openbaar aanbod wordt gedaan tot het deelnemen aan die transacties;
b. betreffende zaken, die naar hun aard uitsluitend in de uitoefening van een bedrijf of van een zelfstandig uitgeoefend beroep plegen te worden gebruikt of verbruikt;
c. waaraan als kredietnemer deelneemt een ondernemer, die de betrokken zaken in

de uitoefening van een bedrijf wederverkoopt;
d. waaraan als kredietnemer deelneemt een ondernemer of zelfstandige beroepsbeoefenaar en met betrekking waartoe in een door de kredietnemer ondertekende verklaring staat vermeld, dat het krediet wordt verleend ten behoeve van de uitoefening van diens bedrijf of beroep;
e. die bestaan uit een overeenkomst van huur en verhuur of waartoe een zodanige overeenkomst behoort, tenzij deze betrekking heeft op bij algemene maatregel van bestuur aan te wijzen zaken en de strekking heeft dat het verschaffen van het genot van de zaak, waarop de overeenkomst betrekking heeft, al of niet door verlenging van die overeenkomst of het aangaan van een nieuwe overeenkomst, langer dan zes maanden zal duren;
f. die bestaan uit een geldkrediet, bij het aangaan waarvan hypothecaire zekerheid wordt verleend, dan wel een geldkrediet met betrekking waartoe reeds hypothecaire zekerheid bestaat, mits het krediet wordt verleend tegen een voor hypothecaire financieringen van de betrokken kredietgever gebruikelijk effectief kredietvergoedingspercentage op jaarbasis;
g. die bestaan uit belening van een levensverzekering bij de betrokken levensverzekeraar;
h. die bestaan uit belening van ter beurze genoteerde effecten dan wel van niet ter beurze genoteerde effecten, voor zover de waarde daarvan door middel van een openbare prijsaanduiding voor een ieder kenbaar is, mits de kredietsom de waarde van de betrokken effecten op het tijdstip van het aangaan van de transactie niet te boven gaat;
i. die bestaan uit een belening in de zin van de Pandhuiswet (Stb. 1910, 321), welke plaats vindt in een bank van lening als bedoeld in artikel 1, eerste lid, van die wet, indien daar in hoofdzaak beleningen plaatsvinden op de in die bepaling omschreven wijze;
j. waaraan wordt deelgenomen door openbare lichamen, ter uitvoering van een wettelijke taak.

2. In afwijking van het eerste lid geldt het bepaalde bij en krachtens de artikelen 26, vijfde lid, en 69 mede ten aanzien van krediettransacties als bedoeld in het eerste lid, onder f.

3. Indien een kredietgever bij het deelnemen aan krediettransacties als bedoeld in het eerste lid, onder a, handelt in strijd met hetgeen van een goed kredietgever in het maatschappelijk verkeer mag worden verwacht kan Onze Minister deze wet dan wel een of meer bepalingen daarvan van toepassing verklaren ter zake van zodanige krediettransacties.

AFDELING 3

Gemeentelijke kredietbanken

Gemeentelijke kredietbank

Art. 5. 1. Hoofdstuk II van deze wet geldt niet voor kredietverlening door een gemeentelijke kredietbank.

2. De artikelen 33, onder d, en 40 gelden niet voor kredietverlening door een gemeentelijke kredietbank:
a. aan een kredietnemer, wiens inkomen niet hoger is dan de bijstand die op grond van de Algemene Bijstandswet (Stb. 1973, 395) aan hem kan worden verleend of
b. in het kader van een regeling met betrekking tot de bestaande schuldenlast van een kredietnemer (saneringskrediet).

Oprichting en opheffing

Art. 6. Een gemeentelijke kredietbank wordt opgericht en opgeheven bij of ingevolge een daartoe strekkend besluit van de gemeenteraad. Het besluit wordt onderworpen aan de goedkeuring van gedeputeerde staten.

Vaststellen reglement voor bedrijfsvoering

Art. 7. 1. De gemeenteraad stelt voor de bedrijfsvoering van de gemeentelijke kredietbank een reglement vast, waaruit ten minste dient te blijken op welke wijze zal worden voldaan aan het bepaalde bij of krachtens de hoofdstukken III en IV van deze wet.

2. In het reglement worden regels gesteld van gelijke strekking als het voorschrift, bedoeld in artikel 14, tweede lid.

3. Het reglement wordt onderworpen aan de goedkeuring van gedeputeerde staten.

Art. 8. (Vervallen bij de wet van 11 november 1993, Stb. 610)

HOOFDSTUK II
De kredietgever

AFDELING 1

De vergunning

Art. 9. Het is verboden zonder daartoe verleende vergunning krediet te verlenen, dan wel zich als kredietgever voor te doen.

Vergunning

Art. 10. 1. Bij of krachtens algemene maatregel van bestuur worden regels gesteld betreffende de wijze, waarop de aanvraag om een vergunning moet worden ingediend, de gegevens welke daarbij moeten worden verstrekt en de bescheiden die daarbij moeten worden overgelegd.

Regels voor aanvraag

2. De aanvrager is ten gunste van 's Rijks schatkist een bij of krachtens de maatregel vast te stellen bedrag verschuldigd.

Art. 11. 1. Op een aanvraag om een vergunning wordt beslist door Onze Minister.

Beslissing over aanvraag

2. Op de aanvraag wordt beslist binnen drie maanden na ontvangst van de aanvraag.

Art. 12. 1. Een vergunning kan worden verleend aan een rechtspersoon met volledige rechtsbevoegdheid en daarbij aangesloten instellingen te zamen, indien die rechtspersoon:

Voorwaarden voor verlening

a. beschikt over voldoende statutaire bevoegdheden jegens de aangesloten instellingen om een handelen van een zodanige instelling in strijd met het bij of krachtens deze wet bepaalde, dan wel met hetgeen anderszins van een goed kredietgever in het maatschappelijk verkeer mag worden verwacht, tegen te kunnen gaan,
b. beschikt over voldoende mogelijkheden tot deskundige ondersteuning van de aangesloten instellingen, en
c. gemachtigd is die instellingen bij de vergunningaanvraag en ook overigens voor de toepassing van dit hoofdstuk te vertegenwoordigen.

2. Indien na de verlening van een vergunning als bedoeld in het eerste lid een instelling zich op gelijke voet aansluit bij de rechtspersoon, gaat de vergunning mede gelden voor die instelling.

Art. 13. Onze Minister verleent de vergunning tenzij er gegronde reden is om aan te nemen dat:

Weigeringsgronden

a. de feitelijke toestand niet met het in of bij de aanvraag vermelde in overeenstemming is of zal zijn;
b. bij de kredietverlening in strijd zal worden gehandeld met het bij of krachtens deze wet bepaalde dan wel met hetgeen anderszins van een goed kredietgever in het maatschappelijk verkeer mag worden verwacht;
c. de aanvrager bij de kredietverlening niet voor eigen rekening en risico zal optreden.

Art. 14. 1. Een vergunning kan onder beperkingen worden verleend. Aan een vergunning kunnen voorschriften worden verbonden.

Beperkingen/ voorschriften

2. Aan de vergunning wordt het voorschrift verbonden dat de houder op een daarbij aan te geven wijze dient deel te nemen aan een stelsel van kredietregistratie, tenzij dit voorschrift naar het oordeel van Onze Minister in redelijkheid niet aan de vergunning kan worden verbonden.

3. Aan een vergunning als bedoeld in artikel 12 wordt het voorschrift verbonden dat aan Onze Minister melding moet worden gedaan van de aansluiting van een instelling als bedoeld in artikel 12, tweede lid, onderscheidenlijk van de beëindiging daarvan.

Art. 14a. Zodra een instelling ingevolge artikel 52, tweede lid, onder *c, d, f* onderscheidenlijk *g*, van de Wet toezicht kredietwezen 1992 (Stb. 1992, 722) in het in dat artikel bedoelde register is ingeschreven, beschikt die instelling, voor zover het aan die instelling ingevolge artikel 31, tweede lid, 32, tweede lid, 50, eerste lid, onderscheidenlijk artikel 51, eerste lid, van genoemde wet is toegestaan krediet te verlenen, over een van rechtswege, zonder beperkingen, verleende vergunning als bedoeld in artikel 9 van deze wet.

Art. 14b. 1. Zodra de inschrijving van een instelling als bedoeld in artikel 14a openbaar is gemaakt, zendt Onze Minister die instelling onverwijld een schriftelijke bevestiging van de in dat artikel bedoelde vergunning, vergezeld van een verzoek tot het verschaffen van de in het tweede lid bedoelde gegevens en bescheiden betreffende de kredietverlening.

2. Bij ministeriële regeling wordt bepaald welke gegevens en bescheiden moeten worden verstrekt, alsmede op welke wijze dit dient te geschieden.

3. De instelling doet de gegevens en bescheiden binnen drie maanden na ontvangst van het in het eerste lid bedoelde verzoek toekomen aan Onze Minister.

Art. 14c. 1. Onze Minister kan binnen drie maanden na de dag waarop de in artikel 14b bedoelde gegevens en bescheiden zijn ontvangen in het belang van een goede uitvoering van deze wet voorschriften verbinden aan de vergunning van de betrokken instelling.

2. Artikel 14, tweede lid, is van toepassing.

Wijzigen, aanvullen, intrekken

Art. 15. Op schriftelijk verzoek van de vergunninghouder kan Onze Minister de beperkingen en voorschriften wijzigen, aanvullen of intrekken, alsnog beperkingen aanbrengen of voorschriften aan de vergunning verbinden dan wel de vergunning intrekken.

Aanwijzingen aan vergunninghouder

Art. 16. 1. Onze Minister kan een aanwijzing geven aan de vergunninghouder:
a. die handelt in strijd met de bij of krachtens deze wet gegeven voorschriften;
b. die anderszins handelt in strijd met hetgeen van een goed kredietgever in het maatschappelijk verkeer mag worden verwacht;
c. die bij de kredietverlening niet voor eigen rekening en risico optreedt.

2. De aanwijzing vermeldt de handelingen welke de vergunninghouder naar het oordeel van Onze Minister dient te verrichten of na te laten.

3. Onze Minister kan bij het geven van de aanwijzing verklaren dat deze buiten beschouwing blijft voor de toepassing van artikel 17, eerste lid, onder b.

4. Onze Minister kan een aanwijzing ter openbare kennis brengen wanneer deze niet meer door een beslissing in beroep kan worden getroffen.

Intrekken, beperken of verbinden van voorschriften

Art. 17. 1. Buiten de gevallen, bedoeld in artikel 15, eerste lid, kan een vergunning door Onze Minister worden ingetrokken of beperkt of kunnen daaraan door hem voorschriften worden verbonden:
a. indien de te harer verkrijging verstrekte gegevens zodanig onjuist of onvolledig blijken, dat de vergunning zou zijn geweigerd, onderscheidenlijk onder beperking of met voorschriften zou zijn verleend, indien bij de behandeling van de aanvraag de juiste gegevens bekend waren geweest;
b. indien binnen twee jaar, nadat een krachtens artikel 16 aan de houder gegeven aanwijzing onherroepelijk is geworden, zich wederom een geval als bedoeld in artikel 16, eerste lid, voordoet;
c. indien de vergunninghouder aan een aanwijzing geen gevolg geeft;
d. indien de vergunninghouder gedurende een periode van ten minste twaalf opeenvolgende maanden minder dan honderd kredieten heeft verleend;
e. indien de vergunninghouder in staat van faillissement is komen te verkeren of indien door een rechterlijke beschikking één of meer goederen van de vergunninghouder onder een bewind als bedoeld in artikel 380, 409 of 431 van Boek 1 van het Burgerlijk Wetboek zijn gesteld of indien diens ondercuratelestelling is uitgesproken.

2. Een vergunning wordt door Onze Minister ingetrokken of beperkt of daaraan worden door hem voorschriften verbonden, indien blijkt van gedragingen van de vergunninghouder of van handelingen in zijn onderneming welke in zodanige mate indruisen tegen hetgeen van een goed kredietgever in het maatschappelijk verkeer redelijkerwijs mag worden verwacht dat het krediet verlenen hem niet langer dan wel slechts met beperkingen of onder voorschriften kan worden toegestaan.

3. Het bepaalde in het eerste lid onder *a, d* en *e,* is niet van toepassing ten aanzien van de houder van een vergunning als bedoeld in artikel 14a.

Verval van de vergunning

Art. 18. 1. De vergunning vervalt, behoudens het bepaalde in het tweede lid, door:
a. overlijden van de vergunninghouder;
b. het onherroepelijk worden van een rechterlijke beschikking houdende ondercuratelestelling van de vergunninghouder;
c. fusie van de rechtspersoon aan wie de vergunning is verleend;

d. ontbinding van de rechtspersoon aan wie de vergunning is verleend;
e. overdracht door de vergunninghouder van de onderneming waarvoor de vergunning is verleend.

2. Indien toepassing is gegeven aan artikel 12 en zich een van de in het eerste lid bedoelde feiten of omstandigheden voordoet ten aanzien van een van de aangesloten instellingen, vervalt de werking van de vergunning voor de betrokken instelling. Indien het de in artikel 12 genoemde rechtspersoon als zodanig betreft, vervalt de vergunning in haar geheel.

3. Het bepaalde in het eerste en tweede lid is niet van toepassing ten aanzien van een vergunning als bedoeld in artikel 14a. Een zodanige vergunning vervalt zodra de inschrijving, bedoeld in artikel 14a, is komen te vervallen.

4. Indien zich een geval als bedoeld in het eerste, tweede of derde lid voordoet en de onderneming waarvoor de vergunning werd verleend, onderscheidenlijk waarvoor de vergunning mede geldt, aan een andere persoon is overgedragen of op een andere persoon is overgegaan, blijft de vergunning voor die persoon gelden gedurende twee maanden na de dag waarop ingevolge het eerste of tweede lid de vergunning, onderscheidenlijk de werking daarvan, zou vervallen en, indien binnen die tijdsruimte door die persoon een nieuwe vergunning is aangevraagd, verder tot het tijdstip waarop de beslissing op de aanvraag onherroepelijk is geworden.

Afwikkeling van lopende zaken

Art. 19. Van het tijdstip af waarop de vergunning is vervallen of ingetrokken, onderscheidenlijk de werking daarvan is vervallen, geldt het in artikel 9 bedoelde verbod niet voor de voormalige vergunninghouder, onderscheidenlijk de betrokken instelling, voor zover het de afwikkeling van de lopende zaken betreft.

AFDELING 2

Het register

Register van vergunninghouders

Art. 20. 1. Er is een register waarin de vergunninghouders worden ingeschreven. Het register wordt gehouden door Onze Minister en ligt bij diens ministerie voor een ieder kosteloos ter inzage.

2. Onze Minister bepaalt welke gegevens betreffende de vergunninghouders in het register worden opgenomen en op welke wijze het register wordt ingericht.

Inschrijving

Art. 21. 1. De inschrijving van een vergunninghouder geschiedt zodra hem een vergunning als bedoeld in artikel 9 is verleend, onderscheidenlijk een bevestiging als bedoeld in artikel 14b, eerste lid, is gezonden.

2. De inschrijving van een vergunninghouder wiens vergunning onherroepelijk is ingetrokken of is vervallen wordt doorgehaald.

3. Onze Minister brengt de nodige aanvullingen of wijzigingen in de ingeschreven gegevens aan indien zich een geval als bedoeld in artikel 12, tweede lid, voordoet, dan wel de werking van een vergunning voor een aangesloten instelling als bedoeld in artikel 12, eerste lid, vervalt door het beëindigen van de aansluiting of door de werking van artikel 18, tweede lid.

4. Indien hem genoegzaam is gebleken dat de ten aanzien van een vergunninghouder ingeschreven gegevens niet overeenstemmen met de werkelijke situatie is Onze Minister bevoegd de nodige wijzigingen in de ingeschreven gegevens aan te brengen. Hij doet hiervan aan de vergunninghouder zo spoedig mogelijk schriftelijk mededeling.

Verstrekken van gegevens

Art. 22. 1. Onze Minister verstrekt aan een ieder op diens verzoek afschriften van, uittreksels uit of mededelingen betreffende in het register opgenomen gegevens.

2. Onze Minister stelt de voor de verstrekking van andere dan mondelinge gegevens verschuldigde bedragen vast.

AFDELING 3

Overige bepalingen

Administratie van vergunninghouder

Art. 23. 1. De vergunninghouder zorgt voor een behoorlijke administratie van zijn bedrijf of beroep.

2. De vergunninghouder richt de administratie zodanig in dat aan de hand hiervan de naleving van de bij of krachtens deze wet gegeven voorschriften zo goed mogelijk kan worden beoordeeld.

3. Onverminderd het bepaalde in artikel 6, derde lid, Wetboek van Koophandel is de vergunninghouder of de voormalige vergunninghouder verplicht alle bescheiden die gegevens inhouden betreffende een door hem verleend krediet onder zich te houden gedurende vijf jaren na de dag waarop die kredietransactie is afgewikkeld.

4. In gevallen waarin een vergunning als bedoeld in artikel 12 is verleend, rusten de in het eerste tot en met derde lid bedoelde verplichtingen op de in artikel 12 genoemde rechtspersoon onderscheidenlijk elk van de afzonderlijke aangesloten instellingen, voor zover het de bedrijfsuitoefening van die rechtspersoon onderscheidenlijk van een zodanige instelling betreft.

Jaaropgave verleende kredieten

Art. 24. 1. Iedere vergunninghouder is verplicht Onze Minister binnen een half jaar na afloop van elk kalenderjaar een opgave te verstrekken van:

a. het aantal in het afgelopen kalenderjaar verleende kredieten alsmede het totaal van de kredietsommen daarvan, onderverdeeld naar grootte van de kredietsom, looptijd en kredietvergoeding;

b. het aantal van de tot en met het afgelopen kalenderjaar verstrekte, nog lopende kredieten alsmede de uitstaande saldi daarvan, onderverdeeld als bedoeld onder a.

2. Onze Minister kan regels stellen aangaande de wijze waarop de in het eerste lid bedoelde gegevens moeten worden verstrekt en nadere regels aangaande de onderverdeling van die gegevens. Daarbij kan hij bepalen dat de gegevens moeten worden verstrekt door tussenkomst van een dienst waarbij de ingevolge artikel 57 aangewezen ambtenaren werkzaam zijn, dan wel van de in artikel 62, eerste lid, bedoelde organisatie.

Onderzoek door accountant

Art. 25. 1. De vergunninghouder geeft jaarlijks opdracht aan een onafhankelijke accountant tot het verrichten van onderzoek ten behoeve van het door Onze Minister uit te oefenen toezicht op de naleving van het bij en krachtens deze wet bepaalde.

2. Onze Minister stelt regels ten aanzien van het in het eerste lid bedoelde onderzoek. Deze regels hebben in elk geval betrekking op de gegevens die moeten worden verzameld, de wijze waarop het onderzoek dient te geschieden, de werkzaamheden die in dat kader dienen te worden verricht en de verslaglegging aangaande het onderzoek.

3. De vergunninghouder brengt het door de accountant aan hem uitgebrachte verslag van het onderzoek ter kennis van Onze Minister, uiterlijk op een door deze te bepalen tijdstip. Onze Minister kan bepalen dat het verslag te zijnen behoeve ter kennis wordt gebracht van een dienst waarbij de ingevolge artikel 57 aangewezen ambtenaren werkzaam zijn of aan de in artikel 62, eerste lid, bedoelde organisatie.

4. De vergunninghouder verleent bij de opdracht tot het onderzoek de accountant een schriftelijke machtiging om desgevraagd aan de ingevolge artikel 57 aangewezen ambtenaren en de ingevolge artikel 62 aangewezen accountants alle inlichtingen te verstrekken, die redelijkerwijs nodig zijn ter uitvoering van hun taak. Indien een zodanige ambtenaar of accountant inlichtingen verlangt van de accountant die een opdracht tot onderzoek van de vergunninghouder heeft ontvangen, stelt hij de vergunninghouder of een door deze aan te wijzen vertegenwoordiger in de gelegenheid aanwezig te zijn bij het verstrekken van de inlichtingen.

HOOFDSTUK III
Werving, bemiddeling en behandeling van kredietaanvragen

Bekendmaking voorwaarden kredieттransacties

Art. 26. 1. Iedere kredietgever en iedere leverancier is verplicht kosteloos een prospectus beschikbaar te stellen, waarin hij de voorwaarden, waaronder hij bereid is deel te nemen aan kredieттransacties, bekend maakt. Bij algemene maatregel van bestuur worden, in het belang van een goede voorlichting, regels gesteld ten aanzien van die bekendmaking. Tot die regels behoort in elk geval de verplichting voor de kredietgever, op wie artikel 28, tweede lid, van toepassing is, om in het prospectus te vermelden hetgeen hij ter voldoening aan die bepaling verricht.

2. Gelijke regels als bedoeld in het eerste lid kunnen bij maatregel worden gesteld voor andere wijzen van aanbieding van kredieten.

3. Het eerste en tweede lid zijn van overeenkomstige toepassing ten aanzien van iedere kredietbemiddelaar met betrekking tot bekendmaking van de voorwaarden waaronder de kredietgever voor wie hij bemiddelt, bereid is deel te nemen aan kredieттransacties.

4. Tot de regels, bedoeld in het eerste en tweede lid, behoort in elk geval de verplichting tot vermelding van het effectieve kredietvergoedingspercentage op jaarbasis, berekend op de door Onze Minister aangegeven wijze, in prospectussen en in andere aanbiedingen waarin melding wordt gemaakt van kredietvergoeding of van betalingen, te verrichten door de kredietnemer.

5. De kredietgever en de kredietbemiddelaar dienen in aanbiedingen van geldkrediet als bedoeld in artikel 4, eerste lid, onder f, waarin melding wordt gemaakt van kredietvergoeding of van betalingen, te verrichten door de kredietnemer, het effectieve kredietvergoedingspercentage op jaarbasis te vermelden. Onze Minister stelt regels aangaande de berekening van dit percentage en de vermelding daarvan. Daarbij bepaalt Onze Minister dat de berekening en de vermelding geschieden op de wijze die is vastgelegd in een daarbij aan te wijzen overeenkomst tussen kredietgevers, indien hij van oordeel is dat aldus op genoegzame wijze uitvoering wordt gegeven aan artikel 3 van de richtlijn.

Beloning/ vergoeding

Art. 27. 1. Het is de kredietbemiddelaar verboden bij het verlenen van bemiddeling tot het afsluiten van een kredieттransactie een beloning of vergoeding, in welke vorm ook, te bedingen of te aanvaarden van, dan wel in rekening te brengen aan een ander dan de kredietgever. Hetzelfde geldt ten aanzien van de leverancier voor het door deze bevorderen van het tot stand komen van een kredieттransactie.

2. Bij algemene maatregel van bestuur worden, ten einde een zorgvuldige kredietbemiddeling te bevorderen, regels gesteld ter zake van de beloning of vergoeding, bedoeld in het eerste lid, alsmede ter zake van de wijze van uitbetaling daarvan.

3. Nietig is een overeenkomst, voor zover daarbij van het eerste lid of van de regels, bedoeld in het tweede lid, wordt afgeweken.

Inlichtingen omtrent kredietwaardigheid

Art. 28. 1. De kredietgever neemt niet deel aan een kredieттransactie waarvan de kredietsom meer dan tweeduizend gulden bedraagt, zonder te beschikken over genoegzame, andere dan mondelinge, inlichtingen aangaande de kredietwaardigheid van degene, voor wie het krediet wordt aangevraagd. De kredietgever houdt van de inlichtingen aantekening in zijn administratie.

2. Indien de kredietgever ingevolge het voorschrift, bedoeld in artikel 14, tweede lid, deelneemt aan een stelsel van kredietregistratie is hij verplicht, alvorens een krediet te verlenen waarvan de kredietsom tweeduizend gulden of meer bedraagt, de in dat kader geregistreerde gegevens over reeds aan degene, voor wie het krediet wordt aangevraagd, verleende kredieten op te vragen, voor zover hij bevoegd is deze te verkrijgen. De kredietgever is verplicht van de verkregen gegevens aantekening te houden in zijn administratie.

3. Het in het eerste en tweede lid genoemde bedrag kan, in verband met geldontwaarding, bij algemene maatregel van bestuur worden gewijzigd. Een aldus bij algemene maatregel van bestuur vastgesteld bedrag treedt in de plaats van het in het eerste en tweede lid genoemde bedrag.

Weigering kredietaanvraag

Art. 29. 1. Indien de kredietaanvraag niet wordt ingewilligd doet de kredietgever de aanvrager op diens verzoek schriftelijk opgaaf van de redenen daarvan.

2. Het is de kredietgever verboden ter zake van een niet ingewilligde kredietaanvraag een beloning of vergoeding, in welke vorm ook, in rekening te brengen aan of te bedingen dan wel te aanvaarden van de aanvrager of degene, ten behoeve van wie het krediet is aangevraagd.

3. Nietig is een overeenkomst, voor zover daarbij van het tweede lid wordt afgeweken.

HOOFDSTUK IV
De kredietransactie

AFDELING 1
Het aangaan van een kredietransactie

Aangaan van kredietransactie bij akte

Art. 30. 1. Een overeenkomst die een kredietransactie vormt of tot een zodanige transactie behoort en waarbij een kredietnemer partij is, wordt aangegaan bij een door of namens alle partijen ondertekende onderhandse of notariële akte.

2. Indien een overeenkomst als bedoeld in het eerste lid wordt aangegaan bij onderhandse akte, verstrekt de kredietgever of, in geval van een overeenkomst waarbij uitsluitend een leverancier en een kredietnemer partij zijn, de leverancier een door hem ondertekend afschrift aan de kredietnemer.

Gegevens die de akte moet bevatten

3. De kredietgever en de leverancier dragen er, ieder voor zover hij aan de transactie deelneemt, zorg voor, dat de akte in ieder geval de volgende gegevens bevat:
a. de naam en het adres van ieder der partijen;
b. de naam en het adres van de kredietbemiddelaar die bij de totstandkoming van de overeenkomst betrokken is geweest;
c. de kredietsom in cijfers en in letterschrift;
d. bij goederenkrediet: de contantprijs van elk van de zaken of diensten, met dien verstande dat bij doorlopend goederenkrediet slechts de contantprijs behoeft te worden vermeld van de zaken onderscheidenlijk diensten, waarvan bij het aangaan van de transactie bekend is dat aan de kredietnemer het genot daarvan wordt verschaft onderscheidenlijk dat zij worden verleend;
e. het totaalbedrag van de kredietvergoeding , voor zover het niet betreft een doorlopend krediet of een kredietransactie waarbij de kredietvergoeding variabel is;
f. het effectieve kredietvergoedingspercentage op jaarbasis, berekend op door Onze Minister aan te geven wijze;
g. de betalingsregeling;
h. de bedingen betreffende zekerheidsrechten van de kredietgever of de leverancier, met inbegrip van een afzonderlijke aanduiding van elke zaak waarop een zodanig recht rust en de ingevolge artikel 40, tweede lid, geldende regeling betreffende overgang van eigendom;
i. de bevoegdheid van de kredietnemer tot volledige of gedeeltelijke vervroegde aflossing;
j. de plaats en datum van ondertekening.

4. De in het derde lid voorgeschreven vermeldingen moeten duidelijk leesbaar en bevattelijk zijn.

Vernietigbaarheid

5. Indien niet is voldaan aan het bepaalde in het eerste of tweede lid, is de overeenkomst vernietigbaar; slechts de kredietnemer kan een beroep op de vernietigingsgrond doen.

Nietigheid

6. Bedingen waarbij aan de kredietnemer een verplichting wordt opgelegd of een recht wordt ontnomen ingeval hij een beroep op de vernietigingsgrond doet, zijn nietig.

Verlenen van een volmacht

Art. 31. 1. Een kredietnemer kan geen volmacht tot ondertekening van een overeenkomst als bedoeld in artikel 30, eerste lid, verlenen aan een kredietgever, een leverancier, een kredietbemiddelaar of iemand, die bij een van hen werkzaam is.

2. Bedingen waarbij aan de kredietnemer een verplichting wordt opgelegd of een recht wordt ontnomen ingeval hij een beroep op de ongeldigheid van de volmacht doet, zijn nietig.

3. De kredietnemer kan geen onherroepelijke volmacht tot ondertekening van een onvereenkomst als bedoeld in artikel 30, eerste lid, verlenen. Bedingen waarbij aan de kredietnemer een verplichting wordt opgelegd of een recht wordt ontnomen ingeval hij een volmacht tot zodanige ondertekening herroept zijn nietig.

Schriftelijke bevestiging

Art. 32. 1. In afwijking van artikel 30, eerste lid, kunnen de kredietgever en de leverancier ten aanzien van een krediettransactie, waarvan de kredietsom niet meer dan tweeduizend gulden bedraagt, volstaan met het onverwijld aan de kredietnemer verstrekken van een schriftelijke bevestiging van de transactie, ieder voor zover hij daaraan heeft deelgenomen. Artikel 30, derde tot en met zesde lid, is van overeenkomstige toepassing ten aanzien van de schriftelijke bevestiging.

2. Het in het eerste lid bedoelde bedrag kan, in verband met geldontwaarding, bij algemene maatregel van bestuur worden gewijzigd. Een aldus bij algemene maatregel van bestuur vastgesteld bedrag treedt in de plaats van het in het eerste lid genoemde bedrag.

AFDELING 2

Nietigheden

Nietigheid

Art. 33. Nietig is een overeenkomst als bedoeld in artikel 30, eerste lid, voor zover daarbij:

a. de kredietgever of leverancier de bevoegdheid wordt verleend, anders dan bij wijze van een verhoging van de kredietvergoeding welke is toegelaten ingevolge het bepaalde krachtens artikel 35, eenzijdig de kredietvergoeding te verhogen of anderszins de verplichtingen van de kredietnemer te verzwaren;

b. de kredietnemer zich verplicht tot het aangaan van een andere overeenkomst, anders dan ingeval:

1°. uitdrukkelijk aan de kredietnemer het recht wordt toegekend te bepalen met welke wederpartij die overeenkomst zal worden aangegaan, of

2°. de overeenkomst verplicht tot het aanhouden van een betaalrekening bij de kredietgever, door middel waarvan de uit de krediettransactie voortvloeiende betalingen dienen plaats te vinden en waaraan voor de kredietnemer geen kosten zijn verbonden;

c. vervroegde opeisbaarheid van het door de kredietnemer verschuldigde wordt bedongen, anders dan voor het geval dat:

1°. de kredietnemer, die gedurende ten minste twee maanden achterstallig is in de betaling van een vervallen termijnbedrag, na in gebreke te zijn gesteld nalatig blijft in de nakoming van zijn verplichtingen,

2°. de kredietnemer Nederland metterwoon heeft verlaten, dan wel redelijkerwijs kan worden aangenomen dat de kredietnemer binnen enkele maanden Nederland metterwoon zal verlaten,

3°. de kredietnemer is overleden en de kredietgever gegronde reden heeft om aan te nemen dat diens verplichtingen uit hoofde van de overeenkomst niet zullen worden nagekomen,

4°. de kredietnemer in staat van faillissement is komen te verkeren.

5°. de kredietnemer de tot zekerheid verbonden zaak heeft verduisterd, of

6°. de kredietnemer aan de kredietgever, met het oog op het aangaan van de overeenkomst, bewust onjuiste inlichtingen heeft verstrekt van dien aard, dat de kredietgever de overeenkomst niet of niet onder dezelfde voorwaarden zou hebben aangegaan indien hem de juiste stand van zaken bekend zou zijn geweest;

d. de kredietnemer enig recht op arbeidsloon, salaris, pensioen, andere inkomsten uit arbeid of uitkering ingevolge een sociale verzekeringswet, dan wel levensonderhoud, verschuldigd ingevolge Boek 1 van het Burgerlijk Wetboek, ter zake van een krediettransactie op enigerlei wijze overdraagt, vervreemdt of bezwaart, dan wel tot invordering daarvan een onherroepelijke volmacht, in welke vorm of onder welke benaming ook, verleent;

e. wordt afgeweken van het bepaalde bij of krachtens de artikelen 34 tot en met 46, met uitzondering van een afwijking als bedoeld in artikel 42, vijfde lid.

AFDELING 3

Kredietvergoeding en betalingen

Vormen van kredietvergoeding

Art. 34. Het is de kredietgever en de leverancier verboden enige andere vorm van kredietvergoeding te bedingen, in rekening te brengen of te aanvaarden dan:
a. een vergoeding welke verschuldigd is bij afwikkeling overeenkomstig de betalingsregeling van de transactie;
b. een vergoeding die verschuldigd wordt ingeval de kredietnemer, na ingebrekestelling, nalatig blijft in zijn verplichting tot betaling ingevolge de transactie;
c. een vergoeding die verschuldigd wordt indien de kredietnemer vervroegd aflost.

Hoogste toegelaten vergoeding

Art. 35. 1. Bij of krachtens algemene maatregel van bestuur wordt, ten einde het aanvaarden door kredietgevers van te grote risico's tegen te gaan, de ten hoogste toegelaten kredietvergoeding vastgesteld en worden regels gegeven betreffende de tijdstippen waarop de kredietvergoeding in rekening wordt gebracht.

2. De ten hoogste toegelaten kredietvergoeding wordt uitgedrukt in een geldsom, een percentage of in enige andere vorm. Deze kan verschillen naar gelang van de hoogte van de kredietsom, de looptijd van de transactie, mede in verband met de termijnen van aflossing, de vorm van de kredietvergoeding bedoeld in artikel 34, en het al dan niet variabel zijn van de kredietvergoeding.

3. Bij de maatregel, bedoeld in het eerste lid, wordt bepaald dat ter zake van kredіettransacties, waarbij de kredietvergoeding variabel is, geen vergoeding als bedoeld in artikel 34, onder c, is toegelaten.

Art. 36. Het is de kredietgever en de leverancier verboden een hogere kredietvergoeding in rekening te brengen, te bedingen of te aanvaarden, dan wel kredietvergoeding op een ander tijdstip in rekening te brengen, dan is toegelaten ingevolge artikel 35.

Vervroegde aflossing

Art. 37. 1. De kredietnemer is te allen tijde bevoegd tot volledige of gedeeltelijke vervroegde aflossing.

2. De kredietgever of de leverancier kan bedingen dat gedeeltelijke vervroegde aflossing slechts plaatsvindt door een betaling ter grootte van ten minste een termijnbedrag overeenkomstig de betalingsregeling of, indien meer wordt afgelost, een veelvoud van een zodanig bedrag, op een tijdstip waarop ingevolge de betalingsregeling een termijnbedrag dient te worden voldaan.

Verboden

Art. 38. Het is de kredietgever en de leverancier verboden:
a. ter zake van nog niet opeisbare verplichtingen van de kredietnemer andere dan chartale betaalmiddelen aan te nemen, anders dan voor volledige of gedeeltelijke vervroegde aflossing;
b. een wissel op de kredietnemer te trekken of een orderbriefje van de kredietnemer aan te nemen ter zake van hetgeen de kredietnemer verschuldigd is, dan wel een van de kredietnemer ter betaling ontvangen cheque over te dragen aan een derde.

Schriftelijke mededelingen aan kredietnemer

Art. 39. 1. Bij algemene maatregel van bestuur kunnen, in het belang van een goede voorlichting, regels worden gesteld ten aanzien van de inhoud van schriftelijke mededelingen betreffende het uitstaand saldo en de hoogte van de kredietvergoeding, welke gedurende de looptijd van de kredіettransactie door de kredietgever aan de kredietnemer worden verstrekt.

2. Bij transacties met een variabele kredietvergoeding is de kredietgever verplicht om van elke wijziging van de kredietvergoeding op het eerstvolgende rekeningafschrift mededeling te doen aan de kredietnemer, waarbij hij tevens het gewijzigde effectieve kredietvergoedingspercentage op jaarbasis, berekend op door Onze Minister aangegeven wijze, vermeldt.

3. De kredietgever verstrekt op een daartoe strekkend verzoek van de kredietnemer een gespecificeerd overzicht van het uitstaand saldo. Hij kan daarbij een vergoeding in rekening brengen tot ten hoogste het bedrag van de werkelijke kosten.

4. Binnen korte tijd na het tenietgaan van de verbintenis van de kredietnemer verstrekt de kredietgever aan de kredietnemer op diens verzoek kosteloos een gespecificeerde afrekening.

AFDELING 4

Pandrecht en eigendomsvoorbehoud

Eigendoms-voorbehoud

Art. 40. 1. Het is de kredietgever en de leverancier slechts toegestaan tot zekerheid van de nakoming van een verbintenis van de kredietnemer uit hoofde van een kredIettransactie, een pandrecht als bedoeld in artikel 237 van Boek 3 van het Burgerlijk Wetboek te vestigen op een zaak, indien die zaak door de kredietnemer ingevolge de transactie het genot van die zaak wordt verschaft. De eerste volzin is van overeenkomstige toepassing ten aanzien van het bedingen van een eigendomsvoorbehoud alsmede ten aanzien van het vestigen van een pandrecht op een vordering van de kredietnemer.

2. Een pandrecht als bedoeld in artikel 237 van Boek 3 van het Burgerlijk Wetboek dat in het kader van een doorlopende kredIettransactie op een zaak is gevestigd, eindigt van rechtswege en de eigendom van een zaak die in het kader van een doorlopende kredIettransactie is voorbehouden, gaat van rechtswege over op de kredietnemer zodra deze aflossingen heeft gedaan ter grootte van het verschil tussen de contantprijs van die zaak en het bedrag van de contante betaling betreffende het genot van die zaak, dan wel, indien geen contante betaling is gedaan, ter grootte van die contantprijs. Aflossingen worden bij goederenkrediet toegerekend aan verschillende zaken in dezelfde volgorde als waarin met het verschaffen van het genot daarvan een aanvang is gemaakt en bij geldkrediet in dezelfde volgorde als waarin zij zijn aangeschaft.

Afgifte van een zaak waarvan eigendom is voorbehouden

Art. 41. 1. Afgifte van een zaak, waarop een pandrecht als bedoeld in artikel 237 van Boek 3 van het Burgerlijk Wetboek is gevestigd of waarvan de eigendom is voorbehouden in het kader van een kredIettransactie, kan slechts worden gevorderd in de gevallen, bedoeld in artikel 33, onder c, 1° tot en met 6°. Artikel 496, tweede lid, van het Wetboek van Burgerlijke Rechtsvordering is niet van toepassing.

2. Afgifte van een zaak als bedoeld in het eerste lid kan niet meer worden gevorderd indien meer dan drie vierde deel van de kredietsom is afgelost. De vorige volzin vindt geen toepassing met betrekking tot doorlopende kredIettransacties.

3. Afgifte van een zaak als bedoeld in het eerste lid heeft, indien zij geschiedt in overeenstemming met het bepaalde in dit artikel, tot gevolg dat de tot de kredIettransactie behorende overeenkomsten van rechtswege worden ontbonden.

4. De kredietnemer kan niet worden verplicht de kredietgever of de leverancier toe te laten tot zijn woning of erf om de tot zekerheid dienende zaak te bezichtigen of tot zich te nemen.

Teruggave van de zaak na betaling

Art. 42. 1. Indien de kredietnemer binnen veertien dagen nadat hij de zaak heeft afgegeven het totale op het tijdstip van inlossing achterstallige bedrag, benevens de vergoeding, bedoeld in artikel 34, onder b, betaalt, wordt de zaak door de kredietgever teruggegeven.

2. Door de in het eerste lid bedoelde betaling wordt de ontbinding van de tot de kredIettransactie behorende overeenkomsten ongedaan gemaakt.

3. Bij herhaalde afgifte van de zaak behoeft deze door de kredietgever slechts te worden teruggegeven na betaling door de kredietnemer van het in het eerste lid bedoelde bedrag, benevens het restant van de kredietsom, alsmede de bedongen kredietvergoeding, voor zover toegelaten ingevolge artikel 35, met dien verstande, dat bij een doorlopende kredIettransactie in plaats van het restant van de kredietsom het restant van de in artikel 40, tweede lid, eerste volzin, bedoelde aflossingen moet worden betaald; de tweede volzin van dat lid vindt overeenkomstige toepassing.

4. Indien de kredietgever een redelijk belang heeft bij weigering van de teruggave, kan de rechter bepalen dat het eerste lid buiten toepassing blijft.

5. Van de bepalingen van dit artikel kan door partijen slechts ten voordele van de kredietnemer worden afgeweken.

Overdracht tot zekerheid van verzekerings-penningen

Art. 43. 1. In afwijking van artikel 229 van Boek 3 van het Burgerlijk Wetboek ontstaat een pandrecht op een vordering tot vergoeding die in de plaats treedt van een zaak als bedoeld in artikel 40, eerste lid, slechts voor het geval die zaak geheel teniet gaat.

2. Een pandrecht als bedoeld in het eerste lid eindigt van rechtswege:
a. indien de kredietnemer gelijkwaardige vervangende zekerheid stelt, of
b. zodra de kredietnemer drie vierde deel van de kredietsom heeft afgelost.

3. De kredietgever, onderscheidenlijk de leverancier, die tot inning van de in het eerste lid bedoelde verpande vordering overgaat, stelt de kredietnemer daarvan terstond schriftelijk in kennis. Daarbij deelt hij de kredietnemer mee dat deze in de gelegenheid is om gelijkwaardige vervangende zekerheid te stellen. Artikel 40, eerste lid, is niet van toepassing ten aanzien van de door de kredietnemer gestelde vervangende zekerheid.

4. Artikel 229 van Boek 3 van het Burgerlijk Wetboek en het eerste tot en met het derde lid zijn van overeenkomstige toepassing bij een eigendomsvoorbehoud ten aanzien van een zaak als bedoeld in artikel 40, eerste lid.

AFDELING 5

Overige bepalingen

Ontbinding van de overeenkomst

Art. 44. 1. Een overeenkomst als bedoeld in artikel 30, eerste lid, kan slechts door rechterlijke tussenkomst worden ontbonden, behoudens het bepaalde in artikel 41, derde lid, van deze wet en de artikelen 37 en 38a van de Faillissementswet (Stb. 1893, 140).

2. Indien bij ontbinding van zodanige overeenkomst een der partijen in een betere vermogenstoestand zou geraken dan bij het in stand blijven van die overeenkomst en afwikkeling overeenkomstig de betalingsregeling, vindt volledige verrekening plaats.

Nakoming

Art. 45. 1. Indien de leverancier van een roerende zaak of een dienst waarop een kredietttransactie als bedoeld in artikel 1, onder a, sub 3° betrekking heeft, jegens de kredietnemer tekortschiet in de nakoming van zijn verbintenis, is de kredietnemer jegens de kredietgever bevoegd op dezelfde voet de nakoming van zijn verplichtingen uit die transactie op te schorten als hij zou zijn indien het een transactie als bedoeld in artikel 1, onder a, sub 2°, betrof, indien:

a. de kredietnemer het krediet heeft verkregen krachtens een voordien tussen de kredietgever en de leverancier tot stand gekomen overeenkomst op grond waarvan uitsluitend door die kredietgever aan een wederpartij van die leverancier krediet wordt verstrekt, en

b. de kredietnemer van de leverancier schriftelijk nakoming van diens verbintenis heeft verlangd en de leverancier in gebreke is gebleven daaraan te voldoen.

2. De in het eerste lid bedoelde bevoegdheid vervalt zodra de leverancier zijn verbintenis volledig aan de kredietnemer heeft voldaan of voor de voldoening van die verbintenis zekerheid is gesteld.

3. Indien op grond van de in het eerste lid, onder b, bedoelde niet-nakoming de overeenkomst tussen de kredietnemer en de leverancier wordt ontbonden, kan de kredietnemer de vordering die hij op de voet van het tweede lid van artikel 44 heeft jegens de leverancier, geldend maken jegens de kredietgever. Het bepaalde in het eerste lid, onder b, is van overeenkomstige toepassing, tenzij de ontbinding van de overeenkomst geschiedt in verband met het faillissement van de leverancier.

4. Dit artikel is niet van toepassing op een kredietttransactie waarbij de kredietsom minder dan vijfhonderd gulden bedraagt. Het in de vorige volzin genoemde bedrag kan in verband met geldontwaarding, dan wel in verband met een herziening van bedragen als bedoeld in artikel 13, tweede lid, van de richtlijn bij algemene maatregel van bestuur worden aangepast. Een aldus bij algemene maatregel van bestuur vastgesteld bedrag treedt in de plaats van het in de eerste volzin genoemde bedrag.

5. Van de bepalingen van dit artikel kan door partijen slechts ten voordele van de kredietnemer worden afgeweken.

Toepasselijkheid op buiten Nederland gesloten overeenkomsten

Art. 46. De bepalingen van dit hoofdstuk omtrent nietigheid en vernietigbaarheid zijn mede van toepassing op overeenkomsten als bedoeld in artikel 30, eerste lid, die buiten Nederland worden gesloten door een buiten Nederland gevestigde kredietgever of leverancier met een kredietnemer die zijn gewone verblijfplaats in Nederland heeft en die het krediet in Nederland heeft aangevraagd.

HOOFDSTUK V
Schuldbemiddeling

Art. 47. 1. Schuldbemiddeling is verboden.

Schuldbemiddeling

2. Onder schuldbemiddeling wordt verstaan het in de uitoefening van een bedrijf of beroep, anders dan door het aangaan van een krediettransactie, verrichten van diensten, gericht op de totstandkoming van een regeling met betrekking tot de bestaande schuldenlast van een natuurlijke persoon, geheel of gedeeltelijk voortvloeiend uit een of meer krediettransacties.

Uitzonderingen

Art. 48. 1. Het in artikel 47, eerste lid, bedoelde verbod is niet van toepassing op schuldbemiddeling:
a. om niet;
b. door gemeenten, gemeentelijke kredietbanken of andere door gemeenten gehouden instellingen, die zich krachtens hun doelstelling met schuldbemiddeling bezighouden;
c. door advocaten, procureurs, curatoren en bewindvoerders ingevolge de Faillissementswet aangesteld, notarissen, deurwaarders, registeraccountants en accountants-administratieconsulenten;
d. door natuurlijke personen of rechtspersonen, dan wel categorieën daarvan, aan te wijzen bij algemene maatregel van bestuur.

2. Bij algemene maatregel van bestuur kan worden bepaald dat de vergoeding voor schuldbemiddeling voor ingevolge het eerste lid, onder d, aangewezen personen of categorieën van personen niet meer mag bedragen dan een daarbij te bepalen percentage van het bedrag van de schulden, voor zover daaromtrent een regeling is tot stand gekomen, dat de vergoeding niet meer mag bedragen dan de kosten van de bemiddeling, alsmede dat geen vergoeding mag worden bedongen, in rekening gebracht of aanvaard indien geen regeling is tot stand gekomen. Deze regels kunnen verschillen naar gelang van de aangewezen personen of categorieën van personen, waarop zij betrekking hebben.

3. Nietig is een overeenkomst, voor zover daarbij wordt afgeweken van het bij of krachtens het tweede lid bepaalde.

HOOFDSTUK VI
Beroep

Instellen van beroep

Art. 49. Tegen een op grond van deze wet genomen besluit kan een belanghebbende beroep instellen bij het College van Beroep voor het bedrijfsleven.

HOOFDSTUK VII
De adviescommissie consumentenkrediet

Taak van de adviescommissie

Art. 50. 1. Er is een Adviescommissie consumentenkrediet.

2. De adviescommissie heeft tot taak Onze Minister desgevraagd of uit eigen beweging te adviseren omtrent aangelegenheden die het consumentenkrediet betreffen.

3. Onze Minister hoort de adviescommissie in elk geval over de ontwerpen van krachtens deze wet vast te stellen algemene maatregelen van bestuur. Onze Minister hoort de adviescommissie voorts over de ontwerpen van door hem krachtens deze wet vast te stellen regelingen, tenzij een zodanige regeling wordt vastgesteld krachtens een algemene maatregel van bestuur als bedoeld in artikel 35 en bij die maatregel is bepaald dat het horen achterwege blijft.

Samenstelling

Art. 51. 1. De adviescommissie bestaat uit negen leden. Elk lid wordt voor vier jaar benoemd. Een aftredend lid is terstond opnieuw benoembaar.

2. De voorzitter, tevens lid, van de adviescommissie wordt bij koninklijk besluit, op voordracht van Onze Minister, benoemd en ontslagen.

3. Door Onze Minister worden benoemd uit een voordracht, op te maken door de door hem aan te wijzen representatieve organisaties van:
a. kredietgevers: drie leden;
b. gemeentelijke kredietbanken: een lid;
c. kredietbemiddelaars: een lid;
d. consumenten: drie leden.

4. Onze Minister kan de leden op verzoek of uit eigen beweging ontslaan.

Secretariaat

Art. 52. Onze Minister voorziet in het secretariaat van de adviescommissie.

Vergaderingen

Art. 53. 1. De vergaderingen van de adviescommissie zijn besloten.

2. Onze Minister, Onze Minister van Justitie en Onze Minister van Financiën kunnen zich in een vergadering van de adviescommissie doen vertegenwoordigen door een of meer door hen aan te wijzen ambtenaren.

Uitvoering

Art. 54. Ter uitvoering van haar taak kan de adviescommissie onder meer:
a. zich rechtstreeks tot derden wenden tot het verkrijgen van de inlichtingen die zij behoeft;
b. daarvoor in aanmerking komende personen ter vergadering uitnodigen om hun mening uiteen te zetten of inlichtingen te verstrekken;
c. commissies instellen om haar adviezen voor te bereiden.

Verslag

Art. 55. De adviescommissie brengt aan Onze Minister ten minste eenmaal per twee jaren verslag uit van haar werkzaamheden.

Nadere regels bij Amvb

Art. 56. Bij algemene maatregel van bestuur kunnen nadere regels worden gegeven omtrent de samenstelling, de werkwijze en de bevoegdheden van de adviescommissie.

HOOFDSTUK VIII
Toezicht op de naleving

Toezicht

Art. 57. Met het toezicht op de naleving van het bij of krachtens deze wet bepaalde zijn belast de door Onze Minister daartoe aangewezen ambtenaren.

Inzage in zakelijke bescheiden

Art. 58. De krachtens artikel 57 aangewezen ambtenaren zijn bevoegd inzage te vorderen en afschrift te nemen van boeken en andere zakelijke bescheiden, een en ander voor zover dat redelijkerwijs voor de vervulling van hun taak nodig is.

Betreden van plaatsen

Art. 59. De krachtens artikel 57 aangewezen ambtenaren zijn bevoegd alle plaatsen, met uitzondering van woningen zonder toestemming van de bewoner, te betreden, voor zover dit redelijkerwijs voor de vervulling van hun taak nodig is. Zonodig verschaffen zij zich toegang met behulp van de sterke arm.

Assistentie door andere personen

Art. 60. De krachtens artikel 57 aangewezen ambtenaren zijn bevoegd zich door andere personen die daartoe door hen zijn aangewezen te doen vergezellen, voor zover dit redelijkerwijs voor de vervulling van hun taak nodig is.

Verplichting medewerking te verlenen

Art. 61. 1. Een ieder is verplicht aan de krachtens artikel 57 aangewezen ambtenaren alle medewerking te verlenen en alle inlichtingen te verstrekken, die zij redelijkerwijs bij de uitoefening van de hun bij de artikelen 58 tot en met 60 verleende bevoegdheden behoeven.

2. Zij die uit hoofde van hun stand, beroep of ambt tot geheimhouding verplicht zijn kunnen zich verschonen van het geven van inlichtingen, doch uitsluitend voor zover het betreft hetgeen hun in hun hoedanigheid is toevertrouwd. Zij kunnen voorts het verlenen van inzage van bescheiden en het verlenen van medewerking weigeren, voor zover hun geheimhoudingsplicht zich daartoe uitstrekt.

Accountants

Art. 62. 1. Onze Minister kan het verzamelen van gegevens ten behoeve van het door hem uit te oefenen toezicht op vergunninghouders opdragen aan door hem aan te wijzen accountants, die samenwerken in één organisatie.

2. Indien Onze Minister toepassing geeft aan het eerste lid stelt hij tevens regels ten aanzien van de uitvoering van de werkzaamheden, alsmede aangaande de rapportage over de verzamelde gegevens en de uitvoering van de werkzaamheden van de accountants en de organisatie ingevolge deze wet. Onze Minister kan voorts aanwijzingen dienaangaande geven aan de aangewezen accountants.

3. Onze Minister kan een aanwijzing als bedoeld in het eerste lid ten aanzien van een of meer accountants intrekken.

Bijdrage in accountantskosten

Art. 63. 1. Iedere vergunninghouder is periodiek een bijdrage verschuldigd in de kosten die gemoeid zijn met de ingevolge deze wet door de in artikel 62 bedoelde accountants en organisatie verrichte werkzaamheden.

2. De bijdragen worden in rekening gebracht en geïnd door de in artikel 62, eerste lid, bedoelde organisatie. De organisatie legt jaarlijks een begroting van de kosten ter goedkeuring voor aan Onze Minister, volgens de door deze te stellen regels.

Onze Minister stelt voorts regels aangaande de berekening van de bijdragen van de vergunninghouders, op basis van de door hem goedgekeurde begroting, alsmede het in rekening brengen van de bijdragen.

HOOFDSTUK IX
Uitvoering van de wet

Art. 64. De regels welke krachtens deze wet worden vastgesteld, kunnen verschillen al naar gelang zij betrekking hebben op:
a. verschillende kredietsoorten;
b. houders van een vergunning als bedoeld in artikel 14a dan wel andere vergunninghouders;
c. kredietgevers die al dan niet een vestiging in Nederland hebben.

Vrijstelling/ ontheffing

Art. 65. 1. Onze Minister kan vrijstelling en, op aanvraag, ontheffing verlenen van krachtens deze wet vastgestelde voorschriften.
2. Een vrijstelling en een ontheffing als bedoeld in het eerste lid kunnen onder beperkingen worden verleend. Aan een zodanige vrijstelling en ontheffing kunnen voorschriften worden verbonden.

Voordracht voor Amvb

Art. 66. 1. De voordracht voor een algemene maatregel van bestuur als bedoeld in de artikelen 1, onder a, 2° en 3°, 3, derde lid, 4, eerste lid, onder e, 28, derde lid, 45, vierde lid, en 56 wordt gedaan door Onze Minister, in overeenstemming met Onze Minister van Justitie.
2. De voordracht voor een algemene maatregel van bestuur als bedoeld in de artikelen 3, derde lid, 10, eerste lid, 26, eerste en tweede lid, 27, tweede lid, 28, derde lid, 35, eerste lid, 39, eerste lid, 45, vierde lid, en 56 wordt gedaan door Onze Minister, in overeenstemming met Onze Minister van Financiën.
3. Een ministeriële regeling als bedoeld in de artikelen 4, eerste lid, onder a, 14b, tweede lid, 20, tweede lid, 22, tweede lid, 24, tweede lid, 25, tweede en derde lid, 26, vierde en vijfde lid, 62, tweede lid, en 63, tweede lid, wordt vastgesteld door Onze Minister, in overeenstemming met Onze Minister van Financiën.

Mededeling beschikking in Staatscourant

Art. 67. Onze Minister doet, zodra een beschikking als bedoeld in artikel 4, derde lid, 11, eerste lid, 17, indien het een intrekking van de vergunning betreft, 51 of 65 is vastgesteld, daarvan mededeling in de Nederlandse Staatscourant. Evenzo doet Onze Minister mededeling van een aanwijzing als bedoeld in artikel 57 of 62, eerste lid, alsmede de intrekking van een zodanige aanwijzing, en kan Onze Minister mededeling doen van andere beschikkingen die worden genomen op grond van deze wet.

Art. 68. (Vervallen bij de wet van 4 juni 1992, Stb. 422)

HOOFDSTUK X
Straf-, overgangs- en slotbepalingen

Strafbepaling

Art. 69. Overtreding van voorschriften, gesteld bij of krachtens de artikelen 26, 34, 36 en 38 is slechts strafbaar voor zover deze van toepassing zijn op een leverancier of een kredietbemiddelaar, alsmede, indien het het bij of krachtens artikel 26, vijfde lid, bepaalde betreft, op een kredietgever die niet beschikt over een vergunning als bedoeld in artikel 9.

Art. 70. Bevat wijzigingen in de Wet economische delicten.

Art. 71. Afdeling 1 van de vijfde titel A van Boek 7A van het Burgerlijk Wetboek geldt niet voor overeenkomsten als bedoeld in artikel 30, eerste lid, die ingevolge artikel 1576 van Boek 7A van het Burgerlijk Wetboek als koop en verkoop op afbetaling moeten worden aangemerkt, met uitzondering evenwel van de artikelen 1576a, 1576h, 1576k tot en met 1576n, 1576r, 1576u, 1576w en 1576x.

Art. 72. Bevat wijzigingen in de Colportagewet.

Art. 73. Bevat wijzigingen in de Vestigingswet detailhandel.

Art. 74. De Wet op het consumptief geldkrediet (Stb. 1972, 399) en de Wet op het afbetalingsstelsel 1961 (Stb. 1976, 515) worden ingetrokken.

Art. 75. 1. Artikel 7, eerste en tweede lid, geldt gedurende een jaar na het tijdstip van in werking treden van deze wet niet met betrekking tot een gemeentelijke kredietbank, voor de bedrijfsvoering waarvan voor dat tijdstip een reglement was vastgesteld en goedgekeurd ingevolge artikel 8 van de Wet op het consumptief geldkrediet.

2. Ten aanzien van degene, die op het tijdstip van in werking treden van deze wet in de uitoefening van een bedrijf of beroep als de in artikel 1, onder a, 1°, 2° of 3°, bedoelde eerste partij rechtmatig pleegt deel te nemen aan overeenkomsten als bedoeld in die bepaling, blijft hoofdstuk II buiten toepassing gedurende drie maanden na dat tijdstip en voorts, indien binnen die termijn door Onze Minister een aanvraag als bedoeld in artikel 10 van die kredietgever is ontvangen, tot op die aanvraag onherroepelijk is beslist. Artikel 11, tweede lid, is niet van toepassing. De vergunning wordt verleend voor zover die betrekking heeft op een voortzetting van de in de eerste volzin van dit lid bedoelde werkzaamheid en de aanvrager op het tijdstip van in werking treden van deze wet in het bezit is van een vergunning als bedoeld in artikel 2 van de Wet toezicht kredietwezen (Stb. 1978, 255).

3. Artikel 17, eerste lid, onder b en c, is ten aanzien van een vergunninghouder van overeenkomstige toepassing met betrekking tot een voor het tijdstip van in werking treden van deze wet gegeven waarschuwing op grond van artikel 7 of 17 van de Wet op het afbetalingsstelsel 1961, onderscheidenlijk schriftelijke aanwijzing als bedoeld in artikel 19 van de Wet op het consumptief geldkrediet.

4. De artikelen 30 tot en met 32, 33, onder b, c en d, 34, 36, voor zover het betreft het bedingen van een niet variabele kredietvergoeding, 37, 40 tot en met 42, 43, 44, eerste lid, 45 en 46 gelden niet voor overeenkomsten met een bepaalde looptijd, welke zijn aangegaan voor het tijdstip van in werking treden van deze wet, en ten aanzien van voor dat tijdstip aangegane overeenkomsten met een onbepaalde looptijd eerst met ingang van de dag, liggende drie jaar na dat tijdstip.

5. Artikel 33, onder e, voor zover deze bepaling betrekking heeft op artikel 34, 36, voor zover het betreft het bedingen van een niet variabele kredietvergoeding, 37, 40, 41, 42, 43, 44, eerste lid, 45 of 46, geldt niet voor overeenkomsten met een bepaalde looptijd, welke zijn aangegaan voor het tijdstip van in werking treden van deze wet en ten aanzien van voor dat tijdstip aangegane overeenkomsten met een onbepaalde looptijd eerst met ingang van de dag, liggende drie jaar na dat tijdstip.

6. Artikel 10, tweede lid, van de Colportagewet, zoals dat komt te luiden ingevolge artikel 72, onder F, geldt niet met betrekking tot een natuurlijke persoon of rechtspersoon zolang ingevolge het tweede lid hoofdstuk II ten aanzien van die natuurlijke persoon of rechtspersoon buiten toepassing blijft.

7. Deze wet geldt niet voor een krediet dat wordt verleend in de vorm van een toegelaten debetstand op een rekening bij een kredietgever, tevens houder van een vergunning als bedoeld in artikel 2 van de Wet toezicht kredietwezen, indien die rekening:

a. bestemd is voor het verrichten en ontvangen van betalingen aan, onderscheidenlijk van, derden;

b. strekt tot gebruik in de uitoefening van het bedrijf of het beroep van de kredietnemer en

c. geopend is voor het tijdstip, bedoeld in artikel 77, eerste volzin.

Art. 76. Artikel 75, vierde en vijfde lid, is van overeenkomstige toepassing met betrekking tot de inwerkingtreding van een verhoging van het in artikel 3, eerste lid, genoemde bedrag, op grond van artikel 3, derde lid, alsmede een verlaging van het in artikel 45, vierde lid, genoemde bedrag, op grond van dat lid.

Inwerkingtreding

Art. 77. Deze wet treedt in werking op een bij koninklijk besluit te bepalen tijdstip. Bij koninklijk besluit kan een ander tijdstip worden vastgesteld, waarop hoofdstuk VII in werking treedt.

Citeertitel

Art. 78. Deze wet kan worden aangehaald als: Wet op het consumentenkrediet.

WET van 13 October 1950, Stb. K 452, houdende regelen nopens de huurprijzen van onroerend goed en de bescherming van huurders (Huurwet), zoals laatstelijk gewijzigd bij de wet van 22 juni 1994, Stb. 573

Alzo Wij in overweging genomen hebben, dat het wenselijk is nieuwe regelen te stellen nopens de huurprijzen van onroerend goed en de bescherming van de huurders;

HOOFDSTUK I
Algemeen

Grenzen der toepasselijkheid

Art. 1. 1. Deze wet is niet van toepassing op:
a. ongebouwde onroerende zaken;
b. woonruimte, als bedoeld in artikel 1, onder a, van de Huurprijzenwet woonruimte;
c. bedrijfsruimte, als bedoeld in artikel 1624 van het Burgerlijk Wetboek.

2. De Hoofdstukken V en VI, met uitzondering van de artikelen 20 en 27, zijn niet van toepassing op de huur en verhuur van woningen, welke aan een gemeente toebehoren en ten tijde van het aangaan van de overeenkomst voor afbraak bestemd zijn.

Begrippen

3. In deze wet wordt verstaan onder:
a. prijs:
het geheel van de verplichtingen, welke de huurder tegenover de verhuurder bij of ter zake van huur en verhuur op zich neemt;
b. huurprijs:
de prijs welke bij huur en verhuur is verschuldigd voor het enkele gebruik van een onroerende zaak;
c. gebouwde onroerende zaak:
een gebouw of een gedeelte daarvan, indien dit gedeelte een zelfstandige bedrijfsruimte vormt, een en ander met zijn normale onroerende aanhorigheden;
d. Onze Minister:
Onze Minister belast met de zorg voor de volkshuisvesting.

HOOFDSTUK II
Huurprijs en overige betalingsverplichtingen

Prijzenplafond

Art. 2. 1. Ter zake van huur en verhuur gelden de prijzen bij of krachtens deze wet bepaald, voor zover partijen niet na de inwerkingtreding van de desbetreffende bepalingen lagere prijzen zijn overeengekomen.

2. De bij of krachtens deze wet bepaalde prijs wordt voor elke termijnbetaling zo nodig naar boven afgerond op een veelvoud van vijf cent. Onze Minister kan met betrekking tot een met steun uit 's Rijks kas tot stand gekomen gebouwde onroerende zaak anders bepalen.

Derdenbedingen

3. Elk in verband met het tot stand komen van huur en verhuur van onroerende zaak gemaakt beding, waarbij door of tegenover een derde enig niet redelijk voordeel wordt overeengekomen, is nietig.

Maximum huurprijs

Art. 3. 1. De huurprijs van een vóór 1 juli 1994 tot stand gekomen gebouwde onroerende zaak is de huurprijs op 30 juni 1994, tenzij partijen anders overeenkomen, voor zover de overeengekomen huurprijs die, welke op 30 juni 1994 ingevolge deze wet ten hoogste mocht worden overeengekomen, met niet meer dan 5,5 ten honderd overschrijdt.

Toestaan van hoger percentage

2. Onze Minister kan desverzocht het in het eerste lid genoemde percentage vervangen door een hoger indien en voor zover zulks nodig is om de huurprijs van de gebouwde onroerende zaak:
a. indien het betreft een woning, in betere verhouding te kunnen brengen tot die van in de laatste vijf jaren met steun uit 's Rijks kas op voet van de Woningwet tot stand gekomen woningen;
b. indien het betreft een gebouwde onroerende zaak, niet zijnde een woning, in betere verhouding te kunnen brengen tot die van in de laatste vijf jaren zonder financiële tegemoetkoming van overheidswege tot stand gekomen soortgelijke gebouwde onroerende zaken.

Onze Minister bepaalt aan welke voorwaarden een verzoek, als hiervoor bedoeld, moet voldoen en welke gegevens daarbij moeten worden verstrekt of overgelegd.

Hij kan tevens de normen bepalen, welke bij een dergelijk verzoek — wil het voor inwilliging vatbaar zijn — in acht moeten worden genomen.

Advies huurcommissie

3. Onze Minister maakt van zijn in het voorgaande lid bedoelde bevoegdheid slechts gebruik nadat partijen omtrent het hogere percentage tot overeenstemming zijn gekomen of — bij gebreke daarvan — nadat de huurcommissie, bedoeld in artikel 2 van de Wet op de huurcommissies, zich omtrent de redelijkheid van dit hogere, althans een hoger percentage, met het oog op het bereiken van het in het tweede lid, onder a, of b omschreven doel, heeft uitgesproken. Daarbij worden buiten beschouwing gelaten belangrijke veranderingen, welke de huurder of degene, die krachtens huurbescherming in het genot van de gebouwde onroerende zaak is, onverplicht voor eigen rekening in de gedaante en inrichting van de zaak heeft aangebracht en waardoor het woongerief — bij woningen — of de gebruikswaarde — bij bedrijfsruimten — geacht kan worden te zijn gestegen, tenzij verrekening der gemaakte kosten naar billijkheid heeft plaatsgevonden.

Indien partijen nadat Onze Minister van zijn bevoegdheid, hem gegeven in lid 2, sub a, van dit artikel, gebruik heeft gemaakt, over de huurprijs geen overeenstemming kunnen bereiken, stelt Onze Minister die huurprijs desverzocht met ingang van een door hem te bepalen tijdstip vast. Indien bij het verzoek geen verklaring, als bedoeld in artikel 12, tweede lid, is overgelegd, hoort Onze Minister alvorens te beslissen de huurcommissie, bedoeld in artikel 2 van de Wet op de huurcommissies.

Woningen met rijkssteun

4. In afwijking van het bepaalde in het eerste lid is de huurprijs van een woning tot stand gekomen met steun uit 's Rijks kas op voet van het Koninklijk besluit van 28 juni 1947, nr. 24: de huurprijs op 30 juni 1994.

Tijdsduur

5. Overeenkomsten, als bedoeld in het eerste lid mogen, voor zover de huurprijs betreft, een tijdvak van 5 jaar niet overschrijden.

Het begrip woning

6. Voor de toepassing van dit artikel wordt als woning aangemerkt een gebouwde onroerende zaak, die een zelfstandige woning vormt, alsmede een andere gebouwde onroerende zaak, waarvan meer dan 60 ten honderd van het totale vloeroppervlak behoort tot een niet zelfstandige woning, met uitzondering van winkelwoningen.

Nieuwe huren

7. Indien een gebouwde onroerende zaak op 30 juni 1994 nog niet was tot stand gekomen, of niet of met een andere bestemming was verhuurd, of de toen bestaande huur en verhuur niet onder normale omstandigheden was tot stand gekomen, dan wel de huurprijs niet met stelligheid uit de totale prijs op 30 juni 1994 kan worden afgeleid, geldt als huurprijs op deze datum die van een vergelijkbare onroerende zaak.

Regelingen bij a.m.v.b.

Art. 4. Bij of krachtens algemene maatregel van bestuur kunnen voor categorieën van gebouwde onroerende zaken, alsmede voor bepaalde gebouwde onroerende zaken, welke naar Ons oordeel om bijzondere redenen een afwijkende regeling behoeven, andere huurprijzen worden vastgesteld dan die, welke voortvloeien uit het bepaalde in artikel 3.

Onbewoonbare woningen

Art. 5. 1. In afwijking van het bepaalde artikel 3 is de huurprijs van een onbewoonbaar verklaarde woning: de huurprijs op 31 december 1950. Op deze huurprijs is het bepaalde in artikel 3, zevende lid, van overeenkomstige toepassing.

2. Onze Minister kan overeenkomstig door Ons bij algemene maatregel van bestuur te stellen regelen het bepaalde in het voorgaande lid van toepassing verklaren op een woning, welke — hoewel niet onbewoonbaar verklaard — naar zijn oordeel ongeschikt is ter bewoning en niet door het aanbrengen van verbeteringen in bewoonbare staat kan worden gebracht.

3. De krachtens het eerste of tweede lid geldende huurprijs is verschuldigd van de eerste dag af volgende op het einde van de betalingstermijn, waarin de onbewoonbaarverklaring onherroepelijk is geworden of de in het laatstgenoemde lid bedoelde verklaring is afgelegd.

Gedeelten van gebouwen

Art. 6. De huurprijs van een gedeelte van een gebouwde onroerende zaak, welk gedeelte niet een zelfstandige woning of zelfstandige bedrijfsruimte vormt, is die, welke tot de huurprijs van de gebouwde onroerende zaak in dezelfde verhouding staat als het gebruiksgenot van het gedeelte tot het gebruiksgenot van het geheel.

Zelfbewoning van gedeelte

Art. 7. Indien een gedeelte van een woning of van een bedrijfsruimte is verhuurd, terwijl de verhuurder zelf een gedeelte blijft bewonen of voor de uitoefening van zijn bedrijf blijft bezigen, is de huurprijs die, voortvloeiende uit het bepaalde in de voorgaande artikelen, vermeerderd met 20%.

Aangewezen categorieën van woningen

Art. 8. 1. In afwijking van het bepaalde in artikel 3 is de huurprijs van een tot een door Onze Minister aan te wijzen categorie van woningen behorende woning, die op of na 1 juli 1971 wordt verhuurd aan een ander dan degene, die op 30 juni 1971 als huurder of krachtens huurbescherming in het genot van de woning was: de huurprijs, welke partijen zijn overeengekomen of zullen overeenkomen.

2. Het bepaalde in het eerste lid vindt slechts toepassing nadat de huurcommissie, bedoeld in artikel 2 van de Wet op de huurcommissies, desverzocht aan de verhuurder een schriftelijke verklaring heeft verstrekt, blijkens welke de woning behoort tot de in het eerste lid bedoelde categorie van woningen. Het bepaalde in artikel 11, tweede lid, is van overeenkomstige toepassing.

3. Het bepaalde in het eerste lid is van overeenkomstige toepassing op een woning, als in dat lid bedoeld, die op 30 juni 1971 niet of met een andere bestemming was verhuurd.

4. Het bepaalde in de artikelen 6 en 7 is niet van toepassing op een woning ten aanzien waarvan het eerste of derde lid toepassing heeft gevonden.

Verschil tussen prijs en huurprijs

Art. 9. 1. Indien huur en verhuur meer omvat dan het enkele gebruik van een onroerende zaak, is de prijs die voor het enkele gebruik van de onroerende zaak, vermeerderd met:

a. voor water, gas, elektriciteit of andere energie de werkelijke of de naar redelijkheid geschatte kosten;

b. voor het gebruik van meubelen of stoffering een bedrag, berekend naar 20% 's jaars van de verkoopwaarde op het ogenblik van ingebruikgeving;

c. voor het medegebruik van meubelen of stoffering een evenredig deel van het bedrag, dat voor het uitsluitend gebruik verschuldigd zou zijn;

d. voor het overige de vergoedingen, welke hiervoor ingevolge wettelijke voorschriften ten hoogste mogen worden berekend of, voor zover deze voorschriften ontbreken, de vergoedingen welke hiervoor als redelijk zijn aan te merken.

2. In afwijking van het in het voorgaande lid onder b en c bepaalde zal, indien op enig tijdstip na 31 december 1953 het gebruik of medegebruik van meubelen of stoffering vijf achtereenvolgende jaren heeft geduurd, het aldaar bedoelde bedrag gedurende de daarop volgende vijf jaren worden berekend naar 20% 's jaars van de verkoopwaarde van die meubelen of stoffering op dat tijdstip. Het hier bepaalde is van overeenkomstige toepassing telkens indien na genoemd tijdstip het gebruik of medegebruik vijf jaren of een veelvoud daarvan heeft voortgeduurd.

HOOFDSTUK III
Huurcommissie

Art. 10. (Vervallen bij de wet van 18 januari 1979, Stb. 16).

Advies over betalingsverplichting

Art. 11. 1. De huurcommissie, bedoeld in artikel 2 van de Wet op de huurcommissies, brengt aan de huurder of gewezen huurder, of aan de verhuurder of aan beiden, desverzocht een met redenen omkleed schriftelijk advies uit over de vraag, welke de betalingsverplichting van de huurder of gewezen huurder is.

2. Voor een door de huurcommissie, bedoeld in artikel 2 van de Wet op de huurcommissies, ingevolge dit artikel uitgebracht advies is door de verzoeker een vergoeding aan de Staat verschuldigd, waarvan het bedrag en de wijze van betaling bij algemene maatregel van bestuur worden vastgesteld.

Verklaring over onderhuurders

Art. 12. 1. De huurcommissie, bedoeld in artikel 2 van de Wet op de huurcommissies, verstrekt desverzocht aan de verhuurder, die de huurder of gewezen huurder tot ontruiming heeft gedagvaard, hetzij een schriftelijke verklaring, houdende dat deze de zaak niet heeft onderverhuurd, hetzij een schriftelijke verklaring, houdende de namen en woonplaatsen der onderhuurders, zomede alle verdere gegevens betreffende de onderhuurders, welke naar het oordeel der commissie ter kennis van de rechter behoren te worden gebracht.

Verklaring over aanbod van verhuurder

2. De huurcommissie, bedoeld in artikel 2 van de Wet op de huurcommissies, verstrekt desverzocht aan de verhuurder, die niet binnen een maand nadat hij de huurder of gewezen huurder schriftelijk een nieuwe huurovereenkomst heeft aangeboden, met hem daaromtrent tot overeenstemming is gekomen, een schriftelijke verklaring, waarin haar oordeel omtrent de redelijkheid van dat aanbod is vervat en waarin tevens is aangegeven met ingang van welk tijdstip de nieuwe overeenkomst naar haar mening behoort in te gaan. Het bepaalde in artikel 11, tweede lid, is van overeenkomstige toepassing.

Richtlijnen

3. De huurcommissie, bedoeld in artikel 2 van de Wet op de huurcommissies, neemt bij het bepalen van haar, in het tweede lid bedoelde, oordeel de bij of krachtens algemene maatregel van bestuur gestelde richtlijnen in acht.

Rapport over betalingsverplichting

Art. 13. 1. De huurcommissie, bedoeld in artikel 2 van de Wet op de huurcommissies, brengt op bevel van de rechter een schriftelijk rapport uit, bevattende alle inlichtingen nopens de betalingsverplichting van de huurder of gewezen huurder, welke de rechter dienstig acht met betrekking tot een zaak waarin hij ingevolge deze wet moet oordelen.

Rechter kan afwijkend oordelen

2. De rechter zal op de adviezen, verklaringen en rapporten van de huurcommissie, bedoeld in artikel 2 van de Wet op de huurcommissies, zodanig acht slaan, als hij zal vermenen te behoren.

Art. 14. (Vervallen bij de wet van 22 juni 1994, Stb. 573).

HOOFDSTUK IV
Verzoeken aan de kantonrechter tot vaststelling van de betalingsverplichting

Beide partijen kunnen het verzoek doen

Art. 15. 1. De huurder of gewezen huurder en de verhuurder kunnen zich, gezamenlijk dan wel afzonderlijk, schriftelijk wenden tot de kantonrechter, in wiens kanton de onroerende zaak of het belangrijkste gedeelte daarvan is gelegen, met verzoek te verklaren, welke de betalingsverplichting van de huurder of gewezen huurder is.

Overlegging advies

2. Het verzoek is niet ontvankelijk, indien daarbij niet een advies, als bedoeld in artikel 11, wordt overgelegd. De rechter spreekt de niet-ontvankelijkheid niet uit dan nadat hij de verzoeker in de gelegenheid heeft gesteld het gepleegde verzuim binnen een door hem te bepalen termijn te herstellen.

3. Indien de huurder of gewezen huurder of de verhuurder zich afzonderlijk tot de kantonrechter wendt, zal hij aan zijn verzoekschrift en het daarbij over te leggen advies een afschrift van deze stukken moeten toevoegen.

Niet openbare terechtzitting

Art. 16. 1. De kantonrechter bepaalt de dag en het uur, waarop het verzoek ter terechtzitting zal worden behandeld. De terechtzitting is niet openbaar.

2. De griffier roept de huurder of gewezen huurder en de verhuurder op om ter terechtzitting te verschijnen, ten einde naar aanleiding van het verzoek te worden gehoord. De oproeping geschiedt bij aangetekende brief, waarvoor een bericht van ontvangst wordt verlangd, tenzij de rechter op grond van bijzondere omstandigheden een andere wijze van oproeping beveelt. Zij moet ten minste vijf dagen voor de dag, waarop het verzoek ter terechtzitting wordt behandeld, worden verzonden.

3. In het in artikel 15, lid 3, bedoelde geval zullen de door de verzoeker verstrekte afschriften door de griffier, na door deze voor eensluidend te zijn gewaarmerkt, bij de oproeping van degene, die het verzoek niet heeft gedaan, worden medegezonden.

Alleen cassatie in het belang der wet

Art. 17. 1. De kantonrechter beslist bij schriftelijke, met redenen omklede en in het openbaar uit te spreken beschikking. Afschrift van zijn beschikking zendt hij aan de huurcommissie, bedoeld in artikel 2 van de Wet op de huurcommissies, in zijn rechtsgebied.

2. Tegen deze beschikking staat hoger beroep noch beroep in cassatie open, met uitzondering van cassatie in het belang der wet.

Gewijzigde omstandigheden

3. Aan de beschikking van de kantonrechter zijn in een latere procedure zowel de huurder of gewezen huurder als de verhuurder gebonden, tenzij een hunner aantoont, dat de omstandigheden sedert het ogenblik waarop bedoelde beschikking is gegeven, zo aanmerkelijk zijn veranderd, dat, hadden deze bestaan op genoemd ogenblik, de beslissing een andere zou zijn geweest.

HOOFDSTUK V
Huurbescherming

Huurbescherming voor „gewezen huurder"

Art. 18. 1. Na het einde van de huur en verhuur is de gewezen huurder van rechtswege bevoegd krachtens huurbescherming in het genot van de onroerende zaak te blijven. Zulks geldt niet voor de gewezen huurder, die zelf de huurovereenkomst heeft opgezegd, of uitdrukkelijk in de beëindiging daarvan heeft bewilligd.

Ontruimingsgronden

2. De verhuurder kan de ontruiming door de huurder of gewezen huurder slechts vorderen:

a. indien wegens onbehoorlijk gebruik van de zaak, wegens ernstige overlast, zijn medebewoners, dan wel de verhuurder aangedaan, of wegens wanbetaling, van de verhuurder niet kan worden gevergd, dat de huurder of gewezen huurder nog langer in het genot van de zaak blijft;
b. indien de gewezen huurder het genot kan verkrijgen van een soortgelijke hem passende onroerende zaak en in verband daarmede van de verhuurder niet kan worden gevergd, dat de gewezen huurder nog langer in het genot van de zaak blijft;
c. indien de gewezen huurder niet toestemt in een redelijk aanbod tot het aangaan van een nieuwe huurovereenkomst met betrekking tot dezelfde onroerende zaak;
d. indien de verhuurder de onroerende zaak zo dringend nodig heeft voor eigen gebruik, vervreemding van de zaak niet daaronder begrepen, dat van hem, de economische belangen en maatschappelijke behoeften van beide partijen en van wettige onderhuurders naar billijkheid in aanmerking genomen, niet kan worden gevergd, dat de gewezen huurder nog langer in het genot van de zaak blijft;
e. indien de verhuurder de onroerende zaak nodig heeft, ten einde aan een wettelijk voorschrift of een beschikking van overheidswege te kunnen voldoen.

Indien een aanbod, als bedoeld onder c, verband houdt met het voornemen van de verhuurder om aan de onroerende zaak verbeteringen aan te brengen, waardoor het woongerief of de gebruikswaarde wordt verhoogd, wordt het aanbod wat dit betreft als redelijk aangemerkt, tenzij de gewezen huurder aannemelijk maakt, dat van hem — alle omstandigheden van het geval in aanmerking genomen — medewerking aan de verbetering niet kan worden gevergd.

Gewezen huurder na huurbeëindiging door overlijden

3. Als gewezen huurder worden na het overlijden van de huurder, indien de huurovereenkomst door dit overlijden wordt beëindigd, of na het overlijden van hem, die krachtens huurbescherming in het genot van de onroerende zaak is gebleven, aangemerkt:
a. indien het betreft een woning:
diens echtgenoot, wanneer deze ten tijde van het overlijden in de woning zijn hoofdverblijf heeft, en de bloed- en aanverwanten van de overledene of van diens echtgenoot, in de rechte linie, en in de zijlinie in de tweede graad, en voorts zij over wie de overledene of diens echtgenoot te eniger tijd de voogdij heeft uitgeoefend, voor zover zij ten tijde van het overlijden in de woning hun hoofdverblijf hebben en tot aan het overlijden in de woning met de overledene een gemeenschappelijke huishouding hadden;
b. indien het betreft een gebouwde onroerende zaak, niet zijnde een woning:
de echtgenoot van de overledene, alsmede de bloed- en aanverwanten van de overledene of van diens echtgenoot, in de rechte linie, en in de zijlinie in de tweede graad, en voorts zij over wie de overledene of diens echtgenoot te eniger tijd de voogdij heeft uitgeoefend, voor zover en zolang zij als rechtsopvolger onder algemene titel van de overledene diens bedrijf of beroep voortzetten.

Gewezen huurder als overlijden de huur niet beëindigt

4. Indien de huurovereenkomst na het overlijden van de huurder van een woning niet is geëindigd, worden, voor zover zij niet de hoedanigheid van huurder bezitten, als gewezen huurder aangemerkt de echtgenoot van de overledene, wanneer deze ten tijde van het overlijden in de woning zijn hoofdverblijf heeft, en de bloed- en aanverwanten van de overledene of van diens echtgenoot, in de rechte linie, en in de zijlinie in de tweede graad, en voorts zij over wie de overledene of diens echtgenoot te eniger tijd de voogdij heeft uitgeoefend, voor zover zij ten tijde van het overlijden in de woning hun hoofdverblijf hebben en tot aan het overlijden in de woning met de overledene een gemeenschappelijke huishouding hadden.

Het genot van de woning

5. Indien het bepaalde in het vierde lid toepassing vindt, is hij die als gewezen huurder wordt aangemerkt bij uitsluiting bevoegd tot het genot van de woning, voor zover degene die na het overlijden de hoedanigheid van huurder heeft verkregen ten tijde van het overlijden niet reeds het genot van die woning bezat. De huurder zal echter zolang hij niet bevoegd is tot het genot van de woning de huur en verhuur mogen beëindigen.

Rechten en plichten blijven gelijk

Art. 19. 1. Zolang de gewezen huurder in het geval bedoeld in het eerste lid van artikel 18 krachtens huurbescherming in het genot van de zaak blijft, hebben hij en de verhuurder dezelfde rechten en verplichtingen als indien de huur en verhuur niet zou zijn geëindigd zonder dat nochtans beroep kan worden gedaan op een in de huurovereenkomst opgenomen opzeggingstermijn.

2. Op degenen die ingevolge het bepaalde in het derde en vierde lid van artikel 18 als gewezen huurder worden aangemerkt, is het voorgaande lid van overeenkomstige toepassing.

3. Als verhuurder worden mede aangemerkt diens rechtsopvolgers ten aanzien van de onroerende zaak.

HOOFDSTUK VI
Vorderingen betrekkelijk tot huur en verhuur of tot huurbescherming

Rechter beveelt advies Huurcommissie in betalingsgeschil

Art. 20. 1. In alle gedingen, waarin de vraag, welke de betalingsverplichting van de huurder of gewezen huurder is, een punt van geschil uitmaakt, zal de rechter, tenzij een advies als bedoeld in artikel 11 is overgelegd, alvorens te beslissen, bevelen dat de huurcommissie, bedoeld in artikel 2 van de Wet op de huurcommissies, hem over deze vraag een schriftelijk rapport zal uitbrengen.

Alleen cassatie in het belang der wet

2. Tegen de beslissing van het in het eerste lid bedoelde geschilpunt staat hoger beroep noch beroep in cassatie open, met uitzondering van cassatie in het belang der wet, tenzij een der partijen aantoont, dat de omstandigheden, sedert het ogenblik, waarop bedoelde beslissing is gegeven, zo aanmerkelijk zijn veranderd, dat, hadden deze bestaan op genoemd ogenblik, de beslissing een andere zou zijn geweest.

Vorderingen tot ontruiming

Art. 21. 1. In alle gedingen tot ontruiming, gegrond op artikel 18, lid 2, onder d, kan de verhuurder in zijn vordering tot ontruiming niet worden ontvangen, indien hij niet een door de huurcommissie, bedoeld in artikel 2 van de Wet op de huurcommissies, verstrekte verklaring als bedoeld in artikel 12, eerste lid, overlegt. De rechter spreekt de niet-ontvankelijkheid niet uit dan nadat hij de verhuurder in de gelegenheid heeft gesteld het gepleegde verzuim binnen een door hem te bepalen termijn te herstellen.

2. In alle gedingen tot ontruiming gegrond op artikel 18, tweede lid, onder c, kan de verhuurder in zijn vordering tot ontruiming niet worden ontvangen, indien hij niet een door de huurcommissie, bedoeld in artikel 2 van de Wet op de huurcommissies, verstrekte verklaring als bedoeld in artikel 12, tweede lid, overlegt. Het bepaalde in de tweede zin van het eerste lid is van toepassing.

Vaststelling van voorlopige vergoeding

Art. 22. 1. De rechter zal op verzoek van de verhuurder, die ontruiming vordert, de som bepalen, welke de huurder of gewezen huurder verplicht is te betalen als voorlopige vergoeding voor het genot van het goed gedurende de procedure.

2. De rechter beslist bij het in het openbaar uit te spreken beschikking. Tegen deze beschikking staat hoger beroep noch beroep in cassatie open, met uitzondering van cassatie in het belang der wet.

3. Indien de huurder of gewezen huurder in gebreke blijft de door de rechter vastgestelde som te betalen, kan de rechter aanstonds de eis tot ontruiming toewijzen.

Uitstel bij vordering wegens wanbetaling

Art. 23. 1. De rechter kan, alvorens de vordering tot ontruiming op grond van wanbetaling, als bedoeld in artikel 18, lid 2 onder a, toe te wijzen, de huurder of gewezen huurder, naar gelang der omstandigheden, een termijn van ten hoogste één maand gunnen om alsnog aan zijn betalingsverplichting te voldoen.

2. De rechter zal in ieder geval een termijn van tenminste één maand gunnen, indien hem blijkt, dat de wanbetaling uitsluitend te wijten is aan de omstandigheid, dat tussen partijen geschil bestond over de vraag, welke de betalingsverplichting van de huurder of gewezen huurder is.

Commissie adviseert over nieuw huuraanbod

Art. 23a. 1. De rechter zal zich, tenzij een verklaring als bedoeld in artikel 12, tweede lid, is overgelegd, alvorens de vordering tot ontruiming op grond van artikel 18, lid 2, onder c, toe te wijzen, omtrent de redelijkheid van de in het aanbod genoemde prijs — indien daaromtrent verschil van mening bestaat — doen voorlichten door de huurcommissie, bedoeld in artikel 2 van de Wet op de huurcommissies, in zijn rechtsgebied.

Uitstel

2. De rechter kan, alvorens de vordering tot ontruiming op grond van artikel 18, lid 2 onder c, toe te wijzen, de huurder of gewezen huurder, naar gelang der omstandigheden, een termijn van ten hoogste één maand gunnen om alsnog het aanbod te aanvaarden.

Termijn voor tenuitvoerlegging ontruimingsvonnis

Art. 24. 1. Bij veroordeling van de huurder of gewezen huurder tot ontruiming kan de rechter, behoudens het in artikel 25 bepaalde, desverzocht bepalen dat tenuitvoerlegging van het vonnis niet kan plaatshebben dan na verloop van een door hem vast te stellen termijn. Gedurende deze termijn duurt de bevoegdheid om krachtens huurbescherming in het genot van de zaak te blijven voort.

2. De rechter kan deze termijn slechts eenmaal, en wel met ten hoogste twee maanden verlengen. Het verzoek tot verlenging moet uiterlijk vier weken voor het verstrijken van de termijn worden ingediend.

Termijn als verhuurder zelf de woning behoeft

Art. 25. 1. Bij veroordeling van een huurder of gewezen huurder tot ontruiming van een woning, uitsluitend op grond dat de verhuurder deze voor eigen gebruik, als bedoeld in artikel 18, lid 2, onder d, nodig heeft, zal in het vonnis worden bepaald, dat tenuitvoerlegging daarvan niet kan plaatshebben dan na verloop van een door burgemeester en wethouders der betrokken gemeente vast te stellen termijn. Deze termijn zal niet langer mogen zijn dan zes maanden na het tijdstip van het vonnis.

Termijn bij eigendomsovergang

2. Ingeval een huurder of gewezen huurder wordt veroordeeld tot ontruiming van een gebouwde onroerende zaak of van een gedeelte daarvan, uitsluitend op grond dat de verhuurder deze zaak of dit gedeelte voor eigen gebruik als bedoeld in artikel 18, lid 2, onder d, nodig heeft, zal, mits aannemelijk is dat de verhuurder binnen twee jaar en zes maanden voor het vonnis met het oog op dat gebruik in de rechten van de vorige verhuurder is getreden, terwijl de huurder of gewezen huurder de zaak of het gedeelte reeds toen als zodanig gebruikte, in het vonnis worden bepaald dat tenuitvoerlegging daarvan niet kan plaatshebben dan na verloop van drie jaren, te rekenen van het tijdstip van de rechtsopvolging. De datum waarop genoemde termijn eindigt, wordt door de rechter in het vonnis vermeld.

3. Gedurende een ingevolge dit artikel toegestane termijn duurt de bevoegdheid om krachtens huurbescherming in het genot van de zaak te blijven voort.

Onverschuldigde betaling door (gewezen) huurder

Art. 26. 1. Na verloop van één jaar, te rekenen van de dag, waarop voor de eerste maal bij gewijsde de betalingsverplichting van de huurder of gewezen huurder is vastgesteld, doch nooit later dan één jaar, te rekenen van de dag waarop het genot van de onroerende zaak is geëindigd, vervalt de rechtsvordering ter zake van hetgeen onverschuldigd mocht zijn betaald.

2. De rechter kan de in het eerste lid bedoelde vordering tot een verminderd bedrag toewijzen, indien de billijkheid zulks vergt.

Compensatie van gemaakte kosten met huurprijs

Art. 26a. Indien de rechter de huurder machtigt bepaalde onderhoudswerken of reparatiën ten koste van de verhuurder uit te voeren, kan hij tevens bepalen, tot welk bedrag de huurder de gemaakte kosten met de huurprijs kan verrekenen.

Kantonrechter is competent

Art. 27. 1. De behandeling van alle vorderingen, betrekkelijk tot huur en verhuur of tot huurbescherming, vorderingen tot ontruiming daaronder begrepen, geschiedt in eerste aanleg bij uitsluiting door de kantonrechter in wiens kanton de onroerende zaak of het belangrijkste gedeelte daarvan is gelegen.

2. (Vervallen)

Rechtsmiddelen

3. Onverminderd het in artikel 20, lid 2, bepaalde staan tegen vonnissen, gewezen naar aanleiding van de in eerste en tweede lid bedoelde vorderingen, rechtsmiddelen slechts open, indien zulks volgens de regelen van het gemene recht het geval is, echter met dien verstande dat, indien de rechter over de vordering tot ontruiming een beslissing ten principale heeft gegeven, tegen de beslissing van dit geschilpunt in ieder geval hoger beroep en beroep in cassatie openstaan.

4. De termijnen van hoger beroep en beroep in cassatie bedragen zes weken, te rekenen van de dag van de uitspraak van het vonnis.

Toepasselijke wetsartikelen

Art. 28. De artikelen 56 tot en met 58 van het Wetboek van Burgerlijke Rechtsvordering zijn van overeenkomstige toepassing, met dien verstande, dat de rechter de kosten geheel of ten dele kan compenseren.

HOOFDSTUK VI A

Geliberaliseerde gemeenten

Art. 28a. 1. Wij kunnen bij algemene maatregel van bestuur
a. gemeenten of gedeelten van gemeenten aanwijzen waarin het bepaalde in Hoofdstuk II, de artikelen 11 en 12 en de Hoofdstukken IV-VI, met uitzondering van de artikelen 26a, 27, eerste en tweede lid en 28 niet van toepassing is;
b. gemeenten of gedeelten van gemeenten aanwijzen waarin de onder a genoemde voorschriften niet van toepassing zijn ten aanzien van bij die algemene maatregel van bestuur aan te wijzen categorieën van gebouwde onroerende zaak of gedeelten daarvan, waarvan de — op de dag, voorafgaande aan de dag van inwerkingtreding van bedoelde algemene maatregel van bestuur, ingevolge deze wet geldende — huurprijs een bij die algemene maatregel van bestuur te bepalen bedrag overschrijdt.

2. Een algemene maatregel van bestuur als bedoeld in het eerste lid, onder a, wordt niet uitgevaardigd voordat de betrokken gemeenteraad is gehoord.

3. Een algemene maatregel van bestuur als bedoeld in het eerste lid treedt niet eerder in werking dan twee maanden na de dagtekening van het Staatsblad waarin Ons besluit is geplaatst.

Huurprijs in geliberaliseerde gemeenten

Art. 28b. 1. In de gemeenten of gedeelten van gemeenten ten aanzien waarvan artikel 28a, eerste lid, toepassing heeft gevonden is de huurprijs van een gebouwde onroerende zaak dan wel van de in dat artikel bedoelde categorieën van gebouwde onroerende zaken:

a. indien het betreft een woning of een gedeelte daarvan: de huurprijs op de dag, voorafgaande aan de dag van inwerkingtreding van bedoelde algemene maatregel van bestuur, tenzij partijen nadien anders overeenkomen;

b. indien het betreft een gebouwde onroerende zaak, niet zijnde een woning, of een gedeelte daarvan: de huurprijs, die partijen zijn overeengekomen of zullen overeenkomen.

2. Voor de toepassing van dit Hoofdstuk is het bepaalde in artikel 3, zesde lid van overeenkomstige toepassing.

Schorsing van de plicht tot ontruiming

Art. 28c. 1. In de gemeenten of gedeelten van gemeenten ten aanzien waarvan het bepaalde in artikel 28a, eerste lid, onder a, toepassing heeft gevonden is na het einde van de huur en verhuur dan wel van de bevoegdheid om krachtens huurbescherming in het genot te blijven van een gebouwde onroerende zaak of een gedeelte daarvan de verplichting van de gewezen huurder om tot ontruiming over te gaan, van rechtswege geschorst. Deze schorsing eindigt twee maanden na het tijdstip waartegen de ontruiming is aangezegd. De aanzegging geschiedt bij deurwaardersexploit of bij aangetekende brief, waarvoor een bericht van ontvangst wordt verlangd; zij kan eerst geschieden na de inwerkingtreding van de in artikel 28a, eerste lid, bedoelde algemene maatregel van bestuur.

2. Het bepaalde in het eerste lid geldt niet voor de gewezen huurder, die zelf de huurovereenkomst heeft opgezegd, uitdrukkelijk in de beëindiging daarvan heeft bewilligd of veroordeeld is tot ontruiming wegens niet-nakoming zijner verplichtingen. Het geldt met ingang van een door Ons te bepalen tijdstip evenmin voor degene, die eerst na dit tijdstip huurder van een woning of een gedeelte daarvan is geworden.

3. Het bepaalde in dit artikel en in de volgende artikelen van dit Hoofdstuk geldt mede in gemeenten of gedeelten van gemeenten ten aanzien waarvan het bepaalde in artikel 28a, eerste lid, onder b, toepassing heeft gevonden, doch alleen met betrekking tot de aldaar bedoelde categorieën van gebouwde onroerende zaken.

Verzoek om verlenging van de schorsingstermijn

Art. 28d. 1. Zolang de in artikel 28c, eerste lid, bedoelde termijn niet is verstreken kan de gewezen huurder zich schriftelijk tot de kantonrechter, in wiens kanton de onroerende zaak of het gedeelte daarvan is gelegen, wenden met het verzoek om die termijn te verlengen. Het verzoek bevat de gronden waarop het berust. De indiening van het verzoek schorst de verplichting om tot ontruiming over te gaan, totdat daaromtrent is beslist.

2. De kantonrechter wijst indien hem blijkt, dat het verzoek niet tijdig is ingediend, het verzoek terstond af.

3. De kantonrechter willigt het verzoek slechts in, indien de belangen van de gewezen huurder door de ontruiming ernstiger worden geschaad dan die van de verhuurder bij voortzetting van het genot door de gewezen huurder.

4. De kantonrechter kan het verzoek niettemin afwijzen, indien de verhuurder aannemelijk maakt, dat van hem, wegens onbehoorlijk gebruik van de zaak of het gedeelte daarvan, wegens ernstige overlast, de medebewoners dan wel hemzelf aangedaan, of wegens wanbetaling, niet gevergd kan worden, dat de gewezen huurder nog langer in het genot van het goed of het gedeelte daarvan blijft.

Duur der verlenging

Art. 28e. 1. Bij inwilliging van het verzoek verlengt de kantonrechter de in artikel 28c bedoelde termijn tot ten hoogste één jaar. Deze termijn kan op verzoek van de gewezen huurder nog tweemaal worden verlengd met telkens ten hoogste een jaar. Het verzoek tot verlenging moet uiterlijk vier weken voor het verstrijken van de termijn worden ingediend. De indiening van het verzoek schorst de verplichting om tot ontruiming over te gaan totdat daaromtrent is beslist.

Vaststelling genotsvergoeding

2. Indien partijen het niet eens zijn over de som, welke de gewezen huurder verplicht is te betalen als vergoeding voor het genot van de zaak of het gedeelte daar-

van voor de termijn, waarmede de in artikel 28c bedoelde termijn is verlengd, wordt deze bij zijn hiervóór bedoelde beschikking bepaald door de kantonrechter, na ingewonnen advies van de huurcommissie, bedoeld in artikel 2 van de Wet op de huurcommissies. Hij stelt deze som vast op een, gezien het huurpeil ter plaatse, redelijk te oordelen bedrag. Hetzelfde geldt bij verdere verlenging van de termijn overeenkomstig het voorgaande lid.

3. Bij afwijzing van het verzoek anders dan op grond van artikel 28d, tweede lid, bepaalt de kantonrechter de termijn, binnen welke de gewezen huurder de zaak of het gedeelte daarvan moet ontruimen.

Behandeling van verzoeken ter zitting

Art. 28f. 1. Het verzoek, bedoeld in de artikelen 28d en 28e, wordt in drievoud op ongezegeld papier ter griffie van het kantongerecht ingediend.

2. De kantonrechter bepaalt de dag en het uur waarop het verzoek ter terechtzitting zal worden behandeld. De terechtzitting is niet openbaar.

3. De griffier roept de gewezen huurder en de verhuurder op om ter terechtzitting te verschijnen, ten einde naar aanleiding van het verzoek te worden gehoord. De oproeping geschiedt bij aangetekende brief, waarvoor een bericht van ontvangst wordt verlangd, tenzij de kantonrechter op grond van bijzondere omstandigheden een andere wijze van oproeping beveelt. Zij moet ten minste vijf dagen voor de dag, waarop het verzoek ter terechtzitting wordt behandeld worden verzonden.

4. De griffier zendt bij de oproeping van de verhuurder een door hem voor eensluidend gewaarmerkt afschrift van het verzoek mede.

Alleen cassatie in het belang der wet

Art. 28g. 1. De kantonrechter beslist bij schriftelijke met redenen omklede en in het openbaar uit te spreken beschikking. Bij inwilliging van het verzoek zendt hij afschrift van zijn beschikking aan de huurcommissie, bedoeld in artikel 2 van de Wet op de huurcommissies, in zijn rechtsgebied, indien deze gehoord is omtrent de vergoeding, als bedoeld in artikel 28e.

2. Tegen de beschikking staat hoger beroep noch beroep in cassatie open, met uitzondering van cassatie in het belang der wet.

Rechten en plichten blijven tijdens schorsing gelijk

Art. 28h. 1. Zolang de termijnen, bedoeld in de artikelen 28c, 28d en 28e, niet zijn verstreken, hebben de gewezen huurder en de verhuurder — behoudens het bepaalde in het tweede lid van artikel 28e — dezelfde rechten en verplichtingen, als indien de huur en verhuur, dan wel de bevoegdheid om krachtens huurbescherming in het genot van de onroerende zaak of het gedeelte daarvan te blijven, niet zou zijn geëindigd.

Vaststelling voorlopige vergoeding

2. In afwijking van het voorgaande lid kan de kantonrechter, hangende zijn beslissing omtrent een verzoek, als bedoeld in artikel 28d, op verzoek van de verhuurder de som bepalen, die de gewezen huurder verplicht is te betalen als voorlopige vergoeding voor het genot van de zaak of het gedeelte daarvan gedurende de procedure.

HOOFDSTUK VII
Slotbepalingen

Dwingend recht

Art. 29. De toepasselijkheid van de bepalingen van deze wet kan niet bij overeenkomst worden uitgesloten of beperkt.

Vervallen regelingen

Art. 30. De navolgende voorschriften vervallen:
a. het Huurbeschermingsbesluit 1941 (Verordeningenblad 1941, nr. 81);
b. het Huurprijsbesluit 1940 (Verordeningenblad 1940, nr. 237);
c. het huurprijsuitvoeringsbesluit 1941 (Nederlandse Staatscourant 1941, nr. 236);
d. het Huurprijsbesluit Nieuwbouw 1944 (Nederlandse Staatscourant 1944, nr. 18).

Wijzigingen

Art. 31. Artikel 1 van het Vervreemdingsbesluit Onroerende Zaken (Verordeningenblad 1942, No. 49) wordt gelezen als volgt:
1. Dit besluit verstaat onder:
1) „onroerende zaken":
a) onroerende goederen;
b) rechten van erfpacht, van opstal en van beklemming;
2) „Prijzenbureau": het Prijzenbureau voor Onroerende Zaken.
2. Als prijzenbureaus treden op de door Onze Minister van Wederopbouw en Volkshuisvesting daartoe aangewezen rijks- of gemeenteambtenaren.
Onze voornoemde Minister bepaalt het ambtsgebied van de prijzenbureaus.

Intrekkingen

Art. 32. De navolgende voorschriften worden ingetrokken:
a. de Beschikking Delegatie aan Prijzenbureaux 1946 (Nederlandse Staatscourant 1946, No. 114);
b. de Huurprijsuitvoeringsbeschikking 1948 (Nederlandse Staatscourant 1947, No. 242);
c. de Huurprijsuitvoeringsbeschikking 1949 (Nederlandse Staatscourant 1949, No. 174).

Citeertitel

Art. 33. 1. Deze wet kan worden aangehaald als „Huurwet".
2. Wij bepalen op welk tijdstip deze wet in werking treedt.

WET van 23 januari 1958, Stb. 37, houdende nieuwe regeling van de pacht, (Pachtwet), zoals laatstelijk gewijzigd bij de wet van 2 november 1994, Stb. 803

Alzo Wij in overweging genomen hebben, dat het wenselijk is de pacht opnieuw bij de wet te regelen;

HOOFDSTUK I
De pachtovereenkomst

§ *1. Omschrijvingen*

Begripsbepalingen

Art. 1. 1. Deze wet verstaat onder:
a. Onze Minister: Onze Minister van Landbouw, Visserij en Voedselvoorziening;
b. landbouw:
1°. akkerbouw;
2°. weidebouw;
3°. veehouderij;
4°. pluimveehouderij;
5°. tuinbouw, daaronder begrepen fruitteelt en het kweken van bomen, bloemen en bloembollen;
6°. de teelt van griendhout en van riet;
7°. elke andere tak van bodemcultuur met uitzondering van bosbouw, behoudens het bepaalde in het vijfde lid;
c. hoeve: een complex, bestaande uit een of meer gebouwen of gedeelten daarvan en het daarbij behorende land, dienende tot de uitoefening van de landbouw;
d. pachtovereenkomst: elke overeenkomst, in welke vorm en onder welke benaming ook aangegaan, waarbij de ene partij zich verbindt aan de andere partij tegen voldoening van een tegenprestatie een hoeve of los land in gebruik te verstrekken ter uitoefening van de landbouw;
e. pleegkind: hem, die duurzaam als een eigen kind is onderhouden en opgevoed.

Verpachting van opstallen zonder land

2. Behalve voor de toepassing van artikel 58 geldt hetgeen in deze wet is bepaald met betrekking tot los land insgelijks met betrekking tot een of meer gebouwen of gedeelten daarvan, welke dienen tot de uitoefening van de landbouw.

3. Indien echter tussen dezelfde partijen bij één overeenkomst los land en bij een andere overeenkomst een of meer gebouwen of gedeelten daarvan zijn verpacht, worden de bepalingen omtrent verpachting van hoeven op beide overeenkomsten van toepassing met ingang van het tijdstip, waarop de laatste der beide overeenkomsten is gesloten.

Uitbreiding begrip pachtobject

4. Onder hoeve en los land worden begrepen de daarbij behorende, niet tot de uitoefening van de landbouw dienende gronden met inbegrip van de zich daarop bevindende houtopstanden.

5. Voor de toepassing van de artikelen 40, 41, 48, 51, 52 en 62 wordt onder landbouw bosbouw begrepen.

§ *2. De vorm van de pachtovereenkomst en haar toetsing*

Schriftelijk aangaan

Art. 2. 1. De pachtovereenkomst, de overeenkomst tot wijziging en die tot beëindiging van een pachtovereenkomst moeten schriftelijk worden aangegaan.

Goedkeuring grondkamer

2. Zij behoeven de goedkeuring van de grondkamer.

Uitzondering

3. Ten aanzien van de overeenkomst tot beëindiging van een pachtovereenkomst vervalt het vereiste van goedkeuring door de feitelijke uitvoering van die overeenkomst.

Regelen t.a.v. de hoogst toelaatbare pachtprijs

Art. 3. 1. Bij algemene maatregel van bestuur worden regelen vastgesteld ten aanzien van de hoogst toelaatbare pachtprijs.

2. Alvorens Ons de voordracht tot een algemene maatregel van bestuur wordt gedaan, worden het Landbouwschap en de commissie van advies voor het grond- en pachtprijspeil in de gelegenheid gesteld over het ontwerp daarvan hun mening kenbaar te maken.

3. De in het eerste lid bedoelde regelen strekken tot bevordering van pachtprijzen, welke in een redelijke verhouding staan tot de bedrijfsuitkomsten bij een behoorlijke bedrijfsvoering, met dien verstande, dat bij het vaststellen van die regelen de redelijke belangen van de verpachter mede in acht worden genomen.

Nadere regelen door de grondkamers

Art. 4. 1. Met inachtneming van de in het vorige artikel bedoelde regelen kunnen de grondkamers, ieder voor haar gebied, zo nodig streeksgewijs, ten aanzien van de pachtprijs bij besluit nadere regelen vaststellen. Zodanig besluit vervalt een jaar na het tijdstip van zijn inwerkingtreding.

2. Deze besluiten behoeven de goedkeuring van Onze Minister en worden in de Nederlandse Staatscourant bekend gemaakt.

Art. 4a. 1. Onder pachtprijs wordt niet verstaan een vergoeding als bedoeld in artikel 5, tiende lid, onderdeel b, en in artikel 70b, tweede lid, onderdeel c.

2. De vergoeding kan niet meer bedragen dan de pachtprijs, zoals opgenomen in een door de grondkamer goedgekeurde pachtovereenkomst.

3. Bij algemene maatregel van bestuur worden nadere regelen vastgesteld ten aanzien van de hoogst toelaatbare vergoeding.

4. Alvorens Ons de voordracht tot een algemene maatregel van bestuur wordt gedaan, wordt de commissie beheer landbouwgronden als bedoeld in artikel 30 van de Wet agrarisch grondverkeer (Stb. 1981, 248) in de gelegenheid gesteld over het ontwerp haar mening kenbaar te maken.

Toetsingsnormen t.a.v.: de pachtprijs

Art. 5. 1. De grondkamer keurt de pachtovereenkomst goed, tenzij:

a. de overeengekomen pachtprijs danwel de vergoeding, daarbij in aanmerking genomen de verdere inhoud van de overeenkomst, hoger is dan ingevolge het bepaalde krachtens de artikelen 3 en 4 onderscheidenlijk 4a is toegelaten.

de overige verplichtingen

b. de overige verplichtingen, voor de pachter uit de overeenkomst voortvloeiende, als buitensporig moeten worden beschouwd;

de landbouwkundige gevolgen

c. de overeenkomst zou leiden tot een ondoelmatige verkaveling of een ondoelmatige ligging van het land ten opzichte van de bedrijfsgebouwen of van de woning;

d. de overeenkomst, indien deze betrekking heeft op land, dat begrepen is geweest in een ruil- of herverkaveling of dat gelegen is in de IJsselmeerpolders, zou leiden tot:

1°. een verkaveling of een ligging van het land ten opzichte van de bedrijfsgebouwen of van de woning, die minder doelmatig is dan de bestaande;

2°. een geringere dan de bestaande bedrijfsgrootte;

e. door de overeenkomst algemene belangen van de landbouw zouden worden geschaad; de grondkamer is onder meer bevoegd als schadelijk voor de algemene belangen van de landbouw aan te merken overeenkomsten, welke zouden leiden tot:

1°. een zo geringe bedrijfsgrootte, dat de ondernemer zijn volledige arbeidskracht op het bedrijf niet produktief kan maken;

2°. gebruik van het land ter verkrijging van neveninkomsten, anders dan voor zelfvoorziening;

3°. vergroting van een bedrijf, waarvan uitbreiding voor de ondernemer niet van overwegende betekenis is, terwijl in de nabijheid een of meer kleine bedrijven uitbreiding behoeven;

Strijd met de wet

f. de overeenkomst bepalingen bevat, welke in strijd zijn met deze wet.

Ontheffing van toetsingsnormen

2. Indien de pachtovereenkomst zou leiden tot een van de in het eerste lid, onder c, d en e genoemde gevolgen, kan de grondkamer haar goedkeuring verlenen, wanneer weigering op grond van bijzondere omstandigheden onredelijk zou zijn of zou indruisen tegen het landbouwbelang. Indien de pachtovereenkomst zou leiden tot een van de in het eerste lid, onder d, genoemde gevolgen, kan de grondkamer voorts haar goedkeuring verlenen, wanneer omstandigheden, gelegen in de persoon van de verpachter, de goedkeuring in het belang van een verantwoorde bedrijfsvoering wenselijk maken.

3. Het bepaalde in het eerste lid onder c en onder e met betrekking tot het gestelde onder 1°, 2° en 3° blijft buiten toepassing bij overeenkomsten met echtgenoten, bloed- of aanverwanten in de rechte lijn, pleegkinderen en medepachters.

Persoon van de pachter

4. Bij de toetsing van de overeenkomst aan het bepaalde in het eerste lid, onder e, mag de grondkamer niet letten op de persoon van de pachter.

Land in bestemmingsplan

5. Het bepaalde in het eerste lid, onder c en d en onder e met betrekking tot het gestelde onder 1°, 2° en 3°, blijft buiten toepassing, indien uit een verklaring van burgemeester en wethouders van de gemeente, waarin het land is gelegen, blijkt dat dit is opgenomen in een goedgekeurd bestemmingsplan en daarbij een niet tot de landbouw betrekkelijke bestemming heeft gekregen.

6. Voor de geldigheid van bepalingen, welke in strijd met de wet zijn, kan op de goedkeuring van de overeenkomst door de grondkamer geen beroep worden gedaan.

7. Het in de voorgaande leden bepaalde vindt overeenkomstige toepassing ten aanzien van de overeenkomst tot wijziging of beëindiging van een pachtovereenkomst.

Wijzigingsovereenkomsten of beëindigingsovereenkomsten

10.*) Onverminderd het bepaalde in paragraaf 3 van hoofdstuk II worden in pachtovereenkomsten betrekking hebbend op een hoeve of los land gelegen in gebieden die door Onze Minister, gehoord een bij algemene maatregel van bestuur aan te wijzen instantie, op verzoek van de eigenaar dan wel van de zakelijk gerechtigde als bedoeld in artikel 56a, onderdeel b, in overeenstemming met de eigenaar zijn aangewezen, niet als buitensporige verplichtingen aangemerkt, de verplichtingen:
a. die noodzakelijk zijn in verband met de instandhouding of ontwikkeling van de op het land aanwezige waarden van natuur en landschap, mits zij inpasbaar zijn in de agrarische bedrijfsvoering en
b. waarvoor bij de overeenkomst een vergoeding wordt bedongen.

11. De aanwijzing, bedoeld in het tiende lid, wordt bekend gemaakt in de Staatscourant.

Art. 6. 1. Indien de grondkamer haar goedkeuring aan de pachtovereenkomst of aan de overeenkomst tot wijziging of beëindiging van een pachtovereenkomst onthoudt, wijzigt zij de overeenkomst op het punt of de punten, welke in verband met het bepaalde in artikel 5, eerste lid, de goedkeuring verhinderen, of verklaart zij haar nietig.

Wijziging of nietigverklaring van de overeenkomst

2. De door de grondkamer gewijzigde overeenkomst geldt als een tussen partijen aangegane en goedgekeurde overeenkomst. In geval van wijziging in verband met het bepaalde in artikel 5, eerste lid, onder c, d en e, alsmede in geval van nietigverklaring regelt de grondkamer zo nodig de gevolgen.

Art. 7. 1. Zij die voornemens zijn met elkaar een pachtovereenkomst of een overeenkomst tot wijziging van een pachtovereenkomst aan te gaan, zijn bevoegd een ontwerp-pachtovereenkomst, onderscheidenlijk een ontwerp-overeenkomst tot wijziging van een pachtovereenkomst ter goedkeuring aan de grondkamer in te zenden.

Goedkeuring ontwerpovereenkomst

2. De grondkamer beoordeelt de ontwerp-overeenkomst met toepassing van artikel 5, eerste tot en met vijfde lid; zij kan haar goedkeuring afhankelijk stellen van wijzigingen, welke zij in verband met het bepaalde in artikel 5, eerste lid, nodig oordeelt.

3. Indien binnen twee maanden, nadat de grondkamer of de Centrale Grondkamer een ontwerp-pachtovereenkomst of een ontwerp-overeenkomst tot wijziging van een pachtovereenkomst heeft goedgekeurd, een overeenkomst wordt ingezonden, die gelijk is aan de ontwerp-overeenkomst, zoals deze werd goedgekeurd, is de grondkamer tot goedkeuring gehouden.

4. Op het verzoek tot goedkeuring van een ontwerp-pachtovereenkomst kan niet meer worden beslist, nadat de daarin als pachter genoemde persoon als zodanig op het goed is toegelaten.

§ 3. *Niet schriftelijk vastgelegde en niet ter goedkeuring ingezonden pachtovereenkomsten*

Art. 8. 1. Ieder der partijen is verplicht de pachtovereenkomst of de overeenkomst tot wijziging van een pachtovereenkomst binnen twee maanden, nadat zij is aangegaan, aan de grondkamer ter goedkeuring in te zenden.

Verplichting inzending ter goedkeuring

2. Ieder der partijen is verplicht de overeenkomst tot beëindiging van een pachtovereenkomst binnen twee maanden nadat zij is aangegaan, aan de grondkamer ter goedkeuring in te zenden.

3. Zodra een der partijen aan de verplichting heeft voldaan, is die van de andere partij vervallen.

Art. 9. 1. Wanneer niet is voldaan aan het bepaalde in artikel 8, eerste lid, kan de verpachter, zolang de pachtovereenkomst door de grondkamer niet is goedgekeurd, niet een rechtsvordering tot betaling van de pachtprijs tegen de pachter instellen en geldt de pachtovereenkomst voor onbepaalde tijd, zonder dat zij door een van de partijen kan worden opgezegd; wordt de goedkeuring verleend, dan gaat de in artikel 12 bedoelde duur in bij de aanvang van het pachtjaar, volgende op dat, waarin de overeenkomst is ingezonden.

Rechtsgevolgen niet goedkeuring

*) Het achtste en negende lid worden bij een toekomstig Staatsblad ingevoegd.

2. De grondkamer is bevoegd op verzoek van een partij in bijzondere gevallen bij de goedkeuring te bepalen, dat de in artikel 12 bedoelde duur op een eerder tijdstip ingaat.

Art. 10. 1. Aan een overeenkomst tot wijziging of — voorzover die niet reeds feitelijk is uitgevoerd — aan een overeenkomst tot beëindiging van een pachtovereenkomst, die nog niet door de grondkamer is goedgekeurd, zijn partijen slechts in zoverre gebonden, dat zij niet eenzijdig kunnen terugtreden.

2. Indien de overeenkomst niet binnen twee maanden, nadat zij werd aangegaan, ter goedkeuring is ingezonden, is de grondkamer bevoegd haar te doen ingaan op een later tijdstip dan werd overeengekomen, doch uiterlijk op het tijdstip van inzending.

Schriftelijke vastlegging van mondelinge pachtovereenkomsten

Art. 11. 1. Zolang een pachtovereenkomst of een overeenkomst tot wijziging of beëindiging van een pachtovereenkomst niet schriftelijk is aangegaan, kan de meest gerede partij de schriftelijke vastlegging daarvan vorderen.

2. De pachtkamer legt de overeenkomst schriftelijk vast, met dien verstande, dat nietige bedingen, zoveel mogelijk overeenkomstig de bedoelingen van partijen, in overeenstemming worden gebracht met de wet.

3. Op de aldus schriftelijk vastgelegde overeenkomst past de grondkamer de artikelen 5 en 6 ambtshalve toe.

Art. 11a. Overtreding van de in artikel 8, eerste lid, genoemde verplichting is strafbaar, tenzij binnen een maand na een daartoe strekkende aanmaning van een bevoegde opsporingsambtenaar de pachtovereenkomst of de overeenkomst tot wijziging van een pachtovereenkomst aan de grondkamer ter goedkeuring is ingezonden of, indien het een niet-schriftelijk aangegane overeenkomst betreft, schriftelijke vastlegging van de overeenkomst is gevorderd.

§ 4. *De duur van de pachtovereenkomst*

Duur van de pachtovereenkomst

Art. 12. 1. De pachtovereenkomst geldt voor een bepaalde tijd. Deze tijd bedraagt twaalf jaren voor een hoeve en zes jaren voor los land.

2. Een pachtovereenkomst kan voor een langere duur worden aangegaan, mits een bepaalde datum van beëindiging is vastgesteld.

Aangaan voor kortere duur

3. Een pachtovereenkomst kan voor een kortere duur worden aangegaan, mits een bepaalde datum van beëindiging is vastgesteld. De kortere duur behoeft de goedkeuring van de grondkamer, welke hetzij vóór het aangaan van de overeenkomst, hetzij bij de toetsing daarvan kan worden verleend.

4. De grondkamer verleent haar goedkeuring aan de kortere duur alleen op grond van de bijzondere omstandigheden van het geval en indien de algemene belangen van de landbouw daardoor niet worden geschaad. Zij vermeldt in haar beschikking de reden van haar goedkeuring. Als bijzondere omstandigheden worden niet beschouwd beperkingen, aan de verpachter door derden opgelegd.

Aanvragen van verlenging

5. Bij goedkeuring van een kortere duur bepaalt de grondkamer in haar beschikking tevens de tijd, waarbinnen verlenging van de pachtovereenkomst kan worden gevraagd, tenzij de grondkamer een pachttermijn van een jaar of korter goedkeurt.

§ 5. *De pachtprijs*

De pachtprijs

Art. 13. 1. Als tegenprestatie kan slechts worden bedongen een pachtprijs met of zonder bijkomstige verplichtingen.

Bepaling naar tijdruimte

2. Als pachtprijs kan slechts worden bedongen een uitsluitend naar tijdruimte bepaald en niet van de prijs van produkten of andere factoren afhankelijk gesteld bedrag in Nederlands geld.

Uitzondering

3. De grondkamer kan echter, hetzij vóór het aangaan van de overeenkomst op verzoek van een der partijen, hetzij bij de toetsing daarvan, afwijking van het in eerste en tweede lid bepaalde goedkeuren.

4. Heeft de grondkamer zulk een goedkeuring verleend of verleent zij deze bij de toetsing, dan wordt de overeengekomen tegenprestatie door haar beoordeeld naar de strekking van het bepaalde krachtens de artikelen 3 en 4.

Lasten publiekrechtelijke lichamen

Art. 14. 1. Nietig is elk beding in een pachtovereenkomst, ingevolge hetwelk de geldelijke lasten, welke de verpachter door publiekrechtelijke lichamen zijn of zullen worden opgelegd, geheel of ten dele ten laste van de pachter komen.

2. Geldig is evenwel een beding ingevolge hetwelk de lasten, welke de verpachter ten gevolge van landinrichting op grond van de Landinrichtingswet, van reconstructie op grond van de Reconstructiewet Midden-Delfland (Stb. 1977, 233) of van herinrichting op grond van de Herinrichtingswet Oost-Groningen en de Gronings-Drentse Veenkoloniën (Stb. 1977, 694), zijn of zullen worden opgelegd, ten dele ten laste van de pachter komen.

Overmaat of ondermaat gepachte

Art. 15. Vermindering of vermeerdering van de pachtprijs kan gevorderd worden, indien de grootte van het verpachte afwijkt van de grootte, die in de overeenkomst is uitgedrukt. De vordering vervalt door verloop van een jaar na het ingaan van de pachtovereenkomst.

Remissierecht

Art. 16. 1. De pachter heeft aanspraak op een vermindering van de pachtprijs over een pachtjaar of een pachtseizoen, gedurende hetwelk tengevolge van buitengewone omstandigheden de opbrengst van het bedrijf aanzienlijk minder is geweest dan bij het aangaan van de overeenkomst te verwachten was of de pachter tijdelijk het genot van het gepachte geheel of gedeeltelijk heeft moeten missen.

2. Tot vermindering geven geen aanleiding:
a. een verlaging van de prijs van de voortbrengselen van het bedrijf;
b. omstandigheden welke aan de pachter zijn toe te rekenen of waarvan hij de gevolgen door verzekering of op andere wijze redelijkerwijs had kunnen voorkomen;
c. schade, welke de pachter op een ander kan verhalen.

3. De vordering van de pachter vervalt zes maanden na het eindigen van het pachtjaar of het pachtseizoen, waarover de pachtprijs verschuldigd is.

Aanspraken tot verhoging pachtprijs

Art. 17. 1. De verpachter heeft aanspraak op een verhoging van de pachtprijs over een pachtjaar of een pachtseizoen, gedurende hetwelk de lasten, die de verpachter door publiekrechtelijke lichamen zijn opgelegd wegens buitengewone werken, waardoor des pachters bedrijf gebaat wordt, aanzienlijk hoger zijn geweest dan bij het aangaan van de overeenkomst te verwachten was.

2. De vordering van de verpachter vervalt zes maanden na het eindigen van het pachtjaar of het pachtseizoen, waarover de pachtprijs verschuldigd is.

Art. 18. 1. De verpachter heeft aanspraak op een verhoging van de pachtprijs over een pachtjaar of over een pachtseizoen, indien hij voor eigen rekening buitengewone werken heeft uitgevoerd, waardoor het bedrijf van de pachter dermate is gebaat, dat een verhoging van de pachtprijs van de pachter kan worden verlangd.

2. De vordering van de verpachter vervalt zes maanden na het eindigen van het pachtjaar of het pachtseizoen, waarover de pachtprijs verschuldigd is.

Driejaarlijkse herziening tegenprestatie

Art. 19. 1. De pachter of de verpachter kan aan de grondkamer verzoeken de tegenprestatie te herzien
a. voor het verstrijken van een pachtperiode van drie jaren;
b. binnen een tijdvak van een jaar na de inwerkingtreding van een wijziging van de regelen als bedoeld in artikel 3, eerste lid;
c. indien in een waterschap waarin het verpachte is gelegen een pachtersomslag wordt geheven als bedoeld in artikel 4.19, onderdeel b, van de Waterschapswet (Stb. 1991, 379) of de heffing van die omslag wordt beëindigd.

2. De grondkamer herziet de tegenprestatie, indien redelijkheid en billijkheid dit verlangen of gewijzigde omstandigheden dit rechtvaardigen.

3. Indien het verzoek met toepassing van het eerste lid, onder a, is ingediend, gaat de herziening van de tegenprestatie door de grondkamer in met ingang van de nieuwe driejarige pachtperiode.

4. Indien het verzoek met toepassing van het eerste lid, onder b, is ingediend, gaat de herziening van de tegenprestatie door de grondkamer in met ingang van het pachtjaar volgende op het tijdstip waarop de herziening van de regelen, bedoeld in artikel 3, eerste lid, in werking is getreden.

5. Indien het verzoek met toepassing van het eerste lid, onder c, is ingediend, gaat de herziening van de tegenprestatie door de grondkamer in met ingang van het eerste belastingjaar waarover de omslag wordt geheven, onderscheidenlijk met ingang van het eerste belastingjaar waarover de omslag niet meer wordt geheven.

6. Zijn de regelen bedoeld in artikel 3, eerste lid, herzien na het tijdstip waarop de grondkamer heeft beslist, dan beslist de Centrale Grondkamer met inachtneming van deze regelen, indien een der partijen dit verzoekt.

Art. 19a. 1. De pachter of de verpachter kan aan de grondkamer verzoeken de vergoeding als bedoeld in artikel 5, tiende lid, onderdeel b, of in artikel 70b, tweede lid, onderdeel c, te herzien
a. voor het verstrijken van een pachtperiode van drie jaren;
b. binnen een tijdvak van een jaar na inwerkingtreding van een wijziging van de regelen als bedoeld in artikel 4a, derde lid.

2. De grondkamer herziet de vergoeding, indien redelijkheid en billijkheid dit verlangen of gewijzigde omstandigheden dit rechtvaardigen.

3. Indien het verzoek met toepassing van het eerste lid, onder a, is ingediend, gaat de herziening van de vergoeding door de grondkamer in met ingang van de nieuwe driejarige pachtperiode.

4. Indien het verzoek met toepassing van het eerste lid, onder b, is ingediend, gaat de herziening van de vergoeding door de grondkamer in met ingang van het pachtjaar volgende op het tijdstip waarop de herziening van de regelen, bedoeld in artikel 4a, derde lid, in werking is getreden.

5. Zijn de regelen, bedoeld in artikel 4a, derde lid, herzien na het tijdstip waarop de grondkamer heeft beslist, dan beslist de Centrale Grondkamer met inachtneming van deze regelen, indien een der partijen dit verzoekt.

Art. 19b. Op grond van artikel 6.5.3.11 van het Burgerlijk Wetboek kan geen wijziging van de tegenprestatie danwel van de vergoeding worden gevorderd.

§ 6. De overige rechten en verplichtingen uit de pachtovereenkomst voortvloeiende

Levering

Art. 20. De verpachter is gehouden het verpachte in goede staat van onderhoud te leveren.

Omvang van gepachte langs water

Art. 21. Op de omvang van het gepachte dat langs een water ligt, zijn de artikelen 29 en 34 van Boek 5 van het Burgerlijk Wetboek van overeenkomstige toepassing, tenzij de verpachter aan een vastlegging van de grens overeenkomstig de artikelen 30-32 van Boek 5 van dat wetboek is gebonden.

Belemmeringen door derden

Art. 22. De pachter kan zowel van de verpachter schadevergoeding vorderen als de overeenkomst ontbinden, indien hij in het genot van het gepachte wordt belemmerd, doordat een derde een hem toekomend recht op hetzelve uitoefent, tenzij de pachter ten tijde van het aangaan der overeenkomst dit recht gekend heeft.

Art. 23. De verpachter is niet gehouden de pachter te vrijwaren tegen de belemmeringen, welke derden, die generlei recht daartoe hebben, door feitelijkheden de pachter in zijn genot toebrengen.

Verborgen gebreken

Art. 24. 1. De verpachter moet instaan voor alle gebreken van het verpachte, welke de pachter niet kon kennen en welke deze in het genot daarvan belemmeren.

2. Wanneer er zodanige gebreken bestaan, kan de pachter naar omstandigheden vermindering van de pachtprijs vorderen of de overeenkomst ontbinden, alles onverminderd zijn recht op schadevergoeding, indien daartoe termen zijn.

3. De vordering tot vermindering van de pachtprijs en die tot ontbinding alsmede de bevoegdheid tot buitengerechtelijke ontbinding vervallen zes maanden, nadat de pachter van het gebrek had kunnen kennis dragen.

Gebruik als een goed pachter

Art. 25. 1. De pachter is gehouden het gepachte als een goed pachter te gebruiken en al datgene te doen en na te laten, wat een goed pachter in gelijke omstandigheden zou doen en nalaten.

2. Hij is gehouden het gepachte bij het einde van de pachtovereenkomst in goede staat aan de verpachter op te leveren.

Noodzakelijke reparatiën

Art. 26. 1. De verpachter is gehouden aan het verpachte gedurende de pachttijd alle noodzakelijke reparaties te doen, met uitzondering van de geringe en dagelijkse, welke volgens het plaatselijk gebruik ten laste van de pachter komen.

Niet nakoming door verpachter

2. Komt de verpachter na schriftelijke aanmaning van de pachter deze verplichtingen niet na, dan kan de pachtkamer de pachter op diens vordering machtigen zelf de reparatie op kosten van de verpachter te verrichten. Daarbij kan de pachtkamer bepalen tot welk bedrag de pachter de gemaakte onkosten met de pachtprijs kan verrekenen.

Art. 27. 1. Indien het verpachte dringende reparaties nodig heeft, die ten laste van de verpachter komen, moet de pachter deze gedogen.

Uitvoering dringende reparatiën

2. De pachtkamer kan echter naar omstandigheden de pachter op diens vordering een vermindering van de pachtprestatie toestaan of de pachtovereenkomst met ingang van een bij het vonnis te bepalen dag ontbinden.

Art. 28. 1. De pachter is aansprakelijk voor schade aan het verpachte die is ontstaan door een hem toe te rekenen tekortschieten in de nakoming van een verplichting uit de pachtovereenkomst.

Aansprakelijkheid pachter voor schade

2. Alle schade behalve brandschade wordt vermoed daardoor te zijn ontstaan.

3. De pachter is jegens de verpachter op gelijke wijze als voor eigen gedragingen aansprakelijk voor de gedragingen van hen die zich met zijn goedvinden op het gepachte bevinden.

Art. 29. 1. De verpachter is verplicht tot wederopbouw van door brand of storm tenietgegane opstallen, voorzover de wederopbouw noodzakelijk is voor de uitoefening van het bedrijf op het gepachte. Deze verplichting bestaat niet, indien de pachtovereenkomst voor kortere dan de wettelijke duur geldt en bestaat ook niet voor de onderverpachter.

Verplichting tot herbouw

2. De grondkamer kan de verpachter op diens verzoek, hetzij vóór het aangaan van de overeenkomst, hetzij bij een toetsing, van deze verplichting ontheffen, indien de opstallen niet op redelijke voorwaarden voor de herbouwwaarde verzekerd kunnen worden of aannemelijk is, dat bij tenietgaan van de opstallen de verplichting tot wederopbouw op grond van het bepaalde in de eerste zin van het vierde lid zal vervallen.

Ontheffing

3. Indien de verpachter, hoewel de opstallen op redelijke voorwaarden voor de herbouwwaarde verzekerd kunnen worden, niet of niet afdoende tegen brand- of stormschade verzekerd is, en niet anderszins zekerheid biedt de in het eerste lid genoemde verplichting te zullen nakomen, kan de pachtkamer de pachter op diens verzoek machtigen een verzekering of een aanvullende verzekering voor ten hoogste de duur van de lopende pachttermijn te sluiten en de premie voor rekening van de verpachter te betalen. Indien het betreft het sluiten van een aanvullende verzekering, moet deze worden gesloten bij de verzekeraar bij wie de opstallen verzekerd zijn, tenzij de pachtkamer in haar beschikking anders bepaalt. Onder verzekering voor de herbouwwaarde wordt verstaan een verzekering tot zodanig bedrag, dat daarmede kan worden voldaan aan de in het eerste lid, eerste zin, omschreven verplichting.

Onvoldoende verzekering

4. De verplichting van de verpachter tot wederopbouw vervalt, indien de wederopbouw, de algemene belangen van de landbouw of de bijzondere omstandigheden van het geval in aanmerking genomen, van de verpachter in redelijkheid niet kan worden gevergd. Indien de pachter voor de door brand ontstane schade aansprakelijk is, wordt de verplichting van de verpachter tot wederopbouw geschorst, zolang de pachter aan zijn verplichting tot schadevergoeding niet heeft voldaan.

Verval verplichting

Art. 30. 1. De pachter is niet bevoegd de bestemming, inrichting of gedaante van het gepachte geheel of gedeeltelijk te veranderen dan na schriftelijke toestemming van de verpachter.

Wijziging bestemming enz. van het gepachte

2. De verpachter is niet bevoegd verbeteringen op of aan het verpachte aan te brengen dan na schriftelijke toestemming van de pachter.

3. Indien de verpachter, onderscheidenlijk de pachter, zijn toestemming weigert, kan de wederpartij aan de grondkamer machtiging vragen de gewenste veranderingen en verbeteringen aan te brengen. De grondkamer verleent deze machtiging, wanneer door de verandering of de verbetering het algemeen landbouwbelang gediend wordt en geen redelijk belang van de andere partij zich daartegen verzet. De grondkamer kan aan de machtiging voorwaarden verbinden of daarbij een last opleggen en kan daarbij tevens op verzoek van de meest gerede partij de tegenprestatie herzien, indien de verandering of verbetering daartoe aanleiding geeft.

Art. 31. 1. Bij het einde der pacht is de verpachter verplicht de pachter voor de verbeteringen, welke door deze aan het gepachte zijn aangebracht, een naar billijkheid te bepalen vergoeding te geven.

Vergoeding aangebrachte verbeteringen

2. Deze vergoeding kan niet overtreffen het bedrag, waarmede de waarde van het verpachte bij het einde der pacht tengevolge van de aangebrachte verbeteringen is verhoogd. De vergoeding wordt lager gesteld, naarmate de pachter de vruchten van de aangebrachte verbeteringen reeds heeft kunnen genieten.

3. De in het eerste lid bedoelde vergoeding kan slechts worden gevorderd, indien de pachter tijdig aan de verpachter, onder opgave van de geschatte kosten, schriftelijk mededeling van de voorgenomen verbetering heeft gedaan en hetzij de verpachter zich daartegen niet binnen een maand na ontvangst van de mededeling uitdrukkelijk heeft verzet, hetzij de grondkamer, in geval van zodanig verzet, op verzoek van de pachter dit verzet ongegrond heeft verklaard. Indien de verbetering tevens een verandering van de bestemming, inrichting of gedaante van het gepachte is, kan de verpachter, indien de pachter aan de grondkamer machtiging gevraagd heeft de bestemming, inrichting of gedaante van het gepachte te mogen veranderen, het verzet nog doen binnen de krachtens artikel 97, eerste lid, gestelde termijn.

4. De vordering van de pachter tot vergoeding voor verbeteringen moet ten minste drie maanden vóór het einde van de pachtovereenkomst worden ingesteld. Indien de pachtovereenkomst niet door het verstrijken van de bepaalde termijn is geëindigd, kan de vordering nog tot drie maanden na het einde worden ingesteld.

5. Op grond van artikel 212 van Boek 6 van het Burgerlijk Wetboek kan door de pachter geen vergoeding voor verbeteringen worden gevorderd.

Onderverpachting

Art. 32. Zonder schriftelijke toestemming van de verpachter is de pachter niet tot onderverpachting bevoegd.

Herstelling andere bepalingen dan de tegenprestatie

Art. 33. 1. Telkens voor het verstrijken van een pachttermijn kan de pachter of de verpachter aan de grondkamer verzoeken andere bepalingen van de pachtovereenkomst dan met betrekking tot de tegenprestatie te herzien.

2. De grondkamer herziet deze, indien de bijzondere omstandigheden van het geval daartoe aanleiding geven en noch het algemeen landbouwbelang, noch een redelijk belang van de andere partij zich daartegen verzet.

3. De wijziging gaat in met ingang van de nieuwe pachttermijn.

Art. 33a. Op grond van artikel 258 van Boek 6 van het Burgerlijk Wetboek kan, evenmin als van de tegenprestatie dan wel van de vergoeding een wijziging van andere bepalingen der pachtovereenkomst worden gevorderd.

Eigendoms-overgang

Art. 34. 1. Bij eigendomsovergang van het verpachte op een derde volgt deze in alle rechten en verplichtingen van de verpachter op.

2. Rechten en verplichtingen, welke vóór de eigendomsovergang opeisbaar zijn geworden, gaan op de derde niet over.

Afgaande en opkomende pachters

Art. 35. 1. De afgaande en opkomende pachters zijn verplicht elkander over en weer met al datgene te gerieven, wat vereist wordt om het betrekken en het verlaten van het gepachte gemakkelijker te maken, zo wat betreft het gebruik voor het volgende jaar, het inoogsten der nog te velde staande vruchten, het betrekken der gebouwen, als anderszins, alles overeenkomstig het plaatselijk gebruik.

2. De ten deze nalatige pachter is zowel jegens de pachter als jegens de verpachter tot schadevergoeding gehouden.

§ 7. *De verlenging van de pachtovereenkomst*

Verlenging van rechtswege

Art. 36. 1. De pachtovereenkomst, welke geldt voor de duur van ten minste twaalf jaren voor een hoeve en ten minste zes jaren voor los land, wordt telkens van rechtswege met zes jaren verlengd.

Verzet hiertegen

2. Verlenging vindt niet van rechtswege plaats, wanneer een van de partijen niet eerder dan drie jaren doch uiterlijk één jaar of in bijzondere gevallen uiterlijk zes maanden vóór het einde van de lopende pachtovereenkomst aan de wederpartij bij deurwaardersexploot of bij aangetekende brief heeft kennisgegeven, dat zij verlenging niet of niet voor de duur van zes jaren wenst.

Verlenging door pachtkamer

3. De pachter kan binnen een maand na ontvangst van een kennisgeving, als bedoeld in het vorige lid, aan de pachtkamer verzoeken de pachtovereenkomst te verlengen.

Verlenging overeenkomst voor korte duur

Art. 37. 1. Indien de grondkamer ingevolge het bepaalde in het derde lid van artikel 12 een kortere pachttermijn heeft goedgekeurd, heeft aan het einde van die termijn geen verlenging van rechtswege plaats, doch kan de pachter binnen de in de beschikking bepaalde tijd aan de pachtkamer verzoeken de pachtovereenkomst te verlengen.

2. Indien de grondkamer een pachttermijn van een jaar of korter heeft goedgekeurd, kan geen verlenging van de pachtovereenkomst worden verzocht.

Beslissing naar billijkheid

Art. 38. De pachtkamer beslist op een verzoek om verlenging naar billijkheid, met inachtneming evenwel van de bepalingen van deze paragraaf.

Art. 38a. 1. De pachtkamer wijst, onverminderd het bepaalde in artikel 43, vierde lid, het verzoek om verlenging af, indien de pachter voor het einde van de lopende pachttermijn de leeftijd van vijfenzestig jaren heeft bereikt of zal bereiken en de verpachter deswege bezwaar maakt tegen verlenging.

2. Nochtans kan de pachtkamer op verzoek van de pachter de pachtovereenkomst verlengen, indien de pachter een kind, stiefkind of pleegkind heeft dat op het tijdstip van indiening van het verzoek de leeftijd van ten minste vijftien jaren heeft bereikt en ten behoeve waarvan de pachter op dat tijdstip een vordering tot indeplaatsstelling als bedoeld in artikel 49, eerste lid, heeft gedaan.

Afwijzing verlenging door pachtkamer

Art. 39. De pachtkamer wijst het verzoek af, indien de bedrijfsvoering van de pachter niet geweest is, zoals het een goed pachter betaamt of het optreden van de pachter jegens de verpachter in de afgelopen pachtperiode aanleiding heeft gegeven tot gegronde klachten.

Art. 40. De pachtkamer wijst het verzoek af, voorzover de verpachter het verpachte wil bestemmen voor niet tot de landbouw betrekkelijke doeleinden en die bestemming in overeenstemming is met het algemeen belang. De voorgenomen bestemming wordt geacht in overeenstemming met het algemeen belang te zijn, indien zij in overeenstemming is met een goedgekeurd bestemmingsplan.

Art. 41. 1. De pachtkamer wijst, behoudens het in het volgende lid bepaalde, het verzoek af, indien de verpachter of de echtgenoot, een bloed- of aanverwant in de rechte lijn of een pleegkind van de verpachter het verpachte persoonlijk voor een tot de landbouw betrekkelijk doel in gebruik wil nemen.

2. Nochtans beslist de pachtkamer naar billijkheid, indien:

a. de verpachter een rechtspersoon is;

b. door het verlies van het gepachte de grondslag van het maatschappelijk bestaan van de pachter ernstig zou worden aangetast en het persoonlijk gebruik voor de verpachter, voor zijn echtgenoot, voor zijn bloed- of aanverwant of voor zijn pleegkind niet van overwegende betekenis is.

Art. 42. Indien krachtens artikel 37, eerste lid, verlenging wordt verzocht, wijst de pachtkamer het verzoek af, indien de bijzondere omstandigheid, met het oog waarop de korte duur van de pachtovereenkomst is goedgekeurd, zich heeft voorgedaan of aannemelijk is, dat deze zich voor of korte tijd na het einde van de lopende pachtovereenkomst zal voordoen.

Overdracht verpachte binnen laatste vier jaar van pachttermijn

Art. 43. 1. Indien de wil tot persoonlijk gebruik met toepassing van artikel 41 tot afwijzing van het verzoek zou leiden en door het verlies van het gepachte de grondslag van het maatschappelijk bestaan van de pachter ernstig zou worden aangetast, is de pachtkamer nochtans verplicht om, wanneer de verpachter de vorige verpachter binnen zes jaren voor het einde van de pachtovereenkomst onder bijzondere titel is opgevolgd en niet de echtgenoot, een bloed- of aanverwant in de rechte lijn of een pleegkind van de vorige verpachter is, de overeenkomst te verlengen tot zes jaren na het einde van het pachtjaar, waarin de verpachter de vorige verpachter is opgevolgd.

2. Indien de wil tot persoonlijk gebruik met toepassing van artikel 41 tot afwijzing van het verzoek zou leiden en door het verlies van het gepachte de grondslag van het maatschappelijk bestaan van de pachter niet ernstig zou worden aangetast, is de pachtkamer bevoegd om, wanneer de verpachter de vorige verpachter binnen zes jaren voor het einde van de pachtovereenkomst onder bijzondere titel is opgevolgd en niet de echtgenoot, een bloed- of aanverwant in de rechte lijn of een pleegkind van de vorige verpachter is, de overeenkomst te verlengen tot ten hoogste zes jaren na het einde van het pachtjaar, waarin de verpachter de vorige verpachter is opgevolgd.

3. Bij verlenging van de pachtovereenkomst ingevolge het bepaalde in het eerste en tweede lid met een kortere termijn dan zes jaren bepaalt de pachtkamer in haar beschikking tevens de tijd, waarbinnen verlenging van de pachtovereenkomst kan

worden gevraagd. Indien de pachtkamer echter de pachtovereenkomst met niet meer dan één jaar verlengt, kan zij daarbij tevens bepalen dat verdere verlenging niet mogelijk zal zijn.

4. Indien de pachter in het tijdvak van zes jaren volgend op het einde van het pachtjaar waarin de verpachter de vorige verpachter is opgevolgd, de leeftijd van vijfenzestig jaren zal bereiken, geschiedt de in het eerste en tweede lid bedoelde verlenging tot het einde van het pachtjaar waarin de pachter die leeftijd zal bereiken. Nochtans blijft de in het eerste en tweede lid bedoelde verlenging achterwege, indien de pachter voor het einde van de lopende pachttermijn de leeftijd van vijfenzestig jaren heeft bereikt of zal bereiken.

5. Indien bij de rechtsopvolging bedoeld in het eerste en tweede lid is gehandeld in strijd met het bepaalde in de artikelen 56b, eerste lid, of 56d, tweede lid, worden de termijnen van zes jaren vervangen door termijnen van twaalf jaren. In dat geval blijft het vierde lid buiten toepassing.

Schadevergoeding bij niet gestanddoening van eigen gebruik enz.

Art. 44. 1. In geval van afwijzing van het verzoek tot verlenging op grond van een der in artikel 40 of 41 omschreven omstandigheden, is de verpachter jegens de pachter tot schadevergoeding gehouden, indien de wil om aan het verpachte een bestemming te geven, als bedoeld in artikel 40, onderscheidenlijk om het verpachte persoonlijk in gebruik te nemen in werkelijkheid niet aanwezig is geweest.

2. Behoudens tegenbewijs wordt die wil geacht niet aanwezig te zijn geweest, indien niet binnen één jaar na het einde van de pachtovereenkomst aan het verpachte de in artikel 40 bedoelde bestemming is gegeven, onderscheidenlijk het verpachte door de verpachter of door de echtgenoot, door een bloed- of aanverwant in de rechte lijn of door een pleegkind van de verpachter in duurzaam gebruik is genomen.

3. De pachtkamer is bevoegd op verzoek van de pachter of ambtshalve in haar beslissing, waarbij het verzoek tot verlenging wordt afgewezen, een bedrag te bepalen, hetwelk de verpachter aan de pachter moet betalen, in geval later mocht blijken, dat die wil in werkelijkheid niet aanwezig is geweest, onverminderd het recht van de pachter op verdere schadevergoeding.

4. De vordering van de pachter tot schadevergoeding of tot betaling van het bedrag, bedoeld in het vorige lid, vervalt vijf jaren na het einde van de pachtovereenkomst.

Duur verlenging

Art. 45. 1. Bij toewijzing van het verzoek verlengt de pachtkamer de pachtovereenkomst met zes jaren of met een zoveel kortere termijn als uit de bijzondere omstandigheden voortvloeit; in het laatste geval vermeldt zij in haar beschikking de reden van de verlenging met de kortere termijn en vindt het bepaalde in het vijfde lidvan artikel 12 overeenkomstige toepassing.

Verlenging met minder dan zes jaren

2. Indien de pachtkamer de pachtovereenkomst op grond van het eerste lid of op grond van artikel 43 met een kortere termijn verlengt, heeft aan het einde van die termijn geen verlenging van rechtswege plaats, doch kan de pachter binnen de in de beschikking bepaalde tijd aan de pachtkamer verzoeken de pachtovereenkomst wederom te verlengen. De pachtkamer beslist op de wijze, als in artikel 38 is voorgeschreven.

3. Indien de pachtkamer tot de bevinding komt dat het verzoek voor toewijzing vatbaar is en de pachter in het tijdvak van zes jaren volgende op het einde van de lopende pachttermijn de leeftijd van vijfenzestig jaren zal bereiken, verlengt de pachtkamer op verzoek van de verpachter de pachtovereenkomst tot het einde van het pachtjaar waarin de pachter die leeftijd bereikt of tot het einde van een zodanig later pachtjaar als de verpachter voorstelt, doch met ten hoogste zes jaren.

4. Indien in het geval van artikel 38a, eerste lid, de verpachter tegen verlenging van de pachtovereenkomst met minder dan zes jaren geen bezwaar heeft, verlengt de pachtkamer de overeenkomst tot het einde van een zodanig later pachtjaar als de pachter voorstelt.

5. Indien de pachtkamer de pachtovereenkomst in de gevallen bedoeld in het derde en vierde lid heeft verlengd, bepaalt de pachtkamer op verzoek van de verpachter dat, behoudens in het geval van artikel 38a, tweede lid, geen verdere verlenging van de pachtovereenkomst kan worden verzocht.

6. Indien de pachtkamer een pachtovereenkomst met niet meer dan één jaar verlengt, kan geen verlenging van de pachtovereenkomst worden verzocht.

Art. 46. Indien de pachtovereenkomst op grond van een verzoek, als bedoeld in de artikelen 37 of 45, eerste lid, met zes jaren wordt verlengd, is voor verdere verlenging het bepaalde in artikel 36 van overeenkomstige toepassing.

Verlenging voor een gedeelte van het gepachte

Art. 47. De pachtkamer kan, hetzij op verzoek van een der partijen, hetzij ambtshalve op grond van de billijkheid, met inachtneming van het bepaalde in artikel 5, eerste lid, onder c en d, tweede, derde en vijfde lid, de pachtovereenkomst voor een gedeelte van het verpachte verlengen. In dat geval vermindert zij de geldende tegenprestatie dienovereenkomstig. De pachter kan alsdan de pachtovereenkomst voor het overige beëindigen op het tijdstip waarop de pachtovereenkomst zonder verlenging zou zijn geëindigd. Hij geeft hiervan bij aangetekende brief kennis aan de verpachter binnen een maand nadat de beschikking onaantastbaar is geworden.

Schadeloosstelling bij niet verlenging wegens bestemming tot niet agrarische doeleinden

Art. 48. 1. Indien de pachtovereenkomst voor de in artikel 12, eerste of tweede lid, bedoelde duur is aangegaan of geldt, dan wel voor een kortere duur is aangegaan doch nadien voor zes jaren is verlengd, heeft de pachter, indien de pachtovereenkomst niet of met niet meer dan één jaar verlengd wordt, omdat de verpachter het verpachte wil bestemmen voor niet tot de landbouw betrekkelijke doeleinden, recht op een door de verpachter te betalen schadeloosstelling. Bij de bepaling van de schadeloosstelling houdt de pachtkamer rekening met de mogelijkheid, dat de pachtovereenkomst zou zijn verlengd, indien het verpachte niet voor niet tot de landbouw betrekkelijke doeleinden zou zijn bestemd.

2. Bij de berekening van de schadeloosstelling wordt niet gelet op feitelijke veranderingen, welke kennelijk zijn aangebracht om de schadeloosstelling te verhogen.

3. Het bepaalde in het eerste lid vindt geen toepassing, indien de pachtverhouding is aangevangen, nadat aan het verpachte bij een goedgekeurd bestemmingsplan een niet tot de landbouw betrekkelijke bestemming is gegeven.

4. Indien evenwel het verpachte sinds een tijdstip, liggend voor de goedkeuring bedoeld in het vorige lid, achtereenvolgens bij personen die ten tijde van de opvolging in het gebruik tot de voorgaande gebruiker in enige in artikel 49, eerste lid, genoemde betrekking stonden persoonlijk in gebruik is geweest voor een tot de landbouw betrekkelijk doel, blijft het bepaalde in het eerste lid van toepassing.

§ 8. *De pachtoverneming*

Vordering pachter tot pachtoverneming

Art. 49. 1. De pachter kan zich tot de pachtkamer wenden met de vordering zijn echtgenoot, één of meer zijner bloed- en aanverwanten in de rechte lijn, één of meer van zijn pleegkinderen of één of meer van de medepachters — of twee of meer van deze gezamenlijk — in zijn plaats als pachter te stellen.

2. Indien de pachter een vordering, als bedoeld in het vorige lid, heeft gedaan, is de verpachter bevoegd zich tot de pachtkamer te wenden met de vordering een of meer anderen van de in het vorige lid genoemde belanghebbenden in de plaats van de pachter te stellen.

3. De pachtkamer beslist naar billijkheid, met inachtneming van de overige bepalingen van dit artikel.

Landbouwkundige toetsing

4. De pachtkamer wijst de vordering af, indien op grond van het gestelde in artikel 5 eerste lid, onder d en e, eerste zinsnede, en met inachtneming van het bepaalde in artikel 5, tweede en vijfde lid, de goedkeuring aan een nieuwe pachtovereenkomst zou zijn onthouden.

5. De pachtkamer wijst de vordering af, indien de voorgestelde pachter niet voldoende waarborgen voor een behoorlijke bedrijfsvoering biedt.

6. De pachtkamer wijst de vordering af, indien de voorgestelde pachter op het tijdstip waarop de vordering aanhangig wordt gemaakt de leeftijd van vijfenzestig jaren heeft bereikt en de verpachter deswege verzoekt de vordering af te wijzen.

Wijziging van overeenkomst door pachtkamer

7. Indien de pachtkamer de vordering zou moeten afwijzen, omdat op grond van het gestelde in artikel 5, eerste lid, onder d en e, eerste zinsnede, de goedkeuring aan een nieuwe pachtovereenkomst zou zijn onthouden, is zij bevoegd de pachtovereenkomst te wijzigen op het punt of de punten, welke die goedkeuring zouden verhinderen. Het bepaalde in artikel 6, tweede lid, is van overeenkomstige toepassing.

Voorwaardelijke toewijzing

8. De pachtkamer kan de toewijzing van de vordering afhankelijk stellen van de vervulling van zodanige voorwaarden, als zij in het belang van de verpachter noodzakelijk oordeelt.

9. Indien de pachtovereenkomst ingevolge het in het zevende lid bepaalde tegen de wil van de voorgestelde pachter is gewijzigd, kan deze, mits binnen een maand na de dag van het vonnis, van de indeplaatsstelling afzien door een kennisgeving bij aangetekende brief aan de verpachter. In dat geval staat de voorgestelde pachter geen beroep open.

Art. 49a. 1. De pachter kan zich tot de pachtkamer wenden met de vordering zijn echtgenoot, één of meer zijner bloed- en aanverwanten in de rechte lijn of één of meer van zijn pleegkinderen — of twee of meer van deze gezamenlijk — aan te merken als medepachter.

2. Het bepaalde in artikel 49, derde tot en met negende lid, is van overeenkomstige toepassing met dien verstande dat in plaats van „voorgestelde pachter" telkens wordt gelezen: „voorgestelde medepachter".

Ontslag uit de pacht van medepachter

Art. 50. 1. De medepachter, die niet of niet meer persoonlijk betrokken is bij de exploitatie van het gepachte, kan zich tot de pachtkamer wenden met de vordering uit de pacht te worden ontslagen. De pachtkamer beslist naar billijkheid met dien verstande, dat zij de vordering toewijst, tenzij de belangen van de verpachter of van de medepachter daardoor ernstig zouden worden geschaad.

2. De verpachter kan zich tot de pachtkamer wenden met de vordering de medepachter die niet of niet meer persoonlijk betrokken is bij de exploitatie van het gepachte, te ontslaan uit de pacht. De tweede volzin van het eerste lid is van overeenkomstige toepassing.

3. De medepachter kan zich tot de pachtkamer wenden met de vordering de andere medepachter uit de pacht te ontslaan op de grond dat de onderlinge verhouding een gemeenschappelijke bedrijfsvoering ernstig bemoeilijkt.

§ 9. Het einde van de pachtovereenkomst

Ontbinding voor niet tot de landbouw betrekkelijke doeleinden

Art. 51. 1. Indien de verpachter het verpachte of een gedeelte daarvan wil bestemmen voor niet tot de landbouw betrekkelijke doeleinden, en die bestemming in overeenstemming is met het algemeen belang, ontbindt de pachtkamer op vordering van de verpachter de pachtovereenkomst geheel of ten dele met ingang van een bij de uitspraak te bepalen dag. De voorgenomen bestemming wordt geacht in overeenstemming met het algemeen belang te zijn, indien zij in overeenstemming is met een goedgekeurd bestemmingsplan.

2. Bij ontbinding voor een gedeelte van het verpachte vermindert de pachtkamer de tegenprestatie dienovereenkomstig. De pachter kan alsdan de pachtovereenkomst voor het overige beëindigen op het in het vorige lid bedoelde tijdstip. Hij geeft hiervan bij aangetekende brief kennis aan de verpachter binnen een maand nadat het vonnis in kracht van gewijsde is gegaan.

3. Artikel 44 is van overeenkomstige toepassing.

Schadeloosstelling

Art. 52. 1. Indien de pachtkamer de pachtovereenkomst ingevolge artikel 51 ontbindt, veroordeelt zij de verpachter de pachter schadeloos te stellen over de tijd, welke de pachter bij niet-ontbinding ingevolge de pachtovereenkomst nog op het gepachte had kunnen blijven.

2. Indien de pachtovereenkomst voor de in artikel 12, eerste of tweede lid, bedoelde duur is aangegaan of geldt, dan wel voor een kortere duur is aangegaan, doch nadien voor zes jaren is verlengd, wordt bij de bepaling van de schadeloosstelling rekening gehouden met de mogelijkheid, dat de pachtovereenkomst zou zijn verlengd. Bij de beoordeling van de mogelijkheid van verlenging houdt de pachtkamer geen rekening met het voornemen van de verpachter het verpachte of een gedeelte daarvan te bestemmen voor niet tot de landbouw betrekkelijke doeleinden.

3. Het bepaalde in het tweede lid, eerste volzin, vindt geen toepassing, indien de pachtverhouding is aangevangen, nadat aan het verpachte bij een goedgekeurd bestemmingsplan een niet tot de landbouw betrekkelijke bestemming is gegeven. In dat geval wordt de pachtovereenkomst met betrekking tot een hoeve of los land, welke is aangegaan voor langer dan twaalf, onderscheidenlijk zes jaren, voor de bepaling van de schadeloosstelling geacht te zijn aangegaan voor twaalf, onderscheidenlijk zes jaren, met dien verstande, dat, indien de ontbinding plaats vindt na die termijn, de overeenkomst geacht wordt telkens voor zes jaren te zijn verlengd.

4. Indien evenwel het verpachte sinds een tijdstip, liggend voor de goedkeuring bedoeld in het vorige lid, achtereenvolgens bij personen die ten tijde van de opvolging in het gebruik tot de voorgaande gebruiker in enige in artikel 49, eerste lid, genoemde betrekking stonden persoonlijk in gebruik is geweest voor een tot de landbouw betrekkelijk doel, blijft het bepaalde in het tweede lid van toepassing.

5. Indien de pachtovereenkomst ingevolge artikel 9 voor onbepaalde tijd geldt, wordt voor de berekening van de schadeloosstelling uitgegaan van de overeengekomen duur, doch ingeval de overeenkomst voor onbepaalde tijd is aangegaan nimmer van een langere dan de in artikel 12, eerste lid, bedoelde duur. Voor de berekening

van de schadeloosstelling wordt op gelijke wijze als ten aanzien van pachtovereenkomsten, waarop artikel 9 niet van toepassing is, aangenomen, dat de pachtovereenkomst zou kunnen worden verlengd; het tweede lid, tweede volzin, derde en vierde lid, vinden overeenkomstige toepassing.

6. Voorzover pachtovereenkomsten of overeenkomsten tot wijziging van pachtovereenkomsten kennelijk gesloten zijn om de schadeloosstelling te verhogen, worden deze bij de bepaling van de schadeloosstelling buiten beschouwing gelaten.

7. Artikel 48, tweede lid, is van toepassing.

Art. 53. Vervallen.

Art. 54. 1. De pachtovereenkomst gaat niet van rechtswege teniet door de dood van de verpachter of van de pachter.

In de plaats stelling na overlijden van pachter respectievelijk vordering tot ontbinding

2. Binnen zes maanden na het overlijden van de pachter kunnen diens echtgenoot, ieder van diens bloed- en aanverwanten in de rechte lijn, ieder van diens pleegkinderen en iedere medepachter zich tot de pachtkamer wenden met de vordering, dat een of meer van hen in de plaats van de overleden pachter de pachtovereenkomst zal mogen voortzetten en de overigen uit de pacht zullen worden ontslagen, of dat de pachtovereenkomst zal worden ontbonden.

3. Gelijke vordering kan door de verpachter worden gedaan binnen zes maanden na het overlijden van de pachter. Voorts kan de verpachter de vordering instellen binnen twee maanden na het tijdstip waarop de in het tweede lid bedoelde personen de verpachter bij aangetekende brief van het overlijden van de pachter in kennis hebben gesteld, met dien verstande dat ingeval de in het tweede lid bedoelde vordering is ingesteld, de verpachter de vordering nog kan doen tot twee maanden na het tijdstip waarop de griffier de verpachter van die vordering in kennis heeft gesteld. Is de verpachter niet op grond van de vorige zin in kennis gesteld van het overlijden van de pachter, dan kan hij de vordering ook nog doen binnen twee maanden nadat hij op andere wijze daarvan heeft kennis gekregen.

4. Na afloop van de in het tweede lid vermelde termijn beslist de pachtkamer na verhoor of behoorlijke oproeping van de belanghebbende.

5. De pachtkamer beslist naar billijkheid met inachtneming van de overige bepalingen van dit artikel.

Landbouwkundige toetsing

6. De pachtkamer wijst de vordering af, indien de voorgestelde pachter op het tijdstip waarop de vordering aanhangig wordt gemaakt, de leeftijd van vijfenzestig jaren heeft bereikt en de verpachter deswege bezwaar maakt tegen toewijzing van de vordering.

7. De pachtkamer wijst de vordering af, indien op grond van het gestelde in artikel 5, eerste lid, onder d en e, eerste zinsnede, en met inachtneming van het bepaalde in artikel 5, tweede en vijfde lid, de goedkeuring aan een nieuwe pachtovereenkomst zou zijn onthouden.

8. De pachtkamer wijst de vordering af, indien een of meer dergenen door of ten behoeve van wie voortzetting der pachtovereenkomst is gevorderd, niet voldoende waarborgen voor een behoorlijke bedrijfsvoering bieden.

Wijziging pachtovereenkomst

9. Indien de pachtkamer de vordering zou moeten afwijzen, omdat op grond van het gestelde in artikel 5, eerste lid, onder d en e, eerste zinsnede, de goedkeuring aan een nieuwe pachtovereenkomst zou zijn onthouden, is zij bevoegd de pachtovereenkomst te wijzigen op het punt of de punten, welke die goedkeuring zouden verhinderen. Het bepaalde in artikel 6, tweede lid, is van overeenkomstige toepassing.

10. De pachtkamer kan de toewijzing van de vordering afhankelijk stellen van de vervulling van zodanige voorwaarden, als zij in het belang van de verpachter noodzakelijk oordeelt.

11. Indien de pachtovereenkomst ingevolge het in het negende lid bepaalde tegen de wil van de voorgestelde pachter is gewijzigd, kan deze, mits binnen een maand na de dag van het vonnis, van de voortzetting afzien door een kennisgeving bij aangetekende brief aan de verpachter. In dat geval staat de voorgestelde pachter geen beroep open.

12. Indien de pachtkamer de pachtovereenkomst ontbindt, bepaalt zij tevens de dag, waarop de ontbinding ingaat. Zij kan daarbij aan de wederpartij naar billijkheid een schadevergoeding toekennen.

Onvoldoende onderhoud door pachter

Art. 55. 1. Schiet de pachter in de nakoming van zijn verplichtingen tekort, dan kan de verpachter de pachtovereenkomst niet door een schriftelijke verklaring ontbinden, doch uitsluitend de ontbinding in rechte vorderen.

2. Indien de pachter in gebreke is de pachtprijs te voldoen, ontbindt de pachtkamer de overeenkomst, behoudens dat het haar vrijstaat om, naar gelang van omstandigheden aan de pachter op zijn verzoek een betrekkelijk korte termijn te gunnen om alsnog aan zijn verplichtingen te voldoen.

3. Indien de verpachter van oordeel is dat de pachter tekortschiet in de nakoming van zijn verplichtingen tot onderhoud van het gepachte, kan hij, onverminderd het in het eerste lid bepaalde, de pachtkamer verzoeken een ondezoek naar de toestand daarvan in te stellen.

4. De pachtkamer geeft aan dit verzoek onverminderd gevolg en maakt van haar bevindingen een schriftelijk verslag op, waarvan zij afschrift aan partijen zendt.

5. Indien haar bevindingen haar daartoe aanleiding geven, verstrekt de pachtkamer de pachter zodanige aanwijzingen omtrent het uitvoeren van zijn verplichting tot onderhoud, als door de omstandigheden geboden mochten zijn, en stelt zij de pachter tevens een termijn binnen welke hij de aanwijzingen moet hebben opgevolgd.

6. Indien de pachter nalaat de aanwijzingen binnen de gestelde termijn op te volgen, geldt dit als een tekortkoming als bedoeld in het eerste lid, tenzij de pachter aannemelijk maakt dat dit nalaten hem niet kan worden toegerekend.

7. Behoudens het in de voorgaande leden bepaalde, is afdeling 5 van titel 5 van Boek 6 van het Burgerlijk Wetboek op de pachtovereenkomst van toepassing.

Art. 56. Vervallen.

§ 9A. Het voorkeursrecht van de pachter

Begripsbepalingen

Art. 56a. In deze paragraaf wordt verstaan onder:
a. beperkt recht: het recht van erfpacht, opstal, beklemming of vruchtgebruik;
b. beperkt gerechtigde: de erfpachter, opstalhouder, beklemde meier of vruchtgebruiker;
c. vervreemding: overdracht van eigendom of vestiging of overdracht van een beperkt recht;
d. pachter: de pachter wiens pachtovereenkomst geldt voor ten minste de wettelijke duur dan wel is aangegaan voor een kortere duur, doch nadien voor zes jaren is verlengd en zo nodig is goedgekeurd.

Verplichting verpachter bij voorgenomen vervreemding van het verpachte

Art. 56b. 1. De verpachter die tot vervreemding van het verpachte of een deel daarvan wil overgaan, is verplicht de pachter bij voorkeur in de gelegenheid te stellen het aan te bieden recht te verkrijgen overeenkomstig de bepalingen van deze paragraaf.

2. De verpachter geeft van zijn voornemen tot vervreemding bij deurwaardersexploot of bij aangetekende brief kennis aan de pachter.

3. De pachter geeft binnen een maand na het uitbrengen van dat exploot of na de verzending van die aangetekende brief, eveneens bij exploot of bij aangetekende brief aan de verpachter te kennen, of hij, indien overeenstemming wordt bereikt over de prijs, bereid is eigenaar of beperkt gerechtigde te worden.

4. Indien de pachter zich niet binnen deze termijn daartoe bereid verklaart, is het bepaalde in het eerste lid gedurende een jaar na afloop van deze termijn niet van toepassing.

Taxatiewaarde van het verpachte

Art. 56c. 1. Wanneer de pachter zich binnen de in artikel 56b, derde lid, gestelde termijn op de daar omschreven wijze bereid verklaart eigenaar of beperkt gerechtigde te worden, maar geen overeenstemming kan worden bereikt over de prijs, kan de verpachter aan de grondkamer verzoeken de waarde van het verpachte of het te vervreemden deel daarvan te taxeren.

2. Onder waarde wordt in het vorige lid verstaan de werkelijke waarde, niet de denkbeeldige, welke het verpachte uitsluitend voor de persoon van de verpachter heeft.

Aanbod van vervreemding aan pachter na taxatie

Art. 56d. 1. Indien de verpachter, nadat op het verzoek om taxatie onherroepelijk is beslist, bereid is het verpachte tegen de getaxeerde waarde, of tegen een lagere prijs, aan de pachter te vervreemden, geeft hij hiervan aan de pachter kennis op de wijze omschreven in artikel 56b, tweede lid.

2. Indien de pachter niet binnen een maand na het uitbrengen van het exploot of na de verzending van de aangetekende brief het aanbod bij deurwaardersexploot of bij aangetekende brief heeft aanvaard, is artikel 56b, eerste lid, gedurende een jaar

na afloop van deze termijn niet van toepassing, met dien verstande, dat vervreemding anders dan in het openbaar slechts mag geschieden tegen ten minste de prijs, welke de verpachter in de kennisgeving aan de pachter, bedoeld in het eerste lid, heeft vermeld.

3. Indien de verpachter de kennisgeving bedoeld in het eerste lid niet heeft gedaan binnen een jaar nadat op het verzoek om taxatie onherroepelijk is beslist, zijn de bepalingen van de artikelen 56b en volgende wederom van toepassing.

Wanneer de in artikel 56b bedoelde verplichting niet bestaat

Art. 56e. 1. De in artikel 56b bedoelde verplichting bestaat niet:
a. in geval van verkoop krachtens wetsbepaling of krachtens een bevel des rechters en van executoriale verkoop;
b. wanneer de verpachter overgaat tot vervreemding aan zijn echtgenoot, aan een bloed- of aanverwant in de rechte lijn of in de zijlijn tot in de tweede graad of aan een pleegkind;
c. in geval van een rechtshandeling die als een verdeling van een gemeenschap is aan te merken;
d. (nog niet in werking getreden);
e. na het einde van het pachtjaar waarin de pachter de leeftijd van vijfenzestig jaren heeft bereikt, met dien verstande dat de in artikel 56b bedoelde verplichting van de verpachter tegenover de pachter in elk geval blijft bestaan gedurende de termijn waarmee de pachtovereenkomst op grond van artikel 38a, tweede lid, is verlengd.

2. Evenmin bestaat de in artikel 56b bedoelde verplichting, wanneer de grondkamer op verzoek van de verpachter heeft vastgesteld dat deze een ernstige reden heeft om de pachter niet in de gelegenheid te stellen eigenaar of beperkt gerechtigde te worden. Als ernstige reden wordt steeds beschouwd de omstandigheid dat de pachter een slecht landgebruiker is.

Art. 56f. 1. De in artikel 56b bedoelde verplichting bestaat niet, wanneer en voor zover het verpachte is gelegen in een geldend bestemmingsplan, waarbij daaraan een andere dan landbouwkundige bestemming is gegeven. Op verzoek van de verpachter verklaren burgemeester en wethouders schriftelijk, of in zulk een plan al dan niet een landbouwkundige bestemming aan het verpachte is gegeven.

2. Evenmin bestaat de in artikel 56b bedoelde verplichting, wanneer de verpachter overgaat tot vervreemding van het verpachte aan een derde en de grondkamer, op gezamenlijk verzoek van de verpachter en die derde, heeft vastgesteld dat aannemelijk is dat de derde het verpachte voor andere dan landbouwkundige doeleinden zal gebruiken of doen gebruiken. Bij het verzoek wordt een verklaring overgelegd van burgemeester en wethouders, waaruit blijkt dat die doeleinden hetzij niet in strijd zijn met een geldende bestemmingsregeling, hetzij in overeenstemming zijn met een in voorbereiding zijnde herziening van de geldende bestemmingsregeling.

3. De verklaring dat de in het vorige lid bedoelde doeleinden in overeenstemming zijn met een in voorbereiding zijnde herziening van een geldende bestemmingsregeling kan slechts worden afgegeven, nadat het ontwerp van zulk een herziening overeenkomstig de daarvoor geldende wettelijke voorschriften voor een ieder ter inzage is gelegd en nadat Gedeputeerde Staten tot de afgifte van de verklaring toestemming hebben verleend.

4. Indien de Staat, een provincie, een gemeente, een waterschap, een veenschap of een veenpolder de in het tweede lid bedoelde derde is, zijn slechts Gedeputeerde Staten bevoegd de in dat lid bedoelde verklaring af te geven.

5. Het bevoegde college beslist binnen drie weken na de indiening van het verzoek, onderscheidenlijk binnen drie weken na de ontvangst van de toestemming van Gedeputeerde Staten. Indien burgemeester en wethouders binnen de gestelde termijn geen beslissing hebben genomen, kan de afgifte van de verklaring worden gevraagd aan Gedeputeerde Staten, die binnen zes weken nadien beslissen.

6. De in dit artikel bedoelde verklaringen zijn slechts geldig gedurende zes maanden na de dagtekening daarvan, tenzij de verklaring zelf een kortere geldigheidsduur vermeldt.

7. De verklaring, bedoeld in het derde lid, vermeldt tevens de datum van de terinzagelegging en de datum en wijze van bekendmaking daarvan, alsmede datum en nummer van de door Gedeputeerde Staten verleende toestemming.

8. De grondkamer neemt een verklaring, waarin een of meer der in het vorige lid bedoelde gegevens ontbreken, niet in aanmerking.

Openbare verkoop

Art. 56g. De verpachter is verplicht om, alvorens tot openbare verkoop van het verpachte wordt overgegaan, behoudens in geval van executoriale verkoop de pachter ten minste een maand voor de verkoop bij deurwaardersexploot of bij aangetekende brief daarvan kennis te geven.

Schadevergoeding

Art. 56h. 1. De verpachter is aan de pachter een bedrag verschuldigd, gelijk aan de tussen partijen geldende jaarlijkse pachtprijs voor het verpachte, doch ten minste tweehonderdvijftig gulden:
a. indien hij het verpachte aan een derde vervreemdt zonder de krachtens artikel 56b, eerste lid, op hem rustende verplichting te hebben nagekomen;
b. indien hij in het geval, bedoeld in artikel 56d, tweede lid, het verpachte anders dan in het openbaar aan een derde vervreemdt tegen een lagere dan de in artikel 56d, tweede lid bedoelde prijs.
2. Hetzelfde bedrag is verschuldigd, indien de verpachter nalaat de krachtens artikel 56g op hem rustende verplichting na te komen, tenzij hij bewijst dat de pachter desondanks van de openbare verkoop op de hoogte was.
3. Het recht van de pachter om volledige schadevergoeding te vorderen blijft onverlet.
4. De rechtsvorderingen krachtens dit artikel verjaren door het verloop van twaalf jaren, te rekenen van de vervreemding aan een derde.

§ *10. Bepalingen van algemene aard*

Bepalingen van regelend recht

Art. 57. Alleen van de bepalingen der artikelen 15, 20, 21, 22, 23, 24, 25, tweede lid, 26, eerste lid, 27, eerste lid, en 30 eerste en tweede lid, kan bij overeenkomst worden afgeweken.

Los land kleiner dan 25 are

Art. 58. 1. De bepalingen van de artikelen 2-12, 30, derde lid, 31, 33, 36-48, 49, 49a en 54, tweede tot en met elfde lid, zijn niet van toepassing op pachtovereenkomsten betreffende los land, hetwelk niet groter is dan 25 are.

Bevoegdheid grondkamer

2. De grondkamer is bevoegd hetzij voor haar gehele ressort, hetzij voor een gedeelte daarvan, bij besluit voor een bepaalde tak van bodemcultuur de in het vorige lid genoemde oppervlakte te verlagen, doch niet tot minder dan 10 are. De besluiten van de grondkamer worden in de Nederlandse Staatscourant bekendgemaakt.
3. Dit besluit behoeft de goedkeuring van Onze Minister.
4. Indien tussen de verpachter en de pachter meer dan één pachtovereenkomst is gesloten, gelden deze voor de toepassing van dit artikel als één overeenkomst.

Zakelijke genotsrechten

Art. 59. 1. De bepalingen van deze wet vinden overeenkomstige toepassing op overeenkomsten, waardoor of krachtens welke tegen een vergoeding ineens of in termijnen zakelijke genotsrechten voor 25 jaar of korter, dan wel voor onbepaalde tijd op hoeven of los land worden gevestigd. In geval van zakelijke genotsrechten voor onbepaalde tijd blijft de overeenkomstige toepassing van bepalingen van deze wet beperkt tot 25 jaar na de vestiging.
2. De bepalingen, die voor het zakelijke genotsrecht gelden, vinden slechts toepassing, voorzover zij niet in strijd zijn met dwingende bepalingen van deze wet.

Openbare verpachtingen

Art. 60. 1. Openbare verpachtingen, verpachtingen bij inschrijving daaronder begrepen, zijn verboden, tenzij de grondkamer vóór de verpachting daartoe haar toestemming heeft verleend. De grondkamer kan aan de toestemming voorwaarden verbinden.
2. Alle kosten, vallende op een openbare verpachting, komen ten laste van de verpachter.

Art. 61. In een pachtovereenkomst, aangegaan onder de voorwaarde, dat de overeenkomst door de grondkamer geheel of ten dele ongewijzigd zal worden goedgekeurd, wordt deze voorwaarde voor niet geschreven gehouden.

§ *11. Bijzondere bepalingen met betrekking tot verpachting door openbare lichamen*

Uitzonderingsbepalingen voor publiekrechtelijke lichamen

Art. 62. Indien het Rijk, een provincie, een gemeente, een rechtspersoonlijkheid bezittend lichaam als bedoeld in de Wet gemeenschappelijke regelingen, een waterschap, een veenschap of een veenpolder aan hun in eigendom toebehorende hoeven of los land een bestemming heeft gegeven voor niet tot de landbouw betrekkelijke doeleinden van openbaar nut, kunnen zij aan de grondkamer verzoeken goed te keuren, dat bij verpachting van zulke hoeven of zodanig los land in de overeen-

komst een of meer van de volgende bedingen zullen worden opgenomen:
a. dat de overeenkomst in afwijking van het bepaalde in artikel 12, eerste lid, tweede zin, geldt voor de overeengekomen tijd;
b. dat de verlenging niet zal plaats hebben, indien en voorzover de verpachter in de kennisgeving, bedoeld in artikel 36, tweede lid, aan de pachter heeft medegedeeld, dat de verlenging met de bestemming van het verpachte onverenigbaar is;
c. dat de pachter niet bevoegd zal zijn aan de grondkamer machtiging te vragen bestemming, inrichting of gedaante van het verpachte te veranderen;
d. dat de overeenkomst door de verpachter te allen tijde kan worden beëindigd, indien en voorzover de bestemming de beëindiging naar zijn oordeel noodzakelijk maakt.

Bevoegdheid grondkamer

Art. 63. De grondkamer onderzoekt uitsluitend of de bestemming het beding redelijkerwijs noodzakelijk kan maken. Zij treedt niet in een beoordeling dezer bestemming.

Schadeloosstelling

Art. 64. 1. In geval de pachtovereenkomst niet wordt verlengd op grond van het beding, genoemd in artikel 62 onder b, heeft de pachter geen recht op schadeloosstelling.
2. In geval van beëindiging op grond van het beding, genoemd in artikel 62, onder d, heeft de pachter recht op schadeloosstelling over de tijd, welke hij bij nietbeëindiging ingevolge de pachtovereenkomst nog op het gepachte had kunnen blijven.
3. Bij gedeeltelijke beëindiging is de pachter bevoegd de pachtovereenkomst ook voor het overige te beëindigen. Hij geeft hiervan bij aangetekende brief kennis aan de verpachter binnen een maand na de beëindiging, bedoeld in artikel 62 onder d.

HOOFDSTUK II
Bepalingen van bijzondere aard

§ *1. Zetboeren*

Zetboerovereenkomsten

Art. 65. 1. Het is verboden zonder voorafgaande goedkeuring van de grondkamer een zetboer aan te stellen of aangesteld te houden.
2. Onder zetboer wordt verstaan degene, aan wie de exploitatie van een hoeve of los land door de eigenaar of rechthebbende is overgedragen en die daarbij een belangrijke invloed op de leiding van het bedrijf heeft verkregen en als tegenprestatie een vergoeding ontvangt.
3. De grondkamer keurt de aanstelling van de zetboer slechts goed, indien daarvoor bijzondere redenen aanwezig zijn. Zij treedt niet in een beoordeling van de voorwaarden der aanstelling.

§ *2. Inscharing van vee en verkoop van gras of hooi anders dan per gewicht*

Verkoop gras of hooi en inscharing van vee

Art. 66. 1. Het is verboden zonder voorafgaande goedkeuring van de grondkamer gras of hooi anders dan per gewicht te verkopen of ten verkoop aan te bieden of zich te verbinden vee ter inscharing aan te nemen.
2. De grondkamer verleent haar goedkeuring slechts, indien op grond van plaatselijke landbouwbelangen, van de aard van de onroerende zaak of van de persoonlijke omstandigheden van de verzoeker verpachting bezwaarlijk is.
3. De grondkamer kan aan haar goedkeuring voorwaarden verbinden. Zij kan onder meer als voorwaarde stellen, dat de tegenprestatie niet hoger zal zijn dan een nader door haar te bepalen bedrag. Zij houdt bij de bepaling van dat bedrag rekening met de toelaatbare pachtprijs.

Art. 67. De grondkamer kan met betrekking tot verkoop van gras of hooi anders dan per gewicht en tot het aannemen van vee ter inscharing bij besluit algemene voorschriften vaststellen.

Art. 68. De grondkamer kan bepalen, dat het verbod van artikel 66 niet zal gelden voor bij het besluit te omschrijven land dan wel voor een bepaald gebied. Zij kan daarbij tevens bepalen, dat de tegenprestatie niet hoger mag zijn dan bij het besluit is bepaald; zij houdt daarbij rekening met de toelaatbare pachtprijzen.

Verpachting van naweide

Art. 69. 1. Een pachtovereenkomst betreffende de naweide van een perceel, waarvan met inachtneming van de bepalingen van de artikelen 66-68 gras of hooi is verkocht, geldt in afwijking van het bepaalde in artikel 12 van rechtswege voor de nog lopende duur van het weideseizoen of voor een zoveel kortere duur, als door partijen is overeengekomen.

2. De grondkamer kan met betrekking tot de naweide bij besluit algemene voorschriften vaststellen.

Art. 70. De besluiten, bedoeld in de artikelen 67-69, behoeven de goedkeuring van Onze Minister. Zij worden in de Nederlandse Staatscourant bekendgemaakt.

§ 3. Bijzondere bepalingen met betrekking tot verpachtingen binnen reservaten

Art. 70a. In deze paragraaf wordt verstaan onder „reservaat" een gebied waar de eigendom dan wel de erfpracht van landbouwgronden door de Staat of bij koninklijk besluit aangewezen particuliere terreinbeherende natuurbeschermingsorganisaties is verworven en waar een beheer gevoerd kan worden gericht op doeleinden van natuur- en landschapsbehoud anders dan door middel van een daartoe te sluiten overeenkomst betreffende het richten van de bedrijfsvoering van agrarische bedrijven op doeleinden van natuur- en landschapsbehoud.

Art. 70b. 1. In een pachtovereenkomst met betrekking tot een hoeve of los land gelegen in een reservaat, kunnen een of meer verplichtingen worden opgenomen welke ten doel hebben de opzet en de bedrijfsvoering te richten op het behoud van natuur en landschap.

2. Niet als buitensporige verplichtingen als bedoeld in artikel 5, eerste lid, onderdeel b, worden die verplichtingen aangemerkt:
a. die deel uitmaken van een pachtovereenkomst gesloten met betrekking tot door de Staat of een bij koninklijk besluit aangewezen particuliere terreinbeherende natuurbeschermingsorganisatie in eigendom dan wel erfpacht verworven percelen, gelegen in een reservaat,
b. die gewenst zijn in verband met de instandhouding of ontwikkeling van de op het land aanwezige waarden van natuur en landschap en
c. waarvoor bij de overeenkomst een vergoeding wordt bedongen.

Art. 70c. Indien toepassing is gegeven aan artikel 70b geldt, in afwijking in zoverre van het bepaalde in artikel 12, de pachtovereenkomst voor zowel een hoeve als los land voor de duur van zes jaren.

Art. 70d. 1. Indien toepassing is gegeven aan artikel 70b zijn, onverminderd het bepaalde in het derde, vierde en vijfde lid, de artikelen 36 tot en met 49a en 54 niet van toepassing en wordt de pachtovereenkomst telkens van rechtswege met zes jaren verlengd.

2. Verlenging vindt niet plaats wanneer een van de partijen uiterlijk zes maanden voor het einde van de lopende pachtovereenkomst aan de wederpartij bij deurwaardersexploot of bij aangetekende brief heeft kennis gegeven dat zij verlenging niet of niet onder dezelfde voorwaarden wenst.

3. De pachter kan binnen een maand na ontvangst van een kennisgeving als bedoeld in het tweede lid, aan de pachtkamer verzoeken de pachtovereenkomst te verlengen.

4. De pachtkamer beslist op een verzoek om verlenging naar billijkheid, met inachtneming evenwel van een overeenkomstige toepassing van het bepaalde in de artikelen 37, 38a, eerste lid, 39 en 40, 42, 45 en 47. Voorts wijst de pachtkamer het verzoek af indien de verpachter met betrekking tot de instandhouding of ontwikkeling van de op het land aanwezige waarden van natuur en landschap een zodanig beheer wil voeren, dat verdere verpachting hiermee niet in overeenstemming te brengen is.

5. Indien de pachtovereenkomst op grond van een verzoek als bedoeld in het derde lid met zes jaren is verlengd, is voor verdere verlenging het bepaalde in het tweede en derde lid van overeenkomstige toepassing.

Art. 70e. In afwijking in zoverre van artikel 33, tweede lid, herziet de grondkamer de in het eerste lid van dat artikel bedoelde bepalingen, indien dit gewenst is met het oog op de instandhouding of ontwikkeling van de op het land aanwezige waarden van natuur en landschap.

HOOFDSTUK III
Verbodsbepalingen

Ongeoorloofde bedingen of handelingen t.a.v. de tegenprestatie tussen afgaande en opkomende pachters en betreffende tussenpersonen

Art. 71. 1. Het is een verpachter verboden, indien de grondkamer, onderscheidenlijk de Centrale Grondkamer, de pachtovereenkomst of een overeenkomst tot wijziging van een pachtovereenkomst heeft goedgekeurd dan wel een gewijzigde overeenkomst heeft vastgesteld, een hogere tegenprestatie te bedingen of aan te nemen dan ingevolge deze wet is geoorloofd. Voor de beoordeling der tegenprestatie zal de rechter prestaties, bedongen of genoten krachtens andere met de pachtovereenkomst verband houdende overeenkomsten, mede in aanmerking nemen.

2. Het is verboden bij een overeenkomst tussen een afgaande en een opgaande pachter, verband houdende met de overgang van het bedrijf, meer te bedingen of aan te nemen dan een redelijke vergoeding voor de verrichte prestatie.

3. Het is verboden ter zake van het verlenen van bemiddeling of andere diensten bij het sluiten van een pachtovereenkomst of van een overeenkomst tot wijziging of beëindiging van een pachtovereenkomst meer te bedingen of aan te nemen dan een redelijke vergoeding.

HOOFDSTUK IV
Samenstelling en werkwijze van de grondkamers en van de Centrale Grondkamer

§ 1. De grondkamers en de Centrale Grondkamer

Art. 72. Er zijn grondkamers, waarvan het rechtsgebied en de standplaats door Ons worden aangewezen.

Samenstelling grondkamer

Art. 73. 1. De grondkamer bestaat uit een voorzitter en ten minste vier en ten hoogste twaalf leden. Zij wordt bijgestaan door een secretaris.

2. Er kunnen een plaatsvervangende voorzitter, plaatsvervangende leden en een of meer plaatsvervangende secretarissen worden benoemd.

3. Bij verhindering of ontstentenis van de voorzitter of van de plaatsvervangende voorzitter treedt het oudste lid als waarnemend voorzitter op.

Benoeming

Art. 74. 1. Wij benoemen en ontslaan de voorzitter, de plaatsvervangende voorzitter, de leden, de secretaris alsmede de plaatsvervangende leden en de plaatsvervangende secretarissen.

2. De leden en de plaatsvervangende leden worden benoemd voor de tijd van vijf jaren. Zij zijn bij hun aftreden weder benoembaar. Op eigen verzoek kunnen zij door Ons worden ontslagen.

3. Voor de benoeming van een lid of van een plaatsvervangend lid maken Gedeputeerde Staten een aanbeveling op.

4. Bij de benoeming van de leden en de plaatsvervangende leden dragen Wij zorg, dat in de grondkamer noch het belang der pachters, noch dat der verpachters overheerst.

5. De in het eerste lid bedoelde personen worden voor de aanvang hunner bediening beëdigd.

6. Bij het bereiken van de ouderdom van zeventig jaren wordt aan de voorzitter, de plaatsvervangende voorzitter, de leden en plaatsvervangende leden ontslag verleend met ingang van de eerstvolgende maand.

Meestertitel vereist voor secretaris en pv. secretaris

Art. 75. De secretaris en de plaatsvervangende secretaris moeten op grond van het met goed gevolg afleggen van het afsluitend examen van een opleiding op het gebied van het recht aan een universiteit dan wel de Open Universiteit waarop de Wet op het hoger onderwijs en wetenschappelijk onderzoek betrekking heeft, het recht om de titel meester te voeren hebben verkregen. Bij algemene maatregel van bestuur kunnen nadere regels worden gesteld met betrekking tot de beroepsvereisten.

Gronden voor ontslag

Art. 76. 1. Onverminderd hetgeen elders is bepaald, worden de voorzitter, de plaatsvervangende voorzitter, de leden, de plaatsvervangende leden, de secretaris en de plaatsvervangende secretarissen ontslagen:
a. bij gebleken ongeschiktheid door ouderdom, door aanhoudende lichaamsziekte of tengevolge van zielsziekte;
b. wanneer zij onder curatele zijn gesteld.

2. Onverminderd hetgeen elders is bepaald, kunnen de in het vorige lid genoemde personen worden ontslagen:
a. bij overtreding van het bepaalde in de artikelen 77 en 78;
b. wanneer zij in staat van faillissement zijn verklaard, surséance van betaling hebben verkregen of wegens schulden zijn gegijzeld.
3. Alvorens het ontslag op grond van het in de voorgaande leden bepaalde wordt verleend, wordt de betrokkene gehoord.
4. Wanneer zich een van de omstandigheden voordoet, als bedoeld in het tweede lid, zijn Onze Ministers van Justitie en van Landbouw, Visserij en Voedselvoorziening bevoegd de betrokkene in de uitoefening van zijn ambt terstond te schorsen; de schorsing mag een termijn van drie maanden niet overschrijden. Op deze termijn is de Algemene termijnenwet niet van toepassing.
5. Wanneer tijdens de in het vierde lid bedoelde schorsing het besluit tot ontslag wordt genomen, blijft de schorsing van kracht tot het tijdstip, waarop het ontslag ingaat.

Verplichtingen leden en secretarissen

Art. 77. 1. De voorzitter, de plaatsvervangende voorzitter, de leden, de plaatsvervangende leden, de secretaris en de plaatsvervangende secretarissen zijn verplicht het geheim te bewaren omtrent hetgeen hun als zodanig bekend wordt.
2. Zij mogen zich noch direct, noch indirect in enig bijzonder onderhoud of gesprek inlaten met partijen of derzelver raadslieden, noch enige bijzondere onderrichting, memorie of schrifturen aannemen over enige aangelegenheid, welke aanhangig is of waarvan zij weten of vermoeden, dat deze aanhangig zal worden bij de grondkamer, waartoe zij behoren.

Consultatieverbod bij aanhangige zaken

Art. 78. 1. Het is de voorzitter en de secretaris verboden zich te belasten met de consultatie omtrent en de verdediging van zaken, welke bij enige grondkamer of pachtkamer, bij de Centrale Grondkamer of bij de pachtkamer van het gerechtshof te Arnhem aanhangig zijn, of waarvan zij weten of vermoeden, dat deze daarbij aanhangig zullen worden.
2. Het is de plaatsvervangende voorzitter, de plaatsvervangende secretaris, de leden en de plaatsvervangende leden verboden zich te belasten met de consultatie omtrent en de verdediging van zaken, welke aanhangig zijn of waarvan zij weten of vermoeden, dat deze aanhangig zullen worden bij de grondkamer, waartoe zij behoren, of bij de Centrale Grondkamer, in het laatste geval voorzover het betreft zaken, aan de behandeling waarvan zij in de grondkamer hebben deelgenomen.

Zitting

Art. 79. 1. De grondkamer houdt zitting en beslist met de voorzitter en twee leden.
2. Beschikkingen van de grondkamer, genomen met een ander aantal personen dan in het vorige lid is vermeld, zijn nietig.

Bezoldiging en vergoedingen

Art. 80. 1. De voorzitter en de secretaris genieten een bezoldiging, welke bij algemene maatregel van bestuur wordt vastgesteld. Zij genieten voorts een vergoeding voor reis- en verblijfkosten volgens bij algemene maatregel van bestuur te stellen regelen.
2. De plaatsvervangende voorzitter, de leden, de plaatsvervangende leden en de plaatsvervangende secretarissen genieten een vergoeding voor reis- en verblijfkosten en verdere vergoedingen volgens bij algemene maatregel van bestuur te stellen regelen.

Centrale Grondkamer

Art. 81. Er is een Centrale Grondkamer, gevestigd te Arnhem.

Samenstelling

Art. 82. De tot de rechterlijke macht behorende leden, de deskundige leden en de plaatsvervangende deskundige leden van de pachtkamer van het gerechtshof te Arnhem zijn van rechtswege tevens lid, onderscheidenlijk plaatsvervangend lid van de Centrale Grondkamer.

Griffier

Art. 83. 1. Wij benoemen en ontslaan de griffier van de Centrale Grondkamer.
2. Wij kunnen een of meer plaatsvervangende griffiers benoemen.
3. De griffier moet voldoen aan de vereisten voor benoembaarheid tot griffier van een gerechtshof.

Zitting

Art. 84. 1. De Centrale Grondkamer houdt zitting en beslist met drie tot de rechterlijke macht behorende leden en twee niet tot de rechterlijke macht behorende deskundige leden.

2. Een der tot de rechterlijke macht behorende leden treedt op als voorzitter.

3. Beschikkingen van de Centrale Grondkamer, genomen met een ander aantal personen dan in het eerste lid is vermeld, zijn nietig.

Art. 85. Het bepaalde in de artikelen 77 en 78 vindt ten aanzien van de leden, de plaatsvervangende leden, de griffier en de plaatsvervangende griffier van de Centrale Grondkamer overeenkomstige toepassing.

Bezoldiging en vergoedingen

Art. 86. 1. De griffier geniet een bezoldiging, welke bij algemene maatregel van bestuur wordt vastgesteld; hij geniet voorts een vergoeding voor reis- en verblijfkosten volgens bij algemene maatregel van bestuur te stellen regelen.

2. De leden, de plaatsvervangende leden en de plaatsvervangende griffier van de Centrale Grondkamer genieten een vergoeding voor reis- en verblijfkosten en verdere vergoedingen volgens bij algemene maatregel van bestuur te stellen regelen.

Nadere voorschriften

Art. 87. Bij algemene maatregel van bestuur worden nadere voorschriften gegeven ter uitvoering van het bepaalde in deze paragraaf alsmede omtrent de werkwijze van de grondkamers en de Centrale Grondkamer.

§ 2. *Verzoeken aan de grondkamer*

Afdeling 1
De indiening

Verzoek tot goedkeuring bij grondkamer

Art. 88. 1. Het verzoek tot goedkeuring van een pachtovereenkomst en van een overeenkomst tot wijziging of beëindiging van een pachtovereenkomst geschiedt door indiening bij de grondkamer van een door partijen ondertekende akte of een notarieel afschrift, met zoveel ongetekende afschriften als er meer dan twee partijen bij de overeenkomst zijn betrokken.

2. Aan het hoofd van de akte worden de namen, voornamen en woonplaatsen der partijen vermeld, voorzover deze niet in de overeenkomst zijn opgenomen. Het gepachte moet met de kadastrale aanduiding zijn aangeduid.

3. Indien de goedkeuring van de pachtovereenkomst of van de overeenkomst tot wijziging van een pachtovereenkomst wordt verlangd op grond van het bepaalde in artikel 7, derde lid, wordt tevens de beschikking van de grondkamer, waarbij de ontwerp-overeenkomst werd goedgekeurd, vermeld.

Art. 89. Het verzoek tot goedkeuring van een ontwerp-pachtovereenkomst of van een ontwerp-overeenkomst tot wijziging van een pachtovereenkomst wordt ingediend bij de grondkamer. Het moet zijn ondertekend door degenen, die in de ontwerp-overeenkomst als partijen zijn genoemd of hun gemachtigden. Daarbij wordt overlegd een ongetekend exemplaar van de ontwerp-overeenkomst, vermeerderd met zovele ongetekende exemplaren als er verzoekers zijn. Het verpachte moet met de kadastrale aanduiding zijn aangeduid.

Art. 90. 1. De verzoeken, bedoeld in de artikelen 12, derde lid, 13, derde lid, 19, eerste lid, 29, tweede lid, 30, derde lid, 33, eerste lid, 56c, eerste lid, 56e, tweede lid, en 56f, tweede lid, vinden plaats door indiening van een verzoekschrift bij de grondkamer met zoveel afschriften als er wederpartijen bij de overeenkomst of belanghebbenden zijn.

2. Het verzoekschrift vermeldt de naam, de voornamen en de woonplaats van de verzoeker, de naam en de woonplaats van de wederpartij of van de belanghebbenden, zo deze er zijn, voorts de gronden, waarop het verzoek steunt, en de gevraagde beslissing.

Art. 91. 1. De verzoeken, bedoeld in de artikelen 60, 62, 65, eerste lid, en 66, eerste lid, worden gedaan bij een verzoekschrift, hetwelk bij de grondkamer wordt ingediend.

2. Het verzoekschrift vermeldt de naam, de voornamen en de woonplaats van de verzoeker, voorts de gronden, waarop het verzoek steunt en de gevraagde beslissing.

Art. 92. 1. De in deze afdeling bedoelde verzoeken moeten worden ingediend bij de grondkamer, binnen welker rechtsgebied de onroerende zaak of het grootste gedeelte daarvan is gelegen. Indien het een hoeve betreft, wordt het verzoek ingediend bij de grondkamer, binnen welker rechtsgebied het hoofdgebouw, tot de hoeve behorend, gelegen is.

2. Indien de grondkamer van oordeel is, dat een verzoek ten onrechte bij haar is ingediend, verwijst zij het verzoek naar de grondkamer, die naar haar oordeel bevoegd is het verzoek te behandelen.

Afdeling 2
Het onderzoek

Onderzoek ter plaatse door grondkamer

Art. 93. 1. De grondkamer kan een onderzoek naar aanleiding van het bij haar ingediende verzoek gelasten. Zij zal hiermede belasten een of meer leden of een of meer door haar aan te wijzen deskundigen. Deze aanwijzing geschiedt in het algemeen, dan wel voor een bepaald geval.

2. Aan de deskundige wordt door de voorzitter van de grondkamer een vergoeding toegekend op de voet van het bij en krachtens de Wet tarieven in burgerlijke zaken bepaalde.

3. Binnen een maand na het gelasten van het onderzoek doet de grondkamer daarvan mededeling aan de verzoeker en de bij de overeenkomst of ontwerp-overeenkomst betrokken partijen onder vermelding van de plaats waar en het tijdstip waarop het onderzoek wordt gehouden.

Art. 94. 1. De verzoeker en de bij de overeenkomst of ontwerp-overeenkomst betrokken partijen of belanghebbenden zijn verplicht aan degene, aan wie het onderzoek is opgedragen, desgevraagd de ter uitvoering van zijn opdracht nodige inlichtingen te verstrekken.

2. Degene, aan wie het onderzoek is opgedragen, is bevoegd de onroerende zaak, waarop het verzoek betrekking heeft, te betreden. Zo nodig verschaffen zij zich de toegang met behulp van de sterke arm.

3. De uitkomsten van het onderzoek worden neergelegd in een rapport, hetwelk wordt ondertekend door degene, die met het onderzoek werd belast.

Afdeling 3
De behandeling

Procedure grondkamer bij niet onmiddellijke goedkeuring van pachtovereenkomsten enz.

Art. 95. 1. Indien de grondkamer een pachtovereenkomst of een overeenkomst tot wijziging of beëindiging van een pachtovereenkomst niet aanstonds kan goedkeuren, deelt zij aan partijen haar bezwaren mede en geeft zij aan of, en zo ja, op welke wijze deze kunnen worden opgeheven.

2. Indien een onderzoek door een harer leden of door een deskundige heeft plaats gehad, zendt de grondkamer aan partijen, tegelijk met de mededeling van haar bezwaren, een afschrift van het rapport van het onderzoek toe.

3. De in het vorige lid bedoelde mededeling vermeldt de termijn, binnen welke partijen schriftelijke opmerkingen aan de grondkamer kunnen inzenden en een mondelinge behandeling kunnen verzoeken.

4. Indien de partijen toestemmen in de wijzigingen, welke door de grondkamer als voorwaarde voor het verlenen van haar goedkeuring aan de overeenkomst worden gesteld, legt de grondkamer deze vast in een akte, welke door partijen wordt ondertekend en voor dezen bindend is.

5. Indien de partijen de door de grondkamer nodig geoordeelde wijzigingen niet overnemen, wijzigt de grondkamer de overeenkomst, of, indien zij oordeelt, dat door wijziging haar in het eerste lid bedoelde bezwaren niet kunnen worden opgeheven, vernietigt zij haar.

Art. 96. 1. Indien de grondkamer een ontwerp-pachtovereenkomst of een ontwerp-overeenkomst tot wijziging van een pachtovereenkomst niet aanstonds kan goedkeuren, deelt zij aan de personen, die in de ontwerp-overeenkomst als partijen zijn genoemd, haar bezwaren mede en geeft zij aan of, en zo ja, op welke wijze deze kunnen worden opgeheven.

2. Het bepaalde in het tweede en derde lid van het voorgaande artikel is van overeenkomstige toepassing.

3. Indien de grondkamer de ontwerp-overeenkomst goedkeurt, wordt de goedkeuring niet op de ontwerp-akte gesteld, doch bij een afzonderlijke beschikking verleend.

4. Indien de grondkamer de ontwerp-overeenkomst niet kan goedkeuren en zij van oordeel is, dat haar bezwaren door wijziging van de ontwerp-overeenkomst kunnen worden opgeheven, vermeldt zij deze wijzigingen in haar beschikking.

Horen derde belanghebbenden

Art. 97. 1. Indien bij een beslissing op een verzoek in andere dan de in de artikelen 95 en 96 bedoelde gevallen naar het oordeel van de grondkamer behalve de verzoeker ook anderen belang hebben, deelt de grondkamer, onder gelijktijdige kennisgeving van de eventuele bezwaren, aan de verzoeker en de andere belanghebbenden mede, binnen welke termijn zij schriftelijke opmerkingen aan de grondkamer kunnen inzenden en een mondelinge behandeling kunnen verzoeken.

2. Indien een onderzoek door een harer leden of door een deskundige heeft plaats gehad, zendt de grondkamer aan de verzoeker en de andere belanghebbenden, tegelijk met haar mededeling, een afschrift van het rapport van het onderzoek toe.

Procedure in andere gevallen

Art. 98. 1. Indien bij een beslissing op een verzoek in andere dan de in de artikelen 95 en 96 bedoelde gevallen naar het oordeel van de grondkamer uitsluitend de verzoeker belang heeft en de grondkamer het verzoek niet aanstonds kan toewijzen, is de grondkamer bevoegd - en op een daartoe strekkend verzoek verplicht - een mondelinge behandeling van het bij haar ingediende verzoek te doen plaats hebben op een door haar te bepalen zitting.

2. Indien een onderzoek door een harer leden of door een deskundige heeft plaats gehad, zendt de grondkamer aan de verzoeker, tegelijk met haar oproep voor de mondelinge behandeling, een afschrift van het rapport van het onderzoek toe.

Proces-verbaal van mondelinge behandeling

Art. 99. De secretaris maakt een verslag van hetgeen bij de mondelinge behandeling voorvalt met vermelding van de zakelijke inhoud der afgelegde verklaringen. Het verslag wordt door de voorzitter en de secretaris vastgesteld en ondertekend. Desverlangd ontvangen partijen daarvan afschrift.

Bijstand of vertegenwoordiging

Art. 100. 1. De partijen bij de overeenkomst en de verzoeker kunnen zich doen bijstaan of vertegenwoordigen.

Getuigen

2. De partijen bij de overeenkomst en de verzoeker kunnen getuigen ter zitting meebrengen.

Art. 101. 1. De partijen bij de overeenkomst en de verzoeker kunnen met machtiging van de grondkamer bij deurwaardersexploot getuigen oproepen om aldaar te verschijnen.

2. Ieder, die bij deurwaardersexploot is opgeroepen om als getuige ter zitting te verschijnen, is verplicht aan die oproeping gehoor te geven.

3. De grondkamer kan bevelen, dat getuigen, die, hoewel bij deurwaardersexploot opgeroepen, niet zijn verschenen, door de openbare macht voor haar worden gebracht.

4. De ingevolge artikel 100 ter zitting meegebrachte getuigen worden gehoord, indien en voorzover de grondkamer hun verhoor dienstig oordeelt.

5. Het bepaalde in de artikelen 197-199, 203 en 205 van het Wetboek van Burgerlijke Rechtsvordering is ten aanzien van het getuigenverhoor van overeenkomstige toepassing.

6. Van het getuigenverhoor wordt proces-verbaal gemaakt. Het bepaalde in artikel 206 van het Wetboek van Burgerlijke Rechtsvordering is van overeenkomstige toepassing met dien verstande, dat het proces-verbaal door de voorzitter en de secretaris wordt mede-ondertekend.

7. Getuigen ontvangen desverlangende ten laste van degene, die hen heeft voorgebracht, schadevergoeding, door de voorzitter te begroten overeenkomstig bij en krachtens de Wet tarieven in burgerlijke zaken bepaalde.

Art. 102. Bij de behandeling van een verzoek tot goedkeuring van een ontwerp-pachtovereenkomst of van een ontwerp-overeenkomst tot wijziging van een pachtovereenkomst vinden de artikelen 99-101 overeenkomstige toepassing.

Toezending goedgekeurde overeenkomst

Art. 103. Indien de grondkamer de pachtovereenkomst of de overeenkomst tot wijziging of beëindiging van de pachtovereenkomst ongewijzigd goedkeurt, zendt de secretaris aan ieder der partijen een exemplaar of een afschrift van de overeenkomst, waarop de beslissing, welke de grondkamer heeft genomen, is aangetekend.

Beslissingen met redenen te omkleden

Art. 104. 1. De beschikkingen van de grondkamer zijn met redenen omkleed, met uitzondering van de beschikkingen die overeenkomstig het bepaalde in artikel 103 zijn genomen.

Verzending

2. Een expeditie van de beschikking wordt aan de bij de overeenkomst of ontwerp-overeenkomst betrokken partijen of belanghebbenden alsmede aan de verzoeker toegezonden. De dag van verzending wordt op de expeditie aangetekend.

Wraking

Art. 105. 1. De voorzitter en de leden van de grondkamers alsmede hun plaatsvervangers kunnen worden gewraakt op de wijze en in de gevallen, als omschreven in de derde afdeling van de eerste titel van het eerste boek van het Wetboek van Burgerlijke Rechtsvordering, met dien verstande, dat het onderzoek van de redenen van wraking en het beslissen over de wraking geschiedt door de grondkamer.

2. Artikel 29, eerste en tweede lid, van dat Wetboek vinden ten aanzien van die personen overeenkomstig toepassing.

Afdeling 4
De behandeling in hoger beroep

Beroep op de Centrale Grondkamer

Art. 106. 1. Van de beschikkingen van de grondkamer staat, behoudens het in het derde lid bepaalde, aan partijen, belanghebbenden, alsmede aan de verzoeker binnen een maand, nadat de beschikking aan hen is verzonden, beroep open op de Centrale Grondkamer.

Incidenteel beroep

2. De wederpartij kan van haar kant incidenteel beroep instellen, zelfs na verloop van de in het vorige lid bedoelde termijn en na berusting in de beschikking. Het incidenteel beroep wordt op straffe van niet-ontvankelijkheid ingesteld bij het schriftelijk antwoord. De afstand van het principaal beroep doet het ingestelde incidenteel beroep niet vervallen.

Mogelijkheid van beroep

3. Geen beroep kan door de pachter of door de verpachter worden ingesteld, indien de pachtovereenkomst of een overeenkomst tot wijziging van een pachtovereenkomst dan wel het ontwerp van een dezer overeenkomsten ongewijzigd wordt goedgekeurd; geen beroep kan door de pachter worden ingesteld, indien de wijziging door de grondkamer ingevolge het bepaalde in artikel 6 betrekking heeft op verlaging van de overeengekomen pachtprijs; geen beroep kan door de verpachter worden ingesteld, indien bedoelde wijziging betrekking heeft op een verlaging van de overeengekomen pachtprijs met minder dan 10 percent.

Indiening

Art. 107. 1. Het beroep wordt ingesteld door indiening van een beroepschrift bij de Centrale Grondkamer. Bij het beroepschrift wordt een expeditie van de beroepen beschikking gevoegd.

2. Het beroepschrift bevat een opgave van de naam, de voornamen en de woonplaats van de verzoeker, van de naam en de woonplaats van de wederpartij of belanghebbende, zo deze er is, voorts de bezwaren tegen de beschikking, waarvan beroep, en de gevraagde beslissing.

3. Bij het beroepschrift worden zoveel afschriften gevoegd als er wederpartijen of belanghebbenden zijn.

4. Indien het beroep betreft een ter goedkeuring ingezonden overeenkomst, als bedoeld in artikel 2, of een ontwerp-pachtovereenkomst of een ontwerp-overeenkomst tot wijziging van een pachtovereenkomst, worden bij het beroepschrift de daartoe bij de grondkamer ingediende bescheiden mede overgelegd.

5. De griffier zendt een afschrift van het beroepschrift onverwijld aan elk der wederpartijen of belanghebbenden, zo deze er zijn, toe en voegt daarbij een kennisgeving, vermeldende de tijd binnen welke een schriftelijk antwoord kan worden ingezonden.

Behandeling ter zitting

6. Het beroepschrift wordt mondeling ter zitting behandeld, indien de Centrale Grondkamer dit nodig oordeelt, dan wel een der partijen of belanghebbenden dit verzoekt. Overigens vinden de bepalingen van Afdeling 2 en van Afdeling 3 overeenkomstige toepassing.

Beslissing door Centrale Grondkamer

Art. 108. 1. De Centrale Grondkamer bevestigt of vernietigt de beschikking waartegen hoger beroep is ingesteld.

2. Bij vernietiging der beschikking doet de Centrale Grondkamer hetgeen de grondkamer had behoren te doen, tenzij zij reden mocht vinden de zaak naar de grondkamer terug te wijzen.

Art. 109. 1. De secretaris van de grondkamer zendt desgevraagd de stukken van

de eerste aanleg of afschriften daarvan aan de griffier van de Centrale Grondkamer.
2. De griffier van de Centrale Grondkamer zendt afschrift van de beschikkingen van de Centrale Grondkamer aan de grondkamer, van welker beschikking beroep is ingesteld.

In beroep gaan door de Minister van Landbouw

Art. 110. 1. Onze Minister kan beroep van een beschikking van de grondkamer instellen.
2. Het beroep kan slechts worden ingesteld na verloop van de termijn, genoemd in artikel 106, eerste lid.
3. Vernietiging van de beschikking van de grondkamer op dit beroep brengt geen nadeel toe aan de rechten, bij de beschikking verkregen.

§ 3. Competentie-geschillen

Art. 111. Competentie-geschillen tussen grondkamers worden door de Centrale Grondkamer beslist.

§ 4. Algemene bepalingen

Aangetekend verzenden

Art. 112. Bij algemene maatregel van bestuur worden regelen gesteld betreffende de wijze waarop de kennisgevingen en de toezending van stukken door de secretaris van de grondkamer en door de griffier van de Centrale Grondkamer geschieden.

Art. 112a. 1. De grondkamer binnen welks rechtsgebied als bedoeld in artikel 72 een waterschap geheel of gedeeltelijk is gelegen verstrekt op verzoek van dit waterschap de gegevens die deze, voorzover bij de grondkamer voorhanden, nodig heeft in verband met het bijhouden van het register, bedoeld in artikel 2.20 van de Waterschapswet.
2. Omtrent de wijze van het verzoek en de wijze van gegevensverstrekking, bedoeld in het eerste lid, kunnen bij algemene maatrgel van bestuur regelen worden gesteld.

Tarief grondkamers en Centrale Grondkamer

Art. 113. 1. Bij algemene maatregel van bestuur wordt een tarief vastgesteld van de door de grondkamers en de Centrale Grondkamer voor haar verrichtingen te heffen kosten.
2. Ten aanzien van de invordering van deze kosten zijn de artikelen 22 en 23 van de Wet tarieven in burgerlijke zaken van overeenkomstige toepassing, met dien verstande, dat het dwangbevel wordt uitgevaardigd door de voorzitter van de grondkamer, onderscheidenlijk van de Centrale Grondkamer, en dat het terstond uitvoerbaar is.

§ 5. Bijzondere processuele bepaling

Verzoek of vordering bij onbevoegde instantie ingediend

Art. 114. Indien binnen de in de wet gestelde termijn een verzoek is ingediend of een vordering is ingesteld bij de pachtkamer van het kantongerecht en deze beslist, dat zij niet bevoegd is daarvan kennis te nemen, kan het verzoek, indien de grondkamer bevoegd is daarvan kennis te nemen en een wettelijke termijn, binnen welke het verzoek bij de grondkamer moet worden ingediend, niet meer kan worden in acht genomen, niettemin nog binnen een maand na de beslissing van de pachtkamer bij de grondkamer worden ingediend. Hetzelfde geldt, indien een dergelijke beslissing door de pachtkamer van het gerechtshof te Arnhem wordt bevestigd dan wel door haar de pachtkamer bij het kantongerecht alsnog niet bevoegd wordt verklaard van het verzoek of van de vordering kennis te nemen.

§ 6. Algemene Wet bestuursrecht

Art. 114a. Op het bepaalde in dit hoofdstuk is de Algemene wet bestuursrecht niet van toepassing.

HOOFDSTUK V
Samenstelling en bevoegdheden van de pachtkamers en behandeling van pachtzaken

§ 1. De pachtkamers

Art. 115. 1. Bij ieder kantongerecht is een pachtkamer.

Samenstelling pachtkamer

2. De pachtkamer bestaat uit de kantonrechter als voorzitter en twee niet tot de rechterlijke macht behorende personen als deskundige leden.

Benoeming

Art. 116. 1. Wij benoemen, Gedeputeerde Staten gehoord, voor elk kantongerecht de twee in het vorige artikel bedoelde, niet tot de rechterlijke macht behorende personen, benevens voor ieder hunner zoveel plaatsvervangers als Wij dienstig oordelen. Zij worden genoemd lid, onderscheidenlijk plaatsvervangend lid van de pachtkamer.

2. Om te kunnen worden benoemd tot lid of plaatsvervangend lid van de pachtkamer moet men Nederlander zijn en de ouderdom van vijf en twintig jaren hebben bereikt.

3. De leden en de plaatsvervangende leden worden voor de tijd van vijf jaren benoemd. Zij zijn bij hun aftreden weder benoembaar. Op eigen verzoek kunnen zij door Ons worden ontslagen.

4. Bij de benoeming van de leden en van de plaatsvervangende leden dragen Wij zorg, dat in de pachtkamer noch het belang der pachters, noch dat der verpachters overheerst.

5. De leden en de plaatsvervangende leden worden voor de aanvang hunner bediening beëdigd.

6. Aan de leden en de plaatsvervangende leden wordt bij het bereiken van de ouderdom van zeventig jaren door Ons ontslag verleend met ingang van de eerstvolgende maand.

Verboden bloedverwantschap of aanverwantschap

Art. 117. 1. Echtgenoten, bloedverwanten of aanverwanten tot de derde graad ingesloten, kunnen niet tezamen zijn leden of plaatsvervangende leden van de pachtkamer van eenzelfde kantongerecht, kantonrechter, ambtenaar van het openbaar ministerie of griffier bij hetzelfde kantongerecht.

2. Indien het huwelijk eerst mocht worden aangegaan na de benoeming, zal de jongstbenoemde zijn ambt niet kunnen behouden.

3. Indien de zwagerschap eerst mocht zijn ontstaan na de benoeming, zal degeen, die haar veroorzaakte, zijn ambt niet kunnen behouden, behoudens door Ons te verlenen vergunning.

4. De zwagerschap houdt op door de ontbinding van het huwelijk, dat haar veroorzaakte.

Art. 118. Het in de artikelen 11, 12, eerste lid, 13, leden 1-4, 13a en 13b, eerste lid, van de Wet op de rechterlijke organisatie voor de leden van de rechterlijke macht bepaalde is van toepassing ten aanzien van de leden en plaatsvervangende leden van de pachtkamers van de kantongerechten.

Art. 119-120. Vervallen.

Waarschuwing

Art. 121. De voorzitter van de pachtkamer is bevoegd ambtshalve of op de vordering van het openbaar ministerie aan de leden en de plaatsvervangende leden van de pachtkamer, die de waardigheid van hun ambt, hun ambtsbezigheden of ambtsplichten verwaarlozen, of die zich schuldig maken aan de overtredingen, bedoeld in de artikelen 122 en 123, de nodige waarschuwing te doen, na hen in de gelegenheid te hebben gesteld om te worden gehoord.

Klacht over leden der pachtkamers

Art. 121a. Het in de artikelen 14a-14e van de Wet op de rechterlijke organisatie voor de leden van de rechterlijke macht bepaalde is van toepassing ten aanzien van de leden en plaatsvervangende leden van de pachtkamers van de kantongerechten, met dien verstande dat de Hoge Raad de kantonrechter in de gelegenheid stelt mondeling of schriftelijk inlichtingen te verstrekken en van zijn gevoelen omtrent een aanhangige klacht als bedoeld in artikel 14a van de genoemde wet te doen blijken, indien de klacht is gericht tegen een lid of plaatsvervangend lid van de pachtkamer van zijn kantongerecht.

Onverenigbare beroepen

Art. 122. De leden en de plaatsvervangende leden van de pachtkamers van de kantongerechten kunnen niet tevens zijn lid van de rechterlijke macht, noch advocaat, procureur, notaris of deurwaarder; zij kunnen ook niet in dienst van een dezer personen werkzaam zijn.

Verplichtingen

Art. 123. 1. De leden en de plaatsvervangende leden van de pachtkamers mogen zich noch direct, noch indirect over enige aangelegenheid, welke door hen behandeld is of waarvan zij weten of vermoeden, dat deze door hen behandeld zal worden, in enig bijzonder onderhoud of gesprek inlaten met partijen of derzelver advocaten, procureurs of gemachtigden, noch daarover enig bijzondere onderrichting, memorie of schrifturen aannemen.

2. De leden en de plaatsvervangende leden zijn verplicht het geheim te bewaren omtrent de gevoelens, die in de raadkamer zijn geuit.

Reis- en verblijfkosten

Art. 124. De leden en de plaatsvervangende leden van de pachtkamers genieten vergoeding voor reis- en verblijfkosten en verdere vergoeding volgens bij algemene maatregel van bestuur te stellen regelen.

Pachtkamer van het Hof te Arnhem; samenstelling, benoeming

Art. 125. 1. Er is een pachtkamer van het gerechtshof te Arnhem.

2. De pachtkamer bestaat uit de daarvoor aangewezen leden van het gerechtshof en twee niet tot de rechterlijke macht behorende personen als deskundige leden.

3. Wij benoemen de in het vorige lid bedoelde niet tot de rechterlijke macht behorende personen. Wij benoemen tevens voor ieder hunner zoveel plaatsvervangers als Wij dienstig oordelen. Zij worden genoemd raad, onderscheidenlijk plaatsvervangende raad in de pachtkamer van het gerechtshof.

4. Om te kunnen worden benoemd tot raad of plaatsvervangende raad in de pachtkamer van het gerechtshof moet men Nederlander zijn en de ouderdom van dertig jaren hebben bereikt.

5. Het bepaalde in de artikelen 116, derde, vierde, vijfde en zesde lid, 117, 118 en 121-124 is van overeenkomstige toepassing met dien verstande dat de voorzitter van de pachtkamer in de gelegenheid wordt gesteld mondeling of schriftelijk inlichtingen te verstrekken en van zijn gevoelen te doen blijken omtrent een aanhangige klacht als bedoeld in het in artikel 121a van overeenkomstige toepassing verklaarde artikel 14a van de Wet op de rechterlijke organisatie, gericht tegen een niet tot de rechterlijke macht behorend lid van de pachtkamer.

Zitting

Art. 126. 1. De pachtkamer van het gerechtshof te Arnhem houdt zitting en beslist met drie leden van het gerechtshof en twee raden. Een der leden van het gerechtshof treedt op als voorzitter.

2. Uitspraken van de pachtkamer van het kantongerecht en van de pachtkamer van het gerechtshof te Arnhem, gedaan met een ander aantal personen dan in artikel 115, tweede lid, onderscheidenlijk in het voorgaande lid is vermeld, zijn nietig.

Art. 127. Bij algemene maatregel van bestuur worden voorschriften gegeven ter uitvoering van het bepaalde in deze paragraaf.

§ 2. De bevoegdheid van de pachtkamers

Bevoegdheid pachtkamer

Art. 128. De pachtkamer van het kantongerecht neemt kennis van alle zaken betrekkelijk tot:

a. een pachtovereenkomst;
b. een overeenkomst tot wijziging of beëindiging van een pachtovereenkomst;
c. een overeenkomst tot het aangaan van een pachtovereenkomst;
d. een overeenkomst, waarbij persoonlijke zekerheid wordt gesteld voor de nakoming van een pachtovereenkomst;
e. de overeenkomsten, genoemd in het tweede hoofdstuk van deze wet;
f. een overeenkomst tussen afgaande en opkomende pachters, verband houdende met de overgang van het bedrijf.

Art. 129. De pachtkamer van het kantongerecht neemt voorts kennis van vorderingen tot:

a. ontruiming van het gepachte door de pachter of de gewezen pachter;
b. opeising van het verpachte van de pachter of de gewezen pachter;
c. schadevergoeding of betaling van het bedrag, bedoeld in de artikelen 44, eerste en derde lid, en 51, derde lid;
d. terugvordering van teveel betaalde pacht;
e. vergoeding van schade wegens onrechtmatig gebruik van het gepachte, nadat de pachtovereenkomst is geëindigd.

Art. 130. 1. Ook in reconventie kan de pachtkamer slechts kennis nemen van de vorderingen, bedoeld in de artikelen 128 en 129.

2. Ook in reconventie kan slechts de pachtkamer kennis nemen van de vorderingen, bedoeld in de artikelen 128 en 129.

Art. 131. Artikel 157 van het Wetboek van Burgerlijke Rechtsvordering vindt geen toepassing.

Beroep

Art. 132. Van de vonnissen en beschikkingen van de pachtkamers van de kantongerechten staat, tenzij de vordering niet meer beloopt dan *f* 2500,—, beroep open op de pachtkamer van het gerechtshof te Arnhem.

Beroep door procureur generaal van Hof te Arnhem

Art. 133. 1. De procureur-generaal bij het gerechtshof te Arnhem kan beroep instellen van een vonnis of beschikking van de pachtkamer bij het kantongerecht.
2. Het beroep kan slechts worden ingesteld na verloop van de termijn, genoemd in de artikelen 142 en 151, eerste lid.lid3. Vernietiging van de beslissing van de pachtkamer op dit beroep brengt geen nadeel toe aan de rechten, door partijen verkregen.

Geen cassatie

Art. 134. De vonnissen en beschikkingen van de pachtkamers van de kantongerechten, de beschikkingen van haar voorzitter en de arresten en beschikkingen van de pachtkamer van het gerechtshof zijn niet vatbaar voor cassatie.

Art. 135. De pachtkamer van het gerechtshof neemt kennis van alle jurisdictiegeschillen tussen de pachtkamers van de kantongerechten.

§ 3. *De behandeling van de gedingen*

Behandeling door de pachtkamer

Art. 136. De behandeling van de zaken, bedoeld in de artikelen 128 en 129, geschiedt overeenkomstig de gewone regelen, voorzover daarvan niet bij de navolgende artikelen is afgeweken.

Art. 137. Vervallen bij de wet van 31 januari 1991, Stb. 50.

Art. 138. Vervallen bij de wet van 31 januari 1991, Stb. 50.

Art. 139. De pachtkamer van het kantongerecht treedt in alle opzichten in de plaats van de kantonrechter, behoudens in de gevallen, voorzien bij de artikelen 7, tweede lid, 60, tweede lid, 203, eerste lid, 206, vijfde lid, van het Wetboek van Burgerlijke Rechtsvordering.

Plaatsopneming

Art. 140. Onverminderd het met betrekking tot gerechtelijke plaatsopneming en bezichtiging in het Wetboek van Burgerlijke Rechtsvordering bepaalde, is de pachtkamer bevoegd, zo vaak zulks haar nodig voorkomt, in elke stand van de procedure, de staat van de onroerende zaak door een of meer harer leden te doen opnemen, mits de griffier hiervan ten minste twee dagen voor de opneming aan partijen heeft kennis gegeven. Van de opneming wordt proces-verbaal opgemaakt.

Wraking

Art. 141. De leden van de pachtkamers en hun plaatsvervangers alsmede de raden in de pachtkamer van het gerechtshof te Arnhem en hun plaatsvervangers kunnen worden gewraakt op de wijze en in de gevallen, als omschreven in de derde afdeling van de eerste titel van het eerste boek van het Wetboek van Burgerlijke Rechtsvordering, met dien verstande dat het onderzoek van de redenen van wraking en het beslissen over de wraking geschiedt door de pachtkamer.

Termijn hoger beroep

Art. 142. De termijn van hoger beroep van vonnissen bedraagt een maand na de dag van de uitspraak.

Art. 142a. De pachtkamer van het gerechtshof te Arnhem is bevoegd, indien zij een verschijning van partijen of een getuigenverhoor heeft bevolen, te bepalen dat deze verschijning of dit verhoor zal plaatshebben voor één lid van het gerechtshof en één raad.

Kosten plaatsopneming

Art. 143. De pachtkamer van het gerechtshof te Arnhem kan de kosten van een plaatsopneming geheel of ten dele ten laste van de Staat brengen.

Art. 144. 1. Met betrekking tot de schriftelijke vastlegging van pachtovereenkomsten of van overeenkomsten tot wijziging of beëindiging van pachtovereenkomsten gelden de volgende bepalingen.

Procedure schriftelijke vastlegging

2. De griffier van de pachtkamer van het kantongerecht zendt binnen veertien dagen na de uitspraak van het vonnis, waarbij de overeenkomst schriftelijk wordt vastgelegd, drie gewaarmerkte afschriften van het vonnis aan de bevoegde grondkamer.

3. De griffier van de pachtkamer van het gerechtshof te Arnhem geeft onverwijld aan de grondkamer kennis van een ingesteld beroep. De grondkamer houdt alsdan de behandeling aan, totdat omtrent de uitslag van het beroep bericht is ontvangen.

4. Indien de pachtkamer van het gerechtshof in afwijking van de beslissing van de pachtkamer van het kantongerecht de overeenkomst niet vastlegt, dan wel niet tot een andere beslissing dan de eerste rechter komt, geeft de griffier daarvan onverwijld kennis aan de bevoegde grondkamer.

5. Indien de pachtkamer van het gerechtshof te Arnhem, in afwijking van de beslissing van de pachtkamer van het kantongerecht, de overeenkomst vastlegt, dan wel de overeenkomst anders vastlegt, zendt de griffier van de pachtkamer van het gerechtshof binnen veertien dagen na de uitspraak van het vonnis drie gewaarmerkte afschriften van het vonnis aan de bevoegde grondkamer.

Art. 145. De pachtkamers van de kantongerechten en de pachtkamer van het gerechtshof te Arnhem zijn verplicht aan letteren requisitoriaal ten dienste der justitie wettig gevolg te geven.

§ 4. De behandeling van verzoekschriften buiten eigenlijk rechtsgeding

Art. 146. 1. Het door de verzoeker of diens gemachtigde ondertekend verzoekschrift bevat een opgave van de naam, de voornamen en de woonplaats van de verzoeker, van de naam en de woonplaats der wederpartij, voorts de gronden, waarop het verzoek steunt en de gevraagde beslissing.

Oneigenlijke rechtspraak Verzoekschrift

2. Bij het verzoekschrift worden gevoegd zoveel afschriften als er verweerders bij het verzoek betrokken zijn.

3. Het verzoekschrift wordt ingediend ter griffie van het kantongerecht, binnen welks rechtsgebied het gepachte of het grootste gedeelte daarvan is gelegen. Indien het een hoeve betreft, wordt het verzoekschrift ingediend ter griffie van het kantongerecht, binnen welks rechtsgebied het hoofdgebouw, tot de hoeve behorend, gelegen is.

4. Indien de pachtkamer van een kantongerecht van oordeel is, dat een verzoekschrift ten onrechte bij haar is ingediend, verwijst zij het verzoek naar de pachtkamer van het kantongerecht, die naar haar oordeel bevoegd is het verzoek te behandelen.

Art. 147. 1. De griffier tekent op het verzoekschrift de dag van ontvangst aan en zendt onverwijld bij aangetekende brief met bericht van ontvangst een afschrift van het verzoekschrift aan de wederpartij toe. Daarbij wordt gevoegd een kennisgeving, vermeldende de tijd, binnen welke een verweerschrift kan worden ingediend.

2. Het verweerschrift wordt met zoveel afschriften ingezonden als er verzoekers zijn. Aan iedere verzoeker wordt door de griffier onverwijld een afschrift bij aangetekende brief met bericht van ontvangst toegezonden.

3. De rechter kan een mondelinge behandeling bevelen.

4. De griffier geeft onverwijld bij aangetekende brief met bericht van ontvangst aan partijen kennis van de dag der behandeling.

Art. 148. 1. Ook buiten eigenlijk rechtsgeding kan de pachtkamer zodanige personen oproepen en, al of niet na beëdiging, als getuigen horen of doen horen, als zij te harer voorlichting nodig acht. De personen zijn verplicht te verschijnen en de gevorderde voorlichting te verlenen. Zij worden opgeroepen bij aangetekende brief.

Horen van getuigen

2. Ook buiten eigenlijk rechtsgeding is de pachtkamer bevoegd plaatsen te bezichtigen en aldaar getuigen te horen. Zij kan bedoelde handelingen ook doen verrichten door de kantonrechter of door één of meer harer leden, vergezeld door de griffier.

Plaatsopneming

Art. 149. 1. De beschikking is met redenen omkleed.

Verzending beschikking aan partijen

2. De griffier zendt bij aangetekende brief een afschrift van de beschikking aan partijen. Voor dit afschrift is geen griffierecht verschuldigd.

Art. 150. Bij de behandeling van verzoekschriften vindt het bepaalde in de artikelen 140 en 141 overeenkomstige toepassing.

Hoger beroep

Art. 151. 1. Het hoger beroep van beschikkingen moet worden ingesteld binnen een maand na de dag van verzending van het afschrift, bedoeld in artikel 149, tweede lid.

2. De verweerder kan van zijn kant incidenteel beroep instellen, zelfs na verloop van de in het vorige lid bedoelde termijn en na berusting in de beschikking. Het incidenteel beroep wordt op straffe van verval, ingesteld bij het verweerschrift. De afstand van het principaal beroep doet het ingestelde incidenteel beroep niet vervallen.

3. Indien een partij gedurende de termijn van het hoger beroep overlijdt, kunnen haar erfgenamen of rechtverkrijgenden nog beroep instellen binnen een maand na het overlijden of, indien zij gebruik maken van het recht van beraad, binnen een maand na afloop van de daarvoor gestelde termijn.

Art. 152. 1. Het beroepschrift wordt door tussenkomst van een procureur ingediend, bevat een duidelijke conclusie en is met redenen omkleed. Bij het beroepschrift wordt een afschrift van de aangevallen beschikking gevoegd.

2. Overigens zijn op het beroepschrift en de behandeling in beroep artikel 142a en de artikelen 146-150 van overeenkomstige toepassing.

Art. 153. Indien bij een pachtkamer meer dan een verzoekschrift als bedoeld in artikel 36, derde lid, onderscheidenlijk artikel 70d, derde lid, is ingediend, kan de rechter ambtshalve de gezamenlijke behandeling der zaken gelasten.

§ 5. Bijzondere processuele bepaling

Onbevoegde instantie geadieerd

Art. 154. Indien binnen de in de wet gestelde termijn een verzoek is ingediend bij de grondkamer en deze beslist, dat zij niet bevoegd is daarvan kennis te nemen, kan het verzoek, indien de pachtkamer van het kantongerecht bevoegd is daarvan kennis te nemen en een wettelijke termijn, binnen welke het verzoek bij de pachtkamer moet worden ingediend of de vordering moet worden ingesteld, niet meer kan worden in acht genomen, niettemin nog binnen een maand na de beslissing van de grondkamer bij de pachtkamer worden ingediend of kan de vordering binnen dezelfde termijn worden ingesteld. Hetzelfde geldt, indien een dergelijke beslissing door de Centrale Grondkamer wordt bevestigd dan wel door haar de grondkamer alsnog niet bevoegd wordt verklaard van het verzoek kennis te nemen.

HOOFDSTUK VI
Samenstelling en taak van de commissie van advies voor het grond- en pachtprijspeil

Commissie van advies voor het grondpeil en pachtpeil

Art. 155. 1. Er is een commissie van advies voor het grond- en pachtprijspeil, welke tot taak heeft Onze Minister desgevraagd of eigener beweging van advies te dienen over het peil van de koop- en pachtprijzen voor landbouwgronden en over daarmede rechtstreeks verband houdende aangelegenheden.

2. Wij benoemen de voorzitter en de overige leden der commissie en behouden Ons voor adviserende leden te benoemen.

3. De commissie bestaat uit veertien leden. Acht leden worden benoemd op voordrachten van twee personen, welke voor elke te vervullen plaats worden opgemaakt door de daartoe door Onze Minister aan te wijzen centrale organisaties voor het agrarische bedrijfsleven en andere organisaties.

4. Bij algemene maatregel van bestuur worden nadere regelen gegeven betreffende de taak en de werkwijze van de commissie.

Art. 156. De grondkamers en de Centrale Grondkamer zijn verplicht aan de commissie voor het grond- en pachtprijspeil alle inlichtingen te verstrekken, welke zij voor de uitoefening van haar taak nodig oordeelt. Inlichtingen over zaken, welke voor de grondkamer aanhangig zijn of zijn geweest, worden slechts verstrekt na verloop van de termijn, genoemd in artikel 106, eerste lid en, zo er van de beschikking van de grondkamer beroep is ingesteld bij de Centrale Grondkamer, nadat op dat beroep onherroepelijk is beslist.

HOOFDSTUK VII
Overgangs- en slotbepalingen

§ 1. *Overgangsbepalingen*

Art. 157. De rechten en verplichtingen, voortspruitende uit pachtovereenkomsten, welke van kracht zijn op het tijdstip van het in werking treden van deze wet, worden, te rekenen van dat tijdstip, doch alleen voor het vervolg, beheerst door de bepalingen van deze wet.

Onmiddellijke gelding ook van lopende pachtovereenkomsten

Art. 158. Na 1 januari 1936 aangegane pachtovereenkomsten, welke bij het in werking treden van deze wet nog van kracht zijn en nog niet op grond van de Pachtwet 1937 of het Pachtbesluit zijn goedgekeurd, moeten binnen een jaar na het in werking treden van deze wet aan de grondkamer ter goedkeuring worden ingezonden.

Niet getoetste overeenkomsten

Art. 159. Het bepaalde in artikel 9, eerste lid, wordt op de in het vorige artikel bedoelde overeenkomsten eerst van toepassing een jaar na het in werking treden van deze wet.

Opschorting sanctie artikel 9

Art. 160. Pachtovereenkomsten, vóór het in werking treden van deze wet aangegaan, waarbij niet een bepaalde datum van beëindiging is vastgesteld, gelden voor de duur van twaalf jaren voor een hoeve en van zes jaren voor los land, met dien verstande, dat de jaren, gedurende welke de pachtovereenkomst vóór het in werking treden van deze wet bestaan heeft, voor de berekening van die duur medetellen tot een maximum van tien, onderscheidenlijk vier jaren.

Overeenkomsten voor onbepaalde duur

Art. 161. Een vóór 23 mei 1941 rechtsgeldig gemaakt beding, waarbij de geldelijke lasten, welke de verpachter door publiekrechtelijke lichamen zijn of zullen worden opgelegd, geheel of ten dele ten laste van de pachter gebracht worden, blijft van kracht ten belope van ten hoogste het bedrag der geldelijke lasten, welke gedurende het jaar 1940 op het verpachte drukten.

Publiekrechtelijke lasten

Art. 162. Met betrekking tot pachtovereenkomsten welke van kracht zijn op het tijdstip van het in werking treden van deze wet, kan de ontheffing, bedoeld in artikel 29, tweede lid, gedurende een jaar na het in werking treden der wet gevraagd worden.

Ontheffing ex artikel 29

Art. 163. Op verzoeken tot verlenging van een pachtovereenkomst, overeenkomstig artikel 30, eerste lid, van het Pachtbesluit ingediend, welke bij het in werking treden van deze wet aanhangig zijn, wordt beschikt overeenkomstig het bepaalde in de artikelen 38-48.

Lopende verlengingsprocedures

Art. 164. 1. Indien vóór het in werking treden van deze wet niet een verzoek tot verlenging overeenkomstig artikel 30, eerste lid, van het Pachtbesluit is ingediend, kan, in afwijking van het bepaalde in artikel 36 van deze wet, een pachtovereenkomst, welke door het verstrijken van de termijn binnen twee jaren na het in werking treden van deze wet eindigt, slechts worden verlengd op verzoek van de pachter, gedaan ten minste één jaar voor het einde van de lopende pachtovereenkomst. In bijzondere gevallen kan ook een verzoek, dat na dit tijdstip is gedaan, in behandeling worden genomen.

Verlenging lopende pachtovereenkomsten

2. Op een verzoek, als bedoeld in het vorige lid, wordt beschikt overeenkomstig het bepaalde in de artikelen 38-48.

Art. 165. Het bepaalde in artikel 37 vindt geen toepassing, indien vóór het in werking treden van deze wet een pachtovereenkomst voor een kortere duur dan de in artikel 12, eerste lid, tweede zin, vermelde duur is aangegaan en de goedkeuring van de Grondkamer ten aanzien van deze duur is verkregen.

Art. 166. De gevolgen, welke het overlijden van de pachter ten aanzien van de pachtovereenkomst heeft, worden geregeld door het recht, geldende ten tijde van het overlijden.

Overlijden pachter

Art. 167. De leden en plaatsvervangende leden van de pachtkamers van de kantongerechten, alsmede de raden en plaatsvervangende raden van de pachtkamer in het gerechtshof te Arnhem blijven in functie voor de tijd, voor welke zij zijn benoemd.

Art. 168. 1. De secretarissen van de in het Pachtbesluit bedoelde Grondkamers, die niet voldoen aan de in artikel 75 vermelde eisen, kunnen bij de in deze wet bedoelde grondkamers tot secretaris of plaatsvervangend secretaris worden benoemd.

2. De tijd, doorgebracht in dienst van de Grondkamers, bedoeld in het Pachtbesluit, kan op de voet van artikel 40 der Pensioenwet 1922 (Stb. 240) voor pensioen worden ingekocht, mits die tijd al dan niet in vereniging met andere tijd, genoemd in artikel 56 van die wet, ten minste twee jaren zonder wezenlijke onderbreking, als bedoeld in eerstgenoemd artikel, heeft geduurd, of onmiddellijk, althans zonder wezenlijke onderbreking als vorenbedoeld, door dienst als ambtenaar in de zin van genoemde wet is gevolgd. Het verzoek tot inkoop dient door hem, die op de datum van het in werking treden van deze wet reeds ambtenaar is in de zin der Pensioenwet 1922 (Stb. 240) binnen zes maanden na dat tijdstip bij de Pensioenraad te worden ingediend en door hem, die na dat tijdstip de hoedanigheid van ambtenaar in die zin verkrijgt, binnen zes maanden na de datum van ingang van zijn ambtenaarschap.

Art. 169. De rechten en verplichtingen van de in het Pachtbesluit bedoelde Grondkamers gaan over op het Rijk.

Aanhangige zaken

Art. 170. Op de bij het in werking treden van deze wet bij de pachtkamers van het kantongerecht en bij de pachtkamer van het gerechtshof te Arnhem aanhangige zaken blijven, ten aanzien van de bevoegdheid en van de rechtsvordering, zowel in eerste aanleg als in hoger beroep, de regelen van toepassing, geldende ten tijde van de indiening van het inleidende verzoekschrift.

Art. 171. 1. De bij het in werking treden van deze wet bij de in het Pachtbesluit bedoelde Grondkamers en bij de Centrale Grondkamer aanhangige zaken zijn met ingang van dit tijdstip van rechtswege aanhangig bij de volgens deze wet bevoegde grondkamers en bij de Centrale Grondkamer in de staat, waarin zij zich alsdan bevinden.

2. Op deze zaken blijven, ten aanzien van de bevoegdheid en van de behandeling, zowel in eerste aanleg als in hoger beroep, de regelen van toepassing, geldende ten tijde van het inleidende verzoekschrift. Pachtwet (U 230)

Art. 172. Op rechtsgedingen, welke bij het in werking treden van deze wet bij een andere rechter dan de in pachtzaken bevoegde rechter aanhangig zijn en welke na dit in werking treden tot de kennisneming van de pachtkamer zouden staan, blijven, ten aanzien van de rechterlijke bevoegdheid en van de rechtsvordering zowel in eerste aanleg als in verdere instantie de regelen van toepassing, geldende ten tijde der inleidende dagvaarding.

Art. 173. Indien in een onteigeningsprocedure de dagvaarding is uitgebracht vóór het in werking treden van deze wet, beslist de rechter ten aanzien van de schadeloosstelling van de pachter volgens het recht zoals dit luidt op het tijdstip van het vonnis, bedoeld in artikel 37, vierde lid van de Onteigeningswet.

§ 2. Wijzigingen in de bestaande wetten

Art. 174. (Bevat wijzigingen in het Burgerlijk Wetboek.)

Art. 175. (Bevat wijzigingen in de Onteigeningswet.)

Art. 176. (Bevat een wijziging in de Algemene Vorderingswet 1939.)

Art. 177. (Bevat een wijziging in het Algemeen Vorderingsbesluit 1940.)

Art. 178. (Bevat wijzigingen in de Wederopbouwwet.)

Art. 179. (Bevat wijzigingen in de Wet op de vervreemding van landbouwgronden (Stb. 1953, 446).)

Art. 180. (Bevat wijzigingen in de Ruilverkavelingswet 1954.)

Art. 181. (Bevat een wijziging in het Tarief van justitiekosten en salarissen in burgerlijke zaken.)

Art. 182. (Bevat een wijziging in de Zegelwet 1917.)

Art. 183. (Bevat een wijziging in de wet van 16 augustus 1951 (Stb. 386).)

Art. 184. (Bevat een wijziging in de Ambtenarenwet.)

Art. 185. (Bevat een wijziging in de Wet op de economische delicten.)

Art. 186. (Bevat wijzigingen in de Grenscorrectiewet (Stb. 1951, 434).)

§ 3. Slotbepalingen

Art. 187. Waar in andere wetten dan de in de artikelen 66-71 van de Pachtwet 1937 en de artikelen 175-178 van deze wet genoemde, en in andere algemeen verbindende voorschriften op 1 november 1938 sprake was van huur, verhuur, huren, verhuren, huurder, verhuurder, huurgelden, huurpenningen en andere soortgelijke woordverbindingen en daaronder op 1 november 1938, pacht, verpachting, pachten, enzovoorts, begrepen was, behouden deze uitdrukkingen ook na het in werking treden van deze wet haar ruime strekking.

Bezettingsmaatregelen

Art. 188. De volgende bezettingsmaatregelen vervallen:
a. het Pachtbesluit (Verordeningenblad 1941, no. 215);
b. het Reglement voor de Grondkamers (Stcrt. 1942, 118);
c. het besluit van 30 oktober 1942 (Stcrt. 1942, 232);
d. de door de grondkamers vastgestelde bezettingsmaatregelen.

Ingetrokken wetten enz.

Art. 189. Ingetrokken worden:
a. de Pachtwet (Stb. 1937, 205); zij wordt in het vervolg aangehaald als: Pachtwet 1937;
b. de Crisispachtwet 1932.

Art. 190# Ingetrokken worden:
a. artikel 1 van de Wet van 28 juli 1924 (Stb. 375);
b. de Pachtregeling 1945 (Stb. F 279);
c. de Pachtvoorziening 1947 (Stb. H 142);
d. de Wet van 15 juli 1948 (Stb. I 295);
e. de Wet van 2 januari 1953 (Stb. 17).

Citeertitel

Art. 191. Deze wet kan worden aangehaald onder de titel: Pachtwet.

Inwerkingtreding

Art. 192. 1. Deze wet treedt in werking op een door Ons te bepalen tijdstip.
2. Dit tijdstip kan voor de artikelen 72-75 en 81-83 eerder worden gesteld dan voor de overige bepalingen dezer wet.

WET van 3 mei 1989, Stb. 186, houdende regelen met betrekking tot de openbare registers voor registergoederen, alsmede met betrekking tot het kadaster (Kadasterwet), zoals deze is gewijzigd bij wet van 6 juni 1991, Stb. 376 (Invoeringswet Kadasterwet) zoals laatstelijk gewijzigd bij de wet van 29 juni 1994, Stb. 640

Wij BEATRIX, bij de gratie Gods, Koningin der Nederlanden, Prinses van Oranje-Nassau, enz. enz. enz.

Allen, die deze zullen zien of horen lezen, saluut! doen te weten:
Alzo Wij in overweging genomen hebben, dat het wenselijk is, mede ter uitvoering van artikel 3.1.2.1,[1] tweede lid, van het Burgerlijk Wetboek, nieuwe regelen vast te stellen met betrekking tot de openbare registers voor registergoederen, alsmede met betrekking tot het kadaster (Kadasterwet);
Zo is het, dat Wij, de Raad van State gehoord en met gemeen overleg der Staten-Generaal, hebben goedgevonden en verstaan, gelijk Wij goedvinden en verstaan bij deze:

HOOFDSTUK 1
Algemene bepalingen

Begripsomschrijvingen

Art. 1. 1. In deze wet wordt verstaan onder:
a. Onze Minister: Onze Minister van Volkshuisvesting, Ruimtelijke Ordening en Milieubeheer;
b. de Dienst: de dienst voor het Kadaster en de openbare registers, beedoeld in artikel 2 van de Organisatiewet Kadaster;
c. *„perceel"*: een deel van het Nederlands grondgebied van welk deel de Dienst de begrenzing met behulp van landmeetkundige gegevens heeft vastgelegd op grond van gegevens betreffende de rechtstoestand, bestemming en het gebruik en dat door zijn kadastrale aanduiding is gekenmerkt;
d. *„bewaarder"*: bewaarder, als bedoeld in de artikelen 6 en 7;
e. *„ambtenaar"*: ambtenaar van de Dienst.
2. De begripsomschrijvingen, opgenomen in de artikelen 1, 2, 3, eerste lid, 8 en 10 van Boek 3, de artikelen 1, 2, 3, 190 en 780 van Boek 8 van het Burgerlijk Wetboek, alsmede in artikel 312 van het Wetboek van Koophandel en in artikel 1, onder 1, van de Wet teboekgestelde Luchtvaartuigen (Stb. 1957, 72), gelden ook voor de onderhavige wet.

Kadastrale aanduiding

Art. 2. Bij of krachtens algemene maatregel van bestuur worden regelen gesteld omtrent de wijze van kadastrale aanduiding van onroerende zaken en appartementsrechten.

Taken van de Dienst

Art. 3. 1. Mede in het belang van de rechtszekerheid heeft de Dienst tot taak:
a. het houden van openbare registers, waarin feiten die voor de rechtstoestand van registergoederen van belang zijn, worden ingeschreven;
b. het houden en bijwerken van de kadastrale registratie, alsmede het vervaardigen, houden en bijwerken van kadastrale kaarten en daaraan ten grondslag liggende bescheiden zodanig, dat zij gezamenlijk de rechtstoestand en de feitelijke gesteldheid van onroerende zaken alsmede de rechtstoestand van beperkte rechten waaraan die zaken zijn onderworpen, volgens de bij de Dienst bekende gegevens weergeven;
c. het in stand houden van een net van coördinaatpunten in het stelsel van de Rijksdriehoeksmeting bestaande uit punten van de eerste, tweede en derde orde, alsmede uit hoofdpunten;
d. het houden en bijhouden van een registratie voor schepen;
e. het houden en bijhouden van een registratie voor luchtvaartuigen, en
f. het verstrekken van inlichtingen omtrent gegevens, door de Dienst verkregen in het kader van de vervulling van de hem opgedragen taken.
2. Bij algemene maatregel van bestuur kunnen aan de Dienst andere taken worden opgedragen, verband houdende met de taken, genoemd in het eerste lid. Bij een algemene maatregel als bedoeld in de eerste zin, kan worden bepaald dat Onze Minister nadere regelen kan stellen inzake de uitoefening van de bij die maatregel opgedragen taken. Voor zover de uitoefening van de bij die maatregel opgedragen taken niet wordt bekostigd uit vergoedingen als bedoeld in artikel 108, eerste lid,

[1] Thans artikel 16 van Boek 3.

wordt bij de maatregel aangegeven hoe de financiële gevolgen voor de Dienst van de uitoefening van de opgedragen taken worden gecompenseerd.

3. Het bestuur van de Dienst stelt jaarlijks in de maand januari een overzicht op van de soorten van gegevens die in de kadastrale registratie, de registratie voor schepen en de registratie voor luchtvaartuigen zijn opgenomen, alsmede van de soorten van gegevens die op de door de Dienst gehouden kaarten worden weergegeven. Het overzicht wordt geplaatst in de Staatscourant.

Overzicht van soorten gegevens, vermeld in de registraties en op kaarten weergegeven

Art. 4. 1. De in artikel 3, eerste lid, bedoelde registers, registraties, kaarten en bescheiden worden gehouden, voor zover onroerende zaken en de rechten waaraan deze zijn onderworpen betreffend, aan elk der kantoren van de Dienst voor zover hun kring betreffend, en, voor zover schepen onderscheidenlijk luchtvaartuigen en de rechten waaraan deze zijn onderworpen betreffend, aan één of meer door het bestuur van de Dienst te bepalen kantoren van de Dienst. Indien het bestuur van de Dienst bepaalt dat de in artikel 3, eerste lid, bedoelde registers en registraties, voor zover schepen onderscheidenlijk luchtvaartuigen betreffend, worden gehouden aan meer dan één kantoor van de Dienst, dan worden zij aan elk der desbetreffende kantoren gehouden voor zover hun kring betreffend, en bepaalt het bestuur van de Dienst tevens welk van de desbetreffende kantoren hoofdkantoor van de openbare registers en registratie voor schepen, onderscheidenlijk voor luchtvaartuigen is. Bij of krachtens algemene maatregel van bestuur worden alsdan regelen gesteld omtrent dat hoofdkantoor.

Kantoren der Dienst waar registers, registraties, kaarten en bescheiden worden gehouden

2. Het bestuur van de Dienst bepaalt in welke gemeenten de kantoren van de Dienst zijn gevestigd en welke gemeenten behoren tot de kring van een kantoor van de Dienst. Het bestuur van de Dienst bepaalt voorts de tijden gedurende welke deze kantoren voor het publiek zijn opengesteld.

3. Het bestuur van de Dienst bepaalt op welkde wijze uitvoering wordt gegeven aan een wijziging van de grens tussen twee kringen als bedoeld in de eerste zin van het tweede lid, en aan verplichtingen van bewaarders tot het verrichten van ambtshalve inschrijvingen en andere ambtshalve handelingen die meer kringen betreffen.

Plaats van vesteging der kantoren van de Dienst; kring der kantoren en wijziging daarin; openingstijden

Art. 5. (Vervallen bij de wet van 14 februari 1994, Stb. 125).

Art. 6. 1. Onder de benaming van bewaarder van het kadaster en de openbare registers is aan elk kantoor van de Dienst een bewaarder die door het bestuur van de Dienst wordt benoemd.

Bewaarder

2. Tot bewaarder kunnen alleen worden benoemd zij die:

Benoembaarheid

a. op grond van het met goed gevolg afleggen van het afsluitend examen van een opleiding op het gebied van het recht aan een universiteit dan wel de Open Universiteit waarop de Wet op het hoger onderwijs en wetenschappelijk onderzoek betrekking heeft, het recht om de titel meester te voeren hebben verkregen. Bij algemene maatregel van bestuur kunnen nadere regels worden gesteld met betrekking tot de beroepsvereisten;

b. een door het bestuur van de Dienst voldoende verklaarde opleiding van gelijkwaardige aard hebben, dan wel

c. in het bezit zijn van een ten aanzien van het beroep van bewaarder afgegeven EG-verklaring als bedoeld in de Algemene wet erkenning EG-hoger-onderwijsdiploma's dan wel in de Algemene wet erkenning EG-beroepsopleidingen.

3. Bij afwezigheid, belet, ontstentenis of schorsing van een bewaarder wordt deze waargenomen door een der andere bewaarders op een door het bestuur van de Dienst te bepalen wijze.

Waarneming

Art. 7. 1. De bewaarder is, onverminderd het bepaalde bij of krachtens deze of een andere wet, belast met

Taken der bewaarder

a. het bewaren van de openbare registers, bedoeld in artikel 8, eerste lid, het verrichten van inschrijvingen in die registers, alsmede het stellen in die registers van aantekeningen, daaronder begrepen doorhalingen van inschrijvingen;

b. het bewaren en bijwerken van de kadastrale registratie, bedoeld in artikel 48;

c. het bewaren van door het bestuur van de Dienst aan te wijzen kaarten;

d. het bewaren en bijwerken van de registratie voor schepen, bedoeld in artikel 85, en

e. het bewaren en bijwerken van de registratie voor luchtvaartuigen, bedoeld in artikel 92, voor zover deze betrekking hebben op de kring van zijn kantoor.

Richtlijnen en aanwijzingen

2. Het bestuur van de Dienst kan de bewaarder ter zake van de werkzaamheden en bevoegdheden die hem zijn opgedragen onderscheidenlijk toegekend bij of krachtens deze of een andere wet, richtlijnen en aanwijzingen geven.

HOOFDSTUK 2
Openbare registers voor registergoederen

Titel 1
Algemene bepalingen

AFDELING 1
Omschrijving en vorm van de openbare registers; aantekeningen in de openbare registers, daaronder begrepen doorhalingen van inschrijvingen; vervanging van de inhoud van de openbare registers

Openbare registers voor registergoederen (samenstel)

Art. 8. 1. De openbare registers waarin feiten die voor de rechtstoestand van registergoederen van belang zijn, worden ingeschreven, zijn:
a. de registers van inschrijving van feiten die betrekking hebben op onroerende zaken en de rechten waaraan deze onderworpen zijn;
b. de registers van inschrijving van feiten die betrekking hebben op schepen en de rechten waaraan deze onderworpen zijn;
c. de registers van inschrijving van feiten die betrekking hebben op luchtvaartuigen en de rechten waaraan deze onderworpen zijn;
d. het register van voorlopige aantekeningen onderscheidenlijk voor onroerende zaken, schepen en luchtvaartuigen en de rechten waaraan deze onderworpen zijn, waarin de aanbieding van stukken waarvan de inschrijving door de bewaarder ingevolge artikel 20 van Boek 3 van het Burgerlijk Wetboek is geweigerd wordt aangetekend onder vermelding van de gerezen bedenkingen.

Vorm der registers

2. Onze Minister regelt nader uit welke registers de registers, bedoeld in het eerste lid, onder a, b onderscheidenlijk c, bestaan. Het bestuur van de Dienst stelt nadere regelen vast ter zake van de vorm van de in het eerste lid bedoelde registers.

Aantekeningen; doorhaling van inschrijvingen

3. Bij regeling van het bestuur van de Dienst wordt voorts vastgesteld, onverminderd het bepaalde dienaangaande bij of krachtens andere wet, de gevallen waarin in de in het eerste lid bedoelde registers door de bewaarder aantekeningen, daaronder begrepen doorhalingen van inschrijvingen in die registers, worden gesteld, de aard van die aantekeningen en de wijze waarop deze worden gesteld, in dier voege:
a. dat de doorhaling, behoudens in het onder d voorziene geval, slechts geschiedt op grond van in de desbetreffende registers ingeschreven stukken die de bewaarder tot doorhaling machtigen;
b. dat na een inschrijving van een stuk dat tot doorhaling machtigt, deze terstond geschiedt;
c. dat, tenzij ingevolge artikel 9, eerste lid, of artikel 11, zevende lid, van dat stuk een afschrift in de vorm van een mechanische reproduktie is vervaardigd, op het stuk door middel waarvan het door te halen feit is ingeschreven, wordt vermeld op grond van welk stuk de doorhaling is geschied, en
d. dat, zo ingevolge een wetsbepaling door een beschikking of door de inschrijving van enig stuk met betrekking tot een zaak bestaande lasten en rechten vervallen of tenietgaan, na de inschrijving van die beschikking of van dat stuk de inschrijvingen betreffende hypotheken en beslagen die door die beschikking, onderscheidenlijk de inschrijving van dat stuk waardeloos zijn geworden, met bekwame spoed worden doorgehaald.

Vervanging der openbare registers door reprodukties

Art. 9. 1. Het bestuur van de Dienst kan ten aanzien van door hem aan te wijzen kantoren van de Dienst bepalen, dat de inhoud van de in artikel 8, eerste lid, bedoelde registers wordt vervangen door afschriften daarvan in dubbel in de vorm van door de Dienst vervaardigde mechanische reprodukties. Het bestuur van de Dienst bepaalt tevens de wijze waarop deze vervanging zal geschieden.

Bewijskracht der reprodukties

2. Deze reprodukties hebben dezelfde bewijskracht als de oorspronkelijke inhoud van de registers.

AFDELING 2
Plaats van inschrijving

Plaats van inschrijving (onroerende zaken)

Art. 10. 1. Stukken ter verkrijging van inschrijving van feiten die betrekking hebben op onroerende zaken of de rechten waaraan deze onderworpen zijn, worden aangeboden aan de bewaarder van het kantoor van de Dienst, binnen welks kring de onroerende zaken waarop de in te schrijven feiten betrekking hebben, blijkens hun kadastrale aanduiding zijn gelegen.

2. Ingeval een onroerende zaak is gelegen binnen de kring van meer dan één kantoor van de Dienst, worden deze stukken aangeboden aan elk der kantoren binnen welks kring zij is gelegen.

Plaats van inschrijving (schepen)

3. Bij algemene maatregel van bestuur worden, onverminderd het bepaalde in artikel 4, eerste lid, regelen gesteld omtrent het kantoor van de Dienst, waaraan stukken ter verkrijging van inschrijving van feiten die betrekking hebben op schepen of op de rechten waaraan deze onderworpen zijn, moeten worden aangeboden.

Plaats van inschrijving (luchtvaartuigen)

4. Het bepaalde in het vorige lid is van overeenkomstige toepassing op de aanbieding van stukken ter verkrijging van inschrijving van feiten die betrekking hebben op luchtvaartuigen of op de rechten waaraan deze onderworpen zijn.

AFDELING 3
Vereisten voor inschrijving en de wijze waarop deze geschiedt

Inschrijvingsvereisten; eensluidend afschrift op formulier

Art. 11. 1. Voor inschrijving van een feit in de openbare registers, bedoeld in artikel 8, eerste lid, onder a-c, is vereist een stuk dat voldoet aan de eisen gesteld in titel 2 van dit hoofdstuk, alsmede een afschrift van dat stuk, gesteld op een door de Dienst verstrekt formulier en voorzien van een verklaring van eensluidendheid.

2. De bewaarder is niet gehouden de juistheid van de in het eerste lid bedoelde verklaring te onderzoeken. De Dienst is niet aansprakelijk voor schade voortvloeiend uit onjuistheden en onvolledigheden in het afschrift.

Vorm en ondertekening van de verklaring van eensluidendheid

3. Bij regeling van Onze Minister wordt de vorm vastgesteld van de in het eerste lid bedoelde verklaring en wordt bepaald, onverminderd het bepaalde bij of krachtens een andere wet, door wie deze verklaring moet worden ondertekend.

4. Bij regeling van Onze Minister kan voor bijzondere gevallen worden bepaald dat geen afschrift, als bedoeld in het eerste lid, behoeft te worden aangeboden. In die gevallen vervaardigt de Dienst het afschrift van het ter inschrijving aangeboden stuk. Het bepaalde in het zevende lid, derde zin, is alsdan van overeenkomstige toepassing.

Inschrijving van tekeningen

5. Bij regeling van Onze Minister worden de vereisten vastgesteld, waaraan tekeningen die deel uitmaken van ter inschrijving aangeboden stukken, moeten voldoen. Daarbij kan worden afgeweken van het bepaalde in het eerste-vierde lid.

6. Bij regeling van het bestuur van de Dienst wordt de vorm vastgesteld van het in het eerste lid bedoelde formulier, alsmede de vereisten met inachtneming waarvan dit formulier dient te worden ingevuld en aangeboden.

Afschrift in de vorm van een door de Dienst vervaardigde reproduktie

7. Bij regeling van Onze Minister kan, in afwijking van het eerste lid worden bepaald, dat in plaats van het in dat lid bedoelde voor inschrijving vereiste afschrift de Dienst een afschrift van het ter inschrijving aangeboden stuk in dubbel vervaardigt in de vorm van een mechanische reproduktie. In dat geval dient het ter inschrijving aan te bieden stuk te zijn gesteld op een door de Dienst verstrekt formulier of te voldoen aan andere bij regeling van Onze Minister te stellen eisen. De Dienst is alsdan aansprakelijk voor schade voortvloeiend uit onjuistheden en onvolledigheden in het afschrift, ontstaan ten gevolge van de vervaardiging van de mechanische reproduktie. Het vijfde en het zesde lid zijn, indien het bepaalde in de eerste zin toepassing vindt, van overeenkomstige toepassing.

Wijze van inschrijven

Art. 12. 1. De inschrijving geschiedt door het in bewaring nemen van het afschrift van het stuk, bedoeld in artikel 11, eerste lid.

2. De afschriften van de stukken worden zo veel mogelijk gerangschikt in volgorde waarin zij ter inschrijving zijn aangeboden, met vermelding van het tijdstip waarop deze aanbieding is geschied.

Rangschikking en opberging van afschriften

3. Het bestuur van de Dienst stelt nadere regelen vast omtrent de rangschikking en de wijze van opberging van de afschriften.

4. Indien artikel 11, zevende lid, toepassing heeft gevonden geschiedt de inschrijving in afwijking van het bepaalde in het eerste lid door de vervaardiging van het afschrift in dubbel, bedoeld in artikel 11, zevende lid. Het bepaalde in het tweede en derde lid is alsdan van overeenkomstige toepassing.

Relaas van inschrijving

Art. 13. Na de inschrijving, bedoeld in artikel 12, eerste lid, worden de ter inschrijving aangeboden stukken aan de aanbieder teruggegeven nadat zij door de bewaarder zijn voorzien van een aantekening, vermeldende het kantoor, dag, uur en minuut van aanbieding, alsmede het deel van het desbetreffende register waarin en het nummer waaronder in dat deel de opberging van het afschrift is geschied, dan wel ingeval artikel 11, zevende lid, toepassing heeft gevonden, de verwijzing naar de plaats waaronder de desbetreffende mechanische reproduktie is opgeborgen.

Inschrijving na onterechte weigering

Art. 14. 1. Op de inschrijving van een feit, waarvan de inschrijving alsnog is bevolen overeenkomstig artikel 20, tweede lid, van Boek 3 van het Burgerlijk Wetboek dan wel opnieuw is verzocht, als bedoeld in artikel 20, vierde lid, tweede zin, van dat wetboek, zijn de artikelen 11-13 van toepassing, voor zover daarvan in dit artikel niet wordt afgeweken.

2. Voor een inschrijving, als bedoeld in het eerste lid, wordt vereist het oorspronkelijk aangeboden stuk dat is voorzien van de in artikel 15, tweede lid, bedoelde verklaring.

3. De inschrijving geschiedt, tenzij artikel 11, zevende lid, toepassing heeft gevonden, door doorhaling van de voorlopige aantekening en door vermelding daarbij van het deel en nummer, bedoeld in artikel 13.

4. Artikel 13 is van overeenkomstige toepassing met dien verstande, dat de bewaarder op het ingeschreven stuk eveneens van de doorhaling van de voorlopige aantekening melding maakt overeenkomstig door het bestuur van de Dienst daartoe vast te stellen regelen.

AFDELING 4
Voorlopige aantekeningen en bewijs van ontvangst

Werkwijze bij boeking in het register van voorlopige aantekeningen van stukken waarvan de inschrijving geweigerd wordt

Art. 15. 1. De boeking, bedoeld in artikel 20, eerste lid, van Boek 3 van het Burgerlijk Wetboek, geschiedt in het register van voorlopige aantekeningen voor goederen als waarop het aangeboden stuk betrekking heeft, met vermelding van de gerezen bedenkingen, alsmede, voor zover bekend, van de naam en woonplaats met adres van de aanbieder.

2. Na de boeking wordt dat stuk voorzien van een door de bewaarder ondertekende verklaring, vermeldende tenminste het kantoor, dag, uur en minuut van aanbieding, onder verwijzing naar de boeking in het desbētreffende register van voorlopige aantekeningen, als-mede de gerezen bedenkingen, en wordt het aan de aanbieder teruggegeven. Het voor inschrijving vereiste, aangeboden afschrift van het stuk wordt in bewaring genomen. Artikel 12, tweede en derde lid, is van overeenkomstige toepassing.

3. Ingeval het voor inschrijving vereiste afschrift niet is aangeboden, vervaardigt de Dienst een afschrift van het in het eerste lid bedoelde stuk overeenkomstig door het bestuur van de Dienst daartoe vast te stellen regelen, waarbij het bepaalde in artikel 11, zevende lid, derde zin, van overeenkomstige toepassing is. Het bepaalde in de vorige zin is van overeenkomstige toepassing met betrekking tot in het eerste lid bedoelde stukken waarop ten aanzien van de inschrijving artikel 11, vierde lid, van toepassing is.

4. Het bestuur van de Dienst geeft voorts regelen in welke van de gevallen, waarin het in artikel 11, eerste lid, bedoelde formulier niet met inachtneming van de in artikel 11, zesde lid, bedoelde vereisten is ingevuld of aangeboden, de Dienst een afschrift vervaardigt van het stuk waarvan de inschrijving is geweigerd, en op welke wijze deze vervaardiging geschiedt. Artikel 12, tweede en derde lid, is van overeenkomstige toepassing. Het aangeboden afschrift blijft berusten ten kantore van de Dienst en wordt voor zover mogelijk opgeborgen in het desbetreffende register van voorlopige aantekeningen bij het desbetreffende door de Dienst vervaardigde afschrift.

5. Indien artikel 11, zevende lid, toepassing heeft gevonden, vervaardigt de Dienst, alvorens het stuk waarvan de inschrijving is geweigerd, aan de aanbieder terug te geven, voor zover mogelijk een afschrift van dat stuk overeenkomstig door het bestuur van de Dienst daartoe vast te stellen regelen. Artikel 11, zevende lid, derde zin, is van overeenkomstige toepassing.

6. Het bepaalde in het eerste en tweede lid is mede van overeenkomstige toepassing op de boeking van de aanbieding van een stuk, dat krachtens artikel 37, tweede lid, slechts op bevel van de rechter kan worden ingeschreven.

Overige aantekeningen in het register van voorlopige aantekeningen

Art. 16. 1. Van aan de bewaarder uitgebrachte dagvaardingen, als bedoeld in artikel 20, vierde lid, van Boek 3 van het Burgerlijk Wetboek, en van uitspraken van de president in kort geding, aangespannen ter verkrijging van het in artikel 20, tweede lid, van Boek 3 van dat wetboek bedoelde bevel, wordt aantekening gehouden in het desbetreffende register van voorlopige aantekeningen overeenkomstig door het bestuur van de Dienst daartoe vast te stellen regelen.

2. Het bestuur van de Dienst stelt voorts regelen vast omtrent de wijze waarop in het register van voorlopige aantekeningen de in artikel 15, eerste lid, bedoelde boeking geschiedt, alsmede omtrent de wijze van doorhaling van voorlopige aantekeningen.

3. Het bepaalde in het eerste lid is van overeenkomstige toepassing ten aanzien van dagvaardingen uitgebracht aan de bewaarder ter verkrijging van een bevel van de rechter tot inschrijving van een notariële verklaring, bedoeld in artikel 37, eerste lid, onder c. Het bepaalde in het tweede lid is van overeenkomstige toepassing ten aanzien van de in artikel 37, tweede lid, eerste zin, bedoelde boeking en de doorhaling van een zodanige boeking in het register van voorlopige aantekeningen.

Bewijs van ontvangst

Art. 17. Het bestuur van de Dienst stelt de vorm van het bewijs van ontvangst, bedoeld in artikel 18 van Boek 3 van het Burgerlijk Wetboek, alsmede regelen omtrent de wijze waarop op dat bewijs de verrichte inschrijving desverlangd wordt aangetekend, bedoeld in artikel 19, derde lid, van Boek 3 van dat wetboek.

Titel 2
- Vereisten met betrekking tot in te schrijven stukken

AFDELING
Algemene vereisten waaraan in te schrijven stukken moeten voldoen

In ter inschrijving aangeboden stukken te vermelden persoonsgegevens

Art. 18. 1. Onverminderd de overige uit deze titel voortvloeiende eisen moet een ter inschrijving aangeboden notariële verklaring of authentiek afschrift of uittreksel van een zodanige akte of verklaring vermelden:
1°. naam, voornamen, geboortedatum en -plaats, woonplaats met adres, beroep en burgerlijke staat van de natuurlijke personen die blijkens het aangeboden stuk daarbij als partij zijn opgetreden;
2°. aard, naam en woonplaats met adres van de rechtspersonen die blijkens het aangeboden stuk daarbij als partij zijn opgetreden;
3°. dezelfde gegevens, behoudens het beroep en de burgerlijke staat, ten aanzien van natuurlijke personen en rechtspersonen die blijkens het aangeboden stuk de voormelde partijen hebben vertegenwoordigd, alsmede de grond van hun bevoegdheid; met dien verstande dat, zo opgave van één of meer dezer gegevens niet mogelijk is, de redenen daarvan worden vermeld.

2. Andere ter inschrijving aangeboden stukken vermelden, zo mogelijk dezelfde gegevens als in het eerste lid omschreven, tenzij anders voortvloeit uit hetgeen de wet voor een stuk van de aard als waarom het gaat, ten aanzien van de vermelding van voornamen, namen en woonplaatsen voorschrijft.

Ontbreken van persoonsgegevens; nadere verklaring

3. In elk geval worden de in het eerste lid omschreven gegevens opgegeven van de partij ten behoeve van wie de aanbieding ter inschrijving geschiedt. Zo het ter inschrijving aangeboden stuk één of meer van deze gegevens niet vermeldt en naar zijn aard niet voor aanvulling te dier zake vatbaar is, wordt vermelding van de ontbrekende gegevens en, zo opgave van één of meer dezer gegevens niet mogelijk is, de vermelding van de redenen daarvan in een nadere door of namens die partij ondertekende verklaring alsnog op het stuk gesteld of daaraan gehecht.

Verplichting tot woonplaatskeuze in Nederland

4. Zo een partij geen woonplaats in Nederland heeft, kiest zij ter zake van de inschrijving een woonplaats in Nederland.

5. Indien een partij in een ter inschrijving aangeboden stuk woonplaats heeft gekozen, wordt niettemin daarin ook de wettelijke woonplaats met adres vermeld.

Verwijzing naar eerder ingeschreven stukken

Art. 19. Ingeval het ter inschrijving aangeboden stuk betrekking heeft op een bepaald reeds eerder ingeschreven stuk, bevat het een verwijzing naar dit eerdere stuk overeenkomstig door Onze Minister daartoe vast te stellen regelen.

In ter inschrijving aangeboden stukken te vermelden objectgegevens (onroerende zaken)

Art. 20. 1. Indien een stuk ter inschrijving wordt aangeboden en het daarin vermelde in te schrijven feit betrekking heeft op een onroerende zaak of op een recht waaraan een zodanige zaak is onderworpen, vermeldt dit stuk de aard, de plaatselijke aanduiding zo deze er is, en de kadastrale aanduiding van die onroerende zaak onderscheidenlijk van de onroerende zaak die aan dat recht is onderworpen. Indien het in te schrijven feit betrekking heeft op een appartementsrecht, wordt in het ter inschrijving aangeboden stuk vermeld de plaatselijke aanduiding van het desbetreffende gedeelte van het gebouw dat is bestemd om als afzonderlijk geheel te worden gebruikt, alsmede de aard en de kadastrale aanduiding van dat appartementsrecht.

2. Onze Minister kan regelen vaststellen omtrent de wijze waarop de plaatselijke aanduiding, bedoeld in het eerste lid, in het ter inschrijving aangeboden stuk wordt vermeld.

In ter inschrijving aangeboden stukken te vermelden objectgegevens (schepen)

Art. 21. 1. Indien het in te schrijven feit betrekking heeft op een in de registratie voor schepen, bedoeld in artikel 85, te boek staand schip of op een recht waaraan een zodanige zaak is onderworpen, bevat het ter inschrijving aangeboden stuk:
a. de naam van het schip met vermelding van het gebruik waartoe het is bestemd, en zijn bruto-inhoud of bruto-tonnage dan wel, indien het een binnenschip betreft, zijn laadvermogen in tonnen van 1.000 kilogram of verplaatsing in kubieke meters;
b. het type en de inrichting van het schip, het materiaal waarvan de romp is gemaakt, jaar en plaats van de bouw, en, voor zover het een schip met een mechanische voortstuwing betreft, ook al betreft het slechts een hulpmotor, het aantal motoren, het type, vermogen en de fabrikant van elke motor, alsmede het fabrieksnummer daarvan met aanduiding van de plaats waar dit nummer is aangebracht;
c. het nummer waaronder de inschrijving van het verzoek tot teboekstelling van het schip in het desbetreffende register is geschied, de aanwijzing van de rubriek waartoe dat schip behoort, de aanduiding van het kantoor van de Dienst waar de teboekstelling is geschied, en het jaar van teboekstelling, welke gegevens tezamen in genoemde volgorde het brandmerk van het schip vormen.

Onderscheiding van rubrieken van schepen

2. Bij algemene maatregel van bestuur worden regelen gesteld omtrent de in het eerste lid, onder c, bedoelde onderscheiding van rubrieken van schepen.

3. Het bepaalde in het eerste lid is niet van toepassing op ter inschrijving aangeboden rechterlijke uitspraken. Deze stukken kunnen, onverminderd andere vereisten gesteld bij of krachtens wet, echter slechts worden ingeschreven, indien en voor zover de identiteit van het desbetreffende schip voldoende vaststaat.

Vermelding van uitsluitend naam en brandmerk

4. In afwijking van het bepaalde in het eerste lid kan worden volstaan met het vermelden van de naam van het schip en de in dat lid, onder c, genoemde gegevens in het ter inschrijving aangeboden stuk, indien dat stuk betreft:
a. de doorhaling van de teboekstelling van een schip, bedoeld in de artikelen 195, eerste lid, en 786, eerste lid, van Boek 8 van het Burgerlijk Wetboek;
b. de aangifte van de eigenaar inhoudende dat het schip een wijziging heeft ondergaan waardoor de beschrijving van het schip in de registratie voor schepen, bedoeld in artikel 85, tweede lid, onder f en g, niet meer aan de werkelijkheid beantwoordt;
c. een afwijkend beding, als bedoeld in artikel 1, vijfde lid, van Boek 8 van het Burgerlijk Wetboek, dan wel
d. de verandering van een door de eigenaar van een schip in een ingeschreven stuk gekozen woonplaats.

Het bepaalde in de eerste zin is ook van toepassing op de inschrijving van stukken als bedoeld in de artikelen 32, eerste lid, 38, eerste lid, en 39, eerste lid.

In ter inschrijving aangeboden stukken te vermelden objectgegevens (luchtvaartuigen)

Art. 22. 1. Indien het in te schrijven feit betrekking heeft op een in de registratie voor luchtvaartuigen, bedoeld in artikel 92, te boek staand luchtvaartuig of op een recht waaraan een zodanige zaak is onderworpen, bevat het ter inschrijving aangeboden stuk:
a. het nationaliteitskenmerk en het inschrijvingskenmerk, bedoeld in artikel 6, eerste lid, van de Luchtvaartwet (Stb. 1958, 47);
b. de naam en woonplaats van de fabrikant en het type van het luchtvaartuig, jaar en plaats van de bouw, het fabrieksnummer zo het luchtvaartuig dat heeft met vermelding van de plaats waar dit nummer is aangebracht, en het aantal motoren, het type, vermogen en de fabrikant van elke motor, alsmede het fabrieksnummer daarvan met aanduiding van de plaats waar dit nummer is aangebracht;
c. de maximaal toegelaten massa van het luchtvaartuig en, indien het luchtvaartuig een naam voert, de naam ervan;
d. het nummer waaronder de inschrijving van het verzoek tot teboekstelling van dat luchtvaartuig in het desbetreffende register is geschied.

2. Artikel 21, derde lid, is van overeenkomstige toepassing.

Ontbreken van verwijzingen/ objectgegevens; nadere verklaring

Art. 23. Vermeldt een ter inschrijving aangeboden stuk niet één of meer der gegevens, in de artikelen 19-22 voor een zodanig stuk voorgeschreven, en is het naar zijn aard niet voor aanvulling te dier zake vatbaar, dan wordt de vermelding van de ontbrekende gegevens in een nadere, door degene die de inschrijving verlangt, ondertekende verklaring alsnog op het stuk gesteld of daaraan gehecht.

AFDELING 2
Vereisten waaraan ter inschrijving aangeboden stukken moeten voldoen in verband met de aard van het in te schrijven feit

Akte van levering

Art. 24. 1. Ter inschrijving van een akte van levering, vereist voor de overdracht van een registergoed, voor de vestiging, afstand of wijziging van een beperkt recht dat een registergoed is, of voor de overgang van een registergoed na toedeling uit hoofde van de verdeling van een gemeenschap, wordt aangeboden de notariële akte betreffende deze levering, dan wel een authentiek afschrift of een authentiek uittreksel daarvan. In geval van vestiging van een recht van hypotoheek op een schip in aanbouw wordt mede ter inschrijving aangeboden een verklaring van de ambtenaar van de Scheepsmetingsdienst, inhoudende dat de bouw van het schip nog niet is voltooid.

2. Het ter inschrijving aangeboden stuk, bedoeld in het eerste lid, bevat in elk geval:
a. de titel op grond waarvan de levering plaatsvindt en, in geval van vestiging van een recht van hypotheek, tevens:
1°. een aanduiding van de vordering waarvoor het recht van hypotheek tot zekerheid strekt, of van de feiten aan de hand waarvan die vordering zal kunnen worden bepaald;
2°. het bedrag waarvoor het recht van hypotheek wordt gevestigd of, wanneer dit bedrag nog niet vaststaat, het maximumbedrag dat uit hoofde van dat recht van hypotheek op het goed kan worden verhaald;
3°. in geval van vestiging van een recht van hypotheek op een teboekstaand zeeschip of op een recht waaraan een zodanige zaak is onderworpen, bovendien: een duidelijke vermelding van het aan de hypotheek onderworpen schip;
4°. in geval van vestiging van een recht van hypotheek op een teboekstaand binnenschip of op een recht waaraan een zodanige zaak is onderworpen, bovendien: een duidelijke vermelding van het aan de hypotheek onderworpen schip, de voorwaarden voor opeisbaarheid of een verwijzing naar een op het kantoor van inschrijving ingeschreven document waarin deze voorwaarden zijn vastgelegd, alsmede de bedongen rente en de tijdstippen waarop deze vervalt;
b. de wettelijke benaming van het recht op de levering waarvan het ter inschrijving aangeboden stuk betrekking heeft.

Proces-verbaal van toewijzing

3. De vorige leden zijn van overeenkomstige toepassing op de inschrijving van het proces-verbaal van toewijzing, bedoeld in artikel 525 van het Wetboek van Burgerlijke Rechtsvordering, onverminderd hetgeen in het tweede lid van dat artikel is bepaald, alsmede op de inschrijving van het proces-verbaal van toewijzing, bedoeld in artikel 34, eerste lid, van de Wet teboekgestelde Luchtvaartuigen.

Meer leveringen; vermelding van voorbehouden beperkte rechten/bedingen

4. Het aangeboden stuk mag op meer leveringen, als bedoeld in het eerste lid, betrekking hebben, voor zover voor ieder daarvan aan de in de vorige leden gestelde eisen is voldaan. Betreft het stuk een overdracht onder voorbehoud van een beperkt recht of van een beding, als bedoeld in artikel 252 van Boek 6 van het Burgerlijk Wetboek, dan wordt de vestiging van dit recht dan wel het op zich nemen van het beding afzonderlijk en duidelijk vermeld, bij gebreke waarvan de inschrijving van het stuk geacht wordt niet mede dit recht of dit beding te betreffen.

Akte van grensvastlegging; appartementsrechten

5. Het eerste lid is van overeenkomstige toepassing op de inschrijving van een akte van grensvastlegging, opgemaakt krachtens de artikelen 31 of 35, derde lid, van Boek 5 van het Burgerlijk Wetboek, alsmede op de inschrijving van een akte van splitsing, als bedoeld in artikel 109, eerste lid, van Boek 5, van dat wetboek, en een akte tot wijziging of opheffing van een zodanige splitsing.

Rechterlijke uitspraak

Art. 25. 1. Ter inschrijving van een rechterlijke uitspraak die voor een akte van levering in de plaats treedt of die anderszins krachtens wetsbepaling kan worden ingeschreven, wordt een expeditie van de rechterlijke uitspraak aangeboden, alsmede:
a. indien de rechterlijke uitspraak slechts inschrijfbaar is, nadat zij in kracht van gewijsde is gegaan: een verklaring van de griffier van het gerecht dat de uitspraak heeft gedaan, inhoudende dat daartegen geen gewoon rechtsmiddel meer openstaat;
b. indien de onder a bedoelde eis voor inschrijfbaarheid niet is gesteld en de rechterlijke uitspraak niet uitvoerbaar bij voorraad is: een verklaring van de griffier van het gerecht dat de uitspraak heeft gedaan, inhoudende:
1°. hetzij dat daartegen geen gewoon rechtsmiddel meer openstaat, hetzij dat hem drie maanden na de uitspraak niet van het instellen van een gewoon rechtsmiddel is gebleken;
2°. zo het rechtsmiddel bij verzoekschrift moet worden ingesteld, dat ook de griffier

van het gerecht waar dit verzoekschrift moet worden ingediend, niet van het instellen van een rechtsmiddel is gebleken;
c. indien voor de inschrijving betekening aan de veroordeelde vereist is, een door de deurwaarder getekend afschrift van het exploit waarbij de betekening is geschied.

Buitenlands-vonnis

2. Ter inschrijving van een beslissing van de rechter van een vreemde Staat wordt een authentiek afschrift van deze beslissing aangeboden.

Arbitrale beslissing

3. Bestaat de rechterlijke uitspraak in een verlof tot tenuitvoerlegging van een beslissing van arbiters, dan wordt ook een afschrift van deze beslissing aangeboden, getekend door de griffier van het gerecht waarvan de president het verlof gaf.

Burgerlijk rechtelijke rechtshandeling

Art. 26. 1. Ter inschrijving van een rechtshandeling naar burgerlijk recht die krachtens wetsbepaling kan worden ingeschreven, wordt, tenzij anders is bepaald, aangeboden een door een notaris met inachtneming van artikel 37 opgemaakte verklaring, inhoudende dat de rechtshandeling naar de verklaring van degene die de inschrijving verlangt, is verricht en wat zij inhoudt, met daaraan gehecht de stukken waaruit die rechtshandeling blijkt, of authentieke afschriften van die verklaring van de notaris en van die stukken.
2. Ingeval voor de rechtshandeling of de inschrijving daarvan een notariële akte is vereist, wordt aangeboden hetzij die akte, hetzij een authentiek afschrift of een authentiek uittreksel daarvan.
3. Ingeval van de rechtshandeling een notariële akte is opgemaakt, zonder dat dit vereist was, kan naar keuze van degene die de inschrijving verlangt het eerste of tweede lid worden toegepast.

Eenzijdige rechtshandeling

4. Ingeval het gaat om een eenzijdige tot één of meer bepaalde personen gerichte rechtshandeling, kan worden volstaan met aanbieding van een aan die persoon of personen uitgebracht exploit, waarbij die rechtshandeling is verricht of tijdig bevestigd, of een authentiek afschrift daarvan.

Scheepshuur-koopover-eenkomst

5. Ingeval de rechtshandeling betreft een scheepshuurkoopovereenkomst waarop artikel 800, tweede lid, van Boek 8 van het Burgerlijk Wetboek van toepassing is, wordt ter inschrijving aangeboden hetzij de in artikel 800, eerste lid, van Boek 8 van dat wetboek bedoelde notariële akte met daaraan gehecht de stukken inhoudende de in het tweede lid van dat artikel bedoelde toestemming, hetzij authentieke afschriften van die akte en van die stukken, hetzij een authentiek uittreksel van die akte en authentieke afschriften van die stukken.

Afwijkend beding ex artikel 1 van Boek 8 BW

6. Ter inschrijving van een afwijkend beding, als bedoeld in artikel 1, vijfde lid, van Boek 8 van het Burgerlijk Wetboek, wordt, in afwijking van het bepaalde in het eerste lid, een door de eigenaar van het schip ondertekende verklaring aangeboden, waarin het scheepstoebehoren ten aanzien waarvan het afwijkend beding is gemaakt, eenduidig is omschreven.

Erfopvolging betreffende register-goederen

Art. 27. 1. Ter inschrijving van erfopvolgingen die registergoederen betreffen, wordt een door een notaris opgemaakte verklaring van erfrecht, dan wel een authentiek afschrift van de verklaring van de notaris aangeboden, waaruit van de erfopvolging blijkt.
2. Ter inschrijving van een executele of een bij uiterste wilsbeschikking ingesteld bewind wordt een door een notaris opgemaakte verklaring van erfrecht of een authentiek afschrift van de verklaring van de notaris aangeboden, waaruit van deze executele, onderscheidenlijk van dit bewind blijkt.

Nalatenschap; aanvaarding onder voorrecht van boedelbe-schrijving, en verwerping

Art. 28. Ter inschrijving van de aanvaarding van een nalatenschap onder voorrecht van boedelbeschrijving of van de verwerping van een nalatenschap wordt een door de griffier getekende verklaring aangeboden die de inhoud weergeeft van de verklaring, krachtens artikel 1075 of 1103 van Boek 4 van het Burgerlijk Wetboek met betrekking tot deze aanvaarding of verwerping ter griffie afgelegd.

Afstand van een huwelijks-gemeenschap

Art. 29. Ter inschrijving van de afstand van een huwelijksgemeenschap wordt een door de griffier getekend uittreksel uit het huwelijksgoederenregister aangeboden, inhoudende de verklaring betreffende de afstand, die krachtens artikel 104 van Boek 1 van het Burgerlijk Wetboek in het huwelijksgoederenregister is ingeschreven.

Vervulling van een voorwaarde; verschijning van een onzeker tijdstip

Art. 30. 1. Ter inschrijving van de vervulling van een voorwaarde, gesteld in een ingeschreven voorwaardelijke rechtshandeling, of van de verschijning van een onzeker tijdstip, aangeduid in de aan een ingeschreven rechtshandeling verbonden tijdsbepaling, wordt aangeboden een door een notaris met inachtneming van artikel 37 opgemaakte verklaring, inhoudende dat naar de verklaring van degene die de inschrijving verlangt, de voorwaarde is vervuld, onderscheidenlijk het tijdstip is verschenen met daaraan gehecht de stukken waaruit van deze vervulling of verschijning blijkt, of authentieke afschriften van de verklaring van de notaris en van die stukken.

Dood van de vruchtgebruiker van een registergoed

2. Het vorige lid is van overeenkomstige toepassing op de inschrijving van de dood van de vruchtgebruiker van een registergoed. De verklaring van de notaris houdt in dit geval tevens in:
a. het tijdstip van overlijden van de vruchtgebruiker, en
b. of het vruchtgebruik is vervallen, dan wel bij wie het vruchtgebruik na de dood van de vruchtgebruiker is verbleven.

Reglement en andere regelingen tussen medegerechtigden in registergoederen

Art. 31. Op de inschrijving van reglementen en andere regelingen die tussen medegerechtigden in registergoederen zijn vastgesteld, zijn van overeenkomstige toepassing:
a. voor zover het reglement of de regeling door de rechter is vastgesteld: artikel 25;
b. voor zover het reglement of de regeling bij rechtshandeling is vastgesteld: artikel 26, eerste en derde lid.

Proces-verbaal van inbeslagneming

Art. 32. 1. Ter inschrijving van een proces-verbaal van inbeslagneming wordt dit proces-verbaal of een door de deurwaarder of een advocaat getekend afschrift daarvan aangeboden. Artikel 18, tweede-vijfde lid, is niet van toepassing.
2. Ingeval een proces-verbaal van inbeslagneming van een luchtvaartuig in het buitenland is opgemaakt door een deurwaarder of andere volgens de daar geldende wet hiertoe bevoegde persoon, kan ook een zodanig proces-verbaal ter inschrijving worden aangeboden.

Voorrecht op schepen

3. Ter inschrijving van een der in de artikelen 211 en 821 van Boek 8 van het Burgerlijk Wetboek genoemde voorrechten, wordt aangeboden een door een deurwaarder ondertekend verzoek tot inschrijving van het voorrecht, inhoudende naar de verklaring van degene die de inschrijving verlangt:
a. de aanduiding van de vordering waar het om gaat;
b. het beloop der vordering ten tijde van het ondertekenen door de deurwaarder van het verzoek, of van de feiten aan de hand waarvan die vordering zal kunnen worden bepaald;
c. de omschrijving van het voorrecht door vermelding van het wettelijk voorschrift, op grond waarvan aan die vordering het voorrecht is toegekend, en
d. het tijdstip waarop de vordering is ontstaan.
Indien het verzoek van de deurwaarder ter inschrijving wordt aangeboden na verloop van de termijn, genoemd in artikel 219, eerste lid, onderscheidenlijk artikel 829, eerste lid, van Boek 8 van het Burgerlijk Wetboek, wordt ter inschrijving tevens aangeboden een stuk waaruit blijkt dat de schuldeiser zijn vordering binnen die termijn in rechte heeft geldend gemaakt, op de inschrijving van welk bewijsstuk artikel 38 van overeenkomstige toepassing is.

Voorrecht op luchtvaartuigen

4. Op de inschrijving van een voorrecht, als bedoeld in artikel 19 van de Wet teboekgestelde Luchtvaartuigen is het bepaalde in de eerste zin van het derde lid van overeenkomstige toepassing. Indien het verzoek van de deurwaarder ter inschrijving wordt aangeboden drie maanden of langer na het in die zin, onder d, bedoelde tijdstip, wordt ter inschrijving tevens aangeboden een stuk waaruit blijkt dat binnen de in artikel 19 van de Wet teboekgestelde Luchtvaartuigen genoemde termijn:
a. het bedrag der vordering in der minne is vastgesteld, dan wel
b. langs gerechtelijke weg erkenning van het voorrecht en de omvang ervan is gevorderd,
op de inschrijving van welk bewijsstuk in het onder b bedoelde geval artikel 38 van overeenkomstige toepassing is.

Verandering in de voornaam/geslachtsnaam

Art. 33. 1. Ter inschrijving van een verandering in de voornaam of de geslachtsnaam van tot registergoederen gerechtigde natuurlijke personen wordt een door of namens deze persoon ondertekend stuk aangeboden, inhoudende de gegevens, bedoeld in artikel 18, eerste lid, onder 1°, met vermelding van de oude en de nieuwe naam of voornaam, en de dag waarop de verandering is ingegaan. Indien de verandering blijkt uit de registers van de burgerlijke stand, wordt een uittreksel daaruit overgelegd, dat de verandering relateert. In andere gevallen wordt een ander bewijsstuk betreffende deze verandering overgelegd.

Naamsverandering van een rechtspersoon

2. Ter inschrijving van de naamsverandering van een rechtspersoon wordt een opgave van een notaris aangeboden, inhoudende de gegevens, bedoeld in artikel 18,

eerste lid, onder 2°, met vermelding van de oude en de nieuwe naam en de dag waarop de verandering is ingegaan. Gaat het om een publiekrechtelijke rechtspersoon, dan kan deze de opgave zelf doen.

Omzetting van een rechtspersoon

3. Ter inschrijving van een omzetting van een rechtspersoon, als bedoeld in artikel 18 van Boek 2 van het Burgerlijk Wetboek, wordt een opgave van een notaris aangeboden, inhoudende de in artikel 18, eerste lid, onder 2°, bedoelde gegevens, met vermelding van de oude en nieuwe rechtsvorm, de oude en nieuwe naam alsmede van de dag waarop de omzetting van kracht is geworden. Het bepaalde in de eerste zin is van overeenkomstige toepassing op een omzetting, als bedoeld in artikel 8, eerste en tweede lid, van de Wet van 28 juni 1989 (Stb. 245), houdende uitvoering van de Verordening nr. 2137/85 van de Raad van de Europese Gemeenschappen van 25 juli 1985 tot instelling van Europese economische samenwerkingsverbanden (PbEG L 199/1).

Fusie van rechtspersonen

4. Ter inschrijving van een fusie van rechtspersonen, als bedoeld in artikel 309 van Boek 2 van het Burgerlijk Wetboek, wordt een opgave van een notaris aangeboden, inhoudende met betrekking tot elk der fuserende rechtspersonen en, zo de verkrijgende rechtspersoon een door hen samen bij de fusie opgerichte nieuwe rechtspersoon is, tevens met betrekking tot die rechtspersoon de in artikel 18, eerste lid, onder 2°, bedoelde gegevens, met vermelding wie de verkrijgende rechtspersoon is alsmede van de dag waarop de fusie van kracht is geworden.

Verjaring

Art. 34. Ter inschrijving van een verjaring wordt een door een notaris met inachtneming van artikel 37 opgemaakte verklaring of een authentiek afschrift daarvan aangeboden, inhoudende dat naar de verklaring van degene die de inschrijving verlangt, de verjaring is ingetreden, alsmede

a. welk registergoed door verjaring is verkregen, dan wel welk beperkt recht op een registergoed is tenietgegaan;
b. tegen wie de verjaring werkt, indien dit bekend is;
c. welke feiten tot de verjaring hebben geleid, en
d. dat de verjaring wordt betwist of niet wordt betwist door degene tegen wie zij werkt, zo dit bekend is.

Verklaring van waardeloosheid

Art. 35. 1. Ter inschrijving van een of meer verklaringen van waardeloosheid, als bedoeld in artikel 28 van Boek 3 van het Burgerlijk Wetboek, wordt een door een notaris opgemaakte verklaring aangeboden, die inhoudt dat degenen te wier behoeve de inschrijving zou hebben gestrekt, schriftelijk hebben verklaard dat zij waardeloos is en waaraan deze schriftelijke verklaringen zijn gehecht, dan wel een authentiek afschrift van de verklaring van de notaris en de daaraan gehechte verklaringen.

Inhoud van de verklaring van waardeloosheid

2. Tenzij de inschrijving een hypotheek of een beslag betreft, vermelden de in het eerste lid bedoelde schriftelijke verklaringen van degenen te wier behoeve de inschrijving zou hebben gestrekt, tevens de feiten waarop de waardeloosheid berust, en houdt de in dat lid bedoelde verklaring van de notaris tevens in dat de vermelde feiten een rechtsgrond voor de waardeloosheid van de inschrijving opleveren.

3. Ter inschrijving van een verklaring, als bedoeld in artikel 273 van Boek 3 van het Burgerlijk Wetboek, wordt aangeboden die verklaring of een authentiek afschrift daarvan.

4. Ter inschrijving van een verklaring, als bedoeld in artikel 274 van Boek 3 van het Burgerlijk Wetboek, wordt aangeboden de desbetreffende authentieke akte of een authentiek afschrift daarvan.

Einde van het nut van een mandelige zaak

Art. 36. 1. Ter inschrijving van het feit dat het nut van een mandelige zaak voor elk der erven is geëindigd, wordt een door een notaris met inachtneming van artikel 37 opgemaakte verklaring aangeboden, inhoudende dat naar de verklaring van hen die de inschrijving verlangen, het nut voor elk der erven is geëindigd, of een authentiek afschrift van de verklaring van de notaris. Werken niet alle rechthebbenden op de mandelige zaak mee, dan vermeldt de notaris in zijn verklaring de reden daarvan.

Bestaan van oude zakelijke rechten vóór 1838

2. Ter inschrijving van het bestaan van een recht, als bedoeld in artikel 150, eerste lid, van de Overgangswet nieuw Burgerlijk Wetboek (Stb. 1976, 396)[1], wordt een door een notaris met inachtneming van artikel 37 opgemaakte verklaring aangeboden, waarin het bestaan van het recht wordt geconstateerd, en die tevens inhoudt:

a. de omschrijving van de inhoud van het recht;

---

1) Tekstpublicatie thans in Stb. 1991, 601.

b. zo mogelijk, de gangbare benaming ervan dan wel de verklaring, dat dat recht niet een zodanige benaming heeft, en
c. wie de rechthebbende op dat recht is,
met daaraan gehecht de stukken waaruit van een en ander blijkt, of authentieke afschriften van die verklaring en die stukken.

Ontstaan erfdienstbaarheid door bestemming of herleving

3. Ter inschrijving van het ontstaan van een erfdienstbaarheid door bestemming of herleving, bedoeld in artikel 163, eerste zin, van de Overgangswet nieuw Burgerlijk Wetboek wordt een door een notaris met inachtneming van artikel 37 opgemaakte verklaring aangeboden, waarin het ontstaan van de erfdienstbaarheid wordt geconstateerd, en die tevens inhoudt:
a. de omschrijving van de inhoud van de erfdienstbaarheid, en
b. wie de rechthebbende op dat recht is,
met daaraan gehecht de stukken waaruit van een en ander blijkt, of authentieke afschriften van die verklaring en die stukken.

Nadere inhoudsvereisten voor notariële verklaringen ex de artikelen 26, 30, 34 en 36

Art. 37. 1. Een notariële verklaring, als bedoeld in de artikelen 26, 30, 34 en 36, houdt behalve hetgeen in deze artikelen is voorgeschreven, tevens in een verklaring van de notaris:
a. hetzij dat allen die als partij bij het in te schrijven feit betrokken zijn aan de notaris hebben medegedeeld met de inschrijving in te stemmen;
b. hetzij dat bewijsstukken aan hem zijn overgelegd en aan de verklaring gehecht, die genoegzaam aantonen dat het in te schrijven feit zich inderdaad heeft voorgedaan dan wel, in geval van een verklaring als bedoeld in artikel 36, tweede lid, dat het recht bestaat;
c. hetzij dat hij niet aan het onder a en b gestelde kan voldoen.

Boeking in het register van voorlopige aantekeningen

2. In het in het eerste lid, onder c, bedoelde geval boekt de bewaarder de aanbieding van de notariële verklaring slechts in het register van voorlopige aantekeningen en kan inschrijving alleen plaatsvinden op bevel van de rechter. Het tweede, derde en vierde lid, eerste volzin, alsmede het vijfde en zesde lid van artikel 20 van Boek 3 van het Burgerlijk Wetboek zijn van overeenkomstige toepassing met dien verstande, dat het bevel slechts wordt gegeven, indien de eiser naast de bewaarder allen die als partij bij het in te schrijven feit zijn betrokken, tijdig in het geding heeft geroepen.
3. De kosten van het geding blijven voor rekening van de eiser, tenzij de vordering ondanks verweer wordt toegewezen, in welk geval degene die het verweer heeft gevoerd in de kosten wordt veroordeeld.
4. Wanneer het aangeboden stuk ook overigens niet aan de vereisten voor inschrijving voldoet, vermeldt de bewaarder bij de voorlopige aantekening tevens de gerezen bedenkingen en is artikel 20 van Boek 3 van het Burgerlijk Wetboek in dier voege van toepassing dat het daarbedoelde bevel slechts tezamen met dat uit hoofde van het tweede lid kan worden gevorderd.

AFDELING 3

Vereisten waaraan stukken moeten voldoen, aangeboden ter inschrijving van het instellen van een rechtsvordering, van het indienen van een verzoekschrift, van tegen rechterlijke uitspraken ingestelde rechtsmiddelen of van de waardeloosheid van zodanige inschrijvingen

Instelling van een rechtsvordering/indiening van een verzoekschrift ter verkrijging van een rechterlijke uitspraak

Art. 38. 1. Ter inschrijving van de instelling van een rechtsvordering of de indiening van een verzoekschrift ter verkrijging van een rechterlijke uitspraak die de rechtstoestand van een registergoed betreft, wordt aangeboden:
a. in geval van instelling van de rechtsvordering door een dagvaarding: een door de deurwaarder of een advocaat getekend afschrift daarvan;
b. in geval van instelling van de rechtsvordering door een ander stuk: een afschrift daarvan getekend door een advocaat of door de griffier van het gerecht waar de zaak aanhangig is;
c. in geval van een verzoekschrift: een afschrift daarvan met aantekening van de dag waarop het verzoekschrift is ingekomen ter griffie, getekend door een advocaat of door de griffier van het gerecht waar het verzoekschrift is ingediend.
2. Artikel 18, tweede-vijfde lid, is niet van toepassing, behoudens dat het aangeboden stuk in elk geval de naam en een ter zake van het geding gekozen woonplaats met adres van degene te wiens behoeve de aanbieding geschiedt, moet bevatten.

Instelling van een rechtsmiddel tegen een rechterlijke uitspraak

Art. 39. 1. Ter inschrijving van de instelling van een rechtsmiddel tegen een rechterlijke uitspraak, als bedoeld in artikel 38, wordt aangeboden:

a. ingeval het rechtsmiddel wordt ingesteld bij dagvaarding: een door de deurwaarder of een advocaat getekend afschrift daarvan;
b. ingeval het rechtsmiddel wordt ingesteld bij verzoekschrift: een afschrift daarvan met aantekening van de dag waarop het verzoekschrift is ingekomen ter griffie, getekend door een advocaat of de griffier van het gerecht waar het verzoekschrift is ingediend;
c. ingeval het rechtsmiddel wordt ingesteld bij een ander stuk: een afschrift daarvan, getekend door een advocaat of de griffier van het gerecht dat op het aangewende rechtsmiddel beslist.

2. Artikel 18, tweede-vijfde lid, is niet van toepassing, behoudens dat het aangeboden stuk in elk geval de naam en een ter zake van het geding gekozen woonplaats met adres van degene te wiens behoeve de aanbieding geschiedt, moet bevatten.

Waardeloosheid van een inschrijving van een ingestelde rechtsvordering/ verzoekschrift dan wel van een ingesteld rechtsmiddel

Art. 40. Ter inschrijving van de waardeloosheid van een overeenkomstig artikel 38 of artikel 39 verkregen inschrijving, kan ook worden aangeboden
a. een daartoe strekkende verklaring, afgegeven door een deurwaarder of advocaat die optreedt voor de eiser, de verzoeker of degene die het rechtsmiddel heeft ingesteld;
b. een rechterlijke uitspraak die ertoe strekt dat een zodanige inschrijving waardeloos is.

AFDELING 4
Overige bepalingen betreffende inschrijvingen

In vreemde of Friese taal gestelde stukken

Art. 41. 1. Ter inschrijving van een feit dat is opgenomen in een stuk gesteld in een vreemde of de Friese taal, wordt naast dat ter inschrijving aangeboden stuk een letterlijke vertaling in het Nederlands ter inschrijving aangeboden, vervaardigd en voor overeenstemmend verklaard door een voor die taal als bevoegd toegelaten beëdigd vertaler, of, indien het een in te schrijven notariële akte in de Friese taal betreft, door de notaris voor wie de akte is verleden.

2. Het bepaalde in het eerste lid lijdt uitzondering ingeval met betrekking tot luchtvaartuigen een proces-verbaal van inbeslagneming, opgemaakt in het buitenland door een deurwaarder of door een andere volgens de daar geldende wet daartoe bevoegde persoon en gesteld in een vreemde taal, aan de bewaarder wordt toegezonden of bij deze wordt ingeleverd. Alsdan wordt door de zorg van de bewaarder zo spoedig mogelijk een vertaling van een zodanig proces-verbaal vervaardigd door een in Nederland toegelaten beëdigd vertaler.

3. De vertalingen worden ingeschreven in plaats van de in de vreemde of Friese taal gestelde stukken, die onder de bewaarder blijven berusten.

Stukken tot rectificatie

Art. 42. Op de inschrijving van stukken tot verbetering van onjuistheden en onvolledigheden in ingeschreven stukken, zijn de bepalingen, gegeven bij of krachtens dit hoofdstuk, van overeenkomstige toepassing.

Ontbrekende gegevens: voetverklaring

Art. 43. Indien het ter inschrijving aangeboden stuk waarin het in te schrijven feit is opgenomen, niet voldoet aan de vereisten, gesteld in de artikelen 18-42, kan het met ontbrekende gegevens worden aangevuld door een verklaring aan de voet van het stuk, ondertekend door degene die bevoegd is tot het opmaken en ondertekenen van een zodanig stuk, een en ander voor zover de aard van het stuk zich daartegen niet verzet.

Inschrijving van overgelegde stukken

Art. 44. 1. Stukken die voor bewijs bij de aanbieding van een stuk worden overgelegd, worden slechts mede ingeschreven, indien de wet dit eist of de aanbieder dit verlangt, tenzij bij wet is bepaald dat de desbetreffende stukken niet worden ingeschreven.

2. Door de bewaarder wordt, overeenkomstig door het bestuur van de Dienst vast te stellen regelen, van de overlegging melding gemaakt op het ter inschrijving aangeboden stuk, alsmede, ingeval artikel 11, zevende lid, geen toepassing heeft gevonden, op het afschrift van dat stuk. De stukken die moeten worden overgelegd maar waarvan de inschrijving niet wordt geëist of verlangd, worden onverwijld aan de aanbieder teruggegeven.

Inschrijvingsvereisten omtrent andere feiten dan die genoemd in de artikelen 20-40

Art. 45. 1. Bij algemene maatregel van bestuur kunnen regelen worden gesteld omtrent de vereisten waaraan stukken dienen te voldoen die worden aangeboden ter inschrijving van andere inschrijfbare feiten dan die waarop de artikelen 24-40 betrekking hebben, voor zover dit niet reeds in deze dan wel bij of krachtens een andere wet is geschied.

2. Voor zover bij de in het eerste lid bedoelde maatregel niet anders is bepaald, wordt ter inschrijving van een beschikking of van een uitspraak waarbij een beschikking werd vernietigd, ingetrokken of gewijzigd, een afschrift van die beschikking onderscheidenlijk van die uitspraak aangeboden, afgegeven door het bestuursorgaan onderscheidenlijk het rechterlijk orgaan dat de beschikking of de uitspraak gaf.

Beschikkingenen van bestuursorganen

Titel 3
Inschrijfbaarheid van andere stukken en van verandering van woonplaats

Art. 46. 1. Naast feiten die voor de rechtstoestand van registergoederen van belang zijn, kunnen in de openbare registers tevens algemene voorwaarden, modelreglementen en andere stukken, die niet op een bepaald registergoed betrekking hebben, worden ingeschreven, met het uitsluitend doel dat daarnaar in later ter inschrijving aangeboden stukken kan worden verwezen. De artikelen 18, 19, 20, eerste lid, eerste zin, 22 en 30 van Boek 3 van het Burgerlijk Wetboek zijn van overeenkomstige toepassing.

Inschrijfbaarheid van stukken zonder zelfstandige betekenis

2. Ter inschrijving van de in het eerste lid bedoelde stukken is naast het stuk zelf vereist een afschrift van dat stuk, gesteld op een door de Dienst verstrekt formulier en voorzien van een verklaring van eensluidendheid. Het bepaalde in artikel 11, tweede-zevende lid, is van overeenkomstige toepassing.

Inschrijvingsvereisten voor die stukken

3. De artikelen 18-23 zijn niet van toepassing. Bij algemene maatregel van bestuur kunnen eisen worden gesteld waaraan ter inschrijving aangeboden stukken, als bedoeld in het eerste lid, moeten voldoen. Onze Minister stelt regelen vast omtrent de wijze waarop de verwijzing in de latere stukken geschiedt.

4. In een ter inschrijving aangeboden stuk kan slechts worden verwezen naar een eerder ingeschreven stuk, indien de inschrijving van het later ter inschrijving aangeboden stuk plaatsvindt ten kantore van de Dienst, waar het stuk waarnaar wordt verwezen, reeds is ingeschreven.

5. Een verwijzing, als bedoeld in het vorige lid, heeft tot gevolg dat het stuk waarnaar in een ter inschrijving aangeboden stuk wordt verwezen, geacht wordt deel uit te maken van de inschrijving die op grond van het aangeboden stuk plaatsvindt.

Art. 47. 1. Een verandering van een in een ingeschreven stuk gekozen woonplaats, een alsnog ter zake van een inschrijving gedane keuze van woonplaats en de opheffing van een gekozen woonplaats kunnen worden ingeschreven. Ter inschrijving van de verandering, keuze of opheffing wordt een door of namens de belanghebbende ondertekende verklaring aangeboden die de nieuwe en de vorige gekozen dan wel wettelijke woonplaats vermeldt, alsmede de datum van ingang.

Inschrijfbaarheid van een verandering van een gekozen woonplaats

2. Een krachtens artikel 18, vierde lid, van deze wet of de artikelen 260, eerste lid, van Boek 3 of 252, tweede lid, van Boek 6, van het Burgerlijk Wetboek gekozen woonplaats, heeft, ongeacht of zij met het oorspronkelijke stuk dan wel krachtens het eerste lid is ingeschreven, geen ander gevolg dan dat

a. daar exploiten kunnen worden uitgebracht die de inschrijving betreffen, ter zake waarvan woonplaats werd gekozen;

b. daar de door of krachtens de wet voorgeschreven mededelingen en kennisgevingen van de bewaarder en de Dienst kunnen worden gedaan.

Gevolg van de inschrijving van een gekozen woonplaats

3. Door of krachtens deze wet voorgeschreven mededelingen en kennisgevingen worden in elk geval gedaan aan de laatste bij de Dienst bekende woonplaats van de belanghebbende. In geval van overlijden van een persoon die tot een registergoed gerechtigd was, worden zodanige mededelingen en kennisgevingen aan zijn rechtsopvolgers gedaan aan het laatste bij de Dienst bekende adres van de boedel, bedoeld in artikel 64, eerste lid.

HOOFDSTUK 3
Kadastrale registratie, kaartenbestand, daaraan ten grondslag liggende bescheiden en net van coördinaatpunten

Titel 1
Kadastrale registratie

Art. 48. 1. De kadastrale registratie, bedoeld in artikel 3, eerste lid, onder b, wordt op een zodanige wijze gehouden en bijgehouden, dat zij tenminste door middel van de naam van de eigenaar of beperkt gerechtigde, met uitzondering evenwel

Kadastrale registratie: toegang tot de openbare registers

van rechthebbenden op erfdienstbaarheden, alsmede door middel van de kadastrale aanduiding van de onroerende zaak en het appartementsrecht steeds de raadpleegbaarheid mogelijk doet zijn van de openbare registers, bedoeld in artikel 8, eerste lid, onder a, en van het register van voorlopige aantekeningen voor onroerende zaken, bedoeld in artikel 8, eerste lid, onder d.

Inhoud van de kadastrale registratie: soorten van gegevens

2. De kadastrale registratie bevat:
a. voor zover bekend de naam, voornamen, geboortedatum, de wettelijke woonplaats met adres, het beroep en de burgerlijke staat dan wel, indien het een rechtspersoon betreft, de aard, naam en de wettelijke woonplaats, van degenen die volgens de bij de Dienst bekende gegevens eigenaar dan wel beperkt gerechtigde met betrekking tot onroerende zaken zijn, en in geval van een gemeenschap het aandeel van ieder der deelgenoten;
b. ten aanzien van elke eigenaar en beperkt gerechtigde, als bedoeld onder a, een verwijzing naar alle op hen betrekking hebbende in de openbare registers, bedoeld in artikel 8, eerste lid, onder a, ingeschreven stukken en in het desbetreffende register van voorlopige aantekeningen geboekte stukken;
c. de wettelijke benaming van de beperkte rechten waaraan de onroerende zaken onderworpen zijn, en van de beslagen die op die zaken of beperkte rechten zijn gelegd, als ook, of die zaken of beperkte rechten onder bewind staan en of ten aanzien daarvan een beding, als bedoeld in artikel 252 van Boek 6 van het Burgerlijk Wetboek is ingeschreven;
d. de kadastrale aanduiding van de onroerende zaken en de grootte van de percelen, alsmede de kadastrale aanduiding van de appartementsrechten;
e. ten aanzien van elk perceel en appartementsrecht een verwijzing naar alle daarop betrekking hebbende in de openbare registers, bedoeld in artikel 8, eerste lid, onder a, ingeschreven stukken en in het desbetreffende register van voorlopige aantekeningen geboekte stukken, alsmede door de Dienst verkregen inlichtingen of verrichte waarnemingen, als bedoeld in artikel 54, eerste lid, onder b-e;
f. ten aanzien van een gekozen woonplaats de vermelding ervan, alsmede een verwijzing naar alle in de openbare registers, bedoeld in artikel 8, eerste lid, onder a, ingeschreven stukken, waarin woonplaats is gekozen, dan wel een gekozen woonplaats is veranderd of opgeheven;
g. ten aanzien van elk perceel, waarop een recht van hypotheek rust, tenminste de volgende gegevens:
1°. het tijdstip waarop de notariële akte, bedoeld in artikel 260 van Boek 3 van het Burgerlijk Wetboek, is opgemaakt;
2°. het tijdstip waarop deze akte is ingeschreven in de openbare registers, bedoeld in artikel 8, eerste lid, onder a, alsmede het deel en nummer dan wel de verwijzing, bedoeld in artikel 13;
3°. het bedrag waarvoor de hypotheek is gevestigd, of, wanneer dit bedrag nog niet vaststaat, het maximumbedrag dat uit hoofde van een hypotheek op het goed kan worden verhaald, alsmede voor zover bekend, de rentevoet;
4°. de aard van de onroerende zaak waarop de hypotheek is gevestigd, dan wel indien het onderpand een beperkt recht is, de wettelijke benaming van dat recht, alsmede ingeval de hypotheek op een aandeel in een gemeenschap is gevestigd, tevens de aanduiding van dat aandeel;
5°. de aanduiding van de aard van de hypotheek, en
6°. in geval van doorhaling van de inschrijving, waarbij de hypotheek is gevestigd, tijdstip van doorhaling der inschrijving, deel en nummer dan wel verwijzing, als bedoeld in artikel 13, van het stuk op grond waarvan de doorhaling is geschied;
h. een korte aanduiding van de aard van de in de openbare registers ingeschreven beschikkingen die bestaan ten laste van de onroerende zaken en van de beperkte rechten waaraan deze zijn onderworpen, overeenkomstig door het bestuur van de Dienst te geven regelen;
i. gegevens betreffende de feitelijke gesteldheid van en andere dan de in dit lid bedoelde gegevens met betrekking tot onroerende zaken die krachtens andere wettelijke bepalingen dan wel krachtens regeling van Onze Minister worden opgenomen.

3. Het tweede lid, onder a en b, vindt ten aanzien van erfdienstbaarheden slechts toepassing, voor zover bepaald bij regeling van het bestuur van de Dienst.

4. Het bestuur van de Dienst stelt regelen vast omtrent de wijze waarop de kadastrale registratie wordt gehouden. Het bestuur van de Dienst kan daarbij bepalen dat ten aanzien van het gebruik van hoofd- en kleine letters en diacritische tekens, en van het al dan niet aan elkaar schrijven van letters geen overeenstemming behoeft

te bestaan tussen de bij de Dienst bekend gestelde schrijfwijze der in de kadastrale registratie te vermelden gegevens en de wijze van vermelding van die gegevens daarin.

Titel 2
Kaartenbestand, daaraan ten grondslag liggende bescheiden en net van coördinaatpunten

Kaartenbestand der Dienst

Art. 49. 1. Het kaartenbestand van de Dienst bestaat in elk geval uit kadastrale kaarten.

Kadastrale kaart: inhoud

2. Een kadastrale kaart is een kaart die bevat de perceelsgewijze indeling van een deel van het Nederlandse grondgebied, een voorstelling van de omtrek van door het bestuur van de Dienst vast te stellen opstallen die daarop zijn gesticht, de nummers van de percelen, en gegevens omtrent de terreinstoestand.

Inhoud van bescheiden betreffende kaarten

Art. 50. De aan de kadastrale kaarten ten grondslag liggende bescheiden bevatten in elk geval de landmeetkundige gegevens van hetgeen op die kaarten wordt weergegeven.

Inrichting der kaarten

Art. 51. 1. Het bestuur van de Dienst stelt regelen vast omtrent de inrichting van de kadastrale kaarten.

2. Het bestuur van de Dienst stelt tevens regelen vast omtrent de vorm van de aan de kadastrale kaarten ten grondslag liggende bescheiden.

Net van coördinaatpunten

Art. 52. 1. Er is een net van coördinaatpunten in het stelsel van de Rijksdriehoeksmeting bestaande uit punten van de eerste, tweede en derde orde, alsmede uit hoofdpunten.

2. Het bestuur van de Dienst stelt regelen vast omtrent de registratie en de weergave van de in het eerste lid genoemde punten.

HOOFDSTUK 4
Bijwerking van de kadastrale registratie, het kaartenbestand en het net van coördinaatpunten

Titel 1
Bijwerking van de kadastrale registratie en de kadastrale kaarten

AFDELING 1
Algemene bepalingen

Bijwerking van het kadaster

Art. 53. Bijwerking vindt plaats als bijhouding dan wel als vernieuwing.

Gevallen en gronden van bijhouding

Art. 54. 1. Bijhouding vindt, onverminderd het bepaalde bij of krachtens deze of een andere wet, plaats op grond van veranderingen, voor zover deze blijken uit:
a. stukken die zijn ingeschreven in de openbare registers, bedoeld in artikel 8, eerste lid, onder a, echter met uitzondering van in deze registers ingeschreven akten van vernieuwing, als bedoeld in artikel 77;
b. inlichtingen omtrent het overlijden van personen die als eigenaar of beperkt gerechtigde met betrekking tot een onroerende zaak in de kadastrale registratie staan vermeld, voor zover althans deze inlichtingen afkomstig zijn van door Onze Minister aangewezen publiekrechtelijke rechtspersonen of andere lichamen, aan wie een deel van de overheidstaak is opgedragen;
c. inlichtingen omtrent de wettelijke woonplaats, daaronder begrepen het adres, van personen die als eigenaar of beperkt gerechtigde met betrekking tot een onroerende zaak in de kadastrale registratie staan vermeld, voor zover althans deze inlichtingen van die personen zelf afkomstig zijn dan wel van door Onze Minister aangewezen publiekrechtelijke rechtspersonen of andere lichamen, aan wie een deel van de overheidstaak is opgedragen;
d. inlichtingen van personen die als eigenaar of beperkt gerechtigde met betrekking tot een onroerende zaak in de kadastrale registratie staan vermeld dan wel van de rechtsopvolgers onder algemene titel van die personen of waarnemingen van met meting belaste ambtenaren omtrent feiten, als bedoeld in de artikelen 29 en 35 van Boek 5 van het Burgerlijk Wetboek;
e. inlichtingen van personen die als eigenaar of beperkt gerechtigde met betrekking tot een onroerende zaak in de kadastrale registratie staan vermeld of van de rechts-

opvolgers onder algemene titel van die personen, dan wel van door Onze Minister aangewezen publiekrechtelijke rechtspersonen of andere lichamen, aan wie een deel van de overheidstaak is opgedragen, of uit waarnemingen van met meting belaste ambtenaren omtrent de feitelijke gesteldheid van onroerende zaken.

2. Bijhouding van de kadastrale registratie vindt ook plaats met betrekking tot voorlopige aantekeningen en doorhalingen daarvan in het desbetreffende register van voorlopige aantekeningen.

Verplichting van aangewezen overheidslichamen tot inlichtingenverstrekking ten behoeve van de bijhouding

3. Wij kunnen publiekrechtelijke rechtspersonen of andere lichamen aan wie een deel van de overheidstaak is opgedragen, aanwijzen om inlichtingen ten behoeve van de bijhouding van de kadastrale registratie en de kadastrale kaarten aan de Dienst te verstrekken. Ingeval het bepaalde in de vorige zin toepassing heeft gevonden, verstrekken de desbetreffende rechtspersonen en lichamen, bedoeld in de vorige zin, de inlichtingen overeenkomstig de door Ons dienaangaande vast te stellen regelen.

Vernieuwing van het kadaster

Art. 55. Vernieuwing vindt plaats op grond van veranderingen, voor zover deze blijken uit in de openbare registers, bedoeld in artikel 8, eerste lid, onder a, ingeschreven akten van vernieuwing, als bedoeld in artikel 77.

Wijze van bijwerking

Art. 56. De wijze van bijwerking wordt, onverminderd het bepaalde bij of krachtens deze of een andere wet, bij of krachtens algemene maatregel van bestuur geregeld in dier voege:

a. dat na een inschrijving de bijwerking terstond aanvangt, en

b. dat tenminste ingeval een bijwerking leidt tot het wijzigen of aanvullen van de in de kadastrale registratie vermeld staande gegevens betreffende de eigenaars of beperkt gerechtigden, de kadastrale aanduiding dan wel de grootte, in de registratie wordt vermeld op grond van welk ingeschreven of ander stuk een bijwerking heeft plaatsgevonden.

Toepasselijkheid van de Algemene wet bestuursrecht

Art. 56a. 1. Op beschikkingen inzake de bijwerking, genomen krachtens hoofdstuk 4 van deze wet, zijn de artikelen 4:7, 4:8 en 3:40 van de Algemene wet bestuursrecht niet van toepassing.

2. Het voorstel van vernieuwing, als bedoeld in artikel 76, tweede lid, geldt als een beschikking.

Bezwaarschrift tegen beschikkingen inzake bijwerking

Art. 56b. 1. Belanghebbenden kunnen tegen beschikkingen inzake de bijwerking, genomen krachtens hoofdstuk 4 van deze wet, bezwaar maken nadat zij is voltooid.

2. Geen bezwaar staat open tegen bijhoudingen als bedoeld in de artikelen 71 en 72 alsmede tegen een vernieuwing als bedoeld in artikel 78, eerste lid.

Instellen van beroep tegen de beslissing op het bezwaarschrift bij de rechtbank

Art. 56c. 1. Tegen de beslissing op het bezwaarschrift kunnen belanghebbenden bij verzoekschrift in beroep komen bij de arrondissementsrechtbank, binnen welker rechtsgebied de onroerende zaak geheel of grotendeels is gelegen. De artikelen 6:2, 6:7 tot en met 6:13, 6:18 tot en met 6:20 en 6:22 van de Algemene wet bestuursrecht zijn van overeenkomstige toepassing.

2. De artikelen 429d-429r van het Wetboek van Burgerlijke Rechtsvordering zijn van toepassing, voor zover daarvan in dit of in het volgende artikel niet wordt afgeweken.

3. De indiening van het verzoekschrift kan, behalve door een procureur, ook door een notaris geschieden, in welk geval het kantoor van de notaris als gekozen woonplaats van de verzoeker geldt.

4. Zodra een verzoekschrift is ingediend, zendt de griffier een afschrift daarvan aan de ambtenaar. De ambtenaar zendt onverwijld aan de griffier:

a. een lijst van de personen die bij de bijwerking belanghebbenden zijn;

b. een afschrift van de kennisgeving, bedoeld in artikel 58, eerste lid;

c. het bezwaarschrift en zijn beslissing daarop, en

d. afschriften van de overige bescheiden die op de bijwerking betrekking hebben.

Behandeling van en uitspraak op het verzoekschrift

Art. 56d. 1. De rechtbank beschikt omtrent de wijze waarop de bijwerking zal plaatsvinden na oproeping van de verzoeker, de ambtenaar en de belanghebbenden bij de bijwerking onder wie in elk geval zij die door de ambtenaar op de in artikel 56c, vierde lid, onder a, bedoelde lijst zijn geplaatst. De ambtenaar kan in persoon of ook bij een vertegenwoordiger verschijnen. Zo voor andere belanghebbenden nog beroep openstaat, wordt daarmee rekening gehouden bij de vaststelling van de dag waartegen wordt opgeroepen.

2. Verschillende beroepen tegen één beslissing van de ambtenaar worden zoveel mogelijk gevoegd behandeld. Elke belanghebbende kan verschijnen bij of zich doen bijstaan door een notaris.

3. De rechtbank kan bij haar onderzoek een meting gelasten.

4. Tegen een beschikking van de rechtbank is geen hoger beroep toegelaten. Voor belanghebbenden die voor de rechtbank zijn verschenen en voor de ambtenaar staat beroep in cassatie open overeenkomstig de artikelen 426 tot en met 429 van het Wetboek van Burgerlijke Rechtsvordering.

5. De griffier van de rechtbank, of in geval van beroep in cassatie de griffier van de Hoge Raad, zendt bij aangetekende brief een afschrift van de beschikking aan de hem bekende belanghebbenden bij de bijwerking, alsmede aan de ambtenaar.

Aanpassing van de bijhouding na bezwaar en beroep

Art. 56e. Zodra de beslissing van de ambtenaar onherroepelijk is geworden dan wel het afschrift van de eindbeschikking van de rechtbank door de ambtenaar is ontvangen en deze beschikking in kracht van gewijsde is gegaan, wordt de bijwerking zonodig aangepast overeenkomstig deze beslissing onderscheidenlijk beschikking.

AFDELING 2
Bijhouding

Paragraaf 1
Bijhouding op grond van stukken ingeschreven in de openbare registers, bedoeld in artikel 8, eerste lid, onder a, met uitzondering van akten van vernieuwing

Mededeling omtrent het voornemen tot meting

Art. 57. 1. Indien een meting noodzakelijk is ten behoeve van de bijhouding, doet de Dienst van het voornemen daartoe mededeling aan de personen die volgens de bij de Dienst bekende gegevens als eigenaar, beperkt gerechtigde, met uitzondering van evenwel de hypotheekhouders en de rechthebbenden op erfdienstbaarheden zo die er zijn, of anderszins bij de bijhouding belanghebbenden zijn. De mededeling houdt in elk geval in de dag en het uur waarop de aanwijzing die de grondslag vormt voor de meting, zal plaatsvinden.

2. Onze Minister stelt regelen vast omtrent de wijze waarop de in het vorige lid bedoelde mededeling wordt gedaan.

Inlichtingenverstrekking door belanghebbenden

3. De in het eerste lid bedoelde belanghebbenden verschaffen, indien naar het oordeel van de met de meting belaste ambtenaar nodig door aanwijzing ter plaatse, de door deze ambtenaar voor de bijhouding benodigde inlichtingen. Bij of krachtens algemene maatregel van bestuur worden regelen gesteld omtrent de bijhouding voor de gevallen waarin één of meer belanghebbenden niet de voor de bijhouding benodigde inlichtingen of onderling tegenstrijdige inlichtingen verschaffen.

4. De ambtenaar maakt een relaas van zijn bevindingen, dat mede de door de meting verkregen gegevens bevat.

5. De bijhouding vindt plaats mede op grondslag van het relaas van bevindingen indien het eerste-vierde lid toepassing heeft gevonden.

Kosteloze informatieverstrekking omtrent een meting

6. Op vertoon van een bewijs van de in artikel 58, eerste lid, bedoelde bekendmaking worden aan belanghebbenden op het desbetreffende kantoor van de Dienst kosteloos nadere inlichtingen omtrent de uitkomsten van de meting verschaft, indien het eerste-vierde lid toepassing heeft gevonden. Onze Minister stelt nadere regelen vast omtrent de wijze waarop deze inlichtingen worden verschaft.

Kennisgeving omtrent het resultaat van de bijhouding

Art. 58. 1. Ingeval de bijhouding waartoe een ingeschreven stuk aanleiding geeft, met betrekking tot een gehandhaafd perceel dan wel een nieuw gevormd perceel is voltooid en heeft geleid tot wijziging of aanvulling van de in de kadastrale registratie en op kadastrale kaarten vermeld staande gegevens betreffende de eigenaars of beperkt gerechtigden, de kadastrale aanduiding dan wel de grootte van de onroerende zaak waarop het ingeschreven feit betrekking heeft, wordt het resultaat van die bijhouding aan belanghebbenden door toezending of uitreiking bekendgemaakt. Met betrekking tot een rechthebbende op een erfdienstbaarheid vindt het bepaalde in de eerste zin slechts toepassing, voor zover een regeling van het bestuur van de Dienst als bedoeld in artikel 48, derde lid, is vastgesteld.

2. De verzending ingevolge het eerste lid vindt op één en dezelfde dag plaats.

Geen kennisgeving in geval van inschrijving van akten van toedeling

3. Indien in een geval, als bedoeld in het eerste lid, het ingeschreven stuk is een akte van toedeling, als bedoeld in de artikelen 89, eerste lid, van de Reconstructiewet Midden-Delfland (Stb. 1977, 233), 95, eerste lid, van de Herinrichtingswet Oost-

Groningen en de Gronings-Drentse Veenkoloniën (Stb. 1977, 694) en 207, eerste lid, van de Landinrichtingswet (Stb. 1985, 299), vindt het bepaalde in de vorige leden geen toepassing.

Onjuistheid/onvolledigheid in de feitelijke omschrijving of kadastrale aanduiding van onroerende zaken: beperkte bijhouding

Art. 59. 1. Blijkt de in het ingeschreven stuk voorkomende feitelijke omschrijving van de onroerende zaak waarop het stuk betrekking heeft, onverenigbaar met hetgeen de met de meting belaste ambtenaar overeenkomstig artikel 57, derde lid, door de belanghebbenden ter plaatse is aangewezen, of is de kadastrale aanduiding van die zaak in dat stuk onjuist of onvolledig, dan vindt artikel 58, eerste-derde lid, slechts toepassing voor zover +bijhouding naar de krachtens het volgende lid vast te stellen regelen mogelijk is.

2. Bij of krachtens algemene maatregel van bestuur wordt geregeld in hoeverre en op welke wijze bijhouding plaatsvindt, indien de in het eerste lid bedoelde gevallen zich voordoen, in dier voege dat de bijhouding, waartoe het ingeschreven stuk aanleiding geeft, eerst wordt voltooid, nadat een stuk tot verbetering, als bedoeld in artikel 42, is ingeschreven in de in artikel 8, eerste lid, onder a, bedoelde openbare registers.

Rectificatieverzoek via de bekendmaking van de beslissing

3. De beslissing om toepassing aan het eerste lid te geven wordt met bekwame spoed genomen. Indien het ingeschreven stuk is opgemaakt door een notaris, wordt de beslissing tevens aan hem medegedeeld. De bekendmaking van de beslissing gaat vergezeld van een verzoek een stuk tot verbetering, als bedoeld in artikel 42, in te schrijven in de openbare registers, bedoeld in artikel 8, eerste lid, onder a. Artikel 58, tweede lid, is van overeenkomstige toepassing.

4. Bij de bekendmaking wordt gewezen op het gevolg voor de bijhouding dat de wet aan het niet-inschrijven van een stuk tot verbetering, als bedoeld in artikel 42, verbindt. De brief vermeldt de dag van verzending en houdt tevens mededeling in van de bevoegdheid tot het indienen van bezwaren, bedoeld in het vijfde lid.

5. Het bepaalde in de vorige leden is van overeenkomstige toepassing ingeval de kadastrale aanduiding van een appartementsrecht in een ingeschreven stuk onjuist of onvolledig blijkt te zijn.

Artt. 60-63. (Vervallen bij de wet van 23 december 1993, Stb. 690)

Paragraaf 2

Bijhouding op grond van inlichtingen omtrent het overlijden van personen die als eigenaar of beperkt gerechtigde met betrekking tot een onroerende zaak in de kadastrale registratie staan vermeld

Inlichtingen omtrent overlijden; wijze van bijhouding enz.

Art. 64. 1. De wijze van bijhouding op grond van inlichtingen omtrent het overlijden van personen die als eigenaar of beperkt gerechtigde met betrekking tot een onroerende zaak in de kadastrale registratie staan vermeld, wordt geregeld bij of krachtens algemene maatregel van bestuur, in dier voege:

a. dat de bijhouding beperkt blijft tot het aantekenen van het feit en datum van overlijden, en

b. dat vermeld wordt het adres van de boedel, zo dat adres bekend is.

2. Van deze aantekening wordt mededeling gedaan naar het in de kadastrale registratie vermelde adres van de boedel of, bij onbekendheid daarvan, naar de laatst bekende woonplaats van de overleden persoon, alsmede aan de boedelnotaris, zo deze bekend is.

3. Artikel 58, tweede lid, is van overeenkomstige toepassing.

Paragraaf 3

Bijhouding op grond van inlichtingen van personen die als eigenaar of beperkt gerechtigde met betrekking tot een onroerende zaak in de kadastrale registratie staan vermeld omtrent hun wettelijke woonplaats

Inlichtingen omtrent wettelijke woonplaats: wijze van bijhouding enz.

Art. 65. 1. De wijze van bijhouding op grond van inlichtingen omtrent de wettelijke woonplaats, daaronder begrepen het adres, van personen die als eigenaar of beperkt gerechtigde met betrekking tot een onroerende zaak in de kadastrale registratie staan vermeld, wordt geregeld bij of krachtens algemene maatregel van bestuur, in dier voege dat de bijhouding beperkt blijft tot het aantekenen van de nieuwe wettelijke woonplaats.

2. Van deze aantekening wordt mededeling gedaan aan de persoon op wie de wijziging betrekking heeft.

Paragraaf 4
Bijhouding op grond van inlichtingen of waarnemingen omtrent feiten, bedoeld in de artikelen 29 en 35 van Boek 5 van het Burgerlijk Wetboek

Verzoek tot bijhouding inzake aanwas/afslag

Art. 66. 1. Ingeval een belanghebbende, bedoeld in artikel 54, eerste lid, onder d, meent dat zich een feit heeft voorgedaan, als bedoeld in artikel 29 dan wel in artikel 35 van Boek 5 van het Burgerlijk Wetboek, kan hij de Dienst verzoeken, een onderzoek in te stellen, als bedoeld in het volgende artikel. Het verzoek wordt ingediend bij het kantoor van de Dienst, binnen welks kring de desbetreffende onroerende zaak is gelegen. Binnen acht weken na ontvangst van de aanvraag wordt de beslissing op het verzoek genomen.

Mededeling omtrent het voornemen tot onderzoek ter plaatse

2. In geval van toewijzing van het verzoek wordt door de Dienst van het voornemen tot het houden van een onderzoek ter plaatse mededeling gedaan overeenkomstig artikel 57, eerste lid. Artikel 57, tweede lid, is van overeenkomstige toepassing.

Onderzoek ter plaatse

Art. 67. 1. De met het onderzoek belaste ambtenaar gaat ter plaatse na of een feit, als bedoeld in artikel 29 dan wel in artikel 35 van Boek 5 van het Burgerlijk Wetboek, zich heeft voorgedaan. Artikel 57, derde lid, is van overeenkomstige toepassing.

Relaas van bevindingen

2. De ambtenaar maakt een relaas van zijn bevindingen. Indien ten behoeve van het onderzoek een meting plaatsvindt, worden de daardoor verkregen gegevens eveneens opgenomen in het relaas van bevindingen.

Beslissing omtrent bijhouding; mededeling

Art. 68. 1. Indien het onderzoek ter plaatse aanleiding geeft tot bijhouding, vindt deze plaats op grondslag van het relaas van bevindingen. Artikel 58, eerste en tweede lid, is van overeenkomstige toepassing.

2. Indien het onderzoek ter plaatse geen aanleiding geeft tot bijhouding, wordt daarvan mededeling gedaan aan de verzoeker en de overige bij de bijhouding belanghebbenden.

Art. 69. Vervallen.

Ambtshalve onderzoek naar aanwas/afslag

Art. 70. 1. De Dienst is bevoegd, ook zonder een verzoek, als bedoeld in artikel 66, eerste lid, een onderzoek, als bedoeld in artikel 67, eerste lid, in te stellen indien er redenen zijn om aan te nemen dat zich met betrekking tot onroerende zaken feiten hebben voorgedaan, als bedoeld in de artikelen 29 en 35 van Boek 5 van het Burgerlijk Wetboek. Van het voornemen tot een onderzoek wordt door de Dienst mededeling gedaan overeenkomstig artikel 57, eerste lid. De artikelen 57, tweede en derde lid, en 67, tweede lid, zijn van overeenkomstige toepassing.

2. Indien de Dienst gebruik heeft gemaakt van de in het vorige lid bedoelde bevoegdheid en het onderzoek ter plaatse aanleiding heeft gegeven tot bijhouding, vindt bijhouding plaats op grondslag van het relaas van bevindingen. Artikel 58, eerste en tweede lid, is van overeenkomstige toepassing.

3. Ingeval het onderzoek geen aanleiding geeft tot bijhouding is artikel 68, tweede lid, van overeenkomstige toepassing.

Paragraaf 5
Bijhouding op grond van inlichtingen of waarnemingen omtrent de feitelijke gesteldheid van onroerende zaken

Wijze van bijhouding inzake de feitelijke gesteldheid

Art. 71. De wijze van bijhouding op grond van inlichtingen of waarnemingen omtrent de feitelijke gesteldheid van onroerende zaken wordt geregeld door het bestuur van de Dienst.

Paragraaf 6
Bijhouding met betrekking tot voorlopige aantekeningen en doorhalingen daarvan

Wijze van bijhouding inzake voorlopige aantekeningen

Art. 72. De wijze van bijhouding in de kadastrale registratie met betrekking tot voorlopige aantekeningen en doorhalingen daarvan in het desbetreffende register van voorlopige aantekeningen wordt geregeld door Onze Minister.

Paragraaf 7
Bijhouding inzake splitsing of samenvoeging van percelen, ambtshalve of op verzoek

Splitsing/samenvoeging van percelen; ambtshalve en op verzoek

Art. 73. 1. De Dienst kan besluiten tot splitsing of samenvoeging van percelen in bij of krachtens algemene maatregel van bestuur te bepalen gevallen. Artikel 58, eerste en tweede lid, is van overeenkomstige toepassing.

2. Degene die als eigenaar of beperkt gerechtigde met betrekking tot een onroerende zaak in de kadastrale registratie staat vermeld, kan in bij of krachtens algemene maatregel van bestuur te bepalen gevallen een verzoek tot splitsing of samenvoeging van percelen doen met betrekking tot die onroerende zaak, indien hij daarbij een redelijk belang heeft. Het verzoek wordt ingediend bij het kantoor van de Dienst, binnen welks kring de desbetreffende onroerende zaak is gelegen. Indien het verzoek afkomstig is van een beperkt gerechtigde moet degene die met betrekking tot die onroerende zaak als eigenaar in de kadastrale registratie staat vermeld, door de Dienst worden gehoord alvorens tot bijhouding kan worden overgegaan.

3. Indien naar zijn oordeel nodig wint de daarmee belaste ambtenaar ter plaatse nadere inlichtingen in. Van het voornemen daartoe wordt alsdan mededeling gedaan overeenkomstig artikel 57, eerste lid. Artikel 57, tweede en derde lid, is van overeenkomstige toepassing.

4. Voorts is artikel 67, tweede lid, van overeenkomstige toepassing.

5. Voor zover het verzoek wordt toegewezen, vindt de bijhouding plaats op grondslag van het relaas van bevindingen. Artikel 58, eerste en tweede lid, is van overeenkomstige toepassing.

AFDELING 3
Vernieuwing

Vernieuwing van het kadaster

Art. 74. 1. In bij algemene maatregel van bestuur te bepalen gevallen is de Dienst bevoegd te onderzoeken of de gegevens betreffende de rechtstoestand, de grootte en feitelijke gesteldheid van onroerende zaken, alsmede de gegevens betreffende de rechtstoestand van de rechten waaraan deze onroerende zaken onderworpen zijn, die zijn weergegeven in de kadastrale registratie, op de kadastrale kaarten en de daaraan ten grondslag liggende bescheiden, juist en volledig zijn. De ambtenaar die met dit onderzoek is belast, gaat daartoe overeenkomstig de bepalingen van deze afdeling na of deze gegevens en de daaraan ten grondslag liggende gegevens, vermeld in ingeschreven stukken en verkregen uit inlichtingen of waarnemingen, bedoeld in artikel 54, eerste lid, onder a-e, overeenkomen met de gegevens die hij krachtens deze afdeling uit inlichtingen, bescheiden en door middel van waarnemingen verkrijgt.

2. Komen de in de tweede zin van het vorige lid bedoelde gegevens niet met elkaar overeen, dan vindt vernieuwing van de kadastrale registratie en de kadastrale kaarten plaats overeenkomstig de bepalingen van deze afdeling.

Openbaarmaking van het voornemen tot het instellen van een onderzoek van vernieuwing; wijze van openbaar maken

Art. 75. 1. Vóór de aanvang van een onderzoek van vernieuwing maakt de Dienst het voornemen daartoe openbaar overeenkomstig door Onze Minister vast te stellen regels. Bij algemene maatregel van bestuur kan voor daarin omschreven gevallen worden bepaald dat openbaarmaking achterwege kan blijven op de grond dat het bereiken van alle belanghebbenden door het bepaalde in het tweede lid voldoende gewaarborgd is.

2. De Dienst doet in elk geval van een voornemen tot een onderzoek van vernieuwing per brief mededeling aan de personen die als eigenaar of beperkt gerechtigde met betrekking tot de onroerende zaak waarop de vernieuwing betrekking heeft, in de kadastrale registratie staan vermeld, alsmede aan de personen die bij de Dienst anderszins als belanghebbenden bij de vernieuwing bekend zijn. Artikel 57, eerste lid, tweede zin, en tweede lid, is van overeenkomstige toepassing.

3. Een voornemen tot een onderzoek van vernieuwing wordt bij het desbetreffende perceel in de kadastrale registratie vermeld volgens door het bestuur van de Dienst vast te stellen regelen.

4. In de brief, bedoeld in het tweede lid, wordt gewezen op de in artikel 78, tweede en derde lid, genoemde gevolgen die de wet aan de vernieuwing verbindt.

Onderzoek ter plaatse; informatieplicht van belanghebbenden

Art. 76. 1. De in artikel 74, eerste lid, bedoelde ambtenaar wint, zonodig ter plaatse, inlichtingen in, verzoekt zonodig om overlegging of openlegging van bescheiden en doet de nodige waarnemingen. De belanghebbenden, bedoeld in artikel

75, tweede lid, dienen, indien naar het oordeel van de ambtenaar nodig door aanwijzing ter plaatse, de door de ambtenaar voor de vernieuwing benodigde inlichtingen te verschaffen en daartoe zonodig bescheiden over te leggen of open te leggen. Artikel 67, tweede lid, is van overeenkomstige toepassing.

Voorstel van vernieuwing; grondslag en inhoud

2. Op de grondslag van het relaas van bevindingen worden voorstellen van vernieuwing gemaakt. Alvorens daartoe wordt overgegaan, wordt nagegaan of na het onderzoek van vernieuwing met betrekking tot de onroerende zaak waarop het voorstel betrekking heeft, nog bijhoudingen hebben plaatsgevonden. Is dat het geval dan wordt in het voorstel afzonderlijk melding gemaakt van die bijhoudingen, overeenkomstig door het bestuur van de Dienst vast te stellen regelen. Elk voorstel bevat in elk geval de gegevens omtrent de rechten, de rechthebbenden, de grootte, de kadastrale aanduiding van de onroerende zaak waarop het betrekking heeft, zoals deze luiden op de dag waarop het voorstel is opgemaakt.

3. Bij het maken van een voorstel van vernieuwing wordt geen acht geslagen op niet-ingeschreven feiten waarvan het rechtsgevolg slechts kan intreden door inschrijving daarvan in de openbare registers, bedoeld in artikel 8, eerste lid, onder a.

In voorstel op te nemen gegevens omtrent hypotheken en beslagen

4. In het voorstel worden de gegevens omtrent rechten van hypotheek en inbeslagnemingen, zoals deze blijken uit de desbetreffende, in de openbare registers, bedoeld in artikel 8, eerste lid, onder a, ingeschreven stukken, ongewijzigd overgenomen. Het bepaalde in de vorige zin lijdt uitzondering ingeval de in artikel 74, eerste lid, bedoelde ambtenaar tijdens het onderzoek is gebleken dat de omvang van de onroerende zaak waarop het recht van hypotheek is gevestigd, onderscheidenlijk het beslag is gelegd, wijziging heeft ondergaan. In dat geval dient bij het opmaken van het voorstel op deze wijziging acht te worden geslagen.

In voorstel op te nemen gegevens omtrent erfdienstbaarheden

5. In het voorstel worden slechts gegevens omtrent die erfdienstbaarheden vermeld welke in de kadastrale registratie zijn vermeld, of, indien niet daarin vermeld, waarvan het bestaan aannemelijk is geworden op grond van inlichtingen, bescheiden of waarnemingen, als bedoeld in het eerste lid.

Bekendmaking van het voorstel van vernieuwing; bezwaar en beroep

6. Het voorstel van vernieuwing wordt bekend gemaakt aan belanghebbenden. Artikel 58, tweede lid, is van overeenkomstige toepassing. Bij toepassing van de artikelen 56b tot en met 56d bevat de beslissing van de ambtenaar op het bezwaarschrift dan wel de beschikking van de arrondissementsrechtbank alle gegevens uit het voorstel van vernieuwing omtrent de rechten, de rechthebbenden, de kadastrale aanduiding en de grootte van de onroerende zaak, waarop de vernieuwing betrekking heeft, ook die waarvan de juistheid door belanghebbenden niet is betwist.

Terinzagelegging van het voorstel

7. Het voorstel van vernieuwing wordt op het kantoor van de Dienst, binnen welks kring de onroerende zaken waarop het voorstel betrekking heeft, zijn gelegen, voor een ieder ter inzage gelegd. Van de indiening van bezwaarschriften en het instellen van beroep, alsmede van daarop gegeven beslissingen wordt bij het voorstel melding gemaakt overeenkomstig door het bestuur van de Dienst vast te stellen regelen.

Opmaken van een akte van vernieuwing door een notaris; ondertekening der akte

Art. 77. 1. Voor zover tegen een voorstel van vernieuwing geen of niet tijdig bezwaren zijn ingediend, dan wel de beslissing van de ambtenaar op bezwaren onherroepelijk is geworden of door de ambtenaar afschriften zijn ontvangen van de beschikking of de beschikkingen van de rechter, waarin onherroepelijk op een beroep ter zake van zijn beslissing is beslist en waaruit blijkt van de gegevens die krachtens artikel 76, zesde lid, tweede zin, in de beschikking moeten worden opgenomen, wordt door een daartoe door de Dienst aangewezen notaris een akte van vernieuwing opgemaakt. De akte wordt door de ambtenaar ondertekend.

Inhoud van een akte van vernieuwing

2. Een akte van vernieuwing kan op één of meer voorstellen van vernieuwing betrekking hebben. De akte bevat ten aanzien van elke onroerende zaak waarop de vernieuwing betrekking heeft, het relaas van bevindingen, de inhoud van het voorstel van vernieuwing, onderscheidenlijk de beschikking van de ambtenaar of de in het eerste lid bedoelde beschikking of beschikkingen van de rechter. Bescheiden die tijdens het onderzoek aan de in artikel 74, eerste lid, bedoelde ambtenaar worden overgelegd, worden in de akte vermeld en daaraan in afschrift gehecht.

Vermelding aan de voet van de akte van bijhoudingen sedert het voorstel van vernieuwing

3. Tevens worden overeenkomstig door het bestuur van de Dienst vast te stellen regelen aan de voet van de akte van vernieuwing ten aanzien van elke onroerende zaak waarop de vernieuwing betrekking heeft, afzonderlijk vermeld de in artikel 76, tweede lid, bedoelde bijhoudingen alsmede die bijhoudingen, zo die hebben plaatsgevonden, welke zich hebben voorgedaan tussen het tijdstip van de dagtekening van het voorstel van vernieuwing en dat van de dagtekening van de akte van vernieuwing.

4. Een bezwaar of beroep ter zake van een bijhouding, als bedoeld in het vorige lid, kan op verzoek van de belanghebbende gevoegd worden behandeld met bezwaren of beroepen ter zake van een voorstel van vernieuwing. De behandeling kan op verzoek van de belanghebbende ook worden aangehouden tot na het verlijden van de akte van vernieuwing.

Inschrijving in de openbare registers

5. De akte van vernieuwing wordt ingeschreven in de openbare registers, bedoeld in artikel 8, eerste lid, onder a.

Vernieuwing na de inschrijving

Art. 78. 1. Na de inschrijving, bedoeld in artikel 77, vijfde lid, worden de kadastrale registratie en de kadastrale kaarten met bekwame spoed vernieuwd op de voet van de akte van vernieuwing.

Rechtsgevolgen van de vernieuwing

2. Zij die volgens de akte van vernieuwing rechthebbende zijn op een daarin opgenomen onroerende zaak of recht dat geen recht van hypotheek is, gelden voor de toepassing van de verjaring, bedoeld in artikel 99 van Boek 3 van het Burgerlijk Wetboek, met ingang van de dag van de inschrijving als bezitter te goeder trouw van die zaak of dat recht zoals zij in de akte worden omschreven.

3. De in artikel 106 van Boek 3 van het Burgerlijk Wetboek bedoelde rechtsvordering van een beperkt gerechtigde, wiens recht niet in de akte van vernieuwing is opgenomen, verjaart in elk geval door verloop van tien jaren na de dag van de inschrijving van deze akte.

AFDELING 4
Metingen

Metingen

Art. 79. Het bestuur van de Dienst stelt nadere regelen vast omtrent de in deze titel voorziene metingen.

AFDELING 5
Overige bepalingen

Kaart bij de kennisgeving van het resultaat van de bijhouding/ voorstel van vernieuwing

Art. 80. Bij regeling van het bestuur van de Dienst kan worden bepaald dat in door het bestuur van de Dienst vast te stellen gevallen bij een kennisgeving van het resultaat van een bijhouding, als bedoeld in afdeling 2, of bij een voorstel van vernieuwing, als bedoeld in artikel 76, tweede lid, een kaart wordt gevoegd weergevend de onroerende zaken ten aanzien waarvan de bijwerking heeft plaatsgevonden, onderscheidenlijk zal plaatsvinden.

Art. 81. 1. Onze Minister bepaalt, onverminderd hetgeen daaromtrent op grond van andere bepalingen van deze titel reeds is of wordt bepaald, welke gegevens eveneens ten minste in de in deze titel voorziene relazen van bevindingen en voorstellen van vernieuwing worden vermeld. Het bestuur van de Dienst stelt nadere regelen vast omtrent de vorm van de relazen van bevindingen en de voorstellen van vernieuwing.

2. Onze Minister kan tevens nadere voorschriften geven inzake de vorm van de akte van vernieuwing.

Art. 82. Het bestuur van de Dienst stelt de vorm vast van de in deze titel voorziene mededelingen, kennisgevingen alsmede van de in deze titel voorziene te geven beslissingen op bezwaarschriften. Indien artikel 80 toepassing heeft gevonden stelt het bestuur van de Dienst tevens de vorm vast van de in dat artikel bedoelde kaart.

Titel 2
Bijhouding van het net van coördinaatpunten

Bijhouding van het net van coördinaatpunten

Art. 83. Het bestuur van de Dienst stelt regelen vast omtrent de bijhouding van het net van coördinaatpunten, bedoeld in artikel 52, eerste lid.

Titel 3
Overige bepaling

Toegang tot gebouwen en gronden

Art. 84. 1. De eigenaren, beperkt gerechtigden en de gebruikers van gebouwen en gronden zijn verplicht te gedogen dat deze worden betreden of dat daarop waarnemingen, metingen en gravingen verricht en tekens gesteld worden ter uitvoering van aan de Dienst opgedragen taken.

2. De toegang tot de desbetreffende gebouwen en gronden, bedoeld in het vorige lid, kan worden gevorderd op iedere dag, met uitzondering van de zon- en algemeen erkende feestdagen, mits tussen des voormiddags om acht uur en des namiddags om zes uur.
3. Indien de toegang wordt geweigerd of het verrichten van de in het eerste lid bedoelde handelingen niet wordt gedoogd, wordt de tussenkomst ingeroepen van de burgemeester of de kantonrechter, op wiens bevel het verrichten der handelingen, desnoods met behulp van de sterke arm, mogelijk wordt gemaakt.

Vergoeding van schade

4. De schade, die uit de toepassing van het eerste lid voortvloeit, wordt door de Dienst vergoed. Het verzoek om schadevergoeding wordt ingediend bij het kantoor van de Dienst, binnen welks kring de desbetreffende onroerende zaak geheel of grotendeels is gelegen. De vordering tot schadevergoeding staat ter kennisneming van de kantonrechter binnen wiens rechtsgebied de onroerende zaak geheel of grotendeels is gelegen. Tegen de uitspraak staat geen rechtsmiddel open.

HOOFDSTUK 5
Registratie voor schepen

Titel 1
Inhoud van de registratie voor schepen

Registratie voor schepen: toegang tot de openbare registers

Art. 85. 1. De registratie voor schepen, bedoeld in artikel 3, eerste lid, onder e, wordt op een zodanige wijze gehouden en bijgehouden, dat zij tenminste door middel van de naam van de eigenaar en beperkt gerechtigde, alsmede door middel van het brandmerk van het schip steeds de raadpleegbaarheid van de openbare registers, bedoeld in artikel 8, eerste lid, onder b, mogelijk doet zijn.

Inhoud van de registratie voor schepen: soorten van gegevens

2. De registratie voor schepen bevat ten aanzien van elk daarin te boek staand schip de volgende gegevens:
a. de naam, voornamen, geboortedatum, wettelijke woonplaats of verblijfplaats, daaronder begrepen het adres, het beroep en de burgerlijke staat dan wel, indien het een rechtspersoon betreft, de aard, naam en wettelijke woonplaats, van degenen die volgens de bij de Dienst bekende gegevens eigenaar dan wel beperkt gerechtigde met betrekking tot schepen zijn, alsmede in geval van medeëigendom of een rederij, het aandeel van ieder der deelgenoten, onderscheidenlijk reders;
b. ten aanzien van elke eigenaar en beperkt gerechtigde een verwijzing naar alle op hen betrekking hebbende in de openbare registers, bedoeld in artikel 8, eerste lid, onder b, ingeschreven stukken en in het desbetreffende register van voorlopige aantekeningen geboekte stukken;
c. de wettelijke benaming van de beperkte rechten waaraan de schepen onderworpen zijn, en van de beslagen die op de schepen of beperkte rechten zijn gelegd, als ook of die schepen of beperkte rechten onder bewind staan, alsmede of ten aanzien daarvan zijn ingeschreven:
1° een beding, als bedoeld in artikel 252 van Boek 6 van het Burgerlijk Wetboek;
2°. een afwijkend beding, als bedoeld in artikel 1, vijfde lid, van Boek 8 van het Burgerlijk Wetboek onder vermelding van het scheepstoebehoren ten aanzien waarvan het afwijkend beding is gemaakt, en
3°. voorrechten, genoemd in artikel 211, dan wel in artikel 821 van Boek 8 van het Burgerlijk Wetboek;
d. de naam en het brandmerk, bedoeld in artikel 21, eerste lid, onder c;
e. de dagtekening der teboekstelling;
f. het type, de inrichting, het materiaal waarvan de romp is gemaakt, jaar en plaats van de bouw en, voor zover het een schip met mechanische voortstuwing betreft, ook al betreft het slechts een hulpmotor, het aantal motoren, het type, vermogen en de fabrikant van elke motor, alsmede het fabrieksnummer daarvan met aanduiding van de plaats waar dit nummer is aangebracht;
g. indien het een binnenschip betreft, het laadvermogen in tonnen van 1.000 kilogram of de verplaatsing in kubieke meters, zoals vermeld in de meetbrief, dan wel, indien het een zeeschip of een zeevissersschip betreft, de bruto-inhoud in kubieke meters of de bruto-tonnage, zoals vermeld in de meetbrief; ingeval geen meetbrief is vereist, het laadvermogen, de verplaatsing, de bruto-inhoud dan wel de bruto-tonnage, zoals kan worden vastgesteld aan de hand van de verstrekte gegevens; zolang een schip in aanbouw is, wordt het laadvermogen, de verplaatsing, de bruto-inhoud dan wel de bruto-tonnage geschat;
h. ten aanzien van elk schip een verwijzing naar alle daarop betrekking hebbende, in de openbare registers, bedoeld in artikel 8, eerste lid, onder b, ingeschreven stukken

en in het desbetreffende register van voorlopige aantekeningen geboekte stukken, alsmede door de Dienst verkregen inlichtingen als bedoeld in artikel 87, eerste lid, onder b en c;
i. ten aanzien van elke gekozen woonplaats de vermelding ervan, alsmede een verwijzing naar alle daarop betrekking hebbende in de openbare registers, bedoeld in artikel 8, eerste lid, onder b, ingeschreven stukken;
j. elk register waarin het schip heeft te boek gestaan;
k. ten aanzien van elk schip, waarop een recht van hypotheek rust, tenminste de gegevens, genoemd in artikel 48, tweede lid, onder g, met dien verstande dat in het bepaalde sub 4° voor „de aard van de onroerende zaak" wordt gelezen: het type van het schip en dat voor „gemeenschap" wordt gelezen: medeëigendom of rederij;
l. gegevens, die krachtens andere wettelijke bepalingen dan wel krachtens regeling van Onze Minister worden opgenomen.

3. De in het tweede lid bedoelde gegevens omtrent en de bescheiden betreffende schepen waarvan de teboekstelling is doorgehaald, blijven deel uitmaken van de registratie voor schepen.

4. Indien artikel 4, eerste lid, tweede volzin, voor zover schepen betreffend, toepassing heeft gevonden, bevat de registratie van het hoofdkantoor tevens de in het tweede lid bedoelde gegevens van elk schip dat op een ander kantoor van de Dienst te boek staat.

5. Het bestuur van de Dienst stelt regelen vast omtrent de wijze waarop de registratie voor schepen wordt gehouden. Het bestuur van de Dienst kan daarbij bepalen dat ten aanzien van het gebruik van hoofd- en kleine letters en diacritische tekens, en van het al dan niet aan elkaar schrijven van letters geen overeenstemming behoeft te bestaan tussen de bij de Dienst bekend gestelde schrijfwijze der in de registratie voor schepen te vermelden gegevens en de wijze van vermelding van die gegevens daarin.

Titel 2
Bijwerking van de registratie voor schepen

AFDELING 1
Algemene bepalingen

Bijwerking door bijhouding

Art. 86. Bijwerking vindt plaats als bijhouding.

Gevallen, gronden en wijze van bijhouding

Art. 87. 1. Bijhouding vindt, onverminderd het bepaalde bij of krachtens deze of een andere wet, plaats op grond van veranderingen, voor zover deze blijken uit:
a. stukken die zijn ingeschreven in de openbare registers, bedoeld in artikel 8, eerste lid, onder b;
b. inlichtingen omtrent het overlijden van personen die als eigenaar of beperkt gerechtigde met betrekking tot een schip in de registratie voor schepen staan vermeld, voor zover althans deze inlichtingen afkomstig zijn van door Onze Minister aangewezen publiekrechtelijke rechtspersonen of andere lichamen aan wie een deel van de overheidstaak is opgedragen;
c. inlichtingen omtrent de wettelijke woonplaats, daaronder begrepen het adres, van personen die als eigenaar of beperkt gerechtigde met betrekking tot een schip in de registratie voor schepen staan vermeld, voor zover althans deze inlichtingen van die personen zelf afkomstig zijn dan wel van door Onze Minister aangewezen publiekrechtelijke rechtspersonen of andere lichamen aan wie een deel van de overheidstaak is opgedragen.

2. Bijhouding van de registratie voor schepen vindt ook plaats met betrekking tot voorlopige aantekeningen en doorhalingen daarvan in het desbetreffende register van voorlopige aantekeningen.

3. Artikel 54, derde lid, is van overeenkomstige toepassing.

4. De wijze van bijhouding wordt, onverminderd het bepaalde bij of krachtens deze of een andere wet, bij of krachtens algemene maatregel van bestuur geregeld, in dier voege:
a. dat na een inschrijving de bijhouding terstond aanvangt, en
b. dat in de registratie wordt vermeld op grond van welk ingeschreven of ander stuk een bijhouding heeft plaatsgevonden.

5. Artikel 72 is van overeenkomstige toepassing.

Toepasselijkheid van de Algemene wet bestuursrecht

Art. 87a. Op beschikkingen inzake de bijhouding, genomen krachtens hoofdstuk

5 van deze wet, zijn de artikelen 4:7, 4:8 en 3:40 van de Algemene wet bestuursrecht niet van toepassing.

Art. 87b. 1. Belanghebbenden kunnen tegen beschikkingen inzake de bijwerking, genomen krachtens deze titel, bezwaar maken nadat zij is voltooid.
2. Geen bezwaar staat open tegen bijhoudingen als bedoeld in artikel 87, tweede lid.
3. De artikelen 56c, 56d, eerste, tweede, vierde en vijfde lid, en 56e zijn van overeenkomstige toepassing, met dien verstande dat het beroep moet worden ingesteld bij de arrondissementsrechtbank binnen welker rechtsgebied het kantoor van de Dienst, waar het desbetreffende schip te boek staat, is gelegen.

AFDELING 2
Bijhouding op grond van stukken ingeschreven in de openbare registers, bedoeld in artikel 8, eerste lid, onder b

Kennisgeving omtrent het resultaat van de bijhouding

Art. 88. 1. Ingeval de bijhouding waartoe een ingeschreven stuk aanleiding geeft, met betrekking tot een schip is voltooid en heeft geleid tot wijziging of aanvulling van de in de registratie voor schepen vermeld staande gegevens betreffende de eigenaars of beperkt gerechtigden, dan wel de naam van het schip waarop het ingeschreven feit betrekking heeft, wordt het resultaat van die bijhouding door toezending of uitreiking aan belanghebbenden bekendgemaakt.
2. Artikel 58, tweede lid, is voorts van overeenkomstige toepassing.

Onjuistheid/onvolledigheid in de vermelding van de beschrijving, naam of brandmerk van een schip: beperkte bijhouding

Art. 89. 1. Ingeval blijkt dat in een stuk dat is ingeschreven in de openbare registers, bedoeld in artikel 8, eerste lid, onder b, één of meer der in dat stuk vermelde gegevens, als bedoeld in artikel 21, eerste lid, onverenigbaar zijn met de in de registratie voor schepen vermeld staande gegevens ten aanzien van het schip waarop het in te schrijven feit betrekking heeft, vindt artikel 88 slechts toepassing voor zover bijhouding mogelijk is ingevolge de op grond van het volgende lid vast te stellen regelen.

Rectificatieverzoek

2. Bij of krachtens algemene maatregel van bestuur wordt geregeld in hoeverre en op welke wijze bijhouding plaatsvindt, indien een geval, als bedoeld in het eerste lid zich voordoet, in dier voege dat de bijhouding waartoe het ingeschreven stuk aanleiding geeft, eerst wordt voltooid nadat een stuk tot verbetering, als bedoeld in artikel 42, is ingeschreven in de in artikel 8, eerste lid, onder b, bedoelde openbare registers.
3. Artikel 59, derde en vierde lid, is van overeenkomstige toepassing.

Art. 90. (Vervallen bij de wet van 26 april 1995, Stb. 250).

AFDELING 3
Overige bepalingen

Inlichtingen omtrent overlijden en wettelijke woonplaats; wijze van bijhouding

Art. 91. 1. Op de bijhouding op grond van inlichtingen omtrent het overlijden van personen die als eigenaar of beperkt gerechtigde met betrekking tot een schip in de registratie voor schepen staan vermeld, is artikel 64 van overeenkomstige toepassing.
2. Op de bijhouding op grond van inlichtingen omtrent de wettelijke woonplaats, daaronder begrepen het adres, van personen die als eigenaar of beperkt gerechtigde met betrekking tot een schip in de registratie voor schepen staan vermeld, is artikel 65 van overeenkomstige toepassing.

Vorm van de diverse bescheiden

3. Het bestuur van de dienst stelt de vorm vast van de in deze titel voorziene kennisgevingen en van de te geven beslissingen op bezwaarschriften.

HOOFDSTUK 6
Registratie voor luchtvaartuigen

Titel 1
Inhoud van de registratie voor luchtvaartuigen

Registratie voor luchtvaartuigen: toegang tot de openbare registers

Art. 92. 1. De registratie voor luchtvaartuigen, bedoeld in artikel 3, eerste lid, onder f, wordt op een zodanige wijze gehouden en bijgehouden dat zij tenminste door middel van de naam van de eigenaar en beperkt gerechtigde, door middel van het in artikel 22, eerste lid, onder a, bedoelde inschrijvingskenmerk, alsmede door middel van het in artikel 22, eerste lid, onder d, bedoelde boekingsnummer van een luchtvaartuig steeds de raadpleegbaarheid van de openbare registers, bedoeld in artikel 8, eerste lid, onder c, mogelijk doet zijn.

Inhoud van de registratie voor luchtvaartuigen: soorten van gegevens

2. De registratie voor luchtvaartuigen bevat ten aanzien van elk daarin te boek staand luchtvaartuig de volgende gegevens:
a. de naam, voornamen, geboortedatum, wettelijke woonplaats met adres, het beroep en de burgerlijke staat dan wel, indien het een rechtspersoon betreft, de aard, naam en wettelijke woonplaats, van degenen die volgens de bij de Dienst bekende gegevens eigenaar dan wel beperkt gerechtigde met betrekking tot luchtvaartuigen zijn, en in geval van een gemeenschap het aandeel van ieder der deelgenoten;
b. ten aanzien van elke eigenaar en beperkt gerechtigde een verwijzing naar alle op hen betrekking hebbende in de openbare registers, bedoeld in artikel 8, eerste lid, onder c, ingeschreven stukken en in het desbetreffende register van voorlopige aantekeningen geboekte stukken;
c. de wettelijke benaming van de beperkte rechten waaraan de luchtvaartuigen onderworpen zijn, en van de beslagen die op die luchtvaartuigen of beperkte rechten zijn gelegd, als ook of die luchtvaartuigen of beperkte rechten onder bewind staan, alsmede of ten aanzien daarvan zijn ingeschreven:
1°. een beding, als bedoeld in artikel 252 van Boek 6 van het Burgerlijk Wetboek, en
2°. voorrechten, als bedoeld in artikel 16 van de Wet teboekgestelde Luchtvaartuigen;
d. het nationaliteitskenmerk en het inschrijvingskenmerk, bedoeld in artikel 6, eerste lid, van de Luchtvaartwet;
e. de naam en woonplaats van de fabrikant, het type, jaar en plaats van de bouw, het fabrieksnummer, zo het luchtvaartuig dat heeft, met de aanduiding van de plaats waar dit nummer is aangebracht, het aantal motoren, het type, vermogen en de fabrikant van elke motor, alsmede het fabrieksnummer daarvan met de aanduiding van de plaats waar dit nummer is aangebracht;
f. de maximaal toegelaten massa;
g. de dagtekening der teboekstelling, het boekingsnummer, bedoeld in artikel 22, eerste lid, onder d, en indien het luchtvaartuig een naam voert, de naam ervan;
h. ten aanzien van elk luchtvaartuig een verwijzing naar alle daarop betrekking hebbende, in de openbare registers, bedoeld in artikel 8, eerste lid, onder c, ingeschreven stukken en in het desbetreffende register van voorlopige aantekeningen geboekte stukken, alsmede door de Dienst verkregen inlichtingen als bedoeld in artikel 94, eerste lid, onder b en c;
i. ten aanzien van elke gekozen woonplaats de vermelding ervan, alsmede een verwijzing naar alle daarop betrekking hebbende in de openbare registers, bedoeld in artikel 8, eerste lid, onder c, ingeschreven stukken;
j. elk register waarin het luchtvaartuig heeft te boek gestaan;
k. ten aanzien van elk luchtvaartuig, waarop een recht van hypotheek rust, tenminste de gegevens, genoemd in artikel 48, tweede lid, onder g, met dien verstande dat in het bepaalde sub 4° voor „de aard van de onroerende zaak" wordt gelezen: het type van het luchtvaartuig;
l. gegevens die krachtens andere wettelijke bepalingen dan wel krachtens regeling van Onze Minister worden opgenomen.

3. Artikel 85, derde-vijfde lid, is van overeenkomstige toepassing.

Titel 2
Bijwerking van de registratie voor luchtvaartuigen

AFDELING 1
Algemene bepalingen

Bijwerking door bijhouding

Art. 93. Bijwerking vindt plaats als bijhouding.

Gevallen, gronden en wijze van bijhouding

Art. 94. 1. Bijhouding vindt, onverminderd het bepaalde bij of krachtens deze of een andere wet, plaats op grond van veranderingen, voor zover deze blijken uit:
a. stukken die zijn ingeschreven in de openbare registers, bedoeld in artikel 8, eerste lid, onder c;
b. inlichtingen omtrent het overlijden van personen die als eigenaar of beperkt gerechtigde met betrekking tot een luchtvaartuig in de registratie voor luchtvaartuigen staan vermeld, voor zover althans deze inlichtingen afkomstig zijn van door Onze Minister aangewezen publiekrechtelijke rechtspersonen of andere lichamen aan wie

een deel van de overheidstaak is opgedragen;
c. inlichtingen omtrent de wettelijke woonplaats, daaronder begrepen het adres, van personen die als eigenaar of beperkt gerechtigde met betrekking tot een luchtvaartuig in de registratie voor luchtvaartuigen staan vermeld, voor zover althans deze inlichtingen van die personen zelf afkomstig zijn dan wel door Onze Minister aangewezen publiekrechtelijke rechtspersonen of andere lichamen aan wie een deel van de overheidstaak is opgedragen.
2. Bijhouding van de registratie voor luchtvaartuigen vindt ook plaats met betrekking tot voorlopige aantekeningen en doorhalingen daarvan in het desbetreffende register van voorlopige aantekeningen.
3. Artikel 54, derde lid, is van overeenkomstige toepassing.
4. De wijze van bijhouding wordt, onverminderd het bepaalde bij of krachtens deze of andere wet, bij of krachtens algemene maatregel van bestuur geregeld, in dier voege:
a. dat na een inschrijving de bijhouding terstond aanvangt, en
b. dat in de registratie wordt vermeld op grond van welk ingeschreven of ander stuk een bijhouding heeft plaatsgevonden.
5. Artikel 72 is van overeenkomstige toepassing.

Toepasselijkheid van de Algemene wet bestuursrecht

Art. 94a. Op beschikkingen inzake de bijhouding, genomen krachtens hoofdstuk 6 van deze wet, zijn de artikelen 4:7, 4:8 en 3:40 van de Algemene wet bestuursrecht niet van toepassing.

Art. 94b. 1. Belanghebbenden kunnen tegen beschikkingen inzake de bijwerking, genomen krachtens deze titel, bezwaar maken nadat zij is voltooid.
2. Geen bezwaar staat open tegen bijhoudingen als bedoeld in artikel 94, tweede lid.
3. De artikelen 56c, 56d, eerste, tweede, vierde en vijfde lid, en 56e zijn van overeenkomstige toepassing, met dien verstande dat het beroep moet worden ingesteld bij de arrondissementsrechtbank binnen welker rechtsgebied het kantoor van de Dienst, waar het desbetreffende luchtvaartuig te boek staat, is gelegen.

AFDELING 2
Bijhouding op grond van stukken ingeschreven in de openbare registers, bedoeld in artikel 8, eerste lid, onder c

Kennisgeving omtrent het resultaat van de bijhouding

Art. 95. 1. Ingeval de bijhouding waartoe een ingeschreven stuk aanleiding geeft, met betrekking tot een luchtvaartuig is voltooid en heeft geleid tot wijziging of aanvulling van de in de registratie voor luchtvaartuigen vermeld staande gegevens betreffende de eigenaars of beperkt gerechtigden, dan wel de naam van het luchtvaartuig waarop het ingeschreven feit betrekking heeft, wordt het resultaat van die bijhouding door toezending of uitreiking aan belanghebbenden bekendgemaakt.
2. Artikel 58, tweede lid, is voorts van overeenkomstige toepassing.

Onjuistheid/onvolledigheid in de vermelding van de beschrijving, naam en kenmerken van een luchtvaartuig

Art. 96. 1. Ingeval blijkt dat in een stuk, dat is ingeschreven in de openbare registers, bedoeld in artikel 8, eerste lid, onder c, één of meer der in dat stuk vermelde gegevens, als bedoeld in artikel 22, eerste lid, onverenigbaar zijn met de in de registratie voor luchtvaartuigen vermeld staande gegevens ten aanzien van het luchtvaartuig waarop het in te schrijven feit betrekking heeft, vindt artikel 95 slechts toepassing voor zover bijhouding mogelijk is ingevolge de op grond van het volgende lid vast te stellen regelen.

Rectificatieverzoek

2. Bij of krachtens algemene maatregel van bestuur wordt geregeld in hoeverre en op welke wijze bijhouding plaatsvindt indien een geval, als bedoeld in het eerste lid, zich voordoet, in dier voege dat de bijhouding waartoe het ingeschreven stuk aanleiding geeft, eerst wordt voltooid nadat een stuk tot verbetering, als bedoeld in artikel 42, is ingeschreven in de in artikel 8, eerste lid, onder c, bedoelde openbare registers.
3. Artikel 59, derde en vierde lid, is van overeenkomstige toepassing.

Art. 97. (Vervallen bij de wet van 26 april 1995, Stb. 250).

AFDELING 3
Overige bepalingen

Inlichtingen omtrent overlijden en wettelijke woonplaats; wijze van bijhouding

Art. 98. 1. Op de bijhouding op grond van inlichtingen omtrent het overlijden van personen die als eigenaar of beperkt gerechtigde met betrekking tot een luchtvaartuig in de registratie voor luchtvaartuigen staan vermeld, is artikel 64 van overeenkomstige toepassing.

2. Op de bijhouding op grond van inlichtingen omtrent de wettelijke woonplaats, daaronder begrepen het adres, van personen die als eigenaar of beperkt gerechtigde met betrekking tot een luchtvaartuig in de registratie voor luchtvaartuigen staan vermeld, is artikel 65 van overeenkomstige toepassing.

Vorm van de diverse bescheiden

3. Het bestuur van de Dienst stelt de vorm vast van de in deze titel voorziene kennisgevingen en van de te geven beslissingen op bezwaarschriften.

HOOFDSTUK 7
Verstrekking van inlichtingen; kadastraal recht

Titel 1
Verstrekking van inlichtingen

AFDELING 1
Verstrekking van inlichtingen uit de openbare registers

Inzage van de openbare registers; verstrekking van schriftelijke bescheiden

Art. 99. 1. Desverlangd verleent de bewaarder inzage van de openbare registers, bedoeld in artikel 8, eerste lid, en geeft hij voor eensluidend gewaarmerkte afschriften of uittreksels van de in deze registers ingeschreven dan wel geboekte stukken, alsmede getuigschriften omtrent het al dan niet bestaan van inschrijvingen dan wel voorlopige aantekeningen betreffende een registergoed of een persoon af of zendt deze toe.

2. Het bestuur van de Dienst stelt de vorm van de afschriften, uittreksels en getuigschriften vast, alsmede regelen omtrent de wijze van raadpleging van de in het eerste lid bedoelde registers.

Vermelding van doorgehaalde inschrijvingen en van voorlopige aantekeningen

Art. 100. 1. Indien met betrekking tot een registergoed inschrijvingen ter zake van hypotheken en beslagen in de openbare registers, bedoeld in artikel 8, eerste lid, onder a-c, zijn doorgehaald, wordt op de getuigschriften inzake dat registergoed ten aanzien van hypotheken en beslagen melding gemaakt van het feit dat doorhaling heeft plaatsgevonden.

2. Het eerste lid is van overeenkomstige toepassing ten aanzien van gevallen waarin in de openbare registers van voorlopige aantekeningen, bedoeld in artikel 8, eerste lid, onder d, voorlopige aantekeningen met betrekking tot een registergoed zijn gesteld die nog niet zijn doorgehaald.

Met informatieverstrekking belaste ambtenaren

Art. 101. 1. Indien de verstrekking van inlichtingen, bedoeld in artikel 99, eerste lid, onroerende zaken en de rechten waaraan deze onderworpen zijn betreft, is daarmee belast de bewaarder van het kantoor van de Dienst, binnen welks kring de onroerende zaken zijn gelegen.

2. Indien de verstrekking van inlichtingen, bedoeld in artikel 99, eerste lid, schepen en luchtvaartuigen en de rechten waaraan deze onderworpen zijn betreft, is daarmee belast de bewaarder van het kantoor van de Dienst, waar de openbare registers waarin het verzoek tot teboekstelling van het desbetreffende schip onderscheidenlijk luchtvaartuig is ingeschreven, worden gehouden.

3. Het bestuur van de Dienst kan andere ambtenaren dan die, bedoeld in het eerste en tweede lid, belasten met de in die leden bedoelde werkzaamheden.

AFDELING 2
Verstrekking van inlichtingen uit de kadastrale registratie, het kaartenbestand, de daaraan ten grondslag liggende bescheiden en het net van coördinaatpunten

Informatieverstrekking uit het kadaster

Art. 102. 1. Desverlangd verleent de Dienst inzage van de kadastrale registratie, de door de Dienst gehouden kaarten en de daaraan ten grondslag liggende bescheiden, en geeft hij voor eensluidend gewaarmerkte afschriften of uittreksels daarvan af of zendt deze toe.

2. Het bestuur van de Dienst stelt de vorm vast van de afschriften en uittreksels. Bij regeling van Onze Minister worden regelen vastgesteld omtrent de wijze van raadpleging van de in het eerste lid bedoelde registratie, kaarten en bescheiden.

3. Bij of krachtens algemene maatregel van bestuur worden regelen gesteld omtrent de gevallen waarin de verstrekking van inlichtingen uit de kadastrale kaarten en de daaraan ten grondslag liggende bescheiden op schriftelijk verzoek te velde kan plaatsvinden, alsmede omtrent de daarbij in acht te nemen regelen.

Informatieverstrekking te velde

4. Desverlangd verstrekt de Dienst ook inlichtingen omtrent het net van coördinaatpunten, bedoeld in artikel 52, overeenkomstig door het bestuur van de Dienst daartoe vast te stellen regelen.

Met informatieverstrekking belaste ambtenaren

Art. 103. 1. Ten aanzien van het verlenen van inzage en de afgifte van afschriften of uittreksels van de kadastrale registratie is artikel 101, eerste en derde lid, van overeenkomstige toepassing.

2. Het bestuur van de Dienst wijst ambtenaren aan die belast zijn met het verstrekken van de overige in artikel 102 bedoelde inlichtingen.

(Massale) informatieverstrekking aan overheidslichamen; tarifering

Art. 104. 1. Onverminderd het bepaalde in artikel 102, eerste lid, verstrekt de Dienst desgevraagd aan gemeenten en andere publiekrechtelijke lichamen voor hun grondgebied een afschrift van de kadastrale registratie en de door de Dienst gehouden kaarten.

2. Door het bestuur van de Dienst worden in overleg met betrokkenen regels gesteld omtrent de wijzen waarop door de Dienst, al of niet periodiek, grote hoeveelheden gegevens uit de kadastrale registratie aan gemeenten en andere publiekrechtelijke lichamen worden verstrekt.

3. Op de verstrekking van gegevens bedoeld in het eerste en tweede lid, zijn de artikelen 108 tot en met 110 van overeenkomstige toepassing, met dien verstande, dat bij de vaststelling van de hoogte van het verschuldigde kadastraal recht rekening wordt gehouden met besparingen die voortvloeien uit het feit dat grote hoeveelheden gegevens tegelijkertijd worden verstrekt.

Permanente aansluiting op de geautomatiseerde kadastrale registratie

Art. 105. 1. Bij of krachtens algemene maatregel van bestuur worden regels gesteld omtrent de voorwaarden waaronder en de wijze waarop een permanente aansluiting kan worden verkregen op de geautomatiseerde kadastrale registratie.

2. Het bestuur van de Dienst kan aan gemeenten die beschikken over een permanente aansluiting op de geautomatiseerde kadastrale registratie, desgevraagd de bevoegdheid geven daaruit gegevens aan derden te verschaffen. Bij de maatregel, bedoeld in het eerste lid, worden regels gesteld omtrent de voorwaarden, waaronder een zodanige bevoegdheid wordt verleend, alsmede omtrent de gevallen waarin de verlening van een zodanige bevoegdheid kan worden ingetrokken.

AFDELING 3
Verstrekking van inlichtingen uit de registratie voor schepen

Informatieverstrekking uit de registratie voor schepen

Art. 106. 1. Desverlangd verleent de bewaarder inzage van de registratie voor schepen en van andere documenten betreffende schepen die niet zijn ingeschreven in de openbare registers, bedoeld in artikel 8, eerste lid, onder b, en geeft hij voor eensluidend gewaarmerkte afschriften of uittreksels daarvan af of zendt deze toe. De bewaarder kan desverlangd een verklaring afgeven inhoudende dat een schip, ten aanzien waarvan bij het desbetreffende verzoek door de betrokkene tenminste zodanige gegevens worden bekend gesteld dat de identiteit van het schip voldoende vaststaat, niet te boek staat noch heeft te boek gestaan.

2. Artikel 102, tweede lid, is voor zover mogelijk van overeenkomstige toepassing. Onze Minister stelt de vorm van de in het eerste lid genoemde verklaring vast.

3. Artikel 101, tweede en derde lid, is eveneens van overeenkomstige toepassing.

AFDELING 4
Verstrekking van inlichtingen uit de registratie voor luchtvaartuigen

Informatieverstrekking uit de registratie voor luchtvaartuigen

Art. 107. 1. Desverlangd verleent de bewaarder inzage van de registratie voor luchtvaartuigen en van andere documenten betreffende luchtvaartuigen die niet zijn ingeschreven in de openbare registers, bedoeld in artikel 8, eerste lid, onder c, en geeft hij voor eensluidend gewaarmerkte afschriften of uittreksels daarvan af of zendt deze toe. De bewaarder kan desverlangd een verklaring afgeven inhoudende dat een luchtvaartuig, waarvan bij het desbetreffend verzoek door de betrokkene tenminste het nationaliteitskenmerk en het inschrijvingskenmerk, bedoeld in artikel 6, eerste lid, van de Luchtvaartwet moet worden bekend gesteld, niet te boek staat noch heeft te boek gestaan.

2. Artikel 102, tweede lid, is voor zover mogelijk van overeenkomstige toepassing. Het bestuur van de Dienst stelt de vorm van de in het eerste lid genoemde verklaring vast.

3. Artikel 101, tweede en derde lid, is eveneens van overeenkomstige toepassing.

Titel 2
Kadastraal recht

Kadastraal recht: tarieven en wijze van voldoening/ verrekening

Art. 108. 1. Onder de naam van kadastraal recht zijn belanghebbenden aan de Dienst wegens het verrichten door de Dienst van werkzaamheden ter uitvoering van het bij of krachtens deze wet bepaalde, vergoedingen verschuldigd op de voet van bij algemene maatregel van bestuur te stellen regelen.

2. De tarieven van het kadastraal recht worden tot geen hoger bedrag vastgesteld dan wordt vereist tot dekking van de ten laste van de Dienst komende kosten van het verrichten van de werkzaamheden, bedoeld in het eerste lid.

3. Bij de in het eerste lid bedoelde maatregel kan worden bepaald, dat Onze Minister op de daarbij aan te geven wijze en binnen daarbij aangegeven grenzen de tarieven kan wijzigen teneinde deze aan te passen aan de ontwikkelingen van lonen en prijzen.

4. Het bestuur van de Dienst stelt regelen vast omtrent de wijze waarop het kadastraal recht wordt voldaan of verrekend.

Gevallen waarin geen kadastraal recht verschuldigd is

Art. 109. Bij of krachtens algemene maatregel van bestuur kunnen nadere regelen worden gesteld omtrent de gevallen waarin en de verrichtingen ten aanzien waarvan in die gevallen geen kadastraal recht is verschuldigd.

Vrijstelling enz. van kadastraal recht

Art. 110. Het bestuur van de Dienst is bevoegd om in bijzondere gevallen vrijstelling, vermindering of teruggaaf van kadastraal recht te verlenen.

HOOFDSTUK 8
Overige en slotbepalingen

Toepasselijkheid van de Awb

Art. 110a. Op beschikkingen, genomen krachtens hoofdstuk 8 van deze wet, zijn de artikelen 4:7, 4:8 en 3:40 van de Algemene wet bestuursrecht niet van toepassing.

Wijziging van de kadastrale aanduiding en het opnieuw vaststellen van de grootte van percelen anders dan ingevolge een bijwerking

Art. 111. 1. De Dienst is bevoegd om, anders dan ingevolge de bepalingen omtrent de bijwerking, bedoeld in hoofdstuk 4, in door Onze Minister te bepalen gevallen de kadastrale aanduiding van onroerende zaken en appartementsrechten te wijzigen en de grootte van percelen opnieuw vast te stellen. het bestuur van de Dienst stelt regelen vast omtrent de wijze waarop wijzigingen, als bedoeld in de eerste zin, in de kadastrale registratie en op de kadastrale kaarten worden weergegeven.

Kennisgeving; bezwaar en beroep

2. Indien de Dienst ambtshalve de kadastrale aanduiding van een onroerende zaak of van een appartementsrecht wijzigt, als bedoeld in het eerste lid, is artikel 58, eerste lid, van overeenkomstige toepassing. Tegen deze wijziging staat generlei voorziening open.

3. Indien de Dienst ambtshalve de grootte van een perceel opnieuw vaststelt, als bedoeld in het eerste lid, en deze afwijkt van de in de kadastrale registratie vermeld staande grootte vóór de herberekening, zijn de artikelen 58, eerste en tweede lid, artikel 56b, eerste lid, en de artikelen 56c tot en met 56e van overeenkomstige toepassing.

Herstel van misslagen begaan bij de bijwerking van het kadaster

Art. 112. 1. Kennelijke misslagen, door de Dienst begaan bij de bijwerking van de kadastrale registratie, de door de Dienst gehouden kaarten en de daaraan ten grondslag liggende bescheiden worden op verzoek van een belanghebbende dan wel ambtshalve hersteld. Artikel 56b, eerste lid, de artikelen 56c tot en met 56e en artikel 58, eerste en tweede lid, zijn van overeenkomstige toepassing.

2. Het verzoek wordt ingediend bij het kantoor van de Dienst,[1] binnen welks kring de desbetreffende onroerende zaak is gelegen.

3. In geval van gehele of gedeeltelijke toewijzing van het verzoek vindt het herstel van de bij de bijwerking begane misslag plaats overeenkomstig de beslissing op het verzoek.

Herstel van misslagen begaan bij de bijhouding van de registratie voor schepen

Art. 113. 1. Artikel 112, eerste lid, is ten aanzien van de registratie voor schepen van overeenkomstige toepassing, met dien verstande dat voor de zinsnede in artikel 56c, eerste lid, luidende „arrondissementsrechtbank, binnen welker rechtsgebied de onroerende zaak geheel of grotendeels is gelegen", wordt gelezen: de arrondissementsrechtbank, binnen welker rechtsgebied het kantoor van de Dienst, waar het desbetreffende schip te boek staat, is gelegen.

2. Een verzoek tot herstel van kennelijke misslagen, door de Dienst begaan bij de bijwerking van de registratie voor schepen, wordt ingediend bij het kantoor van de Dienst, waar het desbetreffende schip te boek staat.

3. In geval van gehele of gedeeltelijke toewijzing van het verzoek vindt het herstel van de bij de bijwerking begane misslag plaats overeenkomstig de beslissing op het verzoek.

Herstel van misslagen begaan bij de bijhouding van de registratie voor luchtvaartuigen

Art. 114. 1. Artikel 112, eerste lid, is ten aanzien van de registratie voor luchtvaartuigen van overeenkomstige toepassing, met dien verstande dat voor de zinsnede in artikel 56c, eerste lid, luidende „arrondissementsrechtbank, binnen welker rechtsgebied de onroerende zaak geheel of grotendeels is gelegen", wordt gelezen: de arrondissementsrechtbank, binnen welker rechtsgebied het kantoor van de Dienst, waar het desbetreffende luchtvaartuig te boek staat, is gelegen. Artikel 113, tweede lid, is eveneens van overeenkomstige toepassing.

2. In geval van gehele of gedeeltelijke toewijzing van het verzoek is artikel 113, derde lid, van overeenkomstige toepassing.

Vorm van de diverse bescheiden

Art. 115. Het bestuur van de Dienst stelt de vorm vast van de in de artikelen 111-114 voorziene mededelingen, kennisgevingen, de op verzoeken te geven beslissingen en de te geven beslissingen op bezwaarschriften.

Wijze van herstel van onregelmatigheden begaan bij inschrijving, doorhaling, boeking en bijwerking

Art. 116. 1. Het bestuur van de Dienst stelt regelen vast omtrent de wijze waarop vergissingen, verzuimen of andere onregelmatigheden, begaan door de bewaarder bij de inschrijving van stukken in de openbare registers, bedoeld in artikel 8, eerste lid, onder a-c, bij het stellen daarin van aantekeningen, daaronder begrepen doorhalingen van inschrijvingen in die registers, bij de boeking van stukken in de registers van voorlopige aantekeningen, of bij de doorhaling van voorlopige aantekeningen, worden hersteld.

2. Het bestuur van de Dienst stelt voorts regelen vast omtrent de wijze waarop kennelijke misslagen, door de Dienst begaan bij de bijwerking van de kadastrale registratie, de door de Dienst gehouden kaarten en daaraan ten grondslag liggende bescheiden, worden hersteld.

3. Het tweede lid is voor zover mogelijk van overeenkomstige toepassing op het herstel van kennelijke misslagen, door de Dienst begaan bij de bijhouding van de registratie voor schepen en de registratie voor luchtvaartuigen.

Aansprakelijkheden van de Staat

Art. 117. 1. De Dienst is jegens belanghebbenden aansprakelijk voor de schade die zij lijden, doordat in strijd met de wet een inschrijving is geweigerd of geschied.

2. De Dienst is eveneens aansprakelijk voor alle verdere vergissingen, verzuimen, vertragingen of andere onregelmatigheden van zijn ambtenaren, gepleegd bij het houden van de registers of bij het opmaken of afgeven van afschriften, uittreksels en getuigschriften.

3. De Dienst is jegens betrokkenen aansprakelijk voor vergissingen, verzuimen of andere onregelmatigheden door de Dienst gepleegd bij het bijwerken van de kadastrale registratie, de door de Dienst gehouden kaarten en de daaraan ten grondslag liggende bescheiden, alsmede van de registratie voor schepen en de registratie voor luchtvaartuigen.

4. De Dienst is eveneens aansprakelijk voor alle vergissingen, verzuimen of andere onregelmatigheden van de Dienst, begaan bij het schriftelijk verstrekken van

---

[1] Ingevolge koninklijk besluit van 23 december 1993, Stb. 693 is de Aanpassingswet AWB III op 1 januari 1994 in werking getreden.

inlichtingen uit de kadastrale registratie, de door de Dienst gehouden kaarten en de daaraan ten grondslag liggende bescheiden, alsmede uit de registratie voor schepen en de registratie voor luchtvaartuigen.

Art. 118. 1. Door het bestuur van de Dienst te nemen besluiten en vast te stellen regelen als bedoeld in deze wet, worden geplaatst in de Staatscourant.

2. Het eerste lid is niet van toepassing op de besluiten, bedoeld in de artikelen 4, derde lid, 6, 7, tweede lid, 8, tweede lid, tweede zin, 17, 82, 91, derde lid, 98, derde lid, 99, tweede lid, 102, tweede lid, 106, tweede lid, 107, tweede lid, 110 en 115.

Citeertitel; inwerkingtreding

Art. 119. 1. Deze wet kan worden aangehaald als „Kadasterwet".

2. Zij treedt in werking op een door Ons te bepalen tijdstip.

Lasten en bevelen dat deze in het Staatsblad zal worden geplaatst en dat alle ministeriële departementen, autoriteiten, colleges en ambtenaren, wie zulks aangaat, aan de nauwkeurige uitvoering van de hand zullen houden.

WET van den 24sten December 1927, Stb. 415, houdende nadere regeling van de Collectieve Arbeidsovereenkomst, zoals laatstelijk gewijzigd bij de wet van 25 oktober 1989, Stb. 490

Alzoo Wij in overweging genomen hebben, dat het wenschelijk is nadere regelen te stellen betreffende de collectieve arbeidsovereenkomst;

Begripsbepaling

Art. 1. Onder collectieve arbeidsovereenkomst wordt verstaan de overeenkomst, aangegaan door een of meer werkgevers of een of meer verenigingen met volledige rechtsbevoegdheid van werkgevers en een of meer verenigingen met volledige rechtsbevoegdheid van arbeiders, waarbij voornamelijk of uitsluitend worden geregeld arbeidsvoorwaarden, bij arbeidsovereenkomsten in acht te nemen.

Zij kan ook betreffen aannemingen van werk en overeenkomsten tot het verrichten van enkele diensten. Hetgeen in deze wet omtrent arbeidsovereenkomsten, werkgevers en arbeiders is bepaald, vindt dan overeenkomstige toepassing.

Het beding, waarbij een werkgever verplicht wordt, arbeiders van een bepaald ras, van eene bepaalde godsdienstige of staatkundige overtuiging of leden van eene bepaalde vereeniging niet dan wel uitsluitend in dienst te nemen, is nietig.

Bevoegdheid vakorganisaties

Art. 2. Eene vereeniging van werkgevers of van arbeiders is slechts bevoegd tot het aangaan van collectieve arbeidsovereenkomsten, indien de statuten der vereeniging deze bevoegdheid met name noemen.

Akten

Art. 3. Eene collectieve arbeidsovereenkomst kan slechts worden aangegaan bij eene authentieke of onderhandsche akte.

Exemplaar voor leden

Art. 4. Eene vereeniging, welke eene collectieve arbeidsovereenkomst heeft aangegaan, draagt zorg dat ieder harer leden, die bij de overeenkomst betrokken is, zoo spoedig mogelijk den woordenlijken inhoud der overeenkomst in zijn bezit heeft. Indien door de partijen eene toelichting op de collectieve arbeidsovereenkomst is opgesteld, geldt deze verplichting ook ten aanzien van de toelichting.

Wijziging en verlenging

Art. 5. In geval van wijziging van de collectieve arbeidsovereenkomst en van uitdrukkelijke verlenging van haren duur vinden de bepalingen van de twee voorgaande artikelen overeenkomstige toepassing.

Art. 6. Eene wijziging van bepalingen in de statuten eener vereeniging, welke het nakomen, het wijzigen, het verlengen of het opzeggen van collectieve arbeidsovereenkomsten betreffen, werkt niet ten aanzien van eene vóór de statutenwijziging door de vereeniging aangegane collectieve arbeidsovereenkomst, tenzij de andere partijen bij die overeenkomst daarin toestemmen.

Aanvang werking

Art. 7. Wanneer het tijdstip, waarop de werking der collectieve arbeidsovereenkomst aanvangt, niet bij de overeenkomst zelve is bepaald, vangt die werking aan met ingang van den vijftienden dag, volgende op dien, waarop de overeenkomst is aangegaan.

Wanneer bij de collectieve arbeidsovereenkomst niet anders is bepaald, strekt hare werking zich, van het tijdstip waarop deze aanvangt, mede uit over op dat tijdstip reeds aangegane arbeidsovereenkomsten.

Art. 8. Eene vereeniging, welke eene collectieve arbeidsovereenkomst heeft aangegaan, is gehouden te bevorderen, in de mate als de goede trouw medebrengt, dat hare leden de daarbij te hunnen aanzien gestelde bepalingen nakomen.

De vereeniging staat voor hare leden slechts in, voor zooverre zulks in de overeenkomst is bepaald.

Verticale werking

Art. 9. Allen, die tijdens den duur der collectieve arbeidsovereenkomst, te rekenen van het tijdstip waarop zij is aangegaan, lid zijn of worden eener vereeniging, welke de overeenkomst heeft aangegaan, en bij de overeenkomst zijn betrokken, zijn door die overeenkomst gebonden.

Zij zijn tegenover elk der partijen bij de collectieve arbeidsovereenkomst gehouden al datgene, wat te hunnen aanzien bij die overeenkomst is bepaald, te goeder trouw ten uitvoer te brengen, als hadden zij zelve zich daartoe verbonden.

Art. 10. De leden eener vereeniging, die door eene collectieve arbeidsovereenkomst gebonden zijn, blijven ook na het verlies van het lidmaatschap door die overeenkomst gebonden.

Die gebondenheid eindigt, wanneer de overeenkomst na het verlies van het lidmaatschap wordt gewijzigd. In geval van verlenging van de overeenkomst na het verlies van het lidmaatschap duurt de gebondenheid voort tot het tijdstip, waarop de overeenkomst zonder deze verlenging zou zijn geëindigd.

Art. 11. Ontbinding eener vereeniging, welke eene collectieve arbeidsovereenkomst heeft aangegaan, heeft geen invloed op de rechten en verplichtingen, welke uit die overeenkomst voortvloeien.

Dwingend recht

Art. 12. Elk beding tusschen een werkgever en een arbeider, strijdig met eene collectieve arbeidsovereenkomst door welke zij beiden gebonden zijn, is nietig; in plaats van zoodanig beding gelden de bepalingen der collectieve arbeidsovereenkomst.

De nietigheid kan steeds worden ingeroepen door elk der partijen bij de collectieve arbeidsovereenkomst.

Art. 13. Bij gebreke van bepalingen in eene arbeidsovereenkomst omtrent aangelegenheden, geregeld in eene collectieve arbeidsovereenkomst door welke zoowel de werkgever als de arbeider gebonden zijn, gelden de bepalingen der collectieve arbeidsovereenkomst.

Ongeorganiseerde werknemers

Art. 14. Wanneer bij de collectieve arbeidsovereenkomst niet anders is bepaald, is de werkgever, die door die overeenkomst gebonden is, verplicht, tijdens den duur dier overeenkomst hare bepalingen omtrent arbeidsvoorwaarden ook na te komen bij de arbeidsovereenkomsten, als in de collectieve arbeidsovereenkomst bedoeld, welke hij aangaat met arbeiders, die door de collectieve arbeidsovereenkomst niet gebonden zijn.

Gevolgen overgang onderneming

Art. 14a. Door de overgang van een onderneming, als bedoeld in artikel 1639aa van het Burgerlijk Wetboek, gaan de rechten en verplichtingen welke op dat tijdstip voor de werkgever in die onderneming ten aanzien van daar werkzame arbeiders voortvloeien uit bepalingen omtrent arbeidsvoorwaarden van een collectieve arbeidsovereenkomst waaraan hij gebonden is, van rechtswege over op de verkrijger van de onderneming.

De rechten en verplichtingen die ingevolge het eerste lid overgaan, eindigen op het tijdstip waarop de verkrijger ten aanzien van de arbeid, verricht door de in het eerste lid bedoelde arbeiders, gebonden wordt aan een na de overgang van de onderneming tot stand gekomen collectieve arbeidsovereenkomst dan wel op het tijdstip waarop de verkrijger ten aanzien van die arbeid krachtens een na de overgang genomen besluit tot verbindendverklaring op grond van artikel 2 van de Wet op het algemeen verbindend en het onverbindend verklaren van bepalingen van collectieve arbeidsovereenkomsten verplicht wordt bepalingen na te komen van een collectieve arbeidsovereenkomst. De rechten en verplichtingen eindigen voorts zodra de op het tijdstip van de overgang lopende geldingsduur van de collectieve arbeidsovereenkomst verstrijkt.

Het eerste lid is niet van toepassing op rechten en verplichtingen van de werkgever die voortvloeien uit een bepaling in een collectieve arbeidsovereenkomst, die betrekking heeft op een pensioenvoorziening als bedoeld in artikel 1, eerste lid, onder a, van de Pensioen- en spaarfondsenwet, dan wel op een spaarregeling als bedoeld in artikel 3, eerste lid, van die wet.

Het tweede lid is van overeenkomstige toepassing op de rechten en verplichtingen welke voortvloeien uit een collectieve arbeidsovereenkomst en krachtens fusie zijn overgegaan op de verkrijgende rechtspersoon.

Diagonale werking schadevergoeding

Art. 15. Eene vereeniging, welke eene collectieve arbeidsovereenkomst heeft aangegaan, kan, indien eene der andere partijen bij die overeenkomst of een der leden van deze handelt in strijd met eene harer of zijner verplichtingen, vergoeding vorderen niet alleen voor de schade, welke zij zelve dientengevolge lijdt, doch ook voor die, welke hare leden lijden.

Immateriële schade

Art. 16. Voor zover de schade in ander nadeel dan vermogensschade bestaat, zal als vergoeding een naar billijkheid te bepalen bedrag verschuldigd zijn.

Art. 17. Bij de collectieve arbeidsovereenkomst kan met betrekking tot de schadevergoeding eene voorziening worden getroffen, welke afwijkt van het bepaalde bij de twee voorgaande artikelen.

Aanvullend recht

Art. 18. Eene collectieve arbeidsovereenkomst kan niet voor langeren tijd dan vijf jaren worden aangegaan; behoudens verlenging, zoodanig dat de partijen nimmer langer verbonden zijn dan vijf achtereenvolgende jaren, te rekenen van het tijdstip waarop de verlenging wordt overeengekomen.

Duur max. 5 jaar

Art. 19. Wanneer eene collectieve arbeidsovereenkomst voor een bepaalden tijd is aangegaan, wordt zij, zoo niet bij de overeenkomst anders is bepaald, geacht telkens voor gelijken tijd, doch ten hoogste voor een jaar, te zijn verlengd, behoudens opzegging; de termijn van opzegging is, tenzij bij de overeenkomst anders is bepaald, een twaalfde gedeelte van den tijd, waarvoor zij oorspronkelijk is aangegaan.

Verlenging

Wanneer de tijd, waarvoor eene collectieve arbeidsovereenkomst wordt aangegaan, niet bij de overeenkomst is bepaald, wordt zij geacht te zijn aangegaan voor een jaar met verlenging telkens voor gelijken tijd, behoudens opzegging tenminste eene maand vóór het einde van het jaar.

1 jaar

Art. 20. De opzegging van eene collectieve arbeidsovereenkomst moet worden gedaan aan alle partijen bij die overeenkomst. Zij kan slechts geschieden bij aangeteekenden brief of bij deurwaardersexploit.

Opzegging

Art. 21. Wanneer bij de collectieve arbeidsovereenkomst niet anders is bepaald, heeft eene opzegging door eene der partijen ten gevolge dat de overeenkomst voor alle partijen eindigt.

Artt. 22-24. *(Bevat wijzigingen in B.W., R.O., en Rv.)*

Art. 25. De gevolgen van eene collectieve arbeidsovereenkomst, van kracht bij de inwerkingtreding van deze wet, worden beoordeeld naar het voordien geldende recht, totdat na die inwerkingtreding de overeenkomst wordt gewijzigd of haar duur uitdrukkelijk wordt verlengd, in welk geval voor het gevolg de bepalingen van deze wet toepassing vinden.

Overgangsrecht

Art. 26. Ten aanzien van vereenigingen, welke op het tijdstip van de inwerkingtreding dezer wet partij zijn of in de twee daaraan voorafgaande jaren partij geweest zijn bij eene collectieve arbeidsovereenkomst, vindt artikel 2 eerst twee jaren na die inwerkingtreding toepassing.

Art. 27. Deze wet treedt in werking op een door Ons te bepalen tijdstip.

Citeertitel

Zij kan worden aangehaald onder den titel: „Wet op de collectieve arbeidsovereenkomst".

Wet op het algemeen verbindend en het onverbindend verklaren van bepalingen van collectieve arbeidsovereenkomsten

WET van den 25sten Mei 1937, Stb. 801, tot het algemeen verbindend en het onverbindend verklaren van bepalingen van collectieve arbeidsovereenkomsten. („Wet op het algemeen verbindend en het onverbindend verklaren van bepalingen van collectieve arbeidsovereenkomsten"), zoals laatstelijk gewijzigd bij de wet van 23 december 1993, Stb. 690

Alzoo wij in overweging genomen hebben, dat het wenschelijk is regelen vast te stellen betreffende het algemeen verbindend en het onverbindend verklaren van bepalingen van collectieve arbeidsovereenkomsten:

Begripsbepalingen

Art. 1. Deze wet verstaat onder:
a. „Onze Minister": Onze Minister van Sociale Zaken;
b. „verbindendverklaring": de in artikel 2 bedoelde algemeen verbindendverklaring;
c. „verbindend verklaarde bepalingen": bepalingen eener collectieve arbeidsovereenkomst, welke ingevolge artikel 2 algemeen verbindend zijn verklaard.

Algemeen verbindend verklaring cao door Minister

Art. 2. 1. Onze Minister kan bepalingen van eene collectieve arbeidsovereenkomst, die in het geheele land of in een gedeelte des lands voor eene — naar zijn oordeel belangrijke — meerderheid van de in een bedrijf werkzame personen gelden, in het geheele land of in dat gedeelte des lands algemeen verbindend verklaren. Deze bepalingen zijn dan, behalve in de gevallen door Onzen Minister uitgezonderd, binnen dat gebied verbindend voor alle werkgevers en arbeiders ten aanzien van arbeidsovereenkomsten, die naar den aard van den arbeid, waarop zij betrekking hebben, onder de collectieve arbeidsovereenkomst vallen of zouden vallen, hetzij deze arbeidsovereenkomsten op het tijdstip, waarop de werking der verbindendverklaring aanvangt, reeds gesloten zijn, hetzij zij daarna gesloten worden.

2. De verbindendverklaring geschiedt, behoudens voor fondsen, die uit hun aard een meer permanent karakter dragen en ten aanzien waarvan een langer tijdvak kan gelden, voor een tijdvak van ten hoogste twee jaren. Het tijdstip, waarop de werking der verbindendverklaring eindigt, kan daarbij niet later worden gesteld dan het vroegste tijdstip, waarop de collectieve arbeidsovereenkomst, hetzij ingevolge het bij die overeenkomst bepaalde, hetzij ingevolge artikel 19 der Wet op de collectieve arbeidsovereenkomst zou kunnen eindigen.

Geen terugwerkende kracht

3. Verbindendverklaring heeft geen terugwerkende kracht.

4. Indien de verbindend verklaarde bepalingen aannemingen van werk en overeenkomsten tot het verrichten van enkele diensten betreffen, vindt hetgeen in deze wet omtrent arbeidsovereenkomsten, werkgevers en arbeiders is bepaald, overeenkomstige toepassing.

5. Van de verbindendverklaring zijn uitgesloten bepalingen eener collectieve arbeidsovereenkomst, die ten doel hebben:
a. de beslissing van den rechter omtrent twistgedingen uit te sluiten;
b. dwang uit te oefenen op werkgevers of arbeiders om zich bij eene vakvereeniging van werkgevers of arbeiders aan te sluiten;
c. eene ongelijke behandeling van georganiseerden en ongeorganiseerden teweeg te brengen;
d. de arbeiders te betrekken bij de handhaving van regelingen betreffende de prijzen, die voor goederen of diensten door de werkgevers van derden gevorderd zullen worden, en betreffende de voorwaarden, waaronder door de werkgevers aan derden zal worden geleverd.

Overgang van de onderneming

Art. 2a. 1. Door de overgang van een onderneming, als bedoeld in artikel 1639aa van het Burgerlijk Wetboek, gaan de rechten en verplichtingen welke op dat tijdstip voor de werkgever in die onderneming ten aanzien van daar werkzame arbeiders voortvloeien uit bepalingen omtrent arbeidsvoorwaarden welke hij krachtens een besluit tot verbindendverklaring op grond van artikel 2 van deze wet verplicht is na te komen, van rechtswege over op de verkrijger van de onderneming.

2. De rechten en verplichtingen die ingevolge het eerste lid overgaan, eindigen op het tijdstip waarop de verkrijger ten aanzien van de arbeid, verricht door de in het eerste lid bedoelde arbeiders, gebonden wordt aan een na de overgang van de onderneming tot stand gekomen collectieve arbeidsovereenkomst dan wel op het tijdstip waarop de verkrijger ten aanzien van die arbeid krachtens een na de overgang genomen besluit tot verbindendverklaring op grond van artikel 2 van deze wet, verplicht wordt bepalingen van een collectieve arbeidsovereenkomst na te komen. De rechten en verplichtingen eindigen voorts zodra de werking der verbindendverklaring eindigt.

3. Het tweede lid is van overeenkomstige toepassing op de rechten en verplichtingen welke voortvloeien uit een collectieve arbeidsovereenkomst en krachtens fusie zijn overgegaan op de verkrijgende rechtspersoon.

Nietigheid afwijkende bedingen

Art. 3. 1. Elk beding tusschen den werkgever en den arbeider, strijdig met verbindend verklaarde bepalingen, is nietig; in plaats van zoodanig beding gelden de verbindend verklaarde bepalingen.

2. De nietigheid kan steeds worden ingeroepen door verenigingen met volledige rechtspersoonlijkheid van werkgevers of arbeiders, waarvan leden partij zijn bij eene arbeidsovereenkomst, waarop de verbindend verklaarde bepalingen van toepassing zijn.

3. Bij gebreke van bepalingen in eene arbeidsovereenkomst omtrent aangelegenheden, geregeld in verbindend verklaarde bepalingen, gelden die verbindend verklaarde bepalingen.

4. De in het tweede lid bedoelde vereenigingen kunnen van werkgevers of arbeiders, die in strijd handelen met verbindend verklaarde bepalingen, vergoeding vorderen van de schade, die zij of hare leden daardoor lijden. Voor zover de schade in ander nadeel dan vermogensschade bestaat, zal als vergoeding een naar billijkheid te bepalen bedrag verschuldigd zijn.

5. Vervallen.

Verzoek tot verbindendverklaring

Art. 4. 1. De verbindendverklaring kan alleen geschieden op verzoek van één of meer werkgevers of één of meer vereenigingen van werkgevers of arbeiders, die partij zijn bij de collectieve arbeidsovereenkomst.

2. De indiening van een verzoek tot verbindendverklaring moet geschieden met inachtneming van de daaromtrent door Onzen Minister gegeven voorschriften.

3. Door Onzen Minister wordt van de indiening van het verzoek mededeeling gedaan in de Nederlandsche Staatscourant. Daarbij wordt een termijn bepaald, binnen welken bezwaren schriftelijk bij hem kunnen worden ingebracht.

4. Onze Minister wint omtrent het verzoek tot verbindendverklaring het advies in van de Stichting van de Arbeid.

5. Voor de behandeling van een verzoek tot verbindendverklaring is door den aanvrager eene vergoeding verschuldigd, volgens een door Onzen Minister vast te stellen tarief. Onze Minister kan vorderen, dat de aanvrager voor de voldoening van die kosten een waarborgsom stort.

Besluit weigering verbindendverklaring

Art. 5. 1. Het besluit, waarbij de verbindendverklaring wordt geweigerd, is met redenen omkleed.

2. Het besluit, waarbij de verbindendverklaring wordt uitgesproken, is met redenen omkleed, indien tegen het verzoek, als gevolg van de publicatie, bedoeld bij artikel 4, derde lid, bezwaren zijn ingebracht.

3. Het besluit, waarbij de verbindendverklaring wordt uitgesproken, houdt in:
a. eene opgaaf van de bepalingen, waarop de verbindendverklaring betrekking heeft;
b. eene opgaaf van het tijdstip, waarop de verbindendverklaring begint te werken en dat, waarop hare werking eindigt;
c. voor zoover noodig eene omschrijving van het gebied, waar en van de werkzaamheden, waarop de verbindend verklaarde bepalingen van toepassing zijn.

4. De in het eerste en tweede lid bedoelde besluiten worden openbaar gemaakt door plaatsing in de Nederlandsche Staatscourant.

5. Van de verbindendverklaring wordt aanteekening gehouden in een register, dat ingericht is volgens voorschriften door Onzen Minister gegeven. De collectieve arbeidsovereenkomsten, waarvan bepalingen verbindend zijn verklaard, worden als bijlagen bij het register bewaard.

6. Het in het vorige lid bedoelde register met bijlagen ligt voor een ieder kosteloos ter inzage. Schriftelijke inlichtingen, het register betreffende, worden tegen betaling der kosten vanwege Onzen Minister aan een ieder verstrekt.

Intrekking verbindendverklaring

Art. 6. 1. Onze Minister is bevoegd te allen tijde bij met redenen omkleed besluit de verbindendverklaring in te trekken.

2. Indien Onze Minister overweegt de verbindendverklaring van bepalingen van eene collectieve arbeidsovereenkomst in te trekken, geeft hij daarvan kennis aan hen, die bij de collectieve arbeidsovereenkomst partij zijn en stelt hen in de gelegenheid hunne bezwaren daartegen schriftelijk of mondeling kenbaar te maken. Voorts wordt door Onzen Minister de Stichting van de Arbeid ter zake gehoord, die haar advies uitbrengt binnen een door Onzen Minister te bepalen termijn.

Geen terugwerkende kracht

3. Intrekking van de verbindendverklaring heeft geen terugwerkende kracht.
4. Van de intrekking wordt aanteekening gehouden in het register, bedoeld in artikel 5, vijfde lid.

Wijziging bepalingen cao's

Art. 7. Het bepaalde in de artikelen 2 tot en met 6 vindt overeenkomstige toepassing, indien de verbindendverklaring betreft wijzigingen in de bepalingen van collectieve arbeidsovereenkomsten, die ingevolge artikel 2 algemeen verbindend zijn verklaard.

Onverbindendverklaring in het algemeen belang

Art. 8. 1. Onze Minister kan bepalingen van eene collectieve arbeidsovereenkomst onverbindend verklaren, indien het algemeen belang zulks vereischt.
2. Indien Onze Minister overweegt één of meer bepalingen van eene collectieve arbeidsovereenkomst onverbindend te verklaren, geeft hij daarvan kennis aan hen, die bij de collectieve arbeidsovereenkomst partij zijn en stelt hen in de gelegenheid hunne bezwaren daartegen schriftelijk of mondeling kenbaar te maken.
3. Onverbindendverklaring heeft geen terugwerkende kracht.
4. Het besluit, waarbij de onverbindendverklaring wordt uitgesproken, is met redenen omkleed. Van de onverbindendverklaring wordt aanteekening gehouden in het register, bedoeld in artikel 5, vijfde lid.

Gevolgen onverbindendverklaring

Art. 9. 1. Bij onverbindendverklaring van eene bepaling van eene collectieve arbeidsovereenkomst wordt deze bepaling geacht geen deel meer uit te maken van de collectieve arbeidsovereenkomst.
2. Elk op het tijdstip van het in werking treden der onverbindendverklaring bestaand beding tusschen een werkgever en een arbeider, berustende op de onverbindend verklaarde bepaling, is nietig.

Onderzoek naar naleving bepalingen cao

Art. 10. Indien een of meer verenigingen van werkgevers of van arbeiders, op wier verzoek een verbindendverklaring is uitgesproken, het vermoeden gegrond achten, dat in een onderneming een of meer der verbindend verklaarde bepalingen niet worden nageleefd, kunnen zij met het oog op het instellen van een rechtsvordering, als bedoeld in artikel 3, Onze Minister verzoeken een onderzoek daarnaar te doen instellen. Onze Minister kan het onderzoek opdragen aan de arbeidsinspectie. Ten aanzien van de ambtenaren van de arbeidsinspectie, die het onderzoek instellen, vindt het bepaalde in artikel 85, eerste, derde en vierde lid, der Arbeidswet 1919 overeenkomstige toepassing. De directeur-generaal van de arbeid brengt aan Onze Minister verslag uit van hetgeen bij het onderzoek gebleken is. Onze Minister licht daarop de vereniging of de verenigingen, die om het onderzoek hebben gevraagd, in.

Beëindiging taak Stichting van de Arbeid

Art. 10a. Indien Onze Minister heeft vastgesteld dat de Stichting van de Arbeid heeft opgehouden te bestaan of de haar krachtens deze wet toekomende taak te vervullen, treden voor de toepassing van de artikelen 4, vierde lid, en 6, tweede lid, tweede volzin, in haar plaats de krachtens artikel 17, eerste lid, van de Wet op de loonvorming door Ons aangewezen centrale organisaties van werkgevers en van werknemers.

Art. 11-13. *(Bevat een wijziging van de Wet op de R.O., Rv en van het Tarief van justitiekosten en salarissen in burgerlijke zaken.)*

Nadere regeling bij Amvb

Art. 14. Hetgeen nog ter voorbereiding van het in werking treden van deze wet en tot hare uitvoering noodig is, wordt bij algemeenen maatregel van bestuur geregeld.

Citeertitel

Art. 15. Deze wet kan worden aangehaald onder den titel: „Wet op het algemeen verbindend en het onverbindend verklaren van bepalingen van collectieve arbeidsovereenkomsten".

Inwerkingtreding

Art. 16. Deze wet treedt in werking op een door Ons te bepalen tijdstip.

BESLUIT van 5 October 1945, Stb. F 214, houdende vaststelling van het Buitengewoon Besluit Arbeidsverhoudingen 1945, zoals laatstelijk gewijzigd bij de wet van 14 oktober 1993, Stb. 538

Overwegende, dat het wenschelijk is gebleken, in afwachting van het tot stand komen van een nadere wettelijke regeling, het Buitengewoon Besluit Arbeidsverhoudingen (Staatsblad 1944, n°. E 52), laatstelijk gewijzigd bij Ons besluit van 29 December 1944 (Staatsblad n°. E 157), te herzien en opnieuw vast te stellen;

EERSTE TITEL
Algemene bepalingen

Begripsbepalingen

Art. 1. In dit besluit wordt verstaan onder:
a. Onze Minister: Onze Minister van Sociale Zaken en Werkgelegenheid;
b. werknemer:
1°. de arbeider, bedoeld in artikel 1637a van het Burgerlijk Wetboek;
2°. degene, die persoonlijk arbeid verricht voor een ander, tenzij hij dergelijke arbeid in de regel voor meer dan twee anderen verricht of hij zich door meer dan twee andere personen, niet zijnde zijn echtgenoot of bij hem inwonende bloedverwanten of aanverwanten of pleegkinderen, laat bijstaan of deze arbeid voor hem slechts een bijkomstige werkzaamheid is;
c. werkgever:
1°. de werkgever, bedoeld in artikel 1637a van het Burgerlijk Wetboek;
2°. de natuurlijke of rechtspersoon, voor wie de onder e sub 2°. genoemde arbeid wordt verricht;
d. arbeidsverhouding: de rechtsbetrekking tussen werkgever en werknemer;
e. loon: de vergoeding van de werkgever aan de werknemer ter zake van de arbeid;
f. dringende reden voor de werkgever, onderscheidenlijk de werknemer: zodanige daden, eigenschappen of gedragingen van de werknemer, welke ten gevolge hebben, dat van de werkgever redelijkerwijze niet kan worden gevergd, de arbeidsverhouding te laten voortduren, onderscheidenlijk zodanige omstandigheden, welke ten gevolge hebben, dat van de werknemer redelijkerwijze niet kan worden gevergd, de arbeidsverhouding te laten voortduren.

Uitsluiting

Art. 2. 1. Dit besluit is niet van toepassing op de arbeidsverhouding van:
a. werknemers bij een publiekrechtelijk lichaam;
b. onderwijzend en docerend personeel, werkzaam aan onderwijsinrichtingen, staande onder beheer van een natuurlijk of rechtspersoon;
c. personen, die een geestelijk ambt bekleden;
d. werknemers die doorgaans op minder dan drie dagen per week uitsluitend of hoofdzakelijk huishoudelijke of persoonlijke diensten in de huishouding van een natuurlijk persoon verrichten.
2. Onze Minister kan voorts bepalen, dat dit besluit of sommige artikelen van dit besluit niet van toepassing zijn op de arbeidsverhouding van door hem aangewezen werkenemers of groepen van werknemers.

Afwijkingen

Art. 3. Voor zover in dit besluit wordt afgeweken van bestaande wetten en verordeningen, daaronder begrepen de eerste tot en met vijfde afdeling van de Titel 7 A van het 4e Boek van het Burgerlijk Wetboek, de Arbeidsgeschillen wet 1923, de Wet op de collectieve arbeidsovereenkomst en de Wet op het algemeen verbindend en het onverbindend verklaren van bepalingen van collectieve arbeidsovereenkomsten, is dit besluit van kracht, zolang een nadere wettelijke regeling niet tot stand is gekomen.

TWEEDE TITEL
Van het aangaan en het beëindigen der arbeidsverhouding en daarmede verband houdende onderwerpen

Art. 4. Vervallen bij de wet van 28 juni 1990, Stb. 403.

Art. 5. Vervallen.

Verbod arbeidsverhouding te beëindigen zonder toestemming

Art. 6. 1. Het is de werkgever en de werknemer verboden de arbeidsverhouding te beëindigen zonder toestemming van Onze Minister.

2. Het verbod, bedoeld in het eerste lid, geldt niet:
a. indien de beëindiging geschiedt om een dringende aan de werknemer of de werkgever onverwijld medegedeelde reden;
b. indien de beëindiging geschiedt met wederzijds goedvinden;
c. indien de beëindiging geschiedt ten gevolge van faillissement van de werkgever.

Overdracht bevoegdheid toestemming te verlenen

3. Onze Minister kan tot en met 31 december 1995, de bevoegdheid inzake het verlenen van toestemming krachtens het eerste lid, overdragen aan door hem aan te wijzen Regionaal Directeuren voor de Arbeidsvoorziening.

4. De overdracht, bedoeld in het derde lid, vindt plaats onder door Onze Minister te stellen nadere regels.

Bijzondere aanwijzingen

5. Onze Minister kan een Regionaal Directeur voor de Arbeidsvoorziening bijzondere aanwijzingen geven terzake van de wijze van uitoefening van de bevoegdheid, bedoeld in het derde lid. Onze Minister treedt daarbij niet in de besluitvorming in individuele gevallen.

Jaarlijks verslag

6. Een Regionaal Directeur voor de Arbeidsvoorziening aan wie de bevoegdheid, bedoeld in het derde lid, is overgedragen, brengt jaarlijks aan Onze Minister verslag uit omtrent de wijze waarop die bevoegdheid is uitgeoefend. Dit verslag betreft in ieder geval:
a. het aantal gevallen waarin de toestemming, bedoeld in het eerste lid, is gevraagd, het aantal gevallen waarin de toestemming is verleend onderscheidenlijk geweigerd, alsmede de gronden waarop die beslissingen zijn gebaseerd:
b. de termijnen waarbinnen de onder a bedoelde beslissingen zijn genomen en de wijze waarop, voorafgaand aan de totstandkoming van de beslissingen, belanghebbenden in de gelegenheid zijn gesteld hun standpunt terzake kenbaar te maken;
c. de bezwaren die zijn ingebracht met betrekking tot de onder a bedoelde beslissingen.

Verstrekken van opgaven en inlichtingen

7. Een Regionaal Directeur voor de Arbeidsvoorziening aan wie de bevoegdheid, bedoeld in het derde lid, is overgedragen, is verplicht aan door Onze Minister aan te wijzen ambtenaren desgevraagd binnen een daartoe gestelde termijn en op de aangegeven wijze alle opgaven en inlichtingen te verstrekken betreffende de wijze waarop die bevoegdheid is uitgeoefend.

8. Besluiten van Onze Minister als bedoeld in het derde lid, alsmede de door Onze Minister krachtens het vierde lid gestelde regels, worden in de Staatscourant geplaatst.

9. Alvorens een beslissing inzake het verlenen van toestemming krachtens het eerste lid wordt genomen, hoort degene die de beslissing zal nemen, vertegenwoordigers van de in aanmerking komende organisaties van werkgevers en werknemers.

Ontheffing, vrijstelling

10. Van het bepaalde in het eerste lid kan door Onze Minister voor bepaalde werknemers of groepen van werknemers voorwaardelijk of onvoorwaardelijk ontheffing of vrijstelling worden verleend.

Beroep

11. Voor zover beslissingen inzake het verlenen van toestemming krachtens het eerste lid worden genomen door Regionaal Directeuren voor de Arbeidsvoorziening staat daartegen geen beroep open bij het College van Beroep voor het bedrijfsleven.

Art. 7. Vervallen bij de Wet van 28 juni 1990, Stb. 403.

Werktijdverkorting

Art. 8. 1. Het is de werkgever verboden de werktijd van de werknemer op minder dan 48 uur per week te stellen of gesteld te houden.
2. Het bepaalde in het vorige lid geldt niet:
a. ten aanzien van die werknemers, voor wier werkzaamheden de normale werktijd vóór 10 mei 1940 op een geringer aantal uren per week placht te zijn vastgesteld, zoals voor steenhouwers, kantoorbedienden, avondboekhouders, schoonmaaksters, stokers van centrale verwarmingen en dergelijke personen, mits hun loon als gevolg der werktijdverkorting niet daalt beneden het gebruikelijke bedrag;
b. ten aanzien van die werknemers, wier week- of maandloon op een vast bedrag is vastgesteld en niet daaronder daalt bij de werktijdverkorting;
c. voor de tijd, gedurende welke een door Onze minister goedgekeurde wachtgeldregeling, als bedoeld in artikel 10, van kracht is, ten aanzien van de onder die wachtgeldregeling vallende werknemers.
3. Van het bepaalde in het eerste lid kan voorts door of vanwege Onze Minister voor bepaalde werknemers of groepen van werknemers voorwaardelijk of onvoorwaardelijk ontheffing worden verleend.

Nietigheid bepaalde handelingen

Art. 9. 1. Handelingen in strijd met de artikelen 6, eerste lid, en 8, eerste lid, zijn nietig.

2. Ten aanzien van handelingen van de werkgever kan de werknemer en ten aanzien van handelingen van de werknemer kan de werkgever deze nietigheid gedurende zes maanden inroepen.

3. Indien de werknemer de arbeidsverhouding in strijd met artikel 6 beëindigt, is de rechtsvordering tot nakoming van de arbeidsverplichting van de werknemer onder bepaling van een dwangsom of van gijzeling niet toegelaten.

Wachtgeldregeling

Art. 10. 1. De werkgever, die ten gevolge van tijdelijke stilstand van of slapte in de onderneming niet voldoende werkgelegenheid voor zijn werknemers heeft, kan een wachtgeldregeling voor hen treffen. Deze wachtgeldregeling behoeft de goedkeuring van Onze Minister. In de kosten van de wachtgeldregeling kan de werkgever onder bepaalde voorwaarden van Overheidswege een tegemoetkoming worden verleend.

2. Ter uitvoering van het bepaalde in het vorige lid worden door Onze Minister nadere bepalingen vastgesteld.

DERDE TITEL
Van de lonen en andere arbeidsvoorwaarden

Art. 11 t/m 20. Vervallen bij de wet van 12 februari 1970, Stb. 69.

VIERDE TITEL
Strafbepalingen

Art. 21 t/m 26. Vervallen bij de wet van 22 juni 1950, Stb. K. 258.

Geheimhoudingsplicht

Art. 27. 1. Het is aan allen die betrokken zijn of zijn geweest bij de uitvoering van dit besluit, verboden hetgeen hun in hun hoedanigheid gebleken of medegedeeld is, verder bekend te maken dan voor de vervulling van de hun bij of krachtens dit besluit opgedragen taak of ter voldoening aan een bij een wet of bij dit besluit opgelegde verplichting gevorderd wordt.

2. Ten aanzien van de schending van de bij het eerste lid opgelegde geheimhouding heeft geen vervolging plaats dan op klachte van hem, ten aanzien van wie de geheimhouding is geschonden.

Art. 28, 29. Vervallen bij de wet van 22 juni 1950, Stb. K. 258.

VIJFDE TITEL
Slotbepalingen

Burgerlijke rechtsvorderingen van werkgevers en werknemers

Art. 30. Burgerlijke rechtsvorderingen van werkgevers of werknemers, welke voortvloeien uit niet-naleving van het bepaalde bij of krachtens dit besluit, worden geacht betrekkelijk te zijn tot een arbeidsovereenkomst. De artikelen 131 en 241 van Boek 2 (Rechtspersonen) van het Burgerlijk Wetboek blijven echter op deze vorderingen van toepassing.

Art. 31. Vervallen bij de wet van 28 juni 1990, Stb. 403.

Delegatie van bevoegdheden door Minister

Art. 32. Onze Minister kan bevoegdheden, welke krachtens dit besluit aan hem toekomen, geheel of gedeeltelijk en voorwaardelijk of onvoorwaardelijk overdragen aan organisaties uit het bedrijfsleven.

Inwerkingtreding

Art. 33. 1. Dit besluit, ten aanzien waarvan de bevoegdheid, bedoeld in artikel 9, tweede lid, van het Besluit op den bijzonderen staat van beleg niet kan worden uitgeoefend, treedt in werking met ingang van 15 oktober 1945.

2. Met ingang van die datum vervalt het Buitengewoon Besluit Arbeidsverhoudingen (Besluit van 17 juli 1944, Staatsblad no. E 52, laatstelijk gewijzigd bij besluit van 29 december 1944, Staatsblad no. E 157).

Citeertitel

Dit besluit kan worden aangehaald onder de titel: Buitengewoon Besluit Arbeidsverhoudingen 1945.

Onze Minister van Sociale Zaken is belast met de uitvoering van dit besluit, dat in het Staatsblad zal worden geplaatst en waarvan afschrift zal worden gezonden aan den Raad van State.

Wet van 24 maart 1976, Stb. 223, houdende regelen inzake melding van collectief ontslag (Wet melding collectief ontslag), zoals laatstelijk gewijzigd bij de wet van 7 juli 1993, Stb. 386

Alzo Wij in overweging genomen hebben, dat het wenselijk is werkgevers die voornemens zijn tot collectief ontslag van werknemers over te gaan, te verplichten dit te melden;

§ 1. *Algemene bepalingen*

Begripsbepalingen

Art. 1. In deze wet wordt verstaan onder:
a. Onze Ministers: Onze Minister van Sociale Zaken en Werkgelegenheid;
b. werkgever en werknemer: partijen bij een arbeidsovereenkomst als bedoeld in artikel 1637a van het Burgerlijk Wetboek;
c. bevoegd gezag: Onze Minister, of een Regionaal Directeur voor de Arbeidsvoorziening aan wie door Onze Minister op grond van artikel 6, derde lid, van het Buitengewoon Besluit Arbeidsverhoudingen 1945 (Stb. 1963, 271) de bevoegdheid tot het verlenen van toestemming krachtens artikel 6, eerste lid, van dit besluit, is overgedragen;
d. werkgebied: een door Onze Minister vastgesteld gebied.

Grenzen van de toepasselijkheid

Art. 2. 1. Deze wet is niet van toepassing op het doen eindigen van een dienstbetrekking:
a. waarvoor geen toestemming van het bevoegd gezag vereist is;
b. uitsluitend om redenen die de persoon van de werknemer betreffen.

2. Deze wet is voorts niet van toepassing op het doen eindigen van dienstbetrekkingen wegens het aflopen van de seizoenarbeid voor het verrichten waarvan zij werden aangegaan. Onze Minister kan arbeid aanwijzen, die voor de toepassing van de vorige volzin in ieder geval als seizoenarbeid wordt beschouwd. Een zodanige aanwijzing wordt in de Nederlandse Staatscourant bekend gemaakt.

3. In afwijking van het eerste lid zijn de artikelen 3 en 4, eerste en tweede lid, van deze wet tevens van toepassing op het doen eindigen van dienstbetrekkingen ten gevolge van faillissement van de werkgever.

§ 2. *Verplichting tot melding collectief ontslag*

Verplichting melding collectief ontslag

Art. 3. 1. Een werkgever die voornemens is de dienstbetrekking van ten minste twintig werknemers, werkzaam in één werkgebied, op een of meer binnen een tijdvak van drie maanden gelegen tijdstippen te doen eindigen, meldt dit ter tijdige raadpleging schriftelijk aan de belanghebbende verenigingen van werknemers. Een gelijke schriftelijke melding doet hij aan het bevoegd gezag in het betrokken werkgebied in geval van faillissement alleen op verzoek van het bevoegd gezag.

2. Voor de berekening van het in het eerste lid bedoelde aantal werknemers wordt met de in dat lid bedoelde wijze van beëindiging van de dienstbetrekking gelijk gesteld een verzoek tot ontbinding van de arbeidsovereenkomst als bedoeld in artikel 1639w van het Burgerlijk Wetboek, ingediend door de werkgever om een of meer redenen die geen betrekking hebben op de persoon van de werknemer, op voorwaarde dat het aantal ingediende verzoeken gelijk is aan of hoger is dan vijf.

3. De raadpleging, bedoeld in het eerste lid, heeft ten minste betrekking op de mogelijkheden om de collectieve ontslagen te voorkomen of in aantal te verminderen alsook op de mogelijkheid de gevolgen ervan te verzachten, door het nemen van sociale begeleidingsmaatregelen, meer bepaald om bij te dragen tot de herplaatsing of de omscholing van de ontslagen werknemers.

Vereniging van werknemers

4. Als belanghebbende vereniging van werknemers wordt beschouwd een vereniging van werknemers, die in de onderneming werkzame personen onder haar leden telt, krachtens haar statuten ten doel heeft de belangen van haar leden als werknemers te behartigen, als zodanig in de betrokken onderneming of bedrijfstak werkzaam is, voorts ten minste twee jaar in het bezit is van rechtspersoonlijkheid en als zodanig aan de werkgever bekend is. Deze bekendheid wordt verondersteld, indien de vereniging aan de werkgever schriftelijk heeft te kennen gegeven dat zij prijs stelt op meldingen van voornemens als bedoeld in het eerste lid.

Bij melding te verstrekken gegevens

Art. 4. 1. De werkgever doet bij de meldingen, bedoeld in artikel 3, eerste lid, opgave van de overwegingen die tot het daar bedoelde voornemen hebben geleid.

2. De werkgever doet bij de meldingen voorts zo nauwkeurig mogelijk opgave van:
a. het aantal werknemers wier dienstbetrekking hij voornemens is te doen eindigen, met een onderverdeling naar beroep of functie, leeftijd en geslacht, alsmede het aantal werknemers dat hij gewoonlijk in dienst heeft;
b. het tijdstip of de tijdstippen waarop hij de dienstbetrekkingen volgens zijn voornemen zal doen eindigen;
c. de criteria die aangelegd zullen worden bij het selecteren van de voor ontslag in aanmerking komende werknemers;
d. de wijze van berekening van eventuele afvloeiingsuitkeringen.

3. De werkgever doet de melding aan het bevoegd gezag vergezeld gaan van een afschrift van de melding aan de belanghebbende verenigingen van werknemers. Hij zendt aan deze verenigingen een afschrift van de melding aan het bevoegd gezag.

4. Ten slotte geeft de werkgever bij de melding aan het bevoegd gezag op:
a. of voor de onderneming waarin de betrokken werknemers werkzaam zijn, een ondernemingsraad is ingesteld;
b. of het voornemen van de werkgever verband houdt met een besluit als bedoeld in artikel 25, eerste lid, van de Wet op de ondernemingsraden; en zo ja,
c. het tijdstip waarop de ondernemingsraad over het betrokken besluit is of zal worden geraadpleegd, dan wel daarvan in kennis gesteld en geraadpleegd over de uitvoering daarvan.

Op de hoogte houden directeur GAB

5. De werkgever houdt het bevoegd gezag op de hoogte van de raadpleging van de belanghebbende verenigingen van werknemers en van de ondernemingsraad.

Mededeling ontbrekende gegevens

Art. 5. Indien bij een melding aan het bevoegd gezag de ingevolge artikel 4, eerste t/m vierde lid vereiste gegevens niet volledig zijn verstrekt, zendt het bevoegd gezag aan de werkgever een schriftelijke mededeling, aangevende welke gegevens nog ontbreken. Zolang de ontbrekende gegevens niet zijn verstrekt, wordt de melding geacht niet te zijn gedaan.

Behandeling een maand na melding

Art. 6. 1. Het bevoegd gezag neemt verzoeken om toestemming tot het doen eindigen van de dienstbetrekkingen van werknemers ter uitvoering van een voornemen als bedoeld in artikel 3, eerste lid, niet eerder in behandeling dan een maand nadat dat voornemen is gemeld zoals bedoeld in de artikelen 3-5.

Raadpleging ondernemingsraad en werknemersverenigingen

2. Indien uit de melding blijkt, dat de ondernemingsraad van de betrokken onderneming alsnog geraadpleegd dient te worden of indien de belanghebbende verenigingen van werknemers door de werkgever nog niet voor het plegen van overleg zijn uitgenodigd, neemt het bevoegd gezag de in het eerste lid bedoelde verzoeken niet eerder in behandeling dan nadat aan dit gezag gebleken is dat die raadpleging heeft plaatsgevonden, onderscheidenlijk dat die uitnodiging is gedaan.

Herplaatsing of werkgelegenheid in gevaar

3. Het bevoegd gezag kan het eerste en het tweede lid ten aanzien van daar bedoelde verzoeken buiten toepassing laten, indien die toepssing de herplaatsing van de met het ontslag bedreigde werknemers of de werkgelegenheid van de overige werknemers in de betrokken onderneming in gevaar zou brengen.

4. Indien het bevoegd gezag een Regionaal Directeur voor de Arbeidsvoorziening is, dan behoeft deze voor het buiten toepassing laten van het eerste en tweede lid de toestemming van Onze Minister.

§ 3. *Gevolgen van niet-naleving meldingsplicht*

Gevolgen niet-naleving meldingsplicht

Art. 7. 1. Zodra het bevoegd gezag heeft vastgesteld dat een werkgever binnen een tijdvak van drie maanden heeft verzocht om toestemming tot het doen eindigen van de dienstbetrekking van ten minste twintig werknemers zonder dat die werkgever een die werknemers omvattende melding als bedoeld in artikel 3, eerste lid, heeft gedaan, neemt het bevoegd gezag de verzoeken waarop het nog niet heeft beslist niet of niet verder in behandeling. Van de toepassing van de vorige volzin doet het bevoegd gezag schriftelijk mededeling aan de werkgever.

2. De werkgever wordt alsdan geacht voornemens te zijn de dienstbetrekkingen van de in het eerste lid bedoelde werknemers binnen een tijdvak van drie maanden te doen eindigen.

3. De behandeling van de verzoeken waarop nog niet is beslist, wordt niet eerder aangevangen of voortgezet dan twee maanden nadat de werkgever overeenkomstig de artikelen 3-5 een melding heeft gedaan welke alle in het eerste lid bedoelde werknemers omvat.

4. Artikel 6, tweede en derde lid, is van overeenkomstige toepassing.

§ 4. *Slotbepalingen*

Geheimhouding van melding

Art. 8. Ieder die uit hoofde van zijn functie bij een vereniging van werknemers of in een commissie die het bevoegd gezag van advies dient, kennis neemt van een melding als bedoeld in artikel 3, eerste lid is verplicht tot geheimhouding van deze melding en van de inhoud daarvan, indien de werkgever dit bij die melding, onder opgave van redenen, uitdrukkelijk heeft verzocht. Deze verplichting vervalt zodra de verzoeken om toestemming tot ontslag in behandeling worden genomen, dan wel zoveel eerder als daaromtrent overeenstemming wordt bereikt tussen de werkgever en de verenigingen van werknemers aan welke de melding is gedaan.

Citeertitel
Inwerkingtreding

Art. 9. 1. Deze wet kan worden aangehaald als: Wet melding collectief ontslag.
2. Zij treedt in werking op een door Ons te bepalen tijdstip.

WET van 28 januari 1971, Stb. 54, houdende nieuwe regelen omtrent de medezeggenschap van de werknemers in de onderneming door middel van ondernemingsraden (Wet op de ondernemingsraden), zoals laatstelijk gewijzigd bij de wet van 13 april 1995, Stb. 231

Alzo Wij in overweging genomen hebben, dat het wenselijk is nieuwe regelen te stellen omtrent de medezeggenschap van de werknemers in de onderneming door middel van ondernemingsraden;

HOOFDSTUK I
Algemene bepalingen

Begripsbepalingen

Art. 1. 1. Voor de toepassing van het bij of krachtens deze wet bepaalde wordt verstaan onder:
a. Onze Minister:
Onze Minister van Sociale Zaken en Werkgelegenheid;
b. Raad:
De Sociaal-Economische Raad, bedoeld in de Wet op de Bedrijfsorganisatie;
c. onderneming:
elk in de maatschappij als zelfstandige eenheid optredend organisatorisch verband waarin krachtens arbeidsovereenkomst of krachtens publiekrechtelijke aanstelling arbeid wordt verricht;
d. ondernemer:
de natuurlijke persoon of de rechtspersoon die een onderneming in stand houdt;
e. bestuurder:
hij die alleen dan wel tezamen met anderen in een onderneming rechtstreeks de hoogste zeggenschap uitoefent bij de leiding van de arbeid;
f. bedrijfscommissie:
de bevoegde bedrijfscommissie, bedoeld in de artikelen 37, 43 en 46.

Wie geacht worden in de onderneming werkzaam te zijn

2. Voor de toepassing van het bij of krachtens deze wet bepaalde worden personen geacht in een onderneming werkzaam te zijn, wanneer zij in die onderneming werkzaam zijn uit hoofde van een met de betrokken ondernemer gesloten arbeidsovereenkomst, dan wel uit hoofde van een publiekrechtelijke aanstelling. Personen die in meer dan één onderneming van dezelfde ondernemer werkzaam zijn, worden geacht uitsluitend werkzaam te zijn in die onderneming van waaruit hun werkzaamheden worden geleid.

Beperking

3. Voor de toepassing van het bij of krachtens deze wet bepaalde worden de bestuurder of de bestuurders van een onderneming geacht niet te behoren tot de in de onderneming werkzame personen.

HOOFDSTUK II
De instelling van ondernemingsraden

Instellingsgrens

Art. 2. 1. De ondernemer die een onderneming in stand houdt waarin in de regel hetzij tenminste 100 personen werkzaam zijn, hetzij tenminste 35 personen meer dan een derde van de normale arbeidstijd werkzaam zijn, is in het belang van het goed functioneren van die onderneming in al haar doelstellingen verplicht om ten behoeve van het overleg met en de vertegenwoordiging van de in de onderneming werkzame personen een ondernemingsraad in te stellen en jegens deze raad de voorschriften, gesteld bij of krachtens deze wet, na te leven.

Aantal werknemers daalt tot onder instellingsgrens

2. Indien in een onderneming na de instelling van een ondernemingsraad niet langer in de regel hetzij tenminste 100 personen werkzaam zijn, hetzij tenminste 35 personen meer dan een derde van de normale arbeidstijd werkzaam zijn, houdt de ondernemingsraad van rechtswege op te bestaan bij het eindigen van de lopende zittingsperiode van die raad, tenzij de ondernemer toepassing geeft aan artikel 5a, tweede lid.

Instelling centrale ondernemingsraad en groepsondernemingsraad

Art. 3. 1. De ondernemer die twee of meer ondernemingen in stand houdt, waarin te zamen in de regel hetzij ten minste 100 personen werkzaam zijn hetzij ten minste 35 personen meer dan een derde van de normale arbeidstijd werkzaam zijn, kan voor alle of een aantal van die ondernemingen te zamen een gemeenschappelijke ondernemingsraad instellen, indien dit bevorderlijk is voor een goede toepassing van deze wet in de betrokken ondernemingen. Alvorens hiertoe over te gaan, stelt de ondernemer de betrokken ondernemingsraden in de gelegenheid hun standpunt kenbaar te maken. Bij bezwaar van een ondernemingsraad kan de ondernemer een beslissing van de kantonrechter vragen.

2. De ondernemer bedoeld in het eerste lid is verplicht op verzoek van een vereniging van werknemers als bedoeld in artikel 9, tweede lid, onder a, of van een betrokken ondernemingsraad, een gemeenschappelijke ondernemingsraad in te stellen, indien dit bevorderlijk is voor een goede toepassing van deze wet in de betrokken ondernemingen.

3. Het eerste en tweede lid zijn van overeenkomstige toepassing ten aanzien van in een groep verbonden ondernemers, die twee of meer ondernemingen in stand houden, waarin te zamen in de regel hetzij ten minste 100 personen werkzaam zijn hetzij ten minste 35 personen meer dan een derde van de normale arbeidstijd werkzaam zijn. De betrokken ondernemers wijzen een tot hun groep behorende ondernemer aan, die voor de toepassing van deze wet namens hen als ondernemer optreedt ten opzichte van de gemeenschappelijke ondernemingsraad.

4. De ondernemingen waarvoor een gemeenschappelijke ondernemingsraad is ingesteld, worden beschouwd als één onderneming in de zin van deze wet.

Instelling ondernemingsraad voor onderdeel

Art. 4. 1. De ondernemer die een onderneming in stand houdt, waarin in de regel ten minste 100 personen werkzaam zijn, kan voor een onderdeel van die onderneming een afzonderlijke ondernemingsraad instellen, indien dit bevorderlijk is voor een goede toepassing van deze wet in de onderneming. Alvorens hiertoe over te gaan, stelt de ondernemer de betrokken ondernemingsraad in de gelegenheid zijn standpunt kenbaar te maken. Bij bezwaar van de ondernemingsraad kan de ondernemer een beslissing van de kantonrechter vragen.

2. De ondernemer bedoeld in het eerste lid is verplicht op verzoek van een vereniging van werknemers als bedoeld in artikel 9, tweede lid, onder a, of van de betrokken ondernemingsraad, voor een onderdeel een afzonderlijke ondernemingsraad in te stellen, indien dit bevordelijk is voor een goede toepassing van deze wet in de onderneming.

3. Het onderdeel waarvoor een afzonderlijke ondernemingsraad is ingesteld, wordt beschouwd als een onderneming in de zin van deze wet.

Ontheffing van verplichting om ondernemingsraad in te stellen

Art. 5. 1. De Raad kan, indien bijzondere omstandigheden een goede toepassing van deze wet in de betrokken onderneming in de weg staan, aan een ondernemer op diens verzoek ten aanzien van een door hem in stand gehouden onderneming schriftelijk voor ten hoogste vijf jaren ontheffing verlenen van de verplichting tot het instellen van een ondernemingsraad.

2. De Raad stelt de verenigingen van werknemers, bedoeld in artikel 9, tweede lid, onder a, in de gelegenheid over het verzoek om ontheffing te worden gehoord.

3. Aan een ontheffing kunnen voorschriften worden verbonden. De Raad doet van zijn besluit mededeling aan de bedrijfscommissie.

4. Zolang op een verzoek om ontheffing niet onherroepelijk is beslist, geldt de in artikel 2, eerste lid, bedoelde verplichting niet.

Verplichte instelling ondernemingsraad op grond van CAO

Art. 5a. 1. Het bij of krachtens deze wet bepaalde is mede van toepassing wanneer een ondernemer op grond van een collectieve arbeidsovereenkomst of een regeling van arbeidsvoorwaarden vastgesteld door een publiekrechtelijk orgaan verplicht is voor een door hem in stand gehouden onderneming een ondernemingsraad in te stellen. Wanneer de collectieve arbeidsovereenkomst of een regeling van arbeidsvoorwaarden vastgesteld door een publiekrechtelijk orgaan de ondernemer niet langer verplicht tot het instellen van de ondernemingsraad, houdt deze van rechtswege op te bestaan bij het eindigen van de lopende zittingsperiode van die raad, tenzij de ondernemer toepassing geeft aan het tweede lid.

2. De ondernemer kan voor een door hem in stand gehouden onderneming, ten aanzien waarvan niet of niet langer een verplichting bestaat tot het instellen van een ondernemingsraad, besluiten vrijwillig een ondernemingsraad in te stellen of in stand te houden. Het bij of krachtens deze wet bepaalde is van toepassing, zodra de ondernemer dat besluit schriftelijk heeft meegedeeld aan de bedrijfscommissie. De ondernemer kan deze ondernemingsraad op grond van een belangrijke wijziging van de omstandigheden opheffen bij het eindigen van de lopende zittingsperiode van die raad. De ondernemer deelt zijn besluit tot opheffing van de ondernemingsraad schriftelijk mee aan de bedrijfscommissie.

HOOFDSTUK III
Samenstelling en werkwijze van de ondernemingsraden

Art. 6. 1. Een ondernemingsraad bestaat uit leden die door de in de onderneming werkzame personen rechtstreeks uit hun midden worden gekozen.

Aantal leden ondernemingsraad

Hun aantal bedraagt in een onderneming
met minder dan 50 personen 3 leden;
met 50 tot 100 personen 5 leden;
met 100 tot 200 personen 7 leden;
met 200 tot 400 personen 9 leden;
met 400 tot 600 personen 11 leden;
met 600 tot 1000 personen 13 leden;
met 1000 tot 2000 personen 15 leden;
en zo vervolgens bij elk volgend duizendtal personen 2 leden meer, tot ten hoogste 25 leden. De ondernemingsraad kan met toestemming van de ondernemer in zijn reglement zowel een afwijkend aantal leden vaststellen, als bepalen dat voor een of meer leden van de ondernemingsraad een plaatsvervanger wordt gekozen.

Plaatsvervangende leden

2. Kiesgerechtigd zijn de personen die gedurende ten minste 6 maanden in de onderneming werkzaam zijn geweest.

Kiesgerechtigdheid (actief kiesrecht)

3. Verkiesbaar tot lid van de ondernemingsraad zijn de personen die gedurende ten minste een jaar in de onderneming werkzaam zijn geweest.

Verkiesbaarheid (passief kiesrecht)

4. De ondernemer en de ondernemingsraad kunnen, indien dit bevorderlijk is voor een goede toepassing van deze wet in de onderneming, gezamenlijk een of meer groepen van personen die anders dan op grond van een arbeidsovereenkomst met de ondernemer, dan wel krachtens publiekrechtelijke aanstelling regelmatig in de onderneming arbeid verrichten, aanmerken als in de onderneming werkzame personen, dan wel een of meer groepen van die personen niet langer aanmerken als in de onderneming werkzame personen. Komen de ondernemer en de ondernemingsraad niet tot overeenstemming, dan kan ieder van hen een beslissing van de kantonrechter vragen.

Uitbreiding begrip „in de onderneming werkzame personen”

5. De ondernemingsraad kan in zijn reglement afwijken van hetgeen in het tweede en derde lid van dit artikel en in artikel 35a, eerste lid, onderdeel a, ten aanzien van de diensttijd en de arbeidstijd is bepaald, indien dit bevorderlijk is voor een goede toepassing van deze wet in de onderneming.

6. Tijdens een zittingsperiode van de ondernemingsraad kan geen wijziging worden gebracht in het aantal leden van de raad op grond van vermeerdering of vermindering van het aantal in de onderneming werkzame personen.

Art. 7. De ondernemingsraad kiest uit zijn midden een voorzitter en een of meer plaatsvervangende voorzitters. De voorzitter, of bij diens verhindering een plaatsvervangende voorzitter, vertegenwoordigt de ondernemingsraad in rechte.

Voorzitter en plaatsvervangend voorzitter(s)

Art. 8. 1. De ondernemingsraad maakt een reglement waarin de onderwerpen worden geregeld die bij of krachtens deze wet ter regeling aan de ondernemingsraad zijn opgedragen of overgelaten. Het reglement bevat geen bepalingen die in strijd zijn met de wet of die een goede toepassing van deze wet in de weg staan. Alvorens het reglement vast te stellen, stelt de ondernemingsraad de ondernemer in de gelegenheid zijn standpunt kenbaar te maken. De ondernemingsraad verstrekt onverwijld een exemplaar van het vastgestelde reglement aan de ondernemer en aan de bedrijfscommissie.

Vaststelling reglement door ondernemingsraad

2. De Raad kan ten aanzien van de inhoud van het reglement bij verordening nadere regelen stellen voor alle of een groep van ondernemingen. In het laatste geval wordt de betrokken bedrijfscommissie gehoord. Een verordening van de Raad behoeft de goedkeuring van Onze Minister. Een goedgekeurde verordening wordt in de Staatscourant bekend gemaakt.

3. Indien de Raad een verordening als bedoeld in het tweede lid vaststelt, brengen de betrokken ondernemingsraden binnen een jaar na de bekendmaking van de goedgekeurde verordening in de Staatscourant, de bepalingen in hun reglement die in strijd zijn met deze verordening daarmee in overeenstemming.

Art. 9. 1. De verkiezing van leden van de ondernemingsraad geschiedt bij geheime schriftelijke stemming en aan de hand van een of meer kandidatenlijsten.

Verkiezing van ondernemingsraadsleden

2. Een kandidatenlijst kan worden ingediend door:
a. een vereniging van werknemers, die in de onderneming werkzame kiesgerechtigde

Indiening kandidatenlijst

personen onder haar leden telt, krachtens haar statuten ten doel heeft de belangen van haar leden als werknemers te behartigen en als zodanig in de betrokken onderneming of bedrijfstak werkzaam is en voorts ten minste twee jaar in het bezit is van volledige rechtsbevoegdheid, mits zij met haar leden in de onderneming over de samenstelling van de kandidatenlijst overleg heeft gepleegd. Ten aanzien van een vereniging die krachtens haar statuten geacht kan worden een voortzetting te zijn van een of meer andere verenigingen met volledige rechtsbevoegdheid van werknemers, wordt de duur van de volledige rechtsbevoegdheid van die vereniging of verenigingen voor de vaststelling van de tijdsduur van twee jaar mede in aanmerking genomen;
b. een derde gedeelte of méér van diegenen van de in de onderneming werkzame kiesgerechtigde personen die geen lid zijn van een vereniging als bedoeld onder a welke een kandidatenlijst heeft ingediend, echter met dien verstande dat voor het indienen van een kandidatenlijst met 30 handtekeningen kan worden volstaan.

Kiesgroepenstelsel

3. De ondernemingsraad kan in zijn reglement bepalen, dat voor bepaalde groepen van in de onderneming werkzame personen, dan wel voor bepaalde onderdelen van de onderneming afzonderlijke kandidatenlijsten worden ingediend, ten einde als grondslag te dienen voor de verkiezing door de betrokken personen of onderdelen van een tevens in het reglement te bepalen aantal leden van de ondernemingsraad. Indien de ondernemingsraad van deze bevoegdheid gebruik heeft gemaakt, gelden de in het tweede lid ten aanzien van het indienen van kandidatenlijsten gestelde eisen voor iedere aangewezen groep of ieder aangewezen onderdeel afzonderlijk.

Representativiteit van ondernemingsraad

4. De ondernemingsraad treft, indien dit bevorderlijk is voor een goede toepassing van deze wet in de onderneming, voorzieningen in zijn reglement opdat de verschillende groepen van de in de onderneming werkzame personen zoveel mogelijk in de ondernemingsraad vertegenwoordigd kunnen zijn.

Nadere regelen verkiezingen en tussentijdse vacatures

Art. 10. De ondernemingsraad stelt in zijn reglement nadere regelen betreffende de kandidaatstelling, de inrichting van de verkiezingen en de vaststelling van de uitslag daarvan, alsmede betreffende de vervulling van tussentijdse vacatures in de ondernemingsraad.

Bekendmaking uitslag verkiezingen

Art. 11. 1. De ondernemingsraad draagt er zorg voor, dat de uitslag van de verkiezingen bekend wordt gemaakt aan de ondernemer, aan de in de onderneming werkzame personen, alsmede aan degenen die kandidatenlijsten hebben ingediend.

2. Hij draagt er zorg voor, dat de namen en de functies in de onderneming van de leden van de ondernemingsraad blijvend worden vermeld op een plaats die vrij toegankelijk is voor alle in de onderneming werkzame personen, op zodanige wijze dat daarvan gemakkelijk kennis kan worden genomen.

Aftreden leden: herkiesbaarheid

Art. 12. 1. De leden van de ondernemingsraad treden om de drie jaren tegelijk af. Zij zijn terstond herkiesbaar.

2. De ondernemingsraad kan, in afwijking van het eerste lid, in zijn reglement bepalen, dat de leden om de twee jaren of om de vier jaren tegelijk aftreden, dan wel om de twee jaren voor de helft aftreden. De ondernemingsraad kan voorts beperkingen vaststellen ten aanzien van de herkiesbaarheid.

Einde lidmaatschap

3. Wanneer een lid van de ondernemingsraad ophoudt in de onderneming werkzaam te zijn, eindigt van rechtswege zijn lidmaatschap van de ondernemingsraad.

Ontslag nemen als OR-lid

4. De leden van de ondernemingsraad kunnen te allen tijde als zodanig ontslag nemen. Zij geven daarvan schriftelijk kennis aan de voorzitter en aan de ondernemer.

5. Hij die optreedt ter vervulling van een tussentijds opengevallen plaats, treedt af op het tijdstip waarop degene in wiens plaats hij komt had moeten aftreden.

Uitsluiting van werkzaamheden

Art. 13. 1. Op verzoek van de ondernemer of van de ondernemingsraad kan de kantonrechter voor een door hem te bepalen termijn een lid van de ondernemingsraad uitsluiten van alle of bepaalde werkzaamheden van de ondernemingsraad. Het verzoek kan uitsluitend worden gedaan, door de ondernemer op grond van het feit dat het betrokken ondernemingsraadlid het overleg van de ondernemingsraad met de ondernemer ernstig belemmert, en door de ondernemingsraad op grond van het feit dat de betrokkene de werkzaamheden van de ondernemingsraad ernstig belemmert.

2. Alvorens een verzoek in te dienen stelt de verzoeker de betrokkene in de gelegenheid over het verzoek te worden gehoord. De ondernemer en de ondernemingsraad stellen elkaar in kennis van een overeenkomstig het eerste lid ingediend verzoek.

Inhoud reglement

Art. 14. 1. De ondernemingsraad regelt in zijn reglement zijn werkwijze.
2. Het reglement bevat in ieder geval voorschriften omtrent:
a. de gevallen waarin de ondernemingsraad ten behoeve van de uitoefening van zijn taak bijeenkomt;
b. de wijze van bijeenroeping van de ondernemingsraad;
c. het aantal leden dat aanwezig moet zijn om een vergadering te kunnen houden;
d. de uitoefening van het stemrecht in de vergaderingen;
e. de voorziening in het secretariaat;
f. het opmaken en het bekendmaken aan de ondernemer, de leden van de ondernemingsraad en aan de andere in de onderneming werkzame personen van de agenda van de vergaderingen van de ondernemingsraad;
g. het tijdstip waarop de ondernemer, de leden van de ondernemingsraad en de andere in de onderneming werkzame personen uiterlijk in kennis dienen te worden gesteld van de agenda, welk tijdstip niet later kan worden gesteld dan 7 dagen vóór de vergadering, behoudens in spoedeisende gevallen;
h. het opmaken en het bekend maken aan de ondernemer, de leden van de ondernemingsraad en aan de andere in de onderneming werkzame personen van de verslagen van de vergaderingen van de ondernemingsraad en van het jaarverslag van de ondernemingsraad.

Ondernemingsraadcommissies algemeen

Art. 15. 1. De ondernemingsraad kan de commissies instellen die hij voor de vervulling van zijn taak redelijkerwijze nodig heeft. De ondernemingsraad legt zijn voornemen om een commissie in te stellen schriftelijk voor aan de ondernemer, met vermelding van de taak, samenstelling, bevoegdheden en werkwijze van de door hem in te stellen commissie. Bij bezwaar van de ondernemer kan de ondernemingsraad een beslissing van de kantonrechter vragen.

Vaste commissies

2. De ondernemingsraad kan met inachtneming van het eerste lid vaste commissies instellen voor de behandeling van door hem aangewezen onderwerpen. De ondernemingsraad kan in het instellingsbesluit van een vaste commissie zijn rechten en bevoegdheden ten aanzien van deze onderwerpen, met uitzondering van de bevoegdheid tot het voeren van rechtsgedingen, geheel of gedeeltelijk aan de betrokken commissie overdragen. In een vaste commissie kunnen naast een meerderheid van leden van de ondernemingsraad ook andere in de onderneming werkzame personen zitting hebben.

Onderdeelcommissies

3. De ondernemingsraad kan met inachtneming van het eerste lid voor onderdelen van de onderneming onderdeelcommissies instellen voor de behandeling van de aangelegenheden van die onderdelen. De ondernemingsraad kan in het instellingsbesluit van een onderdeelcommissie aan deze commissie de bevoegdheid toekennen tot het plegen van overleg met degene die de leiding heeft van het betrokken onderdeel. In dat geval gaan de rechten en bevoegdheden van de ondernemingsraad ten aanzien van de aangelegenheden van het onderdeel, met uitzondering van de bevoegdheid tot het voeren van rechtsgedingen, over naar de onderdeelcommissie, tenzij de ondernemingsraad besluit een bepaalde aangelegenheid zelf te behandelen. In een onderdeelcommissie kunnen naast een of meer leden van de ondernemingsraad uitsluitend in het betrokken onderdeel werkzame personen zitting hebben.

Voorbereidingscommissies

4. De ondernemingsraad kan met inachtneming van het eerste lid voorbereidingscommissies instellen ter voorbereiding van door de ondernemingsraad te behandelen onderwerpen. Een voorbereidingscommissie kan geen rechten of bevoegdheden van de ondernemingsraad uitoefenen. Een voorbereidingscommissie kan slechts voor een bepaalde, door de ondernemingsraad in het instellingsbesluit te vermelden, tijd worden ingesteld. In een voorbereidingscommissie kunnen naast een of meer leden van de ondernemingsraad ook andere in de onderneming werkzame personen zitting hebben.
5. Ten aanzien van de leden van door de ondernemingsraad ingestelde commissies, die geen lid zijn van de ondernemingsraad, is artikel 13 van overeenkomstige toepassing.

Uitnodigen deskundigen en andere personen

Art. 16. 1. De ondernemingsraad kan een of meer deskundigen uitnodigen tot het bijwonen van een vergadering van die raad, met het oog op de behandeling van een bepaald onderwerp. Hij kan een zodanige uitnodiging ook doen aan een of meer bestuurders van de onderneming, dan wel aan een of meer personen als bedoeld in artikel 24, tweede lid.

2. Aan de in het eerste lid bedoelde personen worden tijdig de agenda van de betrokken vergadering en de stukken die zij behoeven verstrekt.

3. De leden van de ondernemingsraad kunnen in de vergadering aan de in het eerste lid bedoelde personen inlichtingen en adviezen vragen.

4. Een deskundige kan eveneens worden uitgenodigd een schriftelijk advies uit te brengen.

5. De voorgaande leden zijn van overeenkomstige toepassing ten aanzien van de commissies van de ondernemingsraad.

Gebruik van voorzieningen in de onderneming

Art. 17. 1. De ondernemer is verplicht de ondernemingsraad en de commissies van die raad het gebruik toe te staan van de voorzieningen waarover hij als zodanig kan beschikken en die de ondernemingsraad en de commissies van die raad voor de vervulling van hun taak redelijkerwijze nodig hebben.

Vergaderen tijdens normale arbeidstijd

2. De ondernemingsraad en de commissies van die raad vergaderen zoveel mogelijk tijdens de normale arbeidstijd.

Behoud van recht op loon

3. De leden van de ondernemingsraad en de leden van de commissies van die raad behouden voor de tijd gedurende welke zij ten gevolge van het bijwonen van een vergadering van de ondernemingsraad of van een commissie van die raad niet de bedongen arbeid hebben verricht, hun aanspraak op loon dan wel bezoldiging.

Onderbreking arbeid voor beraad door afzonderlijke leden van ondernemingsraad (-commissies)

Art. 18. 1. De ondernemer is verplicht de leden van de ondernemingsraad en de leden van de commissies van die raad, gedurende een door de ondernemer en de ondernemingsraad gezamenlijk vast te stellen aantal uren per jaar, in werktijd en met behoud van loon dan wel bezoldiging de gelegenheid te bieden voor onderling beraad en overleg met andere personen over aangelegenheden waarbij zij in de uitoefening van hun taak zijn betrokken, alsmede voor kennisneming van de arbeidsomstandigheden in de onderneming.

Recht op scholing en vorming ondernemingsraad-leden

2. De ondernemer is verplicht de leden van de ondernemingsraad gedurende een door de ondernemer en de ondernemingsraad gezamenlijk vast te stellen aantal dagen per jaar, in werktijd en met behoud van loon dan wel bezoldiging de gelegenheid te bieden de scholing en vorming te ontvangen welke zij in verband met de vervulling van hun taak nodig oordelen.

Recht op scholing en vorming commissie-leden

3. Indien de ondernemingsraad een commissie heeft ingesteld ter behandeling van aangelegenheden betreffende de veiligheid, de gezondheid en het welzijn in verband met de arbeid van de in de onderneming werkzame personen dan wel een commissie ter bevordering van de gelijke behandeling van mannen en vrouwen in de onderneming, kan hij bepalen dat de leden van die commissie die geen lid zijn van de ondernemingsraad eveneens recht hebben op scholing en vorming overeenkomstig het tweede lid gedurende een door hem vast te stellen aantal dagen per jaar. Dit aantal dagen wordt in mindering gebracht op het totaal aantal dagen dat overeenkomstig het tweede lid toekomt aan de leden van de ondernemingsraad. De ondernemingsraad doet hiervan mededeling aan de ondernemer.

Vaststelling aantal dagen en uren

4. De ondernemer en de ondernemingsraad stellen het aantal uren, bedoeld in het eerste lid, en het aantal dagen, bedoeld in het tweede lid, vast op een zodanig aantal als de betrokken leden van de ondernemingsraad en van de commissies van die raad voor de vervulling van hun taak redelijkerwijze nodig hebben, met dien verstande dat het aantal uren niet lager vastgesteld kan worden dan zestig per jaar, en het aantal dagen niet lager dan vijf per jaar.

Verzoek aan kantonrechter

5. De ondernemingsraad, alsmede ieder lid van de ondernemingsraad of van een commissie van die raad kan de kantonrechter verzoeken te bepalen dat de ondernemer gevolg dient te geven aan hetgeen is bepaald in het eerste, het tweede en het derde lid.

Art. 19. Vervallen.

Geheimhoudingsplicht

Art. 20. 1. De leden van de ondernemingsraad en de leden van de commissies van die raad, alsmede de overeenkomstig artikel 16 geraadpleegde deskundigen zijn verplicht tot geheimhouding van alle zaken- en bedrijfsgeheimen die zij in hun hoedanigheid vernemen, alsmede van alle aangelegenheden ten aanzien waarvan de ondernemer, dan wel de ondernemingsraad of de betrokken commissie hun geheimhouding heeft opgelegd of waarvan zij, in verband met opgelegde geheimhouding, het vertrouwelijk karakter moeten begrijpen. Het voornemen om geheimhouding op te leggen wordt zoveel mogelijk vóór de behandeling van de betrokken aangelegenheid meegedeeld. Degene die de geheimhouding oplegt, deelt daarbij tevens mee, welke schriftelijk of mondeling verstrekte gegevens onder de geheimhouding vallen en hoelang deze dient te duren, alsmede of er personen zijn ten aanzien van wie de geheimhouding niet in acht behoeft te worden genomen.

Uitbreiding geheimhoudingsplicht

2. Het eerste lid is van overeenkomstige toepassing ten aanzien van degenen die met het secretariaat van de ondernemingsraad of van een commissie van die raad zijn belast.

Beperking geheimhoudingsplicht

3. De in het eerste lid bedoelde verplichting geldt niet tegenover hen die ingevolge een rechterlijke opdracht zijn belast met een onderzoek naar de gang van zaken in de onderneming.

4. De in het eerste lid bedoelde verplichting geldt voorts niet tegenover hem die door een lid van de ondernemingsraad of door een lid van een commissie van die raad wordt benaderd voor overleg, mits de ondernemer, onderscheidenlijk degene die geheimhouding heeft opgelegd, vooraf toestemming heeft gegeven voor het overleg met de betrokken persoon en deze laatste schriftelijk heeft verklaard, dat hij zich ten aanzien van de betrokken aangelegenheid tot geheimhouding verplicht. In dat geval is ten aanzien van de bedoelde persoon het eerste lid van overeenkomstige toepassing.

5. Een weigering de in het vorige lid bedoelde toestemming te verlenen, wordt door de ondernemer, onderscheidenlijk door degene die geheimhouding heeft opgelegd, met redenen omkleed.

Geheimhoudingsplicht ook na beëindiging lidmaatschap

6. De plicht tot geheimhouding vervalt niet door beëindiging van het lidmaatschap van de ondernemingsraad of van de betrokken commissie, noch door beëindiging van de werkzaamheden van de betrokkene in de onderneming.

Bescherming tegen benadeling van positie in onderneming

Art. 21. 1. De ondernemer draagt er zorg voor, dat de in de onderneming werkzame personen die staan of gestaan hebben op een kandidatenlijst als bedoeld in artikel 9, alsmede de leden en de gewezen leden van de ondernemingsraad en van de commissies van die raad niet uit hoofde van hun kandidaatstelling of van hun lidmaatschap van de ondernemingsraad of van een commissie van die raad worden benadeeld in hun positie in de onderneming. De ondernemingsraad, alsmede iedere in de onderneming werkzame persoon als in de vorige volzin bedoeld, kan de kantonrechter verzoeken te bepalen dat de ondernemer gevolg dient te geven aan hetgeen in de vorige volzin is bepaald. Ten aanzien van personen die krachtens publiekrechtelijke aanstelling in de onderneming werkzaam zijn, treedt de arrondissementsrechtbank in de plaats van de kantonrechter.

Ontslagverbod

2. Het is de ondernemer niet toegestaan de dienstbetrekking van een in de onderneming werkzame persoon die lid is van de ondermingsraad of van een commissie als bedoeld in artikel 15, tweede en derde lid, te beëindigen, behalve wanneer de betrokkene schriftelijk in de beëindiging toestemt of wanneer deze geschiedt wegens een dringende aan de werknemer onverwijld meegedeelde reden of wegens beëindiging van de werkzaamheden van de onderneming of van het onderdeel van de onderneming waarin de betrokkene werkzaam is. Een beëindiging in strijd met het in dit lid bepaalde is nietig.

Ontslagverbod behoudens toestemming kantonrechter

3. Het is de ondernemer niet toegestaan de dienstbetrekking van een in de onderneming werkzame persoon die geplaatst is op een kandidatenlijst als bedoeld in artikel 9, die korter dan twee jaar geleden lid is geweest van de ondernemingsraad, die lid is van een commissie als bedoeld in artikel 15, vierde lid, of die korter dan twee jaar geleden lid is geweest van een commissie van de raad, te beëindigen zonder voorafgaande toestemming van de kantonrechter. De toestemming wordt gevraagd bij verzoekschrift. De kantonrechter verleent de toestemming slechts, indien het hem aannemelijk voorkomt dat de beëindiging geen verband met de plaatsing van de betrokkenen op de kandidatenlijst of met het lidmaatschap van de betrokkene van de ondernemingsraad of van een commissie van die raad. De betrokkene wordt in de gelegenheid gesteld te worden gehoord. Een beëindiging in strijd met het in dit lid bepaalde is nietig.

4. De in het vorige lid bedoelde toestemming is niet vereist, wanneer de betrokkene schriftelijk in de beëindiging toestemt of wanneer deze geschiedt wegens een dringende aan de werknemer onverwijld meegedeelde reden of wegens beëindiging van de werkzaamheden van de onderneming of van het onderdeel van de onderneming waarin de betrokkene werkzaam is.

Ontbinding van arbeidsovereenkomst door kantonrechter

5. Het tweede tot en met vierde lid laten onverlet de bevoegdheid van de ondernemer om de kantonrechter te verzoeken de arbeidsovereenkomst wegens gewichtige redenen te ontbinden. De Kantonrechter kan dit verzoek slechts inwilligen, indien het hem aannemelijk voorkomt dat het verzoek geen verband houdt met de plaatsing van de betrokkene op de kandidatenlijst of met het lidmaatschap van de betrokkene van de ondernemingsraad of van een commissie van die raad.

6. De leden 2 tot en met 5 zijn niet van toepassing ten aanzien van personen die krachtens publiekrechtelijke aanstelling werkzaam zijn in de onderneming.

Kosten van ondernemingsraad ten laste van ondernemer

Art. 22. 1. De kosten die redelijkerwijze noodzakelijk zijn voor de vervulling van de taak van de ondernemingsraad en de commissies van die raad komen ten laste van de ondernemer.

2. Met inachtneming van het bepaalde in het eerste lid komen de kosten van het overeenkomstig artikel 16 en artikel 23a, zesde lid, raadplegen van een deskundige door de ondernemingsraad of een commissie van die raad, alsmede de kosten van het voeren van rechtsgedingen door de ondernemingsraad slechts ten laste van de ondernemer, indien hij van de te maken kosten vooraf in kennis is gesteld. De eerste volzin is niet van toepassing wanneer uitvoering is gegeven aan het derde lid.

Kosten-budget

3. De ondernemer kan in overeenstemming met de ondernemingsraad de kosten die de ondernemingsraad en de commissies van die raad in enig jaar zullen maken, voor zover deze geen verband houden met het bepaalde in de artikelen 17 en 18, vaststellen op een bepaald bedrag, dat de ondernemingsraad naar eigen inzicht kan besteden. Kosten waardoor het hier bedoelde bedrag zal worden overschreden, komen slechts ten laste van de ondernemer voor zover hij in het dragen daarvan toestemt.

Geen veroordeling in proceskosten

Art. 22a. In rechtsgedingen tussen de ondernemer en de ondernemingsraad kan de ondernemingsraad niet in de proceskosten worden veroordeeld.

HOOFDSTUK IV
Het overleg met de ondernemingsraad

Overlegvergaderingen

Art. 23. 1. De ondernemer en de ondernemingsraad komen met elkaar bijeen binnen twee weken nadat hetzij de ondernemingsraad hetzij de ondernemer daarom onder opgave van redenen heeft verzocht.

2. De ondernemer en de ondernemingsraad komen ten minste zesmaal per kalenderjaar in vergadering bijeen.

Onderwerpen overlegvergaderingen; initiatiefrecht ondernemingsraad

3. In de in de voorgaande leden bedoelde vergaderingen worden de aangelegenheden, de onderneming betreffende, aan de orde gesteld, ten aanzien waarvan hetzij de ondernemer, hetzij de ondernemingsraad overleg wenselijk acht of waarover ingevolge het bij of krachtens deze wet bepaalde overleg tussen de ondernemer en de ondernemingsraad moet plaatsvinden. De ondernemingsraad is bevoegd omtrent de bedoelde aangelegenheden voorstellen te doen en standpunten kenbaar te maken. Onder de aangelegenheden, de onderneming betreffende, is niet begrepen het beleid ten aanzien van, alsmede de uitvoering van een bij of krachtens een wettelijk voorschrift aan de ondernemer opgedragen publiekrechtelijke taak, behoudens voor zover deze uitvoering de werkzaamheden van de in de onderneming werkzame personen betreft.

Initiatiefrecht ondernemingsraad buiten overlegvergaderingen

4. De ondernemingsraad is ook buiten de in het eerste en tweede lid bedoelde vergaderingen bevoegd aan de ondernemer voorstellen te doen omtrent de in het derde lid bedoelde aangelegenheden. Een dergelijk voorstel wordt schriftelijk en voorzien van een toelichting aan de ondernemer voorgelegd. De ondernemer beslist over het voorstel niet dan nadat daarover ten minste éénmaal overleg is gepleegd in een vergadering als bedoeld in het eerste of tweede lid. Na het overleg deelt de ondernemer zo spoedig mogelijk schriftelijk en met redenen omkleed aan de ondernemingsraad mee, of en in hoeverre hij overeenkomstig het voorstel zal besluiten. Wanneer de ondernemer of de ondernemingsraad te kennen geeft daarop prijs te stellen, wordt het besluit in een overlegvergadering kenbaar gemaakt.

Bestuurder voert overleg voor ondernemer

5. Het overleg wordt voor de ondernemer gevoerd door de bestuurder van de onderneming. Wanneer een onderneming meer dan één bestuurder heeft, bepalen deze te zamen wie van hen overleg pleegt met de ondernemingsraad.

6. De in het vorige lid bedoelde bestuurder kan zich in geval van verhindering of ten aanzien van een bepaald onderwerp laten vervangen door een medebestuurder. Heeft de onderneming geen meerhoofdig bestuur, dan kan de bestuurder zich bij verhindering doen vervangen door een persoon als bedoeld in artikel 24, tweede lid,

of door een in de onderneming werkzame persoon die beschikt over bevoegdheden om namens de ondernemer overleg te voeren met de ondernemingsraad.

7. De bestuurder of degene die hem vervangt kan zich bij het overleg laten bijstaan door een of meer medebestuurders, personen als bedoeld in artikel 24, tweede lid, of in de onderneming werkzame personen.

Overlegvergadering voldoet aan vereisten voor houden van gewone vergadering

Art. 23a. 1. Een vergadering als bedoeld in artikel 23 kan slechts worden gehouden, indien ten aanzien van de ondernemingsraad wordt voldaan aan de bepalingen die ingevolge het reglement van de ondernemingsraad gelden voor het houden van een vergadering van die raad. Alle leden van de ondernemingsraad kunnen in de vergadering het woord voeren.

Leiding bij overlegvergadering

2. De overlegvergadering wordt, tenzij de ondernemer en de ondernemingsraad te zamen een andere regeling treffen, beurtelings geleid door de bestuurder of degene die hem ingevolge artikel 23, zesde lid, vervangt en de voorzitter of de plaatsvervangende voorzitter van de ondernemingsraad.

Secretaris overlegvergadering

3. De secretaris van de ondernemingsraad treedt op als secretaris van de overlegvergadering, tenzij de ondernemer en de ondernemingsraad te zamen een andere persoon als secretaris aanwijzen.

Agenda

4. De agenda van de overlegvergadering bevat de onderwerpen die door de ondernemer of door de ondernemingsraad bij de secretaris voor het overleg zijn aangemeld. Het verslag van de overlegvergadering behoeft de goedkeuring van de ondernemer en de ondernemingsraad.

Gang van zaken bij overlegvergadering

5. De ondernemer en de ondernemingsraad maken gezamenlijk afspraken over de gang van zaken bij de overlegvergadering en over de wijze en het tijdstip waarop de agenda en het verslag van de overlegvergadering aan de in de onderneming werkzame personen bekend worden gemaakt.

Deskundigen; gebruik van ondernemings-voorzieningen; kosten

6. Ten aanzien van de overlegvergadering zijn de artikelen 17 en 22 van overeenkomstige toepassing. Zowel de ondernemingsraad als de ondernemer kan een of meer deskundigen tot het bijwonen van een overlegvergadering, indien dit voor de behandeling van een bepaald onderwerp redelijkerwijze nodig is. Zij stellen elkaar hiervan tijdig vooraf in kennis. Bij bezwaar van de ondernemer, onderscheidenlijk de ondernemingsraad tegen het uitnodigen van een deskundige kan de ondernemingsraad, onderscheidenlijk de ondernemer een beslissing van de kantonrechter vragen.

Besluitvorming tijdens overlegvergadering

Art. 23b. 1. Tijdens een vergadering als bedoeld in artikel 23 kunnen zowel door de ondernemer als door de ondernemingsraad besluiten worden genomen.

Schorsing overlegvergadering

2. Een overlegvergadering wordt door de voorzitter geschorst, wanneer de ondernemer of de ondernemingsraad ten aanzien van een bepaald onderwerp afzonderlijk beraad wenselijk acht.

Van toepassing zijnde artikelen op overleg met onder-deel-commissie

Art. 23c. Indien de ondernemingsraad aan een onderdeelcommissie de bevoegdheid heeft toegekend tot het plegen van overleg met degene die de leiding heeft van het betrokken onderdeel, zijn ten aanzien van dat overleg de artikelen 17, 22, 23, 23a, tweede, vierde en zesde lid, 23b, 24, eerste lid, 25, 27, 28, 31a, eerste, zesde en zevende lid, 31b en 31c van overeenkomstige toepassing. In dit overleg kunnen geen aangelegenheden worden behandeld die in het overleg met de ondernemingsraad worden behandeld.

Bespreking algemene gang van zaken

Art. 24. 1. In de in artikel 23 bedoelde vergaderingen wordt ten minste tweemaal per jaar de algemene gang van zaken van de onderneming besproken.

Verplichte aanwezigheid van commissarissen NV's en BV's; bestuursleden stichtingen en verenigingen

2. Indien de onderneming in stand wordt gehouden door een naamloze vennootschap of een besloten vennootschap met beperkte aansprakelijkheid, zijn bij de in het eerste lid bedoelde besprekingen de commissarissen van de vennootschap, als die er zijn, dan wel een of meer vertegenwoordigers uit hun midden aanwezig. Wordt ten minste de helft van de aandelen van de vennootschap middellijk of onmiddellijk voor eigen rekening gehouden door een andere vennootschap, dan rust de hiervoor bedoelde verplichting op de bestuurders van de laatstbedoelde vennootschap, dan wel op een of meer door hen aangewezen vertegenwoordigers. Wordt de onderneming in stand gehouden door een vereniging of een stichting, dan zijn de bestuursleden van die vereniging of die stichting, dan wel een of meer

vertegenwoordigers uit hun midden aanwezig. De ondernemingsraad kan in een bepaald geval besluiten, dat aan dit lid geen toepassing behoeft te worden gegeven.

Uitzondering

3. Het in het vorige lid bepaalde geldt niet ten aanzien van een onderneming die in stand wordt gehouden door een ondernemer die ten minste vijf ondernemingen in stand houdt waarvoor een ondernemingsraad is ingesteld waarop de bepalingen van deze wet van toepassing zijn, dan wel door een ondernemer die deel uitmaakt van in een groep verbonden ondernemers die te zamen ten minste vijf ondernemingsraden hebben ingesteld waarop de bepalingen van deze wet van toepassing zijn.

HOOFDSTUK IV A

Bijzondere bevoegdheden van de ondernemingsraad

Adviesrecht

Art. 25. 1. De ondernemingsraad wordt door de ondernemer in de gelegenheid gesteld advies uit te brengen over elk door hem voorgenomen besluit tot:

a. overdracht van de zeggenschap over de onderneming of een onderdeel daarvan;

b. het vestigen van, dan wel het overnemen of afstoten van de zeggenschap over, een andere onderneming, alsmede het aangaan van, het aanbrengen van een belangrijke wijziging in of het verbreken van duurzame samenwerking met een andere onderneming, waaronder begrepen het aangaan, in belangrijke mate wijzigen of verbreken van een belangrijke financiële deelneming van wege of ten behoeve van een dergelijke onderneming;

c. beëindiging van de werkzaamheden van de onderneming of van een belangrijk onderdeel daarvan;

d. belangrijke inkrimping, uitbreiding of andere wijziging van de werkzaamheden van de onderneming;

e. belangrijke wijziging in de organisatie van de onderneming, dan wel in de verdeling van bevoegdheden binnen de onderneming;

f. wijziging van de plaats waar de onderneming haar werkzaamheden uitoefent;

g. het groepsgewijze werven of inlenen van arbeidskrachten;

h. het doen van een belangrijke investering ten behoeve van de onderneming;

i. het aantrekken van een belangrijk krediet ten behoeve van de onderneming;

j. het verstrekken en het formuleren van een adviesopdracht aan een deskundige buiten de onderneming betreffende een der hiervoor bedoelde aangelegenheden.

Het onder *b* bepaalde, alsmede het onder j bepaalde, voorzover dit betrekking heeft op een aangelegenheid als bedoeld onder b, is niet van toepassing wanneer de andere onderneming in het buitenland gevestigd is of wordt en redelijkerwijze niet te verwachten is dat het voorgenomen besluit zal leiden tot een besluit als bedoeld onder *c-f* ten aanzien van een onderneming die door de ondernemer in Nederland in stand wordt gehouden.

Tijdstip adviesaanvraag

2. Het advies moet op een zodanig tijdstip worden gevraagd, dat het van wezenlijke invloed kan zijn op het te nemen besluit.

Overzicht beweegredenen, gevolgen en maatregelen

3. Bij het vragen van advies wordt aan de ondernemingsraad een overzicht verstrekt van de beweegredenen voor het besluit, alsmede van de gevolgen die het besluit naar te verwachten valt voor de in de onderneming werkzame personen zal hebben en van de naar aanleiding daarvan voorgenomen maatregelen.

Overlegvergadering vóór uitbrengen advies

4. De ondernemingsraad brengt met betrekking tot een voorgenomen besluit als bedoeld in het eerste lid geen advies uit dan nadat over de betrokken aangelegenheid ten minste éénmaal overleg is gepleegd in een vergadering als bedoeld in artikel 23. Wanneer de ondernemer of de ondernemingsraad te kennen geeft daarop prijs te stellen, wordt het advies in een overlegvergadering uitgebracht. Ten aanzien van de bespreking van het voorgenomen besluit in de overlegvergadering is artikel 24, tweede lid, van overeenkomstige toepassing.

In kennis stellen ondernemingsraad van genomen besluit

5. Indien na het advies van de ondernemingsraad een besluit als in het eerste lid bedoeld wordt genomen, wordt de ondernemingsraad door de ondernemer zo spoedig mogelijk van het besluit schriftelijk in kennis gesteld. Indien het advies van de ondernemingsraad niet of niet geheel is gevolgd, wordt aan de ondernemingsraad tevens meegedeeld, waarom van dat advies is afgeweken. Voor zover de ondernemingsraad daarover nog niet heeft geadviseerd, wordt voorts het advies van de ondernemingsraad ingewonnen over de uitvoering van het besluit.

Opschorting uitvoering genomen besluit

6. Tenzij het besluit van de ondernemer oveeenstemt met het advies van de ondernemingsraad, is de ondernemer verplicht de uitvoering van zijn besluit op te schorten tot een maand na de dag waarop de ondernemingsraad van het besluit in kennis is gesteld. De verplichting vervalt wanneer de ondernemingsraad zulks te kennen geeft. Het is de ondernemer verboden een besluit uit te voeren gedurende de periode waarin de uitvoering van het besluit moet worden opgeschort.

Art. 26. 1. De ondernemingsraad kan bij de ondernemingskamer van het gerechtshof te Amsterdam beroep instellen tegen een besluit van de ondernemer als bedoeld in artikel 25, vijfde lid, hetzij wanneer dat besluit niet in overeenstemming is met het advies van de ondernemingsraad, hetzij wanneer feiten of omstandigheden bekend zijn geworden, die, waren zij aan de ondernemingsraad bekend geweest ten tijde van het uitbrengen van zijn advies, aanleiding zouden kunnen zijn geweest om het advies niet uit te brengen zoals het is uitgebracht.

Beroep bij ondernemingskamer van gerechtshof

2. Het beroep wordt ingediend bij verzoekschrift, binnen een maand nadat de ondernemingsraad van het in het eerste lid bedoelde besluit in kennis is gesteld.

Beroepstermijn

3. De ondernemer wordt van het ingestelde beroep in kennis gesteld.

4. Het beroep kan uitsluitend worden ingesteld ter zake dat de ondernemer bij afweging van de betrokken belangen niet in redelijkheid tot zijn besluit had kunnen komen.

Beroepsgrond

5. De ondernemingskamer behandelt het verzoek met de meeste spoed. Alvorens te beslissen kan zij, ook ambtshalve, deskundigen, alsmede in de onderneming werkzame personen horen. Indien de ondernemingskamer het beroep gegrond bevindt, verklaart zij dat de ondernemer bij afweging van de betrokken belangen niet in redelijkheid tot het betrokken besluit had kunnen komen. Zij kan voorts, indien de ondernemingsraad daarom heeft verzocht, een of meer van de volgende voorzieningen treffen:

Voorzieningen die ondernemingskamer kan treffen

a. het opleggen van de verplichting aan de ondernemer om het besluit geheel of ten dele in te trekken, alsmede om aan te wijzen gevolgen van dat besluit ongedaan te maken;
b. het opleggen van een verbod aan de ondernemer om handelingen te verrichten of te doen verrichten ter uitvoering van het besluit of van onderdelen daarvan.
Een voorziening van de ondernemingskamer kan door derden verworven rechten niet aantasten.

6. Het is verboden een verplichting of een verbod als bedoeld in het vorige lid niet na te komen, onderscheidenlijk te overtreden.

7. De ondernemingskamer kan haar beslissing op een verzoek tot het treffen van voorzieningen voor een door haar te bepalen termijn aanhouden, indien beide partijen daarom verzoeken, dan wel indien de ondernemer op zich neemt het besluit waartegen beroep is ingesteld, in te trekken of te wijzigen, of bepaalde gevolgen van het besluit ongedaan te maken.

8. Nadat het verzoekschrift is ingediend kan de ondernemingskamer zo nodig onverwijld, voorlopige voorzieningen treffen. Het vijfde lid, vierde en vijfde volzin, en het zesde lid, zijn van overeenkomstige toepassing.

Voorlopige voorzieningen

9. Van een beschikking van de ondernemingskamer staat uitsluitend beroep in cassatie open.

Beroep in cassatie

Art. 27. 1. De ondernemer behoeft de instemming van de ondernemingsraad voor elk door hem voorgenomen besluit tot vaststelling, wijziging of intrekking van:

Instemmingsrecht

a. een reglement als bedoeld in artikel 1637j van het Burgerlijk Wetboek;
b. een regeling met betrekking tot een pensioenverzekering, een winstdelingsregeling of een spaarregeling;
c. een werktijd- of een vakantieregeling;
d. een belonings- of een functiewaarderingssysteem;
e. een regeling op het gebied van de veiligheid, de gezondheid of het welzijn in verband met de arbeid;
f. een regeling op het gebied van het aanstellings-, ontslag- of bevorderingsbeleid;
g. een regeling op het gebied van de personeelsopleiding;
h. een regeling op het gebied van de personeelsbeoordeling;
i. een regeling op het gebied van het bedrijfsmaatschappelijk werk;
j. een regeling op het gebied van het werkoverleg;
k. een regeling op het gebied van de behandeling van klachten;
l. een regeling met betrekking tot de positie van jongeren in de onderneming,
een en ander voor zover betrekking hebbende op alle of een groep van de in de onderneming werkzame personen.

2. De ondernemer legt het te nemen besluit schriftelijk aan de ondernemingsraad voor. Hij verstrekt daarbij een overzicht van de beweegredenen voor het besluit, alsmede van de gevolgen die het besluit naar te verwachten valt voor de in de onderneming werkzame personen zal hebben. De ondernemingsraad beslist niet dan nadat over de betrokken aangelegenheid ten minste éénmaal overleg is gepleegd in een vergadering als bedoeld in artikel 23. Na het overleg deelt de ondernemingsraad zo spoedig mogelijk schriftelijk en met redenen omkleed zijn beslissing aan de

Procedure-regels

ondernemer mee. Wanneer de ondernemer of de ondernemingsraad te kennen geeft daarop prijs te stellen, wordt de beslissing in een overlegvergadering kenbaar gemaakt. Na de beslissing van de ondernemingsraad deelt de ondernemer zo spoedig mogelijk schriftelijk aan de ondernemingsraad mee welk besluit hij heeft genomen en met ingang van welke datum hij dat besluit zal uitvoeren.

Uitzondering voor regeling in CAO

3. De in het eerste lid bedoelde instemming is niet vereist, voor zover de betrokken aangelegenheid voor de onderneming reeds inhoudelijk is geregeld in een collectieve arbeidsovereenkomst of een regeling van arbeidsvoorwaarden vastgesteld door een publiekrechtelijk orgaan. Deze instemming is evenmin vereist met betrekking tot een regeling als bedoeld in onderdeel e van het eerste lid, voor zover terzake een aanwijzing kan worden gegeven of een eis kan worden gesteld als bedoeld in de Arbeidsomstandighedenwet (Stb. 1980, 664).

Goedkeuring kantonrechter i.p.v. instemming ondernemingsraad

4. Heeft de ondernemer voor het voorgenomen besluit geen instemming van de ondernemingsraad verkregen, dan kan hij de kantonrechter toestemming vragen om het besluit te nemen. De kantonrechter geeft slechts toestemming, indien de beslissing van de ondernemingsraad om geen instemming te geven onredelijk is, of het voorgenomen besluit van de ondernemer gevergd wordt door zwaarwegende bedrijfsorganisatorische, bedrijfseconomische of bedrijfssociale redenen.

Nietigheid van besluit zonder instemming of goedkeuring

5. Een besluit als bedoeld in het eerste lid, genomen zonder de instemming van de ondernemingsraad of de toestemming van de kantonrechter, is nietig, indien de ondernemingsraad tegenover de ondernemer schriftelijk een beroep op de nietigheid heeft gedaan. De ondernemingsraad kan slechts een beroep op de nietigheid doen binnen een maand nadat hetzij de ondernemer hem zijn besluit overeenkomstig de laatste volzin van het tweede lid heeft meegedeeld, hetzij — bij gebreke van deze mededeling — de ondernemingsraad is gebleken dat de ondernemer uitvoering of toepassing geeft aan zijn besluit.

6. De ondernemingsraad kan de kantonrechter verzoeken de ondernemer te verplichten zich te onthouden van handelingen die strekken tot uitvoering of toepassing van een nietig besluit als bedoeld in het vijfde lid. De ondernemer kan de kantonrechter verzoeken te verklaren dat de ondernemingsraad ten onrechte een beroep heeft gedaan op nietigheid als bedoeld in het vijfde lid.

OR bevordert: naleving arbeidsvoorwaarden en voorschriften op ARBO-gebied

Art. 28. 1. De ondernemingsraad bevordert zoveel als in zijn vermogen ligt de naleving van de voor de onderneming geldende voorschriften op het gebied van de arbeidsvoorwaarden, alsmede van de voorschriften op het gebied van de veiligheid, de gezondheid en het welzijn in verband met de arbeid.

OR bevordert werkoverleg en delegatie van bevoegdheden

2. De ondernemingsraad bevordert voorts naar vermogen het werkoverleg, alsmede het overdragen van bevoegdheden in de onderneming, zodat de in de onderneming werkzame personen zoveel mogelijk worden betrokken bij de regeling van de arbeid in het onderdeel van de onderneming waarin zij werkzaam zijn.

Non-discriminatie; gelijke behandeling gehandicapten

3. De ondernemingsraad waakt in het algemeen tegen discriminatie in de onderneming en bevordert in het bijzonder de gelijke behandeling van mannen en vrouwen alsmede de inschakeling van gehandicapte en allochtone werknemers in de onderneming.

Benoemingsrecht bestuurders instellingen

Art. 29. De ondernemingsraad heeft het recht, al dan niet uit zijn midden; een door de ondernemer te bepalen aantal, maar ten minste de helft, te noemen van de bestuursleden van door de ondernemer ten behoeve van in de onderneming werkzame personen opgerichte instellingen, behoudens voor zover bij of krachtens de wet op andere wijze in het bestuur van een instelling is voorzien.

Adviesrecht benoeming en ontslag bestuurder van onderneming

Art. 30. 1. De ondernemingsraad wordt door de ondernemer in de gelegenheid gesteld advies uit te brengen over elk door hem voorgenomen besluit tot benoeming of ontslag van een bestuurder van de onderneming.

Tijdstip adviesaanvraag

2. Het advies moet op een zodanig tijdstip worden gevraagd, dat het van wezenlijke invloed kan zijn op het te nemen besluit.

Beweegredenen en andere gegevens

3. De ondernemer stelt de ondernemingsraad in kennis van de beweegredenen voor het besluit en verstrekt voorts in het geval van een benoeming gegevens waaruit de ondernemingsraad zich een oordeel kan vormen over de betrokkene, in verband met diens toekomstige functie in de onderneming. Artikel 25, vierde lid en vijfde lid, eerste en tweede volzin, is van overeenkomstige toepassing.

HOOFDSTUK IVB
Het verstrekken van gegevens aan de ondernemingsraad

Verstrekken gegevens op verzoek

Art. 31. 1. De ondernemer is verplicht desgevraagd aan de ondernemingsraad en aan de commissies van die raad tijdig alle inlichtingen en gegevens te verstrekken die deze voor de vervulling van hun taak redelijkerwijze nodig hebben. De inlichtingen en gegevens worden desgevraagd schriftelijk verstrekt.

Ongevraagd verstrekken van gegevens

2. De ondernemer is verplicht aan de ondernemingsraad bij het begin van iedere zittingsperiode schriftelijke gegevens te verstrekken omtrent:
a. de rechtsvorm van de ondernemer, waarbij indien de ondernemer een niet-publiekrechtelijke rechtspersoon is, mede de statuten van die rechtspersoon moeten worden verstrekt;
b. indien de ondernemer een natuurlijke persoon, een maatschap of een niet-rechtspersoonlijkheid bezittende vennootschap is: de naam en de woonplaats van onderscheidenlijk die persoon, de maten of de beherende vennoten;
c. indien de ondernemer een rechtspersoon is: de naam en de woonplaats van de commissarissen of de bestuursleden;
d. indien de ondernemer deel uitmaakt van een aantal in een groep verbonden ondernemers: de ondernemers die deel uitmaken van die groep, de zeggenschapsverhoudingen waardoor zij onderling zijn verbonden, alsmede de naam en de woonplaats van degenen die ten gevolge van de bedoelde verhoudingen feitelijke zeggenschap over de ondernemer kunnen uitoefenen;
e. de ondenemers of de instellingen met wie de ondernemer, anders dan uit hoofde van zeggenschapsverhoudingen als bedoeld onder d, duurzame betrekkingen onderhoudt die van wezenlijk belang kunnen zijn voor het voortbestaan van de onderneming, alsmede de naam en de woonplaats van degenen die ten gevolge van zodanige betrekkingen feitelijke zeggenschap over de ondernemer kunnen uitoefenen;
f. de organisatie van de onderneming, de naam en de woonplaats van de bestuurders en van de belangrijkste overige leidinggevende personen, alsmede de wijze waarop de bevoegdheden tussen de bedoelde personen zijn verdeeld.

3. De ondernemer is verplicht de ondernemingsraad zo spoedig mogelijk in kennis te stellen van wijzigingen die zich in de in het tweede lid bedoelde gegevens hebben voorgedaan.

Verstrekken van financieel economische gegevens

Art. 31a. 1. De ondernemer verstrekt, mede ten behoeve van de bespreking van de algemene gang van zaken van de onderneming, ten minste tweemaal per jaar aan de ondernemingsraad mondeling of schriftelijk algemene gegevens omtrent de werkzaamheden en de resultaten van de onderneming in het verstreken tijdvak, in het bijzonder met betrekking tot aangelegenheden als bedoeld in artikel 25.

Verstrekking jaarrekening

2. Indien de onderneming in stand wordt gehouden door een coöperatie, een onderlinge waarborgmaatschappij, een naamloze vennootschap of een besloten vennootschap met beperkte aansprakelijkheid, verstrekt de ondernemer zo spoedig mogelijk na de vaststelling van zijn jaarrekening een exemplaar van de jaarrekening en het jaarverslag in de Nederlandse taal en de daarbij te voegen overige gegevens, als bedoeld in artikel 392 van Boek 2 van het Burgerlijk Wetboek, ter bespreking aan de ondernemingsraad. Wordt de onderneming in stand gehouden door een rechtspersoon waarop artikel 163 of artikel 273 van Boek 2 van het Burgerlijk Wetboek van toepassing is, dan geschiedt de overlegging gelijktijdig met die aan de algemene vergadering van aandeelhouders. Het voorgaande is van overeenkomstige toepassing op de mededeling die een rechtspersoon ingevolge artikel 362, zesde lid, laatste volzin, van Boek 2 van het Burgerlijk Wetboek, moet verstrekken.

3. Indien de financiële gegevens van een ondernemer die deel uitmaakt van in een groep verbonden ondernemers zijn opgenomen in een geconsolideerde jaarrekening als bedoeld in artikel 405 van Boek 2 van het Burgerlijk Wetboek, verstrekt de ondernemer ter bespreking aan de ondernemingsraad deze geconsolideerde jaarrekening, het jaarverslag en de overige gegevens, bedoeld in artikel 392 van dat boek, van de rechtspersoon die de geconsolideerde jaarrekening heeft opgesteld. Indien de financiële gegevens van zulk een ondernemer niet in een geconsolideerde jaarrekening zijn opgenomen, verstrekt de ondernemer in plaats hiervan ter bespreking aan de ondernemingsraad schriftelijke gegevens waaruit de ondernemingsraad zich een inzicht kan vormen in het gezamenlijke resultaat van de ondernemingen van die groep ondernemers.

4. Indien de jaarrekening van de ondernemer betrekking heeft op meer dan één onderneming, verstrekt de ondernemer aan de ondernemingsraad tevens schriftelijke

gegevens waaruit deze zich een inzicht kan vormen in de mate waarin de onderneming waarvoor hij is ingesteld tot het gezamenlijke resultaat van die ondernemingen heeft bijgedragen. Het voorgaande is van overeenkomstige toepassing, indien een groepsjaarrekening, als bedoeld in het derde lid, wordt verstrekt.

5. Indien de onderneming in stand wordt gehouden door een ondernemer op wie het tweede lid van dit artikel niet van toepassing is, verstrekt de ondernemer bij algemene maatregel van bestuur aangewezen vervangende schriftelijke gegevens ter bespreking aan de ondernemingsraad. Het derde en vierde lid van dit artikel zijn van overeenkomstige toepassing.

Mededeling ondernemer omtrent verwachtingen komend tijdvak

6. De ondernemer doet, mede ten behoeve van de bespreking van de algemene gang van zaken van de onderneming, ten minste tweemaal per jaar aan de ondernemingsraad mondeling of schriftelijk mededeling omtrent zijn verwachtingen ten aanzien van de werkzaamheden en de resultaten van de onderneming in het komende tijdvak, in het bijzonder met betrekking tot aangelegenheden als bedoeld in artikel 25, alsmede met betrekking tot alle investeringen in binnenland en buitenland.

Meerjarenplan

7. Indien de ondernemer met betrekking tot de onderneming een meerjarenplan dan wel een raming of een begroting van inkomsten of uitgaven pleegt op te stellen, wordt dat plan, onderscheidenlijk die raming of die begroting, dan wel een samenvatiing daarvan, met een toelichting aan de ondernemingsraad verstrekt en in de bespreking betrokken. Het derde en vierde lid van dit artikel zijn van overeenkomstige toepassing.

Verstrekken van gegevens over personeelsbeleid en sociaal beleid

Art. 31b. 1. De ondernemer verstrekt, mede ten behoeve van de bespreking van de algemene gang van zaken van de onderneming, ten minste éénmaal per jaar aan de ondernemingsraad schriftelijk algemene gegevens inzake de aantallen en de verschillende groepen van de in de onderneming werkzame personen, alsmede inzake het door hem in het afgelopen jaar ten aanzien van die personen gevoerde sociale beleid, in het bijzonder met betrekking tot aangelegenheden als bedoeld in de artikelen 27, 28 en 29. Deze gegevens worden kwantitatief zodanig gespecificeerd dat daaruit blijkt welke uitwerking de verschillende onderdelen van het sociale beleid hebben gehad voor afzonderlijke bedrijfsonderdelen en functiegroepen.

Mededeling verwachtingen komende jaar

2. De ondernemer doet daarbij tevens mondeling of schriftelijk mededeling van zijn verwachtingen ten aanzien van de ontwikkeling van de personeelsbezetting in het komende jaar, alsmede van het door hem in dat jaar te voeren sociale beleid, in het bijzonder met betrekking tot aangelegenheden als bedoeld in de artikelen 27, 28 en 29.

Mededeling van adviesopdracht aan externe deskundige

Art. 31c. De ondernemer doet aan de ondernemingsraad zo spoedig mogelijk mededeling van zijn voornemen tot het verstrekken van een adviesopdracht aan een deskundige buiten de onderneming, met betrekking tot een aangelegenheid als bedoeld in artikel 27.

HOOFDSTUK IVC
Verdere bevoegdheden van de ondernemingsraad

Uitbreiding OR-bevoegdheden in cao

Art. 32. 1. Bij collectieve arbeidsovereenkomst of een regeling van arbeidsvoorwaarden vastgesteld door een publiekrechtelijk orgaan kunnen aan de ondernemingsraad of aan de ondernemingsraden van de bij die overeenkomst of die regeling betrokken onderneming of ondernemingen verdere bevoegdheden dan in deze wet genoemd worden toegekend.

Uitbreiding OR-bevoegdheden door besluit van ondernemer

2. Bij schriftelijk besluit van de ondernemer kunnen aan de ondernemingsraad verdere bevoegdheden dan in deze wet genoemd worden toegekend. Een zodanig besluit behoeft de toestemming van de ondernemingsraad. De ondernemer deelt het besluit schriftelijk mee aan de bedrijfscommissie.

3. Indien aan de ondernemingsraad op grond van dit artikel een adviesrecht of instemmingsrecht is toegekend, is het advies of de instemming van de ondernemingsraad niet vereist, voor zover de aangelegenheid voor de onderneming reeds inhoudelijk is geregeld in een collectieve arbeidsovereenkomst of in een regeling, vastgesteld door een publiekrechtelijk orgaan.

Art. 32a. Vervallen.

Art. 32b. Vervallen.

Art. 32c. Vervallen.

HOOFDSTUK V
De centrale ondernemingsraden en de groepsondernemingsraden

Instelling

Art. 33. 1. De ondernemer die twee of meer ondernemingsraden heeft ingesteld, kan tevens voor de door hem in stand gehouden ondernemingen een centrale ondernemingsraad instellen, indien dit bevorderlijk is voor een goede toepassing van deze wet ten aanzien van deze ondernemingen. Alvorens hiertoe over te gaan stelt de ondernemer de ondernemingsraden in de gelegenheid hun standpunt kenbaar te maken. Bij bezwaar van de meerderheid van de ondernemingsraden kan de ondernemer een beslissing van de kantonrechter vragen.

2. De ondernemer die twee of meer ondernemingsraden heeft ingesteld, is verplicht op verzoek van de meerderheid van de ondernemingsraden een centrale ondernemingsraad in te stellen, indien dit bevorderlijk is voor een goede toepassing van deze wet ten aanzien van de door hem in stand gehouden ondernemingen.

3. De ondernemer die meer dan twee ondernemingsraden heeft ingesteld kan voor een aantal van de door hem in stand houden ondernemingen een groepsondernemingsraad instellen, indien dit bevorderlijk is voor een goede toepassing van deze wet ten aanzien van deze ondernemingen. Alvorens hiertoe over te gaan, stelt de ondernemer de betrokken ondernemingsraden in de gelegenheid hun standpunt kenbaar te maken. Bij bezwaar van een of meer van de betrokken ondernemingsraden kan de ondernemer een beslissing van de kantonrechter vragen.

4. De ondernemer die meer dan twee ondernemingsraden heeft ingesteld is verplicht op verzoek van de meerderheid van de betrokken ondernemingsraden een groepsondernemingsraad in te stellen, indien dit bevorderlijk is voor een goede toepassing van deze wet ten aanzien van de betrokken ondernemingen.

5. Het eerste tot en met vierde lid zijn van overeenkomstige toepassing ten aanzien van in een groep verbonden ondernemers, die te zamen twee of meer ondernemingsraden hebben ingesteld. De betrokken ondernemers wijzen een tot hun groep behorende ondernemer aan, die voor de toepassing van deze wet namens hen als ondernemer optreedt ten opzichte van de centrale ondernemingsraad of de groepsondernemingsraad.

Samenstelling

Art. 34. 1. Een centrale ondernemingsraad bestaat uit leden, gekozen door de betrokken ondernemingsraden uit de leden van elk van die raden. Voor ieder lid kan een plaatsvervanger worden gekozen, die dezelfde rechten en verplichtingen heeft als het lid dat hij vervangt.

2. Indien een of meer groepsondernemingsraden zijn ingesteld, kan de centrale ondernemingsraad in zijn reglement bepalen, dat die raad, in afwijking van het bepaalde in het eerste lid, geheel of ten dele zal bestaan uit leden, gekozen door de betrokken groepsondernemingsraden uit de leden van die raden. Voor ieder aldus gekozen lid kan een plaatsvervanger worden gekozen, die dezelfde rechten en verplichtingen heeft als het lid dat hij vervangt.

3. Het aantal leden dat uit elke ondernemingsraad of groepsondernemingsraad kan worden gekozen, wordt vastgesteld in het reglement van de centrale ondernemingsraad. Het reglement bevat voorts voorzieningen dat de verschillende groepen van de in de betrokken ondernemingen werkzame personen zoveel mogelijk in de centrale ondernemingsraad vertegenwoordigd zijn. De betrokken ondernemingsraden of groepsondernemingsraden worden over de vaststelling van de betrokken bepalingen van het reglement gehoord.

4. Een centrale ondernemingsraad kan in zijn reglement bepalen dat van die raad, behalve de in het derde lid bedoelde leden, ook deel kunnen uitmaken vertegenwoordigers van ondernemingen die door de in artikel 33 bedoelde ondernemer of ondernemers in stand worden gehouden, maar ten aanzien waarvan geen verplichting tot hetinstellen van een ondernemingsraad geldt. De centrale ondernemingsraad regelt in zijn reglement het aantal en de wijze van verkiezing van de bedoelde vertegenwoordigers.

5. Wanneer een lid van een centrale ondernemingsraad of zijn plaatsvervanger ophoudt lid te zijn van de ondernemingsraad of van de groepsondernemingsraad die hem heeft gekozen, eindigt van rechtswege zijn lidmaatschap van de centrale ondernemingsraad. Het zelfde geldt wanneer een vertegenwoordiger van een onderneming als bedoeld in het vierde lid ophoudt in de betrokken onderneming werkzaam te zijn. De uitsluiting, bedoeld in artikel 13, van een ondernemingsraadlid of van een groepsondernemingsraadlid, die tevens lid is van een centrale

ondernemingsraad, heeft tot gevolg dat de betrokkene ook van deelname aan de werkzaamheden van de centrale ondernemingsraad is uitgesloten.

Wetsartikelen die overeenkomstig van toepassing zijn

6. Ten aanzien van de centrale ondernemingsraad zijn de artikelen 7, 8, 10-14, 15, eerste, tweede, vierde en vijfde lid, en 16-22 van overeenkomstige toepassing.

7. Ten aanzien van een groepsondernemingsraad zijn de voorgaande leden, met uitzondering van het tweede lid, van overeenkomstige toepassing.

Bevoegdheden

Art. 35. 1. Ten aanzien van de centrale ondernemingsraden en de groepsondernemingsraden zijn de artikelen 23 tot en met 31c, met uitzondering van de artikelen 23c en 24, derde lid, van overeenkomstige toepassing, met dien verstande dat door die raden uitsluitend aangelegenheden worden behandeld die van gemeenschappelijk belang zijn voor alle of voor de meerderheid van de ondernemingen waarvoor zij zijn ingesteld.

2. De ten aanzien van de in het eerste lid bedoelde aangelegenheden aan de afzonderlijke ondernemingsraden toekomende bevoegdheden gaan over naar de centrale ondernemingsraad, onderscheidenlijk de groepsondernemingsraad, met dien verstande dat een groepsondernemingsraad geen aangelegenheden behandelt die door de centrale ondernemingsraad worden behandeld.

HOOFDSTUK VA
De medezeggenschap in kleine ondernemingen

Bijzondere bepalingen voor ondernemingen met 35 tot 100 werknemers

Art. 35a. 1. Ten aanzien van een onderneming waarin in de regel minder dan 100 personen werkzaam zijn en waarvoor een ondernemingsraad is ingesteld, gelden de volgende bijzondere bepalingen:

a. In afwijking van artikel 6, tweede en derde lid zijn kiesgerechtigd en verkiesbaar tot lid van de ondernemingsraad de personen die gedurende tenminste een jaar in de onderneming werkzaam zijn geweest en die gedurende tenminste een derde van de normale arbeidstijd in de onderneming werkzaam zijn.

b. Het aantal handtekeningen, bedoeld in artikel 9, tweede lid, onder *b*, dat ten hoogste vereist is voor het indienen van een kandidatenlijst door in de onderneming werkzame personen, bedraagt tien.

c. In afwijking van de artikelen 15 en 16 kan de ondernemingsraad slechts met toestemming van de ondernemer commissies instellen of deskundigen uitnodigen. Ten aanzien van het uitnodigen van deskundigen is de toestemming niet vereist, wanneer de deskundige geen kosten in rekening brengt of wanneer de kosten door de ondernemingsraad bestreden worden uit een bedrag als bedoeld in artikel 22, derde lid. Heeft de ondernemer toestemming gegeven voor het raadplegen van een deskundige, dan komen de kosten daarvan te zijnen laste.

d. In afwijking van artikel 18, vierde lid, gelden voor de vaststelling van het aantal uren en dagen niet de in dat lid genoemde minimum aantallen.

e. De verplichting van de ondernemer tot het vragen van advies aan de ondernemingsraad over een besluit als bedoeld in artikel 25, eerste lid, geldt slechts, indien en voor zover het betrokken besluit kan leiden tot verlies van de arbeidsplaats of tot een belangrijke verandering van de arbeid, de arbeidsvoorwaarden of de arbeidsomstandigheden van tenminste een vierde van de in de onderneming werkzame personen.

f. Op de ondernemer rust niet de opschortingsverplichting, bedoeld in artikel 25, zesde lid, behoudens in geval het besluit van de ondernemer betrekking heeft op een aangelegenheid als bedoeld in artikel 25, eerste lid, onder *c*, *d* of *f*.

g. Inlichtingen en gegevens bestemd voor de ondernemingsraad, die volgens de artikelen 31, eerste lid, en 31b, eerste lid, schriftelijk moeten worden verstrekt, mogen door de ondernemer ook mondeling worden verstrekt, tenzij deze gegevens betrekking hebben op allochtone werknemers.

2. Het in het eerste lid bepaalde is van overeenkomstige toepassing ten aanzien van een centrale ondernemingsraad en een groepsondernemingsraad, die uitsluitend is ingesteld voor ondernemingen als bedoeld in het eerste lid.

3. De Raad kan, indien bijzondere omstandigheden naar zijn oordeel een goede toepassing van een of meer bepalingen van de hoofdstukken IV, IVA en IVB in de betrokken ondernemingen in de weg staan, op verzoek van een naar zijn oordeel voldoende representatieve organisatorische vertegenwoordiging van de betrokken ondernemers of van de betrokken werknemers bij verordening bepalen, dat de bedoelde bepalingen ten aanzien van een door hem aangewezen groep van de in het

eerste lid bedoelde ondernemingen niet gelden. Een zodanige verordening behoeft de goedkeuring van Onze Minister. Een goedgekeurde verordening van de Raad wordt in de Staatscourant bekend gemaakt.

Bijzondere medezeggenschapsregeling voor ondernemingen met 10 tot 35 werknemers

Art. 35b. 1. De ondernemer die een onderneming in stand houdt waarin in de regel tenminste 10 personen werkzaam zijn, maar minder dan 35 personen meer dan een derde van de normale arbeidstijd werkzaam zijn en waarvoor geen ondernemingsraad is ingesteld, is verplicht de in deze onderneming werkzame personen tenminste tweemaal per kalenderjaar in de gelegenheid te stellen gezamenlijk met hem bijeen te komen. Hij is voorts verplicht met de in de onderneming werkzame personen bijeen te komen, wanneer tenminste een vierde van hen daartoe een met redenen omkleed verzoek doet.

2. In de in het eerste lid bedoelde vergaderingen worden de aangelegenheden, de onderneming betreffende, aan de orde gesteld ten aanzien waarvan de ondernemer of in de onderneming werkzame personen overleg wenselijk achten. Iedere in de onderneming werkzame persoon is bevoegd omtrent deze aangelegenheden voorstellen te doen en standpunten kenbaar te maken.

3. Indien de ondernemer de onderneming niet zelf bestuurt, wordt het overleg voor hem gevoerd door de bestuurder van de onderneming. De ondernemer en de bestuurder kunnen zich bij verhindering laten vervangen door een in de onderneming werkzame persoon die bevoegd is om namens de ondernemer overleg met de werknemers te voeren.

4. In de in het eerste lid bedoelde vergaderingen wordt tenminste eenmaal per jaar de algemene gang van zaken van de onderneming besproken. De ondernemer verstrekt daartoe mondeling of schriftelijk algemene gegevens omtrent de werkzaamheden en de resultaten van de onderneming in het afgelopen jaar, alsmede omtrent zijn verwachtingen dienaangaande in het komende jaar. Voor zover de ondernemer verplicht is zijn jaarrekening en jaarverslag ter inzage voor een ieder neer te leggen, worden in de Nederlandse taal gestelde exemplaren van deze jaarstukken ter bespreking aan de in de onderneming werkzame personen verstrekt. De ondernemer verstrekt voorts mondeling of schriftelijk algemene gegevens inzake het door hem ten aanzien van de in de onderneming werkzame personen gevoerde en te voeren sociale beleid.

5. De in de onderneming werkzame personen worden door de ondernemer, in een vergadering als bedoeld in het eerste lid, in de gelegenheid gesteld advies uit te brengen over elk door hem voorgenomen besluit dat kan leiden tot verlies van de arbeidsplaats of tot een belangrijke verandering van de arbeid, de arbeidsvoorwaarden of de arbeidsomstandigheden van tenminste een vierde van de in de onderneming werkzame personen. Het advies wordt op een zodanig tijdstip gevraagd dat het van wezenlijke invloed kan zijn op het te nemen besluit. De in de eerste volzin bedoelde verplichting geldt niet, indien en voor zover de betrokken aangelegenheid voor de onderneming reeds inhoudelijk geregeld is in een collectieve arbeidsovereenkomst of in een regeling, vastgesteld door een publiekrechtelijk orgaan.

6. De in de voorgaande leden bedoelde verplichtingen gelden niet ten aanzien van personen die als regel gedurende niet meer dan een derde van de normale arbeidstijd in de onderneming werkzaam zijn, alsmede ten aanzien van personen die nog geen zes maanden in de onderneming werkzaam zijn. Zij vervallen wanneer de ondernemer met toepassing van artikel 5a een ondernemingsraad heeft ingesteld, maar treden weer in werking wanneer de ondernemingsraad op grond van artikel 5a, eerste lid, ophoudt te bestaan of overeenkomstig het tweede lid van dat artikel is opgeheven.

HOOFDSTUK VI
De algemene geschillenregeling

Wie tot instellen van een rechtsvordering bevoegd zijn

Art. 36. 1. Iedere belanghebbende kan de kantonrechter verzoeken te bepalen dat de ondernemer of de ondernemingsraad gevolg dient te geven aan hetgeen bij of krachtens deze wet is bepaald omtrent het instellen of in stand houden van een ondernemingsraad, het vaststellen van een voorlopig of een definitief reglement van de ondernemingsraad, de kandidaatstelling voor en de verkiezing van de leden van de ondernemingsraad, alsmede omtrent het bekend maken van agenda's en verslagen van vergaderingen, een en ander voor zover dit van de ondernemer of de ondernemingsraad afhangt.

2. De ondernemingsraad en de ondernemer kunnen de kantonrechter verzoeken te bepalen dat de ondernemer, onderscheidenlijk de ondernemingsraad gevolg dient te geven aan hetgeen overigens bij of krachtens deze wet is bepaald, een en ander voor zover dit van de ondernemer onderscheidenlijk de ondernemingsraad afhangt.

Verplichte bemiddeling bedrijfscommissie

3. Een verzoek aan de kantonrechter op grond van deze wet, met uitzondering van artikel 21, derde en vijfde lid, is niet ontvankelijk indien de verzoeker niet vooraf schriftelijk de bemiddelijk van de bedrijfscommissie heeft gevraagd. De bedrijfscommissie stelt de wederpartij in de gelegenheid omtrent het verzoek te worden gehoord. De bedrijfscommissie tracht een minnelijke schikking tussen partijen tot stand te brengen. Indien geen minnelijke schikking wordt bereikt, brengt de bedrijfscommissie binnen twee maanden nadat haar bemiddeling is gevraagd, aan partijen schriftelijk verslag van haar bevindingen uit met een advies omtrent de oplossing van het geschil. De bedrijfscommissie kan de termijn voor het uitbrengen van haar advies met instemming van beide partijen voor ten hoogste twee maanden verlengen.

Termijn

4. Het verzoekschrift aan de kantonrechter wordt ingediend binnen dertig dagen nadat de bedrijfscommissie haar advies aan partijen heeft uitgebracht, doch uiterlijk binnen dertig dagen na het verstrijken van de in het derde lid genoemde termijn. Het verslag van bevindingen en het advies van de bedrijfscommissie worden bij het verzoekschrift overgelegd.

5. Een verzoekschrift aan de kantonrechter met betrekking tot de naleving van artikel 25 ten aanzien van een besluit als in dat artikel bedoeld, wordt niet ontvankelijk verklaard, indien blijkt dat de ondernemingsraad voor of na de indiening van het verzoekschrift tegen dat besluit beroep heeft ingesteld bij de ondernemingskamer van het gerechtshof te Amsterdam.

Uitspraak kantonrechter

6. De kantonrechter kan in zijn uitspraak aan de ondernemer, onderscheidenlijk de ondernemingsraad de verplichting opleggen om bepaalde handelingen te verrichten of na te laten. Het is de ondernemer verboden een zodanige verplichting niet na te komen. Wanneer de ondernemingsraad een zodanige verplichting niet nakomt, kan de kantonrechter de ondernemingsraad ontbinden, onder oplegging van de verplichting aan die raad tot het doen verkiezen van een nieuwe ondernemingsraad. Blijft de ondernemingsraad in gebreke, dan kan de kantonrechter de ondernemer machtigen een nieuwe ondernemingsraad te doen verkiezen.

7. De voorgaande leden zijn van overeenkomstige toepassing ten aanzien van de naleving van hetgeen bij of krachtens deze wet is bepaald met betrekking tot een centrale ondernemingsraad en een groepsondernemingsraad.

Vordering tot naleving bepaalde in art. 35b

Art. 36a. Iedere in de onderneming werkzame persoon, met uitzondering van een persoon als bedoeld in artikel 35b, zesde lid, alsmede een vereniging van werknemers, die één of meer in de onderneming werkzame personen onder haar leden telt, die krachtens haar statuten ten doel heeft de belangen van haar leden als werknemers te behartigen en als zodanig in de betrokken onderneming of bedrijfstak werkzaam is en voorts tenminste twee jaar in het bezit is van volledige rechtsbevoegdheid, kan de kantonrechter verzoeken te bepalen dat de ondernemer gevolg dient te geven aan het in artikel 35b bepaalde.

HOOFDSTUK VII
De bedrijfscommissies

Instelling

Art. 37. 1. Voor groepen van ondernemingen worden door de Raad, ter behandeling van aangelegenheden betreffende de ondernemingsraden, de centrale ondernemingsraden en de groepsondernemingsraden van deze ondernemingen, commissies ingesteld, bedrijfscommissies genaamd.

Aantal leden

2. Een bedrijfscommissie bestaat uit een door de Raad na overleg met de in artikel 38 bedoelde organisaties van ondernemers en van werknemers te bepalen even aantal leden, ten minste zes bedragende, en een gelijk aantal plaatsvervangende leden.

Benoeming

Art. 38. 1. De leden en de plaatsvervangende leden van een bedrijfscommissie worden voor de helft benoemd door de door de Raad daartoe aangewezen representatieve organisatie of organisaties van ondernemers en voor de helft door de door de Raad daartoe aangewezen representatieve organisatie of organisaties van werknemers.

2. De Raad bepaalt het aantal leden en plaatsvervangende leden dat elke aangewezen organisatie kan benoemen.

Art. 39. 1. De Raad stelt bij verordening nadere regelen omtrent de samenstelling en de werkwijze van de bedrijfscommissies. Daarbij wordt aan deze commissies de bevoegdheid verleend commissies, al dan niet uit haar midden, in te stellen, die indien en voor zover zulks door een bedrijfscommissie is bepaald, de bevoegdheden van die bedrijfscommissie geheel of gedeeltelijk, al dan niet voorwaardelijk, uitoefenen.

Samenstelling en werkwijze

2. De Raad stelt voorts regelen omtrent het voorzitterschap van de bedrijfscommissies. Daarbij wordt aan deze commissies de bevoegdheid toegekend, een voorzitter buiten de leden der commissie te kiezen, al dan niet met stemrecht.

Voorzitterschap

Art. 40. 1. Iedere bedrijfscommissie brengt jaarlijks aan Onze Minister en aan de Raad verslag uit van haar werkzaamheden in het afgelopen kalenderjaar.

Verslaggeving

2. Onze Minister kan, de Raad gehoord, regelen stellen ten aanzien van de verslaggeving.

Art. 41. 1. De kosten van een bedrijfscommissie worden, voor zover daarin niet op andere wijze wordt voorzien, door de in artikel 38 bedoelde organisaties van ondernemers en werknemers gedragen, naar evenredigheid van het aantal leden dat zij benoemen.

Kosten

2. Wanneer een organisatie in gebreke blijft binnen de termijn, door de bedrijfscommissie gesteld, haar bijdrage in de kosten van de bedrijfscommissie te voldoen, kan de Raad de aanwijzing van die organisatie intrekken, onverminderd de aansprakelijkheid van de organisatie tot het betalen van haar aandeel in de reeds gemaakte kosten. Door de intrekking vervalt het lidmaatschap van de bedrijfscommissie van de door die organisatie benoemde leden en plaatsvervangende leden, te rekenen van het tijdstip waarop het besluit van de Raad bij de bedrijfscommissie inkomt.

Art. 42. Ten aanzien van de voorzitters, de leden en de plaatsvervangende leden van de bedrijfscommissies, alsmede ten aanzien van de personen die met het secretariaat van een bedrijfscommissie zijn belast, is artikel 20, eerste en zesde lid, van overeenkomstige toepassing.

Geheimhoudingsplicht

Art. 43. Indien voor een groep van ondernemingen een hoofdbedrijfschap of een bedrijfschap als bedoeld in de Wet op de Bedrijfsorganisatie (Stb. 1950, K22) bestaat, kan de Raad het bestuur van dat hoofdbedrijfschap of bedrijfschap aanwijzen als bedrijfscommissie in de zin van deze wet. In dat geval zijn de artikelen 37, 38 en 41 niet van toepassing en evenmin het bepaalde bij of krachtens artikel 39 voor zover het betreft de samenstelling en het voorzitterschap van de bedrijfscommissie.

(Hoofd-)bedrijfschap als bedrijfscommissie

Art. 44. Vervallen.

Art. 45. Vervallen.

Art. 46. Indien voor de behandeling van aangelegenheden betreffende een ondernemingsraad, een centrale ondernemingsraad of een groepsondernemingsraad meer dan één bedrijfscommissie bevoegd zou zijn, wijst de Raad de commissie aan die voor de behandeling van de betrokken aangelegenheden als de krachtens deze wet bevoegde commissie zal optreden.

Meerdere bedrijfscommissies bevoegd

HOOFDSTUK VIIA

Heffingen ter bevordering van de scholing en vorming van ondernemingsraadleden

Art. 46a. 1. De Raad kan aan ondernemers op wie op grond van het bij of krachtens deze wet bepaalde de verplichting rust een ondernemingsraad in te stellen, bij verordening een heffing opleggen ter bevordering van de scholing en vorming van ondernemingsraadleden. Een zodanige verordening behoeft de goedkeuring van Onze Minister.

Oplegging heffing door SER

2. Een heffing als bedoeld in het eerste lid wordt vastgesteld op een percentage van het loon dat voor de betrokken ondernemers voor premieberekening krachtens de Ziektewet in aanmerking komt, dan wel zou komen indien van hen premie krachtens die wet zou worden geheven.

3. Indien en voor zover de betrokken ondernemers werkgever zijn in de zin van de Ziektewet, wordt de heffing geïnd door de bedrijfsverenigingen, bedoeld in de Organisatiewet sociale verzekeringen.

4. De bedrijfscommissies zijn verplicht, aan de betrokken bedrijfsvereniging desgevraagd een opgave te verstrekken van de ondernemers op wie, naar hun bekend is, de verplichting rust een ondernemingsraad in te stellen. Tevens zijn de bedrijfscommissies verplicht, aan een bedrijfsvereniging of aan een ondernemer desgevraagd een schriftelijke verklaring te verstrekken waaruit blijkt of naar hun oordeel de hiervoor bedoelde verplichting op de betrokken ondernemer rust.

5. Ten aanzien van de invordering van de heffing door de bedrijfsverenigingen zijn de artikelen 11 tot en met 16h van de Coördinatiewet Sociale Verzekering (Stb. 1987, 552) van overeenkomstige toepassing. Voor wat betreft het beroep tegen een heffingsaanslag wordt deze aanslag geacht te zijn opgelegd door de Sociaal-Economische Raad.

6. In een verordening als bedoeld in het eerste lid wordt door de Raad bepaald:
a. op welke wijze de afdracht van de heffing door de bedrijfsverenigingen aan de Raad geschiedt;
b. welke vergoeding door de Raad aan de bedrijfsverenigingen wordt verleend ter zake van de werkzaamheden, verbonden aan de inning van de heffing.

7. Een verordening als bedoeld in het eerste lid wordt niet vastgesteld dan na overleg met het Tijdelijke instituut voor coördinatie en afstemming.

Bijdragen aan scholings- en vormingsinstituten

Art. 46b. 1. De Raad kan, onder door hem te stellen voorwaarden, uit de opbrengst van de in artikel 46a bedoelde heffingen geldelijke bijdragen verstrekken aan rechtspersonen die zich ten doel stellen de werkzaamheden van andere rechtspersonen op het gebied van de scholing en vorming van ondernemingsraadleden te begeleiden en te ondersteunen.

2. Als voorwaarden, bedoeld in het eerste lid, worden in ieder geval gesteld:
a. dat de betrokken rechtspersoon jaarlijks een begroting en een rekening van de met zijn in het eerste lid bedoelde taak verband houdende inkomsten en uitgaven opstelt en ter goedkeuring aan de Raad voorlegt;
b. dat de onder a bedoelde rekening door of vanwege de Raad kan worden gecontroleerd;
c. dat de betrokken rechtspersoon erop toeziet, dat de werkzaamheden op het gebied van de scholing en vorming van ondernemingsraadleden, waarvoor door hem geldelijke ondersteuning wordt verleend, wat de kwaliteit betreft tenminste voldoen aan de voorwaarden die gelden voor de subsidiëring van vormings- en ontwikkelingswerk voor volwassenen door het Rijk, en dat deze werkzaamheden voorts passen in de algemene opzet van het vormings- en ontwikkelingswerk voor volwassenen in Nederland, als aangegeven door de rijksoverheid.

Art. 46c. 1. De door de Raad ter bevordering van de scholing en vorming van ondernemingsraadleden geraamde inkomsten en uitgaven worden door hem jaarlijks als een afzonderlijke dienst op de begroting gebracht.

2. De betrokken uitgaven, alsmede de middelen die tot dekking daarvan hebben gediend, worden jaarlijks afzonderlijk op de rekening van inkomsten en uitgaven van de Raad verantwoord.

HOOFDSTUK VII B
Bijzondere bepalingen voor ondernemingsraden bij de overheid

Art. 46d. Ten aanzien van een onderneming, waarin uitsluitend of nagenoeg uitsluitend krachtens publiekrechtelijke aanstelling arbeid wordt verricht, gelden de volgende bijzondere bepalingen:
a. Voor de toepassing van deze wet wordt als bestuurder in de zin van deze wet bij een ministerie, een gemeente, een provincie of een waterschap niet aangemerkt een minister of staatssecretaris, een burgemeester, een lid van het college van burgemeester en wethouders, een commissaris van de Koning een lid van gedeputeerde staten, een dijkgraaf of een lid van het dagelijks bestuur van een waterschap.
b. Voor de toepassing van artikel 23, derde lid, zijn onder de aangelegenheden de onderneming betreffende niet begrepen de publiekrechtelijke vaststelling van taken van publiekrechtelijke lichamen en onderdelen daarvan, noch het beleid ten aanzien van en de uitvoering van die taken, behoudens voor zover het betreft de gevolgen daarvan voor de werkzaamheden van de in de onderneming werkzame personen.
c. De in de artikelen 5, 8, tweede en derde lid, 35a, derde lid, 37, 38, 39 en 41, tweede lid, van deze wet aan de Raad toegekende bevoegdheden worden uitgeoefend door de Minister van Binnenlandse Zaken.
d. Voor de toepassing van artikel 38, eerste lid, kunnen behalve een representatieve

organisatie of organisaties van ondernemers ook een of meerdere ministers aangewezen worden.
e. De verordenende bevoegdheid van de Raad strekt zich niet uit tot ondernemingen waarin uitsluitend of nagenoeg uitsluitend krachtens publiekrechtelijke aanstelling arbeid wordt verricht.
f. Indien op grond van het bepaalde in onderdeel c de Minister van Binnenlandse Zaken een bedrijfscommissie heeft ingesteld, dient deze onverminderd het bepaalde in artikel 40, eerste lid, aan de Minister van Binnenlandse Zaken verslag uit te brengen. De Minister van Binnenlandse Zaken doet dit verslag toekomen aan de betrokken werkgevers of verenigingen van werkgevers en de centrales van overheidspersoneel toegelaten tot de Centrale Commissie voor Georganiseerd Overleg in Ambtenarenzaken, genoemd in artikel 105 van het Algemeen Rijksambtenarenreglement.
g. Hoofdstuk VII A is niet van toepassing. De Minister van Binnenlandse Zaken kan aan ondernemers een heffing opleggen ter bevordering van scholing en vorming van ondernemingsraadsleden. Bij algemene maatregel van bestuur kunnen nadere regels worden gesteld omtrent de wijze van heffing, de bestemming van de opbrengst van deze heffing en onder welke voorwaarden deze opbrengst kan worden afgedragen.

Art. 46e. 1. De in artikel 46d aan de Minister van Binnenlandse Zaken toegekende bevoegdheden worden uitgeoefend na overleg met de betrokken werkgevers of verenigingen van werkgevers en de centrales van overheidspersoneel toegelaten tot de Centrale Commissie voor Georganiseerd Overleg in Ambtenarenzaken, genoemd in artikel 105 van het Algemeen Rijksambtenarenreglement.
2. In het in het eerste lid bedoelde overleg hebben de centrales van overheidspersoneel evenveel stemmen als de betrokken werkgevers of verenigingen van werkgevers.
3. Voor een besluit als bedoeld in de artikelen 8, tweede en derde lid, 35a, derde lid, 39 en 46d, onderdeel g, van deze Wet behoeft Onze Minister van Binnenlandse Zaken de instemming van twee derde van de deelnemers aan het in het eerste lid bedoelde overleg. Voor een besluit als bedoeld in de artikelen 5, 37, 38 en 41, tweede lid, van deze Wet behoeft Onze Minister van Binnenlandse Zaken de instemming van de meerderheid van de deelnemers aan het in het eerste lid bedoelde overleg.

HOOFDSTUK VIII
Overgangs- en Slotbepalingen

Nadere regels mogelijk

Art. 47. Bij of krachtens algemene maatregel van bestuur kunnen nadere regelen worden gesteld ter bevordering van een goede uitvoering van deze wet.

Vaststellen voorlopig reglement

Art. 48. 1. De ondernemer op wie de verplichting tot het instellen van een ondernemingsraad rust, treft bij voorlopig reglement, voor zover nodig, de voorzieningen die tot de bevoegdheid van de ondernemingsraad behoren, totdat de ondernemingsraad zelf die bevoegdheid uitoefent. De vereniging of verenigingen van werknemers, bedoeld in artikel 9, tweede lid, onder a, worden over het voorlopige reglement gehoord.
2. Ten aanzien van het voorlopige reglement is artikel 8, eerste lid, eerste en tweede volzin en tweede lid, van overeenkomstige toepassing. De ondernemer zendt onverwijld een exemplaar van het voorlopige reglement aan de bedrijfscommissie. Het voorlopige reglement vervalt op het tijdstip waarop de ondernemingsraad het in artikel 8 bedoelde reglement heeft vastgesteld.
3. De voorgaande leden zijn van overeenkomstige toepassing ten aanzien van de ondernemer of de ondernemers die een centrale ondernemingsraad of een groepsondernemingsraad hebben ingesteld.

Informatie aan districtshoofd arbeidsinspectie

Art. 49. 1. De ondernemer op wie de verplichting tot het instellen van een of meer ondernemingsraden rust, alsmede de betrokken ondernemingsraden, verstrekken desgevraagd aan het bevoegde districtshoofd van de Arbeidsinspectie inlichtingen omtrent het instellen en het functioneren van deze ondernemingsraden.

Toezending jaarverslag van ondernemingsraad

2. De betrokken ondernemingsraden zenden hun jaarverslag aan het in het eerste lid bedoelde districtshoofd, alsmede aan de bedrijfscommissie.
3. De voorgaande leden zijn van overeenkomstige toepassing ten aanzien van de ondernemer of de ondernemers die een centrale ondernemingsraad of een groepsondernemingsraad hebben ingesteld, alsmede ten aanzien van die raden.

Art. 49a. Vervallen.

Art. 50. Vervallen.

Bestaande bedrijfscommissies

Art. 51. De bedrijfscommissies, door de Raad ingesteld krachtens de Wet op de Ondernemingsraden (Stb. 1950, K174), worden geacht door de Raad te zijn ingesteld krachtens deze wet.

Verzoekschrift procedure

Art. 52. De twaalfde titel van het eerste boek van het Wetboek van Burgerlijke Rechtsvordering treedt gelijktijdig met deze wet in werking ten aanzien van de gedingen, bedoeld in artikel 21, derde lid.

Art. 53. 1. Deze wet is niet van toepassing op de in de Wet op het hoger onderwijs en wetenschappelijk onderzoek bedoelde universiteiten, hogescholen, Open Universiteit, openbare academische ziekenhuizen, Koninklijke Nederlande Akademie van Wetenschappen en Koninklijke Bibliotheek noch op de Nederlandse organisatie voor wetenschappelijk onderzoek.

2. Bij algemene maatregel van bestuur kan op voordracht van de Minister van Onderwijs, Cultuur en Wetenschappen worden bepaald dat de in het eerste lid opgenomen uitzondering niet geldt voor één of meer van bedoelde instellingen. Daarbij kan tevens worden bepaald dat Hoofdstuk VII B van deze wet niet van toepassing is.

3. Met ingang van het tijdstip waarop de in het tweede lid bedoelde algemene maatregel van bestuur voor de Open Universiteit, de openbare academische ziekenhuizen en de in het eerste lid genoemde onderzoeksorganisaties in werking treedt, vervallen de artikelen 11.19, 11.20, 11.21 en 11.22, onderscheidenlijk artikel 12.14 en artikel 13.7 van de Wet op het hoger onderwijs en wetenschappelijk onderzoek, en artikel 14, tweede lid, van de Wet op de Nederlandse organisatie voor wetenschappelijk onderzoek alsmede de aanduiding „1" voor het eerste lid van dat artikel.

Art. 53a. Deze wet is niet van toepassing op het Ministerie van Defensie en de daaronder ressorterende diensten, bedrijven of instellingen.

Art. 53b. Deze wet is niet van toepassing op de rechterlijke ambtenaren bij de tot de rechterlijke macht behorende gerechten, de overeenkomstige ambtenaren bij de Centrale Raad van Beroep, het College van Beroep voor het Bedrijfsleven, de Tariefcommissie en het College van Beroep Studiefinanciering en de rechterlijke ambtenaren in opleiding.

Art. 53c. Deze wet is niet van toepassing op:
a. de leden van de Raad van State;
b. de leden van de Algemene Rekenkamer;
c. de Nationale ombudsman en de substituut-ombudsmannen.

Citeertitel

Art. 54. 1. Deze wet kan worden aangehaald als Wet op de ondernemingsraden.
2. Zij treedt in werking op een door Ons te bepalen tijdstip.

BESLUIT van 21 november 1975, houdende de SER-fusiegedragsregels zoals laatstelijk gewijzigd bij het besluit van de raad van 21 december 1990[1]

De Sociaal-Economische Raad,

gelet op artikel 2 van de Wet op de bedrijfsorganisatie,

overwegende, dat de raad als orgaan van het bedrijfsleven op 15 mei 1970 een besluit heeft vastgesteld, houdende gedragsregels welke bij het voorbereiden en tot stand brengen van fusies van ondernemingen dienen te worden in acht genomen,

overwegende, dat de raad op 15 juni 1971 ingevolge daartoe strekkende voorstellen van de bij het voornoemde besluit ingestelde Commissie voor Fusieaangelegenheden dit besluit heeft ingetrokken en doen vervangen door een nieuw besluit, houdende gedragsregels in acht te nemen bij het voorbereiden en uitbrengen van een openbaar bod op aandelen en het voorbereiden en tot stand brengen van een fusie of een overneming van een onderneming,

overwegende, dat in dit besluit tevens werd opgenomen een verplichting tot melding van voorgenomen fusies aan de overheid,

overwegende, dat de Commissie voor Fusieaangelegenheden bij schrijven d.d. 29 oktober 1975 aan de raad heeft voorgesteld een aantal wijzigingen aan te brengen in het besluit van 25 juni 1971,

overwegende, dat de organisaties van ondernemers en van werknemers, welke zijn aangewezen tot het benoemen van leden van de raad, bereid zijn hun medewerking te blijven verlenen aan de bevordering van de naleving van de gedragsregels, zoals deze na de wijzigingen zullen luiden,

besluit op te stellen en af te kondigen de volgende gedragsregels in acht te nemen bij het voorbereiden en uitbrengen van een openbaar bod op aandelen en het tot stand komen van fusies van ondernemingen.

GEDRAGSREGELS TER BESCHERMING VAN DE BELANGEN VAN DE AANDEELHOUDERS

§ 1. *Inleidende bepalingen*

Begripsbepalingen

Art. 1. In dit hoofdstuk wordt verstaan onder:

n.v.: een naar Nederlands recht opgerichte naamloze vennootschap of besloten vennootschap met beperkte aansprakelijkheid;

aandelen in een n.v.: aandelen in een n.v., welke in Nederland ter beurze worden genoteerd of geregeld incourant worden verhandeld alsmede effecten welke in Nederland ter beurze worden genoteerd of geregeld incourant worden verhandeld en waarvan de houders het recht hebben om deze in te wisselen in aandelen in de n.v.;

aandeelhouders: houders van aandelen in een n.v.;

openbaar bod: a. een tot het publiek gericht bod op aandelen in een n.v., dat ten minste de geboden prijs of ruilverhouding vermeldt, met uitzondering van het hierna onder b. omschreven bod („vast bod"), dan wel

b. een tot het publiek gericht bod op aandelen in een n.v., strekkende tot verwerving van een gedeelte van die aandelen, welk bod ten minste de geboden prijs of ruilverhouding vermeldt („partieel bod"); dan wel

c. een tot het publiek gerichte uitnodiging om aandelen in een n.v. tegen een door de houders van die aandelen zelf te noemen tegenprestatie aan de overnemende n.v. aan te bieden („tenderbod");

overnemende n.v.: de n.v. door of namens welke een openbaar bod wordt voorbereid of uitgebracht;

over te nemen n.v.: de n.v. op welker aandelen een openbaar bod wordt voorbereid of uitgebracht;

commissie: de Commissie voor Fusieaangelegenheden van de Sociaal-Economische Raad, als bedoeld in hoofdstuk IV.

2. In dit hoofdstuk wordt respectievelijk onder „aandelen", „effecten" en „aandeelhouders" telkens mede begrepen: „certificaten van zodanige aandelen" „certificaten van zodanige effecten" en „ certificaathouders".

[1] Dit besluit is overeengekomen met toestemming van de Sociaal-Economische Raad (SER).

§ 2. *Werkingssfeer*

Werkingssfeer

Art. 2. 1. De in paragraaf 3 opgenomen gedragsregels dienen te worden in acht genomen, indien door een n.v. een openbaar bod op aandelen in een n.v. wordt voorbereid of uitgebracht.

2. Indien door een n.v. een bod, niet zijnde een openbaar bod, wordt voorbereid of uitgebracht met betrekking tot op naam gestelde aandelen in een n.v. en dit bod wordt of zal worden bekendgemaakt aan meer dan de helft van de in het aandelenregister ingeschreven houders der aandelen van de soort waarop het bod betrekking heeft, zijn de in paragraaf 3 opgenomen gedragsregels van overeenkomstige toepassing.

3. Indien een bod als bedoeld in een der voorgaande leden wordt voorbereid of uitgebracht door een bieder die zelf niet de rechtsvorm van een n.v heeft — ongeacht overigens zijn nationaliteit en zijn vestigingsplaats —, zijn de in paragraaf 3 opgenomen regels zoveel mogelijk van overeenkomstige toepassing.

4. Indien een bod als bedoeld in een der voorgaande leden, behalve op aandelen in een n.v., mede betrekking heeft op andere door de over te nemen n.v. uitgegeven effecten, zijn de gedragsregels mede van toepassing ten aanzien van het bod op deze effecten.

5. Indien een openbaar bod op aandelen in een buitenlandse rechtspersoon wordt voorbereid of uitgebracht door een n.v., welker aandelen in Nederland zijn genoteerd of geregeld incourant worden verhandeld, dienen de in de artikelen 3, 10 en 13 opgenomen gedragsregels te worden in acht genomen.

6. Indien een bod als bedoeld in een der voorgaande leden wordt voorbereid of uitgebracht door een n.v. die zelf de aandelen waarop het bod betrekking heeft, heeft uitgegeven, zijn de in paragraaf 3 opgenomen regels niet van toepassing.

§ 3. *De gedragsregels*

Publikatie- en informatieplicht; vast bod en tenderbod

Art. 3. 1. Indien een openbaar bod wordt voorbereid of uitgebracht, zijn de besturen van de daarbij betrokken n.v.'s verplicht, zodra zich omstandigheden voordoen die — ter bevordering van een gerechtvaardigde koersvorming van de aandelen in een der n.v.'s — een openbare mededeling vergen, onverwijld een zodanige mededeling te doen.

2. Als omstandigheden die tot het doen van een openbare mededeling als bedoeld in lid 1 verplichten, worden onder meer aangemerkt:
a. een zodanige stand van besprekingen ter voorbereiding van een openbaar bod, dat de verwachting gewettigd is dat overeenstemming kan worden bereikt;
de mededeling vermeldt ten minste deze omstandigheid, alsmede de namen van de betrokken n.v.'s;
b. de verzending door het bestuur van de overnemende n.v. van de kennisgeving als bedoeld in artikel 4 lid 2 of artikel 4a lid 2 of artikel 4b lid 2;
de mededeling vermeldt ten minste het verzenden van deze kennisgeving, alsmede de namen van de betrokken n.v.'s;
c. een koersvorming of andere ontwikkelingen welke erop zou kunnen wijzen dat het voeren van besprekingen over een openbaar bod of het eenzijdige voornemen tot het doen van een openbaar bod bekend is bij derden die van deze wetenschap gebruik zouden kunnen maken;
de mededeling vermeldt ten minste de naam van de bij die koersvorming of andere ontwikkeling betrokken n.v., alsmede het feit dat fusiebesprekingen worden gevoerd respectievelijk dat het voornemen bestaat tot het uitbrengen van een openbaar bod;
d. ingeval van een vast bod; de definitieve vaststelling van de prijs of ruilverhouding;
de mededeling vermeldt ten minste:
— de namen van de betrokken n.v.'s;
— de vastgestelde prijs of ruilverhouding, en
— de op dat moment reeds vastgestelde voorwaarden waarvan de verplichting tot nakoming van het bod afhankelijk zal worden gesteld, alsmede
— een indicatie met betrekking tot de datum van verkrijgbaarstelling van het biedingsbericht;
in geval van een partieel bod; de definitieve vaststelling van het getal of percentage van de aandelen tot de verkrijging waarvan het bod strekt dan wel van de prijs of ruilverhouding, bedoeld in artikel 6A lid 1 sub b;
de mededeling vermeldt tenminste:
— de namen van de betrokken n.v.'s;

— het getal of percentage van de aandelen waarvan de verkrijging aldus wordt beoogd, dan wel
— de prijs als bedoeld in artikel 6a lid 1 sub h.;
— een indicatie met betrekking tot de datum van publikatie van de annonce als bedoeld in artikel 5 lid 3;
ingeval van een tenderbod: de definitieve vaststelling van het getal of percentage van de aandelen in de over te nemen n.v. waarvan de verkrijging wordt beoogd dan wel van de prijs als bedoeld in artikel 6B lid 1 sub h.;
de mededeling vermeldt ten minste:
— de namen van de betrokken n.v.'s;
— het getal of percentage van de aandelen waarvan de verkrijging aldus wordt beoogd dan wel de prijs als bedoeld in artikel 6B lid 1 sub h.; alsmede
— een indicatie met betrekking tot de datum van publikatie van de annonce als bedoeld in artikel 5 lid 3;
e. het besluit van een overnemende n.v. om een openbaar bod, over de voorbereiding waarvan eerder een openbare mededeling is gedaan, niet uit te brengen;
de mededeling vermeldt ten minste dat besloten is tot het niet-uitbrengen van het bod;
f. het door een over te nemen n.v., ten aanzien waarvan eerder een openbare mededeling over de voorbereiding van een openbaar bod op haar aandelen is gedaan, aan de overnemende n.v. of aan een derde uitgeven van aandelen of verschaffen van een recht tot het opnemen van door de over te nemen n.v. uit te geven aandelen;
de mededeling vermeldt ten minste:
— de naam van degene die de betrokken aandelen verwerft of eventueel zal verwerven;
— het nominale bedrag daarvan en de prijs of uitgiftekoers;
— alsmede de motieven voor de betreffende handeling;
g. de openbare mededeling door een derde waaruit blijkt dat hij een openbaar bod op dezelfde effecten voorbereidt of uitbrengt:
— voor wat het bestuur van de over te nemen n.v. betreft vermeldt de mededeling ten minste hetzij een gemotiveerde standpuntbepaling door het bestuur van de over te nemen n.v., hetzij een verklaring waarom geen onmiddellijke standpuntbepaling wordt bekendgemaakt vergezeld van de mededeling wanneer deze tegemoet kan worden gezien;
— voor wat het bestuur van de overnemende n.v. betreft vermeldt de mededeling hetzij de maatregelen tot welke dit bod hem aanleiding geeft, hetzij — indien geen onmiddellijke maatregelen worden overwogen — een indicatie omtrent het tijdstip waarop een mededeling omtrent te nemen maatregelen kan worden verwacht.

3. Vanaf het ogenblik waarop een openbare mededeling over het voorbereiden of uitbrengen van een openbaar bod is gedaan zijn de besturen van de daarbij betrokken n.v.'s verplicht om, ieder met betrekking tot de door de eigen n.v. verrichte transacties of gesloten overeenkomsten, aan de commissie opgave te doen van de na dat ogenblik verrichte transacties in de betrokken aandelen respectievelijk met betrekking tot zodanige transacties gesloten overeenkomsten, zulks onder vermelding van de daarvoor geldende voorwaarden en van de omvang van de bestaande onderlinge kapitaaldeelnemingen.
Een zelfde verplichting rust op het bestuur van ieder van de hiervoor bedoelde n.v.'s met betrekking tot zodanige, aan hem bekende, niet door de eigen n.v. verrichte transacties en gesloten overeenkomsten.
De opgave dient telkens te worden gedaan onverwijld nadat de betrokken transactie of overeenkomst tot stand is gekomen of bekend is geworden.

4. De in de voorgaande leden vermelde verplichtingen blijven van kracht tot en met de dag waarop een openbare mededeling is gedaan over de al dan niet gestanddoening of intrekking van het bod of waarop openbaar is medegedeeld dat een bod dat in voorbereiding was, niet zal worden uitgebracht.

Bijzondere voorschriften in geval van een vast bod bij gebreke overeenstemming besturen

Art. 4. 1. Behoudens indien besprekingen tussen de besturen van n.v.'s tot overeenstemming hebben geleid of de verwachting gewettigd doen zijn dat overeenstemming kan worden bereikt over het uit te brengen bod, is het bestuur van de overnemende n.v. — in afwijking van het bepaalde in artikel 3 lid 2 onder *d* — gehouden geen openbare mededeling over de prijs of ruilverhouding te doen alvorens volledig uitvoering te hebben gegeven aan het in de leden 2 en 3 bepaalde.

2. Het bestuur van de overnemende n.v. is gehouden het bestuur van de over te nemen n.v. schriftelijk in kennis te stellen van zijn voornemen de prijs of ruilverhouding voor een op de aandelen in de over te nemen n.v. uit te brengen bod bekend te maken en tevens het bestuur van de over te nemen n.v. uit te nodigen om binnen zeven dagen na ontvangst van deze kennisgeving overleg te plegen over het voornemen van de overnemende n.v. tot het doen van een openbaar bod, over de in lid 1 bedoelde prijs of ruilverhouding en over de aan het voorgenomen bod ten grondslag liggende motieven en over de voornemens met betrekking tot het in verband daarmee te voeren beleid ten aanzien van de over te nemen n.v. en de met haar verbonden onderneming, alsmede over de wijze van financiering van het uit te brengen bod indien dit een prijs vermeldt.

3. Het bestuur van de overnemende n.v. is gehouden, indien het bestuur van de over te nemen n.v. geen gebruik heeft gemaakt van de gelegenheid tot het plegen van het in lid 2 bedoelde overleg of dit overleg niet tot overeenstemming heeft geleid, het bestuur van de over te nemen n.v. schriftelijk in kennis te stellen van de prijs of ruilverhouding, van de motieven welke aan het voorgenomen bod ten grondslag liggen, en van de voornemens met betrekking tot het in verband daarmee te voeren beleid ten aanzien van de over te nemen n.v. en de met haar verbonden onderneming, alsmede over de wijze van financiering van het uit te brengen bod indien dit een prijs vermeldt.

4. Ieder van de besturen van de n.v.'s die betrokken zijn bij de in de leden 2 en 3 beschreven procedure, is gehouden om, indien het een openbare mededeling doet met betrekking tot het bod, de inhoud daarvan schriftelijk ter kennis van het bestuur van de andere n.v. te brengen, uiterlijk ten tijde van het doen van deze openbare mededeling.

Bijzondere voorschriften in geval van een tenderbod bij gebreke van overeenstemming besturen

Art. 4a. 1. Behoudens indien besprekingen tussen de besturen van n.v.'s tot overeenstemming hebben geleid of de verwachting gewettigd doen zijn dat overeenstemming kan worden bereikt over het uit te brengen bod is het bestuur van de overnemende n.v. — in afwijking van het bepaalde in artikel 3 lid 2 onder *d.* — gehouden geen openbare mededeling over het getal of percentage van de aandelen tot de verwerving waarvan het bod strekt dan wel de prijs of ruilverhouding, bedoeld in artikel 6a lid 1 sub *b* te doen alvorens volledig uitvoering te hebben gegeven aan het in de leden 2 en 3 bepaalde.

2. Het bestuur van de overnemende n.v. is gehouden het bestuur van de over te nemen n.v. schriftelijk in kennis te stellen van zijn voornemen het getal of percentage dan wel de prijs of ruilverhouding, bedoeld in artikel 6A lid 1 sub *b.* bekend te maken en tevens het bestuur van de over te nemen n.v. uit te nodigen om binnen zeven dagen na ontvangst van deze kennisgeving overleg te plegen over het voornemen van de overnemende n.v. tot het doen van een tenderbod, over dat getal of percentage dan wel die prijs en over de aan het voorgenomen tenderbod ten grondslag liggende motieven.

3. Het bestuur van de overnemende n.v. is gehouden, indien het bestuur van de over te nemen onderneming geen gebruik heeft gemaakt van de gelegenheid tot het plegen van het in lid 2 bedoelde overleg of dit overleg niet tot overeenstemming heeft geleid, het bestuur van de over te nemen onderneming schriftelijk in kennis te stellen van het getal of het percentage dan wel de prijs van de aandelen, bedoeld in artikel 6a lid 1 sub *h.*, en de motieven welke aan het voorgenomen bod ten grondslag liggen, voor zover dit niet reeds is geschied.

4. Ieder van de besturen van de n.v.'s die betrokken zijn bij de in de leden 2 en 3 beschreven procedure is gehouden om, indien het een openbare mededeling doet met betrekking tot het bod, de inhoud daarvan schriftelijk ter kennis van het bestuur van de andere n.v. te brengen, uiterlijk ten tijde van het doen van deze openbare mededeling.

Bijzondere voorschriften in geval van een tenderbod bij gebreke van overeenstemming tussen de besturen

Art. 4B. 1. Behoudens indien besprekingen tussen de besturen van n.v.'s tot overeenstemming hebben geleid of de verwachting gewettigd doen zijn dat overeenstemming kan worden bereikt over het uit te brengen bod is het bestuur van de overnemende n.v. — in afwijking van het bepaalde in artikel 3 lid 2 onder d. — gehouden geen openbare mededeling over het getal of percentage dan wel de prijs als bedoeld in artikel 6B lid 1 sub h. te doen alvorens volledig uitvoering te hebben gegeven aan het in de leden 2 en 3 bepaalde.

2. Het bestuur van de overnemende n.v. is gehouden het bestuur van de over te nemen n.v. schriftelijk in kennis te stellen van zijn voornemen het getal of percentage dan wel de prijs als bedoeld in artikel 6B lid 1 sub h. bekend te maken

en tevens het bestuur van de over te nemen n.v. uit te nodigen om binnen zeven dagen na ontvangst van deze kennisgeving overleg te plegen over het voornemen van de overnemende n.v. tot het doen van een tenderbod, over dat getal of percentage dan wel die prijs en over de aan het voorgenomen tenderbod ten grondslag liggende motieven.

3. Het bestuur van de overnemende n.v. is gehouden, indien het bestuur van de over te nemen onderneming geen gebruik heeft gemaakt van de gelegenheid tot het plegen van het in lid 2 bedoelde overleg of dit overleg niet tot overeenstemming heeft geleid, het bestuur van de over te nemen onderneming schriftelijk in kennis te stellen van het getal of het percentage dan wel de prijs van de aandelen, bedoeld in artikel 6B lid 1 sub h., en de motieven welke aan het voorgenomen bod ten grondslag liggen, voor zover dit niet reeds is geschied.

4. Ieder van de besturen van de n.v.'s die betrokken zijn bij de in de leden 2 en 3 beschreven procedure is gehouden om, indien het een openbare mededeling doet met betrekking tot het bod de inhoud daarvan schriftelijk ter kennis van het bestuur van de andere n.v. te brengen, uiterlijk ten tijde van het doen van deze openbare mededeling.

Publikatie inzake uitbrengen van een vast bod of een tenderbod

Art. 5. 1. Het bestuur van een overnemende n.v., dat een openbare mededeling heeft gedaan als bedoeld in artikel 3 lid 2 onder *a* of *b*, is gehouden binnen dertig dagen na deze bekendmaking:
— hetzij een openbaar bod uit te brengen,
— hetzij een besluit tot het niet-uitbrengen van het bod bekend te maken,
— hetzij een indicatie bekend te maken van de termijn waarop een besluit ten aanzien van het bod verwacht kan worden.

2. Indien een indicatie als bedoeld aan het einde van lid 1 heeft plaatsgevonden, dient het bestuur van de overnemende n.v. onverwijld de commissie in kennis te stellen van de oorzaak van het uitblijven van een besluit. De commissie kan het bestuur van de overnemende n.v. verplichten over de oorzaak van het uitblijven van het besluit een openbare mededeling te doen. Voorts kan zij het bestuur van de overnemende n.v. verplichten binnen een door haar vast te stellen termijn een besluit inzake het al dan niet uitbrengen van het bod openbaar bekend te maken.

3. De overnemende b.v. is gehouden haar openbaar bod algemeen bekend te maken:
— voor een vast bod hetzij door middel van een mededeling in de Officiële Prijscourant van de Vereniging voor de Effectenhandel inhoudende dat een biedingsbericht als bedoeld in artikel 6 algemeen verkrijgbaar is, hetzij door middel van een mededeling in de landelijke pers, die ten minste de geboden prijs of ruilverhouding vermeldt;
— voor een partieel bod door middel van een annonce in de Officiële Prijscourant van de Vereniging voor de Effectenhandel en in ten minste één landelijk verspreid dagblad inhoudende de gegevens als bedoeld in artikel 6a lid 1;
— voor een tenderbod door middel van een annonce in de Officiële Prijscourant van de Vereniging voor de Effectenhandel en in tenminste een landelijk verspreid dagblad, inhoudende de gegevens als bedoeld in artikel 6b lid 1.

4. Binnen zes weken nadat een vast bod algemeen bekend is gemaakt door middel van een mededeling in de landelijke pers overeenkomstig het voorgaande lid, dan wel de bekendmaking is gedaan bedoeld in artikel 2 lid 2 dient het bestuur van de overnemende n.v., een biedingsbericht algemeen verkrijgbaar te stellen. De verkrijgbaarstelling van het biedingsbericht dient onverwijld openbaar te worden medegedeeld.

5. De commissie kan de in de voorgaande leden genoemde termijnen op verzoek van het bestuur van de overnemende n.v. verlengen. Zij kan haar voorzitter machtigen om namens haar deze bevoegdheid uit te oefenen.

Biedingsbericht inzake een vast bod

Art. 6. 1. Het biedingsbericht dient ten minste in te houden:
a. de naam van de overnemende n.v.;
b. het voorstel tot overneming van aandelen volgens een daarbij aan te geven prijs respectievelijk ruilverhouding;
c. de mededeling of met het bestuur van de over te nemen n.v. overleg is gevoerd en zo ja, of dit overleg tot overeenstemming heeft geleid;
d. de verklaring dat het bod zich uitstrekt tot alle uitstaande aandelen van de soorten waarop het bod betrekking heeft, behoudens de bevoegdheid van de overnemende n.v. om daarvan uit te sluiten aandelen die ten tijde van het uitbrengen van het bod nog niet waren uitgegeven of waarvan op dat tijdstip de uitgifte nog niet

openbaar bekend was gemaakt, noch ter kennis van de overnemende n.v. was gebracht;
e. de verklaring dat aan alle houders van dezelfde soort aandelen hetzelfde bod wordt gedaan;
f. het bedrag of aantal aandelen van welker aanbieding binnen de onder *j* bedoelde periode de overnemende n.v. haar verplichting tot gestanddoening van het bod afhankelijk stelt, onverminderd de bevoegdheid van de overnemende n.v. het bod ook gestand te doen indien aandelen tot een geringer bedrag of aantal zijn aangemeld;
g. de eventuele verdere voorwaarden van welker vervulling de overnemende n.v. haar verplichting tot nakoming van het bod afhankelijk stelt met inachtneming van het in artikel 11 leden 1 en 2 bepaalde;
h. een duidelijke motivering van de aangeboden prijs respectievelijk ruilverhouding alsmede een mededeling over de wijze van financiering door de overnemende n.v. indien het bod een prijs vermeldt;
hh. een regeling met betrekking tot levering van de aan te bieden aandelen en van betaling van aangeboden aandelen. Deze regeling behoeft de goedkeuring van de Vereniging voor de Effectenhandel;
i. indien het bod op meer dan één soort aandelen betrekking heeft: een duidelijke motivering van een eventueel verschil in het bod voor de verschillende soorten;
j. de met inachtneming van artikel 7a vastgestelde periode gedurende welke de aandelen waarop het bod betrekking heeft, kunnen worden aangemeld (aanmeldingstermijn);
k. voor zover aan de overnemende n.v. ter beschikking staand: duidelijke gegevens omtrent het vermogen en de resultaten van de over te nemen n.v., met inbegrip van de beschikbare gegevens omtrent het lopende boekjaar, indien daarvan meer dan een kwartaal is verstreken;
l. een mededeling omtrent eventuele voornemens inzake wijziging van de statuten der over te nemen n.v. na gestanddoening van het bod;
ll. een mededeling omtrent de aan het bod ten grondslag liggende motieven en omtrent de voornemens met betrekking tot het in verband daarmee te voeren beleid ten aanzien van de over te nemen n.v. en de met haar verbonden onderneming;
m. een mededeling omtrent eventuele voornemens inzake de samenstelling van het bestuur en van de raad van commissarissen der over te nemen n.v. na gestanddoening van het bod;
n. een mededeling omtrent het totale bedrag der eventuele vergoedingen aan de commissarissen van de over te nemen n.v., die bij gestanddoening van het bod zullen aftreden;
o. mededelingen inzake:
— de grootte van de ten tijde van de publikatie van het biedingsbericht bestaande onderlinge kapitaaldeelneming — zowel direct als indirect — van de overnemende en de over te nemen n.v.;
— de vraag of houders van aandelen van een soort waarop het bod betrekking heeft reeds te kennen hebben gegeven voor hun aandelen het bod te (zullen) aanvaarden en zo ja, vermelding van het totale nominale bedrag van deze aandelen;
p. een mededeling:
— of aandelen in de over te nemen n.v. door de overnemende n.v. in de drie aan de publikatie van het biedingsbericht voorafgaande jaren zijn verworven of krachtens in die periode reeds gesloten overeenkomsten of gemaakte afspraken zullen worden verworven, direct of indirect, van bestuurders of commissarissen van de over te nemen n.v., van hun echtgenoten of minderjarige kinderen of van rechtspersonen waarin deze personen de zeggenschap hebben en zo ja, vermelding van:
— hun namen;
— de hoeveelheid en de soort(en) van deze aandelen;
— de prijs of ruilverhouding welke voor ieder van deze verwervingen heeft gegolden, respectievelijk welke bij ieder van deze overeenkomsten of afspraken is bedongen;
— het totaalbedrag dat met deze transactie gemoeid is;
— indien voor wat aandelen betreft waarop het bod betrekking heeft de prijs of ruilverhouding hoger is dan de ingevolge het bod geboden prijs of ruilverhouding: de motivering van dit verschil;
q. een soortgelijke mededeling als bedoeld onder *p* met betrekking tot zodanige transacties anders dan met de onder *p* genoemde natuurlijke en/of rechtspersonen

met vermelding van:
— de hoeveelheid en de soorten van deze aandelen;
— de prijs of ruilverhouding welke heeft gegolden, respectievelijk werd bedongen bij ieder van deze transacties;
— het totaalbedrag dat met deze transacties gemoeid is;
— indien voor wat betreft waarop het bod betrekking heeft de prijs of ruilverhouding hoger is dan de ingevolge het bod geboden prijs of ruilverhouding: de motivering van dit verschil;
r. soortgelijke mededelingen als bedoeld onder *p* en *q* met betrekking tot eventuele transacties verricht door een of meer rechtspersonen waarmee de overnemende n.v. in een groep is verbonden;
s. alle overige gegevens welke opneming de Vereniging voor de Effectenhandel in het desbetreffende geval noodzakelijk acht;
t. een mededeling omtrent de verstrekking van de in artikel 8 voorgeschreven gegevens aan de commissie;
u. een mededeling inzake de vraag of van de commissie reeds een bericht is ontvangen inhoudende haar oordeel omtrent de naleving van de hoofdstukken II en III van het S.E.R.-besluit Fusiegedragsregels en zo ja, vermelding van de inhoud van dit oordeel.

2. Voor de juistheid van de inhoud van het biedingsbericht zijn de besturen van de overnemende n.v. en de over te nemen n.v. verantwoordelijk, elk voor wat betreft de van hem afkomstige gegevens.

Annonce inzake tenderbod

Art. 6a. 1. De annonce waarmee een partieel bod wordt uitgebracht dient ten minste in te houden:
a. de naam van de overnemende n.v.;
b. het voorstel tot overneming van de aandelen volgens een daarbij aan te geven prijs respectievelijk ruilverhouding;
c. de mededeling of met het bestuur van de over te nemen n.v. overleg is gevoerd en zo ja, of dit overleg tot overeenstemming heeft geleid;
d. de verklaring dat het bod is gericht tot alle houders van de soorten aandelen waarop het bod betrekking heeft en dat aan alle houders van dezelfde soort aandelen hetzelfde bod wordt gedaan;
e. een beknopte, duidelijke motivering van het bod met inbegrip van de aangeboden prijs;
f. het getal of percentage van iedere soort van de aandelen in de over te nemen n.v. tot de verkrijging waarvan het bod strekt, met dien verstande dat na gestanddoening van het bod het percentage van het geplaatste kapitaal dat direct of indirect door de overnemende n.v. wordt gehouden, niet groter is dan 30 procent;
g. De verklaring dat het bod, behoudens het bepaalde onder *h.* van dit artikel, onvoorwaardelijk is en tevens dat het bod onherroepelijk is behoudens de bevoegdheid van de overnemende n.v. om het recht te bedingen het bod in te trekken indien:
— vóór het einde van de aanmeldingstermijn door een derde een openbaar bod op aandelen van een of meer van dezelfde soorten wordt uitgebracht of het voornemen daartoe openbaar bekend wordt gemaakt, òf
— de commissie een openbare berisping uitspreekt ter zake van de overtreding door de overnemende n.v. van een der in Hoofdstuk 1 neergelegde gedragsregels;
h. de verklaring dat de overnemende n.v. haar verplichting tot gestanddoening afhankelijk stelt van de aanbieding, gedurende de aanmeldingstermijn, van een bepaald getal of percentage van de aandelen, onverminderd de bevoegdheid van de overnemende n.v. het bod ook gestand te doen indien aandelen tot een kleiner getal of een geringer percentage zijn aangemeld;
i. de verklaring dat, in geval van gestanddoening, aanvaarding van aangeboden aandelen — indien een groter getal of een hoger percentage aandelen zal zijn aangeboden dan de overnemende n.v. gehouden dan wel bevoegd is te aanvaarden — zoveel mogelijk proportioneel zal geschieden, met hantering van een door de Vereniging voor de Effectenhandel goedgekeurde systematiek welke eveneens in de annonce wordt bekendgemaakt;
j. de met inachtneming van artikel 7b vastgestelde periode gedurende welke de aandelen waarop het bod betrekking heeft, kunnen worden aangeboden (aanmeldingstermijn);
k. de grootte van de ten tijde van openbaarmaking van de annonce bestaande onderlinge kapitaaldeelnemingen, zowel direct als indirect, van de overnemende en de over te nemen n.v.,
l. een regeling met betrekking tot de levering en betaling van aangeboden aandelen;

deze regeling behoeft de goedkeuring van de Vereniging voor de Effectenhandel;
m. de verklaring van de overnemende n.v. dat, na gestanddoening van het bod, gedurende een jaar — te rekenen vanaf de dag waarop de annonce openbaar is gemaakt — door of namens haar dan wel voor haar rekening geen openbaar bod zal worden uitgebracht, tenzij een derde binnen die periode een openbaar bod op de aandelen van dezelfde n.v. uitbrengt;
n. alle overige gegevens welker opneming de Vereniging voor de Effectenhandel in het desbetreffende geval noodzakelijk acht;
o. de verklaring van de overnemende n.v. dat zij niet in strijd zal handelen met het bepaalde in lid 2 van dit artikel.

2. Gedurende een jaar na de verschijningsdatum van de annonce is het de overnemende n.v. niet toegestaan om aandelen in de over te nemen n.v. te verwerven, indien zij daardoor, direct of indirect, meer dan 30 procent van het geplaatste kapitaal van de over te nemen n.v. zou gaan houden.
Dit verbod geldt niet:
— indien het bod niet gestand wordt gedaan, of
— indien en zodra een derde een openbaar bod op aandelen van dezelfde n.v. uitbrengt, met dien verstande dat in zodanig geval het verbod nochtans van kracht blijft ten aanzien van verwerving ingevolge een tenderbod.

Annonce inzake het tenderbod

Art. 6b. 1. De annonce waarmee een tenderbod wordt uitgebracht dient ten minste in te houden:
a. de naam van de overnemende n.v.;
b. de uitnodiging tot het aanbieden van de aandelen tegen een door de houders van deze aandelen te noemen prijs in contanten;
c. de mededeling of met het bestuur van de over te nemen n.v. overleg is gevoerd en zo ja, of dit overleg tot overeenstemming heeft geleid;
d. de verklaring dat het bod is gericht tot alle houders van de soorten aandelen waarop het bod betrekking heeft en dat aan alle houders van dezelfde soort aandelen hetzelfde bod wordt gedaan;
e. een duidelijke motivering van het bod;
f. het getal of percentage van iedere soort van de aandelen in de over te nemen n.v. waarvan de verkrijging wordt beoogd, met dien verstande dat na gestanddoening van het bod het percentage van het geplaatste kapitaal dat direct of indirect door de overnemende n.v. wordt gehouden, niet groter is dan 30 procent;
g. de verklaring dat het bod, behoudens het bepaalde onder h, van dit artikel, onvoorwaardelijk is en tevens, dat het bod onherroepelijk is behoudens de bevoegdheid van de overnemende n.v. om het recht te bedingen het bod in te trekken indien
— vóór het einde van de aanmeldingstermijn door een derde een openbaar bod op aandelen van een of meer van dezelfde soorten wordt uitgebracht of het voornemen daartoe openbaar bekend wordt gemaakt, óf
— de commissie een openbare berisping uitspreekt ter zake van de overtreding door de overnemende n.v. van een der in Hoofdstuk I neergelegde gedragsregels;
h. de verklaring dat de overnemende n.v. zich verbindt tot gestanddoening, indien de beoogde verkrijging mogelijk is tegen een prijs per aandeel, die door de overnemende n.v. in de annonce moet worden vermeld;
i. de verklaring dat bij aanvaarding van enig aanbod voor alle aanvaarde aandelen van dezelfde soort dezelfde prijs zal worden betaald, zijnde de hoogste prijs waartegen enig aanvaard aandeel van de desbetreffende soort is aangeboden;
j. de verklaring dat, ingeval van aanvaarding van enig aanbod:
— alle tegen een lagere prijs dan de prijs van aanvaarding aangeboden aandelen tegen de laatstbedoelde prijs zullen worden aanvaard; én
— aanvaarding van tegen de prijs van aanvaarding aangeboden aandelen zoveel mogelijk proportioneel zal geschieden met hantering van een door de Vereniging voor de Effectenhandel goedgekeurde systematiek welke eveneens in de annonce wordt bekendgemaakt;
k. de met inachtneming van artikel 7b vastgestelde periode gedurende welke de aandelen, waarop het bod betrekking heeft, kunnen worden aangeboden (aanmeldingstermijn);
l. de grootte van de ten tijde van openbaarmaking van de annonce bestaande onderlinge kapitaaldeelnemingen, zowel direct als indirect, van de overnemende en de over te nemen n.v.;
m. een regeling met betrekking tot de levering en betaling van aangeboden aandelen; deze regeling behoeft de goedkeuring van de Vereniging voor de Effectenhandel;
n. de verklaring van de overnemende n.v. dat, na gestanddoening van het bod,

gedurende een jaar — te rekenen vanaf de dag waarop de annonce openbaar is gemaakt — door of namens haar dan wel voor haar rekening geen openbaar bod zal worden uitgebracht, tenzij een derde binnen die periode een openbaar bod op aandelen van dezelfde n.v. uitbrengt;
o. alle overige gegevens welker opneming de Vereniging voor de Effectenhandel in het desbetreffende geval noodzakelijk acht;
p. de verklaring van de overnemende n.v. dat hij niet in strijd zal handelen met het bepaalde in lid 2.

2. Gedurende een jaar na de verschijningsdatum van de annonce is het de overnemende n.v. niet toegestaan om aandelen in de over te nemen n.v. te verwerven, indien zij daardoor, direct of indirect, meer dan 30 procent van het geplaatste kapitaal van de over te nemen n.v. zou gaan houden.
Dit verbod geldt niet
— indien het bod niet gestand wordt gedaan, of
— indien en zodra een derde een openbaar bod op aandelen van dezelfde n.v. uitbrengt, met dien verstande dat in zodanig geval het verbod nochtans van kracht blijft ten aanzien van verwerving ingevolge een tenderbod of een partieel bod.

Aanvullende voorschriften biedingsbericht in geval van een vast bod in aandelen

Art. 7. Indien het bod uitsluitend of mede strekt tot overneming van aandelen in ruil voor aandelen uitgegeven door de overnemende n.v., dient het biedingsbericht tevens in te houden:
a. duidelijke gegevens omtrent het vermogen en de resultaten van de overnemende n.v., met inbegrip van de beschikbare gegevens over het lopende boekjaar, indien daarvan meer dan een kwartaal is verstreken;
b. een gemotiveerde uiteenzetting omtrent de te verwachten voordelen van de voorgestelde overneming en zo mogelijk een mededeling over dividend-vooruitzichten van de overnemende n.v.;
c. overeenkomstige gegevens met betrekking tot de overnemende n.v. als in artikel 6 lid 1 onder *m* en *n* voorgeschreven met betrekking tot de over te nemen n.v..

Aanmeldingstermijn vast bod/ acceptatie na sluiting

Art. 7a. 1. De gelegenheid tot aanmelding van aandelen ingevolge het bod mag niet eerder worden opengesteld dan op de eerste beursdag volgende op die van de eerste aankondiging van de verkrijgbaarstelling van het biedingsbericht.

2. De periode gedurende welke de aandelen waarop het bod betrekking heeft kunnen worden aangemeld (de aanmeldingstermijn) mag, gerekend van de dag waarop de gelegenheid tot aanmelding is opengesteld tot en met de dag waarop de gelegenheid tot aanmelding wordt gesloten, niet korter zijn dan twintig dagen indien het bod met instemming van het bestuur van de over te nemen n.v. wordt uitgebracht, en niet korter dan dertig dagen indien het zonder zodanige instemming geschiedt, een en ander behoudens afwijking met toestemming geschiedt, een en ander behoudens afwijking met toestemming van de commissie. Zij kan haar voorzitter machtigen om namens haar deze bevoegdheid uit te oefenen.

3. Een verlenging van de in het biedingsbericht bekendgemaakte aanmeldingstermijn, zodanig dat daardoor de verplichting tot bekendmaking van de al dan niet gestanddoening van het bod wordt opgeschort, mag slechts plaatsvinden met inachtneming van de volgende bepalingen:
a. houders van aandelen, die vóór het einde van de oorspronkelijke termijn hun aandelen ingevolge het bod hebben aangemeld, dienen tijdens de verlengingsperiode de bevoegdheid te hebben deze aanmelding terug te nemen en vrijelijk over de desbetreffende aandelen te beschikken;
b. de verlenging dient uiterlijk op de derde beursdag na het einde van de oorspronkelijke termijn openbaar te worden gemaakt met vermelding van het einde van de aldus verlengde termijn;
c. de overnemende n.v. dient onverwijld alle nadere gegevens welker bekendmaking de Vereniging voor de Effectenhandel in het desbetreffende geval noodzakelijk acht openbaar mede te delen of in een aanvullend bericht verkrijgbaar te stellen, in het laatste geval onder bekendmaking van de verkrijgbaarstelling daarvan.

4. De overnemende n.v. moet iedere aanvaarding van aandelen na sluiting van de aanmeldingstermijn onverwijld doch in ieder geval niet later dan het moment van aanvang van de officiële beurshandel op de beursdag volgend op de dag van de bedoelde aanvaarding algemeen bekendmaken, indien ten tijde van die aanvaarding de aanmeldingstermijn van enig ander openbaar bod op dezelfde aandelen nog niet is verstreken.

Elke hiervoor bedoelde algemene bekendmaking moet een opgave inhouden van het totaal van de aandelen ter zake waarvan de aanbieding op de desbetreffende dag is aanvaard.

Aanmeldingstermijn tenderbod/ acceptatie na sluiting

Art. 7b. 1. De gelegenheid tot aanmelding van aandelen ingevolge het bod mag niet eerder worden opengesteld dan op de eerste beursdag volgend op die van de eerste verschijningsdatum van de annonce, bedoeld in artikel 5 lid 3.

2. De aanmeldingstermijn mag, te rekenen vanaf de dag waarop de gelegenheid tot aanmelding is opengesteld, niet korter zijn dan zeven dagen.

3. Een verlenging van de aanmeldingstermijn zodanig dat daardoor de verplichting tot bekendmaking van de al dan niet gestanddoening wordt opgeschort mag slechts plaatsvinden met inachtneming van de volgende bepalingen:
a. houders van aandelen die vóór het einde van de oorspronkelijke termijn hun aandelen ingevolge het bod hebben aangemeld, dienen tijdens de verleningsperiode de bevoegdheid te hebben deze aanmelding terug te nemen en vrijelijk over de desbetreffende aandelen te beschikken;
b. de verlenging dient uiterlijk op de tweede beursdag na het einde van de oorspronkelijke termijn openbaar bekend te worden gemaakt, met vermelding van het tijdstip van het einde van de aldus verlengde termijn;
c. de overnemende n.v. dient onverwijld alle nadere gegevens welker bekendmaking de Vereniging voor de Effectenhandel in het desbetreffende geval noodzakelijk acht openbaar mede te delen of in een aanvullende annonce te publiceren.

4. De overnemende n.v. moet iedere aanvaarding van aandelen na sluiting van de aanmeldingstermijn onverwijld doch in ieder geval niet later dan het moment van aanvang van de officiële beurshandel op de beursdag volgend op de dag van de bedoelde aanvaarding algemeen bekendmaken, indien ten tijde van de aanvaarding de aanmeldingstermijn van enig ander openbaar bod op dezelfde aandelen nog niet is verstreken. Elke hiervoor bedoelde algemene bekendmaking moet een opgave inhouden van het totaal van de aandelen ter zake waarvan de aanmelding op de desbetreffende dag is aanvaard.

Persoonlijke opgaven (vast bod)

Art. 8. 1. Iedere bestuurder en commissaris van elk der bij een vast bod betrokken n.v.'s is gehouden, tegelijk met de publikatie van het biedingsbericht, aan de commissie een gespecificeerde opgave te verstrekken van de transactie in:
a. aandelen in de over te nemen n.v., en
b. indien het bod uitsluitend of mede strekt tot overneming van aandelen in ruil voor aandelen uit te geven door de overnemende n.v.: door de overnemende n.v. uitgegeven aandelen, welke door hemzelf, zijn echtgenote, zijn minderjarige kinderen en door rechtspersonen waarin deze personen de zeggenschap hebben, zijn verricht in de zes maanden voorafgaande aan de eerste openbare mededeling inzake de prijs of ruilverhouding.

2. Iedere bestuurder en commissaris van de over te nemen n.v. is voorts gehouden, tegelijk met de publikatie van het biedingsbericht, aan de commissie een gespecificeerde opgave te verstrekken van het aantal en de soort van de door de over te nemen n.v. uitgegeven aandelen welke door hem, zijn echtgenote, zijn minderjarige kinderen en door rechtspersonen waarin deze personen de zeggenschap hebben, worden gehouden.

Persoonlijke opgaven (tenderbod)

Art. 8a. 1. Iedere bestuurder en commissaris van elk der bij een partieel bod of tenderbod betrokken n.v.'s is gehouden, tegelijk met de publikatie van de annonce, aan de commissie een gespecificeerde opgave te verstrekken van de transacties in:
a. aandelen in de over te nemen n.v., en
b. indien het bod uitsluitend of mede strekt tot overneming van aandelen in ruil voor aandelen uit te geven door de overnemende n.v.: de door de overnemende n.v. uitgegeven aandelen, welke door hemzelf, zijn echtgenote, zijn minderjarige kinderen en door rechtspersonen waarin deze personen de zeggenschap hebben, zijn verricht in de zes maanden voorafgaande aan de eerste openbare mededeling inzake de prijs of ruilverhouding dan wel het getal of percentage, bedoeld in de artikelen 6A en 6B.

2. Iedere bestuurder en commissaris van de over te nemen n.v. is voorts gehouden, tegelijk met de publikatie van de annonce, aan de commissie een gespecificeerde opgave te verstrekken van het aantal en de soort van de door de over te nemen n.v. uitgegeven aandelen, welke door hem, zijn echtgenote, zijn minderjarige kinderen en door rechtspersonen waarin deze personen de zeggenschap hebben, worden gehouden.

Art. 9. 1. Het bestuur van de over te nemen n.v. is gehouden haar aandeelhouders op te roepen voor een na de publikatie van het biedingsbericht en ten minste acht dagen voor het einde van de aanmeldingstermijn te houden algemene vergadering van aandeelhouders ter bespreking van het bod.

Informatie aan aandeelhouders/ vast bod

2. Het bestuur van de over te nemen n.v. stelt uiterlijk vier dagen vóór de in lid 1 bedoelde vergadering een bericht voor haar aandeelhouders verkrijgbaar dat ten minste inhoudt:
— een gemotiveerde standpuntbepaling van het bestuur;
— de gegevens omtrent het vermogen en de resultaten van de over te nemen n.v. — met inbegrip van de beschikbare gegevens omtrent het lopende boekjaar indien daarvan meer dan een kwartaal is verstreken — welke de aandeelhouders behoeven om zich een gefundeerd oordeel over het bod te kunnen vormen;
— alle overige gegevens welker opneming de Vereniging voor de Effectenhandel in het desbetreffende geval noodzakelijk acht, een en ander voor zover niet reeds opgenomen in een te zamen met het bestuur van de overnemende n.v. uitgegeven biedingsbericht.

3. De verkrijgbaarstelling van het in lid 2 bedoelde bericht dient onverwijld openbaar te worden medegedeeld.

4. In de in lid 1 bedoelde vergadering verschaffen het bestuur en de raad van commissarissen alle voor de beoordeling van het bod van belang zijnde inlichtingen, tenzij een zwaarwichtig belang van de vennootschap zich daartegen verzet.

5. Indien voor het einde van de aanmeldingstermijn door een derde een bod op dezelfde aandelen wordt uitgebracht, behoeft het bestuur niet opnieuw toepassing te geven aan het in de voorgaande leden bepaalde, doch kan het volstaan met publikatie van zijn standpunt met betrekking tot het nieuwe bod.

Art. 9a. Het bestuurvan de over te nemen n.v. maakt uiterlijk vier dagen vóór het einde van de aanmeldingstermijn een gemotiveerde standpuntbepaling openbaar voor zover deze niet reeds is opgenomen en een te zamen met het bestuur van de overnemende n.v. uitgegeven annonce.

Informatie aan aandeelhouders/ tenderbod

Art. 10. 1. Indien het bod uitsluitend of mede strekt tot overneming van aandelen tegen uitgifte van aandelen in de overnemende n.v. tot een gezamenlijke nominale waarde van meer dan een kwart van het vóór die uitgifte geplaatste kapitaal van de overnemende n.v., is het bestuur van de overnemende n.v. gehouden haar aandeelhouders op te roepen voor een na de publikatie van het biedingsbericht en ten minste acht dagen voor het einde van de aanmeldingstermijn te houden algemene vergadering van aandeelhouders ter bespreking van het bod.

Informatie aan aandeelhouders van de overnemende NV/ vast bod in aandelen

2. In de in lid 1 bedoelde vergadering verschaffen het bestuur en de raad van commissarissen alle voor de beoordeling van het bod van belang zijnde inlichtingen, tenzij een zwaarwichtig belang van de vennootschap zich daartegen verzet.

3. De verplichting bedoeld in de vorige leden geldt niet wanneer de overnemende n.v. een nieuwe n.v. is, welke in verband met het bod wordt opgericht.

Art. 11. 1. De overnemende n.v. is gehouden eventuele voorwaarden, waarvan zij haar verplichting tot nakoming van het bod afhankelijk stelt, — behoudens het bepaalde in artikel 3 — uiterlijk gelijktijdig met het uitbrengen van het bod openbaar te maken.

Gestanddoening, nietgestanddoening en intrekking/vast bod

De verplichting tot nakoming van het bod mag niet afhankelijk worden gesteld van een voorwaarde waarvan de vervulling afhangt van de wil van de overnemende n.v., tenzij de Vereniging voor de Effectenhandel in het stellen van een zodanige voorwaarde heeft toegestemd.

2. In afwijking van het bepaalde in lid 1 is de overnemende n.v., indien zij een of meer van de na te noemen voorwaarden wil stellen, gehouden deze uiterlijk gelijktijdig met de verkrijgbaarstelling van het biedingsbericht openbaar bekend te maken:
a. de voorwaarde dat ten minste een — in het biedingsbericht nader te bepalen — bedrag of aantal der aandelen vóór het einde van de aanmeldingstermijn zal zijn aangemeld;
b. de voorwaarde dat vóór het einde van de aanmeldingstermijn niet een openbare mededeling wordt gedaan, waaruit voor het eerst blijkt dat een derde een openbaar bod op dezelfde aandelen voorbereidt of uitbrengt dan wel het recht heeft verkregen of de toezegging heeft gedaan tot het opnemen van door de over te nemen n.v. uit te geven aandelen;
c. de voorwaarde dat vóór het einde van de aanmeldingstermijn zich geen andere

feiten of omstandigheden voordoen, die de overnemende n.v. ten tijde van het uitbrengen van het openbare bod niet bekend waren en die naar het oordeel van de Vereniging voor de Effectenhandel de intrekking van het bod rechtvaardigen;
d. de voorwaarde dat de commissie niet een openbare berisping uitspreekt ter zake van overtreding van een der in de hoofdstukken I, II en III neergelegde gedragsregels.

3. Het bestuur van de overnemende n.v. is gehouden:
a. zodra is komen vast te staan dat een door de overnemende n.v. gestelde voorwaarde als bedoeld in lid 1 of in lid 2, onder *b, c* of *d.* niet wordt vervuld, dit onverwijld bekend te maken onder mededeling of op grond daarvan het bod al dan niet wordt ingetrokken;
b. uiterlijk op de vijfde beursdag na het einde van de aanmeldingstermijn bekend te maken of het bod al dan niet wordt gestand gedaan dan wel mede te delen dat nog onzekerheid bestaat over de vervulling van een door de overnemende n.v. gestelde voorwaarde, een en ander met vermelding van het bedrag of aantal der ingevolge het bod aangemelde aandelen en in geval van niet-gestanddoening de reden daarvan.

4. Ingeval van gestanddoening van een vast bod zal de overnemende n.v. steeds voor alle ingevolge het bod aangemelde aandelen van enige soort waarop het bod betrekking heeft een vergoeding betalen welke overeenkomt met de hoogste door hem betaalde vergoeding in verband met transacties als bedoeld in artikel 3 lid 3, met uitzondering van in regelmatig beursverkeer tot stand gekomen transacties.

Gestanddoening en niet-gestanddoening / tenderbod

Art. 11a. Het bestuur van de overnemende n.v. is gehouden om uiterlijk op de vijfde beursdag na sluiting van de aanmeldingstermijn algemeen bekend te maken of het bod al dan niet gestand wordt gedaan.
Bij gestanddoening vermeldt de openbare bekendmaking:
— in geval van een partieel bod: het getal of percentage van de ingevolge het bod aangemelde aandelen. Artikel 11 lid 4 is van overeenkomstige toepassing;
— in geval van een tenderbod: het bedrag of het getal der aandelen dat ingevolge het bod is aangeboden, zomede het getal of percentage der aanvaarde aandelen en de daarvoor bepaalde prijs.
Bij niet-gestanddoening worden de redenen daarvan vermeld.

Verbod van gunstigere transacties na gestanddoening / vast bod en tenderbod

Art. 12. Indien de overnemende n.v. haar bod gestand heeft gedaan, is het haar gedurende een periode van drie jaar na de publikatie van het biedingsbericht niet toegestaan, aandelen van de soort waarop het bod betrekking had, direct of indirect te verwerven tegen voor de houder van die aandelen gunstigere voorwaarden dan volgens het openbare bod.
Dit verbod geldt niet voor verwervingen:
— met toestemming van de commissie;
— in regelmatig beursverkeer dan wel ingevolge de vorderingen bedoeld in artikel 92a en artikel 201 Boek 2 BW;
— ingevolge een door de overnemende n.v. uitgebracht openbaar bod, waarvan de aanmeldingstermijn geheel of ten dele samenvalt met een openbaar bod dat door een van de overnemende n.v. onafhankelijke derde wordt uitgebracht op aandelen van de over te nemen n.v.

Aan de commissie te verstrekken gegevens / vast bod en tenderbod

Art. 13. 1. De besturen van bij een openbaar bod betrokken n.v.'s zijn gehouden om alle ingevolge de in dit hoofdstuk opgenomen gedragsregels door hen te publiceren stukken en mededelingen uiterlijk ten tijde der publikatie te zenden aan de commissie en aan de Vereniging voor de Effectenhandel. Gelijktijdig doen zij aan de commissie mededeling omtrent de naleving van de gedragsregels ter bescherming van de belangen van de aandeelhouders, voor zover deze naleving niet reeds uit de overgelegde openbare mededelingen blijkt.

2. Zij verschaffen voorts aan de commissie de te dezer zake door haar gewenste gegevens.

II. GEDRAGSREGELS TER BESCHERMING VAN DE BELANGEN VAN DE WERKNEMERS

Gedragsregels ter bescherming van de belangen van de werknemers, in acht te nemen bij het tot stand komen van fusies van ondernemingen

§ 1. *Inleidende bepalingen*

Begripsbepalingen

Art. 14. 1. In dit hoofdstuk wordt verstaan onder:
onderneming: elk als zelfstandige eenheid optredend organisatorisch verband, waarin krachtens arbeidsovereenkomst in het kader van de uitoefening van een bedrijf arbeid wordt verricht;
samenstel van ondernemingen: twee of meer ondernemingen, over de activiteiten waarvan een zelfde natuurlijke of rechtspersoon, direct of indirect, de zeggenschap heeft;
fusie: verkrijging van de zeggenschap, direct of indirect, over de activiteiten van een onderneming of een gedeelte daarvan;
vakorganisaties: de rechtspersoonlijkheid bezittende verenigingen van werknemers, welke krachtens hun statuten ten doel hebben de belangen van hun leden als werknemers te behartigen en
a. van wier kandidatenlijst voor de laatst gehouden verkiezingen ten minste één lid is gekozen in de ondernemingsraad van een bij de fusie betrokken in Nederland gevestigde onderneming; of
b. welke betrokken zijn bij een regeling van lonen en andere arbeidsvoorwaarden, die geldt voor een bij de fusie betrokken in Nederland gevestigde onderneming; of
c. waarvan is gebleken dat zij in de twee voorafgaande kalenderjaren als zodanig regelmatig werkzaam zijn geweest ten behoeve van hun leden in een bij de fusie betrokken in Nederland gevestigde onderneming;
n.v.: een naar Nederlands recht opgerichte naamloze vennootschap of besloten vennootschap met beperkte aansprakelijkheid;
commissie: de Commissie voor Fusieaangelegenheden van de Sociaal-Economische Raad, als bedoeld in hoofdstuk IV.

2. Indien de in paragraaf 4 neergelegde gedragsregels bij een collectieve arbeidsovereenkomst op een onderneming van toepassing zijn verklaard overeenkomstig het bepaalde in artikel 15 tweede lid, worden — in afwijking van de omschrijving van „vakorganisaties" in het vorige lid — als vakorganisaties aangemerkt: de vakverenigingen van werknemers, welke partij zijn bij de betrokken collectieve arbeidsovereenkomst.

§ 2. *Werkingssfeer*

Werkingssfeer

Art. 15. 1. De in paragraaf 4 opgenomen gedragsregels dienen te worden in acht genomen:
a. indien bij een fusie ten minste één in Nederland gevestigde onderneming is betrokken waarin in de regel 100 of meer werknemers werkzaam zijn;
b. indien een bij een fusie betrokken onderneming deel uitmaakt van een samenstel van ondernemingen en in de daartoe behorende in Nederland gevestigde ondernemingen te zamen in de regel 100 of meer werknemers werkzaam zijn.

2. Bij collectieve arbeidsovereenkomst kunnen de gedragsregels van toepassing worden verklaard op andere dan de in het eerste lid bedoelde ondernemingen.

3. De in paragraaf 4 opgenomen gedragsregels gelden niet indien:
a. alle bij de fusie betrokken ondernemingen behoren tot één samenstel van ondernemingen;
b. de fusie het gevolg is van vererving of huwelijksgemeenschap;
c. de fusie niet tot de Nederlandse rechtssfeer behoort.

§ 3. *De verantwoordelijkheid voor de naleving van de gedragsregels*

Verantwoordelijke organen en personen

Art. 16. 1. Met betrekking tot iedere bij een fusie betrokken onderneming rust de verplichting tot naleving van de in paragraaf 4 opgenomen gedragsregels op het bestuur van de rechtspersonen welke, direct of indirect, de onderneming in stand houdt.

2. Indien een bij een fusie betrokken onderneming in stand wordt gehouden door een of meer natuurlijke personen, rust de verplichting tot naleving van de in paragraaf 4 opgenomen gedragsregels op deze natuurlijke persoon of natuurlijke personen.

3. Voor zover echter fusiebesprekingen worden gevoerd door andere personen dan die bedoeld in de voorafgaande leden, rust op die andere personen de verplichting tot naleving van de in paragraaf 4 opgenomen gedragsregels.

4. De in de artikelen 18 en 19 opgenomen geheimhoudingsplichten rusten op de vakorganisaties.

§ 4. *De gedragsregels*

Publikaties

Art. 17. Indien een openbare mededeling wordt of moet worden gedaan met betrekking tot de voorbereiding of totstandkoming van een fusie, worden de vakorganisaties vóór het doen uitgaan van deze mededeling omtrent de inhoud daarvan ingelicht.

Inkennisstelling, geheimhouding, informatie en overleg

Art. 18. 1. Bij een zodanige stand van fusiebesprekingen, dat de verwachting gewettigd is geworden, dat in die besprekingen overeenstemming kan worden bereikt, worden de vakorganisaties onverwijld daarvan in kennis gesteld.

2. Omtrent de kennisgeving als bedoeld in lid 1 dient door de vakorganisaties geheimhouding te worden betracht, tenzij het tegendeel schriftelijk aan hen is medegedeeld.
Omtrent in het kader van de leden 3 tot en met 5 te verstrekken gegevens geldt een geheimhoudingsplicht indien aan de vakorganisaties vóór het verstrekken dier gegevens bij aangetekende brief is medegedeeld, dat geheimhouding wordt verzocht. Ten opzichte van vakorganisaties die binnen vier werkdagen na de dag van verzending van de in de vorige volzin bedoelde brief de verlangde geheimhouding per telegram hebben afgewezen, behoeven de in de leden 3 tot en met 5 vermelde gedragsregels niet te worden in acht genomen, tenzij tijdig alsnog schriftelijk geheimhouding wordt aanvaard.

3. Aan de vakorganisaties wordt een uiteenzetting verstrekt inzake de motieven voor de fusie, de voornemens met betrekking tot het in verband daarmee te voeren ondernemingsbeleid alsmede inzake de in dat kader te verwachten sociale, economische en juridische gevolgen van de fusie en in samenhang daarmee voorgenomen maatregelen.
Tenzij anders overeengekomen, wordt deze uiteenzetting schriftelijk verstrekt.

4. Voordat de in lid 1 bedoelde overeenstemming wordt bereikt, en nadat uitvoering is gegeven aan het bepaalde in lid 3, worden de vakorganisaties in de gelegenheid gesteld in een bespreking hun oordeel te geven over de fusie vanuit het gezichtspunt van het werknemersbelang.
Tenzij de vakorganisaties zulks niet nodig oordelen, wordt aandacht besteed aan:
a. de grondslagen van het in verband met de fusie te voeren ondernemingsbeleid met inbegrip van de sociale, economische en juridische aspecten daarvan;
b. de grondslagen van maatregelen tot het voorkomen, wegnemen of verminderen van eventuele nadelige gevolgen voor de werknemers, waaronder het verstrekken van financiële tegemoetkomingen; en voorts aan;
c. het tijdstip waarop met de ondernemingsraad het krachtens de Wet op de ondernemingsraden vereiste overleg zal worden gevoerd;
d. het tijdstip en de wijze waarop het personeel zal worden ingelicht;
e. de verslaggeving van de in het kader van dit artikel gevoerde bespreking(en), met dien verstande dat eventueel opgemaakte verslagen aan ieder van de deelnemers aan de betrokken bespreking(en) worden verstrekt.

5. Indien de vakorganisaties voor hun oordeelvorming over de in de leden 3 en 4 genoemde onderwerpen nadere gegevens wensen, worden deze, voor zover mogelijk, aan hen verstrekt.

Einde geheimhouding

Art. 19. 1. Omtrent het tijdstip waarop de in artikel 18 bedoelde geheimhoudingsplicht geheel of gedeeltelijk een einde neemt, wordt in onderling overleg beslist. Leidt het overleg niet tot overeenstemming, dan beslist op verzoek van een der betrokken partijen de commissie.

2. In afwijking van het vorenstaande wordt over het opheffen van de geheimhoudingsplicht met betrekking tot uitdrukkelijk als vertrouwelijk verstrekte technische of economische gegevens uitsluitend beslist door degene die deze gegevens heeft verstrekt. De commissie kan desgevraagd bij een onredelijk gebruik

van deze afwijkende regeling de geheimhoudingsplicht geheel of ten dele opheffen.

Art. 20. 1. Tenzij op grond van fusiebesprekingen de verwachting gewettigd is geworden dat overeenstemming kan worden bereikt over een openbaar of onderhands bod ter verwezenlijking van een fusie, dient de bieder, voordat hij de in het bod op te nemen prijs of ruilverhouding vaststelt, de vakorganisaties omtrent zijn voornemen in te lichten en overeenkomstige toepassing te geven aan het in de leden 3 tot en met 5 van artikel 18 bepaalde.

Bijzondere regeling i.g.v. openbaar of onderhands bod

2. De bieder dient het bestuur van een n.v. op de aandelen waarvan een bod als in het vorige lid bedoeld zal worden uitgebracht, ten minste vijftien dagen vóór het uitbrengen van het bod schriftelijk van zijn voornemen in kennis te stellen.

3. Het in het vorige lid bedoelde bestuur stelt onverwijld de vakorganisaties van dit voornemen van de bieder in kennis.
Het geeft overeenkomstige toepassing aan het in de leden 3 tot en met 5 van artikel 18 bepaalde voordat het zijn standpunt ten aanzien van het overwogen dan wel uitgebrachte bod openbaar bekendmaakt of aan de aandeelhouders mededeelt.

4. Met betrekking tot de ingevolge de vorige leden aan de vakorganisaties te verstrekken inlichtingen en gegevens is het bepaalde in artikel 18 lid 2 en artikel 19 van overeenkomstige toepassing.

Art. 21. 1. Terzelfder tijd dat de in artikel 18 lid 1, respectievelijk de in artikel 20 lid 1 of lid 2 bedoelde mededeling aan de vakorganisaties moet worden gedaan of zou moeten worden gedaan, indien er een vakorganisatie als daar bedoeld aanwezig zou zijn, wordt een overeenkomstige mededeling gedaan aan de commissie.

Meldingsplicht

2. Zo spoedig mogelijk nadat in fusiebesprekingen overeenstemming is bereikt of nadat ter verwezenlijking van een fusie een openbaar of onderhands bod op aandelen is uitgebracht, wordt aan de commissie mededeling gedaan omtrent de toepassing van de in de voorgaande artikelen van deze paragraaf neergelegde gedragsregels en worden haar te dezer zake gewenste gegevens verschaft.

3. Verslagen als bedoeld in artikel 18 worden zo spoedig mogelijk aan de commissie overgelegd.

III. INLICHTINGEN OVER FUSIES AAN DE OVERHEID

Art. 22. 1. De personen die de in artikel 21 lid 1 bedoelde mededeling aan de Commissie voor Fusieaangelegenheden moeten doen, verstrekken desverlangd aan de minister van Economische Zaken inlichtingen met betrekking tot de motieven voor de fusie en over de te verwachten economische en sociale gevolgen daarvan.

2. Indien de minister voor zijn oordeelvorming nadere gegevens wenst, worden deze, voor zover mogelijk, aan hem verstrekt.

3. De ingevolge dit artikel aan de minister gedane mededelingen zijn vertrouwelijk, voor zover het tegendeel niet kenbaar is gemaakt.

IV. COMMISSIE VOOR FUSIEAANGELEGENHEDEN

Art. 23. Er is een commissie van de raad, genaamd Commissie voor Fusieaangelegenheden.

Art. 24. 1. De commissie heeft tot taak de nakoming te bevorderen van de in de hoofdstukken I, II en III neergelegde gedragsregels.
Zij kan bij de uitvoering van deze taak de inlichtingen vragen die zij nodig heeft.

2. De commissie kan aan de raad voorstellen doen over wijziging of aanvulling van de gedragsregels.

3. De commissie brengt periodiek verslag uit van haar werkzaamheden aan de raad.

Art. 25. 1. De commissie bestaat uit twaalf leden.

2. Voor elk der in lid 4 onder *a* en *b* bedoelde leden wordt één plaatsvervanger benoemd, voor het in lid 4 onder *c* bedoelde lid worden twee plaatsvervangers benoemd. Een plaatsvervanger blijft ook na de beëindiging van het lidmaatschap van het lid wiens plaatsvervanger hij is, in functie tot in diens plaats een nieuw lid is benoemd.

3. De leden en de plaatsvervangers worden door de raad benoemd voor vier jaren.

4. *a.* Voor de benoeming van vier leden en hun plaatsvervangers stelt de raad de daarvoor naar zijn oordeel in aanmerking komende organisaties van werknemers in de gelegenheid gezamenlijk voordrachten uit te brengen.
b. Voor de benoeming van drie leden en hun plaatsvervangers stelt de raad de daarvoor naar zijn oordeel in aanmerking komende organisaties van ondernemers in de gelegenheid gezamenlijk voordrachten uit te brengen.
c. Voor de benoeming van één lid en twee plaatsvervangers stelt de raad de Vereniging voor de Effectenhandel in de gelegenheid voordrachten uit te brengen.

Art. 26. Een van de vier niet in artikel 25 lid 4 bedoelde leden van de commissie wordt door de raad tot voorzitter benoemd, de drie anderen van die leden zijn plaatsvervangend voorzitter.

Art. 27. De commissie kan uit haar midden subcommissies instellen.

Art. 28. Beslissingen als bedoeld in de artikelen 32 en 33 kunnen slechts door de commissie zelf worden genomen. De commissie beslist bij meerderheid van stemmen. Bij staking van stemmen beslist de fungerende voorzitter.

Art. 29. 1. Aan de beraadslagingen in de commissie of een subcommissie over een bepaald geval van fusie nemen geen deel leden of plaatsvervangende leden die persoonlijk bij die fusie betrokken zijn of belangen van betekenis hebben bij een van de fusionerende ondernemingen. De commissie stelt regels omtrent de door de leden en de plaatsvervangers te verstrekken inlichtingen.
2. In geval van twijfel of een lid of plaatsvervanger op grond van het bepaalde in het vorige lid deel mag nemen aan een beraadslaging beslist de commissie. Het betrokken lid of de betrokken plaatsvervanger onthoudt zich van medestemmen. Bij staking van stemmen beslist de fungerende voorzitter.

Art. 30. De artikelen 9, 10 en 28 van de Wet op de bedrijfsorganisatie zijn ten aanzien van de commissie en haar subcommissies van overeenkomstige toepassing.

Art. 31. De commissie kan nadere regels stellen betreffende haar werkwijze en die van haar subcommissies.
Zij kan daarbij ten aanzien van de plaatsvervanging bepalen, dat de plaatsvervangende leden ook bij verhindering van een ander dan degenen als wier plaatsvervanger zij zijn benoemd, een vergadering kunnen bijwonen, met dien verstande dat zulks uitsluitend geldt:
a. voor de plaatsvervangers, benoemd na voordracht van de organisaties, bedoeld in artikel 25 vierde lid onder *a* ter vervanging van de leden, benoemd na voordracht van deze organisaties;
b. voor de plaatsvervangers, benoemd na voordracht van de organisaties, bedoeld in artikel 25 vierde lid onder *b* ter vervanging van de leden, benoemd na voordracht van deze organisaties;
c. voor de plaatsvervangers, voor wier benoeming geen voordracht is gedaan, ter vervanging van de leden voor wier benoeming geen voordracht is gedaan.

Openbare berisping en openbare kennisgeving

Art. 32. 1. De commissie kan ter zake van overtredingen van de in de hoofdstukken I, II en III neergelegde gedragsregels een openbare berisping uitspreken of een openbare kennisgeving doen.
2. Alvorens een beslissing te nemen inzake een maatregel als bedoeld in het voorgaande lid, geeft de commissie degene, op wie een dergelijke maatregel betrekking zou hebben, schriftelijk kennis van de voorshands bij haar gerezen bezwaren. Hierbij stelt zij de betrokkene in de gelegenheid in een hoorzitting — desgewenst onder voorafgaande toezending of overlegging van een inleidend schriftelijk verweer tegen deze bezwaren — de met betrekking tot de naleving van de fusiegedragsregels relevante feiten nader toe te lichten.
Indien de commissie besluit een openbare berisping uit te spreken of een openbare kennisgeving te doen, licht zij de betrokkene in omtrent haar motieven, voor zover deze niet in de openbare berisping of de openbare kennisgeving kunnen worden vermeld.

Ontheffing

Art. 33. 1. De commissie kan van de in de gedragsregels bedoeld in de hoofdstukken I en II vervatte verplichtingen voorwaardelijk of onvoorwaardelijk en geheel of gedeeltelijk ontheffing verlenen.

2. Alvorens op een verzoek om ontheffing te beslissen hoort de commissie de aanvrager, alsmede, tenzij de aanvrager hiertegen om redenen van geheimhouding bezwaren heeft, de betrokken vakorganisaties onderscheidenlijk de Vereniging voor de Effectenhandel. Indien de commissie de bedoelde bezwaren van de aanvrager niet gegrond acht, wijst zij het verzoek om ontheffing reeds om deze reden af.

3. De commissie kan algemeen ontheffing verlenen voor een in die ontheffing te omschrijven categorie van fusies.

V. SLOTBEPALINGEN

Art. 34. 1. Het S.E.R.-besluit Fusiegedragsregels 1971 wordt ingetrokken.

2. De Commissie voor Fusieaangelegenheden, ingesteld bij het in het vorige lid bedoelde besluit, wordt geacht te zijn ingesteld bij het onderhavige besluit.

Citeertitel

Art. 35. 1. Dit besluit kan worden aangehaald als S.E.R.-besluit Fusiegedragsregels 1975.

Inwerkingtreding

2. Het treedt in werking op een door de voorzitter van de Sociaal-Economische Raad te bepalen datum*).

*) 1 april 1976.

Wet op de loonvorming

Wet van 12 februari 1970, Stb. 69, houdende regelen met betrekking tot de loonvorming (Wet op de loonvorming), zoals laatstelijk gewijzigd bij de wet van 4 juni 1992, Stb. 422

Wij JULIANA, bij de gratie Gods, Koningin der Nederlanden, Prinses van Oranje-Nassau, enz., enz., enz.

Allen, die deze zullen zien of horen lezen, saluut! doen te weten:

Alzo Wij in overweging genomen hebben, dat het wenselijk is de voorschriften van de derde titel van het Buitengewoon Besluit Arbeidsverhoudingen 1945 (Stb. 1963, 271) door andere regelen met betrekking tot de totstandkoming van lonen en andere arbeidsvoorwaarden te vervangen;

Zo is het, dat Wij, de Raad van State gehoord, en met gemeen overleg der Staten-Generaal, hebben goedgevonden en verstaan, gelijk Wij goedvinden en verstaan bij deze:

§ 1. *Algemene bepalingen*

Begripsbepalingen

Art. 1. Voor de toepassing van het bij of krachtens deze wet bepaalde wordt verstaan onder:
a. Onze Minister: Onze Minister van Sociale Zaken en Werkgelegenheid;
b. werknemer:
1°. degene die in dienst van een ander arbeid verricht;
2°. degene die in de zelfstandige uitoefening van een bedrijf of beroep persoonlijk arbeid voor een ander verricht — tenzij hij zodanige arbeid in de regel voor meer dan twee anderen verricht of zich daarbij door meer dan twee personen, niet zijnde zijn echtgenoot of een bij hem inwonend bloed- of aanverwant of pleegkind, laat bijstaan, dan wel deze arbeid voor hem slechts een bijkomstige werkzaamheid is;
c. werkgever: de natuurlijke persoon of rechtspersoon in wiens dienst dan wel voor wie de onder b, onderscheidenlijk sub 1° en sub 2°, bedoelde werknemer arbeid verricht;
d. arbeidsverhouding: de rechtsbetrekking tussen een werknemer en diens werkgever;
e. loon: arbeidsvoorwaarde, regelende de vergoeding van de werkgever aan de werknemer ter zake van diens arbeid.

Toepasselijkheid

Art. 2. 1. Deze wet is niet van toepassing op de arbeidsverhouding van:
a. personen in dienst van een publiekrechtelijk lichaam;
b. personen, aan een onderwijsinrichting werkzaam, wier arbeid bestaat in het geven van onderwijs;
c. personen die een geestelijk ambt bekleden.

2. Deze wet is voorts niet van toepassing op arbeidsverhoudingen, behorende tot een bij algemene maatregel van bestuur daartoe aangewezen categorie.

3. Alvorens Ons een voordracht te doen betreffende een algemene maatregel van bestuur als bedoeld in het tweede lid stelt Onze Minister de Stichting van de Arbeid, alsmede niet in de Stichting van de Arbeid vertegenwoordigde organisaties van werkgevers en werknemers, welke naar zijn oordeel op centraal niveau hiervoor in aanmerking komen in de gelegenheid hem hun zienswijze ter zake kenbaar te maken.

Art. 3. (Vervallen bij de wet van 24 juni 1976, Stb. 346).

§ 2. *Aanmelding van collectieve arbeidsovereenkomsten*

Mededeling van sluiten, wijzigen of opzeggen cao

Art. 4. 1. Van het sluiten, wijzigen of opzeggen van een collectieve arbeidsovereenkomst, doen partijen schriftelijk mededeling aan Onze Minister. Daarbij wordt de tekst van de gesloten overeenkomst dan wel van de gewijzigde bepalingen daarvan alsmede een toelichting daarop overgelegd.

2. Onze Minister stelt zo spoedig mogelijk na ontvangst van de mededeling en de bescheiden bedoeld in het eerste lid partijen hiervan schriftelijk in kennis.

3. Een collectieve arbeidsovereenkomst of wijziging daarvan kan eerst in werking treden met ingang van de dag volgende op die waarop Onze Minister de in het tweede lid bedoelde kennisgeving heeft verzonden.

4. Onze Minister kan bepalen dat voor de toepassing van de voorafgaande leden de Dienst Collectieve Arbeidsvoorwaarden in zijn plaats treedt.

§ 3. *Voorzieningen ter regeling van arbeidsvoorwaarden*

Regeling arbeidsvoorwaarden door Onze Minister

Art. 5. 1. Onze Minister kan, op gezamenlijk verzoek van een of meer werkgevers of verenigingen met volledige rechtsbevoegdheid van werkgevers enerzijds en een of meer verenigingen met volledige rechtsbevoegdheid van werknemers anderzijds, voor een bij zijn besluit te bepalen tijdvak van ten hoogste twee jaar te hunnen aanzien regelingen vaststellen van dezelfde inhoud als een collectieve arbeidsovereenkomst. Deze regelingen kunnen echter geen bepalingen behelzen als bedoeld in artikel 2, vijfde lid, van de Wet op het algemeen verbindend en het onverbindend verklaren van bepalingen van collectieve arbeidsovereenkomsten (Stb. 1937, 801).

2. Alvorens aan het eerste lid toepassing te geven stelt Onze Minister de Stichting van de Arbeid, alsmede niet in de Stichting van de Arbeid vertegenwoordigde organisaties van werkgevers en werknemers, welke naar zijn oordeel op centraal niveau hiervoor in aanmerking komen, in de gelegenheid hem hun zienswijze ter zake kenbaar te maken.

3. Onze Minister wijst een verzoek als bedoeld in het eerste lid niet af zonder de verzoekers in de gelegenheid te hebben gesteld hem hun bezwaren daartegen kenbaar te maken.

4. Regelingen, vastgesteld krachtens het eerste lid, hebben dezelfde rechtskracht als een tussen verzoekers geldende collectieve arbeidsovereenkomst.

Regeling arbeidsverhoudingen door Onze Minister

Art. 6. 1. Onze Minister kan regelingen van dezelfde inhoud als een collectieve arbeidsovereenkomst, voor een bij zijn besluit te bepalen tijdvak van ten hoogste twee jaar, eveneens vaststellen met betrekking tot arbeidsverhoudingen, behorende tot een bij zijn besluit daartoe aangewezen categorie. Artikel 5, eerste lid, tweede volzin, is van toepassing.

2. Toepassing van het eerste lid kan uitsluitend geschieden op verzoek van de Stichting van de Arbeid dan wel op verzoek van al dan niet in de Stichting van de Arbeid vertegenwoordigde centrale organisaties van werkgevers of van werknemers, van een werkgever, van een vereniging met volledige rechtsbevoegdheid van werkgevers of van een zodanige vereniging van werknemers.

Vaststelling kan slechts geschieden nadat niet in de Stichting van de Arbeid vertegenwoordigde organisaties van werkgevers en van werknemers, welke naar het oordeel van Onze Minister op centraal niveau hiervoor in aanmerking komen, in de gelegenheid zijn gesteld hem hun zienswijze ter zake kenbaar te maken. Vaststelling anders dan op verzoek van de Stichting van de Arbeid kan daarenboven slechts geschieden met haar instemming.

Indien een verzoek als bedoeld in de eerste volzin is gedaan door een centrale organisatie van werkgevers of van werknemers, blijft de tweede volzin ten aanzien van de verzoeker buiten toepassing.

3. Van de indiening van een verzoek als bedoeld in het tweede lid doet Onze Minister mededeling in de *Staatscourant.* Daarbij bepaalt hij een termijn, binnen welke hem bezwaren tegen de gevraagde toepassing van het eerste lid schriftelijk kunnen worden kenbaar gemaakt.

4. Onze Minister wijst een verzoek als bedoeld in het tweede lid niet af zonder de verzoeker in de gelegenheid te hebben gesteld hem zijn bezwaren daartegen kenbaar te maken.

5. Regelingen, vastgesteld krachtens het eerste lid, hebben dezelfde rechtskracht als krachtens artikel 2 van de Wet op het algemeen verbindend en het onverbindend verklaren van bepalingen van collectieve arbeidsovereenkomsten algemeen verbindend verklaarde bepalingen van zodanige overeenkomsten.

§ 4. *Onverbindendverklaring van collectieve arbeidsovereenkomsten*

Artt. 7-9. (Vervallen bij de wet van 24 juni 1976, Stb. 346).

§ 5. *Andere maatregelen in het algemeen sociaal-economisch belang*

Maatregelen i.v.m. noodsituatie

Art. 10. 1. Onze Minister kan, indien naar zijn oordeel een zich plotseling voordoende noodsituatie van de nationale economie, veroorzaakt door één of meer schoksgewijze optredende externe factoren, het nemen van maatregelen ten aanzien van het peil van de loonkosten vereist, algemene regelen vaststellen betreffende lonen en andere op geld waardeerbare arbeidsvoorwaarden.

2. Een regeling op grond van het eerste lid dient gepaard te gaan met de aankondiging van andere maatregelen welke in verband met het zich voordoen van de

aldaar bedoelde noodsituatie vereist zijn. Voorts dient, indien een regeling op grond van het eerste lid wordt vastgesteld, voorzien te worden in een adequate bescherming van de levensstandaard van de werknemers.

3. Het tijdvak waarvoor een krachtens het eerste lid genomen besluit geldt omvat een bij het besluit vast te stellen periode die niet langer is dan zes maanden. Deze periode kan één maal worden verlengd met een termijn van ten hoogste zes maanden.

4. Onze Minister kan vrijstelling, of, op verzoek, ontheffing verlenen van de krachtens het eerste lid gestelde regelen. Een vrijstelling of ontheffing kan onder beperkingen worden verleend en daaraan kunnen voorschriften worden verbonden.

5. Het is de werkgever verboden te handelen in strijd met krachtens het eerste en vierde lid gestelde regelen en voorschriften.

Nietigheid

Art. 11. Elk beding tussen een werkgever en een werknemer alsmede elke bepaling in een collectieve arbeidsovereenkomst strijdig met de krachtens artikel 10, eerste lid, gestelde regelen, is nietig, behoudens voor zover vrijstelling of ontheffing is verleend. In plaats van zodanig beding of zodanige bepaling gelden die regelen.

Overleg

Art. 12. 1. Alvorens aan artikel 10, eerste lid, onderscheidenlijk artikel 10, vierde lid, voorzover vrijstelling betreffende, toepassing te geven voert Onze Minister terzake overleg met de Stichting van de Arbeid, alsmede met niet in de Stichting van de Arbeid vertegenwoordigde organisaties van werkgevers en van werknemers, welke naar zijn oordeel op centraal niveau hiervoor in aanmerking komen.

2. In geval het in het eerste lid bedoelde overleg niet heeft plaatsgevonden binnen een week nadat een uitnodiging daartoe door Onze Minister is gedaan, geldt het aldaar bepaalde niet, met dien verstande dat Onze Minister in dat geval na het vaststellen van een regeling zo spoedig mogelijk alsnog, op de voet van het in dat lid bepaalde, overgaat tot het voeren van overleg over het al dan niet handhaven of wijzigen van de regeling.

3. Indien een regeling op grond van artikel 10, eerste lid, wordt voorbereid, wordt, nadat het in het eerste lid bedoelde overleg heeft plaatsgevonden dan wel de in het tweede lid bedoelde termijn van een week is verstreken, de zakelijke inhoud daarvan schriftelijk medegedeeld aan de beide Kamers der Staten-Generaal. De regeling wordt niet eerder vastgesteld dan nadat een week is verstreken na die mededeling.

4. Het bepaalde in de voorafgaande leden is van overeenkomstige toepassing ten aanzien van een verlenging als bedoeld in artikel 10, derde lid.

§ 6. *Slotbepalingen*

Art. 13. (Vervallen bij de wet van 7 juli 1987, Stb. 581).

Art. 14. Onze Minister kan regelen stellen, inhoudende op welke wijze een mededeling als bedoeld in artikel 4, eerste lid, dan wel een verzoek als bedoeld in artikel 5, eerste lid, of 6, tweede lid, moet worden ingediend en welke gegevens daarbij moeten worden verstrekt.

Ambtenaren belast met toezicht en met het inwinnen van gegevens

Art. 15. 1. Onze Minister wijst ambtenaren aan, belast met het inwinnen van gegevens omtrent de algemene ontwikkeling van lonen en andere op geld waardeerbare arbeidsvoorwaarden of met het toezicht op de naleving van het bij of krachtens deze wet bepaalde.

2. De krachtens het eerste lid aangewezen ambtenaren kunnen van ieder alle inlichtingen verlangen, die redelijkerwijs voor de vervulling van hun taak nodig zijn. Zij kunnen voorts van ieder inzage vorderen van alle bescheiden waarvan raadpleging redelijkerwijs voor de vervulling van hun taak nodig is.

Verplichting inlichtingen te verschaffen

Art. 16. 1. Ieder is verplicht de van hem krachtens artikel 15, tweede lid, verlangde inlichtingen volledig en naar waarheid te verstrekken en de krachtens dat lid gevorderde inzage van bescheiden te verlenen, een en ander op de wijze en binnen de termijn, door de betrokken ambtenaar te bepalen.

Verschoningsrecht

2. Zij die uit hoofde van hun beroep of ambt tot geheimhouding verplicht zijn, kunnen zich verschonen van het geven van inlichtingen en het verlenen van inzage van bescheiden, doch uitsluitend voor zover hun geheimhoudingsplicht zich daartoe uitstrekt.

Art. 17. 1. Indien Onze Minister heeft vastgesteld dat de Stichting van de Arbeid heeft opgehouden te bestaan of de haar krachtens deze wet toekomende taak te vervullen, treden voor de toepassing van de artikelen 2, derde lid, 5, tweede lid, en 12, eerste en tweede lid, in haar plaats de door Ons aangewezen centrale organisaties van werkgevers en van werknemers. Voor aanwijzing komen slechts in aanmerking de naar Ons oordeel algemeen erkende centrale representatieve organisaties van werkgevers en van werknemers.

2. In het geval, bedoeld in het eerste lid, kan Onze Minister slechts overgaan tot toepassing van artikel 6, eerste lid, na de krachtens het eerste lid aangewezen organisaties in de gelegenheid te hebben gesteld hem hun zienswijze ter zake kenbaar te maken.

Art. 18. (Vervallen bij de wet van 4 juni 1992, Stb. 422).

Art. 19. Een regeling krachtens artikel 4, vierde lid, 6, eerste lid, 10, eerste of vierde lid, vrijstelling betreffende, 14, 15, eerste lid, of 17, eerste lid, wordt in de Staatscourant bekend gemaakt.

Art. 20. 1. Onverminderd het in de artikelen 131 en 241 van Boek 2 (Rechtspersonen) van het Burgerlijk Wetboek bepaalde, worden burgerlijke rechtsvorderingen van werkgevers of werknemers welke voortvloeien uit niet-naleving van het bij of krachtens deze wet bepaalde, geacht betrekkelijk te zijn tot een arbeidsovereenkomst.

2. Artikel 5 van de Wet op de economische delicten (Stb. 1950, K 258) is niet van toepassing op voorzieningen ter zake van de overtreding van voorschriften, gesteld bij of krachtens artikel 10.

Art. 21. Bevat wijzigingen in de Wet plaatsing minder-valide arbeidskrachten.

Art. 22. Bevat wijzigingen in de Wet op het algemeen verbindend en het onverbindend verklaren van bepalingen van collectieve arbeidsovereenkomsten.

Art. 23. Bevat wijzigingen in de Wet op de economische delicten.

Art. 24. Bevat wijzigingen in de Wet minimumloon en minimumvakantiebijslag.

Art. 25. Bevat een wijziging in het Buitengewoon Besluit Arbeidsverhoudingen 1945.

Art. 26. (Vervallen bij de Wet van 24 juni 1976, Stb. 346).

Art. 27. Regelingen, vastgesteld krachtens artikel 12 van het Buitengewoon Besluit Arbeidsverhoudingen 1945, blijven van kracht. Zodanige regeling vervalt, tenzij zulks ingevolge het daarin bepaalde op een vroeger tijdstip geschiedt of de regeling door Onze Minister voordien wordt ingetrokken, een jaar na het in werking treden van deze wet.

Citeertitel

Art. 28. 1.Deze wet kan worden aangehaald als: Wet op de loonvorming.

Inwerkingtreding

2. Zij treedt in werking op een door Ons te bepalen tijdstip.

WET van 23 september 1912, Stb. 308, houdende nieuwe regeling van het auteursrecht zoals laatstelijk gewijzigd bij de wet van 12 april 1995, Stb. 227

Alzoo Wij in overweging genomen hebben, dat het wenselijk is eene nieuwe regeling van het auteursrecht vast te stellen;

HOOFDSTUK I
Algemene bepalingen

§ 1. De aard van het auteursrecht

Begripsbepalingen

Art. 1. Het auteursrecht is het uitsluitend recht van den maker van een werk van letterkunde, wetenschap of kunst, of van diens rechtverkrijgenden, om dit openbaar te maken en te verveelvoudigen, behoudens de beperkingen bij de wet gesteld.

Eigendoms-overgang

Art. 2. 1. Het auteursrecht gaat over bij erfopvolging en is vatbaar voor gehele of gedeeltelijke overdracht.

2. De levering vereist voor gehele of gedeeltelijke overdracht, geschiedt door een daartoe bestemde akte. De overdracht omvat alleen die bevoegdheden waarvan dit in de akte is vermeld of uit de aard of strekking van de titel noodzakelijk voortvloeit.

Niet vatbaar voor beslag

3. Het auteursrecht, hetwelk toekomt aan den maker van het werk, zoomede, na het overlijden des makers, het auteursrecht op niet openbaar gemaakte werken, hetwelk toekomt aan degene, die het als erfgenaam of legataris van den maker verkregen heeft, is niet vatbaar voor beslag.

§ 2. De maker van het werk

Art. 3. Vervallen.

De maker van het werk

Art. 4. Behoudens bewijs van het tegendeel wordt voor den maker gehouden hij die op of in het werk als zoodanig is aangeduid, of bij gebreke van zulk eene aanduiding, degene, die bij de openbaarmaking van het werk als maker daarvan is bekend gemaakt door hem, die het openbaar maakt.

Wordt bij het houden van een niet in druk verschenen mondelinge voordracht geen mededeling omtrent de maker gedaan, dan wordt, behoudens bewijs van tegendeel, voor de maker gehouden hij die de mondelinge voordracht houdt.

De maker van een werk waaraan meerderen een deel bijdroegen

Art. 5. Van een werk van letterkunde, wetenschap of kunst, hetwelk bestaat uit afzonderlijke werken van twee of meer personen, wordt, onverminderd het auteursrecht op ieder werk afzonderlijk, als de maker aangemerkt degene, onder wiens leiding en toezicht het gansche werk is tot stand gebracht, of bij gebreke van dien, degene, die de verschillende werken verzameld heeft.

Als inbreuk op het auteursrecht op het gansche werk wordt beschouwd het verveelvoudigen of openbaar maken van eenig daarin opgenomen afzonderlijk werk, waarop auteursrecht bestaat, door een ander dan den maker daarvan of diens rechtverkrijgenden.

Is zulk een afzonderlijk werk niet te voren openbaar gemaakt, dan wordt, tenzij tusschen partijen anders is overeengekomen, als inbreuk op het auteursrecht op het gansche werk beschouwd het verveelvoudigen of openbaar maken van dat afzonderlijk werk door den maker daarvan of diens rechtverkrijgenden, indien daarbij niet het werk vermeld wordt, waarvan het deel uitmaakt.

Werk, naar andermans ontwerp enz. tot stand gekomen

Art. 6. Indien een werk is tot stand gebracht naar het ontwerp van een ander en onder diens leiding en toezicht, wordt deze als de maker van dat werk aangemerkt.

Werken in andermans dienst gemaakt

Art. 7. Indien de arbeid, in dienst van een ander verricht, bestaat in het vervaardigen van bepaalde werken van letterkunde, wetenschap of kunst, dan wordt, tenzij tusschen partijen anders is overeengekomen, als de maker van die werken aangemerkt degene, in wiens dienst de werken zijn vervaardigd.

Werken, door instellingen e.d. openbaar gemaakt

Art. 8. Indien eene openbare instelling, eene vereeniging, stichting of vennootschap, een werk als van haar afkomstig openbaar maakt, zonder daarbij eenig natuurlijk persoon als maker er van te vermelden, wordt zij, tenzij bewezen wordt, dat de openbaarmaking onder de bedoelde omstandigheden onrechtmatig was, als de maker van dat werk aangemerkt.

Art. 9. Indien op of in eenig in druk verschenen werk de maker niet, of niet met zijn waren naam, is vermeld, kan tegenover derden het auteursrecht ten behoeve van den rechthebbenden worden uitgeoefend door dengene, die op of in dat werk als de uitgever ervan is aangeduid, of bij gebreke van zoodanige aanduiding, door dengene, die op of in het werk als drukker ervan is vermeld.

Gedrukte werken zonder naamvermelding auteur

§ 3. De werken, waarop auteursrecht bestaat

Art. 10. 1. Onder werken van letterkunde, wetenschap of kunst verstaat deze wet:
1°. boeken, brochures, nieuwsbladen, tijdschriften en alle andere geschriften;
2°. toneelwerken en dramatisch-muzikale werken;
3°. mondelinge voordrachten;
4°. choreografische werken en pantomimes;
5°. muziekwerken met of zonder woorden;
6°. teeken-, schilder-, bouw- en beeldhouwwerken, lithografieën, graveer- en andere plaatwerken;
7°. aardrijkskundige kaarten;
8°. ontwerpen, schetsen en plastische werken, betrekkelijk tot de bouwkunde, de aardrijkskunde, de plaatsbeschrijving of andere wetenschappen;
9°. fotografische werken;
10°. filmwerken;
11°. werken van toegepaste kunst en tekeningen en modellen van nijverheid;
en in het algemeen ieder voortbrengsel op het gebied van letterkunde, wetenschap of kunst, op welke wijze of in welke vorm het ook tot uitdrukking zij gebracht;
12°. computerprogramma's en het voorbereidend materiaal;

Tekenwerken, schilderwerken en bouwwerken

Computerprogramma's behoren niet tot de in de eerste zin van dit lid, onder 1°, genoemde werken.

2. Verveelvoudigingen in gewijzigde vorm van een werk van letterkunde, wetenschap of kunst, zoals vertalingen, muziekschikkingen, verfilmingen en andere bewerkingen, zomede verzamelingen van verschillende werken, worden, onverminderd het auteursrecht op het oorspronkelijke werk, als zelfstandige werken beschermd.

Vermenigvuldiging in gewijzigde vorm

Art. 11. Er bestaat geen auteursrecht op wetten, besluiten en verordeningen, door de openbare macht uitgevaardigd, noch op rechterlijke uitspraken en administratieve beslissingen.

Overheidsregelingen en overheidsbeslissingen

§ 4. Het openbaar maken

Art. 12. 1. Onder de openbaarmaking van een werk van letterkunde, wetenschap of kunst wordt mede verstaan:
1°. de openbaarmaking van eene verveelvoudiging van het geheel of een gedeelte van het werk;
2°. de verbreiding van het geheel of een gedeelte van het werk of van eene verveelvoudiging daarvan, zoolang het niet in druk verschenen is;
3°. de voordracht op- of uitvoering of voorstelling in het openbaar van het geheel of een gedeelte van het werk of van eene verveelvoudiging daarvan.

Mede onder openbaarmaking te verstaan

2. Onder een voordracht, op- of uitvoering of voorstelling in het openbaar wordt mede begrepen die in besloten kring, tenzij deze zich beperkt tot de familie-, vrienden of daaraan gelijk te stellen kring, en voor de toegang tot de voordracht, op- of uitvoering of voorstelling geen betaling, in welke vorm ook, geschiedt. Hetzelfde geldt voor een tentoonstelling.

Familiekring vriendenkring

3. Onder een voordracht, op- of uitvoering of voorstelling in het openbaar wordt niet begrepen die welke uitsluitend dient tot het onderwijs dat vanwege de overheid of vanwege een rechtspersoon zonder winstoogmerk wordt gegeven, voor zover de voordracht, op- of uitvoering of voorstelling deel uitmaakt van het schoolwerkplan of leerplan voor zover van toepassing, of tot een wetenschappelijk doel.

Opvoering

4. Als afzonderlijke openbaarmaking wordt niet beschouwd de gelijktijdige uitzending van een in een radio- of televisieprogramma opgenomen werk door hetzelfde organisme dat dat programma oorspronkelijk uitzendt.

Uitzonderingen

§ 5. *Het verveelvoudigen*

Mede onder verveelvoudiging te verstaan

Art. 13. Onder de verveelvoudiging van een werk van letterkunde, wetenschap of kunst wordt mede verstaan de vertaling, de muziekschikking, de verfilming of toneelbewerking en in het algemeen iedere geheele of gedeeltelijke bewerking of nabootsing in gewijzigde vorm, welke niet als een nieuw, oorspronkelijk werk moet worden aangemerkt.

Mede onder verveelvoudiging te verstaan

Art. 14. Onder verveelvoudiging van een werk van letterkunde, wetenschap of kunst wordt mede verstaan het vastleggen van dat werk of een gedeelte daarvan op enig voorwerp dat bestemd is om een werk ten gehore te brengen of te vertonen.

§ 6. *De beperkingen van het auteursrecht*

Overneming van stukken uit bladen

Art. 15. Als inbreuk op het auteursrecht wordt niet beschouwd het overnemen van nieuwsberichten, gemengde berichten, of artikelen over actuele economische, politieke of godsdienstige onderwerpen, die in een dag-, nieuws- of weekblad of tijdschrift zijn verschenen, alsmede van werken van dezelfde aard die zijn opgenomen in een uitgezonden radio- of televisieprogramma indien:
1°. het overnemen geschiedt door een dag-, nieuws- of weekblad of tijdschrift, in een uitzending van een radio- of televisieprogramma;
2°. de bepalingen van artikel 25 in acht worden genomen;
3°. de bron op duidelijke wijze wordt vermeld, alsmede de aanduiding van de maker, indien deze in de bron voorkomt, en
4°. het auteursrecht niet uitdrukkelijk is voorbehouden.

Dagblad, nieuwsblad

Bij tijdschriften wordt als een uitdrukkelijk voorbehoud als bedoeld in het eerste lid, onder 4°, ook aangemerkt een voorbehoud in algemene bewoordingen dat aan het hoofd van het nummer voorkomt.

Ten aanzien van nieuwsberichten en gemengde berichten kan een voorbehoud als bedoeld in het eerste lid, onder 4°, niet worden gemaakt.

De bepalingen van dit artikel zijn mede van toepassing ten aanzien van het overnemen in een andere taal dan de oorspronkelijke.

Korte citaten uit stukken in bladen

Art. 15a. Als inbreuk op het auteursrecht op een werk van letterkunde, wetenschap of kunst wordt niet beschouwd het citeren uit een werk in een aankondiging, beoordeling, polemiek of wetenschappelijke verhandeling, mits:
1°. het werk waaruit is geciteerd rechtmatig openbaar gemaakt was;
2°. het citeren in overeenstemming is met hetgeen naar de regels van het maatschappelijk verkeer redelijkerwijs geoorloofd is en aantal en omvang der geciteerde gedeelten door het te bereiken doel zijn gerechtvaardigd;
3°. de bepalingen van artikel 25 in acht worden genomen, en
4°. de bron op duidelijke wijze wordt vermeld, alsmede de aanduiding van de maker, indien deze in de bron voorkomt.

Waar het geldt een kort werk of een werk als bedoeld in artikel 10, eerste lid, onder 6°., onder 9°. of onder 11°. mag voor hetzelfde doel en onder dezelfde voorwaarden als genoemd in het eerste lid het gehele werk, in zodanige verveelvoudiging dat deze door haar grootte of door de werkwijze volgens welke zij is vervaardigd een duidelijk verschil vertoont met het oorspronkelijke werk, worden overgenomen.

Dagblad, nieuwsblad

Onder citeren wordt in dit artikel mede begrepen het citeren uit in een dag- nieuws- of weekblad of tijdschrift verschenen artikelen in de vorm van persoverzichten.

De bepalingen van dit artikel zijn mede van toepassing ten aanzien van het citeren in een andere taal dan de oorspronkelijke.

Wij behouden Ons voor bij algemene maatregel van bestuur nader te bepalen wat in het eerste lid onder 2°. is te verstaan onder „naar de regels van het maatschappelijke verkeer redelijkerwijs geoorloofd”.

Werk vanwege de overheid openbaar gemaakt

Art. 15b. Als inbreuk op het auteursrecht op een door of vanwege de openbare macht openbaar gemaakt werk van letterkunde, wetenschap of kunst wordt niet beschouwd verdere openbaarmaking of verveelvoudiging daarvan, tenzij het auteursrecht, hetzij in het algemeen bij de wet, besluit of verordening, hetzij in een bepaald geval blijkens mededeling op het werk zelf of bij de openbaarmaking daarvan uitdrukkelijk is voorbehouden. Ook als een zodanig voorbehoud niet is gemaakt, behoudt de maker echter het uitsluitend recht, zijn werken, die door of vanwege de openbare macht zijn openbaar gemaakt, in een bundel verenigd te doen verschijnen.

Overnemen werken in bloemlezingen en voor onderwijs enz.

Art. 16. Als inbreuk op het auteursrecht op een werk van letterkunde, wetenschap of kunst wordt niet beschouwd:
a. het overnemen van gedeelten van werken in publikaties of geluids- of beeldopnamen die gemaakt zijn om te worden gebruikt als toelichting bij het onderwijs, mits:
1°. het werk waaruit is overgenomen rechtmatig openbaar gemaakt was;
2°. het overnemen in overeenstemming is met hetgeen naar de regels van het maatschappelijk verkeer redelijkerwijs geoorloofd is;
3°. de bepalingen van artikel 25 in acht worden genomen;
4°. de bron op duidelijke wijze wordt vermeld, alsmede de aanduiding van de maker, indien deze in de bron voorkomt, en
5°. aan de maker of zijn rechtverkrijgenden een billijke vergoeding wordt betaald;
b. het openbaar maken van gedeelten van werken door uitzending van een radio- of televisie-programma in een programma dat gemaakt is om te dienen als toelichting bij het onderwijs, mits:
1°. het werk waaruit is overgenomen rechtmatig openbaar gemaakt was;
2°. het openbaar maken in overeenstemming is met hetgeen naar de regels van het maatschappelijk verkeer redelijkerwijs geoorloofd is;
3°. de bepalingen van artikel 25 in acht worden genomen;
4°. de bron op duidelijke wijze wordt vermeld, alsmede de aanduiding van de maker, indien deze in de bron voorkomt, en
5°. aan de maker of zijn rechtverkrijgenden een billijke vergoeding wordt betaald.

Citaten uit werken

Waar het geldt een kort werk of een werk als bedoeld in artikel 10, eerste lid, onder 6°., onder 9°. of onder 11°. mag voor hetzelfde doel en onder dezelfde voorwaarden het gehele werk worden overgenomen.

Waar het het overnemen in een compilatiewerk betreft, mag van dezelfde maker niet meer worden overgenomen dan enkele korte werken of korte gedeelten van zijn werken, en waar het geldt werken als bedoeld in artikel 10, eerste lid onder 6°., onder 9°. of onder 11°. niet meer dan enkele van die werken en in zodanige verveelvoudiging, dat deze door haar grootte of door de werkwijze, volgens welke zij vervaardigd is, een duidelijk verschil vertoont met het oorspronkelijke met dien verstande, dat wanneer van deze werken er twee of meer verenigd openbaar zijn gemaakt, die verveelvoudiging slechts ten aanzien van een daarvan geoorloofd is.

De bepalingen van dit artikel zijn mede van toepassing ten aanzien van het overnemen in een andere taal dan de oorspronkelijke.

Wij behouden Ons voor bij algemene maatregel van bestuur regelen te stellen omtrent een overeenkomstig het eerste lid onder *a*, 5° en onder *b*, 5°, te betalen billijke vergoeding alsmede nader te bepalen wat in het derde lid is te verstaan onder „enkele korte werken of korte gedeelten van zijn werken".

Korte reportages, fotoreportage, filmreportage, studioreportage

Art. 16a. Als inbreuk op het auteursrecht op een werk van letterkunde, wetenschap of kunst wordt niet beschouwd een korte opname, weergave en mededeling ervan in het openbaar in een foto-, film-, radio- of televisiereportage voor zover zulks voor het behoorlijk weergeven van de actuele gebeurtenis welke het onderwerp der reportage uitmaakt, noodzakelijk is.

Kopiëring voor eigen oefening, studie of gebruik

Art. 16b. Als inbreuk op het auteursrecht op een werk van letterkunde, wetenschap of kunst wordt niet beschouwd de verveelvoudiging, welke beperkt blijft tot enkele exemplaren en uitsluitend dient tot eigen oefening, studie of gebruik van degene die de verveelvoudiging vervaardigt of tot het verveelvoudigen uitsluitend ten behoeve van zichzelf opdracht geeft.

Dagblad, nieuwsblad

Waar het geldt een werk als bedoeld bij artikel 10, eerste lid, onder 1°, de partituur of de partijen van een muziekwerk daaronder begrepen, moet die verveelvoudiging bovendien beperkt blijven tot een klein gedeelte van het werk, behalve indien het betreft:
a. werken, waarvan naar redelijkerwijs mag worden aangenomen geen nieuwe exemplaren tegen betaling, in welke vorm ook, aan derden ter beschikking worden gesteld;
b. in een dag-, nieuws- of weekblad of tijdschrift verschenen korte artikelen, berichten of andere stukken.

Waar het geldt een werk, als bedoeld bij artikel 10, eerste lid, onder 6°, moet de verveelvoudiging door haar grootte of door de werkwijze, volgens welke zij vervaardigd is, een duidelijk verschil vertonen met het oorspronkelijke werk.

De bepalingen van het eerste lid met betrekking tot een in opdracht vervaardigde verveelvoudiging zijn niet van toepassing ten aanzien van de verveelvoudiging welke plaatsvindt door het vastleggen van een werk of een gedeelte daarvan op enig voorwerp dat bestemd is een werk ten gehore te brengen of te vertonen.

Toestemming voor afgifte aan derden

Indien een ingevolge dit artikel toegelaten verveelvoudiging heeft plaatsgevonden, mogen de vervaardigde exemplaren zonder toestemming van de rechthebbende op het auteursrecht niet aan derden worden afgegeven, tenzij de afgifte geschiedt ten behoeve van een rechterlijke of administratieve procedure.

Uitzonderingen in het algemeen belang

Wij kunnen bij algemene maatregel van bestuur bepalen dat ten aanzien van de verveelvoudiging van werken als bedoeld bij artikel 10, eerste lid, onder 1°, van het in een of meer der voorgaande leden bepaalde mag worden afgeweken ten behoeve van de uitoefening van de openbare dienst, alsmede ten behoeve van de vervulling van taken waarmee in het algemeen belang werkzame instellingen zijn belast. Wij kunnen daarbij nadere regelen geven en voorwaarden stellen.

De voorgaande bepalingen van dit artikel zijn niet van toepassing ten aanzien van het nabouwen van bouwwerken.

Vergoeding voor vastleggen van een werk op beeld- of geluidsdragers

Art. 16c. 1. Voor de verveelvoudiging die met inachtneming van artikel 16b, eerste lid, voor eigen oefening, studie of gebruik geschiedt door vastlegging van een werk of een gedeelte daarvan op een voorwerp dat bestemd is om daarop vastgelegde beelden of geluiden ten gehore te brengen of te vertonen, is ten behoeve van de maker of diens rechtverkrijgenden een vergoeding verschuldigd.

2. De verplichting tot betaling van de vergoeding rust op de fabrikant of de importeur van de in het eerste lid bedoelde voorwerpen.

3. Voor de fabrikant ontstaat de verplichting tot betaling van de vergoeding op het tijdstip dat de door hem vervaardigde voorwerpen in het verkeer kunnen worden gebracht. Voor de importeur ontstaat deze verplichting op het tijdstip van invoer.

4. De verplichting tot betaling van de vergoeding vervalt indien de ingevolge het tweede lid betalingsplichtige de in het eerste lid bedoelde voorwerpen uitvoert.

5. De vergoeding is slechts eenmaal per voorwerp verschuldigd.

Betaling aan incasso-organisatie

Art. 16d. 1. De betaling van de in artikel 16c bedoelde vergoeding dient te geschieden aan een door Onze Minister van Justitie aan te wijzen, naar zijn oordeel representatieve rechtspersoon, die belast is met de inning en de verdeling van deze vergoeding overeenkomstig een door Onze Minister van Justitie goed te keuren reglement. In aangelegenheden betreffende de inning van de vergoeding vertegenwoordigt deze rechtspersoon de makers of hun rechtverkrijgenden in en buiten rechte. Deze rechtspersoon staat onder toezicht van Onze Minister van Justitie.

Toezicht

2. Bij algemene maatregel van bestuur kunnen nadere voorschriften worden gegeven betreffende de uitoefening van het toezicht op de in het eerste lid bedoelde rechtspersoon.

Hoogte van de vergoeding

Art. 16e. 1. De hoogte van de in artikel 16c bedoelde vergoeding wordt vastgesteld door een door Onze Minister van Justitie aan te wijzen stichting waarvan het bestuur zodanig is samensgesteld dat de belangen van de makers of hun rechtverkrijgenden en de ingevolge artikel 16c, tweede lid, betalingsplichtigen op evenwichtige wijze worden behartigd. De voorzitter van het bestuur van deze stichting wordt benoemd door Onze Minister van Justitie.

2. Bij het bepalen van de hoogte van de vergoeding wordt in het bijzonder de speelduur van het voorwerp in aanmerking genomen.

Opgave aantal en speelduur geïmporteerde of vervaardigde voorwerpen

Art. 16f. Degene die tot betaling van de in artikel 16c bedoelde vergoeding verplicht is, is gehouden onverwijld of binnen een met de in artikel 16d, eerste lid, bedoelde rechtspersoon overeengekomen tijdvak opgave te doen aan deze rechtspersoon van het aantal en de speelduur van de door hem geïmporteerde of vervaardigde voorwerpen, bedoeld in artikel 16c, eerste lid. Hij is voorts gehouden aan deze rechtspersoon op diens aanvrage onverwijld die bescheiden ter inzage te geven, waarvan kennisneming noodzakelijk is voor de vaststelling van de verschuldigdheid en de hoogte van de vergoeding

Competentie

Art. 16g. Geschillen met betrekking tot de in artikel 16c bedoelde vergoeding worden in eerste aanleg bij uitsluiting beslist door de arrondissementsrechtbank te 's-Gravenhage.

Beperkte kopiëring t.b.v. ondernemingen, organisaties enz.

Art. 17. Onverminderd het bepaalde in het voorgaande artikel wordt als inbreuk op het auteursrecht op de in artikel 10, eerste lid, onder 1°, bedoelde werken niet beschouwd de verveelvoudiging ten behoeve van een onderneming, organisatie of instelling van afzonderlijke in een dag-, nieuws- of weekblad of tijdschrift verschenen artikelen, berichten of andere stukken, of van kleine gedeelten van boeken, brochures of andere geschriften, een en ander voor zover het betreft werken van wetenschap, mits de verveelvoudiging beperkt blijft tot zoveel exemplaren als in de onderneming, organisatie of instelling redelijkerwijze nodig zijn. De exemplaren mogen alleen worden afgegeven aan degenen die in de onderneming, organisatie of instelling werkzaam zijn.

Vergoeding aan maker van werk

Degene die de kopieën vervaardigt of daartoe opdracht geeft, moet aan de maker van het verveelvoudigde werk of zijn rechtverkrijgenden een billijke vergoeding betalen.

Regels bij AMvB

Wij kunnen bij algemene maatregel van bestuur regelen stellen ten aanzien van het maximum aantal exemplaren, de maximale omvang dezer kopieën, het bedrag der vergoeding, de wijze waarop deze moet worden voldaan en het aantal exemplaren waarvoor geen vergoeding behoeft te worden betaald.

Regels nopens uitoefening auteursrecht i.v.m. radiouitzendingen en tv uitzendingen, enz. bij AMvB

Art. 17a. Bij algemene maatregel van bestuur kunnen in het algemeen belang regelen worden vastgesteld nopens de uitoefening van het recht van de maker van een werk van letterkunde, wetenschap of kunst of van zijn rechtverkrijgenden met betrekking tot de openbaarmaking van zulk een werk door uitzending van een radio- of televisieprogramma. Deze algemene maatregel van bestuur kan bepalen, dat zodanig werk mag worden openbaar gemaakt zonder voorafgaande toestemming van de maker of zijn rechtverkrijgenden. Zij die dientengevolge bevoegd zijn een werk openbaar te maken, zijn desniettemin verplicht de in artikel 25 bedoelde rechten van de maker te eerbiedigen en aan de maker of zijn rechtverkrijgenden een billijke vergoeding te betalen, welke bij gebreke van overeenstemming of vordering van de meest gerede partij door de rechter zal worden vastgesteld, die tevens het stellen van zekerheid kan bevelen.

Het in het vorige lid is van overeenkomstige toepassing ten aanzien van de vervaardiging en het in het verkeer brengen van voorwerpen, met uitzondering echter van verveelvoudigingen van filmwerken bestemd om het geheel of een gedeelte van een muziekwerk langs mechanische weg ten gehore te brengen, indien dergelijke voorwerpen met betrekking tot dit muziekwerk reeds eerder door of met toestemming van de maker of zijn rechtverkrijgenden vervaardigd en in het verkeer gebracht zijn.

Vastlegging van door radio of tv uit te zenden werken

Art. 17b. Tenzij anders is overeengekomen, sluit de bevoegdheid tot openbaarmaking door uitzending van een radio- of televisieprogramma niet in de bevoegdheid het werk vast te leggen.

De zendorganisatie, die bevoegd is tot openbaarmaking zoals in het eerste lid bedoeld, is echter gerechtigd met haar eigen middelen en uitsluitend voor naar eigen radio -of televisieuitzending het ter uitzending bestemde werk vast te leggen, mits de vastlegging van geluiden of beelden wordt teniet gedaan binnen 28 dagen na de eerste, met behulp daarvan verrichte uitzending van een radio- of televisieprogramma en in ieder geval binnen een half jaar na de vervaardiging. Deze zendorganisatie, die dientengevolge gerechtigd is tot vastlegging, is desniettemin verplicht de in artikel 25 bedoelde rechten van de maker'van het werk te eerbiedigen.

Bij algemene maatregel van bestuur kan worden bepaald dat en onder welke voorwaarden aldus vervaardigde opnamen van uitzonderlijke documentaire waarde in officiële archieven mogen worden bewaard.

Zang en muziek en tijdens eredienst

Art. 17c. Als inbreuk op het auteursrecht op een werk van letterkunde of kunst wordt niet beschouwd de gemeentezang en de instrumentale begeleiding daarvan tijdens een eredienst.

Inwerkingtreding AMvB nopens betaling vergoedingen

Art. 17d. Een algemene maatregel van bestuur als bedoeld in de artikelen 16, tweede lid, 16b, zesde lid, 17, derde lid, en 17a, eerste en tweede lid, of een wijziging daarvan, zomede alle daaruit voortvloeiende besluiten, treden niet eerder in werking dan twee maanden na datum van uitgifte van het *Staatsblad*, waarin deze worden geplaatst.

Beeldende kunst en bouwwerken vanaf openbare weg zichtbaar

Art. 18. Als inbreuk op het auteursrecht op een werk, als bedoeld bij artikel 10, 6°, hetwelk blijvend op of aan den openbare weg zichtbaar is gesteld, wordt niet beschouwd de verveelvoudiging, of de openbaarmaking van zodanige verveelvoudiging, indien het werk daarbij niet de hoofdvoorstelling vormt en de verveelvoudiging door hare grootte of door de werkwijze, volgens welke zij vervaardigd is, een duidelijk verschil vertoont met het oorspronkelijke werk, en zich, wat bouwwerken betreft, tot het uitwendige daarvan bepaalt.

Portretten ingevolge opdracht vervaardigd

Art. 19. Als inbreuk op het auteursrecht op een portret wordt niet beschouwd de verveelvoudiging daarvan door, of ten behoeve van, den geportretteerde of, na diens overlijden, zijne nabestaanden.

Bevat eene zelfde afbeelding van het portret van twee of meer personen, dan staat die verveelvoudiging aan ieder hunner te aanzien van andere portretten dan zijn eigen slechts vrij met toestemming van die andere personen af, gedurende tien jaren na hun overlijden, van hunne nabestaanden.

Ten aanzien van een fotografisch portret wordt mede niet als inbreuk op het auteursrecht beschouwd het openbaar maken daarvan in een nieuwsblad of tijdschrift door of met toestemmming van een der personen, in het eerste lid genoemd, mits daarbij de naam des makers, voor zoover deze op of bij het portret is aangeduid, vermeld wordt.

Dit artikel is slechts van toepassing ten aanzien van portretten, welke vervaardigd zijn ingevolge eene opdracht, door of vanwege de geportretteerde personen, of te hunnen behoeve aan den maker gegeven.

Openbaarmaking niet zonder toestemming geportretteerde

Art. 20. Tenzij anders is overeengekomen is degene, wien het auteursrecht op een portret toekomt, niet bevoegd dit openbaar te maken zonder toestemming van den geportretteerde of, gedurende tien jaren na diens overlijden, van diens nabestaanden.

Bevat eene zelfde afbeelding het portret van twee of meer personen, dan is ten aanzien van de gansche afbeelding de toestemming van alle geportretteerden, of gedurende tien jaren na hun overlijden, van hunne nabestaanden.

Het laatste lid van het voorgaande artikel is van toepassing.

Portretten zonder opdracht vervaardigd

Art. 21. Is een portret vervaardigd zonder daartoe strekkende opdracht, den maker door of vanwege den geportretteerde, of te diens behoeve, gegeven, dan is openbaarmaking daarvan door dengene, wien het auteursrecht daarop toekomt, niet geoorloofd, voor zover een redelijk belang van den geportretteerde of, na zijn overlijden, van een zijner nabestaanden zich tegen de openbaarmaking verzet.

Openbaarmaking op last van justitie

Art. 22. In het belang van de openbare veiligheid alsmede ter opsporing van strafbare feiten mogen afbeeldingen van welken aard dan ook door of vanwege de justitie worden verveelvoudigd en openlijk tentoongesteld en verspreid.

Tentoonstellen, verveelvoudigen van kunstwerken door eigenaar

Art. 23. Tenzij anders is overeengekomen is de eigenaar van een teeken-, schilder-, bouw-, of beeldhouwwerk of van een werk van toegepaste kunst gerechtigd dat werk zonder toestemming van dengene, wien het auteursrecht daarop toekomt, in het openbaar ten toon te stellen of, met het oogmerk het te verkoopen, in een catalogus te verveelvoudigen.

Gelijke schilderwerken

Art. 24. Tenzij anders is overeengekomen blijft de maker van eenig schilderwerk, niettegenstaande de overdracht van zijn auteursrecht, bevoegd gelijke schilderwerken te vervaardigen.

Rechten van de maker na overdracht van auteursrecht

Art. 25. De maker van een werk heeft, zelfs nadat hij zijn auteursrecht heeft overgedragen, de volgende rechten:

a. het recht zich te verzetten tegen openbaarmaking van het werk zonder vermelding van zijn naam of andere aanduiding als maker, tenzij het verzet zou zijn in strijd met de redelijkheid;

b. het recht zich te verzetten tegen de openbaarmaking van het werk onder een andere naam dan de zijne, alsmede tegen het aanbrengen van enige wijzigingen in de benaming van het werk of in de aanduiding van de maker, voor zover deze op of in het werk voorkomen, dan wel in verband daarmede zijn openbaar gemaakt;

c. het recht zich te verzetten tegen elke andere wijziging in het werk, tenzij deze wijziging van zodanige aard is, dat het verzet zou zijn in strijd met de redelijkheid;

d. het recht zich te verzetten tegen elke misvorming, verminking of andere aantasting van het werk, welke nadeel zou kunnen toebrengen aan de eer of de naam van de maker of aan zijn waarde in deze hoedanigheid.

De in het eerste lid genoemde rechten komen, na het overlijden van de maker tot aan het vervallen van het auteursrecht, toe aan de door de maker bij uiterste wilsbeschikking of bij codicil aangewezene.

Van het recht, in het eerste lid, onder a genoemd kan afstand worden gedaan. Van de rechten onder b en c genoemd kan afstand worden gedaan voor zover het wijzigingen in het werk of in de benaming daarvan betreft.

Heeft de maker van het werk het auteursrecht overgedragen dan blijft hij bevoegd in het werk zodanige wijzigingen aan te brengen als hem naar de regels van het maatschappelijk verkeer te goeder trouw vrijstaan. Zolang het auteursrecht voortduurt komt gelijke bevoegdheid toe aan de door de maker bij uiterste wilsbeschikking of bij codicil aangewezene, als redelijkerwijs aannemelijk is, dat ook de maker die wijzigingen zou hebben goedgekeurd.

Nabestaanden van geportretteerden

Art. 25a. In deze paragraaf worden onder nabestaanden verstaan de ouders, de echtgenoot en de kinderen. De aan de nabestaanden toekomende bevoegdheden kunnen zelfstandig door ieder van hen worden uitgeoefend. Bij verschil van mening kan de rechter een voor hen bindende beslissing geven.

HOOFDSTUK II
De handhaving van het auteursrecht en bepalingen van strafrecht

Handhaving gemeenschappelijk auteursrecht

Art. 26. Indien aan twee of meer personen een gemeenschappelijk auteursrecht op een zelfde werk toekomt, kan, tenzij anders is overeengekomen, de handhaving van dit recht door ieder hunner geschieden.

Schadevordering door maker wiens auteursrecht was overgedragen

Art. 27. Niettegenstaande de gehele of gedeeltelijke overdracht van zijn auteursrecht blijft de maker bevoegd een rechtsvordering ter verkrijging van schadevergoeding in te stellen tegen degene, die inbreuk op het auteursrecht heeft gemaakt.

De in het eerste lid bedoelde rechtsvordering ter verkrijging van schadevergoeding wegens inbreuk op het auteursrecht komt na het overlijden van de maker toe aan zijn erfgenamen of legatarissen tot aan het vervallen van het auteursrecht.

Schadevergoeding; afdragen genoten winst

Art. 27a. Naast schadevergoeding kan de maker of zijn rechtverkrijgende vorderen dat degene die inbreuk op het auteursrecht heeft gemaakt, wordt veroordeeld de door deze ten gevolge van de inbreuk genoten winst af te dragen en dienaangaande rekening en verantwoording af te leggen.

De maker of diens rechtverkrijgende kan de in het eerste lid bedoelde vorderingen of een van deze ook of mede namens een licentienemer instellen, onverminderd de bevoegdheid van deze laatste in een al of niet namens hem of mede namens hem door de maker of diens rechtverkrijgende ingesteld geding tussen te komen om rechtstreeks de door hem geleden schade vergoed te krijgen of om zich een evenredig deel van de door de gedaagde af te dragen winst te doen toewijzen. De in het eerste lid bedoelde vorderingen of een van deze kan een licentienemer slechts instellen als hij de bevoegdheid daartoe van de maker of diens rechtverkrijgende heeft bedongen.

Inbeslagname voorwerpen en gelden door licentienemer

Art. 28. 1. Het auteursrecht geeft aan de gerechtigde de bevoegheid om roerende zaken, die geen registergoederen zijn en die in strijd met dat recht zijn openbaar gemaakt of een niet geoorloofde verveelvoudiging vormen, als zijn eigendom op te eisen dan wel vernietiging of onbruikbaarmaking daarvan te vorderen. Teneinde tot vernietiging of onbruikbaarmaking over te gaan kan de gerechtigde de afgifte van deze zaken vorderen.

2. Gelijke bevoegdheid tot opeising bestaat:

a. ten aanzien van het bedrag van de toegangsgelden betaald voor het bijwonen van een voordracht, een op- of uitvoering of een tentoonstelling of voorstelling, waardoor inbreuk op het auteursrecht wordt gemaakt.

b. ten aanzien van andere gelden waarvan aannemelijk is dat zij zijn verkregen door of als gevolg van inbreuk op het auteursrecht.

3. Gelijke bevoegdheid tot het vorderen van vernietiging of onbruikbaarmaking bestaat ten aanzien van roerende zaken die geen registergoederen zijn en waarmee de inbreuk op het auteursrecht is gepleegd. Teneinde tot vernietiging of onbruikbaarmaking over te gaan kan de gerechtigde de afgifte van deze zaken vorderen.

4. De bepalingen van het Wetboek van Burgerlijke Rechtsvordering betreffende beslag en executie tot afgifte van roerende zaken die geen registergoederen zijn, zijn van toepassing. Bij samenloop met een ander beslag gaat degene die beslag heeft gelegd krachtens dit artikel voor.
5. De rechter kan gelasten dat de afgifte niet plaats vindt dan tegen een door hem vast te stellen, door de eiser te betalen vergoeding.
6. Ten aanzien van onroerende zaken, schepen of luchtvaartuigen, waardoor inbreuk op een auteursrecht wordt gemaakt, kan de rechter op vordering van de gerechtigde gelasten dat de gedaagde daarin zodanige wijziging zal aanbrengen dat de inbreuk wordt opgeheven.
7. Tenzij anders is overeengekomen, heeft de licentienemer het recht de uit de leden 2-6 voortvloeiende bevoegdheden uit te oefenen, voor zover deze strekken tot bescherming van de rechten waarvan de uitoefening hem is toegestaan.

Geen inbeslagneming bij hem die voor eigen gebruik verkreeg

Art. 29. 1. De in artikel 28, eerste lid, bedoelde bevoegdheid kan niet worden uitgeoefend ten aanzien van zaken die onder personen berusten, die niet in soortgelijke zaken handeldrijven en deze uitsluitend voor eigen gebruik hebben verkregen, tenzij zij zelf inbreuk op het betreffende auteursrecht hebben gemaakt.
2. De vordering, bedoeld in artikel 28, zesde lid, kan slechts worden ingesteld tegen de eigenaar of houder van de zaak, die schuld heeft aan de inbreuk op het betreffende auteursrecht.

Art. 29a. (Vervallen bij de wet van 6 april 1994, Stb. 269)

Inbeslagneming bij onbevoegd openbaar maken van portret

Art. 30. Indien iemand zonder daartoe gerechtigd te zijn een portret openbaar maakt gelden ten aanzien van het recht van den geportretteerde dezelfde bepalingen als in de artikelen 28 en 29 met betrekking tot het auteursrecht zijn besteld.

Bemiddeling inzake muziekauteursrecht voor uitvoeringen en uitzendingen

Art. 30a. Voor het als bedrijf verleenen van bemiddeling in zake muziekauteursrecht, al of niet met het oogmerk om winst te maken is de toestemming vereist van Onze Minister van Justitie.
Onder het verlenen van bemiddeling inzake muziekauteursrecht wordt verstaan het, al of niet op eigen naam, ten behoeve van de makers van muziekwerken of hunne rechtverkrijgenden, sluiten of ten uitvoer leggen van overeenkomsten betreffende de uitvoering in het openbaar of de uitzending in een radio- of televisieprogramma, door tekens, geluid of beelden, van die werken, of hunne verveelvoudigingen, in hun geheel of gedeeltelijk.

Radio-uitzending

Met de uitvoering of de radio- of televisie-uitzending van muziekwerken wordt gelijkgesteld de uitvoering of de uitzending in een radio- of televisieprogramma van dramatisch-muzikale werken, choreografische werken en pantomimes en hunne verveelvoudigingen, indien deze ten gehoore worden gebracht zonder te worden vertoond.
Overeenkomsten als bedoeld bij het tweede lid, welke worden aangegaan zonder dat de ingevolge het eerste lid vereischte ministerieele toestemming is verkregen, zijn nietig.

Ministeriële toestemming

Bij algemeenen maatregel van bestuur worden verdere voorschriften gegeven, welke mede betreffen uitoefening van toezicht op dengeen, die de ministerieele toestemming heeft verkregen. De kosten van dit toezicht kunnen te diens laste worden gebracht.
Het toezicht, in het vorige lid bedoeld, mag slechts betreffen de wijze, waarop degeen, die bemiddeling verleent, de hem opgedragen taak vervult. In de uitoefening van dit toezicht worden belanghebbenden betrokken.

Voorwaarden aan administratie belangen-organisaties

Art. 30b. Op verzoek van een of meer naar het oordeel van Onze Minister van Justitie en van Onze Minister van Economische Zaken representatieve organisaties van bedrijfs- of beroepsgenoten die rechtspersonen met volledige rechtsbevoegdheid zijn en die ten doel hebben de behartiging van belangen van personen die beroeps- of bedrijfsmatig werken van letterkunde, wetenschap of kunst invoeren in Nederland, openbaar maken of verveelvoudigen, kunnen voornoemde ministers gezamenlijk bepalen dat door hen aangewezen beroeps- of bedrijfsgenoten verplicht zijn hun administratie te voeren op een nader door hen aan te geven wijze.

Hij die in het vorige lid bedoelde verplichting niet nakomt, wordt gestraft met een geldboete van de tweede categorie. Het feit is een overtreding.

Art. 31. Hij die opzettelijk inbreuk maakt op eens anders auteursrecht, wordt gestraft met gevangenisstraf van ten hoogste zes maanden of geldboete van de vierde categorie.

Opzettelijke inbreuk op auteursrecht

Art. 31a. Hij die opzettelijk een voorwerp waarin met inbreuk op eens anders auteursrecht een werk is vervat,
a openlijk ter verspreiding aanbiedt,
b ter verveelvoudiging of ter verspreiding voorhanden heeft,
c met het oog op de invoer in Nederland voorhanden heeft of
d bewaart uit winstbejag
wordt gestraft met gevangenisstraf van ten hoogste zes maanden of geldboete van de vierde categorie.

Opzettelijke inbreuk

Art. 31b. Hij die van het plegen van de misdrijven, als bedoeld in de artikelen 31 en 31a, zijn beroep maakt of het plegen van deze misdrijven als bedrijf uitoefent, wordt gestraft met gevangenisstraf van ten hoogste vier jaar of geldboete van de vijfde categorie.

„Piraterij"

Art. 32. Hij die een voorwerp waarvan hij redelijkerwijs kan vermoeden dat daarin met inbreuk op eens anders auteursrecht een werk is vervat,
a openlijk ter verspreiding aanbiedt,
b ter verveelvoudiging of ter verspreiding voorhanden heeft,
c met het oog op de invoer in Nederland voorhanden heeft of
d bewaart uit winstbejag
wordt gestraft met geldboete van de derde categorie.

Inbreuk te kwader trouw

Art. 32a. Hij die opzettelijk middelen die uitsluitend bestemd zijn om het zonder toestemming van de maker of zijn rechtverkrijgende verwijderen van of het ontwijken van een technische voorziening ter bescherming van een werk als bedoeld in artikel 10, eerste lid, onder 12°, te vergemakkelijken
a. openlijk ter verspreiding aanbiedt,
b. ter verspreiding voorhanden heeft,
c. met het oog op de invoer in Nederland voorhanden heeft, of
d. bewaart uit winstbejag
wordt gestraft met gevangenisstraf van ten hoogste zes maanden of geldboete van de vierde categorie.

Art. 33. De feiten strafbaar gesteld in de artikelen 31, 31a, 31b, 32 en 32a zijn misdrijven.

Misdrijven

Art. 34. Hij die opzettelijk in enig werk van letterkunde, wetenschap of kunst, waarop auteursrecht bestaat, in de benaming daarvan of in de aanduiding van de maker wederrechtelijk enige wijziging aanbrengt of wel met betrekking tot een zodanig werk op enige andere wijze, welke nadeel zou kunnen toebrengen aan de eer of de naam van de maker of aan zijn waarde in de hoedanigheid, het werk aantast, wordt gestraft met gevangenisstraf van ten hoogste zes maanden of geldboete van de vierde categorie.
Het feit is als een misdrijf.

Opzettelijk wijzigen van beschermd werk of zijn benaming, enz.

Art. 35. Hij die zonder daartoe gerechtigd te zijn een portret in het openbaar ten toon stelt of op andere wijze openbaar maakt, wordt gestraft met geldboete van de vierde categorie.
Het feit is eene overtreding.

Onbevoegd openbaar maken van portretten

Art. 35a. Hij die, zonder dat de vereischte toestemming van Onzen Minister van Justitie is verkregen, handelingen verricht, die behoren tot een misdrijf als bedoeld bij artikel 30*a*, wordt gestraft met geldboete van de vierde categorie.
Het feit is een overtreding.

Onbevoegde bemiddeling inzake muziekauteursrecht

Art. 35b. Hij die in een schriftelijke aanvrage of opgave, dienende om in het bedrijf van degene, die met toestemming van Onze Minister van Justitie bemiddeling verleent inzake muziekauteursrecht, te worden gebezigd bij de vaststelling van het wegens auteursrecht verschuldigde, opzettelijk een onjuiste of onvolledige mededeling doet, wordt gestraft met hechtenis van ten hoogste drie maanden of geldboete van de derde categorie.

Onjuiste opgaven m.b.t. betalingsplicht muziekauteursrecht

Het feit is een overtreding.

Onjuiste opgaven m.b.t. betalingsplicht: overtreding

Art. 35c. Degene die een schriftelijke opgave aan de in artikel 16d, eerste lid, bedoelde rechtspersoon, dienende voor de vaststelling van het op grond van artikel 16c verschuldigde, opzettelijk nalaat dan wel in een dergelijke opgave opzettelijk een onjuiste of onvolledige mededeling doet, wordt gestraft met hechtenis van ten hoogste drie maanden of geldboete van de derde categorie. Het feit wordt beschouwd als een overtreding.

Verbeurdverklaarde copieën

Art. 36. De door den strafrechter verbeurd verklaarde verveelvoudigingen worden vernietigd: echter kan de rechter bij het vonnis bepalen, dat zij aan dengene, wien het auteursrecht toekomt, zullen worden afgegeven, indien deze zich daartoe ter griffie aanmeldt binnen een maand nadat de uitspraak in kracht van gewijsde is gegaan.

Door de afgifte gaat de eigendom van de verveelvoudigingen op den rechthebbenden over. De rechter zal kunnen gelasten, dat die afgifte niet zal geschieden dan tegen eene bepaalde, door den rechthebbende te betalen vergoeding, welke ten bate komt van den Staat.

Bevoegdheden opsporingsambtenaren

Art. 36a. De opsporingsambtenaren kunnen te allen tijde tot het opsporen van bij deze wet strafbaar gestelde feiten inzage vorderen van alle bescheiden of andere gegevensdragers waarvan inzage voor de vervulling van hun taak redelijkerwijze nodig is, bij hen die in de uitoefening van hun beroep of bedrijf werken van letterkunde, wetenschap of kunst invoeren in Nederland, openbaar maken of verveelvoudigen.

Binnentreding opsporingsambtenaren

Art. 36b. De opsporingsambtenaren zijn bevoegd, tot het opsporen van de bij deze wet strafbaar gestelde feiten en ter inbeslagneming van hetgeen daarvoor vatbaar is, elke plaats te betreden.

Indien hun de toegang wordt geweigerd, verschaffen zij zich die desnoods met inroeping van de sterke arm.

In woningen treden zij tegen de wil van de bewoner niet binnen dan op vertoon van een schriftelijke bijzondere last van of in tegenwoordigheid van een officier van justitie of een hulpofficier van justitie. Van dit binnentreden wordt door hen binnen vierentwintig uren procesverbaal opgemaakt.

Art. 36c. (Vervallen bij de wet van 4 juni 1992, Stb. 423)

HOOFDSTUK III
De duur van het auteursrecht

Tijdstip van verval

Art. 37. Het auteursrecht vervalt door verloop van 50 jaren, te rekenen van de 1e januari van het jaar, volgende op het sterfjaar van de maker.

De duur van een gemeenschappelijk auteursrecht op een zelfde werk, aan twee of meer personen als gezamenlijke makers daarvan toekomende, wordt berekend van de 1e januari van het jaar, volgende op het sterfjaar van de langstlevende hunner.

Bijzondere regelingen

Art. 38. Het auteursrecht op een werk ten aanzien waarvan de maker niet is aangeduid of niet op zodanige wijze dat zijn identiteit buiten twijfel staat, vervalt door verloop van 50 jaren, te rekenen van de 1e januari van het jaar, volgende op dat, waarin de eerste openbaarmaking van het werk rechtmatig heeft plaatsgehad.

Hetzelfde geldt ten aanzien van werken, waarvan een openbare instelling, een vereniging, stichting of vennootschap als maker wordt aangemerkt, alsmede ten aanzien van werken, die voor de eerste maal openbaar zijn gemaakt na het overlijden van de maker.

Indien de maker vóór het verstrijken van de in het eerste lid genoemde termijn zijn identiteit openbaart, zal de duur van het auteursrecht op dat werk worden berekend naar de bepalingen van artikel 37.

Artt. 39, 40. Vervallen.

Werken waarvan de delen op verschillende tijdstippen in druk verschenen

Art. 41. Voor de toepassing van artikel 38 worden werken, bij afleveringen of in vervolgen verschenen, geacht eerst bij verschijning van de laatste aflevering of van het laatste vervolg te zijn openbaar gemaakt.

Ten aanzien van werken, samengesteld uit twee of meer delen, nummers of bladen, op verschillende tijdstippen in druk verschenen, zoomede ten aanzien van verslagen en berichten, uitgegeven door genootschappen of door particulieren, wordt ieder deel, nummer, blad of verslag en bericht, als een afzonderlijk werk aangemerkt.

Art. 42. In afwijking voor zooverre van de bepalingen van dit hoofdstuk kan in Nederland geenerlei beroep worden gedaan op auteursrecht, waarvan de duur in het land van oorsprong van het werk reeds verstreken is.

Auteursrecht, verstreken in land van herkomst

HOOFDSTUK IV
Wijziging van de Faillissementswet en van het Wetboek van Strafrecht

Art. 43. (Bevat een wijziging in de Faillissementswet.)

Art. 44. (Bevat wijzigingen in het Wetboek van Strafrecht.)

Art. 45. Vervallen.

HOOFDSTUK V
Bijzondere bepalingen betreffende filmwerken

Art. 45a. Onder filmwerk wordt verstaan een werk dat bestaat uit een reeks beelden met of zonder geluid, ongeacht de wijze van vastlegging van het werk, indien het is vastgelegd.

Begripsbepaling filmwerk

Onverminderd het in de artikelen 7 en 8 bepaalde worden als de makers van een filmwerk aangemerkt de natuurlijke personen die tot het ontstaan van het filmwerk een daartoe bestemde bijdrage van scheppend karakter hebben geleverd.

Producent van het filmwerk is de natuurlijke of rechtspersoon die verantwoordelijk is voor de totstandkoming van het filmwerk met het oog op de exploitatie daarvan.

Art. 45b. Indien een van de makers zijn bijdrage tot het filmwerk niet geheel tot stand wil of kan brengen, kan hij zich, tenzij schriftelijk anders overeengekomen is, niet verzetten tegen het gebruik door de producent van die bijdrage, voor zover deze reeds tot stand is gebracht, ten behoeve van de voltooiing van het filmwerk. Voor de door hem tot stand gebrachte bijdrage geldt hij als maker in de zin van artikel 45a.

Art. 45c. Het filmwerk geldt als voltooid op het tijdstip waarop het vertoningsgereed is. Tenzij schriftelijk anders overeengekomen is, beslist de producent wanneer het filmwerk vertoningsgereed is.

Voltooiing filmwerk

Art. 45d. Tenzij de makers en de producent schriftelijk anders overeengekomen zijn, worden de makers geacht aan de producent het recht overgedragen te hebben om vanaf het in artikel 45c bedoelde tijdstip het filmwerk openbaar te maken, dit te verveelvoudigen in de zin van artikel 14, er ondertitels bij aan te brengen en de teksten ervan na te synchroniseren. Het vorenstaande geldt niet ten aanzien van degene die ten behoeve van het filmwerk de muziek gemaakt heeft en degene die de bij de muziek behorende tekst gemaakt heeft. De producent is aan de makers of hun rechtverkrijgenden een billijke vergoeding verschuldigd voor iedere vorm van exploitatie van het filmwerk.

De producent is eveneens aan de makers of hun rechtverkrijgenden een billijke vergoeding verschuldigd indien hij overgaat tot exploitatie in eén vorm die ten tijde van het in artikel 45c bedoelde tijdstip nog niet bestond of niet redelijkerwijs voorzienbaar was of indien hij aan een derde het recht verleent tot zo'n exploitatie over te gaan.

De in dit artikel bedoelde vergoedingen worden schriftelijk overeengekomen.

Art. 45e. Iedere maker heeft met betrekking tot het filmwerk naast de rechten, bedoeld in artikel 25, eerste lid, onder b, c en d, het recht

Recht op vermelding naam

a zijn naam op de daarvoor gebruikelijke plaats in het filmwerk te doen vermelden met vermelding van zijn hoedanigheid of zijn bijdrage aan het filmwerk;
b te vorderen dat het onder a bedoelde gedeelte van het filmwerk mede wordt vertoond;

c zich te verzetten tegen vermelding van zijn naam op het filmwerk, tenzij dit verzet in strijd met de redelijkheid zou zijn.

Art. 45f. De maker wordt, tenzij schriftelijk anders overeengekomen is, verondersteld tegenover de producent afstand gedaan te hebben van het recht zich te verzetten tegen wijzigingen als bedoeld in artikel 25, eerste lid onder c, in zijn bijdrage.

Art. 45g. Iedere maker behoudt, tenzij schriftelijk anders overeengekomen is, het auteursrecht op zijn bijdrage, indien deze een van het filmwerk scheidbaar werk vormt. Na het in artikel 45c bedoelde tijdstip mag iedere maker, tenzij schriftelijk anders overeengekomen is, zijn bijdrage afzonderlijk openbaar maken en verveelvoudigen, mits hij daardoor geen schade toebrengt aan de exploitatie van het filmwerk.

HOOFDSTUK VI
Bijzonder bepalingen betreffende computerprogramma's

Art. 45h. Voor het openbaar maken door middel van verhuren van het geheel of een gedeelte van een werk als bedoeld in artikel 10, eerste lid, onder 12°, of van een verveelvoudiging daarvan die door de rechthebbende of met zijn toestemming in het verkeer zijn gebracht, is de toestemming van de maker of zijn rechtverkrijgende vereist.

Art. 45i. Onverminderd het bepaalde in artikel 13 wordt onder het verveelvoudigen van een werk als bedoeld in artikel 10, eerste lid, onder 12°, mede verstaan het laden, het in beeld brengen, de uitvoering, de transmissie of de opslag, voor zover voor deze handelingen het verveelvoudigen van dat werk noodzakelijk is.

Art. 45j. Tenzij anders is overeengekomen, wordt niet als inbreuk op het auteursrecht op in artikel 10, eerste lid, onder 12°, beschouwd de verveelvoudiging. vervaardigd door de rechtmatige verkrijger van een exemplaar van eerder genoemd werk, die noodzakelijk is voor het met dat werk beoogde gebruik. De verveelvoudiging, als bedoeld in de eerste zin, die geschiedt in het kader van het laden, het in beeld brengen of het verbeteren van fouten, kan niet bij overeenkomst worden verboden.

Art. 45k. Als inbreuk op het auteursrecht op in artikel 10, eerste lid, onder 12°, wordt niet beschouwd de verveelvoudiging, vervaardigd door de rechtmatige gebruiker van eerder genoemd werk, die dient als reservekopie indien zulks voor het met dat werk beoogde gebruik noodzakelijk is.

Art. 45*l*. Hij die bevoegd is tot het verrichten van de in artikel 45i bedoelde handelingen, is mede bevoegd tijdens deze handelingen de werking van dat werk waar te nemen, te bestuderen en te testen teneinde de daaraan ten grondslag liggende ideeën en beginselen te achterhalen.

Art. 45m. 1. Als inbreuk op het auteursrecht op een werk als bedoeld in artikel 10, eerste lid, onder 12°, worden niet beschouwd het vervaardigen van een kopie van dat werk en het vertalen van de codevorm daarvan, indien deze handelingen onmisbaar zijn om de informatie te verkrijgen die nodig is om de interoperabiliteit van een onafhankelijk vervaardigd computerprogramma met andere computerprogramma's tot stand te brengen, mits:
a. deze handelingen worden verricht door een persoon die op rechtmatige wijze de beschikking heeft gekregen over een exemplaar van het computerprogramma of door een door hem daartoe gemachtigde derde;
b. de gegevens die noodzakelijk zijn om de interoperabiliteit tot stand te brengen niet reeds snel en gemakkelijk beschikbaar zijn voor de onder a bedoelde personen;
c. deze handelingen beperkt blijven tot die onderdelen van het oorspronkelijke computerprogramma die voor het tot stand brengen van de interoperabiliteit noodzakelijk zijn.

2. Het is niet toegestaan de op grond van het eerste lid verkregen informatie:
a. te gebruiken voor een ander doel dan het tot stand brengen van de interoperabiliteit van het onafhankelijk vervaardigde computerprogramma;
b. aan derden mede te delen, tenzij dit noodzakelijk is voor het stand brengen van de interoperabiliteit van het onafhankelijk vervaardigde computerprogramma;
c. te gebruiken voor de ontwikkeling, de produktie of het in de handel brengen van

een computerprogramma, dat niet als een nieuw, oorspronkelijk werk kan worden aangemerkt of voor andere, op het auteursrecht inbreuk makende handelingen.

Art. 45n. De artikelen 16b, eerste lid, en 17, eerste lid, zijn niet van toepassing op de in artikel 10, eerste lid, onder 12°, bedoelde werken.

HOOFDSTUK VII
Overgangs- en slotbepalingen

Oude wet bijna geheel vervallen

Art. 46. Bij het in werking treden van deze wet vervalt de wet van 28 Juni 1881 (*Staatsblad* n°. 124), tot regeling van het auteursrecht.

Echter blijft artikel 11 van laatstgenoemde wet van kracht ten aanzien van werken en vertalingen, vóór bedoeld tijdstip ingezonden.

Gedeeltelijke terugwerkende kracht van de wet

Art. 47. Deze wet is van toepassing op alle werken van letterkunde, wetenschap of kunst, welke hetzij vóór, hetzij na haar in werking treden voor de eerste maal, of binnen dertig dagen na de eerste uitgave in een ander land, zijn uitgegeven in Nederland, alsmede op alle zodanige niet of niet aldus uitgegeven werken, welker makers zijn Nederlanders.

Voor de toepassing van het voorgaande lid worden met Nederlanders gelijkgesteld de makers die geen Nederlander zijn maar die hun gewone verblijfplaats in Nederland hebben, voor zover het betreft niet uitgegeven werken of werken die zijn uitgegeven nadat de maker zijn gewone verblijfplaats in Nederland heeft verkregen.

Een werk is uitgegeven in de zin van dit artikel wanneer het met toestemming van de maker in druk is verschenen of in het algemeen wanneer met toestemming van de maker een zodanig aanbod van exemplaren daarvan, van welke aard ook, heeft plaatsgevonden dat daardoor, gelet op de aard van het werk, wordt voorzien in de redelijke behoeften van het publiek.

De opvoering van een toneelwerk of muziek-dramatisch werk, de uitvoering van een muziekwerk, de vertoning van een filmwerk, de voordracht of de uitzending in een radio- of televisieprogramma van een werk en de tentoonstelling van een kunstwerk worden niet als een uitgave aangemerkt.

Ten aanzien van bouwwerken en van werken van beeldende kunst die daarmede één geheel vormen, wordt het bouwen van het bouwwerk of het aanbrengen van het werk van beeldende kunst als uitgave aangemerkt.

Onverminderd het bepaalde in de voorgaande leden is deze wet van toepassing op filmwerken, indien de producent daarvan in Nederland zijn zetel of zijn gewone verblijfplaats heeft.

Werken uit Noord Oost Indië en Nederlands Nieuw Guinea

Art. 47a. Deze wet blijft van toepassing op alle werken van letterkunde, wetenschap of kunst, welke voor de eerste maal vóór 27 december 1949 in Nederlandsch-Indië 1 oktober 1962 in Nederlandsch-Nieuw-Guinea door of vanwege de maker zijn uitgegeven.

Reeds vervallen auteursrechten

Art. 48. Deze wet erkent geen auteursrecht op werken, waarop het auteursrecht op het tijdstip van haar in werking treden krachtens een der artikelen 13 of 14 der wet van 28 Juni 1881 (*Staatsblad* n°. 124), tot regeling van het auteursrecht, was vervallen, noch op werken, waarvan op bedoeld tijdstip het kopijrecht vervallen was krachtens artikel 3 der wet van den 25sten Januari 1817 (*Staatsblad* n°. 5), de rechten bepalende die in de Nederlanden, ten opzichte van het drukken en uitgeven van letter- en kunstwerken kunnen worden uitgeoefend.

Handhaving auteursrechten, steunend op de vorige wet

Art. 49. Het auteursrecht, verkregen krachtens de wet van 28 Juni 1881 (*Staatsblad* n°. 124), tot regeling van het auteursrecht, zoomede het kopijrecht of eenig recht van dezen aard, onder eene vroegere wetgeving verkregen en door genoemde wet gehandhaafd, blijft na het in werking treden van deze wet gehandhaafd.

Artt. 50-50b. Vervallen.

Verspreiding van onder de vorige wet uitgegeven kopieën, behoudens rechterlijke opheffing der bevoegdheid of schadevergoeding

Art. 50c. Hij die vóór 1 september 1912, niet in strijd met de bepalingen van de wet van 28 juni 1881 (Stb. 124) tot regeling van het auteursrecht, noch met die van enig tractaat in Nederland of Nederlandsch-Indië enige verveelvoudiging van een werk van letterkunde, wetenschap of kunst, niet zijnde een nadruk van het geheel of een gedeelte van een zodanig werk, als bedoeld bij artikel 10, 1°, 2°, 5° of 7°, heeft uitgegeven, verliest door het in werking treden van deze wet niet de bevoegdheid om de vóór dat tijdstip uitgegeven verveelvoudiging, ook wat betreft later vervaardigde exemplaren, te verspreiden en te verkopen. Deze bevoegdheid gaat over bij erfopvolging en is vatbaar voor gehele en gedeeltelijke overdracht. Het tweede lid van artikel 47 vindt overeenkomstige toepassing.

Niettemin kan de rechter, op het schriftelijk verzoek van dengene wien het auteursrecht op het oorspronkelijk werk toekomt, hetzij de in het eerste lid genoemde bevoegdheid geheel of gedeeltelijk opheffen, hetzij den verzoeker terzake van de uitoefening dier bevoegdheid eene schadeloosstelling toekennen, een en ander volgens de bepalingen der beide volgende artikelen.

Voorwaarden waaronder de rechter al dan niet beslist tot opheffing der verspreidingsbevoegdheid

Art. 50d. Het verzoek tot gehele of gedeeltelijke opheffing van de in artikel 50c genoemde bevoegdheid kan slechts worden gedaan, indien na 1 november 1915 een nieuwe uitgave der verveelvoudiging heeft plaatsgehad. Het tweede lid van artikel 47 vindt overeenkomstige toepassing.

Het verzoekschrift wordt vóór het verstrijken van het kalenderjaar, volgende op dat, waarin die uitgave heeft plaatsgehad, ingediend bij de rechtbank te Amsterdam. De griffier roept partijen op tegen een door de rechter te bepalen bekwame termijn. De zaak wordt in raadkamer behandeld.

Het verzoek tot opheffing der bevoegdheid wordt slechts ingewilligd, indien en voor zoover de rechter van oordeel is, dat het zedelijk belang des verzoekers door de verspreiding en den verkoop der verveelvoudiging wordt gekrenkt. Geschiedt het verzoek niet door den maker van het oorspronkelijk werk, dan wijst de rechter het af, indien het hem aannemelijk voorkomt, dat de maker die uitgave der verveelvoudiging heeft goedgevonden. De rechter wijst het verzoek ook af, indien de verzoeker pogingen heeft aangewend tot het bekomen eener schadeloosstelling van dengene die de bevoegdheid uitoefent. De rechter kan het verzoek afwijzen, indien door de opheffing degene die de bevoegdheid uitoefent, in verhouding tot het te beschermen belang des verzoekers, te zeer zou worden benadeeld. Indien de rechter de bevoegdheid geheel of gedeeltelijk opheft, bepaalt hij het tijdstip waarop die opheffing in werking treedt.

Bij zijne beslissing maakt de rechter zoodanige bepalingen als hij met het oog op de belangen van beide partijen en van derde belanghebbenden billijk oordeelt. Hij begroot de kosten van beide partijen en bepaalt in welke verhouding zij deze zullen dragen. Tegen de rechterlijke beslissingen, ingevolge dit artikel gegeven, staat geene hoogere voorziening open. Griffierechten zijn ter zake van de toepassing van dit artikel niet verschuldigd.

Schadeloosstelling bij verspreiding van kosten

Art. 50e. Een schadeloosstelling van de uitoefening van de in artikel 50c genoemde bevoegdheid kan slechts worden toegekend, indien na 1 mei 1915 een nieuwe uitgave van de verveelvoudiging heeft plaatsgehad. Het tweede lid van artikel 47 vindt overeenkomstige toepassing.

Het tweede en het vierde lid van het voorgaande artikel zijn van toepassing.

Art. 50f. Vervallen.

Art. 51. Vervallen.

Citeertitel

Art. 52. Deze wet kan worden aangehaald onder den titel „Auteurswet 1912".

Inwerkingtreding

Art. 53. Deze wet treedt in het Rijk in Europa in werking op den eersten dag der maand volgende op die, waarin zij afkondigd wordt.

WET van 18 maart 1993, Stb. 178, houdende regelen inzake de bescherming van uitvoerende kunstenaars, producenten van fonogrammen en omroeporganisaties en wijziging van de Auteurswet 1912 (Wet op de naburige rechten), zoals laatstelijk gewijzigd bij de wet van 12 april 1995, Stb. 227

Wij BEATRIX, bij de gratie Gods, Koningin der Nederlanden, Prinses van Oranje-Nassau, enz. enz. enz.

Allen, die deze zullen zien of horen lezen, saluut! doen te weten:

Alzo Wij in overweging genomen hebben, dat het in verband met het voornemen toe te treden tot het in 1961 te Rome gesloten Internationaal Verdrag inzake de bescherming van uitvoerende kunstenaars, producenten van fonogrammen en omroeporganisaties (Trb. 1986, 182) en de in 1971 te Genève gesloten Overeenkomst ter bescherming van producenten van fonogrammen tegen het ongeoorloofd kopiëren van hun fonogrammen (Trb. 1968, 183) wenselijk is regelen te treffen inzake de bescherming van uitvoerende kunstenaars, producenten van fonogrammen en omroeporganisaties en dat het voorts in verband hiermee wenselijk is de Auteurswet 1912 te wijzigen;

Zo is het, dat Wij, de Raad van State gehoord, en met gemeen overleg der Staten-Generaal, hebben goedgevonden en verstaan, gelijk Wij goedvinden en verstaan bij deze:

HOOFDSTUK 1
Definities

Begripsbepalingen

Art. 1. Voor de toepassing van het bij of krachtens deze wet bepaalde wordt verstaan onder:
a. uitvoerende kunstenaar: de toneelspeler, zanger, musicus, danser en iedere andere persoon die een werk van letterkunde of kunst opvoert, zingt, voordraagt of op enige andere wijze uitvoert, alsmede de artiest, die een variété- of circusnummer of een poppenspel uitvoert;
b. opnemen: geluiden, beelden of een combinatie daarvan voor de eerste maal vastleggen op enig voorwerp dat geschikt is om deze te reproduceren of openbaar te maken;
c. fonogram: iedere opname van uitsluitend geluiden van een uitvoering of andere geluiden;
d. producent van fonogrammen: de natuurlijke of rechtspersoon die een fonogram voor de eerste maal vervaardigt of doet vervaardigen;
e. omroeporganisatie: een instelling, die in overeenstemming met de wetgeving van het land waar de uitzending plaatsvindt, programma's verzorgt en onder haar verantwoordelijkheid uitzendt of doet uitzenden;
f. reproduceren: het vervaardigen van een of meer exemplaren van een opname of van een gedeelte daarvan;
g. uitzenden: het verspreiden van programma's door middel van een zender als bedoeld in artikel 1, eerste lid, onderdeel cc, van de Mediawet (Stb. 1987, 249) of een draadomroepinrichting als bedoeld in artikel 1, eerste lid, onderdeel g, van de Wet op de telecommunicatievoorzieningen (Stb. 1988, 520);
h. heruitzenden: het door een instelling gelijktijdig uitzenden van een programma dat door een andere instelling of omroeporganisatie wordt uitgezonden;
i. programma: een uitgezonden radio- of televisieprogramma, of -programmaonderdeel.

HOOFDSTUK 2
Inhoud van de naburige rechten

Uitsluitend recht tot toestemmingsverlening

Art. 2. 1. De uitvoerende kunstenaar heeft het uitsluitend recht om toestemming te verlenen voor een of meer van de volgende handelingen;
a. het opnemen van een uitvoering;
b. het reproduceren van een opname van een uitvoering;
c. het verkopen, afleveren of anderszins in het verkeer brengen van een opname van een uitvoering of van een reproduktie daarvan dan wel het voor die doeleinden invoeren, aanbieden of in voorraad hebben;
d. het uitzenden, het heruitzenden of het op een andere wijze openbaar maken van

een uitvoering of een opname van een uitvoering of een reproduktie daarvan.

Reproduktie

2. Is een reproduktie van een opname van een uitvoering door de houder van het uitsluitend recht, bedoeld in het eerste lid, of met zijn uitdrukkelijke toestemming in het verkeer gebracht, dan handelt de verkrijger van de reproduktie niet in strijd met dit uitsluitend recht, door ten aanzien van die reproduktie de in het eerste lid, onder c, genoemde handelingen te verrichten.

Uitvoering in besloten kring

3. Ten aanzien van het in het eerste lid, onder d, bepaalde wordt onder openbaar maken mede verstaan de uitvoering die plaatsvindt in besloten kring, tenzij deze zich beperkt tot de familie-, vrienden- of andere daaraan gelijk te stellen kring en voor het bijwonen daarvan geen betaling, in welke vorm ook, geschiedt.

Uitvoering uitsluitend gebruikt voor het onderwijs

4. Onder het openbaar maken van een uitvoering wordt niet begrepen de uitvoering welke uitsluitend gebruikt wordt voor het onderwijs dat vanwege de overheid of vanwege een rechtspersoon zonder winstoogmerk wordt gegeven, voorzover deze uitvoering deel uitmaakt van het schoolwerkplan, leerplan en instellingswerkplan of dient tot een wetenschappelijk doel.

Heruitzending programma

5. Als afzonderlijke openbaarmaking wordt niet beschouwd de heruitzending van een programma door hetzelfde organisme dat dat programma oorpronkelijk uitzendt.

Exploitatie rechten door werkgever

Art. 3. De werkgever is bevoegd de rechten van de uitvoerende kunstenaar, bedoeld in artikel 2, te exploiteren, voor zover dit tussen partijen is overeengekomen dan wel voortvloeit uit de aard van de tussen hen gesloten arbeidsovereenkomst, de gewoonte of de eisen van redelijkheid en billijkheid. Tenzij anders is overeengekomen of uit de aard van de overeenkomst, de gewoonte of de eisen van redelijkheid en billijkheid anders voortvloeit, is de werkgever aan de uitvoerende kunstenaar of zijn rechtverkrijgende een billijke vergoeding verschuldigd voor iedere vorm van exploitatie van diens rechten. De werkgever eerbiedigt de in artikel 5 bedoelde rechten van de uitvoerende kunstenaar.

Uitvoering der bijdrage aan filmwerk

Art. 4. Op de uitvoering van een uitvoerende kunstenaar, die bestemd is als bijdrage voor de totstandkoming van een filmwerk als bedoeld in artikel 45a van de Auteurswet 1912, zijn de artikelen 45a tot en met 45g van voornoemde wet van overeenkomstige toepassing.

Rechten van uitvoerende kunstenaar na overdracht van art. 2

Art. 5. 1. De uitvoerende kunstenaar heeft, zelfs nadat hij zijn in artikel 2 bedoelde recht heeft overgedragen:
a. het recht zich te verzetten tegen de openbaarmaking van de uitvoering zonder vermelding van zijn naam of andere aanduiding als uitvoerende kunstenaar tenzij het verzet zou zijn in strijd met de redelijkheid;
b. het recht zich te verzetten tegen de openbaarmaking van de uitvoering onder een andere naam dan de zijne, alsmede tegen het aanbrengen van enige wijziging in de wijze waarop hij is aangeduid, voorzover deze naam of aanduiding in verband met de uitvoering is vermeld of openbaar is gemaakt;
c. het recht zich te verzetten tegen elke andere wijziging in de uitvoering, tenzij deze wijziging van zodanige aard is dat het verzet in strijd zou zijn met de redelijkheid;
d. het recht zich te verzetten tegen elke misvorming, verminking of andere aantasting van de uitvoering, die nadeel zou kunnen toebrengen aan de eer of de naam van de uitvoerende kunstenaar of aan zijn waarde in deze hoedanigheid.

2. De in het voorgaande lid genoemde rechten komen na het overlijden van de uitvoerende kunstenaar tot aan het vervallen van zijn in artikel 2 bedoelde recht toe aan de door hem bij uiterste wilsbeschikking of bij codicil aangewezene.

Afstand

3. Van de in het eerste lid onder a-c genoemde rechten kan schriftelijk afstand worden gedaan.

Rechten producent fonogrammen

Art. 6. 1. De producent van fonogrammen heeft het uitsluitend recht om toestemming te verlenen voor
a. het reproduceren van een door hem vervaardigd fonogram;
b. het verkopen, afleveren of anderszins in het verkeer brengen van een door hem vervaardigd fonogram of een reproduktie daarvan dan wel het voor die doeleinden invoeren, aanbieden of in voorraad hebben;
c. het uitzenden, het heruitzenden of het op een andere wijze openbaar maken van een door hem vervaardigd fonogram of een reproduktie daarvan. Artikel 2, leden 3 tot en met 5, is van overeenkomstige toepassing.

2. Is een reproduktie van een fonogram door de houder van het uitsluitend recht, bedoeld in het eerste lid, of met zijn uitdrukkelijke toestemming in het verkeer ge-

bracht, dan handelt de verkrijger van de reproduktie niet in strijd met het uitsluitend recht door ten aanzien van die reproduktie de in het eerste lid, onder b, genoemde handelingen te verrichten.

Openbaarmaking commercieel fonogram/-reproduktie

Art. 7. 1. Een voor commerciële doeleinden uitgebracht fonogram of een reproduktie daarvan kan zonder toestemming van de producent van het fonogram en de uitvoerende kunstenaar of hun rechtverkrijgenden worden uitgezonden of op een andere wijze openbaar gemaakt, mits daarvoor een billijke vergoeding wordt betaald.

2. Bij gebreke van overeenstemming over de hoogte van de billijke vergoeding is de arrondissementsrechtbank te 's-Gravenhage in eerste aanleg bij uitsluiting bevoegd om op vordering van de meest gerede partij de hoogte van de vergoeding vast te stellen.

3. De vergoeding komt toe aan zowel de uitvoerende kunstenaar als de producent of hun rechtverkrijgenden en wordt tussen hen gelijkelijk verdeeld.

Rechten omroeporganisatie

Art. 8. 1. Een omroeporganisatie heeft het uitsluitend recht om toestemming te verlenen voor een of meer van de volgende handelingen:
a. het heruitzenden van programma's;
b. het opnemen van programma's en het reproduceren van een dergelijke opname;
c. het verkopen, afleveren of anderszins in het verkeer brengen van een opname van een programma of van een reproduktie daarvan dan wel het voor die doeleinden invoeren, aanbieden of in voorraad hebben;
d. het openbaar maken van programma's, ongeacht welke technische hulpmiddelen daarbij worden gebruikt;
e. het openbaar maken van opnamen van programma's of reprodukties daarvan, ongeacht welke technische hulpmiddelen daarbij worden gebruikt.

2. Is een reproduktie van een opname van een programma in het verkeer gebracht door de houder van het uitsluitend recht, bedoeld in het eerste lid, of met zijn uitdrukkelijke toestemming, dan handelt de verkrijger van die reproduktie niet in strijd met het uitsluitend recht door ten aanzien van die reproduktie de in het eerste lid, onder c, genoemde handelingen te verrichten.

Erfopvolging/ overdracht

Art. 9. De rechten die deze wet verleent gaan over bij erfopvolging. Deze rechten zijn, met uitzondering van die welke genoemd zijn in het eerste lid van artikel 5, vatbaar voor gehele of gedeeltelijke overdracht. Levering vereist voor gehele of gedeeltelijke overdracht, geschiedt door een daartoe bestemde akte. De overdracht omvat alleen die bevoegdheden waarvan dit in de akte is vermeld of uit de aard of strekking van de titel noodzakelijk voortvloeit. Ten aanzien van het verlenen van toestemming als bedoeld in de artikelen 2, 6 en 8 is het bepaalde in de derde en vierde volzin van dit artikel van overeenkomstige toepassing.

Uitzonderingen op inbreuk op naburige rechten

Art. 10. Van inbreuk op de in de artikelen 2, 6 en 8 bedoelde rechten is geen sprake indien de in deze artikelen bedoelde handelingen worden verricht voor:
a. eigen oefening, studie of gebruik van degene die opneemt of in enkele exemplaren reproduceert; artikelen 16b, vijfde lid, van de Auteurswet 1912 is van overeenkomstige toepassing evenals de artikelen 16c tot en met 16g van de Auteurswet 1912;
b. verslaggeving in het openbaar in een foto-, film-, radio-, of televisie-reportage over actuele gebeurtenissen, voorzover zulks voor het behoorlijk weergeven van de actuele gebeurtenis die het onderwerp van de reportage uitmaakt noodzakelijk is en mits slechts gebruik wordt gemaakt van korte fragmenten;
c. een opname door of in opdracht van een omroeporganisatie, die bevoegd is tot uitzenden of doen uitzenden, ten behoeve van het eigen programma, mits de opname wordt teniet gedaan binnen 28 dagen na de eerste uitzending van het programma waarvoor de opname is gemaakt, doch in ieder geval binnen een half jaar na de vervaardiging; artikel 17b, derde lid, van de Auteurswet 1912, is van overeenkomstige toepassing; ten aanzien van de uitvoering van een uitvoerend kunstenaar dient artikel 5 in acht genomen te worden;
d. het citeren in een aankondiging, beoordeling, polemiek of wetenschappelijke verhandeling; artikel 15a, eerste lid, onder 1°, 2° en 4°, en vijfde lid van de Auteurswet 1912 is van overeenkomstige toepassing; ten aanzien van de uitvoering van een uitvoerend kunstenaar dient artikel 5 in acht genomen te worden.

Verdere uitzonderingen op inbreuk

Art. 11. Van inbreuk op de in de artikelen 2, 6 en 8 bedoelde rechten is geen sprake indien de in deze artikelen bedoelde handelingen worden verricht voor:

a. het overnemen van gedeelten van uitvoeringen, fonogrammen of programma's of reprodukties daarvan in publicaties of geluids- of beeldopnamen die gemaakt zijn om te worden gebruikt als toelichting bij het onderwijs; artikel 16, eerste lid, onder a, 1°, 2°, 4° en 5°, en vijfde lid van de Auteurswet 1912, voorzover dit laatste lid betrekking heeft op de te betalen billijke vergoeding, is van overeenkomstige toepassing; ten aanzien van de uitvoering van een uitvoerende kunstenaar dient artikel 5 in acht genomen te worden;
b. het openbaar maken van gedeelten van uitvoeringen, fonogrammen of programma's of reprodukties daarvan door middel van een uitzending in een programma dat gemaakt is om te dienen als toelichting bij het onderwijs; artikel 16, eerste lid, onder b, 1°, 2°, 4° en 5°, en vijfde lid van de Auteurswet 1912, voorzover dit laatste lid betrekking heeft op de te betalen billijke vergoeding, is van overeenkomstige toepassing; ten aanzien van de uitvoering van een uitvoerende kunstenaar dient artikel 5 in acht genomen te worden.

Verval van naburige rechten

Art. 12. De rechten die deze wet verleent vervallen door verloop van 50 jaren te rekenen vanaf het einde van het jaar waarin
a. de uitvoering heeft plaatsgehad, voor uitvoeringen;
b. het fonogram is vervaardigd, voor fonogrammen en voor daarop opgenomen uitvoeringen;
c. het programma is uitgezonden, voor omroeporganisaties.

HOOFDSTUK 3
De uitoefening en de handhaving van de naburige rechten

Uitoefening door vertegenwoordiger bij gezamenlijke uitvoering

Art. 13. De in artikel 2 bedoelde rechten kunnen, ingeval het een gezamenlijke uitvoering door zes of meer personen betreft, uitsluitend worden uitgeoefend door een door de aan die uitvoering deelnemende uitvoerende kunstenaars bij meerderheid gekozen vertegenwoordiger. Het bepaalde in de eerste zin van dit artikel is niet van toepassing op de aan de gezamenlijke uitvoering meewerkende solist, regisseur en dirigent. De handhaving van de in artikel 2 bedoelde rechten kan, ingeval het een gezamenlijke uitvoering betreft, door een ieder van de aan die uitvoering deelnemende uitvoerende kunstenaars geschieden, tenzij anders is overeengekomen.

Gemeenschappelijk recht producent omroeporganisaties

Art. 14. Indien aan twee of meer producenten van fonogrammen of omroeporganisaties een gemeenschappelijk recht ten aanzien van eenzelfde fonogram of programma toekomt, kan de handhaving van dit recht door ieder van hen geschieden, tenzij anders is overeengekomen.

Rechtspersoon belast met vergoeding

Art. 15. 1. De betaling van de in artikel 7 bedoelde billijke vergoeding dient te geschieden aan een door Onze Minister van Justitie aan te wijzen representatieve rechtspersoon die met uitsluiting van anderen met de inning en verdeling van deze vergoeding is belast. Ten aanzien van de vaststelling van de hoogte van de vergoeding en de inning daarvan alsmede de uitoefening van het uitsluitend recht vertegenwoordigt de in de vorige zin bedoelde rechtspersoon de rechthebbenden in en buiten rechte.

College van Toezicht

2. De in het eerste lid bedoelde rechtspersoon staat onder toezicht van een College van Toezicht, waarvan de leden worden benoemd door Onze Minister van Justitie. Bij algemene maatregel van bestuur worden nadere regels gesteld omtrent het toezicht.

3. De verdeling van de geïnde vergoeding geschiedt aan de hand van een door de in het eerste lid bedoelde rechtspersoon opgesteld en door Onze Minister van Justitie goedgekeurd reglement. Onze Minister van Justitie wint daartoe het gevoelen in van het in het tweede lid bedoelde College van Toezicht.

Vorderingen rechthebbende

Art. 16. 1. Naast schadevergoeding kan de rechthebbende, bedoeld in de artikelen 2, 6 en 8, vorderen dat degene die inbreuk op zijn recht heeft gemaakt wordt veroordeeld de door deze tengevolge van de inbreuk genoten winst af te dragen en dienaangaande rekening en verantwoording af te leggen.

Licentienemer

2. De rechthebbende kan de in het eerste lid bedoelde vorderingen of, een van deze ook namens of mede namens een licentienemer instellen, onverminderd de bevoegdheid van deze laatste in een al of niet namens hem of mede namens hem door de rechthebbende ingesteld geding tussen te komen om rechtstreeks de door hem geleden schade vergoed te krijgen of om zich een evenredig deel van de door de ge-

daagde af te dragen winst te doen toewijzen. De in het eerste lid bedoelde vorderingen of een van deze kan een licentienemer slechts instellen als hij de bevoegdheid daartoe heeft bedongen.

Bevoegdheden bij inbreuk

Art. 17. 1. De rechten, bedoeld in de artikelen 2, 5, 6 en 8, geven de bevoegdheid om opnamen of reprodukties daarvan die in strijd met die rechten zijn openbaar gemaakt alsmede niet geoorloofde reprodukties, als zijn eigendom op te eisen dan wel daarvan de vernietiging of onbruikbaarmaking te vorderen. Gelijke bevoegdheid bestaat ten aanzien van roerende zaken die geen registergoederen zijn en die rechtstreeks hebben gediend tot de vervaardiging van de in de eerste zin bedoelde opnamen of reprodukties alsmede ten aanzien van het bedrag der toegangsgelden, betaald voor het bijwonen van een uitvoering en andere gelden waarvan aannemelijk is dat zij zijn verkregen door of als gevolg van inbreuk op een van de in de artikelen 2, 5, 6 en 8 bedoelde rechten.

Beslag en executie

2. De bepalingen van het Wetboek van Burgerlijke Rechtsvordering betreffende beslag en executie tot afgifte van roerende zaken die geen registergoederen zijn, zijn van toepassing. Bij samenloop met een ander beslag gaat degene die beslag heeft gelegd krachtens dit artikel voor.

3. De rechter kan gelasten dat de afgifte niet plaatsvindt dan tegen een door hem vast te stellen door de eiser te betalen vergoeding.

Art. 18. (Vervallen bij de wet van 4 april 1994, Stb. 269)

Art. 19. (Vervallen bij de wet van 12 april 1995, Stb. 227)

Verplichting administratievoering

Art. 20. 1. Op verzoek van een of meer naar het oordeel van de Minister van Justitie representatieve organisaties van bedrijfs- of beroepsgenoten, die rechtspersonen met volledige rechtsbevoegdheid zijn en die ten doel hebben de behartiging van de belangen van personen die beroeps- of bedrijfsmatig opnamen of reprodukties daarvan, verkopen, afleveren of anderszins in het verkeer brengen dan wel voor die doeleinden invoeren, aanbieden of in voorraad hebben, kan voornoemde minister bepalen dat door hem aangewezen beroeps- of bedrijfsgenoten verplicht zijn hun administratie te voeren op een nader door hem aan te geven wijze.

2. Hij die de in het vorige lid bedoelde verplichting niet nakomt, wordt gestraft met een geldboete van de tweede categorie. Het feit is een overtreding.

HOOFDSTUK 4
Bepalingen van strafrecht

Opzettelijke inbreuk op naburige rechten

Art. 21. Hij die opzettelijk inbreuk maakt op de rechten, bedoeld in de artikelen 2, 6 en 8 van deze wet, wordt gestraft met gevangenisstraf van ten hoogste zes maanden of geldboete van de vierde categorie.

Opzettelijke inbreuk

Art. 22. Hij, die opzettelijk een opname of een reproduktie daarvan waarvan hij weet dat inbreuk wordt gemaakt op de rechten, bedoeld in de artikelen 2, 6 en 8 van deze wet,
a. uitzendt, heruitzendt of op een andere wijze openbaar maakt;
b. openlijk ter verspreiding aanbiedt;
c. ter reproduktie of ter verspreiding voorhanden heeft;
d. met het oog op de invoer in Nederland voorhanden heeft; of
e. bewaart uit winstbejag,
wordt gestraft met gevangenisstraf van ten hoogste zes maanden of geldboete van de vierde categorie.

„Piraterij"

Art. 23. Hij, die van het plegen van de misdrijven als bedoeld in de artikelen 21 en 22, zijn beroep maakt of het plegen van deze misdrijven als bedrijf uitoefent, wordt gestraft met gevangenisstraf van ten hoogste vier jaar of geldboete van de vijfde categorie.

Inbreuk te kwader trouw

Art. 24. Hij, die een opname of een reproduktie daarvan waarvan hij redelijkerwijs kan vermoeden dat inbreuk wordt gemaakt op de rechten, bedoeld in de arti-

kelen 2, 6 en 8 van deze wet,
a. uitzendt, heruitzendt of op een andere wijze openbaar maakt;
b. openlijk ter verspreiding aanbiedt;
c. ter reproduktie of ter verspreiding voorhanden heeft;
d. met het oog op de invoer in Nederland voorhanden heeft; of
e. bewaart uit winstbejag,
wordt gestraft met geldboete van de derde categorie.

Opzettelijke wijzigingen

Art. 25. Hij die opzettelijk in een uitvoering, in de benaming daarvan of in de aanduiding van de uitvoerende kunstenaar wederrechtelijk enige wijziging aanbrengt, of wel een zodanige uitvoering op enige andere wijze, welke nadeel zou kunnen toebrengen aan de eer of de naam van de uitvoerende kunstenaar of aan zijn waarde in deze hoedanigheid, aantast, wordt gestraft met gevangenisstraf van ten hoogste zes maanden of geldboete van de vierde categorie.

Misdrijven

Art. 26. De feiten strafbaar gesteld in de artikelen 21, 22, 23, 24 en 25 zijn misdrijven.

Onjuiste opgaven m.b.t. betalingsplicht

Art. 27. Hij die in een schriftelijke aanvrage of opgave aan de in artikel 15, eerste lid, bedoelde rechtspersoon, dienende voor de vaststelling van het op grond van artikel 7 van deze wet verschuldigde, opzettelijk een onjuiste of onvolledige mededeling doet, wordt gestraft met hechtenis van ten hoogste drie maanden of geldboete van de derde categorie. Het feit wordt beschouwd als een overtreding.

Binnentreding opsporingsambtenaren

Art. 28. De opsporingsambtenaren zijn bevoegd, tot het opsporen van de bij deze wet strafbaar gestelde feiten en ter inbeslagneming van hetgeen daarvoor vatbaar is, elke plaats te betreden. Indien hun de toegang wordt geweigerd, verschaffen zij zich die desnoods met inroeping van de sterke arm. In woningen treden zij tegen de wil van de bewoner niet binnen dan op vertoon van een schriftelijke bijzondere last van of in tegenwoordigheid van een officier van justitie of een hulpofficier van justitie. Van dit binnentreden wordt door hen binnen vierentwintig uren procesverbaal opgemaakt.

Bevoegdheden opsporingsambtenaren

Art. 29. De opsporingsambtenaren kunnen te allen tijde tot het opsporen van bij deze wet strafbaar gestelde feiten inzage vorderen van alle bescheiden of andere gegevensdragers, waarvan inzage voor de vervulling van hun taak redelijkerwijze nodig is, bij hen die in de uitoefening van hun beroep of bedrijf opnamen of reprodukties daarvan, waarop de in de artikelen 2, 6 en 8 bedoelde rechten betrekking hebben, reproduceren, verkopen, afleveren en anderszins in het verkeer brengen dan wel voor die doeleinden invoeren, aanbieden of in voorraad hebben of openbaar maken.

Verbeurd verklaarde reprodukties

Art. 30. 1. De door de strafrechter verbeurd verklaarde reprodukties worden vernietigd; echter kan de rechter bij het vonnis bepalen, dat zij aan de rechthebbende zullen worden afgegeven, indien deze zich daartoe ter griffie aanmeldt binnen een maand nadat de uitspraak in kracht van gewijsde is gegaan.

2. Door de afgifte gaat de eigendom van de reprodukties op de rechthebbende over. De rechter zal kunnen gelasten, dat die afgifte niet zal geschieden dan tegen een bepaalde door de rechthebbende te betalen vergoeding, welke ten bate komt van de Staat.

Geheimhoudingsplicht

Art. 31. Een ieder, die betrokken is bij de uitvoering van deze wet en daarbij de beschikking krijgt over gegevens waarvan hij het vertrouwelijk karakter kent of redelijkerwijs moet vermoeden, en voor wie niet reeds uit hoofde van ambt, beroep of wettelijk voorschrift ter zake van die gegevens een geheimhoudingsplicht geldt, is verplicht tot geheimhouding daarvan, behoudens voor zover enig wettelijk voorschrift hem tot bekendmaking verplicht of uit zijn taak bij de uitvoering van deze wet de noodzaak tot bekendmaking voortvloeit.

HOOFDSTUK 5
Toepassingscriteria

Gevallen waarin wet van toepassing is op uitvoerende kunstenaar

Art. 32. 1. De voorgaande artikelen zijn op de uitvoerende kunstenaar van toepassing ingeval:
a. hij Nederlander is of zijn gewone verblijfplaats in Nederland heeft dan wel onderdaan is van een Staat die partij is bij het Verdrag van Rome inzake de bescherming van uitvoerende kunstenaars, producenten van fonogrammen en omroeporganisaties; of
b. zijn uitvoering in Nederland plaats had dan wel in een Staat die partij is bij het Verdrag van Rome inzake de bescherming van uitvoerende kunstenaars, producenten van fonogrammen en omroeporganisaties; of
c. zijn uitvoering is opgenomen op een fonogram als bedoeld in het tweede lid van dit artikel; of
d. zijn uitvoering, die niet is opgenomen op een fonogram, is openbaar gemaakt door middel van een programma van een omroeporganisatie als bedoeld in het zesde lid van dit artikel.

Toepassing op producenten van fonogrammen

2. De voorgaande artikelen zijn op de producenten van fonogrammen van toepassing ingeval:
a. hij Nederlander is dan wel in Nederland zijn zetel of gewone verblijfplaats heeft of onderdaan is van dan wel rechtspersoon is opgericht naar het recht van een Staat die partij is bij het in het eerste lid, onder a, bedoelde Verdrag of bij de Overeenkomst ter bescherming van producenten van fonogrammen tegen het niet geoorloofd kopiëren van hun fonogrammen; of
b. het opnemen in Nederland plaats had dan wel in een Staat die partij is bij het in het eerste lid, onder a, bedoelde Verdrag of bij de Overeenkomst ter bescherming van producenten van fonogrammen tegen het ongeoorloofd kopiëren van hun fonogrammen; of
c. het fonogram voor de eerste maal, of binnen dertig dagen na de eerste uitgave in een ander land, in het verkeer is gebracht in Nederland dan wel in een Staat die partij is bij het in het eerste lid, onder a, bedoelde Verdrag of bij de Overeenkomst ter bescherming van producenten van fonogrammen tegen het ongeoorloofd kopiëren van hun fonogrammen.

3. Van in het verkeer brengen als bedoeld in het tweede lid is sprake, wanneer van op rechtmatige wijze vervaardigde reprodukties van een fonogram een zodanig aanbod van exemplaren daarvan heeft plaatsgevonden dat daardoor wordt voorzien in de redelijke behoeften van het publiek.

4. Met betrekking tot fonogrammen, waarvan de producent onderdaan is van dan wel rechtspersoon is opgericht naar het recht van een Staat die partij is bij het in het eerste lid, onder a, bedoelde Verdrag is artikel 7 slechts van toepassing in de mate waarin en voor de duur waarvoor deze Staat bescherming verleent ten aanzien van fonogrammen waarvan de producent Nederlander is dan wel zijn zetel heeft in Nederland.

5. Het recht op een billijke vergoeding, als bedoeld in artikel 7, geldt niet voor fonogrammen waarvan de producent geen onderdaan is van noch rechtspersoon is opgericht naar het recht van een Staat die partij is bij het in het eerste lid, onder a, bedoelde Verdrag.

Toepassing op omroeporganisaties

6. De voorgaande artikelen zijn op omroeporganisaties van toepassing ingeval:
a. het hoofdkantoor van de omroeporganisatie is gevestigd in Nederland dan wel in een staat als bedoeld in het eerste lid, onder a;
b. de uitzending heeft plaatsgevonden in Nederland dan wel in een Staat als bedoeld in het eerste lid onder a.

Toepassingswet

Art. 33. Ten aanzien van uitvoeringen, fonogrammen of programma's, die voor het tijdstip van in werking treden van deze wet hebben plaatsgevonden, zijn vervaardigd onderscheidenlijk zijn uitgezonden, zijn de door deze wet verleende rechten van toepassing voor zover het gedragingen betreft die plaatsvinden na het tijdstip van in werking treden van deze wet.

Beroep op art. 162 boek 6 BW

Art. 34. De voorgaande artikelen van deze wet laten een beroep op artikel 162 van Boek 6 van het Burgerlijk Wetboek onverlet.

HOOFDSTUK 6
Wijziging van de auteurswet 1912 (Stb. 308)

Wijziging in Auteurswet

Art. 35. Bevat wijzigingen in de auteurswet 1912.

HOOFDSTUK 7
Slotbepalingen

Inwerkingtreding

Art. 36. Deze wet treedt in werking op een bij koninklijk besluit te bepalen tijdstip.

Citeertitel

Art. 37. Deze wet kan worden aangehaald als de Wet op de naburige rechten.

RIJKSWET van 15 december 1994, Stb. 1995, 51, houdende regels met betrekking tot octrooien (Rijksoctrooiwet 1995)

HOOFDSTUK 1
Algemene bepalingen

Begripsbepalingen

Art. 1. In deze rijkswet en de daarop berustende bepalingen wordt verstaan onder:

Europees Octrooiverdrag: het op 5 oktober 1973 te München tot stand gekomen Verdrag inzake de verlening van Europese octrooien (Trb. 1975, 108 en 1976, 101);

Gemeenschapsoctrooiverdrag: het op 15 december 1989 te Luxemburg tot stand gekomen Verdrag betreffende het Europees octrooi voor de gemeenschappelijke markt (Trb. 1990, 121);

Europees octrooi: een krachtens het Europees Octrooiverdrag verleend octrooi, voor zover dat voor het Koninkrijk is verleend, niet zijnde een Gemeenschapsoctrooi;

Gemeenschapsoctrooi: een octrooi als bedoeld in artikel 2 van het Gemeenschapsoctrooiverdrag;

Europese octrooiaanvrage: een Europese octrooiaanvrage als bedoeld in het Europees Octrooiverdrag;

Samenwerkingsverdrag: het op 19 juni 1970 te Washington tot stand gekomen Verdrag tot samenwerking inzake octrooien (Trb. 1973, 20);

bureau: het Bureau voor de industriële eigendom, bedoeld in artikel 4 van de wet van 25 april 1963 (Stb. 221);

octrooiregister: het in artikel 19 van deze wet bedoelde register;

Onze Minister: Onze Minister van Economische Zaken;

natuurlijke rijkdommen: de minerale en andere niet-levende rijkdommen van de zeebedding en de ondergrond, alsmede levende organismen die tot de sedentaire soort behoren, dat wil zeggen organismen die ten tijde dat zij geoogst kunnen worden, hetzij zich onbeweeglijk op of onder de zeebedding bevinden, hetzij zich niet kunnen verplaatsen dan in voortdurend fysiek contact met de zeebedding of de ondergrond.

Octrooieerbare uitvindingen

Art. 2. 1. Vatbaar voor octrooi zijn uitvindingen die nieuw zijn, op uitvinderswerkzaamheid berusten en toegepast kunnen worden op het gebied van de nijverheid.

2. In de zin van het eerste lid worden in het bijzonder niet als uitvindingen beschouwd:

a. ontdekkingen, alsmede natuurwetenschappelijke theorieën en wiskundige methoden;

b. esthetische vormgevingen;

c. stelsels, regels en methoden voor het verrichten van geestelijke arbeid, voor het spelen of voor de bedrijfsvoering, alsmede computerprogramma's;

d. presentaties van gegevens.

3. Het tweede lid geldt alleen voor zover het betreft de aldaar genoemde onderwerpen of werkzaamheden als zodanig.

Niet-octrooieerbare uitvindingen

Art. 3. Niet vatbaar voor octrooi zijn:

a. uitvindingen waarvan de openbaarmaking of toepassing in strijd zou zijn met de openbare orde of goede zeden;

b. planten- of dierenrassen, alsmede werkwijzen van wezenlijk biologische aard voor de voortbrenging van planten of dieren en hierdoor verkregen voortbrengselen, met uitzondering van microbiologische werkwijzen tenzij die op grond van het bij of krachtens de Gezondheids- en welzijnswet voor dieren bepaalde niet zijn toegestaan.

Nieuwheid

Art. 4. 1. Een uitvinding wordt als nieuw beschouwd, indien zij geen deel uitmaakt van de stand van de techniek.

2. De stand van de techniek wordt gevormd door al hetgeen voor de dag van indiening van de octrooiaanvrage openbaar toegankelijk is gemaakt door een schriftelijke of mondelinge beschrijving, door toepassing of op enige andere wijze.

3. Tot de stand van de techniek behoort tevens de inhoud van eerder ingediende octrooiaanvragen, die op of na de in het tweede lid bedoelde dag overeenkomstig artikel 31 in het octrooiregister zijn ingeschreven.

4. Tot de stand van de techniek behoort voorts de inhoud van Europese octrooiaanvragen en van internationale aanvragen als bedoeld in artikel 158, eerste en tweede lid, van het Europees Octrooiverdrag, waarvan de datum van indiening, die

geldt voor de toepassing van artikel 54, tweede en derde lid, van dat verdrag, ligt voor de in het tweede lid bedoelde dag, en die op of na die dag zijn gepubliceerd op grond van artikel 93 van dat verdrag onderscheidenlijk van artikel 21 van het Samenwerkingsverdrag, mits het Koninkrijk in de gepubliceerde aanvrage is aangewezen.

5. Niettegenstaande het bepaalde in het eerste tot en met vierde lid zijn tot de stand van de techniek behorende stoffen of samenstellingen vatbaar voor octrooi, voor zover zij bestemd zijn voor de toepassing van een van de in artikel 7, tweede lid, bedoelde methoden, mits de toepassing daarvan voor enige in dat lid bedoelde methode niet tot de stand van de techniek behoort.

Beperking van de omvang van de stand der techniek

Art. 5. 1. Voor de toepassing van artikel 4 blijft een openbaarmaking van de uitvinding buiten beschouwing, indien deze niet eerder is geschied dan zes maanden voor de dag van indiening van de octrooiaanvrage als direct of indirect gevolg van:
a. een kennelijk misbruik ten opzichte van de aanvrager of diens rechtsvoorganger, of
b. het feit, dat de aanvrager of diens rechtsvoorganger de uitvinding heeft tentoongesteld op van overheidswege gehouden of erkende tentoonstellingen in de zin van het Verdrag inzake Internationale Tentoonstellingen, ondertekend te Parijs op 22 november 1928, zoals dat is gewijzigd, laatstelijk bij Protocol van 30 november 1972 (Trb. 1973,100), op voorwaarde dat de aanvrager bij de indiening van zijn aanvrage verklaart dat de uitvinding inderdaad is tentoongesteld en een bewijsstuk daarvoor overlegt binnen een bij algemene maatregel van bestuur vast te stellen termijn en overeenkomstig bij algemene maatregel van bestuur te stellen voorschriften.

2. De erkenning van overheidswege van tentoonstellingen in Nederland geschiedt door Onze Minister en die van tentoonstellingen in de Nederlandse Antillen door de regering van de Nederlandse Antillen.

Uitvinding

Art. 6. Een uitvinding wordt als het resultaat van uitvinderswerkzaamheid aangemerkt, indien zij voor een deskundige niet op een voor de hand liggende wijze voortvloeit uit de stand van de techniek. Indien documenten als bedoeld in artikel 4, derde en vierde lid, tot de stand van de techniek behoren, worden deze bij de beoordeling van de uitvinderswerkzaamheid buiten beschouwing gelaten.

Vatbaarheid voor toepassing op het gebied van de nijverheid

Art. 7. 1. Een uitvinding wordt als vatbaar voor toepassing op het gebied van de nijverheid aangemerkt, indien het onderwerp daarvan kan worden vervaardigd of toegepast op enig gebied van de nijverheid, de landbouw daaronder begrepen.

2. Methoden van behandeling van het menselijke of dierlijke lichaam door chirurgische ingrepen of geneeskundige behandeling en diagnosemethoden die worden toegepast op het menselijke of dierlijke lichaam worden niet beschouwd als uitvindingen die vatbaar zijn voor toepassing op het gebied van de nijverheid in de zin van het eerste lid. Deze bepaling is niet van toepassing op voortbrengselen, met name stoffen of samenstellingen, voor de toepassing van een van deze methoden.

Aanvrager geldt als uitvinder

Art. 8. Onverminderd de artikelen 11, 12 en 13 wordt de aanvrager als uitvinder beschouwd en uit dien hoofde als degene die aanspraak heeft op octrooi.

Recht van voorrang

Art. 9. 1. Degene die in een der landen, aangesloten bij de Internationale Unie tot bescherming van de industriële eigendom, overeenkomstig de in dat land geldende wetten, en degene die, overeenkomstig de tussen twee of meer voornoemde landen gesloten verdragen, octrooi of een gebruikscertificaat dan wel bescherming van een gebruiksmodel heeft aangevraagd, geniet gedurende een termijn van twaalf maanden na de dag van die aanvrage in Nederland en in de Nederlandse Antillen een recht van voorrang ter verkrijging van octrooi voor datgene, waarvoor door hem de in de aanhef bedoelde bescherming werd aangevraagd. Het voorgaande vindt overeenkomstige toepassing ten aanzien van degene, die een uitvindercertificaat heeft aangevraagd, indien de betrokken wetgeving de keus laat tussen verkrijging van zodanig certificaat of een octrooi.

2. Onder aanvrage in de zin van het eerste lid wordt iedere aanvrage verstaan, waarvan de datum van indiening kan worden vastgesteld, ongeacht het verdere lot van die aanvrage.

3. Indien de rechthebbende meer aanvragen voor hetzelfde onderwerp heeft ingediend, komt voor het recht van voorrang slechts de eerst ingediende in aanmerking. Niettemin kan het recht van voorrang ook berusten op een later ingediende aanvrage ter verkrijging van bescherming in hetzelfde land, mits de eerst ingediende

aanvrage voor de indiening van de latere aanvrage is ingetrokken, vervallen of afgewezen zonder ter kennis van het publiek te zijn gebracht en zonder rechten te hebben laten bestaan en mits zij nog niet als grondslag heeft gediend voor de inroeping van een recht van voorrang. Indien een recht van voorrang, berustend op een later ingediende aanvrage, is ingeroepen, zal de eerst ingediende aanvrage niet meer als grondslag kunnen dienen voor de inroeping van een recht van voorrang.

4. De voorrang heeft voor de toepassing van de artikelen 4, tweede, derde en vierde lid, en 6 ten gevolge, dat de aanvrage waarvoor dit recht bestaat, wordt aangemerkt als te zijn ingediend op de dag van indiening van de aanvrage waarop het recht van voorrang berust.

5. De aanvrager kan een beroep doen op meer dan één recht van voorrang, zelfs wanneer de rechten van voorrang uit verschillende landen afkomstig zijn. Ook kan de aanvrage, waarbij een beroep op een of meer rechten van voorrang wordt gedaan, elementen bevatten, waarvoor in de conclusies van de aanvrage, waarvan de voorrang wordt ingeroepen, geen rechten werden verlangd, mits de tot de laatste aanvrage behorende stukken het betrokken voortbrengsel of de betrokken werkwijze voldoende nauwkeurig aangeven.

6. Degene die van het recht van voorrang wil gebruik maken, moet daarop schriftelijk beroep doen bij de indiening van de aanvrage of binnen drie maanden daarna, onder vermelding van de datum van indiening van de aanvrage waarop hij zich beroept en van het land waarin of waarvoor deze werd ingediend; binnen zestien maanden na indiening van de aanvrage waarop hij zich beroept, moet hij het nummer alsmede een in de Nederlandse, Franse, Duitse of Engelse taal gesteld afschrift van de aanvrage waarop hij zich beroept of een vertaling van die aanvrage in een van die talen aan het bureau verstrekken alsmede, als hij niet degene is die de aanvrage, op grond waarvan de voorrang wordt ingeroepen heeft ingediend, een document waaruit zijn rechten blijken. Het bureau kan verlangen dat de in de vorige volzin bedoelde vertaling wordt gewaarmerkt.

7. Het recht van voorrang vervalt, indien niet aan het zesde lid voldaan is.

Ontbreken van rechtsgevolg i.v.m. inroepen recht van voorrang

Art. 10. 1. Indien voor een uit hoofde van deze rijkswet verleend octrooi de voorrang is ingeroepen van een eerder uit hoofde van deze rijkswet ingediende octrooiaanvrage, heeft het op genoemde aanvrage verleende octrooi geen rechtsgevolgen, voor zover het betrekking heeft op dezelfde uitvinding als eerstgenoemd octrooi.

2. Vorderingen ter vaststelling van het ontbreken van rechtsgevolg als bedoeld in het eerste lid kunnen door een ieder worden ingesteld.

3. Artikel 75, vierde lid, achtste lid, eerste volzin, en negende lid, is van overeenkomstige toepassing.

Uitvinding ontleend aan een ander

Art. 11. De aanvrager heeft geen aanspraak op octrooi, voor zover de inhoud van zijn aanvrage aan hetgeen reeds door een ander vervaardigd of toegepast werd of wel aan beschrijvingen, tekeningen of modellen van een ander, zonder diens toestemming, ontleend is. Deze laatste behoudt, voor zover hetgeen ontleend werd voor octrooi vatbaar is, zijn aanspraak op octrooi. Voor de toepassing van artikel 4, derde en vierde lid, op het onderwerp van een aanvrage, ingediend door degene aan wie ontleend is, blijft de door de ontlener ingediende aanvrage buiten beschouwing.

Uitvinding in dienstbetrekking

Art. 12. 1. Indien de uitvinding, waarvoor octrooi wordt aangevraagd, is gedaan door iemand die in dienst van een ander een betrekking bekleedt, heeft hij aanspraak op octrooi, tenzij de aard van de betrekking medebrengt, dat hij zijn bijzondere kennis aanwendt tot het doen van uitvindingen van dezelfde soort als die waarop de octrooiaanvrage betrekking heeft. In het laatstbedoelde geval komt de aanspraak op octrooi toe aan de werkgever.

2. Indien de uitvinding, waarvoor octrooi wordt aangevraagd, is gedaan door iemand die in het kader van een opleiding bij een ander werkzaamheden verricht, komt de aanspraak op octrooi toe aan degene bij wie de werkzaamheden worden verricht, tenzij de uitvinding geen verband houdt met het onderwerp van de werkzaamheden.

3. Indien de uitvinding is gedaan door iemand die in dienst van een universiteit, hogeschool of onderzoeksinstelling onderzoek verricht, komt de aanspraak op octrooi toe aan de betrokken universiteit, hogeschool of onderzoeksinstelling.

4. Voor de toepassing van artikel 4, derde en vierde lid, op het onderwerp van een aanvrage, ingediend door de in het eerste lid, laatste volzin, bedoelde werkgever

dan wel door degene die de gelegenheid biedt om werkzaamheden te verrichten als bedoeld in het tweede lid, blijft een door de niet gerechtigde ingediende octrooiaanvrage buiten beschouwing.

5. Van het in het eerste, tweede en derde lid bepaalde kan bij schriftelijke overeenkomst worden afgeweken.

6. Ingeval de uitvinder niet geacht kan worden in het door hem genoten loon of de door hem genoten geldelijke toelage of in een bijzondere door hem te ontvangen uitkering vergoeding te vinden voor het gemis aan octrooi, is degene aan wie krachtens het eerste, tweede of derde lid, de aanspraak op octrooi toekomt, verplicht hem een, in verband met het geldelijke belang van de uitvinding en met de omstandigheden waaronder zij plaatshad, billijk bedrag toe te kennen. Een vorderingsrecht van de uitvinder krachtens dit lid vervalt na verloop van drie jaren sedert de datum waarop het octrooi is verleend.

7. Elk beding, waarbij van het zesde lid wordt afgeweken, is nietig.

Uitvinding in teamverband

Art. 13. Indien een uitvinding is gedaan door verscheidene personen, die volgens een afspraak tezamen hebben gewerkt, hebben zij gezamenlijk aanspraak op octrooi.

Vermelding als uitvinder

Art. 14. 1. Degene die de uitvinding heeft gedaan, waarvoor octrooi is aangevraagd, doch op grond van artikel 12, eerste, tweede of derde lid, of op grond van een overeenkomst, gesloten met de aanvrager of diens rechtsvoorgangers, geen aanspraak op octrooi kan doen gelden, heeft het recht in het octrooi als de uitvinder te worden vermeld.

2. Elk beding, waarbij van het vorige lid wordt afgeweken, is nietig.

HOOFDSTUK 2
Behandeling van octrooiaanvragen

§ 1. Algemene bepalingen

Bureau als centrale bewaarplaats

Art. 15. Het bureau is een instelling van Nederland. Het dient, voor zover het octrooien betreft, voor Nederland en de Nederlandse Antillen als centrale bewaarplaats als bedoeld in artikel 12 van het Herzien Internationaal Verdrag van Parijs van 20 maart 1883 tot bescherming van de industriële eigendom; Stockholm, 14 juli 1967 (Trb. 1969, 144).

Verlenging termijnen i.v.m. sluiting van het bureau

Art. 16. Indien het bureau gedurende de laatste dag van enige ingevolge deze rijkswet door of jegens het bureau in acht te nemen termijn is gesloten, wordt die termijn voor de toepassing van deze rijkswet verlengd tot het einde van de eerstvolgende dag, waarop het bureau weer geopend is.

Ontvangend bureau als bedoeld in het Samenwerkingsverdrag

Art. 17. 1. Het bureau treedt op als ontvangend bureau in de zin van artikel 2, onder (xv), van het Samenwerkingsverdrag en verricht zijn werkzaamheden uit dien hoofde met inachtneming van de bepalingen van dat verdrag.

2. Bij algemene maatregel van rijksbestuur worden, voor zover het Samenwerkingsverdrag daartoe de bevoegdheid verleent, het bedrag en de vervaldatum vastgesteld van taksen die op grond van het Samenwerkingsverdrag en het daarbij behorende Reglement mogen worden geheven. Bij algemene maatregel van bestuur kunnen voorts verdere regels worden gesteld ten aanzien van onderwerpen waarover het ontvangend bureau ingevolge genoemd Reglement bevoegd is voorschriften te geven.

Aanwijzing of keuze als bedoeld in het Samenwerkingsverdrag

Art. 18. De aanwijzing of, in voorkomend geval, de keuze van het Koninkrijk in een internationale aanvrage als bedoeld in artikel 2, onder (vii), van het Samenwerkingsverdrag zal worden aangemerkt als een verzoek van de aanvrager tot verkrijging van een Europees octrooi.

Register

Art. 19. 1. Het bureau houdt een register in stand waarin ingevolge deze rijkswet gegevens betreffende octrooiaanvragen en octrooien worden ingeschreven.

2. Het register is voor een ieder kosteloos ter inzage.

3. Bij algemene maatregel van bestuur kunnen nadere regels worden gesteld omtrent het register. Daarbij kan worden bepaald dat de inschrijving van bepaalde gegevens in het register afhankelijk is van het betalen van een bedrag door degene die om inschrijving verzoekt.

4. Tegen betaling van bij algemene maatregel van rijksbestuur vast te stellen bedragen kan een ieder het bureau verzoeken om schriftelijke inlichtingen omtrent dan wel gewaarmerkte uittreksels uit het octrooiregister of om stukken welke betrekking hebben op een in het octrooiregister ingeschreven octrooiaanvrage of octrooi, alsmede om afschriften van laatstgenoemde stukken.

Blad

Art. 20. 1. Van alle gegevens die in het octrooiregister worden vermeld, wordt tevens melding gemaakt in een door het bureau periodiek uit te geven blad.

2. Bij algemene maatregel van bestuur kunnen nådere regels worden gesteld omtrent het in het eerste lid bepaalde.

Kennisneming van stukken betreffende de aanvrage of het octrooi

Art. 21. 1. Vanaf het tijdstip waarop de octrooiaanvrage in het octrooiregister is ingeschreven, kan een ieder kosteloos kennisnemen van alle op de aanvrage of het daarop verleende octrooi betrekking hebbende stukken die het bureau hebben bereikt of die het bureau aan de aanvrager of aan derden heeft doen uitgaan in het kader van de bepalingen van deze rijkswet. Het bureau maakt van al deze stukken zo spoedig mogelijk doch niet voor de inschrijving van de aanvrage in het octrooiregister melding in het in artikel 20 bedoelde blad.

2. Van stukken die betrekking hebben op een aanvrage die nog niet in het octrooiregister is ingeschreven, kan alleen met toestemming van de aanvrager kennis worden genomen. Zonder toestemming van de aanvrager kan daarvan nochtans kennis worden genomen, indien de betrokkene aantoont dat de aanvrager zich tegenover hem heeft beroepen op zijn aanvrage. Het in dit lid bepaalde geldt niet ten aanzien van de in paragraaf 3 van dit hoofdstuk bedoelde octrooiaanvragen.

3. Geen kennis kan worden genomen van de verklaring van degene die de uitvinding heeft gedaan, inhoudende dat hij geen prijs stelt op vermelding als uitvinder in het octrooi.

Octrooigemachtigde

Art. 22. Als gemachtigde van een aanvrager ten overstaan van het bureau kunnen optreden personen die gerechtigd zijn voor de Octrooiraad als gemachtigde op te treden. Het bij en krachtens artikel 18A van de Rijksoctrooiwet bepaalde is mede van toepassing ten aanzien van het uitoefenen van het beroep van gemachtigde ten overstaan van het bureau.

Herstel in de vorige toestand

Art. 23. 1. Indien de aanvrager of de houder van een octrooi dan wel de houder van een Europees octrooi, ondanks het betrachten van alle in de gegeven omstandigheden geboden zorgvuldigheid, niet in staat is geweest een termijn ten opzichte van het bureau of het bureau bedoeld in artikel 99 in acht te nemen, wordt op zijn verzoek door het bureau de vorige toestand hersteld, indien het niet in acht nemen van de termijn ingevolge deze rijkswet rechtstreeks heeft geleid tot het verlies van enig recht of rechtsmiddel.

2. Het eerste lid is niet van toepassing op het niet indienen van de octrooiaanvrage binnen de in artikel 9, eerste lid, bedoelde termijn en op het niet in acht nemen van de hierna in het derde lid bedoelde termijn.

3. Het verzoek wordt zo spoedig mogelijk, doch uiterlijk binnen een jaar na afloop van de niet in acht genomen termijn, ingediend. Gelijktijdig met het verzoek wordt de verzuimde handeling alsnog verricht. Indien de verzoeker niet in het Koninkrijk woont, is hij verplicht in Nederland domicilie te kiezen bij een gemachtigde. Bij de indiening dient een bij algemene maatregel van rijksbestuur te bepalen bedrag te worden betaald.

4. Het bureau tekent het herstel in het octrooiregister aan.

5. Degene, die in het tijdvak, gelegen tussen het verlies van het recht of het rechtsmiddel en het herstel in de vorige toestand, begonnen is met de vervaardiging of toepassing binnen Nederland of de Nederlandse Antillen dan wel indien het een Europees octrooi betreft binnen Nederland, in of voor zijn bedrijf van datgene, waarvoor tengevolge van het herstel een octrooi van kracht is, dan wel een begin van uitvoering heeft gegeven aan zijn voornemen daartoe, blijft niettegenstaande het octrooi bevoegd de in artikel 53, eerste lid, bedoelde handelingen te verrichten. Artikel 55, tweede en derde lid, is van overeenkomstige toepassing.

§ 2. *Verlening*

Inhoud van de aanvrage

Art. 24. 1. Een aanvrage om octrooi moet bij het bureau worden ingediend en moet:

a. de naam en het adres van de aanvrager vermelden;

b. de naam en de woonplaats vermelden van degene, die de uitvinding heeft gedaan, tenzij deze blijkens een bij de aanvrage gevoegde schriftelijke verklaring geen prijs stelt op vermelding als uitvinder in het octrooi;
c. een verzoek om verlening van een octrooi bevatten;
d. een korte aanduiding bevatten van datgene, waarop de uitvinding betrekking heeft;
e. vergezeld zijn van een beschrijving van de uitvinding, die aan het slot in één of meer conclusies een omschrijving geeft van datgene, waarvoor uitsluitend recht wordt verlangd;
f. vergezeld zijn van een uittreksel van de beschrijving.

2. Het uittreksel is alleen bedoeld als technische informatie; het kan in het bijzonder niet dienen voor de uitlegging van de omvang van de gevraagde bescherming en voor de toepassing van de artikelen 4, derde lid, en 75, tweede lid.

3. De aanvrage dient, evenals de beschrijving, in het Nederlands te zijn gesteld.

4. De aanvrage, de beschrijving van de uitvinding, de tekeningen en het uittreksel moeten voorts voldoen aan de overige, bij algemene maatregel van bestuur te stellen, voorschriften.

5. Bij de aanvrage dient een bewijsstuk te worden overgelegd waaruit blijkt dat aan het bureau een bedrag is betaald overeenkomstig een bij algemene maatregel van rijksbestuur vastgesteld tarief.

Beschrijving van de uitvinding

Art. 25. 1. De beschrijving van de uitvinding moet duidelijk en volledig zijn; de aan het slot daarvan in een of meer conclusies gegeven omschrijving moet nauwkeurig zijn. De beschrijving moet zo nodig van daarmee overeenstemmende tekeningen vergezeld zijn en overigens van zodanige aard zijn, dat de uitvinding daaruit door een deskundige kan worden begrepen en aan de hand van die beschrijving toegepast.

2. In het geval dat een uitvinding betreffende een micro-biologische werkwijze of een door een dergelijke werkwijze verkregen voortbrengsel het gebruik omvat van een micro-organisme dat niet openbaar toegankelijk is, dient bovendien een cultuur van het micro-organisme uiterlijk op de dag van indiening van de aanvrage te zijn gedeponeerd bij een bij of krachtens algemene maatregel van bestuur aan te wijzen instelling en dient voorts te zijn voldaan aan bij algemene maatregel van bestuur te stellen voorschriften inzake identificatie en beschikbaarheid van het micro-organisme.

Domiciliekeuze

Art. 26. Indien de aanvrager niet in het Koninkrijk woont, is hij verplicht in Nederland domicilie te kiezen bij een gemachtigde als bedoeld in artikel 22.

Eén octrooiaanvrage per uitvinding

Art. 27. Elke aanvrage om octrooi mag slechts op een enkele uitvinding betrekking hebben of op een groep van uitvindingen, die zodanig onderling verbonden zijn, dat zij op een enkele algemene uitvindingsgedachte berusten. Bij algemene maatregel van rijksbestuur kunnen daarover nadere regels worden gesteld.

Splitsing van de aanvrage

Art. 28. 1. De aanvrager kan zijn reeds ingediende aanvrage splitsen door voor een gedeelte van de inhoud daarvan een afzonderlijke aanvrage in te dienen. Deze aanvrage wordt, behalve voor de toepassing van de artikelen 30, eerste lid, 31, derde lid, en 32, eerste lid, aangemerkt te zijn ingediend op de dag van de oorspronkelijke aanvrage.

2. De aanvrager kan de beschrijving, conclusies en tekeningen van zijn reeds ingediende aanvrage wijzigen.

3. Het onderwerp van de afgesplitste of de gewijzigde aanvrage moet gedekt worden door de inhoud van de oorspronkelijke aanvrage.

4. De splitsing of de wijziging kan geschieden tot het tijdstip waarop de octrooiaanvrage ingevolge artikel 31, eerste of tweede lid, in het octrooiregister moet worden ingeschreven.

5. Indien de aanvrager een onderzoek naar de stand van de techniek als bedoeld in artikel 32 heeft verzocht, kan de splitsing of de wijziging geschieden tot acht weken na verzending van de in artikel 34, vierde lid, bedoelde mededeling, indien deze termijn verstrijkt na het in het vierde lid bedoelde tijdstip. Deze termijn kan op verzoek van de aanvrager door het bureau eenmaal met acht weken worden verlengd.

Datum van indiening van de aanvrage

Art. 29. 1. Als datum van indiening van de aanvrage geldt die, waarop zijn overgelegd:
a. een verzoek om verlening van een octrooi;
b. gegevens waaruit de identiteit van de aanvrager blijkt;

c. een beschrijving van de uitvinding en één of meer conclusies, ook als deze niet voldoen aan het bij of krachtens artikel 24 bepaalde.

2. Het bureau vermeldt de in het eerste lid bedoelde datum alsmede een nummer op de aanvrage en maakt deze zo spoedig mogelijk aan de aanvrager bekend.

3. Indien het bureau van oordeel is, dat de overgelegde bescheiden niet voldoen aan het in het eerste lid bepaalde, weigert het bureau tot vermelding van de in het eerste lid bedoelde datum over te gaan. Het maakt zijn beschikking zo spoedig mogelijk aan de aanvrager bekend.

Schriftelijke kennisgeving aan de aanvrager van voorwaarden waaraan niet is voldaan

Art. 30. 1. Indien niet is voldaan aan het bij en krachtens de artikelen 24 en 26 bepaalde of het openbaar worden van de uitvinding in strijd zou zijn met de openbare orde of goede zeden, geeft het bureau daarvan binnen vier weken na de in artikel 29, eerste lid, bedoelde datum van indiening of, in geval van afsplitsing van de aanvrage, binnen vier weken na de datum van indiening van de afgesplitste aanvrage, schriftelijk kennis aan de aanvrager, onder opgave van de voorschriften waaraan niet is voldaan.

2. Indien de gebreken niet binnen twaalf weken na verzending van de in het eerste lid bedoelde kennisgeving zijn hersteld of indien de aanvrager voordien heeft medegedeeld niet tot herstel te willen overgaan, besluit het bureau de aanvrage niet te behandelen. Het bureau maakt zijn beschikking zo spoedig mogelijk aan de aanvrager bekend.

Inschrijving van de aanvrage

Art. 31. 1. Het bureau schrijft een octrooiaanvrage in het octrooiregister in zo spoedig mogelijk na verloop van achttien maanden:
a. na de in artikel 29, eerste lid, bedoelde datum van indiening of,
b. indien het een aanvrage betreft waarvoor een beroep is gedaan op een of meer rechten van voorrang, na de eerste datum van voorrang.

2. Op schriftelijk verzoek van de aanvrager vindt de inschrijving op een eerder tijdstip plaats.

3. De inschrijving van een afgesplitste aanvrage als bedoeld in artikel 28 geschiedt zo spoedig mogelijk na de indiening daarvan, doch niet eerder dan de inschrijving van de oorspronkelijke aanvrage.

Verzoek om onderzoek naar de stand der techniek

Art. 32. 1. De aanvrager kan het bureau binnen dertien maanden na:
a. de in artikel 29, eerste lid, bedoelde datum van indiening of,
b. indien het een aanvrage betreft waarvoor een beroep is gedaan op een of meer rechten van voorrang, de eerste datum van voorrang, verzoeken om een aan de verlening van het octrooi voorafgaand onderzoek naar de stand van de techniek met betrekking tot het onderwerp van de octrooiaanvrage.

2. Indien het een afgesplitste aanvrage betreft als bedoeld in artikel 28, kan het in het eerste lid bedoelde verzoek worden gedaan binnen dertien maanden na de in artikel 29, eerste lid, bedoelde datum van indiening van de oorspronkelijke aanvrage of, indien dat later is, binnen twee maanden na de indiening van de afgesplitste aanvrage.

3. Het verzoek gaat vergezeld van een bewijsstuk waaruit blijkt, dat aan het bureau een bedrag is betaald overeenkomstig een bij algemene maatregel van rijksbestuur vastgesteld tarief. Indien dit bewijsstuk niet binnen de in het eerste lid bedoelde termijn is overgelegd, wordt het verzoek niet in behandeling genomen.

4. Zo spoedig mogelijk nadat de octrooiaanvrage in het octrooiregister is ingeschreven, doet het bureau in het octrooiregister aantekening van het in het eerste lid bedoelde verzoek.

Verlening van het octrooi zonder onderzoek naar de stand der techniek

Art. 33. 1. Indien de aanvrager hetzij binnen de in artikel 32, eerste lid, bedoelde termijn het daar bedoelde verzoek niet heeft gedaan hetzij schriftelijk het bureau heeft meegedeeld een zodanig verzoek niet te zullen doen, verleent het bureau het octrooi, zodra de octrooiaanvrage in het octrooiregister is ingeschreven. Het doet hiervan aantekening in het octrooiregister.

2. Het octrooi heeft uitsluitend betrekking op die uitvinding of groep van uitvindingen als bedoeld in artikel 27, die als eerste in de conclusies wordt genoemd.

3. De octrooiverlening geschiedt door het plaatsen van een gedateerde aantekening op de aanvrage in de vorm waarin deze ingediend dan wel overeenkomstig de artikelen 28 of 30, tweede lid, is gewijzigd.

4. Het bureau geeft de bij de aanvrage behorende beschrijving en tekeningen bij wege van octrooischrift uit en verstrekt hiervan een gewaarmerkt afschrift aan de aanvrager.

Duur van de bescherming

5. Een ingevolge dit artikel verleend octrooi blijft, behoudens eerder verval of vernietiging door de rechter, van kracht tot het verstrijken van een termijn van zes jaren, te rekenen vanaf de in artikel 29, eerste lid, bedoelde datum van indiening.

Onderzoek naar de stand der techniek

Art. 34. 1. Een onderzoek naar de stand van de techniek als bedoeld in artikel 32, eerste lid, wordt verricht door het bureau, waar nodig met inschakeling van het Europees Octrooibureau, bedoeld in het Europees Octrooiverdrag.

Nieuwheidsonderzoek als bedoeld in het Samenwerkingsverdrag

2. Indien de aanvrager daarom verzoekt, doet het bureau de aanvrage onderwerpen aan een nieuwheidsonderzoek van internationaal type als bedoeld in artikel 15, vijfde lid, onder a, van het Samenwerkingsverdrag. Zulk een nieuwheidsonderzoek wordt aangemerkt als een onderzoek naar de stand van de techniek als bedoeld in artikel 32, eerste lid.

3. Indien bij het onderzoek blijkt, dat de ingediende aanvrage niet voldoet aan het bij of krachtens artikel 27 bepaalde, wordt het uitgevoerd ten aanzien van die onderdelen van de aanvrage die betrekking hebben op de uitvinding of op de groep van uitvindingen als bedoeld in artikel 27, die als eerste in de conclusies wordt genoemd.

4. Het bureau deelt de aanvrager schriftelijk het resultaat van het onderzoek naar de stand van de techniek mede.

5. Indien toepassing is gegeven aan het derde lid, maakt het bureau daarvan in de mededeling, bedoeld in het vierde lid, melding onder vermelding van de uitvinding of groep van uitvindingen ten aanzien waarvan het onderzoek is uitgevoerd.

Niet uitvoerbaar onderzoek naar de stand der techniek

Art. 35. 1. Indien het bureau van oordeel is dat het onderzoek naar de stand van de techniek wegens onduidelijkheid van de aanvrage niet uitvoerbaar is, geeft het bureau daarvan zo spoedig mogelijk schriftelijk en met redenen omkleed kennis aan de aanvrager.

2. Indien de gebreken niet binnen acht weken na verzending van de in het eerste lid bedoelde kennisgeving zijn hersteld of indien de aanvrager voordien heeft meegedeeld niet tot herstel te willen overgaan, besluit het bureau de aanvrage niet te behandelen. Het bureau maakt zijn beschikking zo spoedig mogelijk aan de aanvrager bekend.

Verlening van het octrooi na onderzoek naar de stand der techniek

Art. 36. 1. Indien de aanvrager heeft verzocht om een onderzoek naar de stand van de techniek als bedoeld in artikel 32, eerste lid, verleent het bureau het octrooi zodra de octrooiaanvrage in het octrooiregister is ingeschreven, doch niet eerder dan acht weken of, indien artikel 28, vijfde lid, tweede volzin, is toegepast, vier maanden na verzending van de in artikel 34, vierde lid, bedoelde mededeling. Het doet hiervan aantekening in het octrooiregister.

2. Artikel 33, derde en vierde lid, is van toepassing.

3. Indien toepassing is gegeven aan artikel 34, derde lid, heeft het octrooi uitsluitend betrekking op die uitvinding of groep van uitvindingen als bedoeld in artikel 27, die als eerste in de conclusies wordt genoemd.

4. Het resultaat van het onderzoek naar de stand van de techniek wordt bij het octrooischrift gevoegd.

Duur van de bescherming

5. Een ingevolge dit artikel verleend octrooi blijft, behoudens eerder verval of vernietiging door de rechter, van kracht tot het verstrijken van een termijn van twintig jaren, te rekenen vanaf de in artikel 29, eerste lid, bedoelde datum van indiening.

Onderzoek naar de stand der techniek m.b.t. reeds verleend octrooi

Art. 37. 1. Een ieder kan te allen tijde het bureau verzoeken om een onderzoek naar de stand van de techniek met betrekking tot het onderwerp van een door het bureau verleend octrooi.

2. Indien de verzoeker in zijn verzoek nauwkeurig aangeeft op welk gedeelte van het octrooi het onderzoek in de eerste plaats betrekking moet hebben, wordt het onderzoek overeenkomstig het verzoek uitgevoerd.

3. Bij het verzoek dient een bewijsstuk te worden overgelegd, waaruit blijkt dat aan het bureau een bedrag is betaald overeenkomstig een bij algemene maatregel van rijksbestuur vastgesteld tarief. Zolang het bewijsstuk niet is overgelegd, wordt het verzoek niet in behandeling genomen.

4. Het bureau geeft van de indiening van een verzoek als bedoeld in het eerste lid terstond kennis aan de aanvrager en doet van de indiening van het verzoek zo spoedig mogelijk aantekening in het octrooiregister.

5. De artikelen 34, eerste, derde, vierde en vijfde lid, en 35, eerste lid, zijn van overeenkomstige toepassing.

Schriftelijke mededeling van gegevens betreffende de aanvrage of het octrooi

Art. 38. 1. Een ieder kan het bureau schriftelijk mededeling doen van gegevens betreffende een octrooiaanvrage of het daarop verleende octrooi. Het bureau deelt deze gegevens mede aan de aanvrager of de octrooihouder, voor zover zij niet van deze afkomstig zijn.

Verbeteringen

2. Indien de in artikel 24, eerste lid, onder b, bedoelde vermelding van de uitvinder onjuist is, of door een ander dan de uitvinder is verklaard dat op vermelding als uitvinder in het octrooi geen prijs wordt gesteld, kunnen de aanvrager en de uitvinder gezamenlijk, onder betaling van een bij algemene maatregel van rijksbestuur vast te stellen bedrag, het bureau schriftelijk verzoeken terzake de nodige verbeteringen aan te brengen. In voorkomend geval dient het verzoek vergezeld te zijn van de schriftelijke toestemming van de ten onrechte als uitvinder aangemerkte persoon.

Intrekking van een aanvrage

Art. 39. 1. De intrekking van een in het octrooiregister ingeschreven octrooiaanvrage heeft tegenover derden geen gevolg, zolang niet onherroepelijk is beslist op rechtsvorderingen ter zake van de aanvrage, die blijkens in het octrooiregister ingeschreven stukken zijn ingesteld.
2. Wanneer ingevolge een onherroepelijke beslissing op een rechtsvordering als bedoeld in het eerste lid de aanspraak op octrooi toekomt of mede toekomt aan een ander dan de aanvrager, wordt de intrekking aangemerkt als niet te zijn geschied.
3. Het bureau doet van een intrekking aantekening in het octrooiregister.

§ 3. Geheimhouding van de inhoud van octrooiaanvragen

Kennisgeving aan aanvrager en minister van Defensie van mogelijke noodzaak van geheimhouding

Art. 40. 1. Indien het bureau van oordeel is, dat het geheim blijven van de inhoud van een octrooiaanvrage in het belang van de verdediging van het Koninkrijk of zijn bondgenoten kan zijn, maakt het dit zo spoedig mogelijk, doch uiterlijk binnen twaalf weken na de indiening van de aanvrage bekend. Onze Minister van Defensie kan ten aanzien van de beoordeling van de vraag, of zodanig belang aanwezig kan zijn, aanwijzingen geven aan het bureau.
2. Tegelijk met de bekendmaking als bedoeld in het eerste lid zendt het bureau afschrift van het besluit en van de tot de aanvrage behorende beschrijving en tekeningen aan Onze genoemde minister.
3. Ingeval het eerste lid toepassing vindt, wordt de inschrijving in het octrooiregister van de aanvrage opgeschort.

Minister van Defensie beslist over geheimhouding

Art. 41. 1. Binnen acht maanden na de indiening van een octrooiaanvrage als bedoeld in artikel 40 besluit Onze Minister van Defensie of de inhoud van de aanvrage in het belang van de verdediging van het Koninkrijk of zijn bondgenoten geheim moet blijven. Hij maakt zijn besluit aan het bureau bekend.
2. Een besluit dat de inhoud van de aanvrage geheim moet blijven heeft tot gevolg dat de inschrijving in het octrooiregister van de aanvrage blijft opgeschort tot drie jaren na de bekendmaking van het besluit.
3. De opschorting eindigt indien:
a. Onze genoemde minister besluit, dat de aanvrage niet geheim behoeft te blijven;
b. een besluit binnen de in het eerste lid genoemde termijn is uitgebleven.
4. Onze genoemde minister kan telkens binnen zes maanden voor het verstrijken van de termijn van opschorting deze termijn met drie jaren verlengen. Hij maakt zijn besluit aan het bureau bekend.
5. Onze genoemde minister kan te allen tijde besluiten dat de inhoud van de aanvrage niet langer geheim behoeft te blijven. Zodanige mededeling heeft tot gevolg dat de opschorting eindigt.
6. Van een besluit krachtens het eerste, derde, vierde of vijfde lid, doet het bureau onverwijld mededeling aan de aanvrager. Het deelt deze eveneens onverwijld mede indien een besluit is uitgebleven zoals bedoeld in het derde of vijfde lid.
7. Zolang de opschorting niet is geëindigd, zendt het bureau op verzoek van Onze genoemde minister aan deze afschrift van alle ter zake tussen het bureau en de aanvrager gewisselde stukken.
8. Indien de opschorting eindigt, geschiedt niettemin de inschrijving van de aanvrage in het octrooiregister, tenzij op verzoek van de aanvrager, niet voordat twaalf weken zijn verstreken.

Staat vergoedt door geheimhouding geleden schade

Art. 42. 1. De Staat verleent degene, ten aanzien van wiens octrooiaanvrage de artikelen 40, 41 of 46 zijn toegepast, op zijn verzoek vergoeding van schade, die hij door toepassing van die artikelen heeft geleden.

2. Het bedrag van de schadeloosstelling wordt vastgesteld na het eindigen van de opschorting. Ingeval echter verlenging van de termijn van opschorting krachtens artikel 41, derde lid, heeft plaatsgevonden, wordt het bedrag van de schadeloosstelling op verzoek van de aanvrager vastgesteld in gedeelten, waarvan het eerste betrekking heeft op de tijdsruimte vóór de aanvang van de eerste verlenging, de volgende op de tijdsruimte tussen twee opeenvolgende verlengingen en het laatste op de tijdsruimte vanaf de aanvang van de laatste verlenging tot het eindigen van de opschorting; de vaststelling geschiedt dan telkens na het verstrijken van de betrokken tijdsruimte.

3. De vaststelling geschiedt zo mogelijk door Onze Minister van Defensie en de aanvrager in onderling overleg. Indien binnen zes maanden na het einde van de tijdsruimte, waarvoor de vergoeding moet gelden, geen overeenstemming is bereikt, is artikel 58, zesde lid, eerste volzin, van overeenkomstige toepassing.

Verzoek om geheimhouding in het belang van andere Staat

Art. 43. 1. Indien een aanvrager verzoekt de inhoud van een octrooiaanvrage geheim te houden in het belang van de verdediging van een andere staat, dan wel de regering van die staat zodanig verzoek doet, zendt het bureau, mits de aanvrager schriftelijk heeft verklaard afstand te doen van alle vergoeding van schade, die hij door toepassing van dit artikel zou kunnen lijden, onverwijld afschrift van dat verzoek en van de tot de aanvrage behorende beschrijving en tekeningen, alsmede van bedoelde afstandsverklaring, aan Onze Minister van Defensie. In dat geval wordt de inschrijving in het octrooiregister van de aanvrage opgeschort. Ingeval een afstandsverklaring ontbreekt, stelt het bureau Onze genoemde minister onverwijld van een en ander in kennis.

2. Binnen twaalf weken na de indiening van het verzoek kan Onze genoemde minister, mits hem is gebleken, dat aan de aanvrager ook door de betrokken staat geheimhouding is opgelegd en dat deze van die staat toestemming heeft verkregen een aanvrage onder geheimhouding in te dienen, besluiten, dat de inhoud der aanvrage in het belang van de verdediging van die staat geheim moet blijven. Het besluit wordt bekendgemaakt aan de aanvrager en aan het bureau.

3. Een besluit als bedoeld in het tweede lid heeft tot gevolg dat de inschrijving in het octrooiregister van de aanvrage blijft opgeschort, totdat Onze genoemde minister besluit dat de aanvrage niet langer geheim hoeft te blijven. Indien een besluit niet binnen de in het tweede lid bedoelde termijn is genomen, eindigt de opschorting

4. Artikel 41, zevende en achtste lid, is ten aanzien van een aanvrage als in het eerste lid bedoeld van overeenkomstige toepassing.

Gebruik door de Staat van hetgeen de geheim gehouden aanvrage behelst

Art. 44. 1. Ingeval Onze Minister van Defensie van oordeel is, dat het belang van de verdediging van het Koninkrijk vordert, dat de Staat datgene, waarvoor octrooi wordt aangevraagd in een aanvrage, waarop artikel 40, 41 of 43 is toegepast, gebruikt, toepast dan wel doet gebruiken of toepassen, kan hij daartoe overgaan na het desbetreffende besluit bekend te hebben gemaakt. In dit besluit worden de handelingen, die de Staat moet kunnen verrichten of doen verrichten, nauwkeurig omschreven.

2. De Staat betaalt de aanvrager een vergoeding voor het gebruik of de toepassing krachtens het eerste lid.

3. Het bedrag van deze vergoeding wordt zo mogelijk door Onze genoemde minister en de aanvrager in onderling overleg vastgesteld. Indien binnen zes maanden na de in het eerste lid bedoelde bekendmaking geen overeenstemming is bereikt, is artikel 58, zesde lid, eerste volzin, van overeenkomstige toepassing.

Staat zelf als houder van geheim te houden aanvrage

Art. 45. Indien de Staat zelf houder van een octrooiaanvrage is en Onze Minister van Defensie aan het bureau bekendmaakt, dat de inhoud daarvan in het belang van de verdediging van het Koninkrijk of zijn bondgenoten geheim moet blijven, wordt de inschrijving in het octrooiregister van de aanvrage opgeschort, totdat Onze genoemde minister aan het bureau bekendmaakt, dat de inhoud van de aanvrage niet langer geheim behoeft te blijven.

Geheim te houden Europese aanvrage

Art. 46. 1. Een Europese octrooiaanvrage, waarvan de inhoud — naar de aanvrager weet of redelijkerwijs moet vermoeden — in het belang van de verdediging van het Koninkrijk of zijn bondgenoten geheim moet blijven, moet worden ingediend bij het bureau.

2. Het bureau zendt onverwijld afschrift van de tot de aanvrage behorende beschrijving en tekeningen aan Onze Minister van Defensie.

3. Uiterlijk drie weken voor het verstrijken van de termijn, bedoeld in artikel 77, derde lid, van het Europees Octrooiverdrag, maakt Onze genoemde minister aan het bureau bekend of de inhoud van de aanvrage in het belang van de verdediging van het Koninkrijk of zijn bondgenoten geheim moet blijven.
4. Indien een bekendmaking krachtens het derde lid in ontkennende zin is gedaan of indien een bekendmaking is uitgebleven, zendt het bureau de Europese octrooiaanvrage, met inachtneming van de in artikel 77, derde lid, van het Europees Octrooiverdrag bedoelde termijn, door aan het Europees Octrooibureau, bedoeld in dat verdrag.
5. Het bureau geeft van enige bekendmaking krachtens het derde lid of van het uitblijven daarvan onverwijld kennis aan de aanvrager.

§ 4. Omgezette Europese octrooiaanvragen

Omzetting van Europese in nationale aanvrage

Art. 47. Een Europese octrooiaanvrage, die voldoet aan het bepaalde in artikel 80 van het Europees Octrooiverdrag en op grond van artikel 77, vijfde lid, van dat Verdrag wordt aangemerkt als te zijn ingetrokken en die, als bijlage bij een regelmatig verzoek tot omzetting in een aanvrage om octrooi in het Koninkrijk, bij het bureau is binnengekomen, hierna te noemen omgezette aanvrage, geldt als een tot het bureau gerichte en bij het bureau ingediende aanvrage om octrooi als bedoeld in artikel 24. Een verzoek tot omzetting is regelmatig als het met inachtneming van de bepalingen van het Achtste Deel, hoofdstuk I, van het Europees Octrooiverdrag tijdig gedaan en aan het bureau doorgezonden is.

Behandeling der omgezette aanvrage

Art. 48. 1. Op de omgezette aanvrage wordt de datum, waarop zij bij het bureau is binnengekomen, alsmede een volgnummer vermeld. Het bureau geeft hiervan zo spoedig mogelijk kennis aan de aanvrager.
2. Voor de omgezette aanvrage moet het in artikel 24, vijfde lid, bedoelde bewijs van betaling worden overgelegd binnen een termijn van drie maanden na de in het eerste lid bedoelde datum van binnenkomst. Indien de Europese octrooiaanvrage niet in het Nederlands is ingediend moet binnen dezelfde termijn een vertaling in het Nederlands van de oorspronkelijke stukken van die aanvrage worden overgelegd. De vertaling maakt deel uit van de omgezette aanvrage; zij moet op verzoek van het bureau binnen een door dat bureau te stellen termijn worden gewaarmerkt. Indien niet tijdig is voldaan aan het in dit lid bepaalde, stelt het bureau de aanvrager eenmaal in de gelegenheid om binnen een door het bureau te stellen termijn zijn verzuim te herstellen. Indien de aanvrager zijn verzuim niet tijdig heeft hersteld, besluit het bureau de aanvrage niet te behandelen. Het bureau maakt zijn beschikking zo spoedig mogelijk aan de aanvrager bekend.
3. Op de omgezette aanvrage zijn de bij of krachtens de artikelen 24 en 26 gestelde vormvoorschriften niet van toepassing, voor zover zij afwijken van of een aanvulling betekenen op het bij of krachtens het Europees Octrooiverdrag bepaalde; in dat geval zijn laatstbedoelde bepalingen op de omgezette aanvrage van toepassing.
4. Zodra de aanvrager heeft voldaan aan het tweede lid gaat het bureau na of de aanvrage voldoet aan het bij en krachtens de artikelen 24 en 26 bepaalde of, indien van toepassing, de in het derde lid bedoelde bepalingen van het Europees Octrooiverdrag. Indien dat niet het geval is of indien het openbaar worden van de uitvinding in strijd zou zijn met de openbare orde of goede zeden, geeft het bureau hiervan zo spoedig mogelijk schriftelijk kennis aan de aanvrager, onder opgave van de voorschriften waaraan niet is voldaan. Artikel 30, tweede lid, is van overeenkomstige toepassing.
5. Voor de toepassing van de artikelen 31, eerste lid, 32, eerste lid, 33, vijfde lid, 36, vijfde lid, en 61, eerste lid, op de omgezette aanvrage wordt in plaats van „de in artikel 29, eerste lid, bedoelde datum van indiening" gelezen: de datum van indiening die de aanvrage ingevolge artikel 80 van het Europees Octrooiverdrag met inachtneming van de artikelen 61 of 76 van dat Verdrag bezit.
6. De in artikel 31 bedoelde inschrijving in het octrooiregister vindt niet eerder plaats dan nadat is vastgesteld dat aan de in het vierde lid bedoelde voorschriften is voldaan of de gebreken zijn hersteld.

HOOFDSTUK 3
Bepalingen betreffende Europese octrooien en Gemeenschapsoctrooien

Rechtsgevolgen

Art. 49. 1. Met inachtneming van het in deze rijkswet bepaalde hebben Europese octrooien vanaf de dag, waarop overeenkomstig artikel 97, vierde lid, van het Europees Octrooiverdrag de vermelding van de verlening is gepubliceerd, in Nederland dezelfde rechtsgevolgen en zijn zij aan hetzelfde recht onderworpen als de overeenkomstig artikel 36 van deze rijkswet verleende octrooien. Gemeenschapsoctrooien zijn vanaf die dag in Nederland slechts aan dat recht onderworpen, voor zover dat uit het Gemeenschapsoctrooiverdrag volgt.

2. Een Europees octrooi blijft, behoudens eerder verval of vernietiging door de rechter, van kracht tot het verstrijken van een termijn van twintig jaren, te rekenen vanaf de datum van indiening, die de Europese octrooiaanvrage, die tot het betrokken Europees octrooi heeft geleid, ingevolge artikel 80 van het Europees Octrooiverdrag met inachtneming van de artikelen 61 of 76 van dat verdrag bezit.

Dag van indiening

3. Voor de toepassing van de artikelen 55, eerste lid, 57, vierde lid, en 77, eerste lid, op Europese octrooien geldt als dag van indiening: de datum van indiening die de Europese octrooiaanvrage, die tot het betrokken Europees octrooi heeft geleid, ingevolge artikel 80 van het Europees Octrooiverdrag met inachtneming van de artikelen 61 of 76 van dat verdrag bezit.

Herroeping van een Europees octrooi

Art. 50. 1. Een Europees octrooi wordt geacht van de aanvang af geheel of gedeeltelijk niet de in de artikelen 53, 72 en 73 bedoelde rechtsgevolgen te hebben gehad naar gelang het octrooi geheel of gedeeltelijk is herroepen tijdens een oppositieprocedure.

2. De terugwerkende kracht van de herroeping heeft geen invloed op:
a. een beslissing, niet zijnde een voorlopige voorziening, ter zake van handelingen in strijd met het in artikel 53 bedoelde uitsluitend recht van de octrooihouder of van handelingen als bedoeld in de artikelen 72 en 73, die voor de herroeping in kracht van gewijsde is gegaan en ten uitvoer is gelegd;
b. een voor de herroeping gesloten overeenkomst, voor zover deze voor de herroeping is uitgevoerd; uit billijkheidsoverwegingen kan echter terugbetaling worden geëist van op grond van deze overeenkomst betaalde bedragen, en wel in de mate als door de omstandigheden gerechtvaardigd is.

3. Voor de toepassing van het tweede lid, onder b, wordt onder het sluiten van een overeenkomst mede verstaan het ontstaan van een licentie op een andere in de artikelen 56, tweede lid, 59 of 60 aangegeven wijze.

Aantekening van verlening en oppositie

Art. 51. 1. Het bureau doet van de overeenkomstig artikel 97, vierde lid, van het Europees Octrooiverdrag bedoelde publikatie van de vermelding dat een Europees octrooi is verleend onverwijld aantekening in het octrooiregister.

2. Het bureau doet in het octrooiregister onverwijld aantekening van het instellen van oppositie tegen een Europees octrooi, met vermelding van de datum waarop dit geschiedde en van beslissingen van het Europees Octrooibureau ter zake van een oppositie.

Nederlandse vertaling van het octrooi

Art. 52. 1. Degene aan wie een Europees octrooi is verleend moet binnen een bij algemene maatregel van bestuur te bepalen termijn aan het bureau doen toekomen een vertaling in het Nederlands van de tekst waarin het Europees Octrooibureau voorstelt dat octrooi te verlenen. Tevens dient een bedrag te worden betaald, waarvan de hoogte en de termijn waarbinnen betaling moet geschieden bij algemene maatregel van bestuur worden bepaald. De vertaling moet zijn gewaarmerkt door een octrooigemachtigde. De vertaling en de waarmerking daarvan moeten voldoen aan bij algemene maatregel van bestuur te stellen vormvoorschriften.

2. Indien bij ontvangst binnen de in het eerste lid bedoelde termijn niet is voldaan aan het in de laatste volzin van dat lid bedoelde vormvoorschriften, geeft het bureau hiervan onverwijld kennis aan de octrooihouder onder opgave van de voorschriften waaraan niet is voldaan en van de termijn waarbinnen de geconstateerde gebreken kunnen worden opgeheven.

3. Onverwijld na ontvangst in behoorlijke vorm van de vertaling doet het bureau daarvan aantekening in het octrooiregister.

Sanctie

4. Het Europees octrooi wordt geacht van de aanvang af niet de in artikel 49 bedoelde rechtsgevolgen te hebben gehad, indien:
a. binnen de in het eerste lid bedoelde termijnen de vertaling niet door het bureau is ontvangen onderscheidenlijk het krachtens dat lid verschuldigde bedrag niet is be-

taald, of
b. binnen de in het tweede lid bedoelde termijn niet alsnog aan de opgegeven voorschriften is voldaan.

5. Indien zich een omstandigheid als bedoeld in het vierde lid voordoet, doet het bureau daarvan onverwijld aantekening in het octrooiregister.

6. Het eerste tot en met het vijfde lid zijn van overeenkomstige toepassing, indien in het Europees octrooi tijdens de oppositieprocedure wijziging is gekomen.

7. De octrooihouder kan te allen tijde het bureau een verbeterde vertaling doen toekomen onder betaling van een bedrag, waarvan de hoogte bij algemene maatregel van bestuur wordt bepaald. Het eerste lid, derde en vierde volzin, het tweede en het derde lid zijn van toepassing.

8. Vanaf het tijdstip, waarop de in artikel 51, eerste lid, bedoelde aantekening in het octrooiregister is gedaan, kan een ieder kosteloos kennisnemen van alle op het Europees octrooi betrekking hebbende stukken die het bureau hebben bereikt of die het bureau aan de houder van het Europees octrooi of aan derden heeft doen uitgaan in het kader van de bepalingen van deze rijkswet. Het bureau maakt van al deze stukken zo spoedig mogelijk doch niet voor het in de eerste volzin bedoelde tijdstip melding in het in artikel 20 bedoelde blad.

HOOFDSTUK 4
Rechtsgevolgen van het octrooi

§ 1. Rechten en verplichtingen van de octrooihouder

Uitsluitende rechten van de octrooihouder

Art. 53. 1. Een octrooi geeft de octrooihouder, behoudens de bepalingen van de artikelen 54 tot en met 60, het uitsluitend recht:
a. het geoctrooieerde voortbrengsel in of voor zijn bedrijf te vervaardigen, te gebruiken, in het verkeer te brengen of verder te verkopen, te verhuren, af te leveren of anderszins te verhandelen, dan wel voor een of ander aan te bieden, in te voeren of in voorraad te hebben;
b. de geoctrooieerde werkwijze in of voor zijn bedrijf toe te passen of het voortbrengsel, dat rechtstreeks verkregen is door toepassing van die werkwijze, behalve voor zover het een voortbrengsel betreft dat ingevolge artikel 3 niet vatbaar is voor octrooi, in of voor zijn bedrijf te gebruiken, in het verkeer te brengen of verder te verkopen, te verhuren, af te leveren of anderszins te verhandelen, dan wel voor een of ander aan te bieden, in te voeren of in voorraad te hebben.

2. Het uitsluitend recht wordt bepaald door de inhoud van de conclusies van het octrooischrift, waarbij de beschrijving en de tekeningen dienen tot uitleg van die conclusies.

Beperking van het uitsluitend recht

3. Het uitsluitend recht strekt zich niet uit over handelingen, uitsluitend dienende tot onderzoek van het geoctrooieerde, daaronder begrepen het door toepassing van de geoctrooieerde werkwijze rechtstreeks verkregen voortbrengsel. Het uitsluitend recht strekt zich evenmin uit tot de bereiding voor direct gebruik ten behoeve van individuele gevallen op medisch voorschrift van geneesmiddelen in apotheken, noch tot handelingen betreffende de aldus bereide geneesmiddelen.

Uitputting

4. Is een voortbrengsel als in het eerste lid, onder a of b, bedoeld, in Nederland of de Nederlandse Antillen of, indien het een Europees octrooi betreft, in Nederland rechtmatig in het verkeer gebracht, dan wel door de octrooihouder of met diens toestemming in één der Lid-Staten van de Europese Gemeenschap of in een andere staat die partij is bij de Overeenkomst betreffende de Europese Economische Ruimte in het verkeer gebracht, dan handelt de verkrijger of latere houder niet in strijd met het octrooi, door dit voortbrengsel in of voor zijn bedrijf te gebruiken, te verkopen, te verhuren, af te leveren of anderszins te verhandelen, dan wel voor een of ander aan te bieden, in te voeren of in voorraad te hebben.

5. Een voortbrengsel als in het eerste lid, onder a of b, bedoeld, dat voor de verlening van het octrooi, of, indien het een Europees octrooi betreft, voor de dag, waarop overeenkomstig artikel 97, vierde lid, van het Europees Octrooiverdrag de vermelding van de verlening van het Europees octrooi is gepubliceerd, in een bedrijf is vervaardigd, mag niettegenstaande het octrooi ten dienste van dat bedrijf worden gebruikt.

Beperkingen van het uitsluitend recht van de octrooihouder

Art. 54. Het uitsluitend recht van de octrooihouder strekt zich niet uit tot:
a. het gebruik aan boord van schepen van andere landen van datgene, wat het voorwerp van zijn octrooi uitmaakt, in het schip zelf, in de machines, het scheepswant, de tuigage en andere bijbehorende zaken, wanneer die schepen tijdelijk of bij toeval

in de wateren van Nederland of de Nederlandse Antillen verblijven, mits bedoeld gebruik uitsluitend zal zijn ten behoeve van het schip;
b. het gebruik van datgene, wat het voorwerp van zijn octrooi uitmaakt, in de constructie of werking van voor de voortbeweging in de lucht of te land dienende machines van andere landen, of van het toebehoren van die machines, wanneer deze tijdelijk of bij toeval in Nederland of de Nederlandse Antillen verblijven;
c. handelingen, vermeld in artikel 27 van het op 7 december 1944 te Chicago tot stand gekomen Verdrag inzake de internationale burgerlijke luchtvaart (Stb. 1947, H 165), mits deze handelingen betrekking hebben op een luchtvaartuig van een onder c van dat artikel bedoelde andere staat dan het Koninkrijk of van Aruba.

Recht van voorgebruik

Art. 55. 1. Degene, die datgene waarvoor door een ander een octrooi is gevraagd, in Nederland of de Nederlandse Antillen of, indien het een Europees octrooi betreft, in Nederland reeds in of voor zijn bedrijf vervaardigde of toepaste of aan zijn voornemen tot zodanige vervaardiging of toepassing een begin van uitvoering had gegeven op de dag van indiening van die aanvrage of, indien de aanvrager een recht van voorrang geniet ingevolge artikel 9, eerste lid, dan wel ingevolge artikel 87 van het Europees Octrooiverdrag, op de dag van indiening van de aanvrage, waarop het recht van voorrang berust, blijft niettegenstaande het octrooi, als voorgebruiker bevoegd de in artikel 53, eerste lid, bedoelde handelingen te verrichten, tenzij hij zijn wetenschap ontleend heeft aan hetgeen reeds door de octrooiaanvrager vervaardigd of toegepast werd, of wel aan beschrijvingen, tekeningen of modellen van de octrooiaanvrager.

2. Het eerste lid is van overeenkomstige toepassing ten aanzien van dat deel van het aan Nederland of de Nederlandse Antillen grenzende — of, indien het een Europees octrooi betreft, van het aan Nederland grenzende — continentaal plat, waarop het Koninkrijk soevereine rechten heeft, doch uitsluitend voor zover het handelingen betreft, gericht op en verricht tijdens het onderzoek naar de aanwezigheid van natuurlijke rijkdommen of het winnen daarvan.

3. Het in het eerste lid bedoelde recht gaat alleen met het bedrijf op anderen over.

4. Voor de toepassing van dit artikel op Gemeenschapsoctrooien ingevolge artikel 37 van het Gemeenschapsoctrooiverdrag wordt telkens in plaats van „een Europees octrooi" gelezen: een Gemeenschapsoctrooi.

Gevolgen van licentieverlening

Art. 56. 1. Door een licentie wordt van de octrooihouder de bevoegdheid verkregen handelingen te verrichten, die volgens artikel 53 aan anderen dan hem niet vrijstaan. Die bevoegdheid strekt zich uit tot alle in bedoeld artikel vermelde handelingen en geldt voor de gehele duur van het octrooi, tenzij bij de verlening der licentie een minder omvangrijk recht is toegekend.

Ontstaan van een licentie

2. Een licentie ontstaat door een overeenkomst, door een aanvaarde uiterste wilsbeschikking of, overeenkomstig de artikelen 57 en 58, door een beschikking van Onze Minister of door een in kracht van gewijsde gegane rechterlijke uitspraak. De door een overeenkomst of aanvaarde wilsbeschikking ontstane licentie is tegenover derden geldig, nadat de titel in het octrooiregister is ingeschreven. Voor de inschrijving is een bij algemene maatregel van rijksbestuur vast te stellen bedrag verschuldigd.

Overgang van aanspraken jegens licentiehouders

3. Indien het recht op een vergoeding voor een licentie ingevolge artikel 75, achtste lid, of artikel 78, vierde lid, op een ander overgaat, wordt door de nieuwe rechthebbende aanspraak verkregen op een deel van de in het geheel voor de licentie betaalde en te betalen vergoeding in verhouding tot de tijd, gedurende welke de licentie in normale omstandigheden nog van kracht moet blijven. Is hetgeen de licentiehouder nog moet betalen niet voldoende om de nieuwe rechthebbende te verschaffen wat hem toekomt, dan heeft deze voor het ontbrekende verhaal op de vroegere.

Verlening van licentie door minister in algemeen belang

Art. 57. 1. Onze Minister kan, indien het algemeen belang dit naar zijn oordeel vordert, onder een octrooi een licentie van een door hem nauwkeurig omschreven inhoud aan een door hem aangewezen persoon verlenen. Alvorens zijn beschikking te geven onderzoekt Onze Minister, tenzij de te dezen vereiste spoed zich daartegen verzet, of de octrooihouder bereid is de licentie onder redelijke voorwaarden vrijwillig te verlenen. Hij stelt daartoe de octrooihouder in de gelegenheid schriftelijk en, zo deze dit verzoekt, ook mondeling van zijn gevoelen te doen blijken. De beschikking wordt aan de octrooihouder en aan de verkrijger van de licentie bekendgemaakt. Bij zijn beschikking kan Onze Minister de verkrijger van de licentie het stellen van zekerheid binnen een bepaalde termijn opleggen. Het aanwenden van het in artikel 81 bedoelde rechtsmiddel heeft schorsende werking, tenzij de beschikking van Onze Minister op grond van de te dezen vereiste spoed anders bepaalt.

Gedwongen licentie wegens non usus

2. Indien noch de octrooihouder, noch een ander krachtens een hem verleende licentie na verloop van drie jaren na dagtekening van het octrooi in het Koninkrijk of in een andere, bij algemene maatregel van rijksbestuur aangewezen staat in werking heeft een inrichting van nijverheid, waarin te goeder trouw in voldoende mate het betrokken voortbrengsel wordt vervaardigd of de betrokken werkwijze wordt toegepast, is de octrooihouder verplicht de voor het in werking hebben van zodanige inrichting nodige licentie te verlenen, tenzij geldige redenen voor het ontbreken van zodanige inrichting blijken te bestaan. Voor de houder van een Europees octrooi ontstaat deze verplichting, indien niet na verloop van drie jaren na de dag, waarop overeenkomstig artikel 97, vierde lid, van het Europees Octrooiverdrag de vermelding van de verlening van het Europees octrooi is gepubliceerd, een inrichting van nijverheid als hiervoor bedoeld in werking is in Nederland of in een andere, bij algemene maatregel van rijksbestuur aangewezen staat.

3. Het tweede lid is niet van toepassing, indien de octrooihouder of een ander krachtens een hem verleende licentie in dat deel van het aan Nederland of de Nederlandse Antillen grenzende — of, indien het een Europees octrooi betreft, van het aan Nederland grenzende — continentaal plat, waarop het Koninkrijk soevereine rechten heeft, in werking heeft een inrichting van nijverheid, waarin te goeder trouw in voldoende mate handelingen als in dat lid bedoeld worden verricht, mits die handelingen zijn gericht op en worden verricht tijdens het onderzoek naar de aanwezigheid van natuurlijke rijkdommen of het winnen daarvan.

Gedwongen licentie wegens afhankelijkheid

4. De octrooihouder is te allen tijde verplicht de licentie te verlenen welke nodig mocht zijn voor de toepassing van een octrooi, verleend op een aanvrage met een gelijke of latere dag van indiening of, indien voor de aanvrage een recht van voorrang bestaat, gelijke of latere voorrangsdatum, voor zover in het octrooi ten behoeve waarvan de licentie is gevraagd, een aanzienlijke vooruitgang is belichaamd; de octrooihouder is evenwel tot verlening van een licentie welke nodig mocht zijn voor de toepassing van een Europees octrooi eerst verplicht nadat de voor het instellen van oppositie tegen het Europees octrooi gestelde termijn is verstreken of een ingestelde oppositieprocedure is afgesloten. Een zodanige licentie strekt zich niet verder uit dan noodzakelijk is voor de toepassing van het octrooi van de verkrijger. Deze is verplicht aan de houder van het andere octrooi wederkerig licentie onder zijn octrooi te verlenen.

Verlening van gedwongen licentie door de rechter

Art. 58. 1. Indien de licentie, bedoeld in artikel 57, tweede of vierde lid, ten onrechte niet is verleend, wordt de licentie op vordering van de belanghebbende door de rechter verleend. Op verzoek van eiser wordt de dagvaarding door het bureau in het octrooiregister ingeschreven.

2. Indien het octrooi op grond van deze rijkswet is verleend, is de eiser in zijn rechtsvordering niet ontvankelijk als hij niet bij conclusie van eis als bijlage daarbij het resultaat van een door het bureau of het in het Europees Octrooiverdrag bedoelde Europees Octrooibureau ingesteld onderzoek naar de stand van de techniek met betrekking tot het onderwerp van het octrooi, ten behoeve waarvan de licentie is gevorderd, overlegt.

3. De verlening van een op grond van artikel 57, vierde lid, eerste volzin, gevorderde licentie kan met of zonder tijdsbepaling worden geschorst, indien binnen acht weken na de betekening van de dagvaarding waarin de licentie is gevorderd, een vordering tot vernietiging van het octrooi, ten behoeve waarvan de licentie is gevorderd, is ingesteld.

4. De rechter kan bij de omschrijving van de verleende licentie afwijken van hetgeen gevraagd is en kan voorts de verkrijger van de licentie het stellen van zekerheid binnen een bepaalde termijn opleggen. Een op grond van artikel 57, tweede lid, verleende licentie zal niet uitsluitend zijn en zal niet kunnen worden overgedragen, zelfs niet door middel van de verlening van onderlicenties, dan te zamen met het gedeelte van de onderneming, waarin deze licentie wordt uitgeoefend. Een op grond van artikel 57, vierde lid, eerste of derde volzin, verleende licentie vervalt niet doordat het octrooi, ten behoeve waarvan de licentie is verleend, als gevolg van het verstrijken van de in artikel 33, vijfde lid, of artikel 36, vijfde lid, bedoelde termijn is geëindigd of met goed gevolg is opgeëist, doch vervalt wel voor zover het octrooi geheel of gedeeltelijk is vernietigd als resultaat van de in het derde lid bedoelde vordering.

Inschrijving van de licentieverlening

5. Een besluit als bedoeld in artikel 57, eerste lid, of een in kracht van gewijsde gegane rechterlijke uitspraak wordt door het bureau in het octrooiregister ingeschreven. Is het stellen van zekerheid opgelegd, dan heeft de inschrijving niet plaats,

voordat aan die verplichting is voldaan. Voor de inschrijving is een bij algemene maatregel van rijksbestuur vast te stellen bedrag verschuldigd. De licentie werkt eerst na die inschrijving, maar dan ook tegenover hen, die na de inschrijving van de in het eerste lid bedoelde dagvaarding rechten op het octrooi hebben verkregen. Een ingeschreven licentie, die op grond van artikel 57, vierde lid, is verleend, werkt echter terug tot en met de dag waarop de dagvaarding is ingeschreven.

Vaststelling van bedrag van vergoeding

6. Op vordering van de meest gerede partij bepaalt de rechter bij gebreke van overeenstemming de vergoeding, die de verkrijger van de licentie aan de octrooihouder dient te betalen. De rechter kan daarbij de verkrijger van de licentie het stellen van zekerheid binnen een bepaalde termijn opleggen, dan wel de op grond van artikel 57, eerste lid, of het vijfde lid van dit artikel bepaalde zekerheid bevestigen of wijzigen.

7. Voor de toepassing van artikel 57 en dit artikel op Gemeenschapsoctrooien, ingevolge de artikelen 45 tot en met 47 van het Gemeenschapsoctrooiverdrag, wordt telkens in plaats van „een Europees octrooi" gelezen: een Gemeenschapsoctrooi; in het vierde lid van dit artikel wordt in plaats van „de in artikel 33, vijfde lid, of 36, vijfde lid, bedoelde termijn" gelezen: de in artikel 63 van het Europees Octrooiverdrag bedoelde termijn.

Bij KB te bepalen handelingen, door de Staat i.p.v. de octrooihouder te verrichten

Art. 59. 1. Bij koninklijk besluit kan, indien het belang van de verdediging van het Koninkrijk dit vordert, op gemeenschappelijke voordracht van Onze Minister en van Onze minister, wie het rechtstreeks aangaat, worden bepaald, dat de Staat bevoegd is in dat besluit nauwkeurig te omschrijven handelingen, waartoe de houder van een in dat besluit aan te wijzen octrooi ingevolge artikel 53 uitsluitend gerechtigd is, zelf te verrichten of door anderen te doen verrichten. Deze bevoegdheid geldt voor de gehele duur van het octrooi, tenzij in het besluit een kortere duur is bepaald.

2. Na het van kracht worden van een besluit als bedoeld in het eerste lid zal Onze minister, wie het rechtstreeks aangaat, zich met de octrooihouder verstaan omtrent de door de Staat aan deze te betalen vergoeding. Indien Onze minister, wie het rechtstreeks aangaat, hierover niet binnen zes maanden na het van kracht worden van het desbetreffende besluit met de octrooihouder tot overeenstemming is gekomen, is artikel 58, zesde lid, met uitzondering van het omtrent het stellen van zekerheid bepaalde, van overeenkomstige toepassing.

3. Voor de toepassing van dit artikel op Gemeenschapsoctrooien, ingevolge artikel 45 van het Gemeenschapsoctrooiverdrag, wordt in het eerste lid in plaats van „handelingen, waartoe de houder van een in dat besluit aan te wijzen octrooi ingevolge artikel 53 uitsluitend gerechtigd is," gelezen: handelingen, die de houder van een bij koninklijk besluit aan te wijzen octrooi derden kan verbieden te verrichten ingevolge artikel 25 van het Gemeenschapsoctrooiverdrag.

Ontstaan van licentie door uitspraak Arbitrage-commissie of besluit minister ingevolge het Euratomverdrag

Art. 60. 1. Onverminderd artikel 56, tweede lid, eerste volzin, ontstaat een licentie door:

a. een uitspraak van de Arbitrage-Commissie, bedoeld in artikel 20 van het Verdrag tot oprichting van de Europese Gemeenschap voor Atoomenergie (Euratom) (Trb. 1957, 92);

b. een besluit van Onze Minister ter uitvoering van artikel 21 van genoemd verdrag.

2. Ten aanzien van een licentie, ontstaan door een eindbeslissing als bedoeld in het eerste lid, onder a, is artikel 56, tweede lid, tweede en derde volzin, van overeenkomstige toepassing.

3. Ten aanzien van een besluit als bedoeld in het eerste lid, onder b, is artikel 58, eerste, vierde en vijfde lid, eerste, tweede en derde volzin, van overeenkomstige toepassing. Ten aanzien van een door zodanig besluit ontstane licentie is artikel 58, vijfde lid, vierde volzin, en zesde lid, van overeenkomstige toepassing.

4. Een licentie als bedoeld in het eerste lid geldt niet voor de Nederlandse Antillen.

§ 2. Jaartaks en verval

Jaarlijkse betaling terzake van een (Europees) octrooi

Art. 61. 1. Voor de instandhouding van een octrooi moet elk jaar, voor het eerst vanaf het vijfde jaar na de in artikel 29, eerste lid, bedoelde datum van indiening, op de laatste dag van de maand waarin de aanvrage die tot octrooi heeft geleid is ingediend, of ingevolge artikel 28, eerste lid, wordt aangemerkt te zijn ingediend, aan het bureau een bij algemene maatregel van rijksbestuur vast te stellen bedrag worden betaald.

2. Voor de instandhouding van een Europees octrooi moet elk jaar, voor het eerst na afloop van het in artikel 86, vierde lid, van het Europees Octrooiverdrag bedoelde jaar, aan het bureau een bedrag als in het eerste lid bedoeld worden betaald en wel op de laatste dag van de maand waarin de datum van indiening valt, die de Europese octrooiaanvrage, die tot het octrooi heeft geleid, ingevolge artikel 80 van het Europees Octrooiverdrag met inachtneming van de artikelen 61 of 76 van dat verdrag, bezit. Indien het voor de eerste maal verschuldigde bedrag zou moeten worden betaald binnen een termijn van twee maanden na de dag waarop overeenkomstig artikel 97, vierde lid, van het Europees Octrooiverdrag de vermelding van de verlening van het Europees octrooi is gepubliceerd, kan dit bedrag nog worden betaald op de laatste dag van de maand waarin deze termijn eindigt.

3. Bij betaling na de vervaldag zijn bij algemene maatregel van rijksbestuur vast te stellen verhogingen verschuldigd.

Verval van rechtswege

Art. 62. Een octrooi vervalt van rechtswege, wanneer de in artikel 61 genoemde bedragen niet binnen zes kalendermaanden na de daar genoemde vervaldag zijn betaald. Van dit vervallen wordt in het octrooiregister van het bureau aantekening gedaan.

Afstand van het octrooi

Art. 63. 1. Een octrooi vervalt geheel of gedeeltelijk wanneer de octrooihouder geheel onderscheidenlijk gedeeltelijk afstand doet.

2. De afstand geschiedt door de inschrijving van een daartoe strekkende akte in het octrooiregister. Het bureau schrijft de akte niet in zolang er personen zijn, die krachtens in het octrooiregister ingeschreven stukken rechten op het octrooi of licenties hebben verkregen of rechtsvorderingen, het octrooi betreffende, hebben ingesteld en deze personen tot de afstand geen toestemming hebben verleend.

§ 3. Het octrooi als deel van het vermogen

(Aanspraak op) octrooi vatbaar voor overdracht

Art. 64. 1. Het octrooi en de aanspraak op octrooi zijn zowel voor wat betreft het volle recht als voor wat betreft een aandeel daarin vatbaar voor overdracht of andere overgang.

2. De overdracht en andere overgang van het octrooi of van het recht, voortvloeiende uit de octrooiaanvrage, kunnen door het bureau worden ingeschreven in het octrooiregister. Voor de inschrijving is een bij algemene maatregel van rijksbestuur vast te stellen bedrag verschuldigd.

Overdrachtsakte

Art. 65. 1. De levering, vereist voor de overdracht van het octrooi of het recht, voortvloeiende uit een octrooiaanvrage, geschiedt bij een akte, houdende de verklaring van de rechthebbende, dat hij het octrooi of het recht, voortvloeiende uit de octrooiaanvrage, aan de verkrijger overdraagt, en van deze, dat hij deze overdracht aanneemt.

2. Elk voorbehoud, de overdracht betreffende, moet in de akte omschreven zijn; bij gebreke daarvan geldt de overdracht voor onbeperkt.

3. De overdracht werkt tegenover derden eerst wanneer de akte in het octrooiregister is ingeschreven. Tot het doen verrichten van deze inschrijving zijn beide partijen gelijkelijk bevoegd.

4. Artikel 88 van Boek 3 van het Nederlandse Burgerlijk Wetboek is van toepassing.

Mede-eigendom op een octrooi

Art. 66. 1. Indien het octrooi aan verscheidene personen gezamenlijk toekomt, wordt hun onderlinge verhouding beheerst door hetgeen tussen hen bij overeenkomst is bepaald.

2. Indien er geen overeenkomst is of indien in de overeenkomst niet anders is bepaald, heeft iedere rechthebbende de bevoegdheid de in artikel 53 genoemde handelingen te verrichten en tegen zulke handelingen alsmede handelingen als bedoeld in artikel 73, eerste en tweede lid, die onbevoegdelijk zijn verricht, ingevolge de artikelen 70 tot en met 73 op te treden, doch kan een licentie of toestemming als bedoeld in artikel 73, tweede lid, door de rechthebbenden slechts met gemeen goedvinden verleend worden.

3. Voor de betaling van de in artikel 61 genoemde bedragen zijn de rechthebbenden hoofdelijk verbonden.

Pandrecht op een octrooi

Art. 67. 1. Pandrecht op een octrooi wordt gevestigd bij een akte en werkt tegenover derden eerst wanneer de akte door het bureau in het octrooiregister is ingeschreven.

2. De pandhouder is verplicht in een door hem ondertekende verklaring, bij het bureau ter inschrijving in te zenden, woonplaats te kiezen te 's-Gravenhage. Indien die keuze niet is gedaan, geldt het bureau als gekozen woonplaats.

3. Bedingen in de pandakte betreffende na inschrijving te verlenen licenties gelden van het ogenblik af, dat zij in het octrooiregister zijn aangetekend, ook tegenover derden. Bedingen betreffende vergoedingen voor licenties die op het ogenblik van de inschrijving reeds waren verleend, gelden tegenover de houder van de licentie na aanzegging aan deze bij deurwaardersexploit.

4. Akten, waaruit blijkt, dat het pandrecht heeft opgehouden te bestaan of krachteloos is geworden, worden door het bureau in het octrooiregister ingeschreven.

Beslag op een octrooi

Art. 68. 1. Het beslag op een octrooi wordt gelegd en het proces-verbaal van inbeslagneming wordt door het bureau in het octrooiregister ingeschreven met overeenkomstige toepassing van de bepalingen van het Nederlandse Wetboek van Burgerlijke Rechtsvordering betreffende executoriaal en conservatoir beslag op onroerende zaken, met dien verstande dat in het proces-verbaal van inbeslagneming in plaats van de aard en de ligging van de onroerende zaak een aanduiding van het octrooi wordt opgenomen.

2. Een vervreemding, bezwaring, onderbewindstelling of verlening van een licentie, totstandgekomen na de inschrijving van het proces-verbaal, kan tegen de beslaglegger niet worden ingeroepen.

3. De voor de inschrijving van het proces-verbaal nog niet betaalde licentievergoedingen vallen mede onder een op het octrooi gelegd beslag, nadat het ingeschreven beslag aan de houder van de licentie is betekend. Deze vergoedingen moeten worden betaald aan de notaris voor wie de executie zal plaatsvinden, mits dit bij de betekening uitdrukkelijk aan de licentiehouder is medegedeeld, en behoudens de rechten van derden die de executant moet eerbiedigen. Hetgeen aan de notaris wordt betaald, wordt tot de in artikel 69, tweede lid, bedoelde opbrengst gerekend. De artikelen 475i, 476 en 478 van het Nederlandse Wetboek van Burgerlijke Rechtsvordering zijn van overeenkomstige toepassing.

4. De inschrijving van het proces-verbaal van inbeslagneming kan worden doorgehaald:

a. krachtens een schriftelijke, ter inschrijving aangeboden verklaring van de deurwaarder dat hij in opdracht van de beslaglegger het beslag opheft of dat het beslag is vervallen;

b. krachtens een ter inschrijving aangeboden rechterlijke uitspraak die tot opheffing van het beslag strekt of het verval van het beslag vaststelt of meebrengt.

5. De artikelen 504a, 507a, 538 tot en met 540, 726, tweede lid, en 727 van het Nederlandse Wetboek van Burgerlijke Rechtsvordering zijn in geval van beslag op een octrooi van overeenkomstige toepassing.

Verkoop van verpand of beslagen octrooi

Art. 69. 1. De verkoop van een octrooi door een pandhouder of een beslaglegger tot verhaal van een vordering geschiedt in het openbaar ten overstaan van een bevoegde notaris. De artikelen 508, 509, 513, eerste lid, 514, tweede en derde lid, 515 tot en met 519 en 521 tot en met 529 van het Nederlandse Wetboek van Burgerlijke Rechtsvordering zijn van overeenkomstige toepassing, met dien verstande dat hetgeen daar ten aanzien van hypotheken en hypotheekhouders is voorgeschreven geldt voor de op het octrooi rustende pandrechten en de pandhouders.

2. De verdeling van de opbrengst geschiedt met overeenkomstige toepassing van de artikelen 551 tot en met 552 van het Nederlandse Wetboek van Burgerlijke Rechtsvordering.

§ 4. Handhaving van het octrooi

Handhaving

Art. 70. 1. De octrooihouder kan zijn octrooi handhaven jegens een ieder die, zonder daartoe gerechtigd te zijn, een der in artikel 53, eerste lid, genoemde handelingen verricht.

Overlegging van resultaat van onderzoek naar stand der techniek

2. De houder van een octrooi verleend op grond van deze rijkswet is in zijn rechtsvordering niet ontvankelijk als hij niet bij conclusie van eis als bijlage daarbij en in kort geding op de terechtzitting het resultaat van een door het bureau of het

in het Europees Octrooiverdrag bedoelde Europees Octrooibureau ingesteld onderzoek naar de stand van de techniek met betrekking tot het onderwerp van het octrooi overlegt.

3. Schadevergoeding kan slechts worden gevorderd van hem, die de handelingen desbewust verricht. Men wordt in elk geval geacht desbewust te hebben gehandeld, indien de inbreuk is gepleegd na verloop van dertig dagen, nadat men bij deurwaardersexploit op de strijd tussen de handelingen en het octrooi is gewezen.

Schadevergoeding

4. Naast schadevergoeding kan worden gevorderd, dat de gedaagde veroordeeld wordt de door de inbreuk genoten winst af te dragen en dienaangaande rekening en verantwoording af te leggen; indien de rechter evenwel van oordeel is, dat de omstandigheden van het geval tot zulk een veroordeling geen aanleiding geven, zal hij de gedaagde tot schadevergoeding kunnen veroordelen.

Afdracht van de genoten winst

5. De octrooihouder kan de vorderingen tot schadevergoeding of het afdragen van winst ook namens of mede namens licentienemers of pandhouders instellen, onverminderd de bevoegdheid van deze laatsten in een al of niet namens hen of mede namens hen door de octrooihouder aldus ingestelde vordering tussen te komen om rechtstreeks de door hen geleden schade vergoed te krijgen of zich een evenredig deel van de door de gedaagde af te dragen winst te doen toewijzen. Licentienemers en pandhouders kunnen slechts een zelfstandige vordering instellen en exploiten als bedoeld in het derde lid met het oog daarop doen uitbrengen, als zij de bevoegdheid daartoe van de octrooihouder hebben bedongen.

Vorderingen mede namens licentiehouders enz.

6. Indien een rechtsvordering wordt ingesteld tot handhaving van een octrooi voor een werkwijze tot vervaardiging van een nieuw voortbrengsel, dan wordt vermoed, dat het betrokken voortbrengsel volgens de geoctrooieerde werkwijze is vervaardigd, tenzij door de gedaagde het tegendeel aannemelijk wordt gemaakt. Bij de beoordeling van de vraag of een voortbrengsel nieuw is, blijft de inhoud van in artikel 4, derde en vierde lid, bedoelde octrooiaanvragen buiten beschouwing.

Bewijslastomkering

Art. 71. 1. Behoudens het bepaalde in het vierde lid, kan de octrooihouder een redelijke vergoeding vorderen van hem, die in het tijdvak, gelegen tussen de inschrijving van de aanvrage die tot octrooi heeft geleid in het octrooiregister en de verlening van octrooi op die aanvrage of een daaruit ingevolge artikel 28 afgesplitste aanvrage, handelingen heeft verricht als vermeld in artikel 53, eerste lid, voor zover de octrooihouder daarvoor uitsluitende rechten heeft verkregen.

Redelijke vergoeding wegens handelingen tussen inschrijving van de aanvrage en verlening van het octrooi

2. Behoudens het bepaalde in het vierde lid kan de octrooihouder eveneens een redelijke vergoeding vorderen van hem, die na de in het eerste lid bedoelde verlening van het octrooi handelingen als in dat lid bedoeld heeft verricht met voortbrengselen, die gedurende het aldaar genoemde tijdvak in het verkeer zijn gebracht. De octrooihouder kan een zelfde vergoeding vorderen van hem, die na de verlening van het octrooi ten dienste van zijn bedrijf voortbrengselen als bedoeld in artikel 53, eerste lid, onder a of b, heeft gebruikt die in het eerste lid genoemde tijdvak in zijn bedrijf zijn vervaardigd.

3. De in het eerste en tweede lid bedoelde vergoeding is alleen verschuldigd voor handelingen die zijn verricht na verloop van dertig dagen nadat de betrokkene bij deurwaardersexploit, waarin nauwkeurig is aangegeven welk gedeelte van de octrooiaanvrage op die handelingen betrekking heeft, is gewezen op het krachtens dit artikel aan de octrooihouder toekomende recht.

4. Het krachtens dit artikel aan de octrooihouder toekomende recht strekt zich niet uit over handelingen, verricht door een daartoe krachtens artikel 55 of krachtens overeenkomst gerechtigde, alsmede handelingen met voortbrengselen, die hetzij voor de inschrijving in het octrooiregister van de betrokken octrooiaanvrage in het verkeer zijn gebracht, hetzij nadien door de aanvrager om octrooi of een gerechtigde als hiervoor bedoeld.

Art. 72. 1. De houder van een Europees octrooi kan, behoudens het bepaalde in het vierde lid, een redelijke vergoeding vorderen van hem, die in het tijdvak, gelegen tussen de publikatie overeenkomstig artikel 93 van het Europees Octrooiverdrag van de aanvrage die tot octrooi heeft geleid en de in artikel 97, vierde lid, van dat verdrag bedoelde publikatie van de vermelding van de verlening van het Europees octrooi op die aanvrage of op een daaruit ingevolge artikel 76 van dit verdrag afgesplitste aanvrage, handelingen heeft verricht als vermeld in artikel 53, eerste lid, voor zover de octrooihouder daarvoor uitsluitende rechten heeft verkregen en de handelingen worden bestreken door de laatstelijk ingediende gepubliceerde conclusies.

Redelijke vergoeding voor houder Europees octrooi wegens handelingen tussen publicatie van de aanvrage en verlening van het octrooi

2. Behoudens het bepaalde in het vierde lid kan de houder van een Europees octrooi eveneens een redelijke vergoeding vorderen van hem, die na de in het eerste lid bedoelde publikatie van de vermelding van de verlening van het Europees octrooi handelingen als in dat lid bedoeld heeft verricht met voortbrengselen, die gedurende het aldaar genoemde tijdvak in het verkeer zijn gebracht. De octrooihouder kan een zelfde vergoeding vorderen van hem, die na bedoelde publikatie ten dienste van zijn bedrijf voortbrengselen als bedoeld in artikel 53, eerste lid, onder a of b, heeft gebruikt die in het in het eerste lid genoemde tijdvak in zijn bedrijf zijn vervaardigd.

3. De in het eerste en tweede lid bedoelde vergoeding is alleen verschuldigd voor handelingen, die zijn verricht na verloop van dertig dagen, nadat de betrokkene bij deurwaardersexploit is gewezen op het krachtens dit artikel aan de octrooihouder toekomende recht. Bij dit deurwaardersexploit, waarin nauwkeurig is aangegeven welk gedeelte van de octrooiaanvrage op die handelingen betrekking heeft, moet zijn betekend een vertaling in het Nederlands van de conclusies zoals vervat in de publikatie van de Europese octrooiaanvrage overeenkomstig artikel 93 van het Europees Octrooiverdrag. Indien een Nederlandse vertaling als hiervoor bedoeld reeds voor het uitbrengen van het deurwaardersexploit aan het bureau is toegezonden en daarvan aantekening gedaan is in het octrooiregister, kan de betekening van de vertaling achterwege blijven, mits in het exploit melding wordt gemaakt van de aantekening in het octrooiregister.

4. Het krachtens dit artikel aan de octrooihouder toekomende recht strekt zich niet uit over handelingen, verricht door een daartoe krachtens artikel 55 of krachtens overeenkomst gerechtigde, alsmede handelingen met voortbrengselen, die hetzij voor de in het eerste lid bedoelde publikatie van de aanvrage overeenkomstig artikel 93 van het Europees Octrooiverdrag in het verkeer zijn gebracht, hetzij nadien door de aanvrager van het octrooi of een gerechtigde als hiervoor bedoeld.

5. Het bureau gaat zo spoedig mogelijk over tot de in het derde lid bedoelde aantekening in het octrooiregister.

6. Het derde en vijfde lid zijn van overeenkomstige toepassing ten aanzien van vorderingen tot betaling van een redelijke vergoeding als bedoeld in artikel 32, eerste lid, van het Gemeenschapsoctrooiverdrag.

Indirecte octrooi-inbreuk

Art. 73. 1. De octrooihouder kan de vorderingen die hem ten dienste staan bij de handhaving van zijn octrooi instellen tegen iedere persoon, die in Nederland of de Nederlandse Antillen of, als het een Europees octrooi betreft, in Nederland in of voor zijn bedrijf middelen betreffende een wezenlijk bestanddeel van de uitvinding aan anderen dan hen, die krachtens de artikelen 55 tot en met 60 tot toepassing van de geoctrooieerde uitvinding bevoegd zijn, aanbiedt of levert voor de toepassing van de geoctrooieerde uitvinding in Nederland of de Nederlandse Antillen of, als het een Europees octrooi betreft, in Nederland, een en ander mits die persoon weet dan wel het gezien de omstandigheden duidelijk is, dat die middelen voor die toepassing geschikt en bestemd zijn.

2. Het eerste lid geldt niet, indien het aanbieden of leveren geschiedt met toestemming van de octrooihouder. Dat lid geldt evenmin, indien de geleverde of aangeboden middelen algemeen in de handel verkrijgbare produkten zijn, tenzij de betrokkene degene aan wie hij levert aanzet tot het verrichten van in artikel 53, eerste lid, vermelde handelingen.

3. Artikel 70, vijfde lid, is van overeenkomstige toepassing.

Continentaal plat

Art. 74. De rechten en verplichtingen, voortvloeiende uit de artikelen 53 tot en met 60 en 64 tot en met 73, gelden mede in, op en boven dat deel van het aan Nederland of de Nederlandse Antillen grenzende — of, indien het een Europees octrooi betreft, van het aan Nederland grenzende — continentaal plat, waarop het Koninkrijk soevereine rechten heeft, doch uitsluitend voor zover het betreft handelingen, gericht op en verricht tijdens het onderzoek naar de aanwezigheid van natuurlijke rijkdommen of het winnen daarvan.

HOOFDSTUK 5
Vernietiging en opeising

Vernietiging van het octrooi

Art. 75. 1. Een octrooi wordt door de rechter vernietigd voor zover:

a. hetgeen waarvoor octrooi is verleend ingevolge de artikelen 2 tot en met 7 niet vatbaar is voor octrooi dan wel, indien het een Europees octrooi betreft, het octrooi ingevolge de artikelen 52 tot en met 57 van het Europees Octrooiverdrag niet had behoren te worden verleend;

b. het octrooischrift niet een beschrijving bevat van de uitvinding, die, in voorkomend geval met toepassing van artikel 25, tweede lid, zodanig duidelijk en volledig is dat een deskundige deze uitvinding kan toepassen;
c. het onderwerp van het octrooi niet wordt gedekt door de inhoud van de ingediende aanvrage of, indien het octrooi is verleend op een afgesplitste of gewijzigde aanvrage dan wel op een nieuwe Europese octrooiaanvrage die is ingediend overeenkomstig artikel 61 van het Europees Octrooiverdrag, door de inhoud van de oorspronkelijke aanvrage;
d. na octrooiverlening uitbreiding van de beschermingsomvang is opgetreden;
e. de houder van het octrooi daarop geen aanspraak had hetzij krachtens de bepalingen van hoofdstuk 1 van deze rijkswet hetzij, indien het een Europees octrooi betreft, krachtens artikel 60, eerste lid, van het Europees Octrooiverdrag.

2. Voor de toepassing van het eerste lid, onder a, wordt onder de stand van de techniek, bedoeld in artikel 54, derde lid, van het Europees Octrooiverdrag, mede begrepen de inhoud van uit hoofde van deze rijkswet ingediende octrooiaanvragen, waarvan de dag van indiening voor de datum van indiening van de desbetreffende Europese octrooiaanvrage, die voor de toepassing van dat lid geldt, ligt, en die eerst op of na die datum overeenkomstig artikel 31 zijn ingeschreven.

3. De rechtsvordering tot vernietiging komt in de in het eerste lid, onder a tot en met d, genoemde gevallen toe aan een ieder en in het eerste lid, onder e, genoemde geval aan degene, die krachtens de in dat onderdeel genoemde bepalingen aanspraak op het octrooi heeft. Indien laatstgenoemde zelf een octrooi voor de desbetreffende uitvinding heeft verkregen, komt de rechtsvordering tot vernietiging ook toe aan licentiehouders en pandhouders.

4. De dagvaarding moet binnen acht dagen na haar dagtekening in het octrooiregister worden ingeschreven. Bij gebreke van tijdige inschrijving is de eiser verplicht de schade te vergoeden, geleden door hen, die te goeder trouw na die termijn en voor de inschrijving rechten, waarop de vernietiging invloed uitoefent, hebben verkregen.

Terugwerkende kracht der vernietiging

5. Een octrooi wordt geacht van de aanvang af geheel of gedeeltelijk niet de in de artikelen 53, 71, 72 en 73 bedoelde rechtsgevolgen te hebben gehad naar gelang het octrooi geheel of gedeeltelijk is vernietigd.

6. De terugwerkende kracht van de nietigheid heeft geen invloed op:
a. een beslissing, niet zijnde een voorlopige voorziening, ter zake van handelingen in strijd met het in artikel 53 bedoelde uitsluitend recht van de octrooihouder of van handelingen als bedoeld in de artikelen 71, 72 en 73, die voor de vernietiging in kracht van gewijsde is gegaan en ten uitvoer is gelegd;
b. een voor de vernietiging gesloten overeenkomst, voor zover deze voor de vernietiging is uitgevoerd; uit billijkheidsoverwegingen kan echter terugbetaling worden geëist van op grond van deze overeenkomst betaalde bedragen in de mate als door de omstandigheden gerechtvaardigd is.

7. Voor de toepassing van het zesde lid, onder b, wordt onder het sluiten van een overeenkomst mede verstaan het ontstaan van een licentie op een andere in artikel 56, tweede lid, 59 of 60 aangegeven wijze.

8. Ingeval een octrooi wordt vernietigd op grond van het eerste lid, onder e, en degene, die krachtens de in dat onderdeel genoemde bepalingen aanspraak op het octrooi heeft, zelf een octrooi voor de desbetreffende uitvinding heeft verkregen, worden licenties, die te goeder trouw van het vernietigde octrooi waren verkregen voor de inschrijving van de dagvaarding in het octrooiregister, aangemerkt als licentie van het bestaande octrooi, en verkrijgt de houder daarvan overeenkomstig artikel 56, derde lid, recht op de voor de licenties verschuldigde vergoeding. De houder van het vernietigde octrooi, die bij zijn aanvrage te goeder trouw was of die het octrooi voor de inschrijving van de dagvaarding te goeder trouw van een vroegere houder verkreeg, blijft in dat geval ten aanzien van het bestaande octrooi bevoegd tot toepassing van de uitvinding overeenkomstig artikel 55.

9. Zodra een eindbeslissing aangaande een vordering tot vernietiging in kracht van gewijsde is gegaan of de instantie is vervallen, wordt daarvan op verzoek van de meest gerede partij in het octrooiregister aantekening gedaan.

Ontvankelijkheid vordering

Art. 76. 1. Degene die een rechtsvordering als bedoeld in artikel 75 tot vernietiging van een krachtens deze rijkswet verleend octrooi instelt, is in die vordering niet ontvankelijk als hij niet als bijlage bij de conclusie van eis het resultaat van een door het bureau uitgebracht advies omtrent de toepasselijkheid van de in artikel 75, eerste lid, genoemde nietigheidsgronden overlegt.

2. In kort geding kan de president van de arrondissementsrechtbank bedoeld in artikel 80, tweede lid, degene die stelt dat een krachtens deze rijkswet verleend octrooi vernietigd behoort te worden, opdragen een advies van het bureau omtrent de toepasselijkheid van de in artikel 75, eerste lid, genoemde nietigheidsgronden over te leggen.

Nederlands en Europees- of Gemeenschapsoctrooi van dezelfde uitvinder

Art. 77. 1. Voor zover een uit hoofde van deze rijkswet verleend octrooi betrekking heeft op een uitvinding, waarvoor aan dezelfde uitvinder of zijn rechtverkrijgende een Europees octrooi of een Gemeenschapsoctrooi is verleend, terwijl de dag van indiening of in voorkomend geval de voorrangsdatum van de onderscheidene aanvragen om octrooi dezelfde is, heeft eerstbedoeld octrooi, voor zover het dezelfde uitvinding beschermt als het Europees octrooi of het Gemeenschapsoctrooi, in Nederland niet meer de in de artikelen 53, 71 en 73 bedoelde rechtsgevolgen vanaf de dag waarop:
a. de voor het instellen van oppositie tegen het Europees octrooi vastgestelde termijn is verstreken zonder dat oppositie is ingesteld;
b. de oppositieprocedure is afgesloten, waarbij het Europees octrooi in stand is gebleven;
c. het octrooi uit hoofde van deze rijkswet is verleend, indien deze dag ligt na die onder a of b bedoeld, al naar het geval.

2. Het tenietgaan, op welke wijze ook, van het Europees octrooi of het Gemeenschapsoctrooi op een later tijdstip laat het bepaalde in het vorige lid onverlet.

3. Vorderingen ter vaststelling van een in het eerste lid bedoeld verlies van rechtsgevolg kunnen door een ieder worden ingesteld.

4. Artikel 75, vierde lid, achtste lid, eerste volzin, en negende lid, is van overeenkomstige toepassing.

Opeising van het octrooi

Art. 78. 1. Een octrooi kan geheel, gedeeltelijk of wat betreft een aandeel daarin worden opgeëist door degene die krachtens artikel 11, 12 of 13 dan wel, indien het een Europees octrooi betreft, krachtens artikel 60, eerste lid, van het Europees Octrooiverdrag aanspraak of mede aanspraak heeft op dat octrooi.

2. De dagvaarding moet in het octrooiregister worden ingeschreven.

Octrooihouder te goeder trouw

3. De octrooihouder, die bij zijn aanvrage te goeder trouw was, of die het octrooi voor de inschrijving van de dagvaarding te goeder trouw van een vroegere houder verkreeg, blijft ten aanzien van de nieuwe octrooihouder bevoegd tot toepassing van de uitvinding op de voet als omschreven in artikel 55.

4. Te goeder trouw voor de inschrijving verkregen licenties blijven geldig tegenover de nieuwe octrooihouder, die overeenkomstig artikel 56, derde lid, recht verkrijgt op de voor de licenties verschuldigde vergoeding.

5. Het derde en het vierde lid zijn niet van toepassing ingeval degene, die het octrooi met goed gevolg heeft opgeëist, reeds door zelf octrooi aan te vragen zijn aanspraken had doen gelden en de dagvaarding, waarbij de vordering tot opeising werd ingesteld, binnen drie maanden na de verlening van het octrooi of, indien het een Europees octrooi betreft, na de publikatie overeenkomstig artikel 97, vierde lid, van het Europees Octrooiverdrag van de vermelding van de verlening van het Europees octrooi in het octrooiregister was ingeschreven.

Pandrechten, door vroegere octrooihouder gevestigd

6. Pandrechten, door een vroegere octrooihouder gevestigd, zijn alleen geldig tegenover de nieuwe octrooihouder, indien zij te goeder trouw zijn verkregen en voor de inschrijving van de dagvaarding gevestigd. Zij zijn nimmer tegenover deze geldig in het geval, bedoeld in het vorige lid.

Verjaring van de vordering

7. De vordering, bedoeld in het eerste lid, verjaart, wanneer twee jaren zijn verstreken na de dag van verlening van het octrooi of, indien het een Europees octrooi betreft, na de datum, waarop overeenkomstig artikel 97, vierde lid, van het Europees Octrooiverdrag de vermelding van de verlening van het Europees octrooi is gepubliceerd; nochtans kan degene, die bij het verkrijgen van het octrooi wist of had moeten weten, dat hij of de persoon, die het hem overdroeg, geen aanspraak had op het octrooi, zich niet op deze verjaring beroepen. Artikel 2006 van het Burgerlijk Wetboek van de Nederlandse Antillen is op deze verjaring niet van toepassing.

8. Zodra een eindbeslissing aangaande een vordering tot opeising in kracht van gewijsde is gegaan of de instantie is vervallen, wordt daarvan op verzoek van de meest gerede partij in het octrooiregister aantekening gedaan.

Strafbepaling inzake opzettelijke inbreuk op het recht van de octrooihouder

Art. 79. 1. Hij, die opzettelijk inbreuk maakt op het recht van de octrooihouder door het verrichten van een der in artikel 53, eerste lid, bedoelde handelingen, wordt gestraft met gevangenisstraf van ten hoogste zes maanden of geldboete van de vierde categorie.

2. Hij die van het plegen van het in het vorige lid bedoelde misdrijf zijn beroep maakt of het plegen van dit misdrijf als bedrijf uitoefent, wordt gestraft met gevangenisstraf van ten hoogste vier jaar of geldboete van de vijfde categorie.

3. Bij veroordeling kan door de rechter de openbaarmaking van zijn uitspraak worden gelast.

4. Indien voorwerpen verbeurd zijn verklaard, kan de octrooihouder vorderen, dat die voorwerpen hem worden afgegeven indien hij zich daartoe ter griffie aanmeldt binnen een maand nadat het vonnis in kracht van gewijsde is gegaan. Door deze afgifte gaat de eigendom van de voorwerpen op de octrooihouder over. De rechter zal kunnen gelasten, dat die afgifte niet zal geschieden dan tegen een door hem bepaalde, door de octrooihouder te betalen vergoeding, welke ten bate komt van de Staat.

5. De in dit artikel bedoelde strafbare feiten zijn misdrijven. Van deze misdrijven neemt in Nederland in eerste aanleg uitsluitend de arrondissementsrechtbank te 's-Gravenhage kennis.

HOOFDSTUK 6
Octrooirechtelijke geschillen

Vorderingen vallend onder competentie van rechtbank Den Haag

Art. 80. 1. De arrondissementsrechtbank te 's-Gravenhage is in eerste aanleg uitsluitend bevoegd voor:
a. vorderingen tot vaststelling van ontbreken van rechtsgevolg, vernietiging, vaststelling van een verlies van rechtsgevolg of opeising van octrooien, bedoeld in onderscheidenlijk de artikelen 10, 75, 77 en 78;
b. vorderingen tot opeising van Europese octrooiaanvragen;
c. vorderingen tot verlening van een licentie als bedoeld in artikel 58, eerste lid;
d. vorderingen tot vaststelling van een vergoeding als bedoeld in de artikelen 58, 59 en 60.

2. De arrondissementsrechtbank te 's-Gravenhage en de president van die rechtbank in kort geding zijn in eerste aanleg in Nederland uitsluitend bevoegd voor:
a. vorderingen, bedoeld in de artikelen 70, 71, 72 en 73;
b. vorderingen welke worden ingesteld door een ander dan de octrooihouder ten einde te doen vaststellen dat bepaalde door hem verrichte handelingen niet strijdig zijn met een octrooi.

Beroep tegen besluit o.g.v. deze wet

Art. 81. In afwijking van artikel 8:7 van de Algemene wet bestuursrecht, is voor beroepen ingesteld tegen besluiten op grond van deze wet de rechtbank te 's-Gravenhage bevoegd.

Pleidooi door octrooigemachtigden

Art. 82. Bij de behandeling ter terechtzitting van geschillen bedoeld in artikel 80 mogen octrooigemachtigden het woord voeren onverminderd de verantwoordelijkheid van de procureur.

Voor andere geschillen geldt algemene rechterlijke competentie

Art. 83. 1. Van alle andere geschillen dan in de artikelen 80 en 81 bedoeld wordt kennis genomen door de rechter die daartoe volgens de algemene regeling der rechtspraak bevoegd is.

2. Rechtsvorderingen, die gegrond zijn op artikel 12, zesde lid, worden aangemerkt als rechtsvorderingen met betrekking tot een arbeidsovereenkomst, tenzij de rechtsbetrekking tussen de bij het geschil betrokkenen niet wordt bepaald door een arbeidsovereenkomst.

3. Indien de rechter meent, dat op de beslissing van een geschil van invloed kan zijn een rechtsvordering, die op grond van artikel 10, 75, 77 of 78 is of zou kunnen worden ingesteld, kan hij de behandeling van het aanhangige geschil met of zonder tijdsbepaling schorsen. Gelijke bevoegdheid bezit hij, indien op de beslissing inzake zulk een rechtsvordering een uit anderen hoofde ingestelde rechtsvordering van invloed kan zijn.

4. De rechter kan de behandeling van een geschil ter zake van een Europees octrooi met of zonder tijdsbepaling schorsen, indien bij het Europees Octrooibureau tegen dat octrooi oppositie is ingesteld ingevolge artikel 99 van het Europees Octrooiverdrag.

Adviesbureau omtrent nietigheidsgronden

Art. 84. 1. Een ieder kan het bureau schriftelijk verzoeken een advies uit te brengen omtrent de toepasselijkheid van de in artikel 75, eerste lid, genoemde nietig-

heidsgronden op een krachtens deze rijkswet verleend octrooi.
2. Het verzoek bevat een gemotiveerde aanduiding van de aan artikel 75, eerste lid, ontleende bezwaren tegen het verleende octrooi waaromtrent een advies wordt verlangd.
3. Bij algemene maatregel van bestuur worden regels gesteld met betrekking tot de voor het advies verschuldigde vergoeding.

Procedure bureau bij verzoek om advies

Art. 85. 1. Het bureau stelt de in artikel 84 bedoelde verzoeker in de gelegenheid de geopperde bezwaren toe te lichten. De houder van het desbetreffende octrooi wordt ten minste eenmaal in de gelegenheid gesteld op de bezwaren te reageren.
2. Het bureau is bevoegd voor de inbreng van verzoeker en octrooihouder termijnen te stellen.
3. Het in artikel 84 bedoelde advies wordt zo spoedig mogelijk uitgebracht, doch uiterlijk binnen twee maanden nadat het bureau kennis heeft genomen van het standpunt van de verzoeker en de octrooihouder of, indien toepassing is gegeven aan het vorige lid, binnen twee maanden nadat de gestelde termijn is verstreken.

Advies is gemotiveerde beoordeling

Art. 86. Het in artikel 84 bedoelde advies bestaat uit een gemotiveerde beoordeling van de in het verzoek genoemde bezwaren.

Mededelingsplicht bureau aan rechter

Art. 87. 1. Het bureau is verplicht de rechter alle inlichtingen en technische adviezen te verstrekken, die deze tot beslissing van aan zijn oordeel onderworpen rechtsvorderingen inzake octrooien mocht verlangen.
2. De waarde van adviezen als bedoeld in het eerste lid wordt gelijkgesteld met die van deskundigen als bedoeld in artikel 221 en volgende van het Wetboek van Burgerlijke Rechtsvordering.

Rechtbank als centrale instantie

Art. 88. De in artikel 80 bedoelde rechtbank treedt op als centrale instantie, belast met het ontvangen van rogatoire commissies en bevoegd tot het uitvoeren van genoemde commissies van het Europees Octrooibureau, bedoeld in regel 99 van het bij het Europees Octrooiverdrag behorende Uitvoeringsreglement.

Afschrift van uitspraken bureau en Europees Octrooibureau

Art. 89. Van alle rechterlijke uitspraken betreffende octrooien wordt door de griffier van het desbetreffende gerecht binnen één maand kosteloos een afschrift aan het bureau gezonden, en, indien het een Europees octrooi betreft, tevens aan het Europees Octrooibureau, bedoeld in het Europees Octrooiverdrag.

HOOFDSTUK 7
Aanvullende beschermingscertificaten

Begripsbepalingen

Art. 90. Voor de toepassing van dit hoofdstuk, met uitzondering van artikel 98, en de daarop berustende bepalingen, wordt verstaan onder:
verordening: de verordening (EEG) nr. 1768/92 van de Raad van de Europese Gemeenschappen van 18 juni 1992 betreffende de invoering van een aanvullend beschermingscertificaat voor geneesmiddelen (PbEG L 182);
basisoctrooi: een octrooi als bedoeld in artikel 1, onder c, van de verordening;
certificaat: een aanvullend beschermingscertificaat als bedoeld in artikel 1, onder d, van de verordening.

Indiening aanvraag certificaat

Art. 91. De aanvrage om een certificaat wordt bij het bureau ingediend.

Kosten

Art. 92. Bij de aanvrage om een certificaat dient een bewijsstuk te worden overgelegd waaruit blijkt dat aan het bureau een bedrag is betaald overëenkomstig een bij algemene maatregel van bestuur vastgesteld tarief.

Inhoud van de aanvrage enz.

Art. 93. Met betrekking tot aanvragen om een certificaat zijn de artikelen 24, derde lid, 26 en 38, eerste lid, van deze rijkswet van overeenkomstige toepassing.

Kennisgeving aan aanvrager dat niet aan alle voorwaarden is voldaan

Art. 94. Indien niet is voldaan aan het bij artikel 8 van de verordening of het bij de artikelen 92 en 93 van deze rijkswet bepaalde, geeft het bureau daarvan binnen vier weken na de datum van indiening van de aanvraag om een certificaat schriftelijk kennis aan de aanvrager, onder opgave van de voorschriften waaraan niet is voldaan. Artikel 30, tweede lid, is van overeenkomstige toepassing.

Instandhoudingstaks

Art. 95. Voor de instandhouding van een aanvullend beschermingscertificaat moet elk jaar, voor het eerst vanaf het jaar waarin de wettelijke duur van het basisoctrooi is verstreken, aan het bureau een bij algemene maatregel van bestuur vast te stellen bedrag worden betaald. Dit bedrag wordt uiterlijk voldaan op de laatste dag van de maand waarin de wettelijke duur van het basisoctrooi is verstreken. De artikelen 61, derde lid, en 62 van deze rijkswet zijn van overeenkomstige toepassing.

Bekendmakingen

Art. 96. 1. De in de artikelen 9, tweede lid, 11 en 16 van de verordening voorgeschreven mededelingen geschieden in het in artikel 20 van deze rijkswet bedoelde blad.

2. Het bureau schrijft de in de artikelen 9, tweede lid, 11 en 16 van de verordening bedoelde gegevens in het octrooiregister in.

Certificaat als deel van het vermogen

Art. 97. De artikelen 64 tot en met 69 zijn van overeenkomstige toepassing op certificaten.

Nadere regeling bij amvb

Art. 98. Indien een andere dan de in artikel 90 genoemde door de Raad van de Europese Gemeenschappen vastgestelde verordening betreffende aanvullende beschermingscertificaten in het belang van een goede uitvoering nadere regeling behoeft geschiedt dit bij algemene maatregel van bestuur. Daarbij kan worden voorzien in het opleggen van taksen, voor zover dat is toegelaten ingevolge de betrokken verordening.

HOOFDSTUK 8
Bijzondere bepalingen voor de Nederlandse Antillen

Bureau voor de industriële eigendom

Art. 99. In de Nederlandse Antillen kan een bureau voor de industriële eigendom worden ingesteld. Dit bureau is een instelling van dat land.

Indiening van octrooiaanvragen

Art. 100. 1. De aanvragen om octrooi van inwonenden van de Nederlandse Antillen kunnen worden ingediend bij het aldaar ingestelde bureau voor de industriële eigendom.

2. Als datum van indiening van de aanvrage geldt die, waarop bij het betrokken bureau de in artikel 29, eerste lid, onder a, b en c, vermelde bescheiden zijn overgelegd. Artikel 29, tweede en derde lid, is van overeenkomstige toepassing.

3. Nadat het betrokken bureau de in het tweede lid bedoelde datum op de aanvrage heeft vermeld, zendt het de aanvrage met alle overgelegde bescheiden zo spoedig mogelijk door aan het bureau, bedoeld in artikel 1, tenzij het meent dat deze bescheiden niet voldoen aan het bij of krachtens de artikelen 24 en 26 bepaalde.

4. In het geval, bedoeld in het derde lid, geeft het betrokken bureau aan de aanvrager schriftelijk kennis van de vermeende gebreken, met het verzoek deze binnen een door het bureau te bepalen termijn te herstellen. Na het verstrijken van die termijn worden, onverschillig of aan het verzoek is voldaan, de door de aanvrager overgelegde bescheiden, alsmede een afschrift van het hem afgegeven ontvangstbewijs door het betrokken bureau zo spoedig mogelijk aan het bureau, bedoeld in artikel 1, toegezonden.

HOOFDSTUK 9
Overgangs- en slotbepalingen

Verval van de Rijksoctrooiwet

Art. 101. De Rijksoctrooiwet vervalt met ingang van een bij koninklijk besluit te bepalen tijdstip.

Overgangsbepaling m.b.t. nationale octrooien enz.

Art. 102. 1. Ten aanzien van:
a. octrooiaanvragen, ingediend voor de inwerkingtreding van deze rijkswet en de van deze aanvragen afgesplitste octrooiaanvragen,
b. octrooien, verleend op de onder a bedoelde octrooiaanvragen en
c. licenties onder de onder b bedoelde octrooien is uitsluitend het bij en krachtens de Rijksoctrooiwet bepaalde van toepassing.

2. Ten aanzien van:
a. octrooiaanvragen, ingediend na de inwerkingtreding van deze rijkswet, met uitzondering van de in het eerste lid, onder a, bedoelde afgesplitste octrooiaanvragen,
b. octrooien, verleend op de onder a bedoelde octrooiaanvragen en
c. licenties onder de onder b bedoelde octrooien is uitsluitend het bij en krachtens deze rijkswet bepaalde van toepassing.

3. Deze rijkswet is niet van toepassing op aanvragen om een certificaat als bedoeld in artikel 90 welke bij de Octrooiraad zijn ingediend voor de datum van inwerkingtreding van deze rijkswet.

4. De artikelen 95 en 97 zijn mede van toepassing op certificaten welke zijn verleend op aanvragen welke zijn ingediend voor de datum van inwerkingtreding van deze rijkswet.

Overgangsbepaling m.b.t. Europese octrooien enz.

Art. 103. 1. Ten aanzien van Europese octrooien, waarvan de vermelding van de verlening overeenkomstig artikel 97, vierde lid, van het Europees Octrooiverdrag is gepubliceerd voor de inwerkingtreding van deze rijkswet, en licenties onder deze octrooien, is uitsluitend het bij en krachtens de Rijksoctrooiwet bepaalde van toepassing.

2. Ten aanzien van Europese octrooien, waarvan de vermelding van de verlening overeenkomstig artikel 97, vierde lid, van het Europees Octrooiverdrag is gepubliceerd na de inwerkingtreding van deze rijkswet, en licenties onder deze octrooien, is uitsluitend het bij en krachtens deze rijkswet bepaalde van toepassing.

Wijziging art. 17A Rijksoctrooiwet

Art. 104. Artikel 17A van de Rijksoctrooiwet wordt gewijzigd als volgt:

1. In het eerste lid wordt „Indien de aanvrager" vervangen door: Indien de aanvrager of de octrooihouder dan wel de houder van een Europees octrooi.

2. In het tweede lid komt „op het niet tijdig verrichten van een betaling, die na de vervaldag is toegelaten," te vervallen.

3. In het derde lid wordt na „Koninkrijk" ingevoegd „of indien het een Europees octrooi betreft binnen Nederland" en wordt na „octrooi is verleend" ingevoegd: of in stand is gebleven.

Nieuwe tekst van art. 22K lid 1 Rijksoctrooiwet

Art. 105. Artikel 22K, eerste lid, van de Rijksoctrooiwet komt te luiden:

1. Een aanvrage vervalt, indien niet binnen één jaar na de inwerkingtreding van de Rijksoctrooiwet 1995 een verzoekschrift als bedoeld in artikel 22J is ingediend.

Verval art. 29Q

Art. 106. Artikel 29Q van de Rijksoctrooiwet komt te vervallen.

Toevoeging aan art. 54 Rijksoctrooiwet

Art. 107. In artikel 54 van de Rijksoctrooiwet wordt na het tweede lid, onder vernummering van het derde lid tot vierde lid, een lid ingevoegd, luidende:

3. Bij de behandeling ter terechtzitting van geschillen bedoeld in het eerste en tweede lid mogen octrooigemachtigden het woord voeren onverminderd de verantwoordelijkheid van de procureur.

Afwijking i.v.m. licenties

Art. 108. 1. In afwijking van artikel 102, eerste lid, onder c, gelden ten aanzien van licenties in plaats van artikel 34, tweede tot en met negende lid, van de Rijksoctrooiwet de artikelen 57, tweede tot en met vierde lid, en 58 van deze rijkswet.

2. Indien voor de inwerkingtreding van deze rijkswet een verzoek tot verlening van een licentie overeenkomstig artikel 34, vijfde lid, van de Rijksoctrooiwet is ingediend, vindt het eerste lid geen toepassing.

Uitbreiding van de omvang van de stand der techniek

Art. 109. Tot de stand van de techniek, bedoeld in artikel 4, behoort tevens de inhoud van voor de inwerkingtreding van deze rijkswet ingediende octrooiaanvragen, die op of na de in artikel 4, tweede lid, bedoelde dag overeenkomstig artikel 22C van de Rijksoctrooiwet ter inzage worden gelegd of, indien terinzagelegging nog niet had plaatsgevonden, overeenkomstig artikel 25 van die rijkswet openbaar worden gemaakt.

Nadere regeling bij alg. maatregel van rijksbestuur

Art. 110. Indien in deze rijkswet geregelde onderwerpen in het belang van een goede uitvoering van deze rijkswet nadere regeling behoeven, kan deze geschieden bij algemene maatregel van rijksbestuur.

Inwerkingtreding

Art. 111. De artikelen van deze rijkswet treden in werking op een bij koninklijk besluit te bepalen tijdstip, dat voor de verschillende artikelen of onderdelen daarvan verschillend kan worden vastgesteld.

Citeertitel

Art. 112. Deze rijkswet wordt aangehaald als: Rijksoctrooiwet met vermelding van het jaartal van het Staatsblad waarin zij zal worden geplaatst.

Verbindendheid voor overzeese gebiedsdelen

Art. 113. 1. Deze rijkswet is verbindend voor Nederland en, behoudens hoofdstuk 7, voor de Nederlandse Antillen.

2. Deze rijkswet is voor Aruba slechts verbindend voor zover het betreft de artikelen 40 tot en met 45, 59, 101, 102, eerste lid, 105, 108, 111 en 114. Voor de toepassing van de artikelen 40 tot en met 45 in Aruba wordt onder „bureau" verstaan het Bureau voor de Intellectuele Eigendom van Aruba.

Verklaring dat de onderlinge regeling tussen de rijksdelen wordt beëindigd

Art. 114. In Nederland kan bij wet en in de Nederlandse Antillen en Aruba kan bij landsverordening worden verklaard, dat de in deze rijkswet vervatte onderlinge regeling dient te worden beëindigd. Met ingang van het derde kalenderjaar na dat van afkondiging van zodanige wet of landsverordening verkrijgt deze rijkswet in Nederland de staat van wet en in de Nederlandse Antillen en Aruba de staat van landsverordening. Het bepaalde in de vorige volzinnen geldt niet met betrekking tot de artikelen 40 tot en met 45 en artikel 59.

Rijksoctrooiwet 1993, Regels met betrekking tot octrooien (nader gewijzigd voorstel van Rijkswet, 5 april 1994) (W.O. 22604 (R1435))

Wij Beatrix, bij de gratie Gods, Koningin der Nederlanden, Prinses van Oranje-Nassau, enz, enz, enz.

Allen, die deze zullen zien of horen lezen, saluut! doen te weten:
Alzo Wij in overweging genomen hebben, dat door de daling van het aantal octrooiaanvragen in Nederland het bestaande systeem van octrooiverlening na vooronderzoek niet gehandhaafd kan worden en dat het wenselijk is te voorzien in een op eenvoudige wijze door registratie te verkrijgen octrooi;
Zo is het, dat Wij, de Raad van State van het Koninkrijk gehoord, en met gemeen overleg der Staten-Generaal, de bepalingen van het Statuut voor het Koninkrijk in acht genomen zijnde, hebben goedgevonden en verstaan, gelijk Wij goedvinden en verstaan bij deze:

HOOFDSTUK 1
Algemene bepalingen

Begripsbepalingen

Art. 1. In deze rijkswet en de daarop berustende bepalingen wordt verstaan onder:
Europees Octrooiverdrag: het op 5 oktober 1973 te München tot stand gekomen Verdrag inzake de verlening van Europese octrooien (Trb. 1975, 108 en 1976, 101);
Gemeenschapsoctrooiverdrag: het op 15 december 1989 te Luxemburg tot stand gekomen Verdrag betreffende het Europees octrooi voor de gemeenschappelijke markt (Trb. 1990, 121);
Europees octrooi: een krachtens het Europees Octrooiverdrag verleend octrooi, voor zover dat voor het Koninkrijk is verleend, niet zijnde een Gemeenschapsoctrooi;
Gemeenschapsoctrooi: een octrooi als bedoeld in artikel 2 van het Gemeenschapsoctrooiverdrag;
Europese octrooiaanvrage: en Europese octrooiaanvrage als bedoeld in het Europees octrooiverdrag;
Samenwerkingsverdrag: het op 19 juni 1970 te Washington tot stand gekomen Verdrag tot samenwerking inzake octrooien (Trb. 1973, 20);
bureau: het Bureau voor de industriële eigendom, bedoeld in artikel 4 van de wet van 25 april 1963 (Stb. 221);
octrooiregister: het in artikel 19 van deze wet bedoelde register;
Onze Minister: Onze Minister van Economische Zaken;
natuurlijke rijkdommen: de minerale en andere niet-levende rijkdommen van de zeebedding en de ondergrond, alsmede levende organismen die tot de sedentaire soort behoren, dat wil zeggen organismen die ten tijde dat zij geoogst kunnen worden, hetzij zich onbeweeglijk op of onder de zeebedding bevinden, hetzij zich niet kunnen verplaatsen dan in voortdurend fysiek contact met de zeebedding of de ondergrond.

Octrooieerbare uitvindingen

Art. 2. 1. Vatbaar voor octrooi zijn uitvindingen die nieuw zijn, op uitvinders werkzaamheid berusten en toegepast kunnen worden op het gebied van de nijverheid.
2. In de zin van het eerste lid worden in het bijzonder niet als uitvindingen beschouwd:
a. ontdekkingen, alsmede natuurwetenschappelijke theorieën en wiskundige methoden;
b. esthetische vormgevingen;
c. stelsels, regels en methoden voor het verrichten van geestelijke arbeid, voor het spelen of voor de bedrijfsvoering, alsmede computerprogramma's;
d. presentaties van gegevens.
3. Het tweede lid geldt alleen voor zover het betreft de aldaar genoemde onderwerpen of werkzaamheden als zodanig.

Niet-octrooieerbare uitvindingen

Art. 3. Niet vatbaar voor octrooi zijn:
a. uitvindingen waarvan de openbaarmaking of toepassing in strijd zou zijn met de openbare orde of goederen zeden;
b. planten- of dierenrassen, alsmede werkwijzen van wezenlijk biologische aard voor de voortbrenging van planten of dieren en hierdoor verkregen voortbrengselen, met

uitzondering van microbiologische werkwijzen tenzij die op grond van het bij of krachtens de Gezondheids- en welzijnswet voor dieren bepaalde niet zijn toegestaan.

Art. 4. 1. Een uitvinding wordt als nieuw beschouwd, indien zij geen deel uitmaakt van de stand van de techniek.

Nieuwheid

2. De stand van de techniek wordt gevormd door al hetgeen voor de dag van indiening van de octrooiaanvrage openbaar toegankelijk is gemaakt door een schriftelijke of mondelinge beschrijving, door toepassing of op enige andere wijze.

3. Tot de stand van de techniek behoort tevens de inhoud van eerder ingediende octrooiaanvragen, die op of na de in het tweede lid bedoelde dag overeenkomstig artikel 31 in het octrooiregister zijn ingeschreven.

4. Tot de stand van de techniek behoort voorts de inhoud van Europese octrooiaanvragen en van internationale aanvragen als bedoeld in artikel 158, eerste en tweede lid, van de Europees Octrooiverdrag, waarvan de datum van indiening, die geldt voor de toepassing van artikel 54, tweede en derde lid, van dat verdrag, ligt voor de in het tweede lid bedoelde dag, en die op of na die dag zijn gepubliceerd op grond van artikel 93 van dat verdrag onderscheidenlijk van artikel 21 van het Samenwerkingsverdrag, mits het Koninkrijk in de gepubliceerde aanvrage is aangewezen.

5. Niettegenstaande het bepaalde in het eerste tot en met vierde lid zijn tot de stand van de techniek behorende stoffen of samenstellingen vatbaar voor octrooi, voor zover zij bestemd zijn voor de toepassing van een van de in artikel 7, tweede lid, bedoelde methoden, mits de toepassing daarvan voor enige in dat lid bedoelde methode niet tot de stand van de techniek behoort.

Art. 5. 1. Voor de toepassing van artikel 4 blijft een openbaarmaking van de uitvinding buiten beschouwing, indien deze niet eerder is geschied dan zes maanden voor de dag van indiening van de octrooiaanvrage als direct of indirect gevolg van:

Beperking van de omvang van de stand der techniek

a. een kennelijk misbruik ten opzichte van de aanvrager of diens rechtsvoorganger, of
b. het feit, dat de aanvrager of diens rechtsvoorganger de uitvinding heeft tentoongesteld op van overheidswege gehouden of erkende tentoonstellingen in de zin van het Verdrag inzake Internationale Tentoonstellingen, ondertekend te Parijs op 22 november 1928, zoals dat is gewijzigd, laatstelijk bij Protocol van 30 november 1972 (Trb. 1973, 100), op voorwaarde dat de aanvrager bij de indiening van zijn aanvrage verklaart dat de uitvinding inderdaad is tentoongesteld en een bewijsstuk daarvoor overlegt binnen een bij algemene maatregel van bestuur vast te stellen termijn en overeenkomstig bij algemene maatregel van bestuur te stellen voorschriften.

2. De erkenning van overheidswege van tentoonstellingen in Nederland geschiedt door Onze Minister en die van tentoonstellingen in de Nederlandse Antillen door de regering van de Nederlandse Antillen.

Art. 6. Een uitvinding wordt als het resultaat van uitvindingswerkzaamheid aangemerkt, indien zij voor een deskundige niet op een voor de hand liggende wijze voortvloeit uit de stand van de techniek. Indien documenten als bedoeld in artikel 4, derde en vierde lid, tot de stand van de techniek behoren, worden deze bij de beoordeling van de uitvinderswerkzaamheid buiten beschouwing gelaten.

Uitvinding

Art. 7. 1. Een uitvinding wordt als vatbaar voor toepassing op het gebied van de nijverheid aangemerkt, indien het onderwerp daarvan kan worden vervaardigd of toegepast op enig gebied van de nijverheid, de landbouw daaronder begrepen.

Vatbaarheid voor toepassing op het gebied van de nijverheid

2. Methoden van behandeling van het menselijke of dierlijke lichaam door chirurgische ingrepen of geneeskundige behandeling en diagnosemethoden die worden toegepast op het menselijk of dierlijke lichaam worden niet beschouwd als uitvindingen die vatbaar zijn voor toepassing op het gebied van de nijverheid in de zin van het eerste lid. Deze bepaling is niet van toepassing op voortbrengselen, met name stoffen of samenstellingen, voor de toepassing van een van deze methoden.

Art. 8. Onverminderd de artikelen 11, 12 en 13 wordt de aanvrager als uitvinder beschouwd en uit dien hoofde als degene die aanspraak heeft op octrooi.

Aanvrager geldt als uitvinder

Art. 9. 1. Degene die in een der landen, aangesloten bij de Internationale Unie tot bescherming van de industriële eigendom, overeenkomstig de in dat land geldende wetten, en degene die, overeenkomstig de tussen twee of meer voornoemde landen gesloten verdragen, octrooi of een gebruikscertificaat dan wel bescherming

Recht van voorrang

van een gebruiksmodel heeft aangevraagd, geniet gedurende een termijn van twaalf maanden na de dag van die aanvrage in Nederland en in de Nederlandse Antillen een recht van voorrang ter verkrijging van octrooi voor datgene, waarvoor door hem de in de aanhef bedoelde bescherming werd aangevraagd. Het voorgaande vindt overeenkomstige toepassing ten aanzien van degene, die een uitvinderscertificaat heeft aangevraagd, indien de betrokken wetgeving de keus laat tussen verkrijging van zodanig certificaat of een octrooi.

2. Onder aanvrage in de zin van het eerste lid wordt iedere aanvrage verstaan, waarvan de datum van indiening kan worden vastgesteld, ongeacht het verdere lot van die aanvrage.

3. Indien de rechthebbende meer aanvragen voor hetzelfde onderwerp heeft ingediend, komt voor het recht van voorrang slechts de eerste ingediende in aanmerking. Niettemin kan het recht van voorrang ook berusten op een later ingediende aanvrage ter verkrijging van bescherming in hetzelfde land, mits de eerst ingediende aanvrage voor de indiening van de latere aanvrage is ingetrokken, vervallen of afgewezen zonder ter kennis van het publiek te zijn gebracht en zonder rechten te hebben laten bestaan en mits zij nog niet als grondslag heeft gediend voor de inroeping van een recht van voorrang. Indien een recht van voorrang, berustend op een later ingediende aanvrage, is ingeroepen, zal de eerste ingediende aanvrage niet meer als grondslag kunnen dienen voor de inroeping van een recht van voorrang.

4. De voorrang heeft voor de toepassing van de artikelen 4, tweede, derde en vierde lid, en 6 ten gevolge, dat de aanvrage waarvoor dit recht bestaat, wordt aangemerkt als te zijn ingediend op de dag van indiening van de aanvrage waarop het recht van voorrang berust.

5. De aanvrager kan een beroep doen op meer den één recht van voorrang, zelfs wanneer de rechten van voorrang uit verschillende landen afkomstig zijn. Ook kan de aanvrage, waarbij een beroep op een of meer rechten van voorrang wordt gedaan, elementen bevatten, waarvoor in de conclusies van de aanvrage, waarvan de voorrang wordt ingeroepen, geen rechten werden verlangd, mits de tot de laatste aanvrage behorende stukken het betrokken voortbrengsel of de betrokken werkwijze voldoende nauwkeurig aangegeven.

6. Degene die van het recht van voorrang wil gebruik maken, moet daarop schriftelijk beroep doen bij de indiening van de aanvrage of binnen drie maanden daarna, onder vermelding van de datum van indiening van de aanvrage waarop hij zich beroept en van het land waarin of waarvoor deze werd ingediend; binnen zestien maanden na indiening van de aanvrage waarop hij zich beroept, moet hij het nummer alsmede een in de Nederlandse, Franse, Duitse of Engelse taal gesteld afschrift van de aanvrage waarop hij zich beroept of een vertaling van die aanvrage in een van die talen aan het bureau verstrekken alsmede, als hij niet degene is die de aanvrage, op grond waarvan de voorrang wordt ingeroepen heeft ingediend, een document waaruit zijn rechten blijken. Het bureau kan verlangen dat de in de vorige volzin bedoelde vertaling wordt gewaarmerkt.

7. Het recht van voorrang vervalt, indien niet aan het zesde lid voldaan is.

Ontbreken van rechtsgevolg i.v.m. inroepen recht van voorrang

Art. 10. 1. Indien voor een uit hoofde van deze rijkswet verleend octrooi de voorrang is ingeroepen van een eerder uit hoofde van deze rijkswet ingediende octrooiaanvrage, heeft het op genoemde aanvrage verleende octrooi geen rechtsgevolgen, voor zover het betrekking heeft op dezelfde uitvinding als eerstgenoemd octrooi.

2. Vorderingen ter vaststelling van het ontbreken van rechtsgevolg als bedoeld in het eerste lid kunnen door een ieder worden ingesteld.

3. Artikel 75, vierde lid, achtste lid, eerste volzin, en negende lid, is van overeenkomstig toepassing.

Uitvinding ontleend aan een ander

Art. 11. De aanvrager heeft geen aanspraak op octrooi, voor zover de inhoud van zijn aanvrage aan hetgeen reeds door een ander vervaardigd of toegepast werd of wel aan beschrijvingen, tekeningen of modellen van een ander, zonder diens toestemming, ontleend is. Deze laatste behoudt, voor zover hetgeen ontleend werd voor octrooi vatbaar is, zijn aanspraak op octrooi. Voor de toepassing van artikel 4, derde en vierde lid, op het onderwerp van een aanvrage, ingediend door degene aan wie ontleend is, blijft de door de ontlener ingediende aanvrage buiten beschouwing.

Uitvinding in dienstbetrekking

Art. 12. 1. Indien de uitvinding, waarvoor octrooi wordt aangevraagd, is gedaan door iemand die in dienst van een ander een betrekking bekleedt, heeft hij aanspraak op octrooi, tenzij de aard van de betrekking medebrengt, dat hij zijn bijzondere kennis aanwendt tot het doen van uitvindingen van dezelfde soort als die waarop de octrooiaanvrage betrekking heeft. In het laatstbedoelde geval komt de aanspraak op octrooi toe aan de werkgever.

2. Indien de uitvinding, waarvoor octrooi wordt aangevraagd, is gedaan door iemand die in het kader van een opleiding bij een ander werkzaamheden verricht, komt de aanspraak op octrooi toe aan degene bij wie de werkzaamheden worden verricht, tenzij de uitvinding geen verband houdt met het onderwerp van de werkzaamheden.

3. Indien de uitvinding is gedaan door iemand die in dienst van een universiteit, hogeschool of onderzoeksinstelling onderzoek verricht, komt de aanspraak op octrooi toe aan de betrokken universiteit, hogeschool of onderzoeksinstelling.

4. Voor de toepassing van artikel 4, derde en vierde lid, op het onderwerp van een aanvrage, ingediend door de in het eerste lid, laatste volzin, bedoelde werkgever dan wel door degene die de gelegenheid biedt om werkzaamheden te verrichten als bedoeld in het tweede lid, blijft een door de niet gerechtigde ingediende octrooiaanvrage buiten beschouwing.

5. Van het in het eerste, tweede en derde lid bepaalde kan bij schriftelijke overeenkomst worden afgeweken.

6. Ingeval de uitvinder niet geacht kan worden in het door hem genoten loon of de door hem genoten geldelijke toelage of in een bijzondere door hem te ontvangen uitkering vergoeding te vinden voor het gemis aan octrooi, is degene aan wie krachtens het eerste, tweede of derde lid, de aanspraak op octrooi toekomt, verplicht hem een, in verband met het geldelijke belang van de uitvinding en met de omstandigheden waaronder zij plaatshad, billijk bedrag toe te kennen. Een vorderingsrecht van de uitvinder krachtens dit lid vervalt na verloop van drie jaren sedert de datum waarop het octrooi is verleend.

7. Elk beding, waarbij van het zesde lid wordt afgeweken, is nietig.

Uitvinding in teamverband

Art. 13. Indien een uitvinding is gedaan door verscheidene personen, die volgens een afspraak tezamen hebben gewerkt, hebben zij gezamenlijk aanspraak op octrooi.

Vermelding als uitvinden

Art. 14. 1. Degene die de uitvinding heeft gedaan, waarvoor octrooi is aangevraagd, doch op grond van artikel 12, eerste, tweede of derde lid, of op grond van een overeenkomst, gesloten met de aanvrager of diens rechtsvoorgangers, geen aanspraak op octrooi kan doen gelden, heeft het recht in het octrooi als de uitvinder te worden vermeld.

2. Elk beding, waarbij van het vorige lid wordt afgeweken, is nietig.

HOOFDSTUK 2
Behandeling van octrooiaanvragen

§ 1. Algemene bepalingen

Bureau als centrale bewaarplaats

Art. 15. Het bureau is een instelling van Nederland. Het dient, voor zover het octrooien betreft, voor Nederland en de Nederlandse Antillen als centrale bewaarplaats als bedoeld in artikel 12 van het Herzien Internationaal Verdrag van Parijs van 20 maart 1883 tot bescherming van de industriële eigendom; Stockholm, 14 juli 1967 (Trb. 1969, 144).

Verlenging termijnen i.v.m. sluiting van het bureau

Art. 16. Indien het bureau gedurende de laatste dag van enige ingevolge deze rijkswet door of jegens het bureau in acht te nemen termijn is gesloten, wordt die termijn voor de toepassing van deze rijkswet verlengd tot het einde van de eerstvolgende dag, waarop het bureau weer geopend is.

Ontvangend bureau als bedoeld in het Samenwerkingsverdrag

Art. 17. 1. Het bureau treedt op als ontvangend bureau in de zin van artikel 2, onder (xv), van het Samenwerkingsverdrag en verricht zijn werkzaamheden uit dien hoofde met inachtneming van de bepalingen van dat verdrag.

2. Bij algemene maatregel van rijksbestuur worden, voor zover het Samenwerkingsverdrag daartoe de bevoegdheid verleent, het bedrag en de vervaldatum vastgesteld van taksen die op grond van het Samenwerkingsverdrag en het daarbij behorende Reglement mogen worden geheven. Bij algemene maatregel van bestuur kunnen voorts verdere regels worden gesteld ten aanzien van onderwerpen waarover het ontvangend bureau ingevolge genoemd Reglement bevoegd is voorschriften te geven.

Aanwijzing of keuze als bedoeld in het Samenwerkingsverdrag

Art. 18. De aanwijzing of, in voorkomend geval, de keuze van het Koninkrijk in een internationale aanvrage als bedoeld in artikel 2, onder (vii), van het Samenwerkingsverdrag zal worden aangemerkt als een verzoek van de aanvrager tot verkrijging van een Europees octrooi.

Register

Art. 19. 1. Het bureau houdt een register in stand waarin ingevolge deze rijkswet gegevens betreffende octrooiaanvragen en octrooien worden ingeschreven.
2. Het register is voor een ieder kosteloos ter inzage.
3. Bij algemene maatregel van bestuur kunnen nadere regels worden gesteld omtrent het register. Daarbij kan worden bepaald dat de inschrijving van bepaalde gegevens in het register afhankelijk is van het betalen van een bedrag door degene die om inschrijving verzoekt.
4. Tegen betaling van bij algemene maatregel van rijksbestuur vast te stellen bedragen kan een ieder het bureau verzoeken om schriftelijke inlichtingen omtrent dan wel gewaarmerkte uittreksels uit het octrooiregister of om stukken welke betrekking hebben op een in het octrooiregister ingeschreven octrooiaanvrage of octrooi, alsmede om afschriften van laatstgenoemde stukken.

Blad

Art. 20. 1. Van alle gegevens die in het octrooiregister worden vermeld, wordt tevens melding gemaakt in een door het bureau periodiek uit te geven blad.
2. Bij algemene maatregel van bestuur kunnen nadere regels worden gesteld omtrent het in het eerste lid bepaalde.

Kennisneming van stukken betreffende de aanvrage of het octrooi

Art. 21. 1. Vanaf het tijdstip waarop de octrooiaanvrage in het octrooiregister is ingeschreven, kan een ieder kosteloos kennisnemen van alle op de aanvrage of het daarop verleende octrooi betrekking hebbende stukken die het bureau hebben bereikt of die het bureau aan de aanvrager of aan derden heeft doen uitgaan in het kader van de bepalingen van deze rijkswet. Het bureau maakt van al deze stukken zo spoedig mogelijk doch niet voor de inschrijving van de aanvrage in het octrooiregister melding in het in artikel 20 bedoelde blad.
2. Van stukken die betrekking hebben op een aanvrage die nog niet in het octrooiregister is ingeschreven, kan alleen met toestemming van de aanvrager kennis worden genomen. Zonder toestemming van de aanvrager kan daarvan nochtans kennis worden genomen, indien de betrokkene aantoont dat de aanvrager zich tegenover hem heeft beroepen op zijn aanvrage. Het in dit lid bepaalde geldt niet ten aanzien van de in paragraaf 3 van dit hoofdstuk bedoelde octrooiaanvragen.
3. Geen kennis kan worden genomen van de verklaring van degene die de uitvinding heeft gedaan, inhoudende dat hij geen prijs stelt op vermelding als uitvinder in het octrooi.

Octrooigemachtigde

Art. 22. Als gemachtigde van een aanvrager ten overstaan van het bureau kunnen optreden personen die gerechtigd zijn voor de Octrooiraad als gemachtigde op te treden. Het bij en krachtens artikel 18A van de Rijksoctrooiwet bepaalde is mede van toepassing ten aanzien van het uitoefenen van het beroep van gemachtigde ten overstaan van het bureau.

Herstel in de vorige toestand

Art. 23. 1. Indien de aanvrager of de houder van een octrooi dan wel de houder van een Europees octrooi, ondanks het betrachten van alle in de gegeven omstandigheden geboden zorgvuldigheid, niet in staat is geweest een termijn ten opzichte van het bureau of het bureau bedoeld in artikel 99 in acht te nemen, wordt op zijn verzoek door het bureau de vorige toestand hersteld, indien het niet in acht nemen van de termijn ingevolge deze rijkswet rechtstreeks heeft geleid tot het verlies van enig recht of rechtsmiddel.
2. Het eerste lid is niet van toepassing op het niet indienen van de octrooiaanvrage binnen de in artikel 9, eerste lid, bedoelde termijn en op het niet in acht nemen van de hierna in het derde lid bedoelde termijn.
3. Het verzoek wordt zo spoedig mogelijk, doch uiterlijk binnen een jaar na afloop van de niet in acht genomen termijn, ingediend. Gelijktijdig met het verzoek wordt de verzuimde handeling alsnog verricht. Indien de verzoeker niet in het Koninkrijk woont, is hij verplicht in Nederland domicilie te kiezen bij een gemachtigde. Bij de indiening dient een bij algemene maatregel van rijksbestuur te bepalen bedrag te worden betaald.
4. Het bureau tekent het herstel in het octrooiregister aan.
5. Degene, die in het tijdvak gelegen tussen het verlies van het recht of het rechtsmiddel en het herstel in de vorige toestand, begonnen is met de vervaardiging

of toepassing binnen Nederland of de Nederlandse Antillen dan wel indien het een Europees octrooi betreft binnen Nederland, in of voor zijn bedrijf van datgene, waarvoor tengevolge van het herstel een octrooi van kracht is, dan wel een begin van uitvoering heeft gegeven aan zijn voornemen daartoe, blijft niettegenstaande het octrooi bevoegd de in artikel 53, eerste lid, bedoelde handelingen te verrichten. Artikel 55, tweede en derde lid, is van overeenkomstige toepassing.

§ 2. Verlening

Inhoud van de aanvrage

Art. 24. 1. Een aanvrage om octrooi moet schriftelijk bij het bureau worden ingediend en moet:
a. de naam en het adres van de aanvrager vermelden;
b. de naam en de woonplaats vermelden van degene, die de uitvinding heeft gedaan, tenzij deze blijkens een bij de aanvrage gevoegde schriftelijke verklaring geen prijs op stelt op vermelding als uitvinder in het octrooi;
c. een verzoek om verlening van een octrooi bevatten;
d. een korte aanduiding bevatten van datgene, waarop de uitvinding betrekking heeft;
e. vergezeld zijn van een beschrijving van de uitvinding, die aan het slot in één of meer conclusies een omschrijving geeft van datgene, waarvoor uitsluitend recht wordt verlangd;
f. vergezeld zijn van een uittreksel van de beschrijving.
2. Het uittreksel is alleen bedoeld als technische informatie; het kan in het bijzonder niet dienen voor de uitlegging van de omvang van de gevraagde bescherming en voor de toepassing van de artikelen 4, derde lid, en 75, tweede lid.
3. De aanvrage dient, evenals de beschrijving, in het Nederlands te zijn gesteld en te zijn ondertekend door de aanvrager of degene, die blijkens een volmacht, de gemachtigde van de aanvrager is.
4. De aanvrage, de beschrijving van de uitvinding, de tekeningen en het uittreksel moeten voorts voldoen aan de overige, bij algemene maatregel van bestuur te stellen, voorschriften.
5. Bij de aanvrage dient een bewijsstuk te worden overgelegd waaruit blijkt dat aan het bureau een bedrag is betaald overeenkomstig een bij algemene maatregel van rijksbestuur vastgesteld tarief.

Beschrijving van de uitvinding

Art. 25. 1. De beschrijving van de uitvinding moet duidelijk en volledig zijn; de aan het slot daarvan in een of meer conclusies gegeven omschrijving moet nauwkeurig zijn. De beschrijving moet zo nodig van daarmee overeenstemmende tekeningen vergezeld zijn en overigens van zodanige aard zijn, dat de uitvinding daaruit door een deskundige kan worden begrepen en aan de hand van die beschrijving toegepast.
2. In het geval dat een uitvinding betreffende een micro-biologische werkwijze of een door een dergelijke werkwijze verkregen voortbrengsel het gebruik omvat van een micro-organisme dat niet openbaar toegankelijk is, dient bovendien een cultuur van het micro-organisme uiterlijk op de dag van indiening van de aanvrage te zijn gedeponeerd bij een bij of krachtens algemene maatregel van bestuur aan te wijzen instelling en dient voorts te zijn voldaan aan bij algemene maatregel van bestuur te stellen voorschriften inzake identificatie en beschikbaarheid van het micro-organisme.

Domiciliekeuze

Art. 26. Indien de aanvrager niet in het Koninkrijk woont, is hij verplicht in Nederland domicilie te kiezen bij een gemachtigde als bedoeld in artikel 22.

Eén octrooiaanvrage per uitvinding

Art. 27. Elke aanvrage om octrooi mag slechts op een enkele uitvinding betrekking hebben of op een groep van uitvindingen, die zodanig onderling verbonden zijn, dat zij op een enkele algemene uitvindingsgedachte berusten. Bij algemene maatregel van rijksbestuur kunnen daarover nadere regels worden gesteld.

Splitsing van de aanvrage

Art. 28. 1. De aanvrager kan zijn reeds ingediende aanvrage splitsen door voor een gedeelte van de inhoud daarvan een afzonderlijke aanvrage in te dienen. Deze aanvrage wordt, behalve voor de toepassing van de artikelen 30, eerste lid, 31, derde lid, en 32, eerste lid, aangemerkt te zijn ingediend op de dag van de oorspronkelijke aanvrage.
2. De aanvrager kan de beschrijving, conclusies en tekeningen van zijn reeds ingediende aanvrage wijzigen.

3. Het onderwerp van de afgesplitste of de gewijzigde aanvrage moet gedekt worden door de inhoud van de oorspronkelijke aanvrage.

4. De splitsing of de wijziging kan geschieden tot het tijdstip waarop de octrooiaanvrage ingevolge artikel 31, eerste of tweede lid, in het octrooiregister moet worden ingeschreven.

5. Indien de aanvrager een onderzoek naar de stand van de techniek als bedoeld in artikel 32 heeft verzocht, kan de splitsing of de wijziging geschieden tot twee maanden na verzending van de in artikel 34, vierde lid, bedoelde mededeling, indien deze termijn verstrijkt na het in het vierde lid bedoelde tijdstip. Deze termijn kan op schriftelijk en gemotiveerd verzoek van de aanvrager door het bureau eenmaal met twee maanden worden verlengd.

Datum van indiening van de aanvrage

Art. 29. 1. Als datum van indiening van de aanvrage geldt die, waarop zijn overgelegd:
a. een verzoek om verlenging van een octrooi;
b. gegevens waaruit de identiteit van de aanvrager blijkt;
c. een beschrijving van de uitvinding en één of meer conclusies, ook als deze niet voldoen aan het bij of krachtens artikel 24 bepaalde.

2. Het bureau vermeldt de in het eerste lid bedoelde datum alsmede een nummer op de aanvrage en maakt deze zo spoedig mogelijk door toezending of uitreiking aan de aanvrager bekend.

3. Indien het bureau van oordeel is, dat de overgelegde bescheiden niet voldoen aan het in het eerste lid bepaalde, weigert het bureau tot vermelding van de in het eerste lid bedoelde datum over te gaan. Het maakt zijn beschikking en de motivering daarvan zo spoedig mogelijk door toezending of uitreiking aan de aanvrager bekend.

Schriftelijke kennisgeving aan de aanvrager van voorwaarden waaraan niet is voldaan

Art. 30. 1. Indien niet is voldaan aan het bij en krachtens de artikelen 24 en 26 bepaalde of het openbaar worden van de uitvinding in strijd zou zijn met de openbare orde of goede zeden, geeft het bureau daarvan binnen een maand na de in artikel 29, eerste lid, bedoelde datum van indiening of, in geval van afsplitsing van de aanvrage, binnen een maand na de datum van indiening van de afgesplitste aanvrage, schriftelijk kennis aan de aanvrager, onder opgave van de voorschriften waaraan niet is voldaan.

2. Indien de gebreken niet binnen drie maanden na verzending van de in het eerste lid bedoelde kennisgeving zijn hersteld of indien de aanvrager voordien heeft medegedeeld niet tot herstel te willen overgaan, besluit het bureau de aanvrage niet te behandelen. Het bureau maakt zijn beschikking en de motivering daarvan zo spoedig mogelijk door toezending of uitreiking aan de aanvrager bekend.

Inschrijving van de aanvrage

Art. 31. 1. Het bureau schrijft een octrooiaanvrage in het octrooiregister in zo spoedig mogelijk na verloop van achttien maanden:
a. na de in artikel 29, eerste lid, bedoelde datum van indiening of,
b. indien het een aanvrage betreft waarvoor een beroep is gedaan op een of meer rechten van voorrang, na de eerste datum van voorrang.

2. Op schriftelijk verzoek van de aanvrager vindt de inschrijving op een eerder tijdstip plaats.

3. De inschrijving van een afgesplitste aanvrage als bedoeld in artikel 28 geschiedt zo spoedig mogelijk na de indiening daarvan, doch niet eerder dan de inschrijving van de oorspronkelijke aanvrage.

Verzoek om onderzoek naar de stand der techniek

Art. 32. 1. De aanvrager kan het bureau binnen dertien maanden na:
a. de in artikel 29, eerste lid, bedoelde datum van indiening of,
b. indien het een aanvrage betreft waarvoor een beroep is gedaan op een of meer rechten van voorrang, de eerste datum van voorrang, verzoeken om een aan de verlening van het octrooi voorafgaand onderzoek naar de stand van de techniek met betrekking tot het onderwerp van de octrooiaanvrage.

2. Indien het een afgesplitste aanvrage betreft als bedoeld in artikel 28, kan het in het eerste lid bedoelde verzoek worden gedaan binnen dertien maanden na de in artikel 29, eerste lid, bedoelde datum van indiening van de oorspronkelijke aanvrage of, indien dat later is, binnen twee maanden na de indiening van de afgesplitste aanvrage.

3. Het verzoek dient schriftelijk bij het bureau te worden ingediend, vergezeld van een bewijsstuk waaruit blijkt, dat aan het bureau een bedrag is betaald overeen-

komstig een bij algemene maatregel van rijksbestuur vastgesteld tarief. Indien dit bewijsstuk niet binnen de in het eerste lid bedoelde termijn is overgelegd, wordt het verzoek niet in behandeling genomen.

4. Zo spoedig mogelijk nadat de octrooiaanvrage in het octrooiregister is ingeschreven, doet het bureau in het octrooiregister aantekening van het in het eerste lid bedoelde verzoek.

Verlening van het octrooi zonder onderzoek naar de stand der techniek

Art. 33. 1. Indien de aanvrager hetzij binnen de in artikel 32, eerste lid, bedoelde termijn het daar bedoelde verzoek niet heeft gedaan hetzij schriftelijk het bureau heeft meegedeeld een zodanig verzoek niet te zullen doen, verleent het bureau het octrooi, zodra de octrooiaanvrage in het octrooiregister is ingeschreven. Het doet hiervan aantekening in het octrooiregister.

2. Het octrooi heeft uitsluitend betrekking op die uitvinding of groep van uitvindingen als bedoeld in artikel 27, die als eerste in de conclusies wordt genoemd.

3. De octrooiverlening geschiedt door het plaatsen van een gedateerde aantekening op de aanvrage in de vorm waarin deze ingediend dan wel overeenkomstig de artikelen 28 of 30, tweede lid, is gewijzigd.

4. Het bureau geeft de bij de aanvrage behorende beschrijving en tekeningen bij wege van octrooischrift uit en verstrekt hiervan een gewaarmerkt afschrift aan de aanvrager.

Duur van de bescherming

5. Een ingevolge dit artikel verleend octrooi blijft, behoudens eerder verval of vernietiging door de rechter, van kracht tot het verstrijken van een termijn van zes jaren, te rekenen vanaf de artikel 29, eerste lid, bedoelde datum van indiening.

Onderzoek naar de stand der techniek

Art. 34. 1. Een onderzoek naar de stand van de techniek als bedoeld in artikel 32, eerste lid, wordt verricht door het bureau, waar nodig met inschakeling van het Europees Octrooibureau, bedoeld in het Europees Octrooiverdrag.

Nieuwheidsonderzoek als bedoeld in het Samenwerkingsverdrag

2. Indien de aanvrager daarom verzoekt, doet het bureau de aanvrage onderwerpen aan een nieuwheidsonderzoek van internationaal type als bedoeld in artikel 15, vijfde lid, onder a, van het Samenwerkingsverdrag. Zulk een nieuwheidsonderzoek wordt aangemerkt als een onderzoek naar de stand van de techniek als bedoeld in artikel 32, eerste lid.

3. Indien bij het onderzoek blijkt, dat de ingediende aanvrage niet voldoet aan het bij of krachtens artikel 27 bepaalde, wordt het uitgevoerd ten aanzien van die onderdelen van de aanvrage die betrekking hebben op de uitvinding of op de groep van uitvindingen als bedoeld in artikel 27, die als eerste in de conclusies wordt genoemd.

4. Het bureau deelt de aanvrager schriftelijk het resultaat van het onderzoek naar de stand van de techniek mede.

5. Indien toepassing is gegeven aan het derde lid, maakt het bureau daarvan in de mededeling, bedoeld in het vierde lid, melding onder opgave van redenen en met vermelding van de uitvinding of groep van uitvindingen ten aanzien waarvan het onderzoek is uitgevoerd.

Niet uitvoerbaar onderzoek naar de stand der techniek

Art. 35. 1. Indien het bureau van oordeel is dat het onderzoek naar de stand van de techniek wegens onduidelijkheid van de aanvrage niet uitvoerbaar is, geeft het bureau daarvan zo spoedig mogelijk schriftelijk en met redenen omkleed kennis aan de aanvrager.

2. Indien de gebreken niet binnen twee maanden na verzending van de in het eerste lid bedoelde kennisgeving van hersteld of indien de aanvrager voordien heeft meegedeeld niet tot herstel te willen overgaan, besluit het bureau de aanvrage niet te behandelen. Het bureau maakt zijn beschikking en de motivering daarvan zo spoedig mogelijk door toezending of uitreiking aan de aanvrager bekend.

Verlening van het octrooi na onderzoek naar de stand der techniek

Art. 36. 1. Indien de aanvrager heeft verzocht om een onderzoek naar de stand van de techniek als bedoeld in artikel 32, eerste lid, verleent het bureau het octrooi zodra de octrooiaanvrage in het octrooiregister is ingeschreven, doch niet eerder dan twee maanden of, indien artikel 28, vijfde lid, tweede volzin, is toegepast, vier maanden na verzending van de in artikel 34, vierde lid, bedoelde mededeling. Het doet hiervan aantekening in het octrooiregister.

2. Artikel 33, derde en vierde lid, is van toepassing.

3. Indien toepassing is gegeven aan artikel 34, derde lid, heeft het octrooi uitsluitend betrekking op die uitvinding of groep van uitvindingen als bedoeld in artikel 27, die als eerste in de conclusies wordt genoemd.

4. Het resultaat van het onderzoek naar de stand van de techniek wordt bij het octrooischrift gevoegd.

Duur van de bescherming

5. Een ingevolge dit artikel verleend octrooi blijft, behoudens eerder verval of vernietiging door de rechter, van kracht tot het verstrijken van een termijn van twintig jaren, te rekenen vanaf de in artikel 29, eerste lid, bedoelde datum van indiening.

Onderzoek naar de stand der techniek m.b.t. reeds verleend octrooi

Art. 37. 1. Een ieder kan te allen tijde het bureau schriftelijk verzoeken om een onderzoek naar de stand van de techniek met betrekking tot het onderwerp van een door het bureau verleend octrooi.

2. Indien de verzoeker in zijn verzoek nauwkeurig aangeeft op welk gedeelte van het octrooi het onderzoek in de eerste plaats betrekking moet hebben, wordt het onderzoek overeenkomstig het verzoek uitgevoerd.

3. Bij het verzoek dient een bewijsstuk te worden overgelegd, waaruit blijkt dat aan het bureau een bedrag is betaald overeenkomstig een bij algemene maatregel van rijksbestuur vastgesteld tarief. Zolang het bewijsstuk niet is overgelegd, wordt het verzoek niet in behandeling genomen.

4. Het bureau geeft van de indiening van een verzoek als bedoeld in het eerste lid terstond kennis aan de aanvrager en doet van de indiening van het verzoek zo spoedig mogelijk aantekening in het octrooiregister.

5. De artikelen 34, eerste, derde, vierde en vijfde lid, en 35, eerste lid, zijn van overeenkomstige toepassing.

Schriftelijke mededeling van gegevens betreffende de aanvrage of het octrooi

Art. 38. 1. Een ieder kan het bureau schriftelijk mededeling doen van gegevens betreffende een octrooiaanvrage of het daarop verleende octrooi. Het bureau deelt deze gegevens mede aan de aanvrager of de octrooihouder, voor zover zij niet van deze afkomstig zijn.

Verbeteringen

2. Indien de in artikel 24, eerste lid, onder b, bedoelde vermelding van de uitvinder onjuist is, of door een ander dan de uitvinder is verklaard dat op vermelding als uitvinder in het octrooi geen prijs wordt gesteld, kunnen de aanvrager en de uitvinder gezamenlijk, onder betaling van een bij algemene maatregel van rijksbestuur vast te stellen bedrag, het bureau schriftelijk verzoeken terzake de nodige verbeteringen aan te brengen. In voorkomend geval dient het verzoek vergezeld te zijn van de schriftelijke toestemming van de ten onrechte als uitvinder aangemerkte persoon.

Intrekking van een aanvrage

Art. 39. 1. De intrekking van een in het octrooiregister ingeschreven octrooiaanvrage heeft tegenover derden geen gevolg, zolang niet onherroepelijk is beslist op rechtsvorderingen ter zake van de aanvrage, die blijkens in het octrooiregister ingeschreven stukken zijn ingesteld.

2. Wanneer ingevolge een onherroepelijke beslissing op een rechtsvordering als bedoeld in het eerste lid de aanspraak op octrooi toekomt of mede toekomt aan een ander dan de aanvrager, wordt de intrekking aangemerkt als niet te zijn geschied.

3. Het bureau doet in een intrekking aantekeningen in het octrooiregister.

§ 3. Geheimhouding van de inhoud van octrooiaanvragen

Kennisgeving aan aanvrager en minister van Defensie van mogelijke noodzaak van geheimhouding

Art. 40. 1. Indien het bureau van oordeel is, dat het geheim blijven van de inhoud van een octrooiaanvrage in het belang van de verdediging van het Koninkrijk of zijn bondgenoten kan zijn, geeft het hiervan zo spoedig mogelijk, doch uiterlijk drie maanden na de indiening van de aanvrage kennis aan de aanvrager. Onze Minister van Defensie kan ten aanzien van de beoordeling van de vraag, of zodanig belang aanwezig kan zijn, aanwijzigingen geven aan het bureau.

2. Tegelijk met de kennisgeving zendt het bureau afschrift van die kennisgeving en van de tot de aanvrage behorende beschrijving en tekeningen aan Onze genoemde minister.

3. Ingeval het eerste lid toepassing vindt, wordt de inschrijving in het octrooiregister van de aanvrage opgeschort.

Minister van Defensie beslist over geheimhouding

Art. 41. 1. Binnen acht maanden na de indiening van een octrooiaanvrage als bedoeld in artikel 40 deelt Onze Minister van Defensie aan het bureau mede, of de inhoud van de aanvrage in het belang van de verdediging van het Koninkrijk of zijn bondgenoten geheim moet blijven.

2. Een mededeling krachtens het eerste lid in bevestigende zin heeft tot gevolg, dat de inschrijving in het octrooiregister van de aanvrage blijft opgeschort tot drie

jaren na die mededeling. Een mededeling in ontkennende zin heeft tot gevolg, dat de opschorting eindigt. Het uitblijven van enige mededeling wordt met een mededeling in ontkennende zin gelijkgesteld.

3. Onze genoemde minister kan de termijn van opschorting binnen zes maanden voor het verstrijken daarvan telkens met drie jaren verlengen door aan het bureau mede te delen, dat de inhoud van de aanvrage in het belang van de verdediging van het Koninkrijk of zijn bondgenoten geheim moet blijven.

4. Onze genoemde minister kan te allen tijde aan het bureau mededelen, dat de inhoud van de aanvrage niet langer geheim behoeft te blijven. Zodanige mededeling heeft tot gevolg dat de opschorting eindigt.

5. Van een mededeling krachtens het eerste, derde of vierde lid geeft het bureau onverwijld kennis aan de aanvrager. Het stelt deze eveneens onverwijld in kennis van het uitblijven van een mededeling als bedoeld in het eerste of derde lid.

6. Zolang de opschorting niet is geëindigd, zendt het bureau op verzoek van Onze genoemde minister aan deze afschrift van alle ter zake tussen het bureau en de aanvrager gewisselde stukken.

7. Indien de opschorting eindigt, geschiedt niettemin de inschrijving van de aanvrage in het octrooiregister, tenzij op verzoek van de aanvrager, niet voordat drie maanden zijn verstreken.

Staat vergoedt door geheimhouding geleden schade

Art. 42. 1. De Staat verleent degene, ten aanzien van wiens octrooiaanvrage de artikelen 40, 41 of 46 zijn toegepast, op zijn verzoek vergoeding van schade, die hij door toepassing van die artikelen heeft geleden.

2. Het bedrag van de schadeloosstelling wordt vastgesteld na het eindigen van de opschorting. Ingeval echter verlenging van de termijn van opschorting krachtens artikel 41, derde lid, heeft plaatsgevonden, wordt het bedrag van de schadeloosstelling op verzoek van de aanvrager vastgesteld in gedeelten, waarvan het eerste betrekking heeft op de tijdsruimte vóór de aanvraag van de eerste verlenging, de volgende op de tijdsruimte tussen twee opeenvolgende verlengingen en het laatste op de tijdsruimte vanaf de aanvang van de laatste verlening tot het eindigen van de opschorting; de vaststelling geschiedt dan telkens na het verstrijken van de betrokken tijdsruimte.

3. De vaststelling geschiedt zo mogelijk door Onze Minister van Defensie en de aanvrager in onderling overleg. Indien binnen zes maanden na het einde van de tijdsruimte, waarvoor de vergoeding moet gelden, geen overeenstemming is bereikt, is artikel 58, zesde lid, eerste volzin, van overeenkomstige toepassing.

Verzoek om geheimhouding in het belang van andere staat

Art. 43. 1. Indien een aanvrager verzoekt de inhoud van de octrooiaanvrage geheim te houden in het belang van de verdediging van een andere staat, dan wel de regering van die staat zodanig verzoek doet, zendt het bureau, mits de aanvrager schriftelijk heeft verklaard afstand te doen van alle vergoeding van schade, die hij door toepassing van dit artikel zou kunnen lijden, onverwijld afschrift van dat verzoek en van de tot de aanvrage behorende beschrijving en tekeningen, alsmede van bedoelde afstandsverklaring, aan Onze Minister van Defensie. In dat geval wordt de inschrijving in het octrooiregister van de aanvrage opgeschort. Ingeval een afstandsverklaring ontbreekt, stelt het bureau Onze genoemde minister onverwijld van een en ander in kennis.

Minister van Defensie beslist

2. Binnen drie maanden na de indiening van het verzoek kan Onze genoemde Minister, mits hem is gebleken, dat aan de aanvrager ook door de betrokken staat geheimhouding is opgelegd en dat deze van die staat toestemming heeft verkregen een aanvrage onder geheimhouding in te dienen, aan het bureau mededelen, dat de inhoud der aanvrage in het belang van de verdediging van die staat geheim moet blijven.

3. Een mededeling krachtens het tweede lid heeft tot gevolg, dat de inschrijving in het octrooiregister van de aanvrage blijft opgeschort, totdat Onze genoemde minister het bureau mededeelt, dat de inhoud van de aanvrage niet langer geheim behoeft te blijven. Het uitblijven van eerstbedoelde mededeling heeft tot gevolg, dat de opschorting eindigt.

4. Artikel 41, zesde en zevende lid, is ten aanzien van een aanvrage als in het eerste lid bedoeld van overeenkomstige toepassing.

Gebruik door de Staat van hetgeen de geheim gehouden aanvrage behelst

Art. 44. 1. Ingeval Onze Minister van Defensie van oordeel is, dat het belang van de verdediging van het Koninkrijk vordert, dat de Staat datgene, waarvoor octrooi wordt aangevraagd in een aanvrage, waarop artikel 40, 41 of 43 is toegepast, gebruikt, toegepast dan wel doet gebruiken of toepassen, kan hij daartoe overgaan na een desbetreffende mededeling aan de aanvrager. In deze mededeling worden de handelingen, die de Staat moet kunnen verrichten of doen verrichten, nauwkeurig omschreven.

2. De Staat betaalt de aanvrager een vergoeding voor het gebruik of de toepassing krachtens het eerste lid.

3. Het bedrag van deze vergoeding wordt zo mogelijk door Onze genoemde minister en de aanvrager in onderling overleg vastgesteld. Indien binnen zes maanden na de in het eerste lid bedoelde mededeling geen overeenstemming is bereikt, is artikel 58, zesde lid, eerste volzin, van overeenkomstige toepassing.

Staat zelf als houder van geheim te houden aanvrage

Art. 45. Indien de Staat zelf houder van een octrooiaanvrage is en Onze Minister van Defensie aan het bureau mededeelt, dat de inhoud daarvan in het belang van de verdediging van het Koninkrijk of zijn bondgenoten geheim moet blijven, wordt de inschrijving in het octrooiregister van de aanvrage opgeschort, totdat Onze genoemde minister aan het bureau mededeelt, dat de inhoud van de aanvrage niet langer geheim behoeft te blijven.

Geheim te houden Europese aanvrage

Art. 46. 1. Een Europese octrooiaanvrage, waarvan de inhoud — naar de aanvrager weet of redelijkerwijs moet vermoeden — in het belang van de verdediging van het Koninkrijk of zijn bondgenoten geheim moet blijven, moet worden ingediend bij het bureau.

2. Het bureau zendt onverwijld afschrift van de tot de aanvrage behorende beschrijving en tekeningen aan Onze Minister van Defensie.

3. Uiterlijk drie weken voor het verstrijken van de termijn, bedoeld in artikel 77, derde lid, van het Europees Octrooiverdrag, deelt Onze genoemde minister aan het bureau mede, of de inhoud van de aanvrage in het belang van de verdediging van het Koninkrijk of zijn bondgenoten geheim moet blijven.

4. Indien een mededeling krachtens het derde lid in ontkennende zin is gedaan of indien een mededeling is uitgebleven, zendt het bureau de Europese octrooiaanvrage, met inachtneming van de in artikel 77, derde lid, van het Europees Octrooiverdrag bedoelde termijn, door aan het Europees Octrooibureau, bedoeld in dat verdrag.

5. Het bureau geeft van enige mededeling krachtens het derde lid of van het uitblijven daarvan onverwijld kennis aan de aanvrager.

§ 4. Omgezette Europese octrooiaanvragen

Omzetting van Europese in nationale aanvrage

Art. 47. Een Europese octrooiaanvrage, die voldoet aan het bepaalde in artikel 80 van het Europees Octrooiverdrag en op grond van artikel 77, vijfde lid, van dat Verdrag wordt aangemerkt als te zijn ingetrokken en die, als bijlage bij een regelmatig verzoek tot omzetting in een aanvrage om octrooi in het Koninkrijk, bij het bureau is binnengekomen, hierna te noemen omgezette aanvrage, geldt als een tot het bureau gerichte en bij het bureau ingediende aanvrage om octrooi als bedoeld in artikel 24. Een verzoek tot omzetting is regelmatig als het met inachtneming van de bepalingen van het Achtste Deel, hoofdstuk I, van het Europees Octrooiverdrag tijdig gedaan en aan het bureau doorgezonden is.

Behandeling der omgezette aanvrage

Art. 48. 1. Op de omgezette aanvrage wordt de datum, waarop zij bij het bureau is binnengekomen, alsmede een volgnummer vermeld. Het bureau geeft hiervan zo spoedig mogelijk kennis aan de aanvrager.

2. Voor de omgezette aanvrage moet het in artikel 24, vijfde lid, bedoelde bewijs van betaling worden overgelegd binnen een termijn van drie maanden na de in het eerste lid bedoelde datum van binnenkomst. Indien de Europese octrooiaanvrage niet in het Nederlands is ingediend moet binnen dezelfde termijn een vertaling in het Nederlands van de oorspronkelijke stukken van die aanvrage worden overgelegd. De vertaling maakt deel uit van de omgezette aanvrage; zij moet op verzoek van het bureau binnen een door dat bureau te stellen termijn worden gewaarmerkt. Indien niet tijdig is voldaan aan het in dit lid bepaalde, stelt het bureau de aanvrager eenmaal in de gelegenheid om binnen een door het bureau te stellen termijn zijn verzuim te herstellen. Indien de aanvrager zijn verzuim niet tijdig heeft hersteld, besluit het bureau de aanvrage niet te behandelen. Het bureau maakt zijn beschikking en de motivering daarvan zo spoedig mogelijk door toezending of uitreiking aan de aanvrager bekend.

3. Op de omgezette aanvrage zijn de bij of krachtens de artikelen 24 en 26 gestelde vormvoorschriften niet van toepassing, voor zover zij afwijken van of een

aanvulling betekenen op het bij of krachtens het Europees Octrooiverdrag bepaalde; in dat geval zijn laatstbedoelde bepalingen op de omgezette aanvrage van toepassing.

4. Zodra de aanvrager heeft voldaan aan het tweede lid gaat het bureau na of de aanvrage voldoet aan het bij en krachtens de artikelen 24 en 26 bepaalde of, indien van toepassing, de in het derde lid bedoelde bepalingen van het Europees Octrooiverdrag. Indien dat niet het geval is of indien het openbaar worden van de uitvinding in strijd zou zijn met de openbare orde of goede zeden, geeft het bureau hiervan zo spoedig mogelijk schriftelijk kennis aan de aanvrager, onder opgave van de voorschriften waaraan niet is voldaan. Artikel 30, tweede lid, is van overeenkomstige toepassing.

5. Voor de toepassing van de artikelen 31, eerste lid, 32, eerste lid, 33, vijfde lid, 36, vijfde lid, en 61, eerste lid, op de omgezette aanvrage wordt in plaats van „de in artikel 29, eerste lid, bedoelde datum van indiening" gelezen: de datum van indiening die de aanvrage ingevolge artikel 80 van het Europees Octrooiverdrag met inachtneming van de artikelen 61 of 76 van dat Verdrag bezit.

6. De in artikel 31 bedoelde inschrijving in het octrooiregister vindt niet eerder plaats dan nadat is vastgesteld dat aan de in het vierde lid bedoelde voorschriften is voldaan of de gebreken zijn hersteld.

HOOFDSTUK 3
Bepalingen betreffende Europese Octrooien en Gemeenschapsoctrooien

Rechtsgevolgen

Art. 49. 1. Met inachtneming van het in deze rijkswet bepaalde hebben Europese octrooien vanaf de dag, waarop overeenkomstig artikel 97, vierde lid, van het Europees Octrooiverdrag de vermelding van de verlening is gepubliceerd, in Nederland dezelfde rechtsgevolgen en zijn zij aan hetzelfde recht onderworpen als de overeenkomstig artikel 36 van deze rijkswet verleende octrooien. Gemeenschapsoctrooien zijn vanaf die dag in Nederland slechts aan dat recht onderworpen, voor zover dat uit het Gemeenschapsoctrooiverdrag volgt.

2. Een Europees octrooi blijft, behoudens eerder verval of vernietiging door de rechter, van kracht tot het verstrijken van een termijn van twintig jaren, te rekenen vanaf de datum van indiening, die de Europese octrooiaanvrage, die tot het betrokken Europees octrooi heeft geleid, ingevolge artikel 80 van het Europees Octrooiverdrag met inachtneming van de artikelen 61 of 76 van dat verdrag bezit.

Dag van indiening

3. Voor de toepassing van de artikelen 55, eerste lid, 57, vierde lid, en 77, eerste lid, op Europese octrooien geldt als dag van indiening: de datum van indiening die de Europese octrooiaanvrage, die tot het betrokken Europees octrooi heeft geleid, ingevolge artikel 80 van het Europees Octrooiverdrag met inachtneming van de artikelen 61 of 76 van dat verdrag bezit.

Herroeping van een Europees octrooi

Art. 50. 1. Een Europees octrooi wordt geacht van de aanvang af geheel of gedeeltelijk niet de in de artikelen 53, 72 en 73 bedoelde rechtsgevolgen te hebben gehad naar gelang het octrooi geheel of gedeeltelijk is herroepen tijdens een oppositieprocedure.

2. De terugwerkende kracht van de herroeping heeft geen invloed op:
a. een beslissing, niet zijnde een voorlopige voorziening, ter zake van handelingen in strijd met het in artikel 53 bedoelde uitsluitend recht van de octrooihouder of van handelingen als bedoeld in de artikelen 72 en 73, die voor de herroeping in kracht van gewijsde is gegaan en ten uitvoer is gelegd;
b. een voor de herroeping gesloten overeenkomst, voor zover deze voor de herroeping is uitgevoerd; uit billijkheidsoverwegingen kan echter terugbetaling worden geëist van op grond van deze overeenkomst betaalde bedragen, en wel in de mate als door de omstandigheden gerechtvaardigd is.

3. Voor de toepassing van het tweede lid, onder b, wordt onder het sluiten van een overeenkomst mede verstaan het ontstaan van een licentie op een andere in de artikelen 56, tweede lid, 59 of 60 aangegeven wijze.

Aantekening van verlening en oppositie

Art. 51. 1. Het bureau doet van de overeenkomstig artikel 97, vierde lid, van het Europees Octrooiverdrag bedoelde publikatie van de vermelding dat een Europees octrooi is verleend onverwijld aantekening in het octrooiregister.

2. Het bureau doet in het octrooiregister onverwijld aantekening van het instellen van oppositie tegen een Europees octrooi, met vermelding van de datum waarop dit geschiedde en van beslissingen van het Europees Octrooibureau ter zake van een oppositie.

Nederlandse vertaling van het octrooi

Art. 52. 1. Degene aan wie een Europees octrooi is verleend moet binnen een bij algemene maatregel van bestuur te bepalen termijn aan het bureau doen toekomen een vertaling in het Nederlands van de tekst waarin het Europees Octrooibureau voorstelt dat octrooi te verlenen. Tevens dient een bedrag te worden betaald, waarvan de hoogte en de termijn waarbinnen betaling moet geschieden bij algemene maatregel van bestuur worden bepaald. De vertaling moet zijn gewaarmerkt door een octrooigemachtigde. De vertaling en de waarmerking daarvan moeten voldoen aan bij algemene maatregel van bestuur te stellen vormvoorschriften.

2. Indien bij ontvangst binnen de in het eerste lid bedoelde termijn niet is voldaan aan het in de laatste volzin van dat lid bedoelde vormvoorschrift, geeft het bureau hiervan onverwijld kennis aan de octrooihouder onder opgave van de voorschriften waaraan niet is voldaan en van de termijn waarbinnen de gecontracteerde gebreken kunnen worden opgeheven.

3. Onverwijld na ontvangst in behoorlijke vorm van de vertaling doet het bureau daarvan aantekening in het octrooiregister.

Sanctie

4. Het Europees octrooi wordt geacht van de aanvang af niet de in artikel 48 bedoelde rechtsgevolgen te hebben gehad, indien:
a. binnen de in het eerste lid bedoelde termijnen de vertaling niet door het bureau is ontvangen onderscheidenlijk het krachtens dat lid verschuldigde bedrag niet is betaald, of
b. binnen de in het tweede lid bedoelde termijn niet alsnog aan de opgegeven voorschriften is voldaan.

5. Indien zich een omstandigheid als bedoeld in het vierde lid voordoet, doet het bureau daarvan onverwijld aantekening in het octrooiregister.

6. Het eerste tot en met het vijfde lid zijn van overeenkomstige toepassing, indien in het Europees octrooi tijdens de oppositieprocedure wijziging is gekomen.

7. De octrooihouder kan te allen tijde het bureau een verbeterde vertaling doen toekomen onder betaling van een bedrag, waarvan de hoogte bij algemene maatregel van bestuur wordt bepaald. Het eerste lid, derde en vierde volzin, het tweede en het derde lid zijn van toepassing.

8. Vanaf het tijdstip, waarop de in artikel 51, eerste lid, bedoelde aantekening in het octrooiregister is gedaan, kan een ieder kosteloos kennisnemen van alle op het Europees octrooi betrekking hebbende stukken die het bureau hebben bereikt of die het bureau aan de houder van het Europees octrooi of aan derden heeft doen uitgaan in het kader van de bepalingen van deze rijkswet. Het bureau maakt van al deze stukken zo spoedig mogelijk doch niet voor het in de eerste volzin bedoelde tijdstip melding in het in artikel 20 bedoelde blad.

HOOFDSTUK 4
Rechtsgevolgen van het octrooi

§ 1. Rechten en verplichtingen van de octrooihouder

Uitsluitende rechten van de octrooihouder

Art. 53. 1. Een octrooi geeft de octrooihouder, behoudens de bepalingen van de artikelen 54 tot en met 60, het uitsluitend recht:
a. het geoctrooieerde voortbrengsel in of voor zijn bedrijf te vervaardigen, te gebruiken, in het verkeer te brengen of verder te verkopen, te verhuren, af te leveren of anderszins te verhandelen, dan wel voor een of ander aan te bieden, in te voeren of in voorraad te hebben;
b. de geoctrooieerde werkwijze in of voor zijn bedrijf toe te passen of het voortbrengsel, dat rechtstreeks verkregen is door toepassing van die werkwijze, behalve voor zover het een voortbrengsel betreft dat ingevolge artikel 3 niet vatbaar is voor octrooi, in of voor zijn bedrijf te gebruiken, in het verkeer te brengen of verder te verkopen, te verhuren, af te leveren of anderszins te verhandelen, dan wel voor een of ander aan te bieden, in te voeren of in voorraad te hebben.

2. Het uitsluitend recht wordt bepaald door de inhoud van de conclusies van het octrooischrift, waarbij de beschrijving en de tekeningen dienen tot uitleg van die conclusies.

Beperking van het uitsluitend recht

3. Het uitsluitend recht strekt zich niet uit over handelingen, uitsluitend dienende tot onderzoek van het geoctrooieerde, daaronder begrepen het door toepassing van de geoctrooieerde werkwijze rechtstreeks verkregen voortbrengsel. Het uitsluitend recht strekt zich evenmin uit tot de bereiding voor direct gebruik ten behoeve van individuele gevallen op medisch voorschrift van geneesmiddelen in apotheken, noch tot handelingen betreffende de aldus bereide geneesmiddelen.

4. Is een voortbrengsel als in het eerste lid, onder a of b, bedoeld, in Nederland of de Nederlandse Antillen of, indien het een Europees octrooi betreft, in Nederland rechtmatig in het verkeer gebracht, dan wel door de octrooihouder of met diens toestemming in één der lid-staten van de Europese Gemeenschap of in een andere staat die partij is bij de Overeenkomst betreffende de Europese Economische Ruimte in het verkeer gebracht, dan handelt de verkrijger of latere houder niet in strijd met het octrooi, door dit voortbrengsel in of voor zijn bedrijf te gebruiken, te verkopen, te verhuren, af te leveren of anderszins te verhandelen, dan wel voor een of ander aan te bieden, in te voeren of in voorraad te hebben.

Uitputting

5. Een voortbrengsel als in het eerste lid, onder a of b, bedoeld, dat voor de verlening van het octrooi, of, indien het een Europees octrooi betreft, voor de dag, waarop overeenkomstig artikel 97, vierde lid, van het Europees Octrooiverdrag de vermelding van de verlening van het Europees octrooi is gepubliceerd, in een bedrijf is vervaardigd, mag niettegenstaande het octrooi ten dienste van dat bedrijf worden gebruikt.

Beperkingen van het uitsluitend recht van de octrooihouder

Art. 54. Het uitsluitend recht van de octrooihouder strekt zich niet uit tot:
a. het gebruik aan boord van schepen van andere landen van datgene, wat het voorwerp van zijn octrooi uitmaakt, in het schip zelf, in de machines, het scheepswant, de tuigage en andere bijbehorende zaken, wanneer die schepen tegelijk of bij toeval in de wateren van Nederland of de Nederlandse Antillen verblijven, mits bedoeld gebruik uitsluitend zal zijn ten behoeve van het schip;
b. het gebruik van datgene, wat het voorwerp van zijn octrooi uitmaakt, in de constructie of werking van voor de voortbeweging in de lucht of te land dienende machines van andere landen, of van het toebehoren van die machines, wanneer deze tijdelijk of bij toeval in Nederland of de Nederlandse Antillen verblijven;
c. handelingen, vermeld in artikel 27 van het op 7 december 1944 te Chicago tot stand gekomen Verdrag inzake de internationale burgerlijke luchtvaart (Stb. 1947, H 165), mits deze handelingen betrekking hebben op een luchtvaartuig van een onder c van dat artikel bedoelde andere staat dan het Koninkrijk of van Aruba.

Recht van voorgebruik

Art. 55. 1. Degene, die datgene waarvoor door een ander een octrooi is gevraagd, in Nederland of de Nederlandse Antillen of, indien het een Europees octrooi betreft, in Nederland reeds in of voor zijn bedrijf vervaardigde of toepaste of aan zijn voornemen tot zodanige vervaardiging of toepassing een begin van uitvoering had gegeven op de dag van indiening van die aanvrage of, indien de aanvrager een recht van voorrang geniet ingevolge artikel 9, eerste lid, dan wel ingevolge artikel 87 van het Europees Octrooiverdrag, op de dag van indiening van de aanvrage, waarop het recht van voorrang berust, blijft niettegenstaande het octrooi, als voorgebruiker bevoegd de in artikel 53, eerste lid, bedoelde handelingen te verrichten, tenzij hij zijn wetenschap ontleend heeft aan hetgeen reeds door de octrooiaanvrager vervaardigd of toegepast werd, of wel aan beschrijvingen, tekeningen of modellen van de octrooiaanvrager.

2. Het eerste lid is van overeenkomstige toepassing ten aanzien van dat deel van het aan Nederland of de Nederlandse Antillen grenzende — of, indien het een Europees octrooi betreft, van het aan Nederland grenzende — continentaal plat, waarop het Koninkrijk soevereine rechten heeft, doch uitsluitend voor zover het handelingen betreft, gericht op en verricht tijdens het onderzoek naar de aanwezigheid van natuurlijke rijkdommen of het winnen daarvan.

3. Het in het eerste lid bedoelde recht gaat alleen met het bedrijf op anderen over.

4. Voor de toepassing van dit artikel op Gemeenschapsoctrooien ingevolge artikel 37 van het Gemeenschapsoctrooiverdrag wordt telkens in plaats van „een Europees Octrooi" gelezen: een Gemeenschapsoctrooi.

Gevolgen van licentieverlening

Art. 56. 1. Door een licentie wordt van de octrooihouder de bevoegdheid verkregen handelingen te verrichten, die volgens artikel 53 aan anderen dan hem niet vrijstaan. Die bevoegdheid strekt zich uit tot alle in bedoeld artikel vermelde handelingen en geldt voor de gehele duur van het octrooi, tenzij bij de verlening der licentie een minder omvangrijk recht is toegekend.

Ontstaan van een licentie

2. Een licentie onstaat door een overeenkomst, door een aanvaarde uiterste wilsbeschikking of, overeenkomstig de artikelen 57 en 58, door een beschikking van Onze Minister of door een in kracht van gewijsde gegane rechterlijke uitspraak. De door een overeenkomst of aanvaarde wilsbeschikking ontstane licentie is tegenover

derden geldig, nadat de titel in het octrooiregister is ingeschreven. Voor de inschrijving is een bij algemene maatregel van rijksbestuur vast te stellen bedrag verschuldigd.

Overgang van aanspraken jegens licentiehouders

3. Indien het recht op een vergoeding voor een licentie ingevolge artikel 75, achtste lid, of artikel 78, vierde lid, op een ander overgaat, wordt door de nieuwe rechthebbende aanspraak verkregen op een deel van de in het geheel voor de licentie betaalde en te betalen vergoeding in verhouding tot de tijd, gedurende welke de licentie in normale omstandigheden nog van kracht moet blijven. Is hetgeen de licentiehouder nog moet betalen niet voldoende om de nieuwe rechthebbende te verschaffen wat hem toekomt, dan heeft deze voor het ontbrekende verhaal op de vroegere.

Verlening van licentie door minister in algemeen belang

Art. 57. 1. Onze Minister kan, indien het algemeen belang dit naar zijn oordeel vordert, onder een octrooi een licentie van een door hem nauwkeurig omschreven inhoud aan een door hem aangewezen persoon verlenen. Alvorens zijn beschikking te geven onderzoekt Onze Minister, tenzij de te dezen vereiste spoed zich daartegen verzet, of de octrooihouder bereid is de licentie onder redelijke voorwaarden vrijwillig te verlenen. Hij stelt daartoe de octrooihouder in de gelegenheid schriftelijk en, zo deze dit verzoekt, ook mondeling van zijn gevoelen te doen blijken. De beschikking bevat een motivering en wordt aan de octrooihouder en aan de verkrijger van de licentie door toezending of uitreiking bekendgemaakt. Bij zijn beschikking kan Onze Minister de verkrijger van de licentie het stellen van zekerheid binnen een bepaalde termijn opleggen. Het aanwenden van het in artikel 81 bedoelde rechtsmiddel heeft schorsende werking, tenzij de beschikking van Onze Minister op grond van de te dezen vereiste spoed anders bepaalt.

Gedwongen licentie wegens non usus

2. Indien noch de octrooihouder, noch een ander krachtens een hem verleende licentie na verloop van drie jaren na dagtekening van het octrooi in het Koninkrijk of in een andere, bij algemene maatregel van rijksbestuur aangewezen staat in werking heeft een inrichting van nijverheid, waarin te goeder trouw in voldoende mate het betrokken voortbrengsel wordt vervaardigd of de betrokken werkwijze wordt toegepast, is de octrooihouder verplicht de voor het in werking hebben van zodanige inrichting nodige licentie te verlenen, tenzij geldige redenen voor het ontbreken van zodanige inrichting blijken te bestaan. Voor de houder van een Europees octrooi ontstaat deze verplichting, indien niet na verloop van drie jaren na de dag, waarop overeenkomstig artikel 97, vierde lid, van het Europees Octrooiverdrag de vermelding van de verlening van het Europees octrooi is gepubliceerd, een inrichting van nijverheid als hiervoor bedoeld in werking is in Nederland of in een andere, bij algemene maatregel van rijksbestuur aangewezen staat.

3. Het tweede lid is niet van toepassing, indien de octrooihouder of een ander krachtens een hem verleende licentie in dat deel van het aan Nederland of de Nederlandse Antillen grenzende — of, indien het een Europees octrooi betreft, van het aan Nederland grenzende — continentaal plat, waarop het Koninkrijk soevereine rechten heeft, in werking heeft een inrichting van nijverheid, waarin te goeder trouw in voldoende mate handelingen als in dat lid bedoeld worden verricht, mits die handelingen zijn gericht op en worden verricht tijdens het onderzoek naar de aanwezigheid van natuurlijke rijkdommen of het winnen daarvan.

Gedwongen licentie wegens afhankelijkheid

4. De octrooihouder is te allen tijde verplicht de licentie te verlenen welke nodig mocht zijn voor de toepassing van een octrooi, verleend op een aanvrage met een gelijke of latere dag van indiening of, indien voor de aanvrage een recht van voorrang bestaat, gelijke of latere voorrangsdatum, voor zover in het octrooi ten behoeve waarvan de licentie is gevraagd, een aanzienlijke vooruitgang is belichaamd; de octrooihouder is evenwel tot verlening van een licentie welke nodig mocht zijn voor de toepassing van een Europees octrooi eerst verplicht nadat de voor het instellen van oppositie tegen het Europees octrooi gestelde termijn is verstreken of een ingestelde oppositieprocedure is afgesloten. Een zodanige licentie strekt zich niet verder uit dan noodzakelijk is voor de toepassing van het octrooi van de verkrijger. Deze is verplicht aan de houder van het andere octrooi wederkerig licentie onder zijn octrooi te verlenen.

Verlening van gedwongen licentie door de rechter

Art. 58. 1. Indien de licentie, bedoeld in artikel 57, tweede of vierde lid, ten onrechte niet is verleend, wordt de licentie op vordering van de belanghebbende door de rechter verleend. Op verzoek van eiser wordt de dagvaarding door het bureau in het octrooiregister ingeschreven.

2. Indien het octrooi op grond van deze rijkswet is verleend, is de eiser in zijn rechtsvordering niet ontvankelijk als hij niet bij conclusie van eis als bijlage daarbij het resultaat van een door het bureau of het in het Europees Octrooiverdrag be-

doelde Europees Octrooibureau ingesteld onderzoek naar de stand van de techniek met betrekking tot het onderwerp van het octrooi, ten behoeve waarvan de licentie is gevorderd, overlegt.

3. De verlening van een op grond van artikel 57, vierde lid, eerste volzin, gevorderde licentie kan met of zonder tijdsbepaling worden geschorst, indien binnen twee maanden na de betekening van de dagvaarding waarin de licentie is gevorderd, een vordering tot vernietiging van het octrooi, ten behoeve waarvan de licentie is gevorderd, is ingesteld.

4. De rechter kan bij de omschrijving van de verleende licentie afwijken van hetgeen gevraagd is en kan voorts de verkrijger van de licentie het stellen van zekerheid binnen een bepaalde termijn opleggen. Een op grond van artikel 57, tweede lid, verleende licentie zal niet uitsluitend zijn en zal niet kunnen worden overgedragen, zelfs niet door middel van de verlening van onderlicenties, dan te zamen met het gedeelte van de onderneming, waarin deze licentie wordt uitgeoefend. Een op grond van artikel 57, vierde lid, eerste of derde volzin, verleende licentie vervalt niet doordat het octrooi, ten behoeve waarvan de licentie is verleend, als gevolg van het verstrijken van de in artikel 33, vijfde lid, of artikel 36, vijfde lid, bedoelde termijn is geëindigd of met goed gevolg is opgeëist, doch vervalt wel voor zover het octrooi geheel of gedeeltelijk is vernietigd als resultaat van de in het derde lid bedoelde vordering.

Inschrijving van de licentieverlening

5. Een besluit als bedoeld in artikel 57, eerste lid, of een in kracht van gewijsde gegane rechterlijke uitspraak wordt door het bureau in het octrooiregister ingeschreven. Is het stellen van zekerheid opgelegd, dan heeft de inschrijving niet plaats, voordat aan die verplichting is voldaan. Voor de inschrijving is een bij algemene maatregel van rijksbestuur vast te stellen bedrag verschuldigd. De licentie werkt eerst na die inschrijving, maar dan ook tegenover hen, die na de inschrijving van de in het eerste lid bedoelde dagvaarding rechten op het octrooi hebben verkregen. Een ingeschreven licentie, die op grond van artikel 57, vierde lid, is verleend, werkt echter terug tot en met de dag waarop de dagvaarding is ingeschreven.

Vaststelling van bedrag van vergoeding

6. Op vordering van de meest gerede partij bepaalt de rechter bij gebreke van overeenstemming de vergoeding, die de verkrijger van de licentie aan de octrooihouder dient te betalen. De rechter kan daarbij de verkrijger van de licentie het stellen van zekerheid binnen een bepaalde termijn opleggen, dan wel de op grond van artikel 57, eerste lid, of het vijfde lid van dit artikel bepaalde zekerheid bevestigen of wijzigen.

7. Voor de toepassing van artikel 57 en dit artikel op Gemeenschapsoctrooien, ingevolge de artikelen 45 tot en met 47 van het Gemeenschapsoctrooiverdrag, wordt telkens in plaats van „een Europees octrooi" gelezen: een Gemeenschapsoctrooi; in het vierde lid van dit artikel wordt in plaats van „de in artikel 33, vijfde lid, of 36, vijfde lid, bedoelde termijn" gelezen: de in artikel 63 van het Europees Octrooiverdrag bedoelde termijn.

Bij KB te bepalen handelingen, door de Staat i.p.v. de octrooihouder te verrichten

Art. 59. 1. Bij koninklijk besluit kan, indien het belang van de verdediging van het Koninkrijk dit vordert, op gemeenschappelijke voordracht van Onze Minister en van Onze minister, wie het rechtstreeks aangaat, worden bepaald, dat de Staat bevoegd is in dat besluit nauwkeurig te omschrijven handelingen, waartoe de houder van een in dat besluit aan te wijzen octrooi ingevolge artikel 53 uitsluitend gerechtigd is, zelf te verrichten of door anderen te doen verrichten. Deze bevoegdheid geldt voor de gehele duur van het octrooi, tenzij in het besluit een kortere duur is bepaald.

2. Na het van kracht worden van een besluit als bedoeld in het eerste lid zal Onze minister, wie het rechtstreeks aangaat, zich met de octrooihouder verstaan omtrent de door de Staat aan deze te betalen vergoeding. Indien Onze minister, wie het rechtstreeks aangaat, hierover niet binnen zes maanden na het van kracht worden van het desbetreffende besluit met de octrooihouder tot overeenstemming is gekomen, is artikel 58, zesde lid, met uitzondering van het omtrent het stellen van zekerheid bepaalde, van overeenkomstige toepassing.

3. Voor de toepassing van dit artikel op Gemeenschapsoctrooien, ingevolge artikel 45 van het Gemeenschapsoctrooiverdrag, wordt in het eerste lid in plaats van „handelingen, waartoe de houder van een in dat besluit aan te wijzen octrooi ingevolge artikel 53 uitsluitend gerechtigd is," gelezen: handelingen, die de houder van een bij koninklijk besluit aan te wijzen octrooi derden kan verbieden te verrichten ingevolge artikel 25 van het Gemeenschapsoctrooiverdrag.

Ontstaan van licentie door uitspraak Arbitrage-Commissie of besluit minister ingevolge het Euratomverdrag

Art. 60. 1. Onverminderd artikel 56, tweede lid, eerste volzin, ontstaat een licentie door:
a. een uitspraak van de Arbitrage-Commissie, bedoeld in artikel 20 van het Verdrag tot oprichting van de Europese Gemeenschap voor Atoomenergie (Euratom) (Trb. 1957, 92);
b. een besluit van Onze Minister ter uitvoering van artikel 21 van genoemd verdrag.

2. Ten aanzien van een licentie, ontstaan door een eindbeslissing als bedoeld in het eerste lid, onder a, is artikel 56, tweede lid, tweede en derde volzin, van overeenkomstige toepassing.

3. Ten aanzien van een besluit als bedoeld in het eerste lid, onder b, is artikel 58, eerste, vierde en vijfde lid, eerste, tweede en derde volzin, van overeenkomstige toepassing. Ten aanzien van een door zodanig besluit ontstane licentie is artikel 58, vijfde lid, vierde volzin, en zesde lid, van overeenkomstige toepassing.

4. Een licentie als bedoeld in het eerste lid geldt niet voor de Nederlandse Antillen.

§ 2. Jaartaks en verval

Jaarlijkse betaling ter zake van een (Europees) octrooi

Art. 61. 1. Voor de instandhouding van een octrooi moet elk jaar, voor het eerst vanaf het vijfde jaar na de in artikel 29, eerste lid, bedoelde datum van indiening, op de laatste dag van de maand waarin de aanvrage die tot octrooi heeft geleid is ingediend, of ingevolge artikel 28, eerste lid wordt aangemerkt te zijn ingediend, aan het bureau een bij algemene maatregel van rijksbestuur vast te stellen bedrag worden betaald.

2. Voor de instandhouding van een Europees octrooi moet elk jaar, voor het eerst na afloop van het in artikel 86, vierde lid, van het Europees Octrooiverdrag bedoelde jaar, aan het bureau een bedrag als in het eerste lid bedoeld worden betaald en wel op de laatste dag van de maand waarin de datum van indiening valt, die de Europese octrooiaanvrage, die tot het octrooi heeft geleid, ingevolge artikel 80 van het Europees Octrooiverdrag met inachtneming van de artikelen 61 of 76 van dat verdrag, bezit. Indien het voor de eerste maal verschuldigde bedrag zou moeten worden betaald binnen een termijn van twee maanden na de dag waarop overeenkomstig artikel 97, vierde lid, van het Europees Octrooiverdrag de vermelding van de verlening van het Europees octrooi is gepubliceerd, kan dit bedrag nog worden betaald op de laatste dag van de maand waarin deze termijn eindigt.

3. Bij betaling na de vervaldag zijn bij algemene maatregel van rijksbestuur vast te stellen verhogingen verschuldigd.

Verval van rechtswege

Art. 62. Een octrooi vervalt van rechtswege, wanneer de in artikel 61 genoemde bedragen niet binnen zes kalendermaanden na de daar genoemde vervaldag zijn betaald. Van dit vervallen wordt in het octrooiregister van het bureau aantekening gedaan.

Afstand van het octrooi

Art. 63. 1. Een octrooi vervalt geheel of gedeeltelijk wanneer de octrooihouder geheel onderscheidenlijk gedeeltelijk afstand doet.

2. De afstand geschiedt door de inschrijving van een daartoe strekkende akte in het octrooiregister. Het bureau schrijft de akte niet in zolang er personen zijn, die krachtens in het octrooiregister ingeschreven stukken rechten op het octrooi of licenties hebben verkregen of rechtsvorderingen, het octrooi betreffende, hebben ingesteld en deze personen tot de afstand geen toestemming hebben verleend.

§ 3. Het octrooi als deel van het vermogen

(Aanspraak op) octrooi vatbaar voor overdracht

Art. 64. 1. Het octrooi en de aanspraak op octrooi zijn zowel voor wat betreft het volle recht als voor wat betreft een aandeel daarin vatbaar voor overdracht of andere overgang.

2. De overdracht en andere overgang van het octrooi of van het recht, voortvloeiende uit de octrooiaanvrage, kunnen door het bureau worden ingeschreven in het octrooiregister. Voor de inschrijving is een bij algemene maatregel van rijksbestuur vast te stellen bedrag verschuldigd.

Overdrachtsakte

Art. 65. 1. De levering, vereist voor de overdracht van het octrooi of het recht, voortvloeiende uit een octrooiaanvrage, geschiedt bij een akte, houdende de verklaring van de rechthebbende, dat hij het octrooi of het recht, voortvloeiende uit de octrooiaanvrage, aan de verkrijger overdraagt, en van deze, dat hij deze overdracht aanneemt.

2. Elk voorbehoud, de overdracht betreffende, moet in de akte omschreven zijn; bij gebreke daarvan geldt de overdracht voor onbeperkt.

3. De overdracht werkt tegenover derden eerst wanneer de akte in het octrooiregister is ingeschreven. Tot het doen verrichten van deze inschrijving zijn beide partijen gelijkelijk bevoegd.

4. Artikel 88 van Boek 3 van het Nederlandse Burgerlijk Wetboek is van toepassing.

Mede-eigendom op een octrooi

Art. 66. 1. Indien het octrooi aan verscheidene personen gezamenlijk toekomt, wordt hun onderlinge verhouding beheerst door hetgeen tussen hen bij overeenkomst is bepaald.

2. Indien er geen overeenkomst is of indien in de overeenkomst niet anders is bepaald, heeft iedere rechthebbende de bevoegdheid de in artikel 53 genoemde handelingen te verrichten en tegen zulke handelingen alsmede handelingen als bedoeld in artikel 73, eerste en tweede lid, die onbevoegdelijk zijn verricht, ingevolge de artikelen 70 tot en met 73 op te treden, doch kan een licentie of toestemming als bedoeld in artikel 73, tweede lid, door de rechthebbenden slechts met gemeen goedvinden verleend worden.

3. Voor de betaling van de in artikel 61 genoemde bedragen zijn de rechthebbenden hoofdelijk verbonden.

Pandrecht op een octrooi

Art. 67. 1. Pandrecht op een octrooi wordt gevestigd bij een akte en werkt tegenover derden eerst wanneer de akte door het bureau in het octrooiregister is ingeschreven.

2. De pandhouder is verplicht in een door hem ondertekende verklaring, bij het bureau ter inschrijving in te zenden, woonplaats te kiezen te 's-Gravenhage. Indien die keuze niet is gedaan, geldt het bureau als gekozen woonplaats.

3. Bedingen in de pandakte betreffende na inschrijving te verlenen licenties gelden van het ogenblik af, dat zij in het octrooiregister zijn aangetekend, ook tegenover derden. Bedingen betreffende vergoedingen voor licenties die op het ogenblik van de inschrijving reeds waren verleend, gelden tegenover de houder van de licentie na aanzegging aan deze bij deurwaardersexploit.

4. Akten, waaruit blijkt, dat het pandrecht heeft opgehouden te bestaan of krachteloos is geworden, worden door het bureau in het octrooiregister ingeschreven.

Beslag op een octrooi

Art. 68. 1. Het beslag op een octrooi wordt gelegd en het proces-verbaal van inbeslagneming wordt door het bureau in het octrooiregister ingeschreven met overeenkomstige toepassing van de bepalingen van het Nederlandse Wetboek van Burgerlijke Rechtsvordering betreffende executoriaal en conservatoir beslag op onroerende zaken, met dien verstande dat in het proces-verbaal van inbeslagneming in plaats van de aard en de ligging van de onroerende zaak een aanduiding van het octrooi wordt opgenomen.

2. Een vervreemding, bezwaring, onderbewindstelling of verlening van een licentie, totstandgekomen na de inschrijving van het proces-verbaal, kan tegen de beslaglegger niet worden ingeroepen.

3. De voor de inschrijving van het proces-verbaal nog niet betaalde licentievergoedingen vallen mede onder een op het octrooi gelegd beslag, nadat het ingeschreven beslag aan de houder van de licentie is betekend. Deze vergoedingen moeten worden betaald aan de notaris voor wie de executie zal plaatsvinden, mits dit bij de betekening uitdrukkelijk aan de licentiehouder is medegedeeld, en behoudens de rechten van derden die de executant moet eerbiedigen. Hetgeen aan de notaris wordt betaald, wordt tot de in artikel 69, tweede lid, bedoelde opbrengst gerekend. De artikelen 475i, 476 en 478 van het Nederlandse Wetboek van Burgerlijke Rechtsvordering zijn van overeenkomstige toepassing.

4. De inschrijving van het proces-verbaal van inbeslagneming kan worden doorgehaald:

a. krachtens een schriftelijke, ter inschrijving aangeboden verklaring van de deurwaarder dat hij in opdracht van de beslaglegger het beslag opheft of dat het beslag is vervallen;

b. krachtens een ter inschrijving aangeboden rechterlijke uitspraak die tot opheffing van het beslag strekt of het verval van het beslag vaststelt of meebrengt.

5. De artikelen 504a, 507a, 538 tot en met 540, 726, tweede lid, en 727 van het Nederlandse Wetboek van Burgerlijke Rechtsvordering zijn in geval van beslag op een octrooi van overeenkomstige toepassing.

Verkoop van verpand of beslagen octrooi

Art. 69. 1. De verkoop van een octrooi door een pandhouder of een beslaglegger tot verhaal van een vordering geschiedt in het openbaar ten overstaan van een bevoegde notaris. De artikelen 508, 509, 513, eerste lid, 514, tweede en derde lid, 515 tot en met 519 en 521 tot en met 529 van het Nederlandse Wetboek van Burgerlijke Rechtsvordering zijn van overeenkomstige toepassing, met dien verstande dat hetgeen daar ten aanzien van hypotheken en hypotheekhouders is voorgeschreven geldt voor de op het octrooi rustende pandrechten en de pandhouders.

2. De verdeling van de opbrengst geschiedt met overeenkomstige toepassing van de artikelen 551 tot en met 552 van het Nederlandse Wetboek Rechtsvordering.

§ 4. Handhaving van het octrooi

Handhaving

Art. 70. 1. De octrooihouder kan zijn octrooi handhaven jegens een ieder die, zonder daartoe gerechtigd te zijn, een der in artikel 53, eerste lid, genoemde handelingen verricht.

Overlegging van resultaat van onderzoek naar stand der techniek

2. De houder van een octrooi verleend op grond van deze rijkswet is in zijn rechtsvordering niet ontvankelijk als hij niet bij conclusie van eis als bijlage daarbij en in kort geding op de terechtzitting het resultaat van een door het bureau of het in het Europees Octrooiverdrag bedoelde Europees Octrooibureau ingesteld onderzoek naar de stand van de techniek met betrekking tot het onderwerp van het octrooi overlegt.

Schadevergoeding

3. Schadevergoeding kan slechts worden gevorderd van hem, die de handelingen desbewust verricht. Men wordt in elk geval geacht desbewust te hebben gehandeld, indien de inbreuk is gepleegd na verloop van dertig dagen, nadat men bij deurwaardersexploit op de strijd tussen de handelingen en het octrooi is gewezen.

Afdracht van de genoten winst

4. Naast schadevergoeding kan worden gevorderd, dat de gedaagde veroordeeld wordt de door de inbreuk genoten winst af te dragen en dienaangaande rekening en verantwoording af te leggen; indien de rechter evenwel van oordeel is, dat de omstandigheden van het geval tot zulk een veroordeling geen aanleiding geven, zal hij de gedaagde tot schadevergoeding kunnen veroordelen.

Vorderingen mede namens licentiehouders enz.

5. De octrooihouder kan de vorderingen tot schadevergoeding of het afdragen van winst ook namens of mede namens licentienemers of pandhouders instellen, onverminderd de bevoegdheid van deze laatsten in een al of niet namens hen of mede namens hen door de octrooihouder aldus ingestelde vordering tussen te komen om rechtstreeks de door hen geleden schade vergoed te krijgen of zich een evenredig deel van de door de gedaagde af te dragen winst te doen toewijzen. Licentienemers en pandhouders kunnen slechts een zelfstandige vordering instellen en exploiten als bedoeld in het derde lid met het oog daarop doen uitbrengen, als zij de bevoegdheid daartoe van de octrooihouder hebben bedongen.

Bewijslastomkering

6. Indien een rechtsvordering wordt ingesteld tot handhaving van een octrooi voor een werkwijze tot vervaardiging van een nieuw voortbengsel, dan wordt vermoed, dat het betrokken voortbrengsel volgens de geoctrooieerde werkwijze is vervaardigd, tenzij door de gedaagde het tegendeel aannemelijk wordt gemaakt. Bij de beoordeling van de vraag of een voortbrengsel nieuw is, blijft de inhoud van in artikel 4, derde en vierde lid, bedoelde octrooiaanvragen buiten beschouwing.

Redelijke vergoeding wegens handelingen tussen inschrijving van de aanvrage en verlening van het octrooi

Art. 71. 1. Behoudens het bepaalde in het vierde lid, kan de octrooihouder een redelijke vergoeding vorderen van hem, die in het tijdvak, gelegen tussen de inschrijving van de aanvrage die tot octrooi heeft geleid in het octrooiregister en de verlening van octrooi op die aanvrage of een daaruit ingevolge artikel 28 afgesplitste aanvrage, handelingen heeft verricht als vermeld in artikel 53, eerste lid, voor zover de octrooihouder daarvoor uitsluitende rechten heeft verkregen.

2. Behoudens het bepaalde in het vierde lid kan de octrooihouder eveneens een redelijke vergoeding vorderen van hem, die na de in het eerste lid bedoelde verlening van het octrooi handelingen als in dat lid bedoeld heeft verricht met voortbrengselen, die gedurende het aldaar genoemde tijdvak in het verkeer zijn gebracht. De octrooihouder kan een zelfde vergoeding vorderen van hem, die na de verlening van het octrooi ten dienste van zijn bedrijf voortbrengselen als bedoeld in artikel 53, eerste lid, onder a en b, heeft gebruikt die in het eerste lid genoemde tijdvak in zijn bedrijf zijn vervaardigd.

3. De in het eerste en tweede lid bedoelde vergoeding is alleen verschuldigd voor handelingen die zijn verricht na verloop van dertig dagen nadat de betrokkene bij deurwaardersexploit, waarin nauwkeurig is aangegeven welk gedeelte van de octrooiaanvrage op die handelingen betrekking heeft, is gewezen op het krachtens dit artikel aan de octrooihouder toekomende recht.

4. Het krachtens dit artikel aan de octrooihouder toekomende recht strekt zich niet uit over handelingen, verricht door een daartoe krachtens artikel 55 of krachtens overeenkomst gerechtigde, alsmede handelingen met voortbrengselen, die hetzij voor de inschrijving in het octrooiregister van de betrokken octrooiaanvrage in het verkeer zijn gebracht, hetzij nadien door de aanvrager om octrooi of een gerechtigde als hiervoor bedoeld.

Redelijke vergoeding voor houder Europees octrooi wegens handelingen tussen publikatie van de aanvrage en verlening van het octrooi

Art. 72. 1. De houder van een Europees octrooi kan, behoudens het bepaalde in het vierde lid, een redelijke vergoeding vorderen van hem, die in het tijdvak, gelegen tussen de publikatie overeenkomstig artikel 93 van het Europees Octrooiverdrag van de aanvrage die tot octrooi heeft geleid en de in artikel 97, vierde lid, van dat verdrag bedoelde publikatie van de vermelding van de verlening van het Europees octrooi op de op die aanvrage of op een daaruit ingevolge artikel 76 van dit verdrag afgesplitste aanvrage, handelingen heeft verricht als vermeld in artikel 53, eerste lid, voor zover de octrooihouder daarvoor uitsluitende rechten heeft verkregen en de handelingen worden bestreken door de laatstelijk ingediende gepubliceerde conclusies.

2. Behoudens het bepaalde in het vierde lid kan de houder van een Europees octrooi eveneens een redelijke vergoeding vorderen van hem, die na de in het eerste lid bedoelde publikatie van de vermelding van de verlening van het Europees octrooi handelingen als in dat lid bedoeld heeft verricht met voortbrengselen, die gedurende het aldaar genoemde tijdvak in het verkeer zijn gebracht. De octrooihouder kan een zelfde vergoeding vorderen van hem, die na bedoelde publikatie ten dienste van zijn bedrijf voortbrengselen als bedoeld in artikel 53, eerste lid, onder a of b, heeft gebruikt die in het in het eerste lid genoemde tijdvak in zijn bedrijf zijn vervaardigd.

3. De in het eerste en tweede lid bedoelde vergoeding is alleen verschuldigd voor handelingen, die zijn verricht na verloop van dertig dagen, nadat de betrokkene bij deurwaardersexploit is gewezen op het krachtens dit artikel aan de octrooihouder toekomende recht. Bij dit deurwaardersexploit, waarin nauwkeurig is aangegeven welk gedeelte van de octrooiaanvrage op die handelingen betrekking heeft, moet zijn betekend een vertaling in het Nederlands van de conclusies zoals vervat in de publikatie van de Europese octrooiaanvrage overeenkomstig artikel 93 van het Europees Octrooiverdrag. Indien een Nederlandse vertaling als hiervoor bedoeld reeds voor het uitbrengen van het deurwaardersexploit aan het bureau is toegezonden en daarvan aantekening gedaan is in het octrooiregister, kan de betekening van de vertaling achterwege blijven, mits in het exploit melding wordt gemaakt van de aantekening in het octrooiregister.

4. Het krachtens dit artikel aan de octrooihouder toekomende recht strekt zich niet uit over handelingen, verricht door een daartoe krachtens artikel 55 of krachtens overeenkomst gerechtigde, alsmede handelingen met voortbrengselen, die hetzij voor de in het eerste lid bedoelde publikatie van de aanvrage overeenkomstig artikel 93 van het Europees Octrooiverdrag in het verkeer zijn gebracht, hetzij nadien door de aanvrager van het octrooi of een gerechtigde als hiervoor bedoeld.

5. Het bureau gaat zo spoedig mogelijk over tot de in het derde lid bedoelde aantekening in het octrooiregister.

6. Het derde en vijfde lid zijn van overeenkomstige toepassing ten aanzien van vorderingen tot betaling van een redelijke vergoeding als bedoeld in artikel 32, eerste lid, van het Gemeenschapsoctrooiverdrag.

Indirecte octrooiinbreuk

Art. 73. 1. De octrooihouder kan de vorderingen die hem ten dienste staan bij de handhaving van zijn octrooi instellen tegen iedere persoon, die in Nederland of de Nederlandse Antillen of, als het een Europees octrooi betreft, in Nederland in of voor zijn bedrijf middelen betreffende een wezenlijk bestanddeel van de uitvinding aan anderen dan hen, die krachtens de artikelen 55 tot en met 60 tot toepassing van de geoctrooieerde uitvinding bevoegd zijn, aanbiedt of levert voor de toepassing van de geoctrooieerde uitvinding in Nederland of de Nederlandse Antillen of, als het een Europees octrooi betreft, in Nederland, een en ander mits die persoon weet dan wel het gezien de omstandigheden duidelijk is, dat die middelen voor die toepassing geschikt en bestemd zijn.

2. Het eerste lid geldt niet, indien het aanbieden of leveren geschiedt met toestemming van de octrooihouder. Dat lid geldt evenmin, indien de geleverde of aangeboden middelen algemeen in de handel verkrijgbare produkten zijn, tenzij de betrokkene degene aan wie hij levert aanzet tot het verrichten van in artikel 53, eerste lid, vermelde handelingen.

3. Artikel 70, vijfde lid, is van overeenkomstige toepassing.

Continentaal plat

Art. 74. De rechten en verplichtingen, voortvloeiende uit de artikelen 53 tot en met 60 en 64 tot en met 73, gelden mede in, op en boven dat deel van het aan Nederland of de Nederlandse Antillen grenzende — of, indien het een Europees octrooi betreft, van het aan Nederland grenzende — continentaal plat, waarop het Koninkrijk soevereine rechten heeft, doch uitsluitend voor zover het betreft handelingen, gericht op en verricht tijden het onderzoek naar de aanwezigheid van natuurlijke rijkdommen of het winnen daarvan.

HOOFDSTUK 5
Vernietiging en opeising

Vernietiging van het octrooi

Art. 75. 1. een octrooi wordt door de rechter vernietigd voor zover:
a. hetgeen waarvoor octrooi is verleend ingevolge de artikelen 2 tot en met 7 niet vatbaar is voor octrooi dan wel, indien het een Europees octrooi betreft, het octrooi ingevolge de artikelen 52 tot en met 57 van het Europees Octrooiverdrag niet had behoren te worden verleend;
b. het octrooischrift niet een beschrijving bevat van de uitvinding, die, in voorkomend geval met toepassing van artikel 25, tweede lid zodanig duidelijk en volledig is dat een deskundige deze uitvinding kan toepassen;
c. het onderwerp van het octrooi niet wordt gedekt door de inhoud van de ingediende aanvrage of, indien het octrooi is verleend op een afgesplitste of gewijzigde aanvrage dan wel op een nieuwe Europese octrooiaanvrage die is ingediend overeenkomstig artikel 61 van het Europees Octrooiverdrag, door de inhoud van de oorspronkelijke aanvrage;
d. na octrooiverlening uitbreiding van de beschermingsomvang is opgetreden;
e. de houder van het octrooi daarop geen aanspraak had hetzij krachtens de bepalingen van hoofdstuk 1 van deze rijkswet hetzij, indien het een Europees octrooi betreft, krachtens artikel 60, eerste lid, van het Europees Octrooiverdrag.

2. Voor de toepassing van het eerste lid, onder a, wordt onder de stand van de techniek, bedoeld in artikel 54, derde lid, van het Europees Octrooiverdrag, mede begrepen de inhoud van uit hoofde van deze rijkswet ingediende octrooiaanvragen, waarvan de dag van indiening voor de datum van indiening van de desbetreffende Europese octrooiaanvrage, die voor de toepassing van dat lid geldt, ligt, en die eerst op of na die datum overeenkomstig artikel 31 zijn ingeschreven.

3. De rechtsvordering tot vernietiging komt in de in het eerste lid, onder a tot en met d, genoemde gevallen toe aan een ieder en in het eerste lid, onder e, genoemde geval aan degene, die krachtens de in dat onderdeel genoemde bepalingen aanspraak op het octrooi heeft. Indien laatstgenoemde zelf een octrooi voor de desbetreffende uitvinding heeft verkregen, komt de rechtsvordering tot vernietiging ook toe aan licentiehouders en pandhouders.

4. De dagvaarding moet binnen acht dagen na haar dagtekening in het octrooiregister worden ingeschreven. Bij gebreke van tijdige inschrijving is de eiser verplicht de schade te vergoeden, geleden door hen, die te goeder trouw na die termijn en voor de inschrijving rechten, waarop de vernietiging invloed uitoefent, hebben verkregen.

Terugwerkende kracht der vernietiging

5. Een octrooi wordt geacht van de aanvang af geheel of gedeeltelijk niet de in de artikelen 53, 71, 72 en 73 bedoelde rechtsgevolgen te hebben gehad naar gelang het octrooi geheel of gedeeltelijk is vernietigd.

6. De terugwerkende kracht van de nietigheid heeft geen invloed op:
a. een beslissing, niet zijnde een voorlopige voorziening, ter zake van handelingen in strijd met het in artikel 53 bedoelde uitsluitend recht van de octrooihouder of van handelingen als bedoeld in de artikelen 71, 72 en 73, die voor de vernietiging in kracht van gewijsde is gegaan en ten uitvoer is gelegd;
b. een voor de vernietiging gesloten overeenkomst, voor zover deze voor de vernietiging is uitgevoerd; uit billijkheidsoverwegingen kan echter terugbetaling worden geëist van op grond van deze overeenkomst betaalde bedragen in de mate als door de omstandigheden gerechtvaardigd is.

7. Voor de toepassing van het zesde lid, onder b, wordt onder het sluiten van een overeenkomst mede verstaan het ontstaan van een licentie op een andere in artikel 56, tweede lid, 59 of 60 aangegeven wijze.

8. Ingeval een octrooi wordt vernietigd op grond van het eerste lid, onder e, en degene, die krachtens de in dat onderdeel genoemde bepalingen aanspraak op het octrooi heeft, zelf een octrooi voor de desbetreffende uitvinding heeft verkregen, worden licenties, die te goeder trouw van het vernietigde octrooi waren verkregen voor de inschrijving van de dagvaarding in het octrooiregister, aangemerkt als licentie van het bestaande octrooi, en verkrijgt de houder daarvan overeenkomstig artikel 56, derde lid, recht op de voor de licenties verschuldigde vergoeding. De houder van het vernietigde octrooi, die bij zijn aanvrage te goeder trouw was of die het octrooi voor de inschrijving van de dagvaarding te goeder trouw van een vroegere houder verkreeg, blijft in dat geval ten aanzien van het bestaande octrooi bevoegd tot toepassing van de uitvinding overeenkomstig artikel 55.

9. Zodra een eindbeslissing aangaande een vordering tot vernietiging in kracht van gewijsde is gegaan of de instantie is vervallen, wordt daarvan op verzoek van de meest gerede partij in het octrooiregister aantekening gedaan.

Art. 76. 1. Degene die een rechtsvordering als bedoeld in artikel 75 tot vernietiging van een krachtens deze rijkswet verleend octrooi instelt, is in die vordering niet ontvankelijk als hij niet als bijlage bij de conclusie van eis het resultaat van een door het bureau uitgebracht advies omtrent de toepasselijkheid van de in artikel 75, eerste lid, genoemde nietigheidsgronden overlegt.

2. In kort geding kan de president van de arrondissementsrechtbank bedoeld in artikel 80, tweede lid, degene die stelt dat een krachtens deze rijkswet verleend octrooi vernietigd behoort te worden, opdragen een advies van het bureau omtrent de toepasselijkheid van de in artikel 75, eerste lid, genoemde nietigheidsgronden over te leggen.

Nederlands en Europees- of Gemeenschapsoctrooi van dezelfde uitvinder

Art. 77. 1. Voor zover een uit hoofde van deze rijkswet verleend octrooi betrekking heeft op een uitvinding, waarvoor aan dezelfde uitvinder of zijn rechtverkrijgende een Europees octrooi of een Gemeenschapsoctrooi is verleend, terwijl de dag van indiening of in voorkomend geval de voorrangsdatum van de onderscheidene aanvragen om octrooi dezelfde is, heeft eerstbedoeld octrooi, voor zover het dezelfde uitvinding beschermt als het Europees octrooi of het Gemeenschapsoctrooi, in Nederland niet meer de in de artikelen 53, 71 en 73 bedoelde rechtsgevolgen vanaf de dag waarop:
a. de voor het instellen van oppositie tegen het Europees octrooi vastgestelde termijn is verstreken zonder dat oppositie is ingesteld;
b. de oppositieprocedure is afgesloten, waarbij het Europees octrooi in stand is gebleven;
c. het octrooi uit hoofde van deze rijkswet is verleend, indien deze dag ligt na die onder a of b bedoeld, al naar het geval.

2. Het tenietgaan, op welke wijze ook, van het Europees octrooi of het Gemeenschapsoctrooi op een later tijdstip laat het bepaalde in het vorige lid onverlet.

3. Vorderingen ter vaststelling van een in het eerste lid bedoeld verlies van rechtsgevolg kunnen door een ieder worden ingesteld.

4. Artikel 75, vierde lid, achtste lid, eerste volzin, en negende lid, is van overeenkomstige toepassing.

Opeising van het octrooi

Art. 78. 1. Een octrooi kan geheel, gedeeltelijk of wat betreft een aandeel daarin worden opgeëist door degene die krachtens artikel 11, 12 of 13 dan wel, indien het een Europees octrooi betreft, krachtens artikel 60, eerste lid, van het Europees Octrooiverdrag aanspraak of mede aanspraak heeft op dat octrooi.

2. De dagvaarding moet in het octrooiregister worden ingeschreven.

Octrooihouder te goeder trouw

3. De octrooihouder, die bij zijn aanvrage te goeder trouw was, of die het octrooi voor de inschrijving van de dagvaarding te goeder trouw van een vroegere houder verkreeg, blijft ten aanzien van de nieuwe octrooihouder bevoegd tot toepassing van de uitvinding op de voet als omschreven in artikel 55.

4. Te goeder trouw voor de inschrijving verkregen licenties blijven geldig tegenover de nieuwe octrooihouder, die overeenkomstig artikel 56, derde lid, recht verkrijgt op de voor de licenties verschuldigde vergoeding.

5. Het derde en het vierde lid zijn niet van toepassing ingeval degene, die het octrooi met goed gevolg heeft opgeëist, reeds door zelf octrooi aan te vragen zijn aanspraken had doen gelden en de dagvaarding, waarbij de vordering tot opeising werd

ingesteld, binnen drie maanden na de verlening van het octrooi of, indien het een Europees octrooi betreft, na de publikatie overeenkomstig artikel 97, vierde lid, van het Europees Octrooiverdrag van de vermelding van de verlening van het Europees octrooi in het octrooiregister was ingeschreven.

Pandrechten, door vroegere octrooihouder gevestigd

6. Pandrechten, door een vroegere octrooihouder gevestigd, zijn alleen geldig tegenover de nieuwe octrooihouder, indien zij te goeder trouw zijn verkregen en voor de inschrijving van de dagvaarding gevestigd. Zij zijn nimmer tegenover deze geldig in het geval, bedoeld in het vorige lid.

Verjaring van de vordering

7. De vordering, bedoeld in het eerste lid, verjaart, wanneer twee jaren zijn verstreken na de dag van verlening van het octrooi of, indien het een Europees octrooi betreft, na de datum, waarop overeenkomstig artikel 97, vierde lid, van het Europees Octrooiverdrag de vermelding van de verlening van het Europees octrooi is gepubliceerd; nochtans kan degene, die bij het verkrijgen van het octrooi wist of had moeten weten, dat hij of de persoon, die het hem overdroeg, geen aanspraak had op het octrooi, zich niet op deze verjaring beroepen. Artikel 2006 van het Burgerlijk Wetboek van de Nederlandse Antillen is op deze verjaring niet van toepassing.

8. Zodra een eindbeslissing aangaande een vordering tot opeising in kracht van gewijsde is gegaan of de instantie is vervallen, wordt daarvan op verzoek van de meest gerede partij in het octrooiregister aantekening gedaan.

Strafbepaling m.b.t. opzettelijke inbreuk op recht octrooihouder

Art. 79. 1. Hij, die opzettelijk inbreuk maakt op het recht van de octrooihouder door het verrichten van een der in artikel 53, eerste lid, bedoelde handelingen, wordt gestraft met gevangenisstraf van ten hoogste zes maanden of geldboete van de vierde categorie.

2. Hij die van het plegen van het in het vorige lid bedoelde misdrijf zijn beroep maakt of het plegen van dit misdrijf als bedrijf uitoefent, wordt gestraft met gevangenisstraf van ten hoogste vier jaar of geldboete van de vijfde categorie.

3. Bij veroordeling kan door de rechter de openbaarmaking van zijn uitspraak worden gelast.

4. Indien voorwerpen verbeurd zijn verklaard, kan de octrooihouder vorderen, dat die voorwerpen hem worden afgegeven indien hij zich daartoe ter griffie aanmeldt binnen een maand nadat het vonnis in kracht van gewijsde is gegaan. Door deze afgifte gaat de eigendom van de voorwerpen op de octrooihouder over. De rechter zal kunnen gelasten, dat die afgifte niet zal geschieden dan tegen een door hem bepaalde, door de octrooihouder te betalen vergoeding, welke ten bate komt van de Staat.

5. De in dit artikel bedoelde strafbare feiten zijn misdrijven. Van deze misdrijven neemt in Nederland in eerste aanleg uitsluitend de arrondissementsrechtbank te 's-Gravenhage kennis.

HOOFDSTUK 6
Octrooirechtelijke geschillen

Vorderingen vallend onder competentie van rechtbank Den Haag

Art. 80. 1. De arrondissementsrechtbank te 's-Gravenhage is in eerste aanleg uitsluitend bevoegd voor:
a. vorderingen tot vaststelling van ontbreken van rechtsgevolg, vernietiging, vaststelling van een verlies van rechtsgevolg of opeising van octrooien, bedoeld in onderscheidenlijk de artikelen 10, 75, 77 en 78;
b. vorderingen tot opeising van Europese octrooiaanvragen;
c. vorderingen tot verlening van een licentie als bedoeld in artikel 58, eerste lid;
d. vorderingen tot vaststelling van een vergoeding als bedoeld in de artikelen 58, 59 en 60.

2. De arrondissementsrechtbank te 's-Gravenhage en de president van die rechtbank in kort geding zijn in eerste aanleg in Nederland uitsluitend bevoegd voor:
a. vorderingen, bedoeld in de artikelen 70, 71, 72 en 73;
b. vorderingen welke worden ingesteld door een ander dan de octrooihouder ten einde te doen vaststellen dat bepaalde door hem verrichte handelingen niet strijdig zijn met een octrooi.

Instelling van beroep

Art. 81. 1. Degene die rechtstreeks in zijn belang wordt getroffen door een beschikking, genomen op grond van het bij of krachtens deze wet bepaalde, kan daartegen binnen een maand na de verzending van de betreffende beschikking beroep instellen bij de in artikel 80 bedoelde rechtbank. Artikel 4, vierde lid, tweede en derde volzin, van de Wet administratieve rechtspraak bedrijfsorganisatie (Stb. 1954, 416) is van toepassing.

2. De rechter kan een beschikking als bedoeld in het eerste lid vernietigen en bij de uitspraak de gevolgen van de vernietiging regelen. De rechter kan bepalen, dat het bureau of Onze Minister overeenkomstig de uitspraak een besluit zal nemen, intrekken of wijzigen dan wel een handeling zal nalaten of verrichten.

Pleidooi door octrooigemachtigden

Art. 82. Bij de behandeling ter terechtzitting van geschillen bedoeld in de artikelen 80 en 81 mogen octrooigemachtigde het woord voeren onverminderd de verantwoordelijkheid van de procureur.

Bevoegde rechter bij andere geschillen

Art. 83. 1. Van alle andere geschillen dan in de artikelen 80 en 81 bedoeld wordt kennis genomen door de rechter die daartoe volgens de algemene regeling der rechtspraak bevoegd is.

2. Rechtsvorderingen, die gegrond zijn op artikel 12, zesde lid, worden aangemerkt als rechtsvorderingen met betrekking tot een arbeidsovereenkomst, tenzij de rechtsbetrekking tussen de bij het geschil betrokkenen niet wordt bepaald door een arbeidsovereenkomst.

3. Indien de rechter meent, dat op de beslissing van een geschil van invloed kan zijn een rechtsvordering, die op grond van artikel 10, 75, 77 of 78 is of zou kunnen worden ingesteld, kan hij de behandeling van het aanhangige geschil met of zonder tijdsbepaling schorsen. Gelijke bevoegdheid bezit hij, indien op de beslissing inzake zulk een rechtsvordering een uit anderen hoofde ingestelde rechtsvordering van invloed kan zijn.

4. De rechter kan de behandeling van een geschil ter zake van een Europees octrooi met of zonder tijdsbepaling schorsen, indien bij het Europees Octrooibureau tegen dat octrooi oppositie is ingesteld ingevolge artikel 99 van het Europees Octrooiverdrag.

Advies omtrent nietigheidsgronden

Art. 84. 1. Een ieder kan het bureau schriftelijk verzoeken een advies uit te brengen omtrent de toepasselijkheid van de in artikel 75, eerste lid, genoemde nietigheidsgronden op een krachtens deze rijkswet verleend octrooi.

2. Het verzoek bevat een gemotiveerde aanduiding van de aan artikel 75, eerste lid, ontleende bezwaren tegen het verleende octrooi waaromtrent een advies wordt verlangd.

3. Bij algemene maatregel van bestuur worden regels gesteld met betrekking tot de voor het advies verschuldigde vergoeding.

Verzoeker kan bezwaren toelichten

Art. 85. 1. Het bureau stelt de in artikel 84 bedoelde verzoeker in de gelegenheid de geopperde bezwaren toe te lichten. De houder van het desbetreffende octrooi wordt ten minste eenmaal in de gelegenheid gesteld op de bezwaren te reageren.

2. Het bureau is bevoegd voor de inbreng van verzoeker en octrooihouder termijnen te stellen.

3. Het in artikel 84 bedoelde advies wordt zo spoedig mogelijk uitgebracht, doch uiterlijk binnen twee maanden nadat het bureau kennis heeft genomen van het standpunt van de verzoeker en de octrooihouder of, indien toepassing is gegeven aan het vorige lid, binnen twee maanden nadat de gestelde termijn is verstreken.

Gemotiveerde beoordeling

Art. 86. Het in artikel 84 bedoelde advies bestaat uit een gemotiveerde beoordeling van de in het verzoek genoemde bezwaren.

Informatieplicht bureau

Art. 87. 1. Het bureau is verplicht de rechter alle inlichtingen en technische adviezen te verstrekken, die deze tot beslissing van aan zijn oordeel onderworpen rechtsvorderingen inzake octrooien mocht verlangen.

2. De waarde van adviezen als bedoeld in het eerste lid wordt gelijkgesteld met die van deskundigen als bedoeld in artikel 221 en volgende van het Wetboek van Burgerlijke Rechtsvordering.

Rechtbank als centrale instantie

Art. 88. De in artikel 80 bedoelde rechtbank treedt op als centrale instantie, belast met het ontvangen van rogatoire commissies en bevoegd tot het uitvoeren van genoemde commissies van het Europees Octrooibureau, bedoeld in regel 99 van het bij het Europees Octrooiverdrag behorende Uitvoeringsreglement.

Afschrift van uitspraken bureau en Europees Octrooibureau

Art. 89. Van alle rechterlijke uitspraken betreffende octrooien wordt door de griffier van het desbetreffende gerecht binnen één maand kosteloos een afschrift aan het bureau gezonden, en, indien het een Europees octrooi betreft, tevens aan het Europees Octrooibureau, bedoeld in het Europees Octrooiverdrag.

HOOFDSTUK 7
Aanvullende beschermingscertificaten

Begripsbepaling

Art. 90. Voor de toepassing van dit hoofdstuk, met uitzondering van artikel 98, en de daarop berustende bepalingen, wordt verstaan onder:

verordening: de verordening (EEG) nr. 1768/92 van de Raad van de Europese Gemeenschappen van 18 juni 1992 betreffende de invoering van een aanvullende beschermingscertificaat voor geneesmiddelen (PbEG L 182);

basisoctrooi: een octrooi als bedoeld in artikel 1, onder c, van de verordening;

certificaat: een aanvullend beschermingscertificaat als bedoeld in artikel 1, onder d, van de verordening.

Indiening van aanvrage om certificaat

Art. 91. De aanvrage om een certificaat wordt bij het bureau ingediend.

Kosten

Art. 92. Bij de aanvrage om een certificaat dient een bewijsstuk te worden overgelegd waaruit blijkt dat aan het bureau een bedrag is betaald overeenkomstig een bij algemene maatregel van bestuur vastgesteld tarief.

Inhoud van de aanvrage enz.

Art. 93. Met betrekking tot aanvragen om een certificaat zijn de artikelen 24, derde lid, 26 en 38, eerste lid, van deze rijkswet van overeenkomstige toepassing.

Kennisgeving aan aanvrager dat niet aan alle voorwaarden is voldaan

Art. 94. Indien niet is voldaan aan het bij artikel 8 van de verordening of het bij de artikelen 92 en 93 van deze rijkswet bepaalde, geeft het bureau daarvan binnen een maand na de datum van indiening van de aanvraag om een certificaat schriftelijk kennis aan de aanvrager, onder opgave van de voorschriften waaraan niet is voldaan. Artikel 30, tweede lid, is van overeenkomstige toepassing.

Instandhoudingstaks

Art. 95. Voor de instandhouding van een aanvullend beschermingscertificaat moet elk jaar, voor het eerst vanaf het jaar waarin de wettelijke duur van het basisoctrooi is verstreken, aan het bureau een bij algemene maatregel van bestuur vast te stellen bedrag worden betaald. Dit bedrag wordt uiterlijk voldaan op de laatste dag van de maand waarin de wettelijke duur van het basisoctrooi is verstreken. De artikelen 61, derde lid, en 62 van deze rijkswet zijn van overeenkomstige toepassing.

Bekendmakingen

Art. 96. 1. De in de artikelen 9, tweede lid, 11 en 16 van de verordening voorgeschreven bekendmakingen geschieden in het artikel 20 van deze rijkswet bedoelde blad.

2. Het bureau schrijft de in de artikelen 9, tweede lid, 11 en 16 van de verordening bedoelde gegevens in het octrooiregister in.

Certificaat als deel van het vermogen

Art. 97. De artikelen 64 tot en met 69 zijn van overeenkomstige toepassing op certificaten.

Nadere regeling bij amvb

Art. 98. Indien een andere dan de in artikel 90 genoemende door de Raad van de Europese Gemeenschappen vastgestelde verordening betreffende aanvullende beschermingscertificaten in het belang van een goede uitvoering nadere regeling behoeft geschiedt dit bij algemene maatregel van bestuur. Daarbij kan worden voorzien in het opleggen van taksen, voor zover dat is toegelaten ingevolge de betrokken verordening.

HOOFDSTUK 8
Bijzondere bepalingen voor de Nederlandse Antillen

Bureau voor de industriële eigendom

Art. 99. In de Nederlandse Antillen kan een bureau voor de industriële eigendom worden ingesteld. Dit bureau is een instelling van dat land.

Indiening van octrooiaanvragen

Art. 100. 1. De aanvragen om octrooi van inwonenden van de Nederlandse Antillen kunnen worden ingediend bij het aldaar ingestelde bureau voor de industriële eigendom.

2. Als datum van indiening van de aanvrage geldt die, waarop bij het betrokken bureau de in artikel 29, eerste lid, onder a, b en c, vermelde bescheiden zijn overgelegd. Artikel 29, tweede en derde lid, is van overeenkomstige toepassing.

3. Nadat het betrokken bureau de in het tweede lid bedoelde datum op de aanvrage heeft vermeld, zendt het de aanvrage met alle overgelegde bescheiden zo spoe-

dig mogelijk door aan het bureau, bedoeld in artikel 1, tenzij het meent dat deze bescheiden niet voldoen aan het bij of krachtens de artikelen 24 en 26 bepaalde.

4. In het geval, bedoeld in het derde lid, geeft het betrokken bureau aan de aanvrager schriftelijk kennis van de vermeende gebreken, met het verzoek deze binnen een door het bureau te bepalen termijn te herstellen. Na het verstrijken van die termijn worden, onverschillig of aan het verzoek is voldaan, de door de aanvrager overgelegde bescheiden, alsmede een afschrift van het hem afgegeven ontvangstbewijs door het betrokken bureau zo spoedig mogelijk aan het bureau, bedoeld in artikel 1, toegezonden.

HOOFDSTUK 9
Overgangs- en slotbepalingen

Verval van de Rijksoctrooiwet

Art. 101. De Rijksoctrooiwet vervalt met ingang van een bij koninklijk besluit te bepalen tijdstip.

Overgangsbepaling m.b.t. nationale octrooien enz.

Art. 102. 1. Ten aanzien van:
a. octrooiaanvragen, ingediend voor de inwerkingtreding van deze rijkswet en de van deze aanvragen afgesplitste octrooiaanvragen,
b. octrooien, verleend op de onder a bedoelde octrooiaanvragen en
c. licenties onder de onder b bedoelde octrooien is uitsluitend het bij en krachtens de Rijksoctrooiwet bepaalde van toepassing.

2. Ten aanzien van:
a. octrooiaanvragen, ingediend na de inwerkingtreding van deze rijkswet, met uitzondering van de in het eerste lid, onder a, bedoelde afgesplitste octrooiaanvragen,
b. octrooien, verleend op de onder a bedoelde octrooiaanvragen en
c. licenties onder de onder b bedoelde octrooien is uitsluitend het bij en krachtens deze rijkswet bepaalde van toepassing.

3. Deze rijkswet is niet van toepassing op aanvragen om een certificaat als bedoeld in artikel 90 welke bij de Octrooiraad zijn ingediend voor de datum van inwerkingtreding van deze rijkswet.

4. De artikelen 95 en 97 zijn mede van toepassing op certificaten welke zijn verleend op aanvragen welke zijn ingediend voor de datum van inwerkingtreding van deze rijkswet.

Overgangsbepaling m.b.t. Europese octrooien enz.

Art. 103. 1. Ten aanzien van Europese octrooien, waarvan de vermelding van de verlening overeenkomstig artikel 97, vierde lid, van het Europees Octrooiverdrag is gepubliceerd voor de inwerkingtreding van deze rijkswet, en licenties onder deze octrooien, is uitsluitend het bij en krachtens de Rijksoctrooiwet bepaalde van toepassing.

2. Ten aanzien van Europese octrooien, waarvan de vermelding van de verlening overeenkomstig artikel 97, vierde lid, van het Europees Octrooiverdrag is gepubliceerd na de inwerkingtreding van deze rijkswet, en licenties onder deze octrooien, is uitsluitend het bij en krachtens deze rijkswet bepaalde van toepassing.

Wijziging van art. 17A Rijksoctrooiwet

Art. 104. Artikel 17A van de Rijksoctrooiwet wordt gewijzigd als volgt:

1. In het eerste lid wordt „Indien de aanvrager" vervangen door: Indien de aanvrager of de octrooihouder dan wel de houder van een Europees octrooi.

2. In het tweede lid komt „op het niet tijdig verrichten van een betaling, die na de vervaldag is toegelaten," te vervallen.

3. In het derde lid wordt na „Koninkrijk" ingevoegd „of indien het een Europees octrooi betreft binnen Nederland" en wordt na „octrooi is verleend" ingevoegd: of in stand is gebleven.

Nieuwe tekst van art. 22K, lid 1 Rijksoctrooiwet

Art. 105. Artikel 22K, eerste lid, van de Rijksoctrooiwet komt te luiden:

1. Een aanvrage vervalt, indien niet binnen één jaar na de inwerkingtreding van de Rijksoctrooiwet 1993 een verzoekschrift als bedoeld in artikel 22J is ingediend.

Verval van art. 29Q Rijksoctrooiwet

Art. 106. Artikel 29Q van de Rijksoctrooiwet komt te vervallen.

Toevoeging aan art. 54 Rijksoctrooiwet

Art. 107. In artikel 54 van de Rijksoctrooiwet wordt na het tweede lid, onder vernummering van het derde lid tot vierde lid, een lid ingevoegd, luidende:

3. Bij de behandeling ter terechtzitting van geschillen bedoeld in het eerste en

tweede lid mogen octrooigemachtigden het woord voeren onverminderd de verantwoordelijkheid van de procureur.

Afwijking i.v.m. licenties

Art. 108. 1. In afwijking van artikel 102, eerste lid, onder c, gelden ten aanzien van licenties in plaats van artikel 34, tweede tot en met negende lid, van de Rijksoctrooiwet de artikelen 57, tweede tot en met vierde lid, en 58 van deze rijkswet.

2. Indien voor de inwerkingtreding van deze rijkswet een verzoek tot verlening van een licentie overeenkomstig artikel 34, vijfde lid, van de Rijksoctrooiwet is ingediend, vindt het eerste lid geen toepassing.

Uitbreiding van de omvang van de stand der techniek

Art. 109. Tot de stand van de techniek, bedoeld in artikel 4, behoort tevens de inhoud van voor de inwerkingtreding van deze rijkswet ingediende octrooiaanvragen, die op of na de in artikel 4, tweede lid, bedoelde dag overeenkomstig artikel 22C van de Rijksoctrooiwet ter inzage worden gelegd of, indien terinzagelegging nog niet had plaatsgevonden, overeenkomstig artikel 25 van die rijkswet openbaar worden gemaakt.

Nadere regeling bij alg. maatregel van rijksbestuur

Art. 110. Indien in deze rijkswet geregelde onderwerpen in het belang van een goede uitvoering van deze rijkswet nadere regeling behoeven, kan deze geschieden bij algemene maatregel van rijksbestuur.

Inwerkingtreding

Art. 111. De artikelen van deze rijkswet treden in werking op een bij koninklijk besluit te bepalen tijdstip, dat voor de verschillende artikelen of onderdelen daarvan verschillend kan worden vastgesteld.

Citeertitel

Art. 112. Deze rijkswet wordt aangehaald als: Rijksoctrooiwet 1992, met vermelding van het jaartal van het Staatsblad waarin zij zal worden geplaatst.

Verbindendheid voor overzeese gebiedsdelen

Art. 113. 1. Deze rijkswet is verbindend voor Nederland en, behoudens hoofdstuk 7, voor de Nederlandse Antillen.

2. Deze rijkswet is voor Aruba slechts verbindend voor zover het betreft de artikelen 40 tot en met 45, 59, 101, 102, eerste lid, 105, 108, 111 en 114. Voor de toepassing van de artikelen 39 tot en met 44 in Aruba wordt onder „bureau" verstaan het Bureau voor het Intellectuele Eigendom van Aruba.

Verklaring dat de onderlinge regeling tussen de rijksdelen wordt beëindigd

Art. 114. In Nederland kan bij wet en in de Nederlandse Antillen en Aruba kan bij landsverordening worden verklaard, dat de in deze rijkswet vervatte onderlinge regeling dient te worden beëindigd. Met ingang van het derde kalenderjaar na dat van afkondiging van zodanige wet of landsverordening verkrijgt deze rijkswet in Nederland de staat van wet en in de Nederlandse Antillen en Aruba de staat van landsverordening. Het bepaalde in de vorige volzinnen geldt niet met betrekking tot de artikelen 40 tot en met 45 en artikel 59.

WET van 26 juli 1918, Stb. 493, tot instelling van een Handelsregister, zoals laatstelijk gewijzigd bij de wet van 29 juni 1994, Stb. 506

Alzoo Wij in overweging genomen hebben, dat het noodzakelijk is over te gaan tot de instelling van een handelsregister;

In te schrijven ondernemingen

Art. 1. 1. Er is een handelsregister, waarin worden ingeschreven alle ondernemingen, die:
a. in Nederland gevestigd zijn, of
b. in Nederland een nevenvestiging hebben, waaronder in deze wet en de daarop berustende bepalingen wordt verstaan een ondernemingsonderdeel, niet zijnde de onder a bedoelde hoofdvestiging, dat geheel of ten dele is ondergebracht in een gebouw of complex van gebouwen en waar duurzaam bedrijfsuitoefening van de onderneming plaatsvindt, of
c. in Nederland worden vertegenwoordigd door een gevolmachtigde handelsagent.

Handelsregister bij Kamers van Koophandel

2. Het handelsregister wordt gehouden door de Kamers van Koophandel en Fabrieken, ieder voor zoveel haar gebied betreft.

Waar inschrijving geschiedt

3. De inschrijving geschiedt bij elke Kamer, in welker gebied de onderneming gevestigd is of een nevenvestiging van de onderneming gelegen is.
4. De inschrijving van een onderneming, die buiten Nederland gevestigd is en geen in Nederland gelegen nevenvestiging heeft, geschiedt bij de Kamer, in welker gebied de in artikel 14 bedoelde handelsagent gevestigd is.
5. Ingeval een onderneming, als in het eerste lid bedoeld, niet overeenkomstig het derde of vierde lid kan worden ingeschreven, geschiedt de inschrijving bij de Kamer van Koophandel en Fabrieken voor Rotterdam en Beneden-Maas.

Ondernemingen zonder winstbejag

6. Bij algemene maatregel van bestuur kunnen voor de toepassing van deze wet met een onderneming worden gelijkgesteld bedrijven, waarmede niet wordt beoogd het maken van winst. De voordracht tot vaststelling van een dergelijke maatregel wordt Ons gedaan door Onze Minister van Economische Zaken.

Statutaire zetel in Nederland

7. In het handelsregister worden voorts ingeschreven alle naamloze vennootschappen, besloten vennootschappen met beperkte aansprakelijkheid, coöperaties, onderlinge waarborgmaatschappijen en Europese economische samenwerkingsverbanden als bedoeld in de verordening nr. 2137/85 van de Raad van de Europese Gemeenschappen van 25 juli 1985 (PbEG L 199/1), die hun statutaire zetel in Nederland hebben. De inschrijving geschiedt bij de Kamer in welker gebied zij hun statutaire zetel hebben.

Uitzonderingen

Art. 2. 1. Deze wet is niet van toepassing:
a. op ondernemingen, die aan een publiekrechtelijk lichaam behoren;
b. op ondernemingen, waarin uitsluitend landbouw of visserij wordt uitgeoefend en die niet aan een rechtspersoon of vennootschap behoren;
c. op ondernemingen, waarin uitsluitend straathandel in de vorm van venten wordt uitgeoefend door de ondernemer of leden van zijn gezin, voor zover niet bij algemene maatregel van bestuur anders is bepaald.
2. Zij verstaat onder landbouw: de akkerbouw, weidebouw, veehouderij, pluimveehouderij, fruitteelt, tuinbouw — daaronder begrepen het kweken van bomen, bloemen en bloembollen —, de teelt van griendhout en elke andere vorm van bodemcultuur. Zij verstaat onder visserij mede de oester- en de mosselteelt.
3. De voordracht tot vaststelling van een algemene maatregel van bestuur, als bedoeld in het eerste lid, onder c, wordt Ons gedaan door Onze Minister van Economische Zaken.

Zij die tot aanmelding verplicht zijn

Art. 3. 1. Tot het doen van de voorgeschreven opgaven voor de inschrijving in het handelsregister is gehouden de eigenaar der onderneming, dan wel, indien het betreft de inschrijving van een aan een rechtspersoon toebehorende onderneming of van een in artikel 1, zevende lid, genoemde rechtspersoon, ieder der bestuurders van de rechtspersoon. Behoort de onderneming aan meer dan één persoon, dan zijn allen tot het doen van de opgaven gehouden.

2. Is de eigenaar van een in Nederland gevestigde onderneming niet in Nederland gevestigd, dan is mede tot het doen van de opgaven gehouden hij die met de dagelijkse leiding van de onderneming is belast. Is de onderneming niet in Nederland gevestigd, dan is mede gehouden hij die met de dagelijkse leiding van een in Nederland gelegen nevenvestiging der onderneming is belast. Heeft de onderneming in Nederland ook geen nevenvestiging, dan is mede gehouden de in artikel 14 bedoelde handelsagent.

3. Tot het doen van de opgaaf, waartoe de verplichting ontstaat ten gevolge van de overdracht van een onderneming of een nevenvestiging, is mede de vorige eigenaar gehouden. Tot het doen van de opgaaf van de ontbinding van een rechtspersoon of vennootschap, bedoeld in artikel 21, en van de afsluiting van de vereffening van een Europees economisch samenwerkingsverband, of van een vennootschap als bedoeld in artikel 15b, eerste lid, of artikel 15d, eerste lid, is mede de vereffenaar gehouden.

4. Tot het doen van de opgaaf van de wijziging of intrekking van de volmacht van een handelsagent is mede diens principaal gehouden.

5. Degenen, die gehouden zijn tot het doen van een opgaaf, zijn van die verplichting ontheven, zodra de desbetreffende opgaaf is gedaan door een ander, die daartoe gehouden of, op grond van artikel 29 of 31 van de in artikel 1, zevende lid, bedoelde verordening, bevoegd was.

6. Hij die tot het doen van een opgaaf gehouden is, kan deze door een ander doen verrichten. Hij voorziet hem daartoe van een schriftelijke volmacht.

Termijn voor indiening opgaven

Art. 4. 1. De opgaaf, waartoe de verplichting ontstaat ten gevolge van de vestiging van een onderneming of een nevenvestiging wordt gedaan binnen een week daarvóór of binnen een week daarna. Het tijdstip van vestiging wordt mede opgegeven. Vestiging heeft plaats, wanneer in de onderneming of de nevenvestiging de bedrijfsuitoefening aanvangt.

2. De andere voorgeschreven opgaven worden gedaan binnen een week, nadat het feit, ten gevolge waarvan de verplichting tot de opgaaf ontstaat, is geschied.

3. In afwijking van het tweede lid wordt de in artikel 8, eerste lid, onder 6°, bedoelde opgaaf gedaan binnen een week, nadat het desbetreffende feit ter kennis van de vennootschap is gekomen.

Opgave van eenmanszaak

Art. 5. 1. Behoort de onderneming aan een natuurlijke persoon, dan worden opgegeven:
1°. zijn naam en voornamen, zijn woonplaats en het land, waar deze ligt, indien dit niet is Nederland;
2°. datum en plaats van zijn geboorte, alsmede het geboorteland, indien hij buiten Nederland geboren is;
3°. zijn nationaliteit;
4°. de handelsnaam, waaronder hij de onderneming drijft;
5°. een korte omschrijving van het bedrijf of de bedrijven, die in de onderneming worden uitgeoefend;
6°. de plaats van vestiging der onderneming;
7°. de handtekening en de paraaf, die hij stelt onder de stukken, de onderneming betreffende.

2. Is de eigenaar minderjarig en heeft hij handlichting verkregen, dan worden opgegeven de tijd en de wijze, waarop hij bevoegd is geworden rechtshandelingen te verrichten, en de bepalingen, die bij het verlenen van die bevoegdheid mochten zijn gemaakt, onder. overlegging van het nummer van de Nederlandse Staatscourant, waarin de handlichting is openbaar gemaakt, dan wel van een authentiek afschrift van de desbetreffende rechterlijke beschikking, met vermelding van de dagtekening van genoemd nummer.

3. Is de eigenaar een handelsagent, die gevolmachtigd is van andere ondernemingen, dan wordt mede opgegeven, met betrekking tot elk van die ondernemingen:
1°. de inhoud van zijn volmacht, ondertekend door de principaal;
2°. de handelsnaam van de onderneming;
3°. bij welke Kamer van Koophandel en Fabrieken en onder welk nummer de onderneming, of indien deze buiten Nederland gevestigd is, de in artikel 14 bedoelde hoofdnederzetting van die onderneming in het handelsregister is ingeschreven.

Opgave onderneming van vennootschap onder firma

Art. 6. 1. Is een vennootschap onder een firma aangegaan, dan worden opgegeven:

1°. het tijdstip van aanvang der vennootschap en de duur, waarvoor zij is aangegaan;
2°. de naam der vennootschap en de handelsnaam, waaronder zij de onderneming drijft, indien deze van die naam afwijkt;
3°. een korte omschrijving van het bedrijf of de bedrijven, die in de onderneming worden uitgeoefend;
4°. de plaats van vestiging der onderneming;
5°. ten aanzien van iedere vennoot, al hetgeen in artikel 5, eerste lid, onder 1°, 2° en 3°, is voorgeschreven, alsmede, ten aanzien van een na de aanvang der vennootschap toegetreden vennoot, de dag van zijn toetreding;
6°. ten aanzien van iedere vennoot, die niet van de tekening voor de vennootschap is uitgesloten, de handtekening en de paraaf, die hij stelt onder de stukken, de onderneming betreffende;
7°. al hetgeen de overeenkomst bevat ter bepaling van de rechten van derden.

2. Ten aanzien van de vennoten vindt artikel 5, tweede lid, overeenkomstige toepassing.

Opgave onderneming van commanditaire vennootschap

Art. 7. Is een vennootschap en commandite aangegaan, dan wordt omtrent de vennoten bij wijze van geldschieting opgegeven hun aantal, hun nationaliteit en het land hunner inwoning, benevens het totale bedrag der gelden en de totale waarde der goederen, die zij gezamenlijk hebben ingebracht.

Opgave onderneming van NV of BV

Art. 8. 1. Behoort de onderneming aan een naamloze vennootschap of aan een besloten vennootschap met beperkte aansprakelijkheid, dan worden opgegeven:
1°. de naam der vennootschap, haar zetel volgens de statuten en de handelsnaam, waaronder zij de onderneming drijft, indien deze van die der vennootschap afwijkt;
2°. een korte omschrijving van het bedrijf of de bedrijven, die in de onderneming worden uitgeoefend;
3°. de plaats van vestiging der onderneming;
4°. ten aanzien van iedere bestuurder of commissaris al hetgeen in artikel 5, eerste lid, onder 1°, 2°, 3° en 7°, is voorgeschreven en de dag, waarop hij bij de vennootschap in functie is getreden, alsmede of hij bevoegd is de vennootschap alleen of gezamenlijk handelend met een of meer andere personen te vertegenwoordigen;
5°. het maatschappelijke kapitaal en ten minste eenmaal per jaar het bedrag van het geplaatste kapitaal en van het gestorte deel daarvan, onderverdeeld naar soort indien er verschillende soorten aandelen zijn;
6°. naam, voornamen, indien het een natuurlijke persoon betreft, en woonplaats van de houder van alle aandelen in het kapitaal van de vennootschap of van een deelgenoot in een huwelijksgemeenschap waartoe alle aandelen in het kapitaal van de vennootschap behoren, de aandelen gehouden door de vennootschap of haar dochtermaatschappijen niet meegeteld.

2. Bij de opgaaf wordt overgelegd een authentiek afschrift van de akte van oprichting.

3. Zijn niet-volgestorte aandelen uitgegeven, dan worden opgegeven de namen, de beginletters der voornamen en de woonplaatsen der houders van zulke aandelen, met opgaaf tevens van het aandelenbezit van iedere houder en van het daarop gestorte bedrag. Wijzigingen in deze opgaaf worden eenmaal per jaar opgegeven.

Grote NV of BV

Art. 8a. Een rechtspersoon waarvan de statuten beantwoorden aan de artikelen 63f tot en met 63j, de artikelen 158 tot en met 161 en 164 of de artikelen 268 tot en met 271 en 274 van boek 2 van het Burgerlijk Wetboek, doet hiervan opgaaf ter inschrijving ten kantore van het handelsregister van de plaats van zijn statutaire zetel.

Opgave onderneming van coöperatie

Art. 9. 1. Behoort de onderneming aan een coöperatie of een onderlinge waarborgmaatschappij, dan wordt opgegeven al hetgeen in het eerste lid van artikel 8, onder 1° tot en met 4°, betreffende de naamloze vennootschap en de besloten vennootschap met beperkte aansprakelijkheid is voorgeschreven. Voorts wordt opgegeven wat in de statuten ten aanzien van de aansprakelijkheid der leden voor de verbintenissen der van de rechtspersoon is bepaald.

2. Bij de opgaaf wordt overgelegd een authentiek afschrift van de akte van oprichting of van de notariële akte waarin de rechtspersoon zijn statuten heeft doen opnemen.

Art. 9a. 1. Behoort de onderneming aan een Europees economisch samen-

werkingsverband, dan worden opgegeven:
1°. de naam van het samenwerkingsverband en de handelsnaam waaronder het de onderneming drijft, indien deze van die naam afwijkt;
2°. een korte omschrijving van het bedrijf of de bedrijven, die in de onderneming worden uitgeoefend;
3°. de plaats van vestiging der onderneming;
4°. ten aanzien van iedere bestuurder al hetgeen in artikel 5, eerste lid, onder 1°, 2°, 3° en 7°, is voorgeschreven en de dag, waarop hij bij het samenwerkingsverband in functie is getreden, alsmede of hij bevoegd is het samenwerkingsverband alleen of gezamenlijk handelend met een of meer andere personen te vertegenwoordigen.

2. Bij de opgaaf wordt een authentiek of een door alle leden gewaarmerkt afschrift van de oprichtingsovereenkomst overgelegd.

3. Indien een beding als bedoeld in artikel 26, tweede lid, tweede alinea, van de in artikel 1, zevenende lid, bedoelde verordening is gemaakt, wordt dit mede ter inschrijving opgegeven.

Opgave van rechtspersoon in ander rayon dan haar onderneming(en)

Art. 9b. 1. Ter inschrijving van een naamloze vennootschap of een besloten vennootschap met beperkte aansprakelijkheid bij de Kamer van Koophandel en Fabrieken, waarbij niet een aan die rechtspersoon behorende onderneming is ingeschreven, worden met betrekking tot die rechtspersoon opgegeven de naam en de zetel volgens de statuten en de gegevens genoemd in artikel 8, eerste lid, onder 4°, 5° en 6°. Het tweede en derde lid van dat artikel en artikel 17 zijn van overeenkomstige toepassing.

2. Ter inschrijving van een coöperatie of onderlinge waarborgmaatschappij bij de Kamer van Koophandel en Fabrieken, waarbij niet een aan die rechtspersoon behorende onderneming is ingeschreven, worden met betrekking tot die rechtspersoon opgegeven de naam en de zetel volgens de statuten en al hetgeen in artikel 8, eerste lid, onder 4°, betreffende de naamloze vennootschap en de besloten vennootschap met beperkte aansprakelijkheid is voorgeschreven. De tweede zin van het eerste lid van artikel 9, het tweede lid van dat artikel en artikel 17 zijn van overeenkomstige toepassing.

3. Ter inschrijving van een Europees economisch samenwerkingsverband bij de Kamer van Koophandel en Fabrieken, waarbij niet een aan dat samenwerkingsverband behorende onderneming is ingeschreven, worden met betrekking tot dat samenwerkingsverband opgegeven de naam en de gegevens, genoemd in artikel 9a, eerste lid, onder 4°. Het tweede lid van dat artikel is van toepassing.

4. Indien een naamloze vennootschap, besloten vennootschap met beperkte aansprakelijkheid, coöperatie of onderlinge waarborgmaatschappij als in het eerste of tweede lid bedoeld eigenaar is van een onderneming, worden ter inschrijving van die rechtspersoon mede opgegeven de handelsnaam, waaronder die onderneming wordt gedreven, indien deze van die van de rechtspersoon afwijkt, alsmede de gegevens genoemd in de artikelen 8, eerste lid, onder 2° en 3°, 13, 14, 15, eerste lid, en 16.

Geen aparte inschrijving van rechtspersoon met onderneming in zelfde rayon

Art. 9c. Indien een in artikel 1, zevende lid, genoemde rechtspersoon eigenaar is van een onderneming, die is ingeschreven bij de Kamer van Koophandel en Fabrieken, in welker gebied die rechtspersoon haar statutaire zetel heeft, geldt de inschrijving van de onderneming bij die Kamer mede als inschrijving van die rechtspersoon.

Opgave onderneming van vereniging met of zonder volledige rechtsbevoegdheid

Art. 10. 1. Behoort de onderneming aan een vereniging met volledige rechtsbevoegdheid, dan wordt opgegeven al hetgeen in artikel 8, eerste lid, onder 1°-4°, betreffende de naamloze vennootschap en de besloten vennootschap met beperkte aansprakelijkheid is voorgeschreven. Het tweede lid van artikel 9 is van overeenkomstige toepassing.

2. Behoort de onderneming aan een vereniging zonder volledige rechtsbevoegdheid, dan wordt opgegeven al hetgeen in artikel 8, eerste lid, onder 1°-4°, betreffende de naamloze vennootschap en de besloten vennootschap met beperkte aansprakelijkheid is voorgeschreven. Indien de statuten op schrift zijn gesteld, wordt bij de opgave een door het bestuur gewaarmerkt afschrift daarvan overgelegd.

Opgave onderneming van stichting

Art. 11. Behoort de onderneming aan een stichting, dan wordt opgegeven al hetgeen in artikel 8, eerste lid, onder 1°-4°, betreffende de naamloze vennootschap en de besloten vennootschap met beperkte aansprakelijkheid is voorgeschreven. Bij de opgaaf wordt een authentiek of een door het bestuur gewaarmerkt afschrift van de statuten overgelegd.

Art. 11a. 1. Is een in Nederland gevestigde handelsagent, die gevolmachtigd is van andere ondernemingen, een vennootschap onder een firma of een rechtspersoon, dan vindt artikel 5, derde lid, te zijnen aanzien overeenkomstige toepassing.

2. Is een vennoot onder een firma, een bestuurder of commissaris van een rechtspersoon, een gevolmachtigde of een procuratiehouder als bedoeld in artikel 13 of een bewindvoerder als bedoeld in artikel 13a een rechtspersoon, dan worden te zijnen aanzien in plaats van hetgeen in artikel 5, eerste lid, onder 1°, 2°, 3° en 7° en artikel 6, eerste lid, onder 6°, is voorgeschreven, opgegeven naam, plaats van vestiging en statutaire zetel. Betreft het een in het handelsregister, verenigingenregister of stichtingenregister ingeschreven rechtspersoon, dan wordt tevens opgegeven bij welke Kamer van Koophandel en Fabrieken en onder welk nummer hij in het betrokken register is ingeschreven, met vermelding van de naam van dat register.

3. Is een bestuurder van een Europees econmisch samenwerkingsverband een rechtspersoon, dan wordt ten aanzien van een ieder die als vertegenwoordiger in de zin van artikel 19 tweede lid, van de in artikel 1, zevende lid, bedoelde verordening is aangewezen, opgegeven al hetgeen in artikel 5, eerste lid, onder 1°, 2°, 3° en 7°, is voorgeschreven en de dag, waarop hij als vertegenwoordiger is aangewezen.

Opgave onderneming van vreemdeling of onder vreemd recht opgericht

Art. 12. Behoort de onderneming aan een vreemdeling of aan een rechtspersoon of vennootschap, opgericht ingevolge de wetgeving van een ander land, is een vennoot onder een firma een vreemdeling of een ingevolge de wetgeving van een ander land opgerichte rechtspersoon of vennootschap of is een bestuurder of commissaris van een rechtspersoon, een gevolmachtigde of een procuratiehouder als bedoeld in artikel 13 of een bewindvoerder als bedoeld in artikel 13a een ingevolge de wetgeving van een ander land opgerichte rechtspersoon of vennootschap, dan vinden de artikelen 5-7, 8, eerste lid, onder 1° tot en met 5°; en tweede en derde lid, 9, 10, 11, 11a, 13 en 13a overeenkomstige toepassing.

Opgave bij optreden van gevolmachtigden of handelsreizigers

Art. 13. 1. Wordt een onderneming namens de eigenaar door een gevolmachtigde gedreven, dan wordt, wat deze betreft, opgegeven al hetgeen in artikel 5, eerste lid, onder 1°, 2°, 3° en 7°, is voorgeschreven.

2. Heeft een onderneming een procuratiehouder, een andere dergelijke gevolmachtigde, of een gevolmachtigde handelsreiziger, dan wordt, wat deze betreft, opgegeven al hetgeen in artikel 5, eerste lid, onder 1°, 2°, 3° en 7°, is voorgeschreven.

3. De inhoud der volmacht van de in dit artikel genoemde personen wordt opgegeven.

Art. 13a. 1. Is een onderneming of een aandeel in een vennootschap onder firma op grond van het bepaalde in titel 19 van Boek 1 van het Burgerlijk Wetboek onder bewind gesteld, dan worden, wat elk der bewindvoerders betreft, opgegeven:

1°. al hetgeen in artikel 5, eerste lid, onder 1°, 2°, 3° en 7° is voorgeschreven en de dag, waarop hij bewindvoerder is geworden;

2°. rechterlijke beslissingen inzake zijn bevoegdheid, als bedoeld in de artikelen 437, tweede lid, en 441, tweede lid, onder f, en derde lid van Boek 1 van het Burgerlijk Wetboek.

2. Van de aanvang en het einde van het bewind wordt opgaaf gedaan.

Opgave inzake onderneming buiten Nederland

Art. 14. Indien de onderneming zelf buiten Nederland is gevestigd, worden mede opgegeven de plaats en het land, waar de onderneming gevestigd is, en bovendien al datgene, wat ingevolge de wetgeving van dat land omtrent de onderneming ter inschrijving in het handelsregister wordt opgegeven of op andere wijze wordt openbaar gemaakt. Mede wordt opgegeven welke harer nevenvestigingen in Nederland als haar hoofdnederzetting moet worden aangemerkt, dan wel bij welke van de haar in Nederland vertegenwoordigende, gevolmachtigde handelsagenten zij geacht moet worden haar hoofdnederzetting te hebben.

Opgave inzake onderneming met filialen in Nederland

Art. 15. 1. Heeft een onderneming in Nederland gelegen nevenvestigingen, dan worden ter inschrijving bij de Kamer van Koophandel en Fabrieken, in welker gebied de onderneming zelf of de in artikel 14 bedoelde hoofdnederzetting gevestigd is, mede opgegeven betreffende elk dier nevenvestigingen:

1°. de plaats waar zij is gelegen;

2°. de handelsnaam, waaronder zij wordt gedreven;
3°. een korte omschrijving van het bedrijf of de bedrijven, die daarin worden uitgeoefend;
4°. omtrent de bij de nevenvestiging werkzame beheerder, procuratiehouders, andere dergelijke gevolmachtigden en gevolmachtigde handelsreizigers: al hetgeen in artikel 5, eerste lid, onder 1°, 2°, 3° en 7° is voorgeschreven, alsmede de inhoud van hun volmacht.

2. Ter inschrijving bij de Kamer, in welker gebied niet de onderneming zelf of de in artikel 14 bedoelde hoofdnederzetting gevestigd is, maar een nevenvestiging van de onderneming gelegen is, worden de in het eerste lid bedoelde gegevens alleen betreffende die nevenvestiging opgegeven. Bij die Kamer worden ter zake van de onderneming zelf uitsluitend opgegeven:
1°. de handelsnaam, waaronder zij wordt gedreven;
2°. de statutaire zetel van de rechtspersoon, waaraan zij toebehoort;
3°. de plaats van vestiging;
4°. bij welke Kamer van Koophandel en Fabrieken en onder welk nummer zij of haar in artikel 14 bedoelde hoofdnederzetting in het handelsregister is ingeschreven.

3. Ingeval in het gebied van de in het tweede lid bedoelde Kamer tevens de in artikel 1, zevende lid, genoemde rechtspersoon, waaraan de onderneming behoort, haar statutaire zetel heeft, is, in plaats van het tweede lid, het eerste lid van overeenkomstige toepassing.

Art. 15a. 1. In afwijking van artikel 15, eerste lid, wordt, indien een aan een Europees economisch samenwerkingsverband behorende onderneming in Nederland gelegen nevenvestigingen heeft, ter inschrijving bij de Kamer van Koophandel en Fabrieken, in welker gebied de onderneming zelf of de in artikel 14 bedoelde hoofdnederzetting gevestigd is, mede opgegeven betreffende elk dier nevenvestigingen de plaats waar zij is gelegen.

2. In afwijking van artikel 15, tweede lid, wordt ter inschrijving bij de Kamer, in welker gebied niet de aan een Europees economisch samenwerkingsverband toebehorende onderneming zelf of de in artikel 14 bedoelde hoofdnederzetting gevestigd is, maar een nevenvestiging van de onderneming gelegen is, opgegeven de plaats waar deze is gelegen. Bij die Kamer worden ter zake van de onderneming zelf uitsluitend opgegeven de handelsnaam, waaronder zij wordt gedreven, en de plaats van vestiging.

Art. 15b. 1. In afwijking van de artikelen 12, 14, eerste volzin, en 15, eerste lid, worden, indien de eigenaar van een in Nederland gevestigde onderneming of van een in het buitenland gevestigde onderneming met een nevenvestiging in Nederland een vennootschap is als bedoeld in richtlijn 68/151/EEG van de Raad van de Europese Gemeenschappen van 9 maart 1968 (PbEG L 65), opgericht overeenkomstig het recht van een Lid-Staat van de Europese Gemeenschappen, anders dan Nederland, of opgericht overeenkomstig het recht van een andere Staat die partij is bij de Overeenkomst betreffende de Europese Economische Ruimte ter inschrijving bij de Kamer van Koophandel en Fabrieken, in welker gebied de onderneming zelf of de in artikel 14, tweede volzin, bedoelde hoofdnederzetting is gevestigd, opgegeven:
1°. de plaats waar zij is gelegen;
2°. de handelsnaam, waaronder zij wordt gedreven;
3°. een korte omschrijving van het bedrijf of de bedrijven, die daarin worden uitgeoefend;
4°. omtrent de bij de onderneming onderscheidenlijk de hoofdnederzetting werkzame beheerder, procuratiehouders, andere dergelijke gevolmachtigden en gevolmachtigde handelsreizigers: al hetgeen in artikel 5, eerste lid, onder 1°, 2°, 3° en 7°, is voorgeschreven en de dag waarop zij bij de onderneming onderscheidenlijk de hoofdnederzetting in functie zijn getreden, alsmede de inhoud van hun volmacht;
5°. de naam en rechtsvorm van de vennootschap aan welke de onderneming onderscheidenlijk de hoofdnederzetting toebehoort, het register waarin en het nummer waaronder die vennootschap is ingeschreven;
6°. ten aanzien van iedere bestuurder of commissaris van de vennootschap: al hetgeen in artikel 5, eerste lid, onder 1°, 2°, 3° en 7°, is voorgeschreven en de dag, waarop hij bij de vennootschap in functie is getreden, alsmede of hij bevoegd is de vennootschap alleen of gezamenlijk handelend met een of meer andere personen te vertegenwoordigen.

2. Heeft een onderneming als bedoeld in het eerste lid nevenvestigingen in het gebied van de Kamer waar zij zelf is gevestigd, of zijn er in het gebied van de Kamer

waar een hoofdnederzetting als bedoeld in het eerste lid is gevestigd nog andere nevenvestigingen, dan worden mede opgegeven betreffende elk van die nevenvestigingen de gegevens, bedoeld in het eerste lid, onder *1°* tot en met *4°*.

3. Bij de opgaaf worden overgelegd een authentiek of een door een opgaafplichtige gewaarmerkt afschrift van de oprichtingsakte van de vennootschap en van de statuten, indien deze in een afzonderlijke akte zijn opgenomen. Dit afschrift is in het Nederlands, Duits, Engels of Frans gesteld.

4. Ten kantore van het handelsregister waar de onderneming onderscheidenlijk de hoofdnederzetting is ingeschreven wordt telkens het meest recente exemplaar van de boekhoudbescheiden van de vennootschap waaraan de onderneming onderscheidenlijk hoofdnederzetting toebehoort, neergelegd, voor zover en in de vorm waarin de vennootschap deze in het land van haar statutaire zetel openbaar moet maken. De tweede volzin van het derde lid is van toepassing.

Art. 15c. In afwijking van artikel 15, tweede lid, worden ter inschrijving bij de Kamer, in welker gebied niet de in artikel 15b, eerste lid, bedoelde onderneming onderscheidenlijk hoofdnederzetting is gevestigd, maar een nevenvestiging van de onderneming is gelegen, opgegeven de gegeven, bedoeld in artikel 15b, eerste lid, met betrekking tot die nevenvestiging. Bij die Kamer worden ter zake van de onderneming of hoofdnederzetting uitsluitend opgegeven het register waarin en het nummer waaronder zij is ingeschreven.

Art. 15d. 1. In afwijking van de artikelen 12, 14, eerste volzin, en 15, eerste lid, worden, indien de eigenaar van een in Nederland gevestigde onderneming of van een in het buitenland gevestigde onderneming met een nevenvestiging in Nederland een vennootschap is, opgericht overeenkomstig het recht van een land dat noch tot de Europese Gemeenschappen behoort, noch tot de andere Staten die partij zijn bij de Overeenkomst betreffende de Europese Economische Ruimte, met een vergelijkbare-rechtsvorm als die van de vennootschappen waarop de in artikel 15b, eerste lid, bedoelde richtlijn van toepassing is, ter inschrijving bij de Kamer van Koophandel en Fabrieken, in welker gebied de onderneming zelf of de in artikel 14 bedoelde hoofdnederzetting is gevestigd, opgegeven:

1°. de gegevens, bedoeld in artikel 15b, eerste lid, onder 1° tot en met 6°, alsmede de omvang van de bevoegdheid van iedere bestuurder of commissaris van de vennootschap;

2°. het recht van de staat waaronder de vennootschap valt;

3°. de zetel en het doel van de vennootschap volgens haar statuten;

4°. ten minste eenmaal per jaar het bedrag van het geplaatste kapitaal.

2. Heeft een onderneming als bedoeld in het eerste lid nevenvestigingen in het gebied van de Kamer waar zij zelf is gevestigd, of zijn er in het gebied van de Kamer waar een hoofdnederzetting als bedoeld in het eerste lid is gevestigd nog andere nevenvestigingen, dan worden mede opgegeven betreffende elk van die nevenvestigingen de gegevens, bedoeld in artikel 15b, eerste lid, onder *1°* tot en met *4°*. Zijn er nevenvestigingen, die in het gebied van een andere Kamer zijn gelegen, dan wordt mede opgegeven betreffende elk van die nevenvestigingen de plaats waar zij is gelegen.

3. Bij de opgaaf worden overgelegd een authentiek of een door een opgaafplichtige gewaarmerkt afschrift van de oprichtingsakte van de vennootschap en van de statuten, indien deze in een afzonderlijke akte zijn opgenomen. De tweede volzin van artikel 15b, derde lid, is van toepassing.

4. Ten kantore van het handelsregister waar de onderneming onderscheidenlijk de hoofdnederzetting is ingeschreven wordt telkens het meest recente exemplaar van de boekhoudbescheiden van de vennootschap waaraan de onderneming onderscheidenlijk hoofdnederzetting toebehoort, neergelegd, voor zover en in de vorm waarin de vennootschap deze in het land van haar statutaire zetel openbaar moet maken. De tweede volzin van artikel 15b, derde lid, is van toepassing.

Art. 15e. In afwijking van artikel 15, tweede lid, worden ter inschrijving bij de Kamer, in welker gebied niet de in artikel 15d, eerste lid, bedoelde onderneming onderscheidenlijk hoofdnederzetting is gevestigd, maar een nevenvestiging van de onderneming is gelegen, opgegeven de gegevens, bedoeld in artikel 15d, eerste lid, met betrekking tot die nevenvestiging. Bij die Kamer worden ter zake van de onderneming of hoofdnederzetting uitsluitend opgegeven het register waarin en het nummer waaronder zij is ingeschreven.

Opgave m.b.t. handelsagenten in Nederland

Art. 16. Wordt een onderneming vertegenwoordigd door in Nederland gevestigde en gevolmachtigde handelsagenten, dan worden ter inschrijving bij de Kamer van Koophandel en Fabrieken, in welker gebied de onderneming zelf of de in artikel 14 bedoelde hoofdnederzetting gevestigd is, mede opgegeven betreffende elk dier handelsagenten:
1°. de inhoud van zijn volmacht;
2°. de handelsnaam van zijn onderneming;
3°. bij welke Kamer en onder welk nummer hij in het handelsregister is ingeschreven.

Opgave onderneming met obligaties op naam of aan toonder

Art. 17. 1. Wordt een onderneming gedreven met behulp van geleende gelden, verkregen door de uitgifte van schuldbrieven, dan worden opgegeven het aantal der in omloop zijnde schuldbrieven, onderverdeeld in schuldbrieven op naam en aan toonder en naar hun bedragen, het onderpand en het bedrag ten honderd in het jaar van de verschuldigde rente.

2. Wijzigingen in deze gegevens worden eenmaal per jaar opgegeven.

Art. 17a. Bij de opgaven, die ingevolge de artikelen 5, 6, 8, 9, 9b, vierde lid, 10, 11, 12, 15, eerste lid en tweede lid, eerste volzin, 15b, eerste en tweede lid, 15c, 15d, eerste lid en tweede lid, eerste volzin, en 15e, ter zake van een onderneming of een nevenvestiging dienen te worden gedaan, wordt ter zake van de betrokken onderneming of nevenvestiging tevens opgegeven de orde van de grootte van het aantal bij de onderneming of nevenvestiging werkzame personen, met inachtneming van daaromtrent bij algemene maatregel van bestuur te stellen regels.

Opgave van bekendmakingen inzake boedelscheiding, curatele, faillissement enz.

Art. 18. 1. In geval van curatele van degene die als eigenaar ener onderneming of als vennoot onder een firma in het handelsregister ingeschreven is, worden alle aankondigingen welke krachtens artikel 390 van Boek 1 van het Burgerlijk Wetboek in de Nederlandse Staatscourant of in een ander nieuwsblad worden opgenomen, door hem die met die bekendmaking belast is, mede ter inschrijving in het handelsregister opgegeven.

2. Van een rechterlijke uitspraak houdende faillietverklaring of verlening van surséance van betaling van degene die als eigenaar van een onderneming of als vennoot onder een firma in het handelsregister is ingeschreven of van een ingeschreven rechtspersoon, van de vernietiging van een zodanige uitspraak, alsmede van het einde van het faillissement of van de surséance van betaling, doet de griffier van het betrokken rechtscollege dan wel, indien het een uitspraak van een buitenlandse rechter inzake een vennootschap als bedoeld in artikel 15b, eerste lid, of artikel 15d, eerste lid, betreft, degene die op grond van artikel 3 verplicht is opgaaf te doen, opgave ter inschrijving in het handelsregister, in geval van faillietverklaring of verlening van surséance van betaling met vermelding van de rechter-commissaris, zo die is benoemd, en van de curator onderscheidenlijk de bewindvoerder.

3. Alle aankondigingen, welke ingevolge de artikelen 153, derde lid, 156, achtste lid, 157, derde lid, en 161, zevende lid, van de Wet toezicht verzekeringsbedrijf 1993 in de Nederlandse Staatscourant worden opgenomen, worden door hem die met die bekendmaking belast is, mede ter inschrijving in het handelsregister opgegeven.

Opgave wijzigingen in inschrijvingen

Art. 19. 1. Iedere wijziging van hetgeen in het handelsregister is ingeschreven, wordt opgegeven met vermelding van de dag waarop zij is ingegaan. Als wijzigingen worden ook beschouwd schorsing van een persoon in de betrekking bij een onderneming, op grond waarvan hij in het handelsregister is vermeld, zomede opheffing van die schorsing.

2. Bij wijziging van de statuten van een rechtspersoon waarover gegevens in het handelsregister zijn ingeschreven, wordt, indien van de wijziging een notariële akte is opgemaakt, een authentiek afschrift van die akte overgelegd; indien van de wijziging geen notariële akte is opgemaakt wordt een door het bestuur gewaarmerkt afschrift van de wijziging overgelegd.

3. Bij de opgave van de statutenwijziging wordt tevens overgelegd een volledige doorlopende tekst van de statuten zoals die tengevolge van de aangebrachte wijziging luidt.

Art. 19a. 1. Indien de Kamer van Koophandel en Fabrieken kennis draagt van een wijziging van hetgeen in het handelsregister is ingeschreven, anders dan door een opgaaf van iemand, die tot het doen daarvan gehouden is, of door een opgaaf van een andere Kamer, is zij bevoegd deze wijziging in het handelsregister in te schrijven,

indien zij één van de volgende gegevens betreft:
1°. de woonplaats van de eigenaar van een onderneming of van een andere in verband met een onderneming of rechtspersoon in het handelsregister ingeschreven persoon;
2°. de omschrijving van het bedrijf of de bedrijven, die in de onderneming of in een nevenvestiging worden uitgeoefend;
3°. de plaats van vestiging van de onderneming;
4°. de orde van grootte van het aantal bij de onderneming werkzame personen;
5°. de plaats waar een nevenvestiging van de onderneming gelegen is;
6°. de orde van grootte van het aantal bij een nevenvestiging werkzame personen.

2. Bij het inschrijven van de wijziging vermeldt de Kamer zo mogelijk de dag, waarop zij is ingegaan.

3. Door de inschrijving van een wijziging ingevolge het eerste lid wordt de verplichting van degenen die tot de opgaaf van die wijziging gehouden zijn ten aanzien van het door de betrokken Kamer gehouden handelsregister opgeheven.

4. Indien de Kamer kennis draagt van het feit dat de eigenaar van een onderneming of een andere in verband met een onderneming of rechtspersoon in het handelsregister ingeschreven persoon is overleden, is zij bevoegd dit feit, indien het in het register van de burgerlijke stand is ingeschreven, in het handelsregister in te schrijven. Het tweede en derde lid zijn van overeenkomstige toepassing.

Art. 19b. 1. De Kamer van Koophandel en Fabrieken gaat niet over tot het wijzigen van gegevens als bedoeld in artikel 19a, eerste lid, dan nadat een maand is verstreken sinds zij een persoon die tot het doen van de opgaaf van de betrokken wijziging was gehouden, schriftelijk van haar voornemen in kennis heeft gesteld.

2. De Kamer wijzigt de gegevens slechts, voor zover daartegen door de in het eerste lid bedoelde persoon binnen de in dat lid bedoelde termijn geen schriftelijke bezwaren zijn gemaakt.

3. Indien binnen de in het eerste lid bedoelde termijn bezwaren worden gemaakt die inhouden dat de door de Kamer voorgenomen wijziging onjuist of onvolledig is, doch het betreffende gegeven wel anderszins moet worden gewijzigd, geldt deze mededeling voor de toepassing van deze wet als een opgaaf voor inschrijving.

Art. 19c. 1. De Kamer van Koophandel en Fabrieken is bevoegd een wijziging van hetgeen in het handelsregister in ingeschreven in te schrijven, indien deze wijziging reeds elders in het door haar gehouden handelsregister in ingeschreven, dan wel haar bekend is door een opgaaf van een andere Kamer, die de betrokken wijziging in het handelsregister heeft ingeschreven.

2. Artikel 19a, tweede en derde lid, is van overeenkomstige toepassing.

3. De Kamer draagt zorg, dat een persoon, die tot het doen van de opgaaf van de betrokken wijziging gehouden was, onverwijld schriftelijk bericht krijgt van de inschrijving van die wijziging ingevolge het eerste lid.

Opgave opheffing van onderneming, filialen enz.

Art. 20. 1. Van de opheffing van een onderneming of nevenvestiging wordt opgaaf gedaan.

2. Is de opheffing, bedoeld in het eerste lid, niet binnen een week voor inschrijving opgegeven, dan kan de Kamer van Koophandel en Fabrieken handelen als ware de opgaaf gedaan.

Opgave ontbinding rechtspersoon

Art. 21. 1. Van de ontbinding van een rechtspersoon of vennootschap waarover gegevens in het handelsregister zijn ingeschreven, wordt opgaaf gedaan.

2. De opgaaf vermeldt het tijdstip van de ontbinding en houdt tevens in, wat ieder der vereffenaars betreft, al hetgeen in artikel 5, eerste lid, onder 1°, 2°, 3° en 7° is voorgeschreven, benevens het tijdstip waarop hij vereffenaar is geworden. Indien de opgaaf de ontbinding van een vennootschap als bedoeld in artikel 15b, eerste lid, betreft, vermeldt zij mede de bevoegdheden van de vereffenaars, indien die in het land waar de vennootschap is gevestigd openbaar gemaakt moeten worden. Indien de opgaaf de ontbinding van een vennootschap als bedoeld in artikel 15d, eerste lid, betreft, vermeldt zij mede de bevoegdheden van de vereffenaars.

3. Van de afsluiting van de vereffening van een Europees economisch samenwerkingsverband dan wel van een vennootschap als bedoeld in artikel 15b, eerste lid, of artikel 15d, eerste lid, wordt opgaaf gedaan.

Jaarlijkse heffing krachtens verordening Kamer van Koophandel

Art. 22. 1. Voor de inschrijving van een onderneming bij de Kamer van Koophandel en Fabrieken, in welker gebied zij is gevestigd, is over elk kalenderjaar waarin de onderneming is ingeschreven of behoort te zijn ingeschreven aan die Kamer verschuldigd een door die Kamer bij verordening vast te stellen bedrag.

2. De Kamer kan bij een verordening als in het eerste lid bedoeld voor geen onderneming een hoger bedrag vaststellen dan het bij algemene maatregel van bestuur voor de betrokken groep van ondernemingen bepaalde bedrag.

Classificatie onderneming naargelang van investering

3. Bij de in het tweede lid bedoelde maatregel worden de ondernemingen in groepen ingedeeld naar gelang van het in de onderneming gestoken kapitaal, met aftrek van de verliezen. Bij die maatregel kunnen in bijzondere gevallen ondernemingen volgens andere maatstaven in groepen worden ingedeeld. Voor elke groep van ondernemingen wordt, met het oog op de toepassing van het eerste lid, een bedrag bepaald.

4. Onder het in de onderneming gestoken kapitaal worden mede verstaan:
a. reserves en voorzieningen, behalve die, welke dienen tot dekking van verplichtingen of onmiddellijk aanwijsbare risico's, voor zover het bedrag daarvan dat van deze verplichtingen of risico's niet te boven gaat;
b. schulden met een looptijd van een jaar of langer.

5. Bij een verordening als in het eerste lid bedoeld worden de bedragen, welke ter zake van de inschrijving van de onderscheidene ondernemingen zullen zijn verschuldigd, zodanig vastgesteld, dat hun onderlinge verhouding gelijk is aan die der bedragen, welke bij de in het tweede lid bedoelde maatregel voor die ondernemingen zijn bepaald. De verordening wordt ten kantore van het secretariaat van de Kamer voor een ieder ter inzage nedergelegd. Van de nederlegging wordt in de Staatscourant kennis gegeven.

6. Voor de inschrijving van een in artikel 1, zevende lid, genoemde rechtspersoon is over elk kalenderjaar waarin de rechtspersoon is ingeschreven of behoort te zijn ingeschreven aan de betrokken Kamer verschuldigd een bij algemene maatregel van bestuur vast te stellen bedrag. Deze bepaling is niet van toepassing indien de inschrijving van de onderneming van de rechtspersoon op grond van artikel 9c geldt als inschrijving van de rechtspersoon.

7. De voordracht tot vaststelling van een maatregel als in het tweede of zesde lid bedoeld wordt Ons gedaan door Onze Minister van Economische Zaken.

Aangifte in beginsel grondslag voor de heffing

Art. 22a. 1. Als grondslag voor de toepassing van een verordening als in artikel 22, eerste lid, bedoeld geldt de aangifte bij de inschrijving der onderneming, afkomstig van degene, die de voor deze inschrijving nodige opgaven heeft gedaan. Voor de later verschuldigde bedragen kan de aangifte worden herzien of kan een nieuwe aangifte worden gedaan door degenen, die volgens artikel 3 tot het doen van opgaven voor de inschrijving in het handelsregister zijn gehouden.

2. De Kamer kan degenen, die volgens artikel 3 tot het doen van opgaven voor de inschrijving in het handelsregister zijn gehouden, ten hoogste eenmaal per jaar schriftelijk verzoeken aangifte te doen ten behoeve van de rangschikking van de onderneming. Een dergelijk verzoek wordt niet gedaan voordat een jaar is verstreken sinds de aangifte bij de inschrijving of, bij gebreke daarvan, sinds de inschrijving heeft plaatsgevonden.

3. De Kamer kan degene, die een aangifte ten behoeve van de rangschikking van de onderneming heeft gedaan, schriftelijk verzoeken een nadere toelichting op die aangifte te verstrekken.

Herziening door Kamer van Koophandel

4. De Kamer van Koophandel en Fabrieken rangschikt een onderneming in een groep, waarvoor een hoger bedrag geldt dan hetwelk geldt voor de groep, waartoe die onderneming volgens de aangifte behoort, indien zij van oordeel is dat de onderneming tot eerstbedoelde groep behoort of dat de betekenis der onderneming rangschikking in die groep wettigt. De bekendmaking van de beschikking geschiedt binnen acht dagen na de vaststelling ervan.

5. Bij gebreke van een aangifte bij de inschrijving of bij het achterwege blijven van een aangifte of een nadere toelichting na een verzoek van de Kamer als bedoeld in het tweede onderscheidenlijk het derde lid rangschikt de Kamer van Koophandel en Fabrieken de onderneming in de groep, waartoe de onderneming op grond van de Kamer ter beschikking staande gegevens behoort, met dien verstande, dat het in de onderneming gestoken kapitaal, dan wel datgene wat krachtens artikel 22, derde lid, tweede volzin, als andere maatstaf voor de desbetreffende groep van ondernemingen is bepaald, door de Kamer kan worden geschat. De bekendmaking van de beschikking geschiedt binnen acht dagen na de vaststelling ervan.

De tweede volzin van het eerste lid alsmede het vierde lid zijn van overeenkomstige toepassing.

6. De Kamer van Koophandel en Fabrieken verleent aan degene of degenen, aan wie de onderneming behoort, op zijn of hun verzoek voor een door de Kamer vast te stellen termijn geheel of ten dele ontheffing van de verplichting tot betaling van krachtens de voorgaande leden en artikel 22 verschuldigde bedragen, indien naar haar oordeel sprake is van een bijzonder geval, waarin de invordering onderscheidenlijk de onverkorte invordering onredelijk zou zijn.

Ontheffing van betalingsplicht

Art. 23. Ten aanzien van een inschrijving, als bedoeld in artikel 1, vijfde lid, of een inschrijving bij de Kamer van Koophandel en Fabrieken, in welker gebied de in artikel 14 bedoelde hoofdnederzetting gevestigd is, is het bij en krachtens de artikelen 22 en 22a bepaalde van overeenkomstige toepassing.

Heffing in bijzondere gevallen

Art. 23a. Voor de inschrijving van een onderneming bij de Kamer van Koophandel en Fabrieken, in welker gebied niet de onderneming zelf of de in artikel 14 bedoelde hoofdnederzetting gevestigd is, doch een nevenvestiging van de onderneming, is over elk kalenderjaar waarin de onderneming is ingeschreven of behoort te zijn ingeschreven aan die Kamer verschuldigd een door die Kamer bij verordening vast te stellen bedrag. De verordening wordt ten kantore van het secretariaat van de Kamer voor een ieder ter inzage nedergelegd. Van de nederlegging wordt in de Staatscourant kennis gegeven.

Heffing voor inschrijving wegens filiaal of handelsagent

Art. 23b. 1. Met het oog op de toepassing van artikel 23a worden bij algemene maatregel van bestuur de ondernemingen in groepen ingedeeld naar gelang van het in de onderneming gestoken kapitaal, met aftrek van de verliezen. Bij die maatregel kunnen in bijzondere gevallen ondernemingen volgens andere maatstaven in groepen worden ingedeeld. Voor elke groep van ondernemingen wordt, met het oog op de toepassing van artikel 23a, een bedrag bepaald. Artikel 22, tweede lid, vierde lid, vijfde lid, eerste volzin, en zesde lid, is van overeenkomstige toepassing.

Classificatie ondernemingen met filialen enz.

2. Als grondslag voor de toepassing van een krachtens artikel 23a, mede in verband met het eerste lid, vastgestelde verordening geldt de aangifte betreffende of de rangschikking van de onderneming, overeenkomstig artikel 22a, eerste, vierde of vijfde lid, ter zake van de inschrijving bij de Kamer, in welker gebied zijn of haar in artikel 14 bedoelde hoofdnederzetting gevestigd is.

Aangifte is grondslag van de heffing

3. Artikel 22a, tweede en derde lid, is van overeenkomstige toepassing.

Art. 23c. 1. Met het oog op de toepassing van artikel 23a worden bij de in artikel 23b bedoelde algemene maatregel van bestuur tevens nevenvestigingen van ondernemingen ingedeeld in groepen naar gelang van het kapitaal, gestoken in de in het gebied van de Kamer gelegen nevenvestigingen, met aftrek van de verliezen, dan wel naar gelang van een andere maatstaf. Voor elke groep nevenvestigingen wordt, met het oog op de toepassing van artikel 23a, een bedrag bepaald. De in de eerste volzin bedoelde indeling is, in de plaats van de indeling van de ondernemingen zelf, bedoeld in artikel 23b, van toepassing, ingeval degene, die de voor deze inschrijving nodige opgave doet, om toepassing daarvan verzoekt en aan de Kamer de voor die toepassing nodige bescheiden overlegt.

Klassificatie van filialen enz.

2. Bij de toepassing van een indeling als in het eerste lid bedoeld in een verordening als bedoeld in artikel 23a kan de Kamer voor geen onderneming hoger bedrag vaststellen dan hetwelk bij de in het eerste lid bedoelde maatregel voor de betrokken groep van nevenvestigingen is bepaald. Bij die toepassing worden de bedragen, welke voor de onderscheidene ondernemingen zijn verschuldigd, zodanig vastgesteld, dat hun onderlinge verhouding gelijk is aan die der bedragen, welke bij die maatregel voor de groepen van nevenvestigingen zijn bepaald.

3. Met betrekking tot krachtens de voorgaande leden en de artikelen 23a en 23b verschuldigde bedragen is artikel 22a, zesde lid, van overeenkomstige toepassing.

4. Bij een maatregel als in het eerste lid, eerste volzin, bedoeld worden regelen gesteld omtrent de grondslag voor de toepassing van een krachtens artikel 23a, mede in verband met dat lid, vastgestelde verordening en kan het in die volzin bedoelde kapitaal nader worden omschreven.

Art. 24. (Vervallen bij de wet van 4 juli 1968, Stb. 380).

Art. 25. Op verzoek van de Kamer van Koophandel en Fabrieken kan Onze Minister van Economische Zaken, indien zich naar zijn oordeel een bijzonder geval voordoet, bepalen, dat de artikelen 22, tweede lid, en 23c, tweede lid, eerste volzin, gedurende een door hem te bepalen termijn voor die Kamer niet gelden. In dat geval

Tijdelijke andere heffingsverordening in een bijzonder geval

stelt de Kamer bij een verordening als in dat lid onderscheidenlijk die volzin bedoeld geen hogere bedragen vast dan welke Onze genoemde Minister met overeenkomstige toepassing van artikel 22, vijfde lid, eerste volzin, voor de onderscheidene groepen van ondernemingen onderscheidenlijk van nevenvestigingen van ondernemingen, heeft bepaald. Onze genoemde Minister doet van zijn beschikking mededeling door plaatsing in de Staatscourant.

Wie het inschrijvingsrecht verschuldigd zijn

Art. 26. 1. De bedragen zijn verschuldigd door degene, aan wie de onderneming behoort, dan wel, indien het betreft de inschrijving van een in artikel 1, zevende lid, genoemde rechtspersoon, de ingeschreven rechtspersoon. Behoort de onderneming aan meer dan één persoon, dan zijn allen, hoofdelijk verbonden.

2. Is een krachtens deze wet verschuldigd bedrag voor het geheel of een deel niet tijdig voldaan, dan maant de Kamer van Koophandel en Fabrieken de nalatige schriftelijk aan om alsnog binnen acht dagen na de ontvangst van de brief het daarin vermelde bedrag aan de Kamer te doen toekomen. Volgt op deze aanmaning de betaling binnen de gestelde termijn niet, dan vaardigt de Kamer een dwangbevel uit. Het dwangbevel levert een executoriale titel op, die met toepassing van de voorschriften van het Wetboek van Burgerlijke Rechtsvordering kan worden tenuitvoergelegd. De aanmaning en incasso van het dwangbevel geschieden op kosten van de schuldenaar.

Verzet

3. Binnen dertig dagen na de betekening staat verzet tegen het dwangbevel open door dagvaarding van de betrokken Kamer voor de kantonrechter binnen wiens rechtsgebied de Kamer haar zetel heeft. Het verzet schorst de tenuitvoerlegging.

4. Het verzet kan niet worden gegrond op de bewering, dat het ter zake van de inschrijving verschuldigde bedrag ten onrechte is opgelegd of onjuist is bepaald.

Verrekening tussen Kamers van Koophandel

Art. 27. 1. Onze Minister van Economische Zaken kan, voor zover de toepassing van het bij en krachtens de artikelen 22-25 bepaalde voor enige Kamer van Koophandel en Fabrieken naar zijn oordeel tot ernstige onbillijkheden zou leiden, een door hem te bepalen verrekening tussen deze Kamer en de overige betrokken Kamers van Koophandel en Fabrieken voorschrijven.

2. Alvorens een beschikking krachtens het vorige lid vast te stellen, hoort Onze Minister de betrokken Kamers van Koophandel en Fabrieken.

Doorhaling enz. door kantonrechter van onjuiste of onrechtmatige opgave

Art. 28. 1. Indien de Kamer van Koophandel en Fabrieken oordeelt, dat een inschrijving ten onrechte is geschied, of onvolledig of onjuist is, of in strijd met de openbare orde of de goede zeden, wendt zij zich bij verzoekschrift tot de rechter van het kanton, waar de inschrijving is geschied, met het verzoek, al naar de omstandigheden, doorhaling, aanvulling of wijziging van het ingeschrevene te gelasten.

2. Iedere belanghebbende, die oordeelt, dat daartoe een der in het eerste lid genoemde gronden aanwezig is, kan het in het eerste lid bedoelde verzoek doen.

Ondernemingskamer gelast de opgave dat voldaan is aan de voorwaarden voor grote of kleine NV of BV

Art. 28a. 1. Indien een rechtspersoon waarop een verplichting krachtens artikel 8a van deze wet, of een der artikelen 63b, 153 en 263 van het Burgerlijk Wetboek rust, verzuimt de aldaar bedoelde opgaaf te doen, kunnen de Kamer van Koophandel en Fabrieken en iedere belanghebbende de ondernemingskamer van het gerechtshof te Amsterdam verzoeken de inschrijving in het handelsregister te gelasten.

2. Een inschrijving volgens een der in het vorige lid bedoelde artikelen wordt doorgehaald, wanneer de rechtspersoon niet langer voldoet aan de voorwaarden tot het doen van de opgaaf. De doorhaling geschiedt op verzoek van de rechtspersoon. Doorhaling van de inschrijving op grond van artikel 63b, 153 of 263 van boek 2 van het Burgerlijk Wetboek kan eveneens geschieden op verzoek van een vertegenwoordiger daartoe aangewezen door de algemene vergadering of door een commissie van aandeelhouders als bedoeld in artikel 158 of 268 van dat boek.

3. Is een doorhaling ten onrechte geschied, dan kunnen de Kamer van Koophandel en Fabrieken en iedere belanghebbende aan de ondernemingskamer van het gerechtshof te Amsterdam herstel van de inschrijving verzoeken.

4. Als belanghebbende in de zin van dit artikel worden mede beschouwd een door Ons aangewezen naar Ons oordeel algemeen erkende, centrale organisatie van werknemers, alsmede een organisatie van werknemers als bedoeld in artikel 63h, 160 of 270 van boek 2 van het Burgerlijk Wetboek.

5. De griffier zendt een afschrift van het verzoekschrift en van de beslissing daarop aan de Kamer van Koophandel en Fabrieken, indien deze niet zelf het verzoek heeft gedaan.

6. De ondernemingskamer beslist niet dan nadat zij de verzoeker, de rechtspersoon en de Kamer van Koophandel en Fabrieken in de gelegenheid heeft gesteld over het verzoek te worden gehoord.

Art. 29. Indien bij rechterlijke uitspraak hetgeen in het handelsregister is ingeschreven geheel of gedeeltelijk onrechtmatig is verklaard, doet de Kamer van Koophandel en Fabrieken op verzoek van de belanghebbende daarvan aantekening in het handelsregister.

Aantekening in handelsregister dat inschrijving onrechtmatig is verklaard

Art. 29a. De Kamer van Koophandel en Fabrieken houdt een lijst bij van de namen van de rechtspersonen die in het door haar gehouden handelsregister zijn ingeschreven, en waarvan een opgaaf overeenkomstig artikel 8a van deze wet, artikel 63b, 153 of 263 van boek 2 van het Burgerlijk Wetboek is gedaan. De lijst vermeldt bij elke rechtspersoon het wetsartikel of de wetsartikelen waarop de opgaaf berust.

Lijst van grote en kleine NV's en BV's

Art. 30. 1. Het handelsregister ligt voor een ieder kosteloos ter inzage.

Kosteloze inzage handelsregister

2. De Kamer van Koophandel en Fabrieken geeft aan een ieder op diens verzoek afschriften van of uittreksels uit hetgeen in het handelsregister ingeschreven is.

3. De Kamer geeft voor zover mogelijk aan een ieder op diens verzoek overzichten van categorieën van in het handelsregister ingeschreven ondernemingen, nevenvestigingen van ondernemingen of rechtspersonen, welke per onderneming, nevenvestiging of rechtspersoon één of meer van de in het handelsregister met betrekking daartoe ingeschreven gegevens bevatten. De in de vorige volzin bedoelde overzichten bevatten geen rangschikking van gegevens naar individuele natuurlijke personen, behoudens indien het verzoek daartoe wordt gedaan door Onze Minister van Justitie ten behoeve van de afgifte van een verklaring van geen bezwaar voor de oprichting of statutenwijziging van een naamloze vennootschap of besloten vennootschap met beperkte aansprakelijkheid, of door een officier of hulpofficier van Justitie ten behoeve van de opsporing van strafbare feiten.

4. Het bepaalde in het eerste en tweede lid vindt overeenkomstige toepassing ten aanzien van bescheiden, die krachtens wettelijk voorschrift ten kantore van het handelsregister worden neergelegd, alsmede ten aanzien van de lijst, bedoeld in artikel 29a.

Art. 30a. 1. Geschiedt opgave ter inschrijving in het handelsregister of nederlegging ten kantore van het handelsregister op grond van een voorschrift, geldende voor naamloze vennootschappen, voor besloten vennootschappen met beperkte aansprakelijkheid of voor Europese economische samenwerkingsverbanden, dan wel voor vennootschappen als bedoeld in de artikelen 15b, eerste lid en 15d, eerste lid, dan draagt de Kamer van Koophandel en Fabrieken zorg dat omtrent die inschrijving of nederlegging zo spoedig mogelijk mededeling wordt gedaan in de Nederlandse Staatscourant.
Hetzelfde geldt indien een doorhaling, aanvulling of wijziging ingevolge artikel 28 heeft plaatsgevonden.

Mededeling in Nederlandse Staatscourant van opgaven van NV's en BV's

2. De door de uitgever van de Nederlandse Staatscourant voor een mededeling als bedoeld in het eerste lid in rekening te brengen vergoeding is verschuldigd door degene met betrekking tot wiens onderneming of de rechtspersoon met betrekking waartoe die mededeling wordt gedaan. Artikel 26, eerste lid, tweede volzin, is van toepassing.

Verschuldigd tarief

3. Het eerste lid geldt niet ten aanzien van de gegevens, bedoeld in de artikelen 8, eerste lid, onder 6°, en 17a.

Art. 31. 1. Op een feit dat door inschrijving of nederlegging moet worden bekendgemaakt, kan jegens derden die daarvan onkundig waren geen beroep worden gedaan zolang de inschrijving of nederlegging en, indien het een naamloze vennootschap, een besloten vennootschap met beperkte aansprakelijkheid of een Europees economisch samenwerkingsverband dan wel een vennootschap als bedoeld in artikel 15b, eerste lid, of artikel 15d, eerste lid, betreft, de bij artikel 30a voorgeschreven mededeling niet hebben plaatsgevonden.

Tegen derden te goeder trouw geen beroep op feiten die gepubliceerd hadden moeten zijn

2. Indien de derde aantoont dat hij onmogelijk kennis heeft kunnen nemen van een mededeling als bedoeld in artikel 30a, kan hij zich erop beroepen dat hij van het bekendgemaakte feit onkundig was, met dien verstande dat dit beroep alleen kan

worden gedaan in verband met hetgeen heeft plaatsgevonden binnen vijftien dagen nadat de mededeling was geschied. De Algemene Termijnenwet is op deze termijn niet van toepassing.

Onvolledigheid der inschrijving kan niet aan derden te goeder trouw worden tegengeworpen

3. De eigenaar van de onderneming of de ingeschreven rechtspersoon, alsmede hij die enig feit heeft opgegeven of gehouden is enig feit op te geven, kan aan derden, die daarvan onkundig waren, niet de onjuistheid of onvolledigheid van de inschrijving of van de in artikel 30a bedoelde mededeling tegenwerpen. Met de inschrijving wordt de nederlegging ten kantore van het handelsregister gelijkgesteld.

4. Dit artikel is niet van toepassing ten aanzien van:
1. het bepaalde in artikel 29 van het Wetboek van Koophandel;
2. opgaven betreffende aangelegenheden, welke ingevolge enig wettelijk voorschrift, uitgezonderd Boek 2 (Rechtspersonen) van het Burgerlijk Wetboek en de in artikel 1, zevende lid, bedoelde verordening, ook op andere wijze worden openbaar gemaakt;
3. de gegevens, bedoeld in artikel 19a, eerste lid.

Handelsregister-besluit

Art. 32. Alles wat betreft de inrichting van en het toezicht over het handelsregister, de opgaven voor de inschrijving, de inschrijving zelf en de gelden, daarvoor verschuldigd, de in artikel 30a bedoelde mededelingen, de doorhaling, de aanvulling en de wijziging van het ingeschrevene, het ter inzage leggen en het geven van afschriften en overzichten van en uittreksels uit hetgeen ingeschreven is, wordt, voor zoveel daarin niet bij deze wet is voorzien, bij algemene maatregel van bestuur geregeld.

Art. 32a. 1. Degenen, die ingevolge artikel 3, eerste en tweede lid, gehouden zijn tot het doen van opgaven voor de inschrijving van een onderneming onderscheidenlijk van een in artikel 1, zevende lid, genoemde rechtspersoon in het handelsregister, dienen ervoor te zorgen, dat op alle van de onderneming onderscheidenlijk de rechtspersoon uitgaande brieven, orders, facturen en offertes is vermeld waar in het handelsregister en onder welk nummer de onderneming onderscheidenlijk de rechtspersoon is ingeschreven.

2. Betreft het een inschrijving als bedoeld in artikel 15c of artikel 15e, dan wordt tevens vermeld waar in het handelsregister en onder welk nummer die nevenvestiging staat ingeschreven.

3. Betreft het een inschrijving als bedoeld in artikel 15d of artikel 15e en schrijft het recht ingevolge hetwelk de vennootschap is opgericht inschrijving in een register voor, dan worden tevens vermeld het register waarin en het nummer waaronder de vennootschap is ingeschreven.

4. Artikel 3, vijfde lid, is ter zake van de in het eerste, tweede en derde lid bedoelde verplichtingen van overeenkomstige toepassing.

5. Onze Minister van Economische Zaken kan vrijstelling verlenen van het bepaalde in het eerste lid. Een vrijstelling kan onder beperkingen worden verleend.

6. Een vrijstelling als bedoeld in het vijfde lid kan niet worden verleend aan Europese economische samenwerkingsverbanden en evenmin, voor zover het betreft brieven en orders, aan naamloze vennootschappen, besloten vennootschappen met beperkte aansprakelijkheid en vennootschappen als bedoeld in de artikelen 15b, eerste lid, en 15d, eerste lid.

Onjuiste opgaven

Art. 33. 1. Het niet voldoen aan een bij deze wet gestelde verplichting tot het doen van opgaaf voor inschrijving in het handelsregister of tot nederlegging van de in de artikelen 15b, derde en vierde lid, bedoelde bescheiden ten kantore van het handelsregister is verboden.

2. Eveneens is het verboden een bij deze wet verplicht gestelde opgaaf tot inschrijving in het handelsregister of tot nederlegging van de in de artikelen 15b, derde en vierde lid, bedoelde bescheiden ten kantore van het handelsregister, welke onjuist of onvolledig is, te verrichten of te doen verrichten.

Artt. 34-36. Vervallen.

Art. 37. (Bevat wijzigingen in het Wetboek van Koophandel).

Citeertitel

Art. 38. Deze wet kan worden aangehaald als: Handelsregisterwet.

Inwerkingtreding

Art. 39. Deze wet treedt in werking op een door Ons te bepalen tijdstip.

EENVORMIGE BENELUXWET OP DE MERKEN, Brussel, 19 maart 1962 (Trb. 58), zoals laatstelijk gewijzigd bij het Tractatenblad 1993, 12

HOOFDSTUK I

Individuele merken

Art. 1. Als individuele merken worden beschouwd de benamingen, tekeningen, afdrukken, stempels, letters, cijfers vormen van waren of van verpakkingen en alle andere tekens, die dienen om de waren van een onderneming te onderscheiden.

Individuele merken

Evenwel kunnen niet als merken worden beschouwd vormen, die door de aard van de waar worden bepaald, die de wezenlijke waarde van de waar beïnvloeden of die een uitkomst op het gebied van de nijverheid opleveren.

Art. 2. Onverminderd de bepalingen van het gemene recht, kan een geslachtsnaam als merk dienen.

Geslachtsnaam als merk

Art. 3. 1. Onverminderd de in het Verdrag van Parijs tot bescherming van de industriële eigendom of de Overeenkomst van Madrid betreffende de internationale inschrijving van merken vastgestelde rechten van voorrang, wordt het uitsluitend recht op een merk verkregen door het eerste depot, verricht binnen het Beneluxgebied (Benelux-depot) of voortvloeiend uit een inschrijving bij het Internationaal Bureau voor de bescherming van de industriële eigendom (internationaal depot).

Verkrijgen van recht op merk door eerste depot

2. Bij de beoordeling van de rangorde van het depot wordt rekening gehouden met de op het tijdstip van het depot bestaande en ten tijde van het geding gehandhaafde rechten op:
a. gelijke, voor dezelfde waren gedeponeerde merken;
b. gelijke of overeenstemmende, voor dezelfde of soortgelijke waren gedeponeerde merken, indien de mogelijkheid bestaat dat bij het publiek een associatie wordt gewekt tussen de merken;
c. overeenstemmende, voor niet-soortgelijke waren gedeponeerde merken, die bekendheid in het Beneluxgebied genieten, indien door het gebruik, zonder geldige reden, van het jongere merk ongerechtvaardigd voordeel kan worden getrokken uit of afbreuk kan worden gedaan aan het onderscheidend vermogen of de reputatie van het oudere merk.

Art. 4. Binnen de in de artikelen 6bis, 6ter en 14 gestelde grenzen wordt geen recht op een merk verkregen door:

Eerste depot dat geen recht op merk doet ontstaan

1. het depot van een merk dat, ongeacht het gebruik dat er van wordt gemaakt, in strijd is met de goede zeden of de openbare orde van één van de Beneluxlanden, of ten aanzien waarvan artikel 6ter van het Verdrag van Parijs in weigering of nietigverklaring voorziet;
2. het depot dat wordt verricht voor waren welke het gebruik van het merk tot misleiding van het publiek zou kunnen leiden;
3. het depot van een merk dat overeenstemt met een voor soortgelijke waren gedeponeerd collectief merk waaraan een recht was verbonden dat is vervallen in de loop van de drie jaren voorafgaande aan het depot;
4. het depot van een merk dat overeenstemt met een door een derde voor soortgelijke waren gedeponeerd individueel merk, waaraan een recht was verbonden, dat in de loop van de twee jaren voorafgaande aan het depot vervallen is door het verstrijken van de geldigheidsduur van de inschrijving, tenzij die derde heeft toegestemd of overeenkomstig artikel 5, tweede lid, onder a, geen gebruik van dit merk is gemaakt;
5. het depot van een merk dat verwarring kan stichten met een algemeen bekend merk in de zin van artikel 6bis van het Verdrag van Parijs, en dat toebehoort aan een derde die zijn toestemming niet heeft verleend;
6. het te kwader trouw verrichte depot, onder andere:
a. het depot dat wordt verricht terwijl de deposant weet of behoort te weten, dat een derde binnen de laatste drie jaren in het Beneluxgebied een overeenstemmend merk voor soortgelijke waren te goeder trouw en op normale wijze heeft gebruikt, en die derde zijn toestemming niet heeft verleend;
b. het depot dat wordt verricht terwijl de deposant op grond van zijn rechtstreekse betrekking tot een derde weet, dat die derde binnen de drie laatste jaren buiten het Beneluxgebied een overeenstemmend merk voor soortelijke waren te goeder trouw

en op normale wijze heeft gebruikt, tenzij die derde zijn toestemming heeft verleend, of bedoelde wetenschap eerst is verkregen nadat de deposant een begin had gemaakt met het gebruik van het merk binnen het Beneluxgebied.

Verval van recht op merk

Art. 5. 1. Het recht op het merk vervalt:
a. door de vrijwillige doorhaling of het verstrijken van de geldigheidsduur van de inschrijving van het Benelux-depot;
b. door de doorhaling of het verstrijken van de geldigheidsduur van de internationale inschrijving of door afstand van de bescherming in het Beneluxgebied, of overeenkomstig het in artikel 6 van de Overeenkomst van Madrid bepaalde, door het feit dat het merk geen wettelijke bescherming meer geniet in het land van oorsprong.

2. Het recht op het merk wordt, binnen de in artikel 14, onder C, gestelde grenzen, vervallen verklaard:
a. voorzover gedurende een ononderbroken tijdvak van vijf jaren zonder geldige reden, geen normaal gebruik van het merk is gemaakt binnen het Beneluxgebied voor de waren waarvoor het merk is ingeschreven; in een geding kan de rechter de merkhouder geheel of gedeeltelijk met het bewijs van het gebruik belasten;
b. voorzover het merk, na op regelmatige wijze te zijn verkregen, door toedoen of nalaten van de merkhouder in het normale taalgebruik de gebruikelijke benaming van een waar is geworden;
c. voorzover het merk, als gevolg van het gebruik dat ervan wordt gemaakt, voor de waren waarvoor het is ingeschreven, het publiek kan misleiden, met name omtrent de aard, de hoedanigheid of de geografische herkomst van deze waren.

3. Voor de toepassing van het tweede lid, onder a, wordt onder gebruik van het merk mede verstaan:
a. het gebruik van het merk in een op onderdelen afwijkende vorm, zonder dat het onderscheidend kenmerk van het merk in de vorm waarin het is ingeschreven, wordt gewijzigd;
b. het aanbrengen van het merk op waren of de verpakking ervan, uitsluitend met het oog op uitvoer;
c. het gebruik van het merk door een derde met toestemming van de merkhouder.

Beneluxdepot

Art. 6. A.1. Het Benelux-depot van merken geschiedt, hetzij bij de nationale diensten, hetzij bij het Benelux-Merkenbureau, met inachtneming van de vereisten en tegen betaling van de rechten, bepaald bij uitvoeringsreglement. De met het in ontvangst nemen van de depots belaste instanties onderzoeken of de overgelegde stukken aan de voor het vaststellen van een datum van depot gestelde vereisten voldoen en stellen de datum van depot vast. Aan de deposant wordt onverwijld schriftelijk mededeling gedaan van de vastgestelde datum van depot dan wel van de gronden voor het niet toekennen van een depotdatum.

2. Indien bij het depot niet is voldaan aan de overige in het uitvoeringsreglement gestelde vereisten geeft de instantie die het depot ontvangen heeft, hiervan onverwijld schriftelijk kennis aan de deposant onder opgave van de voorschriften waaraan niet is voldaan en stelt hem in de gelegenheid daaraan alsnog te voldoen binnen een bij uitvoeringsreglement gestelde termijn.

3. Het depot vervalt, indien niet binnen de gestelde termijn voldaan is aan de bepalingen van het uitvoeringsreglement.

4. De nationale dienst zend het Benelux-depot door aan het Benelux-Merkenbureau, zodra hij heeft vastgesteld dat het depot voldoet aan de gestelde vereisten.

B. De ontvankelijkheid van het depot is afhankelijk van het verrichten van één van de volgende handelingen, ter keuze van de deposant:
a. overlegging van een bewijsstuk, dat een onderzoek naar eerdere inschrijvingen door het Benelux-Merkenbureau werd verricht of aan het Bureau werd verzocht binnen de drie aan het depot voorafgaande maanden, overeenkomstig het bij uitvoeringsreglement bepaalde;
b. indiening op het tijdstip van het depot van een verzoek tot onderzoek, door tussenkomst van de met het in ontvangst nemen van het depot belaste instantie.

C. Onverminderd de toepassing van artikel 6bis wordt het gedeponeerde merk voor de door de deposant vermelde waren ingeschreven, indien de deposant, na ontvangst van de resultaten van het onder B bedoelde onderzoek en binnen een bij uitvoeringsreglement te bepalen termijn, te kennen heeft gegeven zijn depot te handhaven. Aan de merkhouder wordt een bewijs van inschrijving verstrekt.

D. Het op artikel 4 van het Verdrag van Parijs gegronde beroep op voorrang wordt gedaan bij het depot of bij een bijzondere verklaring af te leggen bij het

Benelux-Bureau, in de maand volgende op het depot, met inachtneming van de vormvereisten en tegen betaling van de bij uitvoeringsreglement bepaalde rechten. Het ontbreken van een dergelijk beroep doet het recht op voorrang vervallen.

Art. 6bis. 1. Het Benelux-Merkenbureau weigert een depot in te schrijven, indien naar zijn oordeel:
a. het gedeponeerde teken niet beantwoordt aan de in artikel 1 gegeven omschrijving van een merk, met name wanneer het ieder onderscheidend vermogen in de zin van artikel 6 quinquies B, onder 2, van het Verdrag van Parijs mist;
b. het depot betrekking heeft op een merk als bedoeld in artikel 4, onder 1 en 2.

2. De weigering om tot inschrijving over te gaan moet het teken dat een merk in zijn geheel betreffen. Zij kan tot een of meer van de waren waarvoor het merk bestemd is worden beperkt.

3. Het Benelux-Bureau geeft van zijn voornemen de inschrijving geheel of gedeeltelijk te weigeren, onder opgave van redenen, onverwijld schriftelijk kennis aan de deposant en stelt hem in de gelegenheid hierop binnen een bij uitvoeringsreglement gestelde termijn te antwoorden.

4. Indien de bezwaren van het Benelux-Bureau tegen de inschrijving niet binnen de gestelde termijn zijn opgeheven, wordt de inschrijving van het depot geheel of gedeeltelijk geweigerd. Van de weigering geeft het Benelux-Bureau onder opgave van redenen onverwijld schriftelijk kennis aan de deposant, onder vermelding van het in artikel 6ter genoemde rechtsmiddel tegen die beslissing.

5. Met de al dan niet gedeeltelijke weigering het depot in te schrijven is het depot geheel of gedeeltelijk nietig. Deze nietigheid treedt eerst in nadat de termijn voor het instellen van het in artikel 6ter bedoelde rechtsmiddel ongebruikt is verstreken dan wel nadat het verzoek om een bevel tot inschrijving te geven onherroepelijk is afgewezen.

Art. 6ter. De deposant kan zich binnen twee maanden na de kennisgeving bedoeld in artikel 6bis, vierde lid, bij verzoekschrift wenden tot het Hof van Beroep te Brussel, het Gerechtshof te 's-Gravenhage of het Cour d'appel te Luxemburg teneinde een bevel tot inschrijving van het depot te verkrijgen. Het territoriaal bevoegde Hof wordt bepaald door het bij het depot vermelde adres van de deposant of zijn gemachtigde dan wel door het bij het depot opgegeven correspondentieadres.

Internationaal depot

Art. 7. A. De internationale depots geschieden volgens de bepalingen van de Overeenkomst van Madrid en het Protocol van 27 juni 1989 bij de Overeenkomst van Madrid. De nationale rechten, bedoeld in artikel 8, onder 1, van de Overeenkomst van Madrid en het Protocol bij de Overeenkomst van Madrid, alsmede de rechten bedoeld onder artikel 8, onder 7 a, van het Protocol bij de Overeenkomst van Madrid, worden bij uitvoeringsreglement bepaald.

B. De internationale depots worden ambtshalve aan een onderzoek naar eerdere inschrijvingen onderworpen.

Beneluxinschrijving

Art. 8. 1. Het Benelux-Bureau schrijft de internationale depots in ten aanzien waarvan is verzocht de bescherming uit te strekken tot het Beneluxgebied. Artikel 6bis, leden 1 en 2, is van overeenkomstige toepassing.

2. Het Benelux-Bureau geeft van zijn voornemen de inschrijving te weigeren, onder opgave van redenen, zo spoedig mogelijk schriftelijk kennis aan het Internationaal Bureau door middel van een voorlopige gehele of gedeeltelijke weigering van bescherming van het merk en stelt de deposant daarbij in de gelegenheid hierop te antwoorden overeenkomstig het bepaalde bij uitvoeringsreglement. Artikel 6bis, vierde lid, is van overeenkomstige toepassing.

3. Artikel 6ter is van overeenkomstige toepassing, met dien verstande dat het territoriaal bevoegde Hof wordt bepaald door het adres van de gemachtigde of door het correspondentie-adres.

4. Van de beslissing waartegen geen beroep meer openstaat geeft het Benelux-Bureau schriftelijk, onder opgave van redenen, onverwijld kennis aan het Internationaal Bureau.

Nieuwheidsonderzoek

Art. 9. Het Benelux-Bureau gaat op verzoek van de deposanten of van derden tegen vergoeding over tot het gevraagde onderzoek naar eerdere inschrijvingen van merken in het Benelux-register.

Het Bureau gaat bovendien over tot het in de artikelen 6, onder B. en 7, onder B. bedoelde onderzoek naar eerdere inschrijvingen van merken in het Beneluxregister.

Het doet de uitkomst van het onderzoek zonder opgaaf van redenen of gevolgtrekkingen aan de verzoeker toekomen.

Rangschikking in klassen

Met het oog op het onderzoek worden de ingeschreven merken in klassen gerangschikt volgens een door het Benelux-Bureau vastgesteld systeem.

Geldigheidsduur inschrijving

Art. 10. De inschrijving van een Benelux-depot heeft een geldigheidsduur van 10 jaren, te rekenen van de datum van het depot.

Het teken waaruit het merk bestaat mag niet worden gewijzigd, noch gedurende de inschrijving noch ter gelegenheid van de vernieuwing daarvan.

Vernieuwing

De inschrijving wordt op verzoek vernieuwd, voor verdere termijnen van 10 jaren, met inachtneming van de vormvereisten en tegen betaling van de bij uitvoeringsreglement bepaalde rechten.

De vernieuwing moet worden verzocht en de rechten moeten worden betaald binnen zes maanden voorafgaand aan het verstrijken van de geldigheidsduur van de inschrijving. Binnen zes maanden na verstrijken van de geldigheidsduur van de inschrijving kan de vernieuwing alsnog worden verzocht, indien gelijktijdig een bij uitvoeringsreglement bepaald extra recht wordt betaald. De vernieuwing gaat in op de datum van het verstrijken van de geldigheidsduur van de inschrijving.

Zes maanden voor het verstrijken van de geldigheidsduur van de inschrijving herinnert het Benelux-Bureau de merkhouder schriftelijk aan de datum van dat verstrijken.

Het Benelux-Bureau zendt deze herinneringsbrieven aan het laatste aan het Bureau bekende adres van de merkhouder. Het niet-verzenden of niet-ontvangen van deze brieven geeft geen vrijheid de vernieuwing binnen de gestelde termijnen na te laten; daarop kan noch in rechte, noch ten opzichte van het Bureau beroep worden gedaan. Het Bureau schrijft de vernieuwingen in.

Overdracht of licentie

Art. 11. A. Het uitsluitend recht op een merk kan, onafhankelijk van de overdracht van de onderneming of een deel daarvan, overgaan of voorwerp van een licentie zijn voor alle of een deel van de waren, waarvoor het merk is gedeponeerd.

Nietig is:

de overdracht onder levenden, die niet schriftelijk is vastgelegd;

de overdracht of andere overgang die niet op het gehele Beneluxgebied betrekking heeft.

B. Het uitsluitend recht op een merk kan door de merkhouder ingeroepen worden tegen een licentiehouder die handelt in strijd met de bepalingen van de licentieovereenkomst inzake de duur daarvan, de door de inschrijving gedekte vorm waarin het merk mag worden gebruikt, de waren waarvoor de licentie is verleend, het grondgebied waarbinnen het merk mag worden aangebracht of de kwaliteit van de door de licentiehouder in het verkeer gebrachte waren.

C. De overdracht of andere overgang of de licentie kan niet aan derden worden tegengeworpen dan na inschrijving van het depot van een uittreksel der akte, waaruit van die overgang of die licentie blijkt, of van een daarop betrekking hebbende, door de betrokkenen partijen ondertekende verklaring, mits dit depot is verricht met inachtneming van de gestelde vormvereisten en tegen betaling van de rechten, bepaald bij uitvoeringsreglement. Het in de vorige volzin bepaalde is van overeenkomstige toepassing op pandrechten en beslagen.

D. De licentiehouder is bevoegd in een door de merkhouder ingestelde vordering als bedoeld in artikel 13, onder A, derde en vierde lid, tussen te komen om rechtstreeks door hem geleden schade vergoed te krijgen of zich een evenredig deel van de door de gedaagde genoten winst te doen toewijzen.

Een zelfstandige vordering als bedoeld in de vorige volzin kan de licentiehouder slechts instellen, indien hij de bevoegdheid daartoe van de merkhouder heeft bedongen.

Geen bescherming zonder depot

Art. 12. A. Niemand kan, welke vordering hij ook instelt, in rechte bescherming roepen voor een teken, dat als merk beschouwd wordt in de zin van artikel 1, tenzij hij het op regelmatige wijze heeft gedeponeerd en zo nodig de inschrijving er van heeft doen vernieuwen.

De niet-ontvankelijkheid kan ambtshalve door de rechter worden uitgesproken. Zij wordt opgeheven door depot of vernieuwing tijdens het geding.

In geen geval kan schadevergoeding worden toegekend voor aan het depot voorafgane feiten.

B. De bepalingen van deze wet laten onverlet het recht van gebruikers van een teken dat niet als merk wordt beschouwd in de zin van artikel 1, om de bepalingen van het gemene recht in te roepen voor zover dit toestaat zich te verzetten tegen onrechtmatig gebruik van dit teken.

Gemene recht

Art. 13. A. 1. Onverminderd de toepassing van het gemene recht betreffende de aansprakelijkheid uit onrechtmatige daad kan de merkhouder zich op grond van zijn uitsluitend recht verzetten tegen:

Omvang uitsluitend recht merkhouder

a. elk gebruik, dat in het economische verkeer van het merk wordt gemaakt voor de waren waarvoor het merk is ingeschreven;
b. elk gebruik, dat in het economisch verkeer van het merk of een overeenstemmend teken wordt gemaakt voor de waren waarvoor het merk is ingeschreven of voor soortgelijke waren, indien daardoor de mogelijkheid bestaat dat bij het publiek een associatie wordt gewekt tussen het teken en het merk;
c. elk gebruik, dat zonder geldige reden in het economisch verkeer van een binnen het beneluxgebied bekend merk of een overeenstemmend teken wordt gemaakt voor waren, die niet soortgelijk zijn aan die waarvoor het merk is ingeschreven, indien door dat gebruik ongerechtvaardigd voordeel kan worden getrokken uit of afbreuk kan worden gedaan aan het onderscheidend vermogen of de reputatie van het merk;
d. elk gebruik dat zonder geldige reden in het economisch verkeer van een merk of een overeenstemmend teken wordt gemaakt anders dan ter onderscheiding van waren, indien door dat gebruik ongerechtvaardigd voordeel kan worden getrokken uit of afbreuk kan worden gedaan aan het onderscheidend vermogen of de reputatie van het merk.

2. Voor de toepassing van het eerste lid wordt onder gebruik van een merk of een overeenstemmend teken met name verstaan:
a. het aanbrengen van het teken op de waren of op hun verpakking;
b. het aanbieden, in de handel brengen of daartoe in voorraad hebben van waren onder het teken;
c. het in- en uitvoeren van waren onder het teken;
d. het gebruik van het teken in stukken voor zakelijk gebruik en in de reclame.

3. Onder dezelfde voorwaarden als in het eerste lid bedoeld kan de merkhouder schadevergoeding eisen voor elke schade, die hij door het gebruik als bedoeld in het eerste lid lijdt.

4. Naast of in plaats van een vordering tot schadevergoeding, kan de merkhouder een vordering instellen tot het afdragen van ten gevolge van dit gebruik genoten winst alsmede tot het afleggen van rekening en verantwoording dienaangaande; indien de rechter van oordeel is dat dit gebruik niet te kwader trouw is of dat de omstandigheden van het geval tot zulk een veroordeling geen aanleiding geven, wijst hij de vordering af.

5. De merkhouder kan de vordering tot schadevergoeding of het afdragen van winst namens licentiehouder instellen, onverminderd de aan deze laatste in artikel 11, onder D, toegekende bevoegdheid.

6. Het uitsluitend recht omvat niet het recht zich te verzetten tegen het gebruik in het economisch verkeer door een derde:
a. van diens naam en adres;
b. van aanduidingen inzake soort, kwaliteit, hoeveelheid, bestemming, waarde, geografische herkomst, tijdstip van vervaardiging van de waren of andere kenmerken daarvan;
c. van het merk, wanneer dit nodig is om de bestemming van een waar, met name als accessoire of onderdeel, aan te geven;
één en ander voor zover er sprake is van een eerlijk gebruik in nijverheid en handel.

7. Het uitsluitend recht op een merk omvat niet het recht zich te verzetten tegen het gebruik, in het economisch verkeer, van een overeenstemmend teken, dat zijn bescherming ontleent aan een ouder recht van slechts plaatselijke betekenis, indien en voorzover dat recht erkend is ingevolge de wettelijke bepalingen van één van de Beneluxlanden.

8. Het uitsluitend recht omvat niet het recht zich te verzetten tegen het gebruik van het merk voor waren, die onder het merk door de houder of met diens toestemming in de Gemeenschap in het verkeer zijn gebracht, tenzij er voor de houder gegronde redenen zijn zich te verzetten tegen verdere verhandeling van de waren, met name wanneer de toestand van de waren, nadat zij in het verkeer zijn gebracht, gewijzigd of verslechterd is.

Art. 13bis. 1. de merkhouder heeft de bevoegdheid roerende zaken, waarmee een inbreuk op zijn recht wordt gemaakt of zaken die zijn gebruikt bij de produktie van die zaken, als zijn eigendom op te vorderen dan wel daarvan de vernietiging of onbruikbaarmaking te vorderen. Gelijke bevoegdheid tot opvordering bestaat ten aanzien van gelden, waarvan aannemelijk is dat zij zijn verkregen als gevolg van inbreuk op het merkrecht. De vordering wordt afgewezen, indien de inbreuk niet te kwader trouw is gemaakt.

2. De bepalingen van het nationale recht omtrent middelen van bewaring van zijn recht en omtrent rechterlijke tenuitvoerlegging van vonnissen en authentieke akten zijn van toepassing.

3. De rechter kan gelasten dat de afgifte niet plaatsvindt dan tegen een door hem vast te stellen, door de eiser te betalen vergoeding.

4. De licentienemer heeft het recht de in het eerste lid bedoelde bevoegdheden uit te oefenen, voor zover deze strekken tot bescherming van de rechten waarvan hem de uitoefening is toegestaan, indien hij daartoe toestemming van de merkhouder heeft verkregen.

5. De rechter kan, op vordering van de merkhouder, degene die inbreuk op diens recht heeft gemaakt, bevelen al hetgeen hem bekend is omtrent de herkomst van de zaken, waarmee die inbreuk is gepleegd, aan de merkhouder mee te delen en alle daarop betrekking hebbende gegevens aan deze te verstrekken.

Nietigverklaring

Art. 14. A. Iedere belanghebbende, met inbegrip van het Openbaar Ministerie, kan de nietigheid inroepen.

1. *a.* van het depot van een teken dat niet beantwoordt aan de in artikel 1 gegeven omschrijving van het merk, met name wanneer het ieder onderscheidend vermogen in de zin van artikel 6quinquies B onder 2, van het Verdrag van Parijs mist:
b. Vervallen
c. van het depot waardoor krachtens artikel 4, onder 1 en 2 van deze wet geen merkrecht wordt verkregen;

2. van het depot waardoor krachtens artikel 4, onder 3, geen merkrecht wordt verkregen, op voorwaarde dat de nietigheid wordt ingeroepen binnen een termijn van vijf jaren, te rekenen van de datum van het depot.

Wordt het geding tot nietigverklaring door het Openbaar Ministerie aanhangig gemaakt, dan zijn in de hierboven vermelde gevallen alleen de rechter te Brussel, te 's-Gravenhage en te Luxemburg bevoegd. Het aanhangig maken van het geding door het Openbaar Ministerie schorst ieder ander op dezelfde grondslag ingesteld geding.

B. Wanneer de houder van de eerdere inschrijving of de in artikel 4, onder 4, 5 en 6 bedoelde derde aan het geding deelneemt, kan iedere belanghebbende de nietigheid inroepen:
1. van het depot dat in de rangorde na het depot van een overeenstemmend merk komt, overeenkomstig het bepaalde in artikel 3, lid 2;
2. van het depot waardoor krachtens artikel 4, onder 4, 5 en 6 geen merkrecht wordt verkregen; de nietigheid op grond van de hiervoor onder 4 genoemde bepaling moet worden ingeroepen binnen een termijn van drie jaren, te rekenen van de datum waarop de geldigheidsduur der eerdere inschrijving verstrijkt, de nietigheid op grond van de hiervoor onder 5 en 6 genoemde bepalingen binnen een termijn van vijf jaren, te rekenen van de datum van het depot.

Vervallenverklaring

C. 1. Iedere belanghebbende kan het verval van het merkrecht inroepen in de gevallen vermeld in artikel 5, tweede lid. Het verval van een merkrecht op grond van artikel 5, tweede lid, onder a, kan niet meer worden ingeroepen, wanneer het merk in de periode tussen het verstrijken van de periode van vijf jaren en de instelling van de vordering tot vervallenverklaring voor het eerst of opnieuw is gebruikt. Begin van gebruik of hernieuwd gebruik binnen drie maanden voorafgaand aan de instelling van de vordering tot vervallenverklaring wordt echter niet in aanmerking genomen, indien de voorbereiding van het begin van gebruik pas wordt getroffen nadat de merkhouder er kennis van heeft genomen dat een vordering tot vervallenverklaring zou kunnen worden ingesteld.

2. De houder van het merkrecht ten aanzien waarvan het verval ingevolge het eerste lid niet meer kan worden ingeroepen, kan niet overeenkomstig het onder B bepaalde de nietigheid inroepen van een depot, dat is verricht tijdens de periode waarin het oudere merkrecht vervallen kon worden verklaard op grond van artikel 5, tweede lid, onder a, noch zich ingevolge artikel 13, onder A, eerste lid, onder a en b, verzetten tegen gebruik van het aldus gedeponeerde merk.

D. Alleen de rechter is bevoegd uitspraak te doen in de gedingen, welke op deze wet zijn gegrond: hij spreekt ambtshalve de doorhaling uit van de inschrijving van de nietig verklaarde depots, evenals van de depots waardoor de vervallen verklaarde rechten zijn verkregen.

Art. 14bis. 1. De houder van het uitsluitend recht op een merk, die het gebruik van een later gedeponeerd merk heeft gedoogd gedurende vijf opeenvolgende jaren, kan niet meer op grond van zijn oudere recht de nietigheid van het latere depot inroepen ingevolge artikel 14, onder B, onder 1, noch zich verzetten tegen het gebruik van het later gedeponeerde merk ingevolge artikel 13, onder A, eerste lid, onder a en b, met betrekking tot de waren waarvoor dat merk is gebruikt, tenzij het te kwader trouw gedeponeerd is.

2. Het gedogen van het gebruik van een later gedeponeerd merk als bedoeld in het eerste lid geeft de houder van het later gedeponeerde merk niet het recht zich te verzetten tegen het gebruik van het eerder gedeponeerde merk.

Doorhaling

Art. 15. A. De houder van de inschrijving van een Benelux-depot kan te allen tijde doorhaling van zijn inschrijving verzoeken. Indien evenwel een licentie is ingeschreven, kan doorhaling van de inschrijving van het merk of van de licentie alleen worden verzocht door de houder van de inschrijving en de licentiehouder tezamen. Het in de vorige volzin bepaalde ten aanzien van de doorhaling van de inschrijving van het merk is van overeenkomstige toepassing in het geval een pandrecht of beslag is ingeschreven.

B. De doorhaling geldt voor het gehele Beneluxgebied.

C. Een tot een deel van het Beneluxgebied beperkte afstand van de uit een internationaal depot voortvloeiende bescherming voor het gehele gebied, niettegenstaande enige door de houder afgelegde verklaring van het tegendeel.

Art. 16. De nietigverklaring van een depot, de vervallenverklaring van het recht op een merk of de vrijwillige doorhaling van een inschrijving moet het teken, dat het merk vormt, in zijn geheel betreffen.

De nietig- of vervallenverklaring moet tot één of meer van de waren, waarvoor het merk is ingeschreven, worden beperkt, indien de grond voor de nietigheid of het verval slechts een deel van die waren betreft.

De vrijwillige doorhaling kan tot een of meer van de waren waarvoor het merk is ingeschreven, worden beperkt.

Overige taken Benelux-Bureau

Art. 17. A. Het Benelux-Bureau is, behalve met de bij de voorgaande artikelen opgedragen taak, belast met:

1. het aanbrengen van wijzigingen in de inschrijvingen, hetzij op verzoek van de houder, hetzij op grond van kennisgevingen van het Internationaal Bureau voor de bescherming van de industriële eigendom of van rechterlijke beslissingen alsmede het zonodig daarvan verwittigen van het Internationaal Bureau;
2. het uitgeven van een maandblad in de Nederlandse en de Franse taal, waarin de inschrijvingen van de Benelux-depots worden vermeld en alle andere vermeldingen voorgeschreven bij uitvoeringsreglement;
3. het verstrekken op verzoeken van iedere belanghebbende van afschriften van inschrijvingen.

B. Een uitvoeringsreglement bepaalt het bedrag van de rechten, te innen voor de onder A van dit artikel bedoelde verrichtingen, alsmede de prijzen van het maandblad en van de afschriften.

Toepassing Verdrag van Parijs en Overeenkomst van Madrid

Art. 18. Onderdanen van Beneluxlanden, alsmede de onderdanen van landen welke geen deel uitmaken van de door het Verdrag van Parijs opgerichte Unie, die woonplaats hebben in het Beneluxgebied of aldaar een daadwerkelijke en wezenlijke nijverheids- of handelsonderneming hebben, kunnen ingevolge deze wet, voor dit gehele gebied, de toepassing te hunnen voordele inroepen van de bepalingen van het voornoemde Verdrag en van de Overeenkomst van Madrid.

HOOFDSTUK II

Collectieve merken

Collectieve merken

Art. 19. Als collectieve merken worden beschouwd alle tekens, die aldus bij het depot worden aangeduid en die dienen om een of meer gemeenschappelijke kenmerken te onderscheiden van waren, afkomstig van verschillende ondernemingen, die het merk onder toezicht van de houder aanbrengen.

Deze laatste mag geen gebruik maken van het merk voor waren die afkomstig zijn uit zijn eigen onderneming of uit ondernemingen, aan welker bestuur of toezicht hij onmiddellijk of middelijk deelneemt.

Eveneens worden als collectieve merken beschouwd alle tekens die aldus bij het depot worden aangeduid en die dienen in het economisch verkeer tot aanduiding van de geografische herkomst van de waren. Een zodanig merk geeft de houder niet het recht zich te verzetten tegen het gebruik door een derde van die tekens in het economisch verkeer in overeenstemming met eerlijke gebruiken in handel en nijverheid; met name kan een zodanig merk niet worden ingeroepen tegen een derde die gerechtigd is de desbetreffende geografische benaming te gebruiken.

Art. 20. Behoudens bepaling van het tegendeel zijn individuele en collectieve warenmerken aan dezelfde regelen onderworpen.

Depot van reglement op gebruik en toezicht

Art. 21. Het uitsluitend recht op een collectief merk wordt slechts verkregen, indien het depot van het merk vergezeld gaat van een reglement op het gebruik en het toezicht.

Indien het evenwel gaat om een internationaal depot kan de deposant dit reglement nog deponeren gedurende een termijn van zes maanden te rekenen van de in de Overeenkomst van Madrid in artikel 3, onder (4) bedoelde kennisgeving van de internationale inschrijving.

Inhoud reglement

Art. 22. Het bij een collectief merk behorende reglement op het gebruik en het toezicht moet de gemeenschappelijke kenmerken van de waren vermelden, tot waarborg waarvan het merk bestemd is.

Het moet eveneens bepalen op welke wijze een deugdelijk en doeltreffend toezicht op deze kenmerken wordt gehouden, met de bijbehorende passende sancties.

Depot oud collectief merk door vroegere houder

Art. 23. Artikel 4, onder 3 is niet van toepassing op het depot van een collectief merk, dat door de vroegere houder van de inschrijving van een overeenstemmend collectief merk of door zijn rechtverkrijgende wordt verricht.

Weigering inschrijving

Art. 24. Onverminderd de toepassing van artikel 6, 6bis en 8, mag het Benelux-Bureau het Benelux-depot van een collectief merk niet inschrijven, indien het bij dat merk behorende reglement op het gebruik en het toezicht niet volgens de in artikel 21 gestelde voorwaarden is gedeponeerd.

Kennisgeving wijziging reglement op gebruik en toezicht

Art. 25. De houders van collectieve merken zijn verplicht van iedere wijziging van het bij het merk behorende reglement op het gebruik en het toezicht aan het Benelux-Bureau kennis te geven. Deze kennisgeving wordt door het Benelux-Bureau ingeschreven.

De wijziging treedt niet in werking voor de kennisgeving bedoeld in het vorige lid.

Optreden in rechte door merkhouder

Art. 26. Het recht om ter bescherming van een collectief merk in rechte op te treden komt uitsluitend toe aan de houder van dat merk.

Het reglement op het gebruik en het toezicht kan evenwel aan personen, aan wie het gebruik van het merk is toegestaan, het recht toekennen tezamen met de houder een vordering in te stellen of in een door of tegen deze aangevangen geding zich te voegen of tussen te komen.

Het reglement op het gebruik en het toezicht kan eveneens bepalen, dat de houder, die alleen optreedt, het bijzonder belang van de gebruikers van het merk kan laten gelden en in zijn eis tot schadevergoeding de bijzondere schade, die een of meer van hen hebben geleden, kan opnemen.

Vervallenverklaring

Art. 27. A. Onverminderd het bij artikel 14 bepaalde, kan iedere belanghebbende, met inbegrip van het Openbaar Ministerie, het verval inroepen van het recht op een collectief merk, indien de houder het merk gebruikt onder de voorwaarden bedoeld in artikel 19, tweede lid, of instemt met een gebruik in strijd met de bepalingen van het reglement op het gebruik en het toezicht, dan wel zodanig gebruik gedoogt.

Wordt het geding tot vervallenverklaring aanhangig gemaakt door het Openbaar Ministerie, dan zijn alleen de rechter te Brussel, te 's-Gravenhage en te Luxemburg bevoegd.

Het aanhangig maken van het geding door het Openbaar Ministerie schorst ieder ander op dezelfde grondslag ingesteld geding.

B. Het Openbaar Ministerie kan de nietigheid inroepen van het depot van een collectief merk wanneer het reglement op het gebruik en het toezicht in strijd is met de openbare orde, of wanneer het niet in overeenstemming is met de bepalingen van artikel 22. Het Openbaar Ministerie kan eveneens de nietigheid inroepen van de wijzigingen van het reglement op het gebruik en het toezicht, indien deze in strijd zijn met de openbare orde of met de bepalingen van artikel 22, of indien deze tot verzwakking van de door het reglement aan het publiek gegeven waarborgen leiden.

Nietigverklaring

Alleen de rechter te Brussel, te 's-Gravenhage en te Luxemburg is bevoegd uitspraak te doen in deze gedingen: hij spreekt ambtshalve de doorhaling uit van de inschrijvingen van de nietigverklaarde depots of van de nietig verklaarde wijzigingen.

Art. 28. De collectieve merken, die zijn vervallen, nietig verklaard of doorgehaald, evenals die, ten aanzien waarvan vernieuwing niet is geschied en een herstel als bedoeld in artikel 23 is uitgebleven, mogen gedurende de drie jaren die volgen op de datum van de inschrijving van het verval, de nietigverklaring, de doorhaling of het verstrijken van de geldigheidsduur der niet vernieuwde inschrijving, onder geen beding worden gebruikt, behalve door degene, die zich op een ouder recht op een individueel, overeenstemmend merk kan beroepen.

Tijdelijk verbod tot gebruik

HOOFDSTUK III

Overgangsbepalingen

Art. 29. Onverminderd artikel 30 worden de in één der Beneluxlanden vóór de datum van het in werking treden dezer wet op grond van het nationaal recht verkregen en op die datum niet vervallen uitsluitende rechten op individuele en collectieve merken gehandhaafd. Vanaf de voornoemde datum is deze wet op die rechten van toepassing.

Handhaving verkregen rechten

Een uitsluitend recht wordt eveneens geacht te zijn verkregen door het eerste gebruik van een teken, dat dient om de waren van een onderneming te onderscheiden en dat een merk zou hebben gevormd, indien de artikelen 1 en 2 van deze wet van toepassing zouden zijn geweest. Evenwel kan het uitsluitend recht, dat aldus geacht wordt te zijn verkregen, niet worden tegengeworpen aan hen, die van dit teken vóór het in werking treden dezer wet gebruik hebben gemaakt, tenzij het ingeroepen gebruik gevolgd is door niet-gebruik gedurende een ononderbroken tijdvak van vijf jaren.

Eerste gebruik

Art. 30. Het op een merk verkregen recht eindigt, met terugwerkende kracht tot de datum van het in werking treden dezer wet, indien niet bij het verstrijken van een termijn van een jaar te rekenen van die datum, een Benelux-depot van dat merk is verricht, met beroep op het bestaan van het verkregen recht en onder opgave, als inlichting, van de aard en het tijdstip der feiten, die het hebben doen ontstaan en, in voorkomende gevallen van de depots en inschrijvingen, die met betrekking tot dit merk zijn verricht. Dit depot treedt in de plaats van de depots van het merk in één of meer van de Beneluxlanden, onverminderd de uit die depots verkregen rechten. Indien evenwel de deposant beroep doet op een verkregen recht, terwijl hij weet of behoort te weten, dat dit recht niet bestaat, wordt het depot geacht te kwader trouw te zijn verricht.

Benelux-depot van verkregen recht

Indien een merkrecht op de datum van het in werking treden dezer wet berust op een internationaal depot, steunend op een buiten het Beneluxgebied verrichte inschrijving van oorsprong, wordt dat recht onafhankelijk van de in het voorgaande lid gestelde vereisten gehandhaafd.

Bovendien eindigt het op een collectief merk verkregen recht, met terugwerkende kracht tot de datum van het in werking treden van deze wet, indien bij het in het eerste lid bedoelde Benelux-depot geen reglement op het gebruik en toezicht is overgelegd. De artikelen 22, 24 en 27 onder B zijn te dezen van toepassing.

Indien het recht op een collectief merk berust op een internationaal depot, steunend op een buiten het Beneluxgebied verrichte inschrijving van oorsprong, eindigt dit recht met terugwerkende kracht tot de datum van het in werking treden van deze wet, indien bij het verstrijken van een termijn van een jaar te rekenen van die datum, de houder van het collectieve merk geen reglement op het gebruik en toezicht heeft overgelegd. De artikelen 22 en 27 onder B zijn te dezen van toepassing.

Geldigheidsduur eerste Beneluxdepots

Art. 31. In afwijking van artikel 10 heeft de eerste inschrijving van de Beneluxdepots, bedoeld in artikel 30, een geldigheidsduur van één tot tien jaren. Deze verstrijkt in de maand en op de dag van het Benelux-depot, in het jaar waarvan het jaartal hetzelfde cijfer der eenheden bevat als dat van het jaar, waarin het verkregen recht, waarop beroep wordt gedaan, is ontstaan.

De eerste vernieuwing van de inschrijving van deze depots kan op het tijdstip van het depot gevraagd worden voor de duur vastgesteld in artikel 10.

Reikwijdte gehandhaafde rechten

Art. 32. Een op grond van de artikelen 29 en 30 gehandhaafd uitsluitend recht op een merk breidt zich, te rekenen van de datum van het in werking treden dezer wet, over het gehele Beneluxgebied uit.

Dit recht breidt zich echter niet uit over het gebied van datgene van de Beneluxlanden:

a. waar het in strijd komt met een door een derde verkregen en op grond van de artikelen 29 en 30 gehandhaafd recht;

b. waar een nietigheidsgrond blijkt te bestaan als bedoeld in artikel 14 onder A, onder 1, *a* en *c*, en onder 2, in artikel 14 onder B, onder 2 en in artikel 27 onder B.

Wanneer twee personen houder zijn van verkregen rechten op hetzelfde merk, onderscheidenlijk in twee van de Beneluxlanden, vindt uitbreiding over het derde land plaats ten voordele van degene die vóór het in werking treden dezer wet in dat land het eerst en op normale wijze van het merk gebruik heeft gemaakt.

Indien op het tijdstip van het in werking treden dezer wet in dat land geen gebruik van het merk heeft plaastgevonden, vindt uitbreiding plaats ten voordele van de houder van het oudste verkregen recht.

Invoer

Art. 33. Indien een merk krachtens artikel 32 aan verschillende merkhouders in twee of drie der Beneluxlanden toebehoort, kan de merkhouder in een van deze landen zich niet verzetten tegen de invoer van waren die hetzelfde merk dragen en die uit een ander Beneluxland afkomstig zijn, noch schadevergoeding eisen voor deze invoer, wanneer het merk in dat andere land door de merkhouder of met zijn goedkeuring is aangebracht, en wanneer tussen beide merkhouders ten aanzien van de exploitatie van de betrokken waren een band van economische aard bestaat.

Inschrijving Beneluxdepot

Art. 34. A. Het Benelux-register staat met ingang van de dag na die van het in werking treden dezer wet open voor depots. Vanaf de dag van dit in werking treden is geen enkel nationaal depot meer ontvankelijk.

B. De in artikel 30 bedoelde Benelux-depot zijn vrij van betaling van rechten en geschieden met inachtneming van de bij uitvoeringsreglement bepaalde vormvereisten. De inschrijving dezer depots vermeldt, of beroep op een verkregen recht is gedaan en wat ter zake is opgegeven.

C. De internationale depots, die op een inschrijving van oorsprong buiten het Beneluxgebied steunen en op de datum van het in werking treden dezer wet bestaan, worden ambtshalve en zonder kosten in het Benelux-register ingeschreven, tenzij de houder van die depots voor alle Beneluxlanden van de daaruit voortvloeiende bescherming afstand heeft gedaan.

Rangorde

Art. 35. De in artikel 30 bedoelde Benelux-depots, ongeacht hun werkelijke datum, en de overeenkomstig artikel 34, onder C in het Benelux-register ingeschreven internationale depots, worden voor de beoordeling van hun rangorde ten opzichte van de zonder beroep op verkregen rechten verrichte Benelux-depots geacht te zijn verricht op de datum van het in werking treden dezer wet.

De beoordeling van de rangorde van de in een Beneluxland in de zin van artikel 29 verkregen rechten geschiedt in dat land met inachtneming van het vóór het in werking treden dezer wet geldende nationale recht.

HOOFDSTUK IV

Algemene bepalingen

Art. 36. Deze wet verstaat onder „Beneluxgebied" het gezamenlijk gebied van het Koninkrijk België, het Groothertogdom Luxemburg en het Koninkrijk der Nederlanden in Europa.

Beneluxgebied

Art. 37. A. Behoudens uitdrukkelijk afwijkende overeenkomst wordt de territoriale bevoegdheid van de rechter inzake merken bepaald door de woonplaats van de gedaagde of door de plaats, waar de in geding zijnde verbintenis is ontstaan, is uitgevoerd of moet worden uitgevoerd.

Territoriale bevoegdheid rechter

De plaats waar een merk is gedeponeerd of ingeschreven kan in geen geval op zichzelf grondslag zijn voor het bepalen van de bevoegdheid.

Indien de hierboven gegeven regelen niet toereikend zijn ter bepaling van de territoriale bevoegdheid, kan de eiser de zaak bij de rechter van zijn woon- of verblijfplaats of, indien hij geen woon- of verblijfsplaats binnen het Beneluxgebied heeft, naar keuze bij de rechter te Brussel, te 's-Gravenhage of te Luxemburg aanhangig maken.

B. De rechters passen de onder A gegeven regelen ambtshalve toe en stellen hun bevoegdheid uitdrukkelijk vast.

C. De rechter, voor wie de hoofdvordering onder A bedoeld, aanhangig is, neemt kennis van eisen tot vrijwaring, van eisen tot voeging en tussenkomst en van incidentele eisen alsmede van eisen in reconventie, tenzij hij onbevoegd is ten aanzien van het onderwerp van het geschil.

D. De rechters van een der drie landen verwijzen op vordering van een der partijen de geschillen, waarmede men zich tot hen heeft gewend, naar die van een der twee andere landen, wanneer deze geschillen daar reeds aanhangig zijn of wanneer zij verknocht zijn aan andere, aan het oordeel van deze rechters onderworpen geschillen. De verwijzing kan slechts worden gevorderd, wanneer de zaken in eerste aanleg aanhangig zijn. Zij geschiedt naar de rechter, waarbij de zaak het eerst bij een inleidend stuk is aanhangig gemaakt, tenzij een andere rechter ter zake een eerdere uitspraak heeft gegeven, die niet louter een maatregel van orde is: in het eerste geval geschiedt de verwijzing naar die andere rechter.

Art. 38. De bepalingen dezer wet doen geen afbreuk aan de toepassing van het Verdrag van Parijs, de Overeenkomst van Madrid en de bepalingen van Belgisch, Luxemburgs of Nederlands recht, waaruit een verbod een merk te gebruiken voortvloeit.

Toepasselijkheid ander recht

HOOFDSTUK V

Dienstmerken

Algemeen

Art. 39. De hoofdstukken I, II, IV, VI en VII zijn van overeenkomstige toepassing op tekens ter onderscheiding van diensten, hierna genoemd „dienstmerken", met dien verstande dat ook soortgelijkheid tussen diensten en waren kan bestaan.

Toepasselijke bepalingen dienstmerken

Het recht van voorrang bedoeld in artikel 4 van het Verdrag van Parijs kan eveneens worden ingeroepen voor dienstmerken.

Overgangsbepalingen

Art. 40. A. Een ieder die op de datum van het in werking treden van het Protocol, houdende wijziging van de eenvormige Beneluxwet op de warenmerken, in het Beneluxgebied gebruik maakt van een dienstmerk en binnen een termijn van een jaar, te rekenen van die datum, een Benelux-depot van dat merk verricht, wordt voor de beoordeling van de rangorde daarvan geacht dit depot op genoemde datum te hebben verricht.

Rangorde

B. De bepalingen van dit hoofdstuk brengen geen wijziging in de rechten die voortvloeien uit het gebruik van een dienstmerk in het Beneluxgebied op voornoemde datum.

Handhaving bestaande rechten

C. De nietigheid van een onder A bedoeld depot kan niet worden ingeroepen op de enkele grond van het feit dat dit depot in rangorde na het depot van een overeenstemmend warenmerk komt.

Voorwaarden voor Benelux-depot

Art. 41. Bij het in artikel 40 bedoelde Benelux-depot, dat moet geschieden met inachtneming van de bij uitvoeringsreglement bepaalde vormvereisten en tegen betaling van de daarbij vastgestelde rechten, moet bovendien:
— een beroep op het bestaan van het verkregen recht worden gedaan;
— opgave worden gedaan van het jaar van het eerste gebruik van het dienstmerk, teneinde aan het in artikel 42 bedoelde oogmerk te voldoen.

Indien evenwel de deposant een beroep doet op een verkregen recht van het dienstmerk, terwijl hij weet of behoort te weten, dat dit recht niet bestaat, wordt het depot geacht te kwader trouw te zijn verricht.

Geldigheidsduur eerste Benelux-depots

Art. 42. In afwijking van artikel 10 heeft de eerste inschrijving van de Beneluxdepots, bedoeld in artikel 40, een geldigheidsduur van één tot tien jaren. Deze verstrijkt in de maand en op de dag van het Benelux-depot, in het jaar waarvan het jaartal hetzelfde cijfer der eenheden bevat als dat van het jaar waarin het bij depot opgegeven eerste gebruik heeft plaatsgevonden.

De eerste vernieuwing van de inschrijving van deze depots kan op het tijdstip van het depot gevraagd worden voor de in artikel 10 vastgestelde duur.

Inschrijving

Art. 43. Het Beneluxregister staat met ingang van de dag, volgende op die van het in werking treden van het in artikel 40 genoemde Protocol, open voor depots van dienstmerken.

De inschrijving van de in artikel 40 bedoelde Benelux-depots vermeldt dat beroep op een verkregen recht is gedaan en het jaar van het eerste gebruik van het dienstmerk.

HOOFDSTUK VI
Bepalingen inzake Gemeenschapsmerken

Art. 44. Artikel 3, tweede alinea, en artikel 14,-onder B, onder 1, zijn van overeenkomstige toepassing in geval de inschrijving berust op een eerder depot voor een Gemeenschapsmerk.

Art. 45. Artikel 3, tweede alinea en artikel 14, onder B, onder 1, zijn eveneens van toepassing op Gemeenschapsmerken, waarvoor overeenkomstig de verordening inzake het Gemeenschapsmerk op geldige wijze de anciënniteit voor het Beneluxgebied wordt ingeroepen, ook al is de aan de anciënniteit ten grondslag liggende Benelux- of internationale inschrijving vrijwillig doorgehaald of de geldigheidsduur daarvan verstreken.

Art. 46. Indien voor een Gemeenschapsmerk de anciënniteit van een ouder merkrecht wordt ingeroepen, kan de nietigheid of het verval van dat ouder recht worden ingeroepen, zelfs indien dat recht reeds is vervallen door de vrijwillige doorhaling of het verstrijken van de geldigheidsduur van de inschrijving.

Art. 47. Het Benelux-Merkenbureau schrijft de merken in het Benelux-register in, die zijn ingeschreven overeenkomstig de Verordening inzake het Gemeenschapsmerk.

Art. 48. De bepalingen van deze wet doen geen afbreuk aan de toepassing van de Verordening inzake het Gemeenschapsmerk.

HOOFDSTUK VII
Bepalingen inzake internationale depots

Art. 49. De bepalingen van deze wet inzake internationale depots verricht ingevolge de Overeenkomst van Madrid zijn van overeenkomstige toepassing op internationale depots verricht ingevolge het Protocol van 27 juni 1989 bij de Overeenkomst van Madrid.

Eenvormige Beneluxwet inzake tekeningen of modellen, Brussel, 25 oktober 1966 (Trb. 1966, 292)

HOOFDSTUK I
Tekeningen of modellen

Tekening of model

Art. 1. Als tekening of model kan worden beschermd het nieuwe uiterlijk van een voortbrengsel dat een gebruiksfunctie heeft.

Uitsluiting van bescherming

Art. 2. 1. Van de bescherming uit hoofde van deze wet is uitgesloten datgene wat noodzakelijk is voor het verkrijgen van een technisch effect.

2. Het uiterlijk van bepaalde categorieën van voortbrengselen, ten aanzien waarvan de toepassing van de wet aanleiding zou geven tot aanzienlijke moeilijkheden, kan van de bescherming uit hoofde van de wet blijvend of tijdelijk worden uitgesloten bij uitvoeringsreglement.

Verkrijging van recht door eerste depot

Art. 3. 1. Onverminderd het in het Verdrag van Parijs tot bescherming van de industriële eigendom vastgestelde recht van voorrang wordt het uitsluitend recht op een tekening of model verkregen door het eerste depot verricht binnen het Beneluxgebied en ingeschreven bij het Benelux-Bureau voor Tekening of Modellen (Benelux-depot), of ingeschreven bij het Internationaal Bureau voor de bescherming van de industriële eigendom (internationaal depot).

Samenloop

2. Indien bij samenloop van depots het eerste depot niet wordt gevolgd door de publikatie als bedoeld in artikel 9, onder 3 van deze wet of in artikel 6, onder 3 van de Overeenkomst van 's-Gravenhage betreffende het internationaal depot van tekeningen of modellen van nijverheid, verkrijgt het latere depot de rang van eerste depot.

Eerste depot dat geen recht doet ontstaan

Art. 4. Door het depot van een tekening of model wordt geen uitsluitend recht verkregen indien:

1. de tekening of het model niet nieuw is, dat wil zeggen wanneer:

a. op enig tijdstip van de periode van vijftig jaren, voorafgaande aan de datum van het depot of aan de datum van voorrang, welke voortvloeit uit het Verdrag van Parijs, een voortbrengsel dat hetzelfde uiterlijk vertoont als de gedeponeerde tekening of het gedeponeerde model, dan wel daarmede slechts ondergeschikte verschillen vertoont in de belanghebbende kring van nijverheid of handel van het Beneluxgebied feitelijk bekendheid heeft genoten;

b. een tekening of model, dat gelijk is aan de gedeponeerde tekening of het gedeponeerde model, dan wel daarmede slechts ondergeschikte verschillen vertoont, reeds eerder werd gedeponeerd en dit depot werd gevolgd door publikatie als bedoeld in artikel 9, onder 3 van deze wet of in artikel 6, onder 3 van de Overeenkomst van 's-Gravenhage;

2. de tekening of model in strijd is met de goede zeden of de openbare orde van één der Beneluxlanden;

3. de kenmerkende eigenschappen van de tekening of het model onvoldoende uit het depot blijken.

Rechten van ontwerper bij depot door derde

Art. 5. 1. Binnen een termijn van vijf jaren, te rekenen vanaf de datum van publikatie van het depot, kan de ontwerper van de tekening of het model, dan wel degene die volgens artikel 6 als ontwerper wordt beschouwd, het Benelux-depot of de voor het Benelux-gebied uit het internationaal depot van die tekening of dat model voortvloeiende rechten opeisen, indien het depot zonder zijn toestemming door een derde is verricht; om dezelfde redenen kan hij te allen tijde de nietigheid inroepen van dat depot of van die rechten. De vordering tot opeising moet bij het Benelux Bureau worden ingeschreven op verzoek van de eiser, met inachtneming van de vormvereisten en tegen betaling van de rechten bepaald bij uitvoeringsreglement.

2. Indien de in het vorig lid bedoelde deposant gehele of gedeeltelijke doorhaling heeft verzocht van de inschrijving van het Benelux-depot of afstand heeft gedaan van de rechten, die voor het Beneluxgebied uit het internationale depot voortvloeien, heeft deze doorhaling of afstand geen werking ten aanzien van de ontwerper of van degene die volgens artikel 6 als ontwerper wordt beschouwd onder voorbehoud van lid 3, mits het depot werd opgeëist binnen één jaar na de datum van publikatie van de doorhaling of afstand en vóór het verstrijken van bovenbedoeld termijn van vijf jaren.

3. Indien in het tijdvak gelegen tussen de doorhaling of afstand bedoeld in het tweede lid, en de inschrijving van de vordering tot opeising, een derde te goeder trouw een voortbrengsel heeft geëxploiteerd dat hetzelfde uiterlijk vertoont, wordt dit voortbrengsel als rechtmatig in het verkeer gebracht beschouwd.

Tekening of model door werknemer ontworpen

Art. 6. 1. Indien een tekening of model door een werknemer in de uitoefening van zijn functie werd ontworpen, wordt, behoudens andersluidend beding, de werkgever als ontwerper beschouwd.

Ontwerp op bestelling

2. Indien een tekening of model op bestelling is ontworpen, wordt, behoudens andersluidend beding, degene die de bestelling heeft gedaan als ontwerper beschouwd, mits de bestelling is gedaan met het oog op een gebruik in handel of nijverheid van het voortbrengsel waarin de tekening of het model is belichaamd.

Verval van recht op tekening of model

Art. 7. Behoudens het bepaalde in artikel 5, onder 2, vervalt het uitsluitend recht op een tekening of model:
1. door vrijwillige doorhaling of door het verstrijken van de geldigheidsduur van de inschrijving voor het Benelux-depot;
2. door het verstrijken van de geldigheidsduur van de inschrijving van het internationale depot of door afstand van rechten, die voor het Beneluxgebied uit het internationale depot voortvloeien of door ambtshalve doorhaling van het internationaal depot, bedoeld in artikel 6, vierde lid, onder c van de Overeenkomst van 's-Gravenhage.

Benelux-depot

Art. 8. 1. Het Benelux-depot van tekeningen of modellen geschiedt, hetzij bij de nationale diensten, hetzij bij het Benelux-Bureau voor Tekeningen of Modellen, met inachtneming van de vormvereisten en tegen betaling van de rechten, bepaald bij uitvoeringsreglement. Het dient een fotografische of grafische afbeelding van het uiterlijk van het voortbrengsel te bevatten, alsmede het reproduktiemiddel waarmede deze afbeelding is vervaardigd; het kan eventueel worden aangevuld met een aanspraak inzake de kleuren en een verklaring inhoudend de naam van de werkelijke ontwerper van de tekening of het model. De afbeelding kan vergezeld gaan van een beschrijving van de kenmerkende eigenschappen van de tekening of het model binnen de bij uitvoeringsreglement vast te stellen grenzen.

Enkel- en meervoudig depot

2. Het Benelux-depot kan één of meer tekeningen of modellen bevatten (respectievelijk enkelvoudig en meervoudig depot), een en ander met inachtneming van de vormvereisten en tegen betaling van de rechten, bepaald bij het uitvoeringsreglement.

Akte van depot

3. De met het in ontvangst nemen van de depots belaste organen onderzoeken of de overgelegde stukken aan de gestelde vormvereisten voldoen en maken de akte van depot op met vermelding van de datum waarop dit werd verricht en eventueel van de aanwezigheid van een aanspraak inzake de kleuren of van de in dit artikel onder 1. bedoelde beschrijving.

Beroep op voorrang

4. Het op artikel 4 van het Verdrag van Parijs gegronde beroep op voorrang wordt gedaan in de akte van depot of bij een bijzondere verklaring, af te leggen bij het Benelux-Bureau in de maand, volgende op het depot, met inachtneming van de vormvereisten en tegen betaling van de rechten, bepaald bij uitvoeringsreglement. Het ontbreken van een dergelijk beroep doet het recht van voorrang vervallen.

Geen onderzoek naar inhoud

Art. 9. 1. Onverminderd de toepassing op Benelux-depots van het in dit artikel onder 3 bepaalde, kan het depot van een tekening of model geen aanleiding geven tot enig onderzoek naar de inhoud van het depot, waarvan de uitkomst de deposant door het Benelux-Bureau zou kunnen worden tegengeworpen.

Benelux-inschrijving

2. Het Benelux-Bureau schrijft de akten van de Benelux-depots onverwijld in en verstrekt een bewijs van inschrijving aan de houder; het schrijft eveneens de publikaties in van de ingeschreven internationale depots die gepubliceerd zijn in het „Bulletin International des dessins ou modèles — International Design Gazette" ten aanzien waarvan de deposanten verzocht hebben dat zij hun werking zullen uitstrekken over het Beneluxgebied.

De wettelijke datum van inschrijving is hetzij de datum van het Benelux-depot hetzij die van het internationale depot.

In voorkomende gevallen vermeldt de inschrijving de datum en de grondslag van de gevraagde voorrang.

Publikatie

3. Het Benelux-Bureau publiceert zo spoedig mogelijk overeenkomstig het uitvoeringsreglement de inschrijving van Benelux-depots. Deze publikatie omvat onder andere een afbeelding van het voortbrengsel, waarin de tekening of het model beli-

chaamd is, en eventueel de datum en de grondslag van de gevraagde voorrang en de aanspraak inzake de kleuren of de in artikel 8, onder 1 bedoelde beschrijving.

De publikatie wordt opgeschort indien de deposant gebruik maakt van de in artikel 11 geboden mogelijkheid of indien het Bureau oordeelt, dat op de tekening of het model artikel 4, onder 2. van toepassing is. In laatstbedoeld geval stelt het Bureau de deposant daarvan in kennis en verzoekt hem zijn depot binnen een termijn van twee maanden in te trekken. Indien belanghebbende na het verstrijken van deze termijn zijn depot niet heeft ingetrokken, verzoekt het Bureau zo spoedig mogelijk, het openbaar ministerie een vordering in te stellen tot nietigverklaring van het depot. Indien het openbaar ministerie van oordeel is, dat er geen aanleiding bestaat tot het instellen van een dergelijke vordering of indien de vordering werd afgewezen bij een rechterlijke beslissing die kracht van gewijsde heeft verkregen, gaat het Bureau onverwijld over tot publikatie van de inschrijving van de tekening of het model.

4. Indien de kenmerkende eigenschappen van de tekening of het model, zoals deze door het in artikel 8, onder 1, bedoelde reproduktiemiddel zijn weergegeven, in de publikatie niet voldoende tot hun recht komen, kan de deposant, binnen een bij uitvoeringsreglement vast te stellen termijn, het Bureau verzoeken kosteloos een tweede publikatie te verrichten.

5. Vanaf de datum van publikatie van de tekening of het model kan het publiek kennis nemen van de inschrijving en van de bij het depot overgelegde stukken.

Internationaal depot

Art. 10. De internationale depots geschieden volgens de bepalingen van de Overeenkomst van 's-Gravenhage.

Opschorten van publikatie

Art. 11. De deposant kan bij het verrichten van het Benelux-depot verzoeken de publikatie van de inschrijving op te schorten gedurende een periode die niet meer mag bedragen dan twaalf maanden te rekenen vanaf de datum van het depot of, indien de deposant een beroep doet op artikel 4 van het Verdrag van Parijs, vanaf de datum waarop het depot, waardoor het recht van voorrang is ontstaan, werd verricht.

Geldigheidsduur inschrijving

Art. 12. 1. De inschrijving van een Benelux-depot heeft een geldigheidsduur van vijf jaren te rekenen van de datum van het depot. De gedeponeerde tekening of het gedeponeerde model kan noch gedurende de inschrijving noch ter gelegenheid van de vernieuwing daarvan worden gewijzigd.

Vernieuwing

2. De inschrijving kan voor twee achtereenvolgende termijnen van vijf jaar worden vernieuwd door betaling aan het Benelux-Bureau van het recht voor de vernieuwing. Het bedrag en de wijze van betaling van dit recht worden bepaald bij uitvoeringsreglement.

Deze betaling dient te geschieden in de loop van het jaar dat aan het verstrijken van de geldigheidsduur van de inschrijving voorafgaat. Tegen betaling van een bij uitvoeringsreglement vastgesteld verhoogd recht wordt voor de vernieuwing een termijn van uitstel van zes maanden toegestaan.

In alle gevallen werkt de inschrijving vanaf de datum van het verstrijken van de geldigheidsduur van de inschrijving.

3. De vernieuwing kan tot een deel van de in een meervoudig depot vervatte tekeningen of modellen worden beperkt.

4. Zes maanden voor het verstrijken van de geldigheidsduur van de eerste en de tweede termijn van inschrijving herinnert het Benelux-Bureau aan de juiste datum van dat verstrijken door verzending van een kennisgeving aan de werkelijke of gekozen woonplaats van de houder van de tekening of het model, en aan de derden, die beweren rechten te bezitten op de tekening of het model, voor zover althans hun naam in het register voorkomt.

5. Het Bureau verzendt deze kennisgevingen aan het laatste hem bekende adres van betrokkenen. Het niet-verzenden of niet-ontvangen van deze brieven geeft geen vrijheid de vernieuwing binnen de gestelde termijn na te laten; daarop kan noch in rechte noch ten opzichte van het Bureau beroep worden gedaan.

6. Het Bureau schrijft de vernieuwingen in en publiceert deze overeenkomstig het uitvoeringsreglement.

Overgang en licentie

Art. 13. 1. Het uitsluitend recht op een tekening of model kan overgaan of voorwerp van een licentie zijn. Nietig zijn:

a. overdrachten onder levenden, die niet schriftelijk zijn vastgelegd;

b. overdrachten of andere overgangen, die niet op het gehele Beneluxgebied betrekking hebben.

2. De beperking van een licentie, die geen beperking is naar duur, heeft geen gevolg voor wat betreft de toepassing van deze wet.
3. De overdracht of andere overgang of de licentie kan niet aan derden worden tegengeworpen dan na inschrijving van het depot van een uittreksel van de akte, waaruit van die overgang of die licentie blijkt, of van een daarop betrekking hebbende door de betrokken partijen ondertekende verklaring, mits dit depot is verricht met inachtneming van de gestelde vormvereisten en tegen betaling van de rechten, bepaald bij uitvoeringsreglement.

Licentiehouder

4. De licentiehouder kan tezamen met de houder van het model vergoeding vorderen voor alle schade die hij lijdt wegens inbreuk op het in artikel 14 bedoelde uitsluitend recht.

Rechten van houder bij inbreuk op zijn recht op tekening of model

Art. 14. 1. Op grond van zijn uitsluitend recht op een tekening of model kan de houder daarvan zich verzetten tegen elke vervaardiging, invoer, verkoop, het te koop aanbieden, verhuur, het te huur aanbieden, tentoonstelling, levering, gebruik of het in voorraad hebben voor een van deze doeleinden, met industrieel of commercieel oogmerk, van een voortbrengsel dat hetzelfde uiterlijk vertoont als de gedeponeerde tekening of het gedeponeerde model dan wel daarmede slechts ondergeschikte verschillen vertoont.
2. De houder kan op grond van het uitsluitend recht slechts schadevergoeding vorderen voor de in dit artikel, onder 1 opgesomde handelingen, indien deze hebben plaatsgevonden na de in artikel 9 bedoelde publikatie, waarin de kenmerkende eigenschappen van de tekening of het model op voldoende wijze werden weergegeven, behalve indien de derde met wetenschap van het depot heeft gehandeld.

Uitputting

3. Het uitsluitend recht op een tekening of model houdt evenwel niet in het recht zich te verzetten tegen de in dit artikel, onder 1 bedoelde handelingen met betrekking tot voortbrengselen die in het Beneluxgebied in het verkeer zijn gebracht door de houder of door iemand anders met zijn toestemming, dan wel door de personen bedoeld in artikel 17.
4. De vordering kan geen betrekking hebben op voortbrengselen, die vóór de datum van het depot in het Beneluxgebied in het verkeer werden gebracht.

Vervangende bescherming door het gemene recht uitgesloten

5. Voor feiten die alleen inbreuk op een tekening of model inhouden, kan geen vordering worden ingesteld op grond van de wettelijke bepalingen inzake de bestrijding van de oneerlijke mededinging.

Nietigverklaring

Art. 15. Iedere belanghebbende met inbegrip van het openbaar ministerie kan de nietigheid inroepen van een Benelux-depot of van de voor het Beneluxgebied uit een internationaal depot voortvloeiende rechten, indien zodanig depot niet voldoet aan het gestelde in de artikelen 1 en 2 of daardoor krachtens artikel 4 geen recht op een tekening of model wordt verkregen.
Wordt het geding tot nietigverklaring door het openbaar ministerie aanhangig gemaakt, dan zijn alleen de rechter te Brussel, te 's-Gravenhage of te Luxemburg bevoegd. Het aanhangig maken van het geding door het openbaar ministerie schorst ieder ander op dezelfde grondslag ingesteld geding.

Burgerlijke rechter

Art. 16. Alleen de burgerlijke rechter is bevoegd uitspraak te doen in gedingen, welke op deze wet zijn gegrond; hij spreekt ambtshalve de doorhaling uit van de inschrijving van de nietigverklaarde depots.

Recht van voorgebruik

Art. 17. 1. Een recht van voorgebruik, waarvan de inhoud nader wordt omschreven, wordt toegekend aan de derde die, vóór de datum van het depot van een tekening of model, of eventueel vóór de datum van het ontstaan van het in artikel 4 van het Verdrag van Parijs bedoelde recht van voorrang, binnen het Beneluxgebied voortbrengselen heeft vervaardigd die hetzelfde uiterlijk vertonen als de gedeponeerde tekening of het gedeponeerde model, dan wel daarmede slechts ondergeschikte verschillen vertonen.
2. Hetzelfde recht wordt toegekend aan degene die onder dezelfde omstandigheden een begin heeft gemaakt met de uitvoering van zijn voornemen tot vervaardiging.
3. Dit recht wordt echter niet toegekend aan de derde, die de tekening of het model zonder toestemming van de ontwerper heeft nagemaakt.
4. Op grond van het recht van voorgebruik kan de houder daarvan de vervaardiging van bedoelde voortbrengselen voortzetten of, in het geval bedoeld in dit ar-

tikel, onder 2, een aanvang maken met deze vervaardiging en, niettegenstaande de uit het depot voortvloeiende rechten, alle andere in artikel 14, onder 1 bedoelde handelingen verrichten, met uitzondering van invoer.

5. Het recht van voorgebruik kan slechts overgaan tezamen met het bedrijf waarin de handelingen, die hebben geleid tot het ontstaan van dat recht, hebben plaatsgevonden.

Overgang van het voorgebruiksrecht

Art. 18. 1. De houder van de inschrijving van een Benelux-depot kan te allen tijde de doorhaling van deze inschrijving verzoeken, behalve indien er rechten van derden bestaan, die bij overeenkomst zijn vastgelegd of in rechte worden vervolgd en welke ter kennis van het Benelux-Bureau zijn gebracht.

Doorhaling

Indien het een meervoudig depot betreft, kan de doorhaling betrekking hebben op een deel van de in dat depot vervatte tekeningen of modellen.

Indien een licentie is ingeschreven kan de doorhaling van de inschrijving van de tekening of het model van de licentie slechts worden gevraagd door de houder van de inschrijving en door de licentiehouder gezamenlijk.

De doorhaling geldt voor het gehele Beneluxgebied ondanks andersluidende verklaring.

2. De in dit artikel onder 1 opgenomen bepalingen gelden eveneens ten aanzien van de afstand van de bescherming die voor het Beneluxgebied uit een internationaal depot voortvloeit.

Afstand

Art. 19. De nietigverklaring, vrijwillige doorhaling of afstand moet steeds betrekking hebben op de tekening of het model in zijn geheel.

Tekening of model in zijn geheel

Art. 20. 1. Het Benelux-Bureau is, behalve met de krachtens de voorgaande artikelen opgedragen taak, belast met:

Overige taken Benelux-Bureau

a. het aanbrengen van wijzigingen in de inschrijvingen, hetzij op verzoek van de houder, hetzij op grond van kennisgevingen van het Internationale Bureau voor de bescherming van de industriële eigendom, hetzij op grond van rechterlijke beslissingen, alsmede met het zonodig daarvan verwittigen van het Internationaal Bureau;

b. het uitgeven van een maandblad in de Nederlandse en de Franse taal, waarin de inschrijvingen van de Benelux-depots en alle andere bij uitvoeringsreglement voorgeschreven gegevens worden vermeld;

c. het verstrekken, op verzoek van iedere belanghebbende, van afschriften van inschrijvingen;

d. het verstrekken van inlichtingen met betrekking tot ingeschreven tekeningen of modellen.

2. Het bedrag van de rechten, die voor de in dit artikel onder 1 bedoelde handelingen worden geïnd, alsmede de prijzen van het maandblad en van de afschriften, worden bij uitvoeringsreglement bepaald.

HOOFDSTUK II
Tekeningen of modellen met een duidelijk kunstzinnig karakter

Art. 21. 1. Tekeningen of modellen, die een duidelijk kunstzinnig karakter vertonen, kunnen tegelijkertijd door deze wet en door de auteurswet worden beschermd, indien aan de in deze beide wetten gestelde voorwaarden is voldaan.

Bescherming op grond van de auteurswet

2. Van bescherming uit hoofde van de auteurswet zijn uitgesloten tekeningen of modellen die geen duidelijk kunstzinnig karakter vertonen.

3. De nietigverklaring van het depot van een tekening of model met een duidelijk kunstzinnig karakter of het verval van het uitsluitend recht voortvloeiend uit het depot van een dergelijke tekening of model houdt in, dat het auteursrecht voor die tekening of dat model gelijktijdig vervalt, voorzover beide rechten in handen van dezelfde houder zijn; dit recht vervalt echter niet, indien de houder van de tekening of het model overeenkomstig artikel 24 een bijzondere verklaring aflegt met het oog op de instandhouding van zijn auteursrecht.

Instandhoudingsverklaring auteursrecht

Art. 22. 1. De door de ontwerper van een krachtens de auteurswet beschermd kunstwerk aan een derde verleende toestemming tot het verrichten van een depot voor een tekening of model, waarin dat kunstwerk is belichaamd, houdt overdracht in van het op dit kunstwerk betrekking hebbende auteursrecht, voorzover bedoeld kunstwerk in die tekening of dat model is belichaamd.

Rechten in één hand (1)

2. De deposant van een tekening of model met een duidelijk kunstzinnig karakter wordt vermoed tevens de houder te zijn van het desbetreffende auteursrecht; dit vermoeden geldt echter niet ten aanzien van de werkelijke ontwerper of zijn rechtverkrijgende.

3. Onverminderd de toepassing van artikel 13 houdt overdracht van het auteursrecht inzake een tekening of model met een duidelijk kunstzinnig karakter tevens overdracht in van het recht op de tekening of het model en omgekeerd.

Rechten in één hand (2)

Art. 23. Wanneer een tekening of model met een duidelijk kunstzinnig karakter onder de omstandigheden bedoeld in artikel 6 werd ontworpen, komt het auteursrecht inzake bedoelde tekening of model aan degene die overeenkomstig het in dat artikel bepaalde als ontwerper wordt beschouwd.

Deponering instandhoudingsverklaring auteursrecht

Art. 24. 1. De in artikel 21 onder 3 bedoelde verklaring moet in de loop van het jaar, dat voorafgaat aan het verval van het uitsluitend recht op de tekening of het model, worden afgelegd op de wijze en tegen betaling van bij uitvoeringsreglement bepaalde rechten. In geval van nietigverklaring van dit recht dient de verklaring te worden afgelegd binnen drie maanden, volgende op de datum waarop de rechterlijke beslissing, waarbij de nietigverklaring wordt vastgesteld, in kracht van gewijsde is gegaan.

2. De verklaring wordt ingeschreven en de inschrijving gepubliceerd.

HOOFDSTUK III
Overgangsbepalingen

Handhaving verkregen rechten

Art. 25. Onder voorbehoud van het in artikel 26 bepaalde, blijven tekeningen of modellen, die vóór het in werking treden van deze wet in één der Beneluxlanden, op welke wijze dan ook krachtens de nationale wetgeving werden beschermd, deze bescherming ook verder in dat land genieten.

Bevestigend depot

Art. 26. De vóór het in werking treden van deze wet in België verrichtte depots van tekeningen of modellen van nijverheid hebben geen werking meer met ingang van de datum van deze inwerkingtreding, indien bij het verstrijken van een termijn van een jaar, te rekenen vanaf die datum, geen bevestigend depot werd verricht bij de Belgische Dienst voor de industriële eigendom.

Deze bevestigende depots zijn vrij van betaling van rechten.

Invoer

Art. 27. Wanneer het uitsluitend recht op een tekening of model, dat krachtens de artikelen 25 en 26 in stand is gehouden, aan verschillende houders in twee of drie Beneluxlanden toebehoort, kan de houder van bedoeld recht in één van deze landen zich niet verzetten tegen de invoer van voortbrengselen, waarin bedoelde tekening of model is belichaamd en die uit een ander Beneluxland afkomstig zijn, noch schadevergoeding eisen voor deze invoer, wanneer het voortbrengsel in dat andere land door de houder van het recht op de tekening of het model, of met zijn goedkeuring, is vervaardigd in het verkeer gebracht en wanneer tussen beide houders ten aanzien van de exploitatie van het betrokken voortbrengsel een band van economische aard bestaat.

HOOFDSTUK IV
Algemene bepalingen

Beneluxgebied

Art. 28. Deze wet verstaat onder „Beneluxgebied" het gezamenlijk gebied van het Koninkrijk België, het Groothertogdom Luxemburg en het Koninkrijk der Nederlanden in Europa.

Territoriale bevoegdheid rechter

Art. 29. 1. Behoudens uitdrukkelijk afwijkende overeenkomst wordt de territoriale bevoegdheid van de rechter inzake tekeningen of modellen bepaald door de woonplaats van de gedaagde of door de plaats, waar de in geding zijnde verbintenis is ontstaan, is uitgevoerd of moet worden uitgevoerd.

De plaats waar een tekening of model is gedeponeerd of ingeschreven kan in geen geval op zichzelf grondslag zijn voor het bepalen van de bevoegdheid.

Indien de hierboven gegeven regelen niet toereikend zijn ter bepalingen van de territoriale bevoegdheid, kan de eiser de zaak bij de rechter van zijn woon- of ver blijfplaats of, indien hij geen woon- of verblijfplaats binnen het Beneluxgebied heeft, naar keuze bij de rechter te Brussel, te 's-Gravenhage of te Luxemburg aanhangig maken.

2. De rechters passen de in dit artikel, onder 1 gegeven regelen ambtshalve toe en stellen hun bevoegdheid uitdrukkelijk vast.

3. De rechter, voor wie de in dit artikel, onder 1 bedoelde hoofdvordering aanhangig is, neemt kennis van eisen in vrijwaring, van eisen tot voeging en tussenkomsten en van incidentele eisen, alsmede van eisen in reconventie, tenzij hij onbevoegd is ten aanzien van het onderwerp van het geschil.

4. De rechters van één der drie landen verwijzen op vordering van één der partijen de geschillen, waarmede men zich tot hen geeft gewend, naar die van één der twee andere landen, wanneer deze geschillen daar reeds aanhangig zijn of wanneer zij verknocht zijn aan andere, aan het oordeel van deze rechters onderworpen geschillen. De verwijzing kan slechts worden gevorderd, wanneer de zaken in eerste aanleg aanhangig zijn. Zij geschiedt naar de rechter, bij wie de zaak het eerst bij een inleidend stuk aanhangig is gemaakt, tenzij een andere rechter ter zake een eerdere uitspraak heeft gegeven, die niet louter een maatregel van orde is; in het eerste geval geschiedt de verwijzing naar die andere rechter.

Toepasselijkheid Verdrag van Parijs en Overeenkomst van 's-Gravenhage

Art. 30. 1. De bepalingen van deze wet doen geen afbreuk aan de toepassing van het Verdrag van Parijs en van de Overeenkomst van 's-Gravenhage.

2. Onderdanen van Beneluxlanden alsmede onderdanen van landen, welke geen deel uitmaken van de door het Verdrag van Parijs opgerichte Unie, die binnen het Beneluxgebied woonplaats hebben of aldaar een daadwerkelijke en wezenlijke nijverheids- of handelsonderneming hebben, kunnen ingevolge deze wet, voor dit gehele gebied, de toepassing te hunnen voordele inroepen van de bepalingen van het voornoemde Verdrag en van de Overeenkomst van 's-Gravenhage.

WET van den 5den Juli 1921, houdende bepalingen omtrent den handelsnaam, zoals laatstelijk gewijzigd bij de wet van 3 december 1991, Stb. 607

Alzoo Wij in overweging genomen hebben, dat het noodzakelijk is wettelijke bepalingen vast te stellen omtrent den handelsnaam;

Handelsnaam

Art. 1. Onder handelsnaam verstaat deze wet de naam waaronder een onderneming wordt gedreven.

Rechtsopvolging handelsnaam

Art. 2. De handelsnaam gaat over bij erfopvolging en is vatbaar voor overdracht, doch een en ander slechts in verbinding met de onderneming, die onder die naam wordt gedreven.

Geen onware aanduiding dat de onderneming (ook) aan anderen toebehoort, tenzij dit vroeger het geval was

Art. 3. 1. Het is de eigenaar ener onderneming verboden een handelsnaam te voeren, die in strijd met de waarheid aanduidt, dat de onderneming, geheel of gedeeltelijk aan een ander zou toebehoren.

2. Het eerste lid is mede van toepassing, indien de in de handelsnaam voorkomende aanduiding slechts in zo geringe mate van de naam van die ander afwijkt, dat dientengevolge bij het publiek verwarring van deze met de eigenaar der onderneming, te duchten is.

3. Het eerste lid is niet van toepassing, indien de handelsnaam en de onderneming afkomstig zijn van iemand, die die naam heeft gevoerd niet in strijd met deze wet.

Geen onware aanduiding dat de onderneming aan een vennootschap, een (coöperatieve) vereniging of een stichting toebehoort, tenzij dit vroeger het geval was

Art. 4. 1. Het is verboden een handelsnaam te voeren, die in strijd met de waarheid aanduidt, dat de onderneming zou toebehoren aan een of meer personen, handelende als een vennootschap onder firma, als een vennootschap en commandite of een rederij, of wel aan een naamloze vennootschap, een besloten vennootschap met beperkte aansprakelijkheid, een onderlinge waarborgmaatschappij, een coöperatie, een vereniging of aan een stichting.

2. In de handelsnaam duidt de vermelding van meer dan één persoon, ook al worden hun namen niet genoemd, aan, dat de onderneming toebehoort aan personen, handelende als een vennootschap onder een firma; de woorden „en compagnie", dat de onderneming toebehoort aan personen, handelende als een vennootschap onder een firma of aan een of meer personen, handelende als een vennootschap en commandite; het woord „maatschappij", dat de onderneming toebehoort aan een naamloze vennootschap, aan een besloten vennootschap met beperkte aansprakelijkheid of aan een vereniging, en het woord „fonds" aan een stichting; alles voor zover niet uit de handelsnaam in zijn geheel het tegendeel blijkt.

3. Het eerste lid is niet van toepassing, indien de handelsnaam wordt gevoerd door één persoon zonder vennoten, en die naam en de onderneming afkomstig zijn van een vennootschap onder een firma of van een vennootschap en commandite, die die handelsnaam heeft gevoerd niet in strijd met deze wet.

Geen handelsnaam, sterk lijkend op die een ander reeds rechtmatig voert

Art. 5. Het is verboden een handelsnaam te voeren, die, vóórdat de onderneming onder die naam werd gedreven, reeds door een ander rechtmatig gevoerd werd, of die van diens handelsnaam slechts in geringe mate afwijkt, een en ander voor zover dientengevolge, in verband met de aard der beide ondernemingen en de plaats, waar zij gevestigd zijn, bij het publiek verwarring tussen die ondernemingen te duchten is.

Geen handelsnaam met een merk waarop een ander recht heeft, of dat er sterk op lijkt

Art. 5a. Het is verboden een handelsnaam te voeren, die het merk bevat, waarop een ander ter onderscheiding van zijn fabrieks- of handelswaren recht heeft, dan wel een aanduiding, die van zodanig merk slechts in geringe mate afwijkt, voor zover dientengevolge bij het publiek verwarring omtrent de herkomst van de waren te duchten is.

Handelsnaam mag geen onjuiste indruk van de onderneming wekken

Art. 5b. Het is verboden een handelsnaam te voeren, welke een onjuiste indruk geeft van de onder die naam gedreven onderneming, voor zover dientengevolge misleiding van het publiek te duchten is.

Art. 6. 1. Indien een handelsnaam wordt gevoerd in strijd met deze wet, kan ieder belanghebbende, onverminderd zijn vordering krachtens titel 3 van Boek 6 van het Burgerlijk Wetboek, zich bij verzoekschrift tot de kantonrechter wenden met het verzoek, degene die de verboden handelsnaam voert, te veroordelen, daarin zodanige door de rechter te bepalen wijziging aan te brengen, dat de gestelde onrechtmatigheid wordt opgeheven.

Benadeelde kan, onverminderd een actie uit onrechtmatige daad, de kantonrechter verzoeken de verboden handelsnaam te doen wijzigen

2. Het verzoekschrift wordt gericht tot de rechter van het kanton, waar de onderneming gevestigd is, die onder de verboden handelsnaam wordt gedreven. Is de onderneming buiten het Rijk in Europa gevestigd, doch heeft zij in dat Rijk een filiaal of bijkantoor, of wordt zij aldaar vertegenwoordigd door een gevolmachtigde handelsagent, dan is de kantonrechter van de plaats waar dat filiaal of bijkantoor of die handelsagent gevestigd is, bevoegd. Indien volgens de voorgaande bepalingen geen rechter bevoegd is, is de rechter van het kanton van de woonplaats des verzoekers bevoegd. Is de onderneming in meer dan één kanton gevestigd, dan is bevoegd de rechter van ieder dier kantons, ter keuze van de verzoeker. Hetzelfde geldt in geval de onderneming buiten het Rijk in Europa gevestigd is, doch in meer dan een kanton een filiaal of bijkantoor heeft of door een gevolmachtigde handelsagent vertegenwoordigd wordt.

3. Het verzoekschrift wordt aan de wederpartij betekend. De kantonrechter beschikt niet op het verzoekschrift dan na verhoor of behoorlijke oproeping van partijen.

4. De griffier zendt een afschrift van de beslissing van de kantonrechter aan partijen. Binnen een maand na de dag van de verzending van dit afschrift kan door hem, die daarbij geheel of gedeeltelijk in het ongelijk is gesteld, hoger beroep worden ingesteld bij de arrondissements-rechtbank, die in raadkamer beslist. Het derde lid vindt overeenkomstige toepassing.

5. De griffier zendt een afschrift van de beslissing van de arrondissementsrechtbank aan partijen. Binnen één maand na de dag van de verzending van dit afschrift kan door hem, die daarbij geheel of gedeeltelijk in het ongelijk is gesteld, beroep in cassatie worden ingesteld. Het daartoe strekkend verzoekschrift wordt aan de wederpartij betekend.

6. De rechter kan de voorlopige tenuitvoerlegging van zijn beschikking bevelen.

Art. 6a. 1. Het verzoek bedoeld in het eerste lid van het vorige artikel kan ook gedaan worden door de Kamer van Koophandel en Fabrieken.

Ook Kamer van Koophandel kan kantonrechter verzoeken om veroordeling tot wijziging handelsnaam

2. De Kamer van Koophandel en Fabrieken, binnen welker ressort de ingevolge artikel 6, tweede lid, bevoegde rechter zetelt, is tot het doen van het verzoek bevoegd.

3. Het verzoekschrift wordt door de griffier toegezonden aan de eigenaar van de onderneming, van welke wijziging van de handelsnaam wordt verzocht, en zo nodig aan andere belanghebbenden. De kantonrechter beslist niet dan na verhoor of behoorlijke oproeping van degenen aan wie het verzoekschrift is toegezonden.

4. Het vierde, vijfde en zesde lid van het vorige artikel vinden overeenkomstige toepassing.

Art. 7. 1. Hij die een handelsnaam voert in strijd met deze wet, wordt gestraft met een geldboete van de tweede categorie.

Strafbedreiging tegen onwettig voeren van handelsnaam

2. Het feit wordt beschouwd als overtreding.

3. Indien tijdens het plegen van de overtreding nog geen twee jaren zijn verlopen sedert een vroegere veroordeling van de schuldige wegens gelijke overtreding onherroepelijk is geworden, kan hechtenis van ten hoogste veertien dagen of geldboete van de tweede categorie worden opgelegd.

4. De ambtenaar van het openbaar ministerie kan, alvorens tot vervolging van het strafbaar feit over te gaan, degene die de verboden handelsnaam voert, de wijziging mededelen, die de ambtenaar nodig voorkomt om de onrechtmatigheid van de handelsnaam op te heffen; daarbij wordt een bekwame termijn gesteld om die wijziging aan te brengen. Wordt die wijziging binnen de gestelde termijn aangebracht, dan is het recht tot strafvordering vervallen.

Verval van recht tot strafvordering

Art. 8. Vervallen.

Art. 9. (Bevat wijzigingen in het Wetboek van Strafrecht en in de Merkenwet).

Slot- en overgangsbepalingen

Citeertitel

Art. 10. Deze wet kan worden aangehaald onder de titel 'Handelsnaamwet'.

Inwerkingtreding

Art. 11. 1. Deze wet treedt in werking op een door Ons te bepalen tijdstip.

2. Indien bij het in werking treden dezer wet een handelsnaam wordt gevoerd in strijd met deze wet kan te dier zake gedurende vier maanden na dat tijdstip geen rechtsmiddel worden aangewend.

3. Wanneer de uitdrukking 'niet in strijd met deze wet' aan het slot van de artikelen 3 en 4 betreft het voeren van een handelsnaam vóór het in werking treden dezer wet, betekent zij: niet in strijd met deze wet, indien zij tijdens het voeren van de handelsnaam van kracht geweest ware.

VERORDENING No. 17. Eerste verordening over de toepassing van de artikelen 85 en 86 van het Verdrag (Kartelverordening) (PbEG 013.21.02.62, gewijzigd en aangevuld bij PbEG 058 10.07.62, PbEG P 162 07.11.63 en PbEG L 285 29.12.7.)

DE RAAD VAN DE EUROPESE ECONOMISCHE GEMEENSCHAP,

Gelet op de bepalingen van het Verdrag tot oprichting van de Europese Economische Gemeenschap en met name op artikel 87,

Gezien het voorstel van de Commissie,

Gezien het advies van het Economisch en Sociaal Comité,

Gezien het advies van het Europese Parlement,

Overwegende dat het, om een regime in te voeren waardoor wordt gewaarborgd dat de mededinging binnen de gemeenschappelijke markt niet wordt vervalst, noodzakelijk is zorg te dragen dat de artikelen 85 en 86 in onderling evenwicht en in de Lid-Staten op overeenkomstige wijze worden toegepast;

Overwegende dat de wijze van toepassing van artikel 85, lid 3, vastgesteld moet worden met inachtneming van de noodzaak van een doeltreffend toezicht, gepaard aan een zo eenvoudig mogelijke administratieve controle;

Overwegende dat het derhalve noodzakelijk is gebleken de ondernemingen die een beroep willen doen op artikel 85, lid 3, in beginsel te verplichten hun overeenkomsten, besluiten en onderling afgestemde feitelijke gedragingen bij de Commissie aan te melden;

Overwegende evenwel dat deze overeenkomsten, besluiten en onderling afgestemde feitelijke gedragingen waarschijnlijk in groten getale voorkomen en dientengevolge niet alle terzelfdertijd getoetst kunnen worden terwijl bovendien een aantal hiervan bijzondere kenmerken heeft, waardoor zij minder gevaarlijk kunnen zijn voor de ontwikkeling van de gemeenschappelijke markt;

Overwegende dat er derhalve aanleiding bestaat voorlopig voor bepaalde categorieën overeenkomsten, besluiten en onderling afgestemde feitelijke gedragingen een soepeler regeling in te voeren, zonder dat daarmede vooruitgelopen wordt op het uiteindelijke oordeel over hun verenigbaarheid met artikel 85;

Overwegende dat de ondernemingen er belang bij kunnen hebben te weten of overeenkomsten, besluiten of gedragingen waaraan zij deel hebben of voornemens zijn deel te gaan hebben, de Commissie aanleiding kunnen geven op te treden krachtens artikel 85, lid 1, of artikel 86;

Overwegende dat het noodzakelijk is regels te geven, volgens welke de Commissie in nauw en voortdurend contact met de bevoegde autoriteiten van de Lid-Staten de voor de toepassing van de artikelen 85 en 86 noodzakelijke maatregelen kan nemen, ten einde een eenvormige toepassing van deze artikelen in de gemeenschappelijke markt te waarborgen;

Overwegende dat de Commissie daartoe de medewerking moet verkrijgen van de bevoegde autoriteiten der Lid-Staten en voorts op het gehele gebied van de gemeenschappelijke markt over de bevoegdheid moet beschikken om inlichtingen in te winnen en verificaties te verrichten, voor zover zulks noodzakelijk is ten einde de in artikel 85, lid 1, verboden overeenkomsten, besluiten en onderling afgestemde feitelijke gedragingen, alsmede het in artikel 86 verboden misbruik van machtsposities op te sporen;

Overwegende dat de Commissie, om haar taak, te waken voor de toepassing van het Verdrag, te kunnen vervullen, de bevoegdheid moet bezitten tot ondernemingen of ondernemersverenigingen aanbevelingen en beschikkingen te richten die ten doel hebben een einde te maken aan inbreuken op de artikelen 85 en 86;

Overwegende dat de nakoming van de artikelen 85 en 86 en van de bij deze verordening aan ondernemingen en ondernemersverenigingen opgelegde verplichtingen door middel van geldboeten en dwangsommen verzekerd moet kunnen worden;

Overwegende dat het recht van de betrokken ondernemingen om door de Commissie gehoord te worden, moet worden verzekerd, dat derden wier belangen bij een beschikking in het geding kunnen komen de gelegenheid moeten hebben vooraf opmerkingen te maken en dat een ruime openbaarheid van de gegeven beschikkingen moet worden gewaarborgd;

Overwegende dat alle beschikkingen welke de Commissie tot toepassing van deze verordening geeft, met inachtneming van het bepaalde in het Verdrag, onderworpen zijn aan het toezicht van het Hof van Justitie en dat bovendien overeenkomstig artikel 172 van het Verdrag aan het Hof van Justitie volledige rechtsmacht moet worden toegekend ten aanzien van de beschikkingen waarbij de Commissie geldboeten of dwangsommen oplegt;

Overwegende dat deze verordening in werking kan treden onverminderd andere voorschriften die op grond van artikel 87 later zouden kunnen worden vastgesteld;

HEEFT DE VOLGENDE VERORDENING VASTGESTELD:

Algemene bepaling

Art. 1. Overeenkomsten, besluiten en onderling afgestemde feitelijke gedragingen, bedoeld in artikel 85, lid 1, van het Verdrag, alsmede misbruik van een economische machtspositie, bedoeld in artikel 86 van het Verdrag, zijn verboden, zonder dat daartoe enige voorafgaande beschikking is vereist; de bepalingen van de artikelen 6, 7 en 23 van deze verordening vinden evenwel onverminderd toepassing.

Negatieve verklaring

Art. 2. Op verzoek van de betrokken ondernemingen of ondernemersverenigingen kan de Commissie vaststellen dat, op grond van de gegevens die haar bekend zijn, voor haar geen aanleiding bestaat tegen een overeenkomst, besluit of gedraging, krachtens artikel 85, lid 1, of artikel 86 van het Verdrag op te treden.

Beëindiging van inbreuken

Art. 3. 1. Indien de Commissie, op verzoek of ambtshalve, een inbreuk op artikel 85 of artikel 86 van het Verdrag vaststelt, kan zij de betrokken ondernemingen en ondernemersverenigingen bij beschikking verplichten aan de vastgestelde inbreuk een einde te maken.

2. Tot het indienen van een verzoek, als in het eerste lid bedoeld, zijn gerechtigd
a) de Lid-Staten,
b) natuurlijke of rechtspersonen die aantonen hierbij een redelijk belang te hebben.

3. Onverminderd de overige bepalingen van deze verordening kan de Commissie, alvorens een beschikking te nemen als bedoeld in het eerste lid, aan de betrokken ondernemingen en ondernemersverenigingen aanbevelingen doen om aan de inbreuk een einde te maken.

Aanmelding van nieuwe overeenkomsten, besluiten en gedragingen

Art. 4. 1. Overeenkomsten, besluiten en onderling afgestemde feitelijke gedragingen, bedoeld in artikel 85, lid 1, van het Verdrag, die tot stand zijn gekomen na het tijdstip waarop deze verordening in werking treedt en ten gunste waarvan de betrokken ondernemingen een beroep willen doen op artikel 85, lid 3, moeten worden aangemeld bij de Commissie. Zolang deze aanmelding niet heeft plaatsgevonden, kan de beschikking, bedoeld in artikel 85, lid 3, niet worden gegeven.

2. Lid 1 is niet van toepassing op overeenkomsten, besluiten en onderling afgestemde feitelijke gedragingen voor zover
1) daaraan slechts ondernemingen uit één Lid-Staat deelnemen en zij geen betrekking hebben op de invoer of de uitvoer tussen Lid-Staten,
2) bij deze overeenkomsten slechts twee ondernemingen partij zijn en zij uitsluitend ten gevolge hebben dat:
a) de vrijheid van de ene partij tot het vaststellen van de prijzen en andere voorwaarden bij wederverkoop van goederen welke zij van de andere partij betrokken heeft, beperkt wordt,
b) aan de verkrijger of de gebruiker van industriële eigendomsrechten, met name van octrooien, gebruiksmodellen, siertekeningen en -modellen, of merken, of aan degene die rechten ontleent aan overeenkomsten, houdende overdracht of het in gebruik geven van produktiemethoden of van kennis met betrekking tot het gebruik

of de toepassing van bedrijfstechnische vaardigheden, beperkingen worden opgelegd in de uitoefening van deze rechten,
3) Zij uitsluitend betreffen:
a) de ontwikkeling of uniforme toepassing van normen en typen,
b) het gemeenschappelijk onderzoek en de gemeenschappelijke ontwikkeling,
c) de specialisatie, bij de vervaardiging van produkten, met inbegrip van de overeenkomsten die nodig zijn voor de verwezenlijking daarvan
— wanneer de produkten waarop de specialisatie betrekking heeft, op een belangrijk gebied van de gemeenschappelijke markt niet meer dan 15% van de omzet in gelijke of voor de consument op grond van hun eigenschappen, hun prijs en hun gebruik te beschouwen produkten uitmaken en
— wanneer de totale jaarlijkse omzet van de deelnemende ondernemingen niet meer bedraagt dan 200 miljoen rekeneenheden.
Deze overeenkomsten, besluiten en gedragingen kunnen bij de Commissie worden aangemeld.

Aanmelding van bestaande overeenkomsten, besluiten en gedragingen

Art. 5. 1. Overeenkomsten, besluiten en onderling afgestemde feitelijke gedragingen, bedoeld in artikel 85, lid 1, van het Verdrag, die bestaan op het tijdstip waarop deze verordening in werking treedt, en ten gunste waarvan de betrokkenen een beroep willen doen op artikel 85, lid 3, moeten vóór 1 november 1962 bij de Commissie worden aangemeld.
Evenwel moeten in afwijking hiervan, overeenkomsten, besluiten en onderling afgestemde feitelijke gedragingen, waarbij slechts twee ondernemingen partij zijn, vóór 1 februari 1963 worden aangemeld.
2. Het vorige lid is niet van toepassing op overeenkomsten, besluiten en onderling afgestemde feitelijke gedragingen die behoren tot de categorieën, genoemd in artikel 4, lid 2; zij kunnen bij de Commissie worden aangemeld.

Beschikkingen bedoeld in artikel 85, lid 3

Art. 6. 1. Wanneer de Commissie een beschikking geeft als bedoeld in artikel 85, lid 3, van het Verdrag, stelt zij de datum vast met ingang waarvan deze beschikking in werking treedt. Deze datum kan niet vroeger zijn dan die van de aanmelding.
2. Lid 1, tweede zin, is niet van toepassing op overeenkomsten, besluiten en onderling afgestemde feitelijke gedragingen, bedoeld in artikel 4, lid 2, en in artikel 5, lid 2, noch op die, bedoeld in artikel 5, lid 1, voor zover deze laatste binnen de voorgeschreven termijn zijn aangemeld.

Bijzondere bepalingen voor bestaande overeenkomsten, besluiten en gedragingen

Art. 7. 1. Indien overeenkomsten, besluiten of onderling afgestemde feitelijke gedragingen die bestaan op het tijdstip waarop deze verordening in werking treedt en die vóór het in artikel 5, lid 1, genoemde tijdstip zijn aangemeld, maar die niet voldoen aan de voorwaarden van artikel 85, lid 3, van het Verdrag, door de betrokken ondernemingen of ondernemersverenigingen beëindigd worden of zodanig gewijzigd worden dat zij hetzij niet meer onder het verbod van artikel 85, lid 1, vallen, hetzij voldoen aan de voorwaarden van artikel 85, lid 3, is het verbod van artikel 85, lid 1, slechts van toepassing gedurende de periode die de Commissie vaststelt. Op een beschikking van de Commissie, krachtens de vorige zin, kan geen beroep worden gedaan tegenover ondernemingen of ondernemersverenigingen die niet uitdrukkelijk hun toestemming tot de aanmelding hebben gegeven.
2. Het eerste lid is van toepassing op overeenkomsten, besluiten en onderling afgestemde feitelijke gedragingen welke bestaan op het tijdstip waarop deze verordening in werking treedt en die behoren tot de categorieën, bedoeld in artikel 4, lid 2, voor zover zij vóór 1 januari 1967 zijn aangemeld.

Geldigheidsduur en intrekking van beschikkingen bedoeld in artikel 85, lid 3

Art. 8. 1. Een beschikking, bedoeld in artikel 85, lid 3, van het Verdrag, wordt voor een bepaalde termijn gegeven en kan voorwaarden en verplichtingen inhouden.
2. De beschikking kan op verzoek worden verlengd, indien de voorwaarden, bedoeld in artikel 85, lid 3, van het Verdrag, vervuld blijven.
3. De Commissie kan haar beschikking intrekken of wijzigen of de betrokkenen bepaalde handelingen verbieden:
a) indien de feitelijke omstandigheden op een voor de beschikking wezenlijk punt zijn gewijzigd,
b) indien de betrokkenen zich gedragen in strijd met een bij de beschikking opgelegde verplichting,
c) indien de beschikking berust op onjuiste inlichtingen of door bedrog is verkregen,
d) indien de betrokkenen misbruik maken van de in de beschikking vervatte ontheffing van de voorschriften van artikel 85, lid 1, van het Verdrag.

In de gevallen, genoemd onder *b, c* en *d,* kan de beschikking ook met terugwerkende kracht worden ingetrokken.

De bevoegde instanties

Art. 9. 1. Onverminderd het toezicht van het Hof van Justitie op de betreffende beschikking, is uitsluitend de Commissie bevoegd om de bepalingen van artikel 85, lid 1, van het Verdrag overeenkomstig artikel 85, lid 3, buiten toepassing te verklaren.

2. De Commissie is bevoegd artikel 85, lid 1, en artikel 86 van het Verdrag toe te passen, ook indien de termijnen welke in artikel 5, lid 1, en in artikel 7, lid 2, voor de aanmelding zijn vastgesteld, nog niet zijn verstreken.

3. Zolang de Commissie geen procedure heeft ingeleid krachtens de artikelen 2, 3 of 6 blijven de autoriteiten van de Lid-Staten overeenkomstig artikel 88 van het Verdrag bevoegd artikel 85, lid 1, en artikel 86 toe te passen, ook indien de termijnen welke in artikel 5, lid 1, en in artikel 7, lid 2, voor de aanmelding zijn vastgesteld, nog niet zijn verstreken.

Contact met de autoriteiten der Lid-Staten

Art. 10. 1. De Commissie doet de bevoegde autoriteiten van de Lid-Staten onverwijld een afschrift toekomen van de verzoeken en aanmeldingen en van de belangrijkste documenten welke haar hebben bereikt met het oog op de vaststelling van inbreuken op de bepalingen van artikel 85 of artikel 86 van het Verdrag, het geven van een negatieve verklaring of van een beschikking, bedoeld in artikel 85, lid 3.

2. Bij de in het eerste lid bedoelde procedures onderhoudt de Commissie een nauw en voortdurend contact met de bevoegde autoriteiten van de Lid-Staten; deze zijn gerechtigd opmerkingen te maken over deze procedures.

3. Alvorens een beschikking naar aanleiding van een procedure als bedoeld in lid 1 of inzake de verlenging, de wijziging of de intrekking van een beschikking, bedoeld in artikel 85, lid 3, van het Verdrag, te geven, wordt een Adviescomité voor mededingingsregelingen en economische machtsposities geraadpleegd.

4. Het Adviescomité is samengesteld uit ambtenaren die bevoegd zijn op het gebied van mededingingsregelingen en economische machtsposities. Elke Lid-Staat wijst een ambtenaar aan die hem vertegenwoordigt; deze ambtenaar kan in geval van verhindering door een andere ambtenaar worden vervangen.

5. De raadpleging vindt plaats op uitnodiging van de Commissie in een gemeenschappelijke bijeenkomst, op zijn vroegst twee weken na de verzending der convocaties. Hierbij wordt een uiteenzetting van de zaak gevoegd, alsmede een opgave van de voornaamste stukken van het dossier en een voorontwerp van een beschikking voor elk der te onderzoeken gevallen.

6. Het Adviescomité kan advies uitbrengen, ook indien leden niet aanwezig, noch vertegenwoordigd zijn. De conclusies van de raadpleging worden schriftelijk vastgelegd en bij de ontwerp-beschikking gevoegd; zij worden niet openbaar gemaakt.

Verzoeken om inlichtingen

Art. 11. 1. Ter vervulling van de taken welke haar zijn opgedragen in artikel 89 en in voorschriften vastgesteld krachtens artikel 87 van het Verdrag, kan de Commissie alle noodzakelijke inlichtingen inwinnen bij de Regeringen en de bevoegde autoriteiten van de Lid-Staten, alsmede bij ondernemingen en ondernemersverenigingen.

2. Wanneer de Commissie tot een onderneming of ondernemersvereniging een verzoek om inlichtingen richt, zendt zij gelijktijdig een afschrift van dit verzoek aan de bevoegde autoriteit van de Lid-Staat op het grondgebied waarvan de zetel van die onderneming of ondernemersvereniging zich bevindt.

3. In haar verzoek wijst de Commissie op de rechtsgrond en het doel van dit verzoek; tevens wordt gewezen op de sanctie waarin artikel 15, lid 1 onder *b,* voorziet voor het verstrekken van een onjuiste inlichting.

4. Tot het verstrekken van de gevraagde inlichtingen zijn verplicht: de eigenaren van een onderneming of degenen die hen vertegenwoordigen, en, in het geval van rechtspersonen en van vennootschappen en verenigingen zonder rechtspersoonlijkheid: degenen die volgens de wet of de statuten belast zijn met de vertegenwoordiging.

5. Indien een onderneming of ondernemersvereniging de gevraagde inlichtingen niet binnen de door de Commissie gestelde termijn dan wel onvolledig verstrekt, verlangt de Commissie de inlichtingen bij beschikking. Deze beschikking omschrijft de gevraagde inlichtingen, stelt een passende termijn vast binnen welke deze moeten

worden verstrekt en wijst op de in artikel 15, lid 1 onder *b*. en in artikel 16, lid 1 onder *c*. voorziene sancties, alsmede op het recht om tegen de beschikking in beroep te gaan bij het Hof van Justitie.

6. De Commissie doet gelijktijdig een afschrift van haar beschikking toekomen aan de bevoegde autoriteit van de Lid-Staat op het grondgebied waarvan zich de zetel van de onderneming of ondernemersvereniging bevindt.

Algemeen onderzoek van bedrijfstakken

Art. 12. 1. Indien in een bedrijfstak de ontwikkeling van de handel tussen Lid-Staten, de beweging of verstarring van de prijzen of andere omstandigheden aanleiding geven te vermoeden dat de mededinging binnen de gemeenschappelijke markt in de betrokken bedrijfstak beperkt of vervalst wordt, kan de Commissie besluiten tot een algemeen onderzoek in deze bedrijfstak en kan zij, in het kader van dit onderzoek, aan de tot deze bedrijfstak behorende ondernemingen de inlichtingen verzoeken, die noodzakelijk zijn voor de toepassing van de in artikel 85 en in artikel 86 van het Verdrag neergelegde beginselen en voor de vervulling van de aan de Commissie opgedragen taken.

2. Met name kan de Commissie van alle ondernemingen of groepen van ondernemingen in de betrokken bedrijfstak verzoeken al die overeenkomsten, besluiten of onderling afgestemde feitelijke gedragingen mede te delen, die krachtens artikel 4, lid 2, en artikel 5, lid 2, van de aanmelding zijn vrijgesteld.

3. Wanneer de Commissie het in lid 2 bedoelde onderzoek instelt, verzoekt zij tevens aan de ondernemingen en groepen van ondernemingen waarvan op grond van hun omvang vermoed kan worden dat zij een machtspositie op de gemeenschappelijke markt, of op een wezenlijk deel daarvan, innemen, haar die gegevens mede te delen, die betrekking hebben op hun structuur en hun gedragingen, en die noodzakelijk zijn om hun positie te toetsen aan artikel 86 van het Verdrag.

4. Artikel 10, leden 3 tot en met 6, en de artikelen 11, 13 en 14 zijn van overeenkomstige toepassing.

Verificaties door autoriteiten van de Lid-Staten

Art. 13. 1. Op verzoek van de Commissie verrichten de bevoegde autoriteiten van de Lid-Staten de verificaties welke de Commissie op grond van artikel 14, lid 1, nodig oordeelt of welke zij krachtens artikel 14, lid 3, bij beschikking heeft gelast. De functionarissen van de bevoegde autoriteiten der Lid-Staten, die belast zijn met het uitvoeren van de verificaties, oefenen hun bevoegdheden uit op vertoon van een schriftelijke opdracht, verstrekt door de bevoegde autoriteit van de Lid-Staat op het grondgebied waarvan de verificatie moet plaatsvinden. In deze opdracht wordt melding gemaakt van voorwerp en doel van de verificatie.

2. Personeelsleden van de Commissie kunnen, op verzoek van de Commissie of van de bevoegde autoriteit van de Lid-Staat op het grondgebied waarvan de verificatie moet worden verricht, de functionarissen van genoemde autoriteit bijstaan bij het vervullen van hun opdracht.

Bevoegdheid van de Commissie tot verificatie

Art. 14. 1. Ter vervulling van de taken welke haar zijn opgedragen in artikel 89 en in voorschriften vastgesteld krachtens artikel 87 van het Verdrag, kan de Commissie alle noodzakelijke verificaties verrichten bij ondernemingen en ondernemersverenigingen.

Te dien einde beschikken de personeelsleden van de Commissie, die in haar opdracht handelen, over de volgende bevoegdheden:
a) het controleren van de boeken en bescheiden van het bedrijf,
b) het maken van afschriften of uittreksels van deze boeken en bescheiden,
c) het ter plaatse vragen van mondelinge inlichtingen,
d) het betreden van alle lokaliteiten, terreinen en vervoermiddelen der ondernemingen.

2. De personeelsleden die door de Commissie met het uitvoeren van deze verificaties zijn belast, oefenen hun bevoegdheden uit op vertoon van een schriftelijke opdracht, waarin melding wordt gemaakt van voorwerp en doel der verificaties, alsmede van de sanctie waarin artikel 15, lid 1 onder *c*. voorziet voor het niet volledig tonen van de ter inzage gevraagde boeken of bescheiden. Voordat de verificatie plaatsvindt, stelt de Commissie tijdig de bevoegde autoriteit van de Lid-Staat op het grondgebied waarvan een verificatie moet worden verricht, in kennis van de opdracht tot verificatie en van de identiteit der personeelsleden die met de uitvoering van deze opdracht zijn belast.

3. De ondernemingen en ondernemersverenigingen zijn verplicht zich te onderwerpen aan de verificaties welke de Commissie bij beschikking heeft gelast. Deze beschikking maakt melding van voorwerp en doel van de verificatie, geeft de datum

aan waarop de verificatie een aanvang neemt en wijst op de in artikel 15, lid 1 onder *c*, en in artikel 16, lid 1 onder *d*, voorziene sancties alsmede op het recht om tegen de beschikking in beroep te gaan bij het Hof van Justitie.

4. Alvorens een beschikking te geven als bedoeld in lid 3 hoort de Commissie de bevoegde autoriteit van de Lid-Staat op het grondgebied waarvan de verificatie moet worden verricht.

5. De functionarissen van de bevoegde autoriteit van de Lid-Staat op het grondgebied waarvan de verificatie moet worden verricht, kunnen, op verzoek van deze autoriteit of van de Commissie, de personeelsleden van de Commissie bijstaan bij het vervullen van hun opdracht.

6. Wanneer een onderneming zich verzet tegen een verificatie waartoe krachtens dit artikel opdracht is gegeven, verleent de betrokken Lid-Staat de nodige bijstand aan de personeelsleden aan wie de Commissie opdracht tot verificatie heeft gegeven, ten einde hun de vervulling van deze opdracht mogelijk te maken. Tot dit doel nemen de Lid-Staten vóór 1 oktober 1962, na raadpleging van de Commissie, de nodige maatregelen.

Geldboeten

Art. 15. 1. De Commissie kan bij beschikking aan ondernemingen of ondernemersverenigingen geldboeten opleggen van ten minste honderd en ten hoogste vijfduizend rekeneenheden, wanneer zij opzettelijk of uit onachtzaamheid:
a) bij een verzoek als bedoeld in artikel 2 of bij een aanmelding als bedoeld in artikel 4 en artikel 5, onjuiste of verdraaide gegevens verstrekken,
b) in antwoord op een verzoek als bedoeld in artikel 11, leden 3 en 5, of artikel 12, een onjuiste inlichting verstrekken of een inlichting niet verstrekken binnen de termijn, gesteld bij een krachtens artikel 11, lid 5, gegeven beschikking,
c) bij een krachtens artikel 13 of artikel 14 verrichte verificatie geen volledige inzage geven van de ter inzage gevraagde boeken en bescheiden van het bedrijf, of zich niet onderwerpen aan verificaties welke de Commissie bij een krachtens artikel 14, lid 3, gegeven beschikking heeft gelast.

2. Wanneer ondernemingen of ondernemersverenigingen opzettelijk of uit onachtzaamheid:
a) inbreuk maken op artikel 85, lid 1, of artikel 86 van het Verdrag, of
b) zich gedragen in strijd met een verplichting opgelegd krachtens artikel 8, lid 1,
kan de Commissie bij beschikking aan deze ondernemingen of ondernemersverenigingen geldboeten opleggen van ten minste duizend en ten hoogste één miljoen rekeneenheden, of tot een bedrag van ten hoogste tien procent van de omzet van elk der betrokken ondernemingen in het voorafgaande boekjaar, indien bedoeld bedrag hoger is dan één miljoen rekeneenheden.

Bij de vaststelling van het bedrag van de geldboete wordt niet alleen rekening gehouden met de zwaarte, maar ook met de duur van de inbreuk.

3. De bepalingen van artikel 10, leden 3 tot en met 6, zijn van toepassing.

4. De beschikkingen, gegeven krachtens het eerste of tweede lid, hebben geen strafrechtelijk karakter.

5. De in het tweede lid onder *a* genoemde geldboeten kunnen niet worden opgelegd voor gedragingen welke plaats hebben:
a) in verband met overeenkomsten, besluiten en onderling afgestemde feitelijke gedragingen nadat deze bij de Commissie zijn aangemeld en voordat de Commissie ten aanzien hiervan een beschikking heeft genomen krachtens artikel 85, lid 3, van het Verdrag, voor zover deze gedragingen blijven binnen de grenzen welke in de aanmelding zijn genoemd,
b) in verband met overeenkomsten, besluiten en onderling afgestemde feitelijke gedragingen die bestaan op het tijdstip waarop deze verordening in werking treedt, voordat deze bij de Commissie zijn aangemeld, mits deze aanmelding plaatsvindt binnen de termijn, genoemd in artikel 5, lid 1, en in artikel 7, lid 2.

6. Lid 5 is niet van toepassing zodra de Commissie de betrokken ondernemingen heeft medegedeeld dat zij, na een voorlopig onderzoek, van oordeel is dat overeenkomsten, besluiten of gedragingen onder artikel 85, lid 1, van het Verdrag vallen en dat toepassing van artikel 85, lid 3 niet gerechtvaardigd is.

Dwangsommen

Art. 16. 1. De Commissie kan bij beschikking aan ondernemingen of ondernemersverenigingen dwangsommen opleggen ten bedrage van ten minste vijftig en ten hoogste duizend rekeneenheden voor elke dag waarmede de in de beschikking gestelde termijn wordt overschreden, ten einde hen te dwingen
a) een einde te maken aan een inbreuk op artikel 85 of artikel 86 van het Verdrag, overeenkomstig een krachtens artikel 3 genomen beschikking,

b) een krachtens artikel 8, lid 3, verboden handeling na te laten,
c) tot het volledig en juist verschaffen van een inlichting welke de Commissie heeft verlangd bij een krachtens artikel 11, lid 5, gegeven beschikking,
d) zich te onderwerpen aan een verificatie welke de Commissie bij een krachtens artikel 14, lid 3, gegeven beschikking heeft gelast.

2. Wanneer ondernemingen of ondernemersverenigingen de verplichting nagekomen zijn, ter afdwinging waarvan de dwangsom was opgelegd, kan de Commissie vaststellen dat het uiteindelijk verschuldigde bedrag lager zal zijn dan het bedrag dat zou voortvloeien uit de oorspronkelijke beschikking.

3. Artikel 10, leden 3 tot en met 6, zijn van toepassing.

Rechtsmacht van het Hof van Justitie

Art. 17. Het Hof van Justitie heeft volledige rechtsmacht in de zin van artikel 172 van het Verdrag ter zake van beroep tegen beschikkingen van de Commissie waarin een geldboete of dwangsom wordt vastgesteld; het kan de opgelegde geldboete of dwangsom intrekken, verlagen of verhogen.

Rekeneenheid

Art. 18. Voor de toepassing van de artikelen 15 tot en met 17 is de rekeneenheid die, welke voor de opstelling van de begroting van de Gemeenschap krachtens de artikelen 207 en 209 van het Verdrag is gebezigd.

Horen van belanghebbenden en derden

Art. 19. 1. Alvorens beschikkingen te geven op grond van de artikelen 2, 3, 6, 7, 8, 15 en 16, stelt de Commissie de betrokken ondernemingen en ondernemersverenigingen in de gelegenheid hun standpunt kenbaar te maken ter zake van de punten van bezwaar welke de Commissie in aanmerking heeft genomen.

2. Voor zover de Commissie of de bevoegde autoriteiten van de Lid-Staten dit noodzakelijk achten, kunnen zij ook andere natuurlijke of rechtspersonen horen. Indien natuurlijke of rechtspersonen verzoeken gehoord te worden en aannemelijk maken dat zij hierbij in voldoende mate belang hebben, moet aan dit verzoek gevolg worden gegeven.

3. Indien de Commissie voornemens is een negatieve verklaring in de zin van artikel 2 dan wel een beschikking bedoeld in artikel 85, lid 3, van het Verdrag, te geven, maakt zij het essentiële gedeelte van het verzoek of de aanmelding bekend; hierbij worden alle belanghebbende derden uitgenodigd opmerkingen kenbaar te maken binnen de door de Commissie vastgestelde termijn van ten minste één maand. Bij de bekendmaking wordt rekening gehouden met het rechtmatige belang van de ondernemingen dat hun zakengeheimen niet aan de openbaarheid worden prijsgegeven.

Geheimhoudingsplicht

Art. 20. 1. De krachtens de artikelen 11, 12, 13 en 14 ingewonnen inlichtingen mogen slechts worden gebruikt voor het doel waarvoor zij zijn gevraagd.

2. Onverminderd hetgeen in de artikelen 19 en 21 is bepaald, zijn de Commissie en de bevoegde autoriteiten der Lid-Staten, alsmede hun personeelsleden en functionarissen verplicht de inlichtingen welke zij bij de toepassing van deze verordening hebben ingewonnen en welke naar hun aard onder de geheimhoudingsplicht vallen, niet openbaar te maken.

3. De leden 1 en 2 vormen geen beletsel voor de openbaarmaking van overzichten of studies die geen gegevens met betrekking tot individuele ondernemingen of ondernemersverenigingen bevatten.

Bekendmaking van beschikkingen

Art. 21. 1. De Commissie maakt de beschikkingen die zij op grond van de artikelen 2, 3, 6, 7 en 8 geeft, bekend.

2. De bekendmaking vermeldt de betrokken partijen en de essentiële gedeelten van de beschikking; hierbij wordt rekening gehouden met het rechtmatig belang van de ondernemingen, dat hun zakengeheimen niet aan de openbaarheid worden prijsgegeven.

Bijzondere bepalingen

Art. 22. 1. De Commissie doet de Raad voorstellen welke ertoe strekken bepaalde categorieën overeenkomsten, besluiten en onderling afgestemde feitelijke gedragingen bedoeld in artikel 4, lid 2, en in artikel 5, lid 2, aan de in artikel 4 en in artikel 5 bedoelde aanmeldingsplicht te onderwerpen.

2. Binnen een jaar na de inwerkingtreding van deze verordening onderzoekt de Raad, op voorstel van de Commissie, welke bijzondere bepalingen in afwijking van de voorschriften van deze verordening voor de in artikel 4, lid 2, en in artikel 5, lid 2, bedoelde overeenkomsten, besluiten en onderling afgestemde feitelijke gedragingen, kunnen worden vastgesteld.

Overgangsregeling voor beschikkingen van de autoriteiten van de Lid-Staten

Art. 23. 1. De in artikel 85, lid 1, van het Verdrag bedoelde overeenkomsten, besluiten en onderling afgestemde feitelijke gedragingen waarvoor de bevoegde autoriteit van een Lid-Staat vóór de inwerkingtreding van deze verordening artikel 85, lid 1, van het Verdrag krachtens artikel 85, lid 3, buiten toepassing heeft verklaard, zijn niet onderworpen aan de in artikel 5 vervatte aanmeldingsplicht. De beschikking van de bevoegde autoriteit van de Lid-Staat geldt als beschikking in de zin van artikel 6; de geldigheid daarvan eindigt uiterlijk op de in de beschikking vastgestelde datum, doch in elk geval drie jaar na de inwerkingtreding van deze verordening. Artikel 8, lid 3, is van toepassing.

2. Op verzoeken tot verlenging van de geldigheidsduur van de beschikkingen, bedoeld in lid 1, geeft de Commissie een beschikking op grond van artikel 8, lid 2.

Uitvoeringsbepalingen

Art. 24. De Commissie is bevoegd uitvoeringsbepalingen vast te stellen met betrekking tot vorm, inhoud en overige bijzonderheden van de op grond van artikel 2 en artikel 3 ingediende verzoeken en van de in artikel 4 en artikel 5 genoemde aanmeldingen en met betrekking tot het horen van belanghebbenden en derden, als voorzien in artikel 19, leden 1 en 2.

Deze verordening is verbindend in al haar onderdelen en is rechtstreeks toepasselijk in elke Lid-Staat.

Gedaan te Brussel, 6 februari 1962.

WET van 10 juli 1968, Stb. 395, tot uitvoering van de Verordening No. 17 van de Raad van de Europese Economische Gemeenschap, zoals laatstelijk gewijzigd bij de wet van 11 februari 1988, Stb. 77

Wij JULIANA, bij de gratie Gods, Koningin der Nederlanden, Prinses van Oranje-Nassau, enz., enz., enz.

Allen, die deze zullen zien of horen lezen, saluut! doen te weten:

Alzo Wij in overweging genomen hebben, dat het nodig is enige regelen te stellen nopens de uitvoering van de Verordening No. 17 van de Raad van de Europese Economische Gemeenschap betreffende de toepassing van de artikelen 85 en 86 van het Verdrag tot oprichting van die gemeenschap;

Zo is het, dat Wij, de Raad van State gehoord, en met gemeen overleg der Staten-Generaal, hebben goedgevonden en verstaan, gelijk Wij goedvinden en verstaan bij deze:

Begripsbepalingen

Art. 1. Voor de toepassing van het bij of krachtens deze wet bepaalde wordt verstaan onder:
Verordening: de Verordening No. 17 van de Raad van de Europese Economische Gemeenschap (Publikatieblad van de Europese Gemeenschappen van 21 februari 1962);
Onze Ministers: Onze Minister van Economische Zaken en Onze Minister, wie de zaak mede aangaat, tezamen.

Verrichten van verificaties

Art. 2. 1. Voor het verrichten van verificaties, dat krachtens artikel 13, eerste lid, van de Verordening is verzocht, geven Onze Ministers opdracht aan voor ieder afzonderlijk geval schriftelijk aangewezen ambtenaren.

2. Te dien einde beschikken deze ambtenaren ten aanzien van ondernemingen en ondernemersverenigingen over de volgende bevoegdheden:
a. het controleren van boeken en andere zakelijke bescheiden;
b. het maken van afschriften of uittreksels van deze boeken en bescheiden;
c. het ter plaatse vragen van mondelinge inlichtingen;
d. het betreden van alle lokaliteiten — voor zover geen deel uitmakend van woningen —, terreinen en vervoermiddelen der ondernemingen.

3. Bij het verrichten van een verificatie, welke krachtens artikel 14, derde lid, van de Verordening is gelast, kunnen zij hun bevoegdheid, als in het tweede lid, onder a, b of d bedoeld, zo nodig uitoefenen met behulp van de sterke arm.

Verlenen van bijstand

Art. 3. 1. Voor het verlenen van de in artikel 14, vijfde lid, van de Verordening bedoelde bijstand geven Onze Ministers opdracht aan voor ieder afzonderlijk geval schriftelijk aangewezen ambtenaren.

2. Te dien einde beschikken deze ambtenaren over de in artikel 2, tweede lid, genoemde bevoegdheden.

Verzet tegen verificatie

Art. 4. 1. Wanneer van de zijde van een onderneming verzet wordt gepleegd tegen het verrichten van een verificatie, welke krachtens artikel 14, derde lid, van de Verordening is gelast, geven Onze Ministers opdracht voor het verlenen van bijstand, als bedoeld in het zesde lid van dat artikel, aan voor dat geval schriftelijk aangewezen ambtenaren.

2. Te dien einde beschikken deze ambtenaren over de in artikel 2, tweede lid, genoemde bevoegdheden.

3. Bij het verlenen van deze bijstand kunnen zij hun bevoegdheid, als in artikel 2, tweede lid, onder a, b of d bedoeld, zo nodig uitoefenen met behulp van de sterke arm.

Art. 5. 1. Hij die enig op een of meer in Nederland gevestigde ondernemingen betrekking hebbend geheim, waarvan hij weet of redelijkerwijs moet vermoeden, dat hij ingevolge artikel 20, tweede lid, van de Verordening verplicht is het te bewaren, opzettelijk schendt, wordt gestraft met gevangenisstraf van ten hoogste een jaar of geldboete van de derde categorie.

2. Het in het eerste lid strafbaar gestelde feit is een misdrijf. Indien het tegen een bepaald persoon gepleegd is, wordt het slechts vervolgd op diens klacht.

3. De Nederlandse strafwet is ook toepasselijk op ieder die zich buiten het Rijk in Europa aan dit feit schuldig maakt.

Geheimhoudingsplicht

Art. 6. Personen als bedoeld in artikel 14, eerste lid, van de Verordening worden met Nederlandse ambtenaren gelijkgesteld ten aanzien van het tegenover die personen begaan van feiten, die, indien zij worden begaan tegenover Nederlandse ambtenaren, strafbaar zijn.

Inwerkingtreding

Art. 7. Deze wet treedt in werking met ingang van de dag na de datum van uitgifte van het Staatsblad, waarin zij wordt geplaatst.

WET van 28 juni 1956, Stb. 401, houdende regelen omtrent de economische mededinging. (Wet economische mededinging), zoals laatstelijk gewijzigd bij de wet van 2 november 1994, Stb. 801

Alzo Wij in overweging genomen hebben, dat het wenselijk is nieuwe regelen te stellen omtrent de economische mededinging en in verband daarmede een college als bedoeld in artikel 87 der Grondwet in te stellen;

Begripsbepalingen

Art. 1. 1. Deze wet verstaat onder:
ondernemer:
een natuurlijke persoon, die door het uitoefenen van een beroep of bedrijf, anders dan in loondienst, en een rechtspersoon, die met als doel de uitoefening van een beroep of bedrijf, aan het economisch verkeer deelneemt, met of zonder winstoogmerk;
mededingingsregeling:
een overeenkomst of burgerrechtelijk besluit, waarbij de economische mededinging tussen ondernemers wordt geregeld;
economische machtspositie:
een feitelijke verhouding of rechtsverhouding in het bedrijfsleven, die een overwegende invloed van een of meer ondernemers op een markt van goederen of diensten in Nederland medebrengt;
Onze Ministers:
Onze Minister van Economische Zaken en Onze Minister, wie de zaak mede aangaat, tezamen;
Commissie:
de in artikel 28 bedoelde commissie;
College:
het College van Beroep voor het bedrijfsleven.

2. Bij algemene maatregel van bestuur kan worden bepaald dat daarbij aan te wijzen overeenkomsten of burgerrechtelijke besluiten, die, zonder de economische mededinging tussen ondernemers te regelen daarop nochtans wel van invloed zijn, voor de toepassing dezer wet als mededingingsregelingen worden aangemerkt.

3. Bij algemene maatregel van bestuur kan worden bepaald, dat daarbij aan te wijzen schriftelijk vastgelegde, doch rechtens niet bindende afspraken en bepalingen, waarbij de economische mededinging tussen ondernemers wordt geregeld of die daarop van invloed zijn, voor de toepassing van de artikelen 2, 3 en 4 als mededingingsregelingen worden aangemerkt.

Art. 1a. (Vervallen bij de wet van 2 november 1994, Stb. 801).

Informeren minister inzake mededingingsregeling

Art. 2. 1. Van een mededingingsregeling moet op de door Onze Minister van Economische Zaken te bepalen wijze aan hem mededeling worden gedaan door:
a. de ondernemers, die in Nederland aan het economisch verkeer deelnemen en bij de regeling zijn betrokken;
b. degene, die naast de ondernemers partij is bij de overeenkomst dan wel het burgerrechtelijk besluit heeft genomen;
c. degene, die zich jegens de ondernemers schriftelijk tot uitvoering van de regeling of tot nakoming van de mededelingsplicht heeft verbonden.

Termijn waarbinnen minister geinformeerd moet worden

2. De mededinging moet geschieden binnen een maand na de totstandkoming der regeling. Voor regelingen, die reeds bestaan op het tijdstip van het in werking treden van de algemene maatregel van bestuur, waarbij zij krachtens artikel 1, tweede of derde lid, worden aangewezen, wordt in de plaats van die termijn gesteld de termijn van een maand na dat tijdstip.

3. Zodra een dergenen, die tot mededeling verplicht zijn, aan zijn verplichting heeft voldaan, is die van de anderen opgeheven.

4. Een krachtens het eerste lid vastgestelde regeling betreffende de wijze, waarop de mededeling moet geschieden, wordt in de Nederlandse Staatscourant bekend gemaakt.

Informatieverplichting

Art. 3. De in artikel 2, eerste lid, onder a, b en c, bedoelde personen zijn verplicht op verzoek van Onze Minister van Economische Zaken binnen een maand aan deze mede te delen welke ondernemers, voor zover hun bekend, bij een bij het verzoek aangewezen mededingingsregeling zijn betrokken.

Vrijstelling of ontheffing mededingingsregeling

Art. 4. 1. Onze Ministers kunnen van de in artikel 2, eerste en tweede lid, vervatte verplichting vrijstelling of op daartoe strekkend verzoek ontheffing verlenen. Zij verlenen vrijstelling voor mededingingsregelingen, waarbij niet economische mededinging in Nederland wordt geregeld.

Beperkende voorwaarden

2. De vrijstellingen en ontheffingen kunnen onder beperkingen worden verleend. Aan de vrijstellingen en ontheffingen kunnen voorschriften worden verbonden.

Wijziging en intrekken ontheffing

3. Krachtens het eerste lid verleende ontheffingen kunnen worden gewijzigd of ingetrokken. De werking van de beschikking wordt opgeschort totdat de beroepstermijn is verstreken of, indien beroep is ingesteld, op het beroep is beslist.

Verliezen van rechtskracht

Art. 5. 1. Bij algemene maatregel van bestuur kan worden bepaald, dat daarbij aangewezen mededingingsregelingen haar rechtskracht verliezen, wanneer zij niet binnen een maand na haar totstandkoming schriftelijk zijn vastgelegd en overeenkomstig artikel 2, eerste lid, medegedeeld. Voor op het tijdstip van het in werking treden van de maatregel bestaande regelingen wordt, voor zoveel de toepassing van dit artikel betreft, in de plaats van die termijn gesteld de termijn van een maand na dat tijdstip.

Horen Commissie

2. Alvorens een voordracht tot vaststelling, wijziging of intrekking van een maatregel te doen horen Onze Ministers de Commissie.

Algemeen verbindend verklaring van een regeling

Art. 6. 1. Onze Ministers kunnen, indien naar hun oordeel het aantal of de gezamenlijke omzet van de bij een mededingingsregeling betrokken ondernemers in een deel van het bedrijfsleven dan wel in een beroepsgroep aanzienlijk groter is dan het aantal of de gezamenlijke omzet van de overige ondernemers in dat deel, dan wel in die groep, en het belang van bedoeld deel of bedoelde groep in overeenstemming met het algemeen belang zulks vereist, die regeling voor alle ondernemers in dat deel van het bedrijfsleven of in die beroepsgroep geheel of voor een gedeelte algemeen verbindend verklaren.

Werkingstermijn beschikkingen

2. Krachtens het eerste lid vastgestelde regelingen zijn van kracht gedurende een daarbij te bepalen tijd van ten hoogste drie jaren.

3. Zij vermelden de gronden, waarop zij rusten.

Algemeen verbindend verklaring op verzoek van ondernemers

Art. 7. 1. Een mededingingsregeling kan slechts algemeen verbindend verklaard worden op verzoek van een of meer daarbij betrokken ondernemers. Alvorens tot algemeen verbindendverklaring over te gaan horen Onze Ministers de Commissie.

Ter inzage legging mededingingsregeling

2. Zodra aan de commissie advies is gevraagd wordt daarvan in de Nederlandse Staatscourant mededeling gedaan. Daarbij wordt tevens medegedeeld, waar en wanneer de mededingingsregeling voor een ieder ter inzage ligt en binnen welke termijn belanghebbenden zich schriftelijk tot de Commissie kunnen wenden.

Openbare hoorzitting

3. De Commissie hoort in openbare zitting de belanghebbenden, die daarom schriftelijk hebben verzocht; zij kan het horen staken, zodra zij meent voldoende te zijn ingelicht. Zij hoort voorts het bevoegde bedrijfslichaam als bedoeld in artikel 66, vierde lid, van de Wet op de bedrijfsorganisatie, of bij ontstentenis daarvan organisaties van ondernemers en van werknemers uit het betrokken gebied van het bedrijfsleven of uit de betrokken beroepsgroep. Zij kan ook anderen horen.

4. Zij legt bij haar advies alle terzake dienende stukken over, waaronder de verslagen der mondelinge verhoren.

5. Ingeval, nadat aan de Commissie advies is gevraagd, van algemeenverbindendverklaring wordt afgezien, wordt daarvan in de Nederlandse Staatscourant mededeling gedaan.

Vrijstelling of ontheffing

Art. 8. 1. Onze Ministers kunnen van een algemeen verbindend verklaarde mededingingsregeling vrijstelling en op daartoe strekkend verzoek ontheffing verlenen.

Beperkende voorwaarden

2. De vrijstellingen en ontheffingen kunnen onder beperkingen worden verleend. Aan de vrijstellingen en ontheffingen kunnen voorschriften worden verbonden; deze kunnen ook financiële verplichtingen betreffen.

Wijzigen en intrekking ontheffingen

3. Krachtens het eerste lid verleende ontheffingen kunnen worden gewijzigd of ingetrokken.

Verplichting tot naleving van algemeen verbindend verklaring

Art. 9. 1. Een ieder is tot naleving van en door hem algemeen verbindend verklaarde mededingingsregeling gehouden tegenover ieder ander, die bij de naleving een redelijk belang heeft.

2. Een ieder, voor wie voorschriften zijn vastgesteld, als bedoeld in artikel 8, tweede lid, is tot naleving daarvan gehouden tegenover ieder ander, die bij de naleving een redelijk belang heeft.

Uitsluiting van discriminatie

Art. 9a. 1. Een bepaling in een mededingingsregeling die strekt tot discriminatie van mensen wegens hun ras, is onverbindend.

2. Onder discriminatie wordt in dit artikel verstaan hetgeen daaronder wordt verstaan in het Wetboek van Strafrecht.

Onverbindend karakter van diverse bepalingen of rechtshandeling

Art. 9b. Bepalingen in een mededingingsregeling en bepalingen, vastgesteld bij een rechtshandeling, die geen mededingingsregeling is, zijn, voor zover zij ertoe strekken, dat ingevolge een beslissing van een ander dan de gewone rechter sancties kunnen worden toegepast ter zake van het niet naleven van bepalingen in een mededingingsregeling als in artikel 9c omschreven, onverbindend, indien de rechtspleging daarbij niet gebonden is aan de in artikel 9d genoemde normen.

Categorieën van mededingingsregelingen

Art. 9c. Een mededingingsregeling als in artikel 9b laatstbedoeld is:

a. een mededingingsregeling, waarbij drie of meer ondernemers betrokken zijn, zulks terwijl ingevolge die of een andere mededingingsregeling een of meer eigenaren van ondernemingen of vrije-beroepsbeoefenaren gehouden zijn:

1e. goederen of diensten slechts te leveren aan ondernemers, die gehouden zijn de mededingingsregeling na te leven of bij levering zich daartoe te verplichten;

2e. goederen of diensten slechts te betrekken van ondernemers, die gehouden zijn de mededingingsregeling na te leven; dan wel

3e. met betrekking tot de voorwaarden, waartegen zij goederen of diensten leveren, onderscheid te maken tussen ondernemers, die gehouden zijn de mededingingsregeling na te leven of bij levering zich daartoe verplichten, en andere eigenaren van ondernemingen ten nadele van laatstbedoelde eigenaren van ondernemingen of vrije-beroepsbeoefenaren;

b. een mededingingsregeling, welke is opgenomen in of vastgesteld op grond van statuten van een vereniging of stichting;

c. een mededingingsregeling, welke is opgenomen in of vastgesteld op grond van de statuten van een coöperatie, tenzij de regeling van de mededinging uitsluitend ertoe strekt, dat leden gehouden zijn zaken of diensten slechts aan of door bemiddeling van de coöperatie te leveren, dan wel van of door bemiddeling van de coöperatie te betrekken.

Normen

Art. 9d. De in artikel 9b bedoelde normen zijn die, welke:

a. ertoe strekken, dat een voor de betrokkene belastende beslissing in hoogste — al dan niet tevens eerste — aanleg slechts kan worden genomen door een orgaan:

1e. dat in meerderheid bestaat uit personen, die niet behoren tot het deel van het bedrijfsleven of tot de beroepsgroep, waarvoor de betrokken mededingingsregeling geldt, noch betrokken zijn bij een organisatie, werkzaam op het betrokken gebied van het bedrijfsleven of op het gebied van de betrokken beroepsgroep;

2e. waarvan ten minste één lid, dan wel de secretaris voldoet aan de opleidingseis, die ingevolge artikel 48 van de Wet op de rechterlijke organisatie geldt voor benoeming tot rechter in een arrondissementsrechtbank, en niet ouder is dan 75 jaar;

3e. dat volledig over de zaak zal kunnen oordelen;

b. waarborgen, dat het onder a bedoelde orgaan slechts een voor de betrokkene belastende beslissing zal nemen, indien de betrokkene:

1e. in de gelegenheid is gesteld tijdig kennis te nemen van de beweerde feiten, waarin het zijnerzijds niet naleven van bepalingen der mededingingsregeling zou bestaan;

2e. door dat orgaan is gehoord, althans behoorlijk opgeroepen;

3e. in de gelegenheid is gesteld zich te doen bijstaan, alsmede het verhoor van getuigen bij te wonen en getuigen te doen horen;

c. waarborgen, dat het onder a bedoelde orgaan een voor de betrokkene belastende beslissing niet zal nemen:

1e. op stukken, van welker inhoud de betrokkene niet heeft kunnen kennisnemen, behoudens voor zover deze uitdrukkelijk heeft verklaard daartegen geen bezwaar te hebben;

2e. zonder deze behoorlijk met redenen te omkleden en ten minste de feiten, waarin het niet naleven van bepalingen der mededingingsregeling bestaat, de gebezigde bewijsmiddelen en de niet nageleefde bepalingen duidelijk te vermelden;

d. de toe te passen sancties uitputtend vermelden en, voor zover zij de bepaling van de omvang van die sancties overlaten aan het onder a bedoelde orgaan, hiervoor maxima stellen;
e. ertoe strekken, dat, indien de kosten van de behandeling van de zaak ten laste van de betrokkene kunnen komen, het onder a bedoelde orgaan daarover zal kunnen beslissen, met dien verstande, dat het, indien de beslissing niet leidt tot toepassing van een sanctie, hem slechts in bedoelde kosten zal kunnen verwijzen, voor zover deze veroorzaakt zijn door een ernstig verzuim zijnerzijds ten aanzien van het voeren van verweer bij de behandeling in eerste aanleg;
f. ertoe strekken, dat een voor beroep vatbare beslissing niet uitvoerbaar bij voorraad zal zijn, tenzij het orgaan, dat de beslissing neemt, op de onder a omschreven wijze is samengesteld, dan wel de voorzitter van het beroepsorgaan die uitvoerbaarheid kan opheffen en deze voorzitter niet behoort tot het deel van het bedrijfsleven of tot de beroepsgroep, waarvoor de betrokken mededingingsregeling geldt noch betrokken is bij een organisatie, werkzaam op het betrokken gebied van het bedrijfsleven of op het gebied van de betrokken beroepsgroep.

Onverbindende bepalingen

Art. 9e. 1. Onverbindend zijn bepalingen in mededingingsregelingen die ertoe strekken ondernemers in verband met het aan hen leveren van goederen te beperken in hun vrijheid bij het te koop aanbieden, verkopen of leveren van die goederen prijzen vast te stellen, of te verplichten hun afnemers van die goederen in die vrijheid te beperken, voor zover:
a. degenen van wie de goederen afkomstig zijn tot oplegging of handhaving van de betrokken bepalingen jegens derden gehouden zijn, dan wel de betrokken bepalingen worden opgelegd of gehandhaafd door een of meer anderen dan degenen van wie de goederen afkomstig zijn, of
b. de betrokken bepalingen betrekking hebben op bij algemene maatregel van bestuur aangewezen goederen.
2. Een krachtens het eerste lid, onder b, vastgestelde maatregel vervalt, behoudens eerdere intrekking, vijf jaren na zijn inwerkingtreding.
3. Alvorens een voordracht tot vaststelling, wijziging of intrekking van een maatregel als in het eerste lid, onder b, bedoeld te doen, horen Onze Ministers de Commissie.
4. Zodra aan de Commissie advies is gevraagd, wordt daarvan in de Nederlandse Staatscourant mededeling gedaan. Daarbij wordt tevens medegedeeld, binnen welke termijn belanghebbenden zich schriftelijk tot de Commissie kunnen wenden.

Art. 9f. 1. Artikel 9e geldt niet voor zover bepalingen in mededingingsregelingen:
a. betrekking hebben op een markt buiten Nederland;
b. worden opgelegd door een of meer ondernemers aan een of meer met die ondernemers in een groep verbonden andere ondernemers.
2. Artikel 9e, eerste lid, onder b, geldt niet voor zover bepalingen in mededingingsregelingen inhouden dat afnemers van goederen de prijzen, waartegen zij die goederen te koop aanbieden, verkopen of leveren, ten minste vaststellen op een aan te geven bedrag, mits dit bedrag niet hoger is dan de door die afnemers voor de betrokken goederen betaalde of verschuldigde inkoopprijs, waaronder begrepen de directe kosten ter zake van het vervoer van die goederen tot aan het verkooppunt, vermeerderd met de verschuldigde omzetbelasting.

Art. 9g. 1. Onze Ministers kunnen op daartoe strekkend verzoek, indien het algemeen belang dit naar hun oordeel vereist, bepalen, dat artikel 9e, eerste lid, onder a, ten aanzien van een mededingingsregeling gedurende een door hen te bepalen termijn niet zal gelden.
2. Onze Ministers kunnen op daartoe strekkend verzoek, indien het algemeen belang dit naar hun oordeel vereist, de in het eerste lid bedoelde termijn telkens met een door hen te bepalen termijn verlengen, mits het verzoek ten minste drie maanden voor de afloop van de lopende termijn is ingediend.
3. Van de indiening van een verzoek ingevolge het tweede lid doen Onze Ministers onverwijld mededeling in de Nederlandse Staatscourant. Indien zodanig verzoek is ingediend, geldt artikel 9e, eerste lid, onder a, ten aanzien van de betrokken mededingingsregeling niet, zolang op het verzoek niet is beslist. Ingeval het verzoek is afgewezen, geldt artikel 9e, eerste lid, onder a, voorts niet, zolang niet twee maanden zijn verlopen na de dagtekening der Nederlandse Staatscourant, waarin de desbetreffende beschikking is bekend gemaakt.

4. Krachtens het eerste of het tweede lid vastgestelde beschikkingen kunnen beperkingen en voorschriften inhouden.
5. Zij kunnen worden gewijzigd of ingetrokken. De beschikking vermeldt de gronden, waarop zij rust.
6. Ten aanzien van ingevolge het eerste en tweede lid ingediende verzoeken en de toepassing van het vijfde lid is artikel 13 van overeenkomstige toepassing.
7. Onze Ministers kunnen, indien zij afwijzing van een verzoek als bedoeld in het tweede lid of een wijziging of intrekking krachtens het vijfde lid overwegen en naar hun oordeel een gewichtige reden een onmiddellijke voorziening eist, de door de afwijzing, wijziging of intrekking te treffen bepalingen van de mededingingsregeling geheel of voor een gedeelte schorsen.
8. Tot schorsing wordt niet overgegaan, alvorens over toepassing van het tweede of vijfde lid aan de Commissie advies is gevraagd.
9. De schorsing vervalt, behoudens eerdere opheffing, drie maanden na het uitbrengen van dat advies. Zij vervalt in ieder geval een jaar na haar in werking treden.
10. Onderling afgestemde feitelijke gedragingen, die een beperking van de mededinging inhouden als voortvloeiend uit een krachtens het zevende lid geschorste mededingingsregeling of gedeelte daarvan, zijn verboden.
11. Krachtens het eerste, tweede, vijfde en zevende lid vastgestelde beschikkingen worden, evenals beschikkingen tot intrekking der schorsing, in de Nederlandse Staatscourant bekend gemaakt.

Onverbindend verklaring via nadere regels

Art. 10. 1. Bij algemene maatregel van bestuur kan, indien het algemeen belang dit naar Ons oordeel vereist, worden bepaald, dat bepalingen in mededingingsregelingen van een bij die maatregel aangewezen aard of strekking onverbindend zijn.
2. Krachtens het eerste lid vastgestelde maatregelen vermelden de gronden, waarop zij rusten.

Inwerkingtreding

3. Zij treden niet eerder in werking dan twee maanden na de datum van uitgifte van het Staatsblad waarin zij zijn geplaatst.
4. Zij vervallen, behoudens eerdere intrekking, vijf jaren na het in werking treden, tenzij bij nadere wet anders wordt bepaald.

Horen commissie

Art. 11. 1. Alvorens een voordracht tot vaststelling, wijziging of intrekking van een maatregel, als in artikel 10 bedoeld, te doen, horen Onze Ministers de Commissie.
2. Zodra aan de Commissie advies is gevraagd, wordt daarvan in de Nederlandse Staatscourant mededeling gedaan. Daarbij wordt tevens medegedeeld, binnen welke termijn belanghebbenden zich schriftelijk tot de Commissie kunnen wenden.

Bevoegdheid ministers

Art. 12. 1. Bij een maatregel, als in artikel 10 bedoeld, kan aan Onze Ministers de bevoegdheid worden verleend op daartoe strekkend verzoek te bepalen, dat die maatregel niet zal gelden ten aanzien van een tot stand te brengen, bij het verzoek in ontwerp overgelegde mededingingsregeling.
2. Ingeval het eerste lid toepassing heeft gevonden, zijn Onze Ministers mede bevoegd op daartoe strekkend verzoek, ingediend vóór het in werking treden van de maatregel, te bepalen, dat die maatregel niet geldt ten aanzien van een op het tijdstip der indiening bestaande, bij het verzoek vermelde mededingingsregeling. Van de indiening van zodanig verzoek doen Onze Ministers onverwijld mededeling in de Nederlandse Staatscourant. Indien zodanig verzoek is ingediend, geldt de maatregel ten aanzien van de betrokken mededingingsregeling niet zolang op het verzoek niet is beslist. In geval het verzoek is afgewezen, geldt de maatregel voorts niet, zolang niet twee maanden zijn verlopen na de dagtekening der Nederlandse Staatscourant, waarin de desbetreffende beschikking is bekend gemaakt.

Voorwaarden

3. Krachtens het eerste of het tweede lid vastgestelde beschikkingen kunnen beperkingen en voorschriften inhouden.
4. Zij kunnen worden gewijzigd of ingetrokken. Een beschikking tot wijziging of intrekking anders dan overeenkomstig een verzoek van een of meer dergenen, die bij de desbetreffende mededingingsregeling betrokken zijn, of, in gevallen waarin het een door een rechtspersoon vastgestelde mededingingsregeling betreft, van die rechtspersoon, is niet van kracht, zolang niet twee maanden zijn verlopen na de dagtekening der Nederlandse Staatscourant, waarin de beschikking is bekend gemaakt.

Schorsing mededingingsregeling

5. Onze Ministers kunnen, indien zij afwijzing van een verzoek als bedoeld in het tweede lid of een wijziging of intrekking krachtens het vierde lid overwegen en naar

hun oordeel een gewichtige reden een onmiddellijke voorziening eist, de door de afwijzing, wijziging of intrekking te treffen bepalingen van de mededingingsregeling geheel of voor een gedeelte schorsen.

6. Tot schorsing wordt niet overgegaan, alvorens over toepassing van het tweede of vierde lid aan de Commissie advies is gevraagd.

7. De schorsing vervalt, behoudens eerdere opheffing, drie maanden na het uitbrengen van dat advies. Zij vervalt in ieder geval een jaar na haar in werking treden.

Verboden gedragingen

8. Onderling afgestemde feitelijke gedragingen, die een beperking van de mededinging inhouden als voortvloeiend uit een krachtens het vijfde lid geschorste mededingingsregeling of gedeelte daarvan, zijn verboden.

9. Krachtens het eerste, tweede, vierde of vijfde lid vastgestelde beschikkingen worden, evenals beschikkingen tot intrekking der schorsing, in de Nederlandse Staatscourant bekend gemaakt.

Horen Commissie

Art. 13. 1. Alvorens op een verzoek als bedoeld in artikel 12, eerste of tweede lid, te beslissen dan wel artikel 12, vierde lid, toe te passen horen Onze Ministers de Commissie.

Openbare aankondiging

2. Zodra aan de Commissie advies is gevraagd, wordt daarvan in de Nederlandse Staatscourant mededeling gedaan. Daarbij wordt tevens medegedeeld binnen welke termijn belanghebbenden zich schriftelijk tot de Commissie kunnen wenden.

3. De Commissie hoort de belanghebbenden, die daarom schriftelijk hebben verzocht; zij kan het horen staken, zodra zij meent voldoende te zijn ingelicht. Zij hoort voorts het bevoegde bedrijfslichaam als bedoeld in artikel 66, vierde lid, van de Wet op de bedrijfsorganisatie, of bij ontstentenis daarvan organisaties van ondernemers en van werknemers uit het betrokken gebied van het bedrijfsleven of uit de betrokken beroepsgroep. Zij kan ook anderen horen.

4. Zij legt bij haar advies alle ter zake dienende stukken over, waaronder de verslagen der mondelinge verhoren.

Uit de overeenkomst treden

Art. 14. 1. Ingeval bepalingen ener overeenkomst ingevolge een krachtens artikel 9e, eerste lid, onder b, onderscheidenlijk artikel 10 vastgestelde maatregel van bestuur onverbindend zijn, kan elk der partijen binnen een maand na het in werking treden van de betrokken maatregel uit de overeenkomst treden.

2. Ingeval een ingevolge artikel 9g, tweede lid, onderscheidenlijk, indien artikel 12, eerste lid, toepassing heeft gevonden, ingevolge het tweede lid van dat artikel ingediend verzoek is afgewezen, kan elk der partijen bij de overeenkomst, waarop het verzoek betrekking had, binnen een maand na het verstrijken van de in artikel 9g, derde lid, derde volzin, onderscheidenlijk artikel 12, tweede lid, vierde volzin, bedoelde termijn uit de overeenkomst treden.

Verboden gedragingen

Art. 15. 1. Gedragingen, die strekken tot het tot stand brengen van bepalingen in mededingingsregelingen van een aard of strekking als bedoeld in artikel 9b of artikel 9e, eerste lid, of in een krachtens artikel 10 vastgestelde maatregel, zijn verboden.

2. Onderling afgestemde feitelijke gedragingen, die een beperking van de mededinging inhouden als voortvloeiend uit bepalingen in een mededingingsregeling, aangewezen bij artikel 9b of artikel 9e, eerste lid, of bij een krachtens artikel 10 vastgestelde maatregel, zijn verboden.

3. De in het eerste en tweede lid bedoelde verboden gelden niet voor zover het betreft bepalingen in mededingingsregelingen, ten aanzien waarvan artikel 9e, eerste lid, niet geldt ingevolge artikel 9f of artikel 9g, of bepalingen in mededingingsregelingen, ten aanzien waarvan een krachtens artikel 10 vastgestelde maatregel niet geldt ingevolge artikel 12.

Verlangen van inlichtingen

Art. 16. 1. Onze Ministers kunnen van een ieder de inlichtingen verlangen, die zij nodig achten om te kunnen beoordelen, of een mededingingsregeling of een rechtens niet bindende afspraak of rechtens niet bindend besluit, waarbij de economische mededinging tussen ondernemers wordt geregeld, in strijd is met het algemeen belang of op een met dat belang strijdige wijze wordt toegepast, dan wel of een economische machtspositie bestaat, die met algemeen belang strijdige gevolgen heeft.

2. Gelijke bevoegdheid komt toe aan de Commissie, voor zover gebruik daarvan ter vervulling van haar taak nodig is.

Inzage boeken en bescheiden

Art. 17. 1. Onze Ministers kunnen, indien er aanwijsbare omstandigheden zijn, op grond waarvan zij kunnen vermoeden, dat een mededingingsregeling of een rechtens niet bindende afspraak of rechtens niet bindend besluit, waarbij de economische mededinging tussen ondernemers wordt geregeld, in strijd is met het algemeen belang of op een met dat belang strijdige wijze wordt toegepast, dan wel dat een economische machtpositie bestaat, die met het algemeen belang strijdige gevolgen heeft, van de naar hun oordeel daarbij betrokkenen de inzage van boeken en bescheiden verlangen, die zij nodig achten om zich van het al of niet gegrond zijn van hun vermoeden te overtuigen.

2. Het aanzien van de boeken en bescheiden kunnen zij opdragen aan voor ieder afzonderlijk geval schriftelijk aangewezen personen.

Vrije toegang

3. De in het tweede lid bedoelde personen hebben toegang tot elke plaats, voor zover dat redelijkerwijs voor de vervulling van hun taak nodig is. Zo nodig verschaffen zij zich toegang met behulp van de sterke arm.

Verplichting tot het geven van inlichtingen

Art. 18. 1. Een ieder is verplicht de van hem op grond van artikel 16 verlangde inlichtingen volledig en naar waarheid te verstrekken op de wijze en binnen de termijn, door Onze Ministers, onderscheidelijk de Commissie, te bepalen.

Verplichting tot het verlenen van inzage

2. Een ieder is verplicht de van hem op grond van artikel 17 verlangde inzage van boeken en bescheiden te verlenen op de wijze en binnen de termijn, door Onze Ministers te bepalen.

Verschoningsrecht

3. Zij die uit hoofde van hun stand, beroep of ambt tot geheimhouding verplicht zijn, kunnen zich verschonen van het geven van inlichtingen, doch uitsluitend voor zover betreft hetgeen hun in hun hoedanigheid is toevertrouwd. Zij kunnen voorts de inzage weigeren van boeken en bescheiden, voor zover hun plicht tot geheimhouding zich daartoe uitstrekt.

Sanctiemiddelen

Art. 19. 1. Onze Ministers kunnen, indien naar hun oordeel een mededingingsregeling dan wel een rechtens niet bindende afspraak of rechtens niet bindend besluit, waarbij de economische mededinging tussen ondernemers wordt geregeld, geheel of voor een gedeelte in strijd is met het algemeen belang of op een met dat belang strijdige wijze wordt toegepast:

a. gegevens omtrent die regeling, die afspraak, dat besluit of dat gedeelte openbaar maken;

b. die regeling, die afspraak of dat besluit, geheel of voor dat gedeelte, al dan niet voorwaardelijk, in strijd met het algemeen belang verklaren.

2. De bekendmaking van krachtens het eerste lid vastgestelde beschikkingen geschiedt door plaatsing in de Staatscourant.

3. Indien krachtens het eerste lid, onder b, een mededingingsregeling, geheel of voor een gedeelte, in strijd met het algemeen belang is verklaard, is die regeling of dat gedeelte onverbindend met ingang van het tijdstip van inwerkingtreding van de beschikking, houdende die verklaring.

Horen Commissie

Art. 20. 1. Alvorens artikel 19 toe te passen horen Onze Ministers de Commissie.

2. Zodra aan de Commissie advies is gevraagd, wordt daarvan in de Nederlandse Staatscourant mededeling gedaan. Daarbij wordt tevens medegedeeld binnen welke termijn belanghebbenden zich schriftelijk tot de Commissie kunnen wenden.

Hoorzitting

3. De Commissie hoort de belanghebbenden, die daarom schriftelijk hebben verzocht; zij kan het horen staken, zodra zij meent voldoende te zijn ingelicht. Zij hoort voorts het bevoegde bedrijfslichaam als bedoeld in artikel 66, vierde lid, van de Wet op de bedrijfsorganisatie, of bij ontstentenis daarvan organisaties van ondernemers en van werknemers uit het betrokken gebied van het bedrijfsleven of uit de betrokken beroepsgroep. Zij kan ook anderen horen.

4. Zij legt bij haar advies alle ter zake dienende stukken over, waaronder de verslagen der mondelinge verhoren.

5. Ingeval, nadat aan de Commissie advies is gevraagd, van toepassing van artikel 19 wordt afgezien, wordt daarvan in de Nederlandse Staatscourant mededeling gedaan.

Uit de overeenkomst treden

Art. 21. Ingeval krachtens artikel 19 een overeenkomst voor een gedeelte in strijd met het algemeen belang is verklaard, kan elk der partijen binnen een maand na het in werking treden van de beschikking houdende die verklaring uit de overeenkomst treden.

Verboden gedragingen

Art. 22. 1. Onderling afgestemde feitelijke gedragingen, die een beperking van de mededinging inhouden als voortvloeiend uit een krachtens artikel 19 in strijd met het algemeen belang verklaarde mededingingsregeling of rechtens niet bindende afspraak of rechtens niet bindend besluit, dan wel gedeelte daarvan, zijn verboden.

2. Dit verbod vervalt vijf jaren, nadat de beschikking, houdende de verklaring van strijd met het algemeen belang, in werking is getreden, behoudens eerdere opheffing door Onze Ministers.

3. De bekendmaking van krachtens het tweede lid vastgestelde beschikkingen geschiedt door plaatsing in de Staatscourant.

Schorsing mededingingsregeling

Art. 23. 1. Onze Ministers kunnen, indien zij overwegen artikel 19, eerste lid, onder b, toe te passen met betrekking tot een mededingingsregeling en naar hun oordeel een gewichtige reden een onmiddellijke voorziening eist, de mededingingsregeling geheel of voor een gedeelte schorsen. Indien zij overwegen die bepaling toe te passen met betrekking tot een rechtens niet bindende afspraak of rechtens niet bindend besluit, waarbij de economische mededinging tussen ondernemers wordt geregeld, en naar hun oordeel een gewichtige reden een onmiddellijke voorziening eist, kunnen zij de betrokken ondernemers bij wijze van voorlopige maatregel de verplichting opleggen zich te onthouden van het naleven of doen naleven van de afspraken of het besluit, dan wel van een gedeelte daarvan.

Publikatie in de Staatscourant

2. De bekendmaking van krachtens het eerste lid vastgestelde beschikkingen en van beschikkingen tot verlenging of intrekking daarvan geschiedt door plaatsing in de Staatscourant.

Horen Commissie

3. Tot schorsing en tot vaststelling van een voorlopige maatregel als bedoeld in het eerste lid wordt niet overgegaan, alvorens over de toepassing van artikel 19 aan de Commissie advies is gevraagd.

Vervallen schorsing

4. De schorsing en de voorlopige maatregel, bedoeld in het eerste lid, vervallen, behoudens eerdere intrekking, drie maanden na het uitbrengen van het advies. Indien Onze Ministers evenwel binnen die termijn tot al dan niet voorwaardelijke verklaring van strijd met het algemeen belang met ingang van een buiten die termijn liggend tijdstip overgaan, vervallen die schorsing en die maatregel eerst bij het inwerking treden van de beschikking houdende die verklaring. Zij vervallen in ieder geval een jaar na hun inwerkingtreding.

Verboden gedragingen

5. Onderling afgestemde feitelijke gedragingen, die een beperking van de mededinging inhouden als voortvloeiend uit een mededingingsregeling, afspraak of besluit of een gedeelte daarvan, ten aanzien waarvan het eerste lid toepassing heeft gevonden, zijn verboden.

Art. 24. 1. Onze Ministers kunnen, indien naar hun oordeel een economische machtspositie bestaat, welke met het algemeen belang strijdige gevolgen heeft:

a. gegevens omtrent die machtspositie openbaar maken;

b. aan door hen aan te wijzen naar hun oordeel bij die machtspositie betrokken natuurlijke of rechtspersonen;

1°. de verplichting opleggen zich te onthouden van gedragingen, welke ertoe strekken door Onze Ministers aan te wijzen ondernemers feitelijk of rechtens te brengen tot door Onze Ministers te omschrijven gedragingen op de betrokken markt;

2°. de verplichting opleggen tot levering van bepaalde goederen of verlening van bepaalde diensten aan door hen aan te wijzen personen tegen gereed geld en, voor zover geen voorschriften zijn gegeven als onder 3° of 4° bedoeld, tegen de op betrokken markt bij gereed geld gebruikelijke prijs en onder de op die markt voor de levering of verlening gebruikelijke voorwaarden;

3°. voorschriften geven met betrekking tot de prijs van bepaalde goederen of diensten;

4°. voorschriften geven met betrekking tot de voorwaarden voor de levering van bepaalde goederen, de verlening van bepaalde diensten en de betaling daarvan, daaronder begrepen voorschriften, waarbij wordt verboden de uitoefening van het recht van beschikking over de gekochte goederen voor de kopers te beperken of de levering van bepaalde goederen of de verlening van bepaalde diensten afhankelijk te stellen van het kopen of verkopen van goederen, het aanvaarden of verlenen van diensten of het verrichten van bepaalde handelingen.

2. Krachtens het eerste lid, onder b, vastgestelde beschikkingen zijn van kracht gedurende een daarbij te bepalen tijd van ten hoogste vijf jaren.

3. Van krachtens het eerste lid vastgestelde beschikkingen en van beschikkingen tot intrekking daarvan wordt mededeling gedaan door plaatsing in de Staatscourant.

Horen Commissie

Art. 25. 1. Alvorens artikel 24 toe te passen horen Onze Ministers de Commissie.

2. Zodra aan de Commissie advies is gevraagd, wordt daarvan in de Nederlandse Staatscourant mededeling gedaan. Daarbij wordt tevens medegedeeld, binnen welke termijn belanghebbenden zich schriftelijk tot de Commissie kunnen wenden.

Hoorzitting

3. De Commissie hoort de belanghebbenden, die daarom schriftelijk hebben verzocht; zij kan het horen staken, zodra zij meent voldoende te zijn ingelicht. Zij hoort voorts het bevoegde bedrijfslichaam als bedoeld in artikel 66, vierde lid, van de Wet op de bedrijfsorganisatie, of bij ontstentenis daarvan organisaties van ondernemers en van werknemers uit het betrokken gebied van het bedrijfsleven of uit de betrokken beroepsgroep. Zij kan ook anderen horen.

4. Zij legt bij haar advies alle ter zake dienende stukken over, waaronder de verslagen der mondelinge verhoren.

5. Ingeval, nadat aan de Commissie advies is gevraagd, van toepassing van artikel 24 wordt afgezien, wordt daarvan in de Nederlandse Staatscourant mededeling gedaan.

Verplichting tot naleving voorschriften

Art. 26. Hij, aan wie met toepassing van artikel 24 een verplichting is opgelegd of een voorschrift is gegeven, is tot naleving daarvan gehouden tegenover ieder ander, die bij de naleving een redelijk belang heeft.

Onmiddellijke voorziening

Art. 27. 1. Onze Ministers kunnen, indien zij overwegen artikel 24 eerste lid, onder b, toe te passen en naar hun oordeel een gewichtige reden een onmiddellijke voorziening eist, bij wijze van voorlopige maatregel verplichtingen opleggen en voorschriften geven als in die bepaling bedoeld.

Openbare afkondiging

2. Van krachtens het eerste lid vastgestelde beschikkingen en van beschikkingen tot intrekking of verlenging daarvan wordt mededeling gedaan door plaatsing in de Staatscourant.

Horen Commissie

3. Een voorlopige maatregel wordt niet genomen, alvorens over toepassing van artikel 24 aan de Commissie advies gevraagd.

4. De voorlopige maatregel vervalt, behoudens eerdere intrekking, drie maanden na het uitbrengen van dat advies, doch uiterlijk na een jaar.

5. Artikel 26 is van overeenkomstige toepassing.

Commissie van advies

Art. 28. 1. Er is een Commissie, die Onze Ministers op hun verzoek van advies dient over de onderwerpen op het gebied van de economische mededinging. Zij draagt de naam Commissie economische mededinging.

Samenstelling Commissie

2. De Commissie bestaat uit ten minste twaalf gewone leden, onder wie een voorzitter en een plaatsvervangend voorzitter, en zo nodig een aantal buitengewone leden. Zij worden door Ons op voordracht van Onze Minister van Economische Zaken, in overeenstemming met Onze Ministers wie de zaak mede aangaat, benoemd en ontslagen. De buitengewone leden worden benoemd voor de behandeling van bepaalde, bij de benoeming aan te geven, onderwerpen.

3. De leden worden benoemd voor zes jaren. Telkens na twee jaren treedt een derde van een aantal leden af volgens een door Ons vast te stellen rooster. De aftredenden zijn terstond herbenoembaar.

4. De Commissie heeft een of meer secretarissen. Zij worden op voordracht van Onze Minister van Economische Zaken door Ons benoemd en ontslagen. Een secretaris, die niet tevens lid is van de Commissie, heeft in de vergadering tot het bijwonen waarvan hij is aangewezen een raadgevende stem.

5. Bij het secretariaat wordt zo nodig verder personeel te werk gesteld.

6. Wij kunnen aan de leden een vergoeding toekennen.

Onverenigbaarheid van functies

Art. 29. Met het lidmaatschap van de Commissie is onverenigbaar de functie van:

Minister of Staatssecretaris;
ambtenaar, werkzaam bij een der departementen van algemeen bestuur;
lid van de Eerste of van de Tweede Kamer der Staten-Generaal.

Onpartijdigheid

Art. 30. De leden der Commissie onthouden zich tegenover belanghebbenden van het geven van een advies in of een oordeel omtrent de zaak, waarover het advies der Commissie is gevraagd, of, naar zij redelijkerwijs kunnen vermoeden, zal worden gevraagd.

Bevoegdheid voorzitter

Art. 31. 1. De voorzitter der Commissie beslist, of het aan de orde zijnde onderwerp behoort tot de onderwerpen, voor welker behandeling een buitengewoon lid is benoemd.

Onthouding van deelname

2. Een lid onthoudt zich van elke bemoeiing met het voorbereiden en uitbrengen van een advies, indien naar het oordeel der Commissie te zijnen aanzien feiten of omstandigheden bestaan, die in het algemeen als belemmerend voor het vormen van een onpartijdig oordeel kunnen worden aangemerkt.

Afwijkende mening

3. In de adviezen der Commissie wordt van afwijkende gevoelens van een minderheid, zo deze dat verlangt, melding gemaakt. De leden zijn bevoegd bij het advies minderheidsnota's te voegen indien zij het daarin uitgesproken gevoelen hebben verdedigd en hun voornemen tot bijvoeging hebben kenbaar gemaakt in een vergadering, waarin het uit te brengen advies is behandeld.

Nadere regels inzake werkwijze

4. Bij algemene maatregel van bestuur kunnen nadere regelen worden gesteld omtrent het in dit artikel bepaalde, alsmede overigens omtrent de werkwijze der Commissie.

Bijwonen vergaderingen

Art. 32. 1. Onze Ministers en de daartoe door hen aan te wijzen personen zijn bevoegd de vergaderingen der Commissie bij te wonen en aan haar beraadslagingen deel te nemen.

2. Aan Onze Ministers wordt tijdig kennis gegeven van de vergaderingen der Commissie.

Terinzage adviesaanvraag

Art. 32a. 1. Zodra aan de Commissie op grond van deze wet advies is gevraagd, legt Onze Minister van Economische Zaken de adviesaanvraag voor een ieder ter inzage.

2. Binnen dertig dagen nadat de adviezen zijn ontvangen worden deze door Onze Minister van Economische Zaken, zo nodig en mogelijk met toelichting, voor een ieder ter inzage gelegd en wordt daarvan mededeling gedaan in de Nederlandse Staatscourant.

3. Artikel 10 van de Wet openbaarheid van bestuur is van overeenkomstige toepassing.

Beroepsmogelijkheden bij het College

Art. 33. 1. Tegen een op grond van deze wet genomen besluit kan een belanghebbende beroep instellen bij het College.

2. In dit artikel wordt onder besluit niet verstaan een besluit tot benoeming of aanstelling dan wel het weigeren daarvan, ongeacht van welke aard de rechtsverhouding is.

Art. 34. (Vervallen bij de wet van 16 december 1993, Stb. 650).

Kamer voor mededingingszaken

Art. 35. 1. Het beroep wordt behandeld door een bijzondere kamer van het College. Deze draagt de naam Kamer voor mededingingszaken.

2. Wij wijzen op voordracht van Onze Minister van Justitie, gedaan na overleg met Onze Minister van Economische Zaken, uit de gewone en plaatsvervangende leden van het College de gewone en plaatsvervangende leden van de Kamer voor mededingingszaken aan.

3. Het plaatsvervangende lid van het College, dat als gewoon lid van de Kamer voor mededingingszaken werkzaam is, geniet daarvoor, naast vergoeding van reis- en verblijfkosten, een bezoldiging volgens regels bij algemene maatregel van bestuur te stellen.

Instellingstermijn beroep

Art. 36. In afwijking van artikel 6:7 van de Algemene wet bestuursrecht wordt het beroep tegen een besluit, dat ingevolge deze wet is bekendgemaakt of waarvan ingevolge deze wet mededeling is gedaan in de Nederlandse Staatscourant, ingesteld binnen zes weken na de dagtekening van de Nederlandse Staatscourant, waarin die bekendmaking of mededeling is geplaatst.

Werking van vernietiging

Art. 37. In afwijking van artikel 8:72, tweede lid, van de Algemene wet bestuursrecht werkt een vernietiging vanaf het tijdstip, waarop zij wordt uitgesproken. De vernietiging van een beschikking als bedoeld in artikel 9g, derde lid, derde volzin, of vijfde lid, tweede volzin, of in artikel 12, tweede lid, vierde volzin, of vierde lid, tweede volzin, heeft, indien zij wordt uitgesproken nadat de betrokken mededingingsregeling geheel of gedeeltelijk onverbindend is geworden, geen ander gevolg dan dat de in artikel 15, eerste en tweede lid, vervatte verboden, ten aanzien van de desbetreffende mededingingsregeling worden opgeheven. De vernietiging van een krachtens artikel 19, eerste lid, onder b, vastgestelde beschikking, waarbij een mededingingsregeling, afspraak of besluit in strijd met het algemeen belang is verklaard, heeft geen ander gevolg dan dat het in artikel 22, eerste lid, bedoelde verbod, ten aanzien van die mededingingsregeling, die afspraak of dat besluit wordt opgeheven.

Art. 37a. (Vervallen bij de wet van 2 maart 1989, Stb. 57).

Openbare afkondiging

Art. 38. Beslissingen van het College inzake beroep tegen krachtens artikel 12, 19, 23, 24, of 27 vastgestelde beschikkingen worden zonder vermelding van de gronden, waarop zij rusten, door de griffier van het College onverwijld in de Nederlandse Staatscourant bekend gemaakt.

Verbod naleving maatregelen van andere staten

Art. 39. 1. Behoudens voor zover Onze Ministers vrijstelling of, op daartoe strekkend verzoek, ontheffing hebben verleend, is het verboden maatregelen of beslissingen van een andere Staat, welke betrekking hebben op mededingingsregelingen, economische machtsposities of de mededinging beperkende gedragingen, na te leven.

Vrijstelling en ontheffing

2. De vrijstellingen en ontheffingen kunnen onder beperkingen worden verleend. Aan de vrijstellingen en ontheffingen kunnen voorschriften worden verbonden.

Nadere voorschriften

Art. 40. 1. Bij algemene maatregel van bestuur worden nadere voorschriften gegeven ter bevordering van een goede uitvoering van deze wet.

2. Daarbij wordt bepaald, welke besluiten, als in deze wet bedoeld, niet worden vastgesteld dan na overleg met Onze met de zaken van de publiekrechtelijke bedrijfsorganisatie belaste Minister.

Tot toezicht op naleving aangewezen ambtenaren

Art. 41. 1. Met het toezicht op de naleving van het bij of krachtens deze wet bepaalde worden belast de door Onze Minister van Economische Zaken en Onze Minister wie het mede aangaat tezamen daartoe aangewezen ambtenaren.

2. Van een krachtens het eerste lid vastgesteld besluit wordt mededeling gedaan door plaatsing in de Staatscourant.

3. De aangewezen ambtenaren zijn bevoegd van een ieder de inlichtingen te verlangen die redelijkerwijs voor de vervulling van hun taak nodig zijn.

Betreden plaatsen

4. Zij zijn te allen tijde bevoegd alle plaatsen, met uitzondering van woningen zonder toestemming van de bewoner, te betreden, voor zover dat redelijkerwijs voor de vervulling van hun taak nodig is.

Bevoegd tot inzage van boeken e.d.

5. Zij zijn bevoegd inzage te vorderen van boeken en andere zakelijke bescheiden en van gegevens die langs geautomatiseerde weg zijn vastgelegd, voor zover zulks redelijkerwijs voor de vervulling van hun taak nodig is. Zij kunnen ten einde afschriften te maken voor korte tijd afgifte van die boeken en andere zakelijke bescheiden vorderen dan wel schriftelijke vastlegging en afgifte van die vastlegging vorderen van de gegevens die langs geautomatiseerde weg zijn vastgelegd.

6. Zo nodig verschaffen zij zich toegang tot en inzage van bescheiden en gegevens met behulp van de sterke arm.

Verplicht medewerking te verlenen

Art. 41a. 1. Een ieder is verplicht aan de aangewezen ambtenaren alle medewerking te verlenen, die zij redelijkerwijs bij de uitoefening van hun in artikel 41 verleende bevoegdheden behoeven.

Geheimhoudingsplicht

2. Zij die uit hoofde van hun stand, beroep of ambt tot geheimhouding verplicht zijn, kunnen zich verschonen van het verschaffen van inlichtingen, doch uitsluitend voor zover het betreft hetgeen hun in hun hoedanigheid is toevertrouwd. Zij kunnen voorts het verlenen van inzage van bescheiden en gegevens en verlenen van medewerking weigeren, voor zover hun geheimhoudingsplicht zich daartoe uitstrekt.

Art. 42. (Vervallen bij de wet van 4 juni 1992, Stb. 422).

Jaarlijks verslag

Art. 43. 1. Onze Ministers brengen jaarlijks aan de Staten-Generaal verslag uit over de toepassing van deze wet.

2. Dit verslag bevat gegevens over de onderwerpen en gebieden, waarop de overeenkomstig artikel 2 medegedeelde mededingingsregelingen betrekking hebben. Gegevens betreffende bepaalde ondernemers worden niet vermeld op zodanige wijze, dat daaruit blijkt of gemakkelijk is af te leiden, op welke ondernemers zij betrekking hebben. Niet worden vermeld gegevens, waarvan bekendmaking naar het oordeel van Onze Ministers redelijke zaken- of beroepsbelangen nodeloos zou schaden.

3. Het verslag wordt tegen betaling der kosten algemeen verkrijgbaar gesteld.

Art. 44. 1. Voor bij het in werking treden van deze wet bestaande mededingingsregelingen treedt voor de in artikel 2, tweede lid, genoemde termijn in de plaats de termijn van een maand na dat in werking treden.

2. Mededingingsregelingen, waarvan kennis is gegeven ingevolge het Kartelbesluit (Verordeningenblad 1941, 208) worden geacht ingevolge deze wet te zijn medegedeeld.

Art. 45. In afwijking van artikel 20, eerste tot en met vierde lid, kan artikel 19 ten aanzien van een bij het in werking treden van deze wet bestaande mededingingsregeling toepassing vinden, indien de Commissie Bedrijfsregelingen, ingesteld bij beschikking van Onze Minister van Economische Zaken van 25 Mei 1950 (Stcrt. 101), vóór dat in werking treden over het onverbindend verklaren van die regeling is gehoord. Artikel 20, vijfde lid, is van overeenkomstige toepassing.

Art. 46. De bij het in werking treden van deze wet bij de Commissie bedrijfsregelingen aanhangige zaken worden in de stand, waarin zij zich bevinden, overgebracht naar de in artikel 28 bedoelde Commissie.

Art. 47. Artikel 22 is van overeenkomstige toepassing op gedragingen, welke strekken tot het naleven of doen naleven van een krachtens het Kartelbesluit onverbindend verklaarde bedrijfsregeling of gedeelte daarvan, behoudens indien die regeling meer dan vijf jaren vóór het in werking treden van deze wet onverbindend is geworden.

Art. 48. Een bij het in werking treden van deze wet nog niet geëindigde schorsing bedrijfsregelingen krachtens artikel 1 van de Wet schorsing bedrijfsregelingen (Stb. 1951, 107) blijft van kracht. Artikel 23, vierde en vijfde lid, is van overeenkomstige toepassing.

Art. 49. (Bevat een wijziging van de Wet op de economische delicten).

Intrekking wetten

Art. 50. 1. De Ondernemersovereenkomstenwet 1935 (Stb. 310) en de Wet schorsing bedrijfsregelingen worden ingetrokken.

2. Het Kartelbesluit en het besluit van de Secretarissen-Generaal van de Departementen van Handel, Nijverheid en Scheepvaart en van Landbouw en Visserij van 12 Februari 1943 (Verordeningenblad 23), houdende wijziging en aanvulling daarvan, vervallen.

Citeertitel

Art. 51. Deze wet kan worden aangehaald als „Wet economische mededinging".

Inwerkingtreding

Art. 52. Deze wet treedt in werking op een door Ons te bepalen tijdstip.

WET van 28 juni 1989, Stb. 245, houdende uitvoering van de Verordening nr. 2137/85 van de Raad van de Europese Gemeenschappen van 25 juli 1985 tot instelling van Europese economische samenwerkingsverbanden (PbEG L 199/1), zoals laatstelijk gewijzigd bij de wet van 8 november 1993, Stb. 597

Wij BEATRIX, bij de gratie Gods, Koningin der Nederlanden, Prinses van Oranje-Nassau, enz. enz. enz.

Allen, die deze zullen zien of horen lezen, saluut! doen te weten:

Alzo Wij in overweging genomen hebben, dat het wenselijk is wettelijke bepalingen vast te stellen ter uitvoering van de Verordening Nr. 2137/85 van de Raad van de Europese Gemeenschappen van 25 juli 1985 tot instelling van Europese economische samenwerkingsverbanden (PbEG L 199/1);

Zo is het, dat Wij, de Raad van State gehoord, en met gemeen overleg der Staten-Generaal, hebben goedgevonden en verstaan, gelijk Wij goedvinden en verstaan bij deze:

Begripsbepaling

Art. 1. Voor de toepassing van de artikelen 1 tot en met 8 van deze wet wordt onder „Verordening" verstaan de Verordening nr. 2137/85 van de Raad van de Europese Gemeenschappen van 25 juli 1985 tot instelling van de Europese economische samenwerkingsverbanden (PbEG L 199/1).

Aanwijzing handelsregister

Art. 2. Ter uitvoering van artikel 39 van de Verordening wordt als register voor de inschrijving van een Europees economisch samenwerkingsverband met zetel in Nederland of van een Nederlandse vestiging van een ander Europees economisch samenwerkingsverband aangewezen: het handelsregister bedoeld in artikel 1 van de Handelsregisterwet (Stb. 1984, 353).

EESV

Art. 3. 1. Een Europees economisch samenwerkingsverband met zetel in Nederland bezit rechtspersoonlijkheid met ingang van de dag van zijn inschrijving in het handelsregister. De vereffening van het samenwerkingsverband eindigt op het tijdstip waarop geen aan de vereffenaars bekende baten meer aanwezig zijn en het samenwerkingsverband behoudt tot dat tijdstip zijn rechtspersoonlijkheid.

2. Titel 1 van Boek 2 van het Burgerlijk Wetboek is op de in het eerste lid bedoelde rechtspersoon van toepassing met uitzondering van de artikelen 11, 18, 19 vierde lid, eerste zin, en 21 eerste lid onder b en c. De artikelen 138 en 149 van dat boek zijn op die rechtspersoon van overeenkomstige toepassing.

3. De bepalingen van Titel 8, Afdeling 2, van boek 2 van het Burgerlijk Wetboek zijn van toepassing, dan wel van overeenkomstige toepassing op een Europees economisch samenwerkingsverband met zetel in Nederland. Tot het indienen van een verzoekschrift als bedoeld in artikel 345 betreffende een zodanig samenwerkingsverband zijn bevoegd de leden van het samenwerkingsverband, een vereniging van werknemers als bedoeld in artikel 347, alsmede degenen aan wie daartoe bij de oprichtingsovereenkomst of bij overeenkomst met het samenwerkingsverband de bevoegdheid is toegekend. De verplichting van artikel 351, eerste lid, derde zin, geldt ook voor de leden van het samenwerkingsverband.

4. De in artikel 10, tweede lid, van boek 2 van het Burgerlijk Wetboek bedoelde bescheiden van een Europees economisch samenwerkingsverband moeten zijn voorzien van een toelichting en vormen daarmee te zamen de jaarrekening. Deze moet zodanig zijn ingericht, dat zij volgens de normen die in het maatschappelijk verkeer als aanvaardbaar worden beschouwd een zodanig inzicht geeft, dat een verantwoord oordeel kan worden gevormd omtrent het vermogen en het resultaat, alsmede voorzover mogelijk, omtrent de solvabiliteit en de liquiditeit van het samenwerkingsverband. De jaarrekening dient voorts een getrouw, duidelijk en stelselmatig beeld te verschaffen van de financiële toestand van het samenwerkingsverband. Het samenwerkingsverband laat de jaarrekening onderzoeken door een deskundige als bedoeld in artikel 393 van boek 2 van het Burgerlijk Wetboek. De opdracht tot het onderzoek wordt verleend door en het verslag omtrent het onderzoek wordt uitgebracht aan de gezamenlijk handelende leden van het samenwerkingsverband.

Rechtspersoon als bestuurder

Art. 4. Een rechtspersoon kan bestuurder zijn van een Europees economisch samenwerkingsverband. Deze rechtspersoon wijst een of meer vertegenwoordigers aan in de zin van artikel 19, tweede lid, van de verordening. Zij zijn aansprakelijk als waren zij zelf bestuurders van het samenwerkingsverband.

Art. 5. (Vervallen bij de wet van 2 april 1991, Stb. 199).

Aanwijzing openbaar ministerie

Art. 6. Als bevoegde autoriteit in de zin van artikel 32, eerste lid, van de Verordening wordt aangewezen: het openbaar ministerie.

Onbevoegd gebruik aanduiding verboden

Art. 7. Het is aan een persoon die geen Europees economisch samenwerkingsverband is, verboden zaken te doen met gebruik van die aanduiding of de afkorting EESV. In geval van overtreding van dit verbod kan ieder Europees economisch samenwerkingsverband vorderen dat de overtreder zich daarvan onthoudt, op straffe van een door de rechter te bepalen dwangsom.

Omzetting coöperatie

Art. 8. 1. Een coöperatie kan, mits voldaan wordt aan de bepalingen van de Verordening, worden omgezet in een Europees economisch samenwerkingsverband, zonder dat daardoor het bestaan van de rechtspersoon wordt beëindigd.

2. Een Europees economisch samenwerkingsverband kan worden omgezet in een coöperatie met wettelijke aansprakelijkheid, zonder dat daardoor het bestaan van de rechtspersoon wordt beëindigd. Het besluit daartoe moet eenstemmig worden genomen, tenzij de overeenkomst tot oprichting of de statuten anders bepalen of een zodanige omzetting niet toelaten. De omzetting geschiedt bij een voor een Nederlandse notaris te verlijden akte.

Art. 9. Bevat wijzigingen in de Handelsregisterwet.

Art. 10. Bevat wijzigingen in de Wet op de economische delicten.

Inwerkingtreding

Art. 11. Deze wet treedt in werking met ingang van 1 juli 1989. Indien het Staatsblad waarin deze wet wordt geplaatst, wordt uitgegeven na 30 juni 1989, treedt zij in werking met ingang van de dag na de datum van uitgifte van het Staatsblad waarin zij wordt geplaatst.

WET van 23 november 1977, Stb. 659, houdende nieuwe regelen tot beperking van de vrijheid tot het aanbieden en verstrekken van geschenken in verband met de uitoefening van een bedrijf (Wet beperking cadeaustelsel 1977), zoals laatstelijk gewijzigd bij de wet van 16 december 1993, Stb. 650

Alzo Wij in overweging genomen hebben, dat het wenselijk is nieuwe regelen te stellen, die de vrijheid tot het aanbieden en verstrekken van geschenken in verband met het uitoefenen van een bedrijf beperken;

Zo is het, dat Wij, de Raad van State gehoord, en met gemeen overleg der Staten-Generaal, hebben goedgevonden en verstaan, gelijk Wij goedvinden en verstaan bij deze:

Definitie goederen

Art. 1. In deze wet en de daarop berustende bepalingen wordt verstaan onder:
goederen: lichamelijke zaken met uitzondering van binnenlandse en buitenlandse wettige betaalmiddelen;

Als geschenk aanbieden of verstrekken van goederen

het als geschenk aanbieden of verstrekken van goederen:
a. het aan degenen, die een of meer goederen kopen, om niet dan wel tegen een voor dat doel vastgestelde prijs aanbieden onderscheidenlijk verstrekken van een of meer goederen dan wel aanbieden onderscheidenlijk verschaffen van het recht tot gebruik van een of meer goederen;
b. het aan degenen, die een of meer goederen kopen, aanbieden onderscheidenlijk verschaffen van de mogelijkheid, dat door een derde om niet dan wel tegen een voor dat doel vastgestelde prijs een of meer goederen worden verstrekt dan wel het recht tot gebruik van een of meer goederen wordt verschaft;
c. het tegen de — al dan niet met betaling van een bedrag gepaard gaande — inlevering van een of meer zegels of bonnen, die — al dan niet tegen betaling van een bedrag — naar aanleiding van de koop van een of meer goederen zijn verstrekt, aanbieden onderscheidenlijk verstrekken van een of meer goederen dan wel aanbieden onderscheidenlijk verschaffen van het recht tot gebruik van een of meer goederen;
d. het tegen de — al dan niet met betaling van een bedrag gepaard gaande — inlevering van een of meer zegels of bonnen, die — al dan niet tegen betaling van een bedrag — naar aanleiding van de koop van een of meer goederen zijn verstrekt, aanbieden onderscheidenlijk verschaffen van de mogelijkheid, dat door een derde — al dan niet tegen betaling van een bedrag — een of meer goederen worden verstrekt dan wel het recht tot gebruik van een of meer goederen worden verschaft;
e. het aan degenen, die een of meer goederen kopen, aanbieden onderscheidenlijk verschaffen van de mogelijkheid tot het deelnemen aan wedstrijden, prijsvragen en dergelijke — niet zijnde gelegenheden als bedoeld in artikel 1, onder a, of in artikel 7b van de Wet op de kansspelen (Stb. 1964, 483) of prijsvragen als bedoeld in artikel 28, eerste lid, van die wet — waarbij als prijzen goederen worden beschikbaar gesteld.

Verbod goederen als geschenk aanbieden of verstrekken i.v.m. uitoefening van een bedrijf

Art. 2. 1. Het is verboden in verband met de uitoefening van een bedrijf goederen als geschenk aan te bieden of te verstrekken.

2. Het is verboden in verband met de uitoefening van een bedrijf een of meer goederen aan te bieden of te verstrekken met een of meer andere goederen tegen een gezamenlijke prijs, indien dat aanbieden of verstrekken kennelijk geschiedt ter versluiering van het als geschenk aanbieden of verstrekken van goederen.

Art. 3. 1. Het in artikel 2, eerste lid, vervatte verbod geldt niet, indien degene, die — anders dan door de aanbieding of verschaffing van het recht tot gebruik van een of meer goederen en op een andere wijze dan die bedoeld in artikel 1, onder e — een goed als geschenk aanbiedt of verstrekt:
a. aannemelijk kan maken, dat hij reeds gedurende ten minste drie onmiddellijk voorafgaande maanden regelmatig aan particulieren goederen te koop heeft aangeboden, die aan dat goed gelijk zijn, en
b. tegelijkertijd goederen als onder a bedoeld aan particulieren te koop aanbiedt, en
c. op duidelijke wijze de afnemer de gelegenheid biedt, in plaats van dat goed een geldbedrag te ontvangen, waarvan de hoogte overeenkomstig het tweede lid is vastgesteld, en
d. in alle openbare mededelingen, waarin hij dat goed als geschenk aanbiedt, heeft vermeld: de prijs, waartegen hij dat goed overeenkomstig het onder b bepaalde te koop aanbiedt, de wijze waarop het aldus te koop aangeboden goed kan worden

verkregen, het onder c bedoelde geldbedrag en de wijze waarop dit kan worden verkregen.

2. Het in het eerste lid onder c, bedoelde geldbedrag dient:
a. ingeval het goed om niet wordt aangeboden of verstrekt niet minder te zijn dan de helft van de prijs, waartegen dat goed overeenkomstig het in het eerste lid, onder b, bepaalde te koop wordt aangeboden;
b. ingeval de afnemer voor het als geschenk verkrijgen van het goed een of meer bedragen heeft betaald of nog moet betalen niet minder te zijn dan het bedrag, dat wordt verkregen door de helft van het verschil tussen die prijs en de som van de reeds betaalde en nog te betalen bedragen te vermeerderen met de som van de reeds betaalde bedragen.

Art. 4. 1. Het in artikel 2, eerste lid, vervatte verbod geldt voorts niet ten aanzien van het door degene, die goederen verkoopt aan een wederverkoper, als geschenk aanbieden of verstrekken van goederen aan die wederverkoper.

2. Het in artikel 2, eerste lid, vervatte verbod geldt evenmin ten aanzien van het aanbieden of verstrekken van goederen, indien:
a. die goederen gelijk zijn aan alle goederen, waarvan het verkopen de grond is van dat aanbieden of verstrekken;
b. dat aanbieden of verstrekken naar algemeen of plaatselijk gebruik op gezette tijden geschiedt;
c. het geschenk een kleinigheid van geringe waarde is.

3. Het in artikel 2, eerste lid, vervatte verbod geldt bovendien niet ten aanzien van het aanbieden of verstrekken van een goed, indien dat goed pleegt te worden gebruikt of verbruikt bij het gebruiken of verbruiken van alle goederen, waarvan het verkopen de grond is van dat aanbieden of verstrekken, het voorzien is van een bij normaal gebruik in het oog vallend, onuitwisbaar kenmerk, dat aan dat goed een duidelijk reclamekarakter geeft, en:
a. ingeval dat goed om niet wordt aangeboden of verstrekt, de waarde ervan niet meer bedraagt dan vier procent van de verkoopprijs van alle goederen te zamen, waarvan het verkopen de grond is van dat aanbieden of verstrekken;
b. ingeval de afnemer voor het als geschenk verkrijgen van dat goed een of meer bedragen heeft betaald of nog moet betalen, het verschil tussen de waarde ervan en de som van de reeds betaalde en nog te betalen bedragen niet meer bedraagt dan vier procent van de onder a bedoelde verkoopprijs.

Art. 5. 1. Het in artikel 2, tweede lid, vervatte verbod geldt niet ten aanzien van het aan een wederverkoper tegen een gezamenlijke prijs aanbieden of verstrekken van goederen.

2. Het in artikel 2, tweede lid, vervatte verbod geldt vorots niet ten aanzien van het tegen een gezamenlijke prijs aanbieden of verstrekken van goederen, indien die goederen aan elkaar gelijk zijn.

Art. 6. Voor de toepassing van artikel 4, eerste lid, en artikel 5, eerste lid, wordt met een wederverkoper gelijkgesteld degene, die behoort tot een bij algemene maatregel van bestuur aangewezen groep van personen, die naar Ons oordeel in economisch opzicht met wederverkopers gelijk zijn te stellen.

Art. 7. Bij algemene maatregel van bestuur kunnen deze wet en de daarop berustende bepalingen van overeenkomstige toepassing worden verklaard ten aanzien van:
a. het als geschenk aanbieden en verrichten van bij die maatregel aangewezen diensten;
b. het als geschenk aanbieden en verstrekken van goederen, dat is gegrond op het verrichten van bij die maatregel aangewezen diensten.

Vrijstelling van verbod

Art. 8. 1. Onze Minister van Economische Zaken kan van het in artikel 2, eerste lid, vervatte verbod vrijstelling verlenen ten aanzien van het als geschenk aanbieden en verstrekken van door hem aan te wijzen goederen.

Ontheffing van verbod

2. Hij kan op daartoe strekkend verzoek van bedoeld verbod ontheffing verlenen, indien naar zijn oordeel bijzondere omstandigheden daartoe aanleiding geven.

3. De vrijstellingen en ontheffingen kunnen onder beperkingen worden verleend; aan de vrijstellingen en ontheffingen kunnen voorschriften worden verbonden.

Art. 9. Een beschikking tot verlening van een vrijstelling als bedoeld in artikel 8, eerste lid, en een regeling tot wijziging of intrekking daarvan, worden niet vastgesteld dan nadat het Hoofdbedrijfschap voor de Detailhandel en de naar het oordeel van Onze Minister van Economische Zaken representatieve organisaties van ondernemers en van consumenten zijn gehoord.

Aanvraag om ontheffing

Art. 10. 1. Bij het indienen van een aanvraag om een ontheffing als in artikel 8, tweede lid, bedoeld moet een bij algemene maatregel van bestuur vast te stellen bedrag worden betaald.

2. Op de aanvraag wordt binnen drie weken beslist.

Intrekking ontheffing

Art. 11. Een ontheffing wordt ingetrokken, indien de te harer verkrijging verstrekte gegevens zodanig onjuist of onvolledig blijken, dat op de aanvraag een andere beslissing zou zijn genomen, als bij de beoordeling daarvan de juiste omstandigheden volledig bekend waren geweest.

Beroep

Art. 12. Tegen een op grond van deze wet genomen besluit kan een belanghebbende beroep instellen bij het College van Beroep voor het bedrijfsleven.

Verstrekken van onjuiste gegevens

Art. 13. Het is verboden ter zake van een aanvraag om een ontheffing onjuiste of onvolledige gegevens te verstrekken.

Art. 14. In artikel 1, onder 4°, van de Wet op de economische delicten vervalt: „de Wet beperking cadeaustelsel, de artikelen 2, eerste lid, 4, derde lid, en 8" en wordt toegevoegd: „de Wet beperking cadeaustelsel 1977, de artikelen 2, 8, derde lid, en 13;"

Titel der wet

Art. 15. Deze wet kan worden aangehaald als: Wet beperking cadeaustelsel 1977.

Art. 16. Artikel II van de wet van 29 juni 1972 (Stb. 341) wordt gelezen:

Artikel II
De Wet beperking cadeaustelsel vervalt met ingang van 1 januari 1979.

Inwerkingtreding der wet

Art. 17. 1. Artikel 16 treedt in werking met ingang van de dag na de datum van uitgifte van het Staatsblad, waarin deze wet wordt geplaatst.

2. De overige bepalingen van deze wet treden in werking met ingang van 1 januari 1979.

WET van 8 juni 1977, Stb. 333, houdende bepalingen betreffende het giraal effectenverkeer (Wet giraal effectenverkeer), zoals laatstelijk gewijzigd bij de wet van 4 juni 1992, Stb. 422

Alzo Wij in overweging genomen hebben dat het wenselijk is wettelijke bepalingen vast te stellen betreffende het giraal effectenverkeer;

HOOFDSTUK I

Algemene bepalingen

Begripsbepalingen

Art. 1. Voor de toepassing van het bij of krachtens deze wet bepaalde wordt verstaan onder:

„Onze Minister": Onze Minister van Financiën;

„het centraal instituut": een als zodanig door Onze Minister aagewezen rechtspersoon;

„een aangesloten instelling": degene die als zodanig door het centraal instituut is toegelaten;

„effecten": de effecten ten aanzien waarvan het centraal instituut heeft bepaald dat zij bij hem in bewaring kunnen worden gegeven.

Toezicht op centraal instituut

Art. 2. 1. Vanwege Onze Minister wordt toezicht uitgeoefend op het centraal instituut. De toezichthouder wordt door Onze Minister benoemd en ontslagen.

2. De toezichthouder heeft het recht de vergaderingen van de organen van het centraal instituut bij te wonen en aldaar een raadgevende stem uit te brengen.

3. Het bestuur van het centraal instituut is gehouden aan de toezichthouder al die inlichtingen te verstrekken welke deze tot een behoorlijke uitoefening van het toezicht nodig acht.

4. Onze Minister kan nadere regel vaststellen betreffende dit toezicht. Deze regels worden bekend gemaakt in de Nederlandse Staatscourant.

5. Wijziging van de statuten van het centraal instituut behoeft de voorafgaande schriftelijke goedkeuring van Onze Minister.

Vernietigbaarheid besluiten centraal instituut

Art. 3. 1. Onze Minister kan op voordracht van de toezichthouder besluiten van organen van het centraal instituut vernietigen wegens strijd met de statuten, met de in artikel 4 bedoelde regels of met de eisen van een behoorlijk giraal effectenverkeer.

2. Een voordracht tot vernietiging moet worden gedaan binnen tien dagen na die waarop de toezichthouder van het besluit heeft kennis gekregen. Hangende de beslissing op de voordracht is het besluit geschorst.

3. Onze Minister geeft zijn beschikking binnen zestig dagen na die waarop de voordracht tot vernietiging is gedaan. Is binnen die termijn geen beschikking gegeven, dan neemt de schorsing van het besluit een einde en kan het besluit niet meer door Onze Minister worden vernietigd. Onze Minister kan zijn beslissing ten hoogste tweemaal voor zestig dagen verdagen. Van ieder verdaging wordt vóór de afloop van de termijn schriftelijk aan het centraal instituut en de toezichthouder kennis gegeven.

4. De toezichthouder geeft van een voordracht tot vernietiging onverwijld kennis aan het centraal instituut. Onze Minster geeft van zijn beschikking onverwijld kennis aan de toezichthouder en aan het centraal instituut.

Toelating als aangesloten instelling

Art. 4. Het centraal instituut stelt regels vast betreffende de toelating als aangesloten instelling en betreffende de intrekking van zodanige toelating. Deze regels behoeven de goedkeuring van Onze Minister en worden bekend gemaakt in de Nederlandse Staatscourant.

Afwijzing verzoek tot toelating

Art. 5. Degene wiens verzoek tot toelating als aangesloten instelling is afgewezen of degene wiens toelating als aangesloten instelling is ingetrokken, kan daartegen in beroep komen bij Onze Minister.

Art. 6. (Vervallen bij wet van 4 juni 1992, Stb. 422)

Intrekking van toelating als aangesloten instelling

Art. 7. 1. De werking van het besluit tot intrekking van de toelating als aangesloten instelling wordt opgeschort totdat de beroepstermijn is verstreken of, indien beroep is ingesteld, op het beroep is beslist.

2. Nadat de intrekking onherroepelijk is geworden, behoudt de aangesloten instelling haar hoedanigheid, voor zover dit nodig is voor de afwikkeling van de verzameldepots die op het tijdstip waarop de beslissing onherroepelijk is geworden, reeds bestonden.

Art. 8. Het centraal instituut bepaalt welke effecten voor de toepassing van deze wet als effecten van eenzelfde soort zullen worden beschouwd.

HOOFDSTUK 2
Verzameldepot

TITEL 1
Algemeen

Art. 9. 1. Alleen een aangesloten instelling kan een verzameldepot in de zin van deze wet houden.
2. Ten aanzien van ieder soort effecten bestaat een afzonderlijk verzameldepot.

Wat onder verzameldepot valt

Art. 10. Tot een verzameldepot behoren:
a. alle effecten van de betreffende soort die onder de instelling berusten of voor de instelling worden bewaard, met uitzondering van die ten aanzien waarvan de instelling tot afzonderlijke bewaring verplicht is;
b. het ten name van de instelling staande aandeel in het verzameldepot van effecten van de betreffende soort bij een andere instelling;
c. het ten name van de instelling staande aandeel in het in hoofdstuk 3 bedoelde girodepot van effecten van de betreffende soort;
d. in het geval dat effecten als bedoeld onder a verloren zijn gegaan, de rechten daaruit of de daarvoor in de plaats getreden vorderingen tot vergoeding, alsmede hetgeen uit hoofde daarvan is ontvangen;
e. alle overige goederen die geacht moeten worden in de plaats te zijn getreden van onder a bedoelde effecten of van een onder b en c bedoeld aandeel.

Beheer

Art. 11. 1. De instelling is belast met het beheer van het verzameldepot.
2. Zij kan tegenover derden de rechten van degenen aan wie het verzameldepot toebehoort, uitoefenen, indien dit voor een goed beheer dienstig kan zijn.
3. Het tweede lid is niet van toepassing op het recht tot bijeenroeping van een vergadering van aandeelhouders of houders van andere effecten, tot het bijwonen van en het woordvoeren in een zodanige vergadering, tot het uitoefenen van stemrecht en tot het doen instellen van een onderzoek naar het beleid en de gang van zaken van een rechtspersoon, als bedoeld in artikel 345 van Boek 2 van het Burgerlijk Wetboek.

Bewaargeving

Art. 12. 1. Bewaargeving van effecten bij een aangesloten instelling heeft tot gevolg dat degene aan wie de effecten toebehoorden op het tijdstip waarop zij door de instelling ter bewaring in ontvangst zijn genomen, alsdan in het verzameldepot gerechtigd wordt als deelgenoot gezamenlijk met hen die daarin op dat tijdstip reeds gerechtigd waren. Voor zover de effecten bezwaard waren met een beperkt recht, komt dit op zijn aandeel te rusten.

Berekening

2. Het aandeel wordt berekend naar evenredigheid van de hoeveelheid van de door de bewaargever ingebrachte effecten.

Teruggaveverplichting

3. De instelling is verplicht tot teruggave aan de bewaargever van effecten uit het verzameldepot tot een hoeveelheid die overeenkomt met hetgeen door deze in bewaring is gegeven; de bewaargever heeft geen recht op teruggave van dezelfde stukken.
4. De vorige leden zijn niet van toepassing indien de instelling zich tot afzonderlijke bewaring heeft verplicht.

Art. 13. Indien effecten uit andere hoofde dan bewaargeving aan een aangesloten instelling worden toevertrouwd, zijn de bepalingen betreffende de in het eerste lid van het vorige artikel bedoelde bewaargeving van overeenkomstige toepassing, tenzij de rechtsverhouding meebrengt dat de aangesloten instelling tot afzonderlijke bewaring verplicht is.

Levering door beschikkingsonbevoegde

Art. 14. 1. Verkrijging van effecten door een aangesloten instelling uit hoofde van een levering door een beschikkingsonbevoegde heeft tot gevolg dat degene aan wie effecten toebehoorden op het tijdstip waarop zij aan de instelling zijn geleverd, alsdan in het verzameldepot gerechtigd wordt als deelgenoot gezamenlijk met hen die daarop op dat tijdstip reeds gerechtigd waren. Voor zover de effecten bezwaard waren met een beperkt recht, komt dit op zijn aandeel te rusten.

2. Indien de instelling de effecten te goeder trouw verkregen heeft, is het eerste lid niet van toepassing en is de overdracht van de effecten aan de instelling geldig.

Stemrecht

Art. 15. De instelling draagt desgewenst zorg dat de deelgenoten het aan de effecten verbonden stemrecht, ieder tot de hoeveelheid waarvoor hij in de aanwezige effecten deelgenoot is, kunnen uitoefenen.

TITEL 2

Vervreemding en bezwaring

Deelgenoten

Art. 16. 1. Behoort een verzameldepot toe aan twee of meer deelgenoten, dan kan ieder over zijn aandeel daarin beschikken. Hij kan ook beschikken over een gedeelte van zijn aandeel, voor zover daardoor geen aandelen ontstaan die niet overeenkomen met een of meer effecten.

2. Een deelgenoot kan niet beschikken over zijn aandeel in een tot een verzameldepot behorend goed afzonderlijk.

Levering van aandeel in verzameldepot

Art. 17. Levering van een aandeel in een verzameldepot geschiedt door bijschrijving op naam van de verkrijger in het daartoe bestemde deel van de administratie van de aangesloten instelling.

Overschrijding toegestane hoeveelheid effecten

Art. 18. Voor zover een bijschrijving van effecten geschiedt tot een grotere hoeveelheid dan waarover de aangesloten instelling bevoegd was te beschikken, maakt zij de verkrijger geen deelgenoot in het verzameldepot. Was de verkrijger te goeder trouw op het tijdstip dat hij van de bijschrijving kennis kreeg, dan wordt hij niettemin deelgenoot naar evenredigheid van de bijgeschreven hoeveelheid.

Overdracht door onbevoegde vervreemder

Art. 19. 1. Een overdracht van een aandeel aan de aangesloten instelling is ondanks onbevoegdheid van de vervreemder geldig, indien de instelling te goeder trouw was op het tijdstip van de bijschrijving op haar naam.

2. Een overdracht van een aandeel aan een ander dan de aangesloten instelling in opdracht van de in het vorige lid bedoelde vervreemder is geldig, indien de verkrijger te goeder trouw was op het tijdstip dat hij van de bijschrijving kennis kreeg.

Vestiging pandrecht t.b.v. ander dan aangesloten instelling

Art. 20. 1. Vestiging van een pandrecht op een aandeel in een verzameldepot ten behoeve van een ander dan de aangesloten instelling geschiedt door bijschrijving ten name van de pandhouder in de administratie van de instelling.

Onbevoegdheid pandgever

2. Ondanks onbevoegdheid van de pandgever is de vestiging van het pandrecht geldig, indien de pandhouder op het tijdstip dat hij van de bijschrijving kennis kreeg, ter goeder trouw was.

Vestiging pandrecht t.b.v. aangesloten instelling

Art. 21. 1. Vestiging van een pandrecht op een aandeel in een verzameldepot ten behoeve van de aangesloten instelling geschiedt door overeenkomst tussen de pandgever en de instelling.

Onbevoegdheid pandgever

2. Ondanks de onbevoegdheid van de pandgever is de vestiging van het pandrecht geldig, indien de pandhouder op het tijdstip van het ontstaan te goeder trouw was.

Bevoegdheden pandhouder bij verzuim schuldenaar

Art. 22. 1. De pandhouder is in geval van verzuim van de schuldenaar bevoegd om hetzij uitlevering te vorderen en de uitgeleverde effecten op een effectenbeurs overeenkomstig artikel 250, tweede lid van Boek 3, van het Burgerlijk Wetboek te doen verkopen hetzij effecten van de betreffende soort en hoeveelheid op voormelde wijze te doen verkopen en vervolgens te doen leveren door middel van bijschrijving als in deze wet bedoeld.

2. Van het vorige lid kan niet ten nadele van de pandgever worden afgeweken.

Vruchtgebruik

Art. 23. Vestiging van een vruchtgebruik op een aandeel in een verzameldepot geschiedt door bijschrijving ten name van de vruchtgebruiker in de administratie van de aangesloten instelling.

Derden-beslag

Art. 24. Is onder een aangesloten instelling derdenbeslag gelegd op het aandeel van een deelgenoot in een verzameldepot, dan kunnen ter keuze van de beslaglegger de in artikel 477 van het Wetboek van Burgerlijke Rechtsvordering bedoelde afgifte en executie worden vervangen door verkoop van effecten van de betreffende soort en hoeveelheid op een effectenbeurs overeenkomstig artikel 250 lid 2 van Boek 3 van het Burgerlijk Wetboek gevolgd door levering door middel van bijschrijving als in deze wet bedoeld.

Kennisgeving van bijschrijving

Art. 25. 1. Een aangesloten instelling is verplicht van een door haar verrichte bijschrijving terstond een kennisgeving te zenden aan degene op wens naam de bijschrijving heeft plaatsgevonden.

2. Van het voorgaande lid kan niet bij overeenkomst worden afgeweken.

3. Van de in het eerste lid bedoelde verplichting kan ten aanzien van bepaalde soorten effecten vrijstelling worden verleend door of namens Onze Minister.

TITEL 3

Uitlevering en verdeling

Recht van deelgenoot op uitlevering

Art. 26. 1. Een deelgenoot heeft te allen tijde recht op uitlevering van de hoeveelheid effecten, waarvoor hij deelgenoot is.

Ontoereikend verzameldepot

2. Is het verzameldepot niet toereikend om aan iedere deelgenoot de hoeveelheid effecten waarvoor hij deelgenoot is, uit te leveren, dan mag de instelling aan een deelgenoot slechts zoveel effecten uitleveren als in verband met de rechten van de andere deelgenoten mogelijk is.

Verdeling ontoereikend verzameldepot

Art. 27. 1. De verdeling van een verzameldepot dat niet toereikend is om aan iedere deelgenoot de hoeveelheid effecten, waarvoor hij deelgenoot is, uit te leveren, geschiedt overeenkomstig de volgende regels.

2. Aan ieder der deelgenoten worden naar evenredigheid van zijn aandeel zoveel effecten uitgeleverd als in verband met de rechten van de andere deelgenoten mogelijk is. Blijft een hoeveelheid effecten over die voor een zodanige verdeling te klein is, dan worden zij, tenzij de deelgenoten anders overeenkomen, op een effectenbeurs verkocht en wordt de opbrengst onder de deelgenoten naar evenredigheid van ieders aandeel verdeeld.

3. Andere tot het verzameldepot behorende goederen worden op de daartoe meest geschikte wijze te gelde gemaakt en de opbrengst wordt onder de deelgenoten naar evenredigheid van ieders aandeel verdeeld.

Aangesloten instelling is zelf deelgenoot

Art. 28. 1. Indien de instelling die het verzameldepot houdt, zelf deelgenoot is, wordt haar bij toepassing van het voorgaande artikel slechts toegedeeld hetgeen overblijft, nadat de andere deelgenoten zoveel hebben ontvangen, dat zij niets meer uit hoofde van hun aandeel hebben te vorderen.

2. Het eerste lid geldt niet, indien de instelling bewijst dat het tekort is ontstaan door omstandigheden die haar niet kunnen worden toegerekend.

Terugvordering van teveel aan deelgenoot uitgeleverde

Art. 29. Levert de instelling aan een deelgenoot meer effecten uit dan waartoe zij ingevolge de drie voorgaande artikelen bevoegd is, dan kan het teveel uitgeleverde door de instelling worden teruggevorderd, tenzij de deelgenoot op het tijdstip van de uitlevering te goeder trouw was.

Bevoegd tot uitlevering

Art. 30. De instelling is tot uitlevering bevoegd zonder medewerking van de andere deelgenoten.

Uitbreiding beperkt recht

Art. 31. 1. Bij uitlevering van effecten uit hoofde van een aandeel waarop een beperkt recht rust, komt dit beperkte recht mede op de uitgeleverde effecten te rusten.

2. Het eerste lid is bij uitkeringen als bedoeld in artikel 27, tweede lid, tweede zin, en derde lid van overeenkomstige toepassing.

Bewaargever geen deelgenoot

Art. 32. Degene die overeenkomstig artikel 12, eerste lid, een hoeveelheid effecten in bewaring heeft gegeven maar daarvoor geen deelgenoot is, wordt vermoed bevoegd te zijn de rechten van de deelgenoot uit de artikelen 15, 26 en 27 uit te oefenen.

TITEL 4
Faillissement

Bevoegdheid curator

Art. 33. In geval van faillissement van de aangesloten instelling is de curator belast met het beheer van het verzameldepot. Hij brengt het verzameldepot tot verdeling met inachtneming van de bepalingen van deze wet. Indien het bedrijf van de gefailleerde instelling overeenkomstig artikel 98 van de Faillissementswet wordt voortgezet, is de curator bevoegd tot verdeling van het verzameldepot over te gaan.

HOOFDSTUK 3
Girodepot

TITEL 1
Algemeen

Girodepot

Art. 34. 1. Alleen het centraal instituut kan één girodepot in de zin van deze wet houden.

2. Ten aanzien van iedere soort effecten bestaat een afzonderlijk girodepot.

Inhoud girodepot

Art. 35. Tot een girodepot behoren:
a. alle effecten van de betreffende soort die onder het centraal instituut berusten of voor het centraal instituut worden bewaard;
b. het ten name van het centraal instituut staande tegoed ter zake van effecten van de betreffende soort, die berusten onder of bewaard worden voor instellingen in het buitenland, die op verzoek van het centraal instituut door Onze Minister zijn aangewezen;
c. in het geval dat effecten als bedoeld onder a verloren zijn gegaan, de rechten daaruit of de daarvoor in de plaats getreden vorderingen tot vergoeding, alsmede hetgeen uit hoofde daarvan is ontvangen;
d. alle overige goederen die geacht moeten worden in de plaats te zijn getreden van onder a bedoelde effecten of van een onder b bedoeld tegoed.

Beheer girodepot

Art. 36. 1. Het centraal instituut is belast met het beheer van het girodepot.

2. Het centraal instituut kan tegenover derden de rechten van degene aan wie het girodepot toebehoort, uitoefenen, indien dit voor een goed beheer dienstig kan zijn.

3. Het tweede lid is niet van toepassing op het recht tot bijeenroeping van een vergadering van aandeelhouders of houders van andere effecten, tot het bijwonen van en het woord voeren in een zodanige vergadering, tot het uitoefenen van stemrecht en tot het doen instellen van een onderzoek naar het beleid en de gang van zaken van een rechtspersoon, als bedoeld in artikel 345 van Boek 2 van het Burgerlijk Wetboek.

Aangesloten instelling

Art. 37. 1. Alleen een aangesloten instelling kan effecten in bewaring hebben bij het centraal instituut.

2. De rechten jegens het centraal instituut worden door de aangesloten instelling op eigen naam uitgeoefend voor hen aan wie de effecten toebehoren.

Deelgenootschap

Art. 38. 1. Zij aan wie de in bewaring gegeven effecten toebehoorden op het tijdstip waarop zij door het centraal instituut ter bewaring in ontvangst zijn genomen worden, alsdan in het girodepot gerechtigd als deelgenoten gezamenlijk met hen die daarin op het tijdstip van de bewaargeving reeds gerechtigd waren.

2. Het aandeel in het girodepot staat op naam van de aangesloten instelling.

3. Het aandeel wordt berekend naar evenredigheid van de hoeveelheid van de door de aangesloten instelling ingebrachte effecten.

4. Het centraal instituut is verplicht tot teruggave aan de aangesloten instelling van effecten uit het girodepot tot een hoeveelheid die overeenkomt met hetgeen door de instelling in bewaring is gegeven; de instelling heeft geen recht op teruggave van dezelfde stukken.

Art. 39. Het centraal instituut draagt zorg dat de aangesloten instellingen kunnen voldoen aan hun in artikel 15 bedoelde verplichting ten aanzien van het aan de effecten verbonden stemrecht.

Stemrecht

TITEL 2

Vervreemding en bezwaring

Art. 40. 1. Het ten name van en aangesloten instelling staande aandeel in een girodepot is overdraagbaar. Ook een gedeelte van zodanig aandeel is overdraagbaar, voor zover daardoor geen aandelen ontstaan die niet overeenkomen met een of meer efecten.

2. Het aandeel in een tot een girodepot behorend goed afzonderlijk is niet overdraagbaar.

Aandeel is overdraagbaar

Art. 41. 1. Levering tussen aangesloten instellingen van een aandeel in een girodepot geschiedt door bijschrijving op naam van de verkrijgende instelling in het daartoe bestemde deel van de administratie van het centraal instituut.

2. Ondanks onbevoegdheid van die instelling is een overdracht van een aandeel geldig, indien de verkrijgende instelling op het tijdstip dat zij van de bijschrijving kennis kreeg, te goeder trouw was.

Levering van aandeel in girodepot

Art. 42. 1. Vestiging van een pandrecht ten behoeve van een andere aangesloten instelling op een aandeel in een girodepot geschiedt door bijschrijving ten name van de andere instelling in de administratie van het centraal instituut.

2. Artikel 20, tweede lid, en artikel 22 zijn van overeenkomstige toepassing.

Vestiging pandrecht

Art. 43. 1. Het centraal instituut is verplicht van een door hem verrichte bijschrijving terstond een kennisgeving te zenden aan de instelling op wier naam de bijschrijving heeft plaatsgevonden.

2. Van het voorgaande lid kan niet bij overeenkomst worden afgeweken.

Kennisgeving van bijschrijving

Art. 44. Derden-beslag onder het centraal instituut op en ten name van een instelling staand aandeel in een girodepot is niet toegelaten.

TITEL 3

Uitlevering en verdeling

Art. 45. 1. Een aangesloten instelling heeft te allen tijde recht op uitlevering van de haar toekomende hoeveelheid effecten.

2. Is het girodepot niet toereikend om aan iedere instelling de in het vorige lid bedoelde hoeveelheid effecten uit te leveren, dan mag het centraal instituut aan een instelling slechts zoveel effecten uitleveren als in verband met de rechten van de andere instellingen mogelijk is.

Recht van aangesloten instelling op uitlevering

Art. 46. De verdeling van een girodepot dat niet toereikend is om aan iedere instelling dat de haar toekomende hoeveelheid effecten uit te leveren, geschiedt door overeenkomstige toepassing van artikel 27, tweede en derde lid.

Verdeling toereikend girodepot

Art. 47. Levert het centraal instituut aan een instelling meer effecten uit dan waartoe het ingevolge de vorige twee artikelen bevoegd is, dan kan het teveel uitgeleverde door het centraal instituut worden teruggevorderd, tenzij de instelling op het tijdstip van de uitlevering te goeder trouw was.

Terugvordering

Art. 48. Het centraal instituut is tot uitlevering bevoegd zonder medewerking van de andere instellingen op wier naam aandelen in het girodepot staan.

Bevoegd tot uitlevering

Art. 49. 1. Bij uitlevering van effecten uit hoofde van een aandeel waarop een pandrecht rust, komt dit pandrecht mede op de uitgeleverde effecten te rusten.

2. Het eerste lid is bij uitkeringen als bedoeld in artikel 27, tweede lid, tweede zin, en derde lid van overeenkomstige toepassing.

Uitbreiding pandrecht

HOOFDSTUK 4

Overgangs- en slotbepalingen

Bevoegdheid effecten bewaarbedrijf

Art. 50. 1. Indien het centraal instituut overeenkomstig artikel 1 ten aanzien van effecten van een bepaalde soort heeft bepaald dat zij bij hem in bewaring kunnen worden gegeven, en zodanige effecten op dat tijdstip worden bewaard door een effectenbewaarbedrijf, is dit bevoegd deze effecten aan de bewaargever uit te leveren door ze namens hem in bewaring te geven bij de met het effectenbewaarbedrijf verbonden aangesloten instelling. Deze bevoegdheid bestaat niet, indien de effecten afzonderlijk voor de bewaargever werden bewaard.

2. Beperkte rechten die rusten op de vordering van de bewaargever op het effectenbewaarbedrijf tot uitlevering van niet-afzonderlijk voor de bewaargever bewaarde effecten, komen te rusten op de overeenkomstig het eerste lid uitgeleverde effecten. Is op een zodanige vordering beslag gelegd, dan is het effectenbewaarbedrijf niet bevoegd tot uitlevering van effecten overeenkomstig het eerste lid.

Definitie

3. In dit artikel wordt onder een effectenbewaarbedrijf verstaan een naamloze vennootschap die krachtens haar statuten uitsluitend ten doel heeft de bewaring van effecten en wier aandelen worden gehouden door de Stichting Administratiekantoor VABEF te Amsterdam.

Citeertitel

Art. 51. 1. Deze wet treedt in werking op een door Ons te bepalen tijdstip.

2. Zij kan worden aangehaald als „Wet giraal effectenverkeer".

WET van 7 maart 1991, Stb. 141, houdende regelen inzake het toezicht op het effectenverkeer (Wet toezicht effectenverkeer) zoals laatstelijk gewijzigd bij de wet van 15 december 1994, Stb. 903

Wij BEATRIX, bij de gratie Gods, Koningin der Nederlanden, Prinses van Oranje-Nassau, enz. enz. enz.

Allen, die deze zullen zien of horen lezen, saluut! doen te weten:

Alzo Wij in overweging genomen hebben, dat de bestaande wetgeving met betrekking tot de handel ter beurze herziening behoeft, alsmede dat het wenselijk is dat met het oog op een adequate functionering van de effectenmarkten en de positie van de beleggers op die markten een regeling wordt getroffen voor het toezicht op het effectenverkeer;

Zo is het, dat Wij, de Raad van State gehoord, en met gemeen overleg der Staten-Generaal, hebben goedgevonden en verstaan, gelijk Wij goedvinden en verstaan bij deze:

HOOFDSTUK I
Inleidende bepalingen

Begripsbepalingen

Art. 1. In deze wet en de daarop berustende bepalingen wordt verstaan onder:
a. effecten:
1°. aandeelbewijzen, schuldbrieven, winst- en oprichtersbewijzen, optiebewijzen, warrants, en soortgelijke waardepapieren;
2°. rechten van deelgenootschap, opties, rechten op overdracht op termijn van zaken, inschrijvingen in aandelen- en schuldregisters, en soortgelijke, al dan niet voorwaardelijke, rechten;
3°. certificaten van waarden als hiervoor bedoeld;
4°. recepissen van waarden als hiervoor bedoeld;
b. effectenbemiddelaar:
1°. degene die als tussenpersoon, anders dan op grond van een overeenkomst als bedoeld onder c, beroeps- of bedrijfsmatig werkzaam is bij de totstandkoming van transacties in effecten;
2°. degene die beroeps- of bedrijfsmatig de mogelijkheid aanbiedt, door het openen van een rekening, vorderingen te verkrijgen luidende in effecten, waarbij door middel van deze rekening transacties in effecten kunnen worden bewerkstelligd;
3°. degene die als effectenhandelaar voor eigen rekening effectentransacties verricht teneinde een markt in effecten te onderhouden of een voordeel te behalen uit een verschil tussen vraag- en aanbodprijzen van effecten;
c. vermogensbeheerder: degene die beroeps- of bedrijfsmatig op grond van een overeenkomst het beheer voert over effecten die toebehoren aan een natuurlijke persoon of rechtspersoon dan wel over aan deze persoon toebehorende middelen ter belegging in effecten, daaronder begrepen het verrichten of doen verrichten van effectentransacties voor rekening van de persoon met wie de overeenkomst is gesloten;
d. effectenbeurs: een markt die aan regels is onderworpen en die bestemd is voor het bijeenbrengen van vraag en aanbod van effecten;
e. Onze minister: Onze Minister van Financiën.

Lid-staat

Art. 1a. Voor de toepassing van deze wet wordt met een Lid-Staat van de Europese Gemeenschappen gelijkgesteld een Staat, niet zijnde een Lid-Staat van de Europese Gemeenschappen, die partij is bij de Overeenkomst betreffende de Europese Economische Ruimte.

Art. 2. Geen effecten in de zin van de wet zijn:
a. waarden welke uitsluitend het karakter van betaalmiddel dragen;
b. appartementsrechten.

HOOFDSTUK II
Prospectus en periodieke informatieverstrekking

Verbod op aanbieding uitgifte effecten buiten besloten kring

Art. 3. 1. Het is verboden in of vanuit Nederland buiten een besloten kring bij uitgifte effecten aan te bieden dan wel zodanige aanbieding door middel van advertenties of documenten in het vooruitzicht te stellen.

2. Het in het eerste lid vervatte verbod is niet van toepassing, indien:
a. de aan te bieden effecten zijn toegelaten tot de notering aan een op grond van artikel 16 erkende effectenbeurs, of aannemelijk is dat zij daartoe spoedig zullen wor-

den toegelaten, of
b. voor zover het een aanbod betreft, terzake van dat aanbod een prospectus algemeen verkrijgbaar is dat voldoet aan bij of krachtens algemene maatregel van bestuur te stellen regels, mits daarnaar in elke schriftelijke bekendmaking van het aanbod wordt verwezen, of
c. voor zover een aanbieding in het vooruitzicht wordt gesteld, terzake daarvan wordt voldaan aan bij of krachtens algemene maatregel van bestuur te stellen regels, of
d. de aan te bieden effecten rechten van deelneming betreffen van een beleggingsinstelling die is ingeschreven in het register bedoeld in artikel 18 van de Wet toezicht beleggingsinstellingen (Stb. 1990, 380).

3. Voor toepassing van dit hoofdstuk en de daarop berustende bepalingen wordt met het in Nederland bij uitgifte aanbieden van effecten gelijk gesteld het voor de eerste keer in Nederland aanbieden van effecten van een soort dat:
a. sedert de uitgifte nog niet verkrijgbaar is geweest in Nederland;
b. sedert de uitgifte nog niet verkrijgbaar is geweest in Nederland buiten een besloten kring; of
c. sedert de uitgifte nog niet verkrijgbaar is geweest in Nederland buiten een kring van natuurlijke personen en rechtspersonen die beroeps- of bedrijfsmatig handelen of beleggen in effecten.

Vrijstelling/ Ontheffing

Art. 4. 1. Onze minister kan vrijstelling of, op verzoek, ontheffing verlenen van het in artikel 3, eerste lid, vervatte verbod.

Voorwaarden

2. Aan een vrijstelling en aan een ontheffing kunnen beperkingen worden gesteld en voorschriften worden verbonden met het oog op een adequate functionering van de effectenmarkten en de positie van de beleggers op die markten.

Informatieverplichting

Art. 5. 1. Instellingen, te wier laste buiten een besloten kring effecten zijn uitgegeven, die niet zijn toegelaten tot de notering aan een op grond van artikel 16 erkende effectenbeurs, dienen omtrent hun bedrijf informatie algemeen verkrijgbaar te stellen voor zover deze verplichting niet reeds voortvloeit uit artikel 360 van boek 2 van het Burgerlijk Wetboek. Deze informatie alsmede de wijze van verkrijgbaarstelling ervan dienen te voldoen aan bij of krachtens algemene maatregel van bestuur te stellen regels en heeft betrekking op periodieke verslaggeving inzake de financiële positie van de uitgevende instelling alsmede op feiten omtrent de uitgevende instelling waarvan een aanzienlijke invloed op de koers van de effecten van de uitgevende instelling kan uitgaan.

2. Onze minister kan van de op grond van het eerste lid gestelde regels ontheffing of vrijstelling verlenen.

3. Aan een ontheffing of vrijstelling kunnen beperkingen worden gesteld en voorschriften worden verbonden met het oog op een adequate functionering van de effectenmarkten en de positie van de beleggers op die markten.

HOOFDSTUK III
Vereisten voor een vergunning of erkenning

AFDELING 1
Effectenbemiddelaars

Effectenbemiddelaars (algemeen verbod)

Art. 6. 1. Het is verboden zonder vergunning als effectenbemiddelaar in of vanuit Nederland diensten aan te bieden aan of te verrichten voor natuurlijke personen of rechtspersonen niet behorende tot een besloten kring.

Vergunning

2. Onze minister verleent, op verzoek, een vergunning als bedoeld in het eerste lid indien de aanvrager aantoont dat wordt voldaan aan bij of krachtens algemene maatregel van bestuur te stellen eisen ten aanzien van:
a. deskundigheid en betrouwbaarheid;
b. financiële waarborgen;
c. bedrijfsvoering;
d. aan het publiek te verstrekken informatie.

3. Onze minister kan, op verzoek, aan een aanvrager een vergunning verlenen indien de aanvrager aantoont dat redelijkerwijs niet volledig kan worden voldaan aan de eisen gesteld bij of krachtens het tweede lid en hij tevens aantoont dat de doeleinden die deze wet beoogt te bereiken anderszins voldoende bereikt zijn.

Voorwaarden

4. Aan een vergunning kunnen beperkingen worden gesteld en voorschriften worden verbonden met het oog op een adequate functionering van de effectenmark-

ten en de positie van de beleggers op die markten. De beperkingen kunnen uitsluitend worden gesteld ten aanzien van de reikwijdte en van de tijdsduur van de vergunning.

Regels waaraan effectenbemiddelaar zich moet houden

Art. 7. 1. Een effectenbemiddelaar aan wie een vergunning is verleend, is verplicht zich te houden aan de bij of krachtens algemene maatregel van bestuur te stellen regels met betrekking tot deskundigheid en betrouwbaarheid, financiële waarborgen, bedrijfsvoering en aan het publiek te verstrekken informatie.

2. Onze minister kan, op verzoek, bepalen dat een effectenbemiddelaar niet behoeft te voldoen aan alle in het eerste lid bedoelde regels indien de verzoeker aantoont dat daaraan redelijkerwijs niet volledig kan worden voldaan en dat de doeleinden die deze wet beoogt te bereiken anderszins voldoende bereikt zijn. Onze minister kan een beschikking als hiervoor bedoeld wijzigen of intrekken indien naar zijn oordeel de omstandigheden waaronder de beschikking is gegeven zodanig zijn gewijzigd dat de doeleinden die de wet beoogt te bereiken niet langer worden bereikt.

Vrijstelling wegens lidmaatschap organisatie

Art. 8. 1. Van het in artikel 6, eerste lid, vervatte verbod zijn vrijgesteld effectenbemiddelaars die zijn aangesloten bij een organisatie, waarvan de leden toegang hebben tot een effectenbeurs waarvan de houder een erkenning heeft als bedoeld in artikel 16, voorzover hun bemiddeling effecten betreft die zijn toegelaten tot de notering aan die effectenbeurs of waarvan aannemelijk is dat zij daartoe spoedig zullen worden toegelaten.

2. Aan de vrijstelling als bedoeld in het eerste lid is het voorschrift verbonden dat de effectenbemiddelaars voor wie de vrijstelling geldt zich houden aan de regels die zijn gesteld door de organisatie waarbij die effectenbemiddelaars zijn aangesloten en aan de regels die zijn gesteld door de houder van de desbetreffende effectenbeurs.

3. Indien Onze minister ervan kennis neemt dat een effectenbemiddelaar als bedoeld in het eerste lid zich niet houdt of heeft gehouden aan het voorschrift als bedoeld in het tweede lid, kan hij aan de organisatie waarbij die effectenbemiddelaar is aangesloten dan wel aan de houder van de desbetreffende effectenbeurs een aanwijzing geven met betrekking tot een door deze jegens de effectenbemiddelaar te volgen gedragslijn.

Art. 8a. 1. Van het in artikel 6, eerste lid, vervatte verbod zijn vrijgesteld instellingen die ingevolge artikel 52, tweede lid, onder *c, d, f* onderscheidenlijk g, van de Wet toezicht kredietwezen 1992 (Stb. 1992, 722) zijn geregistreerd, mits het verrichten van werkzaamheden als effectenbemiddelaar ingevolge de artikelen 31, tweede lid, 32, tweede lid, 50, eerste lid, onderscheidenlijk 51 van genoemde wet is toegestaan.

2. Onze minister kan aan de vrijstelling als bedoeld in het eerste lid voorschriften verbinden met het oog op een adequate functionering van de effectenmarkten en de positie van beleggers op die markten.

3. Indien een instelling als bedoeld in het eerste lid niet aan de voorschriften als bedoeld in het tweede lid voldoet, kan Onze minister, met overeenkomstige toepassing van artikel 14, tweede lid, de instelling een geheel of gedeeltelijk verbod opleggen ter zake van het verrichten van werkzaamheden als effectenbemiddelaar.

Vrijstelling voorwaarden

Art. 9. 1. Onze minister kan vrijstelling verlenen van het in artikel 6, eerste lid, vervatte verbod.

2. Aan een vrijstelling als bedoeld in het eerste lid kunnen beperkingen worden gesteld en voorschriften worden verbonden met het oog op een adequate functionering van de effectenmarkten en de positie van de beleggers op die markten. De beperkingen kunnen uitsluitend worden gesteld ten aanzien van de reikwijdte van de vrijstelling.

AFDELING 2
Vermogensbeheerders

Vermogensbeheerder (algemeen verbod)

Art. 10. 1. Het is verboden zonder vergunning als vermogensbeheerder in of vanuit Nederland diensten aan te bieden aan of te verrichten voor natuurlijke personen of rechtspersonen niet behorende tot een besloten kring.

Vergunning

2. Onze minister verleent, op verzoek, een vergunning als bedoeld in het eerste lid indien wordt voldaan aan bij of krachtens algemene maatregel van bestuur te stellen eisen ten aanzien van:

a. deskundigheid en betrouwbaarheid;
b. financiële waarborgen;
c. bedrijfsvoering;
d. aan het publiek te verstrekken informatie.

3. Onze minister kan, op verzoek, aan een aanvrager een vergunning verlenen indien de aanvrager aantoont dat redelijkerwijs niet volledig kan worden voldaan aan de eisen gesteld bij of krachtens het tweede lid en hij tevens aantoont dat de doeleinden die deze wet beoogt te bereiken anderszins voldoende bereikt zijn.

4. Aan een vergunning kunnen beperkingen worden gesteld en voorschriften worden verbonden met het oog op een adequate functionering van de effectenmarkten en de positie van de beleggers op die markten. De beperkingen kunnen uitsluitend worden gesteld ten aanzien van de reikwijdte en van de tijdsduur van de vergunning.

Regels waaraan de vermogensbeheerder zich moet houden

Art. 11. 1. Een vermogensbeheerder aan wie een vergunning is verleend, is verplicht zich te houden aan de bij of krachtens algemene maatregel van bestuur te stellen regels met betrekking tot deskundigheid en betrouwbaarheid, financiële waarborgen, bedrijfsvoering en aan het publiek te verstrekken informatie.

2. Onze minister kan, op verzoek, bepalen dat een vermogensbeheerder niet behoeft te voldoen aan alle in het eerste lid bedoelde regels indien de verzoeker aantoont dat daaraan redelijkerwijs niet volledig kan worden voldaan en dat de doeleinden die deze wet beoogt te bereiken anderszins voldoende bereikt zijn. Onze minister kan een beschikking als hiervoor bedoeld wijzigen of intrekken indien naar zijn oordeel de omstandigheden waaronder de beschikking is verleend zodanig zijn gewijzigd dat de doeleinden die deze wet beoogt te bereiken niet langer worden bereikt.

Vrijstelling wegens lidmaatschap organisatie

Art. 12. 1. Van het in artikel 10, eerste lid, vervatte verbod zijn vrijgesteld vermogensbeheerders die zijn aangesloten bij een organisatie, waarvan de leden toegang hebben tot een effectenbeurs waarvan de houder een erkenning heeft als bedoeld in artikel 16, voorzover Onze minister heeft verklaard dat met de door de desbetreffende organisatie en de door de houder van de desbetreffende effectenbeurs gestelde regels die verplichtingen met zich brengen bij de uitoefening van het beroep of bedrijf van de vermogensbeheerder de doeleinden die deze wet beoogt te bereiken voldoende bereikt worden. De verklaring van Onze minister wordt in de Staatscourant geplaatst.

2. Aan de vrijstelling als bedoeld in het eerste lid is het voorschrift verbonden dat de vermogensbeheerders voor wie de vrijstelling geldt zich houden aan de regels die zijn gesteld door de organistie waarbij die vermogensbeheerders zijn aangesloten en aan de regels die zijn gesteld door de houder van de desbetreffende effectenbeurs.

3. Indien Onze minister ervan kennis neemt dat een vermogensbeheerder als bedoeld in het eerste lid zich niet houdt of heeft gehouden aan het voorschrift als bedoeld in het tweede lid, kan hij de organisatie waarbij die vermogensbeheerder is aangesloten dan wel aan de houder van de desbetreffende effectenbeurs een aanwijzing geven met betrekking tot een door deze jegens de vermogensbeheerder te volgen gedragslijn.

Art. 12a. 1. Van het in artikel 10, eerste lid, vervatte verbod zijn vrijgesteld instellingen die ingevolge artikel 52, tweede lid, onder *c. d. f* onderscheidenlijk *g.* van de Wet toezicht kredietwezen 1992 zijn geregistreerd, mits het verrichten van werkzaamheden als vermogensbeheerder ingevolge de artikelen 31, tweede lid, 32, tweede lid, 50, eerste lid, onderscheidenlijk 51, van genoemde wet is toegestaan.

2. Onze minister kan aan de vrijstelling als bedoeld in het eerste lid voorschriften verbinden met het oog op een adequate functionering van de effectenmarkten en de positie van beleggers op die markten.

3. Indien een instelling als bedoeld in het eerste lid niet aan de voorschriften als bedoeld in het tweede lid voldoet, kan Onze minister, met overeenkomstige toepassing van artikel 14, tweede lid, de instelling een geheel of gedeeltelijk verbod opleggen ter zake van het verrichten van werkzaamheden als vermogensbeheerder.

Vrijstelling

Art. 13. 1. Onze minister kan vrijstelling verlenen van het in artikel 10, eerste lid, vervatte verbod.

Voorwaarden

2. Aan een vrijstelling als bedoeld in het eerste lid kunnen beperkingen worden gesteld en voorschriften worden verbonden met het oog op een adequate functione-

ring van de effectenmarkten en de positie van de beleggers op die markten. De beperkingen kunnen uitsluitend worden gesteld ten aanzien van de reikwijdte van de vrijstelling.

AFDELING 3
Intrekkingsbepalingen

Intrekking vergunning of ontheffing

Art. 14. 1. Onze minister kan een op grond van de artikelen 4 en 5 verleende ontheffing en een op grond van de artikelen 6 en 10 verleende vergunning slechts intrekken:
a. op verzoek van de houder;
b. indien de gegevens of bescheiden die zijn verstrekt ter verkrijging van de vergunning of ontheffing zodanig onjuist of onvolledig blijken dat op het verzoek een andere beslissing zou zijn genomen als bij de beoordeling van het verzoek de juiste omstandigheden volledig bekend waren geweest;
c. indien zich omstandigheden voordoen of feiten bekend worden op grond waarvan, zo zij voor het tijdstip waarop de vergunning of ontheffing werd verleend zich hadden voorgedaan of bekend waren geweest, de vergunning of de ontheffing zou zijn geweigerd;
d. indien de houder kennelijk de in artikel 6 of artikel 10 bedoelde werkzaamheden niet meer uitvoert;
e. indien de houder niet meer voldoet aan de bij of krachtens deze wet gestelde eisen of beperkingen of gegeven voorschriften.

Afwikkeling overeenkomsten na intrekking

2. Degene wiens vergunning of ontheffing is ingetrokken, is gehouden binnen een door Onze minister te stellen termijn alle lopende overeenkomsten af te wikkelen die zijn aangegaan voordat de intrekking openbaar is gemaakt. Onze minister kan deze termijn verlengen. Hij kan een ander met de afwikkeling belasten, die aan hem verantwoording schuldig is.

AFDELING 4
Register

Register

Art. 15. 1. Onze minister houdt een register waarin zijn opgenomen de effectenbemiddelaars en vermogensbeheerders die ingevolge een vergunning of vrijstelling hun diensten mogen aanbieden of verrichten alsmede de aan de desbetreffende vergunning of vrijstelling gestelde beperkingen of verbonden voorschriften.

Doorhaling

2. De inschrijving van een effectenbemiddelaar of van een vermogensbeheerder van wie de vergunning is ingetrokken wordt doorgehaald.

Publikatie

3. De inschrijving van een effectenbemiddelaar of van een vermogensbeheerder en de aan zijn vergunning gestelde beperkingen en verbonden voorschriften alsmede de doorhaling worden binnen twee weken, na de dag waarop zij heeft plaatsgehad, medegedeeld in de Staatscourant.

4. Onze minister kan bepalen dat de in het derde lid bedoelde mededeling van een doorhaling tot een nader door hem te bepalen tijdstip wordt aangehouden indien openbaarmaking ernstige schade aan de belangen van beleggers zou kunnen toebrengen.

5. In de maand januari van elk jaar wordt een lijst van de ingeschreven effectenbemiddelaars en vermogensbeheerders naar de stand van 31 december van het voorgaande jaar in de Staatscourant geplaatst.

6. Onze minister houdt een afschrift van het register voor een ieder kosteloos ter inzage.

AFDELING 5
Efectenbeurzen

Effectenbeurs

Art. 16. 1. Het houden van een effectenbeurs is niet toegestaan dan na verkregen erkenning van Onze minister.

Erkenning

2. De erkenning wordt verleend indien het houden van de effectenbeurs, de voor de effectenbeurs te hanteren regels en hun toepassing, en de controle op de naleving van die regels zullen voldoen aan hetgeen nodig is met het oog op een adequate functionering van de effectenmarkten en de positie van de beleggers op die markten.

Voorwaarden

3. Aan de erkenning kunnen beperkingen worden gesteld en voorschriften worden verbonden met het oog op een adequate functionering van de effectenmarkten en de positie van de beleggers op die markten.

Art. 17. Van iedere wijziging in de regels en in de controle als bedoeld in artikel 16, tweede lid, stelt de houder van de effectenbeurs Onze minister vooraf in kennis.

Voorschriften effectenbeurs

Art. 18. Onze minister kan met het oog op een adequate functionering van de effectenmarkten en de positie van de beleggers op die markten voorschriften geven aan de houder van een effectenbeurs met betrekking tot de voor die effectenbeurs te hanteren regels, hun toepassing, of de controle op de naleving van deze regels.

Intrekking erkenning

Art. 19. Onze minister kan een erkenning als bedoeld in artikel 16 intrekken, indien voor het houden van de desbetreffende effectenbeurs onvoldoende waarborgen worden geboden met het oog op een adequate functionering van de effectenmarkten of de positie van de beleggers op die markten, of indien door de houder van de effectenbeurs niet of niet genoegzaam de op grond van artikel 18 gestelde voorschriften worden nageleefd.

AFDELING 6
Uitvoering Europese regelgeving

Uitvoering Europese regelgeving

Art. 20. 1. Onze minister kan aan organisaties als bedoeld in de artikelen 8 en 12 voorschriften geven om de regels die voor de effectenbemiddelaars onderscheidenlijk de vermogensbeheerders gelden in overeenstemming te doen zijn met richtlijnen van de Raad van de Europese Gemeenschappen inzake het effectenverkeer. Onze minister kan de organisaties voorschriften geven ter uitvoering van zodanige richtlijnen.

2. Onze minister kan aan de houder van een effectenbeurs voorschriften geven ter uitvoering van richtlijnen van de Raad van de Europese Gemeenschappen inzake het effectenverkeer.

HOOFDSTUK IV
Controle en uitvoering

Inlichtingen vragen of een onderzoek instellen

Art. 21. 1. Onze minister kan bij effectenbemiddelaars, bij vermogensbeheerders, bij aanvragers van een vergunning als bedoeld in de artikelen 6 en 10, bij organisaties als bedoeld in de artikelen 8 en 12, bij organisaties waarbij effectenbemiddelaars of vermogensbeheerders zijn aangesloten op wie wegens die aansluiting een vrijstelling als bedoeld in artikel 9 of 13 van toepassing is, bij degene op wie artikel 3, tweede lid, van toepassing is, alsmede bij degene op wie de vrijstelling als bedoeld in artikel 4, eerste lid, van toepassing is of die een in dat artikel bedoelde ontheffing heeft aangevraagd of gekregen, inlichtingen vragen of een onderzoek instellen of doen instellen teneinde na te gaan of kan worden voldaan dan wel wordt voldaan aan de bij en krachtens deze wet gestelde eisen of beperkingen dan wel gegeven voorschriften en teneinde na te gaan of er aanleiding is tot het doen van aangifte ter zake van misbruik van voorwetenschap.

2. Onze minister kan bij een houder van een effectenbeurs danwel bij de aanvrager van een erkenning bedoeld in artikel 16, eerste lid, inlichtingen vragen of onderzoek instellen of doen instellen ten einde na te gaan of de voor de effectenbeurs te hanteren regels, de toepassing daarvan en de controle op de nakoming van die regels voldoen dan wel kunnen voldoen aan hetgeen nodig is met het oog op een adequate functionering van de effectenmarkten en de positie van de beleggers op die markten en teineinde na te gaan of er aanleiding is tot het doen van aangifte ter zake van misbruik van voorwetenschap.

3. Indien het belang van het onderzoek als bedoeld in het tweede lid zulks vordert kan Onze minister bij de in het voornoemde lid bedoelde effectenbeurs aangesloten effectenbemiddelaars en vermogensbeheerders inlichtingen vragen of een onderzoek instellen of doen instellen voor het in het tweede lid aangegeven doel.

4. Degene aan wie inlichtingen als bedoeld in dit artikel worden gevraagd, is verplicht deze inlichtingen binnen een door Onze minister te stellen termijn te verstrekken.

5. Degene bij wie een onderzoek wordt ingesteld als bedoeld in dit artikel dient aan de personen die het onderzoek verrichten inzage te verlenen in alle boeken, bescheiden of andere informatiedragers die op de uitoefening van zijn beroep of bedrijf betrekking hebben, en overigens alle medewerking te verlenen die nodig is voor een goede uitvoering van dat onderzoek.

6. Een derde, die de in het vijfde lid bedoelde boeken, bescheiden of andere informatiedragers onder zich heeft, is verplicht deze op vordering van Onze minister over te leggen.
7. Inlichtingen omtrent afzonderlijke ondernemingen en instellingen die ingevolge dit artikel zijn verkregen zijn geheim.

Misbruik van gegevens of inlichtingen

Art. 22. Het is aan een ieder, die uit hoofde van de toepassing van deze wet of van de krachtens deze wet genomen besluiten enige taak vervult, verboden van gegevens of inlichtingen, ingevolge deze wet verstrekt of van een instantie als bedoeld in artikel 24 ontvangen, of van gegevens of inlichtingen, bij het onderzoek van boeken, bescheiden of andere informatiedragers verkregen, verder of anders gebruik te maken of daaraan verder of anders bekendheid te geven dan voor de uitoefening van zijn taak of door deze wet wordt geëist.

Openbaarmaking van besluiten en feiten

Art. 23. Met het oog op een adequate functionering van de effectenmarkten en de positie van de beleggers op die markten kan Onze minister, voor zover nodig in afwijking van artikel 21, zevende lid, en artikel 22, ter openbare kennis brengen:
a. zijn weigering om een aangevraagde vergunning of ontheffing te verlenen wanneer deze weigering niet meer in beroep kan worden getroffen;
b. het feit dat degene die bij uitgifte effecten aanbiedt en op wie naar zijn oordeel het verbod van artikel 3 van toepassing is niet over een ontheffing beschikt;
c. het feit dat een effectenbemiddelaar of een vermogensbeheerder, die naar zijn oordeel onder het verbod van artikel 6 of artikel 10 valt, niet over een vergunning beschikt; of
d. het feit dat de houder van een effectenbeurs die naar zijn oordeel onder het verbod van artikel 16 valt, niet over een erkenning beschikt.

Verstrekken gegevens en inlichtingen

Art. 24. 1. Onze minister is, in afwijking van artikel 21, zevende lid, en artikel 22 bevoegd om gegevens of inlichtingen verkregen bij de vervulling van de hem ingevolge deze wet opgedragen taak, te verstrekken aan Nederlandse of buitenlandse overheidsinstanties dan wel aan Nederlandse of buitenlandse van overheidswege aangewezen instanties die belast zijn met het toezicht op financiële markten of op natuurlijke personen en rechtspersonen die op die markten werkzaam zijn, tenzij:
a. het doel waarvoor de gegevens of inlichtingen zullen worden gebruikt onvoldoende bepaald is;
b. het beoogde gebruik van de gegevens of inlichtingen niet past in het kader van het toezicht op financiële markten of op natuurlijke personen en rechtspersonen die op die markten werkzaam zijn;
c. de verstrekking van de gegevens of inlichtingen zich niet zou verdragen met de Nederlandse wet of de openbare orde;
d. de geheimhouding van de gegevens of inlichtingen niet in voldoende mate is gewaarborgd;
e. de verstrekking van de gegevens of inlichtingen redelijkerwijs in strijd is of zou kunnen komen met de belangen die deze wet beoogt te beschermen; of
f. onvoldoende is gewaarborgd dat de gegevens of inlichtingen niet zullen worden gebruikt voor een ander doel dan waarvoor deze worden verstrekt.
2. Indien een buitenlandse instantie als bedoeld in het eerste lid aan degene die de gegevens of inlichtingen op grond van dat lid heeft verstrekt, verzoekt om die gegevens of inlichtingen te mogen gebruiken voor een ander doel dan waarvoor zij zijn verstrekt, mag dat verzoek slechts worden ingewilligd:
a. voor zover het beoogde gebruik niet in strijd is met het eerste lid; dan wel
b. voor zover die buitenlandse instantie op een andere wijze dan in deze wet voorzien vanuit Nederland met inachtneming van de daarvoor geldende procedures voor dat andere doel de beschikking over die gegevens of inlichtingen zou kunnen verkrijgen; alsmede
c. pas na overleg met Onze Minister van Justitie indien het in de aanhef bedoelde verzoek betrekking heeft op een onderzoek naar strafbare feiten.

Art. 24a. 1. Onze minister dan wel een rechtspersoon aan wie ingevolge artikel 25 taken en bevoegdheden zijn overgedragen werkt, voor zover noodzakelijk ten behoeve van de uitoefening van het toezicht op effectenbemiddelaars en vermogensbeheerders die deel uitmaken van een groep, samen met de autoriteiten die ingevolge de Wet toezicht kredietwezen 1992 (Stb. 1992, 722), de Wet toezicht verzekeringsbedrijf 1993 onderscheidenlijk de Wet toezicht beleggingsinstellingen (Stb. 1990, 380) belast zijn met het toezicht op kredietinstellingen, verzekeraars onderscheidenlijk beleggingsinstellingen die tot diezelfde groep behoren.

2. Onze minister dan wel een rechtspersoon aan wie ingevolge artikel 25 taken en bevoegdheden zijn overgedragen pleegt, in de gevallen bedoeld in het eerste lid, waar nodig overleg met een autoriteit als bedoeld in het eerste lid.

3. Onze minister dan wel een rechtspersoon aan wie ingevolge artikel 25 taken en bevoegdheden zijn overgedragen werkt, in de gevallen bedoeld in het eerste lid, waar nodig samen op basis van een of meer daartoe met een autoriteit als bedoeld in het eerste lid overeen te komen regelingen. Deze regelingen betreffen in elk geval afspraken over het stellen van gemeenschappelijke eisen, het coördineren van werkzaamheden uit hoofde van ieders uitoefening van het toezicht en het uitwisselen van gegevens en inlichtingen.

4. Onze Minister dan wel een rechtspersoon aan wie ingevolge artikel 25 taken en bevoegdheden zijn overgedragen, verstrekt aan een autoriteit als bedoeld in het eerste lid danwel de autoriteit die belast is met de uitvoering van de Wet inzake de wisselkantoren de gegevens of inlichtingen die hij verkregen heeft bij de vervulling van de hem bij of krachtens deze wet opgedragen taak en die betrekking hebben op de deskundigheid en betrouwbaarheid van personen als omschreven in de algemene maatregelen van bestuur tot uitvoering van artikel 6, tweede lid, onder a, en artikel 10, tweede lid, onder a, voor zover Onze Minister dan wel de rechtspersoon als bovenbedoeld van oordeel is dat deze gegevens of inlichtingen van belang zijn of zouden kunnen zijn voor het toezicht dat door die andere autoriteit wordt uitgeoefend.

5. De verplichting als beschreven in het vierde lid geldt niet in het geval de gegevens of inlichtingen zijn verkregen van een buitenlandse instantie als bedoeld in artikel 24, eerste lid.

Bevoegdheden minister bij uitvoering internationale verplichtingen

Art. 24b. 1. Ter uitvoering van verdragen tot uitwisseling van gegevens of inlichtingen dan wel ter uitvoering van bindende besluiten van volkenrechtelijke organisaties met betrekking tot het toezicht op financiële markten of op natuurlijke personen en rechtspersonen die op die markten werkzaam zijn, is Onze Minister bevoegd ten behoeve van een instantie die werkzaam is in een Staat die met Nederland partij is bij een verdrag of die met Nederland partij is bij een verdrag of die met Nederland valt onder eenzelfde bindend besluit van een volkenrechtelijke organisatie, en die in die Staat belast is met de uitvoering van wettelijke regelingen inzake het toezicht op het effectenwezen, inlichtingen te vragen aan of een onderzoek in te stellen of te doen instellen bij een ieder die ingevolge deze wet onder zijn toezicht valt dan wel bij een ieder waarvan redelijkerwijs kan worden vermoed dat hij over gegevens of inlichtingen beschikt die van belang kunnen zijn voor de uitvoering van de wettelijke regelingen als hiervoor bedoeld.

2. Degene aan wie gegevens of inlichtingen als bedoeld in het eerste lid worden gevraagd, verstrekt deze gegevvens of inlichtingen binnen een door Onze Minister te stellen termijn.

3. Degene bij wie een onderzoek als bedoeld in het eerste lid wordt ingesteld, verleent aan de persoon die het onderzoek verricht alle medewerking die nodig is voor een goede uitvoering van dat onderzoek, met dien verstande dat degene bij wie het onderzoek wordt ingesteld slechts kan worden verplicht tot het verlenen van inzage in boeken, bescheiden of andere informatiedragers voor zover deze op de uitoefening van zijn beroep of bedrijf betrekking hebben.

Medewerking buitenlandse functionaris

Art. 24c. 1. Onze Minister kan toestaan dat een functionaris van een buitenlandse instantie als bedoeld in artikel 24b, eerste lid, deelneemt aan de uitvoering van een verzoek als bedoeld in dat lid.

2. De verplichting, omschreven in het derde lid van artikel 24b, geldt eveneens jegens de in het eerste lid bedoelde functionaris.

3. De in het eerste lid bedoelde functionaris volgt de aanwijzingen op van de persoon die met de uitvoering van het verzoek is belast.

Overdracht taken en bevoegdheden

Art. 25. 1. Taken en bevoegdheden die Onze minister op grond van deze wet heeft kunnen, met uitzondering van het bepaalde in de artikelen 16, 19, 20, 26, 28 en 31, en met uitzondering van het verlenen vrijstelling als bedoeld in de artikelen 4, 5, 9 en 13, bij algemene maatregel van bestuur worden overgedragen aan een of meer rechtspersonen. Alsdan gelden de verplichtingen op grond van deze wet jegens Onze minister als verplichtingen jegens de desbetreffende rechtspersoon of rechtspersonen.

2. Een overdracht als bedoeld in het eerste lid vindt slechts plaats indien de betrokken rechtspersoon aan de volgende eisen voldoet:
a. hij dient in staat te zijn de in het eerste lid bedoelde taken en bevoegdheden naar behoren te vervullen;
b. de voorwaarden dienen aanwezig te zijn voor een zodanige besluitvorming binnen de betrokken rechtspersoon dat een onafhankelijke vervulling van de in het eerste lid bedoelde taken en bevoegdheden zoveel mogelijk is gewaarborgd;
c. de statuten van de rechtspersoon dienen te bepalen dat de benoeming, de schorsing en het ontslag van de bestuurders van de rechtspersoon geschiedt door Onze minister.

3. Aan de overdracht als bedoeld in het eerste lid kunnen beperkingen worden gesteld en voorschriften worden verbonden.

4. Onze minister kan aan een rechtspersoon als bedoeld in het eerste lid voorschriften geven ter uitvoering van richtlijnen van de Raad van de Europese Gemeenschappen inzake het effectenverkeer.

Verslag aan Onze minister

5. De rechtspersoon of rechtspersonen brengen eenmaal per jaar, uiterlijk op 1 mei, verslag uit aan Onze minister over de uitoefening van de gedelegeerde taken en bevoegdheden in het voorgaande kalenderjaar. Dit verslag wordt door de zorg van Onze minister gepubliceerd behoudens het gedeelte handelende over de uitvoering van de artikelen 4, 5, tweede en derde lid, 6, derde lid, 7, tweede lid, 10, derde lid, en 11, tweede lid, met dien verstande dat zonder schriftelijke toestemming van de bij het verslag betrokkenen gegevens met betrekking tot afzonderlijke ondernemingen en instellingen niet worden gepubliceerd.

Verbod statuten te wijzigen tenzij na goedkeuring

Art. 26. 1. Het is een rechtspersoon als bedoeld in artikel 25, eerste lid, verboden zijn statuten te wijzigen, tenzij de wijziging door Onze minister is goedgekeurd.

2. Onze minister kan een goedkeuring als bedoeld in het eerste lid weigeren indien de statuten na de wijziging onvoldoende zouden zijn afgestemd op het bepaalde in artikel 25.

Art. 27. Indien ingevolge artikel 25 taken en bevoegdheden zijn overgedragen aan een of meer rechtspersonen, wordt of worden deze gehoord alvorens een algemene maatregel van bestuur als bedoeld in de artikelen 3, 5, 6, 7, 10 en 11, alsmede een vrijstelling als bedoeld in de artikelen 4, 5, 9 en 13, tot stand wordt gebracht, gewijzigd of ingetrokken alvorens een erkenning tot het houden van een effectenbeurs ingevolge artikel 16 wordt verleend of ingevolge artikel 19 wordt ingetrokken danwel alvorens voorschriften worden gegeven ingevolge artikel 20 of 25, vierde lid.

Retributies

Art. 28. Onze minister dan wel een rechtspersoon aan wie ingevolge artikel 25 taken en bevoegdheden zijn overgedragen, is bevoegd de kosten die gemaakt worden voor de uitvoering van die taken en de uitoefening van die bevoegdheden volgens door Onze minister te stellen regels in rekening te brengen bij de houders van effectenbeurzen, bij organisaties als bedoeld in de artikelen 8 en 12, bij organisaties waarbij effectenbemiddelaars of vermogensbeheerders zijn aangesloten op wie wegens die aansluiting een vrijstelling als bedoeld in artikel 9 of 13 van toepassing is, bij effectenbemiddelaars, bij vermogensbeheerders, alsmede bij aanvragers van een ontheffing als bedoeld in de artikelen 4 en 5.

HOOFDSTUK V
Beroep

Beschikking

Art. 29. 1. De houder van een effectenbeurs neemt binnen zes maanden een beschikking op een aanvraag om toelating tot de officiële notering.

Beroep door belanghebbende

2. Tegen een beschikking van de houder van een effectenbeurs omtrent de toelating van effecten tot, of het doen vervallen van effecten uit de notering aan die effectenbeurs, kunnen belanghebbenden administratief beroep instellen bij Onze Minister.

Coll. van Beroep voor het bedr.leven

Art. 30. Tegen een op grond van deze wet genomen besluit kan een belanghebbende beroep instellen bij het College van Beroep voor het bedrijfsleven.

HOOFDSTUK VI
Bepaling van bijzondere aard

Intrekken of weigeren vergunning

Art. 31. Onze minister kan bepalen dat een vergunning op grond van deze wet wordt geweigerd of ingetrokken of dat aan een vergunning beperkingen worden gesteld of voorschriften worden verbonden, dan wel dat eerder gestelde beperkingen en gegeven voorschriften worden gewijzigd, indien:
a. de effectenbemiddelaar of vermogensbeheerder zijn zetel heeft in een Staat, niet zijnde een Lid-Staat van de Europese Gemeenschappen, waar Nederlandse financiële instellingen niet worden toegelaten of aan onredelijke beperkingen worden onderworpen;
b. een natuurlijke persoon of rechtspersoon met de nationaliteit van een onder a bedoelde Staat rechtstreeks of middellijk overwegende zeggenschap kan uitoefenen in het bedrijf van de effectenbemiddelaar of vermogensbeheerder.

HOOFDSTUK VI A.
Misbruik van voorwetenschap en publieksmisleiding

Effectenhandel met voorwetenschap

Art. 31a. 1. Het is een ieder verboden om, beschikkende over voorwetenschap, in Nederland een transactie te verrichten of te bewerkstelligen in effecten die zijn genoteerd op een op grond van artikel 16 erkende effectenbeurs, indien uit de transactie enig voordeel kan ontstaan.

2. Het is een ieder verboden om, beschikkende over voorwetenschap, vanuit Nederland een transactie te bewerkstelligen in effecten die zijn genoteerd op een buiten Nederland gevestigde effectenbeurs, indien uit de transactie enig voordeel kan ontstaan.

Definitie voorwetenschap

3. Voorwetenschap is bekendheid met een bijzonderheid omtrent de rechtspersoon, vennootschap of instelling, waarop de effecten betrekking hebben of omtrent de handel in de effecten:
a. waarvan degene die de bijzonderheid kent, weet of redelijkerwijs moet vermoeden dat zij niet openbaar is en dat zij niet zonder schending van een geheim buiten de kring van de geheimhoudingsplichtigen kan komen of is gekomen; en
b. waarvan openbaarmaking, naar redelijkerwijs is te verwachten, invloed zal hebben op de koers van de effecten.

Tussenpersoon

4. Het verbod van het eerste en tweede lid is niet van toepassing op de tussenpersoon die, slechts beschikkend over voorwetenschap met betrekking tot de handel, volgens de regels van de goede trouwe ter beurze handelt ter bediening van opdrachtgevers.

Strafbaar feit

5. Ten aanzien van strafbare feiten als bedoeld in het eerste lid, is de rechtbank van Amsterdam in eerste aanleg bij uitsluiting bevoegd.

Bedrog

Art. 31b. Het is een ieder die effecten uitgeeft of belast is met, of zijn medewerking verleent tot het plaatsen van effecten, verboden te trachten het publiek tot inschrijving of deelneming te bewegen door het opzettelijk verzwijgen of verminken van ware, of voorspiegelen van valse feiten of omstandigheden.

Misdrijf

Art. 31c. Overtreding van de verbodsbepalingen van de artikelen 31a en 31b is een misdrijf.

HOOFDSTUK VII
Wijziging andere wetten

Art. 32. (Bevat wijzigingen in de Wet op de economische delicten (Stb. 1950, K 258)).

Art. 33. (Bevat wijzigingen in de Noodwet financieel verkeer (Stb. 1978, 358).

Art. 34. (Bevat wijzigingen in het Wetboek van Strafrecht (Stb. 1986, 64).

HOOFDSTUK VIII
Slotbepalingen

Mededelingen in Stcrt.

Art. 35. Van de verlening van een vrijstelling, vergunning, erkenning, ontheffing en de intrekking daarvan wordt mededeling gedaan in de Staatscourant.

Art. 36. 1. Het op het tijdstip van inwerkingtreding van de artikelen 4 en 5 van deze wet in of vanuit Nederland bij uitgifte aanbieden van effecten buiten besloten kring waarop op dat tijdstip het verbod van artikel 4, eerste lid, van de Wet effectenhandel (Stb. 1985, 570) niet van toepassing was op grond van een vrijstelling of ontheffing ingevolge artikel 4, tweede lid, of artikel 5, eerste lid, van die wet, is vrijgesteld van het verbod van artikel 4 van deze wet mits gehandeld wordt overeenkomstig hetgeen is bepaald bij en krachtens de genoemde artikelen van de Wet effectenhandel.

Overgangsbepalingen

2. Effectenbemiddelaars die op het tijdstip van inwerkingtreding van artikel 6 van deze wet een vergunning als bedoeld in artikel 6, tweede lid, respectievelijk een ontheffing als bedoeld in artikel 8, tweede lid, van de Wet effectenhandel hebben, worden geacht op dat tijdstip een vergunning als bedoeld in artikel 6 van deze wet te hebben verkregen.

3. Effectenbemiddelaars respectievelijk vermogensbeheerders waarop op het tijdstip van inwerkingtreding van de artikelen 8 en 9 respectievelijk 12 en 13 van deze wet artikel 7 van de Wet effectenhandel van toepassing was of die ingevolge artikel 8, tweede lid, van de Wet effectenhandel waren vrijgesteld, worden geacht op dat tijdstip ingevolge artikel 9, tweede lid, respectievelijk artikel 13, tweede lid, van deze wet te zijn vrijgesteld voor zover artikel 8 respectievelijk artikel 12 van deze wet niet reeds op hen van toepassing is.

4. Vermogensbeheerders die op het tijdstip van inwerkingtreding van artikel 10 van deze wet een ontheffing hadden als bedoeld in artikel 8, tweede lid, van de Wet effectenhandel worden geacht op dat tijdstip een vergunning als bedoeld in artikel 10 van deze wet te hebben verkregen.

5. Op de in het tweede lid bedoelde effectenbemiddelaars en de in het vierde lid bedoelde vermogensbeheerders die op het tijdstip van inwerkingtreding van de artikelen 6 en 7 respectievelijk de artikelen 10 en 11 van deze wet niet voldoen aan de bij of krachtens de artikelen 6 en 7 respectievelijk de artikelen 10 en 11 gestelde vereisten, wordt het bepaalde bij of krachtens deze artikelen alsmede artikel 14, eerste lid, onder e, van toepassing één jaar na dat tijdstip.

Art. 37. Op het tijdstip waarop artikel 16 van deze wet in werking treedt, hebben de houders van de effectenbeurzen die zijn geopend op grond van artikel 2, tweede lid, onder 1°, van de Beurswet 1914 (Stb. 1914, 445) een erkenning als bedoeld in artikel 16 van deze wet.

Art. 38. 1. De Beurswet 1914 wordt ingetrokken.

2. Hoofdstuk II en Hoofdstuk III van de Wet effectenhandel worden ingetrokken. Gegevens door Onze minister verkregen bij de uitvoering van de Wet effectenhandel kunnen, indien taken en bevoegdheden ingevolge artikel 25 van deze wet aan een of meer rechtspersonen zijn overgedragen, aan deze rechtspersonen worden verstrekt.

3. Indien het bij koninklijke boodschap van 3 mei 1989 ingediende voorstel van Wet toezicht beleggingsinstellingen tot wet is verheven en in werking is getreden op een eerder tijdstip dan deze wet, blijft de eerste volzin van het tweede lid buiten toepassing en wordt de Wet effectenhandel ingetrokken.

Art. 39. (Bevat wijzigingen in de Wet op de economische delicten (Stb. 1950, K 258)).

Art. 40. Deze wet treedt in werking op een bij koninklijk besluit te bepalen tijdstip dat voor de verschillende artikelen of onderdelen daarvan verschillend kan worden gesteld.

Inwerkingtreding

Art. 41. Deze wet kan worden aangehaald als: Wet toezicht effectenverkeer.

Citeertitel

WET van 18 december 1991, Stb. 748, houdende regelen inzake de melding van de verkrijging of overdracht van zeggenschap of van een belang in ter beurze van de Europese Gemeenschappen genoteerde vennootschappen naar Nederlands recht (Wet melding zeggenschap in ter beurze genoteerde vennootschappen), zoals laatstelijk gewijzigd bij wet van 23 december 1993, Stb. 690

Allen, die deze zullen zien of horen lezen, saluut! doen te weten:

Alzo Wij in overweging genomen hebben, dat het noodzakelijk is uitvoering te geven aan de richtlijn van de Raad van de Europese Gemeenschappen van 12 december 1988 tot coördinatie van de wettelijke en bestuursrechtelijke bepalingen betreffende de gegevens die moeten worden gepubliceerd bij de verkrijging en bij overdracht van een belangrijke deelneming in een ter beurze genoteerde vennootschap (Pb. EG. L. 348/62 van 12 december 1988);

Zo is het, dat Wij, de Raad van State gehoord, en met gemeen overleg der Staten-Generaal, hebben goedgevonden en verstaan, gelijk Wij goedvinden en verstaan bij deze:

HOOFDSTUK I
Algemene bepalingen

Begripsbepaling

Art. 1. 1. In deze wet wordt verstaan onder:
a. vennootschap: een naamloze vennootschap naar Nederlands recht waarvan aandelen of certificaten van aandelen in het kapitaal zijn toegelaten tot de officiële notering aan een in een van de Lid-Staten van de Europese Gemeenschappen gelegen en werkzame effectenbeurs;
b. Onze minister: Onze Minister van Financiën.

2. Voor de toepassing van deze wet worden onder aandelen mede verstaan: certificaten van aandelen en rechten ingevolge een overeenkomst op verkrijging van aandelen of certificaten van aandelen.

3. Behoudens voor zover het betreft het bepalen van alle stemmen die op het geplaatste kapitaal van een vennootschap zouden kunnen worden uitgebracht als bedoeld in de artikelen 2, 8 en 17 wordt voor de toepassing van deze wet onder stemrecht of stemmen mede verstaan: het recht ingevolge een overeenkomst op verkrijging van stemrecht of stemmen.

4. Voor de toepassing van deze wet wordt onder het overdragen van aandelen of het beëindigen van stemrecht mede verstaan: het aflopen van een recht ingevolge een overeenkomst op verkrijging van aandelen of het aflopen van een recht ingevolge een overeenkomst op verkrijging van stemrecht.

5. Voor de toepassing van deze wet wordt onder dochtermaatschappij verstaan: een dochtermaatschappij als bedoeld in artikel 24a van Boek 2 van het Burgerlijk Wetboek. Met een dochtermaatschappij wordt gelijkgesteld een rechtspersoon of vennootschap waarin de rechten en bevoegdheden als bedoeld in artikel 24a van Boek 2 van het Burgerlijk Wetboek kunnen worden uitgeoefend door een natuurlijke persoon.

6. Voor de toepassing van deze wet wordt met een Lid-Staat van de Europese Gemeenschappen gelijkgesteld een Staat, niet zijnde een Lid-Staat van de Europese Gemeenschappen, die partij is bij de Overeenkomst betreffende de Europese Economische Ruimte.

HOOFDSTUK II
De melding

Meldingsplicht percentage stemmen

Art. 2. 1. De natuurlijke persoon of rechtspersoon die onder welke titel dan ook aandelen in het kapitaal van een vennootschap verkrijgt en die naar hij weet of behoort te weten, door deze verkrijging stemmen heeft, die een percentage bereiken of passeren van 5, 10, 25, 50, of 66⅔ van alle stemmen die op het geplaatste kapitaal van die vennootschap zouden kunnen worden uitgebracht, is verplicht aan de vennootschap en aan Onze minister onverwijld een melding te doen.

2. De natuurlijke persoon of rechtspersoon die onder welke titel dan ook bij de vestiging van een recht van pand of vruchtgebruik op aandelen in het kapitaal van een vennootschap stemrecht verkrijgt en die naar hij weet of behoort te weten, door deze verkrijging stemmen heeft, die een percentage bereiken of passeren van 5, 10, 25, 50, of 66⅔ van alle stemmen die op het geplaatste kapitaal van die vennootschap zouden kunnen worden uitgebracht, is verplicht aan de vennootschap en aan Onze minister onverwijld een melding te doen.

3. De natuurlijke persoon of rechtspersoon die onder welke titel dan ook aandelen in het kapitaal van een vennootschap overdraagt en wiens stemmen naar hij weet of behoort te weten, ingevolge deze overdracht een percentage bereiken of passeren van 5, 10, 25, 50 of 66⅔ van alle stemmen die op het geplaatste kapitaal van die vennootschap zouden kunnen worden uitgebracht, is verplicht aan de vennootschap en aan Onze minister onverwijld een melding te doen.

4. De natuurlijke persoon of rechtspersoon wiens stemrecht bij de beëindiging van een recht van pand of vruchtgebruik op aandelen in het kapitaal van een vennootschap eindigt en wiens stemmen naar hij weet of behoort te weten, door deze beëindiging een percentage bereiken of passeren van 5, 10, 25, 50 of 66⅔ van alle stemmen die op het geplaatste kapitaal van die vennootschap zouden kunnen worden uitgebracht, is verplicht aan de vennootschap en aan Onze minister onverwijld een melding te doen.

Meldingsplicht percentage belang

Art. 3. 1. De natuurlijke persoon of rechtspersoon die onder welke titel dan ook aandelen in het kapitaal van een vennootschap verkrijgt en die naar hij weet of behoort te weten, door deze verkrijging een belang houdt dat een percentage bereikt of passeert van 5, 10, 25, 50 of 66⅔ van het geplaatste kapitaal van die vennootschap, is verplicht aan de vennootschap en aan Onze minister onverwijld een melding te doen.

2. De natuurlijke persoon of rechtspersoon die onder welke titel dan ook aandelen in het kapitaal van een vennootschap overdraagt en wiens belang naar hij weet of behoort te weten, door deze overdracht een percentage bereikt of passeert van 5, 10, 25, 50 of 66⅔ van het geplaatste kapitaal van die vennootschap, is verplicht aan de vennootschap en aan Onze minister onverwijld een melding te doen.

Verkrijgen/ overdragen aandelen

Art. 4. Onder verkrijgen of overdragen van aandelen of verkrijgen of beëindigen van stemrecht als bedoeld in de artikelen 2 en 3 wordt mede verstaan:
a. het verkrijgen of overdragen van aandelen of het verkrijgen of beëindigen van stemrecht door een dochtermaatschappij;
b. het verkrijgen of overdragen van aandelen of het verkrijgen of beëindigen van stemrecht door een derde voor rekening van de natuurlijke persoon of rechtspersoon of diens dochtermaatschappij;
c. het verkrijgen of beëindigen van stemrecht door een derde met wie de natuurlijke persoon of rechtspersoon of diens dochtermaatschappij een overeenkomst heeft gesloten die voorziet in een duurzaam gemeenschappelijk beleid inzake de uitoefening van het stemrecht.

Art. 5. Onder verkrijgen of overdragen van aandelen of verkrijgen of beëindigen van stemrecht als bedoeld in de artikelen 2 en 3 wordt mede verstaan:
a. het verwerven of afstoten van een dochtermaatschappij die aandelen houdt of stemrecht heeft;
b. het aangaan of beëindigen van een overeenkomst door de natuurlijke persoon of rechtspersoon of diens dochtermaatschappij met een derde ingevolge welke overeenkomst die derde aandelen houdt of stemrecht heeft voor rekening van de natuurlijke persoon of rechtspersoon of diens dochtermaatschappij;
c. het aangaan of beëindigen van een overeenkomst door de natuurlijke persoon of rechtspersoon of diens dochtermaatschappij met een derde die stemrecht heeft welke overeenkomst voorziet in een duurzaam gemeenschappelijk beleid inzake de uitoefening van het stemrecht.

Berekening percentage

Art. 6. 1. Bij de berekening of het percentage als bedoeld in de artikelen 2 en 3 wordt bereikt of gepasseerd worden mede in aanmerking genomen:
a. de aandelen en het stemrecht van een dochtermaatschappij;
b. de aandelen en het stemrecht van een derde voor rekening van de natuurlijke persoon of rechtspersoon of diens dochtermaatschappij;
c. stemrecht van een derde met wie de natuurlijke persoon of rechtspersoon of diens dochtermaatschappij een overeenkomst heeft gesloten die voorziet in een duurzaam gemeenschappelijk beleid inzake de uitoefening van het stemrecht.

2. Aandelen in een gemeenschap worden in evenredigheid van hun gerechtigdheid toegerekend aan de deelgenoten.

Uitzondering

Art. 7. De meldingsplicht geldt niet ten aanzien van degene die is aangesloten bij een in een van de Lid-Staten van de Europese Gemeenschappen gelegen en werkzame effectenbeurs, danwel op wie ingevolge een vrijstelling, vergunning of ontheffing het verbod van artikel 6 van de Wet toezicht effectenverkeer (Stb. 1991, 141) niet van toepassing is, voor zover zij in de regelmatige uitoefening van hun beroep of bedrijf aandelen verkrijgen of overdragen en deze niet aanwenden om zeggenschap uit te oefenen in de vennootschap.

Inhoud schriftelijke melding

Art. 8. 1. De melding dient schriftelijk te gebeuren en dient de volgende gegevens te bevatten:
a. naam, woonplaats en adres van de meldingsplichtige;
b. de naam van de vennootschap, het percentage aan stemmen en het percentage aan aandelen in het geplaatste kapitaal berekend overeenkomstig de artikelen 2, 3, 4 en 6, alsmede de samenstelling van dit percentage;
c. de datum waarop de meldingsplicht is ontstaan.

2. Een rechtspersoon die een groepsmaatschappij is als bedoeld in artikel 24b van Boek 2 van het Burgerlijk Wetboek is van de meldingsplicht ontslagen, indien de melding wordt gedaan door de rechtspersoon die aan het hoofd van de groep staat.

3. Onze minister kan regels stellen ten aanzien van de wijze waarop de samenstelling van het percentage dat dient te worden gemeld kenbaar moet worden gemaakt.

Openbaarmaking

Art. 9. 1. De vennootschap die een melding als bedoeld in de artikelen 2 en 3 heeft ontvangen, is verplicht onverwijld na de ontvangst ervan de inhoud van de melding, voorzover het betreft de onderdelen a en b als bedoeld in artikel 8, eerste lid, openbaar te maken.

2. De openbaarmaking dient te geschieden in iedere Lid-Staat van de Europese Gemeenschappen waar een notering plaatsvindt als bedoeld in artikel 1, eerste lid, onder a, door kennisgeving in een in die Lid-Staat landelijk verspreid nieuwsblad danwel door algemene verkrijgbaarstelling van een schriftelijke kennisgeving op een of meer plaatsen die in een in die Lid-Staat landelijk verspreid nieuwsblad zijn gepubliceerd.

3. De vennootschap zendt gelijktijdig met de openbaarmaking als bedoeld in het tweede lid een afschrift van de kennisgeving aan Onze minister onder mededeling van de wijze waarop de kennisgeving plaatsvindt.

Instellen onderzoek door Onze Minister bij vermoeden onjuiste/onvolledige melding

Art. 10. 1. Indien Onze minister vermoedt dat uit hoofde van artikel 2 of 3 een melding is gedaan die onjuist of onvolledig is, kan hij terzake een onderzoek instellen of doen instellen. Indien dit vermoeden bestaat bij de vennootschap waaraan de melding is gedaan, deelt zij dit onverwijld mee aan Onze minister met het verzoek terzake een onderzoek in te stellen of te doen instellen.

2. Indien het vermoeden als bedoeld in het eerste lid bestaat, kan Onze minister de plicht van de vennootschap tot openbaarmaking van de melding schorsen.

3. De natuurlijke persoon of rechtspersoon die de melding als bedoeld in het eerste lid heeft gedaan, verstrekt desgevraagd aan Onze minister, binnen een door de minister te stellen termijn, de gegevens op grond waarvan de melding is gedaan.

4. De natuurlijke persoon of rechtspersoon die de melding als bedoeld in het eerste lid heeft gedaan, kan door Onze minister in de gelegenheid worden gesteld deze melding te herstellen door alsnog aan de verplichting als bedoeld in de artikelen 2 en 3 te voldoen.

Ontheffing

Art. 11. 1. Onze minister kan een vennootschap ontheffing verlenen van de in artikel 9 omschreven verplichting indien naar zijn oordeel de openbaarmaking in strijd zou zijn met het algemeen belang dan wel indien naar zijn oordeel de vennootschap door de openbaarmaking ernstig nadeel zou kunnen ondervinden en het achterwege blijven van de openbaarmaking niet kan leiden tot misleiding van het publiek met betrekking tot feiten en omstandigheden die voor de beoordeling van de door de vennootschap uitgegeven aandelen van wezenlijk belang zijn. Een verzoek om ontheffing dat is ingediend binnen de in artikel 9, eerste lid, bedoelde termijn schorst de openbaarmakingsplicht tot door Onze minister op het verzoek is beslist.

2. Indien toepassing is gegeven aan artikel 15, eerste lid, hoort Onze minister de in dat artikel bedoelde rechtspersoon, voordat hij op het verzoek om ontheffing beslist.

3. Tegen een op grond van deze wet genomen besluit kan een belanghebbende beroep instellen bij het College van Beroep voor het bedrijfsleven.

Strafbepaling

Art. 12. Handelen in strijd met een verplichting als bedoeld in de artikelen 2, 3,

8, eerste en derde lid, 9, 10, eerste en derde lid, 14, eerste lid, en 17 is een strafbaar feit.

Maatregelen indien in strijd met een verplichting is gehandeld

Art. 13. 1. Indien is gehandeld in strijd met een verplichting als bedoeld in de artikelen 2, 3, 8, eerste lid, of 17, kan de rechtbank van de woonplaats van de betrokken vennootschap op vordering van degene die krachtens het tweede lid daartoe bevoegd is een of meer van de in het vierde lid genoemde maatregelen treffen.

2. Tot het instellen van de vordering zijn bevoegd:
a. een of meer houders van aandelen in het kapitaal van de vennootschap die alleen of gezamenlijk ten minste een twintigste gedeelte van het geplaatste kapitaal vertegenwoordigen;
b. de vennootschap.

3. De bevoegdheid om de vordering in te stellen vervalt door verloop van drie maanden vanaf de dag, waarop degene die bevoegd is de vordering in te stellen van de overtreding kennis heeft genomen of heeft kunnen nemen.

Maatregelen

4. De maatregelen, bedoeld in het eerste lid zijn:
a. veroordeling van de meldingsplichtige tot melding overeenkomstig artikel 8;
b. schorsing van het stemrecht dat kan worden uitgeoefend op de aandelen in het kapitaal van de vennootschap die door de meldingsplichtige zelf worden gehouden, dan wel die aan de meldingsplichtige worden toegerekend overeenkomstig artikel 6. De schorsing geldt voor een door de rechter te bepalen periode van ten hoogste drie jaren;
c. schorsing van een besluit van de algemene vergadering van aandeelhouders van de vennootschap totdat over een maatregel als bedoeld in onderdeel d onherroepelijk is beslist;
d. vernietiging van een besluit van de algemene vergadering van aandeelhouders van de vennootschap voor zover aannemelijk is dat, indien het stemrecht op de aandelen in het kapitaal van de vennootschap die door de meldingsplichtige zelf worden gehouden dan wel die de meldingsplichtige worden toegerekend overeenkomstig artikel 6 niet zou zijn uitgeoefend, dit besluit niet zou zijn genomen;
e. een bevel aan de meldingsplichtige om zich gedurende een door de rechter te bepalen periode van ten hoogste vijf jaren te onthouden van het verkrijgen door hemzelf dan wel op een wijze als bedoeld in artikel 4 of 5 van aandelen in het kapitaal van de vennootschap of van rechten op aandelen in het kapitaal van de vennootschap en van stemrecht.

5. Een maatregel als bedoeld in het vierde lid, onderdelen b en e, geldt niet voor aandelen die ten titel van beheer worden gehouden door een ander dan de meldingsplichtige tenzij de meldingsplichtige bevoegd is om zich deze aandelen te verschaffen of te bepalen hoe de daaraan verbonden stemrechten worden uitgeoefend.

6. De rechter regelt zo nodig de gevolgen van de door hem getroffen maatregelen.

7. De rechter kan op vordering van degene die de oorspronkelijke vordering heeft ingesteld of degene tegen wie de maatregel is gericht een door hem vastgestelde periode, bedoeld in het vierde lid, onderdelen b en e, verkorten.

8. Een maatregel als bedoeld in het vierde lid, onderdeel d, kan niet uitvoerbaar bij voorraad worden verklaard.

9. Indien de vordering betrekking heeft op aandelen die worden gehouden op de wijze van artikel 6 roept de eiser de desbetreffende houder in het geding op, zo die aan de eiser bekend is.

10. Een onmiddellijke voorziening bij voorraad kan slechts worden gevorderd bij de president van de rechtbank die op grond van het eerste lid bevoegd is. De vordering kan slechts betrekking hebben op de maatregelen als bedoeld in het vierde lid, onderdelen a, b, c en e. Het vijfde en negende lid zijn van overeenkomstige toepassing.

HOOFDSTUK III
Bijzondere bepalingen

Geheimhoudingsplicht

Art. 14. 1. Onze Minister is bevoegd gegevens of inlichtingen, die hij ingevolge deze wet heeft verkregen, uit te wisselen met buitenlandse bevoegde autoriteiten, mits deze gehouden zijn tot geheimhouding van de ontvangen gegevens of inlichtingen.

2. Indien Onze minister gegevens of inlichtingen heeft verkregen van een buitenlandse bevoegde autoriteit mag hij deze uitsluitend gebruiken voor de toepassing van deze wet.

Overdracht taken en bevoegdheden

Art. 15. 1. Taken en bevoegdheden die Onze minister op grond van deze wet heeft kunnen, met uitzondering van het bepaalde in artikel 11, eerste lid, voor zover betrekking hebbende op ontheffing van de openbaarmakingsplicht uit hoofde van het algemeen belang, en met uitzondering van het bepaalde in artikel 16, bij algemene maatregel van bestuur worden overgedragen aan een rechtspersoon. Alsdan gelden de verplichtingen op grond van deze wet jegens Onze minister als verplichtingen jegens de desbetreffende rechtspersoon.

2. Een overdracht als bedoeld in het eerste lid vindt slechts plaats indien de betrokken rechtspersoon aan de volgende eisen voldoet;
a. hij dient in staat te zijn de in het eerste lid bedoelde taken en bevoegdheden naar behoren te vervullen;
b. de voorwaarden dienen aanwezig te zijn voor een zodanige besluitvorming binnen de betrokken rechtspersoon dat een onafhankelijke vervulling van de in het eerste lid bedoelde taken en bevoegdheden zoveel mogelijk is gewaarborgd.

3. Aan de overdracht als bedoeld in het eerste lid kunnen beperkingen worden gesteld en voorschriften worden verbonden.

Verslag

4. De rechtspersoon brengt eenmaal per jaar, uiterlijk op 1 mei, verslag uit aan Onze minister over de uitoefening van de gedelegeerde taken en bevoegdheden in het voorgaande kalenderjaar. Dit verslag wordt door de zorg van Onze minister gepubliceerd, met dien verstande dat zonder schriftelijke toestemming van de bij het verslag betrokkenen gegevens met betrekking tot afzonderlijke vennootschappen en degenen op wie een meldingsplicht rust niet worden gepubliceerd, tenzij het gaat om gegevens als genoemd in artikel 8, eerste lid.

Verhalen kosten

Art. 16. Onze minister dan wel een rechtspersoon waaraan ingevolge artikel 15 taken en bevoegdheden zijn overgedragen, is bevoegd de kosten die deze voor de uitvoering en de uitoefening daarvan maakt op de vennootschappen en op degenen op wie een meldingsplicht rust volgens door Onze minister te stellen regels te verhalen.

HOOFDSTUK IV
Overgangs- en slotbepalingen

Melding percentage van tenminste 5%

Art. 17. 1. Een ieder die op het tijdstip van inwerkingtreding van deze wet, naar hij weet of behoort te weten, stemmen heeft die ten minste een percentage bedragen van 5 van alle stemmen die op het geplaatste kapitaal van een vennootschap kunnen worden uitgebracht of een belang houdt dat ten minste een percentage bedraagt van 5 van het geplaatste kapitaal van een vennootschap, is verplicht aan de vennootschap en te zelfder tijd aan Onze minister een melding te doen.

2. Op de berekening van het percentage en op de melding zijn de artikelen 2 tot en met 11 van overeenkomstige toepassing met dien verstande dat de melding geschiedt binnen dertig dagen na het tijdstip van inwerkingtreding van deze wet.

Art. 18. Bevat een wijziging in de Wet op de economische delicten.

Art. 19. Bevat een wijziging in de Wet toezicht effectenverkeer (Stb. 1991, 141 nog niet in werking getreden).

Citeertitel

Art. 20. Deze wet kan worden aangehaald als Wet melding zeggenschap in ter beurze genoteerde vennootschappen.

Inwerkingtreding

Art. 21. Deze wet treedt in werking op een bij koninklijk besluit te bepalen tijdstip.

WET van 13 oktober 1994, Stb. 800, houdende regels omtrent de vrijwillige verplaatsing naar het buitenland van de statutaire zetel van naamloze vennootschappen, besloten vennootschappen, coöperaties, onderlinge waarborgmaatschappijen en stichtingen in tijden van nood (Wet vrijwillige zetelverplaatsing derde landen)

Wij BEATRIX, bij de gratie Gods, Koningin der Nederlanden, Prinses van Oranje-Nassau, enz. enz. enz.

Allen, die deze zullen zien of horen lezen, saluut! doen te weten:

Alzo Wij in overweging genomen hebben, dat het gewenst is voor naamloze vennootschappen, besloten vennootschappen met beperkte aansprakelijkheid, coöperaties, onderlinge waarborgmaatschappijen en stichtingen de mogelijkheid te openen in tijden van nood hun statutaire zetel vanuit Nederland naar een plaats buiten het Koninkrijk over te brengen;

Zo is het, dat Wij, de Raad van State gehoord, en met gemeen overleg der Staten-Generaal, hebben goedgevonden en verstaan, gelijk Wij goedvinden en verstaan bij deze:

Rechtspersonen die zetel naar derde land kunnen verplaatsen

Art. 1. 1. Een naamloze vennootschap, een besloten vennootschap met beperkte aansprakelijkheid, een coöperatie, een onderlinge waarborgmaatschappij en een stichting kunnen de zetel van de rechtspersoon verplaatsen naar een plaats buiten het Koninkrijk.

2. Een besluit tot zetelverplaatsing treedt niet in werking dan in geval van oorlog, onmiddellijk oorlogsgevaar, revolutie of daarmee vergelijkbare buitengewone omstandigheden.

3. Het in werking treden van het besluit heeft van rechtswege tot gevolg dat de plaats waarheen de zetel is overgebracht, geldt als de zetel van de rechtspersoon.

Besluit tot zetelverplaatsing: bevoegden

Art. 2. 1. Bevoegd tot het nemen van een besluit tot zetelverplaatsing zijn:
a. het bestuur van de rechtspersoon;
b. de algemene vergadering met volstrekte meerderheid van de uitgebrachte stemmen van de ter vergadering aanwezige of vertegenwoordigde stemgerechtigden, indien het niet een stichting betreft;
c. een of meer door de algemene vergadering of door het bestuur bij een in Nederland verleden notariële akte aangewezen personen.

2. Het besluit tot zetelverplaatsing kan inhouden dat de rechtspersoon de staat van naamloze vennootschap, besloten vennootschap met beperkte aansprakelijkheid, coöperatie, onderlinge waarborgmaatschappij of stichting verliest en de staat verkrijgt van de daarmee vergelijkbare rechtspersoon van het recht van het land waarheen de zetel wordt overgebracht.

3. Het besluit kan wijziging van de statuten inhouden.

4. Zolang het besluit niet in werking is getreden, kunnen zij die het hebben genomen dat besluit intrekken of, onder handhaving van dat besluit, wijzigingen in de statuten aanbrengen die van kracht worden indien het besluit in werking treedt.

5. Ieder die overeenkomstig het eerste lid bevoegd is het besluit te nemen en ieder door hem bij een in Nederland verleden notariële akte aangewezen persoon, is bevoegd de veranderingen aan te brengen die nodig blijken om een vereiste goedkeuring of erkenning te verkrijgen van het land waarnaar de zetel is verplaatst.

6. Bij het besluit tot zetelverplaatsing kunnen bestuurders en commissarissen en, bij een stichting, leden van een toezichthoudend orgaan worden benoemd en ontslagen.

7. Bij een aanwijzing als bedoeld in het eerste lid, onder c, kunnen de bevoegdheden bedoeld in het derde tot-en-met het zesde lid voor een of meer van de aangewezen personen worden uitgesloten of beperkt.

Akte van het besluit tot zetelverplaatsing op straffe van nietigheid

Art. 3. 1. Van het besluit tot zetelverplaatsing en van de besluiten bedoeld in artikel 2, tweede tot en met vijfde lid, wordt op straffe van nietigheid een in Nederland te verlijden notariële akte opgemaakt, dan wel worden de vormen in acht genomen die voor wijziging van de statuten zijn vereist in het land waarheen de zetel wordt overgebracht. De akte wordt verleden in de Nederlandse taal of in de officiële taal van het land waarnaar de zetel wordt overgebracht.

2. Onverminderd het bepaalde in artikel 1, tweede lid, is de zetel verplaatst en zijn de besluiten in werking getreden met ingang van de dag waarop de akte is verleden onderscheidenlijk de vormen in acht zijn genomen, tenzij daarvoor een later

tijdstip is bepaald. Is de inwerkingtreding afhankelijk van de vervulling van een voorwaarde, dan geschiedt zij met ingang van de dag waarop de voorwaarde is vervuld.

3. De notaris ten overstaan van wie de akte is verleden, zendt onverwijld een afschrift van de akte aan Onze Minister van Justitie. Indien de zetelverplaatsing geschiedt met inachtneming van de vormen voor wijziging van statuten, vereist in het land waarnaar de zetel wordt overgebracht, doet het bestuur dan wel de persoon die tot het nemen van het besluit tot zetelverplaatsing bevoegd is mededeling van de zetelverplaatsing aan Onze Minister van Justitie.

Terugbrengen naar Nederland van verplaatste zetel bij behouden staat

Art. 4. 1. Een rechtspersoon waarvan de zetel overeenkomstig deze wet is verplaatst naar een land buiten het Koninkrijk en die de staat van naamloze vennootschap, besloten vennootschap met beperkte aansprakelijkheid, coöperatie, onderlinge waarborgmaatschappij of stichting heeft behouden, kan zijn zetel naar Nederland terugbrengen.

2. Een besluit tot het verplaatsen van de zetel wordt genomen door het bestuur of, indien het niet een stichting betreft, door de algemene vergadering.

3. Van het besluit tot het terugbrengen van de zetel wordt op straffe van nietigheid een in Nederland te verlijden notariële akte opgemaakt. De akte wordt verleden in de Nederlandse taal.

4. De zetel is naar Nederland verplaatst met ingang van de dag waarop de akte is verleden, tenzij daarvoor in de akte een later tijdstip is bepaald. Is het verplaatsen van de zetel in de akte afhankelijk gesteld van de vervulling van een voorwaarde, dan geschiedt zij met ingang van de dag waarop de voorwaarde is vervuld.

5. De notaris zendt van de akte bedoeld in het derde lid onverwijld een afschrift aan Onze Minister van Justitie.

Terugbrengen naar Nederland van verplaatste zetel bij verloren staat

Art. 5. 1. De rechtspersoon die door het verplaatsen van de statutaire zetel naar een land buiten het Koninkrijk de staat van naamloze vennootschap, besloten vennootschap met beperkte aansprakelijkheid, coöperatie, onderlinge waarborgmaatschappij of stichting heeft verloren, kan zijn zetel naar Nederland terugbrengen, indien het toepasselijke recht zich daartegen niet verzet.

2. De rechtspersoon zal dezelfde rechtsvorm dienen aan te nemen als hij bezat voordat zijn zetel vanuit Nederland is overgegaan, met dien verstande dat een gewezen naamloze vennootschap de rechtsvorm van een besloten vennootschap met beperkte aansprakelijkheid en een gewezen besloten vennootschap met beperkte aansprakelijkheid de rechtsvorm van een naamloze vennootschap kan aannemen.

3. De verplaatsing van de zetel naar Nederland komt tot stand doordat Onze Minister van Justitie het daartoe strekkende besluit van de rechtspersoon goedkeurt en een in Nederland verleden notariële akte is opgemaakt waarin de statuten zijn opgenomen. De akte wordt verleden in de Nederlandse taal. Aan de goedkeuring kan terugwerkende kracht worden verleend, uiterlijk tot het tijdstip van het besluit tot het terugverplaatsen van de zetel dan wel, indien het in werking treden van dat besluit afhankelijk is gesteld van de vervulling van een voorwaarde, tot het tijdstip van het vervullen van die voorwaarde.

Verzoek tot goedkeuring

4. Bij het verzoek tot goedkeuring worden overgelegd:
a. voldoende bewijs dat de rechtspersoon bestaat;
b. het besluit tot het verplaatsen van de zetel naar Nederland;
c. het besluit tot wijziging van de statuten, indien wijziging nodig is om de statuten in overeenstemming te doen zijn met het Nederlandse recht;
d. een afschrift of een ontwerp van een notariële akte als bedoeld in het derde lid.

5. De goedkeuring wordt geweigerd indien:
a. het besluit niet overeenkomstig het toepasselijke recht is genomen;
b. de statuten van de rechtspersoon niet in overeenstemming zijn met de wettelijke bepalingen.

6. Indien de rechtsvorm van de rechtspersoon de rechtsvorm van naamloze vennootschap of besloten vennootschap met beperkte aansprakelijkheid zal zijn, wordt de goedkeuring voorts geweigerd op grond dat het eigen vermogen kleiner is dan het geplaatste kapitaal of dat, gelet op de antecedenten van de personen die het beleid van de vennootschap zullen bepalen of medebepalen, gevaar bestaat dat de vennootschap zal worden gebruikt voor ongeoorloofde doeleinden of dat haar werkzaamheid zal leiden tot benadeling van haar schuldeisers.

7. De zetelverplaatsing brengt mee dat de rechtspersoon voortbestaat als rechtspersoon naar Nederlands recht.

8. De rechtspersoon doet na de zetelverplaatsing onverwijld de nodige opgaven ter inschrijving in het handelsregister of stichtingenregister. Bij de opgave wordt een authentiek afschrift van de akte bedoeld in het derde lid overgelegd. Zolang de opgave ter inschrijving niet is geschied, zijn de bestuurders naast de rechtspersoon hoofdelijk aansprakelijk voor elke tijdens hun bestuur verrichte rechtshandeling waardoor de rechtspersoon verbonden wordt sedert de dag van de ministeriële goedkeuring, dan wel sedert de dag van de akte indien deze is verleden na de ministeriële goedkeuring.

Consulaire ambtenaar bevoegd tot verlijden akte

Art. 6. 1. Een consulaire ambtenaar als bedoeld in de Consulaire Wet is bevoegd tot het verlijden van een akte als bedoeld in de artikelen 2, eerste lid, onder c, en vijfde lid, 3, eerste lid, 4, derde lid, en 5, derde lid, met dien verstande dat de beperking tot Nederlanders in artikel 1, vierde lid, van de Consulaire Wet niet van toepassing is.

2. De artikelen 3, derde lid, eerste volzin, en 4, vijfde lid, zijn ten aanzien van de consulaire ambtenaar van overeenkomstige toepassing.

3. De door een consulaire ambtenaar of te zijnen overstaan overeenkomstig deze wet verleden akten hebben gelijke kracht als waren zij in Nederland notarieel verleden.

Inwerkingtreding

Art. 7. Deze wet treedt in werking met ingang van de dag na de datum van uitgifte van het Staatsblad waarin zij wordt geplaatst.

Citeertitel

Art. 8. Deze wet kan worden aangehaald als: Wet vrijwillige zetelverplaatsing derde landen.

Imprimé en France

NOTITIES

NOTITIES

NOTITIES

NOTITIES